THE COMPLETE WORKS

OF

JOHN GOWER

G. C. MACAULAY

*

THE FRENCH WORKS

HENRY FROWDE, M.A.

PUBLISHER TO THE UNIVERSITY OF OXFORD

LONDON, EDINBURGH, AND NEW YORK

THE COMPLETE WORKS

OF

JOHN GOWER

EDITED FROM THE MANUSCRIPTS
WITH INTRODUCTIONS, NOTES, AND GLOSSARIES

BY

G. C. MACAULAY, M.A.
FORMERLY FELLOW OF TRINITY COLLEGE, CAMBRIDGE

*

THE FRENCH WORKS

Oxford
AT THE CLARENDON PRESS
1899

Oxford
PRINTED AT THE CLARENDON PRESS
BY HORACE HART, M.A.
PRINTER TO THE UNIVERSITY

PREFACE

THE publication of this book may most conveniently be explained by a short account of the circumstances which brought it about.

While engaged some years ago in studying the Chaucer manuscripts in the Bodleian Library, I incidentally turned my attention also to those of the *Confessio Amantis*. The unsatisfactory character of the existing editions of that poem was sufficiently well known, and it was generally recognized that the printed text could not safely be referred to by philologists, except so far as those small portions were concerned which happened to have been published from a good manuscript by Mr. A. J. Ellis in his *Early English Pronunciation*; so that, in spite of the acknowledged importance of the book in the history of the development of standard literary English, it was practically useless for linguistic studies. I was struck by the excellence of the authorities for its text which existed at Oxford, and on further investigation I convinced myself that it was here that the much needed new edition could best be produced. Accordingly I submitted to the Delegates of the University Press a proposal to edit the *Confessio Amantis*, and this proposal they accepted on the condition that I would undertake to edit also the other works, chiefly in French and Latin, of the same author, expressly desiring that the *Speculum Meditantis*, which I had lately identified while searching the Cambridge libraries for copies of the *Confessio Amantis*, should be included in the publication. To this condition I assented with some hesitation, which was due partly to my feeling that the English text was the only one really needed, and partly to doubts about my own competence to edit the French.

Considering, however, the extent to which the writings of this author in various languages illustrate one another, the help which is to be derived from the French works in dealing with the Romance element in the English not only of Gower, but also of Chaucer and other writers of the time, and the clearer view of the literary position of the *Confessio Amantis* which is gained by approaching it from the French side, I am now disposed to think that the Delegates were right in desiring a complete edition; and as for my own competence as an editor, I can only say that I have learnt much since I first undertook the work, and I have the satisfaction of knowing that I have avoided many errors into which I should once have fallen. For the faults that remain (I speak now of the contents of the present volume) I ask the indulgence of those who are more competent Romance scholars than myself, on the ground that it was clearly desirable under the circumstances that the French and the English should have the same editor. Moreover, I may fairly claim to have given faithful and intelligible texts, and if I have gone wrong in other respects, it has been chiefly because I have wished to carry out the principle of dealing with all difficulties fairly, rather than passing them over without notice.

The English works will occupy the second and third volumes of this edition. From what has been said it will be understood that to publish a correct text of the *Confessio Amantis* has been throughout the main object. For this the materials are so excellent, though hitherto almost completely neglected, that we may with some confidence claim that the work is now presented almost exactly as it left the hand of the author, and that a higher degree of security has been attained about the details of form and orthography than is possible (for example) in regard to any part of the writings of Chaucer. It is evident, if this be so, that the text must have a considerable value for students of Middle English, and none the less because it is here accompanied by a complete glossary. Besides this, the meaning of the text has been made clear, where necessary, by explanation and illustration, and above all by improved punctuation, and the sources of the stories and the literary connexions of the work generally have been traced as far as possible.

In the edition of the *Vox Clamantis*, which with the other Latin works will form the fourth volume of this edition, the most important new contribution, besides the account of the various manuscripts, is perhaps the view presented of the author's political development, as shown in the successive variations of the text. The historical references generally, both in this work and in the *Cronica Tripertita*, have been compared with the accounts given of the same events by other contemporary writers. This volume will also contain a statement of such facts as it is possible to gather with regard to the life of the author.

To a great extent this edition breaks fresh ground, and there are unfortunately but few direct obligations to be acknowledged to former workers in precisely the same field. At the same time the very greatest help is afforded to the editor of Gower by the work that has been done upon Chaucer and other fourteenth-century writers both by societies and individuals, work for which in this country Dr. Furnivall and Professor Skeat, and on the Continent Professor ten Brink, are perhaps most largely responsible.

Much of my work has been done in the Bodleian Library and with Bodleian manuscripts, and I should like to acknowledge the courtesy which I have always received there from the Librarian. My thanks are also due to the Librarians of those Colleges, both at Oxford and Cambridge, which possess Gower manuscripts, and to Dr. Young of the Hunterian Museum, Glasgow, for the trouble which they have taken in giving me facilities for the use of their books, and especially to the Cambridge University Librarian, Mr. Jenkinson, for assistance of various kinds in connexion with the manuscript of the *Mirour de l'Omme*. I am obliged to the Provost and Fellows of Trinity College, Dublin, for the loan of their manuscript of the *Vox Clamantis*, and to several private owners, the Duke of Sutherland, the Marquess of Salisbury, the Marquess of Bute, the Earl of Ellesmere, Lord Middleton, and J. H. Gurney, Esq., for having allowed me to make use of their manuscripts.

Finally, my thanks are due to the Delegates of the Oxford University Press for having undertaken the publication of a book which can hardly be very profitable, and for the consideration which they have shown for me in the course of my work.

OXFORD, 1899.

CONTENTS

	PAGE
INTRODUCTION	xi
MIROUR DE L'OMME	1
CINKANTE BALADES	335
TRAITIÉ POUR ESSAMPLER LES AMANTZ MARIETZ	379
NOTES	393
GLOSSARY AND INDEX OF PROPER NAMES	475
INDEX TO THE NOTES	563

INTRODUCTION

From a statement in Latin which is found in many of the Gower manuscripts, and undoubtedly proceeds from the author himself, we learn that the poet desired to rest his fame upon three principal works, the first in French, the second in Latin, and the third in English. These are the three volumes which, lying one upon another, form a pillow for the poet's effigy in the church of Saint Saviour, Southwark, where he was buried. They are known by the Latin names, *Speculum Meditantis*, *Vox Clamantis*, *Confessio Amantis*, but the first of the three has until recently been looked upon as lost. In addition there are minor poems in each of the three languages, among which are two series of French balades. It will be my duty afterwards to prove the identity of the *Mirour de l'Omme* printed in this volume with our author's earliest principal work, commonly known as *Speculum Meditantis*, but named originally *Speculum Hominis*; in the mean time I shall ask leave to assume this as proved, in order that a general view may be taken of Gower's French writings before we proceed to the examination of each particular work.

The Anglo-Norman[1] literature, properly so called, can hardly

---

[1] I prefer the term 'Anglo-Norman' to 'Anglo-French,' partly because it is the established and well-understood name for the language in question, and partly for the reasons given in Paul's *Grundriss der germ. Philologie*, vol. i. p. 807. It must however be remembered that the term indicates not a dialect popularly spoken and with a true organic development, but

be said to extend beyond the limits of the fourteenth century, and these therefore are among its latest productions. The interest of this literature in itself and its importance with a view to the Romance element in the English language have been adequately recognized within recent years, though the number of literary texts printed is still too small. It is unnecessary therefore to do more here than to call attention to the special position occupied by the works published in this volume, and the interest attaching to them, first on their own merits, then on account of the period to which they belong and the author from whom they proceed, and lastly from the authenticity and correctness of the manuscripts which supply us with their text.

As regards the work which occupies the greater part of the present volume, it would be absurd to claim for it a high degree of literary merit, but it is nevertheless a somewhat noticeable and interesting performance. The all-embracing extent of its design, involving a complete account not only of the moral nature of Man, but of the principles of God's dealings with the world and with the human race, is hardly less remarkable than the thoroughness with which the scheme is worked out in detail and the familiarity with the Scriptures which the writer constantly displays. He has a far larger conception of his subject as a whole than other authors of 'Specula' or classifiers of Vices and Virtues which the age produced. Compare the *Mirour de l'Omme* with such works as the *Speculum Vitae* or the *Manuel des Pechiez*, and we shall be struck not only with the greater unity of its plan, but also with its greater comprehensiveness, while at the same time, notwithstanding its oppressive lengthiness, it has in general a flavour of literary style to which most other works of the same class can lay no claim. Though intended, like the rest, for edification, it does not aim at edification alone : by the side of the moralist there is occasionally visible also a poet. This was the work upon which Gower's reputation rested when Chaucer submitted *Troilus* to his judgement, and

---

a courtly and literary form of speech, confined to the more educated class of society, and therefore especially liable to be influenced by continental French and to receive an influx of learned words taken directly from Latin. The name implies that in spite of such influences it retained to a great extent its individuality, and that its development was generally on the lines of the Norman speech from which it arose.

though he may have been indulging his sense of humour in making Gower one of the correctors of his version of that—

> 'geste
> De Troÿlus et de la belle
> Creseide,'

which the moralist had thought only good enough for the indolent worshipper to dream of in church (*Mir.* 5253), yet the dedication must have been in part at least due to respect for the literary taste of the persons addressed.

If however we must on the whole pronounce the literary value of the *Speculum Meditantis* to be small, the case is quite different with regard to the *Balades*, that is to say, the collection of about fifty love-poems which is found in the Trentham manuscript. These will be discussed in detail later, and reasons will be given for assigning them to the later rather than to the earlier years of the poet's life. Here it is enough to say that they are for the most part remarkably good, better indeed than anything of their kind which was produced in England at that period, and superior in my opinion to the balades of Granson, 'flour of hem that make in France,' some of which Chaucer translated. But for the accident that they were written in French, this series of balades would have taken a very distinct place in the history of English literature.

The period to which the *Speculum Meditantis* belongs, about the beginning of the last quarter of the fourteenth century, is that in which the fusion of French and English elements from which the later language grew may be said to have been finally accomplished. Thanks to the careful work of English and German philologists in recent years, the process by which French words passed into the English language in the period from the beginning of the thirteenth to the end of the fourteenth century has been sufficiently traced, so far as regards the actual facts of their occurrence in English texts. Perhaps however the real nature of the process has not been set forth with sufficient clearness. It is true that before the end of the reign of Edward III the French element may be said to have been almost fully introduced into the vocabulary; the materials lay ready for those writers, the Wycliffite translators of the Bible, Chaucer, and Gower himself, who were to give the stamp of their authority to the language which was to be the literary language of England. Nevertheless, French words were still French for these writers, and not yet English; the fact that the two languages were still used side by side, and that to every Englishman of literary culture the form of French which existed in England was as a second mother tongue, long preserved a French citizenship for the borrowed words. In the earlier part of this period they came in simply as aliens, and their meaning was explained when they were used, 'in *desperaunce*, that is in unhope and in unbileave,' 'two *manere temptaciuns*, two kunne vondunges'; and afterwards for long, even though they had been repeatedly employed by English writers, they were not necessarily regarded as English words, but when wanted they were usually borrowed again from the original source, and so had their phonetic development in French rather than in English. When therefore Anglo-Norman forms are to be cited for English etymology, it is evidently more reasonable that the philologist should look to the latter half of the fourteenth century and give the form in which the word finally passed into the literary language, than to the time of the first appearance of the word in English, under a form corresponding perhaps to the Anglo-Norman of the thirteenth century, but different from that which it assumed in the later Anglo-Norman, and thence in English. More precision in these citations is certainly to be desired, even though the time be past when etymologists were content to refer us vaguely to 'Old French,' meaning usually the sixteenth-century French of Cotgrave, when the form really required was of the fourteenth century and Anglo-Norman. It is not unreasonable to lay down the rule that for words of Anglo-Norman origin which occur in the English literary language of the Chaucer period, illustration of forms and meanings must first be looked for in the Anglo-Norman texts of that period, since the standard writers, as we may call them, that is those who contributed most to fix the standard of the language, in using them had the Anglo-Norman of their own day before their minds and eyes rather than any of the obscure English books in various dialects, where the words in question may have been already used to supply the defects of a speech which had lost its literary elements. Moreover, theories as to the pronunciation of the English of Chaucer's day have been largely supported by reference to the supposed pronunciation of the French words imported into English and the manner in which they are used in rhyme.

Evidently in this case the reference ought to be to the Anglo-Norman speech of this particular period, in the form in which it was used by those writers of English to whose texts we refer.

But this is not all: beside the question of language there is one of literary history. At the beginning of the fourteenth century Anglo-Norman literature had sunk into a very degraded condition. Pierre de Peccham, William of Waddington, Pierre de Langtoft, and the authors of the *Apocalypse* and the *Descente de Saint Paul* make the very worst impression as versifiers upon their modern French critics, and it must be allowed that the condemnation is just. They have in fact lost their hold on all the principles of French verse, and their metres are merely English in a French dress. Moreover, the English metres which they resemble are those of the North rather than of the South. If we compare the octosyllables of the *Manuel des Pechiez* with those of the *Prick of Conscience* we shall see that their principle is essentially the same, that of half-lines with two accents each, irrespective of the number of unaccented syllables, though naturally in English the irregularity is more marked. The same may be said of Robert Grosseteste's verse a little earlier than this, e.g.

> 'Deu nus doint de li penser,
> De ky, par ki, en ki sunt
> Trestuz li biens ki al mund sunt,
> Deu le pere et deu le fiz
> Et deu le seint esperiz,
> Persones treis en trinité
> E un sul deu en unité,
> Sanz fin et sanz comencement,' &c.

It cannot be proved that all the writers of French whom I have named were of the North, but it is certain that several of them were so, and it may well be that the French used in England was not really so uniform, 'univoca,' as it seemed to Higden, or at least that as the South of England had more metrical regularity in its English verse, witness the octosyllables of *The Owl and the Nightingale* in the thirteenth century, so also it retained more formal correctness in its French. However that may be, and whether it were by reason of direct continental influence or of the literary traditions of the South of England, it is certain that Gower represents a different school of versification from that of the writers whom we have mentioned, though he uses the same (or nearly the same) Anglo-Norman dialect, and writes verse which, as we shall see, is quite distinguishable in rhythm from that of the Continent. Thus we perceive that by the side of that reformation of English verse which was effected chiefly by Chaucer, there is observable a return of Anglo-Norman verse to something of its former regularity, and this in the hands of the very man who has commonly been placed by the side of Chaucer as a leader of the new school of English poetry.

In what follows I shall endeavour to indicate those points connected with versification and language which are suggested by a general view of Gower's French works. Details as to his management of particular metres are reserved for consideration in connexion with the works in which they occur.

Gower's metre, as has already been observed, is extremely regular. He does not allow himself any of those grosser licences of suppression or addition of syllables which have been noticed in Anglo-Norman verse of the later period. Like William of Waddington, he apologizes for his style on the ground that he is an Englishman, but in his case the plea is very much less needed. His rhyming also, after allowance has been made for a few well-established Anglo-Norman peculiarities, may be said to be remarkably pure, more so in some respects than that of Frère Angier, for example, who wrote at least a century and a half earlier and was a decidedly good versifier. It is true that, like other Anglo-Norman writers, he takes liberties with the forms of words in flexion in order to meet the requirements of his rhyme, but these must be regarded as sins against grammar rather than against rhyme, and the French language in England had long been suffering decadence in this respect. Moreover, when we come to examine these vagaries, we shall find that they are by no means so wild in his case as they had been in that of some other writers, and that there is a good deal of method in the madness. The desired effect is attained principally by two very simple expedients. The first of these is a tolerably extensive disregard of gender, adjectives being often used indifferently in the masculine or the feminine form, according to convenience. Thus in the *Balades*[1] we have 'chose *humein*' xxiv. 3, but 'toute autre chose est *veine*' xxxiii. 2, 'ma fortune

[1] The references to the *Balades* and *Traitié* are by stanza, unless otherwise indicated.

est *assis*' ix. 5, 'la fortune est *faili*' xx. 3, 'corps *humeine*' xiv. 1, 'l'estée vient *flori*' ii. 1, 'l'estée beal *flori*' xx. 2, but 'La cliere estée' xxxii. 2, and the author says '*ce* (*ceo*) lettre' (ii. 4, iii. 4), or '*ceste* lettre' (xv. 4), according as it suits his metre. Similarly in the *Mirour* l. 92 ff.,

> 'Siq'en apres de celle issue,
> Que de leur corps serroit *estrait*,
> Soit restoré q'estoit *perdue*' &c.,

for *estraite, perdu*, l. 587 *hony* for *honie*, 719 'la Char *humein*,' 911 *replenis* for *replenies*, 1096 'deinz son cuer *maliciouse*.' From the use of *du, au* by our author nothing must be inferred about gender, since they are employed indifferently for the masculine or feminine combination, as well as for the simple prepositions *de, à*; and such forms as *celestial*, in *Bal. Ded.* i. 1, *cordial, enfernals, mortals, Mir.* 717, 1011, 1014, are perhaps reminiscences of the older usage, though the inflected feminine is also found. The question of the terminations *é, ée* will be dealt with separately.

No doubt the feeling for gender had been to some extent worn away in England; nevertheless the measure in which this affects our author's language is after all rather limited. A much more wide-reaching principle is that which has to do with the 'rule of *s*.' The old system of French noun inflexion had already been considerably broken up on the Continent, and it would not have been surprising if in England it had altogether disappeared. In some respects however Anglo-Norman was rather conservative of old forms, and our author is not only acquainted with the rule, but often shows a preference for observing it, where it is a matter of indifference in other respects. Rhyme however must be the first consideration, and a great advantage is obtained by the systematic combination of the older and the newer rule. Thus the poet has it in his power either to use or to omit the *s* of inflexion in the nominatives singular and plural of masculine nouns, according as his rhymes may require, and a few examples will show what use he makes of this licence. In *Bal. Ded.* i. 3 he describes himself as

'Vostre Gower, q'est trestout *vos soubgitz*,'

but in rhyme with this the same form of inflexion stands for the plural subject, 'u sont les *ditz floriz*,' and in xxvi. 1 he gives us nearly the same expression, 'q'est tout vostre *soubgit*,' without the inflexion. So in iv. 3 we have 'come *tes loials amis*' (sing. nom.), but in the very same balade '*ton ami* serrai,' while in *Trait.* iii. 3 we have the further development of *s* in the oblique case of the singular, 'Loiale amie avoec *loials amis.*' In *Bal.* xviii. 1 *menu* is apparently fem. pl. for *menues,* while *avenu,* rhyming with it, is nom. sing. masc.; but so also are *conuz, retenuz, venuz,* in xxxix, while *veeuz* is sing. object., and in the phrase 'tout bien sont *contenuz*' there is a combination of the uninflected with the inflected form in the plural of the subject. Similarly in the *Mirour* we have *principals, desloyals,* ll. 63, 70, as nom. sing., and so *governals, desloyals* 627, 630, but *espirital* 709, *principal, Emperial,* 961 ff., are forms used elsewhere for the same. Again as nom. sing. we have *rejoïz* 462, *ruez, honourez, malurez* 544 ff., &c., and as nom. plur. *enamouré* 17, *retorné* 792, *marié* (f) 1010, *née* 1017, *maluré* 1128, *il* 25064; but also *enamouré* 220, *privé* 496, *mené* 785, &c., as nom. singular, and *perturbez, tuez,* 3639 ff., *travaillez, abandonnez,* 5130 ff., as nom. plural: 'ce dist *ly sage*' 1586, but 'il est *nounsages*' 1754, and '*Ly sages* dist' 3925, *ly soverein* 76, but *ly capiteins* 4556, and so on. We also note occasionally forms like that cited above from the *Traitié,* where the *s* (or *z*) of the termination has no grammatical justification at all; e.g. *enginez* 552, *confondus* 1904, 'fort et *halteins*' (obj.) 13024, cp. *offenduz, Bal.* xxxix. 2, and cases where the rules which properly apply to masculine nouns only are extended to feminines, as in *perdice* (pl.) 7831, *humilités, pités* (sing.), 12499, 13902.

Besides these two principal helps to rhyme the later Anglo-Norman versifier might occasionally fall back upon others. In so artificial a language as that in which he wrote, evidently the older forms of inflexion might easily be kept up for literary purposes in verbs also, and used side by side with the later. Thus in the 1st pers. pl. of the present tense we find *lison* (*lisoun*) repeatedly in rhyme, and occasionally other similar forms, as *soion* 18480. The 1st pers. sing. of the present tense of several strong verbs is inflected with or without *s* at pleasure: thus from *dire* we have *di, dy,* as well as *dis*; *faire* gives *fai* or *fais*; by the side of *suis* (sum), *sui* or *suy* is frequently found; and similarly we have *croy, say, voi.* In the same part of first-conjugation verbs the atonic final *e* is often dropped, as *pri, appell, mir, m'esmai, suppli.* In the third person singular of

LANGUAGE

the preterite of *i* verbs there is a variation in the ending between *-it* (*-ist*) and *-i* (*-y*). Thus in one series of rhymes we have *nasquit, s'esjoït* (in rhyme with *dit*, &c.), 268 ff., in another *s'esjoÿ, chery, servi* (in rhyme with *y*), 427 ff.; in one stanza *fuÿt, partist,* 11416 ff., and in the next *respondi,* 11429; so *chaït* (*chaïst*) and *chaÿ, obeït* and *obeï,* &c. It may be doubted also whether such words as *tesmoignal, surquidance, presumement, bestial* (as subst.), *relinquir,* &c., owe their existence to any better cause than the requirements of rhyme or metre. In introducing *ent,* 11471, for the usual *en* the poet has antiquity on his side: on the other hand when he writes *a* repeatedly in rhyme for the Anglo-Norman *ad* (which, except in these cases, is regularly used) he is no doubt looking towards the 'French of Paris,' which naturally tended to impose itself on the English writers of French in the fourteenth century. By the same rule he can say either *houre* or *heure, flour* or *fleur, crestre* or *croistre, crere* or *croire*; but on the whole it is rather surprising how little his language seems to have been affected by this influence.

The later Anglo-Norman treatment of the terminations *-é* and *-ée* in past participles and in verbal substantives would seem to demand notice chiefly in connexion with rhyme and metre, but it is really a question of phonology. The two terminations, as is well known, became identified before the beginning of the fourteenth century, and it is needless to quote examples to show that in Gower's metre and rhymes *-ée* was equivalent to *-é*. The result of this phonetic change, consisting in the absorption of the atonic vowel by the similar tonic which immediately preceded it, was that *-é* and *-ée* were written indiscriminately in almost all words with this ending, and that the distinction between the masculine and feminine forms was lost completely in pronunciation and to a very great extent also in writing. For example in *Mir.* 865 ff. we have rhyming together *degré, monté* (fem.), *mué, descolouré* (fem.), *enbroudé, poudré* (fem. plur.); in 1705 ff. there is a series of rhymes in *-ée, bealpinée, engalopée, assemblée, ascoultée* (pl.), *malsenée, doublée,* all masculine except the substantive *assemblée*; and in other stanzas the endings are mixed up anyhow, so that we have *aisnée, maluré,* 244 f., both feminine, *mené, heritée,* 922 f., the first feminine and the second masculine, *ymaginée, adrescée, Bal.* vi, both masculine. In all Gower's

French verse I can recall only three or four instances where an atonic final *e* of this kind is counted in the metre: these are *a lée chiere, ove lée (liée) chiere, du lée port*[1], *Mir.* 5179, 15518, 17122, 28337, and *Et ta pensée celestine* 29390. In the last the author perhaps wrote *penseie*, as in 14404, since the condition under which the sound of this -*e* survived in Anglo-Norman was usually through the introduction of a parasitic *i*-sound, which acted as a barrier to prevent the absorption of the final vowel[2]. So *Mir.* 10117 we have a word *pareies*, in rhyme with the substantives *pareies* (walls), *veies*, &c., which I take to be for *parées*, fem. plur. of the participle, and in the same stanza *journeies*, a modification of *journées*: cp. *valeie, journeie*, in Middle English.

I proceed to note such further points of the Phonology as seem to be of interest.

i. French *e, ie*, from Lat. *a, ĕ*, in tonic syllables.

The French diphthong *ie*, from Lat. *a* under the influence of preceding sound and from *ĕ*, was gradually reduced in Anglo-Norman to *ę* (i. e. close *e*). Thus, while in the earliest writers *ie* is usually distinguished in rhyme from *e*, those of the thirteenth century no longer keep them apart. In the *Vie de S. Auban* and the writings of Frère Angier the distinction between verbs in -*er* and those in -*ier* has been, at least to a great extent, lost: infinitives and participles, &c., such as *enseign(i)er, bris(i)er, eshauc(i)er, mang(i)er, jug(i)é, less(i)é, dresc(i)é, sach(i)ez*, and substantives such as *cong(i)é, pecch(i)é*, rhyme with those which have the (French) termination, -*er*, -*é*, -*ez*. At the same time the noun termination -*ier* comes to be frequently written -*er*, as in *aumosner, chevaler, dener, seculer*, &c. (beside *aumosnier, chevalier, denier, seculier*), and words which had *ie* in the stem were often written with *e*, as *bref, chef, cher, pere* (petram), *sé*, though the other forms *brief, chief, chier, piere, sié*, still continued to be used as alternatives in spelling[3]. It is certain that in the fourteenth century no practical distinction was made between

---

[1] But the same word in other connexions is a monosyllable, as *q'ils lées en soiont* 28132, and rhymes with *magesté, degré*, &c., 27575, 28093, 28199.

[2] We have in *Mir.* 6115 *Oseë dist en prophecie*, and so too *Oseë* 11018, *Judeë* 20067, and *Galileë* 29239, but *Galilée* in rhyme with *retrové* 28387.

[3] Cp. *Romania*, xii. 194. I am much indebted to M. Paul Meyer's notes on the *Vie de S. Grégoire*, as well as to his other writings.

the two classes of verbs that have been indicated: whether written *-ier, -ié, -iez,* or *-er, -é, -ez,* the verbal endings of which we have spoken rhymed freely with one another and with the similar parts of all verbs of the first conjugation, and the infinitives and past participles of all first-conjugation verbs rhymed with substantives ending in *-(i)er, -(i)é, -é*: thus *pecché, enamouré, commencé, bestialité, Mir.* 16 ff., *resemblé, chargé, sainteté,* 1349, *coroucié, piée, degré,* 5341, are good sets of rhymes, and so also are *deliter, seculer, plenier,* 27 ff., *coroucer, parler, mestier, seculier, considerer,* 649 ff., and *leger, archer, amender, comparer,* 2833 ff. The case is the same with words which have the original (French) *ie* in the stem, but notwithstanding the fact that the diphthong sound must have disappeared, the traditional spelling *ie* held its ground by the side of the other, and even extended itself to some words which had never had the diphthong sound at all. Thus in the fourteenth century, and noticeably in Gower's works, we meet with such forms as *clier, clief, mier* (mare), *miere* (matrem), *piere* (patrem), *pier* (parem), *prophiete, tiel,* &c., beside the normal forms *cler, clef, mer, mere,* &c. This phenomenon, which has caused some difficulty, is to be accounted for by the supposition that *ie,* having lost its value as a diphthong, came to be regarded as a traditional symbol in many cases for long closed *e,* and such words as rhymed on this sound were apt to become assimilated in spelling with those that originally had *ie* and partly preserved it; thus *tel* in rhyme with *ciel, fiel,* might easily come to be written *tiel,* as *Mir.* 6685; *clere, pere,* rhyming with *maniere, adversiere,* &c., might be written *cliere, piere,* as in *Mir.* 193 ff., merely for the sake of uniformity, and similarly *nef* when in rhyme with *ch(i)ef, relief,* &c., sometimes might take the form *nief*; and finally these spellings might become established independently, at least as alternatives, so that it was indifferent whether *labourer, seculer, bier,* or *labourier, seculier, ber,* stood as a rhyme sequence, whether *clere, appere* was written or *cliere, appiere.* It may be noted that *pere, mere, frere,* belonged to this class and were rhymed with *ę.* They are absolutely separated in rhyme from *terre, guerre, enquere, affere, contrere,* &c. The adjective ending *-el* rhymes with *-iel* and often appears as *-iel*: so in 3733 ff. we have the rhymes *mortiel, Michel, fraternel, viel,* in 6685 ff., *desnaturel, ciel, fiel, espiritiel,* and in 14547 ff. *celestiel, mortiel, ciel, temporiel,* &c. Questions have been raised about the quality of the *e* in this termination generally[1], but the evidence here is decidedly in favour of *ę*, and the rhymes *bel*, *apell*, *flaiell*, are kept apart from this class. It must be observed however that *fel* (adj.), spelt also *feel*, appears in both classes, 4773, 5052. The variation *-al*, which, as might be expected, is extremely common, is of course from Latin and gives no evidence as to the sound of *-el*, from which it is quite separate in rhyme. Before a nasal in verbs like *vient*, *tient*, *ie* is regularly retained in writing, and these words and their compounds rhyme among one another and with *crient*, *ghient*, *nient*, *fient*, &c. Naturally they are separated from the *ę* of *aprent*, *commencement*, *sagement*, &c. The forms *ben*, *men*, *ren*, which occur for example in the *Vie de S. Grégoire* for *bien*, *mien*, *rien*, are not found in Gower. Finally it may be noticed that beside *fiere*, *appiere*, *compiere*, from *ferir*, *apparer*, &c., we have *fere*, *appere*, *compere*, which in rhyme are as absolutely separated from *fere* (= *faire*), *terre*, *requere* (inf.), as *fiert*, *piert*, *quiert*, &c., are from *apert*, *overt*, *pert*. More will have to be said on the subject of this *ie* when we are confronted with Gower's use of it in English.

ii. French *ai* in tonic syllables.

(*a*) *ai* before a nasal was in Anglo-Norman writing very commonly represented by *ei*. This is merely a question of spelling apparently, the sound designated being the same in either case. Our author (or his scribe) had a certain preference for uniformity of appearance in each set of rhymes. Thus he gives us first *solein*, *plein*, *soverein*, *certein*, *mein*, *Evein*, in *Mir.* 73 ff., then *vain*, *grain*, *main*, *gain*, *pain*, *vilain*, 2199 ff.; or again *haltaines*, *paines*, *acompaines*, *compaines*, *restraines*, *certaines*, 603 ff., but *peine*, *constreine*, *vileine*, *peine* (verb), *aleine*, *procheine*, 2029 ff. Sometimes however the two forms of spelling are intermixed, as *vein*, *pain*, *main*, &c., 16467 ff., or *meine*, *humeine*, *capitaine*, 759 ff. Some of the words in the *ai* series, as *pain*, *gain*, *compaine*, are spelt with *ai* only, but there are rhyme-sequences in *-ain* without any of these words included, as 6591 ff., *main*, *prochain*, *vilain*, *certain*, *vain*, *sain*; also words with original French *ei*, such as *peine*, *constreine*, *restreines*, *enseigne*, *plein* (plenus), *veine*

---

[1] See Sturmfels in *Anglia*, viii. 220, and Behrens, *Franz. Studien*, v. 84. I take this opportunity of saying that I am indebted both to the former's *Altfranz. Vokalismus im Mittelenglischen* and to the latter's *Beiträge zur Geschichte der französischen Sprache in England*.

PHONOLOGY

(vena), *meinz* (minus), *atteins, feinte, exteinte,* enter into the same class. Thus we must conclude that before a nasal these two diphthongs were completely confused. It must be noted that the liquid sound of the nasal in such words as *enseigne, plaigne,* had been completely lost, but the letter *g* with which it was associated in French continued to be very generally written, and by the influence of these words *g* was often introduced without justification into others. Thus we have the rhymes *ordeigne, meine, semeigne* (= *semaine*), *desdeigne, peine,* 2318 ff.; *peigne* (= *peine*), *compleigne, pleine, meine, halteigne, atteigne,* in *Bal.* iii; while in *gaign, bargaign,* rhyming with *grain, prochain,* &c., *g* is omitted at pleasure. Evidently in the Anglo-Norman of this period it had no phonetic value.

(*b*) When not before a nasal, *ai* and *ei* do not interchange freely in this manner. Before *l, ll,* it is true, *ei* has a tendency to become *ai,* as in *conseil consail* (also *consal*), *consei*(*l*)*ler consail*(*l*)*er, merveille mervaille*; also we have *contrefeite, souffreite,* 6305 ff., *eie* for *aie* (*avoir*), *eir* for *air* 13867, *gleyve* 14072, *meistre* 24714, *eide* (*eyde*) for *aide* in the rubric headings, *paleis* (*palois*) for *palais,* and *vois* (representing *veis*) sometimes for *vais* (vado); also in ante-tonic syllables, *cheitif, eiant, eysil, leiter, meisoun, meistrie, oreisoun, peisible, pleisir, seisine, veneisoun,* beside *chaitif, allaiter, maisoun, maistrie, paisible, plaisir, saisine.* This change is much less frequent, especially in tonic syllables, than in some earlier texts, e. g. the *Vie de S. Grégoire.*

The Anglo-Norman reduction of the diphthong *ai* and sometimes *ei* to *e,* especially before *r* and *s,* still subsists in certain words, though the Continental French spelling is found by its side. Thus we have *fere, affere, forsfere, mesfere, plere, trere, attrere, retrere, tere, debonere, contrere,* rhyming with *terre, guerre, quer*(*r*)*e,* &c.; also *mestre, nestre, pestre,* rhyming with *estre, prestre*; and *pes, fes* (fascem), *fetz, mes, jammes, reles*(*s*), in rhyme with *ades, pres, apres, deces*(*s*), *Moÿses, dess, mess, confess.* (This series of rhymes, which has *ę*, is of course kept distinct from that which includes the terminations -*és* (-*ez*) in participles, &c., and such words as *ées, dées, lées, prées, asses, malfés,* &c., which all have *ę*.) We find also *ese* (with the alternative forms *aese, ease,* as well as *aise*), *frel, ele, megre, plee* (*plai, plait*), *trete, vinegre,* and in ante-tonic syllables *appeser, enchesoun, fesance, feture, lesser, mesoun, mestrie, phesant, pleder, plesance, plesir, sesoun, tresoun, treter.* In the case of many of these words the form with *ai* is also used by our author, but the two modes of spelling are kept apart in rhymes (except l. 18349 ff., where we have *tere, terre, aquerre, faire, mesfaire*), so that *affere, attrere*, rhyme with *terre*, but *affaire, attraire*, with *haire, esclaire, adversaire*, and, while *jammes* is linked with *apres, ades, pes*, we find *jammais* written when the rhyme is with *essais, lais, paix.* This may be only due to the desire for uniformity in spelling, but there is some reason to think that it indicates in these words an alternative pronunciation.

It is to be observed that on the neutral ground of *e* some words with original *ei* meet those of which we have been speaking, in which *ai* was reduced to *e* in rather early Anglo-Norman times. Thus we have *crere* rhyming with *terre, affere,* &c.; *crestre, acrestre, descrestre,* with *estre, nestre*; and *encres, descres, malves,* with *apres, pes.* These forms, which have descended to our author from his predecessors, are used by him side by side with the (later) French forms *croire, croistre, acroistre, descroistre, encrois, descrois,* and these alternative forms must undoubtedly be separated from the others in sound as well as in spelling. This being so, it is not unreasonable to suppose that the case was the same with the *ai* words, and that in adopting the Continental French forms side by side with the others the writer was bringing in also the French diphthong sound, retaining however the traditional Anglo-Norman pronunciation in both these classes of words where it happened to be more convenient or to suit his taste better.

(*c*) The French terminations *-aire* and *-oire*, from Lat. *-arius, oria, -orius,* are employed by Gower both in his French and English works in their Continental forms, the older Anglo-Norman *-arie, -orie,* which passed into English, being hardly found in his writings. The following are some of the words in question, most of which occur in the *Confessio Amantis* in the same form: *adversaire, contraire (contrere), doaire, essamplaire, lettuaire, necessaire, saintuaire; consistoire, Gregoire, histoire, memoire, purgatoire, victoire.* We have however exceptionally *rectorie* 16136, accented to rhyme with *simonye*, and also (from Lat. *-erium*) *misteri* (by the side of *misteire*) accented on the ante-penultimate.

iii. French *ei* not before a nasal.

This diphthong, which appears usually as *ei* in the Anglo-Norman texts of the thirteenth century, is here regularly represented by *oi* and levelled, as in the French of the Continent, with original French *oi*. In its relations to *e* and *ai* it has already been spoken of; at present we merely note that the later French form is adopted by our author with some few exceptions both in stems and flexion. Isolated exceptions are *deis* (debes) for *dois*, *heir* by the side of *hoir*, *lampreie*, *malveis* (also *malvois*, *malves*), *teille*, and *vei* (vide) from *veoir*; also in verbs of the *-ceivre* class and in derivatives from them it is often retained, as *resceivre* (but *reçoit*, *resçoivre*), *receipte*, *conceipt* (also *conçoit*), *conceive*, *deceite*, &c. Under the influence of rhyme we have in 6301 ff. *espleite*, *estreite*, *coveite*, rhyming with *deceite*, *contrefeite*, *souffreite*, and 10117 ff. *pareies* (parietes), *veies*, *preies*, *moneies* rhyming with *pareies* and *journeies* (for *parées*, *journées*); but elsewhere the forms are *exploite*, *estroite*, *covoite*, *voie*, *proie*, *monoie*, and, in general, Anglo-Norman forms such as *mei*, *rei*, *fei*, *treis*, *Engleis*, have disappeared before the French *moi*, *roi*, *foy*, *trois*, &c.

The terminations of infinitives in *-eir* have become *-oir*, except where the form has been reduced to that of the first conjugation; and those of imperfects and conditionals (imperfects reduced all to one form) have regularly *oi* instead of *ei*. There is no intermixture of *ei* and *oi* inflexions, such as we find in Angier, in the *Vie de S. Auban*, and in Bozon. In a few isolated instances we have *ai* for this *oi* of inflexion, as *poait* in *Mir.* 795, *solait* 10605 &c. (which last seems to be sometimes present rather than imperf.), and *volait* 13763. Also occasionally in other cases, as *curtais*, 5568, in rhyme with *mais*, *mesfais*, &c., elsewhere *curtois*, *array*, 18964, rhyming with *nay*, *essay*, usually *arroy*, and *desplaie*, *manaie*, *Bal.* xxvii. 2, elsewhere *desploie*, *manoie*. There is however nothing like that wholesale use of *ai* for *ei* (*oi*) which is especially characteristic of Langtoft, who besides the inflexion in *-ait* has (for example) *may*, *cray*, *ray*, for *moi*, *croy*, *roi*.

In ante-tonic syllables we may note the *ei* of *beneiçoun*, *freidure*, *leisir* (usually *loisir*), *Malveisie*, *peitrine* (also *poitrine*), *veisin* (beside *voisin*), *veisdye*, &c., and *ai* in *arraier*, *braier*.

iv. The diphthong *oe* (*ue*) is written in a good many words,

xxvi INTRODUCTION

but it may be doubted whether it had really the pronunciation of a diphthong. The following list contains most of the words in which it is found in the tonic syllable: *avoec, boef, coecs* (coquus), *coer, controeve, demoert, doel, joefne, moeble, moel, moet moeve* (from *movoir*), *moers moert moerge* (from *morir*), *noeces, noef, noet, oef, oel, oeps, oevre, poeple, poes poet, proesme, soe, soeffre, soen, troeffe, troeve, voegle, voes* (also *voels*), *voet* (also *voelt*). In the case of many of these there are variations of form to *o, u, ue,* or *ui*; thus we have *cuer* (the usual form in the *Mirour*), *controve, jofne, noces, owes* (dissyll. as plur. of *oef,* also *oefs, oes*), *ovre, pueple, pus* (also *puiss*), *puet* (also *poot*), *prosme, sue, truffe, trove, volt,* and (before an original guttural) *nuit, oill* (oculum). Two of these words, *cuer* and *oel,* occur in rhyme, and they both rhyme with ę: *mortiel, oel, fraternel, viel,* 3733 ff., and *cuer, curer, primer,* 13129 ff., by which it would appear that in them at least the diphthong sound had been lost: cp. *suef* in rhyme with *chief, relief, Bal.* L. 2. The same rhyming of *cuer* (*quer*) occurs in the *Vie de S. Auban,* in Langtoft and in Bozon (see M. Meyer's introduction to Bozon's *Contes Moralizés*). With *avoec* we also find *aveoc* and *avec, veot* occurs once for *voet,* and *illeoc, illeoque*(*s*), are the forms used from Lat. *illuc.*

v. French ǫ (*eu, ou*) from Latin ō (not before nasal).

The only cases that I propose to speak of here are the terminations of substantives and adjectives corresponding to the Latin -*orem,* -*osus,* or in imitation of these forms. Our author has here regularly *ou*; there is hardly a trace of the older forms in -*or,* -*ur,* and -*os,* -*us,* and surprisingly few accommodated to the Continental -*eur* and -*eus.* The following are most of the words of this class which occur with the -*eur, -eus,* endings: *pescheur* (piscatorem), *fleur, greigneur, honeur, meilleur, seigneur* (usually *flour, greignour, honour, meillour, seignour*); *boscheus, honteus* (usually *hontous*), *joyeuse* (fem.) but *joyous* (masc.), *oiceus* (*oiseus*), *perceus, piteus* (more often *pitous*). We have also *blasphemus,* 2450, which may be meant for *blasphemous,* and *prodegus,* 8425 ff., which is perhaps merely the Latin word 'prodigus.' Otherwise the terminations are regularly -*our,* -*ous,* except where words in -*our* vary to -*ure,* as *chalure,* for the sake of rhyme. The following are some of them, and it will be seen that those which passed into

PHONOLOGY   xxvii

the literary English of the fourteenth century for the most part appeared there with the same forms of spelling as they have here. Indeed not a few, especially of the *-ous* class, have continued unchanged down to the present day.

In *-our*: *ardour, blanchour, brocour, chalour* (also *chalure*), *colour, combatour, confessour, conquerour, correctour, currour, desirour, despisour, devorour, dolour, emperour* (also *empereour, emperere*), *executour, favour, gouvernour, guerreiour, hisdour, honour, irrour, labour, langour, lecchour* (also *lecchier*), *liquour, mockeour, palour, pastour, persecutour, portour, possessour, pourchaçour* (also *pourchacier*), *priour, procurour* (also *procurier*), *professour, proverbiour* (*-ier, -er*), *questour* (*-ier*), *rancour, robbeour, seignour, senatour, supplantour, terrour, tricheour, valour, ven(e)our, venqueour, vigour, visitour*.

In *-ous*: *amorous, averous, bataillous, bountevous, busoignous, chivalerous, contagious, coragous, corouçous, covoitous, dangerous, despitous, dolourous, enginous, envious, famous, fructuous, glorious, gracious, grevous, irrous, joyous, laborious, leccherous, litigious, malencolious, merdous, merveillous, orguillous, perilous, pitous, precious, presumptuous, ruinous, solicitous, tricherous, venimous, vergondous, vertuous, vicious, victorious, viscous*.

vi. French *ǫ* before nasal, Latin *ō, ŏ, u*.

(*a*) Except where it is final, *on* usually remains, whether followed by a dental or not. The tendency towards *ou*, which produced the modern English *amount, account, abound, profound, announce*, &c., is here very slightly visible. Once *blounde* occurs, in rhyme with *monde, confonde*, &c., and we have also *rounge* 2886 (*runge* 3450) and *sounge* 5604 (also *ronge, songe*), and in antetonic syllables *bounté, bountevous, nouncier* (also *noncier*), *plunger* (also *plonger*), *sounger*, and words compounded with *noun*, as *nounsage, nouncertein*, &c. On the other hand *seconde, faconde, monde, abonde, rebonde, responde*, 1201 ff., *monde* (adj.), *bonde, redonde*, 4048 ff., *suronde, confonde*, 8199 ff., *monde, onde, confonde*, 10838 ff., *amonte, honte, accompte, conte, surmonte, demonte*, 1501 ff. The *-ount* termination in verbal inflexion, which is common in Bozon, *ount, sount, fount, dirrount*, &c., is not found here except in the Table of Contents.

(*b*) When a word ends with the nasal, *-on* is usually developed into *-oun*. In Gower's French a large proportion of the words with this ending have both forms (assuming always that the abbreviation -*on* is to be read -*oun*, a point which will be discussed hereafter), but -*oun* is the more usual, especially perhaps in rhyme. The older Anglo-Norman -*un* has completely disappeared. Words in -*oun* and -*on* rhyme freely with one another, but the tendency is towards uniformity, and at the same time there is apparently no rhyme sequence on the ending -*on* alone. The words with which we have to deal are, first, that large class of common substantives with terminations from Lat. -*onem*; secondly, a few outlandish proper names, *e.g. Salomon, Simon, Pharaon, Pigmalion*, with which we may class occasional verbal inflexions as *lison, soion*; and, thirdly, a certain number of other words, chiefly monosyllables, as *bo*(*u*)*n, doun, mo*(*u*)*n, no*(*u*)*n,* (=*non*)*, noun* (=*nom*)*, reboun, renoun, so*(*u*)*n* (pron.)*, soun* (subst.)*, to*(*u*)*n,* also *respoun* (imperative). In the first and third class -*oun* is decidedly preferred, but in the second we regularly find -*on*, and it is chiefly when words of this class occur in the rhyme that variations in the others are found in this position. Thus l. 409 ff. we have the rhymes *noun, temptacioun, soun, resoun, baroun, garisoun*; 689 ff. *contemplacioun, tribulacioun, temptacioun, collacioun, delectacioun, elacioun*; so also in 1525 ff., and even when *Salomon* comes in at ll. 1597 and 1669, all the other rhymes of these stanzas are -*oun*: *presumpcioun, respoun, resoun, noun, doun*, &c. At 2401 however we have *maison, noun, contradiccioun, lison*; 2787 *Salomon, leçon, enchesoun, resoun*; 4069 *noun, tençon, compaignoun, feloun, Catoun, confessioun*; and similarly *façon* 6108, *religion* (with *lison*) 7922, *lison, lion, giroun, enviroun, leçon, noun,* 16801 ff. (yet *lisoun* is also found, 24526). On the whole, so far as the rhymes of the *Mirour* are concerned, the conclusion must be that the uniformity is broken chiefly by the influence of those words which have been noted as written always, or almost always, with -*on*. In the *Balades* and *Traitié*, however, the two terminations are more equally balanced; for example in *Bal.* xxxv we find *convocacion, compaignon, comparison, regioun, noun, supplicacion, eleccion, condicioun*, &c., without any word of the class referred to, and *Traitié* xii has four rhymes in -*on* against two in -*oun*. On the whole I am disposed to think that it is merely a question of spelling, and it must be remembered that in the MSS. -*oun* is very rarely written out in full, so that the difference between the two forms is very slight even in appearance.

vii. The Central-French *u* was apparently identified in sound

PHONOLOGY

with *eu*, and in some cases not distinguished from *ui*. The evidence of rhymes seems quite clear and consistent on this point. Such sequences as the following occur repeatedly: *abatu, pourveu, deçu, lieu, perdu, salu,* 315 ff.; *truis, perduz, Hebrus, us, jus, conclus,* 1657 ff.; *hebreu, feru, eeu, tenu, neveu, rendu,* 4933 ff.; *plus, lieus, perdus, conçuz, huiss, truis,* 6723 ff.; *fu, lu* (for *lieu*), *offendu, dieu,* in *Bal.* xviii; and with the ending *-ure, -eure*: *demeure, l'eure, nature, verdure, desseure, mesure,* 937 ff.; *painture, demesure, aventure, jure, hure, controveure,* 1947 ff., &c. This being so, we cannot be surprised at such forms as *hebru* for *hebreu, lu* for *lieu, fu* for *feu, hure, demure, plure,* for the Continental French *heure, demeure, pleure,* or at the substitutions of *u* for *ui*, or *ui* for *u* (*eu*), in *aparçut aparçuit, huiss huss, plus pluis, pertuis pertus, puiss pus, construire construre, destruire destrure, estruis estrus, truis trieus.* As regards the latter changes we may compare the various spellings of *fruit, bruit, suit, eschuie, suie*[1], in Middle English. It should be mentioned however that *luy* rhymes regularly with *-i* (*-y*), as *chery, servi, dy.* In some cases also *ui* interchanges with *oi*, as in *buiste* beside *boiste, enpuisonner* beside *poisoun.* This is often found in early Anglo-Norman and is exemplified in M.E. *buyle boyle, fuysoun foysoun, destroye destruien.* On this change and on that between *ui* and *u* in Anglo-Norman see Koschwitz on the *Voyage de Charlemagne,* pp. 39, 40.

viii. *aun* occurs occasionally for *an* final or before a consonant e.g. in *aun* (annum) *Mir.* 6621, *Bal.* xxiii. 2, *saunté*(*e*) *Mir.* 2522, *Ded.* ii. 5, &c., *dauncer* 17610, *paunce* 8542, *fiaunce, sufficaunce, Bal.* iv, *governaunce, fraunchise, fraunchement,* in the Table of Contents; but much more usually not, as *Alisandre, an* (1932), *avant, dance* (1697), *danger, danter, France, change, fiance* (*Bal.* xiii. &c.), *lance, lande, pance* (5522 &c.), *sergant, sufficance* (1738 &c.), *vante,* and in general the words in *-ance.*

ix. Contraction or suppression of atonic vowels takes place in certain cases besides that of the termination *-ée*, which has already been discussed.

(*a*) When atonic *e* and another vowel or diphthong come together in a word they are usually contracted, as in *asseurer, commeu, eust, receu, veu* (2387), *vir* (for *veïr*), *Beemoth, beneuré,*

---

[1] Those who quote *eschiue, siue,* as from Gower, e. g. Sturmfels, in *Anglia,* ix, are misled by Ellis.

benoit, deesce, emperour, mirour, obeissance, rançon, seur, &c., but in many instances contraction does not take place, as *cheeu, eeu, veeu, veïr, veoir, empereour* (23624), *leësce, mireour* (23551), *tricheour, venqueour, meëment*, &c.

(*b*) In some words with *-ie* termination the accent falls on the antepenultimate, and the *i* which follows the tonic syllable is regularly slurred in the metre and sometimes not written. Such words are *accidie, contumelie, familie, misterie, perjurie, pluvie, remedie, vituperie*, and occasionally a verb, as *encordie*.

The following are examples of their metrical treatment:—

'Des queux l'un Vituperie ad noun,' 2967;
'Et sa familie et sa maisoun,' 3916;
'Car pluvie doit le vent suïr,' 4182;
'Maint contumelie irrous atteint,' 4312;
'Perjurie, q'ad sa foy perdu,' 6409;
'Qui pour mes biens m'encordie et lie,' 6958, &c.

Several of these words are also written with the ending *-e* for *-ie*, as *accide, famile, encorde*.

Such words are similarly treated in Gower's English lines, e.g.

'And ek the god Mercurie also' (*Conf. Am.* i. 422);

cp. Chaucer's usual treatment of words like *victorie, glorie*, which are not used in that form by Gower.

(*c*) In *come (comme), sicome*, and *ove* the final *e* never counts as a syllable in the metre. They are sometimes written *com* and *ou*. In another word, *ore*, the syllable is often slurred, as in *Mir.* 37, 1775, 3897, &c., but sometimes sounded, as 4737, 11377, *Bal.* xxviii. 1. So perhaps also *dame* in *Mir.* 6733, 13514, 16579, and *Bal.* ii. 3, xix. 3, xx. 2, &c.

x. The insertion of a parasitic *e* in connexion with *r*, and especially between *v* and *r*, is a recognized feature of the Anglo-Norman dialect. Examples of this in our texts are *avera, devera, saveroit, coverir, deliverer, overir, vivere, livere, oevere, overage, povere, yvere*, &c. As a rule this *e* is not sounded as a syllable in the metre, and in most of these words there is an alternative spelling, e.g. *avra, savra, covrir, delivrer, ovrir, vivre, oevre*, &c., but it is not necessary to reduce them to this wherever the *e* is mute. Les usually the syllable counts in the verse, e.g. *overaigne* in *Mir.* 3371, *overage* 8914, *enyverer* 16448, *avera* 18532, *deveroit, beveroit* in 20702 ff. *viverai, vivera* in *Bal.* iv.* 1, *Mir.* 3879, *descoverir* in *Bal.* ix. 1.

PHONOLOGY

xi. About the consonants not much need be said.

(*a*) Initial *c* before *a* varies in some words with *ch*, as *caccher, caitif, camele, camp, carboun, castell, catell,* by the side of *chacer, chaitif, chameal, champ, charboun, chastel, chateaux*; cp. *acater, achater*. Before *e, i,* we find sometimes an interchange of *c* and *s,* as in *ce* for *se* in *Mir.* 1147, *Bal.* xviii. 3 ; *c'il* for *s'il* in *Mir.* 799 &c.; and, on the other hand, *sent* for *cent* in *Bal.* xli. 2, *si* for *ci* in the title of the *Cinkante Balades, sil* for *cil* in *Bal.* xlii. 3, *sercher* for *cercher* in *Mir.* 712 &c., also *s* for *sc* in *septre, sintille,* and *sc* for *s* in *scilence*.

(*b*) We find often *qant, qe, qelle, qanqe,* &c., for *quant, que,* &c., and, on the other hand, the spelling *quar* for the more usual *car*. In words like *guaign, guaire, guaite, guarant, guarde, guarir, guaster, u* is very frequently omitted before *a*, also occasionally before other vowels, as *gile*, 21394, for *guile* : *w* is used in *warder, rewarder, way*.

(*c*) The doubling of single consonants, especially *l, m, n, p, s,* is frequent and seems to have no phonetic significance. Especially it is to be observed that *ss* for *s* at the end of a word makes no difference to the quantity or quality of the syllable, thus, whether the word be *deces* or *decess, reles* or *reless, engres* or *engress, bas* or *bass, las* or *lass, huiss* or *huis,* the pronunciation and the rhyme are the same. The final *s* was sounded in both cases, and not more when double than when single. The doubling of *r* in futures and conditionals, as *serray, dirray,* &c., belongs to the Norman dialect.

(*d*) The final *s* of inflexion is regularly replaced by *z* after a dental, as *courtz, desfaitz, ditz, excellentz, fitz, fortz, regentz, seintz,* and frequently in past participles of verbs (where there is an original dental), as *perturbez, enfanteez, rejoïz, perduz ;* but also elsewhere, especially with the termination *-able,* as *refusablez, delitablez,* in rhyme with *acceptables*. Sometimes however a dental drops out before *s*, as in *apers, desfais, dis, dolens, presens*. In all these cases however the difference is one of spelling only.

(*e*) Lastly, notice may be directed to the mute consonants either surviving in phonetic change or introduced into the spelling in imitation of the Latin form. The fourteenth century was a time when French writers and copyists were especially prone to the vice of etymological spelling, and many forms both in French and English which have been supposed to be of later date may be traced to this period. I shall point out some instances, etymological and other, most of which occur in rhyme.

Thus *b* is mute in *doubte* (also *doute*) rhyming with *boute*, and also in *debte* beside *dette*, *soubdeinement* beside *soudeinement*, &c.:

p in *temps, accompte, corps, hanaps, descript*, rhyming with *sens, honte, tors, pas, dit,* and in *deceipte* beside *deceite*;

d before *s* in *ribalds* rhyming with *vassals*;

t before *z* in such words as *fortz, courtz, certz, overtz, fitz, ditz, aletz, decretz,* rhyming with *tors, destours, vers, envers, sis, dignités, ées*;

s in such forms as *dist, promist, quidasmes,* &c., in rhyme with *esjoït, espirit, dames*; possibly however the 3 pers. sing. pret. of these verbs had an alternative pronunciation in which *s* was sounded, for they several times occur in rhyme with *Crist*, and then are always written *-ist*, whereas at other times they vary this freely with *-it*.

g in words like *baraign, pleigne, soveraigne,* rhyming with *gain, peine*;

c before *s* in *clercs* (also *clers*) rhyming with *vers*;

l in *almes, ascoulte, moult,* which rhyme with *fames, route, trestout,* and in *oultrage, estoultie,* beside *outrage, estoutie*.

On the other hand *v* is sounded in the occasional form *escrivre*, the word being rhymed with *vivre*, in *Mir.* 6480.

As regards the Vocabulary, I propose to note a few points which are of interest with reference chiefly to English Etymology, and for the rest the reader is referred to the Glossary.

A certain number of words will be found, in addition to those already cited in the remarks on Phonology, § v, which appear in the French of our texts precisely as they stand in modern English, e.g. *able, annoy, archer, carpenter, claret, courser, dean, draper, ease, fee, haste, host, mace, mess, noise, soldier, suet, treacle, truant,* &c., not to mention 'mots savants' such as *abject, absent, official, parable,* and so on.

The doubling of consonants in accordance with Latin spelling in *accepter, accord, accuser, commander, commun,* &c., is already common in these texts and belongs to an earlier stage of Middle English than is usually supposed.

ambicioun: note the etymological meaning of this word in the *Mirour.*

appetiter: Chaucer's verb should be referred directly to this French verb, and not to the English subst. *appetit.*

VOCABULARY

assalt: usually *assaut* in 14th cent. French and English.

audit: the English word is probably from this French form, and not directly from Latin: the same remark applies to several other words, as *complet, concluder, curet, destitut, elat,* &c.

avouer: in the sense of 'promise.'

begant, beggerie, beguyner, beguinage: see *New Eng. Dict.* under 'beg.' The use of *beguinage* here as equivalent to *beggerie* is confirmatory of the Romance etymology suggested for the word: *begant* seems to presuppose a verb *beg(u)er*, a shorter form of *beguiner*; cp. *beguard*.

braier, M. E. *brayen*, 'to bray in a mortar.' The continental form was *breier*, Mod. *broyer*.

brusch: the occurrence of this word in a sense which seems to identify it with *brusque* should be noted. The modern *brusque* is commonly said to have been introduced into French from Italy in the 16th century. Caxton however in 1481 has *brussly*, apparently equivalent to 'brusquely'; see *New Eng. Dict.*

buillon, in the sense of 'mint,' or 'melting-house,' is evidently the same as 'bullion' in the Anglo-Norman statutes of Edward III (see *New Eng. Dict.*). The form which we have here points very clearly to its derivation from the verb *builer*, 'boil,' as against the supposed connexion with 'bulla.'

chitoun, 'kitten.' This is used also in Bozon's *Contes Moralizés*. It seems more likely that the M. E. *kitoun* comes from this form of *chatton* with hardening of *ch* to *k* by the influence of *cat*, than that it is an English 'kit' with a French suffix.

Civile, i.e. 'civil law': cp. the use of the word as a name in *Piers Plowman*.

eneauer, 'to wet,' supplies perhaps an etymology for the word *enewing* or *ennuyng* used by Lydgate and others as a term of painting, to indicate the laying on or gradation of tints in water-colour, and illustrates the later Anglo-French words *enewer, enewage*, used apparently of shrinking cloth by wetting; see Godefroy (who however leaves them unexplained).

flaket, the same as the M. E. *flakett, flacket* (French *flaschet*). The form *flaquet* is assumed as a Northern French word by the *New Eng. Dict.*, but not cited as occurring.

leisour, as a variation of *loisir, leisir*.

lusard: cp. *Piers Plowman*, B. xviii. 335.

menal, meynal, adj. in the sense of 'subject.'

nice: note the development of sense from 'foolish,' *Mir.* 1331, 7673, to 'foolishly scrupulous,' 24858, and thence to 'delicate,' 'pleasant,' 264, 979.

papir, the same form that we find in the English of Chaucer and Gower.

parlesie, M. E. *parlesie, palesie.*

perjurie, a variation of *perjure*, which established itself in English.

phesant: early M. E. *fesaun,* Chaucer *fesaunt.*

philosophre, as in M. E., beside *philosophe.*

queinte, a(c)queintance: the forms which correspond to those used in English; less usually *quointe, aquointance.*

reverie, 'revelry,' which suggests the connexion of the English word with *rêver*, rather than with *reveler* from 'rebellare.' However, *revel* and *reveller* occur also in our texts.

reviler. Skeat, *Etym. Dict.*, says 'there is no word *reviler* or *viler* in French.' Both are used in the *Mirour.*

rewarder, rewardie, rewardise, in the sense of the English 'reward.'

sercher, Eng. 'search,' the more usual form for *cercher.*

somonce: this is the form required to account for the M. E. *somouns*, 'summons.'

traicier, traiçour, names given (in England) to those who made it their business to pack juries.

trote, used for 'old woman' in an uncomplimentary sense.

université, 'community.'

voiage (not *viage*): this form is therefore of the 14th century.

MIROUR DE L'OMME.

AUTHORSHIP.—The evidence of authorship rests on two distinct grounds: first, its correspondence in title and contents with the description given by Gower of his principal French work; and secondly, its remarkable resemblance in style and substance to the poet's acknowledged works.

We return therefore to the statement before referred to about the three principal books claimed by our author: and first an explanation should be made on the subject of the title. The statement in question underwent progressive revision at the hands of the author and appears in three forms, the succession of which is marked by the fact that they are connected with three successive editions of the *Confessio Amantis*. In the two first of these three forms the title of the French work is *Speculum Hominis*, in the third it is *Speculum Meditantis*, the alteration having been made apparently in order to produce similarity of termination with the titles of the two other books [1]. We are justified therefore in assuming that the original title was *Speculum Hominis*, or its French equivalent, *Mirour de l'omme*. The author's account, then, of his French work is as follows:

'Primus liber Gallico sermone editus in decem diuiditur partes, et tractans de viciis et virtutibus, necnon et de variis huius seculi gradibus, viam qua peccator transgressus ad sui creatoris agnicionem redire debet recto tramite docere conatur. Titulus (que) libelli istius Speculum hominis (*al.* meditantis) nuncupatus est.'

We are here told that the book is in French, that it is divided into ten parts, that it treats of vices and virtues, and also of the various degrees or classes of people in this world, and finally that it shows how the sinner may return to the knowledge of his Creator.

The division of our *Mirour* into ten parts might have been a little difficult to make out from the work itself, but it is expressly indicated in the Table of Contents prefixed:

'Cy apres comence le livre François q'est apellé Mirour de l'omme, le quel se divide en x parties, c'est assavoir' &c.

The ten parts are then enumerated, six of them being made out of the classification of the different orders of society.

The contents of the *Mirour* also agree with the author's description of his *Speculum Hominis*. After some prefatory matter it treats of vices in ll. 841–9720 of the present text; of virtues ll. 10033–18372; of the various orders of society ll. 18421–26604; of how man's sin is the cause of the corruption of the world ll. 26605–27360; and finally how the sinner may return to God, or, as the Table of Contents has it, 'coment l'omme peccheour lessant ses mals se doit reformer a dieu et avoir pardoun par l'eyde de nostre seigneur Jhesu Crist et de sa

[1] Tanner remarks, 'est tamen nescio quid in nominibus mysterii et, ut ita dicam, conspiratio, utpote unius ab altero pendentis.' *Biblioth.* p. 336.

doulce Miere la Vierge gloriouse,' l. 27361 to the end. This latter part includes a Life of the Virgin, through whom the sinner is to obtain the grace of God.

The strong presumption (to say no more) which is raised by the agreement of all these circumstances is converted into a certainty when we come to examine the book more closely and to compare it with the other works of Gower. Naturally we are disposed to turn first to his acknowledged French writings, the *Cinkante Balades* and the *Traitié*, and to institute a comparison in regard to the language and the forms of words. The agreement here is practically complete, and the Glossary of this edition is arranged especially with a view to exhibit this agreement in the clearest manner. There are differences, no doubt, such as there will always be between different MSS., however correct, but they are very few. Moreover, in the structure of sentences and in many particular phrases there are close correspondences, some of which are pointed out in the Notes. But, while the language test gives quite satisfactory results, so far as it goes, we cannot expect to find a close resemblance in other respects between two literary works so different in form and in motive as the *Mirour* and the *Balades*. It is only when we institute a comparison between the *Mirour* and the two other principal works, in Latin and English respectively, which our author used as vehicles for his serious thoughts, that we realize how impossible it is that the three should not all belong to one author. Gower, in fact, was a man of stereotyped convictions, whose thoughts on human society and on the divine government of the world tended constantly to repeat themselves in but slightly varying forms. What he had said in one language he was apt to repeat in another, as may be seen, even if we leave the *Mirour* out of sight, by comparison of the *Confessio Amantis* with the *Vox Clamantis*. The *Mirour* runs parallel with the English work in its description of vices, and with the Latin in its treatment of the various orders of society, and apart from the many resemblances in detail, it is worth while here to call attention to the manner in which the general arrangement of the French work corresponds with that which we find in the other two books.

In that part of the *Mirour* which treats of vices, each deadly sin is dealt with regularly under five principal heads, or, as the author expresses it, has five daughters. Now this fivefold division is not, so far as I can discover, borrowed from any former writer. It is of course quite usual in moral treatises to deal with the deadly sins by way of subdivision, but usually the number of subdivisions is irregular, and I have not found any authority for the systematic division of each into five. The only work, so far as I know, which shares this characteristic with the *Mirour* is the *Confessio Amantis*. It is true that in this the rule is not fully carried out; the nature of the work did not lend itself so easily to a quite regular treatment, and considerable variations occur: but the principle which stands as the basis of the arrangement is clearly visible, and it is the same which we find in our *Mirour*.

This is a point which it is worth while to exhibit a little more at large, and here the divisions of the first three deadly sins are set forth in parallel columns:

Mirour de l'omme.	*Confessio Amantis.*
i. Orguil, with five daughters, viz.	i. Pride, with five ministers, viz.
Ipocresie	Ypocrisie
Vaine gloire	Inobedience
Surquiderie	Surquiderie
Avantance	Avantance
Inobedience.	Veine gloire.
ii. Envie	ii. Envie
Detraccioun	Dolor alterius gaudii
Dolour d'autry Joye	Gaudium alterius doloris
Joye d'autry mal	Detraccioun
Supplantacioun	Falssemblant
Fals semblant.	Supplantacioun.
iii. Ire	iii. Ire
Malencolie	Malencolie
Tençoun	Cheste
Hange	Hate
Contek	Contek
Homicide.	Homicide.

In the latter part of the *Confessio Amantis* the fivefold division is not strictly observed, and in some books the author does not profess to deal with all the branches; but in what is given above there is quite enough to show that this method of division was recognized and that the main headings are the same in the two works.

Next we may compare the classes of society given in the *Mirour* with those that we find in the *Vox Clamantis*. It is not necessary to exhibit these in a tabular form; it is enough to say that with some trifling differences of arrangement the enumeration is the same. In the *Vox Clamantis* the estate of kings stands last, because the author wished to conclude with a lecture addressed personally to Richard II; and the merchants, artificers and labourers come before the judges, lawyers, sheriffs, &c., because it is intended to bring these last into connexion with the king; but otherwise there is little or no difference even in the smallest details. The contents of the 'third part' of the *Mirour*, dealing with prelates and dignitaries of the Church and with the parish clergy, correspond to those of the third book of the *Vox Clamantis*; the fourth part, which treats of those under religious rule, Possessioners and Mendicants, is parallel to the fourth book of the Latin work. In the *Mirour* as in the *Vox Clamantis* we have the division of the city population into Merchants, Artificers and Victuallers, and of the ministers of the law into Judges, Advocates, Viscounts (sheriffs), Bailiffs, and Jurymen. Moreover what is said of the various classes is in substance usually the same, most notably so in the case of the parish priests and the tradesmen of the town; but parallels of this kind will be most conveniently pointed out in the Notes.

To proceed, the *Mirour* will be found to contain a certain number of stories, and of those that we find there by much the greater number reappear in the *Confessio Amantis* with a similar application. We have the story of the envious man who desired to lose one eye in order that his comrade might be deprived of two (l. 3234), of Socrates and his scolding wife (4168), of the robbery from the statue of Apollo (7093), of Lazarus and Dives (7972), of Ulysses and the Sirens (10909), of the emperor Valentinian (17089), of Sara the daughter of Raguel (17417), of Phirinus, the young man who defaced his beauty in order that he might not be a temptation to women (18301), of Codrus king of Athens (19981), of Nebuchadnezzar's pride and punishment (21979), of the king and his chamberlains (22765). All these are found in the *Mirour*, and afterwards, more fully related as a rule, in the *Confessio Amantis*. Only one or two, the stories of St. Macaire and the devil (12565, 20905), of the very undeserving person who was relieved by St. Nicholas (15757), of the dishonest man who built a church (15553), together with various Bible stories rather alluded to than related, and the long Life of the Virgin at the end of the book, remain the property of the *Mirour* alone.

If we take next the anecdotes and emblems of Natural History, we shall find them nearly all again in either the Latin or the English work. To illustrate the vice of Detraction we have the 'escarbud,' the 'scharnebud,' of the *Confessio Amantis*, which takes no delight in the flowery fields or in the May sunshine, but only seeks out vile ordure and filth (2894, *Conf. Am.* ii. 413). Envy is compared to the nettle which grows about the roses and destroys them by its burning (3721, *Conf. Am.* ii. 401). Homicide is made more odious by the story of the bird with a man's features, which repents so bitterly of slaying the creature that resembles it (5029, *Conf. Am.* iii. 2599); and we may note also that in both books this authentic anecdote is ascribed to Solinus, who after all is not the real authority for it. Idleness is like the cat that would eat fish without wetting her paws (5395, *Conf. Am.* iv. 1108). The covetous man is like the pike that swallows down the little fishes (6253, *Conf. Am.* v. 2015). Prudence is the serpent which refuses to hear the voice of the charmer, and while he presses one ear to the ground, stops the other with his tail (15253, *Conf. Am.* i. 463). And so on.

Then again there are a good many quotations common to the *Mirour* and one or both of the other books, adduced in the same connexion and sometimes grouped together in the same order. The passage from Gregory's Homilies about man as a microcosm, partaking of the nature of every creature in the universe, which we find in the Prologue of the *Confessio* and also in the *Vox Clamantis*, appears at l. 26869 of the *Mirour*; that about Peter presenting Judea in the Day of Judgement, Andrew Achaia, and so on, while our bishops come empty-handed, is also given in all three (*Mir.* 20065, *Vox. Cl.* iii. 903, *Conf. Am.* v. 1900). To illustrate the virtue of Pity the same quotations occur both in the *Mirour* and the *Confessio Amantis*, from the Epistle of St. James, from Constantine, and from Cassiodorus (*Mir.* 13929, 23055 ff., *Conf. Am.* vii. 3149*, 3161*, 3137). Three quotations referred to 'Orace' occur in the *Mirour*, and of these three two reappear in the *Confessio* with the same author's name (*Mir.* 3801, 10948, 23370, *Conf. Am.* vi. 1513, vii. 3581). Now of these two, one, as it happens, is from Ovid and the other from Juvenal; so that not only the quotations but also the false references are repeated. These are not by any means all the examples of common quotations, but they will perhaps suffice.

Again, if we are not to accept the theory of common authorship, we can hardly account for the resemblance, and something more than resemblance, in passages such as the description of Envy (*Mir.* 3805 ff., *Conf. Am.* ii. 3095, 3122 ff.), of Ingratitude (*Mir.* 6685 ff., *Conf. Am.* v. 4917 ff.), of the effects of intoxication (*Mir.* 8138, 8246, *Conf. Am.* vi. 19, 71), of the flock made to wander among the briars (*Mir.* 20161 ff., *Conf. Am. Prol.* 407 ff.), of the vainglorious knight (*Mir.* 23893 ff., *Conf. Am.* iv. 1627 ff.), and many others, not to mention those lines which occur here and there in the *Confessio* exactly reproduced from the *Mirour*, such as iv. 893,

'Thanne is he wys after the hond,'

compared with *Mir.* 5436,

'Lors est il sage apres la mein.'

Conf. Am. Prol. 213,

'Of armes and of brigantaille,'

compared with *Mir.* 18675,

'Ou d'armes ou du brigantaille,'

the context in this last case being also the same.

The parallels with the *Vox Clamantis* are not less numerous and striking, and as many of them as it seems necessary to mention are set down in the Notes to the *Mirour*, especially in the latter part from l. 18421 onwards.

Before dismissing the comparison with the *Confessio Amantis*, we may call attention to two further points of likeness. First, though the *Mirour* is written in stanzas and the *Confessio* in couplets, yet the versification of the one distinctly suggests that of the other. Both are in the same octosyllabic line, with the same rather monotonous regularity of metre, and the stanza of the *Mirour*, containing, as it does, no less than four pairs of lines which can be read as couplets so far as the rhyme is concerned, often produces much the same effect as the simple couplet. Secondly, in the structure of sentences there are certain definite characteristics which produce themselves equally in the French and the English work.

Resemblances of this latter kind will be pointed out in the Notes, but a few may be set down here. For example, every reader of Gower's English is familiar with his trick of setting the conjunctions 'and,' 'but,' &c., in the middle instead of at the beginning of the clause, as in *Conf. Am. Prol.* 155,

'With all his herte and make hem chiere,'

and similarly in the *Balades*, e. g. xx. i,

> 'A mon avis mais il n'est pas ensi.'

Examples of this are common in the *Mirour*, as l. 100,

> 'Pour noble cause et ensement
> Estoiont fait,'

cp. 415, 4523, 7739, 7860, &c.

In other cases too there is a tendency to disarrangement of words or clauses for the sake of metre or rhyme, as *Mir.* 15941, 17996, compared with *Conf. Am.* ii. 2642, iv. 3520, v. 6807, &c.

Again, the author of the *Confessio Amantis* is fond of repeating the same form of expression in successive lines, e.g. *Prol.* 96 ff.,

> 'Tho was the lif of man in helthe,
> Tho was plente, tho was richesse,
> Tho was the fortune of prouesse,' &c.

Cp. *Prol.* 937, v. 2469, &c.

This also is found often in the *Mirour*, e. g. 4864–9:

> 'Cist tue viel, cist tue enfant,
> Cist tue femmes enpreignant,' &c.

and 8294–8304,

> 'Les uns en eaue fait perir,
> Les uns en flamme fait ardoir,
> Les uns du contek fait morir,' &c.

The habit of breaking off the sentence and resuming it in a different form appears markedly in both the French and the English, as *Mir.* 89, 17743, *Conf. Am.* iv. 2226, 3201; and in several passages obscure forms of expression in the *Confessio Amantis* are elucidated by parallel constructions in the *Mirour*.

Finally, the trick of filling up lines with such tags as *en son degré, de sa partie*, &c. (e. g. *Mir.* 373, 865), vividly recalls the similar use of 'in his degree,' 'for his partie,' by the author of the *Confessio Amantis* (e. g. *Prol.* 123, 930).

The evidence of which I have given an outline, which may be filled up by those who care to look out the references set down above and in the Notes, amounts, I believe, to complete demonstration that this French book called *Mirour de l'omme* is identical with the *Speculum Hominis* (or *Speculum Meditantis*) which has been long supposed to be lost; and, that being so, I consider myself at liberty to use it in every way as Gower's admitted work, together with the other books of which he claims the authorship, for the illustration both of his life and his literary characteristics.

INTRODUCTION

DATE.—The *Speculum Hominis* stands first in order of the three books enumerated by Gower, and was written therefore before the *Vox Clamantis*. This last was evidently composed shortly after the rising of the peasants in 1381, and to that event, which evidently produced the strongest impression on the author's mind, there is no reference in this book. There are indeed warnings of the danger of popular insurrection, as 24104 ff., 26485 ff., 27229 ff., but they are of a general character, suggested perhaps partly by the Jacquerie in France and partly by the local disturbances caused by discontented labourers in England, and convey the idea that the writer was uneasy about the future, but not that a catastrophe had already come. In one passage he utters a rather striking prophecy of the evil to be feared, speaking of the strange lethargy in which the lords of the land are sunk, so that they take no note of the growing madness of the commons. On the whole we may conclude without hesitation that the book was completed before the summer of the year 1381.

There are some other considerations which will probably lead us to throw the date back a little further than this. In 2142 ff. it seems to be implied that Edward III is still alive. 'They of France,' he says, 'should know that God abhors their disobedience, in that they, contrary to their allegiance, refuse by way of war to render homage and obedience to him who by his birth receives the right from his mother.' This can apply to none but Edward III, and we are led to suppose that when these lines were written he was still alive to claim his right. The supposition is confirmed by the manner in which the author speaks of the reigning king in that part of his work which deals with royalty. Nowhere does he address him as a child or youth in the manner of the *Vox Clamantis*, but he complains of the trust placed by the king in flatterers and of the all-prevailing influence of women, calling upon God to remedy those evils which arise from the monstrous fact that a woman reigns in the land and the king is subject to her (22807 ff.). This is precisely the complaint which might have been expected in the latter years of Edward III. On the other hand there is a clear allusion in one place (18817–18840) to the schism of the Church, and this passage therefore must have been written as late as 1378, but, occurring as it does at the conclusion of the author's attack upon the Court of Rome, it may well have been added after the rest. The expression in l. 22191,

MIROUR DE L'OMME

'Ove deux chiefs es sanz chevetein,'

refers to the Pope and the Emperor, not to the division of the papacy. Finally, it should be observed that the introduction of the name Innocent, l. 18783, is not to be taken to mean that Innocent VI, who died in 1362, was the reigning pope. The name is no doubt only a representative one.

On the whole we shall not be far wrong if we assign the composition of the book to the years 1376-1379.

FORM AND VERSIFICATION.—The poem (if it may be called so) is written in twelve-line stanzas of the common octosyllabic verse, rhyming *aab aab bba bba*, so that there are two sets of rhymes only in each stanza. In its present state it has 28,603 lines, there being lost four leaves at the beginning, which probably contained forty-seven stanzas, that is 564 lines, seven leaves, containing in all 1342 lines, in other places throughout the volume, and an uncertain number at the end, probably containing not more than a few hundred lines. The whole work therefore consisted of about 31,000 lines, a somewhat formidable total.

The twelve-line stanza employed by Gower is one which was in pretty common use among French writers of the 'moral' class. It is that in which the celebrated *Vers de la Mort* were composed by Hélinand de Froidmont in the twelfth century, a poem from which our author quotes. Possibly it was the use of it by this writer that brought it into vogue, for his poem had a great popularity, striking as it did a note which was thoroughly congenial to the spirit of the age[1]. In any case we find the stanza used also by the 'Reclus de Moiliens,' by Rutebeuf in several pieces, e. g. *La Complainte de Constantinoble* and *Les Ordres de Paris*, and often by other poets of the moral school. Especially it seems to have been affected in those 'Congiés' in which poets took leave of the world and of their friends, as the *Congiés Adan d'Arras* (Barb. et Méon, *Fabl.* i. 106), the *Congié Jehan Bodel* (i. 135), &c. As to the structure of the stanza, at least in the hands of our author, there is not much to be said. The pauses in sense very generally follow the rhyme divisions of the stanza, which has a natural tendency to fall into two equal parts, and the last three lines, or in some cases the last two, frequently

[1] A list of poems in which this stanza is used is given in *Romania*, ix. 231, by M. Gaston Raynaud.

contain a moral tag or a summing up of the general drift of the stanza.

The verse is strictly syllabic. We have nothing here of that accent-metre which the later Anglo-Norman writers sometimes adopted after English models, constructing their octosyllable in two halves with a distinct break between them, each half-verse having two accents but an uncertain number of syllables. This appears to have been the idea of the metre in the mind of such writers as Fantosme and William of Waddington. Here however all is as regular in that respect as can be desired. Indeed the fact that in all these thousands of lines there are not more than about a score which even suggest the idea of metrical incorrectness, after due allowance for the admitted licences of which we have taken note, is a striking testimony not only of the accuracy in this respect of the author, but also to the correctness of the copy which we possess of his work. The following are the lines in question:

276. 'De sa part grantement s'esjoït.'
397. 'Ly deable grantement s'esjoït'
2742. 'Prestre, Clerc, Reclus, Hermite,'
2955. 'Soy mesmes car delivrer'
3116. 'Q'avoit leur predicacioun oïe,'
3160. 'Si l'une est male, l'autre est perverse,'
4745. 'Molt plussoudeinent le blesce'
4832. 'Ainz est pour soy delivrer,'
6733. 'Dame Covoitise en sa meson'
       (And similarly 13514 and 16579)
9617. 'Mais oultre trestous autrez estatz'
9786. 'Me mettroit celle alme en gage,'
10623. 'L'un ad franchise, l'autre ad servage,'
10628. 'L'un ad mesure, l'autre ad oultrage,'
13503. 'Dieus la terre en fin donna,'
14568. 'Et l'autre contemplacioun enseine.'
19108. 'D'avoltire et fornicacioun'
24625. 'Doun, priere, amour, doubtance,'
26830. 'Homme; et puis de l'omme prist'
27598. 'Qant l'angle ot ses ditz contez,'

This, it will be allowed, is a sufficiently moderate total to be placed to the joint account of author and scribe in a matter of more than 28,000 lines—on an average one in about 1,500 lines. Of these more than half can be corrected in very obvious ways: in 276, 397, we may read 'grantment' as in 8931; in 2955, 4832, we should read 'deliverer,' and in 9786 'metteroit,' this *e* being frequently sounded in the metre, e. g. 3371, 16448, 18532 ; we may correct 3160, 9617, by altering to 'mal,' 'autre'; in 4745 'plussoudeinement' is certainly meant; 13503 is to be corrected by reading 'en la fin,' as in 15299, for 'en fin,' 19108 by substituting 'avoltre' for 'avoltire,' and 27598 by reading 'angel,' as in 27731 and elsewhere, for 'angle.' Of the irregularities that remain, one, exemplified in 3116 and 14568, consists in the introduction of an additional foot into the measure, and I have little doubt that it proceeds from the scribe, who wrote 'predicacioun' and 'contemplacioun' for some shorter word with the same meaning, such as 'prechement' and 'contempler.' In the latter of these cases I have corrected by introducing 'contempler' into the text; in the former, as I cannot be so sure of the word intended, the MS. reading is allowed to stand. There is a similar instance of a hypermetrical line in *Bal.* xxvii. 1, and this also might easily be corrected. The other irregularities I attribute to the author. These consist, first, in the use of 'dame' in several lines as a monosyllable, and I am disposed to think that this word was sometimes so pronounced, see Phonol. § ix (*c*); secondly, in the introduction of a superfluous unaccented syllable at a pause after the second foot, which occurs in 10623, 10628 (and perhaps 3160); thirdly, in the omission of the unaccented syllable at the beginning of the verse, as:

> 'Prestre, Clerc, Reclus, Hermite,'—2742;
> 'Doun, priere, amour, doubtance,'—24625;
> 'Homme; et puis de l'omme prist'—26830.

Considering how often lines of this kind occur in other Anglo-Norman verse, and how frequent the variation is generally in the English octosyllables of the period, we may believe that even Gower, notwithstanding his metrical strictness, occasionally introduced it into his verse. It may be noted that the three lines just quoted resemble one another in having each a pause after the first word.

With all this 'correctness,' however, the verses of the *Mirour* have an unmistakably English rhythm and may easily be distinguished from French verse of the Continent and from that of the earlier Anglo-Norman writers. One of the reasons for this is that the verse is in a certain sense accentual as well as syllabic, the writer imposing upon himself generally the rule of the alternate beat of accents and seldom allowing absolutely weak syllables[1] to stand in the even places of his verse. Lines such as these of Chrétien de Troyes,

> 'Si ne semble pas qui la voit
> Qu'ele puisse grant fès porter,'

and these of Frère Angier,

> 'Ses merites et ses vertuz,
> Ses jeûnes, ses oreisons,
> . . . .
> Et sa volontaire poverte
> Od trestote s'autre desserte,'

are quite in accordance with the rules of French verse, but very few such lines will be found in the *Mirour*. Some there are, no doubt, as 3327:

> 'D'envie entre la laie gent,'

or 3645:

> 'Que nuls en poet estre garny.'

So also 2925, 3069, 4310 &c., but they are exceptional and attract our notice when they occur. An illustration of the difference between the usage of our author and that of the Continent is afforded by the manner in which he quotes from Hélinand's *Vers de la Mort*. The text as given in the *Hist. Litt. de la France*, xviii. p. 88, is as follows (with correction of the false reading 'cuevre'):

> 'Tex me couve dessous ses dras,
> Qui cuide estre tous fors et sains.'

Gower has it

> 'Car tiel me couve soubz ses dras,
> Q'assetz quide estre fortz et seins.'

He may have found this reading in the original, of which there are several variants, but the comparison will none the less illustrate the difference of the rhythms.

SUBJECT-MATTER AND STYLE.—The scheme of the *Speculum Hominis* is, as before stated, of a very ambitious character. It is intended to cover the whole field of man's religious and moral nature, to set forth the purposes of Providence in dealing with him, the various degrees of human society and the faults chargeable to each class of men, and finally the method which

---

[1] Under this head I do not include the termination (*-ont* or *-ent*) of the 3 pers. pl. pres. tense, which was apparently to some extent accented, see ll. 1265, 1803, 1820, &c., and in one stanza even bears the rhyme (20294 ff.).

should be followed by man in order to reconcile himself with the God whom he has offended by his sin. This is evidently one of those all-comprehending plans to which nothing comes amiss; the whole miscellany of the author's ideas and knowledge, whether derived from books or from life, might be poured into it and yet fail to fill it up. Nevertheless the work is not an undigested mass: it has a certain unity of its own,—indeed in regard to connexion of parts it is superior to most medieval works of the kind. The author has at least thought out his plan, and he carries it through to the end in a laboriously conscientious manner. M. Jusserand in his *Literary History of the English People* conjectured reasonably enough that if this work should ever be discovered, it would prove to be one of those tirades on the vices of the age which in French were known as 'bibles.' It is this and much more than this. In fact it combines the three principal species of moral compositions all in one framework,—the manual of vices and virtues, the attack on the evils of existing society from the highest place downwards, and finally the versified summary of Scripture history and legend, introduced here with a view to the exaltation and praise of the Virgin. In its first division, which extends over nearly two-thirds of the whole, our author's work somewhat resembles those of Frère Lorenz, William of Waddington and other writers, who compiled books intended to be of practical use to persons preparing for confession. For those who are in the habit of constant and minute self-examination it is necessary that there should be a distinct classification of the forms of error to which they may be supposed to be liable, and sins must be arranged under headings which will help the memory to recall them and to run over them rapidly. The classification which is based upon the seven mortal sins is both convenient and rational, and such books as the *Somme des Vices et des Vertus* and the *Manuel des Pechiez*, with the English translations or adaptations of them, were composed for practical purposes. While resembling these in some respects, our author's work is not exactly of the same character. Their object is devotional, and form is sacrificed to utility. This is obvious in the case of the first-named book, the original, as is well known, of the *Ayenbite of Inwyt* and of Chaucer's *Persones Tale*, and it is also true of the *Manuel des Pechiez*, though that is written in verse and has stories intermingled with the moral rules by way of illustration. The author of this work states his purpose at once on setting forth:

> 'La vertu del seint espirit
> Nus seit eidant en cest escrit,
> A vus les choses ben mustrer,
> Dunt hom se deit confesser,
> E ausi en la quele manere.'

Upon which he proceeds to enumerate the various subjects of which he thinks it useful to treat, which are connected by no tie except that of practical convenience: 'First we shall declare the true faith, which is the foundation of our law . . . Next we shall place the commandments, which every one ought to keep; then the seven mortal sins, whence spring so many evils . . . Then you will find, if you please, the seven sacraments of the Church, then a sermon, and finally a book on confession, which will be suitable for every one.'

On the other hand the *Mirour de l'omme* is a literary production, or at least aspires to that character, and as such it has more regularity of form, more ornaments of style, and more display of reading. The division and classification in this first part, which treats of vices and of virtues, have a symmetrical uniformity; instead of enumerating or endeavouring to enumerate all the subdivisions under each head, all the numerous and irregularly growing branches and twigs which spring from each stem, the author confines himself to those that suit his plan, and constructs his whole edifice on a perfectly regular system. The work is in fact so far not a manual of devotion, but rather a religious allegory. The second part, which is ingeniously brought into connexion with the same general plan, resembles, as has been said, such compositions as the *Bible Guiot de Provins*, except that it is very much longer and goes into far more elaborate detail on the various classes of society and their distinctive errors. Here the author speaks more from his own observation and less from books than in the earlier part of his poem, and consequently this division is more original and interesting. Many parts of it will serve usefully to confirm the testimony of other writers, and from some the careful student of manners will be able to glean new facts. The last 2,500 lines, a mere trifle compared with the bulk of the whole, contain a Life of the Virgin, as the principal mediator between God and man, and the book ends (at least as we have it) with not unpoetical praises and prayers addressed to her.

It remains to be seen how the whole is pieced together.

Sin, we are told, is the cause of all evils, and brought about first the fall of Lucifer and of his following from Heaven, and then the expulsion of Adam from Paradise. In a certain sense Sin existed before all created things, being in fact that void or chaos which preceded creation, but also she was a daughter conceived by the Devil, who upon her engendered Death (1–216). Death and Sin then intermarrying produced the seven deadly Vices, whose names are enumerated, and the Devil, delighted by his progeny, sent Sin and her seven daughters to gain over the World to his side, and then called a conference with a view to defeating the designs of Providence for the salvation of Man, and of consummating the ruin which had already been in part effected (217–396). They resolved to send Temptation as a messenger to Man, and invite him to meet the Devil and his council, who would propose to him something from which he would get great advantage. He came, but before his coming Death had been cunningly hidden away in an inner chamber, so that Man might not see him and be dismayed. The Devil, Sin and the World successively addressed him with their promises, and Temptation, the envoy, added his persuasion, so that at length the Flesh of Man consented to be ruled by their counsels. The Soul, however, rejected them and vehemently expostulated with the Flesh, who was thus resolved to follow a course which would in the end ruin them both (397–612). The Flesh wavered and was in part dismayed, but was unable altogether to give up the promised delights; upon which the Soul informed her of Death, who had been treacherously concealed from her view, and to counteract the renewed enticements of Sin called in Reason and Fear to convince the Flesh of her folly. Reason was overcome in argument by Temptation, but Fear took the Flesh by the hand and led her to the place where Death lay concealed. The Flesh trembled at sight of this horrid creature, and Conscience led her back to Reason, who brought her into agreement with the Soul, and thus for the time the designs of the Devil and of Sin were frustrated (613–756). The Devil demanded that Sin should devise some remedy, and she consulted with the World, who proposed marriage between himself and the seven daughters of Sin, in order that from them offspring might be produced by means of which Man might the more readily be overcome. The marriage was arranged and the daughters of Sin went in procession to their wedding. Each in turn was taken in marriage by the World, and of them the first was Pride (757–1056). By her he had five daughters, each of whom is described at length, namely Hypocrisy, Vainglory, Arrogance, Boasting and Disobedience, and lastly comes the description of Pride herself (1057–2616). The same order is observed with regard to the rest. The daughters of Envy are Detraction, Sorrow for others' Joy, Joy for others' Grief, Supplanting and Treachery (Fals semblant) (2617–3852). Anger has for her daughters Melancholy, Contention, Hatred, Strife, and Homicide (3853–5124). Sloth produces Somnolence, Laziness (or Pusillanimity), Slackness, Idleness, Negligence (5125–6180). Avarice bears Covetousness, Rapine, Usury, Simony and Niggardy (6181–7704). Gluttony's daughters are Voracity, Delicacy, Drunkenness, Superfluity, Prodigality (7705–8616). Finally, Lechery is the mother of Fornication, Rape, Adultery, Incest and Vain-delight (8617–9720). The Devil assembled all the progeny of the Vices and demanded the fulfilment of the promise made by the World, that Man should be made subject to him, and they all together made such a violent attack upon Man, that he surrendered himself to their guidance and came to be completely in the power of Sin, whose evil influence is described (9721–10032). Reason and Conscience prayed to God for assistance against the Vices and their progeny, and God gave seven Virtues, the contraries of the seven Vices, in marriage to Reason, in order that thence offspring might be born which might contend with that of the Vices (10033–10176). Each of these, as may readily be supposed, had five daughters. Humility, who is the natural enemy of Pride, produced Devotion to set against Hypocrisy, Fear against Vainglory, Discretion against Arrogance, Modesty against Boasting, and Obedience against Disobedience, and after the description of all these in succession follows that of Humility herself (10177–12612). So of the rest; the five daughters of Charity, namely Praise, Congratulation, Compassion, Help and Goodwill, are opposed each in her turn to the daughters of Envy, as Charity is to Envy herself (12613–13380). Patience, the opponent of Anger, has for her daughters Good-temper, Gentleness, Affection, Agreement and Mercy (13381–14100). Prowess, the opposite of Sloth, is the mother of

Watchfulness, Magnanimity, Resolution, Activity and Learning (or Knowledge), to the description of which last is added an exhortation to self-knowledge and confession of sins (14101-15180). Generosity, the contrary of Avarice, produces Justice, Liberality, Alms-giving, Largess and Holy-purpose, this fifth daughter being the opposite of Simony, the fourth daughter of Avarice, as Largess is of Niggardy, the fifth (15181-16212). Measure, the contrary of Gluttony, is the mother of Dieting, Abstinence, Nourishment, Sobriety, Moderation (16213-16572). Chastity, the enemy of Lechery, has for her daughters Good-care (against Fornication), Virginity, Matrimony, Continence and Hard-life (16573-18372).

Let us now, says our author, observe the issue of this strife for the conquest of Man, in which the Flesh inclines to the side of the Vices, and the Soul to that of Reason and the Virtues. We must examine the whole of human society, from the Court of Rome downwards, to decide which has gained the victory up to this time, and for my part I declare that Sin is the strongest power in this world and directs all things after her will and pleasure (18373-18420). Every estate of Man, therefore, is passed in review and condemned—the Pope and the Cardinals (18421-19056), the Bishops (19057-20088), the lower dignitaries of the Church, Archdeacons and others (20089-20208), the parish priests, the chantry priests, and those preparing for the priesthood (20209-20832), the members of religious orders, first the monks and then the friars (20833-21780), the secular rulers of the world, Emperors and Kings (21781-23208), great lords (23209-23592), knights and men of arms (23593-24180), the men of the law, pleaders and judges (24181-24816), the sheriffs, reeves and jurymen (24817-25176), the class of merchants and traders (25177-25500), that of artificers (25501-25980), victuallers (25981-26424), labourers (26425-26520). In short, all estates have become corrupted; whether the lay people are more to blame for it or the priests the author will not say, but all agree in throwing the blame on the world (or the age) and in excusing themselves (26521-26604). He addresses the world and asks whence comes all the evil of which he complains. Is it from earth, water, air or fire? No, all these are good in themselves. Is it from the heavenly bodies, sun, moon, stars, planet or comet? No, for the prayer of a good man can overcome all their influences. Is it from plants, birds, or beasts? But these all follow nature and do good.

From what then is this evil? It is surely from that creature to whom God has given reason and submitted all things on earth, but who transgresses against God and does not follow the rules of reason. It is from Man that all the evils of the age arise, and we read in prophecy that for the sin of Man all the world, with the creatures which it contains, shall be troubled. Man is a microcosm, an abridgement of the world, and it is no wonder that all the elements should be disturbed when he transgresses (26605–26964). On the other hand the good and just man can command the elements and the powers of the material world, as Joshua commanded the sun and moon to stand still and as the saints have done at all times by miracles, and he is victorious at last even over Death, and attains to immortality by the grace of God (26965–27120). Surely, then, every man ought to desire to repent of his sin and to turn to God, that so the world may be amended and we may inherit eternal life. The author confesses himself to be as great a sinner as any man; but hope is his shield by the aid and mercy of Jesus Christ, notwithstanding that he has so idly wasted his life and comes so late to repentance (27121–27360). But how can he escape from his sins, how can he dare to pray, with what can he come before his God? Only by the help of his Lady of Pity, Mary, maid and mother, who will intercede for him if he can obtain her favour. Therefore he desires, before finishing his task, to tell of her conception and birth, her life and her death (27361–27480). Upon this follows the tale of the Nativity of the Virgin, as we find it (for example) in the *Legenda Aurea*, her childhood and espousal, the Nativity of Jesus Christ and the joys of our Lady, the Circumcision and the Purification, the baptism of our Lord, his miracles and his passion, the Resurrection, the sorrows of our Lady and her joys, the Ascension and the descent of the Spirit, the life of the Virgin Mary with St. John, her death, burial, and assumption; and the poet concludes his narrative with a prayer to both Son and Mother that they will have mercy upon his pain because of the pains which they themselves suffered, and give him that joy in which they now rejoice. Especially he is bound to celebrate the praise of his Lady, who is so gentle and fair and so near to God who redeemed us (27481–29904). He begins therefore to tell first of the names by which she is called, and with the praises of her, no doubt, he ended his book, which, as we have it, breaks off at l. 29945.

This, it will be seen, is a literary work with due connexion of parts, and not a mere string of sermons. At the same time it must be said that the descriptions of vices and virtues are of such inordinate length that the effect of unity which should be produced by a well-planned design is almost completely lost, and the book becomes very tiresome to read. We are wearied also by the accumulation of texts and authorities and by the unqualified character of the moral judgements. The maxim in l. 25225,

> 'Les bons sont bons, les mals sont mals,'

is thoroughly characteristic of Gower, and on the strength of it he holds a kind of perpetual Last Judgement, in which he is always engaged in separating the sheep from the goats and dealing out to the latter their doom of eternal fire. The sentence sounds like a truism, but it contains in fact one of the grossest of fallacies. In short, our author has little sense of proportion and no dramatic powers.

As regards the invention of his allegory he seems to be to some extent original. There is nothing, so far as I know, to which we can point as its source, and such as it is, he is apparently entitled to the credit of having conceived it. The materials, no doubt, were ready to his hand. Allegory was entirely in the taste of the fourteenth century, dominated as it was by the influence of the *Roman de la Rose*, from which several of Gower's personifications are taken. The *Mariage des Sept Arts* was a work of this period, and the marriage of the Deadly Sins was not by any means a new idea. For example in MS. Fairfax 24 (Bodleian Libr.) there is a part of a French poem 'de Maritagio nouem filiarum diaboli,' which begins,

> 'Li deable se vout marier,
> Mauveisté prist a sa moiller:
>
> . . . . .
>
> De ceste ix filles engendra
> Et diversement les marya,' &c.

And no doubt other pieces of a similar kind exist.

The same is true as regards the other parts of the book, as has been already pointed out; the combination alone is original.

The style is uniformly respectable, but as a rule very monotonous. Occasionally the tedium is relieved by a story, but it is not generally told in much detail, and for the most part the reader has to toil through the desert with little assistance. It must not be supposed, however, that the work is quite without poetical merit. Every now and then by some touch of description the author betrays himself as the graceful poet of the *Balades*, his better part being crushed under mountains of morality and piles of deadly learning, but surviving nevertheless. For example, the priest who neglects his early morning service is reminded of the example of the lark, who rising very early mounts circling upward and pours forth a service of praise to God from her little throat:

> 'Car que l'en doit sanz nul destour
> Loenge rendre au creatour
> Essample avons de l'alouette,
> Que bien matin de tour en tour
> Monte, et de dieu volant entour
> Les laudes chante en sa gorgette.' (5635 ff.)

Again, Praise is like the bee which flies over the meadows in the sunshine, gathering that which is sweet and fragrant, but avoiding all evil odours (12853 ff.). The robe of Conscience is like a cloud with ever-changing hues (10114 ff.). Devotion is like the sea-shell which opens to the dew of heaven and thus conceives the fair white pearl; not an original idea, but gracefully expressed:

> 'Si en resçoit le douls rosé,
> Que chiet du ciel tout en celée,
> Dont puis deinz soi ad engendré
> La margarite blanche et fine;
> Ensi Devocioun en dée
> Conceipt, s'elle est continué,
> La Contemplacioun divine.' (10818 ff.)

The lines in which our author describes the life of the beggar show that, though he disapproves, he has a real understanding of the delights of vagabondage, with its enjoyment of the open-air life, the sunshine, the woods, and the laziness:

> 'Car mieulx amont la soule mie
> Ove l'aise q'est appartenant,
> C'est du solail q'est eschaulfant,
> Et du sachel acostoiant,
> Et du buisson l'erbergerie,
> Que labourer pour leur vivant' &c. (5801 ff.)

Other descriptions also have merit, as for example that of the procession of the Vices to their wedding, each being arrayed and mounted characteristically (841 ff.), a scene which it is interesting to compare with the somewhat similar passage of Spenser, *Faery Queene*, i. 4, that of Murder rocked in her cradle by the Devil and fed with milk of death (4795), and that of Fortune smiling on her friends and frowning on her enemies (22081 ff.).

Contemplation is described as one who loves solitude and withdraws herself from the sight, but it is not that she may be quite alone: she is like the maiden who in a solitary place awaits her lover, by whose coming she is to have joy in secret (10597 ff.). The truly religious man, already dead in spirit to this world, desires the death of the body 'more than the mariner longs for his safe port, more than the labourer desires his wage, the husbandman his harvest, or the vine-dresser his vintage, more than the prisoner longs for his ransoming and deliverance, or the pilgrim who has travelled far desires his home-coming' (10645 ff.). Such passages as these show both imagination and the power of literary expression, and the stanzas which describe the agony of the Saviour are not wholly unworthy of their high subject:

> 'Par ce q'il ot le corps humein
> Et vist la mort devant la mein,
> Tant durement il s'effroia,
> Du quoy parmy le tendre grein
> Du char les gouttes trestout plein
> Du sanc et eaue alors sua;
> Si dist: O piere, entendes ça,
> Fai que la mort me passera,
> Car tu sur tout es soverein;
> Et nepourqant je vuil cela
> Que vous vuilletz que fait serra,
> Car je me tiens a toy certein.' (28669 ff.)

The man who wrote this not only showed some idea of the dignified handling of a tragic theme, but also had considerable mastery over the instruments that he used; and in fact the technical skill with which the stanza is used is often remarkable. There is sometimes a completeness and finish about it which takes us by surprise. The directions which our author gives us for a due confession of our sins are not exactly poetical, but the manner in which all the various points of *Quomodo* are wrapped up in a stanza, and rounded off at the end of it (14869 ff.) is decidedly neat; and the same may be said of the reference to the lives of the holy fathers, as illustrating the nature of 'Aspre vie':

> 'Qui list les vies des saintz pieres,
> Oïr y puet maintes manieres
> De la nature d'Aspre vie :
> Les uns souleins en les rocheres,
> Les uns en cloistre ove lour confreres,
> Chascun fist bien de sa partie ;
> Cil plourt, cist preche, cil dieu prie,
> Cist june et veille, et cil chastie
> Son corps du froid et des miseres,
> Cist laist sa terre et manantie,
> Cil laist sa femme et progenie,
> Eiant sur tout leur almes cheres.' (18253 ff.)

In fact, he is a poet in a different sense altogether from his predecessors, superior to former Anglo-Norman writers both in imagination and in technical skill; but at the same time he is hopelessly unreadable, so far as this book as a whole is concerned, because, having been seized by the fatal desire to do good in his generation, 'villicacionis sue racionem, dum tempus instat, ... alleuiare cupiens,' as he himself expresses it, he deliberately determined to smother those gifts which had been employed in the service of folly, and to become a preacher instead of a poet. Happily, as time went on, he saw reason to modify his views in this respect (as he tells us plainly in the *Confessio Amantis*), and he became a poet again; but meanwhile he remains a preacher, and not a very good one after all.

QUOTATIONS.—One of the characteristic features of the *Mirour* is the immense number of quotations. This citation of authorities is of course a characteristic of medieval morality, and appears in some books, as in the *Liber Consolationis* and other writings of Albertano of Brescia, in an extreme form. Here the tendency is very pronounced, especially in the part which treats of Vices and Virtues, and it is worth while to inquire what range of reading they really indicate. A very large number are from the Bible, and there can be little doubt that Gower knew the Bible, in the Vulgate version of course, thoroughly well. There is hardly a book of the Old Testament to which he does not refer, and he seems to be acquainted with Bible history even in its obscurest details. The books from which he most frequently quotes are *Job, Psalms, Proverbs, Isaiah, Jeremiah*, and *Ecclesiasticus*, the proverbial morality of this last book being especially congenial to him. The quotations are sometimes inexact, and occasionally assigned to the wrong book; also the book of *Ecclesiasticus*, which is quoted very frequently, is sometimes referred to under the name of Sidrac and sometimes of Solomon: but there can be no doubt in my opinion that these Biblical quotations are at first hand. Of other writers Seneca, who is quoted by name nearly thirty times, comes easily first. Some of the references to him seem to be false, but it is possible that our author had read some of his works. Then come several of the Latin fathers, Jerome, Augustin, Gregory, Bernard, and, not far behind these, Ambrose. The quotations are not always easy to verify, and in most cases there is nothing to indicate that the books from which they are taken had been read as a whole. No doubt Gower may have been acquainted with some portions of them, as for instance that part of Jerome's book against Jovinian which treats of the objections to marriage, but it is likely enough that he picked up most of these quotations at second hand. There are about a dozen quotations from Cicero, mostly from the *De Officiis* and *De Amicitia*, but I doubt whether he had read either of these books. In the *Confessio Amantis* he speaks as if he did not know that Tullius was the same person as Cicero (iv. 2648). Boethius is cited four times, one of the references being false; Cassiodorus and Isidore each four times, and Bede three times. Stories of natural history seem to be referred rather indiscriminately to Solinus, for several of these references prove to be false. Three quotations are attributed by the author to Horace ('Orace'), but of these one is in fact from Ovid and another from Juvenal. He certainly got them all from some book of commonplaces. The same may be said of the passage alleged to be from Quintilian and of the references to Aristotle and to Plato. 'Marcial,' who is quoted three times, is not the classical Martial, but the epigrammatist Godfrey of Winchester, whose writings were in imitation of the Roman poet and passed commonly under his name. The distichs of Cato are referred to five times, and it is certain of course that Gower had read them. Ovid is named only once, and that is a doubtful reference, but the author of the *Confessio Amantis* was certainly well acquainted at least with the *Metamorphoses* and the *Heroides*. Valerius Maximus is the authority for two stories, but it is doubtful whether he is quoted at first hand. Fulgentius is cited twice, and 'Alphonses,' that is Petrus Alphonsi, author of the *Disciplina Clericalis*, twice. 'Pamphilius' (i.e. *Pamphilus, de Amore*) is cited once, but not in such a way as to suggest that Gower knew the book itself; and so too Maximian, but the passage referred to does not seem to be in the *Elegies*. The quotation from Ptolemy is, as usual, from the maxims often prefixed in manuscripts to the *Almagest*. Other writers referred to are Chrysostom, Cyprian, Remigius, Albertus Magnus, Hélinand, Haymo, and Gilbert. We know from a passage in the *Confessio Amantis* that Gower had read some of the works of Albertus, and we may assume as probable that he knew Gilbert's *Opusculum de Virginitate*, for his reference is rather to the treatise generally than to any particular passage of it.

He was acquainted, no doubt, with the *Legenda Aurea* or some similar collection, and he seems to refer also to the *Vitae Patrum*. The moral and devotional books of his own day must have been pretty well known to him, as well as the lighter literature, to which he had himself contributed (*Mir.* 27340). On the whole we must conclude that he was a well-read man according to the standard of his age, especially for a layman, but there is no need to attribute to him a vast stock of learning on the strength of the large number of authors whom he quotes.

PROVERBS, &c.—Besides quotations from books there will be found to be a number of proverbial sayings in the *Mirour*, and I have thought it useful to collect some of these and display them in a manner convenient for reference. They are given in the order in which they occur:

1726. 'Chien dormant n'esveilleras.'
1783.   'l'en voit grever
       Petite mosche au fort destrer.'
1944. 'Pour tout l'avoir du Montpellers.'
2119. 'Mais cil qui voet le mont monter,
       Ainçois l'estoet le doss courber,
       Qu'il truist la voie droite et pleine.'
2182. 'Au despitous despit avient.'
5521. 'Om dist, manace n'est pas lance.'
5593. 'Endementiers que l'erbe es vals
       Renaist et croist, moert ly chivals.'
5668. 'Cil qui ne voet quant ad pooir
       N'el porra puis qant ad voloir.'
5811. 'Dieus aide a la charette.'
6660. 'Poverte parte compaignie.'

MIROUR DE L'OMME

7138. 'Mais l'en dist, qui quiert escorchée
Le pell du chat, dont soit furrée,
Luy fault aucune chose dire.'
7237. 'Comme cil qui chat achatera
El sac.'
7319.   'pour le tresor de Pavie.'
7969. 'Oisel par autre se chastie.'
8789. 'Aviene ce q'avenir doit.'
8836. 'Mais en proverbe est contenu,
Ly cous ad tout son fiel perdu
Et ad dieu en son cuer devant.'
9307. 'Quant fole vait un fol querir,
Du fol trover ne poet faillir.'
9446. 'Ce que polain prent en danture
Toute sa vie apres dura.'
12724. 'Escript auci j'en truis lisant,
Au vois commune est acordant
La vois de dieu.'
13116.   'du mal nage malvois port.'
13489. 'C'est un proverbe de la gent,
Cil qui plus souffre bonnement
Plus valt.'
14440.   'l'en dist en essampler
Qe dieus tous biens fait envoier,
Mais par les corns le boef n'apporte.'
15405. 'Ne fait, comme dire l'en soloit,
De l'autry quir large courroie.' (Cp. 24995.)
16117. 'L'en dist ensi communement
Bon fin du bon commencement.'
16511.   'vendre
Son boef pour manger le perdis.'
16532. 'Du poy petit.' (Cp. 15499.)
16943. 'Qant piere hurte a la viole,
Ou l'ostour luite au russinole,
Savoir poetz q'ad le peiour.'
17257. 'Om dist, Tant as, tant vals.'
17555. 'Qant homme ad paié sa monoie,
Quoy valt ce lors a repentir?'
18013. 'L'en dist ensi communement,
Retrai le fieu bien sagement
Et la fumée exteinderas.'
18020.   'courser megre ne salt pas.'
20420. 'Cil qui sanz draps se fait aler,
Mal avera son garçon vestu.'
21085. 'Ly moigne, ensi comme truis escrit,
Ne sont pas fait de leur habit.'
22927.   'la fortune a les hardis
S'encline.'
23413. 'Trop est l'oisel de mesprisure
Q'au son ny propre fait lesure.'

24230. 'L'un covoitous et l'autre fals
       Ils s'entracordont de leger.'
24265. 'Nul trop nous valt, sicomme l'en dist.'
24962. 'Sicome crepaldz dist al herice,
       Maldit soient tant seigneurant.'
25010. 'Om doit seignour par la maisnie
       Conoistre.'
25015.   'tiel corsaint, tiel offrendour.'
25302. 'Te dourra craie pour fourmage.'
27867.   'qui bien ayme point n'oublie.'
28597. 'De la proverbe me sovient,
       Q'om dist que molt sovent avient
       Apres grant joye grant dolour.'

Akin to the proverbs are the illustrations from Natural History, real or fictitious, of which there is a considerable number in the *Mirour*. These are of very various classes, from simple facts of ordinary observation to the monstrous inventions of the Bestiaries, which were repeated by one writer after another with a faith which rested not on any evidence of the facts stated, but upon their supposed agreement with the fitness of things, that is, practically, their supposed aptness as moral lessons, the medieval idea of the animal world being apparently that it was created and kept in being largely for the instruction of mankind. In taking the glow-worm as an illustration of hypocrisy (1130), the lark of joyous thankfulness (5637), the grasshopper of improvidence (5821), the lapwing of female dissimulation (8869), the turtle-dove of constancy (17881), the drone of indolence (5437), the camel of revengeful malice (4417), and the blind kitten of drunken helplessness (8221), the author is merely making a literary use of every-day observation. There are however, as might be expected, plenty of illustrations of a more questionable character. Presumption is like the tiger beguiled with the mirror (1561); the proud man who is disobedient to law is like the unicorn, which cannot be tamed (2101); the devil breaking down the virtue of a man by raising him high in his own conceit is like the osprey, which carries bones high in the air and breaks them by dropping them upon rocks (1849); Envy, who destroys with her breath the honour of all around her, is like the basilisk which kills all vegetation in the place where it is found (3745); the man-faced bird, which pines away because it has slain a man, is produced as a lesson to murderers

(5029); the bad father, who teaches his sons to plunder the poor, is like the hawk, which beats its young and drives them from the nest in order that they may learn to kill prey for themselves (7009); the partridge is a lesson against stinginess (7671); the contagiousness of sin is illustrated by the fact that the panther infects other animals with his spots (9253), and yet in another place (12865) the sweetness of the human voice when it utters praise is compared to the fragrance of the panther's breath. Contemplation is like the 'chalandre,' which flies up at midnight to the sky, and when on the earth will not look upon a dying person (10705); the fight between Arimaspians and griffons for emeralds is an image created for our instruction of the contest between the soul of man and the devil (10717); Devotion, who opens herself secretly to heaven and thus attains to the divine contemplation, is like the sea-shell which opens to the dew by night and from it conceives the pearl (10813); the spittle of a fasting man (according to Ambrose) will kill a serpent, and the fast itself will no doubt be effectual against the old serpent our enemy (18025). The bee does not come off well on the whole in these comparisons: he is chosen as the likeness of the idle and luxurious prelate, but this is for reasons which are not in themselves at all obvious, except that he has a sting and is unduly fond of sweets (19345). The prelate who protects his flock from encroachments of the royal or other authority is like the big fish which takes the smaller into its mouth to shelter them from the storm (19909); Humility is like the diamond, which refuses a setting of gold, but is drawn to the lowly iron, a confusion with the load-stone, arising from the name 'adamant' applied to both (12463). These are some of the illustrations which are drawn from the domain of Natural History, not original for the most part, but worth noting as part of the literary baggage of the period.

THE AUTHOR AND HIS TIMES.—We may gather from the *Mirour* some few facts about the personality of the author, which will serve to supplement in some degree our rather scanty knowledge of Gower's life. He tells us here that he is a layman (21772), but that we knew already; and that he knows little Latin and little French,—'Poi sai latin, poi sai romance' (21775), but that is only his modesty; he knows quite enough of both. He has spent his life in what he now regards as folly or worse; he has committed all the seven deadly sins (27365); moreover he has composed love poems, which he now calls 'fols ditz d'amour' (27340); but for all this it is probable enough that his life has been highly respectable. He comes late to repentance (27299), and means to sing a song different from that which he has sung heretofore (27347), to atone, apparently, for his former misdeeds. We may assume, then, that he was not very young at the time when he wrote this book; and we know that he considered himself an old man when he produced the *Confessio Amantis* (viii. 3068*) in the year 1390. Men were counted old before sixty in those days, and therefore we may suppose him to be now about forty-six. We may perhaps gather from ll. 8794 and 17649 that he had a wife. In the former passage he is speaking of those who tell tales to husbands about their wives' misconduct, and he says in effect, 'I for my part declare (Je di pour moi) that I wish to hear no such tales of *my* wife'; in the second he speaks of those wives who dislike servants and other persons simply because their husbands like them, and he adds, 'I do not say that mine does so,' 'Ne di pas q'ensi fait la moie.' If the inference is correct, then his union with Agnes Groundolf in his old age was a second marriage, and this is in itself probable enough. We cannot come to any definite conclusion from this poem about his profession or occupation in life. It is said by Leland that Gower was a lawyer, but for this statement no evidence has ever been produced, and if we may judge from the tone in which he speaks of the law and lawyers in the *Mirour*, we must reject it. Of all the secular estates that of the law seems to him to be the worst (24805 ff.), and he condemns both advocates and judges in a more unqualified manner than the members of any other calling. He knows apparently a good deal about them and about the 'customs of Westminster,' but, judging by his tone, we shall probably be led to think that this knowledge was acquired rather in the character of a litigant than in that of a member of the legal profession. Especially the suggestion of a special tax to be levied on lawyers' gains (24337 ff.) is one which could hardly have come from one who was himself a lawyer. Again, the way in which he speaks of physicians, whom he accuses of being in league with apothecaries to defraud patients, and of deliberately delaying the cure in order to make more money (24301, 25621 ff.), seems to exclude him quite as clearly from the profession of medicine, the condemnation being here again general and unqualified.

Of all the various ranks of society which he reviews, that of which he seems to speak with most respect is the estate of Merchants. He takes pains to point out both here and in the *Vox Clamantis* the utility of their occupation and the justice of their claim to reasonably large profits on successful ventures in consideration of the risks which they run (25177 ff.). He makes a special apology to the honest members of the class for exposing the abuses to which the occupation is liable, pleading that to blame the bad is in effect to praise the good (25213 ff., 25975 ff.), and he is more careful here than elsewhere to point out the fact that honest members of the class exist. These indications seem to suggest that it was as a merchant that Gower made the money which he spent in buying his land; and this inference is supported by the manner in which he speaks of 'our City,' and by the fact that it is with members of the merchant class that he seems to be most in personal communication. He has evidently discussed with merchants the comparative value of worldly and spiritual possessions, and he reports the saying of one of them,

'Dont un me disoit l'autre jour,'

to the effect that he was a fool who did not make money if he might, for no one knew the truth about the world to come (25915 ff.). He feels strongly against a certain bad citizen who aims at giving privileges in trade to outsiders (26380 ff.), and the jealousy of the Lombards which he expresses (25429 ff.) has every appearance of being a prejudice connected with rivalry in commerce. 'I see Lombards come,' he says, 'in poor attire as servants, and before a year has passed they have gained so much by deceit and conspiracy that they dress more nobly than the burgesses of our City; and if they need influence or friendship, they gain it by fraud and subtlety, so that their interests are promoted and ours are damaged at their will and pleasure.'

If we are to go further and ask in what branch of trade our author exercised himself, it is probable that we may see reason to set him down as a dealer in wool, so enthusiastic is he about wool as the first of all commodities, and so much has he to say about the abuses of the staple (25360 ff.). No doubt the business of exporting wool would be combined with that of importing foreign manufactured goods of some kind. It is known from other sources that Gower was a man who gradually acquired considerable property in land, and the references in the *Mirour* to the dearness of labour and the unreasonable demands of the labourer (24625 ff.) are what we might expect from a man in that position.

He tells us that he is a man of simple tastes, that he does not care to have 'partridges, pheasants, plovers, and swans' served up at his table (26293 ff.); that he objects however to finding his simple joint of meat stuck full of wooden skewers by the butcher, so that when he comes to carve it he blunts the edge of his knife (26237 ff.). We know moreover from the whole tone of his writings that he is a just and upright man, who believes in the due subordination of the various members of society to one another, and who will not allow himself to be ruled in his own household either by his wife or his servants. He thinks indeed that the patience of Socrates is much overstrained, and openly declares that he shall not imitate it:

> 'Qui ceste essample voet tenir
> Avise soy; car sans mentir
> Je ne serray si pacient.' (4186 ff.)

But, though a thorough believer in the principle of gradation in human society, he emphasizes constantly the equality of all men before God and refuses absolutely to admit the accident of birth as constituting any claim whatever to 'gentilesce.' The common descent of all from Adam is as conclusive on this point for him as it was for John Ball (23389 ff.), and he is not less clear and sound on the subject of wealth. Considering that his views of society are essentially the same as those of Wycliff, and considering also his strong views about the corruption of the Church and the misdeeds of the friars, it is curious to find how strongly he denounces 'lollardie' in his later writings.

He has a just abhorrence of war, and draws a very clear-sighted distinction between the debased chivalry of his day and the true ideal of knighthood, the one moved only by impulses of vainglorious pride and love of paramours,

> 'Car d'orguil ou du foldelit,
> Au jour present, sicomme l'en dist,
> Chivalerie est maintenue.' (23986 ff.)

and the other, set only on serving God and righting the wrong, represented finely in the character of Prowess:

> 'Il ad delit sanz fol amour,
> Proufit sanz tricher son prochein,
> Honour sanz orguillous atour.' (15176 ff.)

Above all, our author has a deep sense of religion, and his study has been much upon the Bible. He deeply believes in the moral government of the world by Providence, and he feels sure, as others of his age also did, that the world has almost reached its final stage of corruption. Whatever others may do, he at least intends to repent of his sins and prepare himself to render a good account of his stewardship.

Let us pass now from the person of the author and touch upon some of those illustrations of the manners of the time which are furnished by the *Mirour*. In the first place it may be said that in certain points, and especially in what is said of the Court of Rome and the Mendicant orders, it fully confirms the unfavourable impression which we get from other writers of the time. Gower has no scruples at any time in denouncing the temporal possessions of the Church as the root of almost all the evil in her, and here as elsewhere he tells the story of the donation of Constantine, with the addition of the angelic voice which foretold disaster to spring from it. Of dispensations, which allow men to commit sin with impunity, he takes a very sound view. Not even God, he says, can grant this, which the Pope claims the power to grant (18493). The Mendicant friars are for him those 'false prophets' of whom the Gospel spoke, who should come in sheep's clothing, while inwardly they were ravening wolves. He denounces their worldliness in the strongest language, and the account of their visits to poor women's houses, taking a farthing if they cannot get a penny, or a single egg if nothing else is forthcoming (21379), reminds us vividly of Chaucer's picture of a similar scene. But in fact the whole of the Church seems to our author to be in a wrong state. He does not relieve his picture of it by any such pleasing exception as the parish priest of the *Canterbury Tales*. He thinks that it needs reform from the top to the bottom; the clergy of the parish churches are almost as much to blame as the prelates, monks and friars, and for him it is the corruption of the Church that is mainly responsible for the decadence of society (21685 ff.). These views he continued to hold throughout his life, and yet he apparently had no sympathy whatever with Lollardism (*Conf. Am. Prol.* 346 ff. and elsewhere). His witness against the Church comes from one who is entirely untainted by schism. Especially he is to be listened to when he complains how the archdeacons and their officers abuse the trust committed to them for the correction of vices in the clergy and in the laity. With the clergy it is a case of 'huy a moy, demain a vous'—that is, the archdeacon or dean, being immoral himself, winks at the vices of the clergy in order that his own may be overlooked; the clergy, in fact, are judges in their own cause, and they stand or fall together. If, however, an unfortunate layman offends, they accuse him forthwith, in order to profit by the penalties that may be exacted. 'Purs is the erchedeknes helle,' as Chaucer's Sompnour says, and Gower declares plainly that the Church officials encourage vice in order that they may profit by it: 'the harlot is more profitable to them,' he says, 'than the nun, and they let out fornication to farm, as they let their lands' (20149 ff.).

Setting aside the Church, we may glean from the *Mirour* some interesting details about general society, especially in the city of London. There is a curious and life-like picture of the gatherings of city dames at the wine-shop, whither with mincing steps they repair instead of to church or to market, and how the vintner offers them the choice of Vernazza and Malvoisie, wine of Candia and Romagna, Provence and Monterosso—not that he has all these, but to tickle their fancies and make them pay a higher price—and draws ten kinds of liquor from a single cask. Thus he makes his gain and they spend their husbands' money (26077 ff.). We find too a very lively account of the various devices of shopkeepers to attract custom and cheat their customers. The mercer, for example, is louder than a sparrow-hawk in his cries; he seizes on people in the street and drags them by force into his shop, urging them merely to view his kerchiefs and his ostrich feathers, his satins and foreign cloth (25285 ff.). The draper will try to sell you cloth in a dark shop, where you can hardly tell blue from green, and while making you pay double its value will persuade you that he is giving it away because of his regard for you and desire for your acquaintance (25321 ff.). The goldsmith purloins the gold and silver with which you supply him and puts a base alloy in its place; moreover, if he has made a cup for you and you do not call for it at once, he will probably sell it to the first comer as his own, and tell you that yours was spoilt in the making and you must wait till he can make you another (25513 ff.). The druggist not only makes profit out of sin by selling paints and cosmetics to women, but joins in league with the physician and charges exorbitantly for making up the simplest prescription (25609 ff.). The furrier stretches the fur with which he has to trim the mantle, so that after four days' wear it is obvious that the cloth and the fur do not match one another (25705 ff.). Every kind of food is adulterated and is sold by false weights and measures. The baker is a scoundrel of course, and richly deserves hanging (26189), but the butcher is also to blame, and especially because he declines altogether to recognize the farthing as current coin and will take nothing less than a penny, so that poor people can get no meat (26227). Wines are mixed, coloured and adulterated; what they call Rhenish probably grew on the banks of the Thames (26118). If you order beer for your household, you get it good the first time and perhaps also the second, but after that no more; and yet for the bad as high a price is charged as for the good (26161 ff.). Merchants in these days talk of thousands, where their fathers talked of scores or hundreds; but their fathers lived honestly and paid their debts, while these defraud all who have dealings with them. When you enter their houses, you see tapestried rooms and curtained chambers, and they have fine plate upon the tables, as if they were dukes; but when they die, they are found to have spent all their substance, and their debts are left unpaid (25813 ff.).

In the country the labourers are discontented and disagreeable. They do less work and demand more pay than those of former times. In old days the labourer never tasted wheaten bread and rarely had milk or cheese. Things went better in those days. Now their condition is a constant danger to society, and one to which the upper classes seem strangely indifferent (26425 ff.).

Curious accounts are given of the customs of the legal profession, and when our author comes to deal with the jury-panel, he tells us of a regularly established class of men whose occupation it is to arrange for the due packing and bribing of juries. He asserts that of the corrupt jurors there are certain captains, who are called 'tracers' (*traiciers*), because they draw (*treront*) the others to their will. If they say that white is black, the others will say 'quite so,' and swear it too, for as the tracer will have it, so it shall be. Those persons who at assizes desire to have corrupt jurymen to try their case must speak with these 'tracers,' for all who are willing to sell themselves in this manner are hand and glove with them, and so the matter is arranged (25033 ff.). The existence of a definite name for this class of undertakers seems to indicate that it was really an established institution.

These are a few of the points which may interest the reader in the reflection of the manners of society given by our author's 'mirror.' The whole presents a picture which, though no doubt somewhat overcharged with gloom, is true nevertheless in its outlines.

TEXT.—It remains to speak of the text of this edition and of the manuscript on which it depends.

In the year 1895, while engaged in searching libraries for MSS. of the *Confessio Amantis*, I observed to Mr. Jenkinson, Librarian of the Cambridge University Library, that if the lost French work of Gower should ever be discovered, it would in all probability be found to have the title *Speculum Hominis*, and not that of *Speculum Meditantis*, under which it was ordinarily referred to. He at once called my attention to the MS. with the title *Mirour de l'omme*, which he had lately bought and presented to the University Library. On examining this I was able to identify it beyond all doubt with the missing book.

It may be thus described:

Camb. Univ. Library, MS. Additional 3035, bought at the Hailstone sale, May 1891, and presented to the Library by the Librarian.

Written on parchment, size of leaves about $12'' \times 7\frac{3}{4}''$, in eights with catchwords; writing of the latter half of the 14th century, in double column of forty-eight lines to the column; initial letter of each stanza coloured blue or red, and larger illuminated letters at the beginning of the chief divisions, combined with some ornamentation on the left side of the column, and in one case, f. 58 v°, also at the top of the page. One leaf is pasted down to the binding at the beginning and contains the title and table of contents. After this four leaves have been cut out, containing the beginning of the poem, and seven more in other parts of the book. There are also some leaves lost at the end. The first leaf after those which have been cut out at the beginning has the signature *a* iiii. The leaves (including those cut out) have now been numbered 1, 1*, 2, 3, 4, &c., up to 162; we have therefore a first sheet, of which half is pasted down (f. 1) and the other half cut away (f. 1*), and then twenty quires of eight leaves with the first leaf of the twenty-first quire, the leaves lost being those numbered 1*, 2, 3, 4, 36, 106, 108, 109, 120, 123, 124, as well as those after 162.

The present binding is of the last century and doubtless later than 1745, for some accounts of work done by 'Richard Eldridge' and other memoranda, written in the margins in an illiterate hand, have the dates 1740 and 1745 and have been partly cut away by the binder. The book was formerly in the library of Edward Hailstone, Esq., whose name and arms are displayed upon a leather label outside the binding, but it seems that no record exists as to the place from which he obtained it. From the writing in the margin of several pages it would seem that about the year 1745 it was lying neglected in some farm-house. We have, for example, this memorandum (partly cut away) in the margin of one of the leaves: 'Margat . . . leved at James . . . in the year of our Lord 1745 and was the dayre maid that year . . . and her swithart name was Joshep Cockhad Joshep Cockhad carpenter.' On the same page occurs the word 'glosterr,' which may partly serve to indicate the locality.

The manuscript is written in one hand throughout, with the exception of the Table of Contents, and the writing is clear, with but few contractions. In a few cases, as in ll. 4109, 4116, 28941 f., corrections have been made over erasure. The correctness of the text which the MS. presents is shown by the very small number of cases in which either metre or sense suggests emendation. Apart from the division of words, only about thirty corrections have been made in the present edition throughout the whole poem of nearly thirty thousand lines, and most of these are very trifling. I have little doubt that this copy was written under the direction of the author.

As regards the manner in which the text of the MS. has been reproduced in this edition, I have followed on the whole the system used in the publications of the 'Société des Anciens Textes Français.' Thus *u* and *v*, *i* and *j*, have been dealt with in accordance with modern practice, whereas in the MS. (as usual in French and English books of the time) *v* is regularly written as the initial letter of a word for either *u* or *v*, and *u* in other positions (except sometimes in the case of compounds like *avient*, *avoegler*, *envers*, *envie*, &c.), while, as regards *i* and *j*, we have for initials either *i* or *I* (*J*), and in other positions *i*. Thus the MS. has *vn*, *auoir*, while the text gives for the reader's convenience *un*, *avoir*; the MS. has *ie* or *Ie*, *iour* or *Iour*, while the text gives *je*, *jour*. Again, where an elision is expressed, the MS. of course combines the two elements into one word, giving *lamour*, *quil*, *qestoit*, while the text separates them by the apostrophe, *l'amour*, *qu'il*, *q'estoit*. Some other separations have also been made. Thus the MS. often, but by no means always, combines *plus* with the adjective or adverb to which it belongs: *plusbass*, *plusauant*; and often also the word *en* is combined with a succeeding verb, as *enmangeast*, *enserroit*: in these instances the separation is made in the text, but the MS. reading is recorded. In other cases, as with the combinations *sique*, *sicomme*, *nounpas*, *envoie*, &c., the usage of the MS. has been followed, though it is not quite uniform.

The final *-é* (*-és*) and *-ée* (*-ées*) of nouns and participles have been marked with the accent for the reader's convenience, but in all other cases accents are dispensed with. They are not therefore used in the terminations *-ez*, *-eez*, even when standing for *-és*, *-ées*, as in *festoiez*, *neez*, nor in *asses*, *sachies*, &c., standing for *assez*, *sachiez* (except l. 28712), nor is the grave accent placed upon the open *e* of *apres*, *jammes*, &c. Occasionally the diaeresis is used to separate vowels; and the cedilla is inserted, as in modern French, to indicate the soft sound of *c* where this seems certain, but there are some possibly doubtful cases, as *sufficance*, *naiscance*, in which it is not written.

With regard to the use of capital letters, some attempt has been made to qualify the inconsistency of the MS. In general it may be said that where capitals are introduced, it has been chiefly in order to indicate more clearly the cases where qualities or things are personified. It has not been thought necessary to indicate particularly all these variations.

The punctuation is the work of the editor throughout; that of the MS., where it exists, is of a very uncertain character.

Contractions, &c., are marked in the printed text by italics, except in the case of the word *et*, which in the MS. is hardly ever written in full except at the beginning of a line. In such words as *pest, pfit, pfaire*, there may be doubt sometimes between *per* and *par*, and the spelling of some of them was certainly variable. Attention must be called especially to the frequently occurring *-oñ* as a termination. It has been regularly written out as *-oun*, and I have no doubt that this is right. In Bozon's *Contes Moralizés* the same abbreviation is used, alternating freely with the full form *-oun*, and it is common in the MSS. of the *Confessio Amantis* and in the Ellesmere MS. of the *Canterbury Tales* (so far as I have had the opportunity of examining it), especially in words of French origin such as *devocioun, contricioun*. In the French texts this mode of writing is applied also very frequently to the monosyllables *mon, ton, son, bon, don, non*, as well as to *bonté, nonpas, noncertein*, &c. The scribe of the *Mirour* writes *doun* in full once (24625) with *doñ* in the same stanza, in *Bal.* xxi. 4 *noun* is twice fully written, and in some MSS. of the *Traitié* (e. g. Bodley 294) the full form occurs frequently side by side with the abbreviation. A similar conclusion must be adopted as regards *añ* (annum), also written *aun, glañ, dañcer*, and the termination *-añce*, which is occasionally found.

BALADES.

THE existence of the *Cinkante Balades* was first made known to the public by Warton in his *History of English Poetry*, Sect. xix, his attention having been drawn to the MS. which contains them by its possessor, Lord Gower. After describing the other contents of this MS., he says: 'But the *Cinkante Balades* or fifty French Sonnets above mentioned are the curious and valuable part of Lord Gower's manuscript. They are not mentioned by those who have written the Life of this poet or have catalogued his works. Nor do they appear in any other manuscript of Gower which I have examined. But if they should be discovered in any other, I will venture to pronounce that a more authentic, unembarrassed, and practicable copy than this before us will not be produced. . . . To say no more, however, of the value which these little pieces may derive from being so scarce and so little known, they have much real and intrinsic merit. They are tender, pathetic and poetical, and place our old poet Gower in a more advantageous point of view than that in which he has hitherto been usually seen. I know not if any even among the French poets themselves of this period have left a set of more finished sonnets; for they were probably written when Gower was a young man, about the year 1350. Nor had yet any English poet treated the passion of love with equal delicacy of sentiment and elegance of composition. I will transcribe four of these balades as correctly and intelligibly as I am able; although, I must confess, there are some lines which I do not exactly comprehend.' He then quotes as specimens *Bal.* xxxvi, xxxiv, xliii, and xxx, but his transcription is far from being correct and is often quite unintelligible.

DATE.—The date at which the *Cinkante Balades* were composed cannot be determined with certainty. Warton, judging apparently by the style and subject only, decided, as we have seen, that they belonged to the period of youth, and we know from a passage in the *Mirour* (27340) that the author composed love poems of some kind in his early life. Apart from this, however, the evidence is all in favour of assigning the *Balades* to the later years of the poet's life. It is true, of course, that the Dedication to King Henry IV which precedes them, and the Envoy which closes them, may have been written later than the rest; but at the same time it must be noted that the second balade of the Dedication speaks distinctly of a purpose of making poems for the entertainment of the royal court, and the mutilated title which follows the Dedication confirms this, so far as it can be read. Again, the prose remarks which accompany *Bal.* v and vi make it clear that the circumstances of the poems are not personal to the author, seeing that he there divides them into two classes, those that are appropriate for persons about to be married, and those that are 'universal' and have application to all sorts and conditions of lovers. Moreover, several of these last, viz. xli–xliv and also xlvi, are supposed to be addressed by ladies to their lovers. It is evident that the balades are only to a very limited extent, if at all, expressive of the actual feelings of the author towards a particular person. As an artist he has set himself to supply suitable forms of expression for the feelings of others, and in doing so he imagines their variety of circumstances and adapts his composition accordingly. For this kind of work it is not necessary, or perhaps even desirable, to be a lover oneself; it is enough to have been a lover once: and that Gower could in his later life express the feelings of a lover with grace and truth we have ample evidence in the *Confessio Amantis*. No doubt it is possible that these balades were written at various times in the poet's life, and perhaps some persons, recognizing the greater spontaneity and the more gracefully poetical character (as it seems to me) of the first thirty or so, as compared with the more evident tendency to moralize in the rest, may be inclined to see in this an indication of earlier date for the former poems. In fact however the moralizing tendency, though always present, grew less evident in Gower's work with advancing years. There is less of it in the *Confessio Amantis* than in his former works, and this not by accident but on principle, the author avowing plainly that unmixed morality had not proved effective, and accepting love as the one universally interesting subject. When Henry of Lancaster, the man after his own heart, was fairly seated on the throne, he probably felt himself yet more free to lay aside the self-imposed task of setting right the world, and to occupy himself with a purely literary task in the language and style which he felt to be most suitable for a court. In any case it seems certain that some at least of the balades were composed with a view to the court of Henry IV, and the collection assumed its present shape probably in the year of his accession, 1399, for we know that either in the first or the second year of Henry IV the poet became blind and ceased to write.

FORM AND VERSIFICATION.—The collection consists of a Dedication addressed to Henry IV, fifty-one (not fifty) balades of love (one number being doubled by mistake), then one, unnumbered, addressed to the Virgin, and a general Envoy. The balades are written in stanzas of seven or eight lines, exactly half of the whole fifty-four (including the Dedication) belonging to each arrangement. The seven-line stanza rhymes *ab ab bcc* with Envoy *bc bc*, or in three instances *ab ab baa*, Envoy *ba ba*; the eight-line stanza ordinarily *ab ab bc bc* with Envoy *bc bc*, but also in seven instances *ab ab ba ba* with Envoy *ba ba*. The form is the normal one of the balade, three stanzas with rhymes alike and an Envoy; but in one case, *Bal.* ix, there are five stanzas with Envoy, and in another, xxxii, the Envoy is wanting. Also the balade addressed to the Virgin, which is added at the end, is without Envoy, and there follows a general Envoy of seven lines, rhyming independently and referring to the whole collection.

The balade form is of course taken from Continental models, and the metre of the verse is syllabically correct like that of the *Mirour*. As was observed however about the octosyllabic line of the *Mirour*, so it may be said of the ten-syllable verse here, that the rhythm is not exactly like that of the French verse of the Continent. The effect is due, as before remarked, to the attempt to combine the English accentual with the French syllabic measure. This is especially visible in the treatment of the caesura. In the compositions of the French writers of the new poetry—Froissart, for example—the ten- (or eleven-) syllable line has regularly a break after the fourth syllable. This fourth syllable however may be either accented or not, that is, either as in the line,

'Se vous voulez aucune plainte faire,'

or as in the following,

'Prenez juge qui soit de noble afaire.'

The weaker form of caesura shown in this latter line occurs in at least ten per cent. of the verses in this measure which Froissart gives in the *Trésor Amoureux*, and the case is much the same with the *Balades* of Charles d'Orléans, a generation later. Gower, on the other hand, does not admit the unaccented syllable (mute *e* termination) in the fourth place at all; no such line as this,

'De ma dame que j'aime et ameray,'

is to be found in his balades. Indeed, we may go further than this, and say that the weak syllable is seldom tolerated in the other even places of the verse, where the English ear demanded a strongly marked accentual beat. Such a line as

'Vous me poetz sicom vostre demeine' (*Bal.* xxxix. 2)

is quite exceptional.

At the same time he does not insist on ending a word on the fourth syllable, but in seven or eight per cent. of his lines the word is run on into the next foot, as

'Et vous, ma dame, croietz bien cela.'

This is usually the form that the verse takes in such cases, the syllable carried on being a mute *e* termination, and the caesura coming after this syllable; but lines like the following also occur, in which the caesura is transferred to the end of the third foot:

> 'Si fuisse en paradis, ceo beal manoir,' v. 3.
> 'En toute humilité sans mesprisure,' xii. 4.

So xvi. l. 2, xx. l. 20, &c., and others again in which the syllable carried on is an accented one, as

> 'Si femme porroit estre celestine,' xxi. 2.
> 'Jeo ne sai nomer autre, si le noun;' xxiv. 1.

It must be noticed also that the poet occasionally uses the so-called epic caesura, admitting a superfluous unaccented syllable after the second foot, as

> 'Et pensetz, dame, de ceo q'ai dit pieça,' ii. 3.
> 'Qe mieulx voldroie morir en son servage,' xxiii. 2.

So with *dame, dames*, xix. l. 20, xx. l. 13, xxxvii. l. 18, xlvi. l. 15[1]; and with other words, xxv. l. 8, &c., *aime*, xxxiii. l. 10, *nouche*, xxxviii. l. 23, *grace*, xliv. l. 8, *fame*. In xx. 1 the same thing occurs exceptionally in another part of the line, the word *roe* counting as one syllable only, though it is a dissyllable in *Mir.* 10942. Naturally the termination *-ée*, as in iii. 2,

> 'La renomée, dont j'ai l'oreile pleine,'

does not constitute an epic caesura, because, as observed elsewhere, the final *e* in this case did not count as a syllable in Anglo-Norman verse.

On the whole we may say that Gower treats the caesura with much the same freedom as is used in the English verse of the period, and at the same time he marks the beat of his iambic verse more strongly than was done by the contemporary French poets.

MATTER AND STYLE.—As regards the literary character of these compositions it must be allowed that they have, as Warton says, 'much real and intrinsic merit.' There is indeed a grace and poetical feeling in some of them which makes them probably the best things of the kind that have been produced by English writers of French, and as good as anything of the kind which had up to that time been written in English. The author himself has

---

[1] Perhaps, however, *dame* was in these cases really a monosyllable, as apparently in *Mir.* 6733, 13514, 16579.

marked them off into two unequal divisions. The poems of the first class (i–v) express for us the security of the accepted lover, whose suit is to end in lawful marriage :

> 'Jeo sui tout soen et elle est toute moie,
> Jeo l'ai et elle auci me voet avoir;
> Pour tout le mond jeo ne la changeroie.' (*Bal.* v.)

From these he passes to those expressions of feeling which apply to lovers generally, 'qui sont diversement travailez en la fortune d'amour.' Nothing can be more graceful in its way than the idea and expression of *Bal.* viii, 'D'estable coer, qui nullement se mue,' where the poet's thought is represented as a falcon, flying on the wings of longing and desire in a moment across the sea to his absent mistress, and taking his place with her till he shall see her again. Once more, in *Bal.* xv, the image of the falcon appears, but this time it is a bird which is allowed to fly only with a leash, for so bound is the lover to his lady that he cannot but return to her from every flight. At another time (*Bal.* xviii) the lover is in despair at the hardness of his lady's heart: drops of water falling will in time wear through the hardest stone; but this example will not serve him, for he cannot pierce the tender ears of his mistress with prayers, how urgent and repeated soever; God and the saints will hear his prayers, but she is harder than the marble of the quarry—the more he entreats, the less she listens, 'Com plus la prie, et meinz m'ad entendu.' Again (xiii) his state is like the month of March, now shine, now shower. When he looks on the sweet face of his lady and sees her 'gentilesse,' wisdom, and bearing, he has only pure delight; but when he perceives how far above him is her worth, fear and despair cloud over his joy, as the moon is darkened by eclipse. But in any case he must think of her (xxiv); she has so written her name on his heart that when he hears the chaplain read his litany he can think of nothing but of her. God grant that his prayer may not be in vain! Did not Pygmalion in time past by prayer obtain that his lady should be changed from stone to flesh and blood, and ought not other lovers to hope for the same fortune from prayer? He seems to himself to be in a dream, and he questions with himself and knows not whether he is a human creature or no, so absorbed is his being by his love. God grant that his prayer may not be in vain! He removes himself from her for a time (xxv) because of evil speakers, who with their slanders might injure her good name; but she must know that his heart is ever with her and that all his grief and joy hangs upon her, 'Car qui bien aime ses amours tard oblie.' But (xxix) she has misunderstood his absence; report tells him that she is angry with him. If she knew his thoughts, she would not be so disposed towards him; this balade he sends to make his peace, for he cannot bear to be out of her love. In another (xxxii) he expresses the deepest dejection: the New Year has come and is proceeding from winter towards spring, but for him there is winter only, which shrouds him in the thickest gloom. His lady's beauty ever increases, but there is no sign of that kindness which should go with it; love only tortures him and gives him no friendly greeting. To this balade there is no Envoy, whether it be by negligence of the copyist, or because the lover could not even summon up spirit to direct it to his mistress. Again (xxxiii), he has given her his all, body and soul, both without recall, as a gift for this New Year of which he has just now spoken: his sole delight is to serve her. Will she not reward him even by a look? He asks for no present from her, let him only have some sign which may bid him hope, 'Si plus n'y soit, donetz le regarder.' The coming of Saint Valentine encourages him somewhat (xxxiv) with the reflection that all nature yields to love, but (xxxv) he remembers with new depression that though birds may choose their mates, yet he remains alone. May comes on (xxxvii), and his lady should turn her thoughts to love, but she sports with flowers and pays no heed to the prayer of her prisoner. She is free, but he is strongly bound; her close is full of flowers, but he cannot enter it; in the sweet season his fortune is bitter, May is for him turned into winter: 'Vous estes franche et jeo sui fort lié.'

Then the lady has her say, and in accordance with the prerogative of her sex her moods vary with startling abruptness. She has doubts (xli) about her lover's promises. He who swears most loudly is the most likely to deceive, and some there are who will make love to a hundred and swear to each that she is the only one he loves. 'To thee, who art one thing in the morning and at evening another, I send this balade for thy reproof, to let thee know that I leave thee and care not for thee.' In xliii she is fully convinced of his treachery, he is falser than Jason to Medea or

Eneas to Dido. How different from Lancelot and Tristram and the other good knights! 'C'est ma dolour que fuist ainçois ma joie.' With this is contrasted the sentiment of xliv, in which the lady addresses one whom she regards as the flower of chivalry and the ideal of a lover, and to whom she surrenders unconditionally. The lady speaks again in xlvi, and then the series is carried to its conclusion with rather a markedly moral tone. At the end comes an address to the Virgin, in which the author declares himself bound to serve all ladies, but her above them all. No lover can really be without a loving mistress, for in her is love eternal and invariable. He loves and serves her with all his heart, and he trusts to have his reward. The whole concludes with an Envoy addressed to 'gentle England,' describing the book generally as a memorial of the joy which has come to the poet's country from its noble king Henry, sent by heaven to redress its ills.

PRINTED EDITIONS.—The *Balades* have been twice printed. They were published by the Roxburghe Club in 1818, together with the other contents of the Trentham MS. except the English poem, with the title 'Balades and other Poems by John Gower. Printed from the original MS. in the library of the Marquis of Stafford at Trentham,' Roxburghe Club, 1818, 4to. The editor was Earl Gower. This edition has a considerable number of small errors, several of which obscure the sense; only a small number of copies was printed, and the book can hardly be obtained.

In 1886 an edition of the *Balades* and of the *Traitié* was published in Germany under the name of Dr. Edmund Stengel in the series of 'Ausgaben und Abhandlungen aus dem Gebiete der romanischen Philologie.' The title of this book is 'John Gower's Minnesang und Ehezuchtbüchlein: LXXII anglonormannische Balladen ... neu herausgegeben von Edmund Stengel.' Marburg, 1886. The preface is signed with the initials D. H. The editor of this convenient little book was unable to obtain access to the original MS., apparently because he had been wrongly informed as to the place where it was to be found, and accordingly printed the *Balades* from the Roxburghe edition with such emendations as his scholarship suggested. He removed a good many obvious errors of a trifling kind, and in a few cases he was successful in emending the text by conjecture. Some important corrections, however, still remained to be made, and in several instances he introduced error into the text either by incorrectly transcribing the Roxburghe edition or by unsuccessful attempts at emendation. I do not wish to speak with disrespect of this edition. The editor laboured under serious disadvantages in not being able to refer to the original MS. and in not having always available even a copy of the Roxburghe edition, so that we cannot be surprised that he should have made mistakes. I have found his text useful to work upon in collation, and some of his critical remarks are helpful.

THE PRESENT TEXT.—The text of this edition is based directly on the MS., which remains still in the library at Trentham Hall and to which access was kindly allowed me by the Duke of Sutherland. I propose to describe the MS. fully, since it is of considerable interest, and being in a private library it is not generally accessible.

The Trentham MS., referred to as T., is a thin volume, containing 41 leaves of parchment, measuring about $6\frac{1}{4}$ in. $\times$ $9\frac{1}{4}$ in., and made up apparently as follows: a^4, b^1, c^6, d—f^8 (one leaf cut out), g^1, h^4, i^2 (no catchwords).

The first four leaves and the last two are blank except for notes of ownership, &c., so that the text of the book extends only from f. 5 to f. 39, one leaf being lost between f. 33 and f. 34.

The pages are ruled for 35 lines and are written in single column. The handwriting is of the end of the fourteenth or beginning of the fifteenth century, and resembles what I elsewhere describe as the 'third hand' in MS. Fairfax 3, though I should hesitate to affirm that it is certainly the same, not having had the opportunity of setting the texts side by side. There is, however, another hand in the MS., which appears in the Latin lines on ff. 33 v⁰ and 39 v⁰.

The initial letters of poems and stanzas are coloured, but there is no other ornamentation.

The book contains (1) ff. 5—10 v⁰, the English poem in seven-line stanzas addressed to Henry IV, beginning 'O worthi noble kyng.'

(2) f. 10 v⁰, 11, the Latin piece beginning 'Rex celi deus.'

(3) f. 11 v⁰—12 v⁰, two French balades with a set of Latin verses between them, addressed to Henry IV (f. 12 is seriously damaged). This is what I refer to as the Dedication.

(4) ff. 12 v⁰—33, *Cinkante balades.*

(5) f. 33 v⁰, Latin lines beginning 'Ecce patet tensus,' incomplete owing to the loss of the next leaf. Written in a different hand.

(6) ff. 34—39, 'Traitié pour ensampler les amantz marietz,' imperfect at the beginning owing to the loss of the preceding leaf.

(7) f. 39 v⁰, Latin lines beginning 'Henrici quarti,' written in the hand which appears on f. 33 v⁰.

On the first blank leaf is the following in the handwriting of Sir Thomas Fairfax :

'S^r. John Gower's learned Poems the same booke by himself presented to kinge Henry ye fourth before his Coronation.'

(Originally this was 'att his Coronation,' then 'att or before his Coronation,' and finally the words 'att or' were struck through with the pen.)

Then lower down in the same hand :

'For my honorable freind & kinsman s^r. Thomas Gower knt. and Baronett from
    Ffairfax 1656.'

On the verso of the second leaf near the left-hand top corner is written a name which appears to be 'Rychemond,' and there is added in a different hand of the sixteenth century :

'Liber Hen: Septimi tunc comitis Richmond manu propria script.'

On the fifth leaf, where the text of the book begins, in the right-hand top corner, written in the hand of Fairfax :

'ffairfax N° 265
  by the gift of the learned Gentleman Charles Gedde Esq. liuinge in the Citty of St Andrews.'

Then below in another hand :

'Libenter tunc dabam
Id testor Carolus Gedde
Ipsis bis septenis Kalendis
mensis Octobris 1656.'

On the last leaf of the text, f. 39, there is a note in Latin made in 1651 at St. Andrews (Andreapoli) by C. Gedde at the age of seventy, with reference to the date of Henry IV's reign. Then in English,

'This booke pertaineth to aged Charles Gedde,'

and inserted between the lines by Fairfax,

'but now to ffairfax of his gift, Jun. 28. 1656.'

Below follows a note in English on the date of the death of Chaucer and of Gower, and their places of burial.

The first of the blank leaves at the end is covered with Latin anagrams on the names 'Carolus Geddeius,' 'Carolus Geddie,' or 'Carolus Geddee,' with this heading,

'In nomen venerandi et annosi Amici sui Caroli Geddei Anagrammata,'

and ends with the couplet :

'Serpit amor Jonathæ (Prisciano labe) Chirurgo
Mephiboshæ pedibus tam manibus genibus,'

which is not very intelligible, but is perhaps meant to indicate the name of the composer of the anagrams.

In the right-hand top corner of the next leaf there is written in what might be a fifteenth-century hand, 'Will Sanders vn Just' (the rest cut away).

As to the statement made by Fairfax that this book, meaning apparently this very copy, was presented by the author to Henry IV, it is hardly likely that he had any trustworthy authority for it. The book must evidently have been arranged for some such purpose; on the whole however it is more likely that this was not the actual presentation copy, but another written about the same time and left in the hands of the author. The copy intended for presentation to the king, if such a copy there were, would probably have been more elaborately ornamented; and moreover the Latin lines on the last leaf, 'Henrici quarti' &c., bear the appearance of having been added later. The poet there speaks of himself as having become blind 'in the first year of king Henry IV,' and of having entirely ceased to write in consequence ; and in another version of the same lines, which is found in the Glasgow MS. of the *Vox Clamantis*, he dates his blindness from the *second* year of King Henry's reign. In any case it seems clear that his blindness did not come on immediately after Henry's accession; for the *Cronica Tripertita*, a work of considerable length, must have been written after the death of Richard II, which took place some five months after the accession of Henry IV. It would be quite in accordance with Gower's usual practice to keep a copy of the book by him and add to it or alter it from time to time ; the Fairfax MS. of the *Confessio Amantis* and the All Souls copy of the *Vox Clamantis* are examples of this mode of proceeding : and I should be rather disposed to think that this volume remained in the author's hands than that it was presented to the king. As to its subsequent history, if we are to regard the signature 'Rychemond' on the second leaf as a genuine autograph of Henry VII while Earl of Richmond, it would seem that the book passed at some time into royal hands, but it can hardly have come to the Earl of Richmond by any succession from Henry IV. After this we know nothing definite until we find it in the hands of the 'aged Charles Gedde' of St. Andrews, by whom it was given, as we have seen, to Fairfax in 1656, and by Fairfax in the same year to his friend and kinsman Sir Thomas Gower, no doubt on the supposition that he belonged to the family of the poet. He must have been one of the Gowers of Stittenham, and from him it has passed by descent to its present possessor.

The text given by the MS. seems to be on the whole a very correct one. For the *Cinqante Balades* it is the only manuscript authority, but as regards the *Traitié* it may be compared with several other copies contemporary with the author, and it seems to give as good a text as any. There seems no reason to doubt that it was written in the lifetime of the author, who may however have been unable owing to his failing eyesight to correct it himself. It was nevertheless carefully revised after being written, as is shown by various erasures and corrections both in the French and the English portions. This corrector's hand is apparently different from both the other hands which appear in the manuscript. The best proof however of the trustworthiness of the text is the fact that hardly any emendations are required either by the metre or the sense. The difficulties presented by the text of the Roxburghe edition vanish for the most part on collation of the MS., and the number of corrections actually made in this edition is very trifling.

In a few points of spelling this MS. differs from that of the *Mirour*: for example, *jeo* (*ieo*) is almost always used in the *Balades* for *je* (but *ie* in *Ded.* i. 4), and the *-ai* termination is preferred to *-ay*, though both occur; similarly *sui, joie, li, poi*, where the *Mirour* has more usually *suy, joye, ly, poy*, &c.

What has been said with reference to the *Mirour* about the use of *u* and *v*, *i* and *j*, applies also here (except that the scribe of this MS. prefers *i* initially to *I* and sometimes writes *u* initially), and also in general what is said about division of words, accents and contractions. The latter however in the present text of the *Balades* and *Traitié* are not indicated by italics. It should be noted that *que* in the text stands for a contracted form. The word is *qe* in the *Balades*, when it is fully written out, but *quil, tanquil,* &c., are used in the MS., q̄om must evidently be meant for *quom*, and we find *que* frequently in the *Mirour*. Such forms as *auerai, deuera, liuere,* &c., usually have *er* abbreviated, but we also find *saueroit* (viii. 2), *auera* (xvi. 3), *aueray* (xvii. 1), written out fully. Where the termination *-ance* has a line drawn over it, as in *sufficānce, fiānce* (iv. 2), it has been printed *-aunce*, and so *chāncon* (xl. 3); but *aun* is written out fully. In general it must be assumed that *-oun* ending a word represents ōn, but in xxi. 4 we have *noun* written out fully in both cases.

In the matter of capitals the usage of the MS. is followed for the most part. The punctuation is of course that of the editor, and it may be observed that the previous editions have none.

TRAITIÉ.

THIS work, which is called by its author 'un traitié selonc les auctours pour essampler les amantz marietz,' is a series of eighteen balades, each composed of three seven-line stanzas without envoy, except in the case of the last, which has an additional stanza addressed 'Al université de tout le monde,' apologizing for the poet's French and serving as a general envoy for the whole collection, though formally belonging to the last balade. The stanzas rhyme *ab ab bcc*, a form which is used frequently in the *Cinkante Balades*, as also in Gower's English poem addressed to Henry IV and in the stanzas which are introduced into the eighth book of the *Confessio Amantis*. There are Latin marginal notes summarizing the contents of each balade, and the whole is concluded by some lines of Latin. As to the date, if we are to regard the Latin lines 'Lex docet auctorum' as a part of the work (and they are connected with it in all the copies), we have a tolerably clear indication in the concluding couplet:

'Hinc vetus annorum Gower sub spe meritorum
Ordine sponsorum tutus adhibo thorum.'

This was written evidently just before the author's marriage, which took place, as we know, near the beginning of the year 1398 (by the modern reckoning), and therefore it would seem

f 2

that the *Traitié* belongs to the year 1397. It is true that one MS. (Bodley 294) omits this concluding couplet, but in view of the fact that it is contained not only in all the other copies, but also in the Trin. Coll. Camb. MS., which seems to be derived from the same origin as Bodl. 294, we cannot attach much importance to the omission.

In several MSS. the *Traitié* is found attached to the *Confessio Amantis*, and with a heading to the effect that the author, having shown above in English the folly of those who love 'par amour,' will now write in French for the world generally a book to instruct married lovers by example to keep the faith of their espousals. But though appearing thus as a pendant to the English work in the Fairfax, Harleian, Bodley, Trin. Coll. Camb., Wadham, Keswick Hall and Wollaton MSS., it does not necessarily belong to it. It is absent in the great majority of copies of the *Confessio Amantis*, and in the Fairfax MS. it appears in a different hand from that of the English poem and was certainly added later. Moreover the *Traitié* is found by itself in the Trentham book, and following the *Vox Clamantis* in the All Souls and Glasgow MSS., in both these cases having been added later than the text of that work and in a different hand. We cannot tell what heading it had in the Trentham or the All Souls MSS., but probably the same as that of the Glasgow copy, which makes no reference to any other work. 'This is a treatise which John Gower has made in accordance with the authors, touching the estate of matrimony, whereby married lovers may instruct themselves by example to hold the faith of their holy espousals.' This variation of the heading is certainly due to the author, and we are entitled to regard the *Traitié* as in some sense an independent work, occasionally attached by the author to the *Confessio Amantis*, but also published separately.

As to the versification, the remarks already made upon that of the *Balades* apply also to these poems.

The subject of the work is defined by the title: it is intended to set forth by argument and example the nature and dignity of the state of marriage and the evils springing from adultery and incontinence. The tendency to moralize is naturally much stronger in these poems than in the *Cinkante Balades*, and they are consequently less poetical. The most pleasing is perhaps xv, 'Comunes sont la cronique et l'istoire': 'Still is the folly of Lancelot and of Tristram remembered, that others by it may take warning. All the year round the fair of love is kept, where Cupid sells or gives away hearts: he makes men drink of one or the other of his two tuns, the one sweet and the other bitter. Thus the fortune of love is unstable: the lover is now in joy and now in torment, but the wise will be warned by others, as a bird avoids the trap in which he sees another caught, and they will not take delight in wanton love.' Many of the examples are from stories already told in the *Confessio Amantis*, as those of Nectanabus, Hercules and Deianira, Jason, Clytemnestra, Lucretia, Paulina, Alboin and Rosamond, Tereus, Valentinian.

TEXT.—Of the *Traitié* there exist several contemporary copies besides that of the Trentham MS. It is found appended to the *Confessio Amantis* in MS. Fairfax 3, with a heading which closely connects it with that poem; it occurs among the various Latin pieces which follow the *Vox Clamantis* in All Souls MS. 98, and again in much the same kind of position in the MS. of the *Vox Clamantis* belonging to the Hunterian Museum, Glasgow. The first two of these copies are, I have no doubt, in the same handwriting, that which I call the 'second hand' of MS. Fairfax 3, and I am of opinion that the third (that of the Glasgow MS.) is so also. This question of the handwritings found in contemporary copies of Gower will be discussed later, when the MSS. in question are more fully described: suffice it to say at present that these copies are all good, and they agree very closely both with one another and with that of the Trentham book, while at the same time they are independent of one another. They have all been collated throughout for this edition. Besides these original copies there is one in Harleian MS. 3869, which appears to be taken from Fairfax 3, and also in the following MSS., in all of which the *Traitié* follows the *Confessio Amantis*: Bodley 294, Trinity College, Cambridge, R. 3. 2, Wadham Coll. 13, and the Keswick Hall and Wollaton MSS. Of these Bodley 294 has been collated for this edition, and the rest occasionally referred to.

The MSS. may be tabulated as follows, further description being reserved for the occasions when they are more fully used:—

F.—FAIRFAX 3, in the Bodleian Library, Oxford, containing the *Confessio Amantis*, the *Traitié pour essampler*, ff. 186 v°–190, and several Latin poems.

S.—ALL SOULS COLLEGE, OXFORD, 98, containing the *Vox*

lxxxvi   INTRODUCTION

Clamantis, Cronica Tripertita, a miscellaneous collection of Latin poems, and the *Traitié,* ff. 132-135.

T.—The TRENTHAM MS., described above.

G.—HUNTERIAN MUSEUM, GLASGOW, T. 2. 17, with nearly the same contents as S. The *Traitié* is ff. 124 v⁰-128.

H.—HARLEIAN 3869, in the British Museum, agreeing with F.

B.—BODLEY 294, in the Bodleian Library, containing the *Confessio Amantis,* the *Traitié,* and a few Latin pieces.

Tr.—TRINITY COLL. CAMB. R. 3. 2, with nearly the same contents as B.

W.—WADHAM COLL. OXF. 13, *Confessio Amantis* and *Traitié,* the latter imperfect at the end.

K.—In the library of J. H. Gurney, Esq., Keswick Hall, Norwich, with the same contents as F.

Λ.—Lord Middleton's MS., at Wollaton Hall.

The *Traitié* has been twice printed: first by the Roxburghe Club from the Trentham MS.[1], and then by Dr. Stengel, in both cases with the *Cinkante Balades.* The German editor unfortunately took as the basis of his text the copy in B, which is much inferior in correctness to those of several other MSS. which were within his reach[2]. He has also in many cases failed to give a correct representation of the MS. which he follows, and his collation of other copies is incomplete.

The text of the present edition is based upon that of F, which is at least as good as any of the three other copies which I have called contemporary, and has the advantage over two of them that it is perfect, whereas they have each lost a leaf. These four are so nearly on the same level of correctness that it matters little

---

[1] It must not be assumed however that the text of the Roxburghe Club edition accurately represents that of the MS. If such variations as autre (*for* lautre), ii. l. 21, En qui iv. 17, De vii. 6, Nest pas vii. 13, xiv. 7, &c., prendre x. 20, et uns xv. 15, El fait xvi. 18, and so on, are unnoticed in this edition, that is not owing to the negligence of the present editor, but because they are not in fact readings of the MS.

[2] For example B gives us the following variations in the first two balades:
Trait. i. l. 4 gouernance   6 discret   13 bon   20 et (*for* a)
ii. l. 1.   la spirit   qui ert   2 Est   4 Qui ert   *om.* dont
5 de (*for* le)   7 bone.

There are more bad mistakes here in two balades than in the whole text of the *Traitié* as given by any one of the four best MSS. On the other hand, 'creatoris' in the heading of the first balade, and 'homme' (for 'lom*m*e') in ii. 11, are mistakes of the German editor.

on other grounds which of them we follow. A full collation is here given of T, S and G, and the readings of B are occasionally mentioned. H and K are probably dependent on F. Tr. is a moderately good copy, closely connected with B, but in view of the excellence of the other materials it is not worth collating; Λ is a manuscript of the same class, but rather less correct. Finally the text of W, which is late and full of blunders, may be set down as worthless.

MIROUR DE L'OMME

OR

SPECULUM HOMINIS

Cy apres comence le livre François q'est apellé Mirour de l'omme, le quel se divide en x parties, c'est assavoir :

¶ la primere partie est coment de la malice du diable pecché fuit conceu, et de la maldite progenie des vices, qe puis de lui nasquirent, dont le frele homme a grant peril de noet et jour par forte guerre toutdys est assailli.

¶ la seconde partie est coment resoun fuit conjoint al alme, dont les vertus morals por l'omme defendre sont deinz la conscience par la divine grace inspirez et fraunchement engendrez.

¶ la tierce partie est por considerer parentre d'eux l'estat des hommes sur terre, especialment de les haltz prelatz, ovesque lour archediaknes, officials, deans et autres, q'ont la governaunce de l'espiritiele cure, et sount lumere et essample de bien et d'onest vie.

¶ la quarte partie trete l'estat des Religious, si bien possessioners come mendiantz, q'ont lessé les vanités de cest present vie por contempler du ciel les joies perdurables.

¶ la quinte partie trete l'estat du temporiel governement selonc le corps, le quel appartient as Emperours, Rois et autres nobles Princes, qe devont maintenir la loy et doner justice a lour poeple liege.

¶ la sisme partie trete l'estat de la chivalerie et de les gentz d'armes, qui devont le droit de seint esglise et la fraunchise supporter et defendre, et qu'ils ne lesserount lour propre paiis destitut por travaillier en estranges regions a cause de veine gloire q'ils ont de la renomée mondeine.

¶ la septisme partie trete l'estat des Ministres de la loy, c'est assavoir Jugges, Pledours, Viscontes, Baillifs et Questours, qui sont juretz a foi tenir et poiser le droit par tiele egalté que covetise ascunepart ne lour destorne.

¶ l'oetisme partie trete l'estat des Marchantz, Artificers et Vitaillers, qui selonc la droite policie des Citées, si fraude et tricherie ne se mellont, sont au commun profit honests et necessaires.

¶ la noefisme partie trete de ceo que chescun en soun endroit blasme le Siecle, et coment le siecle des toutz partz notablement s'escuse, forsque soulement de l'omme pecchour, en qui defaute les autres creatures sont sovent a meschief et mesmes dieux en est auci corussez.

¶ la disme partie trete coment l'omme pecheour lessant ses mals se doit reformer a dieu et avoir pardoun par l'eyde de nostre seigneur Jhesu Christ et de sa doulce Miere la Vierge gloriouse.

MIROUR DE L'OMME*

[After the Table of Contents four leaves are lost, containing probably about forty-seven stanzas.]

Escoulte cea, chascun amant,   f. 5
Qui tant perestes desirant
Du pecché, dont l'amour est fals :
Lessetz la Miere ove tout s'enfant,
Car qui plus est leur attendant,
Au fin avra chapeal de sauls :
Lors est il fols qui ses travauls
Met en amour si desloiauls,
Dont au final nuls est joyant.
Mais quiq' en voet fuïr les mals,   10
Entende et tiegne mes consals,
Que je luy dirray en avant.

   Ce n'est pas chose controvée,
Dont pense affaire ma ditée ;
Ainz vuill conter tout voirement
Coment les filles du Pecché
Font que tous sont enamouré
Par leur deceipte vilement.
He, amourouse sote gent,
Si scieussetz le diffinement   20
De ce dont avetz commencé,
Je croy que vostre fol talent
Changeast, qui muetz au present
Reson en bestialité.

   Car s'un soul homme avoir porroit
Quanq' en son coer souhaideroit
Du siecle, pour soy deliter,
Trestout come songe passeroit
En nient, et quant l'en meinz quidoit,
Par grant dolour doit terminer :   30
Et puisque l'amour seculer
En nient au fin doit retorner,
Pour ce, si bon vous sembleroit,
Un poy du nient je vuill conter ;
Dont quant l'en quide avoir plenier
La main, tout vuide passer doit.

   Au commencement de cest oevere, qui parlera des vices et des vertus, dirra primierement coment pecché anientist les creatures et fuist cause originale dez tous lez mals.

   Tout estoit nient, quanq' om ore tient
Et tout ce nient en nient revient
Par nient, qui tout fait anientir :   39
C'est nient q'en soy tous mals contient
Du quoy tout temps quant me sovient,
M'estoet a trere maint suspir,
Que je voi tantz mals avenir
Du nient, car tous ont leur desir
En nient q'au siecle se partient ;
Que nient les fait leur dieu guerpir
Pour nient, q'en nient doit revertir
Et devenir plus vil que fient.

   Jehan l'aposte evangelist
En l'evangile qu'il escrist   50
Tesmoigne q'au commencement
Dieux crea toute chose et fist,
Mais nient fuist fait sanz luy, ce dist :

* MS. Camb. Univ. Add. 3035   12 enauant

Dont saint Gregoire sagement,
Qui puis en fist l'exponement,
Par le divin inspirement
Du nient la forme nous aprist,
Disant que nient en soy comprent
Le no*u*n du pecché soulement,
Car pecché tous biens anientist. 60
 Primer quant dieus ot fait les cieux,
Des tous angres espiritieux
Un Lucifer fuist principals ;
Mais du pecché q'estoit mortieux
Chaoit de les celestieux
Au nient de*v*ers les infernalx :
Pecché fuist source de les mals,
Tornant les joyes en travals,
De halt en bas changeant les lieux :
Nient est pecché ly desloyals, 70
Car par son vuill et ses consals
Volt anientir quanq*ue* fist dieux.
 Cil Lucifer no*u*npas solein
Chaïst du ciel, ançois tout plein
Des autres lors furont peris
Par pecché, dont ly soverein
Leur fist chaoir, siq' en certein
Du pecché vint ce que je dis,
Dont l'angre furont anientiz :
Mais tous vous avetz bien oïz, 80
Co*m*me dieu puis de sa *p*ropre mein
Adam crea deinz paradis,
Et sa compaigne au droit divis
Le fist avoir du dame Evein.
 Pour le pecché, pour le forsfait,
Dont Lucifer avoit mesfait,
Dieus, q'en vist la desconvenue,
Coment son ciel estoit desfait,—
Pour ce tantost Adam fuist fait
Et Eve auci tout nu a nue 90
En *p*aradis dessoutz la nue :
Siq' en apres de celle issue
Que de leur corps serroit estrait,
Soit restoré q'estoit perdue
Amont le ciel, a la value
Que Lucifer avoit sustrait.

Du noble main no duy parent
Estoiont fait molt noblement,
Car dieu le piere les forma :
Pour noble cause et ensement 100
Estoiont fait, quant tielment
A son ciel dieu les ordina :
En noble lieu dieu les crea
Et paradis tout leur bailla,
Que molt fuist noble au tiele gent ;
Mais l'en puet dire bien cela,
Helas ! quant le pecché de la
Les anientist si vilement.
 Chacun de vous ad bien oï
Coment Adam se departi 110
De Paradis, mais nepourquant,
Solonc que truis en genesi
Vous en dirray trestout ensi :
Dont falt savoir primer avant
Q'en Paradis avoit estant
Une arbre dieu luy toutpuissant,
Dont il les pommes deffendi
A Adam, qu'il n'en fuist mangant,
Et dist, s'il en mangast, par tant
Du mort en serroit anienti. 120
 Bien tost apres, ce truis escrit,
Cil Lucifer dont vous ay dit
S'aparçut de la covenance ;
Et ot d'Adam trop grant despit,
Qu'il fuist a celle joye eslit,
Dont mesmes par sa mescheance
Estoit cheeuz : lors sa semblance
Mua, siq*ue* par resemblance
En forme d'un serpent s'assit
Dessur celle arbre, et d'aquointance 130
Pria dame Eve, a qui constance
De sa nature ert entredit.
 Au frele et fieble femeline
En la figure serpentine,
Dessur celle arbre u qu'il seoit,
Ly deable conta sa covine :
Si dist, 'He, fem*m*e, pren sesine
Du fruit qui tant p*e*rest benoit :
Car lors serras en ton endroit

55 enfist   87 qenvist   113 endirray   118 nenfuist
       119 enmangast   120 enserroit

Du bien et mal, du tort et droit, 140
Sachant come dieu.' O la falsine !
Par ce q'ensi la promettoit,
La femme son voloir tornoit
Contre la volenté divine.
　La femme, qui par tricherie
Fuist du serpent ensi trahie,
Mangut le pomme, helas, mortal :
Et quant ot fait la felonie,
Tantost s'en vait come fole amie
Pour tempter son especial ; 150
Et tant luy dist que parigal
Le fist de cel origenal ;
Le fruit mangut par compaignie.
Ensi ly serpent fuist causal
Au femme, et femme auci du mal
Causoit que l'omme fist folie.
　Au mors du pomme tant amer
Mort et pecché tout au primer
Dedeinz Adam pristront demure :
Car il ne savoit excuser 160
Sa conscience, ainz accuser
De la mortiele forsfaiture.
Helas ! cil qui tant fuist dessure
Fuist tant dessoutz en si poy d'ure ;
Car dieux luy fist nud despoiler :
Come sa malvoise creature,
Atteinte ovesque la menure
Le fist come traitre forsjuger.
　C'estoit du dieu le Jugement,
Q'Adam serroit vilaynement 170
Botuz du Paradis en terre ;
U q'en dolour molt tristement
Sa viande et son vestement
Irroit a pourchacer et querre :
Sa femme auci pour son contrere,
De ce q'a dieu ne voloit plere,
Tous jours a son enfantement,
Quant vient au naturel affere,
Doit tous ses fils et files trere
En plour et en ghemissement. 180
　Mais tout ce n'eust esté que jeeu,
Si plus du paine n'eust ëeu ;
Mais sur trestout c'estoit le pis

La mort, dont au darrein perdu
Furont loigns en enfern de dieu
Et piere et miere et file et fils,
Sanz fin pour demourer toutdis.
Lors pourray dire a mon avis, f. 6
Du pecché vient en chacun lieu
Ce dont ly bon sont anientiz, 190
Car ciel et terre et paradis
De sa malice ad corrumpu.
　Pour ce vous dirray la maniere
Comment Pecché nasquit primere,
Et de ses files tout ades ;
Si vous dirray qui fuist son piere,
Et u nasquist celle adversiere.
Trestout dirray cy en apres.
Ly deable mesme a son decess,
Quant il perdist sanz nul reless 200
Du ciel la belle meson cliere,
Lors engendra tieu fals encress,
Come vous orretz, si faitez pes ;
Car je vuill conter la matiere.

Comment Pecché nasquist du deble, et comment Mort nasquist du Pecché, et coment Mort espousa sa miere et engendra sur luy les sept vices mortieux.

　Ly deable, qui tous mals soubtile
Et trestous biens hiet et revile,
De sa malice concevoit
Et puis enfantoit une file,
Q'ert tresmalvoise, laide et vile,
La quelle Pecché noun avoit. 210
Il mesmes sa norrice estoit,
Et la gardoit et doctrinoit
De sa plus tricherouse guile ;
Par quoy la file en son endroit
Si violente devenoit,
Que riens ne touche que n'avile.
　Tant perservoit le deble a gré
Sa jofne file en son degré
Et tant luy fist plesant desport,
Dont il fuist tant enamouré, 220
Que sur sa file ad engendré
Un fils, que l'en appella Mort.

198 enapres　　213 plustricherouse　　217 agre

Lors ot le deable grant confort,
Car tout quidoit par leur enhort
De l'ome avoir sa volenté;
Car quant ils deux sont d'un acort,
Tout quanque vient a leur resort
Le deble tient enherité.

 Au piere furont molt cheris
Pecché sa file et Mort son fils,   230
Car trop luy furont resemblant:
Et pour cela par son devis,
Pour plus avoir de ses norris,
La miere espousa son enfant:
Si vont sept files engendrant,
Qui sont d'enfern enheritant
Et ont le mond tout entrepris;
Come je vous serray devisant,
Des queux nouns om leur est nomant
Et du mestier dont sont apris.   240

 Les nouns des files du Pecché
L'un apres l'autre en leur degré
Dirray, des quelles la primere
Orguil ad noun, celle est l'aisnée,
La tresmalvoise maluré,
Que plus resemble a son fals piere;
L'autre est Envye, que sa chiere
Belle ad devant, et parderere
Plaine est du male volenté;
Ire est la tierce, et trop est fiere,   250
Que jammais n'ot sa pes plenere,
Ainz fait trestoute adversité:

 La quarte est celle d'Avarice,
Que l'or plus que son dieu cherice;
La quinte Accide demy morte,
Q'au dieu n'au monde fait service;
La siste file en son office
C'est Glotonie, que la porte
Des vices gart, et tout apporte
Ce dont la frele char supporte;   260
Du foldelit c'est la norrice:
Mais la septime se desporte,
C'est Leccherie, que se porte
Sur toutes autres la plus nice.

 Ensi comme je le vous ay dit,
Pecché du deable q'est maldit

Primerement prist sa nescance,
Et puis du Pecché Mort nasquit,
Dont plus avant comme j'ay descript
Par si tresmalvoise alliance   270
Nasquiront plain du malfesance
Ly autre sept, que d'attendance
Au deble sont par tout soubgit;
Dont cil qui tous les mals avance,
Quant naistre vit ytiele enfance,
De sa part grantment s'esjoït.

  **Comment le deable envoya
Pecché ovesque ses sept files au
Siecle, et comment il tient puis son
parlement pour l'omme enginer.**

Ly deable, q'est tout plain du rage,
Quant vist qu'il ot si grant lignage,
Au Siecle tous les envoia:
Pecché la fole et la salvage   280
Ses propres files du putage
Parmy le Siecle convoia;
Et tant y fist et engina
Que ly fals Siecle s'enclina
De faire tout par leur menage,
Par ceaux sa gloire devisa,
Par ceaux toutdis se conseila,
Par ceaux fist maint horrible oultrage.

 Chascune solonc son endroit
Office seculiere avoit   290
Le Siecle pour plus enginer:
Orguil sa gloire maintenoit,
Envie ades luy consailloit,
Et d'Ire fist son guerroier,
Et d'Avarice tresorer,
Accidie estoit son chamberer,
Et Glotonie de son droit
Estoit son maistre boteller,
Et Leccherie en son mestier
Sur tous sa chiere amie estoit.   300

 Cil qui trestous ceos mals engendre,
Quant vist les files de son gendre
Mener le Siecle a leur voloir,
Lors comença consail a prendre
Coment cel homme pot suspendre,
Le quel devant ot fait chaoir

_{254 lor *with erasure (prob. of a second* r) 269 plusauant 276 grantement}

Du paradis le beau Manoir;
Car bien scieust que par estovoir
Cel homme doit el siecle attendre,
Dont au petit tient son pooir, 310
Si l'omme n'en poet decevoir,
Pour faire en son enfern descendre.
  Ly deable, qui tous mals engine,
Quant vist qu'il ot par sa falsine
Du paradis l'omme abatu,
Hors de la joye celestine
En la deserte salvagine,
D'un autre mal lors s'est pourveu,
Dont l'omme q'ançois ot deçu
Treroit encore au plus bass lieu, 320
U l'en languist sanz medicine,
Au fin q'ensi serroit perdu
Sanz esperance de salu:
Oietz qu'il fist de sa covine.
  Au Siecle mesmes s'en ala,
Et tout son consail luy conta,
Et pria qu'il luy volt aider:
Tant luy promist, tant luy dona,
Que l'un a l'autre s'acorda,
Et le firont entrejurer; 330
Mais pour son purpos achever
Communement volt assembler
Tous ses amys, et pour cela
Un parlement faisoit crier,
Par queux se pourroit consailler
Comme son purpos achievera.
  Les bries tantost furont escris
A ceaux qui furont ses amys,
Que tous vienent au parlement,
N'en est un soul qui soit remis: 340
Pecché la dame du paiis
Ove ses sept files noblement
Vint primer a l'assemblement;
Le Siecle y vient ensemblement
Ove belle route a son devis;
Mais Mort venoit darreinement:
Et lors quant tous furont present,
Le deable disoit son avis.
  Devant trestous en audience
Le deable sa reson commence, 350

Et si leur dist parole fiere:
'J'en ay,' fait il, 'al dieu offense
L'omme abatu par ma science
Du paradis, u jadis iere,
Dont il est mis a son derere
En terre plaine de misere:
Mais plus avant de ma prudence
Si en enfern de la terrere
Le porray trere en tieu maniere,
Lors serroit fait ce que je pense. 360
  'Par ceste cause je vous pri,
Sicomme vous m'estez tout amy,
Consailletz moy en cest ovraigne,
Au fin que porray faire ensi.'
Pecché sa file respondi,
Si dist sa resoun primeraine:
'Piere, tenez ma foy certaine,
Je fray tricher la char humaine
Ove mes sept files q'ay norri:
Car s'il d'icelles s'acompaigne, 370
Ne poet faillir de male estraine, f.
Dont en la fin ert malbailli.'
  Le Siecle auci de sa partie
Promist au deable son aïe,
Ensi le faisoit assavoir:
'Je fray,' ce dist, 'ma tricherie
De la richesce et manantie
Que je retiens en mon pooir;
Du quoy trestout a ton voloir
Cel homme porray decevoir. 380
Du bien prometre faldray mie
Qu'il doit trestoute joye avoir,
Mais en la fin, sachiez du voir,
Je le lerray sanz compaignie.'
  Apres le Siecle parla Mort,
Que toute vie au fin remort:
'De l'omme je te vengeray,
Car pour deduyt ne pour desport
Du moy ne poet avoir desport,
Que je son corps ne tuerai; 390
Mais pour voir dire, je ne say
Si l'alme mortefieray,
Car ce partient a ton enhort:
Fay bien de l'alme ton essay,

320 plusbass

Et je du corps responderay,
Qu'il doit venir a mon resort.'
  Ly deable grantment s'esjoït
De ce que chacun luy promist,
Dont chierement leur mercioit ;
Et oultre ce consail enquist,   400
Et pria que chascun luy dist
De leur avis que sembleroit,
S'il apres l'omme manderoit
Pour savoir ce qu'il en dirroit.
Sur quoy chacun luy respondist
Que bien affaire ce serroit,
Q'un messager a grant esploit
Apres luy maintenant tramist.
  Cil messager par son droit noun
Je l'oi nommer Temptacioun,   410
Qui droit a l'omme s'en ala :
Sanz noise faire ne halt soun
Dist son message, et sa resoun
El cuer de l'omme il oreilla,
Depar le deable et luy pria
Q'au venir tost se hastera,
U sont ensemble ly baroun ;
Et dist que quant venu serra,
Des tieux novelles il orra
Dont doit avoir sa garisoun.   420
  Temptacioun soutilement
Tant fist par son enticement
Que l'omme vint ovesque luy,
Pour savoir plus plenierement
La cause de tieu mandement :
Et maintenant, quant venoit y,
De sa venue s'esjoÿ
Ly deable, qui molt le chery
Ove tous les autres ensement.
Chacun de sa part le servi,   430
Que l'omme estoit tout esbahy
De l'onnour que chacun luy tent.
  Ly deble commence a parler,
Si dist pour l'omme losenger
Devant trestout le remenant :
' Bealsire, je t'ay fait mander,
Pour ce que vuil a toy parler
Au fin que soiez moun servant ;

Et si te soit ensi plesant,
Je t'en vois loer promettant   440
Tiel come tu vorras demander :
Ne t'en soietz du rien doubtant,
Trestous les jours de ton vivant
Tu porras joye demener.
  ' He, homme, enten ce que j'ay dit,
Et n'eietz honte ne despit
Du quelque chose que te die :
Car si voes estre mon soubgit,
N'y ad honour, n'y ad proufit,
Q'apartient au presente vie,   450
Dont tu n'avras a ta partie
Si largement sanz nul faillie,
Que tu dirras que ce suffit :
Et si t'en fra sa compaignie
Pecché ma file suef norrie,
Pour faire trestout ton delit.'
  Pecché parloit apres son piere,
Q'estoit plesant de sa maniere :
' He, homme, croiez a ses dis,
Car de ma part te ferray chiere :   460
Si tu voes faire ma priere,
Dont ton corps serra rejoïz,
Ce que mon piere t'ad promis
En ceste vie t'ert complis ;
Car je serray ta chamberere
Pour faire tout a ton devis
Et tes plaisirs et tes delis,
Dont dois avoir ta joye entiere.'
  Et puis le Siecle du noblesce
Promist a l'omme sa largesce,   470
Et si luy dist pour plus cherir :
' He, homme, asculte ma promesse,
De moun avoir, de ma richesse
Te fray molt largement richir.
Car si mon consail voes tenir,
Tu dois no capitain servir ;
Et s'ensi fais, je t'en confesse
Que prest serray pour sustenir
Solonc que te vient au plesir
Ta vie plaine de leesce.'   480
  Mais a celle houre nequedent
Mort endroit soy n'y fuist present,

397 grantement   404 endirroit

Auci pour l'omme consailler;
Car plain estoit du maltalent,
Qu'il ne savoit aucunement
Ne bell promettre ne donner:
Pour ce ne volt lors apparer,
Ainz en secré se fist muscer,
Et ce fuist par commun assent;
Car l'omme pour plus enginer   490
Lors ne voloient molester
Du chose contre son talent.
 Mais au darrein par son degré
Lors vint avant tout en celée
Temptacion ly decevant;
C'estoit ly messagier privé,
Qui primes l'omme ot amené,
Come je vous contay cy devant;
Cil dist a l'omme en consaillant :
'He, homme, a quoy vas tariant   500
De recevoir tiele ameisté,
Dont tu pourras toutdis avant
Avoir le corps par tout joyant
Sanz point d'aucune adverseté?'
 Mais cil qui lors ust bien oï
Temptacioun come il blandi
Par la douçour de sa parole,
Il porroit dire bien de fi
Que ja n'oïst puisqu'il nasqui
Un vantparlour de tiele escole :   510
Car plus fuist doulce sa parole
Que n'estoit harpe ne citole.
Dont l'omme quant il l'entendi,
Au tiele vie doulce et mole
La char, q'estoit salvage et fole,
Tantost de sa part consenti.
 La char de l'omme consentoit
A ce que l'en luy promettoit,
Si fist hommage et reverence
Au deable, qu'il luy serviroit :   520
Mais l'Alme moult dolente estoit,
Quant vist sa char sanz sa licence
Avoir mesfait de tiele offense;
Dont se complaint au Conscience
Que sur cela consailleroit,
Et maintenant en sa presence

A resonner sa char commence
Par ceste voie, et si disoit :
 Comment l'Alme aresona la Char,
q'avoit fait hommage au deable, et
comment au darrein par l'eide du
Resoun et de Paour le Char s'en
parti du diable et du Pecché et se
soubmist al governance de l'Alme.
 'He, fole Char, he, Char salvage,
Par quel folour, par quelle rage   530
Te fais lever encontre moy?
Remembre toi q'al dieu ymage
Fui faite, et pour toun governage
Fui mis dedeinz le corps de toi.
He, vile Char, avoi, avoi !
Remembre aussi que tu la loy
Primer rompis en cel estage
U dieu nous avoit mis tout coi,
Dont nuyt et jour es en effroy.
Ne te suffist si grant dammage?   540
 'He, Char, remembre, car bien scies
Ly deable par ses malvoistés
Du tieu barat te baratta,
Dont en dolour tu es ruez
Des haltes joyes honourez
Q'a toy dieu lors abandona.
He, Char, pren garde de cela,
Ainz qu'il plus bass te ruera :
Cil qui sur tout est malurez,
C'est cil qui jadis t'engina,   550
Et tous les jours t'enginera,
Tanqu'il t'avra pis enginez.
 'He, Char, desserre ton oraille,
Enten, car je te le consaille;
Et certes si tu m'en creras,
Tieu grace dieus te repparaille
Que tu remonteras sanz faille
Au lieu dont jadys avalas : f. 8
Et autrement tout seur serras,
Si tu le deable serviras,   560
Quant ceste vie te defaille,
Tantsoulement pour toun trespas
Et toi et moi saldrons si bas,
Dont dieux ne voet que l'en resaille.

499 enconsaillant   528(R) senparti   548 plusbass

'He, Char, come tu fais grant folie,
Q'au tiele false compaignie
Si loigns de moy te fais attraire,
Que tout sont plain du tricherie :
Car tu scies bien que par envie
Le deble a toi est adversaire.   570
Pecché primer te porra plaire,
Mais au darrein te doit desplaire ;
Ly Siecle auci de sa partie,
S'il t'eust donné tout soun doaire,
Au fin te lerra q'une haire,
Que plus n'en porteras tu mie.
    'He, Char, des tieux amys fier
N'estoet, car prou n'en dois porter ;
Come tu sovent as bien oï,
Que bel promettre et riens donner   580
Ce fait le fol reconforter :
Aguar pour ce, ainz que trahi
Soietz, je t'amoneste et pri.
He, Char, pour dieu fai que te di,
Laissetz tieux fals amys estier ;
Car, Char, si tu ne fais ensi,
Je, lass ! serray pour toi hony,
Que mieux t'en doie consailler.
    'He, Char, remembre auci coment
Entre nous deux conjoigntement   590
En un corps suismes sanz demise :
Dont falt que resonablement
Soions tout d'un acordement.
Car s'il avient que d'autre guise
No cause soit deinz soi devise,
Lors devons perdre la franchise
Q'au nostre franc pooir attent ;
C'est de monter par bone aprise
En paradis, dont par mesprise
Susmes cheeus si folement.   600
    'He, Char, tu porras bien entendre,
Mieux valt remonter et ascendre
En celles joyes plus haltaines,
Qe d'un bass en plus bass descendre,
U l'en ne doit socour attendre
Mais sanz fin les ardantes paines.
He, Char, s'au deable t'acompaines

Et a les autres ses compaines,
Ne dois faillir du paine prendre :
Mais, Char, si tu ta char restraines,   610
Tes joyes serront si certaines
Que sanz fin nul t'en poet reprendre.'
    La Char s'estuit et se pensa,
Et en partie s'esmaia
De ce que l'Alme a luy disoit.
Mais d'autrepart quant regarda
Les autres, tant s'en delita,
Que pour voirdire ne savoit
Au queu part trere se pourroit.
Mais au Pecché quant remiroit,   620
De son amour tant suspira
Et d'autrepart tant covoitoit
Le Siecle, qu'il tresoublia
Tout qanque l'Alme a luy precha.
    Et lors quant l'Alme s'aparçuit
Que contre luy la Char s'estuit,
Dont devoit estre governals,
Trop avoit perdu son deduyt :
Et nepourquant apres luy suyt
Ensi disant, 'He, desloyals !   630
Male es, pource te tiens as mals.
Mais bien verras que trop est fals
Cil anemy, qui te poursuit
Pour toi ruer es infernals :
Te fait moustrer les beals journals,
Dont pers memoire de la nuyt.
    'He, Char, si fuissetz avisée
Come par tresoun ymaginé
Ly deble, qui te voet trahir,
Le riche Siecle t'a moustré   640
Et la plesance du Pecché,
Mais Mort, par qui tu dois morir,
Ne voet il faire avant venir,
Ainz l'ad muscé du fals conspir,
Que tu n'en soiez remembré !
Car il te vorra pervertir
Si fort que jamais convertir
Ne t'en lerra par nul degré.'
    Lors prist ly deable a coroucer,
Quant l'alme oïst ensi parler,   650
Et commanda que maintenant

645 nensoiez

MIROUR DE L'OMME

Pecché de son plesant mestier
Ove tout le vice seculier
Fuissent la Char reconfortant,
Et qu'ils la feissont si avant
A leur delices entendant,
Dont Mort pourroit tresoublier.
Trestout en firont son commant,
Du quoy la Char fuist si joyant
Q'au Mort ne pot considerer. 660
   Mais l'Alme, que tout fuist divine,
Quant vist sa char q'ensi decline,
Reson appelloit et Paour,
Qui sont sergant de sa covine;
Car sovent par leur discipline
La frele Char laist sa folour.
Pour ce celle Alme en grand dolour
Fist sa compleinte et sa clamour,
Sique la Char par leur doctrine
Pourroit conoistre la verrour 670
Du Mort, que l'autre tricheour
Ont fait muscer de leur falsine.
   Reson, q'a l'alme est necessaire,
Au Char de l'omme lors repaire,
Et Paour luy suioit apres:
Mais d'autrepart fuist au contraire
Temptacioun ly secretaire,
Q'au Char tempter ne falt jammes.
L'un volt entrer par bonne pes,
Mais l'autre se tenoit si pres 680
Au Char tempter du tiel affaire,
Par quoy la Char sanz nul decess
A tieu delit se tient ades,
Que Reson ne l'en pot retraire.
   Resoun la Char aresonna,
Et tant come pot la conseila
Du bonne contemplacioun
Que sa folie lessera:
Et ce luy dist, q'au fin morra
En grande tribulacioun. 690
Mais d'autrepart Temptacioun
Au Char fist sa collacioun,
Et tieux delices luy moustra,
Du pecché delectacioun
Et seculiere elacioun,

Par quoy la Char desresonna.
   Et quant Paour ce vist, coment
La Char par si fals temptement
S'estoit du Resoun departie,
Lors dist au Char tresfierement: 700
'He, Char tresfole et necligent,
He, Char mortiele, he, Char porrie,
Trop es deçu du deablerie,
Q'au toi muscont par tricherie
La Mort que vient sodainement.
Mais vien devers ma compaignie,
Si te moustray l'erbergerie
U l'ont muscé secretement.'
   Paour q'estoit espirital
Lors prist la Char superflual, 710
Si l'amena droit par la main
Serchant amont et puis aval
Trestous les chambres de l'ostal,
Tanqu'ils troveront au darrein
U Mort l'orrible capitein,
Covert d'un mantelet mondein,
Deinz une chambre cordial
S'estoit muscé trestout soulein,
En aguaitant la Char humein,
Quelle est sa proie natural. 720
   Mais quant la Char vist la figure
De celle horrible creature,
Dedeinz soy comença trembler,
Et tant se dolt en sa nature
Que tout tenoit a mesprisure
Ce dont se soloit deliter.
Vers Pecché n'osa plus garder,
Ne vers le Siecle au covoiter,
Ainz s'avisa du Mort tout hure:
Si volt vers Resoun retorner, 730
Sa conscience d'amender
Et servir l'Alme en vie pure.
   Paour ensi la Char rebroie,
Q'au Conscience la renvoie,
Et Conscience plus avant
Au bonne Resoun la convoie,
Et puis Resoun par juste voie
A l'Alme la fait acordant.
Dont l'Alme, q'ot esté devant

---

658 enfiront   719 Enaguaitant   735 plusauant

Du Char folie languissant, 740
Reprist s'espiritale joye,
Et vait la Char si chastiant
Par quoy la Char molt repentant
S'en part du deble et sa menoie.
  La Char du deble s'en parti
Et du Pecché tout autrecy,
Ne point el Siecle se fia :
Paour l'avoit tant esbahy,
Q'a l'alme tout se converti
Sicome Resoun l'amonesta. f.9
Mais quant ly deble vist cela, 751
Comment Reson luy surmonta
Sique de l'omme estoit failli,
Ove Pecché lors se conseilla,
Et puis au Siecle compleigna
Par grant tristour disant ensi :
  Comment la Char de l'omme s'estoit partie du deable par le conseil du Resoun et de Paour: lors coment le deble s'en complaignoit au Siecle et donna pour ce lez sept files du Pecché en mariage au Siecle pour l'omme plus enginer.
'He, Pecché, q'est ce que tu fais,
Par ton delit quant ne desfais
Paour du mort que l'omme meine ?
He, Siecle, pour quoy te retrais, 760
Qu[e] tu de ton honour n'attrais
Pour moy servir la Char humeine ?
Paour du mort ensi l'estreine,
Dont Resoun est la capitaine,
Q'a moy s'acordera jammais :
Du ceste chose je me pleigne,
Car s'il eschape moun demeine,
Lors ay perdu tous mes essais.'
  Pecché reconforta son piere,
Et si luy dist en tieu maniere : 770
'He, piere, je m'aviseray :
Je suy des autres sept la miere,
Au Siecle auci je suy treschiere,
Dont leur consail demanderay ;
Et solonc que je troveray,
Par leur avis te conteray

Que soit affaire en la matiere.
Car endroit moy me peneray,
Le corps, si puiss, je tricheray,
Dont l'omme dois avoir arere.' 780
  Au Siecle lors s'en vait Pecché,
Si ad son consail demandé,
Et ove ses files lors conspire
Come porront faire en leur degré
Que l'omme arere soit mené
Au deble qui tant le desire.
Mais nepourquant Paour le tire,
Q'a l'un ne l'autre ne remire,
Ainçois les ad tous refusé ;
Sique le Siecle, pour voirdire, 790
Ne Pecché ne le pot suffire,
Mais sanz esploit sont retorné.
  De ceste chose fuist dolent
Pecché, quant par s'enticement
Ne poait l'omme decevoir :
Mais ore oretz come falsement
Le Siecle par compassement
Au deable faisoit assavoir.
Il dist que c'il a son voloir
Les files Pecché poet avoir 800
En mariage proprement,
N'estoet doubter q'a son espoir
Il entrera tiel' estovoir,
Dont l'omme ert tout a son talent.
  Ly deable quant oÿt cela,
Un petit se reconforta,
Et au Pecché de ce parloit
Pour savoir ce q'elle en dirra,
Et si luy plest q'ensi dorra
Ses files que l'en demandoit : 810
Car quant a soy, ce dist, sembloit
Le mariage bien seoit,
Dont tiele issue engendrera
Que soun lignage encresceroit,
Et l'omme, qui tant desiroit,
Encontre Reson conquerra.
  Pecché respont disant ensi :
'O piere, a ton voloir parmy
Mes files sont en ton servage :
Fay que t'en plest, q'atant vous dy, 820

Moult bon me semble et je l'ottry,
L'alliance et le mariage.
  Le Siecle est bien soutil et sage,
Dont m'est avis, sanz desparage
Mes filles puiss donner a luy,
Pour engendrer de no lignage,
Dont conquerras tiel avantage
Pour guerroier toun anemy.'
  Et pour voirdire courtement,
Tous s'acorderont d'un assent, 830
Le mariage devoit prendre :
Et maintenant tout en present
Le Siecle Orguil au femme prent,
Quelle ot le port de halte gendre.
Mais pour ce que l'en doit aprendre
Si noble feste de comprendre,
Comme fuist au tiel assemblement,
S'un poy m'en vuillez cy attendre,
Le vous ferray trestout entendre,
Sicome fuist fait solempnement. 840

Comment les sept files du Pecché vindront vers leur mariage, et de leur arrai et de leur chiere.

  Chascune soer endroit du soy
L'un apres l'autre ove son conroi
Vint en sa guise noblement,
Enchivalchant par grant desroy ;
Mais ce n'estoit sur palefroy,
Ne sur les mules d'orient :
Orguil qui vint primerement
S'estoit monté moult fierement
Sur un lioun, q'aler en coy
Ne volt pour nul chastiement, 850
Ainz salt sur la menue gent,
Du qui tous furont en effroy.
  Du selle et frein quoy vous dirray,
Du mantellet ou d'autre array ?
Trestout fuist plain du queinterie ;
Car unques prée flouriz en maii
N'estoit au reguarder si gay
Des fleurs, comme ce fuist du perrie :
Et sur son destre poign saisie
Une aigle avoit, que signefie 860
Qu'il trestous autres a l'essay
Volt surmonter de s'estutye.

  Ensi vint a la reverie
La dame dont parlé vous ay.
  Puis vint Envye en son degré,
Q'estoit dessur un chien monté,
Et sur son destre poign portoit
Un esperier q'estoit mué :
La face ot moult descolouré
Et pale des mals que pensoit, 870
Et son mantell dont s'affoubloit
Du purpre au droit devis estoit,
Ove cuers ardans bien enbroudé,
Et entre d'eux, qui bien seoit,
Du serpent langues y avoit
Par tout menuement poudré.
  Apres Envye vint suiant
Sa soer dame Ire enchivalchant
Moult fierement sur un sengler,
Et sur son poign un cock portant. 880
Soulaine vint, car attendant
Avoit ne sergant n'escuier ;
La cote avoit du fin acier,
Et des culteals plus d'un millier
Q'au coste luy furont pendant :
Trop fuist la dame a redouter,
Tous s'en fuiont de son sentier,
Et la lessont passer avant.
  Dessur un asne lent et lass
Enchivalchant le petit pass 890
Puis vint Accidie loign derere,
Et sur son poign pour son solas
Tint un huan ferm par un las :
Si ot toutdis pres sa costiere
Sa couche faite en sa litiere ;
N'estoit du merriem ne de piere,
Ainz fuist de plom de halt en bass.
Si vint au feste en tieu maniere,
Mais aulques fuist de mate chere,
Pour ce q'assetz ne dormi pas. 900
  Dame Avarice apres cela
Vint vers le feste et chivalcha
Sur un baucan qui voit toutdis
Devers la terre, et pour cela
Nulle autre beste tant prisa :
Si ot sur l'un des poigns assis
Un ostour qui s'en vait toutdis

Pour proye, et dessur l'autre ot mis
Un merlot q'en larcine va.
Des bources portoit plus que dis, 910
Que tout de l'orr sont replenis :
Moult fuist l'onour q'om le porta.
   Bien tost apres il me sovient
Que dame Gloutonie vient,
Que sur le lou s'est chivalché,
Et sur son poign un coufle tient,
Q'a sa nature bien avient ;
Si fist porter pres sa costée
Beau cop de vin envessellé :
N'ot guaire deux pass chivalchée, 920
Quant Yveresce luy survient,
Saisist le frein, si l'ad mené,
Et dist de son droit heritée
Que cel office a luy partient.
   Puis vi venir du queinte atour
La dame q'ad fait maint fol tour,
C'est Leccherie la plus queinte :
En un manteal de fol amour
Sist sur le chievre q'est lecchour,
En qui luxure n'est restreinte, 930
Et sur son poign soutz sa constreinte
Porte un colomb ; dont meint et   f. 10
meinte
Pour l'aguarder s'en vont entour.
Du beal colour la face ot peinte,
Oels vairs riantz, dont mainte enpeinte
Ruoit au fole gent entour.
   Et d'autre part sans nul demeure
Le Siecle vint en mesme l'eure,
Et c'estoit en le temps joly
Du Maii, quant la deesce Nature 940
Bois, champs et prées de sa verdure
Reveste, et l'oisel font leur cry,
Chantant deinz ce buisson flori,
Que point l'amie ove son amy :
Lors cils que vous nomay desseure
Les noces font, comme je vous dy :
Moult furont richement servy
Sanz point, sanz reule et sanz mesure.

**Comment lez sept files du Pecché
furont espousez au Siecle, des
quelles la primere ot a noun dame
Orguil.**

   As noces de si hault affaire
Ly deables ce q'estoit a faire 950
Tout ordena par son devis ;
Si leur donna cil adversaire
Trestout enfern a leur doaire.
Trop fuist la feste de grant pris ;
Ly Siecle Orguil a femme ad pris,
Et puis les autres toutes sis.
Pecché leur Mere debonnaire
Se mostra lors, mais Mort son fitz
N'estoit illeoque a mon avis,
Dont fuist leur feste et joye maire. 960
   Au table q'estoit principal
Pluto d'enfern Emperial
Ove Proserpine s'asseoit ;
Puis fist seoir tout perigal
Le jofne mary mondial,
Qui richement se contienoit :
Puis sist Pecché, q'ove soy tenoit
Ses filles solonc leur endroit :
Mais pour servir d'especial
Bachus la sale ministroit, 970
Et Venus plus avant servoit
Toutes les chambres del hostal.
   Savoir poetz q'a celle feste
Riens y faillist q'estoit terreste,
Ny' fuist absent ascune Vice,
Chascun pour bien servir s'apreste :
Mais sur trestous ly plus domeste,
Qui mieulx servoit de son office,
C'estoit Temptacioun la nyce,
Q'as tous plesoit de son service ; 980
Car mainte delitable geste
Leur dist, dont il les cuers entice
Des jofnes dames au delice
Sanz cry, sanz noise et sanz tempeste.
   Lors Gloutonie a grant mesure
Du large main mettoit sa cure
As grans hanaps du vin emplir,
Le quel versoit par envoisure
As ses sorours, Orguil, Luxure,
Car trop se peine a leur servir. 990

Des menestrals om pot oïr,
Que tout les firont rejoïr
Par melodie de nature :
Et pour solempnement tenir
Le feste, a toute gent ovrir
Les portes firont a toute hure.
 Mais l'omme, qui de loigns s'estuit
En ascultant, quant s'aparçuit
Del tiel revel, du tiele joye,
La Char de luy par jour et nuyt 1000
De venir a si grant deduyt
Moult se pena diverse voie :
Mais l'Alme que Resoun convoie
Au Char que tielement foloie
Du Conscience ensi restuit,
Que partir ne s'en ose envoie ;
Ainz pour le temps se tient tout coie,
Comme bonne ancelle et l'Alme suit.
 Ensi comme je vous ay conté,
Les filles furont marié 1010
Hors de les chambres enfernals
Au Siecle, qui les tint en gré ;
Car sur chascune en soun degré
Cink autres laides et mortals
Puis engendra luy desloyals :
Moult s'entr'estoiont parigals
Les filles q'ensi furont née ;
Car tous leur fais et leur consals
Sont contraire a l'espiritals
Du malice et soutileté. 1020
 Entendre devetz tout avant,
Tous ceux dont vous irray contant,
Comme puis orretz l'estoire dite,
Naiscont du merveillous semblant ;
Car de nature a leur naiscant
Trestous sont mostre hermafodrite :
Sicome le livre m'en recite,
Ce sont quant double forme habite
Femelle et madle en un enfant :
Si noun de femme les endite, 1030
Les filles dont je vous endite
Sont auci homme nepourquant.
 Dont falt que l'Alme bien s'avise,
Que Resoun ne luy soit divise,

Pour soy defendre et saulf garder :
Les filles sont du tiele aprise,
Si bonne guarde ne soit mise,
Moult tost la pourront enginer.
Dont si vous vuillez ascoulter,
Les nouns des filles vuill conter 1040
Et leur engin et leur queintise,
Comment trichont de leur mestier
Trestout pour l'Alme forsvoier ;
Ore ascultez par quelle guise.
 Orguil, des autres capiteine,
La nuyt gisoit tout primereine
Avoec le Siecle son amy :
Pecché sa mere bien l'enseigne,
Que celle nuyt fuist chamberleine,
Comment doit plere a son mary. 1050
Tant l'acolla, tant le blandi,
Dont celle nuyt avint ensi,
Qe dame Orguil tout grosse et pleine
Devint, dont moult se rejoÿ.
Mais du primere qui nasqui
Je vous dirray verray enseigne.

**Comment le Siecle avoit cink
files engendrez d'Orguil, desquelles
la primere avoit a noun Ipocresie.**

 Des files q'Orguil enfantoit
La primeraine a noun avoit
Ma damoiselle Ipocresie :
C'est une file que vorroit 1060
Q'au seinte l'en la quideroit ;
Pour ce du mainte fantasie
Compasse et fait sa guilerie :
Al oill se mostre et glorefie,
Dont par semblant la gent deçoit :
Tant plus come plourt ou preche ou prie,
Tant plus s'eslonge en sa partie
De dieu qui son corage voit.
 Ipocresie est singulere
Devant les gens, noun pas derere ;
Car u plus voit l'assemblement 1071
Ou a moster ou a marchiere,
Ipocresie en la corniere
Se contient moult devoltement ;

998 Enascultant   1016 sentrestoiont

Et si nul povre de la gent
Lors quiert avoir de son argent,
Ipocresie est almosnere.
Car nul bien fait celeement
Pour dieu, ainz tout apertement
Pour la loenge seculere. 1080
　Roys Ezechie, truis lisant,
Par cause qu'il fuist demostrant
Le tresor q'ot el temple dieu
As messagiers du Babilant,
Par le prophete devinant
Par force apres luy fuist tollu.
Par ceste essample est entendu
Que le tresor q'om ad reçu,
Quel est a l'alme partenant,
Ne soit apertement veeu 1090
Au siecle; car tout ert perdu,
Si l'en s'en vait glorifiant.
　Ipocresie l'orguillouse
Resemble trop celestiouse;
Car par son dit tous mals argue,
Mais deinz son cuer maliciouse
Trop est mondeine et viciouse,
Quant tout au plain serra conue.
Ipocresie est a la veue
Du saint habit dehors vestue, 1100
Auci comme l'aignel graciouse;
Mais en la fin, quant se desnue,
Si comme le lou que l'aignel tue,
Perest cruele et perillouse.
　Ipocresie la nounstable
Reprove qu'il voit reprovable
En la condicioun d'autri,
Mais son grant crime abhominable,
Dont mesmes est en soy coupable,
Ne parle, ainz tout met en oubli. 1110
D'Ipocresie il est ensi,
Elle ad la face d'orr burny,
Et l'oill du cristal amiable,
Mais pardedeins le cuer de luy
Tout est du plom, mat et failly,
Et du merdaille nounvaillable.
　Dieus l'ipocrite ad resemblé
Au beal sepulcre q'est dorré, f. 11

Dehors tout plain d'ymagerie,
Mais pardedeinz y gist muscé 1120
Puant caroigne et abhosmé,
Que l'ipocrite signefie:
Car pardehors ypocrisie
Resplent du sainte apparantie,
Mais pardedeinz le cuer celée
Gist toute ordure et tricherie:
Dont l'en poet lire en Ysaïe
Coment tieux gens sont maluré.
　Ipocresie est ensi belle,
Sicome ly verm que l'en appelle 1130
Noctiluca, c'est tant a dire
Luisant de nuit sicomme chandelle,
Mais du cler jour que riens concelle
Quant hom le voit et le remire,
Lors c'est un verm q'om fait despire,
Que riens ne valt en nul empire.
Ipocresie ensi porte elle
Apparisance du martire,
Mais au jour devant nostre sire
Lors appara come chaitivelle. 1140
　Ipocresie d'autre guise
Soy mesmes vilement despise
Devant tous en comun audit,
Et tout ce fait du fole enprise,
Au fin que l'en le loe et prise:
Dont saint Bernard, 'Helas!' ce dist,
'Ils ce font deable d'espirit,
Que l'en les tiene en leur habit
Corsaint du l'angeline aprise.'
Mais l'angle qui du ciel chaït 1150
D'un tiel corsaint moult s'esjoït,
Q'ensi sciet faire sa queintise.
　Ipocresie est accusé
De sotie et soutileté:
Car il est sot tout voirement,
Quant il son corps par aspreté
Du grief penance ad affligé,
Et s'alme nul merite en prent;
Il est en ce sot ensement,
Q'au corps tolt le sustienement 1160
Et paist le Siecle et le malfée;
Mais sur tout plus fait sotement,

1092 senvait　　1131 adire　　1158 enprent

MIROUR DE L'OMME

Qu'il quide guiler l'autre gent,
Dont mesmes est au fin guilé.
 Trop est soutil a demesure,
Quant il deçoit en sa mesure
Tous autres q'ont en luy credence,
Emblant par false coverture
Les dignetés dont om l'onure
Du foy parfaite et reverence : 1170
Mais ove soy mesmes mal despense,
Quant il son corps met en despense
Pour s'alme anientir et destrure :
Trop ad tempeste en conscience
Q'ove l'un et l'autre ensemble tence,
Dont l'un et l'autre est en lesure.
 L'omme ypocrite en son endroit
Parentre deux est en destroit ;
Car deux debletz luy vont temptant :
L'un dist qu'il bien mangue et boit
Derere gent, par quoy qu'il soit 1181
Au siecle bell et apparant ;
Mais l'autre en est contrariant,
Et dist qu'il serra poy mangant,
Si q'om le pale et megre voit
Au saint prodhomme resemblant :
Trop est soubtil ymaginant
Cil q'a ces deux accorder doit.
 Ipocrisie en dieu prier
As autres ne poet proufiter 1190
Et a soy mesmes fait dammage :
Car quant du siecle quert loer,
N'est droit que dieus l'en doit loer.
Mais ce dist Augustin ly sage,
Qui prie d'indevoult corage
Il prie contre son visage
Le juggement q'om doit doubter.
Mieulx valsist d'estre sanz langage
Muët sicomme l'oisel en gage,
Q'ensi fole oreisoun orer. 1200
 **La seconde file d'Orguil, quelle
 ad a noun Vaine gloire.**
 La Vaine gloire, q'est seconde,
De son sen et de sa faconde
C'est une dame trop mondeine :
Car pour la vanité du monde

Son corps ove tout dont elle abonde
Despent et gaste en gloire veine :
Tout se travaille et tout se peine
Pour estre appellé cheventeine,
Du quoy son vein honour rebonde.
Si tiel honour tient en demeine, 1210
Lors est si fiere et si halteine
Qu'il n'ad parail q'a luy responde.
 La Vaine gloire d'oultre mer
Par tout se peine a travailler,
Plus pour conquerre los et pris
Du mond pour son noun eshalcer,
Que pour servir et honourer
Dieu pour l'onour du paradis.
La Veine gloire en son paiis
Controve et fait novel devys 1220
De vestir et apparailler.
Quant Veine gloire est poestis,
Tous ceaux qui sont a luy soubgis
Sovent leur estoet genuller.
 Du Veine gloire ly client
Ne soeffre ja son garnement
Ne son souler ne sa chaulçure
Estre enboez, ainz nettement
Qanque est dehors al oill du gent
Parant, le garde en sa mesure, 1230
Si qu'il n'ait tache en sa vesture ;
Mais celle tache et celle ordure
Des vices, dont son cuer esprent,
Ne voet monder, ainz met sa cure
Au corps, et l'alme a nounchalure
Laist enboer tresvilement.
 Trop est la Veine gloire gay
Du vesture et tout autre array ;
Mais quant avient par aventure
Que celle dame sanz esmay 1240
S'est acemé du suhgenay,
Ove la pierrouse botenure
Du riche entaille a sa mesure,
He, qui lors prise la faiture,
Disant que c'est la belle maii
Et la tresbelle creature,
Ne quide lors que dieus dessure
La poet forsfaire en nul essay.

Mais courtement pour terminer,
La Veine gloire seculer 1250
Trop s'esjoÿt du vein honour,
Du pris, renoun, avoir, poer,
Du sen, science et bealparler,
Du beauté, force et de valour,
Du riche array, du beal atour,
Du fort chastel, de halte tour,
Et qu'il les gens poet commander:
Mieulx quide d'estre creatour
Que creature: he, quel folour,
Q'au mesme dieu voet guerroier! 1260
 La Veine gloire laisse nient
Que toutdis ove soy ne retient
La cornette et la chalemelle,
Pour solacer, u qu'il devient:
Tous en parlont, ' Vei la q'il vient,
Vei la, qui sur tous mieulx revelle!'
Quant il asculte leur favelle,
Que tous luy prisont, cil et celle,
Tieu veine gloire luy survient,
Orguil luy monte en la cervelle, 1270
Dont s'alme laisse chaitivelle,
Et son corps glorious maintient.
 Du bon saint Job tieu sont ly dit,
Que le vain homme s'esjoÿt
De la musike d'estrument;
Mais quant il plus s'en rejoÿt,
Lors en un point du mort soubit
En la dolour d'enfern decent.
Auci parlant de tiele gent
Dist Ysaïe tielement, 1280
Que toute gloire et vain delit,
Que le vain siecle en soy comprent,
Serra torné soudainement
En le desert q'est infinit.
 Saint Ysaïe demandoit
De Baruch, a quoy il queroit
En ceste vie a soy leesce,
Depuisque dieus envoieroit
Sur toute gent q'en terre soit
Pesance, dolour et tristesce. 1290
Johel auci cela confesse,
Q'au fin ert Veine gloire oppresse
Et tout confuse par destroit;
Dont cils qui vuillont par noblesce
Monter la seculere haltesce
Devont descendre a mal exploit.
 Solonc le dit d'un sage auctour,
Gloire au riche homme c'est honour:
Du qui l'escript evangelin
Dit, quant es foires fait son tour, 1300
Trop ayme q'autre gent menour
Le saluent par bass enclin,
Comme s'il fuist Charles ou Pepin;
Ne voet porter noun du voisin,
Mais noun du maistre et du seignour:
Si quert avoir l'onour terrin
As festes, car sicomme divin
Devant tous quert le see primour. f. 12
 Mais si riche homme honour desire,
Du cause vient q'a ce luy tire; 1310
Mais l'omme povre q'est haltein
Et quert l'onour avoir du sire,
Quant il n'ad propre seal ne cire,
Ne riens dont poet paier u mein,
Cil quert sa gloire trop en vein:
Car povre Orguil, je suy certein,
Comme Salomon le fait descrire,
C'est un des quatre plus vilein,
Que mesmes dieu tient en desdeign,
Et a bon droit le fait despire. 1320
 Ascun sa gloire vait menant
En soul sa malvoisté fesant,
N'en quert honour, ainz quert le vice,
Du quoy s'en vait glorifiant.
D'un tiel David vait demandant:
' A quoy fais gloire en ta malice
Tu q'es puissant du malefice?'
Ne say queu deble a ce t'entice,
Quant nulle part porras par tant
Avoir honour ne benefice: 1330
Trop est ta gloire veine et nice,
Dont nul profit te vient suiant.
 O Gloire que tant es estoute,
Ce que saint Job te dist ascoulte:
Il dist, 'Si fuissez eshalcez
Jusques au ciel, enmy la route

Tu encherres, car dieus te boute,
Et come fymer au fin serres
Purriz, perduz et avilez.'
Auci de ce t'ad doctrinez   1340
Ly sages, qui te dist sanz doubte
De les humaines vanités,
En plour et doel ert occupiez
Le fin du Veine gloire toute.
    Au Veine gloire est resemblé
L'estorbuillon desmesuré,
Que par soufler de sa tempeste
Devant sa voie ad tout rué
Le fruyt dont l'arbre sont chargé :
Q'en tiele guise se tempeste   1350
La Veine gloire en homme honeste ;
Car tout le bien que l'omme aqueste,
Dont l'alme a dieu soit honouré,
Tieu gloire en soy le deshoneste ;
Si torne joye en grief moleste
Et en nounsaint la sainteté.
    La Vaine gloire ad Fole emprise,
C'est un servant du grant reprise,
Qui tous jours fait son mestre en-
    prendre,
Les faitz qui sont de halt emprise, 1360
Au fin que l'autre gent luy prise,
Dont vain honour pourra comprendre.
Et pour cela tout fait despendre,
Corps, biens et temps sanz prou re-
    prendre,
Fors soul le vent, q'au dos luy frise.
S'il poet en vain honour ascendre,
Le corps laist travailler en cendre,
Mais l'alme en pert toute franchise.
    Encore une autre soe amie
Ad Vaine gloire en compaignie,   1370
Que par droit noun est appellé
Ma damoiselle Flaterie,
Que par tout est tresbien oïe,
Et des seignours moult bien amé :
C'est celle qui d'un page au piée
Fait q'en la court est allevé
A grant estat du seigneurie ;
C'est celle sur tous plus secrée,

Quant consail serra demandé,
Car a son dit n'est qui repplie.   1380
    L'en poet bien dire que Flatour
Est un soubtil enchanteour ;
Car par son vein enchantement
Fait croire au dame et au seignour
Que sur tous autres de valour
Sont plus digne et plus excellent :
Mais n'ont du bonté soulement
Un point, mais par blandisement
Il leur tresgette un si fals tour,
Pour avoegler la vaine gent,   1390
Qu'il quidont veoir clerement
Ce qu'il ne verront a nul jour.
    Mais Flaterie trop mesfait
Quant elle excuse le mesfait
Et en apert et en silence,
Et fait resembler a bien fait
Par argument q'est contrefait,
Du quoy la veine gent ensense :
Et pour gaigner un poi despense
Avoec l'autri pecché despense,   1400
Et le procure q'om le fait,
Dont suit mainte inconvenience
D'orguil et fole incontinence,
Dont maint homme ad esté desfait.
    Pour resembler Flatour, est cil
Semblable au coue du goupil,
Que le vilté covere au derere ;
Car ly flatour ensi fait il,
Tout qanq'il voit en l'autri vil
Du pecché covere en tieu maniere : 1410
Et auci il est mençongere,
Car s'un soul point en l'autre piere
Du bien, il en dirra tieu mil :
Solonc qu'il voit changer ta chere
Se torne avant et puis arere ;
Trop pent sa lange a pliant fil.
    Quoy que l'en parle du folie,
Toutdis l'en verras Flaterie
A l'autry dit estre acordant :   1419
' Bien ' dist toutdis si l'en ' bien ' die,
Et s'om dist ' mal,' lors ' mal ' replie,
Et si l'en rit, il est riant ;

1368 enpert   1386 plusdigne   1413 endirra

Car sa parole et son semblant
Tout ert a l'autri resemblant :
Ne plus ne meinz ce signefie
Eccho, que qanq' om est sonant,
De la response est resonant
Tout d'un acord et d'une oÿe.

 As fils pour ce de l'adverser
La Flaterie en son mestier   1430
Est la norrice et la guardeine :
Si les endormist en peccher
Par son chanter et mailoller
En allaitant du gloire veine ;
Mais puis les hoste a mal estreine
De la mamelle q'est mondeine,
Dont suef les faisoit allaiter,
Et lors en perdurable peine
D'enfern, u que ly deable enseigne,
Sanz fin les fait escoleier.   1440

**La tierce file d'Orguil, la quelle
ad a noun Surquiderie.**

 La tierce fille par decente
Qe dame Orguil au mond presente,
L'en appella Surquiderie.
Celle est du cuer tant excellente,
Que d'acun autre ne talente
Avoir pareill en ceste vie.
Ly clercs qui ceste file guie
Tout quide en sa philosophie
Qu'il Aristotle represente ;
De les sept ars se glorifie,   1450
Quant soul logique ne sciet mie
Le firmament trestout extente.

 Ly Surquiders bien quide et croit
Du quelque vertu q'a luy soit,
Que par ce tous vait surmontant.
De son quider trop se deçoit :
Quant il meinz valt en son endroit,
Lors quide avoir nul comparant.
Ly Surquiders, sicome l'enfant,
Qe sa pelote est plus amant   1460
Que tout le tresor que l'en voit,
D'un petit bien se vait loant,
Dont il se quide estre auci grant
Come l'empereur du Rome estoit.

 Ly Surquiders, quant il est fortz,
Quide a lier lions et tors,
Dont il a Sampson contrevaile :
Ly Surquiders, eiant beals corps,
Quant se remire, il quide lors
Resembler Absolon d'entaile :   1470
Ly Surquiders hardis sanz faile
Tout quide a veintre la bataile,
Sicome fist Lancellot et Boors.
Quant Surquider les gens consaile,
N'est pas certain son divinaille,
Ne ses augurres ne ses sortz :

 Mais nepourquant par s'enticer
Sovent as gens fait comencer
Tieu chose que jammais nul jour
Ne la pourront bien terminer ;   1480
Dont en la fin leur falt ruer
De sus en jus leur grant honour,
Leur sen deschiet en grant folour,
Et leur richesce en povre atour ;
Leur peas destourne en guerroier,
Leur repos chiet en grant labour,
Tornent leur joyes en dolour :
Vei la le fin du Surquider !

 Surquiderie est celle tour,
Muré du fort orguil entour,   1490
En quel ly deable a son voloir
Gart tout l'espiritel errour
Des tous pecchés en leur folour
Dessoutz le clief du fol espoir.
Car cil q'est surquidous pour voir,
Combien qu'il soit du grant savoir,
Ly deable en tolt le fruit et flour,
Et soul le fuill luy laist avoir,   f. 13
Le quel d'un vent d'orguil movoir
Fait et l'abat au chief du tour.   1500

 Ly Surquiders que plus amonte
Est cil q'ad perdu toute honte ;
Car pour nul bien que dieus luy donne,
Pour adjugger au droit accompte,
Ne rent au dieu resoun ne conte ;
Ainz quide, qanque luy fuissonne,
Que destiné luy habandonne
Pour la vertu de sa personne,

Dont il les autres tout surmonte.
Mais qant meux quide avoir coronne,
Dieu de s'onour luy descoronne,
Et de son halt en bass desmonte.
  Ly Surquiders est singuler,
Q'a nully voet acompaigner,
Car il ad celle enfermeté
Que plus s'agregge par toucher ;
Et pour cela l'en solt nommer
Le mal *Noli me tangere.*
Car Surquiders en nul degré
L'autry toucher ne prent en gré,
Ou soit en fait ou en parler,
Ainz en devient d'orguil enflé :
Car tout quide a sa volenté
Le siecle a son voloir mener.
  Surquiderie au compaignoun
Retient ove soy Presumpcioun,
Que tant du fol orguil esprent,
Qu'il quide tout le divin doun
Pour son merite en reguerdoun
Avoir deservy duement.
Un clercs dist que presumement
Est traitres et confondement
D'umaine cogitacioun
Dedeinz le cuer secretement :
Car tout le bien q'a l'alme appent
Perverte a sa dampnacioun.
  Presumpcioun q'orguil desguise
Deçoit les gens par mainte guise,
Et les saintz hommes molt sovent,
Quant ils quidont de son aprise,
Pour sainteté qu'ils ont enprise,
Qu'ils valont plus que l'autre gent ;
Dont veine gloire les susprent,
Et font des autres juggement,
Qu'ils sont coupable a la Juise ;
Et deinz soy surquidousement
Pensont q'au dieu plenerement
Ont tout bien fait sanz nul mesprise.
  Presumptuouse veine gloire
Trestout attrait a sa memoire
La sainte vie q'ad mené ;
Dont en certain se fait a croire

Que l'en ne trove en nulle histoire
Un autre de sa sainteté :
Et si luy vient prosperité,
Bon los, quiete, ou ameisté,
Ou du bataille la victoire,
Tout quide avoir par dueté
Deservy ; siq'en tieu degré
Sa bonté blanche refait noire.
  Presumpcioun la surquidée
Est tielement en soy guilée,
Sicomme la Tigre en soy se guile,
Quant en sa voie voit getté
Le mirour, dont quant s'est miré,
Lors quide apertement sanz guile
Veoir dedeinz son filz ou file :
Mais ly venour trop se soubtile,
Q'ove soy les ad tous asporté.
Ensi ly deables prent et pile
Quanque Presumpcioun compile ;
Quant quide avoir, tout est alé.
  Au presumptive gent c'estoit
Q'en l'evangile dieu disoit :
'Je vous ay,' fait il, 'honouré,
Et vous par orguillous endroit,
Encontre courtoisie et droit,
M'avetz au fin deshonouré.'
Car pour bien ne prosperité,
Q'au tiele gent dieus ad donné,
Ne pour vertu le quelque soit,
Des tieus n'ert dieu regracié ;
Mais come ce fuist leur propreté,
Chascun sur soy les biens reçoit.
  De la presumptuouse rage
Aucun y a, ce dist ly sage,
Qui quide nestre franchement,
Q'au dieu n'en doit aucun servage,
Nient plus que l'asne q'est salvage,
Q'au bois sanz frein jolyement
S'en court trestout a son talent,
Mais qui luy fist primerement,
Ne qui luy donne pastourage
Ne sciet ; et ensi folement
Se contient sanz amendement
Ly presumptif deinz son corage.

1522 endevient

Pour ce ly sage Salomon
Ce dist : 'O tu, Presumpcioun,
O tu malvoise, o tu vilaine,
Qui te crea ?' Dy et respoun ! 1600
Qui te donna sen et resoun ?
Qui te donna la vie humaine ?
Qui te donna viande et laine ?
Qui te donna bois et champaine ?
As tu rien propre ? Certes noun :
Tout est a dieu q'as en demaine.
Dy lors q'est ce q'orguil te maine,
Quant tu rien as mais d'autri doun ?
 Presumpcioun ad une amye,
Cousine de Surquiderie, 1610
C'est Vaine curiosité,
Q'est d'orguillouse fantasie ;
Car tous jours serche l'autri vie,
Et de soy ne s'est remembré :
Trop se fait sage et surquidée,
Quant sciet et jugge en son degré
Tous autres, et soy ne sciet mie.
Dont Bernard dist, 'Trop ad torné
Sa sapience en vanité
Cil q'autri sciet et soy oublie.' 1620
 Mais de la curiouse gent,
Q'ensi presumptuousement
Scievont et juggont chacuny,
En l'evangile proprement
Dieus dist que pour leur juggement
Forsjuggé serront et puny.
Par Isaïe dieus auci
Dist qu'il destruiera parmy
La sapience au sapient,
Qui se fait sage de l'autry ; 1630
Mais fals orguil tout prent sur luy,
Come c'il fuist sire omnipotent.
 De l'orguillouse Surquidance
Vous dy qu'elle ad de s'aqueintance
Derision, qui d'orguil rit
Tous autres de sa mesdisance,
Leur fait, leur dit, leur contenance
Escharne et mocke par despit :
Car dieus tiel homme unques ne fist
Si vertuous ne si parfit 1640
Que cil musard ne desavance,
Et par escharn et par mesdit
L'autry vertus par contreplit
Des vices torne a la semblance.
 Saint Job se plaigt disant ensi :
'Des tieux,' ce dist, 'suy escharni
Qui meindre sont du temps et age.'
Saint Job se plaigt disant auci,
Que la simplesce de celluy
Q'est just et humble de corage 1650
Ly derisour le desparage.
Mais un grant clerc q'estoit bien sage,
Maximian dist, qui d'autri
Desrit, n'ert mesmes sanz partage,
Ainz en desris et en hontage
Le fin doit revertir sur luy.
 Dedeinz la bible essample truis,
Q'escharn au fin serra perduz,
Sicomme d'Egipciens estoit,
Q'en servitute les Hebrus 1660
Tenoiont a leur propres us ;
Mais sur tous mals pis leur faisoit
Cils du paiis en leur endroit,
Quant chascun les escharnisoit :
Mais leur escharn de sus en jus
Dieu moult soudeinement changoit ;
Enmy la rouge mer salvoit
Les uns, et l'autres ad conclus.
 Ce nous dist sage Salomon,
Que vile abhominacioun 1670
A dieu sont tout ly derisour :
Et pour ce la dampnacioun
De leur mockante elacioun
Au juggement u n'ert fals tour
Dieus apparaille sanz retour.
De ce David nous est auctour,
Q'au dieu fait reclamacioun
Disant, 'O dieus, droit Juggeour,
Tu mockeras le mockeour
Du fole ymaginacioun.' 1680
 Derisioun pour luy servir
Ad fait un servant retenir,
Que l'en appelle Malapert.
Par tout u cil pourra venir,
Honte et Vergoigne fait suïr
Pour mals qu'il leur dist en apert :

MIROUR DE L'OMME

Car moult sovent a descovert
Dist chose que serroit covert,
Pour les gens simples escharnir; 1689
Mais coment qu'il as autres sert, f. 14
L'en trove au court, j'en suy bien cert,
Qui volentiers le voet oïr..
Si centz fuissont en compaignie,
Soul Malapert du janglerie
Trestous les serroit surmontant:
Plus est jolys que n'est la pie,
Devant les autres dance et crie,
U que la presse voit plus grant;
Car il surquide que son chant
Soit molt plus douls et plus plesant 1700
Que soit nulle autre melodie,
Et que son corps soit avenant;
Pour ce se moustre et met avant,
Que rien luy chalt qoi nuls en die.
Cil Malapert ly bealpinée,
Alant le pass engalopée
Ove la ceinture bass assisse,
Par tout, u vient a l'assemblée,
A luy se sont tout ascoultée,
Qu'il endirra du fole aprise; 1710
Car si nuls soit deinz la pourprise
Curtois sanz nul vilain enprise,
Cil Malapert ly malsenée
Par contrefait tout le devise:
Si l'autre en ad response mise,
Lors serra son escharn doublée.
Pour ce t'en fait ly sage aprendre
Que derisour ne dois reprendre;
Car cil qui derisour reprent,
Quert a soy mesmes tache prendre: 1720
Car jammais fol ne doit comprendre
Le bien de ton chastiement,
Ainz t'en harra et laidement
Te mockera devant la gent.
Pour ce l'en dist, tu dois entendre
Que chien dormant aucunement
N'esveilleras, car autrement
D'abay ne te pourras defendre.
  La quarte file d'Orguil, la quelle
  ad a noun Avantance.

La quarte file enorguillant
Par tous ses ditz s'est avantant; 1730
Pour ce son noun est Avantance.
Cil q'est de ceste file amant,
Et en voir dire et en mentant
Sovent s'avante en sa parlance
De son grant sen, de sa puissance,
De sa valour, de sa substance;
Ne fait nul bien dont est celant,
Ainz dist toute sa sufficance,
Dont il son propre honour avance;
Herald n'en dirroit plus avant. 1740
  Le Vanteour de plus en plus
De vanter ne s'est abstenus,
Dont croit qu'il son honour remonte:
Car s'il soit beals ou fortz ou prus,
Au fin q'as tous ce soit conus,
Fait mainte longe et belle conte;
Et s'il soit riches, lors acompte
Devant trestous combien amonte
Le grant tresor qu'il tient reclus:
Trop s'esjoÿt, quant il reconte 1750
Come il les autres gens surmonte
Des bonnes mours et des vertus.
  Qui bien entent les ditz des sages
Et s'orguillist, il est nounsages,
Du soy pour faire aucun avant:
Car s'il soit beals et pense oultrages,
Repenser doit deinz ses corages
Ce que Boëce en est parlant;
Si dist que l'oill de son voiant
Perest si fieble en reguardant, 1760
Qu'il plus ne voit fors les ymages
Dehors; mais si par tout avant
Pourroit veoir le remenant,
Ne se tendroit a les visages.
  Hom list que linx ad tiele veue,
Si trespersante et si ague,
Que tresparmy les murs du piere
Voit clerement la chose nue:
Dont dist Senec, 'He, dieus aiue
Que l'oill de l'omme en tieu manere, 1770
Dehors, dedeinz, devant, derere,
La vile ordure et la matiere

1700 plusdouls   1704 endie   1715 enad   1740 plusauant   1758 enest

Q'en nostre corps gist retenue
Verroit du regardure clere :
Ore voi je tiele qui s'appiere,
Que lors volt estre desconue.'
 Et d'autre part s'orguil deinz soy
Se vante et face son buffoy
Du force dont qu'il est plener,
Repenser doit deinz son recoy   1780
Que molt sovent d'un petit quoy
S'effroie ; car l'en voit grever
Petite mosche au fort destrer.
Saint Augustin s'en fait parler,
Si dist, ' O force, tien te coy ;
Quant tu la puice resister
Ne puis au lit pour reposer,
Me semble que ta force est poy.'
 Et s'om se vante de richesce,
Solonc Boëce je confesse   1790
Ly bien mondein sont decevable :
Seurté promettont et leesce,
Et donnont paour et tristesce ;
Promettont l'omme seignorable,
Et le font serf, et de nounstable
Promettont chose permanable ;
Des grans delices font promesse,
Et sont poignant, et de la fable
Promettont estre veritable :
Au fin se pleignt qui les adesce.   1800
 Et oultre ce, qui bien remire,
Ly bien mondain sont a despire,
Qu'ils promettont de leur falsine
A sauler l'omme et a suffire
Au tout ce que ly cuers desire ;
Et en certain par leur saisine
Suffraite donnont et famine ;
Car qui plus ad, plus enfamine.
Mais fole orguil de son empire
Si ferme croit l'onour terrine,   1810
Q'aler jammais quide en ruine,
Pour rien que l'en luy porra dire.
 Ly philesophre q'estoit sage
Dist, ' Tiel quel es deinz ton corage,
Tiel ta parole expressera.'
Ce piert d'orguil, q'en son oultrage
De sa science et son lignage

Et de ses biens se vantera :
Car ses vertus tout contera,
Au fin que tous sachont cela,   1820
Siqu'il n'ait pier du voisinage
En la Cité u tiel esta :
Comme Salomon le tesmoigna,
Sovent l'en voit venir dammage.
 Par soun prophete Sephonie
Dieus dist que gens de vanterie
D'entour les soens il hostera.
Si dist auci par Jeremie
Que la vantante halte vie
De halt en bass la ruera,   1830
Toute arrogance humilera :
Et ensi dieus nous manaça
Par Salomon et Isaïe :
' Heu,' dist, ' cil qui se vantera !
Par ce toutdis de luy serra
Trestoute vertu forsbanie.'
 Del phariseu l'en vait lisant
Pour ce q'el temple son avant
De ses bienfaitz au dieu faisoit,
Son pris perdist de maintenant   1840
Et son loer du bienfesant :
Mais cil qui pupplican estoit
Tout autrement se contienoit,
De ses mesfais mercy prioit :
Dont l'un, q'ert juste pardevant,
De son avant se pervertoit,
Et l'autre, qui devant pecchoit,
Devint just par soy despisant.
 Ce dist Solyn en l'escripture :
' Ossifragus de sa nature   1850
C'est un oisel qui soulement
Du moel des oss prent sa pasture ;
Mais quant ne poet par aventure
L'oss debriser, lors monte au vent
Volant en halt, et guarde prent
D'ascune roche, et tielement
Puis laist chaoir l'oss pardessure,
Que tout en pieces le purfent :
Ensi devoure a son talent
Sa proie parmy la fendure.'   1860
 Ly deable auci par cas semblable,
Pour faire l'omme saint muable,

MIROUR DE L'OMME 25

Primerement le fait monter
En vaine gloire surquidable,
Et par ce fait qu'il est cheable
Dessur la roche de vanter.
Ce dist David en son psalter :
'Qui d'orguil fait son cuer lever,
Dieus contre luy se fait levable' :
Et ensi comme falcon muer   1870
Le fiert, dont l'estoet tresbuscher
Si bass dont puis n'est relevable.
  De Lucifer hom vait lisant,
Tantost qu'il ust fait son avant,
Qu'il volt le see divin ascendre
Et resembler au toutpuissant,
Dieus le rua de maintenant
Jusq'en abisme, et fist descendre
El fieu qui toutdiz art sanz cendre.
En ciel fist dieus vengance prendre   f. 15
D'orguil qui s'en aloit vantant :   1881
Par ce poet om essample prendre
Que bobancers fait a reprendre,
Car il au deable est resemblant.
  La vanterie en terre auci
Dieus hiet et toutdis ad haï.
Du Nabugod ce poet om lire,
Qui se vantoit jadys ensi
Qu'il Babiloyne ot establi
En gloire de son halt empire :   1890
Mais ainz qu'il pot au plain suffire
Son grant orguil vanter et dire,
Soudainement tout s'esvany,
Et transmua par le dieu ire
Sa forme d'omme en beste pire
Sept auns, ainz qu'il en ot mercy.
  Simon Magus quant se vantoit
Q'en halt le ciel voler vorroit,
Par l'art magike en l'air bien sus
Au Rome en son orguil montoit ;   1900
Mais quant plus halt monter quidoit,
Soudainement dieus l'ot confus,
Et de son halt le ruoit jus ;
Dont il le corps ot confundus,
Et l'alme as deables s'en aloit.
Vei la le gaign q'en orguil truis :

Quant l'en se vante estre au dessus,
Par cas plus tost chaoir l'en doit.
  Par autre guise s'est vanté
Le Vanteour desmesuré,   1910
Dont luy maldie Jhesu Crist :
Car si d'amour tout en secré
Soit d'une dame bien amé,
En soy vantant par tout le dist,
Dont l'autre honour trop amerrist.
Plust ore a dieu cil q'ensi fist,
Ou fait, ou fra, fuist forsjuggé,
Et par la goule en halt pendist ;
Quant faire pecché ne suffist,
Mais q'om se vante du pecché.   1920
  O dieus, comment il se desroie
Le Vanteour, quant il donnoie,
Seant d'encoste ses amours !
C'est cil alors qui tout mestroie,
C'est cil qui terre ad et monoie,
C'est cil qui sciet trestous honours,
C'est cil q'est fort en grans estours,
C'est cil qui conquerra les tours,
C'est cil qui valt par toute voie ;
Sa langue est plaine des valours,   1930
Mais plus promette en quatre jours
Q'en cinquant ans ne compleroie.
  Car qui s'avante volenters,
Sovent avient qu'il est mentiers,
Contant du soy que ja n'estoit :
S'il n'ait en bource deux deniers,
Il dist qu'il ad ses tresorers
Pour achater que bon luy soit,
Dont sa largesce faire doit.
Tieu conquerrour l'en loeroit,   1940
Car s'il soit d'armes custummers,
Il dist tieu chose parferroit,
La quelle enprendre n'oseroit
Pour tout l'avoir du Montpellers.
  Tout ensement come le paintour,
Quant il portrait un grant estour,
Fiert les grans cops en sa painture,
Tout autreci ly Vanteour
En recontant de sa valour
Se vante et parle a demesure :   1950

    1896 enot   1901 plushalt   1908 plustost   1949 Enrecontant

Mainte merveille et aventure,
Sa grosse langue afferme et jure
De son sen et de sa folour,
Du peas et d'armes, q'a nulle hure
Estoient voir, ainz controveure,
Dont quide eshalcer son honour.
 Le Vanteour sovent sur soy
Emprent qu'il est privé du Roy,
Si qu'il n'en poet avoir essoigne ;
Et dist as gens, 'Parlez au moy : 1960
Si vous me donnez le pourquoy,
Je fray l'exploit de vo busoigne.'
Jaket son varlet le tesmoigne,
Et dist au fin que l'en luy doigne,
'Tout est ce voir, tenez ma foy.'
Ensi les larges douns enpoigne ;
Mais en la fin c'est grant vergoigne,
Car sa vantance est tout gabboy.
 Sicomme du vertu corporal,
Quant orguil par especial   1970
Devant les autres ad le gré,
Se vante et fait desparigal,
Tout ensi de l'espirital,
Quant fait aucune charité,
Ou soit apert ou soit privé,
Au double ou plus s'en est vanté,
Comme s'il fuist tout celestial :
Sique les biens du tout degré,
Dont corps et alme sont doé,
Sa langue soule torne en mal.   1980
 Le Vanteour de sa semblance
Porte au geline resemblance,
Que de ses oefs criant entour
S'en vait, dont l'en aparcevance
Prent de son ny, si q'au finance
Tout pert ses oefs par sa clamour :
Et ensi fait ly Vanteour ;
Quant il ad fait aucun bon tour,
N'el voet celer, ainz par bobance
S'en vante pour acquere honour   1990
Au corps ; mais l'alme au darrein jour
S'en vait sanz part du bienfaisance.
 Mais pour descrire en sa maniere,
Ly Vanteour est ly fol liere,

Qui tout s'afforce en sa covine
D'embler la gloire a dieu le piere,
A qui tout honour se refiere ;
Mais il le tolt de sa ravine
Et a soy propre le destine.
Par quoy du redde discipline   2000
Drois est qu'il son orguil compiere :
Pour s'avantance q'est terrine
En paine que jammais ne fine
De son avant ert mis derere.
 **La quinte file d'Orguil, la quelle
ad a noun Inobedience.**
 La quinte, ensi come je le pense,
Son noun est Inobedience ;
Q'a nully voet estre soubgis
Pour digneté ne pour science,
Ne porte a nully reverence,
Tant ad le cuer d'orguil espris.   2010
C'est un pecché par quoy ly fitz
Sovent des pieres sont malditz,
Quant par vertu d'obedience
Ne vuillont estre bien apris.
C'est un pecché q'a son avis
N'ad cure de la dieu offence.
 C'est un pecché de son mester
Qui taire voet quant dust parler,
Et quant dust parler se voet taire.
C'est un pecché q'apostazer   2020
Fait maint et mainte reguler,
Trestout lessant et frocke et haire.
C'est un pecché qui fait desplaire
La femme qui n'est debonnaire
Au mary, qui la volt amer.
C'est un pecché qui le contraire
En toutes choses vorra faire,
Q'a nul bien se voet acorder.
 C'est un pecché q'ad trop de peine,
Quant force a servir le constreine ; 2030
Sovent grondile a bass suspir,
Trop ad la volenté vileine.
Qui plus d'amour vers luy se peine
Del faire aler ou retenir,
Tant plus se fait desobeïr :
Si plus ne puet contretenir,

MIROUR DE L'OMME

Tout maldirra du bass aleine,
Q'au nulle loy voet obeïr,
Pour faire droit ne droit suffrir
N'a son prochein n'a sa procheine.　2040
　C'est un pecché que son amant
Aprent qu'il soit desobeissant
Vers dieu et vers son voisinage :
Vers qui des deux soit malfaisant,
Jammais du gré n'ert repentant,
Dont confesser voet le dammage,
Ne faire peas de son oultrage.
Ne croit q'au dieu doit son hommage,
Et a tout autre rien vivant
Il ad contraire le corage :　　　　2050
Nul le pourra treter si sage,
Q'as autres le face acordant.
　Desobeisance en sa pectrine
Ad le cuer dur plus que perrine,
Que n'amollist aucunement
Pour la divine discipline,
Que dieu par droite medicine
Envoit pour son amendement :
Ainz, quanque dieus benignement
Luy donne a son relievement,　　2060
Il le destorne a sa ruine ;
Et pour ce q'en gré ne le prent,
Du double mal la paine attent
En fieu d'enfern, qui ja ne fine.
　Quant ceste file se mesprent
Vers dieu, et dieu revengement
Prent en pité, dont l'en chastie,
Ou soit par mort de son parent,
Ou soit du perte ou d'accident,
De blesceure ou de maladie,　　**f. 16**
Orguil de ce dieu ne mercie ;　　2071
Ainz en tençant trestout deffie
Encontre le chastiement
De dieu, mais puis de sa folie
Ne pert tantsoulement la vie,
Mais l'alme perdurablement.
　Car saint Gregoire bien le dist,
Solonc que truis en son escript,
Que dieu chastie son amy,
Tanqu'il a soy l'ad fait soubgit :　2080

Mais s'il avient par autre plit
Qu'il ne s'ament, ainz en oubli
Met le chastiement de luy,
C'est un vray signe q'a celluy
Dieus ad sa grace tout desdit,
Et voet au fin qu'il soit peri ;
Dont son orguil soit remeri,
Quant corps et alme ensemble occit.
　Grant mal vient par desobeissance ;
L'apostre en porte tesmoignance,　2090
Disant que par desobeïr
D'Adam primer vint la vengance,
Dont naiscons serf et en penance ;
N'est un qui ce poet eschuïr :
Moises le dist, cil q'obeïr
Ne voet al dieu precept tenir
Solonc la divine observance,
Il doit par juggement morir ;
Dont puis sanz fin l'estoet perir,
Et languir en desesperance.　　2100
　Del unicorn ce dist Solyn,
N'el poet danter aucun engin,
Mais moert ainz q'om le poet danter,
Tant ad le cuer gross et ferin.
Orguil ensi le fol cristin
Sanz obeïr le fait errer
Du bonne aprise et salvager ;
Par quoy ne sciet son dieu amer,
Ne vivre egal ove son voisin,
Tout ordre fait desordener,　　2110
N'ad cure du loy seculer,
Ne doubte du precept divin.
　Cil q'Inobedience meine
Resemble au corps du char humeine
Q'est mort, dont om ne poet plier
Les membres ; car pour nulle peine
Au soverein n'au sovereine
Orguil se voet humilier.
Mais cil qui voet le mont monter,
Ainçois l'estoet le doss courber　2120
Qu'il truist la voie droite et pleine :
Orguil pour ce ne poet durer
Amont le ciel en halt aler,
Car ne s'abesse a nul enseine.

2067 lenchastie　　　2072 entencant　　　2090 enporte

Urse et Lioun qui sont salvage,
Ostour et la faucon ramage,
Dedeinz un an jusques au mein
L'en poet danter au saulf menage ;
Mais deinz sessante al dieu servage
Pour reclamer c'est tout en vein 2130
Un fol pecchant. He, queu vilein !
Quant par precher du chapelein,
Ne pour fieblesce de son age,
Ne reconoist son soverein ;
Ainz plus se fait de dieu loigntein
Que ne fait beste en le boscage.
   L'orguil de l'Inobedient
En ceste siecle auci sovent
Fait guerre sourdre et grant distance ;
Dont la maldiont mainte gent, 2140
Et dieus la maldist ensement.
Ce duissont savoir cils du France,
Que dieus hiet la desobeissance,
De ce q'encontre leur ligance
Chascun par guerre se defent
De faire hommage et obeissance
A celluy qui de sa nescance
Le droit depar sa mere prent.
   Dame Orguil trop s'entente mist,
Quant ceste file ensi norrist, 2150
Baillant a luy deux servitours,
Dont ly primer ad noun Despit,
Qui curtoisie sanz respit
Guerroie et dist maintes folours :
L'autre est Desdaign, q'en toutez courtz
Parole et fait tout a rebours,
N'agarde a ce que Resoun dist.
Dame Orguil, l'aisné des sorours,
Ces deux servantz pour leur errours
Avoec sa file les assist. 2160
   Despit la sert en son degré,
Que ja ne souffre de bon gré
Que l'en luy donne aucune aprise ;
Ne combien qu'il en soit prié
En sa science ou faculté
D'enseigner autre, en nulle guise
Ne voet ce faire, ainz le despise :

Q'a son avis l'autry franchise
Luy est servage abandonné ;
Et pour cela de sa mesprise 2170
Le pris de son voisin desprise,
Au fin qu'il mesmes soit prisé.
   Asses trovons d'essamplerie
Q'en despiser ad grant folie,
Et molt sovent mal en avient :
Ce parust bien du feel Golie,
Quant despisoit de s'estoutie
David, q'a sa bataille vient ;
Mais dieu, qui tout crea du nient,
Pour l'orguil qui son cuer retient 2180
Fist tant qu'il en perdist la vie.
Au despitous despit avient,
Car mort soubite luy survient
Du permanable vilenie.
   'Way,' ce dist Isaïe, 'a vous,
Q'as autres estes despitous !
Car quant vous serrez enlassé
A despire autrez, lors de tous
Serretz despit' ; dont entre nous
Falt bien que soions avisé. 2190
Ce dist David en son decrée :
' Ly toutpuissant deinz son pensée
Despise tous les orguillous,'
Et tout le mond les tient en hée ;
Drois est pour ce que maluré
Soiont aveoc les malurous.
   Par Moÿsen dieus a sa gent
Dist, que s'ils son commandement
Vorront despire, lors en vain
Les champs font semer du frument,
Ou planter vine aucunement ; 2201
Car dieus trestout le fruit et grain
Leur fra tollir au forte main ;
Ils gaigneront sanz avoir gain,
Et viveront sanz vivement.
He fol orguil, qui tols le pain,
Trop es au propre corps vilain,
Et t'alme nul proufit en prent.
   Par Ezechiel dieu disoit,
A cause que son poeple erroit 2210

Ses covenances despisant,
Tieux reetz dist qu'il extenderoit,
Dont pris trestous attrapperoit
En tieu prisoun, que puis avant
Nuls leur puet estre rechatant,
Ainz y morront sanz nul garant.
Vei la le fin q'avenir doit
Au despitous desobeissant ;
Car cil q'au dieu n'est obeissant
Au deable obeiera par droit.   2220
 Roy Salomon de son aprise
Dist, cil qui povre gent despise
Reproeche fait au creatour.
Et Malachie en tiele guise
Demande, puisque d'une assise
Un dieus de tous estoit fesour,
Pour quoy la dame ou le seignour
Despiseront la gent menour,
Que de nature et de franchise
Ont alme et corps semblable a lour.
A ce demande, O despisour,   2231
Tu dois respondre a grant Juise.
 Despit, qui porte cuer inflat
Du vent d'orguil, dont il abat
Humblesce par desobeissance,
Ne fait honour a nul estat,
N'au duc, n'au conte, n'au prelat,
Ne voet soutz l'autry governance
Servir, mais par contrariance
Du dit, du fait, du contenance   2240
Desobeït du cuer elat.
Gregoire en porte tesmoignance,
Que cuer enflé de tiele estance
Au toute verité debat.
 Despit, qui sert Delacioun,
Naist d'une eructuacioun
De l'estommac au deble issant,
Du quelle par temptacioun
A l'homme donne inflacioun
D'orguil que dieu vait despisant.   2250
D'un malvois ny s'est evolant,
Et au peiour s'est retornant,
Q'est fait a sa dampnacioun
Deinz la puante goule ardant

De Sathan, u mort est vivant
D'eterne lamentacioun.
 Desdaign, quant passe aval la rue,
Par fier regard les oels il rue
Dessur les povres gens menuz ;
Et si nul povre le salue,   2260
Il passe avant comme beste mue,
Que ne respont a leur saluz : f. 17
Et s'om ne dist le bien venuz,
Lors son orguil luy monte sus,
Que l'en n'agarde a sa venue ;
Sicomme lioun, encore et plus,
Rampant s'en vait col estenduz,
Comme s'il volsist toucher la nue.
 Desdeign des autrez se desdeigne,
Come l'escripture nous enseigne ;   2270
Sicome Judas se desdeignoit
Du bienfait de la Magdeleine,
Quant d'oignt versoit la boiste pleine,
Dont de Jhesu les piés oignoit :
Un archeprestre auci estoit,
Que de Jhesu se desdeignoit,
Quant l'omme languissant en peine
Au jour de Sabat garisoit :
L'un contre dieu desdeign portoit,
Et l'autre contre sa procheine.   2280
 Ce nous dist Salomon le sage,
Que cil qui plus deinz son corage
Est d'indignacioun prochein,
Cil est plus pres d'estre en servage
As autres vices ; car l'outrage,
Que gist el vice de desdeign,
Tant fait le cuer gross et vilein,
Qu'il n'est egal vers son prochein,
Ne soubgit vers son seignorage ;
Tout obeissance tient en vein,   2290
D'umilité se tient forein
D'orguil en le plus halt estage.
 De celle generacioun
Portant les oels d'elacioun
Ove la palpebre en halt assisse,
Que ja d'umiliacioun
Ne prent consideracioun,
Les oels du tiele gent despise

  2242 enporte 2284 pluspres 2292 plushalt

Roy Salomon de son aprise;
Et le prophete ne les prise, 2300
Ainz dist en reprobacioun,
Que dieus les oels de halte enprise
Humilera de sa reprise
En la basse obscuracioun.
 Mais d'autre part Danger auci,
Qui du Franchise est anemy,
A ceste route associa
Dame Orguil pour servir ensi,
Que jammais au voloir d'autri
De son bon gré n'obeiera. 2310
Unques Danger fuist ne serra
Amé, qu'il unques nul ama,
Car Groucer, ly vilain failly,
De son consail toutdis esta :
Qui plus vers luy s'umilera,
Plus trovera contraire en luy.
 Orguil, qui tous biens desordeigne
Et trestous mals au point ordeigne,
Trois autres sers fist ordeigner,
Queux Inobedience meine 2320
Chascune jour de la semeigne
Pour luy servir et consailler.
Murmur hom fait l'un appeller,
Et l'autre, q'est trop adverser,
Rebellion, qui dieu desdeigne ;
Contumacie oï nommer
Le tierce, qui s'umilier
Ne voet pour nul amour ne peine.
 Pour Murmur et Rebellioun
Dieus se venga, car nous lison 2330
Que les Hebreus, qu'il ot mené
Hors du servage a Pharaon,
En la deserte regioun
Trestous occit pour ce pecché ;
Q'un soul de tous en salveté,
Fors soul Caleph et Josué,
En terre du promissioun
Ne pot venir ; car sanz pité
Dieu, qui vist leur rebelleté,
Les ot mis a perdicioun. 2340
 La terre en soy se desferma,
Et en abisme transgluta

Dithan et Abiron vivant ;
Et puis du ciel dieus envoia
La flamme, qui tout vif bruilla
Choré ove tout le remenant,
Q'a luy s'estoiont adherdant :
Que cils furont ly plus puissant
De les Hebreus, mais pourcela
Qu'ils deinz soy furont murmurant, 2350
Dieus se venga, que plus avant
Les autres par ce chastia.
 A Saül dieus disoit ce point,
Que d'aguilloun contre le point
C'est dure chose a regibber :
Mais Orguil ne s'en garde point,
Combien qu'il soit constraint et point
De dieu, pour ce ne veot lesser
Encontre dieu de rebeller :
Car il ad un son consailler, 2360
Que jammais ert en humble point,
Contumacie l'oi nommer,
Q'au tout precept q'om doit garder
Cil fait encontre tout a point.
 Contumacie se refiere
As trois parties : la primere
A mesmes dieu fait sa mesprise,
Et la seconde au piere et miere,
Et l'une et l'autre est trop amiere ;
La tierce au gent du sainte eglise, 2370
Q'a leur somonce et leur aprise
Ne s'obeït, ainz les despise,
Et leur sentence met derere.
De ces trois pointz, dont je devise,
Dieus se corouce en mainte guise,
Et prent vengance horrible et fiere.
 Seron le Prince de Surrie
Cil vint en sa contumacie
A rebeller encontre dieu,
Comme cil q'au dieu n'obeia mye ; 2380
Si volt combatre en s'estultie
Ove bon Judas le Machabieu ;
Mais au parfin fuist tout vencu.
Antiochus aussi refu,
Q'a dieu d'orguil se contralie,
Dont puis fuist mort et confundu.

2348 pluspuissant 2374 ce

Asses des autres l'en ad veu
Perir de celle maladie.
 Fils contumas a son parent
El viele loy par juggement,   2390
Atteint quant il en fuist prové,
Tantost serroit molt vilement
Amené pardevant la gent
Au porte, u cils de la cité
Le verront estre forsjuggé,
Que cil q'ot cuer de dureté
A dure mort soudeinement
Des pierres serroit lapidé :
De tiel fait soient essamplé
Ly fils d'Orguil qui sont present.   2400
 Desobeissance en sa maison
Deux autres ad, dont l'un par noun
Contrarious est appellé,
Et l'autre Contradiccioun,
Par quelle, ensi comme nous lison,
Dieus ove son poeple estoit iré,
Qu'il ot d'Egipte hors mené ;
Et ce fuist quant la dureté
Du roche versoit a fuisoun
Cliere eaue, dont cils abevré   2410
Furont, q'avant sa deité
Contredisoiont au perroun.
 De l'autre vice a son deces
Au poeple precha Moÿses,
Qu'ils s'en duissont bien abstenir :
Si les remembra leur viels fetz
Contrarious, dont maintz griefs fees
Dieus leur en ot fait sustenir.
N'est pas legier contretenir
Ne rebeller du fol conspir   2420
Au dieu, qui poet sanz nul reles
Par son dit faire tout perir :
Et q'a ce mal doit mal venir,
Ly sages le tesmoigne ades.
 De Nichanor fuist apparant
Que dieus orguil vait despisant ;
Car il avoit oultre mesure
Empris orguil, quant ly tirant
Jerusalem vint guerroiant ;

Mais quant quidoit estre a dessure, 2430
Dieu le rua par aventure,
Dont il perdist le chief al hure,
Q'estoit porté de maintenant
Deinz la Cité sanz nul demure,
Pour moustrer la disconfiture
De l'orguil qu'il avoit si grant.
 A ceste route s'associe
Blaspheme la dieu anemie,
Q'ad d'orguil si tresvilain port,
Q'au mesmes dieu dist vileinie.   2440
'Way soit,' pour ce dist Ysaïe,
'A tous qui font si mal report.'
Ce parust bien, quant de son tort
Senacherib vint au plus fort
Pour guerroier Roy Ezechie
En blasphemant ; dont sanz desport
Vengance de soudaine mort
L'envoia dieus pour s'estultie.
 Du viele loy je truis ensi,
Que ly blasphemus sanz mercy   2450
De male mort morir devoit :
Si lis de la novelle auci,
Quant nostre sire en crois pendi,
Un des larrons q'ove luy pendoit   f. 18
En mesdisant le blasphemoit ;
Dont maintenant dieus se vengoit,
Car quant le corps s'estoit fini,
La fole alme en enfern plungoit :
Qui ceste essample bien conçoit,
Estre en purra le mieulx garni.   2460
 Des tous pecchés q'Orguil estable,
C'est un des tous le plus grevable ;
Sicomme le nous fait essampler
L'apocalips, qui n'est pas fable,
D'un monstre horrible espoentable
Dont saint Jehans fait deviser,
Q'issoit de la parfonde meer ;
Si ot escript cil adverser
Enmy le front le noun au deable,
C'estoit blaspheme, a despiser   2470
Le noun de dieu et aviler
Les saintz q'au dieu sont concordable.

   2391 enfuist   2418 enot   2444 plusfort   2446 Enblasphemant
          2460 enpurra   2462 plusgreuable

La descripcioun d'Orguil en especial.

N'est pas tresdoulce celle Miere,
Dont tant du progenie amere
Est descendu, comme vous ay dit;
Ainz tant perest horrible et fiere
Qe n'est si fort, s'au droit le fiere,
Qe maintenant n'ad desconfit
Le corps ovesque l'espirit.
Car comme plus haltement s'assit 2480
Orguil du prince en la chaiere,
Et plus se vante et s'esjoÿt,
Tant plus le tient dieus en despit
Et le tresbuche a sa misere.
 Orguil perest si veine et fole,
Qe les plus sages elle affole,
Quant a sa part les poet attraire :
Orguil qant moustre sa parole,
Ne voet souffrir q'om reparole
Du chose que luy soit contraire : 2490
Orguil sovent se veste en haire
Devant les gens en saintuaire,
Et par soy meine vie mole :
Orguil soulein tout quide a faire ;
Dont ne requiert d'ascun affaire
Son dieu plus que le vent que vole.
 Orguil vantparle en toute assisse,
Et quiert qu'il soit primer assisse,
Comme sur trestous ly plus eslit :
Plus est Orguil de halte enprise 2500
Que n'est Lioun deinz sa pourprise,
Ou que destrer quant il henyt :
Unques ne vi si fait escript,
El quel Orguil au plain descrit
Trovay, tant ad en luy mesprise ;
Ne ja par moy poet estre dit,
Car proprement dieus la maldit,
Dont est bien digne a la Juise.
 Sidrac, qant il d'Orguil treta,
Dist et par resoun le prova, 2510
Orguil endroit de sa malice
Fuist le primer apostata :
Pour ce dist Salomon cela,
Que dieus et homme par justice

Devont haïr si orde vice :
L'alme orguillouse peccatrice
Par Moÿsen dieus commanda
Q'om l'osteroit de son service ;
Car Orguil plest en nul office,
Ainz loigns des tous biens perira. 2520
 Orguil est celle enfermetée,
Que le triacle de sauntée,
Q'om fait de vertu et doctrine,
Torne en poison envenimé.
Au frenesie est comparée,
Que tolt la resoun enterine,
Siqu'il n'ad doubte en sa covine
De dieu ne de sa discipline ;
Ne d'omme nul s'est ahontée,
Ne de son propre estat la line 2530
Conoist, tanqu'il en sa ruine
Trestout au deable soit alé.
 Sur tous pecchés pour acompter
Orguil fait plus a redoubter
De sa tresfiere vassellage ;
Car c'est des vices le primer,
Q'assalt et fiert le chivaler,
Et le darrein a son passage.
He, halt Orguil du bass estage,
Devant trestous de ton lignage, 2540
Comme file et heir, tu dois porter
Apres ton piere l'eritage
Du regioun u ja n'assuage
Ly fieus, qui doit sanz fin durer.
 O comme perverse et maluré
Perest Orguil en tout degré,
Dont dieus se venge en chacun plit.
Ly sages dist que dieus le sée
As ducs destruit par ce pecché,
Et en leur lieu seoir y fist 2550
Ceux qui sont humbles d'esperit.
Ytieu vengance ad dieu confit,
Comme David l'ot prophetizé,
As riches, mais au gent petit,
Solonc que Salomon escrit,
Plus asprement serra vengé.
 La halte poesté divine
L'Orguil des gens ove leur racine

Sanz reverdir ensechera,
Dont filz et file ert en ruine ; 2560
Et en leur lieu pour medicine
Les debonnaires plantera :
Leur terre auci subvertira
Des tieles gens, q'il ne lerra
A leur proufit ne blé ne vine ;
Ainz jusq'au fundament le fra
Trestout destruire, et puis dorra
Au gent paisible la saisine.
 Trop est Orguil en soy maldite,
Si est le lieu u q'elle habite, 2570
Si sont auci tous ses amys.
L'Orguil del angre fuist despite
El ciel, et puis refuist desdite
As noz parens en paradis ;
Orguil en terre ad les paiis
Ove les inhabitans malmis ;
Orguil en l'air est contredite,
Et en enfern serront toutdis
Ly deable ovesque l'espiritz
Par dame Orguil que les endite. 2580
 Serf doit honour au seignourie,
Et filz amour sanz estultie
Doit a son piere par doulçour ;
Dont dieus demande en sa partie
Par son prophete Malachie,
Et vers Orguil fait sa clamour :
' Si je suy sire, u est l'onour,
Si je suy piere, u est l'amour,
Que l'en me doit et donne mie ? '
Responde, Orguil, di la verrour ; 2590
Tu l'as tollu de ton errour,
Dont reson est q'il t'en chastie.
 He, Orguil, fole capiteine
Des vices et la primereine,
De jadis te fay remembrer ;
Encore car sur toy l'enseigne
Apiert, quant tu le sée halteine
Encontre dieu vols attempter.
Tu vols tous autres surmonter,
Dont la justice dieu ruer 2600
Te fist en la plus basse peine.
Dy lors pour quoy tu viens clamer
La terre, quant tu as plener

Trestout enfern a ton demeine.
 He, Orguil, ce n'est resoun mie,
Que de la terre avras partie ;
Car c'est a nous tout proprement,
Qui naiscons de l'umaine vie,
Et devons porter compaignie
Chascun vers autre bonnement : 2610
Mais a cela tu n'as talent,
Car compaignie a toy n'apent,
Ainz tu quiers avoir la maistrie :
Pour ce retray toy de la gent,
Et tien d'enfern le regiment,
Car ce partient a ta baillie.

 **Des cynk files dame Envye, dont
la primere ad a noun Detraccioun.**

 Ore a parler du progenie
Qe vient naiscant du dame Envie,
La primere est Detraccioun :
Celle est d'Acord droit anemie, 2620
Q'ad de sa faulse janglerie
Destruite mainte regioun ;
Car jammais parle si mal noun
Du voisin ne de compaignoun,
Dont peas et fame soit blemie.
Qui pres de luy tient sa mesoun,
Sovent orra tiele enchesoun,
U trop avra du vilanie.
 Haymo, qui molt estoit sachant,
De ceste fille est difinant, 2630
Si dist que c'est uns anemys
Qui d'autri mal se vait janglant,
Et d'autri bien se vait tesant :
Car jammais jour a nul devys
Ne se consente a l'autri pris,
Et nepourquant devant le vis
Losengera, mais au tournant
Du doss lors dirra son avis
Si mal que nuls le pourra pis ;
Du quoy saint Job s'estoit pleignant.
 Sicomme se musce ly serpent 2641
En l'erbe, et point soudeinement
Qant hom le touche, tout ensi
Detractour d'enviouse dent
Mordt en secré la bonne gent ;

Dont l'en doit abhosmer celuy
Par qui ly bon sont detrahy.
 Ly sages le vous dist ensi,
Que cil q'au detrahir mesprent
S'est obligez al anemy 2650
Qu'il ne s'en poet partir de luy,
Si plus du grace ne luy prent.
 Maria la soer Moÿses
Son frere detrahist du pres,
Qu'il ot pris femme ethiopesse :
Mais sa detraccion apres
La fist porter trop chargant fees ;
Car dieus en son corous l'adesce
Du lepre, qui par tout la blesce,
Dont par sept jours gisoit oppresse ; 2660
Mais lors l'en fesoit dieu reles.
Du cest essample me confesse,
Qe j'ay matiere overte expresse
De laisser saint prodhomme en pes.
 Saint Isaïe tielement
Dist a la Babiloine gent :
'Pource que detrahi avetz
A mesmes dieu primerement
Et as ses saintz communement,
Vous fais savoir que vous serrez 2670
Et detrahiz et avilez
Ou lac q'est plain d'orribletés
Du bass enfern parfondement.'
He, comme poet estre espoentez,
Que ly prophete ad manacez
Si tresespoentablement !
 Iceste fille malurée
Ad un soen chambirlain privée,
Qui Malebouche oï nommer.
Cil est toutdis acustummé 2680
Derere gent au plus celée
De mentir et de malparler :
Trop fait sa langue travailler
Pour ses mensonges avancer,
Dont bonne fame est desfamée ;
Car par son conte mesconter
Le bien en mal fait destorner,
Dont sert sa dame tout en gré.
 Cil Malebouche mesdisant,

Par ce qu'il voit un soul semblant, 2690
Voet dire qu'il ad veu le fait ;
Et d'une parole ascultant,
Tout une conte maintenant
De sa malice propre fait.
Pour ce de son tresmal agait
Sovent avient as bons deshait,
Ainz qu'ils s'en vont aparcevant ;
Car s'il ne voit aucun forsfait,
De sa mençonge contrefait
Ja ne serra le meinz parlant. 2700
 Quant Malebouche soul et sole
Voit homme ove femme qui parole,
Combien qu'ils n'eiont de mesfaire
Voloir, nientmeinz, 'Vei ci la fole !'
Dist il, 'Vei cy comme se rigole !
Trop est comune leur affaire.'
De malparler ne s'en poet taire ;
Pour ce sovent, u qu'il repaire,
Sanz nul deserte esclandre vole,
Que rougist dames le viaire ; 2710
Par quoy maldiont le contraire
De Malebouche et de s'escole.
 Quant ceste fille son amy
Vorra priser vers ascuny,
'Salve,' endirra darreinement ;
Lors contera trestout parmy,
Si male teche soit en luy ;
Sique du pris le finement
Ert a blamer : et molt sovent,
Quant om parolt de bonne gent, 2720
Lors fait comparisoun ensi,
Sique le pris q'al un y tent
N'est dit pour pris, ainz soulement
Pour amerrir le pris d'autry.
 Ensi si Malebouche morde,
C'est pour le mal quoy q'il recorde,
Dont sont destourbé ly plusour ;
Car toutdis trait la false corde,
Du quelle a son poair discorde
L'acord q'est fait de bon amour ; 2730
Et s'il par cas soit courteour,
Sovent reconte a son seignour
Tieu chose qu'il sciet la plus orde

2733 plusorde

Des autres ; mais certes honour
Ne poet avoir que losengour
Escoulte et est de sa concorde.
 Cil Malebouche ad male aleine,
Et porte langue trop vileine,
Q'a detrahir est tout parfite
Et piere et miere et soer germeine, 2740
Moigne, Frere, Canoun, Noneine,
Prestre, Clerc, Reclus, Hermite,
Les grans seignours, la gent petite ;
En malparler neis un respite,
Que tous derere doss n'asseine :
S'il leur mals sciet, leur mals recite,
Et s'il n'en sciet, lors il endite
Du mal qu'il tient en son demeine.
 Fagolidros, comme fait escire
Jerom, en grieu valt tant a dire 2750
Comme cil qui chose q'est maldite
Mangut, dont le vomit desire :
Et ensi cil q'en voet mesdire,
De l'autri mals trop se delite
A manger les ; mais au vomite
Les fait venir, et les recite,
Quant il les autres voet despire :
Mais la viande ensi confite
A soy et autre desprofite,
Car corps et alme en sont ly pire. 2760
 J'en tray David a mon auctour,
Qe soutz la lange au detractour
Gisont cink pointz que dieus maldie ;
Des queux mesdit est ly primour,
Cil amerrist d'autri l'onour ;
Et amertume en sa partie,
Que serche l'autry vilenie ;
Ly tierce point c'est tricherie,
Que par deceipte vait entour
Et cause les descors d'envie, 2770
Dont sovent la paisible vie
Despaise et met en grief destour :
 Labour, dolour sont au darrain
Dessoutz la langue du vilain ;
Car detractour ne s'est tenu,
Qu'il ne labourt du cuer et main,
Dont la dolour de son prochain

De sa malice soit accru.
Pour ce ly saint prophete dieu
Dist qu'ils leur lange ont fait agu 2780
Comme du serpent, et plus grevain
Dedeinz leur lieveres ont reçu
Venym, que quant s'est espandu,
Fait a doubter pres et longtain.
 A male langue est resemblant
L'espeie d'ambe partz trenchant,
Ce nous dist sage Salomon ;
Car d'ambe partz ly mesdisant
Des bons et mals vait detrahant :
Dont ly prophete en sa leçon 2790
Se plaignt et dist, par enchesoun
Qu'il volt suïr bien et resoun,
Luy detrahiront ly alqant.
He, dieus, du langue si feloun
Qui passera ? Je certes noun,
Quant si prodhomme n'ert passant.
 Mais qui du lange espeie font,
Dont bonne fame se confont,
Dieus les maldist par Jeremie ;
Et dist q'au male mort morront, 2800
Sique leur femmes demourront
Soleinement en triste vie
Sanz nul confort du progenie ;
Car dieus voet bien que l'en occie
Leur jofne gent, u qu'il s'en vont,
Si q'en leur maison soit oïe
La vois du doel, qui brait et crie :
C'est le loer qu'ils porteront.
 Ly saint prophete en son escript
Les lievres tricherous maldit, 2810
Q'au detrahir par tout se ploiont
De leur mensonge et leur mesdit ;
Dont il ensi dieu prie et dist :
' O dieus, fai que fals lievres soient
Tout mutz, et que les oels ne voiont,
Qe l'autry mal au cuer convoiont,
Dont male langue s'esjoÿt ;
Car l'un et l'autre tant envoiont
Des mals, q'ilz molt sovent desvoiont
Les bonnes gens de leur delit.' 2820
 Malveise langue ja ne fine,

2750 adire   2760 arme ensont

Ainçois compasse et ymagine
Comme poet la bonne gent trahir.
Ja n'iert si bonne la veisine
Ne le voisin, que par falsine
Ne fra ses dentz au doss sentir ;
Car en mensonge et fals conspir
C'est sa plesance et son desir,
Dont met les autres a ruine :
Semblable l'en la poet tenir   2830
Au deble, qui du fals mentir
Est proprement piere et racine.
 Comme la saiette du leger,
Quelle ist du main au fort archer,
Entre en la char q'est tendre et
  mole,   f. 20
Mais du grant peine et grant danger
La tret om hors au resacher,
Tout ensi vait de la parole
Que de malvoise langue vole :
Legierement le noun affole   2840
D'un homme, qui puis amender
N'en poet ; et ensi nous escole
Alphonses, qui de bonne escole
Fist l'un a l'autre comparer.
 Solins d'un serpent fait conter,
Le quel Sirene om fait nommer,
Corant par terre comme chival,
Si vole en l'air come l'esperver,
Mais qanq'il touche par souffler,
Ainz que l'en poet sentir le mal,   2850
Occit de son venim mortal.
Ensi la bouche au desloyal
Par souffle de son malparler
La renomée du bon vassal
Soudaignement en un journal
A tous jours mais ferra tourner.
 Le souffle au bouche detrahant
C'est le mal vent du Babilant,
Dont dieus se pleint du violence
Par Jeremie, ensi disant :   2860
' Ils vont encontre moi levant
Leur cuer, leur vois, et leur sentence,
Si comme le vent du pestilence.'
He, vice odible el dieu presence,

Solonc l'apostre tesmoignant
Tu fais a mesmes dieu l'offense,
Dont as perdu la conscience,
Que mais n'en scies estre tesant.
 Langue enviouse du feloun
Trois en occit de sa leçon,   2870
Comme saint Jerom le fait escrire,
Soy mesme et puis son compaignoun
Q'escoulte sa detraccioun ;
Car saint Bernars ne sciet descrire
Qui soit de deux plus a despire :
Si fait auci le tierce occire,
Vers qui la desfamacioun
De sa malice a tort conspire :
Cil ad du siecle son martire,
Et l'autre ont leur dampnacioun.   2880
 Malvoise bouche a nul desporte,
Ainz tout le pis q'il sciet reporte
Par mesdisance et fals report :
Semblance a la hyene porte,
Que char mangut de la gent morte ;
Car Malebouche rounge et mort
Ensi le vif sicomme le mort ;
Car quique veille ou quique dort,
Ou face chose droite ou torte,
Tout fait venir a son resort.   2890
He, quelle bouche horrible et fort,
Que tout mangut et riens desporte !
 La hupe toutdis fait son ny,
Et l'escarbud converse auci,
Entour l'ordure et le merdaille ;
Mais de ces champs qui sont flori
N'ont garde : et par semblance ensi
Malvoise langue d'enviaille
De l'autri vice et ribaudaille
A ce se tient et se paraille,   2900
Pour detrahir de chacuny ;
Mais des vertus dont l'autre vaille,
Pour les oïr n'ad point d'oraille,
Ne bouche a parler bien de luy.
 Par tout u Malebouche irra,
Disfame ades luy suiera :
C'est un pecché trop violent ;
Car l'escripture dist cela,

2870 enoccit

Que cil q'autry disfamera
Et tolt le bon noun de la gent,   2910
Cil pecche plus grevousement
Que cil qui d'autri tolt et prent
Ses biens; car ce par cas pourra
Redrescer par amendement,
Mais l'autre jammais plainement
Au paine se redrescera.
   'Way,' ce dist dieus, 'a l'omme soit,
Par qui l'esclandre venir doit,
Dont il ou autre ert disfamez;
Car au tiel homme mieulx serroit   2920
Que mole du molyn pendoit
Au coll, et fuist en mer noiez.'
Dieus dist auci, ' Crevez, coupiez,
Tes oels, tes mains, dont esclandrez
Estes, car mieulx,' ce dist, ' valroit
Entrer tout voegle et desmembrez
El ciel, q'en enfern tout membrez
Ardoir sanz fin en grief destroit.'
   Encontre l'envious mesdit
Par le prophete dieus ce dist :   2930
' Tu as d'envie esclandre mis
Envers tes freres, dont maldit
Serretz, car pleinement escrit
Sont tes mensonges et folz ditz,
Dont tu les autres as laidis ;
Que te serront apres toutdis
A ton reprouche et ton despit
Encontre ton visage assis ;
Car quant du siecle es departiz
Lors ton esclandre ert infinit.'   2940
   El viele loy, qui disfamant
Mesdist du vierge, truis lisant,
En trois degrés ot sa penance ;
Primer au piere de l'enfant
D'argent cent cicles fuist rendant,
Si fuist batuz pour sa penance,
Et pour parfaire l'acordance
La vierge prist en governance,
Et tient espouse a son vivant :
Dont m'est avis par celle usance   2950

Disfame n'est pas sanz vengeance
Du siecle ou de la mort suiant.
   Mais sur tous autres cil pis fait,
Q'esclandre de son propre fait ;
Soy mesmes car deliverer
Lors ne s'en poet de son mesfait :
Quant il est cause du forsfait,
C'est droit qu'il ait la blame entier ;
Et ce pour nous endoctriner
Ezechiel fait tesmoigner.   2960
Mais male langue ne tient plait
De sainte escripture essampler,
Ainz quert disfame a son danger,
Et al autry, comment qu'il vait.
   Disfame ad de sa retenue
Deux autres serfs en son aiue,
Des queux l'un Vituperie ad noun,
N'est plus feloun dessoutz la nue ;
Du bouche car trestout desnue
Les mals d'autry condicioun :   2970
Derere doss dist sa leçoun,
Et tout fait sa disputeisoun
De l'autry vice, et tant argue
Q'au fin c'est sa conclusioun,
De l'autry tolt le bon renoun
En corps, et soy en alme tue.
   Tant comme prodhomme en son degré
Soit de greignour honesteté,
Plus just, plus douls, plus debonnaire,
Tant plus Envie malurée   2980
Du vituperie ymaginée
S'applie a dire le contraire.
David se plaigmt de tiel affaire,
Et dist qu'il presde son viaire
Le vituperie ad escoulté
Des gens plusours pour luy desfaire.
He, vice, trop es de mal aire,
Dont ly bien sont en mal torné.
   Reproef est l'autre, qui devant
Les gens lour mal vait reprovant   2990
De ce qu'il plus les poet grever ;
Nounpas q'ils soient amendant,

2911 plusgreuousement   2955 deliurer, *cp.* l. 4832   2979 Plusiust plusdouls plusdebonnaire

Mais pource que par malvuillant
D'envie les voet reproever,
Pour leurs mals faire aperticer.
De la festue sciet parler,
Q'el oil d'autri voit arestant,
Mais son oill propre laist ester
Tout plain d'ordure sanz drescer
Ses propres mals en amendant. 3000
 Ly sages dist, cil q'est espris
De ceste vice bien apris
Jammais serra, car toute aprise
Hiet : car il ad deinz soy compris
Si grande envie, dont le pris
Del autri sen comme fol desprise ;
Et sur ce dist de sa mesprise
Parole de si fole enprise,
Que l'autre en ert tout entrepris
De l'escoulter, dont la juise 3010
Au fin sur soy serra remise,
Que tantz des mals sur autre ad mis.
 He, Malebouche, tant mal fais,
Dont sont et ont esté desfaitz
Plusours ; mais sicomme dist ly sage,
Quiconque soit, ou clers ou lais,
Qui vorra dire l'autri lais,
Cil orra de son propre oultrage
Soudeinement novelle rage ;
Car qui les autres desparage, 3020
C'est droit qu'il sente le relais
De la tempeste et de l'orage,
Dont il les autres vente, et nage
Tant qu'il en soit au fin desfais.

La seconde file d'Envye, q'ad a noun Dolour d'autry Joye.

De la seconde file apres   f. 21
Que naist d'Envie, ad mal encres,
Si ad noun d'autry bien Dolour ;
La quelle deinz son cuer jammes
N'ot une fois amour ne pes,
Ainz est tout plain du mal ardour : 3030
Car ly chald feus sans nul retour
D'envie bruyt de nuyt et jour
Son cheitif cuer sanz nul reles ;

Tant comme voit autre avoir l'onour
Devant luy, lors de sa tristour
Ne poet garir ne loign ne pres.
 Iceste file plain d'envie,
Quant doit venir au mangerie,
U grant serra l'assemblement,
Si homme ne l'onoure mie 3040
Dessur toute la compaignie,
De son manger perdra talent ;
Car quant regarde l'autre gent
Seoir de luy plus haltement,
Dedeinz son cuer tous les desfie,
Ne ja pour clarré ne pyment
Ne se conforte aucunement,
Tant est du deable malnorrie.
 Et d'autre part, quant sciet et voit
Q'une autre q'est de son endroit 3050
Soit reputé de luy plus bele,
Ou plus de luy faitice soit,
Ly cuers d'envie tant enboit,
Que tout entrouble la cervele ;
Car lors se tient a chativelle
Et a soy mesme en fait querelle,
Quant l'onour d'autry aparçoit.
Ensi luy vient toutdis novelle
Paine, et comme l'en plus revelle
Du joye, tant plus est destroit. 3060
 Dissencioun ne falt jammes,
Que ceste fille tout ades
Ne suit sicomme sa chamberere,
Et porte trop le cuer engress,
Quant voit un autre du plus pres
Avoir l'onour et la chaere
Devant sa dame ; et lors la fiere
L'estat del autre au nient affiere,
Disant que c'est contre la pees
Q'om met ensi sa dame arere ; 3070
Ainçois duist estre la primere,
Et l'autre duist suïr apres.
 Itiel Dolour au court du Roy
Sovent se plaignt, si comme je croy,
Quant voit des autres plus privez,
Dont n'ose faire aucun desroy.

3000 enamendant   3009 enert   3013 male bouche   3024 ensoit
 3044 plushaltement   3056 enfait   3065 pluspres   3075 pluspriuez

Lors deinz son cuer tout en recoy
Envie eschalfe ses pensés,
Dont ad dolours ymaginés ;
Car s'il fuist a ses volentés, 3080
Nuls serroit plus privé du soy :
Mais lors maldist ses destinés ;
Car quant sur tous n'est eshalciez,
De son estat luy semble poy.
  Sovent entour religioun
Y fait sa conversacioun
Itiel Dolour, quant vont eslire
Leur primat, mais quant il le doun
N'en prent, lors pour confusioun
Nuls sa dolour pourra descrire : 3090
Quant voit q'uns autres serra sire,
Envie le deboute et tire,
Et tolt toute devocioun,
Q'au paine poet ces houres dire.
Trop est tiel orguil a despire,
Que duist estre en subgeccioun.
  Et nepourquant tout tiele entente
En general trop se desmente,
Quant presde luy voit avancer,
Ou soit parent ou soit parente ; 3100
Car il perdroit sa propre rente
Pour l'autry faire damager.
Car pour prier ne pour donner,
Ne pour les membres decouper,
A l'autry proufit ne consente ;
Ainz plourt, quant autri voit rier.
Pour ce dolour sanz terminer
Ert tout soen propre par descente.
  De tiel pecché furont commeu
Ly maistre Scribe et Phariseu, 3110
Q'estoiont de la Juerie,
Qant ont Jehan et Pierre veu
Precher comment ly fils de dieu
S'estoit levé du mort en vie ;
Du poeple dont une partie,
Q'avoit leur predicacioun oïe,
Sont au baptesme et foy venu :
Dont leur grant joye multiplie,
Mais l'autre de leur false envie
De leur joye ont dolour reçu. 3120

  De les grans biens que dieu auci
Fist, tancomme fuist en terre yci,
Quant de son tresbenigne ottroy
Les languisantes gens gary,
Qui du santé sont esjoÿ,
Les maistres de la viele loy
Du dolour furont en effroy,
De l'autry joye ert leur annoy.
He, cuer d'envye mal norry,
Qui ne voet faire bien du soy, 3130
Et sa dolour maine a rebroy
De ce qu'il voit bienfaire autry.
  De tiel dolour David prioit,
Que sur le chief revertiroit
Le doel de luy q'en fuist dolent ;
Car qui tiel doel deinz soi conçoit,
Comme ly prophete nous disoit,
Iniquité tout proprement
De luy naist a l'enfantement,
La quelle nepourquant descent 3140
El haterel du luy toutdroit,
Du qui nasquist primerement :
Si chiet el fosse au finement
Qu'il mesmes de sa main fesoit.
  Baruch se plaignt, q'estoit prophete,
Si dist : 'Way moy del inquiete,
Que dieus dolour sur ma dolour
M'ad adjusté, sique quiete
N'en puiss trover en nulle mete.'
Ensi diront cil peccheour ; 3150
Car sur dolour dolour peiour
Leur doit venir u n'est sojour,
Ainz toute paine y ert complete ;
C'est en enfern, u la tristour
Est perdurable sanz retour,
La prent Envye sa dyete.

  La tierce file d'Envye, q'ad noun
  Joye d'autry mal.
  La tierce soer est molt diverse,
A la seconde soer reverse,
Mais sont d'envie parigal ;
Si l'une est mal, l'autre est perverse, 3160
Que l'un sanz l'autre ne converse,
Les tient lour Miere einz son hostal.

        3081 pluspriue   3160 male

Ceste ad noun Joye d'autri mal :
De ce dont plouront communal
Sa joye double, et lors reherce
Chançon d'envie especial,
Q'elle ad apris du doctrinal
Sa miere, celle horrible adverse.
  Quant voit gent aller en declin,
Ou soit estrange ou de son lin, 3170
Tournant de richesce en poverte,
Tantost dirra, 'Vecy le fin !
Quanqu'il conquist du mal engin,
Ore ad perdu par sa deserte.'
Ensi le noun d'autry perverte,
Et s'esjoÿt, quant elle est certe
Du grief qui dolt a son veisin :
Sicomme goupil d'oreile overte
Les chiens escoulte, ensi la perte
De l'autri fait soir et matin. 3180
  Quant ceste fille est courteour,
Et voit ceaux de la court maiour
Leur lieu de halt en bass changer,
Et perdre au fin bien et honour,
Sique l'en fait commun clamour
Pour leur estat plus aviler,
Lors ne falt pas a demander
Si ceste fille en son mestier
Se rejoÿt de leur dolour,
En esperance d'aprocher 3190
Plus pres du prince a demourer,
Et commander en lieu de lour.
  Par tout yceste est enviouse,
Mais quant elle est religiouse,
Tant plus d'ardante envie boit,
Et plus se fait lée et joyouse,
Quant voit la fame ruinouse
De son confrere, quelqu'il soit ;
Voir si ce fuist de saint Benoit,
Et il en pure vie estoit, 3200
Encore la maliciouse,
Si mal de luy parler orroit,
Dedeinz son cuer s'esjoyeroit.
Vei la la fille perillouse !
  Ensur les autrez soers d'Envie
A ceste soer plus est amye

Detraccioun sa soer primere ;
Que molt sovent par compaignie
De Malebouche sa norrie
Fait envers luy sa messagiere: 3210
Le mal d'autry l'une a derere
Reconte, et l'autre la matiere
Ascoulte du joyouse oïe ;
Car d'autry perte elle est gaignere,
Si quide avoir celle adversiere f. 22
Honour del autry vilanie.
  Tout va le mond a son desir,
Quant Malebouche poet oïr,
De ses voisins q'est desfamant :
De son mesdit, de son mentir 3220
Du rire ne se poet tenir,
Tant s'en delite en ascultant.
Pour ce q'est mesmes forsvoiant,
Vorroit que tous de son semblant
Fuissent malvois ; pour ce cherir
Fait Malebouche en son contant,
Que l'autri vices met avant,
Et les vertus fait resortir.
  C'il q'est de ceste fille apris,
Trop est du fole envie apris ; 3230
Car il se souffre de son gré
Du propre estat estre arreris,
Par si q'un autre en ait le pis :
Sicome d'un homme estoit conté,
Qui de sa propre volenté
Eslust d'avoir l'un oill hosté,
Issint q'uns autres ses amys
Ust ambedeux les oils crevé.
Trop fuist ce loign du charité,
Quant ensi fuist le jeu partis. 3240
  Au tiele gent, ce dist ly sages,
Qu'ils ont leur joye des damages,
Dont voient leur veisin grever ;
Et d'autre part deinz leur corages,
Quant ils font mesmes les oultrages
De mesfaire ou de mesparler,
En ce se faisont deliter.
Par quoy David en son psalter
Se plaignt des tieles rigolages,
Et dist, 'Si je de mon sentier 3250

3191 pluspres   3211 aderere   3233 enait

Me moeve, lors de m'encombrer
S'esjoyeront comme d'avantages.'
 Ezechiel prophetiza
As filz Amon disant cela,
Que pour ce qu'ils joyous estoiont
Sur le meschief as fils Juda,
Dieus d'orient envoiera
Les gens qui leur destruieroiont
Si nettement, que n'y lerroiont
Leur noun sur terre, ainz l'osteroiont,
Que puis memoire n'en serra :   3261
Pour ce fols sont qui se rejoyont
Sur l'autry mal, et point ne voiont
Le mal qui puis leur avendra.
 As ses disciples par un jour
Dieus dist, q'en leur tristesce et plour
Ly mondes s'esleëscera.
C'estoit parole dur a lour,
Mais il dist puis, que leur tristour
En joye au fin revertira ;   3270
Et cil qui de leur doel pieça
Se fist joyous, dolent serra,
Quant la tenebre exteriour
Soudainement luy surprendra,
U joye aucune ne verra,
Ainz infinit sont ly dolour.
 Ce dist ly sage en general :
Quiconque s'esjoÿt du mal,
Serra du mal au fin noté
Et puny par especial   3280
Du vengement judicial :
Car qui du mal font leur risée,
Leur lieu et paine est ordeiné
En l'infernale oscureté,
Comme l'evangeile est tesmoignal,
U que ly dent sont grundillé
Et plour est indeterminé,
Sanz nul espoir memorial.

La quarte file d'Envie, q'est dite Supplantacioun.

 La quarte fille par droit noun
Est dite Supplantacioun,   3290
Q'aprent d'Envie son mestier,
De controver occasioun
Par faulse mediacioun
Coment les gens doit supplanter,
Ou par priere ou par donner :
Car pour soy mesmes avancer,
Du quel qu'il soit condicioun
N'en voet aucun esparnier,
Que ne luy fait desavancer,
Ou soit ce lai ou soit clergoun.   3300
 Car quique voet bargain avoir
Du terre ou du quiconque avoir,
Et en bargaign mesure tent,
Quant Supplant le porra savoir,
Tantost ferra tout son povoir
A destourber que l'autre enprent,
Et sur ce moult plus largement
Ferra son offre au paiement,
Pour l'autri faire removoir
De son bargaign ; car voirement   3310
Il se damage proprement,
Dont son voisin doit meinz valoir.
 Mais quant Supplant en court royal
Voit autre plus especial
De luy en bonne office estant,
Curtois devient et liberal,
Si donne a ceaux qui sont menal,
Et vait au seignour blandisant,
Et entre ce vait compassant
Le mal d'autry, jusques atant   3320
Qu'il pourra tenir au final
Ce que ly autres tint devant :
Ensi son propre estat montant
Fait son voisin ruer aval.
 Mais s'en la seculere guise
Supplant se queinte et se desguise
D'envie entre la laie gent,
Asses plus met de sa queintise
En ceaux qui sont de sainte eglise.
Qui garde au court de Rome en prent,
La poet om au commencement   3331
L'effect du fals supplantement
Veoir ove toute la mesprise ;
Et puis avant communement
Tous ensuient l'essamplement
De si tresauctentique aprise.

3330 enprent

Mais au meschant qui povere esta
Envie ne se mellera,
Quant il n'ad quoy dont supplanter
Le poet, ainz est curtoise la, 3340
Et d'autre part se tournera ;
C'est envers ceaux qui pier a pier
Vivont, es queux pourra trover
Richesce, honour, sens et poer ;
Car de nature regnera
U plus des biens voit habonder :
Comme plus voit autre en pris monter,
Tant plus Supplant l'enviera.

Supplant d'envie trop se ploie
As procurours et se suploie, 3350
Si qu'ils soiont de sa partie ;
Sovent leur donne riche proie
Et plus promet, et beal lour proie
Q'a son pourpos facent aïe :
Ensi par sa procuracie,
Par son deceipte et par veisdye,
Et par despense du monoye
Aquiert office, honour, baillie,
Dont s'esjoÿt du faulse envie,
Qant voit son prou que l'autre annoye.

Ce dist Tulles en l'escripture, 3361
Que mort, dolour, n'autre lesure
D'ascune chose q'est foraine,
N'est tant contraire a no nature
Comme est quant l'en par conjecture
Fait q'autri perde et mesmes gaine.
Mais ce que chalt, quique s'en plaigne,
Supplant sur l'autry mal bargaine ;
Mais tant le fait par coverture,
Qu'il ad ne compain ne compaine 3370
Qui poet savoir son overaigne,
Ainçois qu'il ait parfait sa cure.

Supplant nounpas les biens d'autri
Tantsoulement attrait a luy,
Ainz les honours et dignetés,
Dont voit les autres esbaudy.
N'ad cure q'en soit arrery,
Mais qu'il soit mesmes avancés ;
Pour ce se ploie de tous lées,
Dont en honour soit eshalciez 3380
De ce q'un autre ert escharny :
Mais Aristole en ses decrés
Dist certes, q'entre les pecchés
C'est un des tous le plus failly.

Supplant endroit de sa vertu
Bien fait du Jacob Esaü,
Son propre frere n'esparnie.
David dist que le filz de dieu,
Q'estoit par fals Judas deçu,
S'en complaignoit en prophecie, 3390
Disant qu'il supplant magnefie
Sur moy de sa tresfalse envie.
Mais au parfin Judas deçu
Estoit, car plain du deablerie
Par male mort perdi la vie,
Si ot la boële espandu.

Supplant ad de sa nacioun
Trois servantz : c'est Ambicioun,
Qui vait entour pour espier
Les gens et leur condicioun ; 3400
Mais l'autre est Circumvencioun,
Cil sciet les causes procurer ;
Q'au paine nul se sciet garder
Que cils ne facent enginer
Du false ymaginacioun :
Ly tierce dont vous vuil parler
Confusioun l'oï nommer,
Qui plus des autres est feloun.

Ambicioun c'est ly currour
D'Envie, qui s'en vait entour 3410
Par tout, u q'om l'envoiera :
Si est auci ly procurour
Des nobles courtz, qui tolt l'onour
D'autry, q'a soy compilera.
D'Ambicioun prophetiza
Baruch, qui molt le manaça,
Disant, le fin de son labour
En meschief se convertira ;
Car c'est droitz q'autry ruera
Qu'il soit ruez au chief de tour. 3420

De Circumvencioun le rage,
Si comme dist Salomon ly sage,
En les fols envious habite ;
Qui sont de si tresfel corage,

3376 esbandy   3377 qensoit

Que ja prodhomme en nul estage
Vuillent amer, ainçois despite
Ont sa resoun et contredite ;
Car quant voient qu'il lour endite
Contraire chose a leur usage,
Ils ont malice tost confite 3430
Du fals compass, dont sanz merite
Ils l'en ferront paine et damage.
   Confusioun c'est ly darrein
Qui sert Supplantement au mein ;
Car cil ne laist jusq'en la fin,
Tant comme prodhomme trove sein,
Il suit come bercelet au sein,
Pour luy ruer a son declin.
Ja nuls serra si bon cristin,
Qui mors ne soit de ce mastin, 3440
Si dieus ne soit de luy gardein.
Mais q'ensi confont son voisin,
Doit bien savoir que tiel engin
Serra puny come du vilein.
   Confusion, dist Jeremie,
Est de si grande felonie,
Q'il les labours du piere et miere,
Les berbis ove la vacherie,
Trestout du malvois dent d'envie
Runge et mangut, que riens y piere ; 3450
N'est chose qu'il laist a derere,
Ainçois devoure et filz et frere
Ove tout cele autre progenie :
Car tant ad sa malice fiere,
N'est tant prodhomme, s'il le fiere,
Qu'il ne tresbusche en ceste vie.
   Mais en le livre au sage truis,
Qu'un tiels malvois serra destruis ;
Qu'il est escript que peccheour,
Qui tient supplantement en us, 3460
Par double voie ert confondus
Du supplant a son darrein jour :
Car Mort supplantera s'onour
Du siecle, dont fuist supplantour,
Et puis serra du ciel exclus
Pour son pecché du fol errour :
Si l'un est mal, l'autre est peiour,
Car doublement serra confus.

   La quinte file d'Envie, q'est dite
Fals semblant.
   D'Envie encore une enviouse,
La quinte file plus grevouse, 3470
Naist, et le noun du Fals semblant
Enporte, et est si perillouse,
Si trescoverte et enginouse,
Que quant trestout le remenant
Des files, dont j'ay dit devant,
Mener le mal d'envie avant
Faillont, yceste tricherouse
Le meine, sique nul vivant
S'en aparçoit, jusques atant
Qu'elle ait tout fait la venimouse. 3480
   Cil q'est du Fals semblant norry,
Plus asprement deçoit celuy
Vers qui plus porte compaignie ;
Car come plus fait semblant d'amy
Apertement, tant plus vous dy
Qu'il ad covert sa tricherie.
Qui ceste file meine et guie,
Pour ce qu'il plest a dame Envie,
Est sur les autres establ y
Son procurour et son espie, 3490
De qui deceipte et felonie
Ont maint prodhomme esté trahy.
   Du Fals semblant la bele chere
Odibles est et semble chiere ;
Du bien parole en mal pensant,
La chose doulce fait amere,
L'avant fait tourner en derere,
Si fait le blanc en noir muant :
Trop est son oignt au fin poignant,
Du venym mordt en son baisant, 3500
Et en plourant rit la trichere.
Ostour en penne de phesant,
Ne poet faillir en mal fesant
Que sa malice au fin ne piere.
   Ce dist Tulles, qu'il n'est dolour
D'aucun tort fait, qui soit peiour,
Comme est quant l'en deceipte pense
Par coverture interiour,
Et par semblant exteriour
Du bon amour fait apparence. 3510

3451 aderere   3471 falsemblant

Ce parust bien d'experience,
Quant Judas fist la reverence
Baisant la bouche al salveour ;
C'estoit d'amour bonne evidence
Dehors, mais deinz sa conscience
Ly semblant fuist d'un autre tour.
  Pour Fals semblant a droit servir,
Sa miere Envie ad fait venir
Bilingues, q'ad en une teste
Deux langues pour les gens trahir. 3520
N'est qui s'en poet contretenir,
Tant ad coverte sa tempeste ;
Car d'une langue piert honeste
Al oill, que tout du joye et feste
Parolt, mais l'autre en soy tapir
Fait sa malice deshoneste,
Dont plus q'escorpioun agreste
Fait sa pointure au fin sentir.
  Du double langue la parole
Trop semble debonaire et mole ; 3530
Mais tant est dur, ce dist ly sage,
Que tresparmy le ventre vole
Au cuer, dont maint prodhomme affole,
Ainçois qu'ils scievont son langage.
Ses ris q'om voit du lée visage
Sont mixt de doel deinz le corage,
Dont puis les innocens tribole :
A celle urtie q'est salvage
Resemble, que gist en l'ombrage
Muscée dessoutz la primerole. 3540
  Plus que nul oile par semblant
Sont mol ly dit du Fals semblant,
Solonc David, mais pour voirdire
Ils sont come dart redd et trenchant.
Tiel envious de son vivant
Est monstre horrible pour descrire :
Face ad d'un homme, qui le mire,
Mais du serpent la coue tire
Ove l'aiguiloun dont vait poignant ;
Du tiel venym le fait confire, 3550
Que nul triacle poet suffire
Garir le mal au languisant.
  Ce dist Sidrac, que doulcement
Le harpe sonne, et nequedent

La langue mole au losengour,
Quant faire en voet deceivement,
Sonne asses plus deliement
A celuy q'en est auditour.
Ly sages dist, que blandisour
Qui suef favelle par doulçour 3560
Est un droit las al innocent,
Dont sont attrapé ly plusour :
Quant l'en meulx quide avoir honour,
De sa parole plus y ment.
  Du Fals semblant om poet escrire,
Qu'il est semblable pour descrire
Au Mirre, que du bon odour
Delite et au gouster enpire ;
Car l'en ne trove en nul empire
Racine, gumme ne liquour, 3570
Que d'amertume soit peiour :
Ensi du traitre losengour
Molt sont plesant au dame et sire
Les ditz, mais puis au chief de tour
Luy fait convertont en dolour,
Dont pardevant les faisoit rire.
  Qui les oisealx deçoit et prent
Moult les frestelle gaiement,
Dont en ses reetz les porra traire ;
Et ensi ly bilingues tent 3580
Ses reetz, quant il plus belement
Parole pour les gens desfaire.
He, vice al oill tant debonnaire,
Tu as du joye le viaire,
Et le penser come mort dolent :
Tu es la reule de contraire,
Le beau solail q'en toy s'esclaire
Par toy s'esclipse trop sovent.
Ly sages dist que nuls s'affie
En celluy, qui par sophistrie 3590
Parole, sique nuls l'entent ;
Car tiel a dieu ne plerra mie,
Si est odible en ceste vie
Et pert les graces du present.
Maldit soiont tout tiele gent,   f. 24
Ce dist ly sages ensement ;
Et ly prophete auci dieu prie,
Qu'il perde et mette a son tourment

MIROUR DE L'OMME

La langue que si doublement
Trestous deçoit par tricherie. 3600
   Dieus par Baruch nous dist cela:
'Way soit a l'omme et way serra,
Qui donne a boire a son amy,
Le quel du fiel se mellera,
Dont puis quant l'autre enyvrera,
Sa nuetée verra parmy;
Que despuillez et escharny
De ce serra plus malbailly,
Dont il sa gloire plus quida.'
Mais double lange, atant vous dy, 3610
Si du fiel ne soit myparty,
Jammais parole ne dirra.
   David demande en son psalter,
Q'est ce que l'en pourra donner
Au langue double en resemblance:
Si dist q'om le doit resembler
A la saiette agu d'acier,
Que du main forte vole et lance;
Dont riens poet avoir contrestance,
Ainçois tresperce et desavance 3620
Le corps en qui la fait lancer:
Ensi ou plus sanz arestance
Ly langue double en sa parlance
Plusours en fait desavancer.
   Auci David nous essamplant
La langue double est resemblant
Au vif carbon de feu q'espart;
Qui bruit soy mesmes tout avant,
Et sur les autrez puis s'espant,
Qui sont decoste luy a part: 3630
Car langue double de sa part
Plus que carbon enflamme et art
Ceulx q'envers luy sont enclinant;
Mais pource q'ensi se depart
De dieu, au fin avra le hart
De l'enfernale paine ardant.
   Les mals du double lange ensi
Descrist ly sages, que par luy
Sont gens paisibles perturbez,
Et les fortz chastealx enfouy, 3640
Et les cités murés auci
Destruit, et les vertus ruez

Du poeple, et les plus fortz tuez:
Tant fait par ses soubtilités,
Que nuls en poet estre garny.
De les tresclieres matinées
Trop fait obscures les vesprées;
C'est cil qui n'est ne la ne cy.
   Au langue double en malvoisté
Perest un autre associé, 3650
Qui Falspenser om est nommant:
L'un est a l'autre tant secré,
Que l'un sanz l'autre en nul degré
Voet dire ou faire tant ne quant.
Ly tiers y est, q'en leur garant
Sovente fois se met avant;
Cil par droit noun est appellée
Dissimulacioun, qui tant
Sciet les faintises de truant,
Dont maint prodhomme sont guilée. 3660
   Cist trois se sont d'un colour teint,
Et par ces trois furont ateint
Ly frere q'ont Josep deçu:
Trop fuist leur cuer d'envie peint,
Quant ont ensi leur frere enpeint
En la cisterne et puis vendu:
Mais Job, q'estoit l'amy de dieu,
Dist que penser de mal estru
Dieu le destruit, q'au fin ne meint.
Ce parust bien en mesme lieu: 3670
Josep fuist sur Egipte eslieu,
Quant tous si frere sont destreint.
   Des tous pecchés qui sont dampnable
Ly fals pensiers est connestable
En l'avantgarde au Sathanas,
Et fait que l'alme en est menable
Ove mainte vice abhominable
Encontre dieu; mais tu orras
Comme ly prophete Micheas
Dist, 'Way te soit, qui pensé as 3680
Du chose q'est descovenable':
Et David dist, s'ensi le fras,
Des tes pensers tu descherras,
Solonc que tu en es coupable.
   Par Jeremie dieu divise
Le vengement, q'en aspre guise

    3624 enfait   3643 plusfortz   3671 Josep   3676 enest

Au malpenser envoiera,
Q'est d'indignacioun esprise
Comme fieu, que jammais pour l'en-
prise
Du Falspenser n'exteignera :   3690
Car comme ly cuers d'envie esta
Toutdis ardant, ensi serra
Du Falspenser la paine assisse.
Trop pourra penser a cela
Qui soy coupable en sentira,
Quant fin n'ara de sa juise.

**La discripcioun d'Envie propre-
ment.**

D'Envie çe sont ly mestier :
Son proesme a detrahir primer,
Et s'esjoÿr de l'autry mals,
Et doloir sur le prosperer   3700
De ses voisins, queux supplanter
Ses paines met et ses travals ;
Et par semblant q'est feint et fals
Se fait secré d'autry consals,
Et puis le fait aperticer,
Dont les meschines et vassals,
As queux se fist amys corals,
Fait en la fin deshonorer.
Uns clers d'Envie ensi commente,
Si dist que celle est la serpente   3710
Que plus resemble a son fals piere :
Car nuyt ne jour son cuer n'alente
Sur l'autry mal, ainz atalente
Tout autry bien mettre a derere :
C'est du malice la marchiere ;
C'est le challou deinz la perriere,
Qui porte fieu deinz son entente ;
C'est le rasour qui nous fait rere
La barbe contre poil arere,
Que jusq'al oss prent sa descente : 3720
  C'est celle urtie mal poignant,
Que d'amertume vait bruillant
La rose qui luy est voisine ;
C'est ly serpens toutdis veillant,
Q'en l'ille Colcos fuist gardant
Le toison d'orr, dont par covine,
Q'en fist Medea la meschine,

Jason de sa prouesce fine
Portoit grant pris en conquestant
Malgré la geule serpentine.   3730
He, false Envie malvoisine,
Comme tu par tout es malvuillant !
  Envie est cil dragon mortiel,
Ove qui l'archangre seint Michel,
Sicomme l'apocalips devise,
Se combatist, pour ce q'en oel
L'amour accusoit fraternel,
Et volt pervertir en sa guise ;
Mais dieu en ad vengance prise
Par son saint angre, q'il molt prise, 3740
Qui le dragon malvois et viel
Venquist tanq'au recreandise,
Et luy ruoit del halte assisse
Bass en enfern perpetuel.
  Envie d'omme resonnable
De son venym est resemblable
Au Basilisque en sa figure ;
Q'est uns serpens espoentable,
Sur toutes bestes plus nuisable,
Q'estaignt et tolt de sa nature   3750
Du fuil et herbe la verdure :
En tous les lieus u qu'il demure
Riens est qui soit fructefiable.
Ensi d'Envie la suffiure,
Honour, bonté, sen et mesure
De ses voisins fait descheable.
  Envie par especial
Sur tous mals est desnatural,
Car si trestout ussetz donné,
Et corps et biens en general   3760
A l'envious, cil au final
Du mal t'ara reguerdonné.
He, envious cuer maluré,
Ne scies comme dieus t'ad commandé
D'amer ton anemy mortal ?
Et tu ton bon amy en hée
Sanz cause tiens trestout du grée.
Respon, pour quoy tu fais si mal.
  Sicomme du lepre est desformé
En corps de l'omme la beuté,   3770
Ensi de l'alme la figure

3695 ensentira   3714 aderere   3716 challon   3727 Qenfist   3739 enad

Envie fait desfiguré.
Ly sages l'ad bien tesmoigné,
Q'Envie fait la purreture
Des oss a celuy qui l'endure.
He, vice, comme peres oscure !
Tu as ce deinz le cuer muscé,
Dont le corage est en ardure,
Que nuyt et jour a demesure,
En flamme met ton fals pensé.   3780
　Dedeinz la bible ensi je lis,
Q'om solt la lepre gent jadis
De la Cité forainement
Faire habiter es lieus sultis :
Mais pleust a dieu et seint Denys,
Que l'en feist ore tielement   f. 25
De l'enviouse male gent ;
Siqu'ils fuissent souleinement
Enhabité loign du païs.
Prodons du deable se defent,   3790
Mais noun d'Envie aucunement ;
Ensi valt l'un de l'autre pis.
　En ces trois poins Roy Salomon
D'Envie fait descripcioun,
Disant q'Envie ad l'oill malvois,
Et bouche de detraccioun,
Ove pié de diffamacioun :
N'est pas sanz vice q'ad ces trois.
Qui list jadis de les fortz Rois
Les crualtés et les desrois,   3800
Sur tous tourmens ly plus feloun,
Dont cil tirant furont destrois,
C'estoit Envie ove le surcrois,
Comme dist Orace en sa leçoun.
　Ly mons Ethna, quele art toutdiz,
Nulle autre chose du païs
Forsque soy mesmes poet ardoir ;
Ensi q'Envie tient ou pis,
En sentira deinz soy le pis.
A ce s'acorde en son savoir   3810
Ly philesophre, et dist pour voir
Q'envie asses plus fait doloir
Son portour, qui la tient saisis,
Que l'autre contre qui movoir

Se fait, car l'un matin et soir
La sente, et l'autre en est guaris.
　Au maladie q'est nommé
Ethike Envie est comparé.
C'est un desnaturel ardour,
Que deinz le corps u s'est entré   3820
De son chalour demesuré
Arst comme ly fieus dedeinz le four ;
Dont ensechist du jour en jour
Le cuer ove tout l'interiour,
Que dieus en l'alme avoit posé ;
Siqu'il n'y laist du bon amour
Neis une goute de liquour,
Dont charité soit arousée.
　Envie ensur tout autre vice
Est la plus vaine et la plus nice :   3830
Sicomme ly sages la repute,
Envie est celle peccatrice,
Qes nobles courtz de son office
Demoert et est commune pute.
A les plus sages plus despute,
A les plus fortz plus fait salute,
Et as plus riches d'avarice
Plus fait Envie sa poursute :
A son povoir sovent transmute
L'onour d'autry de sa malice.   3840
　Uns clers en son escript difine
Disant : ' N'est cil qui tant encline
Au deable sicomme fait Envie ;
La quelle a sa primere orine
En paradis fist la ruine,
Dont abeissa la nostre vie.'
He, quel aguait, quele envaïe
Nous faisoit lors de sa boidie,
Q'elle ot muscé deinz sa peytrine !
Et ore n'est ce point faillie ;   3850
En tous païs la gent escrie
Que trop endure sa covine.

De les cink files de Ire, desqueles
la primere ad noun Malencolie.

　Si plus avant vous doie dire
Des filles qui se naiscont d'Ire,

3801 plusfeloun　　　3809 Ensentira　　　3816 enest　　　3835 plussages
　　　　　　3836 plusfortz .... sa lute

Cynk en y ad trop malurés,
L'une est malvoise et l'autre est pire :
Way, pourra dire cel Empire,
U que se serront mariés :
Car plus persont desmesurés
En fais, en dis, et en pensés, 3860
Que nulle langue poet descrire.
Peas, concordance et unités
Ont sur tous autres desfiés,
Et plus les faisont a despire.
 La primere est Malencolie,
C'est une file trop hastie,
Que se corouce du legier
Pour un soul mot, si nuls le die,
Voir d'une paile ou d'une mye
Se vorra malencolier. 3870
Cil qui le voet acompaigner,
Souffrir l'estoet sanz repleder,
O tout laisser sa compaignie :
Ne valt resoun pour l'attemprer,
Car l'ire sourt deinz son penser
Comme du fontaine la buillie.
 Quant ceste fille prent seignour,
Qui plus pres est son servitour,
En aese au paine vivera ;
Ainz chier compiert le grant irrour 3880
De luy, qui maintes fois le jour
Pour poy du riens l'avilera.
Sovent sa maisoun troublera,
Ses officers remuera :
Sa femme n'ert pas sanz dolour,
Car ja si bonne ne serra,
Comme plus d'amer se penera,
Tant meinz avra son bon amour.
 Malencolie en ire flote
Et de discort tient la riote ; 3890
Car pour le temps que l'ire dure
Ne luy plerra chançon ne note :
Si tu bien dis, le mal en note,
Si tu voes chald, il voet freidure,
Quant tu te hastes, il demure,
Ore est dessoutz, ore est dessure,
Ore hiet et ore d'amour assote,
Ore voet, noun voet ; car sa mesure

Plus est movable de nature
Que n'est la chace du pelote. 3900
 Malencolie en son bourdant
Se melle ensi comme combatant,
Car ire et jeu tient tout d'un pris :
Quique s'en vait esparniant,
S'il poet venir a son devant,
Il fait a son povoir le pis.
Ne sont pas sanz corous ses ris,
Non sont sanz maltalent ses dis,
Petit dura son beau semblant ;
Si rien vait contre son devis, 3910
Sovent enbronchera le vis ;
Plus est divers que nul enfant.
 A son fils ce dist Salomon,
Q'en son hostell ne soit leoun
En subvertant de sa moleste
Et sa familie et sa maisoun :
Mais reule essample ne resoun
Le Malencolien n'areste,
N'ad cure de maniere honneste,
Ainz comme noun resonnable beste 3920
A son corous quiert enchesoun ;
Quar quant ly vers tourne en sa teste,
Lors brait et crie et se tempeste
Si comme du meer l'estorbilloun.
 Ly sages dist, ' Comme la Cité
Quelle est overte et desmurée,
Ensi celuy qui s'espirit
N'ad de ce vice refrené.'
Car l'un et l'autre en un degré
Legierement sont desconfit ; 3930
L'une est tost pris sanz contredit,
Et l'autre, comme ly sages dist,
Sicomme vaisseal q'est debrusé
Le cuer ad rout par si mal plit,
Qu'il sapience en fait ne dit
Ne poet garder en salveté.
 Et ly prophetes dist auci,
Que le corage de celluy
Q'ad ceste vice, en flamme attent
Que d'ire esprent, sique par luy 3940
S'eschalfe, sanz ce q'ascuny
Le touche ou grieve ascunement :

Mais deinz son cuer tout proprement
Tieux fantasies d'ire aprent,
Dont souffre les hachées ensi
Si comme femme a l'enfantement :
C'est un mervaille qu'il ne fent
Del ire dont est repleny.
 Malencolie a sa despense
Ad pour servir en sa presence 3950
Deux vices ove soy retenu ;
Ly uns de deux a noun Offense,
Et l'autre ad noun Inpacience.
Offense est plus chald que le fu,
Pour poy ou nient d'ire est commu,
N'ad si privé dont soit conu,
Tant est soudain ce q'il enpense ;
Car moult sovent par ton salu
Et ton bon dit il t'ad rendu
Et maldit et irreverence. 3960
 L'Inpacient envers trestous
Est fel et trop contrarious ;
Car l'autry dit au paine prise,
Et en response est despitous,
Soudain et malencolious,
Que point ne souffre aucune aprise.
Trop est un tiel de sa mesprise
Au pacient paine et reprise,
Qu'il du folie est desirrous
Et quiert discort en toute guise ; 3970
Car ainz q'estouppe soit esprise
Del fieu, cil esprent de corous.
 Inpatience s'est guarnie
De deux servantz en compaignie ;
Dont l'un est Irritacioun,
C'est ly pecchés que dieus desfie ; f. 26
Come Moÿses en prophecie
Au poeple hebreu fist sa leçoun,
Quant firont leur processioun
En terre de promissioun, 3980
Disant que ce leur ert partie
En cause de destruccioun ;
Et puis fuist dist, sicomme lisoun,
D'Ezechiel et Jeremie.
 Mais Provocacioun d'irrour
Est ly seconde servitour ;

Car d'ire dont son cuer esprent
Tiele estencelle vole entour,
Dont il provoce en sa chalour
Les autres en eschalfement 3990
De corous et descordement :
Et tant y monte que sovent
Encontre dieu vait la folour ;
Dont se revenge irrousement
De l'un et l'autre ensemblement,
Sicome tesmoignont ly auctour.
 Baruch, qui saint prophete estoit,
Au poeple d'Israel disoit,
Pource q'en ire ont provocé
Leur dieu, il s'en revengeroit 4000
Et comme caitifs les bailleroit
A ceulx qui les tienont en hée :
Sovent auci pour ce pecché
Vers Babiloigne et Ninivé
Dieus asprement se corouçoit.
Trop est ce vice malsené,
Que fait que dieus est corouçé
Et le provoce a ce qu'il soit.
 C'est ly pecchés fol et salvage,
Que quant par cas ascun damage 4010
Luy vient du perte ou de lesure,
Tantost come forsené s'esrage,
Dont dieu reneye et desparage,
Que pour le temps que l'ire endure
Ne sciet q'est dieu, tant perest dure ;
N'y ad serment q'a lors ne jure,
Dont dieu provoce en son oultrage :
Trop est vilaine creature,
Qui laist son dieu pour aventure
Et prent le deable a son menage. 4020
 Par le prophete qui psalmoie
Dieus dist, 'Cil poeples que j'amoye
M'ont provocé vilainement,
En ce que je leur dieu ne soie ;
Dont je par mesme celle voie,
En ce qu'ils ne sont pas ma gent,
Provoceray leur nuysement,
Et comme cils q'ont fait folement,
Leur tariance faire en doie :
Quant ne vuillont come pacient 403

3954 pluschald   4029 endoie

Que soie leur, tout tielement
Ne vuil je point q'ils soiont moye.'
   Par ce que vous ay dit dessus,
Fols est a qui ce n'est conus
Que bon est q'om Malencolie
Eschive, par qui les vertus
Come pour le temps sont confondus,
Par qui resoun se mortefie
Et tourne en la forsenerie,
Par qui sovent en compaignie   4040
Les bonnes gens sont esperdus,
Par qui maint hom en ceste vie
Soy mesme et puis son dieu oublie,
Dont en la fin serra perdus.
   La seconde file de Ire, c'est
Tençoun.
   La file d'Ire q'est seconde
Sa langue affile et sa faconde
D'estrif et de contencioun :
Ne parle point comme chose monde,
Ainz par tencer tous ceux du monde
Revile par contempcioun.   4050
Comme plus l'en fait defencioun,
Tant plus est plain d'offencioun ;
Sa langue n'en sciet garder bonde,
Ainz crie sanz descencioun
Plain d'ire et de dissencioun,
Dont environ luy lieus redonde.
   C'est grant mervaile au tele peine
Coment luy vient si longe aleine,
Que sans mesure brait et tence ;
Car de sa langue q'est vileine   4060
Pour une soule la douszeine
Rent des paroles par sentence.
Si tout le siecle en sa presence
Volt contreplaider sa science,
N'en taiseroit de la semeine ;
Ainz tout le pis que sciet ou pense
Par contumelie et par offence
Encontre tous respont souleine.
   Iceste fille en propre noun
Est appellé dame Tençon,   4070
Quelle en parlant nully respite,

Seigneur, voisin, ne compaignoun,
Mais pource q'elle est si feloun,
Au debles est amie eslite.
Qui juste luy du pres habite,
Doit bien savoir ce q'elle endite
N'est pas l'aprise de Catoun ;
Car quanque l'ire au cuer excite,
Sa langue est preste et le recite,
Voir si ce fuist confessioun.   4080
   Vers son amy Tençon diverse,
Quant le consail apert reherse
Q'a luy conta secretement :
Tant comme plus sciet q'al autre adverse,
S'irrouse langue q'est perverse
Plus le reconte apertement.
He, dieus, come il desaese attent
Qui ceste file espouse et prent ;
Car en tous poins ele est traverse,
Ne lerra pour chastiement :   4090
Qui faire en poet departement,
Fols est q'ensemble ove luy converse.
   Cil q'unques tencer ne savoit,
Tout plainement de ce porroit
Du male femme avoir aprise,
Quant vers son mary tenceroit :
Car viene quanque venir doit,
N'en lerra, quant elle est esprise,
D'un membre en autre le despise,
Que pour bastoun ne pour juise   4100
Un soul mot ne desporteroit ;
Car ce tendroit recreandise,
En tençant perdre sa franchise,
Q'elle est serpente en son endroit.
   Ja ne poet estre tant batue
Tençon, par quoy serra rendue
Darreinement que ne parole
Si halt que bien ert entendue,
D'overte goule et estendue.
Maldite soit tieu chanterole !   4110
Bien fuist si tiele russinole,
Sanz encager au vent que vole,
Serroit parmy le bek pendue ;
Car l'en ne trove nulle escole,

4091 enpoet   4109 *This line and* 4116 *are written over erasures, in a hand probably the same as that which appears on f.* 157 *vo.*

MIROUR DE L'OMME

Baston ne verge ne gaiole,
Qe poet tenir sa lange en mue.
   Trois choses sont, ce dist ly sage,
Que l'omme boutent du cotage
Par fine force et par destresce :
Ce sont fumée et goute eauage,   4120
Mais plus encore fait le rage
Du male femme tenceresse.
De converser ove tiele hostesse
Meulx valt serpente felonesse
Et en desert et en boscage ;
Car l'une ove charme l'en compesce,
Mais l'autre nuyt et jour ne cesse,
Ainz est sanz nul repos salvage.
   Depar dieus a la male gent
Dist Jeremie tielement :   4130
'Pour faire vostre afflicçioun
J'envoieray ytiel serpent,
As queux aucun enchantement
Ne poet valoir, tant sont feloun.'
Ce sont cil en comparisoun
Q'ont male femme a compaignoun,
As quelles nul chastiement
Ou du priere ou du bastoun
Les pourra mener a resoun,
Tant sont salvage et violent.   4140
   Cest un dit du proverbiour,
Qe des tous chiefs n'est chief peiour
De la serpente ; et tout ensi
Des toutes ires n'est irrour
Pis que du femme ove sa clamour,
Quant tence : car ly sage auci
Ce dist, que deinz le cuer de luy
Folie buylle tresparmy
Comme du fontaine la liquour.
Riens sciet q'a lors ne soit oï ;   4150
Trop mette en doubte le mary,
S'il ad forsfait, de perdre honour.
   Tençon, q'a nul amy desporte,
Son cuer enmy sa bouche porte ;
Ce dist ly sage en son aprise :
Car qanq' en son corage porte
Laist isser par l'overte porte,
Que de l'oïr c'est un juise.

Senec auci Tençon divise
A la fornaise q'est esprise,   4160
Dont ert jammais la flamme morte ;
Car toute l'eaue de Tamise,
Neisque Geronde y serroit mise,
N'en poet valoir, tant perest forte.
   Tençon, que toutdis est contraire,
De sa nature en fin repaire
En bouche au femme malurée.   f. 27
Danz Socrates de tiel affaire
Senti quoy femme en savoit faire ;
Car quant s'espouse l'ot tencée   4170
Et il se taist trestout du grée,
Lors monta l'ire et fuist doublé,
Dont il ot muillé le viaire
D'un pot plain d'eaue q'ot versée
Dessur sa teste et debrisée :
Trop fuist tiel homme debonnaire.
   Car sanz soy plaindre ascunement,
Ou sanz en prendre vengement,
Dist, 'Ore au primes puiss veïr
Comment ma femme proprement   4180
M'ad fait le cours du firmament ;
Car pluvie doit le vent suïr :
Primer me fist le vent sentir
De sa tençon, dont a souffrir
M'estoet celle eaue.' Et nequedent
Qui ceste essample voet tenir
Avise soy ; car sans mentir
Ja ne serray si pacient.
   Ly sage dist que par l'espée
Plusours des gens ont mort esté,   4190
Mais nounpas tantz, sicomme disoit,
Comme sont par lange envenimée :
Si dist que molt est benuré
Q'est loign du lange si maloit,
Ne parmy l'ire s'en passoit,
Ne q'en tieu jug jammais trahoit,
N'en tieux liens ne s'est liée,
Qe sont, ce dist, en leur endroit
Asses plus durr q'acier ne soit,
Et plus grevous q'enfermeté.   4200
   Si dist auci que le morir
De Tençoun plus q'enfern haïr

4169 ensauoit   4178 enprendre   4190 on

L'en doit, dont puis il te consaile,
Q'ainçois que tiele lange oïr
Tu dois l'espines desfouir
Pour haie en faire et estoupaile
Parmy l'overt de ton oraille,
Qe tu n'escoultes le mervaille :
Car sa lesure om doit fuïr
Comme du leon qui l'omme assaille ;
Car lange ad vie et mort en baille, 4211
Dont l'en garist et fait perir.
   Saint Jaques ce fait tesmoigner,
Que de nature om poet danter
Toute autre beste que l'en prent ;
Mais male lange du tencer
N'est cil qui sciet engin trover
De luy danter aucunement.
Car c'est la goufre plain du vent,
Dont Amos la malvoise gent 4220
Depar dieus faisoit manacer,
Disant qu'il leur enmy le dent
En volt ferir si roidement,
Que plus que feu doit eschaulfer.
   Saint Augustins le nous enseigne,
Que de trestous n'est overeigne
Qui tant s'acorde et est semblable
As oevres queux ly deable meine,
Sicomme Tençoun de la vileine.
Mais pour ce q'elle est tant nuysable
Q'au dieu n'a homme est amiable, 4231
Ly malvois angre espoentable
Doit contre luy porter l'enseigne :
Car nuls fors luy n'est defensable
A souffrir, quant elle est tençable,
Le cop de sa tresforte aleine.
   Ly saint prophete Zacharie
Par demonstrance en prophecie
Vist une femme en l'air seant
En une pot q'estoit polie 4240
De verre, et ot en compaignie
Deux femmes que la vont portant.
Si ot a noun par droit nommant,
Ensi comme l'angre fuist disant,
Iniquité du tencerie ;
Q'estoit porté en terre avant

As mals pour estre y conversant,
Comme leur espouse et leur amie.
   De les deux femmes q'ont porté
Amont en l'air Iniquité 4250
Essample avons en terre yci.
Chascune est d'autre supportée,
Quant tencer voet en son degré
De sa malice ove son mary ;
Car lors s'assemblont tout au cry
Comme chat salvage, et tout ensi
Vienont rampant du main et pié.
Du tenceresse a tant vous dy ;
Mais qui bonne ad, bien est a luy,
Ja ne me soit autre donné. 4260
   Le pot du verre est frel et tendre
Et de legier om le poet fendre,
Mais lors s'espant que deinz y a ;
Auci legier sont pour offendre
Les femmes, que nuls poet defendre
Que tout ne vole cy et la
Leur tençoun que plus grevera.
Sur tieles femmes escherra
La sort du males gens, que prendre
Mondaine paine par cela 4270
Pourront, mais dire way porra
Cil qui covient tieu paine aprendre.
   Rampone ove Tençoun sa cousine
Demoert toutdis et est voisine,
Que porte langue envenimé
Plus que n'est langue serpentine ;
Si ad toutdis plain la pectrine
D'eisil et feel entremellé ;
Dont si par toy serra touché,
De l'amertume ers entusché : 4280
Car de sa bouche, q'est canine,
Abaiera la malvoisté
De toy et de ton parenté,
N'est mal q'a lors ne te destine.
   Car Tençon q'est deinz son en-
     tente
Naufré d'irrour porte une tente,
Q'est du rampone, au cuer parmy ;
Mais par la bouche se destente,
Et lors au tout plus large extente

Fait l'autry vices extenter ; 4290
Car toutdis a son destenter
Esclandre y est ove Desfamer,
Qui font la plaie si pulente,
Que si l'en n'ait un triacler
Pour les enfleures allegger,
Mortz est qui la puour en sente.
    Tençon auci n'est pas guarie
Du celle irrouse maladie,
Q'est dite Inquietacioun :
C'est de nature l'anemie, 4300
Que sanz repos le cuer detrie
Et du venim mortal feloun
Est plain, sique soy mesmes noun,
Ne son voisin ne compaignoun
Laist reposer, maisq'om l'occie.
Qui presde luy maint environ,
Se guart sicome d'escorpioun,
S'il voet mener paisible vie.
    Mais come Tençon dont l'en se
    pleint
Entre les males femmes meint, 4310
Entre les hommes mals ensi
Maint contumelie irrous atteint,
Dont pacience est trop constreint :
Car Salomon, comme je vous dy,
Dist, plus legier est au demy
Porter grant fes que soul celuy
Q'ad cuer du contumelie enpeint :
Car il ad d'ire forsbany
Toute quiete loign de luy,
Si ad le pont d'amour tout freint. 4320
    Ly sages dist que ceste vice
Doit ly mals oms de sa malice
Tout proprement enheriter :
Mais way dirront en son service
Son fils, sa femme et sa norrice,
Et chascun q'est son officer ;
Car sanz desport les fait tencer.
Semblable est au salvage mer,
Quant la tempeste plus l'entice,
Dont ne se pourra reposer : 4330
Q'en tiel orage doit sigler,
Merveilles est s'il n'en perisse.

    4296 ensente

**La tierce file de Ire, q'est appellé
Hange.**
    Ore ensuiant vous vorrai dire
Du tierce file que naist d'Ire ;
Hange est nomé de pute orine :
Je ne puiss tous ses mals escrire,
Mais en partie vuil descrire
De sa nature la covine :
C'est celle que deinz sa pectrine
Ire ad covert que ja ne fine, 4340
Ainz nuyt et jour sur ce conspire,
Jusques atant que la ruine
De son voisin ou sa voisine
Tout plainement porra confire.
    Cil q'ad ce vice est sanz amour,
Car l'Ire q'est interiour
Ne souffre pas que l'amour dure :
Combien que par exteriour
Sicomme ton frere ou ta sorour
Te fait semblant par coverture, 4350
Soutz ce d'irouse conjecture
Compasse, tanq'en aventure
Te poet moustrer le grant irrour
Du quoy son cuer maint en ardure :
Tiele amisté trop est obscure,
Q'en soy retient mortiel haour.
    Pour ce s'un tiel devant ta face
Semblant de bon amour te face, f. 28
Ne t'assurez en son desport ;
Car soutz cela portrait et trace 4360
De t'enginer au faulse trace
De double chiere et double port.
Quant plus te fait joye et confort
Devant la gent, lors au plus fort
Dedeinz son cuer il te manace ;
Quant meulx quides estre en salf port,
Du vent la perillouse sort
En halte mer te boute et chace.
    Ly sages te fait assavoir,
Que d'un amy loyal et voir 4370
Mieulx te valroit en pacience
Souffrir a plaies recevoir,
Que les baisers q'au decevoir
Te sont donnés du providence :

    4364 plusfort

Car bon amy s'il fiert ou tence,
Ce vient d'amour, nounpas d'offence,
Qu'il te chastie en bon voloir;
Mais qui te hiet en conscience,
S'en un soul point te reverence,
En mil te fra vergoigne avoir. 4380
  Cil qui te hiet, ce dist ly sage,
Devant les oels de ton visage
Par grant deceipte lermera,
Mais quant verra son avantage
Ou en champaine ou en boscage
De ton sanc il se saulera.
Six sont que dieus unques n'ama;
L'un est cuer q'ymaginera
Du malpenser l'autry dammage :
Auci Senec dist bien cela, 4390
Que sur tous autres pis ferra
Irrour musçé deinz fals corage.
  Ce dist Tulles, que d'amisté
Hange est le venim maluré,
Dont sont plusours sodeinement,
Quant ils quidont meulx estre amé,
Mortielement enpuisonné
De tieu poisoun que tout les fent :
Pour ce ne fait pas sagement
Cil qui d'un tiel la grace attent; 4400
Car ja n'ert grace tant trové,
Q'om poet apres aucunement
En tiel lieu estre seurement
U pardevant estoit en hée.
  Qui contre Hange riens mesfait,
Si tost n'en poet venger le fait,
En coy retient ses maltalens,
De son rancour semblant ne fait,
Mais il engorge le forsfait
Tout pres du cuer deinz son pourpens;
Dont pour priere de les gens, 4411
Ou des amys ou des parens,
L'acord n'en serra ja parfait,
Ainçois qu'il voit venir le temps
Q'il prendre en poet tieux vengemens,
Dont l'autre as tous jours soit desfait.
  Hange est bien semblable au Camele,
Quant hom le bat en la maisselle

Ou autrepart dont ad lesure,
Tout coy le souffre et le concelle; 4420
Mais soit certain ou cil ou celle
Qui l'ad batu, quant verra l'ure,
Soudainement par aventure
Ou mort ou fiert de sa nature,
Du quoy revenge sa querelle.
Du malvois homme ne t'assure,
Car par si faite coverture,
Quant voit son point, il te flaielle.
  Mais Hange q'ensi le ferra
Jammais bien ne se confessa; 4430
Car combien qu'il son maltalent,
Quant il au chapellain irra,
Dist pour le temps q'il le lerra,
Tost apres Pasques le reprent,
Comme chiens font leur vomitement.
He, dieus, par quel encombrement,
Tant comme en tiele vie esta,
Voet recevoir le sacrement;
Dont s'alme perdurablement
Par son pecché forsjuggera. 4440
  Trop est vilains q'en bonne ville
Son hoste herberge et puis reville,
Quant il ad dit le bien venu.
Ensi fait ceste irrouse fille;
Quant deinz son cuer les mals enfile
Et les baratz dont s'est commu,
L'espirit saint qui vient de dieu,
Q'avant en s'alme ot retenu
Pour herberger, alors exile,
Et le malfé prent en son lieu : 4450
Mal est ytiel eschange esliu,
Si plustost ne se reconcile.
  Beemoth, q'ove la lampreie engendre,
C'est uns serpens, tu dois entendre,
Q'ainçois q'il vait pour engendrer
Laistson venym aillours attendre,
Come pour le temps, et puis reprendre
Le vient, quant ad fait son mestier :
A ce l'en poet bien resembler
Haÿne, que son coroucer 4460
Au jour de Pasques fait descendre
Et laist le al huiss du saint moster,

4415 enpoet

Et quant revient puis del autier,
Tantost recourt al ire extendre.
  Itieles gens font asses pis
Q'unqes ne firont les Juÿs,
Du nostresire en croix desfere ;
Car a ce que leur fuist avis
A l'omme soul ce fuist enpris,
Nounpas a dieu ; mais l'autre affere 4470
Fait l'omme crucifix en terre
Et a la deité tient guerre,
Encontre ce qu'il ad promis,
Qu'il voet son dieu servir et crere.
O comment ose ensi mesfere
Cil q'est du sainte eglise apris ?
  De les Juÿs je truis lisant,
Pour ce q'ils furont malvuillant
Et odious au loy divine,
Antiochus fuist survenant, 4480
Qui leur haoit et fuist tirant,
Et sicomme dieus leur mals destine,
Il les destruit du tiele hatine
Qu'ils par long temps de la ruine
Ne se furont puis relevant.
Quoy serra lors du gent cristine,
Q'enmy le cuer ont la racine
Dont nuls au paine est autre amant ?
  Haÿne a dieu par nul degré
Ne poet donner ses douns en gré 4490
Ne ses offrendes acceptables ;
Car cil q'au dieu n'ad soy donné,
N'est droit que dieus ait accepté
Ses biens, ainz soient refusablez.
Deinz les vaissealx abhominablez
Viandes ne sont delitablez,
Ainçois om est tout abhosmé ;
Tout tielement par cas semblablez
Cil ne poet faire a dieu greablez
Les faitz, q'ad malvois le pensée. 4500
  Haÿne s'est associé
Du Malice et Maligneté.
Malice endroit de sa partie
Ad ces trois pointz en propreté,
Cuer double plain du malvoisté,
Les lievres plain du felonie,

Et malfesantes mains d'envie.
Icil qui meine tiele vie
Sovent son dieu ad coroucié ;
Et pour cela dist Ysaïe, 4510
Way soit au tiel, car sa folie
Perest trop vile et malurée.
  Du double cuer les gens deçoit,
Feignant de noun veoir q'il voit ;
Et des fals lieveres plus avant
Par semblant parle en tiele endroit
Comme bon amy le faire doit :
Mais quant voit temps, lors maintenant
Des males mains vait malfesant,
Et fait overt et apparant 4520
Que pardevant se tapisoit ;
Comme terremoete tost s'espant,
Soudainement et vient flatant,
Quant l'en meinz quide que ce soit.
  Grant pecché fait qui fait malice ;
Car soulement pour celle vice
Dieus fuist menez a repentir
Qu'il ot fait homme, et par justice
Sur celle gent q'iert peccatrice
Les cieux amont faisoit ovrir 4530
Et pluyt sanz nul recoverir ;
Dont toute beste estuit morir
Fors l'arche, en quel Noë guarisse.
Par tieus vengances sovenir
Hom doit malices eschuïr,
Dont l'en pert grace et benefice.
  Mais a parler de la covine,
Maligneté, q'est la cousine
De Hange par especial,
Celle est qui porte la racine 4540
Dont le venym sanz medicine
Croist ou jardin precordial,
Q'engendre fruit discordial ;
Car tout ensi comme le dial,
Se tourne ades deinz sa pectrine,
Pour compasser comment le mal
Pourra mener jusq'au final,
Dont l'autre soient en ruine.
  Come pour merite a recevoir
L'en voue a sercher et veoir

4515 plusauant

Les lieus benoitz et les corseintz : 4551
Ensi ly mals du malvoloir
Promette et voue a decevoir
Et de mal faire a ses proscheins.
Maligneté ne plus ne meinz
Est des malvois ly capiteins,
Que plus d'errour fait esmovoir :
C'est cil qui dist devant lez meins,
' Je voue a dieu, si je suy seins,
Je fray les autres mal avoir.' 4560
 Quant depar dieus ly feus survient
Du ciel et fist ce q'appartient
Del viele loy au sacrefise,
Lors du Maligneté luy vient,
Que mal Cahim en hange tient
Son frere Abel par tiele guise,
Dont fuist maldit et sa franchise
Perdist en terre, et sanz dimise
Serf a les autres en devient.
David auci le prophetize, 4570
Q'exterminer de sa juise
Dieus doit la gent maligne au nient.
 Haÿne encore en son aiue
Ad deux servans de retenue,
Ce sont Rancour et Maltalent.
Rancour sicomme l'oisel en mue
Gist deinz le cuer, que ne se mue,
Et contre amour l'ostel defent,
Q'il n'y poet prendre herbergement :
Car il hiet son aquointement, 4580
Mais ja n'ert ire si menue
Q'en remembrance ne la prent,
Et la norrist estroitement,
Tanq'elle au plain soit tout parcrue.
 De Rancour tant vous porrai dire,
Qe les petites causes d'ire
En un papir trestout enclos
Dedeinz son cuer les fait escrire,
Et Maltalent y met la cire,
Quant voit le title escript au dos ; 4590
Et si les garde en son depos,
Mais ja ly cuers n'ert a repos,
Devant q'il voit ce q'il desire,
C'est quant pourra son mal pourpos

Venger, et lors le fait desclos
Si plain que tous le porront lire.
 L'en porra par resoun prover
Que Hange endroit de son mestier
Du deable est plus malicious ;
Car deable unques n'avoit poer 4600
Sanz cause un homme de grever,
Mais Hange du malvois irrous
Sanz cause hiet et est grevous.
Trop est ce pecché perilous ;
Car dieus s'en plaignt deinz le psalter,
Come les Juÿs fals tricherous
Trestout du gré malicious
Par hange le firont tuer.
 Soy mesmes hiet qui hiet autry,
Et qui soy mesmes hiet ensi 4610
Dieus le herra, j'en suy certains :
Et lors quoy dirrons de celuy,
Qe nulle part ad un amy,
Ne dieu ne soy ne ses prochains ?
Me semble droit q'uns tieus vilains
Soit mis du toute gent longtains,
U que l'en hiet et est haÿ,
C'est en enfern, u n'est compains,
Ainz tout amour y est forains,
Et l'un a l'autre est anemy. 4620
 Haÿne en fée comme son demeine
Est d'Ire celle chamberleine
Que nuyt et jour ove luy converse :
Haÿne est celle buiste pleine
Du venym, dont chascun se pleigne
Par tout u l'en l'espant ou verse :
Haÿne est celle horrible herce,
Que deinz son cuer tue et enherce
Et son prochein et sa procheine :
Si est la pestilence adverse, 4630
Que trop soudainement reverse
La vie que l'en tient plus seine.
 La quarte file de Ire, q'est appellée Contek.
La quarte file q'est irouse
Perest cruele et perilouse,
Que de sa lange point n'estrive,
Les jangles du litigiouse

4569 endevient   4632 plusseine

Ne quiert, ainz quant est corouçouse,
Tantost pour soy venger s'avive,
Et en devient tantost hastive ;
Dont son coutell maltalentive   4640
Y trait et fiert maliciouse,
Q'a lors n'esparne riens que vive :
De nulle resoun est pensive,
Tant a combatre est coragouse.
   Et pour cela, ce m'est avis,
Son noun serra par droit devys
Contek, tout plain de baterie.
Quiconque soit de luy suspris
Tant ad le cuer d'irrour espris,
Que pacience ad forsbanie.   4650
Car quant Contek le poeple guie,
Tous se pleignont de sa folie
Par les Cités, par les paiis ;
Mais riens ly chalt qui plourt ou crie,
Ainçois quiert avoir la mestrie,
Dont son barat soit acomplis.
   Quant Hange, q'est sa soer germeine,
Hiet son prochein ou sa procheine,
Et n'ose mesmes soy venger,
Au Contek vient et si s'en pleigne, 4660
Et luy promet de son demeine
Pour l'autry teste debriser :
Prest est Contek pour son loer
Combatre et faire son mestier,
Si prent les douns a male estreine ;
Et quant celuy poet encontrer,
Tantost l'estoet ove luy meller,
Si l'aresonne a courte aleine.
   Ove ses haspalds acustummés
Contek es foires et marchées   4670
Son corps brandist enmy la route ;
Vers qui voet faire ses mellées
Cil serra tost aresonnés ;
Mais du resoun n'aguarde goute
Ly fols, ainçois y fiert et boute,
Qu'il nul excusement escoulte,
Comme pour le temps fuist esragiez :
Car du peril aucun n'ad doute,
Tant met s'entencioun trestoute
De parfournir ses crualtés.   4680

   Les gens du pees sont en freour
Par Contek et par son destour ;
Et maintesfois avient issi,
Que sans hanap ly Conteckour
Falt boire mesmes le liquour
Qu'il verser vorroit a l'autri ;
Le mal sovent rechiet sur luy,
Le quel vers autres ad basti,
Et de folie la folour
Enporte, siqu'il chiet enmy   4690
La fosse qu'il ot enfouy,
Si prent le fin de son labour.
   Sovent avient grant troubleisoun,
Quant ceste file en sa mesoun
Ses deux sorours poet encontrer,
Malencolie avoec Tençoun ;
Car n'est amour que par resoun
Pourra ces trois entracorder :
L'une est irouse en son penser,
L'autre est irouse en son parler,   4700
La tierce fiert de son bastoun.
Qui tiele gent doit governer
Sovent avra grant destourber,
Voir si ce fuist mestre Catoun.
   Contek ad un soen attendant,
Mehaign a noun ly mesfesant,
Qui trop est plain du mal oltrage :
Riens que soit fait en combatant
Ne luy souffist, jusques atant
Qu'il pourra prendre en avantage   4710
Ascun des membres a tollage,
Soit main ou pié, ou le visage
Desformer, sique lors avant
L'autre en doit sentir le damage :
Pour ce se guarde chascun sage
D'acompaignier au tiel sergant.
   El viele loy je truis certain
Et du Contek et du Mehaign,
Par ire quant ascun feri
Ou sa prochaine ou son prochain,   4720
Solonc l'effect de son bargaign
Serroit ovelement puny :
S'il ot fait plaies a l'autry,
Lors fuist replaiez autrecy,

Ou oill pour oill, ou main pour main ;
Par juggement l'en fist de luy
Ce dont les autres ot laidy,
Et du gentil et du vilain.
 Auci del ancien decré,
Quant ly seigneur ot mehaigné   4730
Son serf du membre ou du visage,
Par ce serroit ly serfs blescé
En lieu d'amende quit lessé,
Comme enfranchy de son servage.
He, come fuist droite celle usage,
Quant povre encontre seignourage
Maintint ! Mais ore c'est alé :
Ly povre souffront le dammage,
Si font l'amende del oultrage,
Ce m'est avis torte equité.   **f. 30**
 Contek du Fole hastivesse   4741
Fait sa privé consailleresse,
Que n'ad ne resoun ne mesure :
Quiconque en son corous l'adesce,
Molt plus soudeinement le blesce
Que ne fait fouldre pardessure,
Quant vient du sodeine aventure ;
Car Folhastif de sa nature
De nul peril voit la destresce,
Ainz tout par rage le court sure,   4750
Tanqu'il ait fait sa demesure,
Ou soit desfait, car l'un ne lesse.
 Et pour cela dist Ysaïe
Q'om doit fuïr la compaignie
De l'omme q'ad son espirit
En ses narils, car sa folie
Grieve a celluy qui l'associe.
Et Salomon auci te dit,
Q'ove folhardy pour nul excit
Tu dois aler, car pour petit   4760
Il te metra la jupartie,
Dont tu serres en malvois plit ;
Qu'il ad le cuer si mal confit,
Meller l'estoet, maisq'om l'occie.
 Ly folhastif son fol appell
A poursuïr pour nul reppell
Ne voet lesser a tort n'a droit ;
Dont molt sovent tout le meinz bel

Luy vient, come fist a Asahel,
Qui frere de Joab estoit,   4770
Apres Abner quant poursuioit,
Qui bone pees luy demandoit,
Mais l'autre q'estoit fol et feel
En son corous tant le hastoit,
Q'en haste quant il meinz quidoit
Sur luy reverti le flaiell.
 Mais au final si me refiere
Au fol Contek, qui piere et miere
De sa main fole et violente
Blesce ou mehaigne, trop est fiere   4780
Et trop perest celle ire amere.
Q'au tiel oultrage se consente,
Cil n'est pas digne a mon entente
De vivre ensi come la jumente,
Ne tant come chiens de sa manere
Ne valt ; car chascun beste avente
Nature, mais en sa jovente
L'omme est plus nyce que la fiere.
 La quinte file de Ire, q'est appellé Homicide.
 De ceste file je ne say
Comment ses mals descriveray,   4790
Ma langue a ce ne me souffist :
Car soulement quant penseray
Du grant hisdour, ensi m'esmay
Que tout mon cuer de ce fremist.
La nuyt primere quant nasquist,
Ly deable y vint et la norrist
Du lait mortiel, si chanta way,
En berces u la fole gist,
Et Homicide a noun le mist,
Q'est trop horrible a tout essay.   4800
 Cil q'est a ceste file dru,
Privé serra de Belsabu
Et de l'enfern chief citezein ;
Car il met toute sa vertu,
Que par ses mains soit espandu
Sicome du porc le sanc humein.
Du false guerre est capitein,
Dont maint prodhomme et maint vilein
Par luy sont mort et confondu,
Car c'est sa joye soverein :   4810

4745 plussoudeinent

Quant poet tuer du propre mein,
Jammais ne querroit autre jeu.
   Fol Homicide en sa partie
Ne voet ferir maisqu'il occie
La povre gent noun defensable;
Ne pour mercy que l'en luy crie
Laisser ne voet sa felonnie,
Car d'autry mort n'est merciable.
He, vice trop abhominable,
Horrible, laide, espoentable,   4820
En qui pités est forsbanie,
Dont mort eterne et perdurable
T'aguaite ove paine lamentable
Del infernale deverie !
   Fol Homicide en sa contrée
Pour poy du riens, quant est irré,
Ne chalt de son voisin tuer;
Ainz dist que tout est bien alé,
S'il poet fuïr en salveté
Ou a chapelle ou a mouster;   4830
Mais ce n'ert pas pour confesser,
Ainz est pour soy deliverer,
Par quoy ne soit enprisonné :
Del alme soit comme poet aler,
Maisque le corps poet eschaper,
Confessioun est oubliée.
   Avant ce que ly fieus s'espant,
Fume et vapour s'en vont issant;
Et tout ensi ce dist ly sage,
U q'omicide vient suiant,   4840
Manace doit venir devant
Come son bedell et son message.
Terrour, Freour a son menage
Vienont ove luy, que le corage
Des innocens vont despuillant ;
Que si l'en n'eust plus de dammage,
As simples gens trop fait oultrage
Cil q'ensi les vait manaçant.
   Car quant Manace y est venu,
As simples cuers trop est cremu,   4850
Voir plus que fouldre ne tonaire :
Du soun q'est de sa bouche issu
Quant les orailles sont feru,

Jusques au cuer descent l'esclaire.
Q'au dieu ne poet Manace plaire
Nous en trovons bon essamplaire
De les manaces Eseau,
Qant dist qu'il voit Jacob desfaire :
Dieu le haoit de tiel affaire
Et a Rebecke en ad desplu.   4860
   Mais l'Omicide ad un servant
Q'est d'autre fourme mesfaisant
Mortiel, et si ad Moerdre a noun :
Cist tue viel, cist tue enfant,
Cist tue femmes enpreignant,
Cist ad du rien compassioun,
Cist est et traitres et feloun,
Cist tue l'omme par poisoun,
Cist tue l'omme en son dormant,
Cist est ly serpens ou giroun   4870
Qui point du mortiel aguiloun,
Dont l'en ne poet trover garant.
   Trop perest Moerdre horrible et fals
En compassant ses fais mortals,
Comme plus secré pourra tuer ;
Car n'ose aperticer ses mals :
Pour ce sicome ly desloyals
Occist la gent sans manacer.
Envers le mond se voet celer,
Mais ja pour dieu ne voet lesser,   4880
Qui tout survoit et monts et vals :
Mais sache bien cil adverser,
Quant dieus vendra pour ly juger,
Tout serront overt ses consals.
   He, Moerdre du male aventure,
Q'occit encontre sa nature
Sans avoir mercy ne pité !
Dont dieus, qui tout voit pardessure,
Maldist si faite coverture
De luy qui fiert ensi celé,   4890
Que ja du sanc n'est saoulé.
Mais sache bien cil maluré,
Le sanc d'umeine creature
Vengance crie a dampnedée,
Dont trop poet estre espoenté
Qui s'ad mis en tiel aventure.

    4832 deliurer; *cp.* l. 2955   4856 entrouons   4860 enad
    4874 Encompassant

Dedeins la bible escript y a,
Que quant Rachab et Banaa
Le filz Saoul en son dormant,
Le quel hom Hisboseth noma, 4900
Moerdriront, David pourcela
Tantost les aloit forsjugant,
Si furont mort tout maintenant :
Dont fuist et est tout apparant
Que dieus Moerdrer unques n'ama ;
Mais sicome dieus le vait disant,
Qui fiert d'espeie, sans garant
Au fin d'espeie perira.

 N'est pas sans moerdre la puteine,
Quant ce que de nature humeine 4910
Conceive ne le vait gardant :
Ascune y a q'est tant vileine
Que par les herbes boire exteigne
Ce q'ad conceu de meintenant ;
Ascune attent jusques atant
Que le voit née, et lors vivant
Le fait noier en la fonteine ;
Ascune est yvre et en dormant
Surgist et tue son enfant :
Vei cy d'enfern la citezeine ! 4920

 Au plain nul poet conter le mal
Que d'Omicide en general
Avient, dont soy nature pleint ;
Car ce q'elle en especial
Fait vivre, l'autre desloyal
A son poair du mort exteint,
Que par son vuill petit remeint :
Dont mesmes dieu et tout ly seint
Le dampnont comme desnatural ;
En terre auci, si ne se feignt, f. 31
La loy tout homicide atteint 4931
Condempne au jugement mortal.

 El viele loy du poeple hebreu,
Si l'un avoit l'autre feru
En volenté de luy tuer,
De son voloir qu'il ad eeu
Pour homicide il fuist tenu,
Dont l'en le firont forsjuger
Et si l'eust occis au plener,
Tantost firont avant mener 4940

Le frere au mort ou le neveu,
Qui duist le sanc du mort venger,
Et mort pour mort sanz respiter
A l'omicide fuist rendu.

 Cil d'autrepart qui son voisin
Ou par aguait ou par engin
Du fals compas alors tua,
Ne se pot rembre de nul fin,
Que morir ne l'estoet au fin,
N'estoit riens que le garanta : 4950
Car mesme dieu ce commanda,
Q'om de son temple esrachera,
De son autier le plus divin,
Un tiel feloun, s'il y serra,
Et q'om son sanc espandera
Qui d'autri sanc se fist sanguin.

 Trop fist Achab a dieu destance,
Quant il Naboth par l'ordinance
De Jesabell au mort conspire ;
Car dieus de mesme la balance 4960
De l'un et l'autre prist vengance :
Et d'autrepart l'en pourra lire
Coment Nathan du nostre sire
Vint a David, pour luy descrire
Qu'il n'ert pas digne au dieu plesance
De son saint temple au plain confire ;
Q'il ot fait faire Urie occire
Pour Bersabé fole aquointance.

 Chaÿm son frere Abel occit,
Et pour cela dieus le maldit 4970
Avoec toute sa progenie ;
Et puis la loy dieus establit,
Et a Noë ensi le dit,
'Quiconque de l'umaine vie
Le sanc espant, que l'en l'occie ;'
Sique son sanc du compaignie
De l'omme et toute rien que vit
En soit hosté sans esparnie :
Car qui nature contralie
Doit estre as tous ly plus sougit. 4980

 Mais l'Omicide, u q'il repaire,
Ad toutdis un soen secretaire ;
C'est Crualté, q'est sans mercy,
Q'aprist Herodes l'essamplaire,

4918 endormant

Dont les enfans faisoit desfaire
Entour Bethlem, qant dieus nasqui ;
Mais dieus se venga puis de luy.
Asses des autres sont auci,
Des queux hom poet essample traire,
Qui ont esté par ce peri ; 4990
Car dieus n'ad pité de celuy
Qui du pité fait le contraire.
  Vengance la dieu anemie
A Crualté tant est amie
Qe riens ne fait sanz son assent ;
Si font de Rancour leur espie,
Et par l'aguard d'irrouse envie
Tienont le mortiel parlement.
Sur quoy ly sage tielement
Nous dist, que la malvoise gent 5000
Se voet venger en ceste vie ;
Dont sur vengance vengement
Leur envoit dieus au finement
Du mort que jammais ert complie.
  Ezechiel prophetiza
Disant, pour ce q'Ydumea
En sa malice de reddour
Ot fait vengance as fils Juda,
Sa main vengante extendera
Dieus, pour destruire y tout honour, 5010
Si q'en la terre tout entour
Ne lerra beste ne pastour,
Ainz toute la desertera.
Mais fol n'en pense au present jour ;
Dont, qant meulx quide estre a sojour,
Le coup desur son chief cherra.
  Par Ysaïe ensi dist dieux :
' O tu vengant, o tu cruewx,
Tu qui soloies gens plaier,
Ore es en terre au nient cheeuz ; 5020
Que je t'ai plaiés et feruz
Du plaie de ton adversier,
Dont a guarir n'est pas legier :
Molt ert cruel le chastoier
Dont tu serras ades batuz ;
Car pour ton corps poindre et bruiller
Serpent et fieu sanz terminer
Apparaillez sont a ton us.'
  Solyns, qui dist mainte aventure,

D'un oisel conte la figure 5030
Q'ad face d'omme a diviser,
Mais l'omme occit de sa nature ;
Et tost apres en petite hure
Se court en l'eaue a remirer,
Dont voit celuy q'ad fait tuer
A son visage resembler ;
Et lors comence a demesure
Si grant dolour a demener,
Q'il moert sanz soy reconforter
Pour la semblable creature. 5040
  He, Homicide, je t'appell,
Remembre toy de cest oisel
Et d'autres bestes ensement,
Qe nul des tous est tant cruel
Qu'il son semblable naturel
Vorra tuer, mais autrement
Chascun sa proie acuilt et prent ;
Mais tu desnaturelement
Ton proesme et ton amy charnel
Deproies et t'en fais sanglent. 5050
He, homme, vien au jugement,
Et dy pour quoy tu est si fel.

  La discripcioun de Ire par especial.
  Ore ay je dit et recitée
Les filles qui sont d'Ire née,
Come trop faisont a redoubter.
Molt est cel homme benuré
Qui s'en abstient, car leur pecché
Le corps et alme fait grever :
Car l'un ainçois fait periler
Que l'ure vient de terminer 5060
La vie q'est ennaturée ;
Et l'autre fait desheriter
Du ciel, u peas enheriter
Doit sans nul fin glorifié.
  He, Ire, ove ta cruele geste,
En tous tes fais es deshonneste,
Et en tous lieux la malvenue ;
Car dieus ove qanque y est celeste,
Et homme ove quanque y est terreste
Fais estormir de ta venue. 5070
Fols est qui de ta retenue
S'aquointe, car dessoutz la nue

Ne fais avoir forsque moleste,
Du quoy l'en fiert ou tence ou tue :
Si la puissance serroit tue,
Tout fuist destruit, et homme et beste.
He, Ire tant espoentable,
Q'au corps n'a l'alme es delitable,
Ne say du quoy tu dois servir,
Qant nulle part es acceptable.   5080
Dont saint Jerom te fait semblable
As furiis, qui font ghemir
L'enfern des almes espenir ;
Ce sont qui tout font estormir
L'abisme en paine perdurable :
Et tu la terre ensi fremir
Fais, dont par tout l'estoet sentir
Ta crualté desmesurable.
Ire est en soy toutdis divise,
Car de soy mesmes ne s'avise   5090
Et de l'autry nul garde prent,
D'enflure dont elle est esprise :
Au cardiacre l'en divise
Le mal de luy, car tristement
Fait vivre, et trop soudeinement
Le cuer ensecche tielement
Q'a luy guarir n'est qui souffise ;
Nounpas le corps tansoulement
En fait perir, mais asprement
Destourne l'alme a sa juise.   5100
Ce dist uns clercs, et le diffine,
Du cruele Ire qui ne fine,
Du quoy nature en soi se pleignt,
Q'elle est semblable en sa covine
Au fieu gregois, dont la cretine
Del eaue le chalour n'exteignt.
Ainz art trestout qanq' elle atteint :
Ensi n'est resoun qui restreint
Le cuer u q'Ire la ferine
De crualté le rage enpeint ;   5110
Ainz qanq' enmy sa voie meint
A son poair met en ruine.
En l'evangile dieus nous dist :
'Gens qui sont povre d'espirit,
Le ciel avront tout proprement :'
Et d'autrepart je truis escript,

Que dieus la terre auci promist
A ceaux qui debonnairement
Vivont. He, Ire, dy comment
Et u quiers ton herbergement ?   5120
Quant ciel et terre t'est desdit,   f. 32
Il covient necessairement
Q'enfern te donne hostellement,
U ton corous ert infinit.

    Ore dirra de Accidie et de ses cink files, dont la primere est Sompnolence.

Pour vous conter en droite line
D'Accidie, ove qui le Siecle alline,
Celle ad cynk files enfanteez ;
Des quelles tiele est la covine
Qe pour labour du camp ne vine
A nul temps serront travaillez,   5130
Ne ne serront abandonnez
A les prieres ordeinez,
Comme sont precept du loy divine,
Ainz queront ease des tous lées :
Dont Sompnolence, ce sachies,
La primere est de cest orine.
De Sompnolence atant vous dy,
Quiconque soit son droit norry
Fait son office en ce q'il dort :
S'il ad du lit, lors couche ensy,   5140
Si noun, solonc l'estat de luy
Lors autrement quiert son desport ;
Mais pour consail ne pour enhort
Ne fait labour, n'a droit n'a tort,
Ainz comme pesant et endormy
Ses deux oils clos songe au plus fort,
Et ensi gist comme demy mort,
Qu'il est d'Accidie ensevely.
    En ease Sompnolence vit,
Quant poet dormir sanz contredit   5150
Sur mole couche q'est enclose
De la curtine, u son soubgit
Ne son servant pour nul proufit
Ne pour dammage esveiler l'ose ;
Car lors en aise se repose,
Et pense au tout le text et glose,

5146 plusfort

Comme plus plerra pour son delit;
Mais s'il doit lever une pose,
Ce semble a luy molt dure chose,
Tanq'il revait couchier ou lit. 5160
 Qant deinz son lit serra couchiée,
Pour luy grater ert affaitiée,
Ou soit varlet ou soit meschine,
Par qui serra suef maniée
Le pié, la main, et la costié,
Le pis, le ventre avoec l'eschine;
D'ensi grater ades ne fine,
Tanq'en dormant son chief recline.
Tiele est sa vie acustummé,
Ne la lerroit pour l'angeline: 5170
Mieulx ayme l'aise q'est terrine
Que d'estre en paradis aisée.
 Son chamberlain ses fées perdra,
S'il molement n'ordeinera
Son lit des draps et du litiere;
Et que sur tout n'oubliera
Q'il d'eauerose arosera
Et les linceaux et l'oreillere;
Car lors se couche a lée chiere,
Ne ja pour soun de la clochiere 5180
Au matin se descouchera:
Ainz le labour de sa priere
Laist sur la Nonne et sur le frere;
Asses est q'il ent soungera.
 Car Sompnolence ad joye grant
Quant poet songer en son dormant,
Et dist que ses avisiouns
Vienont de dieu, dont en veillant
Sicome luy plest vait divinant;
Car solonc ses condiciouns 5190
En fait les exposiciouns,
Et met y les addiciouns
De sa mençonge en controevant;
Mais a les premuniciouns,
Qui sont a ses perdiciouns,
Ne vait du rien considerant.
 Un deblet q'est asses petit
A provocer son appetit,
Au fin q'il dorme plus et plus,
Sur tous les autres est eslit; 5200

Ly quel serra toutdis au lit
Et tempre et tard luy bienvenus.
Le noun de luy n'est desconus,
Ainz est as dames bien conus,
Tirelincel en chambre est dit:
Qant l'alme enhorte a lever sus,
Tirelincel dist, 'Couchiez jus,
Car moun consail n'ert pas desdit.'
 Au prime ou tierce qant s'esveile,
Si lors se lieve c'est merveille; 5210
Car son deblet qui l'ad en cure
Tout suef cornant dedeinz l'oreille
En mainte guise le conseille,
Si dist, 'Atten jusqus al hure
Que satisfait a ta nature:
Eietz si preu ta norreture,
Remembre toy du chalde teille
U es touchiés, je te conjure;
Car c'est la chose, je te jure,
Que longue vie t'appareille.' 5220
 Mais quant pour loer deservir
Au sompnolent estoet servir,
Et q'au matin son mestre appelle,
'Ore ça vien tost!' he, quel suspir,
He, quel dolour, quant doit partir
Hors du chalour de sa lincelle!
Dont au chaucier de sa braielle
Enmy dormant fait sa querelle,
Qu'il plus au plain ne poet dormir.
Q'ad tiel varlet ou tiele ancelle, 5230
Souhaider poet que cil et celle
Fuissent alé sanz revenir.
 Ly Sompnolent sicome l'enfant
Quiert estre deinz son lit couchant,
Qant pour le froid n'en voet lever;
Et fait ensi pitous semblant
A descoucher, jusques atant
Qu'il poet sa chemise eschaufer:
Demy se lieve, et recoucher
Tantost se fait et l'oreiller 5240
Enbrace, et puis luy dit avant,
'Dy, que me voes tu consailler,
Ou plus dormir ou descoucher?'
Vei la du deable droit servant!

5188 enveillant   5191 Enfait   5193 encontroeuant

Au Sompnolent trop fait moleste,
Quant matin doit en haulte feste
Ou a mouster ou a chapelle
Venir ; mais ja du riens s'apreste
A dieu prier, ainz bass la teste
Mettra tout suef sur l'eschamelle,   5250
Et dort, et songe en sa cervelle
Qu'il est au bout de la tonelle,
U qu'il oït chanter la geste
De Troÿlus et de la belle
Creseide, et ensi se concelle
A dieu d'y faire sa requeste.
 Ly sages dist que sicome l'uiss
Deinz son chanel et son pertuis
Se tourne et moet aiseement,
Ensi en ease encore et plus   5260
Par nuyt et jour du commun us
Dedeinz son lit ly Sompnolent
Se tourne et moet a son talent
Solonc le corps ; mais nequedent
Resoun del alme est tout confus :
Car danz Catouns ce nous aprent,
Que long repos de songement
Norrist les vices au dessus.
 El livre de levitici
Dieus ad defendu que nully   5270
A Sompnolence doit entendre ;
Car c'est un pecché desgarni,
Qui du laron et d'anemy
Laist sa maison fouir et fendre
Sanz resister et sanz defendre :
Q'ainçois q'il porra garde prendre,
Ou q'il le cuer ait esveilly
Pour grace et pour vertu reprendre,
Ly laron vient pour luy surprendre,
De ses pecchés tout endormi.   5280
 Dieus a les gens du Babilant,
Q'en leur pecchés furont dormant,
Par son prophete Jeremie,
' Dorment,' ce dist, ' cil fol truant,
Et si songent en leur songant
Du sempiterne songerie,
Dont lever ne se pourront mie.'
He, Sompnolence au char amie,
Tu moers tant comme tu es vivant,

Et puis enfern te mortefie,   5290
Sique tu es toutdis sanz vie ;
Trop perdist dieus en toy faisant.
 Iceste fille ad une aqueinte,
Qe molt se fait paisible et queinte,
Sique labour ne la surquiere :
Tendresce a noun, si est trop feinte
Et du petit fait sa compleinte,
Voir, si ly ventz au doss la fiere.
Ne vait as champs comme charuere,
N'a la montaigne comme berchere,   5300
Ne poet souffrir si dure enpeinte ;
Mais comme la tendre chamberere
Du tout labour se trait arere ;
Trop est en luy nature exteinte.
 Mais quant Tendresce est chamber-
  leine
Au frere, au moigne, ou a nonneine,
Cel ordre vait trop a rebours ;
Car pour cherir la char humeine
Dormont tout suef a longe aleine,
Et sont de leur vigile courtz.   f. 33
N'est pas bien ordiné ce cours ;   5311
Car ce dist dieus, q'es roials courtz
Sont cil qui vestont mole leine,
Nounpas en cloistres n'en dortours ;
Mais tant sont tendre ly priours,
N'ont cure a ce que dieus enseigne.
 Tendresce est celle que debat
Au cuer et le corage abat,
Et si luy dist, ' Prens remembrance
Que tu primer fus delicat   5320
Norry, pour ce sustien l'estat
Dont es estrait du jofne enfance.'
Ensi le cuer met en errance,
Dont le corage desavance
Et du soubgit fait potestat,
C'est de sa char, q'en habondance
Repose, et l'alme a sa penance
S'en vait tout povre et desolat.
 Ly sages dist parole voire :
'O come amiere est la memoire   5330
A l'omme pensant de la mort,
Quant est enmy sa tendre gloire ! '
Car tout luy changera l'estoire

MIROUR DE L'OMME

Soutz terre, uque ly serpens mort
Sa tendre char, et la qu'il dort
Un oreiller boscheus et tort
Avra de la crepalde noire :
Mais que pis est, l'alme au plus fort
En paine irra par desconfort,
U sanz mercy l'en desespoire.   5340
   Dieus, qui jadis fuist coroucié
Au poeple hebreu pour lour pecché,
Ensi disant leur manaça :
' La tendre femme que son piée
Planter au terre n'est osée
Pour sa tendresce, temps verra,
Qant par suffreite mangera
Ses propres filz.' Dy lors quoy fra
Cil homme tendre en son degré :
Quant de la femme ensi serra,   5350
Je croy que l'omme pis avra
Que femme pour sa tendreté.
   Mais qui Tendresce voet descrire,
Solonc les clercs il porra dire
Que c'est du cuer une moleste,
Dont le corage tant enpire
Qu'il laist la char tenir l'empire
Sur l'alme plus que fole beste.
Car au labour d'umeine geste,
Dont l'en pain et vesture acqueste,
N'ad volenté que poet souffire,   5361
N'a dieu servir ja ne s'apreste.
La vie q'est tant deshonneste
Du cristien om doit despire.
   Tendresce est ly malade sein,
Q'au tout labour est fieble et vein,
Et fort as tous ses eases prendre
Es chambres sanz aler longtein :
Ensi comme l'oill ensi la main
Cherist et guart tout mol et tendre,
Car il ne voet sa char offendre   5371
Pour l'alme ; mais il doit entendre,
Q'en ceste vie unques vilein
Ne poet si grief labour enprendre,
Que plus grevous pour luy sur-
   prendre
Luy dorra dieus a son darrein.

5338 plusfort

La seconde file de Accidie, q'est appellée Peresce.

Peresce, q'est de ceste issue
La soer seconde, ja ne sue,
Ce sachies bien, pour nul labour ;
Ainz coy sicomme l'oisel en mue   5380
Se tient, q'au labour ne se mue
Pour nul proufit de nuyt ne jour.
Quiq'est des armes conqueror,
Ou de les champs cultefiour,
Peresce est hors de retenue,
Q'al un ne l'autre est soldeour :
Maisqu'il le corps ait a sojour,
Ja d'autre bien ne s'esvertue.
   Peresce, tant comme l'ivern dure,
Ne voet issir pour la freidure   5390
De labourer en champ ne vine,
N'en temps d'estée pour la chalure :
Si tous fuissont de sa nature,
Je croy que trop y ust famine.
Peresce ensi come chat ferine,
Qui volt manger piscon marine,
Mais noun ses piés de la moisture
Voet eneauer deinz la cretine,
Quiert des proufis avoir seisine,
Mais de les charges point ne cure.   5400
   Peresce quant a manger vient
Et est assis, legier devient ;
Mais puis, qant faire doit servise,
En tant comme poet lors s'en abstient,
Et au busoign du loign se tient,
Comme cil q'est plain de truandise :
Quique les autres blame ou prise,
Maisqu'il poet avoir sa franchise,
N'ad cure d'autre, quoy q'avient :
Trop est tiel servant de reprise ;   5410
Car prendre voet ce que souffise,
Mais du deserte ne fait nient.
   Qui faire voet son messager
Du lumaçoun, ou son destrer
De l'asne, ensi porra cil faire
Qui le perceus voet envoier
Pour ses busoignes reparer.
Car tard y vait et tard repaire :

5386 Qal lun (cp. 5591)

Qant l'en mieulx quide a bon chief traire
La cause, lors serra l'affaire 5420
De la busoigne au commencer.
C'est ly sot qui ne cure guaire
Du bien, d'onour, ne d'essamplaire,
Dont l'en porroit bien essampler.

Peresce, pour warder son frein,
Toutdis d'encoste bien prochein
Fole esperance meyne ove soy ;
Et d'autrepart nounpas longtein
Vait Folquider son chambirlein.
Ce sont qui scievont en recoy 5430
Promettre molt et donner poy :
Qui se purvoit de leur arroy,
Huy sur la chance de demein
Expent, et prent son aese en coy ;
Mais au darrein, qant n'ad du quoy,
Lors est il sage apres la mein.

Om dist, qant ées son aguilon
Avra perdu, lors a meson
Se tient et ce que l'autre apporte
Devoure, siq'en nul sesoun 5440
A pourchacer sa guarisoun
Se vole ; et ensi nous enhorte
Peresce, que nuls doit sa porte
Passer pour labour que l'en porte,
Tant comme de ses voisins entour
Poet aprompter dont se desporte :
Mais en la fin se desconforte,
Quant par ce falt tenir prisoun.

Peresce, sicome dist ly sage,
En yvern pour le froid orage 5450
Ne voet arer, dont en estée
Luy falt aler en beguinage ;
Mais n'est qui pain ne compernage
Luy donne en sa necessité ;
Car par l'apostre est desveié
Le pain a qui n'ad labouré ;
Et c'est auci ne loy n'usage,
Solonc que truis en le decré,
Cil qui le charge n'ad porté,
Qu'il en doit porter l'avantage. 5460

Peresce de sa retenance
Ad Coardie et Inconstance,

Souhaid et Pusillamité ;
Ly sage en porte tesmoignance,
Que d'inconstante variance
Sovent avra sa volenté
D'un point en autre rechangé ;
Car cuer de mutabilité
Ly pent toutdis en la balance ;
Dont voet, noun voet, par tieu degré
Qu'il tout son temps en vanité 5471
Lerra passer sanz bienfaisance.

Auci Peresce pour servir
Y vient Souhaid, qui par desire
Covoite toute chose avoir,
Disant sovent a bass suspir,
' He, dieus me doignt a mon plesir
Argent, chastell, ville et manoir ! '
Mais ja son pié ne voet movoir
Pour mettre main, dont son voloir 5480
Porra d'ascune part complir :
Siq'en la fin doit bien savoir,
Ainz qu'il s'en poet aparcevoir
Poverte luy doit survenir.

Mais Pusillamité la nyce
Sert a Peresce d'autre vice ;
Car celle n'ose commencer
Sur soy d'enprendre ascun office,
Ou de labour ou de service,
Du quoy se porroit proufiter ; 5490
Ainz est tant plain de supposer
Et des perils ymaginer,
Que cuer luy falt, sique justice
En pert, dont mesmes soy aider
Ne voet, ainz laist trestout aler,
Et l'onour et le benefice.

Coardz les vertus assaillir,
Ne les pecchés n'ose eschuïr ;
Car c'est cil fol, comme dist ly sage,
Qui la putaigne a son plesir f. 34
Areste et lie et fait tenir 5501
Pour bordeller en son putage,
Sicomme la beste en pasturage ;
Qu'il n'ad point tant du vasselage,
Qu'il resister sache ou fuïr,
Ainçois se laist a son hontage

5460 endoit   5464 enporte   5483 senpoet   5494 Enpert

Effeminer de son corage,
Dont fait hommesse en soy perir.
　Sicome l'enfant se tourne en voie,
Et n'ose aler avant la voie　　5510
Pour l'oue que luy sifflera,
Pour meinz encore se desvoie
Ly fol coard, qant om l'envoie.
Tieu messager petit valra ;
Car combien q'il fort corps avra,
Le cuer dedeinz malade esta,
Du quoy le pulmon et la foie
Ove tout l'entraile tremblera :
Tieu parlesie ne guarra
Cil qui guarist Ector de Troie.　　5520
　Om dist, 'manace n'est pas lance' :
Mais au coard parmy la pance
Luy semble avoir esté feru
D'un mot del autry malvuillance.
Trop est du povre contenance ;
Car quant il voit l'espeie nu,
Tout quide avoir le ferr sentu :
C'est un mal champioun de dieu,
Q'ensi Peresce desavance ;
Trop est le pain en luy perdu,　　5530
Qant corps et alme est sanz vertu
De l'un et l'autre sustienance.
　Car, si Peresce dont vous dis
Fait l'omme tard et allentis
Solonc le corps de ce q'appent
Au monde, encore plus tardis
Fait le corage et plus eschis
De ce que l'alme proprement
Duist faire a dieu ; car point ne rent,
N'en dit n'en fait n'en pensement,　　5540
Les charges qui luy sont assis
Du sainte eglise, et meëment
Prier ne poet aucunement,
Ne juner, si ne soit envis.
　Atant vous dy je de Peresce,
En halt estat qant est clergesce
Chargé de cure et prelacie,
Si lors dirra matins ou messe,
Ce fait ensi comme par destresce ;
Car au primer de sa clergie　　5550

Devocioun luy est faillie,
Du quoy ne preche ne ne prie,
Ainz laist celle alme peccheresse
Sanz bonne garde en sa baillie
Perir ; car tout le charge oublie
Del ordre dont elle est professe.
　Peresce auci fait q'omme lais,
Ja soit il sessant auns et mais,
Ne sciet sa paternoster dire,
A dieu prier pour ses mesfais ;　　5560
Dont qant au Moustier s'est attrais,
Ja d'autre chose ne s'atire,
Mais quique voet jangler et rire
A luy de maintenant se tire,
Q'au paine s'il ses mains jammais
Vorra lever vers nostre sire.
Tieu vielard fait son dieu despire
Et est au deable trop curtais.
　En l'evangile est dieus disant,
Que l'arbre nient fructefiant　　5570
Hom doit ardoir ; lors quoy serra
Cil q'ove les arbres est crescant,
Et est mortiel et resonnant,
S'il point ne fructefiera ?
Quant sa jovente passera
Sanz vertu qu'il en portera,
Et sa vielesce est survenant,
Et qu'il baraigne ensecchera,
Sanz reverdir l'alme ardera,
Car d'autre bien n'est apparant.　　5580
　**La tierce file de Accidie, quelle
　est appellée Lachesce.**
　La tierce fille apres suiant,
D'Accidie quelle est descendant,
Trop ad pesante contenance :
N'est chose qui du maintenant
Voet faire, ainçois en tariant
Mettra tous biens en pourloignance.
De son noun la signefiance
A ses fais porte tesmoignance,
Car Lachesce hom la vait nommant,
Q'est lache au toute bienfaisance ;　　5590
Q'al un n'a l'autre pourvoiance
Du corps ne d'alme est entendant.

　　5564 demaintenant　　　5576 enportera　　　5585 entariant

Endementiers que l'erbe es vals
Renaist et croist, moert ly chivals :
Ensi quant om par lacheté
Ses fais pourloigne et ses journals
Espiritals ou corporals,
Tancome ses jours ad pourloigné,
Son temps luy est mortefié ;
Sique merite en nul degré   5600
Luy doit venir, quant nuls travals
Ad fait, car veine volenté
Que n'est des oevres achievé
Est a les sounges perigals.
   Des causes q'il tient entre mein
Lachesce dist, 'Demein, demein,'
Et laist passer le jour present.
Quant siet decoste son prochein,
Mainte excusacioun en vein,
Du chald, du froid, du pluie et vent, 5610
Allegge a son excusement ;
Mais toutes voies il attent,
Sique jammais son oevere au plein
Serra parfait ; ainz lentement
Trestout met en delaiement,
Et le divin et le mondein.
   Tout ce q'appent a dieu servise
Lachesce en sa darreine assise
Le met ; car il ne vient jammes
Les jours du feste au sainte eglise 5620
Par temps, ainz dist q'asses suffise
S'il vient au temps baiser la pes :
Et d'autrepart s'abstient ades,
Qu'il n'ert en trestout l'an confes,
Fors q'une fois, pour nulle aprise,
Et ce serra du Pasques pres,
Quant pourloigner ne s'en poet mes :
Vei la devoute truandise !
   Trop court vers dieu Lachesce en dette,
Q'au temps ne paie et se desdette 5630
La dueté de son labour.
Dieus la devocioun rejette
Du prestre, qant il huy tresjette
Ses houres tanq'en autre jour :
Car que l'en doit sanz nul destour
Loenge rendre au creatour

   Essample avons de l'alouette,
Que bien matin de tour en tour
Monte, et de dieu volant entour
Les laudes chante en sa gorgette. 5640
   Lachesce fait le Pelerin
Enlasser, siqu'il son chemin
Ne poet parfaire duement,
Dont son loer pert en la fin :
Car qui ne sert jusqu'au parfin,
Comme l'evangile nous aprent,
N'est apt ne digne aucunement
Du ciel a son definement ;
Ainz par le juggement divin
Doit perdre tout le precedent   5650
De son labour, que plus n'en prent
Que cil qui jammais fuist cristin.
   Lachesce est celle charuere
Que lente et reguardant arere
Sa main fait mettre a la charue :
La tour commence auci primere,
Mais ne la poet parfaire entiere,
Dont om au fin l'escharne et hue.
Je truis que de la gent hebrue
La rereguarde fuist vencue,   5660
Quant par lachesce estoit derere,
Dont Amalech les fiert et tue :
Mais ja tieu chose n'eust venue,
S'avant fuissent ove la banere.
   Om ne doit mettre a nounchaloir
Proverbe q'est du grant savoir,
Car jadis om solt dire ensi :
Cil qui ne voet quant ad pooir,
N'el porra puis qant ad voloir,
Ainz serra son pourpos failli.   5670
Lachesce fait tout autrecy
Du tout ce q'appartient a luy :
Quant poet ne fait le soen devoir,
Par quoy sovent est escharni ;
Car quant au fin s'est enpovri,
Lors quiert ce que ne poet avoir.
   Senec le dist, q'a son avis
Trop s'aliene et est caitis
Du foy cil qui sa repentance
Deferre tanqu'il soit antis,   5680

5640 landes   5651 nenprent

Quant du jofnesse est desfloris,
Et q'au peccher n'ad sufficance;
Car c'est un povre bienvuillance,
Q'a dieu lors offre la pitance
Du viele lie q'est remis,
Qant tous les flours par fole errance
De sa jovente et sa substance
As deables ad offert toutdis.
   Ce dist ly deable au Lacheté :
'Jofne es et ta jolieté   f. 35
Te poet encore long durer,   5691
Et lors porras ta malvoisté
Par loisir a ta volenté
Tout a belle houre redrescer.'
Ensi le met en folquider,
Plus nyce que le prisonner
Qui tout jour voit l'uiss desfermé,
Dont il pourroit en saulf aler,
Mais ne se voet desprisonner,
Tanq'il au gibet soit mené.   5700
   Mais a Lachesce avient sovent,
Que par son fol deslaiement,
Quant voit comment ad tous perdu,
Les biens du siecle et ensement
Les biens del alme, et folement
Son temps en mal ad despendu,
Lors deinz son cuer s'est enbatu
Tristesce, dont tant est commu,
Que sa mort propre tristement
Desire, et est tant esperdu   5710
Que ja pour homme ne pour dieu
Ne s'en conforte ascunement.
   De la tristesce q'est mondeine
Ly sages son enfant enseigne
Qu'il doit fuïr la maladie,
Q'au cuer del homme est tant greveine,
Comme est la tine au drap du leine,
Ou verm que l'arbre mortefie.
Car la tristesce en sa folie
Les oss ensecche, et puis la vie   5720
Escourte et la vielesce meine,
Avant que l'oure soit complie
Que nature avoit establie :
C'est maladie trop vileine.
   Tristesce est celle nyce fole

Que la resoun trestoute affole,
Sique ly deable a son plesir
De luy se jue et se rigole;
Et si la prent de tiele escole
Dont l'art est sanz recoverir.   5730
Car du Tristesce le conspir
Fait Obstinacioun venir,
Que verité tient a frivole,
Sique resoun ne voet oïr,
Du pecché pour soy repentir;
Car du pardoun ne tient parole.
   Le vice d'Obstinacioun
Par nulle predicacioun
A repentance ne s'applie,
Mais par fole hesitacioun   5740
De sa continuacioun
Pert grace, dont en heresie
Argue et tient que sa folie
Est tant alé q'en ceste vie
N'en poet faire emendacioun :
Dont il la dieu mercy desfie,
Que confesser ne se voet mye,
Ainz chiet en desparacioun.
   Molt ad grant joye ly malfée
Quant l'omme ad fait desesperé;   5750
Car lors le meine par le frein
Tout voegle apres sa volenté,
Q'au droite voie en nul degré
Rettourner sciet, siq'au darrein
Se pent ou tue de sa mein;
Dont est du double mort certein,
Comme fuist Judas ly maluré.
Ce dist saint Job, 'Trop est en vein
Que l'omme vit jusq'au demein,
Qui s'est en desespoir rué.'   5760
   Desesperance l'insolible
C'est ly pecchés que deinz la bible
Par Jeremie dieus blama,
Et la nomma le vice horrible;
Disant qu'il tant la fra passible
Des mals que souffrir la ferra,
Sique chascun que la verra
Sur luy sa teste movera,
Et tous dirront, 'Vei l'incredible,
Q'en dieu mercy ne se fia !   5770

Dont sanz mercy puny serra
Du mort dont nuls est revertible.'

**La quarte file d'Accidie, quelle
est appellée Oedivesce.**

La quarte file soer Peresce
Celle ad a noun dame Oedivesce,
Que de nul bien se voet meller,
Car par amour ne par destresce
N'ad cure qui doit chanter messe,
Ne qui les champs doit labourer,
Maisq'al hasard pourra juer,
Ou a merelle ou eschequer, 5780
Ou a la pierre jetteresse :
Vei la le fin de son mestier !
Car pour prier ne pour loer
D'autre bienfait ja ne s'adresce.
Si l'omme oedif poet a les dées
Juer, tout ad ses volentés
Compli, car jammais autre joye
Ne quiert, tant comme prosperités
Du gaign luy vient ; mais plus d'asses
Du perte a son hasard s'effroie : 5790
Car quant ad perdu sa monoie,
Lors met ses draps et sa couroie,
Mais s'il tout pert, lors comme desvés
Maldit et jure vent et voie,
Son baptesme et son dieu renoie,
Et tout conjure les malfées.
Dame Oedivesce meine et guie
Ceaux qui par faignte truandie,
Quant sont a labourer puissant,
Se vont oiceus au beggerie ; 5800
Car mieulx amont la soule mie
Ove l'aise q'est appartenant,
C'est du solail q'est eschaulfant,
Et du sachel acostoiant,
Et du buisson l'erbergerie,
Que labourer pour leur vivant
Et d'estre riches et manant,
Voir si ce fuist de seignourie.
L'Oiceus ja se pourvoit du nient,
Mais q'un jour vait et autre vient : 5810
Il dist, ' Dieus aide a la charette ! '
Mais du labour q'a ce partient
Ja de sa main ne la sustient ;

Ainz plus oedif que l'oisellette,
De tous labours loign se desmette,
Q'au corps ne rent sa due dette
N'a l'alme fait ce que covient ;
Car pour loer que dieus promette
Ne moet son pié de la voiette,
U qu'il son fol penser enprient. 5820
Ly grisilons en temps d'estée
Chante et tressalt aval le pré
Joliement en celle herbage ;
Mais ja n'aguarde en sa pensée,
Quant ce bell temps serra passé,
U lors vitaille et herbergage
Avoir pourra, ainz comme volage
Oedif s'en vait en rigolage,
Et se pourvoit en nul degré :
Dont puis, quant vient le froid orage, 5830
Lors sanz hostell et compernage
Languir l'estoet en povreté.
Mal s'esjoÿt et chante en vein
Ly grisilons, quant au darrein
Son chant luy doit tourner en plour :
Ensi malfait l'oiceus humein,
Q'au siecle ne voet mettre mein,
Ne cuer d'amer son creatour.
Ly sages dist que cest errour
Est vanité, quant pourchaçour 5840
Son pourchas laist au tieu vilein :
Quant il s'estrange au tout labour,
Resoun le voet que tout honour
Et tout proufit luy soit forein.
Ly sages dist, nuls poet comprendre
Les griefs mals q'Oedivesce emprendre
Fait a la gent du fole enprise :
Car quant la char q'est frele et tendre
N'au dieu n'au siecle voet entendre,
A labourer d'aucune assisse, 5850
Lors sanz arest deinz sa pourprise
Des vices ert vencue et prise,
Comme cil qui n'ad dont soi defendre.
Seint Jeremie en tiele guise
Dist q'Oedivesce ove sa mesprise
Sodome causa de mesprendre.
Dame Oedivesce est celle fole
Que plustost son aqueinte affole,

Soit homme ou femme, du pecché :
Car quant l'en meine vie mole, 5860
Et sanz labour le corps rigole,
Et l'alme auci n'est occupié
De ce q'affiert a son degré,
Lors est la maisoun ramouné ;
Par quoy sicomme deinz une escole
A demourer s'est herbergé
Ove ses disciples ly malfée,
Car l'evangile ensi parole.

   Dame Oedivesce laist overt
Le pot, dont entre a descovert 5870
La mousche q'est abhominable :
C'est celle auci qui tout s'ahert
As vanités, et deinz soy pert
Les biens de l'alme resonnable.
Dame Oedivesce la muable
Fait en pecché vertu changable ;
Car seint Bernard le nous fait cert,
Que du penser foldelitable
Au cuer le hault chemin menable 5879

. . . .

D'embler ou estre ensi tardis f. 37
En leur office, q'anientis 6071
En sont ly bien par Negligence.
   Ly Necligens de s'aqueintance
Retient le vice d'Ignorance,
Qui bien ne sciet ne bien aprent.
Ly sage en porte tesmoignance,
Qe ly malvois n'ad conoiscance
Du sapience aucunement,
Ainçois tout lass s'en vait sovent
La male voie, et ja ne prent 6080
La dieu voie en reconoiscance ;
Dont dist l'apostre tielement,
Celluy qui d'ignorance offent
Dieus met en sa desconoiscance.
   El viele loy je truis lisant,
Ly Necligens q'iert ignorant
A guarder le precept divin,
Dieus commanda du maintenant

Q'om l'osteroit, siq'en avant
Ne fuist du poeple dieu voisin : 6090
Mais si le mal fuist pichelin,
Lors covenoit a faire fin
Du tiel offrende a dieu rendant,
Dont poet son necligent engin
Vers dieu redrescer en la fin,
Et amender le remenant.
   Ly Necligens en sa mesoun
Encore un autre compaignoun
Retient ove soy, dont valt le pis ;
C'est ly tresfol Oublivioun, 6100
Que ja n'orra si bon sermoun,
Dont souvenir luy vient ou pis.
Seint Jake un tiel a son avis
Resemble a l'omme qui son vis
Deinz le mirour voit environ,
Mais quant s'en tourne ly caitis,
De son visage ad tout oublis
Qanqu'il veoit de la façon.
   C'est ly pecchés par quoy ly sages
Defent le vin as beverages 6110
Des juges, qu'ils n'oublient mye
La cause as povres voisinages :
Car oubliance en nuls estages
Ne soy ne autres justefie.
Oseë dist en prophecie
Au poeple dieu et leur chastie
Disant, pour ce q'en leur corages
Chascun la loy son dieu oublie,
Dieus en oubli de sa partie
Lerra leur filz sanz heritages. 6120
   C'est ly pecchés universals,
Q'es choses que sont temporals
Non soulement est anemis,
Ainz plus grieve en espiritals :
Car s'il ait fait Cent Mil mortals,
Au paine luy sovient de diss,
Au confesser quant serra mis.
Comment serront ses mals guaris,
Quant confesser ne sciet ses mals ?
Pour ce q'icy ne sont punys, 6130

After l. 5879 one leaf of the MS. is lost, which contained 190 lines and the title introducing the description of 'Necligence,' the fifth daughter of Accidie.   6076 enporte 6079 senvait.

Si dieu n'en fait a luy mercis,
Ne poet guarir des infernals.

La descripcioun en especial d'Accidie.

O fole Accidie au deable amye,
Qe l'amour dieu tu ne pus mie
Avoir, car nul amour desers,
Ainz es morte en humaine vie;
Dont sicomme songe et fantasie
S'en passont, tu le temps y pers.
Tu es des tous les vices sers,
Car soulement au char tu sers, 6140
Sans faire a l'alme compaignie,
Forsq'a tes sens, u tu t'adhers
Comme beste, mais tout au travers
Resoun en toy se mortefie.

He, vice, tu es hosteller,
Qui fais ta maisoun ramoner,
Que n'y remaint aucun vertu;
Dont ly malfées pour herberger
Y vient, et fait ove soy mener
Sept autres, et la s'est tenu. 6150
He, vice, come tu es perdu,
Q'au primer point malvois es tu,
Et au my lieu fais empirer,
Mais quant tu es au fin venu,
Lors es si tresmalvois, que dieu
Ove les plus mals te fait ruer.

He, vice, au droit pour toy descrire,
Tu es semblable au litargire,
Q'en dormant l'omme fait morir:
Ton cuer deinz soy nul bien desire, 6160
Ta main a nul bon oevre tire,
Ton oill le bien ne poet voïr,
T'oraille auci n'el poet oïr,
Neis que ta bouche lais ovrir
Pour bien contier ne pour bien dire,
Des piés aler ne revenir
Te fais pour bien, sique merir
N'as membre qui te poet souffire.

He, fole Accidie, quoy dirras,
Quant devant dieu acompteras 6170
Que tu n'as fait aucun proufit
En ceste vie, u tu menas
Les eases, mais riens y pensas

De l'alme? Pour ce ton delit
Se changera d'un autre plit;
Car corps avesques l'espirit
Dedeinz la chambre au Sathanas
Serront couchiez, u que ly lit
Sont plain de feu q'est infinit:
Vei la le fin de ton solas! 6180

Ore dirra de Avarice et de ses cink files, dont la primere est Covoitise.

Cynk files naiscont d'Avarice,
Des quelles par son droit office
Est Covoitise la primere:
C'est celle qui pour benefice
Du siecle laist le dieu service;
Car la richesce seculere
Luy est des autres la plus chiere,
Et pour gaigner par tieu maniere
Retient ove soy tout autre vice;
Qui s'assemblont soutz sa baniere 6190
Pour verité mettre a derere
Et desconfire la justice.

C'est celle qui pour ses compains,
Ne ses sorours ne ses germains,
Ne voet laisser son avantage,
Ainçois s'avance as tous bargains.
U que pourra tenir ses gains,
N'ad cure quiq'en ait damage;
Car qui ses terres en morgage,
Ou qui voet mettre riche guage, 6200
Lors Covoitise y tent ses mains
Et les oblige a son paiage;
Dont molt sovent sanz heritage
Laist en poverte ses prochains.

Iceste file, comme je pense,
Nasquist primer sanz conscience;
Dont quant aucune cause enprent,
Au commencer l'enqueste ensense
A jurer sur false evidence,
Q'est colouré du blanc argent; 6210
Et du fin orr au jugge aprent,
Au fin qu'il puis en juggement
Pourra son tort en audience

6187 pluschiere   6191 aderere

Justefier devant la gent :
Et ensi veint secretement
Le droit, que nuls le contretence.
 Car quant Richesce vient pledant,
Poverte vait sanz defendant :
Richesce donne et l'autre prie,
Richesce attrait en son guarant   6220
Le jugge, questour et sergant,
Par queux sa cause justefie ;
Car Covoitise qui s'applie
A la Richesce, ne voit mye
Le droit du povre mendiant.
Que jugges ne serroit partie
La loy defent, mais l'orr deffie
Le droit et met le tort avant.
 Ly covoitous, quant s'aparçoit
Que presde luy jofne homme soit,   6230
Q'est riche des possessions
Et innocent, lors en destroit
Son cuer remaint comment porroit
Ses retz pourtendre a tieux buissons.
Sovent l'attret des beals sermons,
Sovent d'aprest, sovent des douns,
Dont l'innocent se fie et croit
En les fallas de ses resouns ;
Mais l'autre en ses conclusiouns
Au fin l'attrappe et le deçoit.   6240
 Mais quant avient que son voisin
Tient presde luy rente ou molyn,
Qe vendre en bon gré ne voldra,
Cil covoitous du fals engin
Met tiel obstacle en son chemin,
Dont en danger le ruera :
Car falsement l'enditera,
Ou d'autre part luy grevera,
Du quoy ly povres en la fin,
Ou de son corps hony serra,   6250
Par fine force ou il lerra
Sa terre a ce tirant mastin.
 Sicomme le Luce en l'eaue gloute
Du piscon la menuse toute,
Qu'il presde luy verra noer,
Ensi ly riches ne laist goute
Des povres gens q'il pile et boute :

Mais c'est le pis de son mestier,
Comme plus se prent a devorer,   f. 38
Tant meinz se pourra saouler :   6260
Ce met le voisinage en doubte
Sicomme perdis de l'esperver,
Q'a luy soul n'osent resister,
Combien qu'ils soient une route.
 Mais je ne dy pas nequedent
Que Covoitise soulement
Es cuers des riches gens habite ;
Ainçois les cuers du povre gent
Assault et point asses sovent ;
Et combien qu'il ne leur profite,   6270
Voir s'il n'en gaignont une myte,
Le vice encore les endite,
Dont sont coupable en pensement
L'evesque ensi comme l'eremite :
Solonc que chascune appetite,
Dieus met leur cause en juggement.
 Ly povre covoitous n'areste
Ne son corps mesmes ne sa beste
Solonc les sains commandemens,
Qu'il ne labour au jour du feste,   6280
Si ce ne soit pour la tempeste
Que survient de l'orrible temps ;
Mais lors s'atourne d'autre sens
De faire ses bargaignemens,
A la taverne, u deshoneste
Sa vie meine en janglemens.
Vei la les nobles sacremens,
Dont envers dieu fait sa requeste !
 Du covoitise trop s'avile
Cil q'au marché du bonne vile   6290
Envoit a vendre son frument,
Et par deceipte puis s'affile,
Et vient y mesmes de sa guile
Pour l'achater tout proprement ;
Et plus en donne de l'argent
Que la commune de la gent
Vendont, et ensi se soubtile,
Qu'il la chierté monter sovent
Fait du marché ; si perdont cent
Par ce q'il soul le gaign enpile.   6300
 Du covoitise mal s'espleite

6262 lesperner (*for* lesperuer)   6295 endonne

Q'ad sa mesure trop estreite,
Soit pynte ou lot, dont il le vin
Vent en taverne par deceite:
Car de mesure contrefeite
Sovent se pleignont ly voisin,
Et sur trestous ly pelerin
S'en pleint, qui lass en son chemin
S'en vait et d'argent ad souffreite.
Mais dieus, qui voit le mal engin, 6310
Rent larges paines au parfin
A luy qui tant estroit coveite.

 Ly covoitous en son ayue
Ad cynk servans de retenue,
Des queux Chalenge est ly primer;
Soubtilité la desconue,
Que sa faulsine ne desnue
Est la seconde, et Perjurer,
Perest ly tierce, et puis Tricher
Ly quartz, et lors de son mestier 6320
Ingratitude s'esvertue
Du Covoitise acompaigner:
Qui tieus compaigns doit encontrer
Se poet doubter de leur venue.

 Pour fals chalenge sustenir
Ly fals plaintif y doit venir,
Qui fals tesmoign ove luy merra;
Si falt auci pour retenir
Fals advocat pour plee tenir,
Et fals notaire auci vendra, 6330
Qui competent salaire avra;
Fals assissour y coviendra;
Mais pour la cause au point finir
Chalenge de son orr dorra
Au jugge, et lors tout seur serra
Que tout ert fait a son plesir.

 Chalenge auci d'un autre endroit,
Ou soit a tort ou soit a droit,
Au povre gent de leur bargaign
Retient leur sold que paier doit; 6340
Combien qu'il nul defaute voit,
Encore pour le petit gaign
Ascune part retient ou main.
Mais d'une chose soit certain,
Comme Malechie le disoit,

Q'ensi chalenge son prochain
Dieu le chalenge a son derrain
Du male mort, qu'il luy envoit.
Au Fals chalenge un autre vice
Est adjousté de son office, 6350
Q'om nomme Fals occasioun;
C'est ly droit cousins d'Avarice,
Car pour guaigner le benefice
Legierement troeve enchesoun
Sovent sanz cause et sanz resoun
A deguerpir son compaignoun;
'Chascuns pour soy,' ce dist, 'chevise':
Pour mesmes recevoir le doun,
A l'autre en fra destourbeisoun:
Fols est qui tiel amy cherice. 6360

 Au Babiloine et a Chaldée,
Q'au tort le poeple ont chalengé,
Par Jeremie dieus manda,
Puisqu'ils sur gent de povreté
Ont leur chalenge compassé,
D'espeie il leur chalengera;
Dont ly plus fortz se tremblera,
Et ly plus sage ensotera,
Et le tresor q'ont amassé
Trestout l'espeie devora; 6370
Et ensi rechalengera
Le povre droit q'ont devoré.

 Soubtilité, qui vient apres,
Se tient du Covoitise pres
Comme s'amye et sa chamberere,
Par qui consail l'autry descres
Compasse, dont son propre encres
Pourra tenir, car a son piere
Ferroit tresget en sa maniere:
Car elle ad Guile a sa baniere, 6380
Qui de sa cause tout le fes
Enporte, sique par sa chiere
Quant est devant ne quant derere
Nuls s'aparçoit de luy jammes.

 Soubtilité dieus n'ayme mye,
Ainz la maldist par Isaïe;
Car la soubtile Covoitise
Ad toutdis en sa compaignie
Et Conjecture et Guilerie,

6308 Senpleint   6367 plusfortz   6368 plussage

Et si retient auci Queintise : 6390
Car l'evangile nous devise,
Que de la seculere aprise
Om truist plus quointes de boidie
Et plus soubtils d'une autre guise,
Qe ne sont cil q'ont tout assisse
L'alme en divine queinterie.
    L'areine au mer, ce dist Ambrose,
Quant voit que l'oistre se desclose,
Mette une pierre en la fendure,
Dont n'ad poair qu'il se reclose : 6400
Mais quant l'escale n'y est close,
Le piscon prent a l'overture
Et le devore en sa nature.
Ensi du False conjecture
Ly Covoitous son gaign dispose
Sur l'innocente creature,
Et le devoure a sa mesure,
Q'au paine y laist ascune chose.
    Perjurie, q'ad sa foy perdu,
Entre les autres s'est tenu 6410
Au Covoitise pour servir :
C'est cil qui n'ad cremour de dieu ;
Maisqu'il del orr soit retenu,
La conscience en fait fuïr ;
Car voir en fals sovent vertir,
Et fals en voir fait revertir.
C'est cil qui pour amy et dru
Falsine fait ove soy tenir ;
Que loialté ne poet venir,
Si l'autre soit avant venu. 6420
    Grant pecché fait qui se perjure,
Et ensi fait qui le procure ;
Car peiour est le perjurer
Que l'omicide en sa nature :
Car l'en verra par cas tiele hure
Q'un homme l'autre poet tuer,
Mais l'en ne porroit deviser
Perjurie de justefier
Par resoun ne par aventure :
Dont trop se poet espoenter 6430
Cil fals juror qui pour loer
Met si grant fait a nounchalure.
    Mais quoy dirrons du fals jurour,

Qui le saint corps son salveour
Fait desmembrer du pié en teste
Par grans sermens, dont chascun jour
Il s'acustumme sanz paour ?
Je dy, l'irresonnable beste
Valt plus de luy, soit cil ou ceste ;
Car qui q'ensi son dieu tempeste, 6440
C'est du filz dieu ly tourmentour,
Qui le flaielle et le moleste.
He, quelle cause deshonneste
Du creature au creatour !
    Qui par l'eglise jure et ment,
Trestout perjure proprement
Qanq'en eglise est contenu ;
Et qui le ciel et firmament
Perjure, lors trestout comprent
Les angles et le throne dieu : 6450
Dont Ysaïe en son hebreu,   f. 39
'Way,' dist, ' au fals jurour mestru
Q'ensi mesfait son serement.'
C'est un des vices plus cremu,
Q'expressement est defendu
Par le divin commandement.
    Mais ly perjurs doit bien savoir,
Qe par nulle art q'il sciet avoir
De sa parole ymaginée,
Dont par fallace a son espoir 6460
Quide a jurer et decevoir,
Ert du pecché plus escusée ;
Ainçois luy double le pecché,
Quant dieus en quide avoir guilé,
Qui tout survoit le fals et voir ;
Car c'est escript en le decré,
Solonc q'om charge le jurée
Il doit son charge recevoir.
    Quiconque met sa main au livre
A fals jurer pour marc ou livre, 6470
En ce qu'il tent sa main avant
A perjurer, tout se delivre
De dieu, a qui sa foy suslivre,
Comme cil qui jammais enavant
A luy quiert estre appartienant,
Et son hommage maintenant
Pour tout le temps qu'il ad a vivre

6394 plussoubtils   6414 enfait   6464 enquide

Au deable fait en son jurant,
Qui s'esjoÿt du covenant
Et en enfern le fait escrivre. 6480
    N'est pas resoun que l'en oublie
L'avisioun de Zacharie,
Q'en halt le ciel voler veoit
Un grant volum, dont il lors prie
Al angre quoy ce signefie ;
Qui dist que ce de dieu estoit
La maleiçon, que descendoit
A les maisons de ceaux toutdroit
Qui sont perjurs en ceste vie,
Et pardedeinz escript avoit 6490
Le juggement que leur portoit
Sentence d'escumengerie.
    Perjurie ad un soen compaignoun,
Qui naist du deable et ad a noun
Mençonge, qui jammais parla
Parole, si tresfalse noun ;
Dont vait a sa perdicioun,
Sicomme David prophetiza.
Par Malachie aussi cela
Dieux dist qu'il tieux accusera, 6500
Et leur malvois condicioun
A tesmoigner se hastera :
Ne say comment s'excusera
Q'attent tiele accusacioun.
    Ly quartz q'au Covoitise encline,
C'est Tricherie q'est terrine,
A qui Deceipte est attendant
Ove Falseté, q'est sa cousine.
Par leur consail, par leur covine
Ly covoitous vait compassant 6510
Comme soit les terres conquestant ;
Et d'autre part ly fals marchant
Par leur avis son gaign divine ;
L'un font de l'orr riche et manant,
Et l'autre de leur conspirant
Des terres mettont en seisine.
    Cil Tricherous au repaiage
De l'autry bien prent le tollage
Par fals acompte ou autrement ;
Et quant ad fait l'autri dammage, 6520
Guaigné le tient en son corage,

Come s'il l'ust trové franchement.
Mais cil qui triche l'autre gent
Doit bien savoir, au finement
Que ce n'ert pas son avantage ;
Car il se triche proprement
De tout le bien q'a l'alme appent,
Et ce tesmoigne bien ly sage.
    El viele loy lors fuist ensi,
Que cil q'ot triché vers l'autri 6530
Du quelque chose, il la rendroit
Entiere arere envers celluy
Qu'il ot triché, ovesque auci
La quinte plus que ce n'estoit,
Et puis offrende a dieu dorroit,
Du quoy son pecché rechatoit,
Sicomme la loy l'ot establi.
Mais ly Tricher q'est orendroit
Sur l'alme laist a faire droit,
Dont cent mil fois plus ert puny. 6540
    Encore Triche de son lyn
Ad sa cousine et son cousin
Tout presde luy pour consailler ;
Ce sont et Fraude et Malengin.
Bien fuist, s'ils fuissent en l'engin
Pour loign jetter en halte mer ;
Car ce sont qui jammais plener
Leur covenance font guarder
N'envers dieu n'envers leur voisin :
Ce sont cils qui de leur mestier 6550
Font nele ove le frument semer,
Dont decevont maint homme au fin.
    Ce sont q'ont double la balance
Et la mesure en decevance,
L'un meinz et l'autre trop comprent ;
Du meindre vendont au creance,
Du greindre par multipliance
Achatont de la povre gent :
Plus ont deservy jugement
Que lieres que l'en treine et pent. 6560
La bible en porte tesmoignance,
Dieus en la viele loy defent
Mesure et pois que doublement
Se fait a la commun nuisance.
    Entre les autres pour servir

6561 enporte

Au Tricherie vient Conspir,
La torte cause q'ymagine;
Et pour ce qu'il n'en doit faillir,
Confederacioun venir
Y fait, par qui le droit engine; 6570
Mais Champartie en leur covine
Se haste, et nuyt et jour ne fine,
De la busoigne au point finir.
Ce sont ly troy par qui falsine
Dame Equité vait en ruine,
Et tort se fait en halt tenir.

   U Tricherie vait, du pres
Vient Circumvencioun apres,
Ove son compaign q'ad noun Brocage:
Ce sont qui portont le grief fes 6580
Du Covoitise et tous les fetz
Parfont; car l'un en son corage
Primer coviette l'avantage,
Et l'autre en fait le procurage
Solonc qu'il voit venir l'encress;
Q'au paine ascuns serra si sage,
Qui n'ert deceu par leur menage,
S'ils par deux fois l'eiont confess.

   La voegle Ingratitude vient
Apres les autres, et se tient 6590
Ove Covoitise main au main :
C'est ly pecchés q'au cuer enprient
Oblivioun, dont riens sovient
D'onour, du bien, que son prochain
L'ad fait devant, ainz comme vilain
De chescun prent, mais en certain
A nul redonne et tout retient :
C'est cil q'est toutdis fieble et vain
A l'autry prou, mais fort et sain
Au propre bien prest se contient. 6600

   La foy, sicomme ly sages dist,
D'Ingratitude s'esvanist
Ensi comme glace se relente;
Car deinz brief temps trestout oublist
Le bien q'ainçois ascuns luy fist,
Q'au guerdonner ne se talente.
Fols est q'au tiel amy presente
Argent ou orr ou terre ou rente;
Car quant plus donner ne suffist,

Lors le deguerpe et destalente, 6610
Et au busoign plus que jumente
Irresonnable l'escondist.

   A l'omme ingrat, tu dois savoir,
Que trop perest ce nounsavoir,
Si tu tes biens trestous dorroies;
Car prest serra de recevoir,
Mais redonner de son avoir
Ja n'ert ce temps que tu le voies :
Et d'autre part, si toutes voies
Al homme ingrat servy avoies 6620
Mill auns a ton loyal pooir,
En un soul jour tout le perdroies;
Et quant meulx fait avoir quidoies,
Il te ferroit pis decevoir.

   Ingratitude des seignours
Du povre gent prent les labours,
Mais point n'aguarde leur merite
A guerdonner; car povre as courtz
Ne poet que faire ses clamours,
Mais ja pour tant denier ne myte 6630
N'en porte : auci la gent petite
Ingratitude leur excite
Au sire qui les fait honours,
Que sa bonté serra desdite;
Et moult sovent qui plus profite
As ticus, meinz ad de leur amours.

   Ingratitude est toutdis une
Q'au Covoitise se commune;
C'est cil q'au soir les biens du jour
Oublist et tout son propre adune, 6640
Car nulle chose en fait commune :
C'est cil qui porte sanz amour
Le cuer, car vers son creatour, f. 40
Qui l'ad donné sen et vigour,
N'en rent mercys ne grace aucune :
C'est cil a qui si tout honour
Ussetz donné, au chief de tour
Ne t'en redorroit une prune.

   En l'omme ingrat ja ne te fie;
Car s'il t'avoit sa foy plevie, 6650
Et dieu juret et tous les seintz
Q'il jammais jour de sa partie
Ne te faldroit, ainz sanz partie

6584 enfait

Te volt amer malade et seins,
Pour ce ne serres plus certeins ;
Car s'il te voit depuis constreins
Du poverte ou du maladie,
Ja plus ne luy serres procheins :
L'en poet bien dire as tieus vileins,
Poverte parte compaignie. 6660
 D'Ingratitude escript je truis
La cause dont serra perdus ;
Car l'omme ingrat est sanz pité,
En tant que s'il trovast al huiss
Son piere et miere ensi confus,
Q'au pain begant fuissont alé,
Et par meschief desherbergé,
Ja pour ce d'ospitalité
Ne serroiont par luy rescuz,
Ainçois serroiont refusé. 6670
Fils q'ensi laist son parentée,
C'est pecché qu'il doit vivre plus.
 L'ingrat q'ensi se desnature
Est pis que chiens en sa nature :
Car chien son seignour vif et mort
Aime et defent a sa mesure,
Mais l'omme ingrat a toi nulle hure
Amour ne loialté ne port ;
Pour ton baiser il te remort,
Fay droit a luy, il te fra tort, 6680
Pour t'onour il te deshonure :
C'est cil qui mal pour bien report,
Dont dieus pour son tresmalvois port
Le hiet, et toute creature.
 Pour ce que l'omme ingrat est tiel,
Il est nommé desnaturel,
Dont quanque dieu fist et crea,
En terre, en l'air, en mer, en ciel,
Le dampnont, car pis q'amer fiel
Le trove qui le goustera : 6690
Pour ce dieus le despisera,
Nature auci l'abhomera,
Et l'angre q'est espiritiel
Ove toute beste le harra,
Fors soul ly deable, a qui plerra,
Car deable en soy sont autretiel.
 Quant hors del arche el temps pieça

Noë le corbyn envoia
Sur tous les autres en message,
Desnaturel trop s'esprova, 6700
Q'a luy depuis ne retourna
Pour reconter de son rivage ;
Dont la domeste et la salvage
De toute beste en celle nage
Le corbin de ce fait dampna :
Mais plus me semble en son corage
Que l'omme ingrat se desparage,
Que l'oisel q'ensi s'en vola.
 A ce corbin pres toute gent
Sont resemblable au jour present ; 6710
Car chascun prent de son veisin
Quanq'il poet prendre aucunement
Du bien, d'onour, d'avancement ;
Mais puis s'om le demande au fin
Guerdoun, lors sicomme le corbin
S'esloigne, et de son malengin
S'escuse du guerdonnement ;
Et ensi le pomme enterin
Prent cil qui puis le soul pepin
A redonner se fait dolent. 6720
 Je croy, quant Antecrist vendra,
Plus des desciples ne merra,
Q'Ingratitude atant ou plus
Ove soy ne meyne ; et de cela
Verrai tesmoign me portera
L'experience en trestous lieus.
L'amour commun ore est perdus,
Si est l'amour novel conçuz,
Du Covoitise qui naistra :
Ne say queu part hucher les huiss, 6730
Ingratitude u je ne truis
Tout prest qui me respondera.
 Dame Covoitise en sa meson
Est la norrice du treson,
Que de sa mamelle allaiter
Le fait, et puis met environ
Des vices une legioun,
Que le devont acompaigner :
Peril y vient son escuier,
Qui toutdis fait ove soy mener 6740
Soudeigne chance et Mal renoun :
U tieux serront a consailer

Le prince, trop se poet doubter
La gent de celle regioun.
　La Covoitise n'ert soulaine,
Q'as tantes vices s'acompaine,
Que luy servont comme soldier;
Par leur emprise ensi bargaine,
Qe l'alme pert qant le corps gaine:
Pour ce dist dieus, que plus legier 6750
L'oill de l'aguile outrepasser
Poet ly chameals, q'en ciel entrer
La Covoitise q'est mondaine.
Que valt pour ce de covoiter
Le halt honour q'est seculer,
Dont puis en bass enfern l'en baigne?
　Du Covoitise ensi diffine
L'apostre, et dist q'elle est racine
De trestous mals plus nyce et veine.
Senec auci de sa doctrine 6760
Du pestilence et du morine
Dist la plus fiere et plus grieveine
C'est Covoitise, qui se peine
En labour, en dolour, en peine,
Fin quiert de ce que ja ne fine;
Car jammais jour de la semeine
Ne dist asses de son demeine,
Ainz comme plus ad, plus enfamine.
　Ly sages dist que saouler
Ne se pourront en covoiter 6770
Les oils, mais tout cela q'ils voiont
Voldront avoir par souhaider;
Dont molt sovent maint fol penser
Au cuer du covoitous envoiont.
Achab et Jesabel quidoiont,
Quant ils la vyne covoitoiont,
Par ce leur pourpos achiever
Que l'innocent Naboth tuoiont;
Mais as tous autres essamploiont
Comme tiel pourchas fait a doubter. 6780
　Auci Joram filz Josapha
Des mals essamples essampla,
Quant il du fole Covoitise
Ses propres freres sept tua
Pour les Cités queux leur donna

Leur piere, dont la manantise
Voloit avoir; mais sa juise
Par lettre Helie le devise,
Disant q'a male mort morra.
Si morust puis du tiele assisse, 6790
Que sa boële en orde guise
Parmy le ventre se cola.
　La noctua de nuyt oscure
Voit clierement de sa nature
Quiconque chose que ce soit,
Mais au clier jour sa regardure
N'est pas si cliere ne si pure:
Dont saint Ambrose resembloit
Le Covoitous au tiel endroit;
Car clierement du siecle voit 6800
Les temporals en chascune hure,
Mais dieu, q'est la lumere au droit,
Dont l'alme d'omme enrichir doit,
L'oill fault a regarder dessure.
　Crisostomus ce vait disant,
Qe l'oill qui sont deinz soy pesant
Voiont le meulx en tenebrour.
Senec auci s'en vait parlant,
Si dist que l'oill acustumant
A les tenebres, du clier jour 6810
Mirer ne pourront la luour.
Tieux sont ly oill du Covoitour,
Q'es biens oscurs vont regardant
De la richesse et vain honour,
Mais poy sont qui du fin amour
Les biens verrais sont covoitant.
　Par tieus enseignes dois savoir
Que Covoitise soul d'avoir
Tous mals apporte en son office;
Car sens perverte en nounsavoir, 6820
Et verité verte en nounvoir,
Et d'equité fait injustice,
Si rent malgré pour benefice,
Et la bonté tourne en malice
Et bienvuillance en malvoloir;
Trestous vertus destourne en vice
En luy qui covoitise entice;
C'est le parfit de son devoir.

6762 plusfiere et plusgrieueine

La seconde file d'Avarice, la quele ad a noun Ravyne.

La file q'est en ceste line
Seconde est appellé Ravyne, 6830
Que vivre fait des biens d'autry.
Sicomme le coufle en sa famine
Tolt les pulsins de la gelline, f. 41
Et les transporte envers son ny,
Si font trestout ly soen norry :
Car n'est qui propre presde luy
Pourra tenir, dont la saisine
Ne voet avoir de chascuny ;
N'ad cure qui soit enmaigri,
Mais q'elle ait crasse la peitrine. 6840
Par le prophete truis escript,
Qe comme leon, quant il rougit,
Tressalt pour sa ravine faire,
Et meintenant sa proie occit,
Encore du plus fier habit
Ly Raviner fait son affaire.
Si est sa violence maire,
Car l'un nature fait attraire,
Et l'autre contre resoun vit ;
L'un prent asses et lors retraire 6850
S'en fait, mais l'autre par contraire
Toutdis retient son appetit.
Ly Tigres, qant sa proie quiert,
Si point ne trove qu'il requiert,
Sicomme saint Job le tesmoigna,
Tantost de sa nature piert ;
Et ensi sovent le compiert
Cil q'autry bien ravinera.
Car Salomon nous dist cela,
Tieux est qui l'autry proiera 6860
Ne ja pour ce plus riches iert,
Ainz au meschief plus en serra ;
Car quant sa proie luy faldra,
Lors du vengance dieus le fiert.
'Way toy,' ce disoit Ysaïe,
'Qui fais ta proie en felonye ;
Car quant serres au proier lass,
Lors serres proie au deablerie :'
Tout autrecy dist Jeremie.
Pour ce t'avise que tu fras, 6870

Car quant tu vieve proieras
Et l'orphanin destruieras,
Combien que dieus en ceste vie
Ne se revenge, seur serras,
Quant tu ta vie fineras,
Way t'en serra sanz departie.
En Baruch truis, de tiele gent
Dieus molt espoentablement
Par l'angre dist, ' Esta, esta,
Sanz retourner du vengement. 6880
Houstes leur orr, houstes l'argent,
Car dissipat trestout serra
Ce q'ont d'autry proiés pieça :
N'ert membre qui sufficera,
Tant serront fieble du tourment,
Et leur visage ennercira
Comme pot d'esteign, que l'en verra
Neircir de les carbouns sovent.'
Au Raviner de sa semblance
Ly fresnes porte resemblance, 6890
Car soutz l'ombrage q'est fresine
N'est plante n'erbe que crescance
Avoir porra, mais descrescance ;
Trop est la fresne malveisine.
Ensi fait l'omme de ravine,
Ne laist jardin ne champ ne vine,
Dont il ne fait sa pourvoiance,
Ne laist ne riche ne beguyne,
Qu'il tout ne pile a sa covine ;
Si vit de l'autry sustienance. 6900
Ravine fait le fals sergant
De l'autry biens fals acomptant ;
Ravine fait qui chose emblé
Achat quant il en est sachant ;
Ravyne fait qui receyvant
Larroun herberge acoustummé ;
Ravyne fait q'en sa contrée
Les povres gens ad manacée,
Dont vont truage a luy rendant ;
Ravyne fait que le soldée 6910
Detient, quant homme ad labouré ;
Ravyne auci font ly tirant.
Ravyne font l'executour,
Qui sont fals et persecutour

6845 plusfier   6861 plusriches   6862 enserra   6904 enest

As queux serroiont amiable:
Mais uns clercs dist que lour amour
Resemble au chien, qui nuyt et jour
Al huiss fait garder de l'estable
Les chivals queux ly sire estable;
Mais si morine les destable, 6920
Lors est ly guardein devorour,
Que plus ne leur est defensable,
Ains prent q'au soy voit profitable,
Le crass ove tout la char de lour.

Ravyne tient de s'alliance
Trois autres plain du malfesance,
Dont Robberie en son mestier
Est de sa primere aquointance;
Larcine auci du retienance
Y vient pour l'autre acompaigner; 6930
Ly tierce que j'oï nommer,
C'est Sacrilege l'adverser,
Qui sainte eglise desavance:
Cil q'ad ces trois se poet vanter,
N'est qui les poet ensi danter,
Dont ne ferront leur pourvoiance.

Du Robberie ove son compas
Ly Marchant ne se loent pas,
Car ils en sentent le dammage:
Qant quidont passer au mal pas, 6940
De leur argent et de leur dras
Il leur despuille en son oultrage:
C'est cil q'aprent au voisinage
Parler ce dolourous language,
Que leur fait dire, 'Herrow, helas!'
Pour ce n'est autre qui plus sage
Ravine tient, dont en message
L'envoit a faire son pourchas.

Sovent om voit les mains liez,
Sovent les coffres debrisez, 6950
U se governe Robberie:
Pour meulx venir a ses marchées
Des hostelliers en les Cités
Sovente fois fait son espie.
Mal fait le droit du marchandie
Qui tout acat et paie mye,
Mais plus encore est malsenés
Qui pour mes biens m'encordie et lie:

Quant autrement ne m'en mercie,
Ly deables l'en doit savoir grés. 6960
U Robberie fait son tour,
Dame Avarice est en destour,
Quant l'autre commence a sercher
Deinz son hostell par tout entour;
Mais au darrein, quant vient au tour
U sont ly cofre d'orr plener,
Lors ne fait pas a demander,
Quant Avarice voit piler
Ses biens en un moment de jour,
Q'avant Cent auns ad fait garder, 6970
S'il ait dolour deinz son penser,
Qe deables n'ot unques maiour.

Mais au darrein n'ert pas segur
Ly Robbeour q'enclos du mur
Deinz la Gaiole gist en ferrs;
Et plus luy ert encore dur,
Quant entre d'eux font lour conjur
Ly coll et hart, dont au travers
Pent au Gibet et pale et pers.
Lors rent ses debtes tout apers, 6980
Qu'il jadis tollist en oscur,
Pour ce ly fals larrouns culvers
Au temps present serroit convers
Pour doubte du mal temps futur.

C'est ly pecchés q'en Exody
Au poeple dieus le defendi;
C'est ly pecchés quel reprovoit
En son psalter le Roy Davy;
C'est auci ly pecchés sur qui
Confusion se tient toutdroit, 6990
Comme Salomon le nous disoit:
Et s'aucun parcener en soit,
De l'alme ad les vertus haÿ,
Dont cil qui tous biens desrobboit
El temps Adam, piler le doit
Du mort soudaine sanz mercy.

Que Robberie est digne a pendre
Dedeinz la bible om poet aprendre:
L'essample Achar nous est donnée,
Dont nous devons aprise prendre, 7000
Au Jericho quant par mesprendre
Le mantell rouge avoit emblée

6939 ensentont   6946 plussage   6992 ensoit

Et une reule d'orr forgée :
Mais quant ce savoit Josué,
Tout luy faisoit la chose rendre,
Et puis l'occit en son pecché ;
Car dieus ensi l'ot commandé,
Dont nulle loy le pot defendre.
 L'ostour, q'est un oisel du proie,
Bat ses pulsins et cacche en voie   7010
Hors de son ny, ne plus avant
Ne leur voet paistre aucune voie,
Si que leur falt au force proie
Ravir ensi comme fist devant
Leur piere, et ce nous vait disant
Ambroise ; et ensi son enfant
Ly malvois piere enhorte et proie
Qu'il soit a ravine entendant ;
Dont vait la povre gent pilant
Et du vitaille et du monoie.   7020
 Larcine n'est pas tant apert
Comme Robberie, ainz plus covert
Fait son agait, quant ce poet estre ;
Et nepourquant tant est culvert,
Que quant ne truist les huiss overt, **f. 42**
Lors entre amont par la fenestre,
Quant sciet q'absent y est ly mestre,
Ne ly servant serront en l'estre :
Tout ce qu'il trove au descovert
Prent en celée sanz noise acrestre ; 7030
Ensi se fait vestir et pestre,
Dont l'autre sa richesse pert.
 Larcine es foires et marchées
S'embat enmy les assemblées
Les riches bources pour copier
Et les culteals a les costées ;
N'en chalt a qui ils ont custées,
Quant n'est qui l'en vient a culper.
Et nepourquant grant encombrer
Sovent eschiet de son mestier,   7040
Dont est des maintes gens huez,
Si q'au final pour l'amender
Laist ses orailles enguager,
Que puis ne serront desguagez.
 Larcine auci par autre guise,
Quant doit servir, son fait desguise
Au sire du qui la maisoun

Governera ; car lors sa prise
Diversement est de reprise,
Puis qu'il ad tout a sa bandon :   7050
Des toutes partz prent environ
Et au garite et au dongon,
Ne laist braiel ne laist chemise,
Neis la value d'un tison,
Dont il ne prent sa partison,
Puisqu'il la main ait a ce mise.
 Office soutz la main du liere
Sicomme chandelle en la maniere
Du poy en poy gaste et degoute ;
Car il sa main viscouse emblere   7060
Ja ne la poet tenir arere,
Ainçois par tout u q'il la boute
Luy fault piler ou grain ou goute
Tout en celée, que point ne doute
D'acompte, si nuls le surquiere,
Ne de ce qu'il sa foy ad route :
Qui tieux servans tient de sa route,
Poverte n'est pas loign derere.
 Soubtilement de son mestier
Larcine se sciet excuser ;   7070
Car si n'en soit atteint au fait,
Ja nuls le savra tant culper,
Q'ainçois se lerra perjurer
Que regehir ce q'ad mesfait :
Et s'om l'atteint de son forsfait,
Lors ses cauteles contrefait,
Que merveille est de l'escoulter,
Pour soy guarir, plus que ne fait
Ly goupils qui fuiant s'en vait
Devant les chiens pour soy garder. 7080
 Rachel se mist en jupartie
De son honour et de sa vie,
Quant de Laban en tiele guise
Avoec Jacob s'estoit fuié,
Et par Larcine avoit saisie
Les dieus son piere ; u la juise
Ot deservy, mais par queintise
Que femmes scievont de feintise
Ensi covry sa felonnie,
Q'atteinte n'en estoit ne prise ;   7090
Du quoy la culpe fuist remise,
Dont elle avoit mort deservie.

La statue d'Appollinis
Au Rome estoit par tieu devis
Fait deinz le temple antiquement ;
D'un fin drap d'orr mantell du pris
Avoit vestu, et en son vis
Grant barbe d'orr ot ensement,
Le destre bras portoit extent
L'anel ou doi moult richement ; 7100
Mais par Larcine un Dyonis
Tout luy despuilla plainement.
Mais ore oietz comme faitement
Il s'escusa, quant il fuist pris.
 Quant l'emperour luy demanda
Pour quoy le mantell d'or embla,
'Seignour,' ce dist, 'par vostre grée
J'en vous dirray comment il sta.
L'orr en soy deux natures a ;
Il est pesant, dont en estée 7110
N'affiert que dieus l'ait affoublée,
Froid est auci, du quoy ly diée
El temps d'yvern refroidera :
Pour ce le mantell l'ay houstée ;
Car s'il l'ot guaire plus portée,
Il le poet faire trop de mal.
 Auci, seignour, vous plest entendre
Ce que je fis del anel prendre :
Certainement il le m'offry,
Car je le vi sa main estendre, 7120
Et je n'osay le dieu offendre,
Ainz en bon gré resceu de luy
Le doun en disant grant mercy :
La barbe d'orr je pris auci,
Nounpas que je le pensay vendre,
Mais pour ce que son piere vi
Sanz barbe, dont vouldray celuy
Resembler a son propre gendre.'
 Fuist il soubtils cil q'a l'empire
Sceust s'excusacioun confire 7130
De tieu response colourée ?
Certes oïl ; et pour descrire
Le temps present, qui bien remire,
Hom voit pluseurs en tiel degré
Pilant, robbant leur veisinée,
Et ont leur cause compassé,

Qu'il semble al oill que doit suffire :
Mais l'en dist, qui quiert escorchée
Le pell du chat, dont soit furrée,
Luy fault aucune chose dire. 7140
 Mais Sacrilege d'autre voie
Du sainte eglise prent sa proie,
Ou soit chalice ou vestement
Ou les offrendes de monoie :
Si dieus tiel homme ne benoie,
N'est pas mervaille, qant d'argent
Ou d'yvor celle buiste prent
U est repost le sacrement.
He, fol cristin, come il forsvoie
Q'ensi despuille proprement 7150
Son dieu, et quant dieus est present,
Ne quide pas que dieus le voie !
 Dieus des tous ceux fait sa querelle,
Du sacrilege et les appelle,
S'ils n'en font restitucioun,
Ly quelque soit, ou cil ou celle,
Q'au tort detient, emble ou concele
Ses dismes duez de resoun,
Ou tolt les biens de sa mesoun,
Soit chose sacre ou sacre noun. 7160
Mais sacre chose, u que soit elle,
Quiconque en fait mesprisioun,
Du sacrilege il est feloun,
Comme s'il tolsist de la chapelle.
 Trop est cil malfeloun deceu
Q'ensi desrobbe maison dieu,
Et de ses biens fait le descres,
Par qui tout bien sont avenu :
Moult poy redoubte sa vertu
Qui sa maison ne laist en pes ; 7170
Car certes il se prent trop pres,
Q'au mesmes dieu ne fait reles,
Cil soldoier de Belsabu :
Mais il verra tieu jour apres,
Quant veuldroit bien q'au double encres
Ust restoré ce q'ad tollu.
 Des les vengances qui lirroit
Dedeins la bible, il trouveroit
Que dieus moult trescruelement

7123 endisant   7162 enfait

De sacrilege se vengoit. 7180
Nabuzardan l'un d'aux estoit
De qui dieus prist le vengement;
Roy Baltazar tout ensement,
Qant but de saint vessellement
Et en ce se glorifioit,
Lors apparust soudainement
La main q'escript son juggement
Devant la table u qu'il seoit.
 En Babyloyne la Citée
Fuist la vengance nounciée 7190
Que dieus a les malvois ferra
Q'ont son saint temple violé,
Solonc q'estoit prophetizé
Par Jeremie : et ce serra
En bass enfern ; car par cella
Q'om Babyloine nommera,
La Cit d'enfern est figurée ;
U Sacrilege demorra
Ove l'angre qui se desacra,
Sique jammais n'ert resacré. 7200
 Mais d'autre voie manifeste
Son sacrilege, qui la feste
Des saintz ne guart q'est dediez,
Ainçois labourt, dont il adqueste
Proufit et gaign du bien terreste
Es jours qui sont saintefiez
A dieu et privilegiez,
Sicomme tesmoigne ly decrez.
La bible auci de vielle geste
Que rien soit vendu n'achatez 7210
Defent es festes celebrez,
Ainz en repos soit homme et beste.

Ore dirra de la tierce file d'Avarice, la quelle ad noun Usure.

 La tierce file ad noun Usure,
Dont Avarice trop s'assure,
Si maint entour la riche gent, **f. 43**
Et sur les povres sans mesure
Et sanz mercy par mesprisure
Son gaign pourchace ; car l'argent
Q'aprester doit al indigent
Sans surcrois au repaiement, 7220
Jammais appreste, ainz a toute hure

Son gaign trete au commencement ;
Car poy luy chault au finement,
Maisqu'il en rit, si l'autre plure.
 Ses brocours et ses procuriers
Retient ove luy comme soldoiers
Cil Usurer deinz la Cité,
Qui vont serchans les chivaliers,
Les vavasours et l'escuiers :
Qant ont leur terres enguagé 7230
Et vienont par necessité
D'apromter, lors ly maluré
Les font mener as usurers,
Et tantost serra compassé
Ce q'est de novel appellé
La chevisance des deniers.
 Comme cil qui chat achatera
El sac, ainçois que le verra,
Ensi vait de la chevisance :
Car qui deniers apromptera 7240
Fault achater, mais ce serra
Sanz veue, noun sanz repentance ;
Et lors fault faire sa fiance
Du paiement, et par semblance
Puis doit revendre q'achata
Au meindre pris. He, queu balance,
Q'ensi le creançour avance
Et le dettour destruiera !
 El viel et novel testament
Usure mesmes dieux defent : 7250
Lors est soubtil a mon avis
Cil burgois, qui si faitement
Savra par son compassement
D'usure colourer le vis,
Et la vestir par tieu devis,
Sique les autres de paiis
Ne la savront aucunement
Conoistre, ainz qu'ils en soient pris ;
Dont lour covient au double pris
Achater son aquointement. 7260
 Du charité ne vient ce mye,
Q'Usure ad toutdis son espie
Sur ceux qui vuillont aprompter :
Car comme plus ont mestier d'aïe,
Tant plus s'estrange en sa partie,

7181 aux *in ras*   7224 enrit   7258 ensoient

Pour plus attraire en son danger
Ceux que luy vuillont aquointer :
Mais ja se sciet nuls tant quointer,
Q'ainçois q'il viegne au departie
Qe de son fait se doit loer ; 7270
Ainz qui plus quiert d'acompaigner
Plus perdra de sa compaignie.
  En les Cités ad une usage,
Qui prent long jour de son paiage
Sa perte verra plus prochein :
Comme plus le debte monte en age,
De tant plus monte en halt estage
Le pris de ce dont fait bargein.
Que ceste chose est tout certein
Scievont tresbien ly chambrelein, 7280
Dont ly seignour ont grant dammage ;
Pour cynk acate et paie ou mein
Pour sisz, si paiez au demein,
Car c'est d'usure l'avantage.
  'Vien,' dist Usure, 'a ton plaisir,
Si te repose en mon papir,
Q'ert de ma propre main escrit.'
Mais je dy, si te fais tenir
En tieu repos, ne poes faillir
Q'au fin serras lass et sougit. 7290
Sicomme ly champs d'un grein petit
Sc multeplie a grant proufit
Et fait ton large grange emplir,
Ensi la somme q'est confit
El papir croist, mais d'autre plit
Ta bource vuide a son partir.
  Trop vait d'usure soubtilant
Q'est mesmes d'usure apromptant,
Quant voit q'il poet par aventure
La soumme apprester plus avant, 7300
Pour plus gaigner q'il pardevant
N'en perdist au primere usure.
Cil q'ensi doublement usure
Et fait le vice ou le procure,
Au deables est le droit marchant ;
Dont en la Cité q'est oscure
Pour gaign q'il prent a present hure
Prendra le gaign del fieu ardant.
  Soubtilité ne Faux compas

Ove Malengin ne fauldront pas 7310
Al usurer, qu'ils leur aïe
Ne luy ferront a son pourchas,
Dont gaignera les six pour aas
Des busoignous q'attrappe et lie.
Mais par Osee en prophecie
De la marchande tricherie
Dieux se complaint, que par fallas
L'en fait usure en ceste vie ;
Mais pour le tresor de Pavie
N'estoet a morir en ce cas. 7320
  En les Cités noun soulement,
Ainz d'autre part forainement
Usure maint en les contrés,
Et vent a Noel son frument,
Mais pour ce que sa paie attent
Jusques a Pasques, ert doublez
Le pris d'icell. He, queu marchiés !
Ce q'om achat en les marchiés
Pour quatre souldz communement,
Usure a ses accoustummez 7330
Pour six souldz par les chiminez
En attendant sa paie vent.
  Les riches gens Usure endite,
Quant a la gent povre et petite,
Q'a labourer covient pour lour,
Devant la main pour une myte
Q'om leur appreste, et poy proufite,
Vuillont ravoir un autre jour
Deux tant ou plus de lour labour :
L'usure d'un tiel creançour 7340
De la commune est trop despite,
Et dieus ascoulte a leur clamour ;
Si q'en la terre est en haour,
Et en le ciel auci despite.

Ore dirra de la quarte file d'Avarice, la quelle ad noun Simonie.

  La file quarte et averouse
Elle est clergesse covoitouse,
Quelle est appellé Simonie,
Du faculté trop enginouse ;
Car tant du siecle est curiouse,
Qe tout corrumpe sa clergie. 7350

7275 plusprochein   7300 plusauant

Ne lerrai maisque je le die,
Cil clers a qui celle est amie
Trop est sa vie perillouse ;
Car qui bien sciet et ne fait mie,
L'escole de philosophie
Est a son fait contrariouse.
　Du Simonie ay tant oÿ,
Om puet tout temps de l'an parmy
Trover les foires au plener
Au Court de Rome, et qui vient y, 7360
Maisqu'il soit fort del orr garny,
Faillir ne puet de marchander.
Pluralités y puet trouver,
Et les prebendes achater,
Et dispensacions auci,
Pardoun et indulgence entier :
Si bien sa bource puet parler,
Que l'eveschiés irront ove luy.
　Simon demeine grans desrois
Entre les clers es Courtz des Rois,
Que plus ne scievont que nature : 7371
Car de Canoun ne d'autres lois
N'entendont latin ne gregois,
Pour construer sainte escripture ;
Mais de la temporiele cure
Scievont malice sanz mesure,
A donner un consail malvois :
Et nepourquant ensi procure
Les lettres cil q'est sanz lettrure,
Qu'il est eslit au plus hault dois. 7380
　Ore est ensi, chescuns le voit,
La penne plus de bien envoit,
Et plus enclinont a ses partz
Ly seignour pour luy faire esploit,
Q'au meillour clerc, qui sciet au droit
Respondre a ses divines pars.
Ore est auci que tes sept marcs
Plus t'aideront que les sept ars,
Car nostre Court ainsi pourvoit :
Si largement ton orr depars, 7390
Ainz ers Evesque, tu Renars,
Qe l'aignel q'est de dieu benoit.
　Jerom, Tulles, et Aristote
Se pourront juer au pelote

Dehors la porte en nostre Court,
Combien que leur science flote,
Quant Simon n'est en lour conflote.
Du remenant chascuns tient court,
Mais celle part u Simon court
Chascuns la main tendue acourt, 7400
Si luy criont a haulte note
'Bien viene cil qui nous honourt !'
Car quant la bource bien labourt,
D'un tiel clergoun no Court assote.
　Pour ce l'escole du clergie　f. 44
En nostre Court n'est pas cherie,
Q'elle est si povre et donne nient ;
Car la duesse Simonie
A nully porte compaignie
Forsq'au gent riche, et la se tient. 7410
Du nostre Court qui bien souvient
Bien puet savoir u ce devient,
Q'argent ainz que philosophie
Monte en estat, q'au peine avient,
Qant Simon ove son or survient,
Poverte avoir la prelacie.
　Ore fault au clerc roial support ;
Ore falt servir et q'il se port
Plain de losenge en tout office ;
Ore falt argent ; car a no port 7420
Q'ad nul des trois nul bien report,
Ainz vuide irra sanz benefice.
Mais quant la file d'Avarice
Est en la Court mediatrice,
C'est Simonie ove son recort,
Du Court subverte la justice,
Et de ses douns loy fait si nyce,
Qe tout obeie a son acort.
　En l'evangile truis lisant
Qe le vendant et l'achatant 7430
De seculere marchandise,
Q'el temple furont bargaignant,
Dieus en chaça. Du maintenant
Quoy dirrons lors, qui sainte eglise
Acat ou vent par covoitise ?
Je croy pour compter la reprise
Poy gaigneront itiel marchant,
Qant dieus a jour de grant Juise

Leur prive et houste sa franchise
Et mette en paine plus avant. 7440
  Jehans q'escript l'apocalis
D'un angel ad la vois oïs,
Que dist, 'Levetz et mesuretz
Le temple ove tout l'autier assis.'
Au temps present, ce m'est avis,
L'en fait ensi, car des tous lées
Est sainte eglise mesurées,
Combien vaillent les Eveschées ;
Car solonc ce qu'ils sont de pris
L'espiritales dignetés 7450
Serront poisez et bargaignez,
C'est la coustume en noz paiis.
  Ezechiel du tiele voie
Dist, cil q'acat n'en avra joye.
Sur ce dist Ysaïe auci
Qe sicomme l'acatant forsvoie,
Ensi ly vendant se desvoie,
Et l'un et l'autre en sont laidi.
Essample avons de Giesy,
Quant il le doun de dieu vendy 7460
A Naaman, qui se rejoye
Du lepre dont il fuist guari :
Le mal sur l'autre reverti
Pour vengement de la monoie.
  Ensi, quant om ordre benoit
Ou sacrement d'ascun endroit
Acat ou vent de no creance,
De Symonie il se forsvoit ;
Car ce que franchement donnoit
Dieus au primere commençance, 7470
Ne doit om mettre en la balance
Comme terriene soustienance.
Mais Simonie atant deçoit
Les clers, q'ils tout en oubliance
Mettont et bible et concordance,
Qe nuls forsq'a son gaign ne voit.
  Du viele loy fuist commandé,
Qe ce q'au dieu fuist consecré
Ne duist om vendre n'achater :
Mais quoique parlont ly decrée, 7480
Simon du penne q'ad dorrée,
Quoy par donner, quoy par gloser,

Le tistre en sciet si bien gloser,
N'est un qui le puet desgloser,
Tanqu'il la lettre ait si glosée,
Que pour Simon ly despenser
La Court est preste a despenser
Quanq'il desire en son pensée.
  **De la quinte file d'Avarice, la
  quele ad noun Escharceté.**
La quinte file, soer germeine
A celles q'Avarice meine, 7490
Son noun est dit Escharceté :
De son office elle est gardeine
Et tout reserve a son demeine,
Et pain et chars et vin et blée.
Sa Miere ensi l'ad commandé,
Et oultre ce luy ad baillé
Tout son tresor, mais a grant peine
Le guart, sique sa largeté
N'a dieu n'a homme en nul degré
N'en fait un jour de la semeine. 7500
  A ceux qui luy devont servir
Sovent sermone ove grant suspir
Disant comment, quant et pour quoy
Et u leur covient abstenir ;
Sique largesce maintenir
Ou en apert ou en recoy
N'osent, ainz se tenont tout coy :
Car tant comme plus il ait du quoy,
Tant plus s'afforce d'esparnir ;
Que certes fermement je croy, 7510
Cil q'est privé de son secroy
Puet de suffraite asses oïr.
  L'eschars enfrons estroit enhorte
Celuy qui doit garder sa porte,
Q'il povre gent n'y laist entrer,
Ne leur message waret reporte
Au paneter, qu'il leur apporte
Du pain pour leur faym estancher:
Ou autrement il fait lier,
Que nul mendif y doit passer, 7520
Un grant mastin, q'a nul desporte :
Pour ce du chien fait son portier,
Qe s'aucuns povre vient crier,
De sa maisoun nul bien ne porte.

7440 plusauant   7454 qatat (?)   7458 ensont   3 ensciet   7507 tenoit

Du leon et de loup la vie
C'est a manger sanz compaignie,
Comme dist Senec ; mais nepourqant
L'enfrons eschars au mangerie
Ne quiert avoir amy n'amye,
Ainz tout solein s'en vait mangant ; 7530
Et de s'escharceté menant
Les grans tresors vait amassant,
Nonpas pour soy, car sa partie
N'en ose prendre a son vivant,
Dont un estrange despendant
Apres sa mort tout l'esparplie.
   L'enfrons eschars, voir a son piere,
Ad cuer plus dur que nulle piere
Sanz faire aucune bienfesance ;
Car nous lisons que la Rochiere   7540
Au gent hebreu, qui dieus ot chiere,
Donna del eaue sufficance
El grant desert ; mais habondance
Combien qu'il ait, du bienvuillance
Vilains enfrons, si nuls le quiere,
A nul jour dorra la pitance :
Tieu boteler ja dieus n'avance,
Ainz soif ardante le surquiere.
   Je lis auci deinz le psaltier
Q'om puet du pierre mel sucher,   7550
Et oille de la roche dure :
C'est forte chose a controver ;
Plus fort encore est a trouver
Bonté, largesce ne mesure
En l'omme eschars, car de nature
Nul bien ferra, ainz d'aventure
Ce vient, s'il unques proufiter
Veuldra vers une creature ;
Et quant le fait en aucune hure,
Au miracle om le puet noter.   7560
   C'est cil q'au povre gent desdit
Le pain, dont Salomon escrit
La Cité se grondilera :
C'est ly berbis qui sanz proufit
De soy as aultres son habit
Du bonne layne portera.
Escharcement qui semera,
Escharcement puis siera,

Solonc ce que l'apostre dit :
Drois est q'as povres poy dorra,   7570
Qu'il poy pour ce resceivera
De cel avoir q'est infinit.
   Pour ce que sanz misericorde
Escharceté son cuer encorde,
Q'as povres gens ne se desplie,
Et qu'il d'almoisne ne recorde,
Ainçois a charité descorde
Et tout as propres oeps applie,
Puis qant la mort luy est complie,
Et l'alme pour mercy supplie,   7580
A son clamour dieus ne s'acorde :
Car cuer qui du pité ne plie,
Dieus a l'encontre ensi replie,
Et lie a mesme celle corde.

   Ore dirra la descripcioun de
   Avarice par especial.
   O Avarice la mondeine,
Qe ja n'es de richesce pleine,
Tu es d'enfern ly droit pertus ;
Car qanque enfern tient en demeine
N'est uns qui jammais le remeine,
Ainz ert illeoc sanz fin reclus ;   7590
Ensi sont tout ly bien perclus
Q'en ton tresor retiens enclus,
Q'a ton prochein n'a ta procheine, **f. 45**
Qui vont du poverte esperduz,
N'en partes, dont au fin perduz
Serras de l'infernale peine.
   A l'averous desresonnal
Riens est qui soit celestial,
Ce dist ly sage, ainz tout s'applie
Au siecle, et d'ice mondial   7600
Dedeinz la goule cordial
N'iert unques plain en ceste vie.
Cil q'ad le mal d'idropesie,
Comme plus se prent a beverie,
Tant plus du soif desnatural
Ensecche ; et tiele maladie
Ad l'averous de sa partie,
Comme plus ad, meinz est liberal.
   Ce dist l'apostre, q'avarice
Est des ydoles le service.   7610

7538 plusdur   7553 Plusfort

Amon, pour ce q'ensi servist,
De la cruele dieu justice
Deinz sa maisoun pour s'injustice
Des ses gens propres uns l'occist :
Dont dieus par Jeremie dist,
' Pour l'avarice en quelle il gist
Je suy irrez, et pour le vice
Je l'ay feru, dont il languist.'
He qant dieus fiert, qui le garist ?
N'est qui, si dieus ne l'en garisse. 7620
   Dame Avarice est dite auci
Semblable au paine Tantali,
Q'est deinz un flum d'enfern estant
Jusq'au menton tout assorbi,
Et pardessur le chief de luy
Jusq'as narils le vait pendant
Le fruit des pommes suef flairant ;
Mais d'un ou d'autre n'est gustant,
Dont soit du faym ou soif gary,
Les queux tous jours vait endurant. 7630
Dont m'est avis en covoitant
Del averous il est ensi.
   Le philosophre al averous
Ce dist, qu'il est malvois a tous
Et a soy mesmes plus peiour,
C'est cil q'est riche et souffreitous,
Du propre et auci busoignous,
Comme s'il du rien fuist possessour :
Dont en parlant de tiel errour
Dist Marcials que jammais jour 7640
Tant comme vivra n'a soy n'a vous
Proufitera d'aucun bon tour ;
Ainz est d'aquester en dolour
De ce dont jammais ert joious.
   L'en dist, mais c'est inproprement,
Qe l'averous ad grant argent ;
Mais voir est que l'argent luy a :
En servitude ensi le prent,
Sique par resoun nulle aprent
Pour son prou faire de cela ; 7650
Mais comme cil qui s'enfievrera
N'ad pas la fievre, ainz fievere l'a
Soubgit, malade et pacient,
Qu'il n'ad savour dont goustera,

Ensi cil q'averous esta
Sert a son orr semblablement.
   Dame Avarice celle escole
Tient, u sempres chascun s'escole
Et entre y pour estudier,
Nounpas d'aprendre a la citole, 7660
Ainz est que chascun soul ou sole
A soy pourra l'orr amasser.
Trois pointz aprent, dont ly primer
C'est ardantment a covoiter,
Et puis du main dont bien ne vole
Escharcement les biens user,
Et puis estroitement guarder
L'orr q'il detient comme en gaiole.
   L'omme averous ensi se riche,
Tant comme plus ad, plus en est chiche :
Mais au darrein, sicomme perdis 7671
Q'es champs a sa veisine triche,
Se puet tenir pour fol et niche ;
Car quant meulx quide a son avis
De son avoir estre saisis,
Soudainement serra suspris
Du mort, qui les riches desriche ;
Dont Jeremie quant je lis,
Savoir pourray q'a son devis
Fols est q'en tiel avoir se fiche. 7680
   Des quatre pointz Bede en parlant
Vait avarice moult blamant :
L'un est q'il tolt des gens la foy ;
L'autre est q'amour fait descordant ;
Du tierce il est descharitant ;
Ly quarte tient tous mals en soy,
En ce q'a dieu deinz son recoy
Graces ne rent, s'il n'ait pour quoy
De la peccune survenant ;
Car autrement se tient tout coy 7690
Sanz dieu conoistre ne sa loy :
C'est un pecché trop deceivant.
   He, vice du mal espirit,
Ascoulte que Bernars t'ad dit,
Que trop perest chose abusée
Que tu q'es verm vil et petit
Quiers estre riche et ton delit
Avoir du siecle habandonné,

Quant pour toy dieus de magesté,
Par qui ly siecles fuist creé, 7700
Sa deité pour ton habit
Volt abeisser, et povreté
Souffrir, dont soietz essamplé.
He fol, pren garde a cest escrit !

Ore dirra de les cink files de Gloutenie, dont la primere est appellée Ingluvies.

Ore escultez trestous du pres,
Si vous vuillez oïr apres
Du Glotonie et sa venue,
Que porte au siecle tiel encres,
Du quoy le ciel est en descres
Et pert sovent sa revenue. 7710
Cink files sont de ceste issue,
Qui sont du pecché retenue,
La primere est Ingluvies :
Qui ceste file tient en mue,
S'il au plustost ne la remue,
Serra dolent a son deces.
  Cil q'est a ceste file enclin,
Il ad son appetit canin ;
Car sicomme chiens gloute et devoure
Sibien au soir come au matin, 7720
Ne chault d'ascun precept divin
Pour agarder le temps ne l'oure,
Ainz paist son ventre, et tant l'onoure
Que du phisique ne laboure
Par l'abstinence d'un pepin :
C'est cil qui pense tant rescoure
Le corps, q'al alme ne socoure,
Ainz laist aler vuid et farin.
  N'est coufle ne corbin ne pie,
Quant du caroigne ad fait l'espie, 7730
Qui tire tant gloutousement
Comme fait cil glous a mangerie,
Qe riens n'y laist au departie
Forsque les oss tantsoulement.
Ne quiert amasser son argent,
Ainçois qu'il ait primerement
Sa large pance au plein garnie,
Sicome le grange est du frument ;

A autre dieu car nullement
Forsq'a son ventre il sacrefie. 7740
  Au palme qant om juer doit,
N'iert la pelote plus estroit
D'estouppe a faire un bon reboun,
Qe n'iert le ventre en son endroit
Du glous, qui tout mangut et boit.
Ne luy souffist un soul capoun,
Ainçois le boef ove le moltoun,
La grosse luce et le salmoun,
A son avis tout mangeroit.
Cil qui retient de sa maisoun 7750
Tiel soldoier en garnisoun,
Il falt du loign q'il se pourvoit.
  C'est cil qui du commun usage
Quiert large esquiele a son potage,
Si quiert auci large esquilier,
Car plus que beste q'est sauvage
Sa bouche extent d'overt estage,
Comme s'il volsist tout devorer
Le potage ove le potagier.
N'est riens qui le puet saouler, 7760
Ainz comme de Cilla le vorage
Les eaues par la haulte mier
Degloute, ensi cil adversier
Demeine en manger son oultrage.
  Ingluvies pour dire au plein
Aucunement, ne juyn ne plein,
Est au bien faire sufficant :
Car qant est juyn, lors est si vein,
Q'unqes en paradis Evein
Du pomme n'iert si fameillant, 7770
Dont lors puet faire tant ne qant
Pour faim que luy vait constreignant ;
N'apres manger n'est il pas sein,
Car lors devient il si pesant,
Q'au paine puet son ventre avant
Porter. Maldit soit tieu vilein !
  C'est ly pecchés dont Job disoit
Qe tout covert du crasse avoit
La face, et de son ventre auci
Trestoute s'alme dependoit, 7780
Et cuer et force et quanque estoit
Se sont mys en l'umbil de luy ; f. 46
Dont ainz q'il ait son temps compli,

Devient corrupt et tout purri;
Sique du ventre a qui plaisoit
Les autres membres sont hony,
Et pour le corps qu'il tant emply
L'alme en famine perir doit.

**Ore dirra de la seconde file de
Gule, la quelle ad noun Delicacie.**

De Gule la seconde file
Es noblez courtz la bouche enfile 7790
De ces seignours tantsoulement,
Si est privé de leur famile;
Q'es tous delices reconcile
Leur goust au Gule proprement
Pour vivre delicatement:
Dont elle ad noun semblablement
Delicacie la soubtile,
Car n'est si sages qui la prent,
Qu'il n'ert deceu soudainement
Et pris de la charniele guile. 7800
   De ceste file ly norris
Des autres est ly plus cheris,
Qui servent Gloutenie au main;
Primer le pain dont ert servis
Falt buleter par tieu devis,
Qe tout le plus meillour du grain
Ert la substance de son pain:
Turtel, gastel et paindemain,
Et pain lumbard a son avis,
Et puis les gafres au darrain, 7810
C'est de ses mess ly primerain,
Du quoy sa bouche ert rejoïz.
Ne vuil les nouns del tout celer
Des vins q'il ad deinz son celer,
Le Gernache et la Malveisie,
Et le Clarré de l'espicer,
Dont il se puet plus enticer
A demener sa gloutenie;
Si n'est il point sanz vin florie,
Dont chasteté soit deflorie: 7820
Mais d'autre vin n'estoet parler,
Que chascun jour luy multeplie,
Diversement dont soit complie
La gule de son fol gouster.
Si nous parlons de sa cusine,

7802 pluscheris

Celle est a Jupiter cousine,
Q'estoit jadys dieus de delice,
Car n'est domeste ne ferine
Du bestial ne d'oiseline
Qe n'est tout prest deinz cel office:
La sont perdis, la sont perdice, 7831
La sont lamprey, la sont crevice,
Pour mettre gule en la saisine
De governer tout autre vice;
Car pour voir dire elle est norrice,
Vers quelle pecché plus s'acline.
   Ly delicat ne tient petit
Pour exciter son appetit;
Diverses salses quiert avoir
Et a son rost et a son quit, 7840
Dont plus mangut a son delit.
Selonc que change son voloir,
Son parlement fait chascun soir,
Et as ses Coecs fait assavoir,
Qu'ils l'endemein soient soubgit
Tieu chose a faire a leur povoir,
Du quoy le corps pourra valoir;
Car poy luy chault de l'espirit.
   Mais si par aventure avient
De haulte feste que survient, 7850
Sique juner luy coviendra,
Et q'il par cas ne mangut nient
Piscon ne char, ainz s'en abstient;
Quidetz vous point q'il par cela
Sa gloutenie abatera:
Certainement que noun ferra;
Ainz au plus fort lors la maintient,
D'aultres delices qu'il prendra;
De jun la fourme guardera,
De gule et la matiere tient. 7860
   Lors quiert a soy delice attraire
Du compost et d'electuaire
Et de l'espiece bien confite:
De luy gaignont l'ipotecaire
Qui scievont tieux delices faire;
Ly Coecs auci moult se proufite
De qui delice il se delite,
Du past ou du potage quite,
Au nees du bon odour que flaire,

7806 plusmeillour   7857 plusfort

Du quoy son appetit excite : 7870
Tant plus ly Coecs prent du merite,
Comme plus fait la delice maire.
 Sicomme Sathan environoit
Les terres, ensi faire doit
Ly Coecs, par tous paiis irra
Pour bien aprendre en son endroit,
Ainçois q'il sache bien au droit
Potages faire, dont plerra
Au delicat qu'il servira :
Du quelque terre qu'il serra, 7880
Riens valt s'il d'autre apris ne soit.
He, dieus, tiels sires de pieça
Ne pense, quant il allaita
Le povre lait qu'il desiroit.
 Des dames sont, sicomme je croy,
Que mangont en la sale poy,
Qant sont devant les autrez gentz,
Mais puis, qant sont en leur recoi,
U plus n'y ad que dui ou troi,
Bien font de ce l'amendementz 7890
Par delicatz festoiementz
Es chambres, qant ne sont presentz.
Leur sires paiont le pour quoy,
Mais ja n'en ficheront les dentz ;
Combien q'ils paient lez despens,
Ne bruisseront a tiel arbroy.
 Les dames de burgoiserie
Sovent auci par compaignie
Font pour parler leur assemblés ;
Si font guarnir Delicacie 7900
Comme leur aqueinte et leur amie,
Q'a sa maison l'enfermetés
De leur flancs et de leur costées
Vendront garir ; mais tant sachetz,
Q'autre physique n'usont mye,
Maisque soient bien festoiez,
Et en gernache au matinez
Font souppes de la tendre mie.
 Delicacie apres souper
D'ascun delice a resouper 7910
Quiert autresfois novellement ;
Et puis matin pour son disner,
Voir devant jour, sovent lever

Se fait ; ce veons au present
En ce paiis, dont sui dolent :
Car Salomon ly sapient
Ce dist pour nous enchastier,
'Way a la terre u sont regent
Itieu princier, car elle attent
Poverte et soudain encombrer.' 7920
 Le vice auci dont nous lison
S'est mis ore en religion,
Et donne novelle observance,
En lieu de contemplacioun
A prendre recreacioun
Du delitable sustienance,
Pour bien emplir la grosse pance :
Si laist luy moignes sa pitance
Et prent sa saturacioun ;
Sique la reule et la penance 7930
Du Beneit mis en oubliance
Ore ont ly moigne en no maisoun.
 Tiels est qui richement mangue,
Mais poverement il se vertue,
Car tout ly membre sont enclin,
Main, bouche, nees, oraile et veue,
Chascun de ceaux primer salue
Le ventre sicomme leur divin,
Et font l'offrende du bon vin ;
Mais ja du boef de saint Martin 7940
Ly tendre estomac ne s'englue.
He, dieus, quoy pense itieu cristin ?
Bien puet savoir comment au fin
Tous tieux delices dieus argue.
 Au primer establissement
Dieus les viandes de la gent,
Du beste, oisel, piscon du mier,
Fist ordiner tout proprement
Sanz les curies autrement
Des grantz delices adjouster : 7950
Mais ore il falt braier, streigner,
Et tout de sus en jus tourner,
Que dieus ot fait si plainement ;
Dont m'est avis q'en son manger
Ly delicatz voldra changer
Et dieu et son ordeignement.
 Et d'autre part a sa nature

7899 pourparler

Ly delicatz trop desnature,
Quant l'estomac q'est asses plein
Provoce a passer sa mesure 7960
Par saulses et par confiture,
Q'om fait tous jours prest a sa mein.
Il est auci vers son prochein
Grevous, q'il tantz des biens soulein
Devoure en une petite hure,
Q'as plusours par un temps longtein
Porroit souffire. He, quel vilein,
Q'offent trestoute creature!
   Oisel par autre se chastie;
Et ensi puet de sa partie 7970
Qui l'evangile a droit lira
Du riche, qui toute sa vie   **f. 47**
Vivant en sa delicacie
Son chaitif corps glorifia,
Mais a Lazar qui s'escria
Au porte et de son pain pria
Ne volt donner la soule mye;
Dont lour estatz la mort changa,
Ly Riches en enfern plonga,
Et l'autre en ciel se glorifie. 7980
   Cil qui fuist riche et poestis
Estoit en flamme ardante mis,
Et cil qui povre et vil estoit
Fuist ove les saintz du paradis
El sein du patriarche assis:
L'eschange moult se diversoit,
La goute d'eaue l'un rovoit,
Sa langue dont refroïderoit
En l'ardour dont il fuist suspris;
Mais qui la mie ne donnoit 7990
Au povre, resoun le voloit
Qu'il de la goute fuist mendis.
   Pour ce nous dist l'apostre Piere,
Qe cil qui delicat s'appiere
Et se delite en geule et feste,
Ne puet faillir maisq'il compiere;
Car quelq'il soit, ou fils ou piere,
Il doit perir sicomme la beste.
Car c'est le pecché deshoneste,
Qui toute vertu deshoneste, 8000
Et trestout vice a sa baniere

Apres soy trait, comme cil q'apreste
Au char toute folie preste,
Et trestout bien met a derere.
   En manger delicatement
Le temps s'en passe vainement,
La resoun dort et tout s'oublit,
Le ventre veile et tant enprent
Qe plus ne puet; mais nequedent
La langue encontre l'appetit 8010
Encore a taster un petit
S'afforce, et a son ventre dist,
'He, ventre, q'est ce? dy comment:
Ne pus tu plus de rost ne quit?
Je ne t'en laiss encore quit,
Ainz falt a faire mon talent.'
N'est il bien sot qui paist et porte
Son anemy, qui luy reporte
Reproeche et mal pour son bon port?
Ce fait cil qui sa char conforte, 8020
Qu'elle en devient rebelle et forte,
Et il est mesmes le meinz fort
Du resoun, quelle sanz resort
S'en part, qant voit du char la sort,
Comment a Gule se resorte,
Qe qant pecché la point ou mort,
N'en a povoir jusqu'a la mort
A guarir de la plaie morte.
   Ly sages dist, qant om d'enfance
Norrist du tendre sustienance 8030
Son serf, apres luy trovera
Rebell, plain de desobeissance;
Car si tu sers serf au plaisance,
De honte il toy reservira:
Et qui plus a sa char plairra,
Tant plus se desobeiera
Contraire a toute bienfaisance.
Car qui sa pees au char dorra,
N'en porra faillir qu'il n'avra
La guerre jusques al oultrance. 8040
   Par ce pecché, ce dist ly sage,
Ont mainte gent de lour oultrage
Esté jusqu'a la mort peri.
Par ce pecché devient le rage,
Du quoy la gent devient sauvage,

8004 aderere   8021 endeuient   8024 Senpart

Que dieus d'Egipt avoit guari ;
Si ont depuis leur dieu guerpi
Et les ydoles ont servy.
Ce truis escript d'ice lignage
El livre deutronomii ; 8050
Mais ainz q'om laist son dieu ensi,
Je loo laisser le compernage.
  'Asculte ça,' dist Ysaïe,
'Tu Babilon, la suef norrie,
Que delicat te fais tenir,
Pour geule et pour delicacie
Baraigne et souffraitouse vie
Soudainement te doit venir,
He, delicat, pour toy guarnir.'
Tu pus auci la vois oïr 8060
Comment l'apocalips t'escrie,
Et dist, sicomme te fais joïr
De tes delices maintenir,
Dolour d'enfern te multeplie.
  Saint Job raconte la penance,
De la divine pourvoiance
Q'au delicat est ordeiné,
Dont cil qui porte remembrance
Fremir se puet de la doubtance ;
Car jusque enfern ert adrescé 8070
Sa voie, u qu'il serra bruillé
Du flamme, en negge et puis rué,
Et le doulçour de sa pitance
Serront crepalde envenimé :
Ja d'autre pyment ne clarée
Lors emplira sa vile pance.
Mais les richesces qu'il pieça
Par son delit tantz devora,
Dieus pour revenger sa querele
Lors de son ventre les trera ; 8080
Le chief des serpens suchera,
Sicomme fait enfes la mamelle,
Et en suchant la serpentelle
Du langue parmy sa boëlle
Luy point, siq'elle l'occira.
He, trop est froide la novelle,
Quant mort ensi se renovelle
Sur luy q'au plain jammais morra.
  Tout ce, dist Job, avenir doit

Au delicat qui ne laissoit 8090
De sa viande au povre gent,
Ainz tout au soy l'approprioit ;
Dont en la fin n'est q'a luy soit
Du bien ou grace aucunement,
Ainz mangera tout autrement
Del herbe amiere, et son pyment
Serra du fiel, dont qant le boit
Tout l'estomac desrout et fent :
C'est as tiels glous le finement
De festoier en tiel endroit. 8100
  Ly delicat qui solt user
La chalde espiece a son manger,
Sicome reconte Jeremie,
L'estoet par famine enbracier
Puante merde a devorer
El lieu de sa delicacie ;
Sique du faim la desgarnie
Morra, qu'il plus ne porra mye
En son chemin avant aler.
He, delicat, tu q'en ta vie 8110
Ta vile pance as tant cherie,
Chier dois ton ventre comparer.

**Ore dirra de la tierce file de
Gule, la quelle ad noun Yveresce.**

  La tierce file au deable proie,
Dont Gloutenie multeploie,
C'est Yveresce la nounsage,
La quelle au boire tout se ploie
Et en bon vin trestout emploie
Son bien, son corps, et son corage.
Mais qui se prent a tiel usage,
Tantz mals suiont a son menage, 8120
Que tous reconter ne pourroie ;
Dont l'alme pert le seignourage
Du corps, et corps de son oultrage
Trestous ses membres plonge et noie.
  Iceste file beveresse
Ne prent ja cure d'autre messe,
Ou a moustier ou a chapelle,
Forsq'au matin primer s'adresce
A la taverne, et se professe
Tout droit au bout de la tonelle ; 8130
El lieu du Crede au boire appelle,

8083 ensuchant

Et ainçois moille sa frestelle,
Qu'il du viande aucune adesce,
Si noun que soit de la fenelle;
Dont boit q'en toute sa cervelle
Ne remaint sens plus que d'anesse.
  Tant boit Yveresce a demesure,
Q'a son quider trestout mesure
Le ciel ove tout le firmament,
Si voit deux lunes a celle hure :   8140
Trop perest sages pardessure,
Et pardessoutz tout ensement,
Quanque la terre en soy comprent,
Ou soit langage ou autrement,
De toute chose la nature
Despute et donne jugement ;
Qu'il est alors plus sapient
Qe dieus ou autre creature.
  Yveresce fait diverse chance,
Latin fait parler et romance   8150
Au laie gent, et au clergoun
Tolt de latin la remembrance :
Yveresce fait un Roy de France
A la taverne d'un garçoun :
Yveresce tient come en prisoun
Le corps, q'issir de la maisoun
Ne puet, mais de sa folquidance
Se croit plus fort que n'est leoun :
N'est pas ovele la resoun
Q'Yveresce poise en sa balance.   8160
  Yveresce est celle charettiere
Qui sa charette en la rivere   f. 48
Ou en la fosse fait noier ;
Car u q'Yveresce est la guidere,
Lors n'est resoun, sen ne maniere,
Q'au droit port se puet convoier ;
Ainçois les fait tous forsvoier,
Et en leur lieu fait envoier
Pecché, que meyne ove soy misere :
Car soit seigneur ou communer,   8170
Quant il se volra communer
D'Yveresce, falt q'il le compiere.
  Mais certes trop est chose vile,
Quant tieu pecché seigneur avile ;

Bon fuist qu'il n'en fuist avilez,
Car tous en parlont de la vile,
Et chascun son pecché revile,
Et dieus en est trop coroucez.
Cil qui s'est mesmes malmenez,
Comment serront par luy menez   8180
Les gens qui sont de sa famile ?
Noun bien, car nief qui plus q'asses
Se charge, falt q'en soit quassés,
Dont soy et autres enperile.
  Mal est d'avoir le corps honiz,
Mais l'alme perdre encore est pis ;
Ce fait homme yvre en son degré.
Car il n'ad corps, ainz enfieblis
Plus que dormant s'est endormis,
Et la resoun s'en est alé,   8190
Dont l'alme serroit governé.
Di lors, q'est il ? Ne say par dée.
Il n'est pas homme au droit devis,
Ne beste, ainz est disfiguré,
Le monstre dont sont abhosmé
Dieus et nature a leur avis.
  Yveresce est propre la cretine,
Que par diluge repentine
Les champs semez ensi suronde,
Sique n'y laist grain ne racine,   8200
Ainz tout esrache et desracine.
Yveresce ensi, dessoutz sa bonde
Ja n'ert vertu dont l'alme habonde
Que tout ensemble ne confonde ;
Si tolt au corps la discipline,
Qe membre a autre ne responde :
C'est des tous vices la seconde,
Qe l'alme et corps met en ruine.
  Ly pecchés dont je vois parlant
Ensi comme deable est blandisant,   8210
Et semble suef de son affaire,
C'est un venym doulz apparant.
Saint Augustin le vait disant,
L'omme yvres est en soy contraire,
Q'il n'ad soy mesmes pour bienfaire,
Ne sciet ne puet comment doit faire ;
Car il n'est soulement pecchant,

    8147 plussapient   8158 plus'ort   8176 enparlont   8178 enest
                                       8183 qensoit

Ainz est de soy par son mesfaire
Trestout pecché, corps et viaire
Ove tout le membre appartenant. 8220
　Tout ensement comme du chitoun,
Qui naist sanz vieue et sanz resoun,
Et point ne voit ne point n'entent,
Si vait de la condicioun
Del yvre; car discrecioun
Du corps ou d'alme ad nullement:
Les oels overtz ad nequedent,
Mais comme plus larges les extent,
Tant voit il meinz soy environ;
Le cuer de l'omme ad ensement, 8230
Mais il n'ad tant d'entendement
Qu'il sciet nommer son propre noun.
　L'omme yvere par fole ignorance
De soy ne d'autre ad conuscance:
Ce parust bien el temps jadys,
Quant Loth par sa desconuscance
D'yveresce enprist la fole errance,
Dont ses deux files avoit pris
Et par incest s'estoit mespris;
Mais ja n'eust il le mal enpris, 8240
S'il fuist du sobre remembrance.
Pour ce trop boire a mon avis
Des tous pecchés c'est un des pis,
Qui tolt au cuer la sovenance.
　L'omme yvere en soy trop se deçoit,
Qu'il quide a boire qui luy boit;
C'est le bon vin, dont il est pris
Et liez, siq'en tiel destroit
N'ad membre propre q'a luy soit,
Ne resoun dont il soit apris; 8250
Ainz est plus sot et plus caitis
Que nulle beste du paiis.
Dont saint Ambrose ensi disoit,
Que des tous vices ly soubgis
Et ly plus serf a son avis
C'est Yveresce en son endroit.
　Sicome prodhomme le moustier
Quiert pour devoutement orer,
L'omme yvre fait par autre guise,
Si quiert taverne a son mestier: 8260
Car la taverne au droit juger
Est pour le deable droite eglise,
U prent des soens le sacrefise.
Le corps lors paiera l'assise
De son escot au taverner,
Mais puis la mort pour la reprise,
Qant plus la bource ne suffise,
Lors falt sanz fin l'alme engager.
　Saint Isaïe en son divin,
'Way vous,' ce dist, 'q'au jour matin 8270
Levetz et jusques au vesprée
A la taverne estes enclin,
D'yveresce plain plus que porcin:
Car proprement par tieu pecché
Ly poeples est chaitif mené,
Si ont mainte autre gent esté
Perdu de la vengance au fin.'
Pour ce ly sage en son decré
Sicomme la mort nous ad veé,
Que nous ne bevons trop du vin. 8280
　Uns clercs dist, Yveresce est celle
Q'encontre dieu tient la turelle,
U sont tous vices herbergez,
Pour guerre que se renovelle,
Dont chascun jour vient la novelle
A dieu, dont trop est coroucez,
Q'ils ont tous vertus forschacez:
Par quoy dieus les ad manacez
Par Jeremie, et les appelle
Disant q'as tous tieux forsenez 8290
Il tient sa coupe apparaillez
Plain de vengance a la tonelle.
　Iveresce, qui dieus puet haïr,
Les uns en eaue fait perir,
Les uns en flamme fait ardoir,
Les uns du contek fait morir,
Les uns occist sanz repentir,
Les uns attrait a desespoir,
Les uns fait perdre leur avoir,
Les uns joïr et surdoloir, 8300
Les uns desfame par mentir,
Les uns trahist par nounsavoir,
Les uns tolt resoun et povoir,
Les uns fait droite foy guerpir.
　He, orde, vile et felonnesse

8228 pluslarges　　8251 plussot

Est la folie d'Yveresce,
Par qui l'en pert grace et vertu
Du sen, beauté, force et richesce,
Science, honour, valour, haltesce :
Saunté du corps en est perdu, 8310
Et ly cynk sen sont confondu,
Ly bien parlant en devient mu,
Et ly clier oill tourne en voeglesce ;
N'ad pié dont il soit sustenu,
Ne main par qui soit defendu,
N'oraille qui d'oïr ne cesse.
La bounté en devient malice,
La sobre contienance nice,
Et la resoun desresonnal,
Si fait tout bien tourner en vice. 8320
Fols est pour ce que l'excercice
En prent, dont vienont tant de mal ;
Car c'est le vice especial
Q'est fait du consail infernal
Leur procurour, qui nous entice,
Pour mener a cel hospital
U sont ly tonell eternal
Plain de misere en son office.
   **Ore dirra de la quarte file de
   Gule, q'ad noun Superfluité.**
La quarte file est de surfait
Si plain que tous les jours surfait, 8330
Sibien en boire q'en manger.
Sur tous les autres plus forsfait ;
Car de son ventre le forsfait
Est de vomite en grant danger,
Ou autrement l'estoet crever :
Si doit la goule acomparer
Ce qu'il de gule a tant mesfait ;
Sanz digester, sanz avaler
Laist sa viande a realer,
Par ou entra par la revait. 8340
   D'ice pecché par dueté
Le noun est Superflueté,
Q'est l'anemye de mesure :
Cil qui de luy ert entecché
Jammais du bouche sanz pecché
Mangut ne boit en aucun hure :
Il porte d'omme l'estature,

Et est semblable de nature
Au chien, qant ad le ventre enflé
Plain de caroigne et vile ordure, 8350
Dont pardessoutz et pardessure
S'espurge, et est trop abhosmé. f. 49
   Come plus le vice dont vous dy
Est riches, tant plus ert laidy
Du jour en aultre ; car lors a
Delicacie a son amy,
Par qui consail se paist parmy,
Tanqu'il empli le ventre avra,
Sicome tonell q'om emplira ;
Q'avant qu'il superfluera 8360
Ne cesse emplir, et puis auci,
Qant vuid est, se reemplira,
Et past sur past adjoustera,
Comme cil q'au deable est le norri.
   Sicome pour siege l'en vitaille
Chastell, ensi ly glous se taille
Quant doit juner a lendemein :
Qui lors verroit dirroit mervaille
Comment le ventre d'omme vaille
Tant engorger devant la mein. 8370
Mais quidez vous q'un tiel vilein
Du juner paie son certein
A dieu ? Nenil ; ainçois il faille :
Car dieus des tous glous tient desdein,
Et d'un tiel qui se paist trop plein
Maldist le ventre ou tout l'entraile.
   Sicomme ly malvois hosteller,
Quant il enprent pour hosteller
Prodhomme, et puis vilainement
De son hostell deshosteller 8380
Le fait, ensi cil adversier
Par l'orde superfluement
De gule, en son vomitement
Desgette le saint sacrement,
Q'il ot deinz soy fait herberger,
Et el lieu de son dieu reprent
Le deable. O quel eschangement,
Ensi pour mort vie eschanger !
   D'ice pecché tresbien apiert,
Cil qui le fait chier le compiert, 8390
Car d'oultrageuse gloutenie,

8310 enest   8312, 8317 endeuient   8322 Enprent

Quant plus devoure que n'affiert,
Primer au corps le mal refiert,
Et l'alme apres en est perie.
He, vice plain du vilainie,
Du corps et alme l'anemie,
Par toy et l'un et l'autre piert :
Ja dieus ta bouche ne benye,
Ce dont ta pance as replenie
Fait que famine l'alme adquiert.   8400
   Ore dirra de la quinte file de
Gule, q'ad noun Prodegalité.
La puisné file apres la quarte
Ne boit par pynte ne par quarte,
Ainz par tonealx et par sestiers,
C'est ly pecchés qui se departe
De dieu, au siecle et tout departe
Et son catell et ses deniers
En festes et en grantmangiers,
Sanz estre au povre parçoniers.
Son tynel largement essarte
Soul pour les honours seculiers,   8410
Nounpas comme cil q'est aumosniers,
Si noun de Venus et de Marte.
   Iceste file du Pecché
L'en nomme Prodegalité.
Follarges est en sa despense ;
Sovent devoure en une année
Plus q'en deux auns la faculté
De ses gaignages recompense.
Ly sires q'a ce vice pense
Avant le fait ne contrepense   8420
Le fin ; car de tieu largeté
Combien q'il quiert la reverence
Du siecle, dieus irreverence
Luy rent sanz avoir autre gré.
   Ly prodegus q'ad seigneurage
Non soulement son heritage
Du follargesce fait gloutir,
Ainz de son povre veisinage
Tolt leur vitaille sanz paiage ;
Sicomme ly loups, qant vient ravir
Sa proie, ensi pour maintenir   8431
Sa geule il fait avant venir
Ce q'est dedeinz le mesuage

Des povres, dont se fait emplir :
L'en doit tieu feste trop haïr
Dont l'autre plourent lour dammage.
   Ly prodegus deinz sa maisoun
Son pourvoiour Extorcioun
Retient ; cil fait la pourvoiance :
Par tout le paiis environ   8440
N'y laist gelline ne capoun,
Ainz tolt et pile a sa pitance,
Ove tout celle autre appourtenance ;
Et si ly povre en fait parlance,
Lors fait sa paie du bastoun,
Dont met les autrez en doubtance.
Cil q'ensi sa largesce avance
N'en duist du large avoir le noun.
   Ne luy souffist tantsoulement
Ensi piler du povre gent,   8450
Ainçois des riches aprompter
Quiert et leur orr et leur argent,
Pour festoier plus largement ;
Car riens luy chalt qui doit paier,
Maisq'il s'en pourra festoier.
Et nepourqant n'y doit entrer
Ly povres, dont avient sovent
Tieux Mill paient pour son disner
Qe ja n'en devont pain gouster :
Maldit soit tieu festoiement !   8460
   Si ly follarges ust atant
Come ot Cresus en son vivant,
Qui dieu del orr om appelloit,
Trestout le serroit degastant,
Et au darrein en son passant
En dette et povre en fin irroit :
Car dame Geule luy deçoit,
Q'en son hostell mangut et boit,
Si font ly autre appartienant
Des vices solonc leur endroit ;   8470
Chascuns luy sert comme faire doit,
L'un apres l'autre a son commant.
   Sa soer primere Ingluvies
Pour luy servir des larges mess
De son hostell est Seneschal :
Delicacie puis apres
Devant luy taille a son halt dess

8394 enest   8444 enfait   8455 senpourra   8459 devoit

Du manger plus delicial :
Dame Iveresce en son hostal
Est boteler especial, 8480
Qui de sa coupe sert ades :
Sa quarte soer superflual
De la cusine est principal :
Itiel consail retient de pres.
 Si la commune gent menour
N'ait les richesces du seignour,
Dont largement sa geule emploie,
Nientmeinz qanq'il porra le jour
Gaigner, au soir par sa folour
Du follargesce il engorgoie : 8490
Et s'il par cas falt de monoie,
Lors son coutell et sa courroie,
Au fin q'il soit bon potadour,
Enguage pour le ventre joye ;
Siq'il poverte enmy la voie
Luy vient au fin de son labour.
 Qui follargesce meyne ensi,
Trop povrement ert remeri
Au fin, qant sa despense cesse :
Dist l'un, 'C'est grant pité de luy :' 8500
'Bon compains fuist,' dist l'autre auci :
Ly tierce dist, ' Je le confesse ;
Mais ore est sa folie expresse.'
Vei la le fin de follargesce !
Primer du siecle est escharni,
Ne dieus de sa part le redresce,
Siq'au final en sa destresce
Ascune part n'ad un amy.
 Ore dirra la descripcioun de Gule par especial.
 Tout autrecy comme la norrice
Par son laiter l'enfant cherice, 8510
Si fait ma dame Gloutenie :
Tous les pecchés moet et entice
Et maintient du fol excercice,
Q'amender ne se pourront mye :
Car de l'umaine fole vie
Tient Gule la connestablie,
Comme cil qui sur tout autre vice
Conduit et l'avantgarde guye,
Et tous suiont sa compaignie
Chascun endroit de son office. 8520

 Phisique conte d'un grief mal
Q'est appellé le loup roial ;
Cil guaste toute medicine
Et si n'en guarist au final.
Ensi ly glous superflual
Devore et gaste en sa cusine
Le domest et le salvagine,
Ne laist terreste ne marine,
Oisel, piscoun ne bestial,
Ne bois ne pré ne champ ne vine, 8530
Pepin ne fruit, flour ne racine,
Ainz tout deguaste en general.
 Mill Elephantz, sicome je truis,
Tous en un bois sanz quere plus,
Senec ensi le fait escrire,
Porront bien estre sustenuz ;
Mais l'omme, a ce q'il soit repuz,
La mer, la terre et l'air aspire,
N'est chose que luy poet suffire.
He, queu miracle de tiel sire, f. 50
Qui deinz son ventre ad tout reclus ! 8541
Mais ja sa paunce tant ne tire,
Que plus sa bouche ne desire,
N'est riens q'estanche ce pertus.
 Trestous les jours comme chapellain
Ses houres dist ly glous villain,
Pour remembrer sa gloutenie :
Au matin dist, ' Je n'ay pas sain
La teste, dont m'estoet proschain
Manger, car juner ne puiss mie :' 8550
Mais autrement ja dieu ne prie,
Ainçois d'une houre en autre crie,
'Ore ça du vin la coupe plain !'
Puis dist sa vespre et sa complie
De gule tanq'au departie,
Q'il n'ad poair du pié ne main.
 He fole Gule, ascoulte ça,
Enten comment te manaça
L'apostre, qui te dist ainsi :
'Le ventre a quique ce serra 8560
Q'au manger tout se pliera,
Et la viande de celluy,
Par quoy le ventre s'est joÿ,
Le ventre et la viande auci
Dieus ambedeux destruiera.'

Car tout au fin serra purri,
Quanque ly glous devoure icy
Puis la crepalde devoura.
　He, Gule, des tous mals causal,
Tu es ly pescheur infernal,　　8570
Q'ove ta maçon soubtilement
Dedeinz le pomme q'ert mortal
Dame Eve par especial
Preis par la goule fierement,
Et la treinas trop vilement
Ovesque Adam le no parent
Du paradis tanq'en ce val
U n'est que plour et marrement.
He, Gule, tu es proprement
De tous noz mals l'origenal.　　8580
　De Gule, sicome dist ly sage,
Ont mainte gent resceu damage
Et sont jusq'a la mort peri :
De Gule avient le grant oultrage,
Par quoy la gent devient salvage,
Qe dieus d'Egipte avoit guari,
Mais ils l'avoient deguerpi
Et les ydoles ont servi.
Ce truis escript de ce lignage
El livre deutronomii ;　　8590
Mais ainz q'om lerroit dieus ensi,
Meulx valt laisser le compernage.
　De Gule qui vouldra chanter
Ses laudes, om la poet loer
De sesze pointz, dont je l'appelle :
L'estommac grieve au digestier,
La resoun trouble au droit jugier,
Le ventre en dolt ove la bouelle,
La goute engendre et la cervelle
Subverte, et l'oill de cil ou celle　　8600
Cacheus les fait enobscurer,
La bouche en put plus que chanelle,
L'oraile auci et la naselle
Du merde fait superfluer.
　Gule ensement adquiert pecché,
Luxure induce en propreté
Et ja son dieu ne cesse offendre ;
Gule auci tolt en son degré

Science, honour, force et saunté,
Si tolt richesce et fait enprendre　　8610
Poverte, que l'en hiet aprendre ;
Gule ensement nous fait susprendre
Du mainte male enfermeté ;
Physique ne le puet defendre
Qe mort subite au fin n'engendre,
Dont en enfern s'est avalé.

　**Ore dirra de les cink files de
Leccherie, des quelles la primere
ad noun Fornicacioun.**

　Luxure, que les almes tue,
N'est pas des files sanz issue,
Ainz en ad cink trop deshonnestez :
Resoun de l'alme en est perdue,　　8620
Et pour le corps ont retenue
Nature avoec les autres bestes.
Sicomme la mer plain de tempestes
Les niefs assorbe, ensi font cestes
A quique soit leur dru ou drue :
Qui lire en voet les vieles gestes
Verra q'au fin de leur molestes
Mainte mervaille est avenue.
　Ces files dont vous dis dessure
Le corps par soy chascune assure　　8630
De son charnel delitement ;
Dont la primere endroit sa cure
En tielles gens son fait procure
Qui vont sanz ordre franchement,
Desliez, maisque soulement,
Sicome nature leur aprent,
Faisont le pecché de nature,
Que Fornicacioun enprent ;
Car c'est le noun tout proprement
De ceste file en sa luxure.　　8640
　Iceste Fornicacioun
N'ad cure de Religioun,
Du prestre noun ne de mari ;
Ainz du meschine et vallettoun
Procure leur assembleisoun,
Et dist bien que pour faire ensi
Ce n'est pecché mortiel, par qui

8591 Mainz ainz　　　8598 endolt　　　8602 enput　　　8619 enad
　　　　　　　　　　8620 enest　　　8626 envoet

MIROUR DE L'OMME

Homme ert dampnez : mais je vous di,
Ce n'est que fals mençonge noun.
Si l'escripture n'est failli, 8650
Qui fait ce vice ert malbailli,
S'il n'ait avant de dieu pardoun.
 Om fait de ce pecché les mals
Plus commun es jours festivals
Q'en autre jour de labourer :
Qant la meschine et ly vassals
Sont deschargez de leur travals,
Lors mettont lieu del assembler :
Qant Robin laist le charuer
Et Marioun le canoller, 8660
L'un est a l'autre parigals :
Ja jour ne vuillont celebrer ;
Pour leur corps faire deliter
N'ont cure de l'espiritals.
 Ore dirra de la seconde file de Luxure, la quele ad noun Stupre.
 Une autre file ad Leccherie,
Q'est plaine de delicacie ;
Et comme l'oisel abat les flours
De l'arbre qant la voit flourie,
Ensi fait Stupre en sa folie,
Q'est la seconde des sorours. 8670
C'est un pecché des males mours,
Car ja ne quiert en ses amours
D'ascune femme avoir amie
Si noun du vierge, u les honours
Abat, qant de ses fols ardours
Son pucellage ad desflourie.
 Ja Tullius, qui plus habonde
Du Rethorique, en sa faconde
Ne parla meulx que cil ne fait,
Ainçois q'il vierge ensi confonde ; 8680
Car si la vierge luy responde,
Qu'elle assentir ne voet au fait
Devant que l'affiance en ait
Du mariage, lors attrait
La main et jure tout le monde
Que son voloir serra parfait :
Ensi du false foy desfait
Et desflourist la joefne blounde.
 De Stupre cil qui se delite

Pour decevoir la vierge eslite 8690
Sa false foy sovent engage
Ove la parole bien confite ;
Mais si tout ce ne luy proufite,
Au fin qu'il puist son fol corage
Par ce complir, lors d'autre rage,
Sicomme la beste q'est sauvage,
Qant faim luy streigne et appetite
Sa proie, ensi de son oultrage
Au force tolt le pucellage,
Q'a sa priere fuist desdite. 8700
 Mais cil n'ad pas la teste seins
Q'aval les preetz a les Tousseins
Des herbes vait les flours serchant :
Mais d'autre part je sui certeins,
Qe cil enquore est plus atteintz,
Q'en joefne vierge vait querant
Ce qu'il ne puet parfaire avant,
Qant la tendresce d'un enfant
Ne puet souffire plus ne meinz.
Q'ove tiele vait luxuriant, 8710
C'est auci come desnaturant
Du corps et alme ensi vileins.
 Mais quoy dirrons du viele trote,
Du jovencel qant elle assote,
Si quiert avoir les fruitz primers :
Par quoy s'atiffe et fait mynote,
Et pour luy traire a sa riote
L'acole et baise volentiers,
Si donne pigne et volupiers
Et ses joials et ses deniers, 8720
Dont met le jofne cuer en flote ;
Si q'au darrein par tieus baisers,
Par tieux blanditz, par tieux loers,
La viele peal ly jofne frote.
 As autres jofnes femelines
De Stupre et de ses disciplines
Sovent auci vient grant dammage : f. 51
Quant de lour corps ne sont virgines,
Et que l'en sciet de leur covines,
Par ce perdont leur mariage, 8730
Dont met esclandre en lour lignage,
Sique pour honte en leur putage
Tout s'enfuiont comme orphelines,

8683 enait

Dont croist sur honte pl*us* hontage,
Qant au bordell p*our* l'avantage
De sustienance sont enclines.
 Sur tout pis fait en cest endroit
La fole, qant enfant conçoit ;
Car lors luy monte le pecché
Dedeinz le cuer, qant l'aparçoit : 8740
Du quoy les medicines boit
Pour anientir q'est engendré,
Ou autrement, qant le voit née,
Moerdrir le fait tout en secrée,
Si qu'il baptesme ne reçoit ;
Tant crient avoir la renomée
Q'elle ad perdu virginité :
He, com*m*e ly deable la deçoit !

**Ore dirra de la tierce file de
Luxure, q'ad no*un* Avolterie.**

 La tierce fille de Luxure
Trestoute esp*r*ent de fole ardure, 8750
Dont dieu et son voisin offent :
C'est, com*m*e l'en dist au p*r*esent hure,
La mere de male aventure,
Et son office en soy comprent
A violer le sacrement
De matrimoine, et soulement
Vivre a la loy de sa nature ;
Si ad a no*un* tout p*r*oprement
Avoulterie, q'a la gent
Des almes fait la forsfaiture. 8760
 C'est ly pecchés qui fait les cous,
Dont maint homme ad esté jalous,
Et sont encore a mon avis ;
Car tantz de cel ordre entre nous
Sont p*r*ofess et Religious,
Q'om dist q'au poy nuls est maritz
Qui de ce tache n'est laidis,
Combien que ce n'apiert ou vis :
Le mal est si contagious
Q'au paine eschape un soul de diss,
Mais cil q'en est au plain guaris 8771
Poet dire qu'il est gracious.
 Reso*u*n le voet et je le croy,
Que cil qui fait le mal de soy
En duist porter la blame auci ;
Mais ore est autrement, je voi,
La dame fait le mal, par quoy
Ly sire enporte tout le cry.
Aval les rues quant vient y,
Dist l'un a l'autre, 'Vei le cy ;' 8780
Ensi luy font moustrer au doy :
Trestous en parlont mal de luy ;
Et si ne l'ad point deservy,
C'est trop, me semble, encontre loy.
 Mais trop p*er*est cil cous benoit,
Qui point ne sciet ne point ne voit
Com*m*ent sa fem*m*e se demeine,
Et s'om luy conte, pas ne croit,
Aviene ce q'avenir doit :
Lors ert au meinz guari du peine 8790
Dont jalousie se compleine.
Mais dieus luy don*n*e male estreine,
Je di pour moy, ly quel q'il soit,
Qui de ma fem*m*e male enseigne
Me dist, qua*n*t je la tiens certeine ;
Ne quier savoir del autre endroit.
 D'Avoulterie au temps p*r*esent
Om parle moult div*er*sement,
Que trop com*m*un est son affaire :
Ascuns le font ap*er*tement, 8800
Ascuns le font cov*er*tement,
Mais l'un ne l'autre est necessaire :
Mais qui le fait en secretaire
Meinz pecche, qant de son mesfaire
Ne sourt esclandre de la gent ;
Pour ce la fem*m*e debon*n*aire
Du pecché cov*er*e le viaire,
Et laist le cuill aler au vent.
 Trop p*er*est plain de guilerie
La fem*m*e que d'Avoulterie 8810
S'aqueinte, p*a*r quoy son baro*u*n
Houster pourra de jalousie :
Car lors fait mainte flaterie
De semblant et de fals sermo*u*n,
Sique de sa conivreiso*u*n
Avoulterie en la meiso*u*n
Ly sires, qui n'aparçoit mye,
Le souffre sanz suspecio*u*n.

  8771 qenest   8775 Enduist   8782 enparlont

He comme dessoutz le chaperoun
Luy siet la coife de sotie. 8820
　Bien sciet la femme en son mestier
Son follechour entraqueinter
Ove son baroun du bienvuillance,
Dont il se porra herberger
Sovente fois et sojourner,
Qant luy plerra, d'acustumance.
O leccherouse pourvoiance,
Dont l'avoultier ensi s'avance,
Et luy maritz desavancer
Se fait de sa tresfol cuidance ; 8830
Ne say si soule sa creance
Luy doit par resoun excuser.
　He, comme ly sires est deçu
Quant il dirra luy bienvenu
Au tiel amy en son venant !
Mais en proverbe est contenu,
'Ly cous ad tout son fiel perdu
Et ad dieu en son cuer devant :'
Dont a sa femme est obeissant,
Si n'ose parler tant ne qant, 8840
Ainz est du sot amour vencu,
Q'il n'est jalous de nul semblant.
Q'ensi vait homme chastiant
Trop ad la femme grant vertu.
　Mais s'il avient que ly baroun
Soit jalous, et q'il sa leçoun
Dist a sa femme irrousement,
Lors moult plus fiere que leoun
Et plus ardante que charboun
La femme de corous esprent, 8850
Si luy respont par maltalent :
'He, sire, cest accusement
Certes, si de vo teste noun,
N'ad esté dit d'aucune gent :
Sanz cause, dieu le sciet comment,
Vers moy queretz tiele enchesoun.'
　Et lors deschiet trestoute en plour,
Et en plourant fait sa clamour,
Maldist trestout son parentée,
Maldist le lieu, le temps, le jour, 8860
Maldist trestout le consaillour,
Maldist le prestre en son degré,

Par qui fuist unques mariée :
Si dist, 'O dieus de magesté,
Qui toute chose vois entour,
Tu scies comment il est alé.'
Voir dist, mais par soubtilité
Ensi s'escuse en sa folour.
　Sicomme la hupe en resemblant,
Qui fait maint fals pitous semblant,
Quant om vouldra sercher son ny, 8871
Si plourt la femme en suspirant ;
Mais ja ly cuers n'est enpirant,
Combien que l'oill se moustre ensi.
Mais par ce veint son fol mari,
Q'au fin tout piteus et marri
La baise et vait mercy criant
Pour sa peas faire ovesque luy ;
Si dist qu'il jammais pour nully
Serra jalous de lors avant. 8880
　Ensi ert chastié ly sire
Q'ad cuer plus suple que la cire,
Le quel la femme pliera
Toutdis apres qant le desire.
Et lors ne chalt qui le remire,
Ainçois vergoigne ensi perdra,
Et ensi baude deviendra,
Que puis ne doubte qui viendra
Soutz sa chemise pour escrire
La carte que tesmoignera 8890
Q'Avoulterie y demourra,
Quant n'est qui l'ose contredire.
　Sur toutes files de Luxure
Se tient yceste plus segure
En ses folies demenant ;
Car s'elle engrosse a la ceinture,
Bien sciet au tiele forsfaiture
N'est pas a sercher son garant ;
Quique ses buissouns vait batant,
L'oisel au mari nepourquant 8900
Demorra : mais ce n'est droiture,
Quant tiel puis ert enheritant,
Q'om voit sovent d'un tiel enfant
Venir mainte male aventure.
　Mais ce que chalt, au jour present
Om voit la mere molt sovent

8848 plusfiere　　　8858 enplourant　　　8897 autiele

Un tiel enfant plus chier tenir;
Et d'autre part, ne say comment,
Dieu souffre au tiel heritement
Et escheoir et avenir :   8910
Mais sache bien sanz null faillir,
Qe ja ne puet en hault saillir
Racine tiele aucunement,
N'overage se puet establir
Sur fondement de tiel atir,
Comme l'evangile nous aprent.
  Mais veigne ce que venir doit,   f. 52
La male espouse en son endroit
S'avoulterie ne lerra,
Ainz se confourme a ce que soit :   8920
Sovent par ce les douns reçoit,
Son corps au vente dont metra,
Sovent auci redonnera,
Dont son corps abandonnera.
Et l'un et l'autre est trop maloit ;
Mais de deux mals plus grevera,
Quant son baroun anientira
Du poverte ainz q'il s'aparçoit.
  L'espouse q'ensi s'abandonne
Et les chateaux son mari donne   8930
A son lecchour, grantment mesfait ;
Car ja n'ert chose que fuissonne
Soutz tiele mein, ainz desfuissonne,
Tanq'en poverte venir fait
La maison u ly pecchés vait.
Sovent essample de tiel fait
Cil qui les paiis environne
Porra veoir, car d'un attrait
Richesce ovesque ytiel forsfait
Fortune ensemble ne saisonne.   8940
  Di par resoun si je creroie
L'espouse quelle je verroie
Abandonné du fol amour.
Qant elle ensi sa foy desloie
Vers son mari, comment dirroie
Q'elle ert certaine a son lecchour ?
Non ert ; ainz comme ly veneour,
Qui vait serchant le bois entour,
Quert elle avoir novelle proie,
Dont il avient q'au present jour   8950

Tiel chante ' J'aym tout la meillour,'
Q'est plus comune que la voie.
  Celle avoultiere voet jurer
A quique soit son avoultier
Que 'ja nul jour estoie amye
Forsq'a toy soul, q'es ly primer,
Et certes tout le cuer entier
Te laisse et donne en ta baillie.'
Mais qant elle ad sa foy mentie
Vers son baroun, ne croi je mie   8960
Que sages ons se doit fier ;
Et nepourquant de la sotie
Je voi pluseurs en ceste vie,
Qui ne se sciovont prou garder.
  Mais cil qui tous les mals entice,
C'est ly malfiés, par l'excercice
Que vient de la continuance
La femme fait au fin si nice,
Dont est de son baroun moerdrice.
O dieus, vei quelle mescheance,   8970
Du fole femme q'en semblance
Plus porte al homme de nuisance
Q'escorpioun ne cocatrice !
Ly sage en porte tesmoignance,
Q'om doit fuïr telle aqueintance,
Car dieus le hiet de sa justice.
  Mais quoy dirrons des fols maritz,
Qui de leur part se sont mespriz
D'avoulterie, et ont faulsé
Leur foy ? Certes de mon avis   8980
Cils font encore asses du pis
Que ne font femme en leur degré :
Car ly mary pres sa costée
Ad soubgite et abandonnée
Sa femme, que luy est toutdis
Preste a sa propre volenté ;
Dont n'est ce pas necessité
Qu'il d'autres femmes soit suspris.
  Ce nous recontont ly auctour,
Quiconque soit fait gouvernour   8990
A surveoir l'estat d'autri,
S'il mesmes soit d'ascun errour
Atteint, plus ert le deshonnour
De luy, qant il mesfait ensi,

    8907 pluschier   8909 autiel   8974 enporte

Que d'autre ; et pourcela vous di,
Plus est a blamer ly mary,
Depuisqu'il est superiour,
Que celle q'est soubgite a luy
Et est plus frele et fieble auci
Sibien du sens comme de vigour. 9000
 He, certes cil est trop apert,
Qui pres sa femme tout apert
Deinz sa maisoun tient concubine,
Trop est malvois, trop est culvert,
Q'ensi ses pecchés fait overt,
Molt petit crient la foy cristine :
La femme, qant voit la covine,
Que son mari tient sa meschine,
Du cuer et corps ses joyes pert ;
Vers dieu se pleint deinz sa poitrine, 9010
Mais son mary la discipline,
Que parler n'ose a descovert.
 Pour ce q'ensi la loy offendont
De matrimoyne et tant entendont
A leur pecché, ils perdont grace,
Par quoy leur heritages vendont
Et en poverte puis descendont :
Om voit plusours de celle trace,
Et s'aucun tiel les biens pourchace
Du siecle, nepourquant bien sace, 9020
Nul bien apres la mort ly pendont,
Ainz ont leur joye en ceste place
Tous tieus : au fin dieus lez forschace
Du ciel, s'ils ainçois ne s'amendont.
 Je n'en say point coment ce vait,
Mais om le dist, cil q'ensi fait
D'avoulterie son talent,
Trois peines luy sont en agait ;
Ou par mehaign serra desfait,
Ou desfamez ert de la gent, 9030
Ou il mourra soudainement ;
A ce q'om dist certainement
Ne doit faillir que l'un n'en ait.
He, quel pecché trop violent,
Que tolt les joyes du present
Et ad auci le ciel forsfait !
 Avoulterie est en sa mete
Du pestilence la planete,

Dont mainte gent sont malbailli :
Du grant venym dont est implete 9040
Sempres la terre est tout replete,
Mais cil qui sont infect de luy
Au paine qant serront gari.
Essample avons qu'il est ensi
Du viele loy par le prophete ;
Et du novelle loy auci
L'experience chascun di
Nous fait certains de l'inquiete.
 La bible en porte tesmoignance
Comme du primere commençance, 9050
Qant dieus avoit fourmé les gens,
Envoia puis mainte vengance
Pour le pecché dont fai parlance,
Selonc l'istoire d'anciens ;
Et qui bien guarde en son purpens,
N'est pas failli en nostre temps
D'ice pecché la mescheance :
En chascun jour de cell offens,
Si dieus n'en mette le defens,
Doubter poons de la vengance. 9060
 En la Cité Gabaonite
Dieus pour la femme du Levite,
Qe l'en pourgue au force avoit,
Fist que la gent en fuist maldite
Et en bataille desconfite,
Destruite et morte en tiel endroit
Qe nuls au paine y remanoit.
C'est ly pecchés que Job nomoit
Le fieu gastant qui riens respite,
Ainz tout devoure et tout enboit 9070
Le bien del alme, quelque soit,
Sanz laisser chose qui proufite.
 Pour ce l'en doit bien redoubter
Le matrimoine a violer ;
Car c'est le sacrement de dieu,
Q'en paradis tout au primer
Il mesmes le fist confermer
Et consecrer de sa vertu ;
Dont puis l'avienement Jhesu
Du sainte eglise est maintenu 9080
Ly sacrement de l'espouser.
Par quoy trop serra confondu

  8999 plusfrele   9049 enporte   9064 enfuist

Qui l'espousaille ad corrumpu,
S'il grace n'ait de l'amender.
    **Ore dirra de la quarte file de
Luxure, quelle ad noun Incest.**
    Dame Incest est la quarte file,
Q'au leccherie tout s'affile,
Si ad les prestres retenus
Pour bordeller aval la vile :
Incest auci tous ceux avile
Qui les saintz ordres ont rescuz,   9090
Ou soit ce moigne ou soit reclus,
Ou frere ou nonne, tout conclus
Les tient Incest sans loy civile :
Car deinz sa court jammais en us
N'iert mariage meinz ou plus
Des ceaux qui sont de sa famile.
    O come fait orde tricherie
Incest entour la prelacie,
Pour refuser sa sainte eglise,
Q'est pure et nette en sa partie !   9100
Mais cil q'en fait la departie
Serroit bien digne de juise.
Molt fait cil prelat fole enprise,
Q'ad si tresbonne espouse prise,
Qant l'ad sa droite foy plevie,
S'il puis avoec puteine gise :
Itiel eschange est mal assisse   f. 53
Et trop hontouse a sa clergie.
    Incest du prestre portant cure
Trop perest orde sa luxure   9110
Endroit du loy judiciale,
Quant il par sa mesaventure,
Par l'orde pecché de nature,
Corrumpt la file espiritale,
Q'est propre sa parochiale,
Dessoutz sa guarde pastourale,
Dont l'alme tient a sa tenure :
D'un tiel pastour la cure est male,
Q'ensi destreint sa propre aignale,
Et la devoure en sa pasture.   9120
    Incest moignal n'est pas benoit
Selonc la reule saint Benoit,
Car ja n'en garde l'observance.
Concupiscence luy deçoit,

Qe point n'en chalt, u que ce soit,
Ainz met trestout en oubliance,
Et la vigile et la penance,
Ove tout celle autre circumstance
Qu'il de son ordre faire doit ;
Siq'au darrein de s'inconstance   9130
Et du pecché continuance
Incest apostazer l'en voit.
    En l'ordre q'est possessouner
Incest, quant il est officer
Et vait les rentes resceivant,
Pour sa luxure demener
Despent et donne maint denier,
Dont a ses Abbes n'est comptant.
Mais plus me vois esmerveillant
Du povre frere mendiant,   9140
U ad du quoy pourra donner
Si largement, q'il tout avant,
Q'irroit au pié son pain querant,
De halt Incest doit chivauchier.
    D'Incest del ordre as mendiantz
Je loo que tous jalous amantz
Pensent leur femmes a defendre :
Ly confessour, ly limitantz,
Chascun de s'aquointance ad tant
Pour confesser et pour aprendre,   9150
Que ce leur fait eslire et prendre
Tout la plus belle et la plus tendre,
Car d'autre ne sont desirantz.
Itiel Incest maint fils engendre
Dessur la femeline gendre,
Dont autre est piere a les enfantz.
    Incest est fole de Nonneine,
Celle est espouse au dieu demeine,
Mais trop devient sa char salvage
Qant son corps a luxure meine,   9160
Quel jour que soit de la semeine,
Dont corrumpt le dieu mariage :
Et d'autre part trop est volage
Ly fols lecchiers qui fait folage
Du matrimoine si halteine ;
Car plus d'assetz cil fait oultrage
Qui dieu espouse desparage,
Que cil qui fait de sa procheine.

          9101 qenfait   9152 plusbelle ... plustendre

MIROUR DE L'OMME

Incest auci fait son office
Qant une bonne dame entice   9170
La quelle ad chasteté voué,
Mais de sa char devient si nice
Que de luxure fait le vice,
Dont elle enfreint sa chasteté :
Nientmeinz ycelle niceté
Nous veons sovent esprové.
Ne sai si dieus en fait justice
Apres la mort, car le decré
De ceste vie a tieu pecché
Despense bien pour l'avarice.   9180
   Incest encore est d'autre chiere
Entre la gent fole et lecchiere,
Quant s'assemblont les parentés,
C'est assavoir file ove son piere,
Ou autrement filz ove sa miere,
Ou frere au soer s'est acouplez.
Incest les ad trop encharnez,
Qant sont d'un sanc et d'un char nez,
Q'ensi mesfont de leur charniere ;
Puisq'autres femmes sont assetz,   9190
Trop sont du freleté quassez
Cils qui pecchont de tieu maniere.
   Ore dirra de la quinte file de Luxure, quelle ad noun Foldelit.
La quinte file est Foldelit,
Q'au pcine poet dormir en lit,
Tant en luxure se delite,
Si est commune a chascun plit,
En fait, en penser et en dit :
Par ce que deinz son cuer recite
Les fols pensers, son corps excite,
Dont plus que nature appetite   9200
Encroistre fait son appetit
Du flamme que nulluy respite,
Ainz chasteté tient si despite
Que riens puet estre tant depit.
   Chascune jour de la semaine,
Vei, Foldelit sa vie maine
Preste au bordell sanz nul retrait :
Trop vilement son corps y paine
Qant est a chescun fol compaine,
Qe riens luy chalt quel ordre il ait ;

Ainz quique voet venir au fait,   9211
Elle est tout preste en son aguait
Et offre et souffre son overaigne :
Mais certes c'est un vil mesfait,
Qant de son corps la marchée fait,
Du quoy sa char vent et bargaine.
   Trestout le mond ne puet garder
La fole pute au foloier,
Qant elle esprent du fol amour ;
Mais s'il avient que sanz danger   9220
Porra ses joyes demener
Sanz nul aguait a bon leisour,
De tant fait son delit maiour,
En quanque de si fol amour
Sciet en son cuer ymaginer :
Quant pute gist ove son lecchour,
Sovent controvent ticl folour
Dont trop deveroient vergunder.
   He, pute, ascoulte, en cest escrit
Par Jeremie dieus t'ad dit,   9230
Que tu ton chaitif corps as mis
A chascun homme a chascun plit
Ensi commun au Foldelit
Comme sont les voies du paiis,
U ly prodhons et ly caitis
Communement a leur devis
Porront aler, grant et petit.
He, pute, q'est ce que tu dis ?
Comment respondras a ces dis,
Dont dieus t'appelle en ton despit ?
   Responde, o pute, ne scies tu   9241
Queu part vergoigne est devenu ?
De tes parens essample toi,
Q'en paradis se viront nu,
Dont vergondous et esperdu
Tantost chascun endroit de soy
D'un fuill covry le membre coy.
Mais tu, putaine, avoy, avoy !
Es tant aperte en chascun lieu,
Sanz honte avoir d'ascune loy,   9250
Que je dirray, ce poise moy,
Tu as vergoigne trop perdu.
   Pute et lecchour sont resemblé
A la pantiere techelée,

9177 enfait   9184 Cestassauoir

Q'auci les autres fait tachous
Des bestes solonc leur degré
Q'a luy se sont acompaigné ;
Et ensi cil q'est leccherous
Par son pecché contagious
Tost fait les autres vicious, 9260
Queux vers luy tient associé ;
Tout sicomme ly berbis ruignous
Corrumpt du fouc les autres tous
De sa ruignouse enfermeté.
 El viele loy dieus defendi
Q'entre les gens qui sont de luy
Ne soit bordell ne bordellant
Pour la luxure de nully :
Mais au jour d'uy, ne sai par qui,
La loy se tourne nepourquant, 9270
Et est souffert par tout avant
Que l'en bordelle maintenant.
Mais une chose je vous di,
Que ja decré d'ascun vivant
N'ert par resoun si avenant
Comme ce que dieus ot establi.
 Mais cestes jofnes pucellettes
Auci se faisont jolivettes
Pour Foldelit q'est courteour,
Vestont les cercles et les frettes, 9280
Crimile, esclaires et burettes
Et bende avoec la perle entour ;
Mais qant ont mis si bel atour,
Par Foldelit font maint fol tour
En chantant a leur chançonettes,
Qe tout sont fait du fol amour,
Pour faire que les gens d'onour
Se treont a leur amourettes.
 Quant Foldelit la jofne guie,
Sur tout desire d'estre amye 9290
A luy pour qui vait languissant ;
Mais pour sa honte elle ose mie
Demander telle druerie,
Si ce ne soit par fol semblant :
Et lors reguarde en suspirant,
Et puis suspire en reguardant,
Pour l'omme traire a sa folie, **f. 54**
Que tant valt a bon entendant

Sicomme dirroit, 'Venetz avant,
Je vuill avoir ta compaignie.' 9300
 Sovent ensi par sa presence
Le fol corage d'omme ensense,
Qui pardevant n'en ot desir ;
Mais quant la femme assalt commence,
Lors falt que l'omme ait sa defence,
Dont fiert quant meulx ne poet garir.
Quant fole vait un fol querir,
Du fol trover ne poet faillir ;
Car tost sciet fol quoy fole pense,
Et tost se sont au consentir, 9310
Dont sovent au petit loisir
Ferront la longue dieu offense.
 Mais s'il avient en telle guise
Que l'en ad guarde sur luy mise,
Dont femme a son loisir faldra,
Lors falt a sercher la queintise
Que femmes scievont du feintise,
Dont ses guardeins desceivera ;
Mais sache bien chascuns cela,
Ja nuls si fort luy guardera 9320
Que le pourpos dont est esprise
Au bon loisir ne parfera ;
Si forte chose ne serra,
Q'amour du Foldelit ne brise.
 Ensi quant Foldelit maistroie
La jofne, lors par toute voie
Que cuers ymaginer porroit
Celle art du femme en soi desploie,
Dont l'omme assote et veint et ploie,
Que tout le tourne a son endroit 9330
La femme q'ensi se pourvoit :
Tantost q'uns fols amans la voit,
Ne se porra tourner en voie
Des fols regars qu'il aparçoit ;
Si quide que la belle soit
Sur tout sa souveraigne joye.
 Un arcbalaste en la turelle
Est celle dame ou dammoiselle,
Quelle as gens prendre tout s'esgaie ;
De la blanchour de sa maisselle, 9340
De sa poitrine et sa mamelle
La moustre fait, que l'en l'essaie :

  9269 Iourduy   9285 Enchantant   9295 ensuspirant   9296 enreguardant

Mais sur tout fait pl*us* grieve plaie
Qant les fols cuers corrumpt et plaie
Des fols regars, dont l'om*m*e appelle.
N'ad membre dont les gens n'attraie,
Si est ly reetz dessoutz la haie,
Dont om les fols oiseals hardelle.
  O dieus, comment acompter doit
La fem*m*e qui p*ar* tiel endroit　　9350
Les gens sur luy fait assoter?
Des tantes almes qui deçoit
Elle ert coupablez au bon droit
Devant dieu, car par reguarder
La volenté vient de toucher,
Que valt atant deinz son penser
Com*m*e s'il ust fait tout a l'esploit
Le pecché; et ce puiss trover
En l'evangile tesmoigner,
Sicom*m*e dieu mesmes le disoit.　9360
  Mais si la fem*m*e mette cure
En foldelit, d'asses plus cure
Cil hom*m*e qui p*ar* tout s'avance,
Et fait desguiser sa vesture,
Et ad bien basse la ceinture,
Et sur tout ce carolle et dance
Ove bien jolye contienance:
D'am*ou*rs est toute sa parlance,
Et ensi p*ar* tiele envoisure
P*re*nt d'une et d'autre l'aqueintance;
Car tant est plain de variance　　9371
Q'il quiert novelle a chescune hure.
  Du foldelit tout se convoie,
Qant doit venir par celle voie
U q*ue* verra les dam*m*oiselles;
Ne puet faillir, maisq'il les voie,
Que par delit son cuer n'esfroie,
Tant est suspris d'am*ou*r de celles.
Ne chalt si dames ou pucelles,
No*u*npas les bon*n*es mais les belles, 9380
Des quelles poet avoir sa proie;
Siq'il sovent deinz les ridelles
Les taste si soient fem*m*elles,
C'est un solas dont se rejoye.
  De nulle chose guarde prent
Cil qui du foldelit esprent,

Un soul estat ja n'esparnie;
Ou soit Religiouse gent,
Ou mariez ou continent,
Ou sage ou pleine de folie,　　　9390
Ou soit virgine ou desflourie,
Ou soit parente, pour se mie
Ne voet laisser ce qu'il enp*re*nt;
Ne sciet q'amour plus signefie,
Mais toutes fem*m*es sont amye
Dont puet complir son foltalent.
  En chascun lieu, ou q*ue* ce soit,
Quiconq*ue* parle ou parler doit
Du bien, d'onour, d'oneste vie,
Ly fols amantz a son endroit　　9400
Trestout le conte tourneroit
En autres ditz de leccherie:
Et qui voet faire compaignie
Au Foldelit par janglerie,
Par quoy son gré deserviroit,
Ja n'estoet autre courtoisie
Mais tout parler de puterie,
Dont plus son cuer rejoyeroit.
  Mais qant au fin p*our* son mesfaire
Serra somons de s'ordinaire,　　　9410
Et est soutz peine amonestez
Pour soy de son pecché retraire,
Si fra, ce dist; mais qant repaire
U sont ses foles ameistés,
Tant plus assote en ses pensés
Com*m*e plus d'amour soit travailez,
Dont fait apres folie maire;
Combien qu'il soit escoumengez,
Ses foldelitz recom*m*encez
Ne lerra pour le saintuaire.　　　9420
  Mais Foldelit, qant avenir
Ne poet a faire son desir
De celle u q'ad son cuer assis,
Du fol amour l'estoet languir,
Ne puet manger, ne puet dormir,
En plour tout changera ses ris,
Com*m*e s'il estoit du tout ravis;
Lors fait les notes et les ditz,
Si fait ove ce maint fol suspir,
Dont a sa dame soit avis　　　　9430

9343 pl*us*grieue

Q'il de s'amour soit tant suspris,
Qe sanz retour l'estoet morir.
 Mais si tout ce ne poet valoir
Au fin qu'il pourra son voloir
Parfaire, lors du meintenant
Il offre a donner son avoir ;
Et s'il par ce ne puet avoir
De son amour le remenant,
Encore quiert il plus avant
La Maquerelle, q'est sachant   9440
Plus que ly deable a tiel devoir ;
Et si luy vait trestout contant,
La quelle luy vait promettant,
Du quoy s'est mis en bon espoir.
 L'en dist ensi par envoisure,
Ce que polain prent en danture
Toute sa vie apres dura ;
Ensi du jofne femme endure
En sa vielesce la luxure
Que de s'enfance acoustuma ;   9450
Du foldelit tant comme pourra
La jofne se delitera
Sanz point, sanz reule et sanz mesure,
Et qant n'est qui la requerra
Pour sa vielesce, lors serra
La Maquerelle de nature.
 Et ensi qant au rigolage
Pour la fieblesce du viel age
Ne peut souffire proprement,
De lors sustient par son brocage   9460
La jofne gent en leur putage
Par son malvois excitement :
Car l'art du Maquerelle aprent,
Par quoy des gens reporte et prent
Du leccherie leur message ;
Q'encore elle ad delitement
Pour traiter a tiel parlement,
Dont rejoÿt son fol corage.
 Ce veons bien que de nature,
Quant jofne busche de verdure   9470
Ne puet ardoir primerement,
Om met du sech, et par sufflure
Tantost s'esprent tout en ardure,
Et l'un et l'autre ensemblement.

Ensi vait de la jofne gent ;
Qant ne s'acordont a l'assent
Du Foldelit, lors deinz brief hure
La Maquerelle les esprent
De son malvois enticement,
Et les enflamme de luxure.   9480
 Sicomme l'en voit que les veisines
Vendont au marché lour gelines,
Tout tielement vent et bargeine
La Maquerelle les virgines,
Et les fait estre concubines
Au fol lecchour qui les asseine
Et donne la primere estreine ;
Et si les fiert de celle veine,
Q'apres des nulles medicines   f. 55
Serra guarie. O quelle peine   9490
Om deust donner a la vileine
Que ce procure ove ses falsines !
 Et tiele y a q'en sa vielesce
Devient d'amour la sorceresse ;
Dont, qant ne puet par autre voie,
Les cuers d'amer met en destresce :
Mais plus que deable elle est deblesce,
Quant foldelit ensi convoie ;
Et qui par tiele se pourvoie
De l'amour dieu loign se desvoie ;   9500
Car il au primes se professe
Au deable, et puis son dieu renoie :
Vei la tresdolorouse joye,
Q'ensi laist dieu pour la duesse !
 Du Foldelit auci se pleint
Nature, au quelle meinte et meint
Se sont forsfait de leur folie,
Quant leur luxures ont enpeint
Comme jadys firont ly nounseint
En la Cité de Sodomie,   9510
Quelle en abisme ert assorbie.
C'est celle horrible leccherie
En quelle toute ordure meint ;
Dieus et nature le desfie :
Mais plus parler n'en ose mie,
Car honte et resoun me restreint.
 L'en puet resembler Foldelit
Au salemandre, quelle vit

9509 noun seint

De sa nature el fieu ardant ;
Ensi du fol dont vous ay dit   9520
Ly cuers toutdis sanz nul respit
S'eschalfe et art en folpensant
D'ardour qui tout vait degastant
En ceste vie, et plus avant
Le corps avesques l'espirit
Enflamme, u que ly fol amant
Pour nulle amye ert refreidant,
Car tout amour luy est desdit.
    Trop fuist du Foldelit apris
Uns philosophes de jadys,   9530
Qui Epicurus noun avoit :
Car ce fuist cil q'a son avis
Disoit que ly charnels delitz
Soverain des autres biens estoit,
Et pour cela trestout laissoit
Les biens del alme et se donnoit
A sa caroigne ; dont toutdis
Depuis son temps assetz om voit
De ses disciples, qui toutdroit
Suiont s'escole a tiel devis.   9540
    Resoun est morte en telle gent
Vivant noun resonnablement,
Ensi comme fait la beste mue.
Si ont perduz entendement,
Ensi come pert son gustement
Cil q'est malade en fiebre ague,
Qui plus desire et plus mangue
Contraire chose qui luy tue,
Qu'il ne fait pain de bon frument
Ou chose dont se revertue :   9550
Ensi qui Foldelit englue
Del alme nul phisique entent.
    L'apostre par especial
Ce dist, que l'omme bestial
Ne puet gouster ne savourer
Viande q'est espirital :
Rois Salomon dist autre tal,
Q'en malvoise alme a demourer
Puet sapience nulle entrer,
N'en corps soubgit a folpenser   9560
Des vices qui sont corporal
Jammais se deigne enhabiter :

Car qui pecché voet herberger
Tout bien forsclot de son hostal.
    Ce dist Senec de sa science,
Que la plus grieve pestilence
Q'om en ce siecle puet avoir,
C'est foldelit d'incontinence,
Qant om a sa caroigne pense
Et s'alme laist a nounchaloir.   9570
Ce sont ly porc horrible et noir
Es queux ly deable ad son pooir,
Comme l'evangile nous ensense ;
Car quant ne sciet u remanoir,
Lors Foldelit matin et soir
Le herberge en sa conscience.
    Dieus, qui le saint prophete estable,
Un mot q'est molt espoentable
Par Amos dist, comme vous dirrai :
De la maisoun foldelitable,   9580
Au leccherie acoustummable,
Ce dist dieus, ' Je destruierai
Le septre et tout anientirai,
Q'onour ne joye n'y lerrai,
Ainz trestout bien fray descheable.'
Des tieux parolles je m'esmay,
Car tu scies bien et je le say,
Que dieux dist ne puet estre fable.
    Du Foldelit naist Fol desir,
Qui porte cuer du fol suspir,   9590
Ove l'oill climant du fol reguart ;
La bouche ne se sciet tenir,
Que les fols ris avant venir
Ne fait ; et puis enseigne l'art
Du fol toucher, du quoy s'espart
Ly fieus du leccherie et art,
Que la raisoun fait amortir,
Sique la chasteté s'en part,
Et lors luxure de sa part
Tout son voloir fait acomplir.   9600
    As portes d'enfern vait huchant
Cil qui les femmes vait baisant,
Saint Bede le fait tesmoigner ;
Mais trop est fol qui huche atant,
Dont il les portes soit entrant :
Car tant puet homme fol hucher

9524 plusauant   9566 plusgrieue

Q'entrer l'estoet ; car ly porter
Les portes pour soy desporter
Legerement vait desfermant,
Et laist celluy qui voet entrer 9610
Tanq'en la goule a l'adverser,
U piert la voie large et grant.
 Du foldelit avoir solas,
Danz Tullius, comme tu orras,
Nous dist de son enseignement,
'Luxure est vile en chascun cas,
Mais oultre trestous autrez estatz
Elle est plus vile en viele gent,'
Ou soit du fait ou soit d'assent ;
L'un pis et l'autre malement 9620
Ne s'en pourront excuser pas.
Senec demande tielement,
Qant la Vielesce en soy mesprent,
Di lors, Jovente, quoy ferras ?
 Qui s'est au Foldelit donné
Tantsoulement du freleté
Ne pecche, ainçois soi mesme entice
Plus q'il ne souffist au pecché ;
Toutdis remaint en volenté,
Du quoy sa fole char fait nice : 9630
Dont dist Bernards que par justice
La soule volenté du vice
Plus ert punie et condempnée.
Voloir que toutdis voet malice,
S'il toutdis en enfern perisse,
C'est resoun et droite equité.

**Ore dirra la descripcioun du
Leccherie par especial.**

 Je truis escript que Leccherie
A la tresorde maladie
Du lepre en trois pointz est semblable :
Le primer point ce signefie, 9640
Que lepre d'omme en char purrie
Fait tache molt abhominable ;
Luxure ensi q'est incurable
Fait tache en l'alme plus grevable,
Dont a null jour serra guarie :
Q'au dieu primer fuist resemblable,
Luxure, q'est desamiable,
La fait semblable au deblerie.

 Lepre est auci si violente
Que l'air ove tout le vent que vente 9650
D'encoste luy fait corrumpu :
En ce Luxure represente ;
Car par tout, u q'elle est presente,
Les gens q'a luy se sont tenu
Leur bonnes mours et leur vertu,
Dont l'alme serroit maintenu,
Fait destourner en mal entente,
Q'au paine se sont aparçu
De leur folie, ainz sont deçu
Et en vielesce et en jovente. 9660
 Ly tierce point q'en lepre esta,
C'est q'elle de nature fra
Al homme avoir puante aleine ;
Ensi Luxure, u que s'en va,
Plus que nuls dire le pourra
Puit en ordure trop vileine
Devant la magesté halteine ;
Des tous pecchés el vie humeine
N'est un qui plus fort puera :
Pour ce la halte voie meine, 9670
U ly puours sanz fin remeine,
Et jammais bon odour serra.
 He, Leccherie, en tout empire
Comme l'en te doit par droit despire !
Car par ta flamme violente,
Come deinz la bible om porra lire,
Les cink cités au grant martire
Tu feis foundrer par grief descente
Jusq'en abisme la pulente ; f. 56
U la vielesce et la jovente 9680
Par toi les faisoit dieus occire,
Q'un soul n'eschapa la tourmente,
Mais Loth, qui portoit chaste entente,
Pour ce l'en guarist nostre sire.
 Du Leccherie la despite
Ly philosophes nous recite
Six pointz des queux fait a loer ;
Oietz comme chascun nous proufite :
Primer du corps qui s'en delite
La force fait amenuser, 9690
Et l'alme apres fait occier,
La bonne fame en mal tourner,

9618 plusvile   9669 plusfort   9684 lenguarist

Et la richesce fait petite,
La cliere vois fait enroer,
Et les oils cliers fait avoegler :
Loenge tiele est mal confite.
  He, Leccherie plain d'ordure,
Ovesque ta progeniture
Maint cuer humein as affolé ;
Car qui tu tiens dessoutz ta cure,   9700
Au paine s'il jammais une hure
Te voet laisser de son bon gré.
Helas, tant belle chasteté,
Espousaille et virginité,
As corrumpu de ta luxure,
Ou soit en fait ou en pensé ;
Poi truis qui se sont bien gardé
Tout nettement sanz ta blemure.
  He, Leccherie ove tes cink files,
Comme tes delices sont soubtiles, 9710
Dont fais no frele char trahir !
Au corps plesantes sont tes guiles,
Mais as nos almes sont si viles
Que devant dieu les fait puïr.
Quoy dirray plus puant plesir ?
Delit au mort, joye au suspir,
Ce sont ly bien que tu compiles.
Dieus doint q'en puissons abstenir :
Au benuré se puet tenir
Qui corps par ton delit n'aviles.   9720

  Ore dirra comment ly debles
autre fois fist son parlement, pour
agarder et assembler toute la pro-
genie dez vices que sont engendrez :
puis le mariage q'estoit parentre
le Siecle et Pecché, sicome ad esté
dit pardevant.

  Ore ai par ordre au fin complie
Mon conte de la progenie
Des vices, qui sont descenduz
Du deable et du Pecché s'amie,
Selonc que la genologie
Avetz oï du meinz en plus.
Tant sont ly mal en terre accrus,
Que si ly toutpuissant dessus

N'en deigne faire son aïe,
Ly malfiés, qui les ad en us   9730
Trestous ensemble retenus,
Fra contre nous mainte envaïe.
  Car tout ensi comme vous ay dit,
Ly deable, qui tant est maldit,
Donna les files du Pecché
Au Siecle, qui leur est marit,
Dont plus avant comme j'ay escrit,
Il ad sur celles engendré
Les autres que vous ay nomé.
Savoir poves q'en son degré   9740
Ly deable molt se rejoÿt
Voiant si large parentée,
Dont tout quide a sa volenté
De l'omme avoir l'alme en soubgit.
  Et pour cela tout maintenant
Un autres fois, sicomme devant,
Ly deable pour soy consailler
Pecché, q'est son primer enfant,
Et puis trestout le remenant
Au parlement fist assembler ;   9750
Mais devant luy qant vist estier
Si grant lignage seculier,
Comme de sept files sont naiscant,
Grantment se prist a conforter ;
Si les commence a resonner,
Comme vous orretz parler avant.
  Ly deables lors commence a dire :
'He, Pecché, chief de mon empire,
Primerement je pleins au toy
Et a ces autres que je mire,   9760
Dont tu es dame et je su sire,
Q'en ma presence yci je voy :
Je vous en pry, consaillez moy
Par vostre engin, que faire doy
Del homme, que je tant desire.
Soubgit fuist jadys a ma loy,
Mais puis apres, ne say pour quoy,
De sa raisoun me fait despire.
  Pecché, tu scies qu'il est ensi :
En paradis je fui saisi   9770
Jadis del homme a mon talent,
Q'a moy servir se consenti,

9737 plusauant   9746 autresfois   9763 enpry

A mon voloir et s'obeï;
Mais puis apres, ne say comment,
Resoun de l'alme le defent,
Q'a moy ne voet acordement:
Paour auci s'est esbahy,
Car Conscience le reprent;
Sique je faille molt sovent,
Que je n'ay plain poair de luy. 9780
 Et pour ce par commun avis
Le Siecle, q'est bien mes amis,
Fis marier a mon lignage,
Qui loyalment m'avoit promis,
De l'omme tout a mon devis
Me metteroit celle alme en gage,
Dont c'est bien drois q'il se desgage
Et mette l'omme en mon servage.'
Mais quant le Siecle ad tout oïz,
Lors il adresça le visage, 9790
Et dist que tout fuist son corage
De faire ce qu'il ot enpris.
 Lors fuist grant noise des tous lées,
Chascun disoit, 'Bien ad parlés
Ly Siecle, et tous devons aider,
Qui sumes de ses parentées,
A faire tous ses volentés.'
Ensi commençont a traiter
Comment pourroient mestreter
La char del homme et losenger 9800
D'engins et des soubtilités.
Si se firont entrejurer
Trestous ensemble et conjurer
Le mal dont serroit attrappez.
 Et lors ly Siecle ove sa semence
A tempter l'omme recommence;
Dont tielement le forsvoia,
Que pour consail ne pour defense
Du Resoun ou du Conscience
La char de luy ne s'aresta, 9810
Qe trestout ne s'abandonna
Au foldelit, dont foloia,
N'en voloit faire resistence
Pour l'Alme que l'aresonna;
Car nulle resoun ascoulta,
Ainz tient le Siecle en reverence.

Ly deable qui fuist tout lour piere,
Auci Pecché, q'estoit la miere,
Avoec le Siecle et sa mesnie
Des vices, dont fuist a baniere, 9820
Ascuns devant, ascuns derere,
Firont a l'omme une envaïe.
Chascuns le fiert de sa partie,
Ly uns d'orguil, ly uns d'envie;
Mais Gule y vient la tavernere,
Que l'estandard du Leccherie
Porte en sa main, et hault escrie,
'Ore est a moy, que je luy fiere.'
 Lors Avarice ove son fardell
Vient au bataille, et un sachell 9830
Des ses florins tenoit tout plein,
Dont l'omme fiert comme d'un flaiell:
Mais cil, quant senti le catell,
Ne resçut point tieux cops en vein;
Ainz maintenant tendist sa mein
Et se rendist au capitein,
Qui l'amena droit au chastell
D'Accidie, u qu'il chascun demein
Au deable paia son certein,
Comme cil q'ert prisoun du novell. 9840
 Et lors s'assemblont tous les vices,
Chascun apportoit ses delices
Pour leur prisoun reconforter;
Mais ils ne furont pas si nices
A souffrir que deinz leur offices
Resoun al Alme y puet entrer,
Ne Conscience s'esquier,
Ainz du chastell firont fermer
Les entrées des portes colices,
Qe tout sont fait du fol penser; 9850
Dont l'omme ne puet remembrer
De son dieu ne de ses justices.
 Ore ad le Siecle ove s'alliance
De l'omme tout le governance,
Q'ascuns ne puet parler a luy,
Si ce ne soit par l'aqueintance
Du Pecché, qui celle ordinance
Sur tous les autres ad basty:
Par quoy Resoun s'est departy,
Et Conscience s'est fuï, 9860

9786 mettroit

Q'ils ne sont plus du retenance.
Si dieus n'en face sa mercy,
Trop longement poet estre ensi,
Ainz qu'il ait sa deliverance.
   O quelle generacioun,   f. 57
Primerement delacioun,
Q'ove touz lez autrez dieus maldit :
Quant en fay memoracioun
Mon cuer du contourbacioun
Est pres tout mat et desconfit :   9870
Car ore au peine nully vit,
Q'ascune fois ne soit soubgit
De leur malvois temptacioun.
Maldit soit l'oure quant nasquit
Pecché, dont corps ad son delit,
Et l'alme sa dampnacioun.
   O quel lignage trop adverse,
Dont la fortune nous adverse,
Et mesmes dieu point ne s'acorde
A l'omme q'ensi se diverse,   9880
Qant des pecchés chascun diverse
Du jour en jour tant se recorde :
Mais tant sont vices a la corde
Des queux Pecché cel homme encorde,
Q'au peine si ne le reverse
U toute joye se descorde,
Si dieus de sa misericorde
Ne trait celle alme a luy converse.
   Ore dirra de la propreté du Pecché par especial.
L'apocalips q'est tout celeste
Reconte d'un horrible beste,   9890
Q'issoit de la parfonde mer :
Corps leopart, ce dist la geste,
Mais du leoun ot geule et teste,
Des piés fuist urce a resembler,
Sept chief portoit cil adversier,
Si ot disz corns pour fort hurter,
Ove disz coronnes du conqueste :
Merveille estoit del esguarder,
Trop se faisoit a redoubter,
Car trop demenoit grant tempeste.   9900
   Le noun du beste l'en nomoit
Pecché ; mais ce q'il corps avoit

Tout techelé, ce signefie
Diverses mals, dont nous deçoit ;
La geule du leon, c'estoit
Q'il tout devoure en sa baillie ;
Sept chiefs, as sept pecchés s'applie ;
Mais de disz corns fait envaïe
As disz preceptz que dieus donnoit :
Les disz coronnes par meistrie,   9910
Ce sont victoire en ceste vie,
Qu'il sur les gens conquerre doit.
   C'estoit le monstre a qui donné
Fuist plain poair et plain congié,
Au fin qu'il duist contre les seintz
Combatre et veintre du pecché.
O dieus, comme dure destiné !
Qant tieles gens serront atteinz,
C'est grant dolour as tous humeinz ;
Car nous autres, qui valons meinz,   9920
Ne sai comment serrons guardé
Du beste qui tant est vileins :
Pour moy le dy, je m'en compleins,
Trop sui de son venym enflé.
   Ce beste auci des piés et bras
Fuist urce, et par ce tu porras
Savoir que l'urce ad tost occis
Sa proie, quant la tient en bas
Soubz luy, et par semblable cas
Tost serra mort et entrepris   9930
Cil qui Pecché avera soubmis.
Helas, Pecché, je te maldis,
Car par les files que tu as
Par tout le siecle a mon avis
Et les cités et les paiis
Par toy porront bien dire, helas !
   Helas, Pecché, comme es grant mestre !
Par doulçour que fais de toi nestre
Trestout le mond sempres t'onourt,
Et laie gent et clerc et prestre,   9940
Dont leur delit pourront acrestre :
Pour toi servir chascuns y court,
Par toi vient Mort primer au court,
Par toi tout bien en mal destourt,
Par toi tout droit vait a senestre,

9868 enfay

Par toi l'en rit, par toi l'en plourt,
Par toi la fantasie sourt,
Dont sont deçu tout ly terrestre.
   Je te resemble a les Sereines,
Qant par leur doulces vois halteines,
U qu'ils chantont par halte mer,   9951
Attraire font en leur demeines
Les niefs siglans, et par soudeines
Tempestes puis les font noyer.
Au chat auci te doy sembler,
Quant du sourris se fait juer,
Et puis l'occit mangant ses treines.
Comme clier estée te fais moustrer,
Plain des flourettes au primer,
Mais en yvern sont pas certeines. 9960
   Je te resemble au poire douche,
Qui porte bon savour au bouche
Et est a l'estommac grevable :
Je te resemble au noire mouche,
Les pures chars qant souffle et touche,
Corrumpt et fait abhominable :
Je te resemble au songe et fable
Q'au toute gent son deceivable :
Je te resemble au celle couche
Dont nuls au peine est relevable : 9970
Tu es d'enfern le connestable,
Par qui tout mal se claime et vouche.
   Je te resemble au buiste close,
U son venym ly deable enclose ;
Auci je te resemble au pie,
Qant sur caroigne soi repose :
Tu as visage de la rose,
Et es plus aspre que l'urtie :
Tu es sophistre en la clergie,
Dont l'art conclude en heresie :   9980
Ne say la ryme ne la prose
Dont la centisme part endie
De ta malice, en ceste vie
Ne te falt plus ascune chose.
   Qui du Pecché prent remembrance
Comment primer a sa naiscance
Du ciel les angres fist ruer,
Comme puis Adam par fole errance
Envers son dieu mist en destance,

Et puis en terre fist noyer   9990
Trestous forsque piscon du mer
Et soul Noë, qui dieus salver
Voloit ovesque s'alliance,
Et puis encore fist errer
Pour les ydoles honourer
Les gentz encontre leur creance.
   Des cestes choses qui bien pense,
Et puis reguarde a l'evidence,
Comme chascun jour l'en puet veoir
Mortiele guerre et pestilence,   10000
Que du Pecché trestout commence,
Lors doit il bien hidour avoir :
Car n'est cité, chastel, manoir,
En quel ne se fait remanoir
Pecché, car tous obedience
Luy portont, et pour dire voir
Ou pour delit ou pour l'avoir
Luy font honeur et reverence.
   Sur tous les regnes q'ore sont
Pecché commant, Pecché somont, 10010
Et tous au Pecché font hommage :
Et molt plus tost d'assetz le font,
Car ly malfiés, qui tout confont,
Toutdis recovere al avantage,
De ce qu'il fist le mariage
Jadis du Siecle a son lignage,
Comme je vous contay paramont.
Si dieus ne pense a tiel oultrage
Rescourre, trop ert le dammage
Des almes que perdu serront.   10020
   Mais des tous biens cil q'est racine
Ne laist ja mal sanz medicine ;
Combien que ly malfiés soit fort
Par Pecché q'est de sa covine,
Nientmeinz de la vertu divine
Dieus en volt faire son confort
Pour l'alme, a resister le tort
Du deable et du malvoise sort,
La quelle vient de celle orine
Que meyne jusques a la mort :   10030
Mais ore oietz comme se remort
Resoun par Conscience fine.

        10012 plustost   10026 envolt

Ore dirra comment Resoun et
Conscience prieront dieu remedie
contre les sept vices mortielx
ove leur progenie, et dieus donna
sept vertus a Resoun contre
eaux.

Trestous vous avez bien oï,
Qant Pecché l'omme avoit saisi
En sa prisonne, meintenant
Resoun et Conscience auci
Loign de la court furont bany :
Mais ils s'aleront plus avant
Pour soi compleindre au toutpuissant
De ce que vous ay dit devant, 10040
Comment cel homme estoit ravi
Des vices, dont il avoit tant,
Par quoy ne furont mais puissant
A gouverner l'estat de luy.
 Enmy la court superiour
Devant dieu firont leur clamour
Ensi Resoun et Conscience :
Leur advocat et procurour,
Et sur tout leur coadjutour,
C'estoit Mercy, qui d'eloquence **f. 58**
Tous autres passoit du science. 10051
Cil contoit en la dieu presence
Le grant meschief, le grant dolour,
Dont il prioit avoir defense :
Dieus luy donna bonne audience
Et sur ce luy promist socour.
 Mais pour ce que les sept pecchés
Furont au Siecle mariez,
Comme je dis au commencement,
Et que tant sont multepliez 10060
Les files q'en sont engendrez,
Dieus ordina semblablement
Un mariage, oietz comment.
Il ot sept files proprement,
Les quelles des tous biens doez
Au Resoun donna franchement
En mariage, et cil les prent
Pour l'enchesoun que vous orrez.
 Dieus, qui lez choses tout pourvoit,
Pour ceste enchesoun le faisoit, 10070

De Resoun ensi marier,
Qu'il des vertus q'espouseroit
Autres vertus engendreroit,
Dont se pourront multeplier ;
Sique chascune en son mestier
Doit contre un vice resister,
Un contre un autre, au tiel endroit
Que l'Alme se pot enforcer
Son fol corps a desprisonner,
Q'a lors des vices pris estoit. 10080
 Resoun, q'estoit et simple et sage,
Molt s'esjoÿt deinz son corage
Qu'il tieles femmes duist avoir,
Q'estoiont de si halt parage,
Comme de son propre dieu lignage,
Dont il fuist mis en bon espoir
Les vices mettre a nounchaloir ;
Car dieus l'accrust du grant pooir,
Si luy donnoit en heritage
De son saint ciel le beau manoir, 10090
U qu'il sanz fin doit remanoir
Et tenir en franc mariage.
 Resoun, qui bien s'estoit pourveu
Au jour des noeces, ot vestu
La robe yndoise ove blanche raie ;
Par l'un colour est entendu
Constance en le service dieu,
Et l'autre que du blanchour raie
Signe est du netteté verraie ;
La coife auci dont dieus s'appaie 10100
Portoit, que tout estoit cosu
De sapience : ensi s'esgaie
Resoun, qui son penoun desplaie,
Que ja des vices n'ert vencu.
 Les dames vienont de la tour,
Chascune estoit du noble atour,
En blanche robe bien vestue.
Mais Conscience fait maint tour
Pour adrescer la gent entour,
Q'a celle feste estoit venue ; 10110
Comme Mareschals les uns salue,
Les uns cherist, les uns argue,
Par tout se peine a faire honour :
Sa robe estoit comme d'une nue,

10038 plusauant   10061 qensont

La quelle au plus sovent se mue
Diverse, et change sa colour.
   Les dames ensi bien pareies
Se mistront hors de les pareies
Vers le moustier de saint delit,
U que leur mary toutes veies 10120
Comme ses amies et ses preies
Leur attendoit ; si ot eslit
Trois menestrals, ly quel sont dit
Bon pensement, Bon fait, Bon dit,
Qui les cornont par leur journeies,
Dont s'esjoyont grant et petit
Des joyes qui sont infinit,
Qui valont oultre tous moneies.
   Chascune dame en son degré
Portoit son noun aproprié 10130
Escript, dont fuist la meulx vailante ;
Encontre Orguil Humilité,
Encontre Envie est Charité,
Et encontre Ire la tençante
Est Pacience la taiçante ;
Encontre Accidie la dormante
Prouesce y vient apparaillée ;
Contre Avarice la tenante
Franchise y vient la despendante,
N'ert pas ovele l'assemblé : 10140
   Et puis encontre Gloutenie,
Q'est de nature l'anemie,
La dame y vient q'ad noun Mesure ;
Et lors encontre Leccherie
Vient Chasteté la dieu amye
Tout coiement sanz demesure :
Et meintenant vient pardessure
Ly prestres qui tous les assure,
Qui Gracedieu, si je bien die,
Avoit a noun, mais par droiture, 10150
Pour ce qu'il savoit de lettrure,
Ad l'espousaille au fin complie.
   En la presence au soverein
Vient Conscience primerein,
Q'au moustier les dames mena,
U Gracedieu leur chapellein
Les faisoit prendre mein au mein,
Et depar dieu les affia ;

Et puis leur messe ensi chanta
Qe dieus en bon gré l'accepta, 10160
Car l'Alme y offrist son certein,
Itiel comme dieus le commanda :
Resoun ses femmes moult ama,
Car moult furont du noble grein.
   Ensi dieus de sa courtoisie
Encontre l'orde progenie
Des vices, qui tant sont maldit,
Au fin que l'alme en soit guarie,
Par mariage il associe
Les sept vertus, comme vous ai dit, 10170
Qui sont verrai, bon et parfit
Par grace du seint espirit,
Au Resoun, qui de sa partie
S'enforce dont soit desconfit
Ly deable, et l'Alme a son droit plit
Remise : oietz chançoun flourie.

   Puisq'il ad dit devant comment
Resoun espousa les sept vertus,
oredirra comment contre chascune
file des vices engendra une file
des vertus. Et primerement com-
mencera a parler de les cink files
les quelles sont engendrez de
Humilité, dont la primere file ad
noun Devocioun, contre le vice de
Ypocrisie.

Humilité cink files meine,
Par quelles l'Alme se remeine
Au Resoun, dont tu dois nomer
Devocioun la primereine, 10180
Quelle en secré simple et souleine
Y vient, qant voet son dieu prier.
Ensi nous fist dieus enseigner
Q'au temps que nous devons orer
N'ert chambrelein ne chambreleine,
Ainçois devons les huiss fermer
Pour noz prieres affermer ;
Car dieus ascoulte au tiel enseine.
   La vertu de Devocioun
Toutdis retient en sa maisoun 10190

10115 plussouent   10168 ensoit

Une autre, que n'est pas aperte :
Celle ad tout proprement a noun
La bienamé sainte Oreisoun,
Qe ja ne quiert ou gaign ou perte
Du siecle avoir pour sa decerte,
Ainz loign des gens si comme deserte,
Que nuls en sache si dieus noun
En dieu priant se tient coverte,
Q'Ipocresie ne perverte
Ne son penser ne sa leçoun. 10200
Q'om doit orer souleinement,
Q'om doit orer tout pleinement,
Q'om doit en lermes dieu prier,
Q'om doit orer bien humblement,
Q'om doit orer communement,
Q'om doit auci continuer,
Q'om doit la bonne peas orer,
Q'om doit par orisouns aider
Son Roy, auci la morte gent,
Q'om doit par priere allegger 10210
Noz vices, tout ce puiss moustrer
Escript du viel essamplement.
Q'om doit orer soul et celée :
Ce fist ly prophete Helisée,
Qant il sur soy les huiss ferma,
Que nuls agardoit son secré,
Par quoy l'enfant q'ot mort esté
En dieu priant resuscita ;
Et Moÿses en l'arche entra
Tout soul, qant pour le poeple ora :
Seint Luc auci par tiel degré 10221
Dist que no sire soul monta
En la montaigne, u qu'il pria,
Qant l'autre gent s'estoit alé.
Q'om doit orer tout plainement
Senec nous fait enseignement,
Si dist, qant l'en dieu priera,
Sanz parler curiousement
Et sanz nul double entendement
Du plain penser plain mot dirra, 10230
Car double lange dieus n'orra :
David tesmoigne bien cela,
Disant que dieus au toute gent f. 59
Est prest, qant om l'appellera,

Maisque tout verité serra
Q'il prie, et nounpas autrement.
Que l'en doit faire oracioun
Par grande humiliacioun,
Ce dist David, 'Soiez soubgit
Au dieu sanz point delacioun, 10240
Si fai ta supplicacioun.'
Et tout ensi je truis escript
Que Daniel jadys le fist ;
Trois fois le jour au terre il gist
En sa genuflectacioun,
Priant au dieu q'il le guarist,
Q'en Babyloigne ne perist
D'estrange fornicacioun.
De Machabeu auci lisant
Je truis q'au terre engenulant, 10250
Et tout le poeple ovesque luy,
S'estoiont mis en dieu priant
Qu'il leur aidast du fel tirant,
Antiochus leur anemy,
Le poeple dieu q'ot poursuÿ ;
Dont leur priere dieus oÿ,
Si fist de sa vengance tant
Qe tout vivant son corps purry :
Jerusalem s'estoit guari
Par ce que vous ai dit devant. 10260
Q'om doit orer en lermoiant,
De ce nous ert Sarre essamplant,
Q'en plours prioit trois jours et nuytz,
Au fin que dieus luy fuist aidant
De honte q'om luy vait disant
Pour sept barons q'elle ot perduz :
Des plours Thobie auci je truis,
Qant voegle estoit et fuist confus
Du femme qui luy vait tençant :
Molt fuist leur plours de grans vertus,
Car l'un et l'autre est socourrus, 10271
Sicomme l'istoire est devisant.
Dans Helchana cil espousoit
Anne et Phenenne, et avenoit
Sique dame Anne estoit bareine ;
Mais de ses lermes dieu prioit,
Dont Samuel deinz brief conçoit ;
C'estoit priere bonne et seine.

10197 ensache

Et qui dist que la Magdaleine
Lors ne plouroit au bone estreine,
Qant au manger u dieus seoit   10281
Pour un poy d'eaue chalde et veine
Du vie gaigna la fonteine,
Qe des tous mals la garisoit?
  Q'om doit auci toutdis orer
Saint Luc le fait bien tesmoigner :
Quant nostre sire ot en sa guise
Conté comment se doit troubler
Ly mals du siecle et adverser
Contre le jour du grant Juise,   10290
As ses disciples lors devise,
Que s'ils en vuillont la reprise
Et les tourmens sauf eschaper,
Par grant devocioun enprise
Priere sanz recreandise
Leur falt toutdis continuer.
  L'apostre dist q'au dieu plesance
Molt valdra la continuance
Del homme just en dieu priant :
La bible en porte tesmoignance,   10300
Qant Amalech par mescreance
Ove Josué s'est combatant ;
Tant comme ses mains estoit levant
Dans Moïses en dieu priant,
Ot Josué la meillour lance ;
Mais qant des mains fuist avalant,
Ert Amalech a son devant
Et Josué fuist en balance.
  Q'om doit communement prier
L'en poet avoir bon essampler   10310
De Josaphat Roy de Juda,
Qant le grant host vist assembler,
Qe trop faisoit a redoubter,
Des Ciriens qu'il redoubta :
Le poeple en commun s'assembla,
Chascuns devoutement pria
Qe dieus les volsist socourer :
La vois commune dieus oya,
Dont chascun autre entretua
Des anemys a l'encontrer.   10320
  Q'om doit auci prier la pes
Essample nous avons du pres

Par le prophete Jeremie,
Qant commandoit que sanz reles
Au poeple quel estoit remes
Du transmigracioun en vie,
De lors avant chascuns supplie
Qe dieus en pes maintiene et guie
Jerusalem, sique jammes
Soit d'anemys prise ou saisie,   10330
Sique sa loy n'en soit blemie,
Ne de son poeple y soit descres.
  Qe pour le Roy et pour ses fitz
L'en doit orer j'en suy tout fis,
Car ce faisoit Baruch escrire
A Joachim, q'ert ses amys,
Qu'il feist prier en son paiis
Pour Nabugod, qui tint l'empire,
Et pour son fils, qui puis fuist sire,
C'est Baltazar ; dont puiss je dire,   10340
Puisqu'il ensi firont jadys
Pour Roy paien, meulx doit souffire
Priere que l'en doit confire
Pour cristien, ce m'est avis.
  Un autre essample en troveras,
Si tu la bible bien liras,
Comment Cirus ly Rois Persant
Donna congé a Scribe Esdras
D'edifier en son compas
Jerusalem, qui pardevant   10350
Fuist gaste : et ce faisoit par tant
Qe tous fuissent pour luy priant
Deinz la cité cils q'en ce cas
Y duissont estre enhabitant,
Au fin que dieus ly toutpuissant
Governe ses roials estatz.
  Q'om doit orer pour la gent morte
Essample avons que nous enhorte
De Machabeu certainement :
Et sur ce resoun le nous porte   10360
Que l'en par droit aide et supporte
Celluy qui n'ad dont proprement
Se poet aider ; car cil q'attent
En purgatoire n'ad comment
Pour allegger sa peine forte,
Si noun qu'il plest au bonne gent

10292 envuillont   10300 enporte   10334 iensuy   10345 entroueras

Prier pour son alleggement,
Qe dieus en pité le conforte.
  Q'om doit orer remissioun
Des pecchés, je truis mencioun ; 10370
Cils d'Israel ensi faisoiont
Venant de leur captivesoun :
Esdras commença s'oreisoun,
Et cils del oïr s'assembloiont
En la Cité u qu'ils estoiont,
Dont de lour mals pardoun prioiont,
De ce q'en fornicacioun
Estranges femmes pris avoiont :
Pour ce q'ensi se repentoiont
Dieus en fist l'absolucioun. 10380
  Mais en priant oultre trestout
Il falt que l'omme en soit devout,
Car meulx valt prier sanz parole
A celluy qui son cuer y bout,
Qe vainement a parler moult
Sanz bien penser, du lange sole :
Car sainte lange ove pensé fole
Ne valt ja plus que la frivole,
Que sanz merite dieus debout ;
Sicomme l'en fait de la citole, 10390
Dont en descord la note vole
Et grieve a celluy qui l'escoult.
  Cuers q'a sa lange se descorde
En sa priere a dieu n'acorde ;
Ainz l'un ove l'autre ensemblement,
Qant lange son penser recorde
Et ly pensiers son cuer remorde,
Lors prie a dieu devoutement,
Par si qu'il prie honnestement :
Car ja si bon n'ert le pyment, 10400
S'il en puante coupe et orde
Soit mis, au boire om pert talent ;
Ne cil qui prie laidement
Ja n'ara dieu de sa concorde.
  Isidre, q'estoit clerc parfait,
Dist que priere est lors bien fait,
Qant om ne pense point aillours ;
Mais qant ly pensiers se retrait,
Du quoy ly cuer au siecle vait,

Qanque l'en prie est a rebours. 10410
Seint Augustin ly grans doctours
Dist que priere des criours,
Ove cuer muët, est inparfait,
Qant bouche et cuer sont descordours :
Combien q'om prie as grans clamours,
N'est resoun qu'il merite en ait.
  Ne poet valoir celle oreisoun
Q'om prie sanz devocioun ;
Ainz om la doit bien resembler
As nues fuiles du buissoun, 10420
Qe fruit ne porte en sa saisoun ;
Auci resemble au messager
Q'om fait sanz lettres envoier
Et sanz enseignes pour aler
Devers estrange regioun   f. 60
Au sire que l'en voet prier :
Ove vuide main le fist mander,
Dont vuid reverte a sa maisoun.
  Mais cil q'au droit voet dieu prier
L'estoet encore a reguarder 10430
Q'il porte ove soy ascun present
De son bon oevere a presenter,
Tiel que son dieu voet accepter ;
Dont pour le doun q'est precedent
Luy deigne plus benignement
Donner pitous entendement
A ce que l'en voet supplier :
Car qui s'ordeine tielement
Lors doit avoir par juggement
Un doun pour autre doun donner.
  Je truis escript en Exodi, 10441
Qe Moÿses le dist auci
Au poeple et ensi les enhorte,
Qe devant dieu se doit nully
Vuid apparer, ainz donne ensi
Q'il pour son doun loer reporte ;
Car a celuy clot dieus sa porte
Qui toutdis prie et riens apporte,
Un tiel n'est pas le dieu amy :
Mais q'umblement vers dieu se porte
Et s'alme des bienfaitz supporte, 10451
Cil fait molt beal present a luy.

   10380 enfist   10381 enpriant   10382 ensoit   10416 enait
                     10435 plusbenignement

L'en porra prendre essamplerie
El temps qant regnoit Ezechie,
Comment ly poeples lors prioit :
Chascuns y plourt, chascuns y crie,
Chascuns requiert, chascuns supplie,
Et sur trestout chascuns donnoit
Offrende solonc son endroit :
Car lors fuist la priere au droit 10460
Ove la devocioun complie ;
Dont nostre sires l'acceptoit,
Grantoit, voloit et confermoit
Que leur priere fuist oïe.
 L'en puet essampler ensement
Q'om doit donner devoutement,
En Exodi qui bien lirra,
Qant l'en faisoit primerement
Celle arche du viel testament,
Chascun ses douns y presenta 10470
Priant, et dieu les accepta :
Devocioun fist tout cela,
Car dieus les cuers voit et entent,
Et quant le fait s'acordera,
Lors est tout fait q'appartendra
A prier dieu plainerement.
 Q'en Oreisoun soit grant vertu
Essample avons q'est contenu
Dedeinz la bible, u Moÿses
El grant desert le poeple hebreu 10480
Mena, du ciel survint un fieu
Par sa priere, et les malves,
Q'encontre dieu furont engres,
Tout arst, q'un soul n'y fuist remes,
Droit pardevant celle arche dieu.
El novell testament apres,
Qui bien lira des seintz les fees,
Maint beal miracle en est venu.
 La vertu du bonne Oreisoun
Est la verraie guarisoun 10490
Encontre toute pestilence
Q'al alme fait invasioun ;
Car selonc la temptacioun
Des sept pechés ove lour semence
Sainte oreisoun, q'en dieu commence,
Sept bonnes cures contrepense,

Dont guarist leur infeccioun,
Sicomme Jerom de sa science,
Pour nous en donner l'evidence,
Reconte la devisioun. 10500
 Encontre Orguil primerement
Sainte Oreison molt humblement
Au terre se genulle en bas ;
Puis bat son pis molt reddement
En cas q'Accidie le surprent ;
Son cuer esveille isnele pas,
Et puis encontre les fallas
D'Envie et d'Ire dist, 'Helas !'
Pour prier plus devoutement :
As tous pardonne leur trespas, 10510
Au fin que par semblable cas
Luy face dieus pardonnement.
 Encontre les mals d'Avarice
Seinte Oreisoun de soun office
En halt le ciel vait regardant ;
U voit tant riche benefice,
Dont tient cel homme plus que nyce
Qui d'Avarice est covoitant :
Et puis encontre le pecchant
Du Leccherie le puant 10520
Et Gloutenie ove sa delice,
Des lermes s'alme vait lavant
Et ensi se vait guarisant
Du toute espiritiele anguisse.
 Devocioun en ses prieres
Suspire et plourt par six manieres,
Dont ad remors le pensement :
Ses malvoistés q'il voit plenieres,
Dont ad mesfait, sont les primeres
Par quoy plourt au commencement :
Et puis qant pense le tourment 10531
Qu'il ad deservy duement,
D'enfern les peines tant amieres,
Trestout deschiet en plourement ;
Car lors ne sciet sanz dieu comment
Se puet aider en ses miseres.
 Ly tierce plour que luy constreigne
C'est du prochein et du procheine,
Pour lour mesfait, pour leur pecché,
Q'il voit tout jour de la semeine : 10540

   10488 enest   10499 endonner   10506 isuele

Et puis, qant voit comme se desmeine
De ses voisins l'adverseté,
Lors plourt et prie en grant pité,
Comme s'il sentist en son degré
Del autri grief toute la peine,
Au fin que dieus en salveté
Le corps a sa prosperité
Et l'alme a sa mercy remeine.
 Le quinte plour c'est qant il pense
Comme ceste vie est plain d'offense,
Et de bienfaire en aventure, 10551
Si crient du char la negligence,
Q'il n'en deschiece el dieu presence ;
Car ce nous dist sainte escripture,
Qui bien sta voie q'a nulle hure
Soit jus rué de sa monture,
Dont ait blemy la conscience :
Car molt sovent qui plus s'assure
Plus tost cherra, si dieus n'el cure
Par support de sa providence. 10560
 Le siste plour n'est pas en vein,
Ainz est tout ly plus soverein
Dont la bonne alme puet plorer :
C'est pour l'amour de dieu soulein,
A qui tout ly cynk sen forein,
Ove le corage tout entier,
Sont mis de servir et amer
Par si tresardant desirer,
Qe tout le joye q'est mondein
Luy semble anguisse et encombrer ;
Dont falt toutdis a suspirer 10571
Au fin q'il soit de dieu prochein.
 Du plour q'ensi vous ai descrit
En l'evangile truis escrit :
' Cil est benoit qui plourt yci
En corps ; car puis en espirit
Des joyes qui sont infinit
Serra joyous devant celluy
Par qui tout bien sont remery ' :
Car dieus demande de nully 10580
Forsque le cuer luy soit soubgit
En droit amour, car cil q'ensi
Enploie son desir en luy
Prent des tous bien le plus parfit.

 Comme l'escripture nous diffine,
Devocioun q'est bonne et fine
Ad Contemplacioun s'amie
De son consail, de sa covine ;
Que nuyt et jour jammais ne fine
Pour dieu sercher de sa partie : 10590
A ce tout met et tout applie
Son cuer, son corps, sanz departie
Ja d'autre chose n'est encline ;
Dehors vit par humeine vie,
Mais pardedeinz elle est ravie
Siq'en pensant toute est divine.
 Lors ayme a estre solitaire,
Dont en les angles se fait traire,
Siq'en repost soulainement
Poet sa devocioun parfaire ; 10600
Car ne voet point que son affaire
Soit aparceu d'aucune gent :
Mais la se tient tout coiement
En contemplant son pensement,
Sicomme la vierge solait faire,
Qant ayme et vergondousement
Soulaine son amy attent,
Dont soit ravie en secretaire.
 Quant la bonne alme ensi sultive
En l'amour dieu est ententive, 10610
Dont soit ravie a son amant,
Comme fuist saint Paul, lors est pensive
En halt le ciel contemplative,
Dedeinz son cuer considerant
Comment entre eaux sont diversant
Le ciel et terre en leur estant :
L'un donne joye et l'autre prive, f. 61
L'une est petite et l'autre grant,
L'un est des tous biens habondant,
Et l'autre du poverte estrive. 10620
 Lors voit que l'un ad belle haltesce,
Et l'autre est basse et tout oppresse,
L'un ad franchise, l'autre ad servage,
L'un ad clarté, l'autre ad voeglesce,
L'un ad desport, l'autre ad destresce,
L'un est constant, l'autre est salvage,
L'un est certain, l'autre est volage,
L'un ad mesure, l'autre ad oultrage,

10559 Plustost   10562 plussouerein   10604 Encontemplant

L'un ad vilté, l'autre ad noblesce,
L'un est paisible, et l'autre esrage, 10630
L'un est tresfole, et l'autre est sage,
L'un fait guarir, et l'autre blesce.
   Quant tout ce poise en sa balance,
Et plus avant prent remembrance
De son amour, de son desir,
Q'elle ad vers dieu, lors n'ad plesance
Du ceste vie, ainz par semblance
Commence au siecle de morir,
Et pour despire et vil tenir
Qanque le mond poet contenir 10640
D'Orguil ove toute s'alliance :
Car tant luy tarde au dieu venir
Q'en ceste vie fait sentir
Tout autre joye a luy penance.
   Car cils qui sont vrai contempliers
Sont demy mort as seculiers,
Si desiront la mort present
Plus que sauf port ly mariners,
Ou plus que fait ly labourers
En attendant son paiement, 10650
Plus que gaigners son augst attent,
Ou que viners son vinement,
Ou plus que fait ly prisonners
Son rançoun et delivrement,
Ou plus que son revienement
Ly peregrins q'est long aliers.
   Gregoire dist en son escrit,
En contemplacioun qui vit
Du riens ou monde est en paour ;
Comment q'il plourt, comment q'il rit,
Toutdis se tient en un soul plit, 10661
Tant est suspris de fin amour,
Qui luy constreigne nuyt et jour :
Pour regarder de son seignour
La face, c'est tout son delit,
C'est son penser sanz nul rettour ;
Dont dieus luy donne au chief de tour
Tout son desir sanz contredit.
   Des philosophres ot plusour
Qui dieu conustrent creatour 10670
Par ses foraines creatures,
Son sens, sa beauté, sa valour ;
Mais nepourqant le droit savour
Leur faillist, ainçois d'autres cures
Demeneront leur envoisures,
Ly uns pour savoir les natures
Des bestes et d'oisealx entour,
Ly autres firont conjectures
D'astronomye et des figures,
Q'a dieu ne firont plus d'onour. 10680
   Mais Contemplacioun en dieu
Qui l'ad, lors est de grant vertu,
Q'il est ad dieu conjoint ensi
Par si tresamourous englu,
Qe tout en un se sont tenu
Sanz departir : o dieus mercy !
De dieu penser tout est norry,
Repu, vestu et rejoÿ,
Dont corps et alme est soustenu :
Il met soy mesmes en oubly 10690
Par fin amour q'il ad de luy,
Tanq'il soit tout a luy venu.
   Trop est l'amour fins et loyals
Qui tous les eases et travals
Oublist pour soul de dieu penser,
En qui tous biens sont principals.
Tiels cuers est bien celestials,
Qant tielement sciet dieu amer ;
Dont om pourra le contempler
A celle eschiele resembler 10700
Que vist Jacob, qui parigals
Ove l'angel dieu se fist luter ;
Jusques au ciel la vist estier,
Dont y montont ly dieu vassals.
   Du Contemplacioun la foy
Moult bien resembler je le doy
A la chalandre en sa nature,
La quelle au mye nuyt tout coy
Devers le ciel prent son voloy
Si halt comme puet en sa mesure ; 10710
En terre auci qant y demure,
Ne voit malade en ascune hure
Qui doit morir, ainz en effroy
S'en tourne et vole a grant alure :
Cist oisel porte la figure
Du Contemplacioun en soy.

10634 plusauant   10650 Enattendant

En la deserte regioun
Pres du paiis Cithaie ad noun
Sont unes molt horribles bestes,
Q'ont corps et coue du lioun, 10720
Et portont d'aigle la façoun
Des pées, des eles et des testes,
Si vont corrant par les terrestes,
Volant par l'air sicomme tempestes,
Oisel et beste, et sont Griffoun,
C'est lour droit noun selonc les gestes :
Ne pourra faillir des molestes
Cil q'ils tienont en lour bandoun.
  Deinz le desert q'ai susnomé
La riche pierre y est trové 10730
Que l'en appelle Smaragdine,
Q'est des Griffons si fort gardé,
Qe par bataille ert conquesté
Ainçois que l'omme en ait seisine :
Mais une gent y ad veisine
Encoste celle salvagine,
Qui Arimaspi sont nomé,
Si n'ont q'un oill, mais tant est fine
Qe plus que deux leur eslumine
Du molt soubtile clareté. 10740
  Par celle gent, q'est bien hardie,
La riche pierre y est cuillie
Malgré Griffoun ne leur aguait ;
Mais nepourqant de leur partie
Trop font au gent dure envaïe,
Ainçois que nuls la pierre en ait.
Pour nostre essample est tout ce fait,
Comme saint Remy le nous attrait,
Qui fuist expert de la clergie :
Ce n'est pas chose contrefait, 10750
Car Contemplacioun parfait
Du grant misteire signefie.
  Pour parler du desert primer,
Ce doit a nous signefier
Un cuer desert du toute cure
Du quelque chose seculier ;
Et puis du pierre pour parler,
Quelle est bien cliere en sa verdure,
Pour ce q'elle est tant fine et pure,
Tout signefie par figure 10760

Le dieu que nous devons amer ;
Mais ly Griffoun de leur nature
Sont deable, qui nous courront sure
De tout bon oevere a resister.
Car toutdis qant prodhomme enprent
A cuiller deinz son pensement
Dieu, q'est la pierre des vertus,
Ly deable par enticement
La pierre contre luy defent,
Q'au fin ne soit par luy tenuz : 10770
Mais celle gent q'ai dit dessus
D'un oil tout soul, qant sont venuz,—
C'est l'oil du cuer, dont clierement
Dieu voiont,—tantost ont vencuz
Le deable, car ja n'ert deçuz
Cil qui voit dieus parfaitement.
  C'est l'oill parfit, par quel om voit
Trover la pierre q'est benoit,
Quelle ad el ciel sa residence ;
C'est l'oill qui fait prier au droit, 10780
Q'ipocresie en nulle endroit
De la mondeine reverence
Luy touche, ainz dieu soul voit et pense ;
C'est l'oill de qui tout bien commence,
C'est l'oill q'en halt le ciel pourvoit
Et la vitaille et la despense,
Dont pardevant la dieu presence
Sanz fin celle alme vivre doit.
  La vertu q'est en contempler
Gregoire le fait resembler 10790
Al aigle blanc qui s'esvertue
Sur tous oisealx en halt voler,
Et d'autre part sanz obscurer
Il ad des oils si cliere veue,
Q'en regardant ne les remue
Pour clareté q'est espandue
Du solail, qant prent a raier,
Ainz celle ray q'est plus ague
Des oils reguarde nu a nue,
Dont fait ses joyes demener. 10800
  Albertes, qui savoit asses,
Et qui sovent l'ot esprovez,
Dist que d'oiseals est la nature,
Certainement qant les verrez

10734 enait   10746 enait

Leur nys avoir par leur degrés
Amont les arbres plus dessure,
C'est signe du bonne aventure :
Ensi l'umaine creature
Qant ad son cuer plus halt levez   f. 62
Vers dieu par conscience pure,   10810
Lors la bonne alme plus s'assure
Q'elle est plus digne d'estre amez.
   Devocioun q'ensi s'acline
A dieu, Isidre la diffine
Semblable au mouscle en son degré ;
La quelle au ryve q'est marine
S'escales overe a la pectrine,
Si en resçoit le douls rosé,
Que chiet du ciel tout en celée,
Dont puis deinz soi ad engendré   10820
La margarite blanche et fine ;
Ensi Devocioun en dée
Conceipt, s'elle est continué,
La Contemplacioun divine.
   Devocioun q'est si guarnie,
Ove Contemplacion s'amie,
Qant sont ensemblement conjoint,
Tant sont fort contre l'envaïe
D'Orguil et fole Ypocresie,
Qe jammais jour serront desjoint :   10830
Car il y ad ne nerf ne joynt,
Ne veine, que tout ne soit joynt
Au dieu servir en ceste vie ;
Par quoy dieus ne les oublist point,
Ainz au darrein, qant vient a point,
Ove soy sanz fin les glorifie.

Ore dirra de la seconde file de Humilité, la quelle ad noun Paour, contre le vice de Veine gloire.

   Icelle fille q'est seconde
D'Umilité nette est et monde,
La quelle dieus nomoit Paour :
Si nage tous jours contre l'onde   10840
Du Veine gloire et la confonde ;
Car qant beauté, sen ou valour,
Richesce, force ou vain honour
Luy font sembler qu'il est meillour
Des autres, dont Orguil habonde,

Paour repense un autre tour
Que tout ce passe au darrein jour,
Et q'a ses fais falt qu'il responde.
   De ceste vertu nous ensense
Roy Salomon de sa science,   10850
Qui dist que le commencement
Du droite et pure sapience
C'est en paour du conscience
A doubter dieu primerement :
Car cil q'au dieu doubter se prent,
Du Veine gloire ja mesprent,
Car Paour toutdis contrepense,
Et dist deinz soy tout coiement,
Ne puet finir joyeusement
La gloire que sanz dieu commence.   10860
   Trois choses sont, Paour confesse,
Dont Vaine gloire nous adesse ;
Car l'alme y ad primerement,
Quelle ad deinz soi resoun impresse,
Du quoy resemble en sa noblesse
As angles par entendement ;
Et puis le corps secondement,
Q'est de ses membres noblement
Doé ; la tierce est la richesce
Du siecle, qui nous est present :   10870
Mais chescun d'eux ad nequedent
Un anemy qui trop luy blesce.
   Encontre l'alme tout primer
Ly deable y vient pour essaier,
Au fin qu'il par temptacioun
Pourroit la raisoun forsvoier,
Et l'alme ove ce faire envoier
D'enfern a la dampnacioun :
Luy corps d'umeine nacioun
Des verms la congregacioun   10880
L'aguaite en terre a devourer :
Q'en prent consideracioun,
Fols est, si veine elacioun
Luy face yci glorefier.
   Pour les richesses dont vous dy
Ly lieres est nostre anemy,
Qant les desrobbe et tout asporte ;
Et Salomon nous dist auci,
Que plusours ont esté peri

10809 plushalt   10812 plusdigne   10818 enrescoit   10882 Qenprent

Pour la richesse que l'en porte : 10890
Trop est pour ce la joye torte,
Que Vaine gloire nous apporte,
Car le certain pourra nully
Savoir du fin ; dont nous enhorte
Paour, q'est gardein a la porte,
Que nuls en soit trop esjoÿ.

Paour endroit de ce s'effroie,
Dont Vaine gloire se rejoye ;
Car l'un a l'autre sont contraire,
Que d'un acord ne d'une voie 10900
Serront jammais, ainz tout envoie
Vait l'un del autre en son affaire ;
Qe l'un plest, l'autre ne puet plaire,
Qe l'un fait, l'autre voet desfaire ;
L'un quiert le siecle et se desroie
Du vanité, q'y pense attraire,
Et l'autre pense pour bien faire,
Au fin q'il ait parfaite joye.

Uluxes, qant par mer sigla,
Tout sauf le peril eschapa 10910
De les Sereines ove leur chant :
Un bon remedie y ordina,
Qu'il les orailles estouppa
Des mariners, q'ils riens oiant
Y fuissent, mais toutdroit avant
Leur niefs aloient conduisant,
Ne destourneront ça ne la ;
Car s'ils en fuissent ascoultant,
Peris fuissent du maintenant
Du joye que l'en y chanta. 10920

Ensi, qant Veine gloire vente
De beauté, force ou du joyente,
Ou du richesce ou du parage,
Qant Paour voit q'ensi tourmente,
S'oraille estouppe et son entente,
Qe point n'ascoulte a lour langage,
Ainz tout tiel orguillous orage
En ce fals siecle, q'est marage
Du flaterie q'est presente,
Eschape, et si conduit comme sage
Sa nief toutdroit au sauf rivage, 10931
U n'est tempeste violente.

Ly sage Salomon disoit,
Qui toutdis crient il est benoit ;
Car sicomme ly nounsage myre
Plusours occist, plusours deçoit,
Ensi fortune en son endroit,—
Qant l'en meulx quide a estre sire
Et monter en plus halt empire,
Fortune plus le fait despire, 10940
Et lors le met plus en destroit :
Soudainement sa roe vire,
Que nuls au jour d'uy porroit dire
Ce que demein avenir doit.

Pour ce Senec le nous enseine,
Disant que cil qui paour meine,
Ce q'il ne voit ce crient il plus.
Ly clerc Orace auci s'en pleigne,
Si dist bien que la sort humeine
S'est a un tendre fil penduz ; 10950
Qant om meulx quide estre au dessus,
Si le fil brise, est tost cheeuz :
Nuls est certain de son overeigne,
Tout ly plus cert en sont deçuz,
Car molt sovent om truist al huiss
Ce que l'en quide estre longteine.

Maistre Aristole en son escript
Dist q'om doit criendre du petit ;
Car du sintelle q'est petite
Sovent naist un grant feu soubit : 10960
Petit serpens grant tor occit,
Sicomme Senec le nous endite :
Mais d'autre essample nous excite
Ly sages, qui paour recite ;
Si dist, du poy qui tient despit
Du poy en poy se desprofite,
Dont au darrain par sort soubite
Deschiet trestout en malvois plit.

Ly sages ce te vait disant,
'Ne soies sanz paour vivant, 10970
Ne ja dirrez comme fol hardy,
" J'ay fait pecchés, et nepourquant
N'est riens que m'en vait contristant " :
Trop est cil fol qui dist ensi ;
Car la dieu ire et la mercy

10896 ensoit   10918 enfuissent   10939 plushalt   10943 au Iourduy
10954 ensont

Tost vienont, quant ce plest a luy ;
Mais l'ire dieu s'est regardant
Tantsoulement dessur celluy
Q'en ses pecchés gist endormy ;
Soudainement sur tiel s'espant.' 10980
 C'est grant peril, tu dois savoir,
Sanz paour esperance avoir,
Du quoy presumpcioun engendre ;
Et d'avoir paour sanz espoir
Ce fait venir en desespoir.
Sanz l'un ne doit om l'autre prendre ;
Mais si tu d'umble cuer et tendre
Voes l'un ove l'autre bien comprendre,
Lors envers dieu fras ton devoir :
Si plainement tu dois entendre 10990
Qe des pecchés du quelque gendre
Verray pardoun dois rescevoir.
 Mais nous veons q'ascune gent
Ja n'averont paour autrement,
Mais soul pour doubte seculier
Du corporiel punisement,
Ou perte avoir de leur argent :
Du tiel paour scievont doubter, f. 63
Car s'ils pourront quit eschaper
Sanz l'un ou l'autre chastier, 11000
Du corps et de l'avoir present,
Lors ont leur joye si plener,
Q'ils laissont le paour aler,
Apres la mort qui leur attent.
 Mais autrement des gentz om voit
Qui criemont dieu, mais noun a droit,
Car ce font pour fuïr la peine
D'enfern, u ly mals estre doit,
Auci pour ce que dieus envoit
Anguisse en ceste vie humeine, 11010
C'est ly paours qui pecché meine :
Sicomme l'en poet trover enseigne,
La gent paiene ensi faisoit,
Pour la vengance dieu souleine,
Q'au plus sovent lour fuist greveine ;
Nuls d'autre cause dieu cremoit.
 Essample en as, si guarde prens,
Qant rois Oseë fuist regens

En Israel, lors surveneront
Evehi et Babiloniens 11020
Ove tout plein des Assiriens,
Qui les cités y conquesteront
En Samarie, ou demoureront.
Mais qant lioun les devoureront,
Du grant paour furent dolentz ;
Pour sa vengance dieu douteront,
Mais as fals dieus sacrifieront,
Car ce laisseront a nul temps.
 Qui bien se mire au present jour,
Du tiele gent verra plusour, 11030
Qui tant comme sentont la moleste,
Molt cremont dieu du grant paour,
Plus pour le mal que pour l'amour
Q'ils ont vers luy ; ainz sicomme beste,
Qant voient cesser la tempeste,
Ja n'ert leur vie plus honneste,
Ainz se revertont au folour,
N'y ad paour qui leur areste :
Maisque du corps eiont la feste,
Tout oubliont le viel dolour. 11040
 Itiel paour, q'est ensi pris,
Du vertu ne doit porter pris,
Car dieus de sa part ne le prise.
Saint Augustins dist son avis,
Paour q'est sanz amour compris
Pert sa merite en toute guise,
Car qant d'ascune paine assisse
Hom crient et doubte la Juise
Plusque de perdre paradis,
Il pert l'onour de sa franchise, 11050
Que dieus avoit en l'alme mise,
Puisq'en servage il est soubmis.
 A les Romains en conseillant
Par ses epistres envoiant
L'apostre envoia son message ;
Si dist q'ils fuissent enpernant,
Sique paour de son bobant
Ne les pot mettre en son servage,
Pour perte ne pour avantage
Du siecle avesques son oultrage, 11060
Qe leur pot faire aucun tirant ;

11006 adroit   11015 plussouent   11017 enas
    11053 enconseillant

Mais que tout franc de leur corage,
Malgré le siecle ove son visage,
Soient a soul dieu entendant.
  Quiconque ait homme plus cremu
Que dieu, tost cherra despourveu,
Si comme ly sages nous ensense :
Auci j'ay deinz la bible lieu
De Mardochée le bon Judieu,
Q'au tiel paour fist resistence ; 11070
Car pour paour du conscience
Ne volt tollir la reverence
Q'il devoit donner a son dieu,
Et la donner par violence
A fals Aman, q'ert plain d'offense,
Et la voloit avoir eeu.
  Prodhomme estoit cil Mardochée,
De qui Aman n'estoit doubtée,
Ainz volt son dieu soul redoubter :
Car tout bon homme en son degré 11080
Deinz soy ad une liberté,
Par quoy rien doubte seculier ;
Mais ly malvois fol losenger
Q'est a son pecché coustummer,
Cil ad paour d'adverseté :
Dont dist ly sage proverber,
Tous tieux paour tient en danger
Par servitute du Pecché.
  Cil fols qui tiel paour enprent
Du siecle, fol loer en prent 11090
Sicomme fist la gent Moabite,
Qui se doubteront durement,
Nounpas pour dieu, ainz soulement
Pour Josué, qui leur visite :
Mais Josué ce leur acquite,
Car pour loer de leur merite
En son servage il les comprent,
Dont jammais puis il lour respite :
Vei la comment cil se profite
Qui crient le siecle folement. 11100
  En l'evangile truis escript,
'N'eietz paour de luy q'occit
Le corps, qant plus ne porra faire,
Ainz luy q'ad plain poair parfit,
Q'il poet le corps ove l'espirit

El feu d'enfern sanz fin desfaire.'
Pour luy dois criendre de mesfaire,
Pour luy t'abandonne au bien faire ;
Car il te puet par autre plit
Donner le ciel a ton doaire : 11110
Itiel paour est necessaire,
Dont ly loer sont infinit.
  Molt valt paour du bon endroit,
Sicomme Judith le recontoit
A Olophernes l'orguillous
Du poeple dont venue estoit ;
Disant que chascuns se doubtoit
Des grans pecchés, dont ils trestous
Furont coupable et paourous.
Mais dieus sur ce lour fuist pitous, 11120
Qant vist la gent que luy cremoit ;
Dont en la fin furont rescous,
Occis fuist ly vein glorious,
Judith sa teste luy coupoit.
  Ce dist David ly saint prophete,
'Qui dieu cremont au droite mete,
N'est meschief dont soient desfaitz' :
Si dist auci que la diete
Dont l'alme quiert estre replete
Ne leur doit amerrir jammais. 11130
Ly sages dist, 'Cil clers ou lais
Qui son dieu crient pour ses bienfais,
Il avera vie bien complete :
Car quique soit ensi parfaitz,
Qant ad sa conscience en paix,
Molt est par tout en grant quiete.'
  El livre de levitici
Dieus a son poeple dist ensi,
'Je vuill,' ce dist, 'que vous cremetz
Mon saintuaire, et puis, vous di, 11140
Les jours q'a moy sont establi
Je vuill que vous saintefiez :
Car s'ensi criendre me vuilletz,
Beal temps ove grant plenté des bleedz,
Frument et oille et vin auci,
Sanz guerre en pes vous averetz.'
Trop porront estre beneurez
Qui tiel loer ont deservi.
  Par Moÿsen auci j'ay lieu,

11062 Maisque   11090 enprent

Que dieus dista son poeple hebreu, 11150
' Si mes commans vuilletz doubter,
Lors vous pourretz en chascun lieu,
Par tout u serretz devenu,
Sanz nul paour enhabiter.'
D'Elye en poet om essampler,
Qant Jezabell luy fist guaiter
Au mort, par ce qu'il cremoit dieu,
Par tout, u qu'il voloit aler,
Dieus luy faisoit saulf conduier,
Q'ascune part n'ert arestu. 11160
  Le dieu sermon auci l'en doit
Doubter, q'ensi le commandoit
La viele loy, quant establiz
Fuist que la gent s'assembleroit,
Que Moÿses leur precheroit
De dieu les saintz sermons et ditz,
Au fin q'il fuissent bien apris
Endroit paour : car qui toutdis
Dieu crient et ayme en tiel endroit,
Ly sages dist, ja n'ert suspris 11170
Du siecle, ainz doit avoir son pris
De dieu, qui son corage voit.
  Par Jeremie escript je voi,
' Dieus dist, a qui regarder doi
Forsq'a celluy q'en droit timour
Crient mes paroles et ma loy?'
Et Neemye auci du soy
Pria son dieu par tiel atour :
' O dieus, saint piere et creatour,
Entens, beau sire, le clamour 11180
De tes servantz, q'en droite foy
Ont tout lour cuer mis en paour
De ton saint noun et ton amour,
Que riens desiront forsque toy.'
  Thobie el paour dieu vivant
Enseina son treschier enfant
Pour criendre dieu du jofne enfance ;
E si luy dist, que pour ytant
Serroit de tous biens habondant,
Du corps et alme en sufficance. f. 64
Judith en porta tesmoignance, 11191
Si dist, ' O dieus, c'est m'esperance,
Tout cil q'au droit te vont doubtant,

Ils en averont ta bienvuillance
Et serront grans en ta puissance,
Par toy no dieu, q'es toutpuissant.'
  Je truis escript en Ysaïe,
Qu'il molt tresdure prophecie
Dist sur Egipte, dont la gent
Dieu creindre ne voloiont mye : 11200
Si dist, que pour leur estoultie
Se vengeroit dieus fierement ;
Dont ly futur et ly present,
Qui l'orront dire ensi comment,
Se doubteront de tiel oÿe.
Secré sont ly dieu juggement,
Comme plus le peccheour attent,
Plus sa vengance multeplie.
  Quant dieus son poeple ot aquité
Du servitute a salveté, 11210
Par Moÿsen leur dist cela,
Qe s'ils luy tienont redoubté
En droit paour d'umilité,
Prosperité leur avendra ;
Mais autrement les manaça
Qu'il les la voie remerra,
Dont pardevant les ot mené,
Et en servage remettra,
U chascun s'espoentera
De leur primere adverseté. 11220
  Et oultre ce leur dist auci,
Qe s'ils n'eussent paour de luy,
Il les dourroit paour mondein ;
Dont tant serroiont esbahy,
Q'au soir dirroient, ' Dieus, ay my !
O si verrons venir demein !'
Et au matin dirront en vein,
' Helas ! qui nous ferra certein
Que nous verrons le soir compli ?'
Ensi qant dieus hoste sa mein, 11230
Qui ne voet criendre dieu soulein
Ert d'autre paour anienty.
  Molt est paour de grant vertu,
Qant om le met tout soul en dieu,
Car tiel paour d'especial
Tout autre paour ad vencu ;
Cil q'ad paour il ad salu :

11155 enpoet   11191 enporta   11194 enaueront

Et par paour om prent tout mal ;
Car le paour q'est mondial
De tous mals est origenal : 11240
Mais qant dieus est pour soi cremu
En droit paour espirital,
Ja n'ert tiel paour corporal,
Dont l'alme serra corrumpu.
   Le droit Paour pour deviser,
Al huiss du chambre il est huissher,
Qui porte defensable mace ;
Dont, quant ly deable voet entrer
Pour faire l'alme foloier,
Paour le fiert enmy la face 11250
Et le deboute au force et chace :
Paour auci la Char manace,
Qe d'orguil n'ose forsvoier :
Paour est gardeins de la place,
U il herberge Bonne grace,
Et laist Pecché dehors estier.
   Paour jammais commence chose,
Ainçois qu'il deinz son cuer pourpose
Au quel fin ce pourra venir ;
Dont, si bon est, son fait despose, 11260
Et si mal est, lors le depose
Pour doubte de mesavenir.
Ensi se guart d'enorguillir,
Car bien conoist que le finir
De la mondeine veine glose
En grant tristour doit revertir ;
Mais qui dieu crient, ne poet faillir
Q'au fin sanz tout paour repose.
   Paour est ly bons tresorers,
Qui gart tous les tresors entiers 11270
Qui deinz le cuer sont enserré,
Sique nuls malvois adversiers
Embler porra les bouns deniers
Qui des vertus sont tout forgé,
Dont l'alme serra rançonné :
Auci Paour est comparé
Du gardin au bon sartiliers,
Qui celle urtie maluré
Ove la racine envenimé
Estrepe d'entre les rosiers. 11280
   Et d'autre part par droit appell

Paour est guaite du chastell,
Qui ja ne dort de nuyt ne jour ;
Mais s'il ascoulte ascun revell,
Il vait tantost sus au qernell,
Savoir q'amonte ytiel clamour,
Et lors, s'il voit peril entour
Du liere ou d'autre guerreiour,
Tost va fermer son penouncell
Et sa baniere enmy la tour ; 11290
Si la defent par tieu vigour
Qe ja n'ad guarde du quarell.
   C'est ly bons gaites bien cornant
Q'esveille le Ribauld dormant,
Q'a la taverne ad tout perdu,
U gist tout yvres en songant
Q'il est plus riche et plus puissant
Qe Charlemains unques ne fu.
Cil q'est des vices tant enbu,
Ne conoist dieu ne sa vertu, 11300
Qant l'alme est yvre et someillant ;
Mais ly bons gaites de salu
Par son corner l'ad tant esmu,
Dont il esveille meintenant.
   Ly sage en son proverbe dist :
' En ses pecchés qui long temps gist,
Resemble au fol qui dort ou nief,
Tancomme en halte mer perist' :
Q'ainçois q'il aucun garde en prist,
L'en voit perir sanz null relief. 11310
Cil q'en prisonne auci soubz clief
Gist, et attent le hart deinz brief
Pour le forsfait dont il forsfist,
Sovent par vanité du chief
Tout songe q'il sanz nul meschief
Au noece et feste s'esjoÿst :
   Ensi ly peccheour s'esjoie,
Sicomme dormant, qui ne s'esfroie,
Ainz que vengance luy surprent,
Si ly bons gaites ne luy voie, 11320
Qui deinz le cuer en halt cornoie
Q'il perdurable peine attent :
Mais lors s'esveille et se repent,
Et voit des oils tout clierement
Qe tout est songe et veine joye,

11297 plusriche et pluspuissant   11309 enprist

Dont s'est mesalé longement;
Pour ce laist son fol errement
Et se reprent au droite voie.
 Au Job venoiont trois amys
Pour conforter de leur bons ditz : 11330
L'un Eliphas ce luy disoit,
Q'es nuytz q'om solt estre endormis
Lors du paour fuist tant espris,
Q'au meinz ly cuers de luy veilloit.
Ensi cil qui dieu ayme et croit,
De son amour paour conçoit,
Que luy ferra veiller toutdis
Dedeins le cuer, comme faire doit,
Pour penser s'il d'ascun endroit
Vers son amour ait riens mespris. 11340
 Mais qui ne crient de son corage,
Ainçois se prent au rigolage,
Est resemblable a cel enfant
Qui tout vendist son heritage;
Dont en luxure et en putage
Vait ses folies demenant
En terre estrange, u fuist paiscant
Les porcs, et ot famine atant
Q'il fist des glauns son compernage;
Mais lors au fin vint escriant 11350
Paour, dont il mercy criant
Revint au piere et son lignage.
 Paour, q'al alme riens concele,
Tout quatre pointz chante et repelle
Les peccheours ; si dist primer,
'U es?' Di, fol, je t'en appelle :
El siecle, qui toutdis chancelle,
U rien certain om puet trover,
Ore es trop froid jusq'au trembler,
Ore es trop chald jusq'au suer, 11360
Ore es trop plain en ta bouelle,
Ore es trop vuid par trop juner;
En un estat n'y pus estier,
Tous jours ta paine renovelle.
 Ce dist le livre Genesis,
Qant Adam ot le pomme pris,
Lors tielement dieus l'appelloit :
'U es?' ce dist, mais ly caytis
N'osa respondre, ains comme futis,
Pour ce q'il nu tout se veoit, 11370
Entre les arbres se musçoit ;
Dont cil qui toute rien pourvoit
Luy fist chacer du paradis
Aval, u susmes orendroit,
La que la femme en doel conçoit,
Et l'omme ad son labour enpris.
 Mais ore vuil savoir de toy,
Si nueté mist en effroy
Adam, n'es tu ore auci nu?
Certainement oÿl, je croy, 11380
Si tu te penses en recoy
Comment tu es primer venu, f. 65
Et puis au fin tout desvestu
T'en partiras ; dont lors si tu
N'as fait ascun bienfait, du quoy
Devant dieu soiez revestu,
Je tiens le temps tout a perdu,
Dont grant doubtance avoir je doy.
 Le point seconde c'est, 'Quoy fais?'
Si tu regardes a tes faitz, 11390
Paour t'en dirra meintenant
Qe cent mil fois sont tes mesfaitz
Du greignour pois que tes bienfaitz.
Itiel acompte est mal seant,
Si es en doubte nepourqant
Du vivre au fin que l'amendant
Facez ; car Mort de ses aguaitz
Par aventure ert survenant,
Qant plus te vais glorifiant,
Dont ont esté plusours desfaitz. 11400
 Qe tu morras tout es certeins,
Mais au quelle houre es nouncerteins,
Ou en quel lieu tu n'en saveras :
Mestre Helemauns, qui fist toutpleins
Lez Vers du Mort, tesmoigne au
  meinz
Qe mort t'ad dist comme tu orras :
'Houstez voz troeffes et voz gas,
Car tiel me couve soubz ses dras
Q'assetz quide estre fortz et seins.'
Mort t'ad garny de ses fallas, 11410
Dont par droit ne t'escuseras,
Si tu par luy soies atteins.
 Deux autres pointz je truis escrit
En Genesis, que l'angel dist

El grant desert, u qu'il trova
L'ancelle Agar, que s'en fuÿt
Enceinte d'un enfant petit,
Danz Abraham quel engendra,
Et Ismahel puis luy noma;
Dont celle ancelle s'orguilla, 11420
Et de sa dame tint despit,
Par quoy sa dame l'enchaça
Et la batist et desfoula,
Dont l'autre en paour s'en partist.
　Mais qant cel angel, comme vous dy
Agar trova, lors dist a luy,
'Dont viens, Agar? ne me celetz:
Et puis vous me dirrez auci,
U vas.' Agar luy respondi
Tout comme devant oÿ avetz. 11430
'Agar,' dist l'angel, 'rettournez,
Au Sarre, q'est ta dame, irrez,
Dieus te commande a faire ensi,
Et basse a luy te soubmettez;
Car si pardoun luy prieretz,
Trover pourras grace et mercy.'
　Ensi Paour te dist, 'Dont viens?'
Tu viens, caitifs, si t'en souviens,
De la taverne au deablerie,
U plus vileins q'esragé chiens 11440
Tu as despendu tous les biens
Que dieus ot mys en ta baillie,
Au fin que l'alme meulx garnie
En ust esté; mais la folie
Du veine gloire, que tu tiens,
Les t'ad hosté, dont en partie
Paour ta conscience escrie;
Quoy dirray lors, si n'en reviens?
Je dy, revien et toy soubmette:
Paour t'appelle en sa cornette, 11450
Que porte molt horrible soun:
'Revien,' ce dist, 'a la voiette,
Qe ly malfiés ne te forsmette
En la deserte regioun:
Rettourne arere en ta maisoun,
Et te soubmette a ta raisoun,
Si fai ta conscience nette,
Et puis responde a ta leçoun,

U vas, si tu le scies u noun':
Paour te chante en sa musette. 11460
　Paour te dist, 'U vas? dy moy:
Au Mort, qui n'ad pité de toy,
Et puis apres au juggement
Devant luy q'est tant just en soy,
Qe n'est pour prince ne pour Roy
Dont voet flecchir aucunement;
Et puis irrez sanz finement
A cel Herode le pulent,
Qui fait tenir le grief tournoy
En bass enfern du male gent. 11470
He, fol, si tu bien penses ent,
Molt doit ton cuer estre en effroy.'
　Ce dist Jerom, que quoy qu'il face,
Mangut ou boit, plourt ou solace,
Paour toutdis le fait entendre,
Comme s'il oiast deinz brief espace
Un corn cornant, qui luy manace,
Et dist, 'Vien ton acompte rendre':
Du tiel paour se fist susprendre,
Dont son penser faisoit descendre 11480
La jus en celle horrible place
En son vivant; si ot plus tendre
La conscience pour ascendre
Amont a la divine grace.
　Paour q'au droit se voet tenir,
Un fois le jour se vait morir,
Et en enfern fait la descente,
U qu'il ne voit forsque suspir,
Doloir, plorer, plaindre et ghemir,
En feu de sulphre u se tormente: 11490
Crepald, lusard, dragoun, serpente,
Cils font la paine violente,
Mais sur trestout, qant voit venir
Le deable, lors deinz son entente
En ceste vie il se repente,
Q'apres ne luy falt repentir.
　Une autre fois deinz sa memoire
Paour s'en vait en pourgatoire,
Et voit y moult diverse peine
Laide et puiante, horrible et noire, 11500
Plus que nuls cuers le porroit croire,
Ou langue dire q'est humeine:

11424 senpartist　　　　　11440 plusvileins

Atant q'enfern celle est grieveine
Mais d'une chose tout souleine,
Q'en pourgatoire l'alme espoire
En fin d'avoir sa joye pleine,
Mais en enfern elle est certeine
Du perdurable consistoire.
 Par droit Paour cil q'ensi pense
D'enfern la paine et la sentence, 11510
Que sanz mercy toutdis endure,
Et puis dedeins son cuer compense
Du pourgatoire l'evidence,
Quel froid y ad et quelle arsure,
Je croi q'il ad tresbonne cure
Trové ; et s'il apres tient cure
Du veine gloire, et reverence
Du siecle quiert, je ne l'assure
En celle gloire q'est dessure
Pour venir en la dieu presence. 11520
 Ly sages dist en sa doctrine
Qe la coroune et la racine
Du sapience c'est paour,
Qant envers dieu soulein encline
Par droit amour et discipline ;
Car qui dieu crient ovesque amour,
Lors n'est vertu qui soit meillour.
Paour est mol plus que la flour,
Et plus poignant que n'est l'espine,
As bons est joye, as mals hidour ; 11530
Qui son cuer serche en tenebrour
Paour la chandelle enlumine.
 Paour qui dieu aime et confesse,
C'est le tresor et la richesse
De l'alme, ce dist Ysaïe ;
Et David dist parole expresse,
'Qui dieu criemont en droite humblesse
Dieus les eshaulce et glorifie.'
Ce dist la vierge auci Marie,
' Du progenie en progenie 11540
La mercy dieu leur ert impresse,
Qui criemont dieu en ceste vie.'
Pour ce fols est q'a ce ne plie,
Qant elle en fait si beau promesse.
 Du droit Paour je truis escript,
Saint Jeremie ensi le dist

11544 enfait

A dieu par droite humiliance :
'O Roys du poair infinit,
Qui est celluy sans contredit,
Qui ne doit criendre ta puissance ? 11550
Sur tout puiss faire ta plesance,
Car trestous susmes ta faisance,
Sibien ly grant comme ly petit.'
O dieus, pour ce c'est ma creance,
N'est creature en nulle estance,
Q'a ton poair ne soit soubgit.

 Ore dirra del a tierce file de Humilité, quelle ad noun Discrecioun, contre le vice de Surquiderie.

D'Umilité la tierce file
Ne laist que Surquidance avile
Celle alme q'est par luy gardée ;
Aiçnois trestoute orguil exile, 11560
Et toute vertu reconcile,
Si est Discrecioun nomée :
Qant sens, valour, force ou beauté,
Honour, richesce ou parentée
Luy font des autres plus nobile,
Au dieu soulein rent grace et gré,
Pensant toutdis d'umilité
Qe sa nature est orde et vile.
 Discrecioun en governance
Ad tout quatre oils, en resemblance 11570
Des bestes, dont par leur figure f. 66
L'apocalips fait remembrance :
De l'oill primer sanz variance
Voit clierement sa propre ordure ;
De l'autre voit la grande cure
Du siecle que chascuns endure ;
Du tierce oil voit la permanance
Du ciel, u est la joye pure ;
Du quarte oil voit la peine dure
D'enfern ove celle circumstance. 11580
 Des quatre partz cil q'ensi voit
Ne doit orguil avoir par droit ;
Car pour soy mesmes regarder,
Comment son piere l'engendroit,
Comment nasquit du povere endroit,
Comment par mort doit terminer,
Comment les verms devont ronger

11565 plusnobile

Sa char puante et devourer,
Comment l'acompte rendre doit
Des biens que dieus l'ad fait bailler,
Par tous ces pointz considerer 11591
Orguil de cest oil ne conçoit.
 Pour regarder le siecle avant,
Si tu richesce y es voiant,
Poverte encontre ce verras,
Si saunté, maladie atant,
Si joye, dolour habondant,
Qe pour veoir trestous estatz,
Les uns en halt, les uns en bas,
Tout gist parentre six et as, 11600
Tant est fortune variant :
Si de cel oil bien garderas,
Ne croi que tu t'orguilleras
Du siecle, q'est si deceivant.
 Mais l'oil qui vers le ciel regarde
Par resoun ne doit avoir garde
D'orguil ; car la verra tout voir
Qe cil qui tint y l'avantgarde
Des angles, en la reregarde
D'enfern orguil luy fist chaoir : 11610
Auci David nous fait savoir,
Qe presde dieu porra manoir
Nuls orguillous ; dont cil q'agarde
De cest oill, puet tresbien veoir,
Poy valt orguil françoise avoir,
Q'au Surquider n'est pas bastarde.
 De l'oill q'envers enfern s'adresce,
Qe nulle orguil son cuer adesce
Par resoun doit bien eschuïr :
Car la verra comme gist oppresse
Orguil en peine felonnesse 11621
Du flamme que ne puet finir.
Qui de tiels oils se fait pourvir
D'orguil se porra bien guenchir,
Qe surquidance ne luy blesce ;
Et s'il tiels oils volra tenir,
Tout droitement porra venir
Au ciel, u dieus coronne humblesce.
 Discrecioun bien ordiné
Par quatre causes hiet Pecché : 11630
Primer pour ce que le corage
De l'omme par sa malvoisté

Destourne de sa liberté,
Et fait que l'omme est en servage ;
Auci Pecché de son oultrage
Corrupte fait la dieu ymage,
Puante, vile et abhosmée,
C'est l'alme, quelle se destage :
Pour ce Pecché du toute hontage
La droite mere est appellée. 11640
 L'en sert pour loer au final,
Car sans loer om prent au mal
D'ascun service sustenir ;
Mais quique soit official
Du Pecché par especial,
De son loer ne doit faillir :
L'apostre dist que le merir
Qe l'en du Pecché doit tenir,
C'est celle mort q'est eternal.
Fols est pour ce qui voet servir 11650
Pour tiel reguerdoun deservir,
Dont le proufit est infernal.
 Mais ly discret ove ses oils cliers
Est des vertus ly charettiers,
Q'es fosses ne les laist cheïr :
Si est auci par haltes mers
Du nief de l'alme conduisers,
Q'au port arrive sans perir.
Du trop se sciet bien abstenir,
Et a trop poy noun assentir, 11660
D'ascune part n'est oultragiers ;
Bien sciet aler, bien revenir,
Bien sciet les causes parfournir,
Dont est bien digne des loers.
 Discrecioun deinz sa peitrine
Toutdis prent garde a la doctrine
Que Salomon luy vait disant,
Qui dist q'au vanité decline
Trestout le siecle ove sa covine,
N'est un soul rien q'est permanant. 11670
Ce vait dieus mesmes tesmoignant,
Qe ciel et terre en temps venant
Et l'un et l'autre se termine ;
Excepcioun fait nepourqant
Qe sa parole ert ferm estant
Du perdurable discipline.
 Du vanité trestout est vein

Le siecle, et l'omme est auci vein,
Pour qui le siecle fuist creé.
Trois choses le me font certein, 11680
L'estat de l'omme est nouncertein
Et plein de mutabilité :
Primer de sa mortalité
Saint Job le dist en son degré :
'Comme l'ombre, ensi la vie humein ;
Huy tu le voies en saunté,
Mais point ne scies u ert trové,
Si tu le voes sercher demein.'
  He, dieus, q'est cil qui ne dirroit
Qe l'omme vanité ne soit ? 11690
Qant huy ce jour tes oils voiant
Chantoit, dançoit et caroloit,
Et a jouster les grés avoit,
Et tous criont, 'Vaillant ! vaillant !'
Et se sont mis a son devant
Pour son honour sicomme servant :
Mais au demein di que ce soit ;
Q'iert tous paiis hier pourpernant,
Soubz poy de terre ore est gisant,
N'est uns qui jammais le revoit. 11700
  Par ses mortalités ensi
L'omme est trop vein ; si est auci
Sa curiosité trop veine :
Car tous les faitz q'om fait icy
Comme songe se passont parmy,
Molt est la gloire nouncerteine.
Le songe en sa figure enseine
Les joyes de la char humeine ;
Qant l'en meulx quide estre saisy
De l'un ou l'autre en son demeine, 11710
Sicomme la chose q'est foreine,
Semblablement sont esvany.
  L'omme est encore, pour voir dire,
Des pecchés que sa char desire
Sur tout plus vein, bien me sovient :
Car du pecché dont l'alme enpire
L'omme est des autres bestes pire,
Et au plus malvois fin devient.
Si toutes bestes vont au nient,
Qe chalt, qant plus ne lour avient ? 11720
Mais l'omme, q'est des bestes sire,

Par pecché que son corps detient
Sanz fin celle alme enfern retient :
Tieu vanité fait a despire.
  Trestous ces pointz Discrecioun
Reguarde en sa condicioun,
Dont se pourvoit par ordinance,
Comme s'ordina pour sa maisoun
Cil Rois q'ot Ezechias noun,
A qui dieus faisoit pardonaunce : 11730
Discrecioun sanz fole errance
Fait sagement sa pourvoiance,
Le corps sustient en sa raisoun,
Et l'alme en juste governance
Sanz orguil et sanz surquidance
En ciel fait sa provisioun.
  Qant femme est belle et om la prise,
Au mirour court, si s'en avise,
Et s'esjoÿt qant se pourvoit ;
Mais si sa face ait tache prise, 11740
Lors fait sa peine en toute guise
Tanq'elle au plain garie en soit :
Du conscience en tiel endroit
En le mirour se mire et voit
Discrecioun q'est bien aprise ;
Et solonc ce q'elle aparçoit,
Ou laide ou belle, ensi se croit,
Et ensi son estat divise.
  Discrecioun tout a son gré
Ad trois servantz en leur degré, 11750
Des queux orretz les nouns avant,
Ordre, Maniere, Honesteté ;
Dont qui par Ordre est governé
Toutdis luy vait encosteiant
La reule dont ly dieu sergant,
Chascuns solonc son afferant,
Sont de leur ordres ordiné,
Qe trop derere ou trop devant
N'est uns qui vait le point passant
Q'appartient a sa dueté. 11760
  Et d'autre part auci Maniere
Devant la gent et parderere
Perest toutdis de si bon port,   f. 67
Noun orguillouse, ainçois sa chere
Vers tous porte amiable et chere,

11715 plusvein   11718 plusmaluois   11742 ensoit

Dont tous luy font joye et desport :
Car courtoisie est de s'acort,
Q'a nul bien unques se descort,
Ainçois la sert comme chamberere.
Cassodre en son escript recort, 11770
Et dist toute autre vertu mort,
Si ceste n'est avant guyere.
   Ce dist Senec, q'en trestous lieus
Om doit cherir et loer plus
Maniere, car qui Manere a,
Il ad la guide des vertus.
Car sanz Maniere sont confus
Tout autre vertu q'om avra :
Beauté, Jovente que serra,
Richesce ou force a quoy valdra, 11780
S'il n'ait ove ce Manere en us ?
Cil q'est discret, u qu'il irra,
S'aucune chose luy faldra,
Prent du Manere le surplus.
   Pour la descrire proprement,
Bonne maniere en soi comprent
De l'omme toute la mesure,
Dont il governe honnestement
Son corps et son contienement,
Primer au creatour dessure, 11790
Et puis au toute creature :
Trop halt ne vole a desmesure,
Auci ne trop en bass descent,
Ainz comme voit venir l'aventure
Des temps, des causes, a tout hure
Se contient bien et sagement.
   Nature en soy se pourveoit,
Les membres d'omme qant fourmoit,
Si fist les beals aperticer,
Nounpas les lais, ainz les musçoit. 11800
Par tiele essample et tiel endroit
Honesteté se fait guarder ;
Car des vertus dont aourner
Se puet en faire ou en parler,
Dont corps et alme enbelli soit,
Se veste et laist les lais estier ;
Car nullement voet adescer
La chose en quelle ordure voit.
   Primer qant homme dieus crea,

Des deux natures luy fourma, 11810
C'est d'alme et corps ensemblement,
Et deux delices leur donna,
Dont chascuns se delitera
Au dieu loenge soulement :
L'un est au corps tout proprement,
Qe les cynk sens forainement
Luy font avoir, mais pour cela
Qe l'autre a l'espirit appent,
Ce vient d'asses plus noblement
Dedeins le cuer, u l'alme esta. 11820
   Oïr, veoir, flairer, gouster,
Taster, ce sont ly cynk porter,
Par queux trestous les biens foreins
Vienont le corps pour deliter ;
Mais q'om n'en doit pas mesuser
Discrecioun est fait gardeins.
Car trestous biens qui sont mondeins
Bons sont as bons, mals as vileins ;
Mais ly discret se sciet temprer,
Q'il ja n'en ert par mal atteins ; 11830
Solonc q'il ad ou plus ou meins,
Honnestement se fait guarder.
   Ly bien mondain q'ay susnomé,
Du quoy ly corps s'est delité
Par les cynk sens, si j'en dirroie,
N'est q'une goute de rosée,
Dont si mon corps ay abeveré
Ma soif estancher ne porroie,
Au regard de celle autre joye,
Dont l'alme boit et se rejoye 11840
Pensant a la divinité :
C'est la fontaine cliere et coye,
La quelle saunté nous envoye,
Si tolt la soif d'enfermeté.
   As ses disciples dieus disoit :
'Quiconque de celle eaue boit
Qe je luy donne, en soy sourdra
Une fontaine au tiel exploit,
Q'en perdurable vie droit
Sanz nul arest saillir le fra.' 11850
C'est la fonteine pour cela,
Discrecioun dont bevera,
Et noun du goute que deçoit

11835 iendirroie   11849 *in rasura*

Par vanité, dont secchera :
L'un comme fantosme passera,
Mais l'autre sanz fin estre doit.
   Discrecioun surquide point,
Ainz met les choses a ce point,
U voit tout la plus saine voie :
Resoun toutdis l'argue et poignt   11860
Et sustient, siq'en un soul point
Du droit chemin ne se forsvoie.
Des deux biens au meillour se ploie,
Et de deux mals le pis renoie ;
Bien sciet eslire a son desjoint,
Q'il puis ne dirra, ' Je quidoie' :
Car sapience le convoie,
Q'as tous temps est ove luy conjoint.
   Je sui certains que Salomon
N'estoit pas sans discrecioun,   11870
Qant il l'espeie demandoit
Pour faire la divisioun
Du vif enfant, pour qui tençoun
De les deux femmes fait estoit :
Par loy escript ce ne faisoit,
Ne commun us ce ne voloit,
Ainz la discrete impressioun,
Q'il deinz son cuer de dieu avoit,
Tiel juggement lors l'enseinoit,
Dont tous loeront sa raisoun.   11880
   Ensi discrecioun vaillable
Fait l'omme de vertu menable
De l'une et l'autre governance,
C'est l'alme et corps ; car profitable
N'est chose plus ou busoignable,
Que tient mesure en la balance.
Vers dieu primer sa pourvoiance
De l'alme fait, et puis avance
Le corps sanz nul pecché dampnable
D'orguil ou fole surquidance,   11890
Par quoy puis pour sa bienfesance
Reçoit la vie perdurable.

   **Ore dirra de la quarte file de
Humilité, quelle a noun Vergoigne,
contre le vice d'Avantance.**

   Encontre l'orguil d'Avantance,
Que maint prodhomme desavance,

Naist une file d'umble endroit,
La quelle guart sanz fole errance
Del huiss du ferme circumstance
Sa bouche, comme David disoit ;
Ses lieveres clot, q'il n'en forsvoit.
Vergoigne ad noun : bien se pourvoit
Q'en dit n'en fait n'en contenance   11901
Se vante, ainz taist comme faire doit ;
Et s'aucuns priser luy voldroit,
Pour ce ne fait greigneur parlance.
   Vergoigne ad une damoiselle,
Hontouse ad noun, molt perest belle,
Et molt se sont entresemblable :
Mais Honte pour descrire est celle,
Qe ja si fausle n'est querelle,
S'om la surmet q'elle est coupable,
Tantost sa chere en est muable ;   11911
Mais Vergoigne ad la chere estable,
Si du falsine l'en l'appelle,
Qant voit bien que ce n'est que fable,
Mais si la culpe est veritable,
Tantost ly change la maiselle.
   Molt est Vergoigne simple et coye,
Car toutdis d'umble cuer se ploie,
Sique jammais en orguil monte
Pour l'onour que le siecle envoie :   11920
Jammais du bouche se desploie
Pour soy vanter en nul acompte,
Ainz ad le cuer si plain de honte,
Qe s'aucun autre le raconte,
Toute sa chere tourne en voie :
Del pris du siecle se desmonte,
Dont voelt que l'alme se remonte
En honour et parfaite joye.
   Qui du Vergoigne est vertuous,
Ensi tout soul comme devant tous 11930
Eschuie en soy trestoute vice ;
Car du penser q'est vicious
Commence a estre vergoignous,
Comme cil qui ses mals apertice.
Car qant Vergoigne est en l'office
De l'alme, et que pecché l'entice,
Tantost, comme femme a son espous,
S'escrie et prie la justice

De dieu, au fin q'il l'en guarise
Des mals qui sont si perilous. 11940
   Car la Vergoigne dont parole
N'est par norrie de l'escole,
Sicomme l'en fait communement,
Quant om rougist la face sole
Pour truffes ou pour la parole
Q'ascuns luy dist devant la gent :
Mais Vergoigne est tout autrement ;
Car deinz le cuer fait argument,
Qant l'omme pense chose fole,
D'oneste resoun le reprent, 11950
Si dist que dieus voit clierement
Tout le secret dont il affole.   f. 68
   Et nepourqant ce dist le sage,
Qe cil qui rougist le visage
Par vergonder de sa folour,
C'est un bon signe du corage ;
Car quiq'il soit, il crient hontage,
Dont meulx doit garder son honour.
Car ce distront nostre ancessour,
'Honte est ly droit chief de valour, 11960
Que soit en toute vassellage' :
Dont gart le corps sanz deshonour,
Et fait que l'alme est conquerrour
Du ciel, u toute orguil destage.
   Ly philosophre ce tesmoigne,
Qe nul vivant, en sa busoigne
Qant ad mesfait, porroit avoir
Greignour penance que Vergoigne ;
Qu'elle en secré sanz autre essoigne
Trestout le cuer fait esmovoir 11970
Si fort que de la removoir
Ne il ne autre ad le pooir,
Ainz siet plus pres que haire au moigne ;
Car deinz le cuer fait l'estovoir
De honte et doel matin et soir,
Dont ses pensers martelle et coigne.
   De son parable en essamplant
Ly sages ce nous vait disant,
'Devant grisile fouldre vait ;
Et ensi grace vait devant 11980
Vergoigne comme son entendant,
Dont gracious en sont ly fait.'

Car grace est toutdis en agait
Contre tous mals, dont se retrait
Vergoigne, qant voit apparant
Temptacioun d'ascun forsfait :
Par resoun ne serra desfait
Cil q'ad conduit tant sufficant.
   A Thimotheu l'apostre escrit,
Par son consail et son excit 11990
Qe femme se doit aourner
Honestement de son habit,
Maisq'a Vergoigne soit soubgit,
Qe fait les dames saulf garder.
Ce dist ly sage proverbier :
'La grace q'est en vergonder
Valt sur trestout fin orr eslit' :
Car son office et son mestier
Maintient et gart sanz reprover
Le corps ovesques l'espirit. 12000
   De la Vergoigne estoit garni
Saint Job, qant il disoit ensi,
'Ce dont jadys me vergondoie
Est avenu, la dieu mercy.'
David le saint prophete auci
Dist que tous jours enmy sa voie
Vergoigne encontre luy rebroie,
Que luy tollist la veine joye
D'orguil, qui l'avoit assailly.
Dont vergonder tresbien me doie, 12010
Depuisq'en ceaux vergoigne voie,
Q'au dieu furont prochein amy.
   Tout comme toi mesmes fais garnir
Par ta Vergoigne d'eschuïr
Les vices qui sont a reprendre,
Ensi te falt bien abstenir
Del autry honte descovrir ;
Car cuer honteus doit estre tendre,
Et d'autry honte honte prendre ;
Car s'autry mal porrez entendre, 12020
Du quoy sa honte doit venir,
Celer le dois et bien defendre :
Ce puiss tu bien d'essample aprendre,
Comme deinz la bible hom puet oïr.
   L'un fils Noë, qui Cham ot noun,
Qui puis en ot la maleiçoun,

Les secretz membres de son piere
La qu'il gisoit en yvereisoun
Moustroit par sa desrisioun
A Sem et a Japhet son frere ; 12030
Mais cils par vergondouse chere
En tournant leur visage arere
Doleront de la visioun ;
Si luy coeveront la part derere,
Qe vilainie n'y appere,
Dont puis avoient beneiçoun.

  Si la vergoigne est necessaire
Au fin que tu ne dois mesfaire,
Ce n'est Vergoigne nequedent,
Qant pour la gent te fais retraire, 12040
Sique tu n'oses le bien faire
Pour dieu plesance apertement :
De ce nous mostra plainement
Judith, quelle au consailement
De Vago le fel deputaire
La chambre entra souleinement,
U ly Prince Olophern l'attent,
Dont dieus complist tout son affaire.

  Molt valt apert et en privé
Vergoigne soit ensi guardé 12050
Q'apres ne soions vergondez ;
Car dieus, vers qui riens est celée,
Ce nous ad dit et conseilé,
Q'au fin nous verrons desnuez
Noz hontes et noz malvoistés.
Par l'evangile auci trovetz,
Que ja n'est chose tant privé
Q'aperticer ne la verretz :
Ce q'en l'oraille consailletz
Sur les maisons serra preché. 12060

  Quoy valt ce lors que l'en se vante,
Puisque la chose ert apparante
A jour de dieu judicial ?
Me semble que la poy parlante
Vergoigne serra plus vaillante
Qe n'iert Vantance a ce journal :
Car qant langue est superflual,
Trestout bien fait tourner en mal
D'orguil, dont elle est gobeiante ;
Mais la Vergoigne especial 12070
Du pris doit porter coronnal,
Que bien faisoit et fuist taisante.

  Vergoigne ad une sue aqueinte,
Noblesce ad noun, molt perest seinte,
Et poy tient de l'onour mondein,
U voit la gloire courte et feinte :
De la nobleie ne se peinte,
Ainz ad le cuer noble et haltein,
Dont puet venir a son darrein
A l'onour q'est plus soverein ; 12080
Pour ce fait mainte belle enpeinte,
Et fiert maint beau cop de sa mein,
Dont false orguil trestout au plein
Abat et met soubz sa constreinte.

  Celle est sans falte la noblesce
Quelle est par droit la garderesse
De l'alme. O fole Avanterie,
Comme tu es pleine de voeglesce,
Qant tu te fais de gentillesce
Avanter, et tu n'el es mye : 12090
Terre es et terre au departie
Serras, et tiel a ma partie
Sui je : di lors en ta grandesce
Q'est plus gentil ? Si je voir die,
Qui plus vers dieu se justefie,
Plus est gentil, je le confesse.

  Auci si meulx de moy vestu
Soiez, je n'en douns un festu ;
Ou si tu mangez meulx de moy
Pour ta richesce, et sur ce tu 12100
Te vantes, lors de sa vertu
Vergoigne te puet dire, Avoy !
Car tous les bestes que je voy
Nature veste de sa loy,
Et puis q'ils soient sustenu,
Les paist la terre ensi comme toy ;
Pour ce cil qui se vante en soy,
De Vergoigne ad son pris perdu.

  Ore dirra de la quinte file de Humilité, quelle ad noun Obedience.

  La quinte file bonne et belle
Obedience l'en l'appelle, 12110
Que naist du Resoun et d'Umblesce :
Plus est soubgite que l'ancelle,

    12032 Entournant   12080 plussouerein   12094 plusgentil

Ne puet monter en sa cervelle
La chose dont Orguil l'adesce,
Ce sciet son Abbes et s'Abesse
En la maisoun u est professe,
Que ceste file est sans querelle,
Ainz s'obeït et se confesse
Solonc la droite reule expresse
Et au moustier et au chapelle.   12120
  Quiconque soit le droit amant
De ceste file, tout avant
A dieu du corps et du corage
S'obeie ; et s'il aviene tant
Q'adverseté luy soit venant,
De ses chateaux perte ou damage,
Ou de pourchas ou d'eritage,
Ou maladie en son corsage,
Ou piere ou mere ou son enfant
Ou l'autre gent de son lignage   12130
Verra morir, tout coy s'estage,
Q'encontre dieu n'est murmurant.
  Tout scies tu bien que tu morras,
Et nientmeins tu le prens en gas,
Disant que tous devons morir :
Di lors q'est ce que tu ferras.
Pour quoy pour l'autri mort plouras,
Qant tu ta propre mort ghemir
Ne voes ? Pour fol te puiss tenir,
Qant l'autri mort ne fais souffrir,   12140
Comme tu ta propre souffreras :
Car deux biens t'en porront venir, f. 69
L'un que tu fras le dieu plesir,
Et l'autre c'est pour ton solas.
  Obedience du bon gré,
Solonc que dieus l'ad commandé,
Tient les preceptz du sainte eglise,
Et son prelat et son curée
Chascun solonc sa dueté
Honourt comme doit par bonne guise,
Et ses parens en toute assisse,   12151
Si comme la loy luy est assisse,
Sert et obeie en leur degré ;
As ses seigneurs tient lour franchise,
Et ses soubgitz point ne despise :
Molt ad le cuer bien ordiné.
L'en doit honour au president,

Du quelque loy q'il est regent,
Depuisqu'il est jugge establi
En sainte eglise ou autrement :   12160
Par Moïses car tielment
El livre deutronomii
Dieus dist et puis comande ensi,
Que cil qui ne s'est obeï
Solonc son saint commandement
Au prestre et autre jugge auci,
Je vuil, quiconque soit celly,
Qu'il en morra par juggement.
  L'onour de tes parens enseine
L'apostre par tresbonne enseigne, 12170
Si te promet pour l'obeïr
Sur terre longue vie et seine ;
Et de la loy puis te constreigne
Qe d'obeisance dois servir
Ton prince, et puis te dois vuïr
A tes voisins, et chier tenir
Et ton prochein et ta procheine
Sans orguillous desobeïr ;
Dont humblement le dieu plesir
Ferras et ton proufit demeine.   12180
  Mais par diverse discipline
Au prelacie, q'est divine,
Et au terriene seigneurage
Dois obeïr en ta covine ;
L'un ad ton corps en sa seisine,
Et l'autre ad t'alme en governage :
Sur quoy dist Salomon le sage,
'Obeie t'alme au presterage,
Maisque la teste soit encline
Au prince, et ensi sanz oultrage   12190
Par obeissance te desguage :
Fai d'un et d'autre la doctrine.'
  Et sur trestout obeie toy
A ton baptesme et a ta foy
Solonc ton dieu as joyntes meins.
Ce dist l'apostre endroit de soy
Enfourmant la novelle loy
Par ses epistres as Romeins
Et as Hebreus, ne plus ne meinz :
'Gardetz,' ce dist, 'voz cuers de-
    deinz,
Qe la creance y soit tout coy ;   12201

Car je vous fais tresbien certeins,
C'est impossible a les humeins
De plaire a dieu s'ils n'ont ce quoy.'
 Je truis escript auci cela,
Qe l'omme just du foy vivra,
Et dieus en porte tesmoignance
En s'evangile quant precha;
Si dist, 'Qui se baptizera,
Gardant la foy sanz variance,   12210
Tout serra sauf; car par creance
Serront soubgit a sa puissance
Tous mals, que riens luy grevera:
Et cil qui par desobeissance
S'est mis au fole mescreance,
Par juggement dampné serra.'
 Abel en foy sacrifia,
Dont en bon gré dieus l'accepta,
Mais du Cahym le refusoit:
Noë, qui droite foy guarda,   12220
Fesoit celle arche dont salva
Les vies que dieus commandoit:
La foy d'Enok, que dieus veoit,
Le fist ravir au tiel endroit,
Q'il mort terrene ne gousta;
Et Sarre, qant baraine estoit,
Par droite foy q'en dieu creoit
De Abraham un fils porta.
 Et d'Abraham l'obedience
Puis aparust qant main extense   12230
Ot pour son fils sacrefier;
Mais dieus en fesoit sa defense,
Et si luy dist q'en sa semence
Trestoutes gens volt benoier.
Q'om doit obedience amer
Ly sages nous fait enseiner,
Et donne a ce bonne evidence,
Qant dist que plus fait a loer
Obedience d'umble cuer
Qe sacrefice ove tout l'encense.   12240
 De Isaak auci je lis,
Qui molt estoit du foy garnis,
Qant pour le temps q'ert a venir
Volt benoïr Jacob son fitz:
Et puis Jacob a son avis

Des dousze enfans volt plus cherir
Joseph, et pour plus eslargir
Ses graces luy fist benoïr:
Du foy c'estoit trestout enpris,
Dont dieus, qui savoit lour desir   12250
Et leur creance, fist complir
Qe l'un et l'autre avoit requis.
 Qant Moïses nasquist primer,
L'en luy faisoit pour foy muscer
Trois moys, siqu'il ne parust mye;
Et puis, qant fuist aulqes plener,
Pour foy se fist aperticer,
La file Pharao s'amie
Lessant, q'avant l'avoit norrie;
Et puis se mist en jeupartie,   12260
Qant il l'Egipcien tuer
Fesoit de ce qu'il ot laidie
Sa foy; dont dieus de sa partie
Luy fist en grant estat monter.
 Puis Moïses en foy feri
La rouge mer, que s'en parti
En deux, dont ly Hebreu passeront;
Mais Pharao qui les suÿ
Ove ses Egipciens auci
En halte mer sanz foy noieront: 12270
Ly autre apres qui foy garderont
Ove Josué tout conquesteront
La terre, dont furont seisi.
Par ce que cils la foy ameront
Du viele loy, nous essampleront
Qe la novelle eions cheri.
 La foy du novel testament
Devons cherir, car povere gent
Encontre toute crualté
Des les tirantz primerement   12280
Venquiront vertuousement
Le siecle, et ont en dieu fondé
La foy du cristieneté;
Dont semble a moy q'en no degré
Bien devons estre obedient,
Puisque cil ont la foy gaigné,
Que par nous soit si bien gardé,
Que nous la perdons nullement.
 L'apostre donne au foy grant pris,

12207 enporte   12232 enfesoit   12243 avenir

MIROUR DE L'OMME

Du quoy ly saint furont apris, 12290
Qant les miracles en fesoiont,
Dont convertiront les paiis :
Par foy le feu, qant fuist espris
Pour les ardoir, ils exteignoiont ;
Par foy les bouches estouppoiont
De ces lyons, q'ils ne mordoiont ;
Par foy soubmistront l'espiritz,
Par foy les mortz resuscitoiont,
Par foy le siecle surmontoiont,
Par foy gaigneront paradis. 12300
   Sachetz que la fondacioun
Du toute no Religioun
C'est foy, comme saint Jehan le dist ;
Car qant a no salvacioun,
La foy fait supplicacioun
Devant la face Jhesu Crist ;
Et ce que l'oill jammais ne vist,
Ne cuer de l'omme ne l'aprist,
Ainz est en hesitacioun,
La droite foy trestout complist ; 12310
Et la que resoun ne souffist,
La foy fait mediacioun.
   En l'evangile, pour voir dire,
Ne lis je point que nostre sire
Ascun malade fesoit sein,
Q'au foy riens voloit contredire ;
Mais cils qui le creioiont mire
Et fils au piere soverein,
Sur tieux mettoit sa bonne mein,
Dont corps et alme tout au plein 12320
Mist en saunté que duist souffire :
Par cest essample sui certein
Qe des tous biens le primerein,
C'est droite foy que l'alme enspire.
   La foy est celle treble corde,
Du quelle Salomon recorde
Q'au paine jammais serra route :
Car cil q'au droite foy s'acorde,
Lors char et monde et deble encorde
Et lie, sique celle route 12330
Ne puet grever du grein ou goute
A l'alme dont la foy degoute ;
Car grace y est de sa concorde,
Que tous ensemble les deboute, f. 70

Et luy conduit sanz nulle doute
Au porte de misericorde.
   Le lyen dont la foy nous lie
Tous les lyens d'Adam deslie,
Des queux ainçois nous ot liez
D'originale felonnie, 12340
Qant nous creons que dieus Messie
Est de la doulce vierge nez,
Ove les articles ordinez
Du sainte eglise et confermez :
Et si prover ne porrons mye
La foy par sensibilités,
Merite avons le plus d'asses
De croire la sanz heresie.
   Pour ce t'obeie en ton voloir,
Si comme saint March te fait savoir,
A qui s'obeiont vent et mer ; 12351
Car meulx valt obeissance avoir
A soul dieu, que pour nul avoir
Du vanité les gens flater :
David le dist en son psalter,
'Meulx valt en dieu soul esperer
Q'es princes': car cils n'ont pooir
Forsque le corps de toy grever ;
Mais dieu te puet par tout aider,
Si tu vers luy fais ton devoir. 12360
   La droite foy est fondement,
Ce dist Senec, que seurement
Supporte toute sainteté
Si fermement et loyaument,
Que nuls la puet ascunement
Par grief d'ascune adverseté
Flechir un point du verité,
Ne par donner prosperité
Du siecle ove tout le bien q'appent ;
Car foy q'est ferm enracinée 12370
Est corrumpue en nul degré,
Ainz verité tient et defent.
   Mais comme l'apostre nous aprent,
Par ce q'om croit tantsoulement
La foy, om nul loer reporte,
S'il ne fait oultre ce q'appent
Des bonnes oeveres ensement ;
Car foy sanz oevere est chose morte :
Et d'autre part son oevre amorte

12291 enfesoiont

Cil qui sanz foy son oevere apporte.
Ly deables croit tout fermement 12381
La foy de Crist, mais mal enhorte :
A luy resemble cil qui porte
La foy et fait malvoisement.
  Mais la vertu d'Obedience
Au droite foy son point commence,
Et puis procede en son bienfait.
N'est pas en vein ce q'elle pense :
Car u que fra la reverence,
Du cuer ains que du corps le fait; 12390
Et d'autre part ne se retrait,
Par tout le siecle u q'elle vait
Et voit des poveres l'indigence,
Qe lors a sa bource ne trait,
Et s'obeït, si riens y ait,
Pour leur donner de sa despense.
  Obedience el cuer humein
Est au chival du bounté plein,
Ou au bonne asne resemblant :
L'un court plus tost et plus certein, 12400
Qant om le meine par le frein
Qe qant soulein se vait corant ;
L'autre est tout commun obeissant
Au mestre ensi comme au servant,
Tant au seignour comme au vilein ;
Frument ou feve en un semblant,
Maisq'il son charge soit portant,
N'ad cure quelque soit le grein.
  Senec t'enseigne que tu fras ;
Si tout le mond veintre voldras, 12410
Lors a raisoun te fai soubgit :
Par ce q'ensi t'obeieras,
Le siecle veintre tu porras,
Si conquerras bien infinit.
Pour ce, solonc que j'ay descrit,
D'umilité sans contredit
En cuer et corps toy mette en bas,
Sique le mond soit desconfit,
Et tu le corps ove l'espirit
Amont el ciel eshaulceras.   12420
  D'Obedience la vertu
Tu puiss essampler de Jhesu,
Qant il de sa treshumble port,

Comme cil qui n'estoit esperdu,
Pour rançonner que fuist perdu,
Se fist obedient au mort
Par ceaux qui luy firont grant tort :
Mais il nous donne en ce confort
Q'obedience soit tenu,
Moustrant que c'est un tout plus fort,
Qe l'alme encontre orguil support,
Et la fait humble devers dieu.   12432

  Ore dirra la descripcioun de la
  vertu de Humilité par especial.

  Gregoire dist en son Moral,
Trois choses par especial
D'umilité font demoustrance :
C'est le primer et principal,
Ses sovereins en general
Obeie sanz desobeissance,
En fait, en dit, en contenance ;
Puis n'appara par demoustrance   12440
Q'a son pareil soit parigal,
Ne des soubgitz vaine honourance
Requiere ; car d'umiliance
Lors portera verrai signal.
  'Humilité,' seint Bernard dist,
'Soy mesmes tant tient en despit
Que nuls la porroit tant despire' :
D'umilité saint Bede escrit,
Qe c'est la clief soubz quelle gist
Science, dont tout bien respire.   12450
Q'umilité l'en doit eslire,
Du Tholomé l'en porra lire,
Q'estoit un philosophre eslit,
Qui dist : 'Tous sages a descrire,
Cil est plus sages, pour voir dire,
Qui plus est humble d'espirit.'
  Humilité la graciouse
A l'arbre belle et fructuouse
Est resemblable en sa covine ;
Car tant comme l'arbre plus ramouse
Soit, et du fruit plus plentivouse, 12461
De tant vers terre plus s'encline :
Semblable auci je la diffine
Au piere dyamant tresfine,
Q'en orr seoir est dedeignouse,

12400 plustost   12430 plusfort   12455 plussages

De la richesse se decline
Et est au povre ferr encline,
Si en devient plus vertuouse.
  La palme endroit de sa nature
Porte une fourme d'estature   12470
Sur toutes arbres plus souleine ;
Elle ad son trunc en sa mesure
Petit par terre et pardessure
Le trunc est gross : ce nous enseigne
Humilité, que l'alme meine
Humble et petite en vie humeine
Sanz orguil et sanz fole cure :
Par terre croistre se desdeigne,
Mais vers le ciel est grosse et pleine
Plus que nulle autre creature.   12480
  L'umble est semblable au bon berbis,
Q'a nous proufite en tous paiis,
Mais son honour ne quiert ne pense ;
Et puis au fin q'il soit occis
Il souffre, siq'en nul devis
Voet faire aucune resistence :
Et par semblable obedience
L'omme humble ne quiert reverence,
Combien qu'il digne soit du pris,
Ne ja pour tort ne pour offense,   12490
Q'ascuns luy fait, sa conscience
Ne serra ja d'orguil espris.
  Humilité, ce semble a moy,
Se tient semblable au fils du Roy,
Q'est jofne et sucche la mamelle ;
Q'il porte grant honour, du quoy
Petit luy chalt, ainz souffre coy
Que l'en luy trete et cil et celle :
Humilités ensi fait elle,
En halt estat plus est ancelle,   12500
Et meinz loenge quiert du soy ;
Sicomme solail deinz sa roelle,
Comme plus y monte, plus est belle,
Et plus commune al esbanoy.
  Cil q'est vrais humbles d'espirit
Plus q'a son propre s'obeït
Al autry sen, q'il voit plus sage ;
Car chascun autre plus parfit
De soy repute, et plus profit

En quide avoir d'autry menage,   12510
Qe de son propre governage :
Pour ce les faitz de son corage
A l'autry consail tient soubgit ;
Il met soy mesmes en servage,
Dont du franchise l'avantage
Avoir porra, q'est infinit.
  Ly sages de son essamplaire
Te dist, 'Tant comme tu soiez maire,
Tant plus t'umilie au toute gent ':
Si dist auci, que pour dieu plaire   12520
Meulx valt ove l'umble et debonnaire
Vivre en quiete simplement,
Q'ove l'orguillous de son argent
Partir et vivre richement.   f. 71
Pour ce pren garde en ton affaire,
Si fai selonc l'essamplement
Du sage, ou certes autrement
T'estoet compleindre le contraire.
  Ce dist dieus, qu'il eshaulcera
Quiconque en soi s'umilera,   12530
Mais qui d'orguil soy proprement
Eshaulce, il le tresbuchera ;
Car cuer sovent soy montera
Encontre son ruinement.
Om dist auci q'abitement
En terre basse seurement
Valt plus q'en halt, u l'en cherra :
Pour ce cil qui vit humblement
Se tient en bass si fermement,
Qe d'orguil monter ne porra.   12540
  Combien que l'umble soit gentil
Et vertuous plus q'autre Mill,
Encore deinz son cuer desire
Qe nuls luy tiene forsque vil,
Car de sa part ensi fait il :
C'est la vertu que nostre sire
Loa, qant vint de son empire,
A ce q'il volt l'orguil despire,
Dont jadys fuismes en peril ;
Vilté souffrist sans escondire :   12550
Bien devons donque humblesce eslire,
Puis q'ensi faisoit ly dieu fil.
  Sa doulce mere auci Marie

    12468 endevient   12507 plussage   12510 Enquide

Nous lessa bon essamplerie
Q'umilité soit bien tenu ;
Car sur trestoute humaine vie
Elle estoit humble en sa partie.
Pour ce portoit le fils de dieu,
Par qui l'orguil fuist abatu,
Dont noz parentz furont deçu,   12560
Qant ils perdiront leur baillie
Du paradis ; mais en salu
Qui voet remonter a ce lieu,
Lors falt q'umilité luy guye.

 Ly deable, q'avoit grande envie
Au saint Machaire et a sa vie,
Ensi luy dist par grant irrour :
' Si tu te junes en partie,
Je fai plus, car sanz mangerie
M'abstien toutdis et sanz liquour ;   12570
Et si tu es en part veilour,
Je fai plus, car de nuyt ne jour
Unques des oils ne dormi mye ;
Et si tu fais en part labour,
Je fai plus, car sanz nul retour
Et sanz repos je me detrie.

 ' En tout ce je te vois passant ;
Mais tu fais un point nepourqant,
Du quoy ne te puiss surmonter ;
Ainz tu m'en vas si surmontant,   12580
Qe n'ay poair de tant ne qant,
Q'a toy porroie resister :
Et c'est que tu tout au primer
D'umilité te fais guarder,
Dont dieus par tout te vait gardant.'
Par cest essample om puet noter,
Que qui se voet humilier
Il ad vertu de beau guarant.

 Auci l'en puet estre essamplé
Du viele loy, q'umilité   12590
Dieus ayme ; et ce parust toutdroit,
Qant Rois Achab, q'avoit pecché
Vers dieu, s'estoit humilié ;
Car tantost qu'il s'umilioit,
Dieus son pecché luy pardonnoit,
Et en ses fils le transportoit ;
Helye ensi luy ot contée.
Asses des autres l'en porroit

Trover d'essamples, qui voldroit
Sercher l'escriptz d'antiquité.   12600
 Quoy plus coustoit et meinz valoit,
Et plus valoit et meinz coustoit,
Jadis uns sages demanda :
Et uns autres luy respondoit,
Q'orguil plus couste en son endroit,
Et sur tout autre meinz valdra ;
Mais cil q'umblesce gardera
Meinz couste et plus proufitera
Au corps et alme, quelque soit.
Dont m'est avis que cil serra   12610
Malvois marchant q'achatera
Le peiour, qant eslire doit.

 Ore dirra de les cink files du
Charité, des queles la primere ad
noun Loenge, contre le vice de
Detraccioun.

 Encontre Envie est Charité,
Quelle est au resoun mariée ;
Si ad cink files voirement,
Dont la primere est appellée
Loenge, q'est des tous amée ;
Car celle loue bonnement
Et ayme toute bonne gent :
N'est qui plus charitousement   12620
Se contient en bonne ameisté ;
Detraccioun hiet nequedent,
Car male bouche aucunement
Jammais serra de luy privé.

 Loenge au dieu primer s'extent,
En ciel, en terre, en firmament,
Et en toute autre creature :
Car le prophete tielement
As angres dist primerement
Et as les corps qui sont dessure,   12630
Solaill et lune, estoille pure,
Q'ils dieu loer devont toute hure :
La mer de sa part ensement,
Feu, neif, gresil, glace et freidure,
Ly jours, la nuyt en lour nature,
Chascuns loenge a dieu purtent.

 Sicomme les choses paramont
Loenge au dieu reporteront,

Ly saint prophete dist q'ensi
Les choses que sur terre sont　12640
Loenge au creatour ferront:
Riens est vivant en terre, qui
Ne doit loenge faire a luy,
Oisel, piscon et beste auci,
Ove les reptils, dieu loeront,
Et l'arbre qui sont beau floury;
La terre en soy n'en est failly,
Qe tous loenge au dieu ne font.
　Mais au final, je truis escrit,
Loenge fait tout espirit　12650
Au dieu q'est seigneur soverein;
Mais sur trestout grant et petit
Pour dieu loer en chascun plit
Plus est tenu l'estat humein:
Car il nous forma de sa mein,
Et puis rechata du vilein
Qui nous avoit au mort soubgit.
Pour ce loons dieu primerein,
Qe son bienfait ne soit en vein,
Mais que luy sachons gré parfit.　12660
　Et si tu voes au droit donner
Loenge au dieu, lors falt garder
Qe tu ne soiez en pecché.
Saint Piere le fait tesmoigner,
Qe dieus ne le voet accepter,
S'il soit du male gent loé:
Ly sage auci par son decré
Dist que ce n'est honesteté
Q'om doit en pecché dieu loer;
Car qant le cuer as entusché,　12670
Falt que la langue envenimé
En soit, dont bien ne puet parler.
　Ly Rois David commence ensi:
'O dieu, beau sire, je te pry,
Overetz mes leveres que je sace
Donner loenge au ta mercy.'
Et d'autre part il dist auci:
'O dieus, vous plest il que je face
A ton saint noun loenge et grace?'
Et puis dist en une autre place:　12680
'Je frai loenge au dieu, par qui
Je serray saulf, quique manace;

Car dieus mes detractours forschace,
Par ce que fai loenge a luy.'
　En Judith l'en porra trover,
Mardoche faisoit dieu prier,
Qu'il de son poeple en ceste vie
Loenge vorroit accepter;
Car David dist en son psalter,
Qe mort ne loera dieu mye;　12690
Car l'alme q'est ensi partie
Ne fait loenge en sa partie,
Dont dieu porra regracier:
Pour ce vivant chascuns s'applie
Au dieu loer, q'il nous repplie
Loenge que ne puet plier.
　En charité si tu bien fras,
Dieu en soy mesmes loeras,
Q'est toutpuissant en son divin,
Et puis pour dieu t'acorderas,　12700
Solonc que digne le verras,
Donner loenge a ton veisin
De sa vertu, de son engin.
Loer le dois sanz mal engin,
Car d'autry bien n'envieras;
Mais si voes estre bon cristin,
Au pris d'autry serras enclin,
Et l'autry blame excuseras.
　Rois Salomon ce nous aprent,
Qe l'en doit charitousement　12710
Du bonne langue sanz mestrait
Loer la gloriouse gent
Qui vivont virtuousement
Et sont des bonnes mours estrait;
Car qui plus valt de son bienfait,
C'est drois q'il plus loenge en ait,
Et que l'en parle bonnement
Par tout u tiel prodhomme vait:
Si male bouche est en agait,
Iceste vertu le defent.　12720
　Ly sage ce nous vait disant,
Solonc que pueple vait parlant
L'estat de l'omme s'appara:
Escript auci j'en truis lisant,
Au vois commune est acordant
La vois de dieu; et pour cela

12660 Maisque　　12672 Ensoit　　12716 enait

Catoun son fils amonesta,
Q'il ne soy mesmes loera
Ne blamera ; car sache tant,
Ou bons ou mals quelq'il serra, 12730
Le fait au fin se moustrera ;
N'est qui le puet celer avant.
   Catoun dist, 'Tu ne loeras
Toy mesmes, ne ne blameras' :
Enten l'aprise qu'il t'en donne :
Il dist, 'Fai bien, car si bien fras,
Ton fait doit parler en ce cas,
Maisque ta bouche mot ne sonne.'
La bouche qui se desresonne
Abat les flours de la coronne, 12740
Et fait ruer de hault en bas :
Qui trop se prise il se garçonne,
Et cil qui l'autry despersonne
Ne serra sanz vengance pas.
   Mais si des gens loé soiez,
Pour ce ne te glorifiez ;
Ainz loez dieu du tiele prise,
Et fai le bien que vous poetz,
Si q'en son noun loenge eietz,
Comme Salomon te donne aprise :
Car si malfais, n'as point enprise 12751
Loenge au droit, car de mesprise
C'est tort si l'en serra loez.
L'apostre dist, 'Del bien vous prise ;
Mais d'autre part je vous desprise,
Qant a malfaire vous tournez.'
   La vertu de Laudacioun,
Quelle est du generacioun
De Charité, jammais nul jour
Ne fist malvois relacioun 12760
Par enviouse elacioun
A l'autry blame ou deshonour ;
Ainz qant la bouche au detractour
Mesdit et parle en sa folour
Pour faire desfamacioun,
Encontre tout tiel losengour
Loenge vait du bon amour
Pour faire l'excusacioun.
   Mais ceste vertu nepourqant
Toutdis s'avise en son loant, 12770
Qe pour l'onour d'autry ne die

Plus que n'est voir ou apparant ;
Car ja pour nul qui soit vivant
Ne volra faire flaterie :
Ainz que voir sciet de la partie,
Du bien, d'onour, du curtoisie
Pour l'autry pris ce vait disant ;
Et s'il voit l'autry vilainye,
Tout coy se tient, n'en parle mye,
N'ad pas la langue au fil pendant. 12780
   Ce dist ly sage proverber,
'Meulx valt taire que folparler,
Ou soit d'amy ou d'adversaire' :
Car nuls doit autre trop priser ;
Ainçois plustost q'om doit flater,
Du parler om se doit retraire :
Et d'autre part il valt meulx taire,
Ou soit apert ou secretaire,
Qe par envye ascun blamer :
Dont en ce cas qui voet bien faire,
Du trop et meinz est necessaire 12791
Mesure en son parlant garder.
   Mais ceste vertu en balance
Du flaterie et mesdisance
Son pois si ovel gardera,
Qe son amy pour bienvuillance
Du flaterie ja n'avance,
Et d'autre part ne blamera
Son anemy, quelq'il serra,
Plus que resoun demandera : 12800
Ainz vers chascun la circumstance
Du charité reservera ;
La bonne cause loera,
Et l'autre met en oubliance.
   Ce nous dist Tullius ly sage,
Q'en trop priser est tant d'outrage
Comme est en trop blamer, ou plus.
Par trop priser je fai damage,
Qant le saint homme en son corage
Par vaine gloire ay abatuz ; 12810
Du ma losenge l'ay deçuz,
Dont pert le fruit de ses vertus :
Mais si je di l'autry hontage,
Je fai mal a mes propres us,
Qe l'autry fame ay corrumpuz,
Mais il de s'alme ad l'avantage.

'Autry pecché,' ce dist l'auctour,
'Dampner ne dois, car c'est folour :
Si tu prens remembrance a toy,
Par cas tu fus ou es peiour, 12820
Ou tu serras n'en scies le jour,
Car chascun homme est frel du soy.'
Et nepourqant sovent je voy,
Huy est abatuz au tournoy,
Qui l'endemein ert le meillour,
Dont portera le pris ; par quoy
En charité, ce semble a moy,
Chascuns doit autre dire honour.
 Cil qui loenge tient au droit
Envers autry, et mesmes soit 12830
Despit del autry false envye,
Ou desfamez au tort, n'en doit
Doubter, car dieus qui trestout voit
Par son prophete Sephonie
Ce dist : ' Ma gent, que voi laidie,
Despite, abjecte, ert recuillie
Par moy, qui leur en ferray droit ;
Si leur dourray de ma partie
Loenge et noun sanz departie,
Je frai ce chier que vil estoit.' 12840
 Ly bons hieralds ce doit conter
Dont l'autry pris puet avancer,
Et autrement il se doit taire :
Ensi la vertu de loer
L'en doit au balsme resembler,
Que porte odour si debonnaire,
Dont la doulçour devant dieu flaire.
De l'autry vice ne sciet guaire,
S'ascuns luy voldra demander ;
Pour ce Loenge en son affaire 12850
Est de son droit le secretaire
Du Charité pour deviser.
 Sicomme d'estée par les cliers jours
Aval les pretz, u sont les flours,
L'ées vole et vait le mel cuillante,
Mais de nature les puours
Eschive, et quiert les bons odours
De l'erbe que meulx est flairante,
Ensi Loenge bien parlante
Autry desfame vait fuiante, 12860

N'ascoulte point les mesdisours,
Essample prent de l'ées volante,
Au riens s'en vait considerante
Forsq'as vertus et bonnes mours.
 Sicomme Solyns dist en sa geste,
La Panetere est une beste
Que porte si tresdoulce aleine,
Q'espiece d'ort ne flour agreste
Ne valt pour comparer a ceste :
Car tiel odour sa bouche meine, 12870
Qe toute beste qui l'asseine
Y court pour estre a luy procheine,
Presdu spelunce u que s'areste.
Ensi je di, la bouche humeine,
Si de loenge soit certeine,
Sur tout odour plus est honeste.
 David le dist en prophecie,
Que la divine curtoisie
Est tant benigne et merciable,
Que ly plus poveres qui mendie, 12880
S'il du bon cuer loenge die
Au dieu, son dit ert acceptable.
O quelle vertu charitable,
Qe l'omme fait au dieu loable,
Et prosme au prosme en ceste vie
Chascuns vers autre est honourable :
C'est une armure defensable
Encontre malparler d'Envie.
 Ore dirra de la seconde file du Charité, quelle ad noun Conjoye.
 Du Resoun et du Charité
La file q'est seconde née 12890
Tout s'esjoÿt de l'autry joye,
Si ce soit par honesteté ;
Car du toute prosperité
Dont voit que son voisin s'esjoye,
Maisque ce vient par bonne voie,
Ensemble ove l'autre se rejoye
Sans envïouse iniquité :
Si sagement son cuer convoie,
Que ja d'envye ne forsvoie,
Dont l'alme serra forsvoiée. 12900
 Pour ce q'ensi se conjoÿt
Des biens dont l'autre s'esjoÿt,

12837 enferray   12880 pluspoueres

Conjoye Resoun l'appella.   f. 73
De ce vertu cil q'est parfit
L'onour et le commun proufit
Plusque son propre il amera :
Car charité, dont plein esta,
Ne souffre qu'il enviera
Ne son seignour ne son soubgit ;
Ainz comme plus l'autry bien verra,
Tant plus du cuer s'esjoyera ;   12911
Molt ad deinz soy bon espirit.
   Qui ceste vertu tient en cure
D'envie ne puet avoir cure,
Qant voit un autre en sa presence
Qui plus de luy la gent honure ;
Car del autry bone aventure
Joÿst sanz enviouse offense,
Si beauté soit, force ou science,
Honour, valour, pris, excellence,   12920
Dont son voisin voit au dessure,
Par ce qu'il l'autri bien compense,
Il ad grant joye, qant il pense
Qe dieus tant donne au creature.
   En l'evangile qant je lis
Comment la femme ert conjoÿs,
Sa dragme qant avoit perdu
Et retrové, lors m'est avis
C'estoit en nostre essample mis
Pour conjoïr del autry pru.   12930
Ce dist auci le fils de dieu,
'Qant peccheour vient a salu,
Trestous les saintz du paradis
Luy conjoyont': par ce vois tu
Tout s'acordont a ce vertu
Les hommes et les espiritz.

   Ore dirra de la tierce file de Charité, quelle ad noun Compassioun.

   Si comme la vertu de Conjoye
De l'autry joye se rejoye,
Tout ensement d'autry dolour
La tierce file se desjoye,   12940
Pour doel del autry plour lermoie,
Et d'autri trist elle ad tristour :
Car ja son cuer n'ert a sojour,
Tant comme verra de nuyt ou jour,

Qe son voisin par male voie
Du corps ou d'alme est en destour,
Ainçois comme cil q'est en l'estour
Aide a muer les mals envoie.
   Compassioun ne s'esjoÿt
Qant ses voisins voit a mal plit,   12950
Ainçois se doelt de leur dolour,
Et ce qu'il puet sans contredit
Les reconforte en fait et dit :
Au gent malade est visitour,
As fameilantz est viandour,
Et ceux q'ont soif abeyve lour,
Si donne au povre son habit,
Au prisonner est confortour,
Au pelerin est herbergour
De son hostell et de son lit.   12960
   Compassioun la beneurée,
Qant n'ad du quoy en son degré,
Dont puet donner al indigent,
Alors du cuer et du pensée
Suspire et plourt en charité
Le mal d'autry conjoyntement ;
Et sur ce fait confortement
Par consail et monestement,
Q'om doit souffrir adversité
De les dolours qui sont present,   12970
Q'apres porra sanz finement
Avoir sa joye apparaillé.
   Om doit doloir bien tendrement,
Ou soit d'estrange ou du parent ;
De ce nous suismes essamplé
Du Roy David, q'estoit dolent,
Qant om luy dist comme faitement
Dessur les montz de Gelboée
Gisoit ly Rois Saül tué,
Et Jonathas pres sa costée.   12980
L'un l'ot haÿ mortielement
Et l'autre estoit son bienamé,
Mais par commune charité
Del une et l'autre mort s'offent.
   Et d'Absolon je lis auci,
Qant il du guerre s'orguilly
Contre son piere, et en boscage
Fuiant par ses cheveux pendi,
U que Joab le pourfendi

Des lances ; mais qant le message
Vint a David, lors son visage 12991
Comme du fontaigne le rivage
Trestout des lermes se covery :
Ne pensoit point du grant outrage
Q'il ot souffert, ainz en corage
Se dolt sur le dolour d'autry.
 En une histoire auci je lis,
Qant Alisandre el temps jadis
Par guerre en Perse poursuoit
Roy Daire, qu'il ot desconfis, 13000
Et Daire, qui s'estoit fuïz
Pour soi garir, qant meinz quidoit,
Des ses privetz un le tuoit ;
Dont, pour loer qu'il esperoit
Du tiele enprise avoir conquis,
Vers Alisandre y vait toutdroit,
Et dist qu'il son seigneur avoit
Moerdry pour estre ses amys.
 Mais quidetz vous q'il s'esjoÿ,
Ly Rois, qant la novelle oÿ ? 13010
Noun certes, ainçois qant survient,
Et vist le corps q'estoit moerdry,
Pour la compassioun de luy
Tantost si tristes en devient
Qe du plorer ne s'en abstient,
Si fist au corps ce q'appartient
De sepulture. Atant vous dy,
De cest essample qui sovient
Avoir compassion covient,
Puisq'un paien faisoit ensi. 13020
 Solonc l'istoire des Romeins
Un Senatour y ot la einz,
Q'ot a noun Paul, cil guerroia
Un noble Roy fort et halteins,
Si fuist par luy cil Rois atteins,
Qe desconfit pris l'amena :
Sa petitesse lors pensa
Paul de soy mesme, et compensa
L'autry grandesse dont fuist pleinz,
Vist come fortune le rua, 13030
Et du compassioun qu'il a
Dist que fortune fuist vileins.

 Combien que Paul au volenté
Ust victoire et prosperité,
Compassion ot nepourqant
Del autry grande adverseté,
Tout fuist que l'autre avoit esté
Long temps son mortiel adversant.
Ce faisoit Paul ly mescreant,
Et Paul l'apostre bien creant 13040
Dist que devons en unité
Ove les plorans estre plorant :
Del un et l'autre en essamplant
Faisons le donque en charité.
 Compassioun del autry peine
D'essample nostre sire enseine
En Lazaron resuscitant,
Qant vist plorer la Magdaleine
Ove Martha sa sorour germeine.
He, quel pité del toutpuissant ! 13050
Il en fremist du meintenant,
Et d'autri plour fuist lermoiant,
Et d'autry doel sa dolour meine.
O qui s'en vait considerant,
Trop ert d'envye forsvoiant
Qui cest essample ne remeine.

 **Ore dirra de la quarte file du
Charité, quele ad noun Support,
contre le vice de Supplantacioun.**

 Encore a parler plus avant,
Du Charité la quarte enfant,
Celle est du grace bien guarnie
Encontre Envye et son supplant ;
Support ad noun en supportant 13061
La bonne gent de son aÿe.
Par tout u voit que dame Envie
A supplanter se fait partie,
Tantost Support se mette avant,
Succourt son prosme et justefie,
Q'il ne deschiece en vilaynye,
Q'estoit en honour pardevant.
 L'apostre dist que charité
Selonc sa droite dueté 13070
Doit a soy mesmes commencer.
Pour ce Support en son degré

13014 endeuient   13043 enessamplant   13051 enfremist   13054 senvait
              13057 plusauant   13061 ensupportant

Vers dieu prim*er*ement son gré
Fait pour soi mesmes supporter :
Sur charité se fait planter,
Siq*ue* d'envye supplanter
Ly deables n'av*er*a poesté
De son corage le penser ;
Par quoy porroit desavancer
L'alme en qui dieus s'est avancé. 13080
   Et puis env*er*s le siecle aucy
Support p*ar* tout se fait garny,
Qe quoiq*ue* nuls en parlera,
Ses faitz serront tesmoign de luy,
Qe du bonté sont repleny,
Dont mesmes se supportera :
Et oultre ce tant com*m*e porra
A chascun autre il aidera ;
Car pour le p*r*oufit del autry
Ses p*r*opres biens menusera ;   f. 74
De sa partie nuls cherra,   13091
Si redrescer le puet ensi.
   Ly pilers sustient la meso*u*n,
Et l'oss la char soy enviro*u*n,
Et l'om*m*e sage en son endroit
De son savoir, de sa reso*u*n,
Supporte la condic*i*o*u*n
Des autres qu'il no*u*nsages voit :
Par tout u puet, com*m*e faire doit,
Defent l*our* tort, sustient l*our* droit ;
Si est au fieble com*m*e basto*u*n   13101
Ou main, dont il supponez soit :
Du charité bien se pourvoit
Q'ensi respont a sa leço*u*n.
   Ne tient la vertu de Support
Cil qui le vice et le mal port
De son voisin aide et supporte ;
Ainçois cil fait a dieu grant tort,
Q'ascunement sustient atort
De son engin la cause torte :   13110
Car quiq*ue* les malvois conforte,
Dont la malice soit plus forte,
N'ad pas du vertu le confort,
Dont par Support loer reporte ;
Ainz falt q'om bon*n*e gent desporte,
Car du mal nage malvois port.

   Om doit supporter bon*n*e gent
Q'au tort portont accusement,
Siq*ue* l*ou*r corps n'en soit en peine ;
Et ceaux qui font malvoiseme*n*t   13120
Om doit bien charitousement
Redrescer, siq*ue* l'alme seine
En soit : car cil q'ensi se meine,
Du droit Support tient en demeine
La vertu, dont loer reprent
Du charité plus sovereine ;
Car qui q'ensi le corps destreine,
Al alme fait supportement.
   Seneques dist auci, du cuer,
Sicom*m*e du corps, om doit curer
Chascun les plaies del autry   13131
Par un douls oignement p*r*imer,
Et c'est p*ar* beal amonester,
Dont puist amender son amy
Qant male tecche voit en luy ;
Et puis, s'il ne s'amende ensi,
Lors doit om poindre et arguer ;
Mais au final, qu'il soit guary,
Falt emplastrer le mal p*ar*my
Des griefs penances a porter.   13140
   Qui la vertu voldra comp*r*endre
Du vray Support, puet bien ap*r*endre
De ce q*ue* dieus nous supporta,
Qant il voloit son fils descendre
Pour supporter et pour defendre
Adam, qui ly malfiés pieça
Avoit ruez ; et pour cela
La mort souffrist et rechata
De son support l'umaine gendre :
Pour nous joÿr il se pena,   13150
Jusq'en abisme il s'avala,
En halt le ciel pour no*us* ascendre.
   Ore dirra de la quinte file de Charité, quelle ad no*u*n Bonne Entenci*o*un, contre le vice de Faulx semblant.
   La quinte file p*ar* droit no*u*n
L'en nom*m*e Bonne Entencio*u*n,
Que naist du Charité parfite ;
Quelle en nulle condicio*u*n

13083 enparlera   13112 plusforte   13119 nensoit   13123 Ensoit   13126 plussouereine

Du fraude ou circumvencioun
Par fals semblant jammais endite
Parole de sa bouche dite ;
Ains plainement dist et recite 13166
Ce dont il pense et autre noun :
N'ad pas la face d'ypocrite,
En quelle la falsine habite,
Dont il deçoit son compaignoun.
 De ceste vertu le semblant
Qu'il te ferra n'est dissemblant
A son penser, ainz son entente
A sa parole est resemblant ;
Dont vait les graces assemblant
As quelles l'alme se consente. 13170
Ne vait pas par la male sente
Au tiel amy cil qui s'assente ;
Mais je m'en vois dessassentant
A Fals semblant, qui me presente
Tous biens al oill, et puis j'en sente
Tous mals, q'il me vait presentant.
 Au dist du sage je m'affiere,
Qui dist, 'Meulx valt que cil te fiere
Qui deinz son cuer le bien te pense,
Qe cil te baise enmy la chere 13180
Qui par losenge et false chere
Tient deinz son cuer muscé l'offense ':
Siq' ains que tu porras defense
Avoir, t'en fait sa violence,
Dont ton estat met a derere ;
Mais l'autre, combien q'il te tence,
Toutdis gart en sa conscience
Du charité l'entente chere.
 Je truis escript en la clergie,
'L'entente, quoy q'om face ou die,
En porte le judicial': 13191
Car, quoy q'om fait en ceste vie,
Nuls puet soy mesmes fuïr mie
Deinz son entente cordial ;
Ou soit ce bon ou soit ce mal
L'en doit bien savoir au final
Ce que l'entente signefie :
Dont bonne entente especial
Doit bien porter le coronnal
Du toute bonne compaignie. 13200

 Le bon entente en son penser
Est bon, et qant vient au parler
Meillour, et puis qant vient a faire
Tresmeulx, siq' au droit deviser
Les deux fins et le my plener
Sont sanz defalte pour dieu plaire :
C'est le tresfin electuaire,
Que Charité l'ipotecaire
Ad fait pour tous les mals curer,
Qe vienont de la deputaire 13210
Envie, quelle en son mesfaire
Fait tous les biens en mal tourner.
 Mais bon entente en sa baillie
Est semblable a la bonne lye,
Qe le vessell ove tout le vin,
Et l'un ove l'autre en sa partie,
D'odour et seine beverie
Fait garder savourable et fin :
Car qant l'entente a chascun fin
Est bon et plain sanz mal engin, 13220
Les faitz suiont du bonne vie ;
Dont om est en l'amour divin
Si charitous et si cristin,
Qu'il est suspris de nulle envie.

 Ore dirra la descripcioun de la vertu de Charité par especial.

 O Charité du bounté pleine,
Sur toutes autrez sovereine,
L'apostre te fait tesmoigner
Qe tu es celle quelle meine
La voie au ciel, u comme demeine
Deis proprement enheriter : 13230
Tu es cil bon hospiteller,
Par qui se volt dieus herberger
El ventre d'une vierge humeine :
Nuls te porroit au plain loer ;
Tu es du ciel le droit princer,
Et Roys de la vertu mondeine.
 Les philosophres du viel temps
Sur tout mettoiont cuer et sens
Pour enquerir la verité,
Les queux de tous les biens presens
Sont de vertu plus excellentz : 13241
Les uns du grant felicité

13175 iensente 13185 aderere 13191 Enporte 13241 plusexcellentz

Delit du corps ont plus loée,
Les uns richesce ont renommé,
Les uns en firont argumentz
Q'oneste vie en son degré
Sur tous est la plus beneuré ;
Ensi dist chascun ses talentz.
 Mais Paul, l'apostre dieu loyal,
Le grant doctour celestial,   13250
Q'estoit au tierce ciel raviz,
Desprovoit leur judicial,
Moustrant par argument final
Qe sur tout bien doit porter pris
La Charité par droit devis :
C'est celle q'ad deinz soy compris
Toutes vertus en general,
Dont vif et mort homme est cheriz ;
Car toutes gens luy sont amis,
Et dieus luy est especial.   13260
 Du Charité pour deviser,
En trois pointz hom la doit loer :
C'est de doulçour primerement ;
Car soulement pour dieu amer
Ne puet adversité grever
D'ascune peine q'est present :
Du verité secondement
Hom la doit faire loëment,
Car en tresfine loyalté
Maintient le cuer de son client,   13270
Siq'envers dieu n'envers la gent
A nul jour ferra falseté :
 Du tierce pris que l'en luy donne
Digne est a porter la coronne ;
Car si trespreciouse esta
De la vertu que luy fuisonne,
Q'achater puet en sa personne   f. 75
Son dieu et tous les biens q'il a.
O quel marchant, q'ensi ferra !
La bource dont il paiera   13280
Du covoitise point ne sonne,
Ainz de vertu q'au dieu plerra
Du fin amour, et pour cela
Dieus soi et tous ses biens redonne.
 O Charité la dieu amye,
Comme peres sage en marchandie !

Des toutez partz tu prens le gaign ;
Meulx valt donner la soule mie,
Maisque ce vient de ta partie,
Qe sanz toi donner tout le pain ;   13290
Et plus reçoit loer certain
Qui par toi june un jour soulain,
Q'uns autres, sanz ta compaignie
S'il volt juner un quarantain ;
Car tu ne fais ascun bargain
Dont ton loer ne multeplie.
 Du Charité que l'alme avance
Si l'en voet faire resemblance,
Hom la puet dire et resembler
De son effect, de sa semblance,   13300
Q'elle est le droit pois ou balance,
Dont saint Michieus fait balancer,
Qe riens y puet contrepriser ;
Ce fait les almes surmonter,
Sique le deable ove s'alliance
Est desconfit del agarder,
Qant n'ad du quoy dont puet grever
Par contrepois a l'amontance.
 Du Charité ce dist Fulgence
Par la divine experience,   13310
Q'elle est la source et la fonteine,
Du quelle trestout bien commence
A governer la conscience
Et vertuer la vie humeine :
Si est la voie bonne et seine,
Par quelle qui d'aler s'asseine
Ne puet errer du necligence,
Ainz jusq'au joye sovereine
Par vertu du bon overeigne
Irra devant la dieu presence.   13320
 Ambroise dist que Charité
Comprent en soy tout le secré
Et le mistere d'escripture,
Qe sainte eglise ad conferm̄é,
Dont nostre foy est approvée :
Restor de nostre forsfaiture,
C'est Charité la belle et pure,
Quelle ad deinz soy de sa nature
Des trestous biens la propreté ;
Car en humeine creature   13330

Toute autre vertu est obscure
Qant n'est de celle esluminée.
   Gregoire ce nous vait disant,
 'Trois portes sont au ciel menant,
Dont foy est la prim*ere* porte,
Que meine droit en oriant;
Car par la foy primer s'espant
Lumere que le cuer conforte :
Et la secunde au north resorte,
C'est esp*er*ance, que reporte   13340
Bauldour au pecché repentant
Du vray p*ar*do*un*, et si l'enhorte,
Par quoy s'avise l'alme morte
Et quiert le droit chemin avant:
 ' La tierce porte est la plus certe,
Q'env*er*s mydy se tient overte;
Car au mydy plus haltement
Le solail monte toute aperte,
Et de son halt sur la deserte
Se laist raier plus ardantme*n*t :   13350
C'est Charité q'ensi resplent
Du fin amour dont elle esp*r*e*n*t
En dieu, vers qui tout se conv*er*te
Et vers ses proesmes ensement :
Cil q'au ce porte huchant attent,
Entrer y doit par droit decerte.'
   La Cedre endroit de sa nature
Sur toutes arbres d'estature
Est la plus halte au droite lyne,
Et maint toutdis en sa verdure;   13360
D'encoste qui jam*m*ais endure
Corrupcio*u*n de la vermine ;
Car ly douls fuil et la racine
Flairont de vertu si tresfine,
Qe riens forsq*ue* la chose pure
Ne maint du pres : ensi diffine
Ly clercs q*ue* Charité tolt fine
Des noz pecchés la vile ordure.
   O Charité, dieus te benye !
Car par ta sainte p*r*ogenie   3370
Des filles que tu fais avoir,
La compassante tricherie
Des falses files dame Envie
Destruire fais de ton pooir,

Qe ja ne porront decevoir
Celluy que tu voes recevoir
A demorrer en ta baillie :
Car q'en toy maint doit bien savoir
Q'il maint en dieu sanz removoir,
Ce nous tesmoigne la clergie.   13380

   Ore dirra de les cink files de Pacience, des quelles la p*r*im*er*e ad no*u*n Modeste, contre le vice de Malencolie.

   D'une autre dame vuil desc*r*ire,
Qe des vertus tient un empire,
Si est appellé Pacience ;
Celle ad cink filles pour voir dire,
Les quelles sanz pointure d'ire
Les almes gardont sanz offense :
Car ja leur cuer irrous ne pense,
Ne ja leur langue en ire tence
Par malpenser ne p*ar* mesdire,
Ne ja serra leur main extense   13390
Po*ur* faire au corps ascun defense,
Dont l'alme en son estat enpire.
   De cestes filles la primere
Par vertu de sa bon*n*e mere
En ire ja ne se tempeste,
Ainz est vers tous amye chiere
Sanz malencoliouse chere.
La damoiselle ad no*u*n Modeste,
Q'est en ses ditz et faitz hon*n*este :
Combien q'ascun luy fait moleste,   13400
A corouc*er* n'est pas legiere,
Ainz au buffet q*ue* l'en luy preste
En l'une jowe, l'autre preste
Purtent, au fin q*ue* l'en luy fere.
   Selonc la dieu parole expresse,
Q'om list en l'evangile au messe,
Iceste vertu se contient :
Du columb porte la simplesce,
Qe jam*m*ais d'ire la destresce
P*ar* mal eschaulfe ne ne tient   13410
Le cuer de luy, ainz s'en abstient ;
Car Pacience la retient,
Quelle est sa mere et sa maistresse,

Siq'au tout temps qant l'ire vient,
Bien luy remembre et luy sovient
Q'ire est en soy sicomme deablesce.
   Modeste auci n'est pas souleine,
Ainz ad toutdis sa chambreleine,
Q'om nomme Bonne compaignie,
Que ja ne sente irrouse peine,   13420
Ainz tendrement vers tous se peine
De faire honour et curtoisie ;
Et s'il avient q'ascuns luy die
Parole dont elle est laidie,
Respont de si tresmole aleine,
Qe toute ire et malencolie
De l'autre qui la contralie
Ferra plus souple que la leine.
   Bien est Modeste vertuouse,
Curtoise et sobre et bien joyouse 13430
Vers chascun homme en son degré :
Par celle estoit la gloriouse
Athenes jadys graciouse,
Du bonne escole esluminée ;
Car par ce s'estoit esprové
Ly philosophre et accepté,
Qui plus sanz malencoliouse
Parole, a luy qui tarié
L'avoit, gardant la sobreté
Ne dist chose contrariouse.   13440
   Le saint apostre en son escrit,
Qu'il as profess de son habit
Manda, disoit qu'ils tielement
Soient modestez d'espirit,
Qu'il soit conu, dont plus parfit
En puissont estre l'autre gent
De leur tresbon essamplement ;
Car dieus y vient procheinement
A chascun homme q'ensi vit.
Pour ce je loo communement   13450
Qe nous vivons modestement
Malgré dame Ire et son despit.

Ore dirra de la seconde file de Pacience, quele ad noun Debonaireté, contre le vice de Tençoun.

   La soer q'apres vient secundaire
Trop est curtoise et debonnaire,
Si ad noun Debonnaireté ;
Q'encontre Tençoun se fait taire ;
Car ja parole de mal aire
Parmy sa bouche n'ert parlé,
Ainz est taisante et avisé
Et en apert et en privé,   13460
N'est qui la puet irrouse faire :
Dont m'est avis en mon degré,
Cil q'est au tiele marié   f. 76
Par resoun ne se doit displaire.
   Bien vit en ease la maisnye,
U dame Debonnaire guye
L'ostell, car lors aucunement
N'iert deinz les murs tençoun oïe,
Ainçois par sens et curtoisie
Du mole aleine simplement   13470
Prie et commande ensemblement ;
Et s'il y falt chastiement,
Sanz ire ensi se tient garnie,
Qe point al oultrage se prent,
Et si ne laisse nequedent
Qe solonc droit ne justefie.
   Saint Augustin ce nous diffine,
' Meulx valt,' ce dist, 'q'om se decline
Et fuie la tençon par soy,
Que du parole serpentine   13480
En la maniere femeline
Respondre et veintre le tournoy.'
Meulx valt que tout l'argent du Roy
Garder la langue sanz desroy ;
Car danz Catons de sa doctrine
Dist, qant om voit resoun pour quoy,
Qui se sciet taire plus en coy
Plus est prochein au loy divine.
   C'est un proverbe de la gent,
' Cil qui plus souffre bonnement   13490
Plus valt' : et certes c'est au droit,
Car souffrir debonnairement
Fait l'omme ascendre molt sovent
En halt estat de son endroit,
Qui sanz souffrance honour perdroit :
Pour ce sens et resoun serroit
Avoir souffrance tielement ;
Car si nuls garde enprenderoit

13428 plussouple   13446 Enpuissont

Du bien et mal, sovent verroit
Et l'un et l'autre experiment.   13500
   De l'evangile en essamplaire
Avons comment au debonnaire
Dieus la terre en ⟨la⟩ fin donna,
Et puis au povre en son doaire
Donna le ciel. He, deputaire!
Dame Ire u se pourvoiera,
En quel lieu se herbergera,
Qant terre la refusera,
Et d'autre part ne porra gaire
Le ciel avoir, lors coviendra   13510
Q'enfern la preigne, et pour cela
Remembre toy de cest affaire.

   **Ore dirra de la tierce file de
   Pacience, quelle ad noun Dilec-
   cioun, contre le vice de Hange.**
   Encontre Hange la perverse
Dame Pacience la converse
Ad une fille de beal age,
La quelle deinz bon cuer converse ;
Du quoy malice ou chose adverse
Ne laist entrer en son corage,
Ainz tient du fin amour l'estage :
Dont Ire, qui les cuers destage,   13520
D'ascun corous jammais la perce.
Molt est benigne celle ymage,
Car a nul homme quiert dammage
Plus que l'enfant qui gist en berce.
   A son primer original
Resoun par noun especial
Iceste file fist nommer
Dileccioun, q'espiritual
En ceste vie bien pour mal
Fait rendre sanz soy revenger :   13530
Car son amour tout au primer
Vers dieu, q'om doit sur tout amer,
Perest si ferme et cordial,
Qe creature en nul mestier
Ne puet haïr, qant le penser
Luy vient de dieu celestial.
   Saint Augustin fait deviser
Qe trois maneres sont d'amer ;
Dont le primer nous est dessus,

C'est envers dieu au commencer ;   13540
Et l'autre presde nous estier
Chascune jour veons al huss,
Ce sont no proesme ; et oultre plus
Du tiers amour sumes tenus
Nous mesmes en amour garder,
Que corps et alme en ait salutz :
Cil q'ad ces trois bien retenuz
De droit amour se puet vanter.
   Saint Augustin ly grant doctour
Dist a soy mesmes, 'Grant errour
Et grant folie j'en ferroie,   13551
Si je mon dieu, mon creatour,
Sur tout le terrien honour
N'amasse ; car a ce que soie
Et vive, qant je nient estoie,
Une alme me donna, q'est moye,
Qe chascun membre en sa vigour
Sustient et mes cink sens emploie,
Des queux je sente, ascoulte et voie,
Odoure et parle chascun jour.   13560
   'Et que je vive ordeinement,
Si m'ad donné dieus ensement
Savoir de l'alme resonnable,
Sique par ce le bien m'aprent ;
Car qant nature en soi mesprent,
Tantost resoun la tient coupable :
Mais autre chose meulx vailable
M'ad dieus donné, q'est merciable,
C'est le bien vivre a son talent ;
Dont de sa grace permanable   13570
Puis me fait vivre perdurable
En joye perdurablement.'
   Ore ay je dit comment au fin
L'en doit tenir l'amour divin,
Et puis falt regarder avant
Comme l'autre amour soit bon et fin,
Le quel devons a no voisin ;
Sicomme l'apostre vait disant,
Qui dist que tout ly bien vivant
N'ont q'un soul chief, dont sont te-
   nant,   13580
C'est Crist, dont sont nommé cristin,
Et sont comme membre appartienant

13503 en fin   13524 Plusque   13546 enait   13551 ienferroie

Au chief, dont resoun le commant
Qe d'un amour soient enclin.
 Si comme l'un membre s'associe
A l'autre, et fait tout son aïe,
Ensi nous devons a toute hure
Sanz ire et sanz malencolie
Porter amour et compaignie
Chascun vers autre en sa mesure.
Car ce voit om de sa nature,   13591
Qe qant l'un membre en aventure
Se hurte a l'autre en sa partie,
Et fait par cas ascun lesure,
Pour ce cil qui le mal endure
Sur l'autre se revenge mye.
 Ensi comme membre bien assis
Nous devons entramer toutdis,
Voir, sicomme dieus le commandoit,
Devons amer noz anemys ;   13600
Car soulement qui ses amys
Tient en amour, n'ad pas au droit
Dileccioun, ainz qui reçoit
L'amour d'autry amer le doit,
Car par resoun l'ad deserviz :
Ensi ly pupplican fesoit,
Mais dieus en gré pas ne reçoit
L'amour q'ensi se fist jadys.
 Plus que moy mesme en mon recoy
De tout mon cuer amer je doy   13610
Mon dieu, et puis mon proesme auci
Semblablement atant comme moy ;
Mais Charité comprent en soy
Qe m'alme tendray plus cheri
Que je ne fray le corps d'autri :
Car pour salver trestout parmy
Le siecle ne freindray ma loy,
Dont pecché face encontre luy
Qui m'ad fourmé ; car tout ensy
Je truis escript, et je le croy.   13620
 Dileccioun n'ad pas sotie
Du fol amour, ainz le desfie,
Et d'autre part auci ne tient
Son consail ne sa compaignie
Ove ceaux qui meinont fole vie :
Du tiele gent ainz s'en abstient,

Et nepourqant bien ly sovient
Du Charité, par quoy luy vient
Compassioun de leur folie ;
Commune as tous les bons devient,
Et as malvois, comme luy covient,
Du Charité se modefie.   13632
 En six pointz tu te dois garder
De communer et consailler :
Guar toy de l'omme q'est nounsage ;
Comme plus te fras ove luy parler,
Tant meinz le porras doctriner ;
Et d'autre part en nul estage
Au derisour ne te parage,
Car a soy mesmes quiert hontage 13640
Qui voelt tiel homme acompaigner ;
N'a luy q'ad langue trop volage
Jammais descovere ton corage
Du chose que tu voels celer :
 Et d'autre part ne t'associe
A l'omme q'ad malencolie ;
L'essample en puiss avoir du fu,
Qui plus le leigne y multeplie,
Tant plus la flamme s'esparplie ;
Ensi l'irous qant est commu,   13650
Comme plus l'en parle honour ou pru,
Tant en devient plus irascu,   **f. 77**
Fuietz pour ce sa compaignie :
N'al yvere ne descovere tu
Ton consail, ce t'ad defendu
Ly sage en son essamplerie.
 Fols est qui se fait consailler
Ove celluy qui consail celer
Ne sciet : pour ce ly sages dist
Qe nuls son consail doit mostrer   13660
Al yvere ; car bon essampler
Abigaïl de ce nous fist,
Qant a Nabal ne descoverist
Son consail, qant yveres le vist,
De ce q'elle ot fait presenter
Viande, q'au desert tramist
Au Roy David, q'en gre le prist,
Dont puis luy rendoit son loer.
 Que dist Senec ore ascultez :
'Q'est ce,' dist il, ' que vous querretz

De l'autre qu'il doit bien celer 13671
Ce que tu mesmes ne celetz?
Dit q'une fois s'est avolez
Ja nuls le porra reclamer.'
Alphonse dist, ' Tu dois garder
Ton consail comme ton prisonner
Clos deinz le cuer bien enserrez;
Car s'il te puet hors eschaper,
Il te ferra tieux mals happer
Dont tu serras enprisonnez.' 13680
 Dileccioun communement
Tous ayme, et pour ce nequedent
Ove l'orguillous point ne s'aqueinte;
Car Salomon ce nous defent,
Disant pour nostre essamplement,
' Cil qui pois touche en avera teinte
La main d'ordure, et tiele atteinte
Luy falt souffrir cil q'ad enpeinte
Sa cause ove l'orguillouse gent' :
Car qant aignel quiert son aqueinte
Du leon, trop perserra queinte, 13691
S'il au final ne se repent.
 Mais l'en doit bien avoir cheri
Bonne ameisté, car tout ensi
Nous dist Senec ly bon Romein,
Q'assetz meulx valt pour son amy
Morir que pour son anemy
Vivre; car cil n'ad le cuer sein
Q'est en discort de son prochein,
Ainz en languist chascun demein,
Dont en vivant est mort demy; 13701
Qe meulx valsist morir au plein
En Charité, q'estre longtein
D'amour que dieus ad establi.
 Amour est de sa dueté
Ly droit portiers du Charité,
Qui laist entrer de son office
Resoun, Mesure et Loyalté,
Et comme la dame d'Equité
Entre les autres vient Justice, 13710
Qui meyne Peas en son service,
Et comme l'enfant ove sa norrice
Cil duy se sont entrebeisé :
Sique d'Amour le benefice

Du guerre exteignt toute malice
Et nous fait vivre en unité.
 Ly sage en son escript diffine
Qe l'orr et l'argent que l'en fine
Riens valt en comparacioun
A l'amisté q'est pure et fine ; 13720
Car bons amys d'amer ne fine,
Ainz fait continuacioun.
Pour ce, qant as probacioun
D'un tiel, sanz hesitacioun
Met ton estat en sa covine
Sanz ire et sanz elacioun ;
Car il ad sa relacioun
Sicomme la chose q'est divine.
 Amy q'est de tiele amisté,
De fine et ferme loyalté, 13730
Tout mon amour je luy presente.
Ambroise dist en son decré :
' Mon bon amy est l'autre je ';
Car ma persone il represente,
Et combien que le temps tourmente,
Ou gele ou negge ou pluit ou vente,
Ou fait chalour desmesuré,
Mon boun amy ne se destente,
Ainz tient vers moy son bon entente,
Comment que soie fortunée. 13740
 Mais en un prophetizement
Je lis que vendront une gent
Qe tout serront soi soi amant :
La cause pour quoy doublement
Dist ' soy,' vous dirray brievement :
Car double amour nous est devant,
Au dieu l'un est appartenant,
L'autre au voisin ; et nepourqant
Ne l'un ne l'autre au temps present
Est uns q'au droit le vait gardant ; 13751
Ainz, si nuls ayme meintenant,
C'est pour soy mesmes proprement.
 Primerement s'omme ayme dieu,
En ce quiert il son propre pru,
Car bien sciet dieus luy poet aider,
Donner honour, donner salu,
Si puet auci de sa vertu
Tout bien retraire et esloigner ;

13700 enlanguist   13686 enauera

Pour ce voet il son dieu amer,
Mais tout ad mys en oublier 13760
Les biens dont dieus l'ad revestu,
C'est corps et alme, en son poer
Qe dieus du nient volait fourmer,
Par quoy d'amer homme est tenu.
    Et pour garder le siecle en bas,
Di voir si tu me troveras
Bonne ameisté du franche atour.
Pour verité dire en ce cas,
Je di, si tu richesce n'as,
Office ou digneté d'onour, 13770
Par quoy tu es de moy maiour,
Et que je voie chascun jour
Qe tu bienfaire a moy porras,
Tu as failly de mon amour ;
Mais si je sente ton socour,
Mener me puiss u tu voldras.
    Mais puisque j'ayme a mon profit,
Ce n'est resoun q'amour soit dit,
Du covoitise ainz est la vente,
Qant lucre m'ad d'amer soubgit ; 13780
Tout ay pour moy l'amour confit,
Non pour l'autry, car si n'avente
Mon prou d'amer, ne me consente ;
Sique le proufit que je sente
Est cause dont mon espirit
Tantsoulement d'amer s'assente ;
Mais au jour d'uy par celle sente
S'en vont trestous, grant et petit.
    Dieus a saint Piere demandoit
Diverses foitz s'il luy amoit, 13790
Et cil respont, 'Certes, beal sire,
Tu scies bien que je t'ayme au droit.'
O qui vit ore, en tiel endroit
Q'au dieu, qui tous noz cuers remire,
Porroit ensi respondre et dire
Sanz ce que dieus l'en volt desdire ?
Je croy certain que nuls y soit :
Car ce savons, deinz nostre empire
Amour de jour en jour s'enpire,
Et s'esvanist que nuls le voit. 13800
    Ne say ce q'en apres vendra,
Mais qui l'escript bien entendra,

Sicomme l'apostre nous enhorte,
Et n'ayme, alors dur cuer avera :
Car il nous dist tresbien cela,
Qe l'alme en ceste vie est morte
La quelle amour en soy ne porte ;
Non pas l'amour dont l'en apporte
Profit du siecle, ainz ce serra
Dileccioun, q'est pure et forte, 13810
Dont l'alme en dieu se reconforte
Sicomme je vous ay dit pieça.

    **Ore dirra de la quarte file de
Pacience, q'ad noun Concorde,
contre Contek.**
    Du Pacience naist apres
La quarte file, et est du pres
Norrie, ensi comme meulx covient,
Dedeinz les chambres dame Pes ;
Si tient en compaignie ades
Amour, par quoy jammais avient
Contek en place u q'elle vient.
Elle ad a noun, bien me sovient, 13820
Concorde, plaine des bienfetz ;
As gentz q'ovesque soy retient
D'estrif ne d'ire ne partient
Porter les charges ne les fes.
    C'est la vertu dont les cités
Sont en leur point au droit gardez ;
C'est la vertu, comme truis escrit,
Par qui poy croist en chose assez,
Et sanz qui sont desbaratez
Les grandes choses en petit ; 13830
C'est la vertu par quoy l'en rit
En corps et alme a grant delit ;
C'est la vertu dont sont semez
Les champs dont chascun homme vit ;
C'est la vertu dont vient proufit
Sanz nul damage en tous degrés :
    C'est la vertu que fait la lance
Tourner en sye, et malvuillance
En bon amour, et la ravine
En pure almosne, et la nuisance 13840
En bien commun, siq' abondance
Envoit, et hoste la famine. **f. 78**
Nient plus que l'arbre sanz racine,

13787 au Iourduy   13788 Senvont   13801 qenapres

Ou que sanz herbe medicine,
Sont en nature de vaillance,
Nient plus valt homme en sa covine,
S'il voet tenir la loy divine,
Qant n'ad Concorde en s'alliance.
   Concorde ad une sue amye,
C'est Unité, que luy falt mye   13850
Au pes garder en son degré ;
Dont dist David en prophecie :
'O comme joyouse compaignie
Et bonne, quant fraternité
Cohabitont en unité' :
Car mesmes dieus lour est privé,
Et comme lour frere s'associe.
Molt est Concorde benuré,
Q'est compaigne a la deité,
Et donne pes en ceste vie.   [gence
Mais uns grantz clercs q'ot noun Ful-
Nous dist par droite experience,   13862
Qe soubz le cercle de la lune,
Queu part q'a sercher l'en commence,
Pour mettre y toute diligence,
N'est pleine pes n'a un n'a une.
En l'eir primer n'est pes ascune,
Car deble y sont queux dieus y pune
Qui tout sont plain de grant offense,
Si nous font guerre en lour rancune ;
Dont pour sercher la pes commune
En l'air voi je nulle evidence.   13872
   La pes en terre est forsbanie
Par gent toutplein de felonnie,
Qui vuillont pes ne tant ne qant :
En mer auci pes est faillie,
Car la tempeste y vente et crie,
Dont maint peril est apparant :
Enfern sanz pes vait languissant,
U vont les almes tourmentant   13880
De ceaux q'ont mené male vie :
Lors falt a sercher plus avant
Dessur la lune en contemplant,
Car pardessoubz la pes n'est mie.
   Ensi la file de Concorde
Ces ditz et autres bien recorde,
Au fin que par son recorder

Paisible envers son dieu s'acorde ;
Sique dame Ire de sa corde
Par mal ne luy puet encorder :   13890
Car ja ne puet om recorder
Concorde en ire descorder
A son voisin, ainz qui descorde,
L'amour quiert elle et l'acorder,
Pour tous ensemble concorder
En pes et en misericorde.
   Ore dirra de la quinte file de
Pacience, quelle ad noun Pités,
contre Homicide.
   La quinte file paciente
Molt perest tendre en son entente
Vers tous ; mais elle est au contraire,
Q'al Homicide ne s'assente :   13900
Dont ad a noun par droit descente
Pités la doulce et debonnaire ;
La quelle en trestout son affaire
Retient Mercy comme secretaire,
Que ja n'avera la main extente
D'espeie a la vengance traire,
Et s'autres voit en ce mesfaire
Dedeins son cuer trop se desmente.
   Molt plus y ad diverseté
Entre Homicide et la Pité,   13910
Qe n'est parentre fu ardant
Et l'eaue de la mer salé ;
Car comme le fu q'est enbracé
Del eaue s'en vait estreignant,
Ensi Pités fait le guarant
Contre Homicide, et du tirant
Converte en doulçour la fierté.
U que Pités serra regnant,
Le regne en vait establissant ;
Ce dist Cassodre en son decré.   13920
   De Rome Constantin pieça
Nous dist, que cil se provera
Seigneur de tous, qui par vertu
Serf du Pité se moustrera :
Et Tullius nous dist cela,
Qe cil q'est du Pité vencu
Doit du victoire avoir escu
Perpetuel pardevant dieu.

13864 qasercher   13882 plusauant   13883 encontemplant   13919 envait

Saint Jake dist, cil qui ferra
Sanz pité juggement, perdu 13930
Serra qant vient en autre lieu,
U qu'il pité ne trouvera.
 La vertu dont vous ay chanté
N'ad pas le cuer d'ire enchanté
Pour tuer homme en juggement,
Si ce ne soit par equité,
Dont soit destruite iniquité
De laroun et de male gent
Pour le commun profitement;
Et nepourqant pitousement 13940
Toutdis retient sa charité :
' Tuetz,' ce dist, et nequedent
S'en dolt que l'autre duement
Ad deservi d'estre tué.
 Ensi Pité nounpas moerdrice
Souffre a tuer solonc justice,
Mais ja par tant est meinz vailable ;
Car pour nulle ire que l'entice,
Ou de rancour ou de malice,
Pité de soy n'est pas vengable, 13950
Ainz est de son droit connestable
D'Amour, pour faire pes estable.
L'apostre dist, q'en son office
Pités a tout est proufitable :
Est la vertu plus defensable
De crualté contre le vice.
 Pités est le treacle droit
Que tout garist en son endroit
Le cuer de venimouse enflure,
Qe d'aposteme riens y soit 13960
Du viel rancour, dont Ire boit :
Ainçois trestoute mesprisure
Que l'en l'ad fait par demesure,
Pour la mercy, dont elle est pure,
Met en oubly, que plus n'en voit :
Car vengance a la creature
Quelle est semblable a sa nature,
Pour tout le monde ne querroit.
 **Ore dirra la descripcioun de la
vertu de Pacience par especial.**
 He, debonnaire Pacience,
Comme est gentile ta semence 13970

Des files, q'ay dessus nommé !
Pour faire a toy la reverence
Du naturele experience
Ly philosophre t'ad loé,
Disant que tu du propreté
As la vengance aproprié
Deinz ta paisible conscience,
Par soule debonnaireté
A veintre toute adverseté
Sanz faire tort ou violence. 13980
 Ly martir, qui par grief destour
Du paine avoient maint estour,
N'en furont venqu nequedent ;
Ainz toute peine exteriour
Par Pacience interiour
Venquiront bien et noblement.
Du Job avons l'essamplement,
Qant il ot perdu plainement
Saunté du corps et tout honour
Du siecle, encore pacient 13990
Estoit, dont venquist le tourment
Ensemble avoec le tourmentour.
 Du Pacience en faitz et ditz
Molt furont ly martir jadis
Expert, car le cruel martire
De leur bon gré nounpas envis
Souffriront, si q'a leur avis
Rendiront grace a nostre sire,
Qu'il a tieu fait les volt eslire.
Des confessours l'en porra lire 14000
Auci, qui pour leur espiritz
Garder firont lour corps despire,
Dont puis gaigneront cel empire
Q'est plain des joyes infinitz.
 Gregoire dist que par souffrir
Les mals qui pourront avenir
Du siecle, qui tous mals envoie,
Hom se puet faire droit martir
Sanz le martire de morir :
Car combien que tuez ne soie, 14010
Je me martire d'autre voie
Du Pacience simple et coie,
Du quelle ades me fais garnir,
Issint que nullement me ploie

13955 Et

D'adversité, qant se desploie,
Et les meschiefs me fait sentir.
   Ce dist David, que dieus est pres
As tous ceaux q'ont le cuer oppres
Du tribulacioun mondeine :
Sur quoy Bernars souhaide ades,   14020
Q'il puist toutdiz sanz nul reles
De tribulacioun la peine
Avoir yci par tiel enseigne,
Qe l'ameisté luy soit procheine
De dieu et sa divine pes :
Car qant dieus est en la deinzeine,
Du toute anguisse q'est foreine
Ne puet chaloir n'avant n'apres.
   Si nous faisons la dieu aprise,
Par nous n'ert la vengance prise;   **f. 79**
Car dieus ce dist, comme vous dirray,
Q'il volt que toute la mesprise   14032
Et la vengance soient mise
En son agard, et il du vray
Le vengera ; dont bien le say
Fols est qui se met a l'essay
De soy venger par autre guise :
Qant dieu mon champion aray,
Ne falt que je m'en melleray,
Puisq'il voet faire tiele enprise.   14040
   L'apostre en son escript diffine
Et dist, comme feu q'attempre et fine
Metall, si q'om le puet forger,
Ensi l'adversité terrine
Attempre et forge la covine
De Pacience en son mestier :
Car la fortune d'adverser
Fait l'omme sage expermenter
Selonc la droite medicine ;
Qe qant le tourment seculer   14050
Nul autre rien puet terminer,
Lors Pacience le termine.
   Ce voit om, ainz que la chalice
Soit digne a si tressaint office,
Ou que la coupe d'orr ensi
Soit mise au table d'emperice,
Leur falt souffrir dure justice

Du feu, dont sont purgé parmy,
Et des marteals maint cop auci ;
Mais qant serront au plein bourny,   14060
Lors ont honour de leur service:
Du Pacience ensi vous dy,
Ainçois q'elle ait tout acomply,
Soffrir ly faldra mainte anguisse.
   Ly mestres q'ad chien afaité
Ja ne luy fra tant deshaité,
Qant il l'avra plus fort batu,
Qe tost apres de son bon gré
Ne salt sus et en son degré
Fait joye a luy qui l'ad feru,   14070
En signe qu'il n'est irascu :
Ensi sanz gleyve et sanz escu
Fait l'omme qui s'est esprové
De Pacience la vertu ;
Car il ne voet que defendu
Soit par corous ou revengé.
   Piscon y ad, ce dist un sage,
Quelle en nature ad tiele usage,
Qant le tourment verra plus grant,
Et la tempeste plus salvage,   14080
Plustost se baigne enmy le rage
Et s'esjoyt plus que devant.
Je dy du Pacience atant,
Qant plus le siecle est adversant,
Et sa fortune plus volage,
Plus tendrement en vait loant
Son dieu, et plus se met avant
Au tout souffrir de bon corage.
   O Pacience, comme toy prise
Ly sage Ovide en son aprise,   14090
Disant que toute autre vertu
Que tu n'as en ta garde prise,
N'est sufficant d'ascune enprise,
Plus q'une femme q'ad perdu
Son baroun : car bien le scies tu,
N'ad pas le corps au droit vestu,
Q'ad double cote sanz chemise ;
Ne cil est pas au droit pourveu,
Q'ad Mill des autrez retenu,
Si ta vertu n'y soit commise.   14100

14064 *in ras.*   14067 plusfort   14079 plusgrant   14080 plussaluage
                14082 plusque   14086 envait

Ore dirra de les cynk files de la
vertu de Prouesce, des quelles la
primere ad noun Vigile, contre le
vice de Sompnolence.

Encontre Accide lasse et lente
Resoun, a qui travail talente,
S'est a Prouesce mariée,
Q'est une dame bonne et gente
Et corps et alme bien regente;
Si ad cynk files engendrée,
Dont la primere est appellée
Vigile sainte et benurée,
Que par nature et par descente
Hiet Sompnolence en son degré; 14110
Car long dormir au matiné
Ne puet amer en son entente.
 Vigile plus dormir ne quiert,
Mais tant comme resoun le requiert,
Dont soit nature sustenue,
Escharcement, que trop n'y ert;
Et largement, comme meulx affiert,
D'esveiller l'alme s'esvertue :
Pour ce, qant Sompnolence englue
Les oels du corps, yceste argue 14120
Les oels du cuer, et si les fiert,
Que vuille ou noun le corps remue,
Plus que falcoun, qant de sa mue
S'en ist et puis sa proie adquiert.
 Vigile est celle chambreleine
Q'esveille le pastour souleine
Pour les ouailles saulf garder :
Vigile porte auci l'enseigne
Des championns queux dieus enseigne,
Qant devont contre l'adverser 14130
Combatre; et ce scievont primer
Canoun et moigne reguler,
Si fait ly frere et la noneine,
Si font ly autre seculer,
Chascun endroit de son mestier
A labourer Vigile meine.
 A l'omme qui s'est endormi
La loy civile dist ensi,
Comment, s'il ait ou droit ou tort,
Les drois ne font socour a luy, 14140

Ainçois socourront a celluy
Qui veille : et tout ytiel enhort
Nous fist Catoun, siq'au plus fort
Veillons; car il dist et recort,
Q'en tiel les vices sont norry,
Qui trop de sa coustume dort :
Q'il est au siecle ensi comme mort,
Car tout bien sont en luy failly.
 Mais la vigile proprement
La beneiçoun de dieu attent, 14150
Qant om l'enprent et bien maintient;
Car nostre sire tielement
Par s'evangile, qui ne ment,
Le promettoit, bien me sovient,
Et dist, qant il ensi avient,
Qe luy seigneur par cas y vient,
Et son serf trove bonement
Veillant, pour benuré le tient,
Dont sur tout ce q'a luy partient
Des biens luy fait estre regent. 14160
 As ses desciples commandoit
Dieus, qant endormiz les trovoit,
'Veillez,' ce dist, 'que point n'entretz
En temptement de fol endroit :
Car l'espirit,' ce lour disoit,
'Est prest as toutes malvoistés,
Et la char frele des tous lées' :
Pour ce leur dist, 'Veillez, oretz,'
Pour l'alme garder en son droit;
Car ja maisouns n'ert desrobbez 14170
U ly gardeins s'est esveillez
Pour garder ce que faire doit.
 Le castell serra bien secur,
U que Vigile pardessur
Les murs vait serchant environ :
Quelque le temps soit, trouble ou pur,
N'y laist entrer ne mol ne dur
Que puist grever a la maisoun.
Car qant malfié sicomme laroun
En l'alme par temptacioun 14180
Entrer voldroit tout en oscur,
Vigile esveille de randoun
Ses soers, que vienont a bandoun
Pour faire le defense au mur.

14143 plusfort

En l'evangile est dit auci
Q'om veille, car nuls sciet de fy
Qant nostre sire y ert venant,
Ou soit ce soir ou nuyt demy
Ou coc chantant : et tant vous dy
Les houres dont vous vois parlant
Trois ages vont signefiant,   14191
Dont nuls en terre est droit sachant
En quelle il doit partir d'icy.
Pour ce bon est veiller atant,
Q'au temps qant dieus nous vient cla-
 mant
Veillant puissons respondre a luy.
 **Ore dirra de la seconde file de
Prouesce, quelle ad noun Magnani-
mité, contre le vice de Peresce.**
 Encontre celle de Peresce
Naist une file de Prouesce,
Quelle ad noun Magnanimité ;
Celle est toutpleine de vistesce,   14200
De labour et de hardiesce,
Sanz point de pusillamité ;
Car jammais pour prosperité
De la mondeine vanité
Ne surjoyt de sa leesce,
Ne pour ascune adversité
Ne se contriste en son degré,
Du quoy sa conscience blesce.
 Senec reconte en son escrit,
Qe l'omme q'est de tiel abit   14210
Molt est de halte vassellage ;
Car trop luy semble estre petit
Le siecle, dont son appetit
Ne moet a ce ne son corage ;
Ainçois comme cil q'est prus et sage **f. 80**
Du ciel quiert le grant heritage,
U tout ly bien sont infinit ;
Pour ce labourt et l'avantage
En prent, siq'en chescun estage
Il ad Peresce desconfit.   14220
 L'estoille en halt le firmament
Petite semble al oil du gent,
Pour ce q'om ne la voit de pres ;
Et tout ensi semblablement

    14219 Enprent

Fait cil qui vertuousement
Se voet tenir, car cil ades
Du siecle esloigne tous les fes ;
Car il n'en quiert veoir jammes
Le vein honour procheinement,
Ainçois labourt pour autre encres
Avoir, dont en richesce apres   14231
Puet vivre perdurablement.
 Quant voit du siecle la richesce,
La veine gloire et la noblesce,
Pour ce que poy du temps n'endure
Tout ce luy semble petitesce ;
Et puis regarde a la grandesce
Du ciel, u la richesce est pure,
Si laist le siecle a nounchalure,
Car riens y voit forsq'aventure :   14240
Ensi pensant son corps adresce
De labourer a sa mesure,
Dont les grans biens qui sont dessure
Porra conquerre sanz Peresce.
 Iceste file ad sa compaigne,
Q'en tous les oeveres l'acompaine,
Magnificence est appellée,
Tant sont ce deux de vertu plaine,
N'est riens q'encontre lour remaine
Que par labour n'est conquestée :
Car n'est vertu d'ascun degré   14251
Dont ceste Magnanimité
Commencer n'ose l'overaigne ;
Et qant la chose est commencée,
Ja n'ert si forte honnesteté
Qe l'autre a son droit fin ne maine.
 Encore une autre damoiselle,
Q'est vertuouse, bonne et belle,
Leur vient toutdis en compaignie,
Seurté ad noun, et si est celle   14260
Qui des vertus la penouncelle
Doit porter par chivallerie ;
U point n'y ad du couardie,
Mais sanz Peresce et sanz Envie
La tendre char, q'est fole et frele,
Fait labourer en ceste vie ;
Sique du corps la pensantie
Ne tolt al alme sa querelle.

    14228 nenquiert

Celle est auci la chambreleine
Qui deinz bon cuer toute souleine
Ses chivalers ad adoubez 14271
Des trois armures q'elle meine,
Q'unqes Artus ne Charlemeine
A nul temps furont meulx armez :
Car mesmes dieus les ad forgiez,
Dont sont tant fortz et adurez,
Qe cil qui porte leur enseigne
Pour nul travail ert alassez,
Ne cils ne serront ja quassez
De la Peresce q'est mondeine.
 La vertu du primere armure 14281
Fait l'omme enprendre chose dure,
Et la seconde a poursuïr
La chose en quele ad mis sa cure,
La tierce q'est de vertu pure
Donne esperance sans faillir
De la busoigne bien finir ;
Dont qant Peresce a son venir
Par ses folies luy court sure,
C'est pour ses eases maintenir, 14290
L'autre se fait contretenir
Et la met a desconfiture.
 Itiele adversité n'est une
Q'avenir puet dessoubz la lune,
Dont Seurtés s'espoentera,
Ce dist Senec ; car la fortune
Ne tolt al homme chose ascune,
Si ce ne soit q'a luy donna ;
Mais les vertus que prodhomme a
Fortune ne les fortuna, 14300
Car ce n'est pas de sa commune :
Dont, quique vertuous esta,
Fortune point ne doubtera,
Qant ses vertus ne tolt ne pune.
 Ly cuers de Magnanimité
Est resemblable au dée quarré ;
Car quelle part soit descheable,
Ovel se tient amont drescé :
Et ensi l'autre en son degré,
Combien fortune la muable 14310
Luy soit adverse ou amiable,
Ovelement toutdis s'estable
Deinz soy ; sique l'adverseté
Ne la prosperité changable
Le porront faire descordable
Au riens q'est de sa dueté.

 Ore dirra de la tierce file de Prouesce, quelle ad noun Constance, contre le vice de Lacheté.

 Prouesce que les cuers avance,
Sa tierce file ad noun Constance,
Q'encontre Lacheté guerroie :
Le folquider et pourloignance, 14320
Dont Lacheté fait tariance,
Iceste fille paremploie ;
Car nuyt et jour toutdiz se ploie
Au bien de l'alme, et tout apploie
Le corps a ce ; sique plaisance
Ne fait au char, ainçois la voie
De labour tient, dont nuls envoie
La puet hoster par fole errance.
 Plus est Constance en son degré
Estable, ferme et adurée 14330
Qe n'est du tour le fondement,
Sur ferme roche q'est fondée,
Et plus que l'arbre enraciné
En terre bien parfondement :
Car jammais pour tempestement,
Q'avenir puet ascunement
Du siecle, serra destourné
De vivre vertuousement ;
Ainçois jusques au finement
Maintient le bien q'ad commencé. 14340
 C'est la vertu que sanz retrait
Parmy les deux fortunes vait,
Sicome Senec nous fait estrure,
Si plainement q'en dit ne fait
Ja deinz son cuer ne se desfait,
Ou pour la mole ou pour la dure ;
C'est la vertu quelle aventure
Ne puet mettre a desconfiture ;
C'est la vertu de qui parfait
Furont ly bon angre au dessure, 14350
Qant fait y fuist la forsfaiture,
Dont Lucifer avoit forsfait.
 Qui sa main met a la charue
Et son regard arere rue,
Cil n'est pas apt au ciel venir :

Pour ce Constance en sa venue
Perseverance ad retenue
Deinz son hostel a luy servir,
Le regne dieu pour deservir ;
Car celle afferme le desir, 14360
Dont chascun membre s'esvertue,
A commencer et acomplir
Le dieu labour sans allentir,
Dont corps et alme ait son ayue.
   L'apostre dist, 'Tous sont cur-
     rour' ;
Mais ceste soule au chief du tour
Loer devant les autres gaigne :
Toutes vertus sont combatour,
Mais ceste au fin est venqueour,
Qui la coronne tient certaine ; 14370
Toutes s'en vont a l'overaigne,
Mais ceste ensi comme soveraigne
Trestout le gaign de lour labour
Reçoit au fin de la semaigne :
Car tout est celle vertu vaine
Q'a ceste ne fait son retour.
   Toute autre vertu se desvoie,
Si ceste au point ne la convoie ;
Toute autre vertu gist oppresse,
Si ceste amont ne la survoie : 14380
Ne puet venir aucune voie
A dieu qui ceste ne professe,
C'est des vertus la guideresse,
C'est des vertus la droite hostesse,
La quelle porte a sa courroie
Trestous les cliefs, siq'au distresce
Celle est au soir herbergeresce,
Sans qui nuls puet entrer en joye.
   Sans ceste vertu tout avant
Volt nostre sire a nul vivant 14390
Le ciel promettre ne donner ;
Mais l'evangile est tesmoignant,
Qe cil q'est droit perseverant
Salfs ert et doit enheriter
Le ciel ; sique perseverer
Pour merite acquere et loer
A chascun fin meulx est vaillant :
Pour ce se doit om aviser,

14371 senvont

Qant voet bon oevere commencer,
Q'il soit jusq'en la fin constant. 14400
   Ore dirra de la quarte file de
   Prouesce, la quelle ad noun Solli-
   citude, qui est contraire au [f. 1
   vice de Oedivesce.
   La quarte file de Prouesce
Solicitude hiet Oedivesce,
Car celle n'ert jammais oedive :
Ou du penseie bien impresse,
Ou du parole bien expresse,
Ou du bien faire elle ert active ;
Toutdis labourt, toutdis estrive,
Et quiert le bien dont l'alme vive,
Et dont le corps en sa destresce
Ait sa viande sustentive : 14410
Ne l'un ne l'autre point ne prive
Par trop poverte ou trop richesce.
   Thobie a dieu devoutement
Pria molt resonnablement,
Qe du richesce l'abondance
Ne du poverte le tourment
Ne luy dorroit, ainz soulement
Sa necessaire sustienance :
Car par si mesurée balance
L'alme en son point ne desavance, 14421
N'au corps tolt le sustienement ;
Ensemble quiert lour pourvoiance,
Ne plus ne meinz mais sufficance
Pour faire a dieu ce q'il appent.
   Mais sur trestout je truis escrit
Q'au main oiseuse soit desdit
Le pain, que point n'en mangera :
Auci qant dieus ot entredit
Au primer homme et contredit
Son paradis, lors commanda 14430
Q'au labourer en terre irra,
Et en suour pourchacera
Le pain, dont chascun homme vit :
Dont m'est avis, cil qui serra
Solicitous molt luy valdra,
Car corps et alme en ont proufit.
   A chascun homme droiturer
Les labours de ses mains manger

14436 enont

David en son psalter enhorte :
Auci l'en dist en essampler 14440
Qe dieus tous biens fait envoier,
Mais par les corns le boef n'apporte :
Helie, qui se desconforte,
Combien que l'angel le conforte
Disant qu'il devoit pain gouster,
Ove ce nientmeinz labour reporte
De la journeie longe et forte
Que dieus luy fist depuis aler.
  Pour ce nous disoit en ses vers
Pamphilius ly sages clercs, 14450
Qe joyntement dieus et labour
Nous apportont les biens divers :
Car sanz labour, soiez tout certz,
Ne puet om faire ascun bon tour,
N'a siecle n'a son creatour :
Noz mains nous serront labourour,
Car pour ce sont al corps adhers,
Q'ils devont faire au corps socour ;
Et noz cuers serront nuyt et jour
Tantsoulement a dieu convers. 14460
  D'umeine vie qui sovient
Sciet bien q'au labourer covient
Le fieble corps pour sustenir ;
Et l'alme ne vit pas du nient,
Grant peine et labour y partient,
Q'en son droit point la voet cherir.
Pour ce le corps a maintenir
Ascuns s'en vont les champs tenir,
De qui labour le pain nous vient ;
Ascuns sont clercs et ont desir 14470
Pour faire tout le dieu plesir,
Dont l'alme en bon estat devient.
  Ove ceste vertu dieus dispense,
La quelle paie la despense
Al alme et corps, sicomme doit faire.
C'est la vertu que providence
Retient, si prent bonne evidence
De la formie en son affaire ;
Quar qant le jour d'estée s'esclaire,
Lors fait sa pourvoiance attraire, 14480
Dont puis, qant froid d'yver commence,
A sa cuillette en saulf repaire,
Et vit par ese en son doaire ;
Mais l'omme oedif de ce ne pense.
  Mais qui par covoiter d'avoir
Solicitude voet avoir,
N'est pas honeste tiele enprise ;
Car q'ensi fait son estovoir,
Il fait la vertu removoir
Loigns en pecché du covoitise : 14490
Mais qui le prent par bonne guise,
Solicitude a chascun lise
Du providence a recevoir
Ce dont puet vivre en sa franchise ;
Car si ma chose me souffise,
De tant porrai le meulx valoir.
  Je lis q'en terre nostre sire
Pour ses despenses a voir dire
Ot soufficance de monoie ;
Mendicité ne volt eslire 14500
Ne la richesce tout despire,
Ainçois tenoit la meene voie :
Pour ce bon est q'om se pourvoie ;
Car si dieu tous les biens envoie,
Et volt en terre ensi confire
Sa pourvoiance, lors serroie
Trop a blamer si ne querroie
Ce qui me doit par droit souffire.
  De les apostres qui lirra,
Parmy leur actes trovera, 14510
Combien q'ils propreté n'avoient,
Poverte nulle les greva ;
Ainçois des biens q'om leur donna
Au sufficance ils habondoient :
Mais pain oiseus point ne mangoient,
Car ou labour des mains fesoient,
Ou sicomme dieus leur commanda
Precher la droite foy aloiont ;
Siq'en tous lieus u q'ils venoiont
De leur labour dieus s'agrea. 14520
  Joseph par la vertu divine
Trois auns devant vist la famine,
Dont maint paiis puis fuist grevé ;
Mais il, ainçois que la ruine
En vint, de nuyt et jour ne fine,
Par grant labour tanque amassé

Avoit des bledz, dont la contrée
D'Egipte en la necessité
Fuist salve soubz sa discipline,
Si fuist trestout son parentée : 14530
Sa providence en fuist loé,
Par quoy troveront medicine.

  A luy q'est droit solicitous,
Covient q'il soit laborious
En deux pointz : le primer serra
Labour du cuer bien gracious,
Sovent contrit et dolerous
De ses pecchés ; et puis cela
Autre labour luy coviendra,
Dont il au corps pourchacera 14540
Ce q'est pour l'omme busoignous
Noun soul pour soy, ainz il le fra
Pour son voisin ce qu'il porra,
Car tiel labour est vertuous.

  Solicitude la guarnie
Primer labourt, si quiert et prie
Le regne dieu celestiel,
Au fin que s'alme en soit guarie ;
Car ce nous dist le fils Marie,
En terre qant il fuist mortiel, 14550
'Primer,' ce dist, 'queretz le ciel,
Car lors tout bien q'est temporiel
Du quelque chose multeplie' :
Dont semble a moy q'espiritiel,
Sibien comme labour corporiel,
Est proufitable a ceste vie.

  Qui bien Solicitude meine,
La vie active en soy demeine,
Sicomme fesoit de sa partie
Martha la suer du Magdeleine, 14560
Qant nostre sire en char humeine
Mangoit deinz leur hostellerie ;
La Magdeleine as piés Messie
S'assist, et Marthe au compaignie
Par grant labour toute souleine
Servoit : Martha nous signefie
La necessaire active vie,
Et l'autre contempler enseine.

  Ambroise, qui s'en vait tretant,

Les deux vertus vait devisant ; 14570
Si dist plus halte et honourable
Est celle vie en contemplant ;
Mais vie active nepourqant
Est au commun plus proufitable,
Pour vie humeine et plus vaillable.
A ce tout furont concordable
Ly philosophre cy devant,
Q'elle est as tous si busoignable,
Qe sanz luy gaire n'est durable
En terre riens que soit vivant. 14580

  Isidre dist, 'Cil q'au primer
Se fait en vie active entrer
Pour le proufit commun enprendre,
Par celle active bien mener
En l'autre, q'est de contempler,
Du plus legier puet condescendre ;
Mais l'omme oedif est a reprendre,
Qui nul bien sciet, ne voet aprendre
De labour faire en nul mestier :
Pour ce bon est en quelque gendre
A labourer, que puis engendre 14591
Proufit de l'alme et corps entier.' f. 82

  Ore dirra de la quinte file de Prouesce, la quelle ad noun Science, contre le vice de Necligence.

  Encontre fole Necligence
La quinte file ad noun Science :
Celle est de l'alme droit Priour,
Q'el cloistre de sa Conscience
Le cuer du fine intelligence
Et le voloir sanz nul errour
Defent et guart par nuyt et jour.
Du Reson est remembrançour, 14600
Que tout remeine en sa presence ;
Du temps passé est recordour,
Et le present voit tout entour,
Et le futur pourvoit et pense.

  Science poise la parole,
Ainçois que de la bouche vole,
S'il soit a laisser ou a dire ;
Car ja ne parle du frivole.

14531 enfuist   14546 Pimer
14571 plushalte   14572 encontemplant
14548 ensoit   14568 contemplacioun
14575 plusvaillable   14586 pluslegier

Molt est apris du bonne escole
Cil q'a sa discipline tire ; 14610
Bien dist, bien pense et bien desire,
Bien sciet, bien fait, bien se remire,
Du fine resoun se rigole,
Fole ignorance fait despire,
Bien sciet la meene voie eslire
Parentre dure chose et mole.
   Science que depar dieu vient
Mesure en sa science tient,
Q'ensi l'apostre nous aprent,
Disant que chascun s'en abstient 14620
De plus savoir que luy covient,
Mais que l'en sache sobrement.
Saint Bernards le dist ensement,
Et si nous donne essamplement
De l'estomac, qui trop se ghient,
Qant om le paist trop plainement ;
N'en puet avoir nourricement,
Ainz maladie luy survient.
   Coment porroit en sa mesure
Le sen d'ascune creature 14630
Savoir le sen du creatour ?
N'est pas resoun, n'est pas droiture,
Qe ly mortieux y mettont cure ;
Car ce n'appartient pas a lour,
Ainz ferme foy et fin amour
Ce doit om bien avoir tout jour
A dieu luy toutpuissant dessure ;
Car autrement tout sont folour
Les argumentz au desputour,
Qant plus de sa science asseure. 14640
   Qant le fils dieu, qui tout savoit,
A ses disciples recontoit
Par queux signals, par quelle guise
Le jour de juggement vendroit,
Ils luy demandont la endroit
Le certain temps de la Juise ;
Mais il leur dist que tiele assise
En son poair dieus ot assise,
Par quoy ne leur appartienoit
Science de si halte enprise: 14650
Dont m'est avis, fole est l'aprise
De plus savoir que l'en ne doit.

   14622 Maisque

   De saint Bernard ce truis escrit :
'Ascuns y sont qui pour delit
L'art du science ont conquesté ;
Mais qant om l'ad par si mal plit,
Lors n'est ce pas vertu parfit,
Ainz vaine curiousité :
Ascuns science ont covoité,
Par quoy plus soient honouré, 14660
Et dont puissont avoir proufit
D'argent et d'autre digneté ;
Mais cils qui l'ont par tiel degré,
N'est pas honour, ains est despit.'
   Cil q'ad science du clergie,
Ne falt point qu'il se glorifie
En beal parole noncier,
Ainçois covient qu'il sache et die
Dont soy et autres edefie
Au bien de l'alme ; et ce trover 14670
De saint Jerom bon essampler
Porrons, qant il estudier
Voloit en la philosophie
Du Tulle pour le beau parler ;
Mais dieus l'en fesoit chastier,
Pour ce que vain fuist sa clergie.
   Prodhomme qui science quiert
Du vanité point ne requiert,
Ainçois la quiert par tiel endroit
Q'il fait tout ce que meulx affiert ; 14680
Du siecle nul loer adquiert
Du bien, d'onour, plus q'il ne doit.
Gregoire dist, ' Comment que soit,
Qui bien sciet et mal se pourvoit
Du propre main soy naufre et fiert ;
Mais qui science tient au droit,
Le corps en est yci benoit,
Et l'alme paradis conquiert.'
   C'est la science que dieus prise,
Qant om retient la bonne aprise 14690
En l'alme sanz oblivioun ;
Dont soy defent de la feintise
Du deable, qui par mainte guise
Devant nous sa temptacioun
Presente plain d'illusioun,
Pour faire ent no confusioun ;

   14687 enest

Car il conoist de sa quointise
La nature et complexioun
De nous et la condicioun,
Dont plus soubtilement s'avise. 14700
 Si sanguin soie de nature,
Lors me fait tempter de Luxure,
D'Orguil et de Jolietée;
Malencolie si j'endure,
Lors ert d'Envie ma pointure
En tristesce et en malvoistée;
Si fleumatik soie attemprée,
Lors Gloutenie et Lacheté
Me font tempter en chascune hure;
Si coleric, que soie irrée, 14710
Discord lors m'ert abandonnée,
Dont sui temptez a demesure.
 Pour ce cil qui Science meine
Du vray prouesce sovereine,
Au tout plus fort combateroit
Encontre celle vice humeine
Qe plus l'assalt et plus l'estreine,
Selonc ce q'il en sente et voit:
Car qui chastel defendre doit,
U q'il est fieble, la endroit 14720
Mettra defense plus procheine;
Et ensi par semblable endroit
Du malfié se defenderoit
Chascun bon homme en son demeine.
 Au Rome el grant paleis jadys
Fesoit Virgile a son avis
Pluseurs ymages en estant,
Et en chascune enmy le pis
Ot noun du terre ou du paiis
Escript, et puis fesoit avant 14730
Sur un chival d'arrein seant
Un chivaler q'ert bel et grant,
Si ot l'espeie ou main saisiz.
Ly mestres qui ce fuist fesant
Du grant science estoit sachant,
Mais ore oietz par quel devis.
 Qant terre ascune ou regioun
Pensoit de sa rebellioun
Encontre Rome a resister,
L'ymage q'en portoit le noun 14740

Escript, tantost a grant randoun
Fist une clocke en halt sonner;
Et maintenant le chivaler
S'espeie commença branler
Vers celle ymage qui le soun
Ot fait; et ensi d'encombrer
Leur Cité firont saulf garder
Ly citezein tout enviroun.
 Ensi ly sages du science
L'ymage de sa conscience 14750
Enmy son pis escrivera;
Du quoy, qant pecché le commence
Tempter, tantost du sapience
La sainte clocke il sonnera,
Sique Resoun soy guarnira
Et des prieres s'armera,
L'espeie ou main de penitence,
Dont par vertu defendera
Du pecché s'alme et guardera
Par la divine providence. 14760
 Uns grans clercs q'ot noun Dionis
Reconte que par son avis
L'alme est semblablez au miroir,
Que de nature en soy compris
Reçoit ce q'est devant luy mis
Et en semblance et en colour:
Cil q'est de tous les mals auctour,
C'est ly malfié, ly tricheour,
Pardevant l'alme en tiel devis
Se transfigure nuyt et jour, 14770
Dont il meulx quide en sa folour
L'alme en serra plus entrepris.
 Car sicomme del oill la prunelle,
Ou soit ce chose laide ou belle,
Qe passe pardevant sa voie,
Malgré le soen de sa casselle
La fourme et la semblance d'elle
Ne puet guenchir, maisque la voie,
Ne l'alme auci, malgré q'il doie,
L'ymaginer q'au cuer convoie 14780
Au primer point de la querelle f. 83
N'el puet du tout hoster envoie;
Mais lors luy falt pour sa manoie
Q'au dieu bien sagement appelle.

14715 plusfort   14718 ensente   14721 plusprocheine   14740 qenportoit   14772 enserra

Ou soit veillant ou soit dormant,
Toutdis ly deable est compassant
Pour l'alme faire forsvoier ;
Mais lors vait il trop soubtilant,
Qant l'omme tempte en son pensant
Ascun tiel oevere ymaginer 14790
Que semble bon au commencer,
Mais bien sciet cil fals adverser,
Le fin en serra deceivant.
Par si tressoubtil enginer
Ad fait maint homme tresbucher,
Q'assetz quide estre ferm estant.

   Pour ce l'apostre nous defent
De croire ensi legierement,
Combien q'il ait du bien semblance,
A tout espirit : car tieux ment, 14800
Qui l'en quide au commencement
Estre verray en apparance.
Mais ly sage homme en governance,
Ainz q'il deschiece en-ignorance
Qant a ce point, molt sagement
Consail demande et sa vuillance
Reconte et met en l'ordinance
Du prestre par confessement.

   Si chose vient en ta pensée,
Ainz que le fait soit commencé, 14810
Fai ce que Salomon t'enseigne,
C'est que tu soiez consaillé :
Car fait du consail apprové
Du repentir ne porte enseigne ;
Et si d'ascun mal overeigne
Soyez coupable, toy remeine
Au bon consail, dont reparée
Soit le mesfait ; et que la peine
Apres ta mort ne soit greveine,
Un confessour te soit privée. 14820

   Saint Job endroit de sa partie
Dist, 'Tant est fieble humaine vie,
Q'au paine en bien se puet tenir' :
Car pecché, qui la char desfie,
La fait tant frele et mal norrie
Qe sovent change son desir ;
Dont trop porroit mesavenir,
Si voie n'eust a revenir

Du vray Science, que la guye
Par confess et par repentir : 14830
Pour ce confession oïr
Primerement fuist establie.
   Uns clercs Boëce en sa leçoun
La fourme de confessioun
En sept maneres nous aprent,
Des quelles il fait mencioun
Par science et discrecioun,
Et si les nomme tielement :
C'est qui, quoy, u, qant et comment,
Ove qui, pour quoy darreinement,
Ce sont ly sept divisioun. 14841
A chascun part partie appent,
Dont il falt necessairement
Au confess rendre sa resoun.
   Primer de qui s'om voet descrire,
Ly confess son estat doit dire,
Queux homme il est, malade ou seins,
Ou riche ou povre, ou serf ou sire,
Ou clercs ou lais, n'el doit desdire,
S'il est champestre ou citezeins, 14850
Ensi dirra les pointz tous pleins :
Et lors falt que ly chapelleins
Son age et son estat remire,
Car en l'estat qu'il est atteins
Le pecché poise plus ou meinz,
Soit de mesfaire ou de mesdire :
   Et puis apres le quoy dirra,
C'est le pecché tiel qu'il peccha
Sanz riens celer d'aucun endroit :
Et u le fist confessera ; 14860
C'est qu'il le lieu devisera,
Ou lieu forain ou lieu benoit :
Et qant le fist reconter doit,
S'au jour du feste le faisoit,
Ou jour ou nuyt, ce contera,
Ou si quaresme lors estoit,
Ou autre temps le quelque soit,
Un point del tout ne celera :
   Et puis comment ; c'est q'il devise
Tout plainement et bien s'avise 14870
De son pecché la circumstance,
Par quel delit, par quelle guise,

14793 enserra

Par soudain cas ou longe enprise,
Par savoir ou par ignorance,
Et qantes fois fist la fesance,
Et selonc ce q'estoit par chance
Apert ou privé la mesprise,
Et s'il ad fait continuance,
Tout ce dirra sanz oubliance
Qui voet tenir la droite assisse :   14880
  Et puis ove qui ; ce signefie,
Il dirra l'aide et compaignie
Q'il avoit a son pecché faire,
Et qantz et queux de la partie :
Et au darrein falt q'il en die
Pour quoy le fist, ne s'en doit taire,
Ou pour profit q'il en volt traire,
Ou pour delit q'a soi duist plaire,
Ou pour l'onour de ceste vie ;
Car en ce trois gist tout l'affaire,   14890
Dont ascun homme poet forsfaire,
Sicomme je truis en la clergie.
  Confessioun doit estre entiere,
Qe riens y doit lesser derere :
Pour ce l'escript du conscience
Om doit parlire en tieu maniere,
Sique l'acompte en soit plenere.
Ce dist Boëce en sa science :
'Cil q'est naufrez et garir pense,
Devant le mire en sa presence,   14900
Sicomme la plaie est large et fiere
Descoverir doit sanz necligence ;
Lors puet garir.' Ceste evidence
Essample donne a la matiere.
  Nient plus que ly naufrez garist
Sanz bon enplastre que souffist,
Nient plus cil qui s'ad confessé
Se fait garir par ce qu'il dist,
Mais deux emplastres covenist,
Ainçois q'il soit au plain sané ;   14910
Contricioun l'une est nommée,
Que toute en plour s'est remembrée
De ses pecchés, comme jadys fist
Rois Ezechie en son degré,
Par quoy pardoun luy fuist donné
En la maniere qu'il requist.

  Contricioun ne voet souffrir
Son client en pecché dormir,
Ainçois l'escrie en conscience
Q'il doit confession suïr :   14920
Et qant au point la poet tenir,
Lors fait du plour sa providence,
Le quel, depuis q'il le commence,
Ne cesse, tanq' al audience
De dieu parviene le suspir.
Au tieu message dieus despense,
Q'a luy par tiele obedience
Contrit ses lermes vient offrir.
  Pecché, sicomme le fieu ardant,
De l'eaue s'en vait esteignant,   14930
Mais chalde lerme pour l'exteindre
Y falt. O, qui verroit ardant
Sa maisoun et de maintenant
Ne se voldroit a l'eaue enpeindre
Pour le peril du fieu restreindre ?
En si grant haste, encore et greindre,
Ly contritz l'eaue vait cerchant ;
Et si par cas la puet atteindre,
Tout son poair y met sanz feindre,
Q'il en soit largement versant.   14940
  Crisostomus en son decré
Nous dist, que tout ert mesurée
La fourme de contricioun,
Qant vient du cuer bien ordiné,
Selonc la droite egalité
Du pecché delectacioun :
Mais celle meditacioun
Que fait la mediacioun,
Par quoy l'en doit en equité
Plorer en contemplacioun,   14950
Bernards nous fait relacioun ;
Ore escoultez en quel degré.
  A grant resoun plorer cil doit,
Qui tendrement deinz soi conçoit
L'ingratitude au peccheour ;
Primerement q'il contre droit
Desobeït en son endroit
A dieu son piere et creatour,
A qui par reson tout honour
Om doit donner de bon amour ;   14960

14885 endie   14887 envolt   14925 par viene   14940 ensoit

Et d'autre part om doubteroit
D'offendre a si tresbon seignour,
Soubz qui vivons de nuyt et jour,
Car chascun de son bien reçoit.
   Mais de plorer encore plus
Grant cause y ad, sicomme je truis,
Q'au dieu le fitz avons fait tort,
Q'est homme pour nous devenuz,
Trahiz, penez et fort batuz,
Et au darrain souffrist la mort   14970
Pour nous donner vie et confort.
O qui deinz soy tout ce recort,
Du tendre cuer et s'est pourveuz,   f. 84
S'il lors ne puet trover le port
De plour, ne say par quel report
Il serra lors au plour renduz.
   Encore om puet considerer
Trois choses pour plus exciter,
Dont peccheour serra plorant,
Qu'il est atteint par son peccher   14980
Comme laroun, traitre et puis moertrer :
Primer laroun, qu'il est emblant
Le bien de l'alme resonnant,
Qe dieus luy bailla commandant
Qu'il le devoit multeplier,
Dont il au fin serra comptant ;
Mais s'il n'ad quoy dont soit paiant
Il ad grant cause de plorer.
   Mais est il traitre ? Certes si :
Car il le chastel ad trahi   14990
Du cuer u fuist l'entendement,
En quel, qant Pecché l'assailli,
Par grace l'Alme se guari
Et faisoit son defendement :
Mais cil qui par contendement
Du deable en fist le rendement,
Et au Pecché se consenti,
Ne puet faillir du pendement,
S'il grace n'ait d'amendement,
Et soit contrit de plour auci.   15000
   Est il moertrer ? Oïl. Du quoy ?
He, certes d'une file au Roy,
C'est l'Alme, q'est la dieu figure,
Car il la fist semblable au soy ;

Mais cil moertrer par son desroy
L'ad fait tuer de vile ordure
Encontre resoun et nature ;
Dont dieus et toute creature
Au fin dirront, 'Vilains, avoy !'
Qui tout ce pense et lors ne plure,   15010
Il m'ad mys a desconfiture,
Que plus ne say que dire en doy.
   Mais sur tout il ad belle grace
Pour son pecché, si l'omme sace
Plorer par tiele discipline :
Je lis que lerme chalde esrace
Le deable et hors du cuer le chace,
Q'il n'ose attendre la covine,
Nient plus que mastin ou mastine
Attent celle eaue en la cuisine,   15020
Qant om lour gette enmy la face.
Contricioun trop perest fine
A luy q'ensi ses plours diffine,
Dont verray pardoun se pourchace.
   Et oultre ce je truis escrit,
Si ly confess serra parfit,
Ne doit plus estre pourposable
De rettourner en ascun plit
A son pecché, ainz tout delit
Quel est a l'alme descordable   15030
Renoncera de cuer estable ;
Et pour les mals dont est coupable
Tendra soi mesmes en despit,
Dont ert vers dieu plus amiable :
Car s'il ensi soit resonnable,
Adonque est il verray contrit.
   Mais ad il plus encore affaire,
Dont ly confess a dieu repaire
Plainerement ? Certes si a :
Car reparer falt et refaire   15040
Les mals de son primer affaire ;
Dont satisfaccioun ferra
Et sa penance portera,
Sicomme ly chapellains dirra :
Pour son delit doit paine traire,
Car de nature l'en verra
Q'au plus sovent om garira
Le froid par chald, q'est son contraire.

     14981 *in ras.*   14996 enfist   15012 endoy   15047 plussouent

MIROUR DE L'OMME

Trestous pecchés que nous desvoiont,
Ou envers nostre dieu forsvoiont 15050
Ou envers nostre proesme apres,
Ou vers nous mesmes se reploiont ;
Dont envers qui plus se comploiont,
Selonc l'effect de noz mesfetz,
Du peine en porterons le fess :
Si envers dieu soit ly mals fetz,
De ce prieres nous envoiont
Pardoun, et d'autre part reles
Nous fait almoisne des forsfetz
Q'envers noz proesmes se desploiont.
    Mais en ce cas tu dois entendre, 15061
Qe tant puet om son proesme offendre,
Sicomme tollir son heritage,
Ou s'il sa male fame engendre,
Q'a lors n'est autre forsque rendre,
Dont restitut soit le damage :
Mais si d'envie ou d'aultre oultrage
D'orguil, qui vient du mal corage,
Son proesme offent, lors porra prendre
Et le pardoun et l'avantage 15070
D'almoisne ; mais son fals tollage
Ly falt au fin ou rendre ou pendre.
    Mais ce q'au freleté partient,
Si corporiel pecché nous tient,
Selonc que poise la balance
De noz delices, il covient,
Au confesser qant homme vient,
Qu'il en resçoive sa penance
De juner ou d'autre observance
Solonc la droite circumstance, 15080
Om doit le corps desporter nient.
Du confesser qui ceste usance
Voldra tenir, n'ad mais doubtance
De ses pecchés, s'il ne revient.
    Confession est celle tour
Au quelle acuillont leur retour
Tous ceaux q'a dieu vuillont tourner.
Saint Piere, qant ot fait le tour
Qu'il renoia son creatour,
Revint a dieu par confesser : 15090
La Magdaleine auci plener
Confesse avoit le pardonner
De ses pecchés : pour ce de lour
Porrons nous autres essampler
De la confessioun amer,
Qe l'ire dieu change en amour.
    Ore dirra la descripcioun de la vertu de Prouesce par especial.
    Les filles de Prouesce néez
Lour droitz nouns et lour propretés,
Comme vous ay dit, avetz oÿ ;
La bonne mere en soit loez, 15100
Par qui d'Accide les pecchés
Sont des vertus tout anienty :
Car du Prouesce tant vous dy,
Qe du leon plus est hardy,
Et d'oliphant plus fort assetz,
Plus que Solail durable auci,
Qant en un jour le ciel parmy
Transcourt les cercles et degrés.
    Saint Job, q'estoit de dieu eslit,
Sur terre vie humeine escrit 15110
N'est autre que chivalerie :
Car chascun homme q'icy vit
Covient, ainçois q'il soit parfit,
Trois guerres veintre en ceste vie,
Que molt sont plein de felonnie :
La char du primere envaïe
L'assalt de son tresfol delit,
Le siecle de sa tricherie,
Ly deables d'orguil et d'envie,
Q'au peine serront desconfit. 15120
    Mais cil prous champioun de dieu
Qui du Prouesce ad la vertu,
Des bonnes armes s'est armé,
Du bon hauberc, de bon escu,
De healme fort, d'espé molu,
Que des vertus sont tout forgé,
Dont il veint toute adverseté
Du char, du siecle et du malfié,
Q'encontre luy sont arestu.
He, comme Prouesce est benurée, 15130
Q'ensi maintient son adoubé
Au fin q'ils tout soient vencu !
    Des tieles armes bien et fort
Les saintz apostres par confort

15055 enporterons   15078 enrescoiue   15100 ensoit   15105 plusfort   15106 Plusque

Au Pentecoste s'adouberont ;
Dont doubte n'avoiont du tort
De ces tirantz jusq'a la mort,
Mais pardevant cel temps doubteront.
Et puisq'ils Prouesce acuilleront,
As tous perils s'abandonneront,   15140
Q'au char fesoiont nul desport ;
Et tout le siecle despiseront,
Et le fals deable ensi materont
Q'il tout s'estuyt a leur enhort.
   He, quel honour Prouesce atire !
Son chivaler l'en puet bien dire,
Q'il est bien digne d'estre Roy :
Car il conquiert le fort empire
Sanz quel nul homme est verrai sire,
C'est q'il est conquerrour du soy.   15150
Resoun, constance et bonne foy
Luy font trover assetz du quoy
Des biens del alme q'il desire ;
Dont il sa guerre et son tournoy
Maintient par si tresfort conroy,
Qe tous les mals fait desconfire.
   Seneques dist du vray Prouesce,
Qe tous les mals dont par duresce
Fortune la puet manacer,
N'ont force envers sa hardiesce   15160
Plus q'une soule goute encresce
Les undes de la halte mer.
O dieus, comme vaillant chivaler,   f. 85
Qui par Prouesce puet gaigner
Le ciel ove toute la grandesce,
Et veintre tout mal adverser,
Charnel, deablie et seculer,
Sanz mortiel plaie que luy blesce.
   Prouesce est bien de vertu plein,
Car tout ly bien qui sont mondein,   15170
Sicome delit, proufit, honour,
Sont tout soubgit dessoubz sa mein ;
Dont est sanz vice soverein,
Et use les comme droit seignour
Par fine vertu sanz errour :
Il ad delit sanz fol amour,
Proufit sanz tricher son prochein,
Honour sanz orguillous atour ;

Si est du siecle conquerour,
Et puis du ciel serra certein.   15180

   Ore dirra de les cink files de Franchise, des quelles la primere ad noun Justice, contre Covoitise.

   Sicomme le livere nous devise,
Contre Avarice naist Franchise,
Si est a l'alme necessaire :
Les vices q'Avarice prise
Franchise en sa vertu despise
Et fait ses oeveres au contraire.
Elle ad cink files du bon aire,
Q'envers le siecle et saintuaire
Se gardont sanz vilain enprise ;
Des quelles la primere et maire   15190
Justice ad noun, q'en droit affaire
Guerroie encontre Covoitise.
   De ceste vertu bonne et fine
La loy civile ensi diffine,
Et dist : ' Justice est ferm constant
Du volenté que ja ne fine,
Q'au riche et povre en jouste line
Son droit a chascun vait donnant ' :
A nully triche et nul trichant
La puet tricher, car tout avant   15200
Tient Equité de sa covine,
Q'ove sa balance droit pesant
Vait la droiture ensi gardant,
Q'al un n'al autre part s'acline.
   Platouns nous dist tout platement
Qe ceste vertu proprement
Fait l'omme solonc son degré
Par reule et par governement
Envers dieu et envers la gent
Bien vivre ; car d'onesteté   15210
Rent a chascun sa dueté,
As ses seignours honour et gré,
As ses voisins molt bonnement
Fait compaignie et ameisté,
As ses soubgitz grace et pité ;
Vers nul des trois estatz mesprent.
   Civile du viele escripture
Endroit d'umeine creature
Deinz briefs motz tout comprent la loy

Q'attient a resoun et mesure : 15220
C'est ' Fai a autre la mesure,
Sicomme tu voes q'il face a toy.'
Q'ensi justice tient en soy
N'est covoitous, tresbien le croy,
Del autry bien par conjecture ;
Ainz son voisin lerra tout coy,
Car conscience en son recoy
L'enseigne affaire sa droiture.

   Justice que les droitz avance
Encore ad de sa retenance 15230
Trois autrez, dont se puet fier,
Prudence, Force et Attemprance.
Chascun des trois en sa faisance
Ad trois offices a guarder :
Prudence sert tout au primer,
Le dit, le fait et le penser,
Comme dist Platoun, sanz fole errance
Au droite lyne fait reuler
Du resoun sanz rien covoiter
Del autry contre dieu plesance. 15240

   Prudence, dist saint Augustin,
L'amour du cuer guart enterin,
Q'il soulement quiert et desire
Les richesses quelles sanz fin
Devont durer ; car son engin
Et son aguait, dont il conspire,
Trestout sont mis a cel empire
U le conqueste ja n'enpire,
Ainz ly pourchas est tout divin :
Vers la se tient, vers la se tire, 15250
Nulle autre chose le detire,
Dont soit au covoitise enclin.

   C'est la prudence du serpent,
Qant hom luy fait enchantement,
Soubtilement lors s'esvertue,
Des ses orailles l'une estent
Plat a la terre fermement,
Et l'autre estouppe de sa cue,
Q'elle en oiant ne soit deçue :
C'est une aprise contenue 15260
En l'evangile proprement,
Dont nostre sire nous argue,
Et s'elle soit bien retenue,
Molt puet valoir au temps present.

   Qant Covoitise nous assaille,
Tendrons au terre l'une oraille,
C'est assavoir, nous penserons
Comme tout fuist nostre commen-
   çaille
Du vile terre et de merdaille ;
Et l'autre oraille estoupperons 15270
Du keue, si considerons
Q'en terre au fin revertirons,
La serra nostre diffinaille.
S'ensi Prudence garderons,
Je croy que poy covoiterons
La terre que si petit vaille.

   ' Cil q'ad prudence en son avoir
Ad tous les biens q'om puet avoir,'
Ce dist Senec : car ly prudent
Ad temperance en son savoir, 15280
Et cil q'est temperat pour voir
Il ad constance fermement,
Et ly constant du rien present
Se fait doloir ascunement,
Et qui du riens se fait doloir
Ne porra vivre tristement :
Et ensi suit par consequent
Prudence ad ce que puet valoir.

   Force est si forte de corage,
Ne quiert ne lucre n'avantage 15290
Du proufit qui du siecle vient ;
Et d'autre part pour nul orage
Ne crient ne perte ne damage,
Que par fortune luy survient ;
Mais sur tous mals il se sustient,
Au destre ne s'abeisse nient,
N'au part senestre se destage ;
Le ciel covoite et la se tient,
Car en la fin, bien luy sovient,
Le siecle n'est que vain ombrage. 15300

   Et Attemprance est si garnie,
La chose ne covoite mye
Dont en la fin doit repentir ;
Car pour les biens de ceste vie
La droite loy que l'alme guie
Forsfaire voet pour nul desir :
De trop se sciet bien abstenir,
Et meinz q'assetz ne voet tenir ;

Ovel se tient de sa partie.
Vers dieu se fait tant convertir, 15310
Qe riens luy porra pervertir
Au fin q'il la justice oublie.
 Attemprance est la meene voie,
En juggement qui droit convoie
Parentre justice et reddour;
C'est la vertu que ne forsvoie
Ou par priere ou par monoie,
Ou par hatie ou par amour;
Ainz tient justice en sa vigour,
Chastie et pent le malfesour, 15320
Dont bien commun se multeploie:
Pité nient meinz interiour
Se dolt du paine exteriour,
Qe d'autry mal n'ad point du joye.
 Ce dont je parle n'est justice
Itiel comme vendont cil Justice,
Selonc que parle le decré,
Qui pour le gaign de lour office
La vertu font tourner en vice,
Qant droit vendont et equité; 15330
Dont font semblable le pecché
A Judas, qui le corps de dée
Vendist par voie d'avarice:
Mais vray Justice en son degré
Ne volt falser sa loyauté
Pour tout l'avoir q'est en Galice.
 Ly philosophre nous reconte,
Justice les vertus surmonte
Pour garder le commun proufit;
Du covoitise ne tient conte, 15340
Ainz sur tous biens du siecle monte
Et dessoubz dieu se tient soubgit:
Dont cil qui par justice vit
Doit sur tous autres estre eslit
Au Roy, au Prince, au Duc, au Conte;
Car franchement sanz nul despit
Fait droit, dont puis serra parfit,
Qant Covoitise ert mise a honte.
 Ore dirra de la seconde file de Franchise, la quelle ad noun Liberalité, q'est contraire au vice de Usure. f. 86
Franchise a guarder sa droiture
Encontre l'averouse Usure 15350
Ad la seconde de sa geste,
C'est Liberalité la pure,
Que tant est franche de nature,
Tant liberale et tant honneste,
Qe sa richesce as tous est preste:
Car pour nul bien que celle apreste
Ne quiert ja plus que sa mesure;
Meulx voet donner que mal aqueste
Resceivre, car du tiel conqueste
Ne prent sa coffre la tenure. 15360
 De ce vertu cil q'est doé
Asses luy semble avoir gaigné,
Qant il apreste a ses amys
Ou a qui autre en son degré,
S'il puet avoir de dieu le gré
Et de son proesme grans mercys:
En les Cités, en les paiis,
U tiel prodhomme est poestis,
Molt valt sa liberalité
Au povre gent q'est entrepris; 15370
Qant duist paier au double pris,
Socourt a la necessité.
 Usure dolt de la covine,
U ceste vertu est voisine,
Car qanque Usure par brocage
Attrait dessoubz sa discipline
Del orphanin ou l'orphanine,
Qui pour meschief mettont en gage
Leur moebles et leur heritage,
Iceste vertu les desgage, 15380
Qant voit d'Usure la falsine:
Car tant est franche de corage,
Ne lerra point au tiel paiage
Garder son proesme de ruine.
 Par tout u Liberal s'en vait
Usure ad toutdis en agait
Pour sa falsine redrescer;
Et tout ce pour deux causes fait,
Qe l'un ne l'autre soit desfait,
Ne le dettour ne l'usurer: 15390
Le corps de l'un fait socourer
Q'est au meschief de nounpaier,
Et l'autre du mal gaign retrait,
Dont s'alme devoit periller:

Molt fait tieu vertu a loer,
Par qui vienont tant du bienfait.
 Mais d'autre part s'il ensi soit
Q'au liberal ly povres doit,
Et n'ad dont paier la monoie,
Pour ce jammais d'ascun endroit 15400
Ne fait que povre en ert destroit,
Ainz luy pardonne toute voie.
Au charité tout se convoie,
Ne quiert le soen, ainz le desvoie,
Ne fait, comme dire l'en soloit,
De l'autry quir large courroie ;
Ainçois ses propres biens emploie,
Dont l'autre son proufit reçoit.
 Le quelque Liberal ad plus,
Ou la richesce ou les vertus, 15410
Et l'un et l'autre franchement
Departe as povrez gentz menuz :
Mais ja pour tant de luy resçuz
Ne quiert leur orr ne leur argent,
Ne leur chapoun ne leur frument ;
Ainçois de dieu loer attent,
Et pour cela met a refus
Tout autre bien ; dont dieus ly rent
Cent mil fois plus d'avancement
De son tresor qu'il ad la sus. 15420
Ore dirra de la tierce file de Franchise, la quelle ad noun Almosne, contre le vice de Ravine.
 La tierce file de Franchise,
C'est une dame que dieu prise
Et ad a noun pitouse Almosne,
La quelle par divine aprise
Ravine hiet et sa mesprise :
Molt sont contraire leur personne,
L'un fait a l'autre molt dissonne,
Car l'une tolt et l'autre donne ;
L'une a deservy par juyse
Le hart, et l'autre la coronne, 15430
L'une est malvoise et l'autre bonne,
L'une aime et l'autre dieu despise.
 Du franche Almosne la nature
Se tient d'especiale cure

15401 enert

Les povrez gens a socourer,
Selonc q'il voit le temps et l'ure,
De sa viande et sa vesture,
De son florin et son denier :
Et sur tout ce fait envoier
Entour les villes pour sercher 15440
De la maison, de la demure,
U puet les indigentz trover ;
Ne sciet ou meulx porra gaigner
Q'aider la povre creature.
 Thobie enseigna son enfant,
Q'il de ses biens soit entendant
De faire almoisne a dieu plesance :
Roy Salomon auci disant
S'en vait et son fils enseignant,
' Honoure dieu de ta substance, 15450
Et donne au povre la pitance,
Plus en serra ta sufficance
Et plus te serront habondant
Tes biens a la multipliance' :
Car cil qui fait la dieu chevance
Ne puet faillir du gaign suiant.
 Qui droite almoisne fait et use
Ses biens par ce ja n'amenuse,
Nient plus que jadys la farine
Q'estoit ou pot de la recluse, 15460
N'auci que l'oille deinz la cruse,
La quelle par vertu divine,
Comme Heliseüs le divine
Au povere vedve et orphanine,
De tant comme plus estoit effuse
Revient tout pleine et enterine ;
Dont fuist garie en la famine
Que par Sarepte estoit diffuse.
 Comment Almoisne s'esvertue
Essample avons, car dieus la veue
Au saint Thobie en ce rendist, 15471
Q'au ciel s'almoisne estoit venue ;
Dont dieus envoia de sa nue
Saint Raphael, qui le garist.
Au bon Corneille Jhesu Crist
Auci son angel y tramist
Pour estre de sa retenue,
Q'estoit paiens, mais ce q'il fist

15452 enserra

D'almoisne dieu en gré le prist,
Par quoy sa foy luy fuist rendue. 15480
   Qui donne almoisne il se proufite,
Qant il pour chose si petite
Reprent tant large avancement :
De cest essample nous excite
La vedve que donna deux myte,
Comme l'evangile nous aprent ;
Car tant puet homme franchement
Un soul denier de son argent
Donner du volenté parfite,
Q'il par decerte plus reprent   15490
Q'uns autres, s'il donnast tiel Cent
De sa richesce mal confite.
   Pour ce chascun ove largez meins,
Selonc q'il ad ou plus ou meinz,
La povere gent almoisnera
Sanz escondit des motz vileins :
Si l'en soit du richesce pleins,
Ses douns au povre eslargira,
Et du petit un poy dorra ;
Et s'il du quoy doner n'ara,   15500
Du large cuer q'il ad dedeinz
En lieu du fait, qant ce faldra,
Son bon voloir aprestera
Pour l'amour dieu et de ses seintz.
   Je sui de Marcial apris,
Qe cil qui tient ses douns en pris
Et donne tristement a dieu,
Qant ad ses douns ensi partiz ·
Des deux proufitz s'est departiz,
C'est q'il ses douns q'il ad rendu   15510
Et le merite ad tout perdu :
Mais cil qui n'est pas esperdu,
Ainz voet oïr les povrez cris,
Et ad le bras prest estendu
Pour donner, cil ert entendu
De grant loer, ce dist l'escris.
   Si droite Almoisne a dieu se fiere,
Om doit donner ove lée chiere
Au cry du povre gent menour,
Q'Almoisne luy soit oreillere :   15520
Car Salomon en sa maniere
Nous dist que trop fait grant folour
Qui clot s'oraille a tiel clamour

Des povres, et n'est auditour
Pour leur donner de s'almosnere ;
Car q'ensi fait, verra le jour
Q'il criera vers dieu socour
Sanz nul exploit de sa priere.
   L'apostre dist que dieu s'agrée
Qant om luy donne du bon gré ;   15530
Car dieus reguarde soulement
Du cuer la bonne volenté.
Seneques dist en son degré
Qe nulle chose aucunement
Est achaté si chierement,
Comme celle q'est darreinement   f. 87
Du longue priere adquestée ;
Car q'ensi donne, son doun vent,
Dont en la fin loer ne prent :
Vei la folie et nyceté !   15540
   Et si tu voes doner a droit,
Des propres biens covient q'il soit
L'almoisne que tu voes bailler :
Car autrement en nul endroit
Dieus en bon gré ne la reçoit,
Q'il ne voet estre parçoner
De pilour ne de ravener :
Et si du propre voes donner,
Encore il covient que ce soit
En nette vie, car denier   15550
De ta main ne voet accepter
Dieus, qant ton cuer en pecché voit.
   D'un homme riche truis escrit,
Qui jadis une eglise fist
Del autri bien q'ot par ravine ;
Mais qant l'evesque vint au plit
Del dedier, le deable y vist
Seoir et avoir pris saisine ;
Si dist d'orrible discipline,
' Ja ceste eglise n'ert divine,   15560
Ainz est a moy parenterdit,
Car tout fuist faite du falsine.'
Ensi disant par sa ruine
S'en vole, et tous les murs desfist.
   Pour ce dist dieus par Ysaïe :
' Q'est ce que vous par tirannie
Maison a mon oeps atiretz ?
Je n'y prendray herbergerie.

Le ciel ma propre sée guarnie
Perest, et terre, ce sachetz,   15570
Est l'eschamelle de mes piés.
Quel mestier ay, lors responetz,
De vo richesce mal cuillie?
Noun ay, ainz tout ert refusez :
Mais quique fait mes volentés,
Son doun refuseray je mye.'
  La question je truis escrite
Du bon saint Job, qui nous recite :
'S'almoisne vient du torte line,
O quel espoir de sa merite   15580
En poet avoir cil ypocrite
Qui l'autri bien tolt par ravine ?'
Ce dont quide avoir medicine
Luy fra languir, car la divine
Justice almoisne ensi confite
Desdeigne ; car de la covine
Dieus ne puet estre, u que falsine
Se melle, ainçois la tient despite.
  Quiconques par ypocrisie
Almoisne donne ou june ou prie,   15590
Ore escoultez comme faitement
Dist nostre sire en Jeremie :
Il dist que tiele gent faillie
Semont le blé, mais nequedent,
Qant messon vient darreinement,
Nul fruit en ont, ainz folement
L'espine en cuillont et l'urtie,
Dont serront point molt asprement :
Ensi guilour pour guilement
Serra guilé de guilerie.   15600
  Almoisne est doun, nounpas bargaign,
Car droite Almoisne ne quiert gaign
Reprendre de s'almoisnerie ;
C'est q'il ne quiert loer humain
Du cuer, du bouche ne du main :
Du cuer primer, ce signefie
Qe veine gloire n'en ait mye,
Dont en son cuer se glorifie,
Ne de la bouche son prochain
N'en quiert loenge en compainie,
Ne d'autre main sa rewardie   15611
Attent forsque de dieu soulain.

  Ce nous tesmoigne l'escripture,
Qe sicomme d'eaue la moisture
Extaignt du fieu la violence,
Si fait Almoisne en sa nature,
Du pecché la tresvile ordure
Extaignt del infernal descense ;
Dont falt que chascun se pourpense,
Pour luy de qui tout bien commence
Donner almoisne en sa mesure   15621
Pour espourger sa conscience ;
Car poy sont cils qui sanz offense
N'eiont mestier de celle cure.
  O quel surcrois du gaignerie
Almoisne prent en marchandie,
Voir plus d'asses que ly sergant
Q'ot cink besantz a sa partie,
Et pour ce q'il deinz sa baillie
Les fist au double surcrescant,   15630
Sur cynk Cités fuist seignourant :
Mais qui d'almoisne est droit marchant
Adquiert tout autre seignourie,
L'amour de dieu q'est toutpuissant,
Le ciel ove tout q'est pourtienant,
En joye et perdurable vie.
  Je lis q'almoisne est le semaille
Le quel, au fin qu'il cresce et vaille,
En megre terre et noun en crasse 15639
Om doit semer ; car un soul maile
Q'om de s'almoisne au povere baille
Valt plus q'a donner une masse
Au riche, q'ad tout plain sa tasse :
Et qui du pité se desquasse
Et donne au povre la myaille
Du pain, dont il sa faim aquasse,
Si poy d'almoisne excede et passe
Le feste au riche et le vitaille.
  Ly sages dist en sa maniere,
'Si le povre homme te requiere,   15650
Donnetz, et si n'en targetz mye,
Ainçois que toy la mort surquiere' :
Lors ert trop tard, si l'en te quiere,
Qant perdu as ta manantie.
Pour ce donnetz en ceste vie,
Car la lanterne meulx te guie

15581 Enpoet   15596 enont   15597 encuillont   15642 qadonner

Devant la main que parderere :
Tantcomme tu as la seignourie,
Meulx valt donner la soule mye,
Q'apres la mort la paste entiere. 15660
　Ly sages te dist ensement,
'Ce que l'en donne au povre gent
Est a dieu mesmes apresté,
Et il a cent fois plus le rent.'
Car il dist mesmes tielment,
'Quiconque as povres ait donné
El noun de moy par charité,
A moy le donne, et de bon gré
Je le resceive, et proprement
Frai que ce serra repaié.' 15670
O comme almoisne est benurée,
Quelle ad si bon replegement.
　Escoulte qui le povre oublie
Que Raphael dist a Thobie :
'Meulx valt,' ce dist, 'a dieu donner
Almoisne, que la tresorie
Combler d'estroite muscerie,'
Du quoy le deable est tresorer.
Ce dist David en son psalter :
'Cil est benoit qui reguarder 15680
Deigne a la povre maladrie
Pour leur desease socourer ;
Car les mals jours ne doit doubter
Ne les perils de ceste vie.'
　Ce dist Senec, 'Al indigent
Dorrai des mes biens franchement,
Au fin que sauf sanz indigence
Du corps et alme ensemblement
En soie' : car tout voirement
Saint Isaïe nous ensense, 15690
Disant que cil qui fait expense
D'almoisne, dieux le recompense
En halt le ciel molt richement
De sa lumere et sa presence,
U sanz tenebre en conscience
Il verra dieu tout clierement.
　Almoisne ensi comme procurour
S'en vait au ciel superiour,
Si fait la voie et le brocage 15699
Vers dieu et vers les seintz entour,

Dont sont resçuz en grant honour
Tous cils qui l'ont en lour message
Mandé devant la main comme sage :
Car franche Almoisne en son langage
Tant sciet parler au creatour,
Et porte ove luy tant riche gage,
Que l'alme des tous mals desgage
Et la remette en bon amour.
　Q'Almoisne les pecchés exteigne
Nous en trovons aperte enseigne, 15710
Car Daniel ce vait disant
Au Roy qui Babiloine meine,
Q'il des grans biens de son demeine
Almoisne au povre soit donnant,
Dont ses pecchés soit rechatant.
He, quel finance sufficant,
Qe l'alme a salveté remeine,
Et le fait franc qui pardevant
Fuist en servage du tirant :
Vei la, comme bonne chambreleine !
　Almoisne est celle chamberere 15721
Que l'alme lave nette et clere,
Q'ascune tache n'y appiert :
Du ciel Almoisne est la portiere,
Qui tous les soens ove lour charrere
Y laist entrer, qant om le quiert :
Qant om saint Julian requiert
Pour bon hostel, Almoisne y ert,
Sicomme la tresbonne hostelliere : f. 88
Almoisne ensi, comme meulx affiert,
A tout bienfaire se refiert, 15731
Et tous les mals met a derere.
　Almoisne est faite en mainte guise,
Dont je te dirray la divise,
Bon est si tu l'entenderas :
Primer tu q'as richesce adquise
Dorras la cote et la chemise
Au povre, qant nud le verras,
De saint Martin t'essampleras ;
Manger et boire auci dorras 15740
As fameillous, car tiele aprise
Del dieu commandement en as ;
Auci d'almoisne herbergeras
Celluy qui n'ad meson u gise.

15689 Ensoie　　15710 entrouons　　15732 aderere　　15742 enas

Auci d'almoisne visiter
Tu dois malade et prisonner
De tes biens et de ta presence:
D'almoisne donne ton denier,
U meulx le quidez assener,
Nounpas a chascun qui te tence, 15750
Ainz du suffraite l'evidence
Tu dois sercher de ta prudence,
Et u tu vois greigneur mestier,
Dorretz du large main extense;
Mais la plus grevouse indigense
C'est riche en povreté tourner.
 Je lis d'un homme qui pieça
Fuist riche, et puis luy fortuna
Q'il devint povre, et pour soy pestre
Trois de ses filles ordina 15760
Au bordell, siqu'il par cela
Viveroit, qant meulx ne poait estre.
Mais celle nuyt par sa fenestre
Saint Nicholas, qui scieust bien l'estre,
Argent et orr aval rua,
Sique l'almoisne de sa destre
Les files ove leur fol ancestre
Du pecché tint et remonta.
 O quel essample nous entrait
Cil saint, q'ensi fist son aguait 15770
De nuyt pour ses almoisnes faire;
Assetz le pot bien avoir fait
Du jour, mais il volt son bienfait
Celer sanz sa loenge en traire;
De tant estoit s'almoisne maire.
Ly sages dist, 'Si voes dieu plaire,
Fai que ly povres almoisne ait
Muscé trestout en secretaire
Deinz son giroun, car ly bienfaire
De tiele almoisne a dieu s'en vait.'
 Ensi l'almoisne de tes biens 15781
Dorras, et puis falt une riens,
Qe si plus sages es d'autry
Et tu d'almoisne au droit soviens,
En tous les lieus u que tu viens
Ton sen dorras a chascuny,
Q'est du bon consail desgarny:
Car Salomon te dist ensi,

Qe s'au tiel point ton sen detiens,
Tu pecchez, car l'orr enfouy 15790
Et sens muscé, qant n'est oÿ,
Ne l'un ne l'autre vale riens.
 En general l'almoisne est grant,
Qui plus sciet ou plus est puissant,
Qant son voisin voit en destresse
Du charge qui trop est pesant,
Aider luy doit de maintenant
De sa force et de sa vistesce,
Pour supporter l'autry fieblesce;
Car c'estoit la doctrine expresse 15800
Du saint Apostre en son vivant:
Pour ce jofne homme a la vielesce
Et ly viels homme a la jofnesse,
Chascun vers l'autre soit aidant.
 Ly saint prodhomme sont tenu
Prier, car c'est en chascun lieu
Almoisne al alme et grant profit.
Du bon saint Piere j'ay bien lieu,
Combien q'il d'orr n'estoit pourveu,
Pour ce s'almoisne n'escondist 15810
Au povre clop, ainçois luy dist,
'Va t'en tout sein,' et cil guarist:
Mais au jour d'uy n'est pas veeu
L'almoisne q'est ensi confit,
Et nepourqant c'est un excit
Q'om doit donner almoisne a dieu.
 Du petit poy serra donné,
Du nient l'en dorra volenté;
Car si tu n'as du quoy donner,
Encore as tu la liberté 15820
D'avoir le cuer piteus et lée:
Poverte n'en dois allegger;
Cil n'est pas povere a droit jugger
Q'ad poy ou nient ove large cuer,
Ainz cil est povre et malurée
Q'ad molt et plus voet convoiter;
Mais qui la savera bien garder,
Poverte est noble et beneurée.
 Le philosophre en son aprise
Poverte en sept maneres prise; 15830
Si dist a son commencement
Qe c'est un bien que l'en despise.

15755 plusgreuouse   15774 entraire   15783 plussages   15813 au Iourduy

Si nous agardons la divise,
Bonne est, car dieus tout franchement
Son ciel donne a la povre gent;
L'estat du povre il ensement
Eslut, qant vint a sa juise,
Dont fuist despit trop vilement:
Lors m'est avis, qui bien l'enprent,
C'est un estat du bonne enprise. 15840
 Celle est auci la droite mere
Du saunté et la remuere
De toute cure et de destance;
Car n'est gloutouse ne lechiere,
Dont maladie luy surquiere,
Ne trait phisique a sa queintance:
Poverte auci de s'alliance
Ne fait avoir la guerre en France,
N'est mye as armes coustummere;
N'ad pas le siecle en governance, 15850
Ainz en quiete et en souffrance
Met toute cure loign derere.
 Poverte auci du sapience
Fait controver l'experience
De dieu servir, amer, doubter:
Quique debat ou crie ou tence,
N'est qui la quiert en evidence,
Dont ait destourbé le penser
D'ymaginer, de contempler,
Pour biens et mals considerer, 15860
Tanq'il tout voit de sa prudence;
Et lors est sage a terminer,
N'est autre q'un soul dieu amer,
Par qui tout bien fine et commence.
 Poverte est celle marchandie,
Dont perdre l'en ne porra mye,
Car mesmes dieus promis nous a
Qe cil qui laist en ceste vie
Pour luy parent ou manantie,
Ou chose quelque ce serra, 15870
Centante plus resceivera
En vie que jammais faldra.
O comme poverte multeplie!
Sage est qui la bargaignera,
Car pour nient om l'achatera,
Et tout reprent au gaignerie.

 Poverte est la possessioun
Du quelle en nulle sessioun
N'est qui la part voet chalanger:
Dont dist ly sage Salomon, 15880
Q'un tout soul oef deinz la mesoun
Q'en ese l'en porra manger
Meulx valt que la meson plener
Du qanq' om porroit souhaider,
U l'en doit manger en tençoun.
O comme te dois eleëscer,
Franche poverte sanz danger!
Tous ont envye, mais tu noun.
 Poverte sanz sollicitude,
Tu es du vray beatitude 15890
Felicité, car tu deinz toy
As sufficance et plenitude.
Quique des gens ait multitude,
Tu as soul dieu deinz ton recoy,
Qui te pourvoit assetz du quoy,
Dont tu te tiens peisible et coy,
N'est qui tes biens de toy exclude.
Ne say dont plus loer te doy;
Si dieus te voet donner a moy,
Bien viene: ensi de toy conclude. 15900
 Ore dirra de la quarte file de Franchise, la quelle ad noun Largesce, contre le vice d'Escharceté.
 La quarte file ad noun Largesce,
Que d'Avarice n'est oppresse,
Ainz hiet vilaine Escharceté:
Franchise l'ayme et la professe,
De son hostel commanderesse
L'ad fait pour sa grant largeté;
Dont la poverte en son degré
Reçoit en hospitalité:
Ne laist un soul avoir destresce
Tant comme porra du charité, 15910
Maisque par trop necessité
Son propre estat en ce ne blesce.
 Car la vertu de mon escrit
Ne parle yci du plus parfit,
Q'om doit ses biens tout refuser
Et du poverte le despit
Souffrir du siecle en povre plit:

15914 plusparfit

Bien fait qui ce porra durer ;
Mais nepourquant ly droiturer,
Qui dieus des biens fait habonder,
S'il solonc sa richesce vit 15921
Et voet Largesce au droit mener,
Ce doit souffire a son loer,
Qant il est humble d'espirit.

As bons est bonne toute chose,
Car l'omme bon bien se dispose
Des biens que dieus luy ad donné ;
Ne tient pas avarice close
D'Escharceté, ainz la desclose
Par mesure et par largeté 15930
Sanz point de prodegalité.
Ne quiert pour ce la renomée
Du poeple ne la veine glose,
Ainçois le fait de dueté,
Au fin que dieus l'en sache gré
Du conscience en la parclose.

La vertu de Largesce en soy
Le my tient entre trop et poy ;
Dont si tu voes largesce faire,
Fai selonc ce que tu as quoy ; 15940
Despen sur tiele gent et toy,
U meulx verras que soit a faire :
Car si tu fais despense maire
Que n'est du resoun necessaire,
Ce n'est largesce, ainz est desroy ;
Et sur la gent q'est de mal aire
Si tu despens, c'est au contraire
Du resoun et de bonne loy.

Ice t'enseigne Marcial,
Que soietz large et liberal 15950
Envers tous autres parensi
Q'a toy n'en facetz trop du mal ;
Car ce n'est pas largesce egal :
Et d'autre part te dist auci
Danz Tullius, q'a ton amy
Largez soietz, maisque d'autry
Ne piletz par especial,
Dont ta largesce soit compli ;
Car l'un et l'autre sont bany
Loigns de largesce natural. 15960

Largesce pour bon governage
Ad retenu de son menage
Discrecioun et Attemprance.
Discrecioun, q'est assetz sage,
Voiant le temps, le lieu, l'usage,
Et son estat et sa soubstance,
Fait ordiner la pourvoiance,
Et lors par juste circumstance
Attrait les bons a son hostage, 15969
Pour avoir leur bonne aqueintance ;
Mais sur trestout pour dieu plesance
Y met le plus de son coustage.

Discrecioun te fra despendre
La que tu puiss honour reprendre,
Et Attemprance endroit de luy
Te fait de sa mesure entendre
Q'au trop ne dois ta main extendre ;
Car si tu follargesce ensi
Fais, dont tu soiez anienti,
Ly sages dist, comme je te dy, 15980
Tu fais comme cil qui soi surprendre
Se laist comme fol et malbailly
De son tresmortiel anemy,
Qant n'ad rançoun dont porra rendre.

Ce dist David en son escript,
'Selonc ton cuer et t'espirit
Ou plus ou meinz dieus te dorra' :
Au cuer eschars dorra petit,
Au large dorra large habit,
Dont largement largesce fra : 15990
Mais au large homme bien esta,
Car seignour de ses biens serra,
Dont porra faire son delit ;
Mais l'autre n'ad dont s'aidera,
Ainz en grant doubte il servira,
Q'a ses richesces est soubgit.

Dans Tullius ly bons parliers
Encontre les eschars aviers
Ensi parlant de sa doctrine,
Dist que trestout sont communers 16000
Les biens de l'omme seculiers
Solonc nature et loy divine ;
Si te consaille en sa covine
Depuisque dieus ensi diffine
Et voet que soions parconiers,

15935 lensache

Comme plus fortune te destine,
Fai ta largesce au gent voisine
De ta viande et tes deniers.
  Au vray largesce dieu fuisonne,
Et ce parust en sa personne,   16010
Qant de sa propre large mein
Viande a cink Mil hommes donne :
De sa largesce tous estonne,
Car du petit tout furont plein ;
C'estoit le fait du soverein
Pour essampler le poeple humein
Qe qui largesce au droit componne,
Dont fait proufit a son prochein,
Dieus est en ce comme capitein,
Qui sa largesce au fin coronne.   16020
  Dieus qui fait droit a chascuny
Te dist en l'evangile ensi,
'Rende a Cesar q'a Cesar dois,
Et donne a dieu que dois a luy':
Comme jadis fit Jacob, le qui
A dieu donna la disme, ainçois,
Par ce q'a dieu donna ses droitz,
Dieux ly donna molt bel encroiss,
A son paiis quant reverti :
Sique del une et l'autre loys   16030
Bon est, des biens que tu reçois
La disme soit a dieu parti.
  Cil q'est droit large en sa partie
Tout de sa propre pourpartie
Fait sanz ravine sa largesce ;
Au covoitise ne s'applie,
Ainz du justice bien complie
Au point tout son affaire adresce :
Si donne au povre gent oppresse,
Et fait as nobles sa noblesse,   16040
Des toutes partz se justefie,
Sique son noun du bien encresce ;
Par quoy comme sa demesne hostesse
Tient Bonne fame en compaignie.
  Sidrac te dist tout ensement,
'Qant covoitise te susprent,
Tantost te dois rementevoir
De ton bon noun, sique la gent
Mal n'en diont, car nul argent

Te porra contre ce valoir ;   16050
Ainz te valt meulx bon noun avoir
Qe Mill tresors d'ascun avoir.'
Si dist auci qu'il proprement
Meulx ayme a perdre son manoir,
Ainz que son proesme a decevoir,
Dont porroit gaigner laidement.
  Par tout u que Largesce irra,
Bon noun ades luy suïra
Du renomée ; dont dist ly sage,
Qe ce plus que nul or valdra   16060
A celluy qui dieus amera,
Et plus en porte d'avantage.
Roy Salomon au franc corage
De sa largesce en chascun age
Par tout le monde om parlera :
Meulx valt largesce que parage,
Car sanz largesce seigneurage
N'est riens si vil comme est cela.
  La gent par tout le siecle prie
Que dieus Largesce salve et guie   16070
Pour profit que de luy avient :
'Largesce,' dist le povre et crie ;
La vois de tiele heraldie
Pour luy qui povrez gentz sustient
Jusques as nues monte, et vient
Pardevant dieu, qui le retient,
Et donne le Seneschalcie
Du ciel ove tout le bien q'attient ;
U sa largesce puis maintient
En corps et alme sanz partie.   16080

    Ore dirra de la quinte file de Franchise, quelle ad noun Saint pourpos, contre le vice de Simonie.

  Franchise ad sa cinkisme file,
La quelle ses clergons n'affile
Du Simonye ou d'Avarice ;
Ainçois se guart q'en champ ne ville
Sa conscience ja n'avile
Par doun, priere, ou par service,
Dont elle acate benefice,
Q'ensi ne voet en nulle office

16062 enporte

Du sainte eglise entrer l'ovile :
N'est pas si sote ne si nyce, 16090
Q'offendre voet la dieu justice
Ou par Canoun ou par Civile.
 De ceste franche dammoiselle
Le noun Saint pourpos om appelle ;
Car son corage est tout divin,
Comme la verraie dieu ancelle,
Que jammais cure ne chapelle
Desire avoir par mal engin :
Par luy le vice Simonin
Ne fait l'eschange du florin, 16100
Ne pour l'exploit de sa querelle
Les lettres vont en parchemin,
Ne ly message, en son chemin
Qui vole plus que l'arundelle.
 Ly clercs q'ensi s'est pourposant
Ne vait point les seignours glosant,
Ensi comme fait ly courteiour ;   f. 90
Ne d'autri mort est expectant,
N'a Rome s'en vait pas serchant,
Ensi comme fait cil provisour 16110
Du symonie devisour,
Voir plus que n'est cil assissour
Qui vait l'enqueste devisant ;
Ainz tout attourne son amour
Vers dieu, sanz qui de nul honour
L'estat desire tant ne qant.
 L'en dist ensi communement,
' Bon fin du bon commencement,
Du bon pourpos vient bon exploit' :
Et je vous dy tout tielment, 16120
Ly clercs qui ceste file aprent
Son commencer bon estre doit.
Qant le saint ordre de Benoit
Primerement pour dieu reçoit,
Son noun doit suïr proprement,
Qu'il de benoit ne soit maloit ;
Car clercs qui tourne en tiel endroit
C'est un mal retrogradient.
 Melchisedech fuist le primer
Qui dieus eslust pour celebrer 16130
El ordre de presbiterie :
Saint pourpos ot au commencer,

Car autrement, n'estuet doubter,
De dieu eslit ne fuist il mye ;
N'achata point par Simonye
Ses ordres, ne pour rectorie
Si saint estat volt covoiter :
La viele loy nous signefie,
Q'ensi devons de no partie
En sainte eglise ministrer. 16140
 Aron auci du viele loy
Estoit Evesque al plus halt Roy
Par droite eleccioun divine,
Du saint pourpos q'il ot en soy,
Pour sa justice et pour sa foy,
Dieus s'agrea de sa covine ;
Ne pourchaça de sa falsine,
Ne par brocage simonine
Le mitre ne l'anel au doy :
Soient de tiele discipline 16150
Ly clerc qui sont en ce termine ;
Meulx en valdront, tresbien le croy.
 U la vertu du Saint pourpos
El cuer du prestre gist enclos,
Ja Simonie n'ert enclose,
Ainz tout le mal en ert forsclos ;
Du sainteté fait son parclos,
Si q'Avarice entrer n'y ose.
He, dieus, comme est honeste chose,
Qant conscience ensi repose 16160
Du sainte eglise en bon repos,
Quant Simonie ne l'oppose :
Cil prelatz q'ensi se dispose
Bien gardra son divin depos.
 C'est la vertu que l'en diffine
Semblable au seinte pelerine,
Qui son voiage bien commence,
Et bien le vait, et bien le fine :
Celle est auci la dieu meschine,
Qe deinz ses chambres en silence
Son cuer ove tout ce q'elle pense 16171
Luy dist, et cil donne audience :
Celle est del arbre la racine,
Que porte fruit du providence :
Celle est sanz neele le semence,
Dont om la paste fait divine.

16138 Sa   16142 plushalt   16152 envaldront   16156 enert

Ore dirra la descripcion de la vertu de Franchise par especial.

O comme Franchise ad belle issue,
Dont d'Avarice se dessue
Chascun prodhomme en son corage !
N'est riens si franc dessoubz la nue,
Car qui de celles s'esvertue   16181
Trestout ert franc de vil servage,
D'argent et d'orr et du pilage ;
Car d'Avarice en nul estage
De plus ou meinz son cuer englue :
Benoit soit tiele seignourage
Q'as povrez gentz fait avantage
Et a soy mesmes grant aiue.
    Franchise pense bien cela,
Que du malvoise mammona   16190
Dieu commanda q'om face amys,
Et q'om son tresor comblera
El ciel, u ja ne ruillera :
Franchise en tient le dieu devis ;
Dont qant d'icy serra failliz,
Son tabernacle en paradis
Appareillé prest trovera,
U riches ert et manantis
De la richesce que toutdis
Sanz fin en joye luy durra.   16200
    Quant dieus en terre descendoit,
Franchise lors ove luy venoit,
Dont l'Avarice a l'anemy,
Q'el gouffre de Sathan tenoit
Et soubz les cliefs d'enfern gardoit
Des almes q'il avoit trahi :
Franchise tous les enfranchi
Et leur rançon paia parmy,
Et grant richesce leur donoit
En paradis ; pour ce vous dy   16210
Faisons franchise envers autry
Sicomme vers nous dieus le fesoit.

Ore dirra de les cink files que naiscont de la vertu de Mesure, des quelles la primere ad noun Diete, contre le vice de Ingluvies.

Encontre vile Gloutenie
Naist une vertu bien norrie
Du resoun et divine grace ;
Mesure ad noun, la dieu amye :
Cink files ad en compaignie,
Chascune suit sa mere au trace,
Des quelles l'alme se solace,
Dont falt que chascun homme sace
Les nouns de ceste progenie.   16221
O ventre glous, mal prou te face,
Car la primere te manace
Qe trop manger ne dois tu mie.
    De cestes files la primere
Par consail de sa bonne mere
En droite nominacioun
Diete ad noun, la dieu treschiere,
Quelle a mesure toute entiere
En viande et potacioun   16230
Se prent : car pour temptacioun
Ne quiert sa recreacioun,
Si noun que resoun la requiere ;
Et lors par estimacioun
Sa droite sustentacioun
Prent entre vuide et trop plenere.
    Cil qui de ceste s'esvertue,
Ja pour gloutouse sustenue
Glouteëment ne mangera ;
Ne ja pour haste au jour se mue,   16240
Ainçois q'il voit celle houre due
Pour manger, mais ce ne serra
Au matin qant se levera.
Car ja son ventre n'emplera,
Dont s'alme vuide soit tenue,
Ainz au primer dieu servira,
Dont l'alme se desjunera,
Et puis laist que le corps mangue.
    Le ventre vit en grant quiete,
Qui se governe par Diete   16250
Et vit solonc bonne attemprance
De sa pitance consuëte ;
Car qui se paist au droite mete,
Son corps du santé bien avance.
Cil q'ensi fait n'avera doubtance
Q'il doit morir du mal du pance,
Si noun q'il d'ascune planete

16194 entient

Soit corrupt d'autre circumstance :
Dont m'est avis meulx valt pitance
Qe Gloutenie trop replete. 16260
　Par vray Diete bien se guie
Cil q'a son ventre ne s'applie
Pour gloutenie soulement,
Du quoy la char se glorifie,
Ainz voet que l'alme soit norrie
Avoec le corps ensemblement :
Auci qant sainte eglise aprent
Q'om doit juner devoutement,
Ce voet juner de sa partie ;
Par quoy molt resonnablement 16270
Qant doit venir au juggement
S'escusera de gloutenie.
　**Ore dirra de la seconde file de
Mesure, la quele ad noun Abstin-
ence, contre le vice de Delicacie.**
　Une autre file de Mesure
Loigns des delices se mesure,
Ne voet pas estre delicat ;
Ainz s'en abstient en chascune hure,
Tanque famine la court sure,
Du quoy devient et maigre et mat :
Mais lors, qant force le debat,
Un poy mangut, pour son estat 16280
Tenir en droit de sa nature.
C'est la vertu que sanz rebat
Ove Gloutenie se combat,
Et la met a desconfiture.
　Quiconque ceste file meine,
Ne se delite en paindemeine,
Ainz mangut pain d'une autre paste,
Ne par delit bon vin asseine ;　f. 91
Combien q'en ait sa coupe pleine,
Molt est petit ce qu'il en taste : 16290
Ainz tient en toise l'arcbalaste,
Dont l'alme tret et fiert en haste
La char q'est contre luy halteine,
Et toute sa delice guaste :
En tiele guise il la repaste,
Qu'il fait courtois de la vileine.
　Mais s'il avient ensi par cas
Qe l'abstinent d'ascun solas

Par compaignie estuet manger,
Des bons mangers le doulz ou crass,
Ou boire vin des beals hanaps, 16301
La bouche s'en poet deliter
Des tieus delices savourer,
Mais ja ly cuers de son gouster
Par mal ne s'en delite pas ;
Ainz rent loenge a dieu loer,
Dont bouche se fait solacer
Ly cuers dist, ' Deo gracias.'
　U ceste vertu l'ostel guarde,
Le deable d'y venir se tarde, 16310
Car point ne trove y du vitaille
Dont il la frele char enlarde,
Ne dont les fols delitz rewarde,
Ainz des tieux mess y trove faille :
Lors qant ne trove que luy vaille,
Le siege laist, que plus n'assaille ;
Car Abstinence n'est couarde,
Ainçois l'enchace et fiert et maille,
Dont il s'en fuit de la bataille,
Q'il n'ose attendre l'avantgarde. 16320
　Sainte Abstinence en sa mesoun
Retient comme pier et compaignoun
Discrecioun en compaignie :
Si l'une hiet replecioun,
Celle autre endroit de sa resoun
L'estat du trop juner denye ;
Mais toute voie ensi la guye,
Sique la frele char chastie
Et la met en subjeccioun
Par poy manger ; mais q'elle occie
Sa char, cela ne souffre mye 16331
Par tressoubtile inspeccioun.
　La loy divine ne dist pas
Ensi, que tu ne mangeras,
Ainçois te dist et te defent
Que gloutenie nulle fras.
Pour ce te covient en ce cas
Parentre deux discretement
Guarder ; car si trop pleinement
Mangues, lors ton sentement 16340
Du gloutenie accuseras,
Et si tu es trop abstinent,

Nature en dolt, que folement
Lors tu toy mesme occieras.
   Mais q'abstinence soit parfait,
Encore il falt que plus soit fait,
Comme saint Gregoire nous divise ;
Qui dist que si ly povres n'ait
Ce que du bouche l'en retrait,
Tiele abstinence dieu ne prise ;   16350
Car qui s'abstient par tiele guise
Ne fait a dieu son sacrifise,
Ainz d'avarice trop mesfait,
D'escharceté qu'il ad enprise,
Qant la viande q'est remise
As propres oeps guarder le fait.
   Encore al Abstinent covient
Qe deinz son cuer bien luy sovient
Q'il d'ascun pecché n'ait lesure.
Isidre dist que qui s'abstient   16360
En son pecché, c'est tout pour nient ;
Q'ensi font deable, qui nulle hure
Vuillont manger, mais sanz mesure
Leur pecché par malice endure.
Mais l'omme qui bien se contient
En abstinence droite et pure,
Ensi comme vous ay dit dessure,
C'est cil qui dieus ove luy retient.

   **Ore dirra de la tierce file de
Mesure, quelle ad noun Norreture,
contre le vice de Superfluité.**
   Mesure encore y enfantoit
Sa tierce file en son endroit,   16370
Que Norreture est appellé ;
C'est celle que mangut et boit
Tout prest a desrainer son droit
Encontre Superfluité :
C'est la vertu plus mesuré,
En qui n'ert pas desmesuré
Le goust, maisque la vie en soit
Norrie en sa necessité :
A l'alme rent sa dueté,
Et fait au corps que faire doit.   16380
   Selonc s'estat et son pour quoy
Se fait norrir de plus ou poy,
S'il fort ou fieble ait le corsage,

S'il fait labour ou se tient coy,
Tout ce compense en son recoy,
Et sa jofnesse ou son viel age :
Solonc son temps et son usage
Mangust du meillour compernage,
Et boit del meulx q'il ad du quoy ;
Dont poet suffire en son corage   16390
Ou a priere ou a l'overage
Solonc la dueté de soy.
   Dieus qui fourma trestoute beste,
Ou soit marrine ou soit terreste,
Tous les norrist de sa mesure,
Dont ils vivont solonc lour geste,
Et ly salvage et ly domeste,
Sanz faire excess de norreture :
Mais l'omme q'est al dieu figure
Et est plus digne de nature,   16400
S'il soit plus malnorri de ceste,
Lors m'est avis q'il desnature ;
Car sur trestoute creature
Resoun voet bien q'il soit honeste.
   C'est la vertu que tout se plie
A mesure et a courtoisie ;
Bon manger ad, bien le mangue,
Le claret boit et la florie ;
Mais ce n'est pas par gloutenie,
Ainz est par sa nature due,   16410
Sique sa force est maintenue,
Dont soy et autrez meulx aiue
Ou soit du siecle ou de clergie :
Qant dieus la Gloutenie tue,
A ceste q'ensi s'esvertue
Dorra la perdurable vie.

   **Ore dirra de la quarte file de
Mesure, quelle ad noun Sobreté,
contre le vice de Yveresce.**
   La quarte file en ceste histoire
L'en nomme Sobreté du boire,
La quelle jammais par excesse
Pert sa science ou sa memoire ;   16420
A la taverne n'est notoire
Pour soy aqueinter d'Yveresce.
Vin donne au cuer sen et leësce,
Qant homme sobrement l'adesce,

16343 endolt   16377 ensoit   16400 plusdigne   16401 plusmalnorri

Sicomme dist l'escripture voire;
Et autrement dolour, tristesce,
Enfermeté, folour, fieblesce,
Plus que nul homme porroit croire.
   Mais la vertu de Sobreté
Est en ce cas tant mesurée,   16430
C'est pour le meulx, qant le vin boit;
Et pour conter sa digneté
D'especiale honnesteté,
En quatre pointz loer l'en doit:
Primer bien gart en son endroit
Qe l'omme en sa franchise soit
Du resoun q'est a luy donné,
Et tous les membres en lour droit
Sustient, ensi que nul forsvoit,
Ne pert sa franche poesté.   16440
   Puis fait le seconde avantage,
Car l'omme franc du vil servage
Du Gloutenie fait guarder;
Et puis sustient le seignourage,
Dont l'espirit en son estage
Dessur la char fait seignourer,
Sique l'enfernal buteller,
Qui fait les glous enyverer
De son tresmalvois tavernage,
Ne luy puet faire forsvoier,   16450
Ainz droitement le fait mener
Jusques au fin de son voiage.
   Le quarte bien especial,
Dont Sobreté nous est causal,
C'est q'elle garde salvement
Du cuer la porte principal,
C'est nostre bouche natural;
Sique le deable ascunement
N'y entre ove son enticement,
Comme fist a no primer parent,   16460
Qui de sa bouche le portal
Overy, et puis ficha le dent
El pomme, qui soudainement
Deinz paradis luy fuist mortal.
   Qant dieus qarante jours juna,
Le deable trop se soubtila,
Combien que ce fuist tout en vein;
La bouche encore luy tempta,
Et en tieu fourme luy rova,

'Dy que ces pierres soient pain': 16470
Mais dieus, qui scieust devant la
   main
Tous les agaitz du mal vilain,
Par Sobreté luy resista;
Dont bon serroit a tout humain   f. 92
Garder la bouche ensi certain
Comme nostre sire la guarda.
   Du Sobreté l'en doit loer
Celly q'ensi se fait guarder:
De saint Jerom escript je truis,
Qui dist, 'La bouche tout primer   16480
Doit l'avantgarde governer
En la bataille des vertus':
Si bien ne soit gardé cel huiss,
Le deable y entre et fait confus
Tout quanq'il puet dedeinz trover,
Dont corps et alme sont perduz:
Mais cil q'est sobre est au dessus
Pour fort combatre et resister.
   **Ore dirra de la quinte file de
Mesure, quelle ad noun Modera-
cion, contre le vice de Prodegalité.**
   La quinte de Mesure née
Est Moderacioun nomée,   16490
Que les cliefs porte et est gardeins
Du pain, du char, du vin, du blée,
Chascun office en son degré
Fait governer de plus ou meinz:
Des biens que passont par ses meins
Trop large n'est ne trop vileins,
Ainz est bien sage et mesurée;
Bien fait dehors, bien fait dedeinz,
Bien fait a soy, bien as procheinz,
Dont dieus reçoit son fait en gré.   16500
   Cil q'est de ceste file apris,
Excess par luy ja n'ert enpris
Plus q'il ne doit par droit enprendre,
Ainz sa mesure tient toutdiz:
Il expent bien les noef des disz,
Mais disz de noef ne voet expendre.
Comme son estat le poet comprendre,
Partie de ses biens voet prendre,
Et part donner a ses amys,
Mais oultre ne se voet extendre;   16510

Car pour sa bouche ne voet vendre
Son boef pour manger le perdis.
 Ce nous dist dieus pour essampler :
'Cil qui voet tour edifier,
Primer doit son acompte faire
Q'il ait du quoy dont poet paier
Des propres biens sanz aprompter,
Pour acomplir tout son affaire :
Car s'il commence sanz parfaire,
Les gentz dirront de luy contraire,
Pour ce qu'il prist a commencer 16521
Ce qu'il ne pot a bon chief traire.'
Lors m'est avis meulx valt a taire
Qe grant oultrage a desmener.
 Selonc l'effect de ceste aprise
Iceste file bien s'avise
Q'en son hostel nient plus expent
Mais ce q'a resoun luy suffise ;
Car tiel excess fuit et despise
Dont suit poverte au finement : 16530
Si molt avera lors molt enprent,
Du poy petit mesurement ;
Ensi par ordre se devise,
Noun pas au ventre soulement,
Ainz au commun du povre gent,
Ses biens departe en tiele guise.
 **Ore dirra la descripcioun de la
vertu de Mesure par especial.**
 Par ce que vous ay dit dessure
Savoir poetz, bonne est Mesure,
Du quelle naist si bonne orine,
Dont corps et alme en droite cure 16540
Sont en santé. Qui bien se cure
De leur phisique et discipline,
Qe bonne et seine est leur covine
Trois choses nous en font doctrine :
Primerement sainte escripture,
Et puis nature a ce s'acline,
Si fait la beste salvagine
Et tout mondeine creature.
 Qui l'escriptures voldra lire,
Que les doctours firont escrire, 16550
Notablement trover porroit,
Qe du manger om doit despire

16559 pluspetit et plusestroit

Oultrage, et la mesure eslire
Que par resoun suffire doit.
Nature auci voet q'ensi soit,
Car pour regarder bien au droit,
Des tous les bestes q'om remire
L'omme ad la bouche en son endroit
Et plus petit et plus estroit,
Pour ce que poy luy doit suffire. 16560
 Nature auci se tient content,
Qant om la paist petitement,
Du poy volt estre sustenue,
Car lors vit elle longuement ;
Et s'om la paist trop plainement,
Legierement s'est abatue.
Trestoutes bestes soubz la nue
Deinz soy mesure ont contenue,
Sicomme nature leur aprent :
Puisque si fait la beste mue, 16570
La resonnable trop se mue
Qant se paist oultragousement.

 **Ore dirra de les cink files queles
naiscont de la vertu de Chasteté,
dont la primere ad noun Bonne-
garde, contre le vice de Fornica-
cion.**

 Encontre Leccherie frelle
Une autre vertu bonne et belle
Dieus de sa grace y ordina,
Et a Resoun donna ycelle,
Dont puet defendre la querelle
De l'Alme, et puis si la nomma
Dame Chasteté, quelle enfanta
Cink files : mais q'amys serra 16580
A la primere dammoiselle,
Ja fornicacioun ne fra ;
Car ceste ensi le gardera
Qu'il ja vers autre ne chancelle.
 Iceste file Bonneguarde
Estroitement les cynk sens garde,
Siq'ils ne devont forsvoier ;
L'oraille n'ot, ne l'oill reguarde,
Ne bouche parle par mesgarde,
Ne nees delite en odourer, 16590

16585 bonne guarde

Ne main mesprent au foltoucher,
Du quoy le cuer font enticer
Au folpenser deinz son einzgarde ;
Ce sont le forain officer,
Qui du malfaire ou mal lesser
La char font hardie ou couarde.
   Les cynk sens par especial,
Ce sont ly porte et fenestral,
Par queux le deable y est entrant
A l'alme par si fort estal   16600
Qe molt sovent le resonnal
En bestial vait destournant :
Mais saint Jerom te vait disant,
Qe jammais deable ert pourpernant
La tour du cuer judicial,
Si Bonnegarde y soit devant
Pour garder que tout ferm tenant
Soient du chastel ly portal.
   Ly saint Apostre nous defent
De parler leccherousement ;   16610
Car le parler de ribaldie
Corrumpt les bonnes mours sovent :
De tiel soufflet molt tost s'esprent
Le fieu de chalde Leccherie.
Pour ce la bouche de folie
Si Bonneguarde bien ne guie
En ce q'a son office appent,
Le cuer s'assente en sa partie,
Si tret la char en compaignie,
Dont ils sont ars ensemblement. 16620
   Quel es, ytiel ert ta parole,
Honeste ou laide ou sage ou fole,
Car ce dont cuers habonde al hure
S'en ist plustost de bouche et vole :
Ce tesmoignont de leur escole
Le philosophre et l'escripture.
Mais Bonnegarde bien s'en cure,
Sa lange ne laist pas sanz cure,
N'ad point la goule chanterole
Pour dire ou chanter de luxure,   16630
Ainz de resoun q'est au dessure
La lange tient comme en gayole.
   Du chose que n'est pas a faire
Sanz emparler om se doit taire,

Ce dist Senec, dont m'est avis
Q'om doit du leccherouse affaire
De bouche clos scilence attraire,
Et guarder soy par tiel devis
Qe ses paroles et ses ditz
Soient d'onesteté toutditz :   16640
Car qui de si fait essamplaire
Se voet garder, je truis escris,
Qe grant honour luy est promis
En ciel, u tout honour repaire.
   El main du lange est vie et mort,
Dont sages est qui s'en remort,
Si q'il sa lange poot danter.
La bouche souffle a malvois port,
Qant des folditz fait son report ;
Car ce voit om, que par souffler 16650
Le fieu tantost estenceller
Commence, et si continuer
Sufflant voldra, lors a plus fort
La flamme esprent ; ensi parler
Du mal les mals fait enticer,
Et donne as vices le support.
   Senec te dist que ta parole   f. 93
Du vanité ne du frivole
Ne soit. Enten, tu foldisour :
Dieus dist, du quanque l'en parole 16660
Om doit compter a celle escole,
U q'il ert mesmes auditour :
Lors croy je bien que cil lechour,
Qui meulx quide ore en fol amour
Queinter ses ditz, dont se rigole,
Perdra l'esploit de son labour,
Qant ly chançons se tourne en plour
Et toute ardante ert la carole.
   De folparler te dois retraire ;
'Mieulx valt,' ce dist ly sage, 'a taire
De folparler, car par cela   16671
Sovent avient folie maire.'
De ce nous fist bon essamplaire
Uluxes, qant il folparla
A Circes et a Calipsa ;
Du folparler les enchanta,
Dont leur fesoit folie faire ;
Auci, qant il les rescoulta,

16653 plusfort

O

Des lour fols ditz tant assota
Q'il du resoun ne savoit gaire.   16680
   Pour ce luy covient abstenir
Du folparler et foloïr,
Qui selonc Bonnegarde vit;
Car s'il l'oraille voet overir,
Au paine se porra coverir,
Qu'il chasteté sovent n'oblit.
Qui les chançons en mer oït
De les Sereines, s'esjoÿt,
Qe tout le cuer le font ravir ;
Mais soubz cela du mort soubit,   16690
Qant il meulx quide estre a bon plit,
En halte mer luy font perir.
   Auci covient guarder la veue,
Car l'oill q'au folregard se mue
Sovent reporte au cuer dammage :
David, qant passa par la rue,
Des fols regartz son cuer englue
Voiant la beauté du visage
Du Bersabé, dont fist folage :
Auci Paris ne fist que sage,   16700
Qant vist Heleine, q'ert venue
En l'isle presde son rivage ;
Pour l'oill lessa le cuer en gage,
Trop fuist l'eschange chier vendue.
   Pour ce bon est q'om s'aparaille
De bien garder l'oill et l'oraille ;
Car si le deable overt les voit,
Un dart y tret en repostaille,
Dont fiert le cuer par tiele entaille,
Tanque Resoun tout morte y soit: 16710
Et lors l'attorne a son endroit,
Et dist au main, 'Tastetz tout droit,
C'est suef et moll que je te baille,
Fai ce que l'omme faire doit' :
Ensi la sote gent deçoit,
Qant Bonnegarde lour defaille.
   Quintiliens uns sages clercs
Dist que les oils, qant sont overtz,
As vices sont la halte voie,
Dont vont au cuer tout au travers,   16720
Et tost ruer luy font envers,
Et les vertus tollont envoie.

He, quel meschief cel oil emploie,
Par folregard qant se desploie
Et du prodhomme fait pervers !
Pour ce, sique ton oil bien voie,
Du Bonnegarde le convoie,
Car l'oil de l'omme est molt divers.
   Ce dist le prophete Ysaïe,
' La mort parmy no fenestrie   16730
Entre et desrobbe no mesoun ' ;
C'est par les oils qui l'en mesguie.
Pour ce te dist le fils Marie,
Qe si ton oil te soit feloun,
Hostetz le sanz aresteisoun :
' Meulx valt,' ce dist a bon resoun,
' Avoec un oil entrer en vie
Q'ove tout deux oils estre en prisoun
D'enfern, u flambent ly tisoun
Du fieu q'exteindre ne puet mie.'   16740
   Saint Job disoit q'il asseurance
Ot pris par ferme covenance
Avoec ses oils, q'il du virgine
Ou d'autre femme remembrance
Ne duist avoir par l'aqueintance
De leur regard en sa poitrine.
De son essample et sa doctrine
Savoir poons que la covine
Des oils enportont grant nuisance ;
Du cuer esmovent la racine,   16750
Dont vait la char a sa ruine,
Qant n'ad du vertu la substance.
   'Tourne ton oill,' David disoit,
' Siqu'il la vanité ne voit,'
La quelle tout le corps fait vain :
Car dieus le dist par tiel endroit,
Qe si l'oill vil et obscur soit,
Le corps ert obscur et vilain,
Et si l'oill soit tout clier et sain,
Le corps du clareté tout plain   16760
Sicomme lanterne luire doit,
Pour l'alme conduire au darrein
Vers ciel le halt chemin certain
En la presence dieu toutdroit.
   Encore falt a regarder,
Qui chasteté voldra garder,

De fuïr fole compaignie,
C'est soule ove sole acompaigner :
De ce nous faisoit essampler
Amon, qui par sa grant folie   16770
De sa sorour faisoit s'amie,
Et la pourgust du leccherie,
Soulaine qant la pot trover ;
Par ce q'ert sole fuist honie,
Si du soulein s'estoit fuïe,
Ja n'eust eeu tiel encombrer.
  Ly bon Joseph bien s'en fuï,
Qant par son mantell le saisi
La dame qui rovoit s'amour :
La guerre en son fuiant venqui ;   16780
Pour ce meulx valt fuïr ensi,
Dont l'en poet estre venqueour,
Q'attendre et estre combatour,
Dont l'en soit vencu sanz retour
Par force du fol anemy.
Fuïr t'en puiss a ton honour,
Mais cil q'attent en cel estour,
Miracle s'il n'en soit hony.
  Sicomme du paste ly levains
Attrait a son savour les pains,   16790
Et comme la poire q'est purrie
Corrompt les autres que sont sains,
Et comme l'ardant charbons soulains
Un moncell d'autres enflambie,
Tout ensi fole compaignie
Les autres tret a sa folie
Et des courtois les fait vilains ;
Pour ce je vous consaille et prie,
Vous qui voletz honneste vie,
Fuietz le sort des tieux compains.
  Nous d'une estoille ensi lison,   16801
Q'est appellé cuer du lion,
La quelle est froide de nature,
Mais pour ce q'elle en le giroun
Du solaill vait tout environ,
S'eschalfe et art ; et par figure
Ensi fait l'omme de luxure
Par compaignie et envoisure.
David te dist en sa leçon,
'Ove l'omme saint pren ta demure, 16810

Car cil q'ove l'omme mal demure
Estre ne poet si malvois noun.'
  Encontre tous autres pecchés
Resistetz fort et combatez
Pour veintre la temptacioun ;
Mais cy endroit ne resistez,
Ce dist l'apostre, 'En tous degrés
Fuietz la fornicacioun' :
Ne te mette au probacioun,
Ainz sanz avoir dilacioun   16820
Du compaignie tost fuietz,
Qe t'alme en ait salvacioun :
Retien ceste enformacioun
Du Bonnegarde, et t'en gardetz.

  Ore dirra de la seconde file de Chasteté, quelle ad noun Virginité, contre le vice de Stupre.

  Encontre Stupre le pecché
Est la seconde file née
Du Chasteté par droit descente,
La quelle ad noun Virginité ;
Si est de pure netteté,
Sur toutes autres la plus gente   16830
De son fait et de son entente.
C'est celle qui de sa jovente
Toutdis ovesque Chasteté
Converse et toute se presente
A dieu, qui jammais ne s'assente
Au char du fait ne du pensée.
  Iceste file ensi confite
A la tresfine margarite
Est en trois choses resemblable :
La piere est blanche et bien petite,
Si ad vertu dont molt profite ;   16841
Au quoy la vierge est concordable,
Q'ad blanche vie et amiable,
Du cuer petit et resonnable
D'umilité, dont est parfite ;
De sa vertu molt est vaillable,   **f. 94**
Qant mesmes dieu est entendable
De l'onourer pour sa merite.
  Et d'autre part, ce m'est avis,
Virginité par droit devis   16850
L'en porra raisonnablement

16788 nensoit   16822 enait   16830 plusgente

Resembler a la flour de lys,
Quelle ad cink fuilles bien assis
Ove trois grains dorrez finement :
Le fuil primer au corps appent,
Dont n'est corrupt ascunement,
Ne donne au char ses foldelitz ;
Le fuil seconde au cuer s'extent,
Qe le penser tout purement
Sustient sanz foldesir toutdis.   16860
Ly cuers q'a ceste vertu pense
Deinz soy jammais ne contrepense
Q'eschanger vuille son estage ;
Car saint Jerom ce nous ensense,
Si dist, 'Poy valt la conscience,
Qant vierge pense au mariage' :
Par tiel penser, par tiel corage
Virginité se desparage ;   16868
Car bon overeigne qui commence,
S'il n'en parfait trestout l'overage,
N'est droitz q'il ait plain avantage,
Qant il n'en met la plaine expense.
    Le tierce fuil c'est humbleté,
Qui bien s'acorde a chasteté ;
Car saint Bernard ce vait disant,
Qe molt est belle l'unité
D'umblesce et de virginité ;
Car ne puet estre a dieu plesant
Virginité q'est orguillant,
Nient plus que s'om te meist de-
    vant   16880
Viande bonne et savourée
En un vessel ord et puiant :
Ja n'en fuissietz si fameillant,
Qe tout n'en serretz abhosmé.
    Mais nostre dame en sa manere
De l'un et l'autre fuist plenere,
Humblesce avoit et fuist virgine :
Pour ce fuist faite la dieu mere,
Et par vertu de dieu le pere
Virginité fuist enterine.   16890
C'estoit la flour de lis divine
De fuil, de fruit et de racine,
Dont dieux faisoit sa chamberere,
Et en la gloire celestine,

Pour faire y nostre medicine,
La fist planter et belle et chere.
    De les trois fuilles cy devant
Conté vous ai, mais ore avant
Au quarte fuil frai mon retour,
Q'est du vergoigne apparisant ;   16900
Et puis du quinte fuil suiant,
Q'ad la verdure de paour.
Vergoigne hiet tout fol amour,
Les ditz n'ascoulte du lechour,
Ainz tout foldit et folsemblant,
Ou soit secret ou soit clamour,
Sa face enrougist du colour,
Et s'en retrait de meintenant.
    Les vierges serront vergoignouses,
Auci serront et paourouses ;   16910
Car el vessel q'est frel et vein
Portont les fleurs tant preciouses,
Dont au fin serront gloriouses,
Si la fleur gardent saulf et sein ;
Mais si la fleur flestre au darrein,
Lors tout perdront et flour et grein,
Dont ont esté laboriouses :
Ly fiebles q'aler doit longtein,
S'il n'ait dont supponer ou mein,
Les voies sont plus perillouses.   16920
    Pour ce ly vierges q'est flori
Doit vergoigne et paour auci
En sa main destre toutdis prendre
Pour suppoer le corps de luy ;
Et s'il par cas soit assailly,
Du tiel bastoun se doit defendre.
Ce nous fait saint Ambroise entendre,
Qe vierges doit avoir cuer tendre,
Dont du legier soit esbahi :
Vierge en ses chambres doit attendre,
Q'aillours ne laist sa flour susprendre,
Dont son chapeal soit defflory.   16932
    Qui pert son virginal honour,
De son chapeal deschiet la flour,
Q'est sur trestoutes blanche et mole ;
Meulx valsist estre enclos de tour,
Q'es champs pour faire tiel atour
Du violette ou primerole,

16883 nenfuissietz   16891 delis

Par quoy sa flour de lys viole.
Riens valt dancer a la carole,   16940
Dont puis covient ruer en plour :
Qant piere hurte a la viole,
Ou l'ostour luite au russinole,
Savoir poetz q'ad le peiour.
 La femme fieble a l'omme fort,
Ou soit a droit ou soit a tort,
Sa force ne puet resister,
Ainz son delit et son desport
Souffrir l'estuet sanz nul desport,
Si soule la porra trover.   16950
Pour ce ne doit pas soule aler
La vierge, car ly proverber
Dist, 'Way soulein q'est sanz resort
Du compaignie, car aider
N'est autre, qant vient encombrer,
Luy puet pour faire ascun confort.'
 Jacob de s'espouse Lya
Ot une file a noun Dyna,
La quelle pure vierge estoit :
Avint que la pucelle ala   16960
Pour regarder les gens de la
En terre estrange, u demorroit ;
Mais pour ce que souleine estoit,
Sichen, qui sa beauté veoit,
De son amour enamoura,
Dont la ravist et desflouroit :
Mais si ses chambres bien gardoit,
Ja Sichen ne l'eust fait cela.
 Virginité n'est bien florie,
Si ly deux fuil ne soient mie,   16970
Vergoigne et paour ensement.
Vergoigne et paour ot Marie,
Qant l'angre de la dieu partie
La dist, 'Ave !' soulainement :
C'estoit la dame voirement
Q'ot les cink fuilles plainement
El fleur de virginale vie,
Ove les trois grains certainement ;
Dont vous dirray, oietz comment,
Des ces trois grains quoi signefie.   16980
 Trois fourmes sont de dieu amer,
Ce sont les grains dont vuil parler,
Au fin que vierge soit parfit :

Car vierge doit tout au primer
D'entendement sanz folerrer
Amer son dieu, q'est son eslit,
Et si se dolt ou s'esjoÿt,
D'entier voloir sanz contredit
Tendra l'amour sanz retourner :
N'est pas amy qui tost oublit,   16990
Ainçois du tout son espirit
Luy doit cherir et mercier.
 Tieux sont les grains dont est parfait
La flour ; si vierge ensi les ait,
Lors rent a dieu son droit paiage ;
Et autrement, s'ensi ne vait,
Tout est en vein que vierge fait,
Car plus ne valt le pucellage
Qe lampe exteigncte sanz oillage ;
Dont ly cink fole au mariage   17000
Au port entrer furont desfait,
Mais l'autre cink, qui furont sage,
Et d'oille avoient l'avantage,
Entreront y sanz contreplait.
 Mais pour compter tout au final,
Trois causes sont en general
Pour exciter l'umanité
D'amer l'estat q'est virginal :
Primerement c'est un causal
Pour la tresfine bealté,   17010
La seconde est pour la bonté,
Et la tierce est pour digneté :
Ce sont ly cause principal
Q'om doit amer virginité ;
De chascun point en son degré
Vous dirray par especial.
 Ly sages dist en sa doctrine :
'O comme perest et belle et fine
La flour du virginal endroit !'
Auci Jerom de ce diffine,   17020
Si dist que belle est la virgine
Comme robe blanche, en quelle om voit
Legierement si tache y soit.
C'est la beauté que dieus amoit
Et la retint de sa covine,
Qant prendre nostre char venoit :
Dont m'est avis amer l'en doit
L'estat que si bell eslumine.

De la bonté ce nous devise
Jerom, qui dist en ceste guise, 17030
Q'estat du vierge est purement
Offrende a dieu et sacrefise,
Qant om le gart du bonne enprise ;
Dont grant loer au fin reprent.
De saint Jehan l'experiment
Avoir porrons que d'autre gent
Virgine est de plus halte assisse ;
Car il porta resemblement f. 95
Al Aigle, qui plus haltement
Vola de la divine aprise. 17040
 De tous les saintz q'om doit nommer
Estoit Jehans plus familier
Et plus privé de son seignour :
Apocalips doit tesmoigner
Qe vierges doit plus halt monter
Et d'autres plus avoir l'onour ;
Q'en halt le ciel superiour
Devant le throne dieu maiour
Ly vierge devont assister,
Et pour la grant bonté de lour 17050
L'aignel de dieu par tout entour
S'en vont suiant pour luy loer.
 L'aignel de dieu sanz departie
En blanches stoles sanz partie
Ly vierge vont suiant toutdis,
Ly quel de sa bonté complie
A faire leur honeur se plie
Ove trois coronnes de grant pris,
Q'il portont sur le chief assis :
Virginité dont m'est avis 17060
Sur tous estatz se glorifie ;
De sa beauté dieus fuist suspris,
De sa bounté le paradis
Est nostre, quoy que nuls endie.
 Virginité, qui bien la meine,
Fait l'alme digne en son demeine ;
Car saint Gregoire vait disant,
Qe cil qui vit en char humeine
Et contre char sa char restreine,
Si q'a sa char n'est obeissant, 17070
Est as bons angres comparant :

Et plus le loe encore avant
Du digneté q'est plus halteine.
Le Genesis vait tesmoignant
Qe l'alme vierge est resemblant
Au magesté q'est sovereine.
 Ambroise ce vait demandant :
'Qui porroit estre meulx vaillant
De luy q'est de son Roy amé,
Et de son jugge ferm, constant, 17080
En juggement, le poeple oiant,
Sanz nul errour est apprové,
Et est sur ce saintefié
De dieu, q'en ad la poesté
Sur toute rien que soit vivant ?'
C'est plus ne meinz en verité
Qe l'ordre de virginité,
Qui toutz les autres vait passant.
 Un Emperour jadis estoit
Q'om Valentinian nomoit ; 17090
Cil avoit oitante auns compliz :
Sovent fortune luy donnoit
Victoire, et qant om en parloit
Pour luy loer, il n'en tint pris,
Ainz dist q'assetz plus ot enpris
De ce q'il un soul anemys
Vencu de sa bataille avoit,
Qe du tout autre a son avis ;
C'estoit sa char q'il ot soubmis,
Dont sa loenge demenoit. 17100
 Virginité molt valt en soy ;
Essample avons du viele loy :
Ce parust qant le poeple hebreu
Les Madians ove leur desroy
Trestout venquiront au tournoy ;
Car Moÿses, qui s'est pourveu,
Commanda lors que tost veeu
Soit toute femme qui parcru
Fuist de la Madiane foy,
Et les corruptes en tout lieu 17110
Fuissont occis en l'onour dieu,
Mais les virgines laissa coy.
 Ce dist Gilbert en son sermoun :
'Virginité sanz mal feloun

<small>17037 plushalte 17039 plushaltement 17042 plusfamilier
17045 plushalt 17073 plushalteine 17093 enparloit</small>

Est de sa char la pes entiere
Et des pecchés redempcioun,
Princesse et dame de resoun,
Sur toutes vertus la primere.'
Ce dist Jerom en la matiere :
'Jadis ly Prince et l'Emperere   17120
Par les Cités tout environ
Donneront voie ove liée chiere
A la virgine belle et chere,
Pour l'onour de si noble noun.'
  Seint Ciprian en son escript
Virginité ensi descrit,
Q'elle est la flour de sainte eglise
Et l'ornement bon et parfit
Del grace du saint espirit,
Overaigne bonne sanz reprise ;   17130
Si est en dieu l'ymage assisse,
Que n'est corrupte ne malmise,
Soverein amour, soverein delit,
Dont l'alme q'est de tiele aprise
Les angres passe en mainte guise,
Et a dieu mesmes s'associt.
  **Ore dirra de la tierce file de
  Chasteté, la quelle ad noun
  Matrimoine, contre le vice de
  Avolterie.**
  Encontre Avolterie vile
Ad Chasteté sa tierce file,
Que Matrimoine est appellée :
La loy Canoun, la loy Civile   17140
Diont q'elle est bonne et gentile
En quatre pointz dont est doé,
D'auctorité, de digneté,
Du sainteté, d'onesteté,
Ces quatre pointz deinz soi compile ;
Dont sa vertu est honouré
Du bonne gent et molt amé
Solonc l'agard de l'evangile.
  D'auctorité notablement
Dieus ordina primerement   17150
En paradis le mariage
D'Adam et d'Eeve no parent,
Qui lors estoient innocent,
Tant comme furont en cel estage,
Mais puis, qant firont cel oltrage,

Dont nous avint mortiel damage,
Encore en terre nequedent
Du viele loy du viel usage
Les patriarcs, q'estoiont sage,
L'estat gardoiont voirement.   17160
  Auctorité solempne avoit,
Qant mesmes dieu le confermoit ;
Grant digneté y ot auci,
Qant ly fils dieu nestre voloit
En mariage tant benoit :
Soubz cel habit trestout covery
Le rançoun et le bien, par qui
Nous rechata del anemy,
Qe ly malvois ne s'aparçoit.
Dont m'est avis pensant ensi   17170
Qe Matrimoine est establi
De molt treshonourable endroit.
  Du sainteté sanz contredit
Le Matrimoine est auci dit
Un sacrement du grant vertu,
Par sainte eglise q'est confit ;
Dont signefie a son droit plit
Le marier q'est avenu
De sainte eglise et de Jhesu,
C'est entre la bonne alme et dieu,   17180
L'amour pourporte q'est parfit.
Si Matrimoine est bien tenu,
Saint est l'estat, car en tout lieu
Est sacré du saint espirit.
  Qui Matrimoine voet cherir,
D'onesteté ne poet faillir,
Car mariage fin, loyal,
Nous enfranchist sanz nous blemir
Solonc nature a no plesir
De faire le fait natural,   17190
Q'est autrement pecché mortal ;
Et plus encore especial
Nous fait merite deservir,
L'estat qant matrimonial
Solonc la loy judicial
Volons par loyalté tenir.
  Trois autrez pointz om poet noter,
Par quoy fait bon a marier.
Le primer est pour compaignie ;
En Genesi l'en puet trover,   17200

Qant dieus vist Adam soul estier,
Lors dist que bon ne serroit mie
L'omme estre soul en ceste vie,
Et pour ce dieus de faire aïe
Fist femme a l'omme associer.
Ce que dieus fist nous signefie,
Qui la puet avoir bien norrie
Bon est de femme acompaigner.
 La cause q'est seconde apres,
Dont l'en tient mariage pres,   17210
C'est pour estraire en no nature
Des fils et files tiel encress,
Dont dieus leur creatour ades
Soit loez de sa creature :
Ensi tesmoigne l'escripture,
Qant homme et femme en lour figure
De dieu primer estoiont fetz,
Dieus dist, 'Crescetz en vo mesure,
Empletz la terre d'engendrure,
Dont femme doit porter le fes.'   17220
 La tierce cause en son aprise
L'apostre dist, dont femme ert prise :
C'est q'om doit bien espouse prendre,
Qant il ne puet par autre guise
Garder son corps en sa franchise
Sanz leccherie de mesprendre.
Ce sont les pointz, tu dois entendre, f. 96
Qe Matrimoine font comprendre ;
Et qui le prent de tiele enprise,
Et multeplie de son gendre   17230
Des fils ou files q'il engendre,
Molt est l'estat de belle assise.
 Cil qui bien vit en la manere,
Il doit relinquir piere et mere,
Et adherder sanz variance
A sa muler, et tenir chiere ;
Ne la lerra de sa costiere,
Car dieus en fist celle ordinance.
Lors qant om soul du bienvuillance
Prent une espouse a sa plesance   17240
Et covoitise est a derere,
Dieu prent en gré la concordance ;
Mais qant argent fait l'alliance,
Ne sai quoy dire en la matiere.

Par Matrimoine, q'est divin,
De la voisine et le voisin
L'en solait prendre mariage
Par bon amour loyal et fin,
Sanz covoitise ou mal engin
Ou de richesce ou de brocage :   17250
Mais ore est tourné cel usage,
Car bon et bel et prous et sage,
S'il ait ne terre ne florin,
Combien q'il soit de halt parage,
Trop porra faire long estage,
Ainçois q'amour luy soit enclin.
 Om dist, 'Tant as tant vals, et tant
Vous aime' ; et c'est du meintenant
Entre les gens coustume et us,
Si tu n'es riche et bien manant,   17260
Combien que soietz avenant
Du corps et riche des vertus,
Pour ce ne serras retenus ;
Ainz uns vilains q'est mal estrus,
Q'est des richesces habondant,
Qant tu as meinz et il ad plus,
Il ert amez et tu refuz ;
J'en trai le siecle en mon garant.
 Mais tiel contract q'est fait pour gain
N'est mariage, ainz est bargain,   17270
Non pour le corps mais pour l'avoir :
Pres s'entrasseuront main au main,
Mais trop en est le cuer longtain
Pour bien amer du franc voloir ;
Ainz pour l'amour de beal Manoir,
Ou pour grant somme a rescevoir,
L'en prent plus tost pute ou vilain,
Qant om les voit richesce avoir,
Qe celly qui l'en sciet du voir
Estre des bonnes mours tout plain.
 Comme fol qui sa folie enprent 17281
Et fol l'achieve, ensi qui prent
Le mariage sanz amour :
Richesce om voit faillir sovent,
Mais bon amour certainement
De sa vertu ne falt nul jour ;

  17238 enfist   17241 aderere   17273 enest

Om puet bien estre conquerrour
Par ses vertus de tout honour,
Mais tout l'avoir q'au siecle appent
Ne puet conquerre la menour 17290
Des vertus, mais de sa vigour
L'orr ad les cuers au temps present.
 Q'ensi prent femme, plus que cire,
Qant est de la richesce sire,
L'amour se guaste en petite hure;
Car qant il ad ce qu'il desire,
Et sanz vertu le corps remire,
De la personne ne tient cure:
Ensi toutdis apres endure
La paine et la desaise dure 17300
Du mal, dont il ne trove mire;
Car vuille ou noun, la noet oscure
La femme claime sa droiture
De ce dont il ne puet souffire.
 Meulx luy valdroit nul vou de faire
Qe de vouer et nient parfaire,
Ly sages ce nous vait disant:
Trop perest hardy de mesfaire,
Qant il sa foy en saintuaire
Donne a sa femme, et jure avant 17310
Pour bien amer tout son vivant;
Mais certes c'est un fals amant
Du corps donner et cuer retraire.
Mais tiel y ad, qui nepourqant
Vait plus richesce covoitant
Qe la beauté de son viaire.
 Droit Matrimoine ne s'asseine
Pour espouser le sac du leine,
Ne pour richesce plus ou meins:
Mais nepourqant, qui bien se meine,
Et est bien riche en son demeine, 17321
S'il soit auci des vertus pleins,
Tant valt il meulx, j'en suy certeins;
Mais l'omme q'est du vice atteins,
Combien q'il ait sa coffre pleine
Et ses chastealx et ses gardeins,
Depuisq'il est en soy vileins,
Q'au tiel se donne est trop vileine.
 Et nepourqant j'ay bien oï
Sovent les dames dire ensi, 17330

Q'avoir vuillont par lour haltesce
Un gentil homme a leur mari:
Mais certes endroit moy le di,
Ne say q'est celle gentilesce;
Mais d'une rien je me confesse,
Qant Eve estoit la prioresse
Du no lignage en terre yci,
N'y fuist alors q'ot de noblesce
Un plus que l'autre ou de richesce;
Ne sai comment gentil nasqui. 17340
 Tous nous faisoit nature nestre,
Ensi le servant comme le mestre,
Dont par nature ce n'avient;
Ne du parage ce puet estre,
Car tous avoions un ancestre,
Par celle voie pas ne vient;
Et d'autre part bien me sovient
Qe par resoun ce n'appartient
A la richesce q'est terrestre,
Q'est une chose vile et nient: 17350
A sercher plus avant covient
La gentilesce q'est celestre.
 Nature en soy n'ad quoy dont fere
Un gentil homme ne desfere,
Ainz dieus qui les vertus envoit
Cil puet bien de sa grace attrere
Un homme de si bon affere,
Si vertuous, tanq'il en soit
Verrai gentil et a bon droit:
Mais qant a ce, sovent l'en voit, 17360
Des bonnes mours qui voet enquere,
Q'un homme povre les reçoit
Plus largement en son endroit
Qe cil q'est seignour de la terre.
 Mais sache dieus ja pour cela
Les dames ne se tienont la,
Le povre ont ainçois en desdeign:
Combien q'il vertuous esta,
Poverte le departira,
Q'il n'ose mettre avant la mein, 17370
Pour ce qu'il est du povre grein;
Mais cil q'est riche capitein
Tant vicious ja ne serra,
Qu'il n'ert amez ainçois demein:

17323 iensuy 17351 plusauant 17358 ensoit 17363 Pluslargement

Mais certes trop perest vilein
L'amour q'ensi s'espousera.
 Nature, qui de sa mamelle
Paist toute chose laide et belle,
Nous donne essample bon et bell;
Car soulement deinz la praielle 17380
N'ad fait morell pour la morelle,
Ainz la griselle pour morell,
Et la morelle pour grisell,
Et la liarde pour favell,
Et le liard pour la favelle;
Ensi sanz vice et sanz repell
Voelt bien que quelque jovencell
S'espouse a quelque jovencelle.
 Puisque des membres resemblable
Et du corage resonnable 17390
Tous susmes fait, di lors pour quoy
Ne susmes de resoun menable,
Ainz nous nous faisons dessemblable.
Car de nature et de sa loy
Chascune femme endroit de soy,
Q'est bonne, est able et digne au
  Roy;
Et chascun homme veritable,
Combien q'il ait ou nient ou poy,
Au quelque dame en droite foy
Par ses vertus est mariable. 17400
 Mais halt orguil, qui point ne cure
De la simplesce de nature,
Desdeigne a garder l'observance
De sa justice et sa mesure;
Ainz quiert avoir par demesure
Du vain honour ou la bobance,
Ou du richesce l'abondance,
Ou de son corps quiert la plesance
Par foldelit; mais la droiture
Du mariage est en balance, 17410
Car les vertus n'ont de vaillance
Plus que du ciffre la figure.
 Ne fait pas bien qui se marit
Pour beauté soule ou pour delit,
Car ce n'est pas la dieu plesance,
Ainz il en tient molt grant despit:
Car pour cela, je truis escrit,

17416 entient

Les sept barouns de sa vengance
Faisoit tuer, que par souffrance f. 97
De luy le deable en sa distance 17420
L'un apres l'autre tous occit:
Chascun par fole delitance
Espousa Sarre en esperance
D'acoler et baiser ou lit.
 Je truis escrit en le decré:
'Vil est a l'omme marié,
Et trop encontre loy divine,
Qu'il du sotie et nyceté
Soit de sa femme enamouré,
Ensi comme de sa concubine': 17430
Mais om doit bien par juste line,
Sicomme la lettre nous diffine,
Avoir sa femme abandonné
Pour faire toute sa covine
D'oneste voie et femeline,
Nounpas comme pute acoustumé.
 Om doit sa femme bien cherir
Pour leccheries eschuïr,
Nounpas pour leccherie faire:
Car qui la prent par fol desir, 17440
Grans mals en porront avenir,
Assetz avons de l'essamplaire.
Mais cil q'ad bonne et debonnaire,
Molt la doit bien cherir et plaire;
Car ce n'est pas le desplaisir
De dieu, ainz sur tout autre affaire
Molt est a l'omme necessaire
La bonne, qui la puet tenir.
 Diverse sort diverse gent,
Solonc q'ils bien ou mal regent 17450
Se sont envers leur creatour.
Il leur envoit diversement
Ou de bien estre ou malement;
La bonne femme au bienfesour
Donne en merit de son labour,
Du male femme et la dolour
Par sort verraie et jugement
Eschiet sur l'omme peccheour;
Dont est en peine nuyt et jour,
Mais l'autre vit joyeusement. 17460
 Grant bien du bonne femme vient;

17441 enporront

Essample avons, bien me sovient,
Dedeinz la bible des plusours :
Par bien que de Judith avient
Jerusalem au pees revient ;
Hester auci fist beals socours,
Qant Assuerus tint ses courtz,
A Mardochieu des grans dolours
Queux Naman l'ot basti pour nient ;
Molt enporta Susanne honours, 17470
Qant dieus de ses accusatours
Par son miracle la retient.
 Abigaïl la bonne auci,
Au quelle Nabal fuist mari,
Au Roy David appesa l'ire,
Q'estoit vers son baroun marri,
Et tiele grace deservi
Dont puis fuist dame de l'empire ;
Et qui du Jahel voldra lire,
La femme Abner, porra bien dire 17480
Q'il ot molt belle grace en luy,
Qant Cisaré faisoit occire,
Qui d'Israel par son martire
Les gentz volt avoir malbailly.
 Dedeinz la bible escript y a
Auci du bonne Delbora,
De sa bounté, de sa vertu ;
Jabins le Roy de Canana,
Cil q'Israel lors guerroia
Et la volt avoir confondu, 17490
Fuist mesmes en la fin vencu.
C'estoit la volenté de dieu,
Q'as femmes la vertu donna ;
Par tout le monde en chascun lieu,
U leur histoire serra lieu,
Des femmes om se loera.
 La bonne fait bien a loer,
Et bon est du bonne espouser
A l'omme qui voet femme avoir :
Ly sages t'en fait doctriner, 17500
'Si bonne femme puiss trouver,
Ne la laissetz pour nul avoir ;
Ainçois la dois sanz decevoir
Amer, cherir sanz removoir,
Car tout le bien q'est seculier
Vers sa bonté ne puet valoir' :

Qui tiele laist a nounchaloir
Je ne l'en sai pas excuser.
 Molt doit joÿr en conscience
Qui par divine providence 17510
Au tiele espouse est destiné ;
Et molt la doit en reverence
Traiter, sanz point du violence,
D'orguil ou d'autre malvoisté :
Comme sa compaigne et bien amée
Cherir la doit en amisté ;
Car un corps sont, comme nous ensense
Du sainte eglise le decré,
Dont bien devont en unité
Avoir un cuer sanz difference. 17520
 Sicomme le livre nous devise,
De la costée d'Adam fuist prise
La femme, qant dieus la fourmoit ;
Non de la teste en halt assisse,
Car dieus ne volt par tiele guise
Qe femme pardessus serroit ;
Auci du pié fourmé n'estoit,
Car dieus ne volt par tiel endroit
Qe l'en sa femme trop despise :
Mais la costée my lieu tenoit, 17530
En signe que dieus les voloit
Estre compains du sainte eglise.
 Et nepourqant l'origenal
Pecché dame Eve estoit causal,
Dont dieus voet femme estre soubgite
A l'omme en loy judicial,
Issint q'il serra principal
Et compaignoun ; dont grant merite,
Puisque la femme est meinz parfite,
Om puet avoir, s'il se delite 17540
En governance bien loyal :
Mais jammais celle loy fuist dite,
Qe l'omme ait femme trop despite
En l'ordre matrimonial.
 Qui sagement se voet tenir
Legierement ne doit haïr
Sa femme, car qui la guerroie
Ne s'esjoÿt au departir,
Car a soy mesmes sanz partir
Prent guerre sanz repos ne joye. 17550
Si m'est avis q'il trop foloie

Qant ce q'il par si bonne voie
Achata tant a son plesir,
Le quiert apres hoster envoie :
Qant homme ad paié sa monoie,
Quoy valt ce lors a repentir?
 Haïr ne doit om sa compaigne,
La quelle falt qu'il acompaine,
Ne trop amer la doit om mye ;
Car trop amer est chose vaine,   17560
Si fait venir la nyce paine,
Dont cuers deschiet en jalousie.
C'est une ardante maladie,
Tout plain du sote fantasie
Sur cause que n'est pas certaine :
Cil q'est espris de la folie
Resemble au fol q'en ceste vie
S'occit de son coutell demaine.
 Fols est qui jalousie pense,
Car ove son propre cuer se tence, 17570
Dont mesmes souffre le peiour ;
Et molt sovent par sa defense
Fait que sa femme contrepense
Ce que devant pensa nul jour,
Du rigolage et fol amour :
Ensi le fol de sa folour
Donne a sa femme l'evidence
Dont elle essaie cell errour,
Le quel apres pour nul clamour
Ne sciet laisser qant le commence. 17580
 Et nepourqant sanz jalouser
Om porra bien amonester
Sa femme en cause resonnable,
Siq'elle a son honour garder
Le siecle vuille regarder,
Et laisser que voit descordable
A son estat ; et lors si able
La trove, preste et entendable,
Charir la doit et molt amer ;
Et autrement s'elle est coupable, 17590
Comme cil q'est sire et connestable
La doit punir et chastier.
 Roy Salomon, q'estoit bien sage,
Dist que la femme en mariage
Ne doit avoir la seignourie

De son mari ne le menage ;
Car s'ensi soit, de son oultrage
Avient mainte malencolie.
Qui femme ad pour ce la chastie,
Tanq'en tous pointz la souple et plie,
Pour peas avoir en avantage ;   17601
Car dieus ne fist les femmes mie
Pour guier, ainz voet q'om les guie
Par sobre et juste governage.
 Femme a son mari doit honour,
Sicomme soubgite a son seignour,
Sanz luy despire ou laidenger :
Je trai la bible a mon auctour
Du Roy David, qui pour l'amour
De l'arche dieu se fist dauncer,   17610
Trecher, baler et caroler   f. 98
Entre les autres communer ;
Mais pour ce que de tiel atour
Michol sa femme reprover
L'en fist, dieus pour soy revenger
La fist baraigne puis tout jour.
 Mestre Aristotle et danz Catoun
Et ly Romeins, Senec par noun,
Chascuns endroit de sa clergie
Escript des femmes sa leçoun :   17620
Ne sai si le dirray ou noun ;
Et nepourqant l'umaine vie
Falt enfourmer d'essamplerie,
Et pour cela vuil en partie
Moustrer la declaracioun,
Sique la gent en soit guarnie,
Nonpas pour autre vilainie,
J'en fai ma protestacioun.
 Mestre Aristole dist primer,
Qe femme ou mal consail donner 17630
Veint homme : et au commence-
 ment
Dame Eve en donna l'essampler ;
Et puis apres, qui voet sercher
Trover porra comme faitement
Achab par le consaillement
Du femme tricherousement
Faisoit le bon Naboth tuer :
Pour ce le livre nous aprent

17570 le   17626 ensoit   17632 endonna

Qe l'en ne doit legierement
A leur consail trop encliner.   17640
 Catoun m'aprent par autre voie
Qe je ma femme auci ne croie
Des pleintes dont me fait eschis ;
Car si du legier la creroie,
Sovent pour nient me medleroie
Ove mes servantz et mes soubgitz.
L'en voit du femme plus haïz,
Qe son mary plus tient amis ;
Ne di pas q'ensi fait la moie,
Et nepourqant a mon avis,   17650
Si du Catoun ne soie apris
Qant a ce point, fol en serroie.
 Ce dist Senec, que sanz trespas
Tout ce que femme ne sciet pas,
Ce sciet celer. Et par semblance
Di si tu balsme verseras
El cribre, o si tu quideras
Q'il doit tenir : noun, sanz doubtance.
Nient plus, je t'en fais asseurance,
Les femmes ont en retenance   17660
Le consail quel tu leur dirras :
Si voels sercher sanz variance
Le papir de leur remembrance,
Escript au vent le troveras.
 Par ce q'ai dit om puet aprendre
Et aviser et guarde prendre
De la doctrine au sage gent :
Car lors ne doit om pas mesprendre,
Dont par resoun soit a reprendre,
En reule et en governement   17670
Devers sa femme aucunement.
La femme auci qui tielement
Voet bonne aprise en soy comprendre
Pour vivre debonnairement,
Lors porra bien et seurement
L'estat du mariage enprendre.
 Si je les fols maritz desprise,
N'est pas pour ce que je ne prise
Les bouns, et si je blame auci
Des males femmes la mesprise,   17680
Ce n'est chalenge ne reprise
As bonnes, ainz chascuns par luy

Enporte ce q'ad deservy.
Mais tous savons q'il est ensy,
La femme q'est du bonne aprise
Est doun de dieu, dont son mary
Vit en quiete et joye yci
Selonc la loy du sainte eglise.
 L'omme ert loyal en governance,
Et femme auci de sa souffrance   17690
Ert vergoignouse et debonnaire
En fait, en dit, en contienance,
Sanz faire ascune displaisance
A son mary ; ainz pour luy plaire
Doit, qant voit temps, souffrir et taire,
Et qant voit temps, parler et faire,
Sicomme meulx sciet, a la plesance
De son mary sanz nul contraire :
Car femme q'est de tiel affaire
Tient d'espousailles l'observance.   17700
 Je truis dedeinz la bible ensi,
Que Raguel et Anne auci,
Leur file Sarre en mariage
Qant prist Thobie a son mary,
Des cynk pointz la firont garny,
Des queux elle devoit estre sage :
Primer q'elle a son voisinage
Soit amiable sanz oultrage,
Dont l'en parolle bien de luy,
Et d'autre part sanz cuer volage   17710
Doit son baron du bon corage
Avoir sur tous le plus cheri :
 Auci que femme n'ert oedive,
Ainz tout ensi comme l'omme estrive
Et quiert es champs sa garisoun,
Et labourt, siqu'il ait dont vive ;
Ensi la femme ert ententive
Pour saulf garder deinz sa mesoun
Sanz guast et sanz destruccioun ;
Car ja n'y puet avoir fuisoun   17720
Le bien, u femme ert excessive :
Parmy le cribre porroit on
Verser sanz nulle aresteisoun
Trestoute l'eaue de la rive.
 Soubz main du femme gasteresce
Ne puet durer, ainçois descresce

<small>17652 enserroie   17712 pluscheri</small>

Le bien que son baroun adquiert ;
Mais celle q'est la bonne hostesse
Molt bien fait guarder la richesse,
Et auci, qant le temps requiert,   17730
Despendre ensi comme meulx affiert :
En son hostel molt bien appiert
Et sa mesure et sa largesce ;
Ja soubz sa main nul bien depiert,
Car son grant sens si pres le quiert,
Qe riens ne laist par oedivesce.
 Au Sarre auci ly dui parent
Donneront pour enseinement,
Qe sa famile bien survoie,
Et les governe tielement,   17740
Qe chascuns bien et duement
Le fait de son mestier emploie :
Car femme qui par tiele voie
Guart son estat et ne desvoie
Envers son dieu n'envers la gent,
Et lors, si l'omme ne foloie,
Molt porront demener grant joye
Et l'un et l'autre ensemblement.

 Ore dirra de la quarte file de Chastité, quelle ad noun Continence, contre le vice de Incest.

 Encontre Incest q'est plain d'offense
La belle file Continence,   17750
Naiscant du fine Chasteté,
Guerroie, et fait si bon defense,
Qe corps et cuer et conscience
Maintient en pure netteté,
Que ja ne serront avilé
Par les ordures du pecché,
Dont Leccherie nous ensense :
Seconde apres Virginité
C'est Continence en son degré,
Pour servir en la dieu presence.   17760
 Mais Continence nepourqant
En la virgine est plus vaillant ;
De ce ne dirray plus icy,
Car des virgines pardevant
J'ay dit : pour ce le remenant
Dirray de ceste cause ensi,
Qe chascun homme et femme auci

17735 sipres

Combien q'ils soiont desflouri,
S'ils puis en soient repentant
Sanz estre jammais resorti,   17770
Dieus mesmes les tient a guari,
Car Continence est lour guarant.
 Quant pecché l'omme avra laissé,
Ainçois que l'omme laist pecché,
Cist homme n'est pas continent ;
Mais ja n'ait homme tant pecché,
S'il laist, tant comme ad poesté
De plus peccher, et se repent,
Et puis toutdis vit chastement,
Tous ses pecchés du precedent   17780
Luy sont devant dieu pardonné,
Et combien q'il vient tardement,
Du Continence nequedent
Apres sa mort serra loé.
 Le saint prophete Ezechiel,
Qui la doctrine avoit du ciel,
Dist, qant mal homme en bien s'estable
Et se converte en droituriel,
Trestout le mal noundroituriel,
Dont ad esté devant coupable,   17790
Dieus, qui sur tous est merciable,
Pardonne, et le prent acceptable
A demorer en son hostiel :
Pour ce je sui tresbien creable
Qe continence est molt vaillable,
Qant om par temps voet estre tiel.
 Du Continence le bienfait
Ascuns sanz vou du gré le fait,
Ascuns par vou le fait ensi
D'ascun saint ordre q'il attrait.   **f. 99**
Cil ad del jeu le meillour trait   17801
Et par resoun plus ert cheri ;
Droitz est q'il plus soit remeri
Qe l'arbre ove tout le fruit auci
Ensemble donne sanz retrait,
Qe cil qui donne soul par luy
Le fruit ; et nepourqant vous dy
Qe l'un et l'autre est molt bien fait.
 L'evesque vait amonestant
Au prestre en luy saintefiant,   17810

17769 ensoient

S'il chastes pardevant ce temps
N'avera esté, de lors avant
Soit continent, et l'autre atant
S'oblige et fait ses serementz.
Sollempnes sont les sacrementz
De tiel avou, dont continens
Serra depuis tout son vivant :
Ne sai s'il puis en ait dolens,
Mais tant sai bien, que je ne mens
De ce que vous ay dit devant.   17820
   Auci toute Religioun
Du frere, moigne, et de canoun,
Et du nonneine, a dieu servir
En faisant leur professioun,
De vou solempne et d'autre noun
Sont obligez a contenir :
La dame auci qui voet tenir
Sa chasteté, dont revestir
Se fait d'anel par beneiçoun
D'evesque, apres pour nul desir   17830
Se porra lors descontenir,
Si trop ne passe sa resoun.
   Des femmes tiele y ad esté,
Q'ad fait le vou du chasteté
Nounpas pour dieu, mais parensi
Q'elle ert du siecle plus loé,
Ou pour sotie et nyceté
D'amour q'elle ot a son amy :
Mais l'un ne l'autre, je vous dy,
Dieus endroit soy ne tient cheri, 17840
Et nientmeinz elle est obligé
Tenir le vou q'elle ad basti ;
Dont le guerdoun pent a celluy
Pour qui son fait ad plus voué.
   Mais tieles dames vait blamant
L'apostre, qant s'en vont vagant
Par les hosteals de la Cité ;
Car chambre au dame est avenant
En dieu priant ou en faisant
Labour qui soit d'onesteté :   17850
Au chapellain q'est consecré
Le moustier est approprié,
U q'il a dieu ert entendant :
A moigne et nonne en leur degré

Leur cloistre serra fermeté
En continence a leur vivant.
   Ascuns y sont qui d'autre enprise
Ont vou du continence prise
Secret parentre dieu et soy :
C'est une chose que dieus prise,   17860
Qant om le fait du tiele aprise
Sanz veine gloire et sanz buffoy ;
Essample avons du viele loy,
Le vou Marie fuist en coy,
U toute grace fuist comprise :
Mais quique donne a dieu sa foy,
Combien que ce soit en recoy,
Il est tenuz a la reprise.
   Mais quant du bonne cause avient
Et que la femme bien maintient   17870
Le vou du sainte Continence,
Lors en bon gré dieus le retient.
Ce dist David, bien me sovient,
'Vouetz et rendetz sanz offense
Le doun du vostre conscience' :
Car poy decert la providence,
Qui molt promet et donne nient.
Chascuns endroit de soy le pense ;
Quoy valt a semer la semence
Du quelle ascun profit ne vient ? 17880
   Qe Continence est belle chose
La turtre sanz en faire glose
Nous monstre bien de sa nature ;
Car tantost que la mort depose
Son madle, soule se dispose,
Qe jammais jour apres celle hure
S'assiet sur flour ne sur verdure ;
Ne jammais puis par envoisure
Autre compain reprendre n'ose ;
Ainz puis tant comme sa vie dure, 17890
Sanz mariage et sanz luxure
En Continence se repose.
   Mais cestes vieves jolyettes,
Vestant le vert ove les flourettes
Des perles et d'enbreuderie,
Pour les novelles amourettes
Attraire vers leur camerettes,
A turtre ne resemblont mye :

17824 Enfaisant   17846 senvont   17882 enfaire

Mais sur trestoutes je desfie
La viele trote q'est jolie, 17900
Qant secches ad les mamellettes ;
Il m'est avis, quoy q'autre en die,
Q'ad tiele espouse en compaignie,
Fols est s'il paie a luy ses dettes.

 Mais quel valt plus, ou mariage
Ou continence en son estage,
Saint Augustin fait demander ;
Si dist que l'une le corsage
Engrosse et l'autre le corage :
Mais meulx, ce dist, valt engrosser
Le cuer de l'omme en dieu amer, 17911
Qe soul le ventre faire enfler ;
Car l'une enporte l'avantage
Que ja ne doit enbaraigner,
Mais l'autre n'en porra durer,
Qe tout ne soit baraigne en age.

 Tout pleine l'une du tristesce
Lez fils enporte en sa destresce,
Et sanz pecché ne les conçoit ;
Mais l'autre plaine de leesce, 17920
Sanz estre aucunement oppresse,
Les fils du joye porter doit :
L'une est par servage en destroit,
Et l'autre est franche en son endroit ;
Labour du siecle l'une blesce,
Et l'autre, quelle part que soit,
En grant quiete de son droit
Serra, que nul dolour l'adesce.

 L'une est la soule espouse humeine,
L'autre est l'amie dieu souleine ; 17930
L'une est en plour, l'autre est en ris ;
L'une est corrupte et l'autre seine ;
L'une est de l'omme grosse et pleine,
L'autre est de dieu enceinte au pitz ;
L'une fait empler de ses fitz
Parmy le monde les paiis
Du multitude q'est mondeine,
Et l'autre ovesque dieu toutdis
Fait empler le saint paradis
Des bonnes almes q'elle meine. 17940

 Sicomme la rose fresche et fine
Valt plus que la poignante espine

17902 endie

Dont elle naist, ensi serra
Qe continence la divine,
Selonc que Jerom le diffine,
Sur mariage plus valdra.
L'apostre as tous ce commanda,
' Qui contenir ne se pourra,
Lors preigne espouse a sa covine.'
Par celle aprise bien moustra 17950
Qu'il continence en soy prisa
De la plus halte discipline.

 Saint Jerom dist la difference
Du mariage et continence ;
Qe l'une valt de l'autre plus,
Sicomme plus valt qui sanz offense
En netteté du conscience
Parfait les oeveres des vertus,
De luy qui s'est soul abstenus
Du pecché sanz fait de surplus. 17960
Savoir poetz par l'evidence
Au quelle part il ad conclus ;
Fait ove vertu vait au dessus,
N'est resoun que le contretence.

 Ore dirra de la quinte file de Chasteté, quelle ad noun Aspre vie, contre le vice de Foldelit.

 La quinte file est Aspre vie,
Q'au fine force Leccherie
Abat, et Chasteté supporte :
La char si reddement chastie,
Qe ja nul jour de sa partie
Ne laist entrer dedeinz sa porte 17970
Le Foldelit q'au corps resorte ;
Ains, qanque Leccherie enhorte,
Par sa vertu trestout desfie :
Car du penance q'elle porte
Le fieu que Leccherie apporte
Extaignt, q'ardoir ne porra mie.

 C'est la vertu qui se decline
Loign du celer et du cuisine
U Gloutenie est vitailler,
Et si retient de sa covine 17980
Pour luy servir Soif et Famine.
Cil duy luy serront officer
Et au disner et au souper,

17952 plushalte

Par queux la char fait enmaigrer
Et les costés et la peitrine,
Sique Luxure en son mestier
N'y truist surfait pour alumer,
Dont chasteté soit en ruine.
   Qant Daniel enfant fuist pris   **f. 100**
Ove tout deux autrez ses amys   17990
En Babiloigne, nepourqant
De les delices du paiis
Ne volt gouster par nul devis,
Ne boire vin pour rien vivant :
Avint que puis le dit enfant
Ove ses compaigns trestout ardant
Furont en la fornaise mis,
Mais dieus lour fist si bell garant,
Q'en my la flamme vont chantant,
Q'ils ne sentoiont mal ne pis.   18000
   Qe chasteté n'est accordant
As grans delices, ainz par tant
S'en falt deinz brieve acustummance,
Saint Bernard le vait tesmoignant,
Qe ja ne serront accordant
L'une avec l'autre en observance :
Car l'une acroist la vile pance
Du Foldelit par l'abondance
De sa delice, et l'autre avant
Entolt du corps la sustenance   18010
Pour faire a l'alme pourvoiance ;
Poy cure tout le remenant.
   L'en dist ensi communement,
' Retrai le fieu bien sagement
Et la fumée exteinderas ' :
Ensi je di que tielement
Retrai ce dont la char esprent
De les delices, et chalt pas
Exteindre foldelit porras ;
Car courser megre ne salt pas,   18020
Ne si tost male tecche enprent
Comme fait cil q'est bien gross et
   crass :
Pour ce, si tu chastes serras,
Retien bien cest essamplement.
   Du saint Ambroise c'est le dit,
Qe d'omme jun l'escoupe occit

Le vif serpent de sa nature :
A molt plus fort le jun parfit
Le viel serpent, cel espirit
Qui nous fist faire forsfaiture,   18030
Mettra tout a desconfiture
De sa vertu, q'est chaste et pure ;
Sique la char par foldelit
Corrupte n'ert de celle ardure
Que vient de gule et de luxure,
Ainz en serra du pecché quit.
   C'est la vertu qui petit prise
Suef oreiller, mole chemise,
Cote ou mantell du fine leine,
Ainz ad vestu la haire grise,   18040
Poignante et aspre, en tiele guise
Que son charnel delit restreigne,
Et de bien vivre se constreigne :
Mais si sa robe q'est foreine
Au corps soit belle et bien assisse,
Pour eschuïr la gloire veine
La haire que luy est procheine
Doit guarder l'alme en sa franchise.
   C'est la vertu qui n'ad plesir
Sur mole couche de gisir,   18050
Ne quiert avoir si tendre lit,
Dont porra longement dormir
Et sa tresfrele char norir,
Pour l'aqueinter du foldelit ;
Ainz se contient d'un autre plit,
Sur l'aire ou sur la paile gist,
Dont tout esquasse le desir
A penser contre l'espirit ;
Si tient le corps en grant despit,
Pour l'alme faire a dieu cherir.   18060
   Vigile, q'est la dieu treschiere,
Est d'Aspre vie chamberere,
Dont Sompnolence est forsbanie,
Q'au Foldelit est coustummere ;
Vigile la deboute arere,
Qant volt entrer de sa partie :
Vigile auci q'est d'aspre vie
Oedive ne doit estre mie,
Qe Foldelit ne la surquiere ;
Ainz Contemplacioun la guie,   18070

18028 plusfort   18036 enserra

Qui la flaielle et la chastie
Ove triste lerme et ove priere.
   Les cink sens naturel humein
Sont resemblables au polein,
Q'en my le bois s'en court salvage
Tout au plesir sanz selle ou frein :
Mais s'Aspre vie en soit gardein,
Il les refreine a son menage,
Et jusq'a tant q'en son servage
Les puet danter du bon corage,   18080
Retrait leur la provende et fein ;
Siq'il leur hoste tout le rage,
Si sobrement, que sanz oultrage
Ils les puet mener de sa mein.
   Iceste file a sa mesure
Est bien armé, dont molt s'assure,
Des deux armures, salvement
Qui valont contre la pointure
Du Foldelit et de Luxure :
Dont le primer adoubbement   18090
C'est d'umble cuer oïr sovent
De dieu sermon le prechement,
Q'om dist de la seinte escripture ;
Et ce que par l'oreille entent
Parface bien et duement ;
Lors est armé de l'une armure.
   Dieus son sermon fist resembler
A l'omme qui voloit semer
Ses champs, dont part de la semence
Dessur la roche fist ruer,   18100
U q'il ne pot enraciner :
Et part auci par necligence
Chaoit enmy la voie extense ;
L'oisel del air sanz nul defense
Cela venoiont devorer :
Et part chaoit entre l'offense
Des ronces, dont la violence
Fist qu'il n'en pot fructefier.
   Del dieu sermon atant vous di,
Sicomme du grein qui s'espandi   18110
Sur roche ; car par tiel degré
Plusours le sermon ont oï
Et par l'oraille recuilli,
Mais deinz le cuer n'est pas entré ;

U tant en ad de dureté
Q'il ne poet estre enraciné,
Et sanz racine n'est flouri,
Et sanz flour n'est le fruit porté,
Ainz, comme sur perre estoit semé,
Sanz bon humour est ensecchi.   18120
   Mais l'autre grein, q'enmy la voie
De les oiseals, come vous contoie,
Fuist mis a dissipacioun,
C'est qant le deble agaite et proie
Un cristien qui se supploie
D'oïr la predicacioun ;
Car lors par sa temptacioun
L'en tolt la meditacioun
Q'ascun profit n'en porte envoie ;
Ainz tourne a sa dampnacioun   18130
Q'est dit pour sa salvacioun,
Q'il bien oït et mal l'emploie.
   Du tierce grain q'ert espandu
Et fuist des ronces confondu,
Le sermon dieu ce signefie :
Qant cristiens l'ad entendu,
Mais ainz q'en oevere soit parcru,
Les ronces, dont le siecle allie,
C'est Covoitise ovesque Envie
Ove Foldelit et Leccherie,   18140
Le cuer si fort ont detenu
Qu'il plus avant ne fructefie :
Ces trois semences dieus desfie,
Mais a la quarte il s'est tenu.
   Du quarte grain il avenoit
Q'en bonne terre le semoit :
Dont prist racine ove la crescance
Q'a cent foitz plus multiplioit.
Ce nous pourporte en son endroit
Del sermon dieu signefiance :   18150
C'est qant prodhomme en sa penance
Conçoit du sermon l'entendance
En cuer devolt, comme faire doit,
Et puis en fait la circumstance ;
Lors par droite fructefiance
Plus a cent foitz loer resçoit.
   Grant bien du bon sermon avient
A l'omme qui bien le retient ;

      18077 ensoit   18115 enad   18154 enfait

La dieu parole ad grant vigour,
Et grant vertu deinz soy contient :
Car par parole soul du nient   18161
Dieus ciel et terre ove leur atour
Tout les crea comme creatour ;
Auci nous veons chascun jour
La dieu parole, q'en nous tient,
A no creance sanz errour
Le corps du nostre salveour
Fait que du pain en char devient.
   As ses disciples qant precha,
Dieus sa parole commenda   18170
De grant vertu, ce m'est avis ;
Car il leur dist que par cela
Q'ils son sermon oïront la,
Trestout les avoit esclarciz
Et nettoié leur espiritz.
Cil qui remembre de ces ditz,
Et bien les causes notera,
Molt doit avoir sermon en pris ;
Car tant comme l'omme est meulx apris,
De tant par resoun meulx valdra.   18180
   Sovent par bon consail d'amy   f. 101
Homme ad vencu son anemy ;
Pour ce bon est consail avoir
Du saint sermon, comme je vous di ;
Car championn qui s'arme ensi
Meulx en doit faire son devoir.
Une autre armure y a du voir,
Du quoy l'en puet auci valoir
Qe Foldelit soit anienty ;
C'est par sovent en bon espoir   18190
La passion rementevoir
Que Jhesu Crist pour nous souffri.
   Qui porte tiele conuscance,
Le deble ove toute s'alliance
Legierement puet desconfire,
Et garder l'alme en esperance
Du joye avoir sanz fole errance,
Ou de mesfaire ou de mesdire :
Dont cil qui voet estre bon mire
Del alme, falt q'il se remire,   18200
Au fin q'il ait en remembrance
La passioun du nostre sire,

Sicomme l'en puet el bible lire
De la figure en resemblance.
   Qant Moïses mesna la gent
El grant desert del orient,
D'arrein fist un serpent forger
Et l'alleva bien haltement,
Si q'om le vist apertement,
Et devant tous le fist porter :   18210
Car soulement pour luy mirer
Fist les pointures resaner,
Qant du venym ly vif serpent
Firont les gentz mordre et plaier :
C'estoit figure et essampler
Portant grant signefiement.
   Comme Moÿses out eshaulcé
Le serpent q'estoit figuré
Devant le poeple qu'il menoit,
De qui regard furont sané,   18220
Tout autrecy fuist allevé
Jhesus, qant il en croix pendoit :
Dont cil qui point ou mors serroit
Du viel serpent, et penseroit
De luy q'estoit crucifié,
Sa guarison avoir porroit,
Et tous les mals assuageroit,
Des queux avoit le cuer enflé.
   Trestoute l'eaue fuist amere
D'estanc, de pus et de rivere   18230
Q'el grant desert d'Egipte estoit ;
Mais Moÿses par sa vergiere
Fist tant que l'eaue ert doulce et cliere,
Dont homme et beste assetz bevoit.
La verge en quelle ce faisoit
La croix verraie figuroit,
Qe l'amertume et la misere
Nous tolt, et venque de son droit
Le deble, et u que l'omme soit,
Saulf le maintient soubz sa banere.
   Qui ceste armure voet comprendre
Et d'Aspre vie bien aprendre   18242
De vivre solonc la vertu,
Du Foldelit se puet defendre ;
Car par resoun doit bien entendre,
Meulx valt penance aspre et agu,

18186 endoit

Dont l'alme soit bien defendu,
Et estre en ease ovesque dieu,
Qe de son corps tiele ease prendre
Dont soit par Foldelit vencu,　　18250
Et comme fals recreant rendu
Au deable, qui le quiert surprendre.
　Qui list les vies des saintz pieres,
Oïr y puet maintes manieres
De la nature d'Aspre vie :
Les uns souleins en les rocheres,
Les uns en cloistre ove lour confreres,
Chascun fist bien de sa partie ;
Cil plourt, cist preche, cil dieu prie,
Cist june et veille, et cil chastie　　18260
Son corps du froid et des miseres,
Cist laist sa terre et manantie,
Cil laist sa femme et progenie,
Eiant sur tout leur almes cheres.
　Par Aspre vie tout ce firont,
Du Foldelit dont desconfiront
Les griefs assaltz et les pointures,
Q'au frele char ne consentiront :
Ainz qanq'al alme bon sentiront
Enpristront, et les aventures　　18270
Qant la fortune envoia dures
Des corporieles impressures,
Sanz murmur du bon gré suffriront,
Pour plus avoir les almes pures :
Houstant trestoutes autres cures
En corps tant asprement vesquiront.
　C'est la vertu q'est tout divine,
Et est semblable en sa covine
Au forte haie du gardin,
Q'om fait de la poignante espine,　　18280
Par quoy n'y puet entrer vermine
Ou male beste en nul engin ;
Ainz est tout saulf et enterin,
Fuil, herbe, fruit, grein et pepin,
De la morsure serpentine ;
Sique ly sires, en la fin
Qant vient, y trove sain et fin
Le bien, dont ad sa joye fine.
　La sainte vertu d'Aspre vie
Est celle quelle en prophecie　　18290
David en son psalter loa,

Disant, par sainte gaignerie
En doel et triste lermerie
C'est celle qui ses champs sema,
Dont qant August apres vendra,
En grant leesce siera
Les biens dont s'alme glorifie.
Si m'est avis sages serra
Q'ensi se cultefiera,
Dont si grant bien luy multeplie.　　18300
　En les viels gestes de romeins
Valeire dist, des citezeins
Ot un jofne homme a noun Phirin,
Q'estoit de si grant bealté pleins
Q'en luy amer furont constreins
Pres toutes femmes du voisin :
Mais pour destruire leur engin,
Siq'au pecché ne soit enclin,
Coupa ses membres de ses meins,
Dont Foldelit mist en declin.　　18310
Vei la le fait du Sarasin
Pour nostre essample plus ne meinz.
　Cil fuist paien q'ensi fesoit,
Qui Leccherie despisoit
Tout proprement de sa vertu
Pour les ordures qu'il veoit
El vil pecché, dont abhosmoit.
He, cristien, di, que fais tu ?
Qant sainte eglise t'ad estru, ·
Bien duissetz pour l'amour de dieu　18320
Ta vile char mettre en destroit,
Dont Foldelit soit abatu :
Car molt valt peine dont salu
Celle alme sanz fin prendre doit.
　　Ore dirra la descripcioun et la
commendacion de la vertu de
Chasteté par especial.
　Des toutes vertus plus privé
Al alme est dame Chasteté,
Come celle q'est sa chambreleine ;
Q'ensi la tiffe et fait parée,
Dont plus mynote et ascemé
Appiert de fine bealté pleine,　　18330
Sur toutes autres sovereine :
Par quoy, sicomme le livre enseine,
Dieus est de luy enamouré,

Si prist de luy sa char humeine,
La quelle au ciel comme son demeine
A dieu le piere ad presenté.
  O Chasteté, si je bien voie,
Toutes vertus te donnent voie
Comme a leur dame, et plus avant
Trestous les vices loigns envoie   18340
Toy fuiont, car dieus te convoie
Et parderere et pardevant :
Plus que la pere daiamant
Attrait le ferr, es attraiant
La grace dont vient toute joye.
Toutes vertus par resemblant
Ne sont que lune, et tu luisant
Es comme solail, qant s'esbanoie.
  O Chasteté, ne m'en doi tere,
Compaigne as angres es sur terre, 18350
Mais en le ciel plus noble auci ;
Dont nulle part te falt a querre
Meilleur de toy, qui tu requerre
Averas mestier, si noun celly
Q'est sur tous autres ton amy ;
C'est dieus ly toutpuissant, par qui
Ta volenté par tout puiss faire :
Nous autres tous crions mercy,
Mais tu puiss dire grant mercy
A dieu, qui te ne laist mesfaire.   18360
  O Chasteté, par tiele assisse
Bonté verraie t'est assisse,
Qe creatour et creature
Chascuns endroit de soy te prise,
Fors soul le deable, a qui tu prise
As guerre, et par ta confiture
Tout l'as mis a desconfiture :
C'estoit qant dieus ove ta nature
Se volt meller, dont fuist comprise
La deité soubz ta porture.   f. 102
Quoy dirray plus mais dieus t'onure?
Car autre a ce n'est qui suffise.   18372

Ore dirra compendiousement la Recapitulacioun de toute la matiere precedent.

Ore est a trere en remembrance

Comme je par ordre en la romance
Vous ai du point en point conté
Des vices toute la faisance ;
Primerement de la nescance
Du Pecché, dont en propreté
Mort vint, et puis par leur degré
Comment les sept sont engendré,
Les quelles par droite alliance   18381
Au Siecle furont marié,
Comme puis se sont multeplié,
Tout vous ai dit sanz variance.
  Et puis apres vous dis auci
De l'omme q'en fuist malbailli,
Dont l'Alme a dieu se compleigna
Et comme puis dieus de sa mercy
Pour la pité q'il ot de luy
Les sept vertus lors maria   18390
A Resoun, qui les espousa,
Et puis de ce qu'il engendra,
De l'un et l'autre avetz oÿ.
Mais ore apres me semblera
Bon est que l'en aguardera
L'estat de nous qui susmes cy.
  Ore au final sont engendrez
Les vices, qui sont malurez,
Trop se font fort de leur partie ;
Et d'autre part sont auci neez   18400
Les vertus, qui sont benurez,
A resister leur felonnie :
Sur quoy chascuns autre desfie,
L'un claime avoir la seignurie
De l'omme ove tous ses propretés,
Et l'autre dist qu'il n'avera mie ;
Ensi la guerre est arrainié,
U q'il y ad peril assetz.
  La Char se tret trestout as vices,
Et l'Alme voet que les services   18410
Soient au Resoun soulement ;
Mais ore agardons les offices
Des tous estatz, si les justices
Ou les malices au present
Sont plus fort en governement.
Je dis, ensi comme l'autre gent,
Qe plus sont fortes les malices,

18339 plusauant   18386 qenfuist   18415 plusfort

Sique Pecché communement
Par tout governe a son talent
L'escoles et les artefices.   18420

   Puisq'il ad dit les propretés des
vices et des vertus, sicome vous
avetz oï, ore dirra en partie
l'estat de ceux q'ont nostre siecle
en governance; et commencera
primerement a la Court de Rome.

Si nous parlons de ces prelatz
Qui sont sicomme de dieu legatz
Ove la clergie appartienant,
Ils sont devenuz advocatz
Du Pecché pour plaider le cas
Encontre l'Alme; et oultre tant,
Si nous des Rois soions parlant,
Ils vont le pueple ensi pilant,
Qe tous s'en pleignont halt et bas;
Et si nous parlons plus avant   18430
Du gent du loy et du marchant,
Je voi peril en toutz estatz.

   Je croy bien ferm que la franchise
De luy q'est chief du sainte eglise
Soubz dieu, s'il se governe a droit,
Sur tous les autres est assisse;
Mais ore est changé celle assisse,
Car ce q'umilités estoit
Ore est orguil, et puis l'en voit,
Ce que largesce estre souloit   18440
Ore est tourné du covoitise;
Si chasteté a ore y soit,
Ne say si l'en parler en doit,
Car je me tais de celle enprise.

   Ce que je pense escrire yci
N'est pas par moy, ainz est ensi
Du toute cristiene gent
Murmur, compleinte, vois et cry;
Que tous diont je ne desdi,
Q'au court de Rome ore est regent
Simon del orr et de l'argent,   18451
Sique la cause al indigent
Serra pour nul clamour oÿ:

Qui d'orr n'y porte le present,
Justice ne luy ert present,
Du charité ne la mercy.
   Le fils de dieu voloit venir
Pour eslargir et amollir
La loy; mais cils du maintenant
La me font plus estroit tenir :   18460
Dont vuil les causes enquerir,
Si leur vois deux pointz demandant;
Ou ce q'ils m'en vont defendant
Estoit en soi pecché devant,
Car lor le doi bien eschuïr;
Ou si ce noun, di lors avant
Pour quoy me vont establissant
Pecché de leur novel atir.
   Ne puet descendre en ma resoun
Q'ils du propre imposicioun   18470
Font establir novel pecché;
Ce q'en nul livre nous lison,
Qe le fils dieu de sa leçoun
Par l'evangile en son decré
Fist establir : car charité
N'est que peril multeplié
Nous soit, par quelle addicioun
Soions plus serf; car rechaté
Nous ad dieus, dont en liberté
Voet bien que nous plus franc soion.
   Du loy papal est establty   18481
Qe tu ne serras point mary
A ta cousine, et d'autres cas
Plusours que je ne dirrai cy;
Et diont que pour faire ensi
Mortielement tu peccheras :
Lors vuil que tu demanderas
Si tu pour l'orr que leur dorras
Au court porras trover mercy :
Certainement que si ferras,   18490
La bource que tu porteras
Ferra le pape ton amy.
   Mais si ce soit ensi mortiel,
Comme ils le diont, lors au tiel
Pour quoy vuillont devant la mein
Dispenser? Car ly dieus du ciel,
Qui plus du pape est droituriel;

18430 plusauant   18439 lenvoit   18443 endoit   18480 plusfranc

Ne puet ce faire, ainz sui certein
Qe je congé priasse en vein
A dieu pour freindre l'endemein 18500
Sa loy et son precept, le quiel
Fist establir; mais ly romein,
Si j'eie d'orr ma bource plein,
M'ert plus curtois et naturiel.
  'Comme l'oisellour plus tent ses reetz,
Plus tost en serront attrapez
Les oiseals, et par cas semblable
Comme plus eions par noz decretz
Diversez pecchés imposez,
Plus tost en serretz vous coupable,
Et nous d'assetz plus seignourable :
Car tieus pecchés sont rechatable 18512
En nostre Court, si vous paietz ;
Dont nous volons que nostre table
Soit des mangiers, et nostre estable
Des grantz chivalx plus efforciez.
  'Qant nostre sire estoit mené
Sus au montaigne et ly malfié
Du siecle luy moustra l'onour,
Je lis q'il l'ad tout refusé : 18520
Mais nous pour dire verité
L'avons resçu, sique seignour
Soions en terre le maiour ;
Car n'est Roy, Prince ne contour
Qui nous ne baiseront le pié,
Et dorront largement de lour
Pour s'aqueinter de nostre amour,
Dont plus soient de nous privé.
  'Q'il ne se duist soliciter
Pour sa vesture ou son manger 18530
Dieus a saint Piere commanda,
Ne qu'il deux cotes duist porter :
Mais nous ne volons pas garder
Le dieu precept solonc cela ;
Car pres ne loigns n'y avera
Delice que prest ne serra
Et en cuisine et en celer,
Et nostre corps se vestira
Des robes dont om perchera
Plus que ne portont deux somer. 18540
  'Ensi tienons les cliefs es meins,
Dont nous serrons l'argent au meinz
Et les florins, mais rerement
Qant desserrons les coffres pleins
Pour la poverte a noz procheins
Aider ; ainçois tout proprement
Volons avoir du toute gent,
Mais de noz biens n'est qui reprent,
Car noz tresors serront si seintz,
Qe nul ert digne a nostre argent 18550
Toucher. Vei la comme noblement
Nous susmes chief des tous humeins !
  'Les cliefs saint Piere ot en baillie f.103
Du ciel, et nous la tresorie
Du siecle, qui nous est meynal :
El temps saint Piere, si voir die,
Cil usurer du Lumbardie
Ne fist eschange a court papal,
N'a lors Requeste emperial
Ne le brocage au Cardinal 18560
Donneront voix a la clergie;
N'a lors le pape en son hostal
Pour nul bargain espirital
Retint Simon en compaignie.
  'Mais nous q'avons la guerre enpris,
Par quoy volons monter en pris,
Falt que nous eions retenu
Simon, sique par son avis
Soient noz tresors eslargiz ;
Et ce nous fait main estendu 18570
Dire a Simon le bienvenu,
Car il nous rent bien no salu
De ses florins, qant vient toutdis :
Droitz est, puisq'il ad despendu,
Qe l'eveschié luy soit rendu,
Car nous l'avons ensi promis.
  'O sainte croix, comme celle porte
Grant vertu, dont d'enfern la porte
Fist nostre sire debriser !
Encore n'est la vertu morte 18580
En nostre Court, ainz est plus forte,
Les huiss des chambres fait percer;
Car qant la croix y vient hurter,
Tantost acurront cil huissier,
Et tout ensi comme celle enhorte

18506 enserront   18510 Plustost enserretz   18581 plusforte

La font jusques a nous mener,
Voir as curtines voet entrer,
Dont nostre cuer se reconforte.
  'Unques le corps du sainte Heleine
Serchant la croix tant ne se peine, 18590
Qe nous ovesque nostre Court
Assetz n'y mettons plus du peine
Chascune jour de la semeigne,
Voir la dymenche l'en labourt,
Del croix sercher : chascuns se tourt,
Et pour ce no message court
Par tout le siecle au tiel enseigne,
Et s'il la trove, l'en l'onourt ;
Mais cil q'ove vuide main retourt
N'ad pas de nous sa grace pleine. 18600
  'Rende a Cesar ce q'est a luy ;
Ce q'est a dieu, a dieu tout si :
Mais nous et l'un et l'autre avoir
Volons, car d'un et d'autre auci
Portons l'estat en terre yci.
De dieu avons le plain pooir,
Par quoy la part de son avoir
Volons nous mesmes recevoir
Tout proprement, sique nully
En partira, si ce n'est voir, 18610
Qe nous porrons aparcevoir
Q'au double nous ert remery.
  'Ensi faisons le dieu proufit,
Qe riens laissons grant ne petit
De l'orr que nous porrons attraire ;
Car ly prelat nous sont soubgit,
Si sont ly moigne ove lour habit,
Q'ils n'osent dire le contraire
Du chose que nous volons faire,
Neis ly curet et ly viscaire : 18620
Leur falt donner sanz contredit
Del orr, dont ils nous pourront plaire,
Ou autrement leur saintuaire
Du no sentence ert entredit.
  'Mais du Cesar presentement,
Portons le representement
Car nous du Rome la Cité
Ore avons l'enheritement ;
Pour ce volons de toute gent

Tribut avoir par dueté. 18630
Voir ly Judieu en son degré,
Neis la puteine acoustummée,
Ne serront quit du paiement :
Ce que Cesar ot oblié
En son temps, ore avons trové,
Les vices qui vont a l'argent.
  'Je truis primer qant Costentin
Donnoit du Rome au pape en fin
Possessioun de la terrestre,
Ly Rois du gloire celestin 18640
Amont en l'air de son divin
Par une voix q'estoit celestre
Faisoit crier, si dist que l'estre
Du sainte eglise ove tout le prestre
Ne serront mais si bon cristin,
Comme ainz estoiont leur ancestre,
Pour le venim qui devoit crestre
De ce q'ils ont le bien terrin.
  'Le fils de dieu, qant il fesoit
Son testament, sa peas lessoit 18650
Au bon saint Piere, qu'il ama,
Siqu'il ne se contourberoit
Du siecle ; et l'autre en tiel endroit
La resçut et molt bien garda,
Qe puis apres long temps dura :
Mais ore est changé tout cela ;
Le pape claime de son droit
L'onour du siecle, et pour cela
La dieu pes s'est alé pieça,
Q'au jour present nuls ne la voit. 18660
  'Saint Piere ne se volt movoir
Par guerre, ainz fist son estovoir
Des bonnes almes retenir ;
Mais nous ne volons peas avoir,
Ainz les richesces et l'avoir
Du siecle pensons acuillir.
Piere ot coronne du martir,
Et nous du rubie et saphir
En orr assiss. Lors di me voir,
La quelle part valt meulx tenir : 18670
N'est pas la mort bonne a souffrir,
Tant comme phisique puet valoir.
  'Saint Piere jammais a nul jour

18610 Enpartira

Retint devers luy soldeour
Ou d'armes ou du brigantaille;
Car ne volt estre conquerrour
Pour resembler a l'Emperour
De ses conquestes en Ytaille.
Ainz en priere sa bataille
Faisoit, pour l'alme de l'ouaille   18680
Defendre, ensi comme bon pastour,
Contre malfé ; mais d'autre entaille
Ore est que nostre espeie taille,
Du siecle pour avoir l'onour.
   ' Ly fils de dieu, ce dist l'istoire,
Ne vint querir sa propre gloire,
Ainz queist la gloire de son piere
Pour mettre hors du purgatoire
Adam : mais nostre consistoire
Se change tout d'une autre chere ; 18690
La terre quiert, q'il tient plus chere
D'Adam, dont arme sa banere,
Et trait le siecle en s'adjutoire,
Lessant les almes a derere :
Qe chalt si l'en occie et fiere,
Mais que nous eions la victoire?
   ' En nostre Court est bien parlé
Comment la cristieneté
Se trouble en guerre et en distance ;
Et nous avons sovent esté   18700
Requis que peas et unité
Feissemus d'Engleterre et France.
Mais que n'en donnons l'entendance
Trois causes en font destourbance :
L'une est petite charité ;
Car l'autri grief n'est pas grevance
A nous, ainz en toute habondance
Volons tenir le papal sée :
   ' Une autre cause est ensement,
Ne susmes pas indifferent,   18710
Ainz susmes part a la partie,
Par quoy que nostre arbitrement
Ne se puet faire ovelement :
La tierce cause est bien oïe,
Qe guerre avons en Romanie,
Dont falt que nostre seignourie
Du siecle soit primerement

Des propres guerres establie :
Ces causes ne nous suffront mie
De faire peas a l'autre gent.   18720
   ' Et d'autre part faisons que sage,
Q'a nous et puis a no message
La guerre asses plus que la pees
Ferra venir grant avantage
De l'orr ; car lor pernons brocage
De l'un Roy et de l'autre apres.
Chascuns nous quiert avoir plus pres,
Mais nous nous enclinons ades
Au Roy qui plus del orr engage,
Dont no tresor ait son encress :   18730
Par quoy l'acord volons jammes,
Tant come trovons si bon paiage.
   ' Dieus a saint Piere commandoit
Q'il noun du mestre ne querroit
Ne reverence entre la gent :
Je truis auci par tiel endroit,
Qant saint Jehan enclin estoit
L'angre adourer, cil le defent ;
Si dist qu'il son enclinement
A soul dieu q'est omnipotent,   18740
Et noun a autre le ferroit :
Mais nostre Court dist autrement,
Ne voet tenir l'essamplement
Dont l'angel dieus nous essamploit.
   ' De l'evangile a mon avis   **f. 104**
Ne faisons point le droit devis ;
Car nous ne gardons tant ne quant
L'umilité de dieu le filz ;
De dieu le piere ainçois le pris
Tollons, car soul au toutpuissant, 18750
" Sanctus," les angres vont chantant ;
Mais nous volons du maintenant
Avoir l'onour sur nous assis,
Et noun du saint par tout avant
Porter, mais tout le remenant
Du sainteté nous est faillis.
   ' Combien que Piere estoit grant sire,
Ja ne vist om du plom ne cire
Qu'il envoiast sa bulle close;
Ne ja n'orretz chanter ne lire   18760
Q'il fist ses cardinals eslire

18691 pluschere   18694 aderere   18704 enfont   18727 pluspres

Par ses chapeals, qui sont come rose
Vermaile au point quant se desclose.
Ainz tout orguil y fuist forclose,
Ne gule alors roster ne quire
De sa delice ascune chose
Savoit, mais ore l'en suppose
No court est autre, pour voir dire.
   'Voir est en terre a son decess
Qe nostre sire donna pes,   18770
Mais contre ce nous combatons ;
Des pecchés faisoit il reless,
Mais nous, qui susmes d'ire engress,
Pour poy de cause escomengons ;
Il souffrit mort et passions,
Et nous encontre ce tuons ;
Il se tint de poverte pres,
Et nous la poverte esloignons ;
Il gaigna poeple, et nous perdons,
Ensi n'acorderons jammes.   18780
   ' L'estat du pape en sa nature
Ne porra faire forsfaiture
En tant comme pape, ainz Innocent,
Qui tient l'estat papal en cure,
Cil puet mesfaire d'aventure.
Mais nous, qui susmes chief du gent,
Q'en terre avons nul pier regent,
Volons pour l'orr et pour l'argent
Piler trestoute creature ;
Car n'est qui pour repaiement   18790
Nous poet mener en juggement,
Et c'est ce que nous plus assure.'
   Q'est ce que l'en dist Antecrist
Vendra? Sainte escripture dist
Qe d'Antecrist le noun amonte,
Qui le contraire fait du Crist.
Quoy quidetz vous, si tiel venist
Encore? Oÿl, par droite acompte
Orguil humilité surmonte,
Dont chascun autre vice monte   18800
Que nostre sire en terre haïst ;
Siq'au present la foy desmonte
En nostre court, car nuls tient conte
Tenir la loy qu'il establist.
   Sicomme ly scribe et pharisée,

Qui jadis s'estoiont monté
Du Moÿsen sur la chaiere,
U la loy dieu ont sermoné
As autres, mais en leur degré
Lour faitz furont tout loign derere ;
Ensi vait ore en no matiere   18811
Au jour present, car de saint Piere
Om monte et prent la digneté,
Le dyademe et la chymere,
Mais ja n'en font plus que chymere
Au remenant la dueté.
   Qant monstre naist du quelque gendre,
Des mals procheins du dois entendre,
C'est la prenosticacioun ;
Mais ore qui voet garde prendre,   18820
Verra comment Orguil engendre
D'Envie en fornicacioun
Le monstre de dampnacioun ;
Dont vient celle hesitacioun,
Q'en un soul corps om poet comprendre
Deux chiefs par demonstracioun,
Et par diverse nacioun
L'un chief sur l'autre volt ascendre.
   A Rome c'est ore avenu
Du monstre q'est trop mal venu   18830
Au bonne gent ; car sainte eglise
N'ad q'un soul chief pardevant dieu,
Mais ore ad deux trestout parcru ;
Dont la bealté de sa franchise
Se disfigure et est malmise.
Si dieus n'en face la juise,
Au fin que l'un chief soit tollu,
Le corps, q'en porte la reprise,
Ensi porra par nulle guise
Long temps estier en sa vertu.   18840
   Ore dirra de l'estat des Cardinals
au Court de Rome solonc ce que
l'en vait parlant au temps d'ore.
   Ce dist qui sapience enfile,
Du bonne mere bonne file,
Et par contraire il est auci :
Mais c'est tout voir, qant chief s'avile,
La part des membres serra vile.
Au Court de Rome il est ensi

Du chief, vous savetz bien le qui,
Maisque les membres dont vous di
Sont Cardinal de nostre vile,
Des queux le meindre est tant cheri,
Qu'il quide valoir soul par luy   18851
Le Roy du France et de Cezile.
   Mais pour ce q'ils ont entendu
Que povre orguil est defendu,
Ils se richont par toute voie;
Si ont en aide retenu
Simon, a qui sont molt tenu,
Car il leur donne et leur envoie,
Il leur consaille et lour convoie;
Tous autres passeront en voie,   18860
S'ils n'y soient par luy resçu;
Simon par tout ferra la voie,
Nuls y vendra s'il n'ad monoie,
Mais lors serra le bien venu.
   Le pape as Cardinals dorra
Certain par aun, mais ce serra
Sicomme d'enfant qant il ad pain
Sanz compernage; car cela
Que pape donne ne plerra,
S'ils n'eiont autre chose ou main: 18870
Et ce serra du privé gaign,
Que danz Simon de son bargain
En nostre Court leur portera;
Mais ce n'ert pas un quoy solain,
Car ja sanz selle le polain
Ne berbis sanz toison verra.
   Soit comme poet estre en dieu prier,
Maisque Simon poet espier
Les dignetés ove la vuidance,
Les quelles il falt applier   18880
As Cardinals, mais supplier
Estoet ainçois la bienvuillance
Du pape, et sur celle aquointance
Simon ferra la pourvoiance,
Sicomme partient a son mestier.
Vei cy comme nostre court s'avance;
Par tout quiert avoir la pitance,
Mais nulle part puet saouler.
   Par leur decretz ont establiz
Qe cil qui porte les proufitz,   18890
Auci les charges doit avoir:

A ce compellont leur soubgitz,
Mais ils sont mesmes enfranchiz
Nounpas du droit ainz du pooir;
Car ils sont prest a rescevoir
Les benefices et l'avoir
Du sainte eglise en tous paiis,
Mais ja ne vuillont removoir
Le pié de faire leur devoir
Pour nous garder les espiritz.   18900
   Qui savera juer d'ambes meins,
Si l'une falt, de l'autre au meinz
Porra juer; et tielement
Du gaign les Cardinals romeins
De l'une ou l'autre part certeins
Serront; car ou l'avancement
A soy quieront, ou autrement
Simon leur dorra largement
Pour ceaux qui sont venus loignteins:
Car l'aqueintance a temps present   18910
Se fait par doun et par present
En nostre Court de les foreins.
   Mais pour ce q'ils trovont escrit
Q'om ne doit curer du petit,
Petite chose n'appetice
La faim de leur grant appetit,
Ainz falt q'il soit du grant profit
Ce dont quieront le benefice:
Auci Simon n'est pas si nyce
Du poy donner en son office   18920
As tiels seignours qui l'espirit
Du Simonie et d'avarice
Portont enclos, par quoy justice
Se tient au peine en leur habit.
   Jadis Naman el terre hebreu
Grace et pardoun receust de dieu,
Dont fuist du lepre nettoiez;
Mais Gyesi trop fuist deçu,
Qant il del orr estoit vencu,
Dont les grantz douns ot acceptez,
Par quoy sur soy fuist retournez   18931
Ly mals dont l'autre fuist sanez,
Mais ore au paine en ascun lieu
Si la vengance ont remembrez   f. 105
De Gyesi, ainz des tous leez
Les douns sont donnez et resçu.

N'ont pas mys en oublivioun
En l'evangile la leçoun
De les disciples de Jhesu,
Qant ils firont contencioun   18940
Qui serroit mestres et qui noun ;
Ainz ont ce fait bien retenu,
Dont trop y ad debat commu.
Comme Lucifer semblable a dieu
Volt estre, ensi dissencioun
Est ore au court de Rome accru :
Ne falt forsque l'espeie agu
Et le consail de danz Simon.
   Du nostre sire truis lisant
Comment fist prendre un jofne enfant
Pour essampler les orguillous   18951
De ses disciples ; eaux voiant
Le fist venu, ensi disant :
'Quiconque soit parentre vous
Qui sanz orguil et sanz corous
Ne soit du cuer humble et pitous,
Comme est cist enfes maintenant,
En ciel ne serra glorious.'
Dont vuil demander entre nous
Si nostre fait soit acordant.   18960
   Om puet respondre et dire nay,
Quiconque voet prover l'essay,
Voiant les Cardinals au Court ;
De leur pompe et de leur array
Comme plus recorde plus m'esmay,
Chascuns y quiert que l'en l'onourt,
Et pour l'onour chascuns labourt,
Car s'il est riche, son pris sourt :
D'umilité parler n'y say,
Chascuns vers la richesce acourt   18970
Et du poverte l'en tient court :
Tous scievont bien que j'en dy vray.
   O comme bien fuist humilité
Parentre la fraternité
Qui sont du nostre foy regent !
Car leur estat et leur degré
De les disciples dameldée
Enporte representement.
Grant bien et grant mal ensement
Nous porront faire celle gent   18980

        18972 iendy

Qui sont si pres du papal sée ;
Car chascuns de leur reule prent
De bon ou mal governement
Par toute cristieneté.
   Dieus ses disciples au precher
Nounpas pour lucre seculer,
Ainz pour divine gaignerie,
Trestout au pié sanz chivacher
Par tout le monde fist aler :
Mais nous alons en legacie   18990
Ove grantz chivals et compaignie,
Et le subsidie du clergie
Pour nostre orguil plus demener
Volons avoir du no maistrie ;
La bulle q'est du Romanie
Leur fra somonce de paier.
   Simon Magus en halt vola,
Dont puis au fin il s'affola,
Qant sur la roche jus chaÿ.
Malvoisement il essampla   19000
Les cardinals, q'ore essample a
Chascuns en nostre court d'ensi
Voler en halt : si ont saisi
Deux eles, dont les pennes vi
Du veine gloire ; et sur cela
Le vent d'orguil fort y feri,
Qe jusq'as nues les ravi
Si halt que charité passa.
   Mais qant ils sont en halt alez,
Soudainement sont avalez   19010
Dessur la Roche au covoitise,
U le corage ont tout quassez
De l'orr, dont il y ad assetz ;
Par quoy perdont la dieu franchise,
Siq'ils n'ont membre que suffise
A labourer solonc l'assisse
De l'evangile en les decretz :
Dont m'est avis trop est malmise,
Par ce que vole, sainte eglise,
Meulx valt estier dessur ses piés.   19020
   Sovent avient que fils du piere
La mort desire, au fin q'il piere
Plus pres d'avoir l'enheritance :
Au verité si m'en refiere,

        19023 Pluspres

Des Cardinals en la maniere
Plusours desiront la vuidance
Du sié papal, par esperance
Que Simon de sa pourvoiance
Leur fra monter en la chaiere,
Par quoy la vie est en balance 19030
Du pape, s'il sa garde pance
Laist du triacle estre au derere.

 Qant le frument pert sa racine
Es champs, lors falt que soit gastine
La terre, et si porte en avant
L'urtie et la poignante espine;
Et ensi vait la discipline
En nostre court de maintenant;
Car qant ly jugge sont truant,
Lors y vienont trestout suiant 19040
La court ove toute sa covine,
Et ly notaire et ly plaidant,
Et puis trestout le remenant,
Sicomme pulsin fait la geline.

 Trestous ceaux de la court au meinz,
Sur queux ly papes tient ses meins,
Quieront du siecle rescevoir
L'onour; voir et les capelleins,
Ja soient ils des vices pleins,
Encore quieront ils avoir 19050
Le noun d'onour pour plus valoir
Au siecle; dont en nounchaloir
Le ciel ove qanque y est dedeinz
Laissont, q'assetz ont bell manoir,
Qant presde luy porront manoir
Q'est pape et chief des tous humeins.

 Ore dirra de l'estat des Evesqes, solonc ce que l'en vait parlant au temps q'ore est.

 Sicomme l'en dist communement,
Ensi dis et noun autrement;
Car ce n'est pas de mon savoir
D'escrire ou dire ascunement 19060
De les Evesques au present:
Mais ce q'om dist, ne say si voir,
Dirrai; et ce me fait doloir
Qe l'en puet tant apercevoir
De leur errour, que folement
Des almes font leur estovoir,
Des ceaux qui sont soubz lour pooir
Et des leur propres ensement.

 Evesque, par tes faitz primer
Ton poeple duissetz essampler 19070
Des tes bons oeveres pardevant;
Et puis le duissetz enfourmer
De ta clergie et ton precher,
Pour exciter le bienfaisant;
Car si tu soiez contemplant
Et laiss perir le poeple errant,
Tu fais defalte en ton mestier;
Et si tu soiez bien prechant,
Qant tes bienfaitz ne sont parant,
Ja n'en porras fructefier. 19080

 Evesque, lise cest escrit:
Par son prophete dieus t'ad dit
Et commandé d'obedience,
Par halte vois que sanz respit
Tu dois crier a ton soubgit,
Qu'il se redresce au penitence;
Car s'il piert par ta necligence,
Dieus chargera ta conscience,
Comme toy q'es son provost eslit
Pour acompter en sa presence: 19090
C'est grant vergoigne a ta science,
Si ton acompte est inparfit.

 Evesque, om dist, et je le croy,
Comment les poverez gens pour poy
De leur errour tu fais despire,
Et les grantz mals et le desroy
De ces seignours tu laisses coy,
Qe tu n'en oses faire ou dire:
Tu es paisible vers le sire,
Et vers le serf tu es plain d'ire, 19100
L'un est exempt de toute loy,
Et l'autre souffre le martire:
N'est pas en ce, qui bien remire,
Ovel le juggement de toy.

 Prelatz, tu as condicioun
Noun du pastour, ainz du multoun,
Qant vois les seignours du paiis
D'avoltre et fornicacioun

19108. Dauoltire (re *in ras.*)

Peccher sanz ta correccioun.
Du philosophre enten les ditz: 19110
'Prelatz qui n'ad les mals repris
Tant valt comme si les ait cheris
Du fole persuacioun.'
Du loy civile truis escris,
'Cil fait les mals au droit devis
Qui des mals donne occasioun.'
　Les fils Hely, q'estoit provoire
El temple dieu, ce dist l'istoire,
L'offrende ove tout le sacrefise,
En vestir, en manger et boire 19120
Contre les loys de leur pretoire,
Guasteront sanz avoir reprise

. . . . . .

Et puis, qant a ce q'il desire, f. 107
Lors pour l'onour dont il est sire
Tant est du veine gloire pleins,
Q'as ses delices tout s'atire :
C'est cil qui quiert ne le martire
Ne le disaise des corseintz. 19320
　Car qant il est en halt montez
Et est primat des dignités,
Lors ses soubgitz desrobbe et pile,
Si mette au vente les pecchés,
Sicomme l'en fait boef as marchées,
Ensi son lucre ades compile ;
Dont ses manteals furrez enpile,
Et paist et veste sa famile,
Et ses chivals tient sojournez :
Mais, comme l'en dist, aval la vile 19330
Il laist sa cure povre et vile
Des almes, dont il est chargez.
　Julius Cesar en bataille
Jammais as gens de son menaille
Ne dist 'Aletz !' ainz dist 'Suietz !'
Car au devant toutdiz sanz faille
Se tint et fist le commensaille,
Dont tous furont encoragez :
Mais no prelat nous dist 'Aletz !
Veilletz ! junetz ! prietz ! ploretz !' 19340
C'est la parole qu'il nous baille ;
Mais il arere s'est tournez :

Nuls est de son fait essamplez,
C'est un regent qui petit vaille.
　En dousze pointz je truis que l'ées
A fol prelat est resemblez :
L'ées est aviers de sa nature,
Brief est et plain d'escharcetés,
Vois ad maiour que corps d'assetz :
Ensi prelat de sa mesure 19350
Ad molt parole et poy fesure,
Poy donne a ceaux dont ad la cure,
Et voelt que molt ly soit donnez.
L'ées n'ad compaigne en sa demure,
Ne l'autre espouse par droiture,
S'il n'est contraire a ses decretz.
　L'ées est sanz piés ; l'evesque auci
En son degré n'ad pié, sur qui
Ose a son Prince resister
Pour son defense ne l'autri ; 19360
Ainz laist le poeple estre peri
Et sainte eglise defouler.
L'ées ensement pour son manger
Les doulces fleurs quiert engorger :
Le fol prelat fait tout ensi ;
Le douls et crass quiert amasser,
Dont fait le corps bien encrasser,
Si boit le tresbon vin flouri.
　Et d'autre part l'ées porte au point
Cell aguillon, dont qant il point, 19370
Son propre corps et l'autri blesce :
Cil fol prelat, q'a dieu se joynt,
Del aguillon trop se desjoynt,
Qant il l'autry du point adesce ;
C'est l'aguillon dont l'alme oppresse
Gist par la char q'est felonnesse,
Sicome l'apostre tout au point
En ses epistres le confesse :
Au prelacie la clergesce
Meulx serroit, s'ils n'en ussent point.
　D'autre aguillon cil fol prelat 19381
De sa vengance est trop elat,
Qant l'alme d'autri fiert pour poy
De son espiritiel estat :
Mais qui du fol fait potestat,
Les soubgitz serront en esfroy.

After 19122 *one leaf, containing* 192 *lines, is lost.*

He, fol prelat, avoy! avoy!
N'est pas la pacience en toy,
Qant ta vengance l'alme abat;
Mal fais l'essample de la foy,   19390
Qant l'aguillon de ton buffoy
Pour si petit point et debat.
  He, fol prelat, dy moy comment
Qe tu me fais ton prechement,
Q'un corps al altre par pité
Le mesfait sanz revengement
Doit pardonner tout plainement,
Et tu d'orguil et crualté
M'as corps et alme escumengé.
Ne say q'en parle ton decré,   19400
Mais au saint Piere tielement
Bien say dieus dist, que le pecché
Septante foitz soit pardonné,
Et ta mercy deux fois n'attent.
  Sanz juste cause nepourqant
Sovent nous vais escumengant ;
Mais saint Gregoire la sentence
De ton orguil vait resemblant
A l'oisel de son ny volant :
Car ce sciet om d'experience,   19410
Du quelle part voler commence,
Au fin revole ove l'ele extense
Au propre ny dont fuist issant ;
Et par si faite providence
Retourne deinz ta conscience
Le grief dont tu nous es grevant.
  Auci des angles et pertus
Sa belle maison ad construs
L'ées ; et ce doit om resembler
Au fol prelat, de qui je truis   19420
Qu'il quiert les angles et les puis,
Et ne vait pas le droit sentier ;
Car verité de son mestier
Ne quiert es angles tapiser,
Ainçois se moustre en ses vertus ;
Mais chose q'om ne voet moustrer
L'en fait oscur et anguler,
Siq'en apert ne soit conuz.
  L'ées ad maisoun du cire frele,
Molt ad labour de faire celle,   19430
Ainçois q'il a son pourpos vient ;
Prelat auci qui la turelle
Fait ainz que moustier ou chapelle,
Du vanité trop luy sovient,
Qant point ne sciet u ce devient ;
Car toute chose est frele et nient
Du quoy le siecle se revelle :
Mais fol prelat qui dieu ne crient
Bien quide par l'onour qu'il tient
Toutditz sa joye avoir novelle.   19440
  Les biens que l'ées porra cuillir
Estroitement les fait tenir
Deinz sa maison en repostaille,
Mais au darrein l'en voit venir
Celuy qui tolt sanz revenir
Et la maison et la vitaille :
Du fol prelat ensi se taille,
Car il pour plegge ne pour taille
De son tresor ne voet souffrir
Qe l'en apreste ou donne ou baille: 19450
S'il perde au fin ce n'est mervaille,
Q'as autres voet nul bien partir.
  L'ées ensement hiet la fumée,
Au fin q'il n'en soit enfumée :
Prelat ensi sainte oreisoun,
Q'est a la fume comparé,
S'en fuit, q'il n'ad le cuer paré
Du sainte contemplacioun,
Ainz ad sa meditacioun
En seculiere elacioun   19460
D'orguil et de prosperité ;
Car d'autre fumigacioun
Pour faire a dieu relacioun
Ne puet souffrir la dueté.
  L'ées ensement de tous puours
S'esloigne, ensi q'il les flaours
D'ascune part ne soit sentant :
L'evesque ensi de ces seignours
Les grans pecchés, les grans errours,
Qui sont as toutez gens puant,   19470.
Ne voet sentir, ainz s'est fuiant.
O quel prelat, o quel truant,
Q'ensi laist festrer les folours
Sanz medicine tant ne qant!

         19400 qenparle   19454 nensoit

N'est pas des cures bien sachant,
Combien q'il soit des curatours.
  De l'ées auci je truis escris
Q'il fuyt les noyses et les cris:
Le fol prelat tout ensement,
Qant voit noiser ses fols soubgitz,   19480
S'en part et les laist anemys,
Qant il les duist d'acordement
Repaiser amiablement.
Cil n'est ne Piere ne Clement,
Q'ensi laist errer ses berbis;
Le toison de l'ouaile prent,
Mais de la guarde nullement
Se voet meller, ainz s'est fuïz.
  L'en dist, et puet bien estre voir,
Qe cil q'ad molt, voet plus avoir;   19490
Et ce piert bien de la clergie:
Ils ont eglise, ils ont manoir,
Mais plainement a leur voloir
Trestout cela ne souffist mie,
S'ils n'eiont la chancellerie
Et la roiale tresorie
Deinz leur office et leur pooir.
Maisq'il en poet avoir baillie
Du siecle dont se glorifie,
De l'autre ne luy poet chaloir.   19500
  Pour le phesant et le bon vin
Le bien faisant et le divin
L'evesque laist a nounchalure,
Si quiert la coupe et crusequin,
Ainz que la culpe du cristin
Pour corriger et mettre en cure,

. . . . . .

Qe mol serras en cause mole;   f. 110
Mais si le siecle en soy tribole
Et bruyt d'ascun persecutour,
En tiel chalour lors te rigole,
Et moustre en fait et en parole
Comme ton cuer vole el dieu amour.
  Ly serpens, ce nous dist Solyn,
Trestout le corps met en declin
Pour soulement le chief defendre:
Ensi prelat duist estre enclin   19900

Pour Crist, q'est chief de tout cristin,
Qant voit abeisser et descendre
Sa loy, par qui devons ascendre.
Car qui voet prelacie enprendre,
Non pour avoir l'onour terrin,
Mais pour proufit de l'alme aprendre,
L'apostre dist, bien le doit prendre,
Car ce luy vient du bon engin.
  De les natures dont je lis
Truis un ensample ensi compris,   19910
Q'un grant piscon y ad du mer,
Qui du pité tant est cheris,
Qe qant les autres voit petitz
De la tempeste periler,
Il laist sa bouche overte estier,
U q'ils porront tout saulf entrer;
Si les reçoit comme ses norris
Et salvement les fait garder,
Tanq'il les mals verra passer,
Et lors s'en vont saulfs et garis.   19920
  Prelat ensi les gentz menuz,
S'il voit leur Roy vers eaux commuz,
Parmy sa bouche il aidera
Come ses fils et ses retenuz;
Car en ce cas il est tenuz
Q'au parler s'abandonnera:
Et d'autre part qant il verra
Le poeple q'en pecché serra,
Pour ce ne serront destitutz;
De bouche overte il priera   19930
A dieu, tanq'il les avera
En corps et alme restitutz.
  Ce veons bien que par nature
L'oill soul pour tous les membres plure,
Qant ascun d'eaux se hurte ou blesce:
Ensi l'evesque en sa droiture
Pour ses soubgitz q'il tient en cure,
Qui d'alme ou corps sont en destresce,
Sur tous plus doit avoir tendresce
Et plourer pour la gent oppresse,   19940
Q'est la divine creature:
Car qant prelatz vers dieu s'adresce
Et verse lermes en sa messe,
C'est une medicine pure.

19498 enpoet   *After* 19506 *two leaves, containing* 384 *lines, are lost.*   19920 senvont

De Samuel j'ay entendu,
Qant fuist requis del poeple hebreu
Qu'il dieu priast en leur aïe,
Du charité n'ert esperdu,
Ainz dist que ' Ja ne place a dieu
Qe je pour vous ades ne prie,   19950
Dont vostre estat dieus salve et guie.'
Benoite soit la prelacie
Qui tielement ad respondu ;
Dont cil q'ore est de la clergie
Porra trover essamplerie,
Qant sa leçon avera parlieu.
   Saint Jeremie dist atant :
' O qui ert a mes oels donnant
Des lermes la fonteine amere,
Dont soie au plentée lermoiant   19960
Sur le dieu poeple en compleignant
Leur mort, leur mals et leur misere ?'
He, quel pastour, he, quel bealpere,
Eiant compassion si fiere,
Dont pour le poeple fuist plourant !
U est qui plourt en la manere ?
Ne say : pitiés s'en vait derere,
Les oils du prelatz sont secchant.
   Par son prophete nostre sire
Se pleignt, et dist q'a son martire   19970
Il ot souffert et attendu ;
Si agardoit, mais nul remire
Des gentz, qui pour ses mals suspire,
Du sanc qu'il avoit espandu
Dessur la croix en halt pendu.
C'estoit la pleignte de Jhesu,
Et ensi croy q'om porra dire
Au temps present soit avenu ;
Car n'est pour homme ne pour dieu
Qe nostre prelat se detire.   19980
   Valeire conte en son escrit
D'un Roy d'Athenes qui fuist dit
Chodrus, q'adonques guerroia
A ceaux d'Orense, car soubgit
Les volt avoir : et en tiel plit
Son dieu Appollo conseilla,
Devoutement et demanda
Qui la victoire enportera ;

Et l'autre a ce luy repondit,
Son propre corps s'il ne lerra   19990
Occire en la bataille la,
Ses gentz serroiont desconfit.
   Et qant ly Roys oïst ce dire,
Qu'il l'un des deux estuet eslire,
Ou d'estre proprement occis,
Ou souffrir de sa gent occire,
Mieulx volt son propre corps despire,
Ainz que ly poeples fuist periz.
Dont changa ses roials habitz
Au jour q'il la bataille ot pris,   20000
Qe l'en ne le conoist pour sire,
Si fuist tué des anemys :
Pour la salut qe ses soubgitz
Il souffrist mesmes le martire.
   D'un tiel paien qant penseras,
Responde, Evesque, quoy dirras ?
Voes tu soul pour ta gent morir ?
Tu puiss respondre et dire, Helas !
Qe tu le cuer si couard as,
Dont tu te voes bien abstenir :   20010
Ainçois lerras trestous perir,
Q'un soul doy de ta main blemir.
Mais es tu donques bons prelatz ?
Certes nenil, mais pour cherir
Le corps, qui puis te fra venir
A l'evesché qui tient Judas.
   Ne say a qui puiss resembler
Le fol prelat de son mestier,
Mais sicomme dieus le resembloit
Au prestre qui se fist passer,   20020
Et puis ly deacne, sanz aider
A l'omme qui naufré gisoit,
Et grant souffraite d'aide avoit :
Chascun des deux les mals veoit,
Mais nuls le voloit socourer,
Tanq'au darrein y survenoit
Uns paiens, qui le socourroit,
Evesque, pour toy vergonder.
   Mal fait le poeple q'est nounsage,
Pis font les clercs, qui sont plus sage,
Et meëment qant sont pastour   20031
Et laissont deinz leur pastourage

19961 encompleignant   20030 plussage

L'ouaile de leur fol menage
Tourner en chievere de folour :
Pour ce dist dieu q'en sa furour
Il est irrez du grant irrour
Sur les pastours de tiel oultrage ;
Si dist qu'il serra visitour
Du chievere auci, dont fait clamour
Danz Zakarie en son language. 20040
  Saint Ysaïe auci nous dist :
'Way vous, prelatz, qui l'espirit
Du sapience en vous celetz,
Sique nul autre en ont proufit!'
Ce n'est pas charité parfit,
Si vous soietz esluminez,
Et l'autre en tenebrour veietz
Errer et ne les socourretz :
Vo clareté dieus par despit
Esteignera, car c'est pecchés, 20050
Qant ordre s'est desordinez
Et clerc fait contre son escrit.
  Way vous, ce disoit Ysaïe,
Qui les cliefs avetz en baillie,
Les huiss du ciel tout avetz clos,
Vous n'y entretz de vo partie,
Et d'autre part ne souffretz mie
Entrer les autres a repos :
Enpris avetz malvois pourpos,
Qant meulx ne gardetz le depos 20060
Quel dieus en vostre prelacie
Vous ad baillé, q'arere dos
Voz almes mettetz et les noz :
Tous devons pleindre vo folie.
  Saint Piere au jour du jugement,
Qant il a dieu ferra present
De la Judeë qu'il guaigna,
N'apparra pas tout vuidement ;
Saint Paul, q'auci gaigna la gent,
Molt bell gaign y apportera, 20070
Et saint Andreu lors appara,
Achaie a dieu presentera,
U tous les saintz serront present :
Chascuns par ce qu'il conquesta
Lors sa coronne portera
En joye perdurablement.

  Mais las ! quoy dirrons nous presentz,
Qui suismes fols et necligentz
Et point ne pensons de demain ?
Helas ! comme suismes mal regentz,
Qant pour noz almes indigentz 20081
Nul bien apporterons du gaign !
L'acompte serra trop vilain f. 111
Qant nous vendrons ove vuide main,
U tout le mond serra presens ;
Par l'evangile il est certain,
Grant honte nous serra prochain
Devant trestous les bones gens.

Puisq'il ad dit de les Evesqes, dirra ore de les Archedeacnes, Officials et Deans.

  L'Evesque en ses espiritals
Ne poet soul porter les travals ; 20090
Ses Archedeacnes pour ce tient,
Ses deans et ses officials,
Qui plus luy sont especials,
As queux correccioun partient
De l'alme, ensi comme meulx covient.
Mais ils le font ou mal ou nient,
Car pour les lucres temporals
En tous paiis u l'en devient
Achater poet quiconque vient
Les vices qui sont corporals. 20100
  Le dean, qui son proufit avente,
Par tout met les pecchés au vente
A chascun homme quelqu'il soit,
Maisqu'il en poet paier le rente :
La femme, ensi comme la jumente,
Voir et le prestre en son endroit
La puet tenir du propre droit ;
Maisque la bource soit benoit,
Le corps ert quit de celle extente:
N'ad pas la conscience estroit, 20110
De l'argent perdre est en destroit,
Mais du pecché ne se repente.
  Si l'omme lais d'incontinence
Soit accusé, la violence
Du nostre dean tost y parra ;
Car devant tous en audience

20044 enont

Lors de somonce et de sentence,
S'il n'ait l'argent dont paiera,
Sicomme goupil le huera :
Mais la coronne, qui lirra 20120
De l'evangile la sequence,
Tu scies quel homme ce serra,
De son incest nuls parlera,
C'est un misterie de silence.
  Au plus sovent ce veons nous,
Si huy a moy, demain a vous
Sont les offices fortunant :
Pour ce le dean q'est leccherous
Les prestres qui sont vicious
A corriger s'en vait doubtant ; 20130
Car cil par cas qui fuist devant
Accusé, puis ert accusant,
Et lors porra de son corous
A l'autre rendre tant pour tant :
Ensi s'en vont entrasseurant,
Ce que l'uns voet ce vuillont tous.
  Ensi les prestres redoubtez
Ensemble se sont aroutez,
Qe l'un fait l'autre compaignie,
N'est par qui soient affaitez : 20140
De tant sont ils le plus haitez,
Q'ils sont du soy jugge et partie,
Ensi vait quite la clergie.
Mais d'autre part deinz sa baillie
Les laies gens sont accusez
Par covoitise et par envye ;
Car plus d'assetz q'oneste vie
Le dean desire les pecchés.
  Asses plus fait proufit puteine
A nostre dean que la nonneyne ; 20150
Car pour le lucre et l'avantage
Que le chapitre ades y meine,
De tieux y ad, sicomme demeine
Qe vient du terre et du gaignage,
Lessont au ferme le putage ;
Et qui le prent en governage
Meulx volt des putes la douszeine
Qe mil des chastes. O hontage
Des tieus pastours, qui lour tollage
Pilont par voie si vileine ! 20160

Ensi le dean ove ses covines
Par conjectures et falsines
Ses berbis, come malvois pastour,
Par les destours, par les gastines,
Parmy les ronces et l'espines
Laist errer, sique chascun jour
Ils perdont laine, et cil pilour
Reçoit le gaign de leur errour,
Si monte en halt de leur ruines.
Vei la comme nostre correctour 20170
Est de maltolt le collectour,
Tout plain des fraudes et ravines.
  Bien te souffist le confesser
Vers dieu, si tu voldras laisser
Tes mals par juste repentance ;
Mais ce ne te puet excuser
Au dean, qui te vient accuser,
Pour dire que tu ta finance
As fait a dieu, ainz ta penance
Serra del orr, car la quitance 20180
De dieu ne t'en porra quiter :
Trop sont les deans du grant puissance,
Qant il me font desallouance
De ce que dieus voet allouer.
  Jammais la dieu justice en soy
Pour un tout soul mesfait, ce croi,
Deux fois ne pune ; et nequedent,
Combien q'au prestre tout en coy
M'ai confessé deinz mon recoy
Et pris ma peine duement, 20190
Le dean encore doublement
Voet oultre ce de mon argent
Avoir sa part, ne sai pour quoy :
Qant dieus m'ad fait pardonnement,
Ma bource estuet secondement
Faire acorder le dean et moy.
  Ne sai ce que la loy requiert,
Mais merveille est de ce q'il quiert
Dedeinz ma bource m'alme avoir :
A celle eglise se refiert 20200
Qe d'autre vertu ne me fiert,
Maisque luy donne mon avoir.
Des tieus pastours quoy poet chaloir,

20125 plussouent   20135 senvont   20141 plushaitez

Q'ensi laissont a nounchaloir
Ce q'au proufit de l'alme affiert,
Et pour le lucre rescevoir
De l'orr par tout le decevoir
De leur ypocrisie appiert?

Puisq'il ad dit de les Correctours du sainte eglise, dirra ore des persones Curetz de les paroches.

Malvois essample nous apporte
De les paroches cil qui porte 20210
La cure, qant il sanz curer
Le laist, et des noz biens enporte
La disme, dont il se desporte;
Car ce ne voet il desporter,
Qe vainement soy desporter
Ne quiert, mais ce q'il supporter
Des almes doit, point ne supporte :
Dont l'en puet dire et reporter,
Qe cil n'est pas au droit portier
Pour garder la divine porte. 20220
   Le temps present si vous curctz,
Veoir porras ces fols curetz
Diversement laissant leur cure,
Si vont errant par trois degrés :
Ly uns se feignt q'il les decretz
Selonc l'escole et l'escripture
Aprendre irra, mais la lettrure
Q'il pense illeoques a construire
Ainçois serra des vanités,
De covoitise et de luxure, 20230
Qe d'autre bien ; c'est ore al hure
L'escole de noz avancez.
   Du bonne aprise se descole
Qui laist sa cure et quiert escole,
U qu'il au vice escoloiant
S'en vait, qant celle pute acole,
Dont toute sa science affole.
O dieus, comme cil vait foloiant,
Q'ensi le bien q'est appendant
Au sainte eglise est despendant, 20240
Pour entrer la chaiere fole,
U ja nuls clercs serra sachant,

Ainz tant comme plus y vait entrant,
Tant plus sa reson entribole.
   Par autre cause auci l'en voit,
Des fols curetz ascuns forsvoit,
Qant laist sa cure a nonchaloir,
Et pour le siecle se pourvoit
Service au court par tiel endroit
Q'il puist au siecle plus valoir, 20250
Et ensi guaste son avoir.
Mais le dieu gré n'en puet avoir,
Car nuls as deux servir porroit
Sanz l'un ou l'autre decevoir ;
Car cil qui fra le dieu voloir,
Servir au siecle point ne doit.
Cil q'est servant de la dieu court
Et pour servir au siecle court,
Fait trop mal cours a mon avis ;
Car le fals siecle au fin tient court 20260
De tous les soens, mais dieus socourt
Du bien sanz fin a ses amys.
N'est pas de l'evangile apris
Cil q'ad de la paroche pris
La cure, s'il a dieu ne tourt
Pour faire ce qu'il ad enpris ;
Car clercs qui tient du siecle pris
De sa clergie se destourt.
   Clercs avancié n'est pas sanz vice, f. 112
Qui laist sa cure et quiert service 20270
Du chose que soit temporal,
Dont pile et tolt en son office,
Tout plain d'errour et d'avarice,
Siqu'il offent de double mal :
Vers dieu primer et principal
Mesfait, qant il l'espirital
Ne cure de son benefice ;
Au monde auci n'est pas loial,
Qant il le bien q'est mondial
Mesprent par fraude et injustice. 20280
   La loy ne voet que l'en compiere
Ou par brocage ou par priere
La cure q'est espiritals ;
Mais au jour d'uy voi la manere
De celle loy tourner arere.
Ce di pour ces clercs curials,

20284 au Iourduy

Qui le*tt*res ont emperials
Pour prier a les cardinals,
Voir et au pape en sa chaiere;
Dont pl*us* pro*fi*te as tieus vassals 20290
La penne que les decretals,
Qant Simonie est messagere.
 Ensi je di des tieus y sont,
Qui de leur cure s'absentont
Pour servir a ces nobles courtz;
Par covoitise tout ce font
D'encress avoir, q'ils esper*o*nt
Pour estre encoste les seignours :
Mais ils ne pensont pas aillours
Q'il sont des almes curatours,   20300
Ainz q'ils le corps avanceront;
Dont ils laissont s'ouaile a l'ours :
Au fin ne sai de tiels pastours
Coment a dieu responderont.
 Des fols curetz auci y a,
Qui sur sa cure demourra
Non pour curer, mais q'il la vie
Endroit le corps plus easera;
Car lors ou il bargaignera
Du seculiere marchandie,   20310
Dont sa richesce multeplie,
Ou il se do*nn*e a leccherie,
Du quoy son corps delitera,
Ou il se prent a venerie,
Qant duist chanter sa letanie,
Au bois le goupil huera.
 Ce puet savoir chascun vivant,
Plus q*u*e nul bien du siecle avant
La disme, q'est a dieu donné,
P*er*est en soy noble et vaillant,   20320
Car de la bouche au toutpuissant
La disme estoit saintefié,
Si est le prestre auci sacré ;
Dont sembleroit honesteté
Qe disme et p*re*stre droit curant
Ne duissont estre en leur degré
De la mondaine vanité
Ne marchandie ne marchant.
 Et d'autre p*ar*t qui residence
Fait en sa cure, et ove ce pense   20330

Corrumpre ce qu'il duist curer
D'incest et fole incontinence,
Trop fait horrible violence,
D'ensi ses berbis estrangler
Pour faire au deable son larder.
He, dieus, com*m*ent porra chanter
Sa messe cil qui tielle offense
Ferra ?   Car pis, au droit juger,
Est l'alme occire q'a tuer
Le corps, q'est plain du pestilence.
 Si les curetz maritz ne soiont, 20341
Des fem*m*es nepourqant s'esjoiont
Trestout en ease a leur voloir ;
Dont tiele issue multeploiont,
Qe si leur fils enheritoiont
Et de l'eglise fuissont hoir,
En poy des lieus, sicom*m*e j'espoir,
D'escheate q'en duist eschoir
Au court de Rome gaigneroiont
Les p*ro*visours ; pour ce du voir   20350
N'en say la cause ap*ar*cevoir,
Si l'autre gent ne me disoiont.
 He, dieus, come sont les charités
Au temps p*re*sent bien ordinez !
Car qant viels hom*m*e ad fem*m*e belle
Deinz la p*ar*oche et les nuytées
Ne puet paier ses duetés,
N*os*tre curiet, ainz q'om l'apelle,
Enprent sur soy l'autry querelle,
Si fait le paiement a celle,   20360
La quelle se tient bien paiez.
Vei la le haire et la cordelle,
Dont n*os*tre curiet se flaielle,
Au fin q'il soit de dieu loez.
 Les foles femmes mariez,
Qant n'ont du quoy estre acemez
Du queinterie et beal atir,
Lors s'aqueintont des fols curetz
Qui richement sont avancez,
Et par bargaign se font chevir,   20370
Dont l'un et l'autre ad son desir ;
La dame av*er*a de quoy vestir,
Et l'autre av*er*a ses volentés.
Des tiels miracles avenir

20307 maisqil

Soventes fois om poet oïr,
Ne sai si fable ou verités.
　Plus que corbins ou coufle ou pie
Ensur volant toutdis espie
Caroigne dont porra manger,
Le fol curet de sa partie　　　20380
Matin et soir sanz departie
Enquerre fait et espier,
U la plus belle puet trover:
Mais lors l'estuet enamourer
A tant de la phisonomie,
Q'il tout l'offrende del aultier
Ainçois dorra pour son louer,
Qu'il n'ait le cuill en sa baillie.
　Om voit tout gaste et ruinouse
L'eglise q'est sa droite espouse,　20390
De celle ne luy puet chaloir,
Maisque s'amie l'amerouse
Soit bien vestue et gloriouse;
A ce met trestout son pooir:
Du nostre disme ensi l'avoir
Degaste en belle femme avoir.
O quelle cure perillouse
Pour nous essampler et movoir,
Qant meine encontre son devoir
Si orde vie et viciouse!　　　20400
　Dieus dist, et c'est tout verité,
Qe si l'un voegle soit mené
D'un autre voegle, tresbucher
Falt ambedeux en la fossée.
C'est un essample comparé
As fols curetz, qui sans curer
Ne voient pas le droit sentier,
Dont font les autres forsvoier,
Qui sont apres leur trace alé;
Car fol errant ne puet guider,　20410
Ne cil comment nous puet saner,
Qui mesmes est au mort naufré?
　Comment respondra cil a dieu
Sur soy la cure q'ad receu
Del autry alme governer,
Qant il n'ad mesmes de vertu
Q'il de son corps s'est abstenu,
Dont s'alme propre puet garder?

L'en soloit dire en reprover,
'Cil qui sanz draps se fait aler,　20420
Mal avera son garçon vestu';
Ainz qant l'ivern vient aprocher,
Ne s'en porra lors eschaper
Du froid, dont il serra perdu.
　Et tout ensi perdu serroiont
Cil qui l'essample suieroiont
De la voeglesce au curatour:
Qant l'un ne l'autre bien ne voiont,
Falt q'ambedeux tresbucheroiont
Par necligence et fol errour.　　20430
Tiel est le siecle au present jour,
Car d'orguil ou de fol amour
Les clercs qui nous conduieroiont
Sont plein: ce piert par leur atour,
Car qui q'ait paine ne dolour,
Ils se reposont et festoiont.
　Les bons curetz du temps jadis,
Qui benefice avoient pris
Du sainte eglise, deviseront
En trois parties, come je lis,　　20440
Leur biens, siq'au primer divis
A leur altier part en donneront,
Et de la part seconde aideront,
Vestiront et sauf herbergeront
De leur paroche les mendis;
La tierce part pour soy garderont:
D'oneste vie ils essampleront
Et leur voisins et leur soubgitz.
　Gregoire en sa morale aprise
Dist que les biens du sainte eglise　20450
Sont propre et due au povere gent;
Mais no curiet d'une autre guise,
Qui du pellure blanche et grise
Et d'escarlate finement
Se fait vestir, dist autrement;
Qe de les biens primerement
Son orguil clayme la reprise,
Mais qant il ad secondement
Vestu s'amye gaiement,
Au paine lors si tout souffise.　20460
　O fols curetz, entendetz ça:　f. 113
Osee a vous prophetiza

　　20375 Souentesfois　　　20383 plusbelle　　　20442 endonneront

D'orguil et fornicacioun :
'Et l'un et l'autre regnera
En vous,' ce dist, 'et pour cela
De dieu n'avetz avisioun :
Mal faitez vo provisioun ;
Car qant de vo mesprisioun
Dieus a reson vous mettera,
Pour faire la conclusioun   20470
Du vostre fole abusioun,
Orguil pour vous respondera.'
　O fol curiet, di quoy quidetz,
Qui tantes pelliçouns avetz
Du vair, du gris, de blanche ermyne,
Dont portes tes manteals fourrez,
Serras tu d'orguil excusez,
Qant dois respondre au loy divine ?
Je croy que noun ; ainz en ruine
Irretz, car fole orguil decline   20480
Tous ceaux qui sont de luy privez :
Dont m'est avis par resoun fine,
Meulx valt ly sacs qui bien define,
Qe la pellure au fin dampnez.
　O fol curiet, tu puiss savoir,
D'orguil ne dois socour avoir ;
Mais de t'amye quoy dirras,
S'elle au busoigne puet valoir ?
Non voir : de luy ne poet chaloir,
Tant meinz valt comme plus l'ameras.
Quoy Salomon t'en dist orras,   20491
Qu'il dist q'amye entre tes bras
C'est un fieu pour ton grange ardoir,
Q'autre proufit n'en porteras :
Ton ris se passe et tu plouras,
Siq'en la fin t'estuet doloir.

**Puisq'il ad dit des Curetz, dirra
ore des autres prestres Annuelers,
qui sont sans cure.**

Ils sont auci pour noz deniers
Prestres qui servent volentiers,
Et si n'ont autre benefice,   20499
Chantont par auns et par quartiers
Pour la gent morte, et sont suitiers
Communement a chascun vice.

Molt valt du messe le service,
Mais qant les prestres sont si nice,
Ne say si ly droit Justiciers
Les voet oïr de sa justice ;
Car de luxure et d'avarice
Dieus ne voet estre parçoniers.
　Jadys le nombre estoit petit
Des prestres, mais molt fuist parfit,
Et plain d'oneste discipline   20511
Sanz orguil ne fol appetit ;
Mais ore ensi comme infinit
Om voit des prestres la cretine,
Mais poy sont de la viele line ;
Ainz, comme la vie q'est porcine,
Chascun se prent a son delit,
Barat, taverne et concubine :
Ce sont qui tournont la doctrine
Du sainte eglise a malvois plit.   20520
　Om dist q'un prestre antiquement
Valoit en soy tout soulement
Plus que ne font a ore trois ;
Et nepourqant au jour present
Un prestre soul demande et prent
De son stipende le surcrois
Plus que ne firont quatre ainçois.
Qe chalt mais ils eiont harnois
Sicomme seignour du fin argent ?
Si vont oiceus par tous les moys, 20530
Tout plain des ris et des gabbois,
Et si despendont largement.
　Qui prent louer d'autri vivant,
Par resoun doit servir atant,
Ou autrement souffrir destresce
Du loy, si l'en n'est pardonnant.
Quoy dirrons lors du prestre avant,
Qui pour chanter la sainte messe
Les biens du mort prent a largesce,
Mais pour luxure et yveresce   20540
Ne puet tenir le covenant
A l'alme ardante peccheresse ?
Je croy le fin de sa lachesce
Serra d'orrible paine ardant.
　Comment auci bien priera
Qui point n'entent ce qu'il dirra ?

20527 Plusque

Car ce nous dist saint Augustin,
Qe dieus un tiel n'escoultera.
O prestre lays, di quoy serra
De toy, q'ensi par mal engin   20350
As pris l'argent de ton voisin
Pour ton office q'est divin
Chanter, et tu n'as a cela
L'entendement de ton latin :
Trop en serras hontous au fin,
Qant dieus de ce t'accusera.

   Et d'autre part ce nous ensense
Uns clercs, que meulx valt innocence
Du prestre, combien q'il n'est sage,
Des lettres que celle eloquence   20560
Qui s'orguillist de sa science
Et fait des pecchés le folage.
O quel dolour, o quel dammage
De la science en presterage,
Qant ils de leur incontinence
Tienont l'escole de putage !
Ly fols berchiers q'est sanz langage
Mieulx fait des tieus sa providence.

   Ce dist Clement, q'om doit choisir
Tiels qui sont able a dieu servir   20570
En l'ordre qui tant est benoit :
' Meulx valt,' ce dist, ' un poy tenir
Des bons, que multitude unir
Des mals ' ; et saint Jerom disoit
Q'un prestre lay meulx ameroit
Par si q'il saint prodhomme soit,
Q'un clerc malvois, qui contenir
De les pecchés ne se voloit ;
Mais l'un ne l'autre souffisoit
A si saint ordre maintenir.   20580

   Ly prestres porra bien savoir,
Qe ja n'ait il si grant savoir,
En cas q'orguil de ce luy vient
Dieus ne luy voet en pris avoir,
Et s'orisoun pour nulle avoir
Ne voet oïr ; mais s'il avient
Qe prestre ensi comme ly covient
Son latin sache et se contient
Solonc son ordre et son devoir,
Lors, qant bien sciet et bien se tient,

Dieus sa priere en gré retient,   20591
Si nous en fait le meulx valoir.

   En s'evangile dieus du ciel
Dist, prestres sont du terre seel,
Si sont du monde auci lumere :
Ce fuist jadis, mais ore tiel
Ne sont ils point, car naturiel
Est que seel houste et mette arere
Corrupcioun, mais leur manere
Nous est corrupte et molt amere,
Et vers dieu prejudiciel ;   20601
Auci leur vie n'est pas cliere,
Ainz est oscure et angulere,
Tout plain du vice corporiel.

   Sicomme le livre nous aprent,
Seel ces deux pointz en soi comprent ;
L'un est qu'il guart en bon odour
Les chars, mais puis secondement
Toute la terre qu'il pourprent
Baraigne fait, siq'a nul jour   20610
Doit mais porter ne fruit ne flour :
Du seel jadys ly conquerrour
Firont semer le tenement
Dont ils estoiont venqueour,
Pour le destruire sanz retour
En signe de leur vengement.

   Au seel pour les gens savourer
Ne vuil les prestres comparer,
Combien q'ils soient seel nomé ;
Mais je les doy bien resembler   20620
Au seel q'ensi fait baraigner,
Dont bonnes mours sont exilé :
Car ils nous ont ensi salé
Des vices dont sont mesalé,
Qe nous ne poons droit aler ;
Car champs du neele q'est semé
Ne porra porter autre blée,
Mais tiel dont om l'ad fait semer.

   De mal essample qui survient
Du prestre grant mal nous avient,   20630
Qe ce nous met en fole errance
Dont nous doubtons ou poy ou nient
Les vices ; car qant nous sovient
Comment d'aperte demoustrance

Veons du prestre l'ignorance,
Comment il salt, comment il lance,
Comment au bordel se contient,
De son barat, de sa distance,
De corps de nous est en grevance
Et l'alme ascun proufit ne tient.   20640
  Jadis soloiont sanz offense
Ly prestre guarder pacience ;
Car dieus leur dist en la manere,
Qe s'om les bat ou fiert ou tence,
En pees devont la violence
Souffrir sanz soy meller arere :
Mais au jour d'uy s'acuns les fiere,
Plus fiers en sont que nulle fiere,
Et molt sovent d'inpacience
Ly prestres, ainz q'il ait matiere,   f. 114
Soudainement plus que fouldrere 20651
Du maltalent l'assalt commence.
  Responde, o prestre, je t'appelle,
Di q'est ce q'a ta ceinturelle
Tu as si long cutel pendu :
As tu vers dieu pris ta querelle
Ou vers le deable ? Ne me cele.
Bien scies dieus maint en si halt lieu
Qe tu ne puiss mesfaire a dieu ;
Ne tiel cutel unques ne fu   20660
Q'au deable espande la boelle ;
Et qant au siecle, bien scies tu,
A toy la guerre ont defendu
La viele loy et la novelle.
  Mais de nature ensi je lis,
Qant s'abandonne as fols delitz
La beste au temps luxuriant,
Devient plus fiers et plus jolis ;
Et si d'ascun lors soit repris,
Combat et fiert du meintenant :   20670
Ore ay la cause dit atant,
Dont vont les prestres combatant,
Au ruyteison qant se sont pris ;
Si vont oiceus par tout errant,
Les femmes serchant et querant,
Dont font corrumpre les païs.
  O prestre, q'est ce courte cote ?

L'as tu vestu pour Katelote,
Pour estre le plus bien de luy ?
Ta coronne autrement te note.   20680
Et d'autre part qant tu la note
Au lettron chanteras auci,
U est, en bonne foy me di,
Sur dieu ton penser, ou sur qui ?
Dieus ad la vois, mais celle sote
Avera le cuer. He, dieus mercy,
Comme est l'eschange mal party
Du chapellain q'ensi s'assote !
  Mais sont ly prestre baratier ?
Oÿl ; et si sont taverner ;   20690
C'est lour chapelle et lour eglise :
Du tonel faisont leur altier,
Dont leur chalice font empler,
Si font au Bachus sacrefise,
Et de Venus en mainte guise
Diont par ordre le servise,
Tanque yveresce y vient entrer
Et prent saisine en la pourprise,
Qe tout engage a la reprise
Et la legende et le psaltier.   20700
  Aäron dieus ce commandoit,
Au temps q'il entrer deveroit
Le tabernacle, lors qu'il vin
Ne autre liquour beveroit,
Dont il enyverer porroit,
Du viele loy c'estoit le fin :
Mais au temps d'ore ly cristin
Par resoun serroit plus divin ;
Et nepourqant par tout l'en voit,
Si prestre au soir ou a matin   20710
Porra tenir le crusequin,
Ne laist pour dieu maisq'il en boit.
  Le prestre en s'escusacioun
Dist, simple fornicacioun
Est celle, qant fait sa luxure ;
Si dist qu'il du creacioun
Pour faire generacioun
Le membre porte et la nature,
Comme font ly autre creature.
Ensi s'excuse et se perjure ;   20720

20647 au Iourduy   20648 Plusfiers ensont   20651 plusque
  20668 plusfiers   20679 plusbien   20712 enboit

Car combien q'inclinacio*u*n
Le meyne a naturele ardure,
Il porte un ordre p*ar*dessure
Du chaste consecracio*u*n.
 Ne sont pas un, je sui certeins,
Ly berchiers et ly chapelleins,
Ne leur pecché n'est pas egal,
L'un poise plus et l'autre meinz :
Car l'un ad consecrez les meins
Et fait le vou d'especial   20730
A chasteté pour le messal,
Qu'il doit chanter plus secretal
A dieu, dont il est fait gardeins
De l'autre poeple en general ;
Par quoy les mals du principal
Del autry mals sont plus vileins.
 O prestre, enten quoy Malachie
Te dist, qant tu du leccherie
Ensi te voldras excuser :
Il dist, qant tu de ta folie   20740
A l'autier en pollute vie
Viens env*er*s dieu sacrefier,
Pour ton offrende ensi paier,
Tu fais despire et laidenger
Ton dieu. He, quelle ribaldie !
Tu qui nous duissetz essampler
Pour chaste vie demener,
Serras atteint de puterie.
 Le p*r*estre en halt ad le chief rées
Rotond sanz angle compassez,   20750
Car angle signefie ordure,
Mais il doit estre nettoiez,
Descouvert et desvolupez
De toute seculiere cure :
Coron*n*e porte p*ar*dessure,
Dont il est Roys a sa mesure,
Depuisq'il est abandon*n*ez
A dieu servir ; car l'escripture
Dist q*ue* cil regne a bon droiture
Qui s'est a dieu servir don*n*ez.   20760
 Ly p*r*estre auci s'en vont tondant
Entour l'oraille et p*ar*devant,
Siq*ue* leur veue et leur oïe
Soient tout clier ap*ar*ceivant
Sanz destourbance tant ne qant

Le port du n*os*tre frele vie,
Dont ils ont resçu la baillie :
Mais qant ils sont de leur p*ar*tie
Contagious en lour vivant,
Ne sai quoy l'ordre signefie ;   20770
Mais nous suions leur compainie,
Et ils vont malement devant.
 He, dieus, com*m*e faisoit sagement
Cil qui p*ar* nou*n* primerement
Les nom*m*a prestres seculiers !
Car ils n'ont reule en vestement,
Ne reule en vivre honestement
Vers dieu, ainçois come soldoiers
Du siecle sont et baratiers,
A trestout vice com*m*uniers   20780
Plus q*ue* ne sont la laie gent :
Ensi sont p*r*estre chandelliers
Du sainte eglise et les piliers
Sanz lum*e*re et sanz fondement.

Ore dirra de l'estat des Clergons.

 Des noz clergons atant v*o*us di,
Prim*er* pour parler de celly
Qui se p*ou*rpose plainement
As ordres p*r*endre, cil parmy
Se doit du cuer et corps auci
En sa jovente estroitement   20790
Examiner primerement
S'il porra vivre chastement :
Car lors serra le meulx garni,
Qant il ad bon com*m*encement ;
Et s'il com*m*ence malement,
Au fin serra le plus failly.
 L'en dist, et resoun le consente,
Du bonne plante et de bon*n*e ente
Naist puis bon arbre et fructuo*u*s :
Icest essample rep*r*esente,   20800
Si clergons soit en sa jovente
De son corps chaste et vertuous,
A dieu servir et curious,
Et qu'il ne soit pas covoitous
A p*r*endre l'ordre p*ou*r la rente
Dont voit les autres orguillo*u*s,
Lors serra vers dieu gracious,
Qui sciet et voit le bon entente.

Clercs qui sert deinz la dieu mesoun
Doit estre honneste par resoun ; 20810
Car l'escripture ensi devise,
Disant par droit comparisoun
En resemblance ly clergoun
Fenestre sont du sainte eglise.
Car la fenestre y est assisse
Pour esclarcir deinz la pourprise,
Dont tous voient cils enviroun ;
Et ly clergons en tiele guise
As autres doit donner aprise
D'oneste conversacioun. 20820
  Mais pour descrire brief et court
Selonc le siecle q'ore court,
L'en voit que clergoun meintenant
Nounpas a la divine court
Pour la vertu del alme tourt,
Ainz pour le vice s'est tournant :
C'est doel, car du malvois enfant
Croist malvois homme, puis suiant
Du mal clergon mal prestre sourt ;
Car qant le mal primer s'espant, 20830
Au paine est un du remenant
Qui de sa voie ne destourt.

Ore dirra de l'estat des Religious, et commencera primerement a ceux qui sont possessioners.

  Si nous regardons entre nous
L'estat de ces Religious,
Primer de les possessioniers,
Cils duissent estre curious
A prier dieu le glorious f. 115
Dedeinz leur cloistres et moustiers
Pour nous qui susmes seculiers :
C'est de leur ordre ly mestiers, 20840
Car pour ce sont ils plentevous
Doez des tous les biens pleniers ;
Sique pour querre les deniers
Aillours ne soient covoitous.
  Saint Augustin en sa leçoun
Dist, tout ensi comme le piscoun
En l'eaue vit tantsoulement,
Tout autrecy Religioun

Prendra sa conversacioun
Solonc la reule du covent 20850
El cloistre tout obedient :
Car s'il vit seculierement,
Lors change la condicioun
Del ordre qu'il primerement
Resceut, dont pert au finement
Loer de sa professioun.
  Solonc la primere ordinance
Ly moigne contre la plesance
Du char s'estoiont professez,
Et d'aspre vie la penance 20860
Suffriront ; mais celle observance
Ore ont des toutez partz laissez :
Car gule gart tous les entrez,
Qe faim et soif n'y sont entrez
Pour amegrir la crasse pance ;
Si ont des pelliçouns changez
Les mals du froid et estrangez,
Qe point ne vuillont s'aqueintance.
  La viele reule solt manger
Piscoun, mais cist le voet changer, 20870
Qant il les chars hakez menu
Ou bien braiez deinz le mortier
Luy fait confire et apporter,
Et dist que tieles chars molu
Ne sont pas chars, et ensi dieu
Volt decevoir et est deçu :
Car il ad tant le ventre chier,
Q'il laist de l'alme ainçois le pru,
Q'il ait un soul repast perdu,
Du quoy le corps poet enmegrer. 20880
  Ne say qui dance ne qui jouste,
Mais bien say, qant sa large jouste
Ly moignes tient tout plein du vin,
Par grant revell vers soi l'adjouste
Et dist que c'est la reule jouste ;
Ne croi point de saint Augustin,
Ainz est la reule du Robyn,
Qui meyne vie de corbyn,
Qui quiert primer ce q'il engouste
Pour soi emplir, mais au voisin 20890
Ne donne part, ainz comme mastin
Trestout devore, et mye et crouste.
  Tout scievont bien que gloutenie

Serra du nostre compaignie,
Car nous avons asses du quoy
Dont nous mangons en muscerie
Le perdis et la pulletrie,
Ne chalt qui paie le pour quoy;
Et puis bevons a grant desroy,
Et ensi prions pour le Roy, 20900
Q'est fondour du nostre Abbacie.
Si laissons dormir tout en coy
La charité que nous est poy,
Et faisons veiller danz Envye.
 De saint Machaire truis lisant,
Q'il de ses cloistres vit venant
Le deable, q'ot dedeinz esté.
Machaire luy vait conjurant,
Et l'autre dist sa loy jurant,
Q'il ot un poudre compassé, 20910
Le quel au cloistre avoit porté
Et deinz le chaperon soufflé
De ses commoignes, que par tant
Ne serroit la fraternité
Jammais apres en charité
Ainz en Envye descordant.
 Del chaperon aval ou pitz
S'est descendu de mal en pis
Le poudre dont ay dit dessure,
Et deinz le cuer racine ad pris; 20920
Dont moigne sont d'envye espris,
Qe l'un de l'autre ne s'assure:
Trop fuist du male confiture
Le poudre, q'a desconfiture
Par force ad charité soubmis;
Sique d'envie celle ardure
El cuer du moigne par nature
Demoert et demorra toutdis.
 Qui bons est, s'il bien se contient,
Droitz est et au resoun partient 20930
Qu'il d'autres bons demeine joye,
Car autrement tout est pour nient.
Saint Jerom dist que ce n'avient
Qe de ma part je bien ferroie,
Si d'autry bien envieroie,
Car si bon suy, bons ameroie,
Semblable l'un ove l'autre tient;
Rose en l'urtie a quoy querroie,

Ou comment je bons estre doie,
Qant male envie au cuer me prient?
 Ly moignes se solt professer, 20941
Qant il le siecle volt lesser;
Ensi dions que nous lessons,
Mais c'est al oill, car du penser
L'onour et proufit seculier,
Ce q'ainz du siecle n'avoions,
Dessoubz cest habit le querrons;
Car nous qui fuismes ainz garçons
Pour sires nous faisons clamer,
La reverence et demandons: 20950
Ensi fuiant nous atteignons
Ce que nous soloit esloigner.
 Cil moigne n'est pas bon claustral
Q'est fait gardein ou seneschal
D'ascun office q'est forein;
Car lors luy falt selle et chival
Pour courre les paiis aval,
Si fait despense au large mein;
Il prent vers soy le meulx de grein,
Et laist as autres comme vilein 20960
La paille, et ensi seignoral
Devient le moigne nyce et vein:
De vuide grange et ventre plein
N'ert pas l'acompte bien egal.
 Du charité q'est inparfit,
'Tout est nostre,' ly moignes dist,
Qant il est gardein du manoir:
En part dist voir, mais c'est petit;
Car il de son fol appetit
Plus q'autres sept voet soul avoir: 20970
A tiel gardein, pour dire voir,
Mieulx fuist le cloistre que l'avoir,
Dont tolt as autres le proufit.
Seint Bernards ce nous fait savoir,
Qe laide chose est a veoir
Baillif soubz monial habit.
 Ly moignes qui se porte ensi,
Il est sicomme mondein demy,
Si vait bien pres d'apostazie,
Qant il le siecle ad resaisi 20980
Et s'est du cloistre dissaisi.
Ne say du quoy se justefie,
Q'il n'ait sa reule en ce faillie:

Ne je croy point que sa baillie
Du terre ne de rente auci
Luy porra faire guarantie,
Vers dieu q'avoit sa foy plevie,
Primerement qant se rendi.
  Jerom nous dist que celle ordure
Que moigne porte en sa vesture   20990
Est un signal exteriour
Qu'il sanz orguil et demesure,
Du netteté q'est blanche et pure,
Ad le corage interiour :
Mais nostre moigne au present jour
Quiert en sa guise bell atour
Au corps, et l'alme desfigure :
Combien q'il porte de dolour
La frocque, il ad du vein honour
La cote fourré de pellure.   21000
  En un histoire escript y a
Q'un grant seignour qui dieus ama
S'estoit vestu du vile haire,
Qant Roy Manasses espousa
Sa file ; mais pour tout cela
Volt sa simplesce nient retraire,
Ainz s'obeït en son affaire
Plustost a dieu q'a l'omme plaire ;
Dont il tous autres essampla,
Qe l'en ne doit au corps tant faire   21010
Dont l'en porroit orguil attraire :
Ne say quoy moigne a ce dirra.
  De cest essample, dont dit ay,
Cil moigne puet avoir esmay
Qui pour le mond se fait jolys,
Ne quiert la haire ainz quiert le say
Tout le plus fin a son essay,
Ove la fourrure vair et gris,
Car il desdeigne le berbis ;
L'aimal d'argent n'ert pas obliz,   21020
Ainz fait le moustre et pent tout gay
Au chaperon devant le pis :
C'est la simplesce en noz païs
Des moignes et de leur array.
  Le moigne sa religioun
Doit garder par discrecioun

    21017 plusfin

D'umilité et de simplesce ;
Mais ce ne voet il faire noun,
Ainçois il hiet oïr le noun   f. 116
Du moigne, au quel il se professe ;
Et nepourqant la bercheresse   21031
Estoit sa miere, et sanz noblesce
Par cas son piere estoit garçon :
Mais qant le bass monte en haltesce,
Et la poverte est en richesce,
N'est riens du monde si feloun.
  Trop erre encontre le decré
Le moigne qui quiert propreté,
Mais il du propre ad nepourqant
Les grandes soummes amassé,   21040
Dont il son lucre ad pourchacié
Du siecle, ensi come fait marchant,
Et pour delit tient plus avant
A la rivere oiseals volant,
La faulcon et l'ostour mué,
Les leverers auci courant
Et les grantz chivals sojournant,
Ne falt que femme mariée.
  Du femme ne say consailler,
Mais je me puiss esmervailler,   21050
Car j'ay de les enfantz oÿ
Dont nostre moigne pourchacier
Se fist, qant il aloit chacer
Un jour et autre la et cy ;
Mais ils ne poent apres luy
Enheriter ; pour ce vous dy,
Les grandes soummes falt donner
Dont ils serront puis enrichy :
Si charité le porte ensi,
A vostre esgard le vuil lesser.   21060
  Mais moigne toutez les delices
Du siecle avoir ne les offices
Ne puet a nous semblablement ;
A luy sont maintes choses vices
Que nous poons a noz services
Avoir a tenir bonnement :
Siqu'il le siecle q'est present
N'ad point, et s'il au finement
Pert l'autre pour ses injustices,
L'en porra dire voirement   21070

    21043 plusauant

Qe moigne sur toute autre gent
Ad deux fortunes infelices.
 Ensi les moignes officers,
Les gardeins et les tresorers,
Erront du fole governance ;
Et si nous parlons des cloistrers,
Ils sont des vices parconiers
De murmur et de malvuillance,
D'envie et de desobeissance ;
Chascuns s'en fuyt de la penance 21080
Pour les delices seculiers
Sanz garder la viele observance :
Si je dehors voie ignorance,
Auci voi je deinz les moustiers.
 Ly moigne, ensi comme truis escrit,
Ne sont pas fait de leur habit ;
Combien q'ils l'ordre eiont resçu,
Qant ils d'envie ont l'espirit,
Ne say quoy valdra leur merit.
Renars qui s'est d'aigneals vestu, 21090
Pour ce n'est autres q'ainz ne fu,
Ne cil larons q'au benoit lieu
S'en fuyt, par ce n'est pas parfit ;
Ne moigne auci qui s'est rendu,
Combien q'il soit en halt tondu,
Par ce n'est pas prodons eslit.
 Homme fait saint lieu, mais lieu par droit
Ne fait saint homme en nul endroit ;
Ce piert d'essamples, car je lis
Qe Lucifer du ciel chaoit 21100
En la presence u dieus estoit ;
Si fist Adans de paradis ;
Auci d'encoste dieu le fitz
Judas perist, q'estoit malditz :
Par quoy chascun bien savoir doit
Qe par l'abit que moigne ont pris,
Ne par le cloistre u sont assis,
Ne serront seint, si plus n'y soit.
 En basses caves se loggieront
Jadis ly moigne et eshalcieront 21110
De Jhesu Crist la droite foy ;
Du sac et haire vestu eront ;
Del eaue beurent, et mangeront

Del herbe : mais helas ! avoy !
Ly moigne a ore ensi comme Roy
En grandes sales a desroy
Se loggont et delices quieront :
Grant nombre sont, mais petit voy
Qui gardont la primere loy 21119
De ceaux qui l'ordre commenceront.
 Par ceaux fuist nulle femme enceinte,
De ceaux envie fuist exteinte,
En ceaux n'iert orguillouse offense,
Par ceaux silence n'ert enfreinte,
De ceaux n'ert faite ascune pleinte
Deinz leur chapitre en audience ;
Ainz sobreté et continence
En unité et pacience
Du charité ne mye feinte
Lors governoit leur conscience : 21130
Chascuns fist autre reverence
Et servoit dieu en vie seinte.
 Mais ore est autre que ne fu ;
Danz Charité n'ad mais refu,
Car danz Envie l'ad tué,
Et danz Haÿne y est venu,
Q'a no covent ad defendu
Qe mais n'y soit danz Unité ;
Danz Pacience est esragé,
Danz Obeissance s'est alé, 21140
Qui danz Orguil nous ad tollu ;
Et danz Murmur ad en secré
Danz Malebouche professé,
Qui pres tout l'ordre a confondu.
 Mais danz Incest, qant ly plerra,
Sur les Manoirs visitera,
Si meyne danz Incontinence
Ovesque luy, et puis vendra
Danz Delicat, qui se rendra
Pour les donner plaine evidence : 21150
Ces sont les trois par qui despense
Poverte vient et Indigence,
Puis vient Ruine apres cela,
Qui les maisons en sa presence
Degaste ensi comme pestilence
Par les Manoirs u qu'il irra.
 Ensi comme Moigne, ensi Canoun

Ne tient la reule du canoun ;
Mais l'un et l'autre nepourqant
La fourme de Religioun 21160
Gardont, mais la matiere noun :
Car de la clocque vont gardant
Lour houre et lour chapitre avant,
Et quanq'al oill est apparant ;
Mais qant a leur condicioun,
Le poudre dont ay dit devant
Toutdis d'envie tapisant
Demoert dedeinz le chaperoun.
 Mais pour final governement 21169
Danz Vice est Abbes au present,
Par quoy danz Gule et danz Peresce
Sont fait par le commun assent
Ses chapellains ; et ensement
Danz Veine gloire se professe,
A qui nostre Abbes se confesse ;
Danz Avarice ad la richesce,
Qui danz Almoisne ascunement
Ne laist a faire sa largesce ;
Ensi danz Conscience cesse,
Qui soloit garder le covent. 21180

Puisq'il ad dit des Religious possessioners, ore dirra del ordre des freres mendiantz.

Si nous agardons plus avant,
L'estat du frere mendiant,
N'ert pas de moy ce que je dis,
Mais a ce que l'en vait parlant
Ensur trestout le remenant,
Cist ordre vait du mal en pis :
Et nepourqant a leur avis
Ils diont q'ils a dieu le fils
Sont droit disciple en lour vivant ;
Mais j'ay del ordre tant enquis, 21190
Qe freres ont le siecle quis
Et sont a luy tout entendant.
 Mais d'une chose nequedent
Les freres font semblablement
Comme les disciples lors fesoiont ;
De les disciples indigent
Un soul n'estoit, ainz tielement

Comme riens eiant trestout avoiont :
A cest essample tout se ploiont
Les freres et se multiploiont 21200
Des biens, mais c'est tout autrement ;
Car les disciples departoiont
As povres gentz ce q'ils tenoiont,
Mais cist le gardont proprement.
 Ils diont, la felicité
Des freres c'est mendicité,
Dont vont en ease par la rue :
Car cil q'ad terre en propreté
Falt labourer en son degré,
Mais ils n'ont cure de charue, 21210
Ainçois ont plus que la value,
Car riche pecché les salue,
Qui de ses biens leur ad donné
Si largement en sa venue,
Qe plus ad celle gent menue
Qe l'autre q'ad ses champs semé.
 Ils nous prechont de la poverte,
Et ont toutdis la main overte   **f. 117**
Pour la richesce recevoir ;
La covoitise ils ont coverte 21220
Deinz soy, dont l'ordre se perverte
Pour enginer et decevoir ;
Les eases vuillont bien avoir,
Mais les labours pour nul avoir,
Ainz vont oiceus comme gent deserte ;
De nulle part font leur devoir :
Dont m'est avis pour dire voir
Q'ils quieront loer sanz decerte.
 Ils ont maison celestial,
Ils ont vesture espirital, 21230
Ils ont la face simple et seinte,
Ils ont corage mondial ;
Ils ont la langue liberal,
Dont la mençonge serra peinte,
Ils ont parole belle et queinte
Dont font deceipte a lour aqueinte,
Ils sont ministre especial
Du vice et ont vertu restreinte,
Ils ont soubz lour simplesce feinte
Muscé du siecle tout le mal. 21240
 Deux freres sont de la partie,

21181 plusauant

Qui vont ensemble sanz partie
Les paiis pour environner;
Et l'un et l'autre ades se plie
Au fin que bien leur multeplie
Du siecle; dont sont mençonger,
Pour blandir et pour losenger
Et pour les pecchés avancer:
L'un ad noun frere Ypocresie,
Qui doit ma dame confesser, 21250
Mais l'autre la doit relesser,
Si ad noun frere Flaterie.
   Ipocresie vient au lit,
Et est pour confessour eslit
Pour ce q'il semble debonnaire;
Et qant ma dame ad trestout dit,
Lors Flaterie la blandist,
Qui point ne parle du contraire,
Car ce n'est pas de son affaire,
Q'il quiert contricioun attraire 21260
De nul ou nulle, ainz pour profit
Assolt sanz autre paine faire;
Et ensi gaigne le doaire
De sa viande et son habit.
   Le frere qui son lucre avente
Dist a ma dame que jovente
Du femme doit molt excuser
La freleté de son entente;
Dont il sovent plus entalente
Le pecché faire que laisser, 21270
Qant pour si poy voet relaisser.
Mais s'om voldroit des mals cesser,
Lors sciet le frere et bien le sente
Qe de son ordre le mestier
Ne serroit plus a nous mestier,
Et pour ce met les mals au vente.
   Ipocresie tielement
Du dame et seignour ensement
Quiert avoir la confessioun;
Mais Flaterie nequedent 21280

Par l'ordinance du covent
En dorra l'absolucioun,
Car il ad despensacioun
Solonc recompensacioun,
Que vient du bource au riche gent,
Qu'il puet donner remissioun
Sanz paine et sanz punicioun,
Pour plus gaigner de leur argent.
   Ensi Flatour et Ipocrite
Les gentz de noz paiis visite, 21290
Et s'ils par cas vienont au lieu
U dame Chasteté habite,
Ipocrisie lors recite
Du continence la vertu;
Et s'ils par cas soient venu
U Leccherie ont aparçu,
Lors Flaterie au plus l'excite
Et est du consail retenu;
Car il s'acorde bien al jeu
Et prent sa part de la maldite. 21300
   Qant Flaterie professé
Ad Leccherie confessé,
Sa penitence luy dorra
D'incestuose auctorité;
Car Incest est acompaigné
Au Flaterie, u qu'il irra:
Sovent avient il pour cela,
Qant dame soy confessé a
Au frere, de sa malvoisté
Peiour la laist q'il ne trova; 21310
Mais qant nuls s'en parceivera,
Tout quidont estre bien alé.
   Frere Ipocrite, u qu'il vendra,
D'onesteté tout parlera
Pour soy coverir de sa parole,
Dont il les oills avoeglera
De ces maritz, qant tretera
Les femmes quelles il affole:
Car qant il truist la dame fole,

The following appears on the margin of the MS., opposite ll. 21266-78; the ends of the lines have been cut away by the binder:—
   Nota quod super hii .. | que in ista pa .. | secundum commune dictum d .. | tribus scripta pa .. | transgressos simp (?) .. | et non alios mater .. | tangit: vnde h .. | qui in ordine .. | gressi sunt ad .. | reuertentes prius .. | in foueam cada .. | hac eminente .. | tura cercius pre .. | niantur.
          21282 Endorra   21311 senparceiuera

Il fait sermon de tiele escole 21320
Qu'il de son ordre la fera
Sorour: voir dist; mais c'est frivole,
Car par ce q'il la dame acole,
Leur alliance se prendra.
  D'incest des freres mendiantz
Je loo as tous jalous amantz
Q'il vuillent bonne garde prendre;
Car tant y ad des limitantz
Par les hostealx et visitantz,
Q'au paine nuls s'en poet defendre. 21330
Mais je vous fais tresbien entendre,
Q'ils nulle femme forsque tendre
Et belle et jofne vont querantz;
Siq'en la femeline gendre
Sovent avient que frere engendre,
Dont autre est piere a les enfantz.
  Qui bien regarde tout entour,
Ipocrisie, Incest, Flatour
Trois freres sont de grant puis-
 sance;
N'est tiele dame ne seignour 21340
Q'al un des trois ne porte amour.
D'especiale retenance
Des toutes courtz ont l'aqueintance
Et des cités la bienvuillance;
Chascun les prent au confessour:
Si ont le siecle en governance,
Mais tant comme dure celle usance,
N'est qui nous poet mettre en honour.
  Ipocrisie je vous dy,
Q'ad Flaterie presde luy, 21350
Vait les païs environner
Pour sermoner et precher y;
Et qant il est en halt sailly,
Lors voet les vices arguer,
Oiant le poeple en le moustier:
Mais en la chambre apres disner
La cause n'irra pas ensi;
Car lors ne voet il accuser,
Ainz voet des vices excuser
Le seignour et la dame auci. 21360
  Ipocresie no bealpiere
Ove Flaterie son confrere

Vont les cités environnant:
Ipocrisie en sa maniere,
Pour ce q'il est de simple chere
Et au saint homme resemblant,
Cil irra primer au devant,
Et l'autre vient apres suiant,
Qui portera le sac derere;
Ensi les gens vont conjurant, 21370
Qe tout le plus dur et tenant
Font amollir de leur priere.
  O comme le frere se contient,
Qant il au povre maison vient!
O comme le sciet bien sermonner!
Maisque la dame ait poy ou nient,
Ja meinz pour ce ne s'en abstient
Clamer, prier et conjurer;
La maile prent s'il n'ait denier,
Voir un soul oef pour le soupier, 21380
Ascune chose avoir covient.
'Way,' ce dist dieus, 'au pautonier,'
'Qui vient ensi pour visiter
Maison que povre femme tient!'
  Long temps y ad que j'entendy
Comment Brocage se rendy
En l'ordre u q'il se tient prochein:
Sovent descorde et fait amy,
Sovent devorce et fait mary,
Sovent du primer fait darrein, 21390
Ore est au pié, ore est au mein,
Ore est a certes, ore en vein,
Ore ad parfait, ore ad failly,
Il est trestout du gile plein,
Dont fait en l'an maint fals bargein,
Plus que ne vuil conter yci.
  Danz Sephonie en son endroit
De ceste gent prophetisoit,
Q'ils de nous autrez les pecchés 21399
Duissont manger: car bien l'en voit
Qe des pecchés, comment qu'il soit,
De ceux qui sont leur confessez
Ils ont leur moustiers eshalciez,
Et les beals cloistres envolsiez,
Ne leur falt chose q'estre y doit.
Trop leur sont pecchés beneurez;

21396 Plusque   21400 lenvoit

Car par ce sont il vitaillez
Du quanque l'en mangut ou boit.
   Incest, Flatour, Ipocrital,
Et cil Brocour d'especial,   f. 118
Sont cils qui font les edifices   21411
De leur moustier conventual,
De leur clochier, de leur cloistral,
Les vestementz et les chalices,
Chascuns endroit de ses offices;
Mais ils ne serront point si nices
Q'ils d'orguil leur memorial
N'estruiont deinz les artefices:
Ensi tout serra fait des vices,
Que semble a nous celestial.   21420
   Flatour, qui porte le message
Des freres, pour ce q'il est sage,
Mettra le primer fondement;
Ly confessour de son truage
Qu'il prent d'orguil et de putage,
A luy partient le murement;
La volsure et le pavement,
La verrure et le ferrement
Brocage fait; mais le paiage
Du carpenter Incest enprent;   21430
Et l'Ipocrite au finement
La maison coevere a son coustage.
   Del ordre par tieux procurours
Sont fait chapitres et dortours,
Le freitour et la fermerie,
Les riches chambres as priours,
Les belles celles as menours,
Tout pleins du veine queinterie:
Tant paront large herbergerie
Q'ils tienont en hostellerie   21440
Des vices toutes les scrours;
Si ont juré la foy plevie
Q'ils par commune compaignie
Ensemble demourront tous jours.
   A Rome il ad esté oïe
L'orguil et la fole heresie
Des freres, qui vuillont clamer
D'avoir l'estat du papacie:
Et d'autre part leur felonnie
L'Empire a cause a remembrer,   21450

El sacrement qant del altier
Le venym firont entuschier,
Dont l'Emperour perdit la vie.
Cil frere qui volt abesser
Si haltz estatz, s'il volt lesser
Nous autres, ce ne croi je mye.
   Ensi les files du pecché,
Qui sont en l'ordre professé,
Leur ordre font desordiner,
Que soloit estre bien reulée;   21460
Ore est la reule desreulé,
N'est qui les puet au droit reuler:
La loy commune n'ad poer,
Car ils ne sont pas seculier,
Ne sainte eglise en son degré
Leur privileges attempter
Ne voet; ensi sanz chastier
Trestous estatz ont surmonté.
   Ove les Curetz du sainte eglise
Le frere clayme en sa franchise   21470
Confession et sepulture
Des riches gentz; mais celle enprise
Deinz charité n'est pas comprise;
Car de les poverez il ne cure,
Soit vif ou mort, car celle cure
Dont gaign ne vient, jammes procure:
Ce piert, car n'est qui nous baptize
Des freres pour nulle aventure,
Ensi soubz la simplesce oscure
Veons l'aperte covoitise.   21480
   A les disciples dit estoit,
Sollicitous que nuls serroit
Ou de manger ou de vestir,
Mais en quel lieu que frere soit,
Ou soit a tort ou soit a droit,
Son corps, son cuer et son desir,
Sa diligence et son conspir,
Pour ses delices acuillir
Mette et pourchace a grant esploit:
Quique son dieu voldra suïr,   21490
Le frere en ce voet eschuïr
Sa loy garder en tiel endroit.
   En halt estat humilier
Se doit om, mais contrarier

21481 dist

Le frere voet, qant en escole
De sa logique puet monter
En halt divin et noun porter
Du mestre, dont sa fame vole:
Lors quiert honour et vie mole,
Son dortour hiet plus que gaiole, 21500
Et le freitour desdeigne entrer,
Si clayme avoir sa chambre sole,
U se desporte et se rigole,
Comme cil qui quide avoir nul pier.

Jadys les freres du viel temps
Molt plus ameront en tous sens
A estre bons q'a resembler:
Mais si cils q'ore sont presentz
Soient semblable as bonnez gentz,
Del estre soit comme puet aler. 21510
Poverte scievont bien precher
As autres et soy avancer:
Ce piert par tout en les coventz,
Car cil qui ne sciet profiter
Al ordre du bien seculier
Ne serra point de les regentz.

Mal fils ne tret son pris avant
Par ce qant il fait son avant
Q'il ad bon piere, ainz contre soy
Esclandre quiert plus apparant: 21520
Ensi qui fondont leur garant
Sur saint Franceis, pour ce ne croy
Q'ils averont, qant ils sa loy
Ne gardont, car la droite foy
Est a les oeveres regardant.
Franceis lessa le siecle coy,
Mais ses confreres q'ore voi
Des toutes partz le vont querant.

Om voit monter le nombre ades
Des freres, mais om voit apres 21530
Leur viele reule aler en bas
Et en ruine et en destress.
Si tu regardes bien du pres
La multitude et penseras,
Je say que tu merveilleras,
Et auci tu l'acomparas,
Qant cil qui duist porter le fess
De ta charue ensi verras

Aler oiceus le petit pass,
C'est contre la commune pes. 21540
Je lis que nostre sire en terre
Vint pour les peccheours requerre,
Et nonpas pour la jouste gent;
Mais no bealpere en son affere
Voet a son ordre ainçois attrere
Tiels qui sont jofne et innocent;
Ove ceaux tient il son parlement,
Qui n'ont resoun n'entendement
Comment lesser ne comment fere:
Pour ce qant jofne ensi se rent, 21550
Qant il est viels, puis se repent,
Et lors commence de mesfere.

De saint Franceis ne croy je mye,
Ne Dominic de sa partie,
De les enfantz prist aqeintance
Par doun ne par losengerie;
Ainz prist tiels en sa compaignie
Qui par discrete governance
Se rendiront al observance
De sa poverte et sa penance, 21560
Et lors meneront sainte vie:
Mais ore ont perdu celle usance,
Ne chalt mais de la bienfaisance,
Maisque leur ordre multeplie.

Des freres lors je suy certeins
Les paiis ne furont si pleins,
Ne la cretine estoit si fiere,
Poy en estoit, mais furont seintz:
Ore y ad plus et valont meinz,
Car la vertu se tourne arere; 21570
Maisque l'enfant ait riche piere,
Sique l'onour del ordre appiere,
Ja n'iert des vices tant vileins,
Q'il ne serra del ordre frere;
Car povre fils de la berchere
Al ordre ne serra procheins.

Tout quanque nous trovons escrit
Fuist fait pour bien et pour profit
De nostre aprise et essamplaire;
Pour ce l'apostre en son escrit 21580
Jadis la fourme nous descrit,
C'est d'une gent qui vienont plaire

21568 enestoit

Au ventre, et ont trop debonnaire
Parole, et main tout preste affaire
La beneiçon, mais noun parfit
Pour nostre bienvuillance attraire ;
Mais si voes estre sanz contraire,
Fuietz, ce dist, de leur habit.

De ceste gent ensi diffine
L'apostre et dist que leur doctrine 21590
N'est mye bonne ; et nepourqant,
Qant la parole ont plus divine,
Lors ont coverte la falsine
De simplesce et de fals semblant,
Dont sont les mals ymaginant ;
Si vont au poeple sermonant
Pour lucre et noun pour discipline.
U tiele gent vont limitant,
Mainte maison sont pervertant,
Ainz que l'en sache leur covine. 21600

Deux nouns je truis d'especial
Que sont al ordre fraternal f. 119
Bien acordantz a mon avis,
C'est Agarreni et Gebal ;
Et l'un et l'autre estoiont mal,
Si sont deinz le psaltier escris,
Dont saint Jerom, sicome je lis,
L'exponement en fist jadys :
Le primer noun porta signal
Des ceux q'ont fals le cuer ou pitz, 21610
Qui sont profess pour faire pis
Soubz l'ombre de leur ordinal.

Cils ne sont point droit citezein
Du sainte eglise, ainz sont vilein
Covert de fainte ypocrisie :
De ton manger se ferront plein,
Si penseront ainz que demein
Supplant et false tricherie ;
Et pour court dire ils sont espie,
Dont sainte eglise est trop blemie, 21620
Si sont auci comme gent en vein,
Q'au siecle portont nul aïe :
Qui plus attrait leur compaignie,
Se doit repentir au darrein.

Il estoit dit grant temps y a
Q'un fals prophete a nous vendra,
Q'ad noun Pseudo le decevant ;
Sicomme aignel se vestira,
Et cuer du loup il portera.
O comme les freres maintenant 21630
A Pseudo sont bien resemblant !
Plus simple sont que nul enfant
Dehors, mais qui dedeinz serra
De leur quointise aparcevant,
Dont vont le poeple decevant,
En leur habit le loup verra.

Cils Pseudo qui l'en nome frere
Ont la parole mençongere
Et se vendont communement,
Mais cil q'achat un tiel bealpere 21640
N'en puet faillir q'il n'en compere :
Et nepourqant au jour present
L'en voit plousours du fole gent
Q'achatont leur aquointement
Et s'essamplont de leur manere,
Dont suyt meint inconvenient :
Ce dist la lettre que ne ment
En une epistre de saint Piere.

Ne say du quelle part eslire
Ceux qui de l'ordre le martire 21650
Et la poverte des fondours
Vuillont suffrir ; mais pour voir dire,
Si tieux soiont deinz cest empire,
Ce ne sont point les limitours,
Ainz sont les freres des freitours,
Qui de nuyt portont les labours
Au moustier pour chanter et lire,
Et ne sont point des confessours,
Ainz sont du cloistre professours
Pour ceste siecle plus despire. 21660

Molt sont cil frere beneuré
Q'ensi gardont la dueté,
Mais qui font l'ordre malement
Sont sur tous autres maluré :
Primer perdont la liberté
Du siecle q'est yci present,
Car l'ordre ne voet autrement ;
Et l'autre siecle nullement
Porront avoir, car le pecché
De leur folie le defent : 21670

21608 enfist

MIROUR DE L'OMME

Et ensi sur toute autre gent
Du double peine sont pené.
  Mais trop nous grieve, a dire voir,
Qe freres ne font leur devoir
Selonc que l'ordre leur devise ;
Car s'ensi fuist, n'en puet chaloir,
La bonne pees duist meulx valoir,
Quelle est par tout sicomme divise :
Mais ils lessont la bonne enprise
Que des fondours lour fuist aprise, 21680
Et se pernont a leur voloir ;
Dont trop enpire sainte eglise,
Et dont no siecle en mainte guise
Estuet languir matin et soir.
  Pour soul les freres dy je mye
Qe fortune est ensi faillie,
Ainz di pour tout le remenant
Qui portont noun de la clergie,
Chascuns forsvoit en sa partie,
Sicomme je vous ay dit devant ; 21690
Dont laie gent, q'est nonsachant,
Leur mal essample vait suiant,
Qe toute loy s'est pervertie :
N'est clercs qui soit du meintenant,
Qui vait noz almes maintenant,
Dont la vertu nous justefie.
  Je voi prechier les potestatz
Du sainte eglise en tous estatz
Q'om doit les vices eschuïr :
Grant bien de leur parole orras, 21700
Mais a leur fait si tu verras,
C'est comme mirour dont je me mir ;
Qe si dedeinz me voes querir
N'y troveras ne char ne quir,
Ne pié ne main, ne coll ne bras ;
Tout ensi vein verras faillir
Sermon des clercs sanz parfournir,
Si tu leur vie sercheras.
  Itiels prechours de leur semblant
Sont sicomme cierge clier ardant, 21710
Qui donne as autres sa lumere,
Ou sicomme clocque en halt sonnant ;
L'un vait soy mesmes desguastant,
Et l'autre hurte sa costiere :

Ensi prechour de sa manere,
Ou soit ce prestre ou moigne ou frere,
Grant bien apporte a l'escoultant
Et a soy mesmes grant misere,
Qant le contraire fait derere
De ce q'il nous preche au devant. 21720
  Auci les uns pour lour repos
Ont mis leur langes en depos,
Qe point ne vuillont sermonner ;
N'ont pas la bouche a ce desclos,
Ainz, comme carbon qui gist enclos
Deinz cendre, font lour sens muscer,
Q'au dieu ne vuillont labourer :
Ainz pour les causes a pleder
Mettont peresce arere doss,
Dont il se porront proufiter, 21730
Mais pour les almes avancer
Ils ont ne talent ne pourpos.
  Cil q'ad science et point ne cure
De nous precher, et en ordure
Sa vie meine nequedent,
Au fume que noz oils oscure
Resemble, qant nous fait lesure
De son malvois essamplement.
L'apocalips qui point ne ment
Dist que d'en halt le firmament 21740
L'estoille quelle en sa nature
Au dieu loenge ne resplent,
Cherra, et c'est de tiele gent
La resemblance et la figure.
  Mais sur trestous mal sont eslit
Les fols curetz qui n'ont delit
Forsque du siecle a deliter :
De leur essample et leur excit
Sovent nous vient fol appetit,
Dont nous faisons dieu corroucer ; 21750
Et il pour nous en chastier
Le siecle nous fait adverser,
Si nous moleste en chascun plit :
Mais, ainçois q'il du pis grever
Nous face, bon fuist d'amender
Et mal curet et mal soubgit.
  Pour bien regarder tout entour
L'estat des clercs au present jour

21740 denhalt   21751 enchastier

Et des Religious auci,
Du Jacobin, Carme et Menour,   21760
N'est qui se gart a son honour,
Des toutez partz sont perverti :
Mais qant les clercs nous sont failly,
Ne say desore avant par qui
Porrons du nostre creatour
Avoir reless de sa mercy,
Ainz que nous soions malbailly ;
Et c'est le pis de ma dolour.
   Mais s'aucun m'en soit au travers,
Et la sentence de mes vers   21770
Voldra blamer de malvuillance,
Pour ce que je ne suy pas clers,
Vestu de sanguin ne de pers,
Ainz ai vestu la raye mance,
Poy sai latin, poy sai romance,
Mais la commune tesmoignance
Du poeple m'ad fait tout apers
A dire, que du fole errance
Les clercs dont vous ay fait parlance
Encore sont ils plus divers.   21780

Ore q'il ad dit l'estat de ceux qui se nomont gens du sainte eglise, il dirra en part l'estat de ceux qui ont le siecle en governance, et commencera primerement a parler de l'estat des Emperours au temps q'ore est.

Dieus doint que soions bonne gent,
Car qui regarde au jour present
Comment le siecle est tribolé,
Par resoun serra molt dolent ;
Car les mals vont communement,
Qe nul estat ont respité

  . . . .

Mais ne puiss dire tout comment   f. 121
De les batailles proprement   21980
Que Nabugodonosor fist,
Tiel fuist son noun, et nequedent
Fortune estoit de son assent
Et sur sa roe en halt l'assist.

Sur tous Fortune l'alleva,
Dont son orguil crust et monta,
Mais qant meulx quide estre au dessus,
Pour son orguil qu'il demena
Sodeinement dieus le rua,
Si q'unqes Rois de sus en jus   21990
N'estoit si fierement confus.
Car sa figure, comme je truis,
En une beste se mua,
Dont de son regne estoit exclus
Et fuist au bois sept auns depuis,
U qu'il del herbe pastura.
   O tu, qui cest essample orras,
Deux choses noter en porras :
L'un est que tu ne dois despire
Les poveres, qant tu les verras,   22000
Car n'est si povere qui par cas
Porra tenir un grant empire,
Ne ja n'ert homme si grant sire
Q'ascune foitz ce qu'il desire
Luy doit faillir de halt en bass :
Mais si tu voes le mond descrire,
Ascoulte a ce que m'orras dire,
Et puis t'avise quoy ferras.
   Je truis escript du poeple hebru,
Disz tribes s'estoiont esmu   22010
Devers Damas pour guerroier ;
De leur force et de leur vertu
Quideront tout avoir venqu :
Mais tout changa lour fol quider,
L'orguill qui les faisoit aler,
Car prest lour sont a l'encontrer
Ly Sirien et ly Caldieu,
As queux Fortune volt aider ;
Si firont les Hebreus tuer,
Dont leur orguil ont abatu.   22020
   Puis sont en leur orguil levé
Ly Surien et ly Caldiée,
Mais deinz brief temps se passera ;
Fortune leur changa le dée
Et desmontoit ce q'ot monté :
Car l'un a l'autre puis mella,
Mais les Caldieus alors halça
Et la victoire leur donna,

After 21786 *one leaf, containing* 192 *lines, is lost.*   21998 enporras

Dont Surien sont avalé;
Mais leur pris guaires ne dura, 22030
Car celle qui les fortuna
Deinz brief les ot desfortuné.

 Qant ly Caldieu furont amont
Et de Surrie mestres sont,
Lors moevont guerre contre Perse,
De leur orguill bataille y font;
Mais Fortune ove sa double front,
Quelle est et ert toutdis diverse,
Lors fuist a les Caldieus adverse,
Contrariouse et tant perverse 22040
Q'a celle jour tout perdu ont;
As Persiens s'estoit converse,
Mais tost apres sa roe verse
Par autre guise et les confont.

 Qant ly Caldieu sont ensi pris,
As Persiens lors fuist avis
Avoir le mond a leur menage;
Mais celle qui les ot en pris
Monté, les ad bien tost repris,
C'estoit Fortune la salvage: 22050
Car Alisandre ove son barnage
Les venquist, et en son servage
Par guerre puis les ad conquis;
Ore est cil Rois de tiel oultrage,
Qe tout le mond ly rent truage,
Mais ce ne dura pas toutdis.

 Qant Alisandre estoit dessure,
Et q'il le monde avoit en cure,
Quidetz pour ce q'il fuist certein
De la fortune en qui s'assure? 22060
Non fuist pour voir; ainz en poi d'ure
Fortune luy changa sa mein,
Huy luy fist Roys, et l'endemein
L'enpuisonna, siq'au darrein
Morust et ot sa sepulture:
Ore est tourné s'onour en vein,
Les Regnes sont sanz chevetein,
Et la conqueste en aventure.

 L'en voit sovent, qui bien s'avise,
Royalme q'est en soy divise 22070
Covient a estre desolat.
Lors il avient en tiele guise,

Les gentz du Roy par covoitise
Començont guerre et grant debat,
Chascuns volt estre potestat,
Ce que l'un halce l'autre abat,
Siq'au darrein par halte enprise
La grande Rome ove ceaux combat
Et les venquist, dont leur estat
Fortune hosta de sa reprise. 22080

 O tu Fortune l'inconstante,
Du double face es variante,
L'une est en plour, l'autre en ris;
Plus que solaill l'une est luisante,
Belle et pitouse et avenante
Et graciouse au droit devis,
Dont tu regardes tes amys;
Mais l'autre plus q'enfern volcis
Perest oscure et malvuillante,
Dont tu reguardes les chaitis, 22090
Qant par ta sort les as soubmis
D'adversité contrariante.

 O tu Fortune la nounstable,
En tous tes faitz es deceivable,
Car quelle chose que tu fras
Plus que ly ventz perest changable;
Qant tu te fras plus amiable,
Plustost les gentz deceiveras,
Car qui tu hier en halt montas
Demein les fais ruer en bass: 22100
Trop est ta roe ades muable,
Le dée du quell tu jueras
Ore est en sisz, ore est en as,
Fols est q'en toy se tient creable.

 O tu Fortune la marage,
Ore es tout coye au sigle et nage,
Menable et du paisible port;
Ore es ventouse, plein du rage,
Des haltes ondes tant salvage,
Que l'en ne puet nager au port: 22110
Tu es d'estée le bell desport
Flairant, mais plus sodain que mort
Deviens lutouse et yvernage;
Tu es le songe qant l'en dort,
Qe tous biens par semblante apport,
Mais riens y laist de l'avantage.

22096 Plusque

Fortune, endroit du courtoisie
Tu ne scies point, ainz malnorrie
Par droit l'en te porra prover : 22119
Car qui plus quiert ta compainie
Et plus te loe et magnifie,
Tu plus celluy fais laidenger,
Et qui fuïr et aviler
Te quiert, celluy fais honourer :
C'est une eschange mal partie,
Ne say reson dont excuser
T'en puiss, si noun q'au droit juger
Tu as la voegle maladie.
 Fortune, tu as deux ancelles
Pour toy servir, si volent celles 22130
Plus q'arondelle vole au vent,
Si portont de ta court novelles ;
Mais s'au jour d'uy nous portent belles,
Demein les changont laidement :
L'une est que vole au noble gent,
C'est Renomée que bell et gent
D'onour les conte les favelles,
Mais l'autre un poy plus asprement
Se vole, et ad noun proprement
Desfame, plaine de querelles. 22140
 Cist duy par tout u sont volant
Chascune entour son coll pendant
Porte un grant corn, dont ton message
Par les paiis s'en vont cornant.
Mais entrechange nepourqant
Sovent faisont de leur cornage,
Car Renomé, q'ier vassellage
Cornoit, huy change son langage,
Et d'autre corn s'en vait sufflant,
Q'est de misere et de hontage : 22150
Sique de toy puet estre sage
Sur terre nul qui soit vivant.
 He, comme Fortune par tout vole,
Ore est tressage, ore est tresfole,
Ore est doulcette, ore est amere,
Ore est commune et ore est sole.
Mais quiq'en voet savoir l'escole,
Regarde Rome, a qui fuist mere
Fortune et la droite emperere.
U est elle ore ? Elle est derere ; 22160

De Rome nuls ne tient parole,
Plus que l'aignelle a sa berchiere
Rome est soubgite, et la banere
Jadis d'onour ore est frivole.
 Molt fuist jadys la renomée
De Rome, qant elle ert nomé
Cité de la paiene gent :
Troian, q'en ot la digneté,
Lors moustra sa benigneté,
Qu'il fist et gardoit ensement 22170
La loy du bon governement ; f. 122
Mais du prouesce et hardement
Fuist Rome auci la plus loé
Au temps Cesar le fort regent,
Du qui noblesce au jour present
L'en parle et ad toutdis parlée.
 Mais ore, helas ! nous quoy dirrons,
Q'en dieu par droite foy creons ?
Si est la Cité malbaillie,
Dont nous la seignourie avons. 22180
Pour la creance que tenons
Bien say ce n'est avenu mye,
Ainz est pour nostre fole vie.
O chiefs du toute prelacie,
Part de la cause a vous donons,
Et l'Emperour avera partie ;
Ne sai de vous qui pis la guye,
La coulpe sur vous deux lessons.
 O Rome, jadys chief du monde,
Mais tu n'es ore la seconde, 22190
Ove deux chiefs es sanz chevetein :
L'un est qui sainte eglise exponde ;
A son poair n'est qui responde,
Ce piert en toy chascun demein,
Car s'il avient qu'il t'est prochein,
Lors tolt de toy le flour et grein,
Et laist la paile deinz ta bonde,
Et puis se tient de toy forein :
C'est un des chiefs le primerein,
Par qui Fortune te confonde. 22200
 Un autre chief duissetz avoir,
Mais voegles ad les oills pour voir,
Si ad tout sourdes les oreilles ;
Ne puet oïr, ne puet veoir,

22133 Iourduy   22168 qenot

Si mal te vient, q'en poet chaloir ?
Helas, Fortune, as tes merveilles ;
C'est l'aigle d'orr qui tu n'esveilles,
C'est cil qui tient les nefs sanz veilles
Et les chivalx sanz removoir.
He Rome, jadys sanz pareilles,   22210
N'est ore honour dont t'apareilles,
Tes chiefs te font le corps doloir.
  Helas ! qant cils qui duissont estre
Pour tout le mond en chascun estre
Du corps et alme noz gardeins,
L'un chivaler et l'autre prestre,
Laissont noblesce ensi descrestre,
Nonpas tout soul de les Romeins,
Ainz de tous autres plus et meinz,
Nuls est de son estat certeinz,   22220
Qant falt l'essample de son mestre :
Dont vont errant tous les humeinz
Par quoy prions as joyntez meins
Remede de la court celestre.

Ore qu'il ad dit de l'estat des Emperours, dirra de l'estat des Roys.

Apres l'Empire le seconde
Pour governer les gentz du monde
L'estat du Roy fuist ordiné :
Ly Rois, sicome le livre exponde,
S'il a sa Roialté responde,
Doit guarder toute honesteté :   22230
De sa primere dueté,
Doit sainte eglise en son degré
Defendre, que nuls la confonde,
Et puis doit de sa Roialté
Selonc justice et equité
Guarder la loy dedeinz sa bonde.
  Tiele est la dueté des Roys,
Amer et servir dieu ainçois,
Et sainte eglise maintenir,
Et garder salvement les loys :   22240
Mais ils font ore nul des trois ;
Car ils n'ont cure a dieu servir,
Et d'autre part vuillont tollir
Du sainte eglise, ainz q'eslargir

Ne les franchises ne les droitz ;
Et nulle loy vuillont tenir
Mais ce qui vient a leur plesir,
Sicomme dist la commune vois.
  Rois sainte eglise trop enpire,
Qant il nient joustement s'aïre   22250
Encontre ascun q'est son prelat,
Et sur cela luy fait occire :
Combien q'il soit son lige sire,
Il duist doubter si saint estat ;
Qui sainte eglise ensi rebat
Encontre mesmes dieu combat,
Mais il ne le puet desconfire ;
Ainz tant comme plus ove luy debat,
Tant plus serra du guerre mat,
Qant il son ease plus desire.   22260
  Et d'autre part trop desavance
La sainte eglise Rois q'avance
Clerc a la cure d'eveschée,
Qui sciet ne latin ne romance,
Du bible ne de Concordance,
Ne de Civile ne decré,
Pour governer sa digneté,
Mais soul pour ce q'il est privé
Du Roy, pour faire sa plesance
En la mondaine vanité.   22270
Rois qui tiel clerc ad avancé
Ne serra quit de la penance.
  O Rois, fai ce que tu porras,
Qe sages soient tes prelatz,
A ce qu'ils facent leur devoir ;
Et lors tu les desporteras,
Que malgré leur ne porteras
Du sainte eglise ascun avoir :
Et d'autre part t'estuet savoir,
Qant dois coronne rescevoir,   22280
D'evesque la resceiveras ;
Dont m'est avis, pour dire voir,
Celluy q'onour te fait avoir
Par reson tu n'avileras.
  O Roys, si je le serement
Q'au jour de ta coronnement
As fait a dieu et sainte eglise
Remembre, lors ne say comment
Le dois falser, car Rois qui ment

N'est digne a tenir sa franchise, 22290
Ainz dieus le hiet et le despise;
Car verité par halte enprise
L'appelle et tient en jugement,
Et le met a recreandise:
Pour ce bon est que Roy s'avise
Pour la bataille qu'il attent.
   O Roys, dieus ne s'agreë mye,
Qant tu franchise ou manantie
Que ton Ancestre a luy donna
Luy voes tollir de ta maistrie; 22300
Car dont l'eglise est enpovrie,
Jammais ly Roys se richera:
Mais Rois doit bien savoir cela,
Quanque l'eglise tient et a
A dieu partient, dont courtoisie
Unques n'estoit ne ja serra,
Qant a celluy qui tout bailla
Ne laist avoir sa pourpartie.
   O Roys, laissetz en pes la bonde;
Combien que sainte eglise habonde,
Tu ne t'en dois entremeller: 22311
Du Salomon je truis q'il fonde
Le temple dieu, et a large onde
Des biens le fist superfluer;
Mais je say nulle part trover
Qu'il en tollist un soul denier,
Car la science q'ot parfonde
Luy fist toutdis considerer,
Qe cil q'au dieu voet guerroier
Ne puet avoir sa pes au monde. 22320
   Du Roy d'Egipte truis lisant,
Qu'il ses taillages demandant
Des prestres moeble ne florin
Pour l'amour son dieu Ternagant
Ne volt tollir ne tant ne quant:
C'estoit le fait du Sarazin;
Avoy pour honte! o Roy cristin,
N'iert dieus amé plus q'Appolin?
Q'est ce que tu t'en vais pilant
Des prestres, qui sont tout divin? 22330
Crois tu par ce mener au fin
Ta guerre? Noun, jammais par tant.
   Lysias, qui l'ost de Surrie
Menoit soubz sa connestablie,
As tous les auns avoir quida
El temple dieu de la clergie
Tribut: mais dieus ne le volt mie,
Ainçois son angel envoia,
Q'encontre luy le derresna,
Et de son host occis y a 22340
Bien dousze Mil. O la folie,
Si Rois ne s'en essamplera!
Car si dieus lors son temple ama,
S'eglise est ore plus cherie.
   O Rois qui piles sainte eglise
Et tols a tort la dieu franchise,
Scies tu que dieus t'en ad promis?
Par son prophete il te devise
La paine q'il t'en ad assisse,
Si dist qu'il tournera son vis 22350
Encontre toy par tiel divis,
Qe tu serras tant esbahis
Du paour et recreandise,
Qe si nes uns t'ait poursuïz
Tu fuieras. O dieu merciz,
Trop serra dure la reprise.
   O Rois, je loo, si tu bien fes,
Laissetz la sainte eglise en pes,
Fai ce q'a ta coronne appent;

. . . .

Mais cil q'estoit du sage port, f. 125
C'est Daniel, au Roy report
L'exponement, disant ensi:
'Mane, ton pueple t'ad guerpi;
Techel, tu n'as bonté par qui
Qe dieus t'en voet donner confort;
Phares, ton regne est departi, 22750
Car dieus voet q'autre en soit saisi,
Et tu serras du pecché mort.'
   O Rois, pren guarde et te pourvoie,
Qe tiele lettre ne t'envoie
Dieus, qui les Rois tient en justice;
En trop de vin ne te festoie,
Dont ta luxure multeploie,
Car c'est en Roy trop orde vice:
Et d'autre part pour l'avarice

22316 entollist   22340 ya   *After* 22359 *two leaves are lost.*   22751 ensoit

Ne fai a l'orr ton sacrefice, 22760
Car Rois doit estre toute voie
Francs en toutz pointz, mais trop est nice
Cil Rois q'en servitute esclise,
Et de franchise se desvoie.
 Dedeinz la bible escript je lis
D'un Roy qui demandoit jadis
Des quatre de ses chambreleins,
Et grant loer leur ad promis,
Qui meulx dirroit au droit divis 22769
Q'est ce que plus du force est pleins :
Si lour donna trois jours au meinz
D'avisement, dont plus certeinz
Fuissent pour dire leur avis.
L'un dist que sur trestous humeinz
Du force Roy fuist souvereinz ;
Car Roy tous autrez ad soubgiz.
 Mais ly secondes respondy,
Qe femmes sont plus fort de luy ;
Car femmes scievont Roy danter :
L'essample veons chascun dy, 22780
Maint Roy en est trop malbailly,
Q'au peine nuls se sciet garder.
Ly tierce dist, q'au droit juger,
Le vin trestout puet surmonter,
Par force qant les ad saisy ;
Car Roy et femme en son danger
Retient, et tolt leur force et cuer,
Et tout le membre ovesque auci.
 Le quarte dist que verité
Toute autre chose ad surmonté ; 22790
Car verité de son droit fin,
Qant tous serront ovel jugé,
Tout veint la fole vanité
Du Roy, des femmes et du vin.
Cil qui ce dist ot le cuer fin
Du sapience et bon engin,
Dont sa response tint en gré
Ly Rois, ensi comme d'un divin.
Bien doit pour ce le Roy cristin
Amer justice et loyalté. 22800
 Rois doit la verité cherir
Sur toute chose et obeïr,

Ce dist Sidrac ; et nepourqant
Ore voit om Roy tous ceaux haïr
Qui voir diont, mais qui blandir
Luy vuillont, cils serront manant.
Voir dist qui dist femme est puissant,
Et ce voit om du meintenant :
Dieus pense de les mals guarir,
Q'as toutes loys est descordant, 22810
Qe femme en terre soit regnant
Et Rois soubgit pour luy servir.
 Rois est des femmes trop deçu,
Qant plus les ayme que son dieu,
Dont laist honour pour foldelit :
Cil Rois ne serra pas cremu,
Q'ensi voet laisser son escu
Et querre le bataille ou lit.
Du Roy David je truis escrit
Que pour son charnel appetit 22820
Du Bersabée, qu'il ot conu,
Vilainement fuist desconfit ;
Car Rois ne serra ja parfit
Q'est de sa frele char vencu.
 Dedeinz la bible qui lira
Des Rois, sovent y trovera
Qe pour les mals que Rois faisoit
Non soulement dieus se venga
Sur le Roy mesme, ainz pour cela
Trestout le pueple chastioit ; 22830
Mais par contraire en nul endroit
Ne lis qu'il sur le Roy vengoit
Les mals du pueple cy ne la :
Rois est le chief solonc son droit,
Dont si le chief malade soit,
N'est membre qui dolour n'ara.
 Ensi le mal du Roy ceux fiert
As queux le pecché point n'affiert ;
Car ce dont Rois son dieu offent
Sovent le pueple le compiert, 22840
Par quoy du Roy, comme bien apiert,
Les pecchés sont trop violent.
Dieu ne se venga proprement
De David q'ot fait folement,
Ainz pour le Roy le poeple quiert :
Bien doit ly Rois estre dolent

22778 plusfort

Qant il au pueple tielement
Pour ses pecchés vengance adquiert.
　Le lis, qant David s'aparçoit
Qe sur son pueple tourneroit　22850
Ce q'il ot mesmes deservy,
Pour le dolour q'il lors avoit
Dieus la vengance repaisoit,
Qant vist coment se repenti ;
Car tost comme il s'en converti
Vers dieu, il en trova mercy,
Dont il son dieu remercioit,
Et puis se contienoit ensi,
Qu'il soy et tout le pueple auci
Al dieu plesance governoit.　22860
　O Rois, retien en remembrance
Du Roy David la repentance :
Hostetz de toy le fol desir,
Qui fait amerrir ta puissance,
Hostetz de toy fole ignorance,
Que ta justice fait blemir ;
Et si tu voes au bien venir,
D'orguil ne te dois sovenir :
Pren consail sage en t'alliance,
Et sur tout te dois abstenir　22870
Du covoitise, et lors tenir
Porras la bonne governance.
　Ly Rois David, comme dist l'auctour,
Estoit des six pointz essamplour,
Dont chascun Roy puet essampler :
Ly Rois David estoit pastour,
Ly Rois David estoit harpour,
Ly Rois David fuist chivaler,
Ly Rois David en son psalter
Estoit prophete a dieu loer,　22880
Ly Rois David en doel et plour
Estoit penant, et pour regner
David fuist Rois, si q'au parler
As autrez Rois il fuist mirour.
　Au pastour falt primerement
Q'il ses berbitz discretement
Les ruignous houste de les seins :
Bons Rois covient qu'il tielment
Deinz son hostell la bonne gent
Retiene et hoste les vileins.　22890

Berbis q'est de la ruigne atteins
Les autres qui luy sont procheins
Entusche : et l'omme q'est present
Entour le Roy fait plus ne meinz ;
Des males mours dont il est pleins
Corrumpt les autres malement.
　Au bon harpour falt de nature
Mettre en accord et attemprure
Les cordes de sa harpe, ensi
Qe celle corde pardessure　22900
Ne se descorde a la tenure,
Et puis q'a l'un et l'autre auci
Face acorder la corde enmy ;
Mais au darrein covient a luy
Qu'il de Musique la droiture
Bien garde ; et lors ad tout compli,
Dont cils q'aront la note oÿ
S'esjoyeront de la mesure.
　Ensi falt que ly Rois en terre
Sache attemprer et l'acord fere　22910
Du pueple dont la governance
Il ad resçu, siq'au bienfere
Chascuns endroit de son affere
Soit temprez en droite ordinance,
Le seignour soit en sa puissance
Et la commune en obeissance,
L'un envers l'autre sanz mesfere :
Rois q'ensi fait la concordance
Bien porra du fine attemprance
La harpe au bonne note trere.　22920
　David bon chivaler estoit
Du cuer et corps, dont surmontoit
La force de ses anemys ;
Qant pour la foy se combatoit,
Dieus son miracle demoustroit,
Dont il avoit loenge et pris.
Car la fortune a les hardis
S'encline, mais Rois q'est eschis
A batailler qant il ad droit,
Il n'est pas de David apris ;　22930
Mais s'il defende son païs,
Lors fait cela que faire doit.
　Prophete estoit le bon Davy,
Loyal, certain, car tant vous dy,

22856 entroua

22874 dix

Ce qu'il disoit ne fuist pas fable.
Rois qui s'essamplera de luy   f. 126
Covient tricher envers nully,
Car Roys doit estre veritable
De sa parole, et non changable;
Et autrement, s'il soit muable,   22940
Il ad sa Roialté failly:
Mais Rois q'en verité s'estable,
Par ce son regne fait estable,
Si ert a dieu prochein amy.

    David estoit auci penant,
Du cuer contrit et repentant,
De ce qu'il dieu ot offendu,
Dont fist penance sufficant
Par quoy soy mesmes tout avant
Et puis le pueple en sa vertu   22950
Guarist de la vengance dieu:
O Rois, ensi covient que tu
Par repentance eietz garant
De tes pecchés, dont absolu
Estre porretz, ainz que vencu
Soietz del ire au toutpuissant.
Mais au final David fuist Rois,
Qui bien guardoit les bonnes lois.
Mais pour retourner a cela
Des pointz dont vous ay dit ainçois,
Le temps est ore plus malvois,   22961
N'est qui David essamplera:
Pres du pastour ore om verra
Berbis ruignous, dont trop y a;
Et del harpour diont François,
La harpe est en discord pieça.
U est qui bien nous harpera?
Je ne say dire a ceste fois.

    Pour parler de chivalerie
De David et sa prophecie,   22970
Du prouesce et du verité,
N'est pas a moy que je le die,
Mais om dist que l'essamplerie
Du nostre terre en est alé,
Et que David s'estoit pené
Pour ses pecchés, ore est tourné
Pour l'ease avoir de ceste vie,
Et la justice en Roialté
Que David tint, desloyalté
De mal consail l'ad forsbannie.   22980

    O Rois, enten, si fretz que sage,
Danz Tullius t'en fait message,
Disant que c'est au Roy grant honte,
Qui par bataille et fier corage
Tous veint, et soy laist en servage
Du covoitise, et tant amonte
Q'il n'est pas Rois a droit acompte:
Del une part car si l'en conte
Qu'il ad prouesce et vassallage,
Del autre part son pris ne monte;   22990
Qant covoitise luy surmonte,
L'onour du Roy se desparage.

    O Rois, d'orguil ton cuer retien,
De l'escripture et te sovien.
Dieus dist, 'A la coronne way
Q'est orguillouse!' car n'est rien
Que dieus tant hiet, ce savons bien;
Plusours en ont trové l'essay:
Mais d'autre part tresbien le say,
O Rois, si voes servir au pay   23000
Ton dieu, humblesce en toy maintien,
Comme fist David, ensi le fay:
L'essample vous en conteray,
Ascoulte, Rois, et le retien.

    Molt ot David humble espirit,
Ce parust bien qant il oït
Semeÿ, qui luy vint maldire
En son meschief par grant despit,
Et il le fist du mort respit,
D'umilité restreigna l'ire: 23010
Auci l'en puet de Saül lire
Qu'il querroit David pour l'occire,
Pour ce David point ne l'occit,
Qant ot poer, dont nostre sire
Puis saisist David de l'empire
Et Roy Saül fuist desconfit.

    Sicomme la force eschiet du Roy
Par son orguil et par desroy,
Ensi s'avance humilité.
Ce parust en la viele loy,   23020
Senacherib ove son buffoy
Qant Ezechie ot manacé

22964 ya   22974 enest   22998 enont   23003 enconteray

Et cil s'estoit humilié,
Dieus son miracle ad demoustré :
Oytante Mil et cynk, ce croy,
Del host paiene il ad tué,
Et puis luy mesme en sa contré
Ses fils tueront en recoy.
 O Roys, tu es a dieu conjoynt,
Qant par les meins d'evesque enoint
Es du sainte oile, et pour cela   23031
Remembre a ce que t'est enjoynt,
De vertu ne soietz desjoynt,
Car Rois par droit le vice harra :
De sa nature l'oile esta
Mol et perçant, dont Rois serra
Pitous et joust, siq'en nul point
Al un n'al autre falsera ;
Pité joustice attemprera,
Qu'il crualté ne ferra point.   23040
 O Rois, si bien fais ton devoir,
Deux choses te covient avoir,
Ce sont pités et jugement,
Ne l'un sanz l'autre poet valoir :
Tu ne te dois tant esmovoir
Du pité, dont la male gent
Soit inpunie, et autrement
Tu dois sanz pité nullement
Juger de ton roial pooir
Pour nul corous que toi susprent, 23050
Ainz du pité benignement
Fai la malice removoir.
 Senec le dist q'a Roialté
Plus q'a nul autre affiert pité,
Et le bon Emperour Constant
Nous dist que cil s'est bien prové
Seigneur en droite verité,
Qui du pité se fait servant :
Cassodre auci ce vait disant,
Qe tout le regne en ad garant,   23060
U que pités s'est herbergé ;
Et qui la bible en vait lisant
Verra justice molt vaillant,
Qant du mercy serra mellée.
 Ly Rois q'est joust et debonnere
N'estuet doubter le fait du guerre

Pour multitude de la gent
Q'au tort vienont pour luy surquere ;
Car mesmes dieu leur est contrere
Et les maldist molt fierement,   23070
Comme Ysaïe nous aprent :
Ly Machabieus tout ensement,
Q'assetz savoit de tiel affere,
Dist que victoire ne se prent
En multitude, ainçois attent
En dieu, si Roys luy voet requere.
 O Rois, si estre voes parfit,
Fai ce pour quoy tu es eslit,
Justice au pueple fai donner ;
Ly Rois qui par justice vit   23080
Ja n'ert du guerre desconfit.
Ce dist David en son psalter,
' Justice et pes s'en vont aler
Comme mere et file entrebaiser ' :
Car de justice pes nasquist ;
Pour ce justice est a guarder
Au Roy qui voldra pes amer,
Car c'est le chief de son habit.
 O Rois, si tu del un oil voies
Les grans honours, les grandes joyes
De ta coronne et ta noblesce,   23091
De l'autre part repenseroies
Comme es chargez diversez voies
De ce dont dieus t'ad fait largesce.
Si tu bien gardes la promesse,
Comme ta coronne le professe,
Et ton devoir n'en passeroies,
Lors sanz faillir, je me confesse,
Les charges passont la richesce,
Si l'un ove l'autre compensoiez.   23100
 L'estat du Roy est honourable,
Mais cel honour est descheable
Au siecle qui ne puet durer ;
Car mort que ja n'ert merciable
Ne truist le Roy plus defensable
Q'un povre vilein labourer,
Et tout ensi naist au primer
Le Roy comme fait le povre bier,
Nature leur fait resemblable,
Mais soul l'estatz font diverser ;   23110

  23060 enad   23062 envait   23086 aguarder

Dont si ly Rois ad plus poer,
Tant plus vers dieu est acomptable.
 Qui plus en halte estage monte,
S'il en cherra, mal se desmonte,
Dont trop se blesce ; et tout ensi
Par cas semblable tant amonte
Ly Rois, qui tous estatz surmonte ;
S'il soit des vices assailly
Et soit vencu, tant plus failly
Serra coupable et malbailly,
Qant a son dieu rendra l'acompte,
Qui la personne de nully
Respite. O Rois, pour ce te dy,
Pren garde a ce que je te conte.
 C'est bien resoun, si Rois mal fait,
Qe s'alme plus du paine en ait
Q'uns autres de menour degré :
Car si la povre gent mesfait,
Sur eaux reverte le mesfait,
Dont sont du siecle chastiée ;
Mais si ly Rois fait malvoisté,
N'est qui pourra sa Royalté
Punir, ainz quit de son forsfait
Irra tout a sa volenté,
Tanque la haulte deité
Luy fait ruer de son aguait.
 O Rois qui meines vie fole,
Ainçois que l'ire dieu t'affole,
Fai amender ta fole vie ;
Car qant tu vendras a l'escole
U t'alme doit respondre sole,
Ne te valdra chivalerie,
Ne Roialté ne seigneurie,
Ainz la resoun q'as deservie
Du ciel ou d'infernal gaiole
L'un dois avoir sanz departie :
Ore elisetz a ta partie
Le quel te plaist, ou dure ou mole.
 Ainz q'autre chose a dieu prioit
Rois Salomon, q'il luy voldroit
Donner ytielle sapience
Par quelle du justice et droit
Son pueple en sauf governeroit :
Dont sa priere en audience

Vint pardevant la dieu presence,
Et pour ce que sa conscience
Au proufit de son poeple estoit,
Dieus luy donna l'experience
Du bien, d'onour et de science,
Plus q'unques Rois devant n'avoit.
 L'essample au Salomon le sage
Loign du memoire ad pris passage,
N'est Rois qui le voet repasser
Pour le tenir deinz son corage,
Ainz prent du poeple son pilage
Et laist justice oultrepasser.
Si dieus consail du losenger
D'entour le Roy ne voet hoster,
Trop avons perdu l'avantage ;
Car chascun jour renoveller
Veons les mals et adverser,
Dont chascuns sente le dammage.
 Essample y ad du meinte guise,
Qe Rois consail du covoitise
Doit eschuïr, car ce defent
Ly philosophre en son aprise ;
Car tiel consail honour ne prise
Ne le commun profitement,
Ainz quiert son lucre proprement.
De fals Judas l'essamplement
Bon est que chascun Roy s'avise ;
Car il pour lucre de l'argent
Son Roy trahist au male gent,
Qui puis en suffrit la juise.
 Mais cil qui mal consail dorra,
Ly mals sur soy revertira,
Qant il meinz quide que ce vient :
Ce dist Sidrac, et de cela
Achitofel nous essampla,
Qant Absolon ove soit retient
Cusy, a qui consail se tient
Et le pourpos volt guarder nient
Q'Achitofel luy consailla ;
Dont il tant anguissous devient,
Q'as ses deux mains le hart enprient
Au propre coll et s'estrangla.
 O dieus, qant ly plus seigneural
Pier de la terre et principal

Apres le Roy n'osent restreindre
Les mals, ainz sustienont le mal, 23200
Comment dirront ly communal?
Ou a qui lors se porront pleindre,
Qant cils q'apres le Roy sont greindre
N'osent voirdire, ainz vuillont feindre,
Pour doubte ou pour l'amour roial?
N'est verité qui puet remeindre,
Dont ont oppress le pueple meindre
Du maint errour superflual.

**Ore qu'il ad dit l'estat des Roys,
dirra l'estat des autres seignours.**

Apres les Rois pour Regiment
Seignours om voit diversement 23210
Par les cités, par les paiis,
Qui sont ensi comme Roy regent,
Et si ne portont nequedent
Le noun du Roy, ainçois sont ditz
Ducs, Princes, Contes et Marchis.
Chascuns, solonc qu'il ad enpris
L'onour, doit porter ensement
Les charges, dont il m'est avis,
Seignour doit garder ses soubgitz
En loy du bon governement. 23220
N'est pas pour ce que dieus n'avoit
Assetz du quoy dont il porroit
Avoir fait riche chascuny,
Q'il les gens povres ordinoit;
Ainz fuist pour ce que dieus voloit
Essaier les seignours ensi,
S'ils ussent leur corage en luy:
Car qui q'est riche et joust auci,
Laissant le tort pour faire droit,
Il ad grant grace deservi, 23230
Qant pour les biens q'il fait yci
Les biens sanz fin puis avoir doit.

Ascuns diont q'en Lombardie
Sont les seignours de tirandie,
Qui vivont tout au volenté
Sanz loy tenir d'oneste vie,
Ainçois orguil et leccherie
Et covoitise ont plus loé.

D'orguil ont sainte eglise en hée,
Qu'ils la sentence et le decré 23240
Pour dieu n'en vuillont garder mie,
Et de luxure acoustumé
Commune font la mariée
Et la virgine desflourie.

Et d'avarice, dont sont plein,
Ils font piler et mont et plein,
N'est uns qui leur puet eschaper
Qui soit a leur poer prochein:
Trestous les vices ont au mein,
Mais ore, helas! trop communer 23250
S'en vait par tout leur essampler;
Deça et pardela la mer
Chascuns s'en plaint, pres et longtein,
Qe la malice en seigneurer
Confont le povre labourer,
Et le burgois et le forein.

De ces Lombardz om solait dire
Q'ils sont sur tous les autrez pire
En governant leur seignourage;
Mais certes ore, qui remire 23260
L'estat du siecle pour descrire,
Om voit plusours de tiel estage,
Seignours du jofne et du viel age;
Chascuns en sente le dammage,
Mais nuls en puet trover le mire:
Si dieus ne pense au tiel oultrage
Rescourre, endroit de mon corage
Ne sai ce que j'en doie escrire.

Avoy, seigneur, q'es en bon plit
Sibien d'onour comme de proufit, 23270
Tu es du deble trop commuz,
Qant tout cela ne te souffit,
Ainçois de ton fol appetit
Pour covoitise d'avoir plus
Fais guerre, dont serront confus
Les povrez gens et abatus
Les droitz: mais seignour q'ensi vit
Du charité trop est exclus;
Meulx luy valdroit estre reclus, 23279
Qant pour son gaign le poeple occit.
Des tieus seignours le mal avient

23241 nenvuillont   23251 Senvait
23265 enpuet
23259 Engouernant   23264 ensente
23268 iendoie

Par quoy no siecle mal devient;
Car seignour ont le poesté
Du poeple, siq'au gent covient
La reule que du mestre vient
Suïr comme par necessité.
Dont semble que la malvoisté
Du quoy no siecle est tribolé
A leur partie plus se tient,
Des queux la gent est governé; 23290
Ce sont seignours par leur degré:
Ne sai si je le dirray nient.
   Sicomme les grans seignours amont
De leur errour malice font,
Autres y ad, ce semble a moy,
Ly quel ne Duc ne Prince sont
Ne Conte, et nepourqant ils ont
Diversement poer en soy,
Chascuns en son paiis, du quoy,
Ou en apert ou en recoy, 23300
Le pueple de sa part confont:
Sique par tout, u que je voy,
Du justice et de bonne foy
Entorcioun ad freint le pont.
   Mais certes par le mien avis
De toy me pleigns q'es seignouris,
Quant oultre ce que dieus te donne
T'enforces nepourqant toutdiz
D'extorcioun en ton paiis
Piler du povre la personne: 23310
Qant tu as ce qui te fuisonne,
Du povere gent qui t'environne
Ne serroit ton pilage pris;
Combien que l'autre mot ne sonne,
Cil dieux vers qui le mal resonne
Ne lerra tiels mals inpunitz.
   Et d'autre part trop mal se guie
Seignour puissant du seignourie, f. 128
Qant il les communs baratours
Pour la petite gaignerie 23320
Supporte de sa tirannie;
Dont nous vienont les grans errours:
Car qant seignour sont maintenours,
La loy commune pert son cours,
Par quoy le tort se justefie,

Dont la justice est a rebours:
Tiel seignour et tiels soldeiours
Mettont en doubte nostre vie.
   O seigneur, qant orguil te prent,
Enten que Salomon t'aprent, 23330
Qui dist: 'Le jofne enfant q'est sage,
Discret, honneste et diligent,
Combien q'il soit du povre gent
Et n'ad de rente n'eritage,
Plus valt endroit de son corage
Qe ly vielardz q'ad seigneurage,
Qant il est fol et necligent.'
Poverte en soy n'est pas hontage,
Si des vertus ait l'avantage,
Mais la richesce est accident. 23340
   Sanz terre valt prodhomme asses,
Mais sanz prodhomme sont quassez
La terre et la richesce en vein.
Ja n'ait malvois tant amassez,
Qant les vertus luy sont passez,
De soy n'est autre que vilein;
Mais l'autre, si richesce au mein
Luy falt, il puet par cas demein
Avoir grans terres et cités
Par les vertus dont il est plein: 23350
Car les vertus sont plus certein
Qe les richesces maleurez.
   Par les vertus om puet acquerre
Toutes richesces de la terre,
Mais les richesces nepourqant
Ne sont en soy digne a conquerre
Le meindre que l'en porroit querre
De les vertus, ne tant ne qant.
O seigneur, qui fais ton avant,
Pour ce n'es pas a ton devant, 23360
Qe tu fais ta richesce attrere,
Si des vertus soies faillant;
Mais cil est riche et sufficant
Q'est vertuous en son affere.
   Achilles fuist le plus proisé
En l'ost des Grieus, qant la cité
De Troie furont assiegant;
Un autre y fuist q'estoit nomé
Tersites, le plus maluré;

23326 arebours

Dont dist Orace a son enfant, 23370
'Meulx vuil que toy soit engendrant
Tersites, maisque tu vaillant
Soies d'Achilles essamplé,
Qe si fuissetz filz Achillant
Et a Tersites resemblant
De la malvoise renomée.'
 O seignour, tu porras savoir
Par ce q'ai dit que c'est tout voir,
Quiq'a l'enfant soit piere ou mere
De ce ne puet au fin chaloir, 23380
Maisqu'il de soy porra valoir
Du sen, du port et de maniere;
Et ja n'ait om si noble piere,
Voir s'il fuist fils a l'Emperere,
S'il ne se sache au droit avoir,
Meulx valt le fils de la berchere:
Car solonc que l'en voit matiere,
Chascuns son pris doit rescevoir.
 Tous suismes d'un Adam issuz,
Combien que l'un soit au dessus 23390
En halt estat, et l'autre en bass;
Et tous au mond nasquismes nudz,
Car ja nasquist si riches nuls
Qui de nature ot un pigas.
O tu q'en servitute m'as,
Si je meinz ay et tu plus as
Richesce, et soietz sanz vertus,
Si tu malfais et je bien fas,
Dieus changera tes sis en as,
Tu meinz aras et j'aray plus. 23400
 Seigneur de halt parage plain,
Ne t'en dois faire plus haltain,
Ne l'autre gent tenir au vil;
Tous suismes fils de dame Evain.
Seigneur, tu qui me dis vilain,
Comment voes dire q'es gentil?
Si tu le dis, je dy nenil:
Car certes tout le flom de Nil
Ne puet hoster le sanc prochain
De toy, qui te fais tant nobil, 23410
Et du vilein q'en son cortil
Labourt pour sa vesture et pain.
 Trop est l'oisel de mesprisure
Q'au son ny propre fait lesure,
Qu'il duist honestement garder.
Seigneur auci se desnature,
Les povres gens de sa nature
Qu'il fait despire et laidenger;
Car tous tieux membres pier au pier
En l'omme povre puet mirer 23420
Comme mesmes ad ove l'estature
Tout auci beal, auci plener
Du sen, du resoun, de parler,
Et de semblant et de figure.
 He, quel orguil te monteroit,
Seigneur, si dieus fourmé t'avoit
D'argent ou d'orr ou de perrie,
Sique ton corps ne purriroit:
Mais certes n'est de tiel endroit,
Ainz est du vile tay purrie, 23430
Sicome la gent q'est enpovrie,
Si viens tu povre en ceste vie,
Et ton lass fin povre estre doit:
Si ta richesce n'as partie
As povres, t'alme au departie
Poverte as tous les jours resçoit.
 Seignour, ton orguil dieus reprent
En s'evangile, et si t'aprent
Qe tant comme tu soies maiour,
Te dois tenir plus humblement 23440
Envers dieu et envers la gent;
Car ensi fesoit le seignour
Q'estoit fils au superiour,
Il laissa part de son honour
Pour toy remonter haltement:
Fai donque ensi pour son amour,
Laissetz l'orguil, laissetz l'errour,
Dont es coupable tant sovent.
 Oultre mesure il s'est penez
D'orguil qant se voit enpennez 23450
Paons, et quide en sa noblesce
Qu'il est si beals esluminez
Qe nul oisel de ses bealtés
Soit semblable a sa gentilesce;
Et lors d'orguil sa coue dresce
Du penne en penne et la redresce,
Et se remire des tous lées,

23402 plushaltain

Trop ad orguil, trop ad leesce ;
Mais au darrein sa joye cesse,
Qant voit l'ordure de ses piés. 23460
  Al oill primer orguil luy monte
Molt plus que sa noblesce amonte,
Qant voit sa penne ensi luisant ;
Mais ainçois q'orguil luy surmonte,
De sa nature la desmonte ;
Qant vers la terre s'est gardant
Et voit ses piés laid et pesant,
Ses joyes pert de meintenant ;
Car lors luy semble au droit acompte
Qu'il est plus vil de son semblant 23470
Qe nul oisel qui soit vivant,
Dont son orguil rebat de honte.
  O la nature bestial,
Q'ad ensi le judicial
De soy pour orguil desconfire,
En ce qu'il voit d'especial
L'ordure de ses piés aval,
Qant vers la terre se remire !
C'est un essample pour descrire,
Qui par resoun doit bien suffire 23480
A tenir en memorial,
Par quoy que l'omme doit despire
Orguil, q'or' est en tout empire
Ove les seignours trop communal.
  O seignour, d'orguil je t'appell,
Qui d'ermyne as furré le pell
Ove les manteals d'orr et de soie :
Qant plus te quides riche et bell,
Remembre toy de cest oisell ;
Envers tes piés reguarde et voie 23490
La terre en quelle tu ta voie
Par mort irras, si te pourvoie :
Car la furrure ne drapell
Ne porteras, ainz tout envoie
S'en passera ta veine joye ;
Chascuns falt trere a ce merell.
  Q'est ce que tu le povre piles,
Qui tantes robes soul enpiles ?
De ce ne te fais regarder,
Que dieus te dist en s'esvangiles, 23500
'A qui est ce que tu compiles

Ce que ne puiss au fin guarder ? '
Si tu t'en voes au droit penser,
Qant nud verras le povere aler
Par les cités et par les villes,
Tu luy dois vestement donner ;
Car ce partient a ton mestier
De les vertus que sont gentiles.
  Seignour, tu n'es au droit garni
Qui tant es richement garni   f. 129
De bell hostel, de beal manoir,   23511
Et veis la povre gent banny,
Qui sont sanz hostel et sanz ny,
Desherbergez contre le soir,
Ne tu leur fais socour avoir
De ton hostell ne ton avoir :
Reguarde aval si verretz y
L'ostell d'enfern puant et noir,
U qu'il te covient remanoir,
Qe l'osteller est sanz mercy. 23520
  O seigneur glous, q'au ventre sers
Des bons mangiers des vins divers,
Dont fais emplir ta vile paunce,
Et si n'avetz les oils overtz
Pour regarder le povre envers,
Qui quiert de toy sa sustienance,
Pren du paoun la sovenance,
Regarde aval la pourvoiance
Qe tu serras viande as vers :
Car s'ensi fais ta remembrance, 23530
Je croy q'as povrez la pitance
Dorras, si tu n'es trop advers.
  O seigneur, te sovien et pense
Q'ovesques toy la loy despense
Sanz chastier ton grant mesfait,
Et tu verras pour poy d'offense
Les povrez gens sanz nul defense
En la prisonne estre desfait ;
Mais ja pour ce ton pié n'y vait
Pour visiter, ainz s'en retrait, 23540
Sique tes biens ne ta presence
N'y voes donner d'ascun bienfait :
Ly deables, cil qui nul bien fait,
Chastiera ta necligence.
  O seignour, q'as l'onour terrin,

23470 plusvil

Voiant la vieve et l'orphanin
Qui sont par fraude et par destour
Du malice et de mal engin
Oppress, et tu q'es leur voisin
Ne fais rescousse a tiel errour,   23550
Fai du paoun ton mireour,
Regarde aval le darrein jour,
U serront juggé tout cristin;
N'est qui te ferra lors socour,
Solonc l'effect de ton labour
T'estuet aler le halt chemin.

    Seigneur, si ta puissance voies,
Fols es si tu ne t'en pourvoies,
Dont tu le ciel puiss conquester ;
Car trop irras par males voies,   23560
Si tout au siecle te convoies,
Et n'as vertu dont resister :
Pour ce tu dois considerer
Que tu le ciel puiss achater
Du bien present, si bien l'emploies ;
Mais certes trop es a blamer,
Qant voes le siecle a toy gaigner
Et perdre si halteines joyes.

    Mais preche qui precher voldra,
De ces seignours ore ensi va   23570
Sicome l'en vait par tout disant ;
Aviene ce q'apres vendra,
Le seigneur se delitera
De ceste siecle tout avant.
Seigneur resemble au fol enfant,
Qui les folies vait querant,
Qant n'est qui l'en chastiera ;
Mais cil q'ensi vait seigneurant,
S'il ainçois ne s'est amendant,
Dieus en la fin se vengera.   23580

    Mais courtement si j'en termine
Mon conte, a ce q'en ce termine
La chose appiert, ce poise my,
Qe les seignours ove leur covine
Par leur maltolt, par leur ravine,
Et d'autres mals q'ils font parmy,
Le mond sempres ont malbailly,
Dont se compleignont chascun dy
Et l'orphanin et l'orphanine :

Je loo que cil qui fait ensi   23590
Repente soy et serve a luy
Qui les seignours monte et decline.

Ore q'il ad dit de les grans seignours, dirra l'estat des autres, c'est assavoir des chivalers et des gens d'armes.

    Si vous vuilletz que je vous die
L'estat de la chivalerie,
Ce n'est pas un estat de nient,
Ainz cil q'en tient la droite vie
Selonc que l'ordre est establie
Molt grant honour a luy partient :
Car chivaler, u qu'il devient,   23600
De son devoir le droit sustient
Dont sainte eglise est enfranchie ;
Ou si tirant le droit detient
Du vierge ou vieve, lors covient
Que chivaler leur face aïe.

    Tout ainsi comme la sainte eglise
Vers dieu doit faire sacrefise
Qe nous ne devons dieu offendre
En l'alme, ensi de tiele aprise
Les chivalers de leur enprise
Le commun droit devont defendre,
Et pour le droit bataille prendre,   23611
Mais ne devont la main extendre
Par orguil ne par covoitise ;
Car q'ensi fait est a reprendre,
Dont il n'est dignes a comprendre
Ne son honour ne sa franchise.

    Chascun estat, le quel qu'il soit,
Est ordiné par son endroit
De faire au siecle ascun labour ;
Dont pour garder le commun droit
Ly chivalers combatre doit,   23621
Car ce partient a son honour :
Et de ce furont ordinour
Remus de Rome Empereour
Et Romulus, qui frere estoit,
Au Rome la cité maiour ;
Des chivalers Mil combatour
Chascun la cité defendoit.

23581 entermine

23592 (R) Cestassauoir

Apres la mort de Romulus
Chivalerie ert meintenuz, 23630
Dont l'ordre estoit multepliant ;
Et lors qui plus ot des vertus
Du greindre honour estoit tenuz,
Mais a celle houre nepourqant
Sollempneté ne tant ne qant
Estoit en l'ordre resceivant.
Mais ore est autrement en us
Au novell chivaler faisant,
Car om luy vait sollempnizant,
Pour ce q'il doit valoir le plus. 23640
   Comment q'il fuist antiquement,
Ore est ensi, q'au jour present
Pour faire un novel chivaler
Sollempneté diverse appent
Solonc ce que le temps comprent
Du guerre ou peas ; mais diviser
Comment l'en doit sollempnizer
Ne vuil je point tout au plener,
Q'a ma matiere ce ne pent ;
Mais soul d'un mot je vuil parler, 23650
Du quel il covient adouber
Tout chivaler qui l'ordre prent.
   Ou soit du peas, ou soit du guerre,
Cil qui le chivaler doit fere
Au fin luy donne la colée,
Et si luy dist, ' Sanz toy retrere
Soietz prodhomme en ton affere.'
Par ce mot il est adoubé,
Siq'au prodhomme est obligé,
Dont puis apres en nul degré, 23660
S'au son estat ne voet forsfere,
Se mellera du malvoisté ;
Ainçois par fine honesteté
Doit la prouesce d'armes quere.
   Mais solonc ce q'om vait parlant,
Des tieux y ad qui meintenant
Malvoisement font l'observance
De ce qu'ils ont en covenant :
Q'au prodhomme est appartienant
Sovent mettont en oubliance, 23670
Ne quieront point l'onour de France,
Ainz font a l'ostell demourance
Et leur voisins vont guerroiant ;

Ne leur amonte escu ne lance,
Maisq'ils eiont la maintenance
De leur paiis par tout avant.
   Tiels est qui se fait adouber
Nonpas pour prouesce avancer,
Ainçois le fait q'en son paiis
Les gens luy duissont honourer, 23680
Siqu'il les porra rançoner,
Qant il vers soy les ad soubmis :
Mais qant les jours d'amour sont pris
De la querelle, et il compris
N'y soit, dont porra terminer
La cause tout a son divis,
Lors quide avoir perdu son pris.
Vei cy, comme vaillant bacheler !
   Apres nul autre guerre ascoute,
Mais qant cils de la povre route, 23690
Q'en son paiis luy sont voisin,
Et l'un fiert l'autre ou le deboute,
De sa prouesce lors se boute
Et la querelle enprent au fin ;
Dont il voet gaigner le florin
Et les presentz du pain et vin,
Q'il leur lerra ne grein ne goute,
Il vit du proie come corbin :
Tiel soldeour n'est pas divin,   f. 130
Q'ensi la povre gent degloute. 23700
   Armure ascune ne querra,
Maisqu'il du langue conquerra,
Car d'autre espeie ja ne fiert.
Quiconques bien luy soldera,
Comme vaillant s'aperticera
As les assisses u qu'il ert ;
De sa prouesce lors appiert,
Et tant fait que le droit y piert
Par tort, le quell avancera,
Dont il les larges douns conquiert : 23710
Mais si povre homme le requiert,
Il se desdeigne de cela.
   De la la mer quiconque gaigne
En Lombardie ou en Espaigne
L'onour, que chalt ? Il se tient coy,
Ne quiert sercher terre foraine ;
Ainz a l'ostell son prou bargaigne,
Si s'entremet de tiel armoy

U point n'y ad du bonne foy,
Dont met les povres en effroy   23720
Qu'il tolt le berbis et la laine :
Si les heraldz luy criont poy
'Largesce,' il fait nient meinz pour quoy
Dont poverez gens chascun se plaigne.
   Tiel chivaler q'ensi s'essaie
L'en nomme un chivaler de haie,
Car chastell ja n'assiegera :
En lieu q'il son penon desplaie
Sauf est, n'y falt a doubter plaie
Ne peril dont le corps morra,   23730
Mais l'alme en grant peril serra.
Qant il l'assisse ordinera
Et qu'il l'enqueste desarraie,
Du maintenue qu'il ferra
Les poveres gens manacera,
Qe de sa part chascuns s'esmaie.
   Tiel chivaler mal s'esvertue
Q'ensi par torte maintenue
Fait rançonner les povres gens ;
Dont il pourchace champ et rue   23740
Et largement boit et mangue,
Mais autre en paie le despens :
Des marches dont il est regentz
Cils qui sont povres indigentz
Ne sont pas de sa retenue ;
Ainçois les riches innocentz,
Qui font a luy les paiementz,
Itieux pour son proufit salue.
   Du loy civile il est escrit,
Nul chivaler, s'il est parfit,   23750
Serra marchant ne pourchaçour :
Car chivaler q'ad son delit
En lucre, pert son appetit
A souffrir d'armes le labour.
Pour ce du loy empereour
Ly chivalers q'est sanz valour,
Qui laist les armes pour proufit,
Perdra, puisq'il est au sojour,
Son privilege et son honour,
Qant point comme chivaler ne vit.   23760
   Mais l'autre, qui fait son devoir,
Grant privilege doit avoir,

Qu'il ert exempt de l'autre gent,
Sique la loy n'ara pooir
De son corps ne de son avoir ;
Dont il doit venir duement
A nul commun enquerrement,
N'en autre office ascunement
Lors serra mis, c'est assavoir
Maisqu'il poursuie franchement   23770
Les armes bien et noblement,
Dont il porra le meulx valoir.
   Du loy Civile est establis,
Qe qant ly commun serra mis
Au Gabelle ou posicioun,
Les biens au chivaler de pris
Des tieux taillages sont horspris
Et sont du franc condicioun,
Qu'il doit avoir remissioun
Sanz paine ne punicioun,   23780
Ensi qu'il serra franc toutdis
As armes pour tuicioun,
De garder sanz perdicioun
Le commun droit de son paiis.
   Mais d'autre part c'est un decré,
Le chivaler serra juré,
Qant l'ordre prent au primerein,
Q'en champ ne doit fuïr un pié
Pour mort ne pour adverseté,
Ainz doit defendre de sa mein   23790
Et son paiis et son prochein,
Car son devoir et son certein
A soul ce point est ordiné ;
Dont s'il son ordre tient au plein,
Ja d'autre charge n'ert gardein,
Ainz ert exempt et honouré.
   Mais cil truant qui point ne vont
As armes ne s'esjoyeront
Du privilege au chivaler,
Qant a l'ostell sojourneront :   23800
Pour ce de commun loy serront
Et assissour et officer,
Ne l'en leur doit pas respiter
De leur catell ne leur denier,
Qu'ils pour Gabelle paieront ;
Car qui les armes voet lesser,

    23727 nassiegiera   23742 enpaie   23769 cestassauoir

Par droit ne serra parçonier
Al honour que les armes font.
  Ce sciet chascuns en son endroit
Par tout le monde, quelq'il soit,   23810
Qui tient estat en ceste vie,
S'il a son point ne se pourvoit,
Ainçois s'esloigne et se forsvoit,
Qant il ad fait l'apostazie,
Ja puis n'ad guarde de folie :
Ce dis pour la chivalerie,
Que chivaler guarder se doit
De pourchas et de marchandie,
Car ces deux pointz n'acordont mie,
Qui l'ordre en voet garder au droit. 23820
  Mais nepourqant au jour present,
Sicomme l'en dist communement,
Des chivalers q'ont perdu honte
Om voit plusours, dont sui dolent,
Qui tant devienont violent
Du covoitise que leur monte,
Que leur prouesce riens amonte.
Mais qant le lucre honour surmonte,
Ne say quoy dire au tiele gent :
Si je par resoun le vous conte,   23830
Plus valt berchier au droit acompte
Qe cil q'en l'ordre ensi mesprent.
  Tiel chivaler bien se remire
Qu'il n'ara ja mestier du mire,
Ainçois a l'ostel se repose,
U qu'il son lucre ades conspire
Et fait les povres gens despire,
Q'encontre luy nuls parler ose.
Mais certes c'est vilaine chose,
Qant vice ad la vertu forsclose   23840
En chivaler, siqu'il desire
Le lucre, dont il se repose :
Des tiels y ad comme je suppose
Plus de quatorsze en cest empire.
  Ne say quoy valt cil chivaler
Qui point ne se voet essampler
Des armes, dont il soit vaillant,
Si comme fuist Gorge, et resembler
Ne voet au bon hospiteller
Saint Julian ne tant ne qant,   23850

Dont soit les povres herbergant :
Car chivaler q'est sufficant
De corps et biens et travailler
Ne voet, et est sur ce tenant
D'escharceté, meinz est vaillant
Que n'est le ciphre a comparer.
  Mais si le chivaler couchour
Ne guart la reule ne l'onour
De ce que son estat destine,
Ore aguardons de l'autre tour   23860
Si cil q'as armes son retour
Fait, soit honeste en sa covine.
Il est tout voir q'en ce termine
Dessur la terre et dessoubz myne
Om voit que chivaler plusour
Quieront prouesce oultremarine,
Mais si leur cause fuist divine,
Bien fuissent digne de valour.
  Sisz chivalers sont dit des prus,
Roys Charles, Godefrois, Arthus, 23870
Dans Josué, Judas, Davy :
En tous leur faitz prouesce truis
Plain des loenges et vertus
Vers dieu et vers le siecle auci :
Par ceaux n'estoit orguil cheri
Ne covoitise, et tant vous dy,
C'estoit la cause dont vencuz
N'estoiont de leur anemy ;
Et pour ce qu'ils firont ensi
Leur noun encore est retenuz.   23880
  C'estoiont chivaler au droit
Et de prouesce en son endroit,
Et de simplesce en sa mesure ;
Dont au present molt bon serroit
Qe par ceaux l'en essampleroit
A querre honour sanz mesprisure.
Des chivalers ore a ceste hure,
Hom voit hardis a demesure,
Si travaillont a grant esploit
Et vont querant leur aventure ;   23890
Dont resoun est q'om les honure,   f. 131
Si ce par bonne cause soit.
  O chivaler, je t'en dirray,
Tu qui travailles a l'essay

23820 envoet

Devers Espruce et Tartarie.
La cause dont tu vas ne say,
Trois causes t'en diviseray,
Les deux ne valont une alie :
La primere est, si j'ensi die
De ma prouesce enorguillie, 23900
' Pour loos avoir je passeray ' ;
Ou autrement, ' C'est pour m'amye,
Dont puiss avoir sa druerie,
Et pour ce je travailleray.'
  O chivaler, savoir porras,
Si tu pour tiele cause irras,
Que je t'en vois cy divisant,
L'essample point ne suieras,
Ne d'armes ceaux resembleras,
Des queux tu m'as oÿ contant : 23910
Car nul puet estre bien vaillant,
S'il dieu ne mette a son devant ;
Mais tu, qui pour le siecle vas,
Si ton pourpos n'es achievant
Solonc ce que tu vais querant,
Lors je ne say quoy tu feras.
  Si tu d'orguil voes travailler
Pour vaine gloire seculer,
Dont soietz le superiour
Des autres, lors t'estuet donner 23920
Ton garnement et ton denier
As les heraldz, qu'il ta valour
Et ta largesce a grant clamour
Facent crier ; car si l'onour
Ne te voet celle part aider,
Lors je ne say quoy ton labour
Te puet valoir, ainz a sojour
Assetz te valt meulx reposer.
  Et d'autre part si ta covine
Soit pour la cause femeline, 23930
Dont as le cuer enamouré,
Et sur ce passes la marine,
A revenir si la meschine
Ou dame solonc son degré,
Pour quelle tu t'es travaillé,
Ne deigne avoir de toy pité,
Tout as failly du medicine :
Car ce sachetz du verité,

Qe tu n'en aras le bon gré
De la prouesce q'est divine. 23940
  Et nepourqant a mon avis,
Si plainement a ton divis
De l'un et l'autre q'ai nomé
Ussetz le point en toy compris,
Primer que du loenge et pris
Sur tous les autrez renomé
Fuissetz et le plus honouré,
Et q'ussetz a ta volenté
Le cuer de tes amours conquis,
Trestout ce n'est que vanité ; 23950
Car huy es en prosperité
Et l'endemain tout est failliz.
  Mais d'autre part a tant vous di,
La tierce cause n'est ensi,
Pour quelle ly prodhons travaille ;
Ainz est par cause de celluy
Par qui tous bons sont remery
Solonc l'estat que chascun vaille.
Ton dieu, q'a toy prouesce baille,
Drois est q'au primer commençaille 23961
Devant tous autres soit servi ;
Car chivaler q'ensi se taille
Pour son loer dieus apparaille
L'onour terrin, le ciel auci.
  O chivaler, bien te pourpense,
Avise toy de l'evidence,
Le quel valt meulx, ou dieu servir,
En qui tout bien fine et commence,
Ou pour la veine reverence
L'onour du siecle poursuïr. 23970
Pour fol l'en puet celluy tenir
Qui laist le bon et prent le pir,
Qant il en voit la difference :
Al un des deux te falt tenir,
Mais quel te vient plus au plesir
Je laiss dessur ta conscience.
  Mais dont la chose est avenue
Ne say, ne dont le mal se mue ;
Car ce voit bien cil q'ore vit,
Chivalerie est trop perdue, 23980
Verrai prouesce est abatue,
Pour dieu servir trop sont petit :

23973 envoit

Mais d'autre part sanz contredit
Pour luy servir en chascun plit
Le siecle ad large retenue ;
Car d'orguil ou du foldelit
Au jour present, sicomme l'en dist,
Chivalerie est maintenue.
   Les chivalers et l'escuiers,
Qui sont as armes costummers,   23990
S'ils bien facent leur dueté,
Sur tous les autres seculers
Sont a louer, car leur mestiers
Du siecle est le plus honouré
De prouesce et de renomée :
Mais autrement en leur degré,
En cas q'ils soient baratiers,
Lors serront ils ly plus blamé
Par tout le siecle et diffamé
Et des privés et d'estrangiers.   24000
   Les armes sont commun as tous,
Mais tous ne sont chivalerous
Queux nous voions les armes prendre ;
Car cil q'est vein et orguillous
Et du pilage covoitous
N'est digne a tiel honour comprendre.
Mais ore, helas ! qui voet attendre
Et le commun clamour entendre
Orra merveilles entre nous ;
L'onour dont l'en souloit ascendre
En cest estat veons descendre,   24011
Q'est a tous autres perillous.
   Mais cil q'au droit se voet armer
Et sur les guerres travailler,
Estuet a guarder tout avant
Pour la querelle examiner,
Qu'il ne se face a tort lever,
Dont ert la cause defendant :
Et puis falt q'il se soit armant
Non pour le lucre tant ne qant,   24020
Mais pour droiture supporter ;
Car qui les paiis exilant
Vait et la povre gent pilant,
Sur tous se doit bien aviser.
   Combien que la querelle soit
Bien juste, encore il se deçoit
Qui pour le vein honour avoir,

Ainz que pour sustenir le droit,
Se fait armer ; ou d'autre endroit,
S'il arme et tue pour l'avoir   24030
De les richesces rescevoir,
De son estat ne son devoir
Ne fait ensi comme faire doit.
Pour ce chascuns se doit veoir
Qu'il sache d'armes tout le voir,
Car sages est qui se pourvoit.
   Selonc l'entente que tu as,
Du bien et mal resceiveras,
Car dieus reguarde ton corage :
En juste cause tu porras   24040
Tort faire, car si tu t'en vas
Plus pour le gaign de ton pilage
Qe pour le droit, lors vassellage
Par ton maltolt se desparage,
Qe nul honour deserviras :
Mais si pour droit fais ton voiage,
Lors pris, honour et avantage
Trestout ensemble avoir porras.
   Mais certes ore je ne say
De ces gens d'armes quoy dirray,
Q'ensi disant les ay oïz :   24051
' Es guerres je travailleray,
Je serray riche ou je morray,
Ainz que revoie mon paiis
Ne mes parens ne mes amys.'
Mais riens parlont, ce m'est avis,
' Je pour le droit combateray,'
Ainz sont du covoitise espris ;
Mais cil n'est digne d'avoir pris
Qui d'armes fait ensi l'essay.   24060
   O chivaler qui vas longtein
En terre estrange et quiers soulein
Loenge d'armes, ce sachietz,
Si ton paiis et ton prochein
Ait guerre en soy, tout est en vein
L'onour, qant tu t'es eslongez
De ton paiis et estrangez :
Car cil qui laist ses duetés,
Et ne voet faire son certein,
Ainz fait ses propres volentés,   24070
N'est resoun qu'il soit honourés,
Combien qu'il soit du forte mein.

Mais qui la guerre au tort conspire,
Om doit celluy sur tout despire;
Et nepourqant au present jour
Veoir porra, qui bien remire,
Pour le proufit que l'en desire
Ou pour l'orguil du vein honour
Chascuns voet estre guerreiour,
Ou a ce faire consaillour; 24080
Dont la justice trop enpire
En noz paiis par tout entour,
Trestous en faisons no clamour, f. 132
Mais n'est qui puet trover le mire.

Qant cils en qui toute prouesce,
Honour, valour, bonté, largesce
Et loyalté duissent remeindre,
Se pervertont de leur noblesce
Par covoitise ou par haltesce,
De l'onour seculer atteindre, 24090
Ne say a qui me doy compleindre;
Car cils qui sont du poeple meindre
Tous jours en sentent la destresce:
Si dieus les mals ne vuille exteindre,
N'est qui de soy les puet enpeindre
Au fin que la malice cesse.

Ce veons bien, q'au temps present
La guerre si commune esprent,
Q'au paine y ad nul labourer
Ly quel a son mestier se prent: 24100
Le prestre laist le sacrement
Et ly vilains le charner,
Tous vont as armes travailler.
Si dieus ne pense a l'amender,
L'en puet doubter procheinement
Qe tout le mond doit reverser;
Car qant commun se font lever,
Lors suit maint inconvenient.

Par orguil et par covoitise
L'en voit par tout la guerre esprise.
Helas! mais c'est des cristiens 24111
Dont est destruite sainte eglise,
Et la justice en sa franchise
Ne prent mais garde de les gens.
Ore est le jour, ore est le temps
Qe nous faillont les bons regens,

Et si nous falt la bone aprise,
Sique sanz bouns governemens
Nous vienont les molestemens,
Dont chascuns sente la reprise. 24120

Mais certes ne puet durer guere
Cil qui sustient la false guerre
Et fait la bonne pees perir,
Ou soit seignour qui ce fait fere,
Ou consaillour de tiel affere,
De malvois fin devont finir;
Car ils tollont le sustenir
Des povres et les font morir,
Qui voldroiont lour peas requere:
Ne say q'apres doit avenir, 24130
Mais qui tieux mals nous fait venir
Est trop maldit en nostre terre.

O cristiene crualté,
Q'es pleine de desloyalté,
Qe si commune occisioun
Sicomme des bestes au marché
Fais de les hommes sanz pité!
O cuer plein de confusioun!
O infernale illusioun,
Qui tiele horrible abusioun, 24140
Q'est auci comme desnaturé,
Fais de ton sanc l'effusioun!
Ne say a quell conclusioun
Voes dire que tu crois en dée.

O Covoitise ove ton pilage,
Di dont te vient ce vassellage
Du pueple occire: car droiture
Nulle as, ainz vient de ton oultrage
Qe tu demeines tiele rage.
Car dieus q'est sire de nature 24150
La terre ove tout le bien dessure
Fist a l'umeine creature
Commun; mais tu comme loup salvage,
Pour propre avoir plus que mesure,
Occire fais a demesure
Ce que fist dieus a son ymage.

Sovent je muse et museray
Comment a dieu m'excuseray
Qu'il de sa loy m'ad defendu,
Disant que l'omme n'occiray; 24160

24083 enfaisons

24093 ensentent

Ainçois me dist que j'ameray
Ceaux qui se sont a luy rendu,
Et ont baptesme et foy resçu :
Ensi pensant je suy vencu
Que l'excusacioun ne say.
Mais ce que dieus de sa vertu
Crea, je fils de Belzabu
De mon orguil destruieray ?
   Sur tout se pleignt la gent menour
En disant que du jour en jour   24170
Le siecle s'en vait enpirant ;
Mais qui voet dire la verrour,
Ly chivaler de son errour
Et l'escuier de meintenant,
Ascuns qui s'en vont guerroiant,
Ascuns a l'ostell sojournant,
Le covoitous et l'orguillour,
Sont en partie malfesant,
Par quoy trestout le remenant
Du siecle est mellé de folour.   24180

   Ore q'il ad dit l'estat des chiva-
lers et des gens d'armes, dirra de
ceaux qui se nomont gens du loy.

   Une autre gent y ad, du quoy
L'en poet oïr murmur en coy,
Par les paiis communement
Chascuns se plaint endroit de soi ;
C'est une gent nomé du loy,
Mais le noun portont vuidement ;
Car loy justice en soy comprent,
Mais n'est celly qui garde en prent,
Ainz ont colour sanz bonne foy :
Je prens tesmoign a celle gent,   24190
Si tort puet donner largement,
Le droit ne gaignera que poy.
   Iceste gent, ce m'est avis,
Pour ce qu'ils ont la loy apris,
Par resoun duissont loy tenir
Et sustenir en leur paiis
Les drois ; mais tant sont esbauldiz
Du lucre, comme l'en puet oïr,
Q'ainçois la loy font pervertir,

Dont font le povre droit perir :   24200
Car du poverte sont eschis,
Mais ove le riche ont leur conspir,
Et pour sa cause maintenir
Justice et loy mettont au pris.
   Si la querelle false soit,
Et ly plaidour ce sciet et voit,
Qant doit pleder pour son client,
Lors met engin comment porroit
Son tort aider et l'autry droit
Abatre, dont soubtilement   24210
Procure le deslayement ;
Et entre ce, ne say comment,
De la cautele se pourvoit
Q'il ad au fin le juggement
Pour soy. O dieus omnipotent,
Vei la pledour de male endroit !
   Qant la gent povere au pledour vient
Pour avoir ce q'au loy partient,
Et priont plaider en leur cas,
Du charité ne luy sovient ;   24220
Car povere droit, qui donne nient,
Pour null clamour escoulte pas,
Mais riche tort, qui parle bass,
Vers luy se tret isnele pass,
Escoulte, et de sa part devient :
Car jammais pour tes ambesaas
La juste cause que tu as
Encontre sisnes ne maintient.
   L'en dist en ces proverbials,
'L'un covoitous et l'autre fals   24230
Ils s'entracordont de leger.'
Maldit soient tieux parigals,
Car ja nuls ert si desloyals,
S'il porra largement donner,
Q'il meintenant pour son denier
Ne truist celluy qui voet pleder
A sustenir trestous ses mals,
Dont font les povres exiler :
Loy q'ensi se fait desloyer
Esclandre donne as courtz roials.   24240
   En leur pledant, ce m'est avis,
Ils ont au point deux motz assis
Q'a leur estat sont acordant ;

24188 enprent

C'est 'tort' et 'fort,' dont sont malmis
Les povres gens de leur paiis
Du tort et fort qu'ils sont faisant :
Car au tort faire ils sont sachant,
Et au fort faire ils sont puissant,
Et si le font par tiel divis
Qe ja n'ert droit si apparant 24250
Qui contre tort ara guarant,
Qant ils ont la querelle pris.
 Ore aguardetz la charité
Dont ils se sont confederé ;
Car s'acun d'eaux soit en debat
Envers autry de la contrée,
Qui n'est pas de leur faculté,
Cil ara d'eux null advocat,
Qui voet pleder pour son estat,
Car ne pledont, ce diont plat, 24260
L'un contre l'autre en leur degré,
Ensi se sont confederat :
Maldit soient tiel potestat,
Vers queux la loy n'ad poesté.
 'Nul trop nous valt,' sicomme l'en dist ;
Mais certes trop y sont maldit
Des tieux, qui scievont loy offendre,
Et nepourqant ils ont l'abit
Du loy : mais c'est un grant despit
Qant sabatiers envoit aprendre 24270
Son fils ce q'il ne puet comprendre ; f. 133
Car sa nature ne son gendre
De la justice n'est confit,
Vilain le droit ne voet entendre :
Maisq'il son lucre porra prendre,
De la justice tient petit.
 Auci l'en puet trop mervailler,
Car qui se puet ensi tailler
Qu'il le mantell tantsoulement
D'ascun pledour porra porter 24280
Tanq'a la Court de Westmoustier,
Il ert certain d'avancement :
Car ja puis n'ert debatement
En son paiis du povre gent,
Dont il ne serra parçonier
Et d'une part la cause prent,

Si gaigne pain et vestement :
Maldit soient tiel soldoier.
 Phisicien d'enfermeté,
Ly mires de la gent blescé, 24290
Sont leez, q'ensi gaigner porront :
La gent du loy est auci lée,
Qant voit les autres descordé,
Car quique se descorderont,
Les gens du loy en gaigneront,
Et pour cela la joye font.
O la senestre charité !
Qui la justice guarderont,
Et d'autry mal s'esjoyeront,
N'ont pas la loy bien ordiné. 24300
 Et molt sovent, sicomme le mire
La santé que l'enferm desire
Met en soubtil deslayement,
Dont il avient q'ainçois enpire
La maladie et la fait pire
Q'il n'estoit au commencement,
Pour plus gaigner du pacient,
Ensi font leur pourloignement
Les gens du loy, qui bien remire ;
Mettont en doubte leur client 24310
Pour plus gaigner de son argent :
Si ce soit loy je ne say dire.
 Quique du perte se complaigne,
Trestous les jours de la semaigne
Ces gens du loy ont lour encress,
Car qui pres d'eaux vent ou bargaine,
Maisque l'un perde et l'autre gaigne,
De l'un et l'autre encore ades
Ils gaigneront, sique jammes
N'est uns qui verra leur descress. 24320
Des toutes partz vient leur estraine,
Quiconque ait guerre, ils en ont pes
En ceste siecle, mais apres
Ne say quel proufit leur remaine.
 Qui pour gabelle ou pour taillage
Estuet appaier le tollage,
Ces gens du loy exempcioun
Quieront avoir, si q'avantage
Nuls puet avoir de leur gaignage ;
Ainz sont du franc condicioun 24330

24295 engaigneront   24322 enont

Plus que n'est Conte ne Baroun.
Car tous a la posicioun
Paions, mais cils du loy sont sage
Et ont si faite la resoun,
Ne say ce q'est leur enchesoun,
La loy ne gardont ne l'usage.
　Ma reson le me fait sentir,
Maisque ly Rois volt assentir,
Puisque plaidours et advocatz
Par leur maltolt se font richir　24340
Del bien commun, q'ensi tollir
Ly Rois doit par semblable cas
Et leur maltolt et leur pourchas :
Ce q'ont gaigné de leur fallas
Au bien commun doit revertir.
O Rois, tu qui les guerres as,
En tiels le tresor sercheras,
Si sagement te voels tenir.
　C'est la coustumme a Westmoustier,
Qui voet aprendre le mestier　24350
Du loy, lors falt en un estage
De les peccunes halt monter,
C'est un estage pour conter :
Bien acordant a celle usage
Sur les peccunes devient sage,
Qu'il du peccune l'avantage
En temps suiant sache amasser
Pour son prou et l'autry damage :
Sur les peccunes son corage
Attorne a la peccune amer.　24360
　Les apprentis en leur degré
Au commencer sont encharné
A les assisses pour pleder ;
Et lors y pernont la quirée
De l'argent que leur est donné,
Q'ils tous jours puis pour le denier
Scievont bien courre sanz changer ;
Mais ne dy point sanz foloier,
Car tort qui donne riche fée
Leur tolt l'odour du droit sentier,　24370
Dont sovent les fait forsvoier
Et courre loigns du charité.
　Et puis apres qant l'apprentis
Un certain temps ara complis,
Dont au pleder soit sufficant,

Lors quiert q'il ait la coife assis
Dessur le chief, et pour son pris
Le noun voet porter de sergant.
Mais s'il ad esté pardevant
En une chose covoitant,　24380
Des Mill lors serra plus espris ;
Car lors devient si fameillant,
Ne luy souffist un remenant,
Ainz tout devoure le paiis.
　Mais ils ont une acoustummance,
Qant l'aprentis ensi s'avance
A cell estat du sergantie,
Luy falt donner une pitance
Del orr, q'ad grant signefiance :
Car l'orr qu'il donne signefie　24390
Q'il doit apres toute sa vie
Reprendre l'orr a sa partie ;
Mais ce serra grande habondance,
Qant pour donner la soule mie
Prent tout le pain, dont ne tient mie
Le pois ovel en la balance.
　Mais qant a ce je truis escrit,
En l'evangile dieus nous dist,
Qe cil qui donne pour l'amour
De luy, ja ne soit si petit,　24400
Plus a centfois bien infinit
Reprendre doit ; mais ly pledour,
Ce m'est avis, au present jour,
Qui pour le seculier honour
Donnent, ne serront a ce plit :
Mais ils nientmeinz ont le colour,
Car plus q'ils n'ont donné de lour,
Centfois resceivont de proufit.
　Mais le proufit dont sont empli,
Ne vuil je dire ne ne dy　24410
Qe depar dieu ce leur avient,
Ainz c'est depar le siecle, a qui
Se professont qant l'orr ensi
Luy donnent, dont lour coife vient :
Qui sert au siecle, avoir covient
Loer du siecle, u qu'il devient,
Mais qant il ert au plus saisy
De son proufit, lors est tout nient ;
Car a sa part riens luy partient
Que dieus promette a son amy.　24420

Sergantz du loy sont sourd et mu
Avant que l'orr eiont resçu,
Que l'en leur baille prest au main :
C'est un metall de grant vertu,
Q'ensi les sens q'ils ont perdu
Guarist et les fait estre sain
Au plée, ne chalt du quel bargain,
Soit du gentil ou du vilain.
La main ont toutdis estendu,
Maisq'ils del orr soient certain, 24430
Ou soit de pres ou de longtain,
Chascun serra le bienvenu.

 O comme le siecle ad poesté,
Qant tiel miracle ad demoustré
Sur son sergant q'ensi l'orr donne :
Car meintenant q'il l'ad donnée,
Sa langue en ce devient dorré,
Qe jammais puis sanz orr ne sonne.
La langue q'ensi s'abandonne
Bien porra porter la coronne, 24440
Car un soul mot au bon marchée
Valt d'un escut que l'en guerdonne.
Ensi ly sergant nous rançonne :
Vei la du loy la charité !

 Sergant, mal tiens en ton pourpens
Qe dieus t'ad donné tes cink sens,
Et langue et reson de parler,
Qant tes paroles si chier vens,
Dont se compleignont toutez gens.
Tu es plus vil que l'usurer, 24450
Car si tu vailles au pleder
A la montance d'un denier,
Molt largement del orr en prens :
Si l'autre perde et tu gaigner
Porras, bien te scies excuser,
Qant tu en as les paiementz.

 Rois Salomon ce tesmoigna,
Qe cil qui peccune amera
N'est riens plus vil des tous mestiers :
Car comme ly boefs q'om vendera 24460
Cil est a vendre, et pour cela
Savoir voldroie volentiers
Parentre vous, o peccuniers, f. 134
Qant vous vous estes pour deniers
Venduz, qui vous rechatera.
Cil q'une fois vous ot si chiers,
Qu'il par sa mort fuist rechatiers,
N'est loy q'il autrefois morra.

 En une histoire des Romeins
Senec reconte et fuist certeins 24470
D'une aventure q'avint la :
Un pledour, qant fuist tout souleins,
Enfern veoit par tout dedeins,
U vist Nero, qui se baigna ;
Si dist au pledour, 'Venetz ça,
Car gent vendable yci serra ;
Vous vous vendetz a voz procheins
Oultre mesure, et pour cela
Chascun de vous se baignera
En cest estang ne plus ne meinz.' 24480

 'Way vous,' ce dist saint Ysaïe,
'Q'ensi science avetz cuillie !
En vostre Court le riche tort
Chascun de vous le justefie
Pour l'orr avoir ; mais la partie
Q'est povere, la justice dort.'
He, comme les douns q'om vous apport
Voz corps travaillont sanz desport !
Dont peine avetz en ceste vie
Sanz joye avoir apres la mort. 24490
Quoi valt l'avoir, qant a sauf port
Ne puet venir ove la navie ?

 Ne puet savoir qui n'ad apris
Du loy les termes ne les ditz,
Tout porrons nous le droit savoir ;
Pour ce sont ils plus esbauldiz
Pour remonter le tort en pris,
Ainz q'om les puet apercevoir.
Tiels quide au point sa cause avoir,
Mais qant le meulx de son avoir 24500
Ad despendu sur tieux amys,
Lors sentira le decevoir :
Ensi le droit pert son devoir,
Dont ils confondont les paiis.

 Sicomme les reetz et les engins
Soubz les buissons en ces gardins
Hom tent as petitz oisealx prendre,
Ensi fait il de ses voisins

  24453 enprens 24456 enas 24459 plusvil

Qui sciet pleder; car ly mastins
Soubtilement ses reetz fait tendre 24510
Pour attrapper et pour surprendre,
Mandant ses briefs pour faire entendre
Qe s'il n'ait part de leur florins,
Il les ferra destruire ou pendre;
Ensi se pourchace a despendre
Des larges mess et des bons vins.
  O come saint Job de ceste gent
Jadis parla notablement,
Disant que leur possessioun
Tienont en peas quietement, 24520
Des tous pernont, mais nuls reprent
De leur avoir, q'ont au fuisoun;
N'est chose que les grieve noun,
Ainz ont le siecle a lour bandoun,
Ne dieus leur met chastiement.
Dont en la fin, sicome lisoun,
Lors irront au perdicioun,
Q'ils ont lour ciel ore au present.
  L'en porra dire as gens du loy,
Comme dist Jacob, ce semble a moy,
Q'en son baston Jordan passoit, 24531
Mais deinz brief temps a grant desroy,
Tout plein des biens ove beau conroy,
Riche et manant y revenoit:
Ensi ly pledour orendroit
Combien q'il povre au primer soit,
Bien tost apres avera du quoy
Si largement, que tout q'il voit
Luy semble a estre trop estroit
De pourchacer soulein a soy. 24540
  O vous q'ensi tout devouretz,
Ce que dist Isaïe orretz:
'Way vous,' ce dist, 'o fole gent,
Mesoun as mesouns adjoustetz,
Et champ as champs y assembletz;
Vo covoitise au tout s'extent,
Comme cil qui volt souleinement
Avoir la terre proprement:
Mais je vous dy que noun aretz;
Car dieus de son droit jugement 24550
Vous en promet le vengement,
Et ce q'il dist ore ascoultetz.

'O vous, dist dieus, je vous di way,
Les terres vous deserteray,
Que vous tenetz du fals pourchas;
Et les maisouns q'avetz si gay,
Neis un des vous dedeins lerray
Pour habiter, ainçois chalt pas
Trestous les fray ruer en bass.'
O tu pledour, qant a ce cas 24560
Scies tu le plee? Je croy que nay.
A celle assisse tout perdras,
Et les damages restorras,
Dont t'alme estuet paier le pay.
  Cil q'ad grant faim et soif auci,
Et en ce point s'est endormy,
Et songe qu'il mangut et boit,
Dont se quide estre repleny,
Trop est desceu; et tout ensi
Soy mesmes ly pledour deçoit, 24570
Car qant plus quide en son endroit
Avoir tout fait, plus ert destroit
Du covoitise q'est en luy,
Et en la fin, comment qu'il soit,
Les biens q'au tort et fort resçoit
Serront comme songes esvany.
  Qant a ce point nous dist ly prestre
Qe du malgaign ne poet encrestre
Le fils apres le pourchaçour:
De ces pledours ce puet bien estre, 24580
Qu'ils font pourchas a la senestre
Le fin demoustre la verrour;
Om voit le fils a ce pledour,
Ce q'en trente auns par grant labour
Jadis pourchaça son ancestre,
Il vent en un moment du jour,
Q'il n'en retient a son sojour
Ne la Cité ne le champestre.
  Cils qui duissont la loy garder
Et gens du loy se font nomer, 24590
Ces sont qui plus font a contrere.
Cassodre le fait tesmoigner,
Qe cil q'au loy voet contraler
Entent tous regnes a desfere.
Mais un petit m'en covient tere,
Qe d'autres regnes ne sai guere,

24533 couroy   24551 enpromet

De ceaux qui sont dela la mer,
Mais je say bien q'en ceste terre,
Si dieus n'amende leur affere,
Le regne en porront tost quasser. 24600
 La loy de soy est juste et pure
Et liberal de sa nature,
Mais cils qui sont la loy gardant
La pervertont et font obscure,
Si la vendont a demesure,
Q'a lour marché n'est un marchant
Des povres gens q'est sufficant :
Ce fait les riches malfaisant ;
Car bien scievont au present hure
Qe povre gent est sanz garant ; 24610
Sique la loy du meintenant
Ne sciet justice ne droiture.
 Mais nepourqant je ne dy mye
Q'en ces pledours de leur partie
Tantsoulement demoert le vice,
Dont bonne loy s'est pervertie ;
Ainz est en la justicerie,
Qui devont garder la justice :
Car pour l'amour dame Avarice,
Qant elle vient en lour office 24620
Et ad la main del orr saisie,
Tant les assote et les entice
Qe ly plus sage en est tout nyce,
Par quoy le tort se justefie.
 **Ore dirra un poy de l'estat des
Jugges solonc le temps d'ore.**
Doun, priere, amour, doubtance,
Ce sont qui font la variance
Des Jugges, dont sont corrumpu :
Om dist, et j'en croy la parlance,
Q'ore est justice en la balance
Del orr, qui tant ad de vertu ; 24630
Car si je donne plus que tu,
Le droit ne te valt un festu ;
Car droit sanz doun n'est de vaillance
As Jugges, ainz serras deçu ;
Qant il mes douns aront reçu,
Ton droit n'ara vers moy puissance.
 Auci si j'eie cause torte,
Maisque des grans seignours apporte

Leur lettres a prier pour moy,
Ly Jugges qui le cuer vain porte, 24640
Au fin que je de luy reporte
Loenge, qant au Court de Roy
Serrai venuz, enprent sur soy
Ma cause, et fait tourner la loy,
Siq'au droiture ne desporte,
Mon tort ainz contre bonne foy
Avance ; et ensi je le voy,
Priere est de la loy plus forte.
 Amour les Jugges flecche auci,
Car si je soie au Jugge amy 24650
Ou d'alliance ou de lignage,
La loy se tourne ovesque my,
Sique je n'ay voisin le qui f. 135
M'ose enpleder de mon oultrage,
Combien que je l'ay fait damage ;
Et s'il le fait, nul avantage
En poet avoir ; car j'ay celluy
De qui je clayme cousinage,
Q'est Jugge, dont en mon corage
A faire tort sui plus hardy. 24660
 Le Jugge auci sovent pour doubte
Justice a faire trop redoubte
Contre seignour qui se mesprent ;
Car qant uns de la povere route
Se pleignt q'il ad sa teste route,
Ou q'om ses biens luy tolt et prent,
Et quiert son droit en juggement
Vers le seignour, lors nullement
Au povre cry le Jugge escoulte :
Et c'est la cause au temps present 24670
Qe mal seignour la povere gent
En tous paiis flaielle et boute.
 Ly Jugges qui par covoitise
Des douns avoir pert sa franchise
Au droit jugger, offent son dieu ;
Car mesmes dieu, ly halt Justise,
As Jugges toute tiele prise
Par Moÿsen ad defendu :
Si dist que doun ensi resçu
Le cuer du Jugge ad corrumpu, 24680
Q'il point n'en voit la droite assise,
Et de sa langue en ad tollu

24600 enporront   24623 plussage enest   24631 plusque   24648 plusforte
          24657 Enpoet   24682 enad

Le voirdisant, dont est perdu
Le droit du povre en mainte guise.
  Ly Jugges qui laist equité
Pour priere ou pour amisté,
Pour parent ou pour seigneurage,
Trop erre encontre le decré ;
Car mesmes dieu l'ad commandé
Qe Jugge doit en son corage   24690
La poverte ove le halt parage,
La gentillesce ove le servage,
Qant a justice en loyalté
Trestous juger d'ovel estage :
Tous les fist dieus a son ymage,
Et tous serront ovel jugé.
  Saint Jaques dist que vistement
L'en doit oïr, mais tardement
Parler : pour ce Senec auci
Nous dist, q'il a son escient   24700
Le Jugge tient pour sapient
Qui tost ara la cause oï,
Mais ainz q'il juge ou toy ou luy,
De bon loisir s'avise ensi
Qu'il tort ne face en jugement.
Enten pour ce le povre cry,
O Jugges, car cil est failly
Qui la justice au poeple vent.
  Ly Juge auci qui pour paour
Laist au feloun et malfesour   24710
Vengance faire en jugement,
Il est de soy cause et motour
Qe ly malvois devient peiour ;
Meistre Aristole ensi m'aprent.
L'apostre dist tout ensement
Qe pour trangressioun du gent
La loy fuist faite, et lors au jour
Ly Jugges ot toutdis present
S'espeie au coste prestement,
Comme du justice executour.   24720
  Dieus qui voit toute chose aperte
Dist : 'Way au Juge qui perverte
Justice et porte les falsines,
U la malice gist coverte.'
Du quoy vient la commune perte,
Si fait soudaines les ruines

De les voisins et les voisines ;
Il prent les owes et gelines
Et les capons de la poverte,
Mais a luy q'ad mains argentines   24730
Plus q'as vertus qui sont divines
Ly Jugges ad l'oraille overte.
  O Jugges, qui des tiels soldées
Les beals manoirs edifietz,
Qui sont semblable au Paradis,
Di lors si vous par ce quidetz
Q'as tous jours y habiteretz :
Fols es si tiel soit ton avis.
Enten ce que je truis escris,
Dieus mesmes t'ad pour ce maldis,
Car tu le deable as herbergez   24741
En tes maisouns comme tes amys
Par covenant q'apres toutdis
En son enfern herbergeretz.
  O Jugges, qui tant nettement
Ton corps, ta maison et ta gent
Des toutes partz fais conroier,
O comme tant bell vessellement
Et tant honeste garnement,
Q'au plus sovent te fais monder,   24750
Qe tache n'y doit apparer
Dehors, mais pardedeins le cuer
Ordure y est toutdis present,
Du covoiter et fals juger
Scies tu quoy serra ton loer ?
Dieus t'en dist, Way ! sanz finement.
  Cil Jugges folement s'ensense
Qui se fait tendre en conscience
Des choses qui ne valont nient,
Dont quiert a porter l'apparence   24760
Du vray justice en la presence
De la commune u qu'il devient,
Mais qant le grant busoign avient,
Et fals brocage a luy survient,
Lors de justice l'evidence
Oublist, que point ne luy sovient ;
Et c'est la cause dont tort vient,
Et fait mainte inconvenience.
  Ce q'Ysaïe depar dieu
Jadis disoit ore est venu,   24770

24750 plussouent

Des Jugges qu'il prophetizoit
Q'as dons se sont trestout tenu,
N'est qui de ce s'est abstenu ;
Par quoy ly povres orendroit
Ne puet justice avoir ne droit.
Helas, q'est ce q'om dire doit ?
Car qant nous avons loy perdu,
Tout est failly, si q'om ne voit
Queu part aler, ainz l'en forsvoit,
Dont grant peril est avenu. 24780
 Par tout aillours, ce truis escrit,
Ad viele usage ou loy escrit,
Du quoy le poeple est governé ;
Mais mon paiis est trop maldit,
Ly quel ne d'un ne d'autre vit,
Ainz y governe volenté :
Ce q'au jour d'uy est adjugé
Pour loy, demain ert forsjugé,
Ore est tout bien, ore est desdit ;
Qant l'en meulx quide en verité 24790
Avoir sa cause terminé,
Trestout le fait est inparfit.
 Ensi pour dire courtement
Le pledour ove le president
Et l'apprentis et l'attourné
Le noun portont inproprement
Du loy ; car loy deins soy comprent
Verray justice et equité,
Mais ils la loy ont destourné
En cautele et soubtilité, 24800
Dont ils pilont trestoute gent ;
Si q'om puet dire en verité,
Ore ad perdu sa charité
La loy par force de l'argent.
 Om dist que tout estat enpire,
Mais certes nuls est ore pire
Des tous les seculers estatz
Qe n'est la loy, dont fais escrire ;
Car qui voldroit au droit descrire
Les pledours et les advocatz 24810
Dirroit mervailles en ce cas ;
Car quique vent, ils font pourchas,
Del autry mal leur bien respire ;
Si dieus socour n'y mette pas,

Om puet doubter que leur compas
Destruiera tout cest enpire.
 Ore q'il ad dit de ceaux qui se
 nomont gens de la loy, dirra des
 Viscontes, Baillifs et Questours.
 D'une autre gent, sicome l'en voit,
La loy commune se pourvoit,
Qui sont viscontes appellé.
Visconte jure en son endroit 24820
La loy solonc justice et droit
Guarder sanz faire falseté,
Au proufit de communalté :
Mais om dist q'il s'est perjuré,
Et qu'il le pueple plus deçoit ;
Car de nul droit s'est appaié,
Ainçois q'il soit del orr paié,
Ne chalt comment il le reçoit.
 Ce sciet om q'au commencement
Visconte fait son serement 24830
Et jure q'il primer au Roy,
Au pueple et puis secondement,
Doit servir bien et loyalment,
Sicome ministre de la loy :
Mais ore om dist, et je le croy,
Q'il tout en pieces ad la foy
Si route, qu'il ascunement
Retient de ce ne grant ne poy ;
Car il ne moet, s'il n'ait pour quoy,
Le pié pour aider a la gent. 24840
 De ces viscontes u serra, f.136
Qui dire salvement porra
Q'il son acompte ad bien fourni,
A l'eschequer qant il vendra,
Et q'il lors ne deceivera
Le Roy, ou q'il le pueple auci
Ne pile au tort ? Pour moy le dy,
Ne say un soul visconte, qui
Qant a ce point s'escusera :
Le perjurer met en oubli, 24850
Maisqu'il de lucre n'ait failly,
Sa conscience ne faldra.
 Et nepourqant om puet oïr
Visconte dire q'eschuïr
Ne puet la perte en son office,

24787 Iourduy

Ou autrement l'estuet blemir
Sa conscience; et sanz faillir
Voir dist, mais il n'est pas si nice,
Comment que l'alme se chevice,
Q'il laist pour ce tort ou malice, 24860
Dont quiert sa perte ades fuïr:
Car conscience ne justice
Ne cure, maisq'il l'avarice
De son office puet tenir.
 Le brief que le povre homme porte,
Qant il l'argent ove ce n'apporte
Pour le viscounte desporter,
Trop longuement puet a la porte
Hucher, avant ce qu'il reporte
Le droit qu'il en duist reporter: 24870
Mais qui les douns voet apporter,
Pour ce redoit ove soi porter
L'exploit, voir de sa cause torte:
Mais qui viscounte conforter
Ne voet del orr, desconforter
Verra sa cause ensi comme morte.
 N'as pas en vein ton argent mis,
Dont le viscounte as fait amys,
Car lors aras tu la douszeine 24879
Des fals questours du deable apris,
Ly quel, qant scievont bien le pris,
Qe tu leur dorras large estreine,
Ja n'aras cause si vileine,
Qe perjurer du bouche pleine
N'en vuillent les ewangelis
Qe ta querelle soit certeine;
Sique tu dois avoir la leine,
Dont autre est sire des berbis.
 O le conspir, o le brocage,
Dont l'en requiert, prie et brocage,
Qe le viscounte aider voldra 24891
A luy qui d'autri l'eritage
Demande avoir de son oultrage!
Car il les larges douns dorra,
Dont le viscounte avoeglera,
Qui le panell ordeinera
Des fals jurours a l'avantage
De luy q'ad tort. O quoy serra,

Qant homme ensi pourchacera?
Dont n'est celly qui n'ad dammage.
 Primerement est dammagée 24901
Cil q'est au tort desherité,
Mais c'est en corps tantsoulement;
Et l'autre encore est pis grevé,
Q'ensi la terre ad pourchacé
De son malvois compassement;
Et le viscounte nequedent
N'est pas sanz culpe, ainçois offent,
Ensi font l'autre perjuré,
Dont l'alme le repaiement 24910
Ferra sanz null deslayement,
Qant l'alme leur serra passé.
 Mais le viscounte en son bargain,
Au fin q'il puet avoir le gaign,
De l'une et autre part voet prendre,
Car lors sciet bien q'il est certain,
Mais l'une part enmy la main
Deçoit, ainz q'om le puet aprendre:
Mais il se sciet si bien defendre
Et par cauteles faire entendre, 24920
Qe nuls n'en puet savoir au plain.
Ensi se pourchace a despendre,
Dont il serroit bien digne a pendre,
Si resoun nous serroit prochain.
 O comme viscounte ad grant vertu!
S'il voet, l'enqueste ert tost venu,
Et s'il ne voet, ne vendra mye,
Dont meint homme ad esté deçu:
Car qant viscounte ad l'orr resçu
Pour tort aider de sa partie, 24930
Lors jeuera la jeupartie
De fraude, siq'au departie
Le droit, ainz q'om l'ait aparçu,
Met en deslay par tricherie
De son office, ou il le plie,
Au fin q'il serra tout perdu.
 Ensi pour affermer mon conte
Sicome la vois commune conte,
Lors porray dire et bien conter
Que trop nous grieve le viscounte: 24940
Dont luy falt rendre dur acompte
Apres la mort a l'eschequer

24870 enduist

U pour plegger ne pour guager
Justice ne puet eschaper;
Ainz ce que sa decerte amonte
Son auditour doit allouer,
C'est qu'il prendra pour son louer
Honour ou perdurable honte.
   Des soubz baillifs y ad tout plein
Dont om se pleignt et je m'en pleign,
Car si visconte soit malvois,   24951
Encore sont ils plus vilein;
Car ils pilont et paile et grein,
Si l'argent ne leur vient ainçois.
Vei la ministre de noz loys,
Qui ja nul jour serront courtois
Envers dieu n'envers leur prochein!
En ce paiis sont plus que trois
Q'ont deservi par juste pois
L'onour des fourches plus haltein.
   L'en puet bien dire a cel office, 24961
Sicome Crepaldz dist al herice,
' Maldit soient tant seigneurant,'
Qui duissont servir de justice
Et sont ministre d'avarice,
Dont vont la povre gent pilant.
Cuer ont des mals ymaginant,
Mains ont plus que le glu tenant,
Piés ont pour courre a toute vice,
Et par desdeign vont regardant: 24970
Qui duissent estre loy gardant,
Cils sont qui plus font de malice.
   Semblables sont as enfernals,
U sont les peines eternals,
Car ils font toutdis la tempeste
D'extorcions, des tortz, des mals;
Les hommes et les animals
Chascuns en sente la moleste:
Ne valt priere ne requeste
Au fin que l'en l'amour adqueste   24980
De ces baillifs, tant sont ribalds,
Ainz falt que l'en lour donne et preste,
Q'ils ont toutdis malice preste:
Vei la du deable les vassals!
   Ce sont cils qui vivont du proie,
Sicome l'ostour qui tolt et proie,

Ce sciet et l'abbes et l'abesse,
Par qui sovent faisont leur voie:
Mais si la feste est sanz monoie,
Ne dirront point que c'est largesse;
Ils n'ont ja cure de la messe   24991
Que moigne chante, ainz la promesse
Des douns avoir, ce leur fait joye.
Ensi pilont de la simplesce,
Et escorchont par leur destresce
De l'autry quir large courroie.
   Trop est de luy q'ensi visite
La visitacioun maldite:
Car qant baillif visitera,   24999
N'est maison q'il pour dieu respite;
Comme plus la voit povere et despite,
Tant plus d'assetz l'oppressera,
Q'ascune chose enportera;
La qu'il l'esterling ne porra
Avoir, il prent la soule myte:
Sicome goupil q'aguaitera
Sa proie, quelle estranglera,
Si fait baillif u qu'il habite.
   L'en dist, et ce n'est fable mye,
Q'om doit seignour par la maisnie
Conoistre, et par semblable tour   25011
Je croy que si de sa partie
Visconte fuist d'oneste vie,
Ly soubz baillif fuissent meillour.
Mais tiel corsaint, tiel offrendour,
Si l'un soit mal, l'autre est peiour,
Et sur toute la compaignie
Pis font encore ly questour;
Car leur falsine et leur destour
Fait que le tort se magnifie.   25020
   Sur ce que tu es despendant
Au perjurer ils vont pendant
Le charge de leur conscience,
Par ce q'ils l'orr vont resceivant
Pour estre fals et desceivant:
Le doun souffist a l'evidence,
Car covoitise ove leur dispense
Pour ton argent, pour ta despense,
Q'ils point ne mettont au devant
De dieu ne l'amour ne l'offense: 25030

24958, 24968 plusque   24978 ensente

Mal font de soy la providence
Contre la mort que vient suiant.
   De ces jurours fals et atteintz   f. 137
Encore y ad des capiteins,
Traiciers ont noun, c'est assavoir
Q'ils treront, mais nounpas des meins,
Ainz du malice dont sont pleins,
Le remenant a leur voloir ;
Car s'ils diont le blanc est noir,
Les autres dirront, 'C'est tout voir,'
Et ce vuillont jurer sur seintz :   25041
Ou soit ce fals, ou soit ce voir,
Sicomme Traicier vuillont avoir,
Ensi serra, ne plus ne meinz.
   A les assisses et jurées
Qui voet avoir les perjurez
Parler covient a ces Traiciers ;
Car a lour part ont aroutez
Tous les fals jurours redoubtez,
Qui se vendont pour les deniers   25050
Et se perjuront volentiers :
Ce sont du deable soldoiers,
Par queux le tort ad eshalcez
Sur tous les autres seculiers,
Qui sont du fraude coustummers
Pour faire abatre loyaltés.
   Tout ensi comme ly chiens currour
Est affaité du veneour
De courre au serf ou a goupil,
Tout autrecy ly fals traïçour   25060
Les jofnes gens qui sont questour
Affaite et entre a son peril :
Qant nay dirra, dirront nenil,
Qant dist oïl, si dirront il,
Du voir font fals, du fals verrour,
Loyalté mettont en exil
Et felonnie au reconcil :
Maldit soient tiel assissour !
   Ly fals questour dont vous endite
Les innocentz au mort endite,   25070
Qui sont sanz culpe d'enditer,
Et les felouns mortieux acquite :
Quiconque son travail aquite
Trop sciet le tort bien aquiter ;

Ou si le dette est un denier,
Jura que c'est un marc entier,
Et si marc soit, dist une myte :
Dire et desdire est son mestier,
Deux langes porte en un testier,
La qui falsine soit maldite.   25080
   Loyalté serra desconfit,
Si tu les douns aras confit
A ces jurours, car leur corage
Ad a l'argent tiel appetit,
Q'ils se perjuront pour petit,
Ainçois q'ils lerront ton brocage.
Om voit de nostre voisinage
Tiel qui se prent a cest usage,
Dont il et tout son hostell vit ;
Qe pour compter du clier gaignage
Sa lange valt plus d'avantage   25091
Qe sa charue du proufit.
   Ly povres qui n'ad pas d'argent
Se puet doubter de tiele gent
Au fin q'il n'ara pas son droit ;
Si puet ly riches ensement,
S'il ne leur donne largement,
Car l'un et l'autre en lour endroit
Se passeront sanz nul exploit :
Pour ce cil qui le siecle voit   25100
Et ad ou terre ou tenement
Des tieux jurours doubter se doit ;
Car qui s'en garde il est benoit
En ce mal temps q'ore est present.
   Mais d'autre part il me sovient,
Ascuns y ad qui point ne vient
A les assisses, et fait mal
De ce q'au voir jurer s'abstient ;
Car par ce l'autry droit detient,
Dont il duist estre tesmoignal,   25110
Qui sciet le droit original
Et pour le proufit voisinal
Jurer ne voet ce q'appartient :
Il est en part sicome causal
De l'autry perte especial,
Dont il responder a dieu covient.
   Mais eeste noble gent vaillant
Quident q'ils serront trop faillant

   25035 cestassauoir

Par ce q'ensi duissent jurer ;
Mais je luy fais bien entendant,   25120
Cil q'au jurer n'est obeissant
Pour la justice supporter,
Ainz souffre l'autre fals questier
Le droit abatre et perjurer,
Du quoy son proesme est enpirant,
Il est ensi come parçonier
Du mal, puisq'il le pot hoster
Et souffre q'il procede avant.
  Prodhomme ne doit eschuïr
De voir jurer pour sustenir   25130
Le droit, dont il est mesmes sage ;
Ainçois se doit plustost offrir,
Q'en son defalte laist perir
Le meindre de son voisinage ;
Combien qu'il soit de halt parage,
Son parenté ne desparage
Du voir jurer a l'enquerir,
Ainz fait tresnoble vassellage,
Qant droit remonte en son estage,
Qe tort solait en bass tenir.   25140
  Ces clercs diont que le pecché
Du tort dont homme ad enpesché
Son proesme, ja n'ert absolu
Pardevant dieu ne pardonné,
Ainçois q'arere soit donné
Tout quanque en ad esté tollu.
O fals questour, di que fras tu,
Qui tant droit avetz abatu
Du false langue perjurée,
Que ja puis n'ert par toy rendu :   25150
Je croy ce te serra vendu,
Que tu quidas avoir gaigné.
  En voir disant nully desfame,
Pour ce vous dy tiele est la fame
Des pledours, dont ainçois vous dis ;
Jugge et visconte auci l'en blame,
Et d'autre part ne sont sanz blame
Ne les questours ne les baillis ;
Ce duissent estre les amys
Du droit et sont les anemys,   25160
Car covoitise les entame ;
Dont font lour plaintes et lour cris

La gent commune du paiis,
Si font le seignour et la dame.
  O quel dolour la loy nous meine !
Car gens du loy primer la leine
Pilont, comme vous ay dit devant,
Mais l'autre gent est plus vileine,
Car le visconte ove la douszeine
Et les baillifs vont escorchant   25170
Le peal, sique du meintenant
Nuls est ses propres biens tenant :
Et nepourqant, si je me pleigne,
Ne truis socour ne tant ne qant ;
La loy, que nous serroit garant,
Nous est sur tout la plus greveine.

Ore q'il ad dit l'estat de ceaux qui sont plaidours et Jugges de la loy, dirra l'estat des Marchans solonc le temps q'ore est.

  Dieus solonc la diverseté
Des terres ad ses biens donné,
A l'une leine, a l'autre soie,
A l'une vin, a l'autre blée,   25180
Et ensi la commodité
Divide, mais u que je soie,
Si je du resoun ne forsvoie,
N'est une terre que je voie
La quelle de sa propreté
Des tous ensemble se rejoye ;
Et c'est pour resonnable voie
Qe dieus ensi l'ad ordiné.
  Si une terre avoir porroit
Tous biens ensemble, lors serroit   25190
Trop orguillouse, et pour cela
Dieus establist, et au bon droit,
Qe l'une terre en son endroit
Del autry bien busoignera :
Sur quoy marchant dieus ordina,
Qui ce q'en l'une ne serra
En l'autre terre querre doit ;
Pour ce qui bien se gardera,
Et loyalment marchandera,
De dieu et homme il est benoit.   25200

La loy le voet et c'est droiture,
Qe qui se met en aventure
De perdre doit auci gaigner,
Qant sa fortune le procure :
Pour ce vous dy, cil qui sa cure
Mettre voldra pour marchander,
Et son argent aventurer,
S'il gaigne, en ce n'est a blamer,
Maisq'il le face par mesure
Sanz fraude ; car pour le denier 25210
Qui son voisin quiert enginer
N'ad pas sa conscience pure.
Tous scievont bien q'om doit precher
As vices pour les amender,
Non pour gloser du flaterie
Les vertuous, car le blamer
Des mals as bons est le priser ;
Et pour cela, si je voir die
As fols ce q'est de leur folie,
Ly sages oms ne se doit mye 25220
Par celle cause coroucer ;   f. 138
Car foy d'encoste tricherie
Du plus notable apparantie
Par son contraire est a louer.
  Les bons sont bons, les mals sont mals ;
Dont si l'en preche as desloials,
Pour ce ne doit il pas chaloir
As ceaux qui sont en soi loials ;
Car chascuns solonc ses travals
Doit son pris ou son blame avoir : 25230
Ne sont pas un, pour dire voir,
Marchant qui pense a decevoir
Et l'autre qui par ses journals
En loialté se fait movoir ;
Tout deux travaillont pour l'avoir,
Mais ils ne sont pas parigals.
  Del un Marchant au jour present
L'en parle molt communement,
Il ad noun Triche plein de guile,
Qe pour sercher del orient 25240
Jusques au fin del occident,
N'y ad cité ne bonne vile
U Triche son avoir ne pile.

Triche en Bourdeaux, Triche en Civile,
Triche en Paris achat et vent ;
Triche ad ses niefs et sa famile,
Et du richesce plus nobile
Triche ad disz foitz plus q'autre gent.
  Triche a Florence et a Venise
Ad son recet et sa franchise, 25250
Si ad a Brugges et a Gant ;
A son agard auci s'est mise
La noble Cité sur Tamise,
La quelle Brutus fuist fondant ;
Mais Triche la vait confondant,
Les biens de ses voisins tondant,
Car il ne chalt par quelle guise,
Ou soit derere ou soit devant,
Son propre lucre vait querant
Et le commun proufit despise. 25260
  Ascune fois Triche est grossour,
Mais il ad trop la foy menour
Endroit de cell avoir du pois
Quel il engrosse, et au retour
Le vent par pois du meindre tour
Q'il n'achata l'avoir ainçois,
Dont par deceipte le surcrois
Retient, et l'autre en ad descrois :
Mais ce que chalt, car son amour
Triche ad tourné tant sur la crois 25270
De l'esterling, q'as toutes fois
Il quiert du bargaign le meillour.
  Triche auci de sa tricherie
Soventesfois en mercerie
Deceipte fait diversement,
Q'il ad toutplein du queinterie,
Des buffles et de musardie,
Pour assoter la vaine gent,
Dont porra gaigner lour argent :
Et si parole bell et gent, 25280
Et fait leur bonne compaignie
Du bouche, mais du pensement
Son lucre quiert soubtilement
Soubz l'ombre de sa courtoisie.
  Cil q'est estrait de ceste mue
N'ad mye la parole mue,
Ainz est crieys plus q'esperver :

25223 plusnotable   25224 alouer   25268 enad

Qant voit la gent q'est desconue,
Lors trait et tire, huche et hue,
Si dist : 'Venetz avant entrer !   25290
Des litz, courchiefs, penne ostricer,
Cendals, satins, draps d'outre mer :
Venetz, je vous dourray la vieue,
Car si vous vuilletz achater,
Ne vous estuet plus loigns aler ;
Vecy le meilleur de la rue !'
 Mais bien t'avise d'une chose,
Si voels entrer deinz la parclose,
Qe d'achater soietz bien sage ;
Car Triche au point ne se desclose,
Ainçois par sa coverte glose   25301
Te dourra craie pour fourmage.
Tu quideretz par son language
Qe celle urtie q'est salvage
Soit une preciouse rose,
Tant te ferra courtois visage ;
Mais si voels estre sanz damage,
En son papir ne te repose.
 Ascune fois Triche est draper,
Mais lors sciet il bien attrapper   25310
Les gens qui quieront la vesture.
Le noun de dieu te voet jurer,
Si tu le drap voes achater,
La marché bonne et la mesure
Te fra donner ; mais je t'assure,
Ce serra tout en aventure,
S'il porra ton argent happer :
Car combien q'il te dist et jure,
Ja son mestier solonc droiture
A toy n'a autre voet garder.   25320
 Ce nous dist dieus, et je le croy,
Qe cil q'est tenebrous en soy
Hiet et eschive la lumere :
Pour ce qant je le draper voy
Deinz sa maison, lors semble a moi
Q'il n'ad pas conscience cliere :
Car oscure ad la fenestrere
La q'il doit faire sa marchiere,
Q'au paine om voit le vert du bloy :
Il est auci de sa maniere   25330

Oscur, car nuls de la primere
Parole sciet du pris la foy.
 Au double pris par serement
Le drap te met oscurement,
Dont il par tiele oscureté
T'engine plus soubtilement,
Et fait a croire voirement
Qu'il t'ad en ce fait ameisté,
Qant il t'ara plus enginé :
Car il dirra q'il t'ad donné   25340
Pour avoir ton aquointement,
Siqu'il de toy n'ad riens gaigné ;
Mais la mesure et la marchée
Dirront q'il est tout autrement.
 Si Triche est en son drap vendant
As deux deceiptes entendant,
Il est enquore au double plus
En son office deceivant,
Qant il des leines est marchant :
Car lors est Triche a son dessus,   25350
Par les Cités il est resçus,
Par les paiis il est conuz,
Il vait les bargaigns pourpernant,
Il ad ses brocours retenuz,
Il fait tourner le sus en jus
Et le derere il met devant.
 Triche ad sa cause trop mondeine,
Car l'autry prou toutdis desdeigne
Et quiert son propre lucre ades :
Mais il ad trop soubtile aleine   25360
Qant il l'estaple de la leine
Governe, car de son encress
Lors trete et parle asses du pres ;
Quoique luy doit venir apres,
Il prent yci tant large estreine
Du malvois gaign, dont il jammes,
Si dieus n'en face a luy reless,
N'avra sa conscience seine.
 O leine, dame de noblesce,
Tu es des marchantz la duesse,   25370
Pour toy servir tout sont enclin ;
De ta fortune et ta richesce
Les uns fais monter en haltesce,
Les uns fais ruer en declin ;

25295 plusloigns

L'estaple, u que tu es voisin,
N'est pas sanz fraude et mal engin,
Dont om sa conscience blesce.
O leine, ensi comme le cristin,
Einsi paien et Sarazin
Te quiert avoir et te confesse.   25380
 O leine, l'en ne doit pas tere
Que tu fais en estrange terre ;
Car les marchantz des tous paiis
En temps du peas, en temps du guerre,
Par grant amour te vienont querre ;
Car qui q'al autre est anemys,
Tu n'es jammes sanz bons amys,
Q'en ton service se sont mys
Pour le proufit de ton affere :
Tu es par tout le mond cheris,   25390
La terre dont tu es norris
Par toy puet grande chose fere.
 En tout le mond tu es mené
Par terre et mer, mais assené
Tu es a la plus riche gent :
En Engleterre tu es née,
Mais que tu es mal governé
L'en parle molt diversement ;
Car Triche, q'ad toutplein d'argent,
De ton estaple est fait regent,   25400
Et le meine a sa volenté
En terre estrange, u proprement
Son gaign pourchace, et tielement
Nous autres sumes damagé.
 O belle, o blanche, o bien delie,
L'amour de toy tant point et lie,
Que ne se porront deslier
Les cuers qui font la marchandie
De toy ; ainz mainte tricherie
Et maint engin font compasser   25410
Comment te porront amasser :
Et puis te font la mer passer,
Comme celle q'es de leur navie   f. 139
La droite dame, et pour gaigner
Les gens te vienont bargainer
Par covoitise et par envie.
 Eschange, usure et chevisance,
O laine, soubz ta governance

Vont en ta noble Court servir ;
Et Triche y fait lour pourvoiance,   25420
Qui d'Avarice l'aquointance
Attrait, et pour le gaign tenir
Il fait les brocours retenir.
Mais quique s'en voet abstenir
Du fraude, Triche ades l'avance,
Siq'en les laines maintenir
Je voi plusours descontenir
Du loyalté la viele usance.
 Mais gaigne qui voldra gaigner,
L'en porra trop esmerveiller   25430
En nostre terre a mon avis
Des Lumbardz, qui sont estranger,
Q'est ce q'ils vuillont chalanger
A demourer en noz paiis
Tout auci francs, auci cheris,
Comme s'ils fuissent neez et norriz
Ovesque nous ; mais pour guiler
Moustront semblant come noz amis,
Et soubz cela lour cuer ont mys
De nostre argent et orr piler.   25440
 Ces Lombars nous font mal bargain,
Lour paile eschangont pour no grain,
Pour deux biens nous font quatre mals,
Ils nous apportont leur fustain,
Si nous vuidont du false main
Nos riches nobles d'orr roials
Et l'esterlings des fins metals ;
C'est un des causes principals
Dont nostre terre est trop baraign ;
Mais si l'en creroit mes consals,   25450
Ja dieus ne m'aid, si tiels vassals
Nous serroient ensi prochain.
 Mais ils scievont de leur partie
Si bien juer la jeupartie
Du brocage et procurement,
Q'ils par deceipte et flaterie
Font enginer la seignourie
De nostre terre a leur talent,
Dont sont privez plus q'autre gent :
Sique l'en dist communement   25460
Q'ils sont de no consail l'espie,
Dont maint peril nous vient sovent,

  25395 plusriche   25397 Maisque   25454 Sibien

Et qui regarde au jour present
Overte en verra la folie.
  Huy voy des tiels Lombars venir
Sicome garçon du povre atir,
Qui ainz que soit un an passé
Par leur deceipte et leur conspir
Plus noblement se font vestir
Qe les burgois de no Cité ;   25470
Et s'ils eiont necessité
Du seigneurie ou d'ameisté,
Ils se scievont ensi chevir
Du fraude et de soubtilité,
Qe leur querelle est avancé
Malgré le nostre a leur plaisir.
  N'est pas resoun ce que je voi,
Ainçois l'en doit bien dire avoi
As tiels seignours qui par brocage
Des douns avoir, ou grant ou poy, 25480
Vuillont donner credence ou foy
As tieles gens, qui no damage
Aguaitont pour lour avantage :
Mais c'est grant honte au seignourage,
Qui nous duissont garder la loy,
De noz marchantz mettre en servage,
Et enfranchir pour le pilage
Les gens estranges trestout coy.
  Mais covoitise ad tout soubmis,
Car cil qui donne avra d'amys   25490
Et puet son fait au fin mener,
C'est la coustumme en mon paiis :
Mais qui prent garde a mon avis
Des toutes partz porra mirer
Et du voisin et d'estranger
Qe tricherie en marchander
Toutdis nous vient devant le vis ;
Et d'autre part pour reguarder
Les gens qui vivont de mestier,
Trestout sont d'une escole apris. 25500
    Ore dirra un petit comment
    Triche est associé et demoert
    entre ceaux qui vivont du mestier
    et d'artifice.
  Les gens qui vivont d'artefice,

Si bien le font solonc justice,
Au bien commun sont necessaire,
Et mesmes dieu lour encherice,
Mais s'ils trichent, c'est une vice
Q'au bien commun est trop con-
    traire :
Et nepourqant plus que notaire
L'en dist que Triche en secretaire
Entre les autres tient office,
Et par tout guide, u q'il repaire, 25510
Des compaignons plus que vingt paire,
Qui tous servont dame Avarice.
  Triche est Orfevere au plus sovent,
Mais lors ne tient il pas covent,
Qant il d'alconomie allie
Le fin orr et le fin argent ;
Si fait quider a l'autre gent
Qe sa falsine soit verraie ;
Dont le vessell, ainz q'om l'essaie,
Vent et reçoit la bonne paie   25520
De l'esterling, et tielement
Del argent q'il corrompt et plaie
Sa pompe et son orguil desplaie,
Et se contient trop richement.
  Je ne say point d'especial
Tout dire et nomer le metall
Que Triche ove l'argent fait meller ;
Mais bien sai q'il fait trop de mal,
Q'ensi l'argent fin et loyal
De sa mixture fait falser.   25530
Cil q'au buillon voldra bailler
Vessell d'argent pour monoier,
Lors puet il savoir au final
Qe triche ad esté vesseller ;
Car son vessell et le denier
Ne sont pas d'une touche egal.
  Si Triche t'ait coupe ou ceinture
De ton argent parfait, al hure
Je loo que prest soies a prendre ;
Car d'une chose je t'assure,   25540
S'un autre vient en ta demure
Et Triche en poet son gaign com-
    prendre,

25464 enverra   25469 Plusnoblement
                         25513 plussouent

25507 plusque   25511 plusque
25542 enpoet

Il le fait comme son propre vendre;
Mais il t'en fra depuis entendre
Q'il l'ot bien fait, mais aventure
Le fist quasser, dont falt attendre:
Ensi te dist parole tendre,
Et t'en deçoit par coverture.
 Si Triche t'ait de son ovreigne
Mis certain jour, molt ert grant peine
Si deinz le mois avoir porras 25551
Q'il t'ad promis deinz la semeine:
Ainz mainte guile et mainte treine
T'en fra, et molt sovent par cas
Au fin del tout tu failleras,
Ou autrement tu plederas,
Car si la loy ne luy constreigne,
Du loyalté ne tient il pas.
Ensi fait Triche son pourchas
Du mestier qui l'orfevere meine. 25560
 Et des jeualx avient auci
Q'ascune fois Triche est saisi;
Mais lors a les seignours s'en vait,
Et fait le moustre et jure ensi,
Q'ainçois q'il d'eaux serra parti,
Les grandes sommes il en trait
De leur argent. Mais lors malfait,
Qant il la piere ad contrefait,
Que ne valt point un parasi,
Et par deceipte et par aguait 25570
Le vent; car qui q'en soit desfait
Ne chalt, maisq'il soit enrichi.
 Je ne say dire tout pour quoy,
Que j'ay oÿ sovent en coy
Les gens compleindre et murmurer,
N'en say la cause ne ne voi,
Mais que l'en dist avoy, avoi!
Qe sur tous autres le mestier
Des perriers est a blamer.
N'est Duc ne Conte ne Princer, 25580
Voir ne le propre corps du Roy,
Qui s'en porront bien excuser;
Trestous les ad fait enginer
Ly perriers ove son desroy.
Om dist que dieus en trois parties
Ad grandes vertus departies;

Ce sont, sicomme l'en vait disant,
Paroles, herbes et perries;
Par ceaux fait homme les mestries
Et les mervailles tout avant, 25590
Mais ore est autre que devant,
Les perriers sont plus plesant
Qe les saphirs ne les rubies;
Mais je ne say pas nepourqant
Si celle grace soit sourdant
Ou des vertus ou des soties.
 Triche est auci de nostre ville
Riche Espicier; mais il avile
Au plus sovent sa conscience,
Q'il sa balance ad trop soubtile 25600
Du double pois, dont se soubtile f. 140
A faire l'inconvenience
De fraude, dont son fait commence;
Car n'est espiece ne semence
Dont il son malvois gain ne pile:
De la balance point ne pense
Dont Micheux en la dieu presence
Luy poisera les faitz du guile.
 Triche Espicer du pecché gaigne,
Qant les colours vent et bargaigne 25610
Dont se blanchont les femelines,
Et la bealté, q'estoit foraine,
Du viele face q'est baraigne
Fait revenir des medicines,
Siq'elles pieront angelines:
Et d'autre part de ses falsines
Il fait que lecchour et putaine
A leur pecché sont plus enclinez,
Q'il lour fait boire les racines
Que plus excitent cel ovraigne. 25620
 Plus que ne vient a ma resoun
Triche Espicer deinz sa maisoun
Les gens deçoit; mais qant avera
Phisicien au compaignoun,
De tant sanz nul comparisoun
Plus a centfoitz deceivera:
L'un la receipte ordeinera
Et l'autre la componera,
Mais la value d'un botoun
Pour un florin vendu serra: 25630

25563 senvait 25566 entrait 25577 Maisque 25599 plussouent

Einsi l'espiecer soufflera
Sa guile en nostre chaperoun.
   Phisicien de son affaire
En les Cités u q'il repaire
Toutdis se trait a l'aquointance
De l'espiecer ipotecaire ;
Et lors font tiele chose faire
Dont mainte vie ert en balance :
Car cil qui de leur ordinance
User voldra d'acoustummance   25640
Le cirimp et le lettuaire,
Trop puet languir en esperance
D'amendement, car tiele usance
Est a nature trop contraire.
   Phisique et Triche l'Espiecer
Bien se scievont entracorder ;
Car l'un ton ventre vuidera
Asses plus que ne fuist mestier,
Et l'autre savra bien vuider
Ta bource, qu'il dissolvera :   25650
Si l'estomac te poisera,
L'un dist qu'il t'en alleggera
Et toldra le superfluer,
Et si te superfluera
La bource, bien l'espourgera
L'ipotecaire en son mestier.
   Meillour estomac ne querroie,
Si je phisique suieroie,
Que je n'en scieusse bien honir,
Ne jammais jour souhaideroie   25660
Plus riche bource que fuist moie,
Q'ipotecaire enpoverir
Ne scieust ; car quique doit languir,
Voir ou tout perdre ou tout morir,
Triche Espiecer ascune voie
N'en chalt, maisq'il puet avenir
Au fraude, que luy fait venir
A la richesce de monoie.
   O qui savroit au point descrire
Phisicien qant il escrire   25670
Fait la cedule au medicine,
Comment ove l'espicier conspire,
Il duist bien par resoun despire
De l'un et l'autre la covine :

Car maintefois de leur falsine
Cil q'est malade a la poitrine
Un tiel cirimp luy font confire
Q'auci luy fait doloir l'eschine,
Pour plus gaigner en long termine
De luy qui sa santé desire.   25680
   Pour plus parler du tricherie,
En le mestier du pelterie
Triche est auci trop bien apris :
Le vein orguil de ceste vie
Que gist en la burgoiserie
Des femmes que trop sont cheris,
Et de les autres du paiis,
De leur Ermyne et de leur gris,
Dont la fourrure ont acuillie,
Fait ce que Triche est enrichiz ;   25690
Mais s'ils portassent le berbis,
Triche eust sa proie trop faillie.
   Sicomme ma dame la Contesse,
Solonc q'affiert a sa noblesse,
Se fait furrer de la pellure,
Ensi la vaine Escuieresse,
Voir et la sote presteresse,
Portont d'ermine la furrure :
C'est une cause au present hure
Que de l'argent poi nous demure,   25700
Dont soloions avoir largesse ;
Si l'en n'en preigne bonne cure,
Puet avenir par aventure,
Ainz q'om le sache, grant destresse.
   Triche est de son mal gain trop lée,
Qant il la pane en long et lée
De la furrure fait tirer ;
Dont qant le mantell ad furrée,
Et soit des quatre jours usée,
Lors voit om bien que le furrer   25710
Est plus eschar que le draper ;
Mais ce que chalt, quant le denier
Au Triche serra bien paié :
Et molt sovent de son mestier
Viel pour novel nous fait bailler ;
Ce n'est pas droit ne loyauté.
   Si plus de Triche oïr voldras,
Triche en tailler auci des draps

25661 Plusriche   25699 Ceste

Est trop soubtil et trop sachant ;
Pour conscience ne laist pas   25720
Q'il ou par reule ou par compas
Du drap q'il te serra taillant
Ne prent le toll, et si faillant
Soit de son taille et nonvaillant
Soit le façoun, tu paieras
Molt plus que resoun nepourqant :
Car Triche, quiq'en soit perdant,
Du malvois gain fait son pourchas.
    Ascune fois Triche est Seller,
De ce se plaigmt qui chivalcher   25730
D'acoustumance doit sovent ;
Ascune fois est Sabbatier,
De ce luy povre labourer
Se plaignt par tout communement :
Des tous mestiers que l'en aprent
Triche est apris et son gain prent,
Et d'autre part en marchander
Il sciet le droit experiment,
Du quoy, a qui, qant et comment
Il doit son fait faire et lesser.   25740
    Sicome la viele q'est puteine
Ses jofnes files entre et meine
Au fait, je voi que Triche ensi
Ses apprentis primer enseigne
L'engin, les fraudes et la treine
De marchander et vendre auci.
Mais de la vente dont vous dy
Au double ou treble ert encheri
Plus que ne valt ; pour ce se peine
Son dieu et tous les nouns de luy 25750
Jurer, tanq'il porra l'autry
Guiler de sa parole veine.
    Ensi ly jofnes apprentis,
Q'est de son mestre Triche apris,
Les autres triche en son vendant :
Ce que luy couste ou cink ou sis
Il te mettra a dousze ou dis,
Si jure et dist q'il meinz de tant
N'el puet donner, s'il trop perdant
N'en soit ; ensi te meine avant,   25760
Tanq'il t'avera tant abaubis
Qe tu luy soies bien creant :

Ensi deçoit cil jofne enfant
Tout les plus viels de les paiis.
    Mais combien que l'apprentis jure,
Ly mestres qui le mal conjure
Ove l'apprentis primerement
Avra le peché par droiture ;
Car son estat est au dessure,
Et il auci le gaign en prent,   25770
Dont c'est au droit convenient
Q'il ait les charges ensement
De ce dont il les faitz procure :
Car l'autre est son obedient,
Son apprentis et son client,
Soubz sa doctrine et soubz sa cure.
    Mais nepourqant l'en puet entendre,
Si soul ly mestre volroit vendre
Et mesmes tricher son voisin,
Meinz mal serroit, car lors extendre
Tantsoulement duist et descendre 25781
Sur soy le mal de son engin :
Mais qant le jofne marchandin
Falt estre a sa malice enclin,
Du guile et sa manere aprendre,
Pis est ; car ambedeux au fin
Pecchent, mais solonc le divin
L'un plus que l'autre est a reprendre.
    Q'est ce que je vous dirray plus,
Mais que le siecle est trop confus 25790
Des tieus marchantz especial ?
Q'entr'eulx ont loyalté refus,
Si ont le triche retenuz :   **f. 141**
De luy ont fait lour governal,
Et de Soubtil le desloial
Ont fait lour sergant communal,
Qui vent les choses a lour us :
Ja Bonne foy deinz leur hostall
Ne puet entrer apprentisal,
Car Guile le reboute al huiss.   25800
    Mais sanz deceipte et sanz envie
El temps du viele ancesserie
Lors il fesoient bonnement,
Chascuns endroit de sa partie ;
Loyal furont sanz tricherie
Leur vente et leur acatement.

Mais ore il est tout autrement,
Si cist dist voir, cil autre ment,
Poy sont du bonne compaignie :
Pour ce l'en voit q'au jour present 25810
Trestout vait au declinement,
Le mestier et la marchandie.
 Jadis qant les marchantz parloiont
De vingt et Cent, lors habondoiont
De richesce et de soufficance,
Lors de lour propres biens vivoiont,
Et loyalment se contenoiont
Sanz faire a nully decevance :
Mais ils font ore lour parlance
De mainte Mill; et sanz doubtance 25820
Des tieus y ad que s'il paioiont
Leur debtes, lors sanz chevisance
Ils n'ont quoy propre a la montance
D'un florin, dont paier porroiont.
 En leur hostealx qui vient entrer
Leur sales verra tapicer
Et pour l'ivern et pour l'estée,
Et leur chambres encourtiner,
Et sur leur tables veseller,
Comme fuissent Duc de la Cité. 25830
Mais en la fin qant sont alé
De ceste vie et avalé
Bass en la terre, lors crier
Om puet oïr la niceté
De leur orguil, que povreté
Leur debtes covient excuser.
 Si tu soies du Triche aqueinte,
Il te dirra parole queinte,
C'est que ton orr luy baillerez ;
Il te ferra la forte enpeinte 25840
Du covoitise qu'il ad peinte,
Et dirra que tu gaignerez.
Mais je t'en loo par ameistez,
Q'ensi par consail t'avisez
Dont n'eietz cause de compleignte ;
Car Cent au tiel bailler porretz,
Qe trente jammais reverretz
Ne par amour ne par constreinte.
 L'en voit ascuns de tiele enprise
Qui par deceipte et par queintise 25850

Al oill passont tout lour voisin ;
Mais ce n'est pas honeste guise,
Qant puis s'en fuiont au franchise
De saint Piere ou de saint Martin,
Q'attendre n'osent en la fin
Deinz la Cité, mais au chemin
Se mettont vers la sainte eglise.
Maldit soient tiel pelerin,
Q'ensi vienont au lieu divin
Pour faire au deable sacrefise. 25860
 Car tiel y ad qui tout du gré
Aprompte sanz necessité,
Et puis s'en vait ove tout fuïr
Au sainte eglise en salveté.
Mais ore oietz la falseté,
Q'il ne se voct de la partir,
Ainz quiert de l'autry bien partir,
Tanq'il pardoun porra tenir
Du tierce part ou la moytée ;
Et lors se ferra revertir 25870
A son hostell tout par loisir,
Et dist que tout est bien alé.
 L'en dist poverte est chose dure,
Ce sciet qui la poverte endure,
En part poverte excuse errour ;
Mais cil q'est riche a demesure
Et fait enqore mesprisure
Ne puet excuser sa folour.
Mais comme l'en dist au present
  jour,
Le riche est ore tricheour, 25880
Plus que le povere en sa mesure ;
Car Triche n'ad de dieu paour,
Et d'autre part ne porte amour
Envers nulle autre creature.
 Roy Salomon ce nous ensense,
Qui molt fuist plain de sapience,
Et dist, 'Qui sa richesce adquiert
Sanz soy blemir en conscience
Molt fait honeste providence ' :
Mais d'autre voie qui la quiert, 25890
En ceste vie luy surquiert
Vengance, s'au dieu ne requiert
Pardoun et face penitence,

25846 autiel   25853 senfuiont   25863 senvait   25881 Plusque

Ou autrement sa paine affiert
Apres la mort, qant dieus le fiert,
Et l'alme en paie la despense.
  En l'evangile truis escrit,
Dieus nous demande quel profit
Homme ad pour tout le mond gainer,
Qant il en pert son espirit :   25900
C'est un eschange mal confit
Pour chose que ne puet durer.
Mais Triche ainçois en marchander
Quiert le proufit de son denier,
Qe tout le bien q'est infinit ;
Quique luy doit desallouer,
Il prent du siecle son louer,
Mais au final ne s'esjoÿt.
  Ne sai pour quoy je precheroie
As tieux marchans del autre joye 25910
Ou autrement de la dolour ;
Car bien scievont, qui multiploie
En ceste vie de monoie
Il ad au meinz du corps l'onour :
Dont un me disoit l'autre jour,
Cil qui puet tenir la doulçour
De ceste vie et la desvoie,
A son avis ferroit folour,
Q'apres ce nuls sciet la verrour,
Queu part aler ne quelle voie.   25920
  Ensi desputont, ensi diont,
Ensi communement reppliont
Ly marchant q'ore sont present ;
Pour bien du siecle, a quel se pliont,
Le bien del alme tout oubliont,
Du quel ils sont trop indigent :
Et nepourqant qui les reprent,
Tout lour estat par argument
Du marchandie justefiont ;
Al oill respondent sagement,   25930
Mais de si faint excusement
Lour almes point ne glorifiont.
  Soubtilement sciet Triche usure
Covrir et faire la vesture,
Siq'en apert ne soit conue ;
Mais s'il sa conscience assure,
Fols est, car dieus la voit dessure

Trestoute overte et toute nue ;
Par quoy si Triche ne se mue
De sa falsine et s'esvertue   25940
De loyauté, verra celle hure,
Qant dieus les faitz de tous argue,
Sa fraude serra desvestue,
Dont deble avra la forsfaiture.
  Des marchans ore luy alqant
Le siecle blament nepourqant,
Et l'un et l'autre en sa partie
Vait mainte cause enchesonant :
L'un dist arere et l'autre avant,
Mais riens parlont du tricherie   25950
Q'ils mesmes font en marchandie ;
Ainz chascun d'eulx se justefie
Et blamont tout le remenant :
Dont m'est avis que la folie
De jour en jour se multeplie
Sanz amender ne tant ne qant.
  Ils sont marchans, ils sont mestiers,
Des queux nous avons grans mestiers,
S'ils bien gardassent loyalté ;
Mais Triche est un des parçoniers 25960
Qui tant covoite les deniers
Qu'il point n'ad garde d'equité.
N'est un mestier d'ascun degré
Dont Triche, si luy vient a gré,
N'ait vingt et quatre soldoiers,
Qui le bienfaire ont refusé,
Et ce nous trouble en la Cité
Les burgois et les officiers.
  Meistre Aristole ce nous dist,
Qe les mestiers sont infinit,   25970
Nuls puet nombrer la variance :
Pour ce ne suy je pas parfit
Qe tous les mette en mon escrit
D'especiale remembrance.
Mais chascune art en sa substance,
De ce que donne sustienance
A luy qui de son mestier vit,
Est bonne en bonne governance :
Si nuls la mette en male usance,
Pour ce n'est pas l'art inparfit.   25980

25896 enpaie   25900 enpert

Puisq'il ad dit del errour de
ceaux qui trichent en marchandie
et en l'estat des Artifices, dirra
ore del errour des Vitaillers.

 L'estat del homme ensi se taille, f. 142
Qe sur tout falt avoir vitaille,
Dont l'en porra boire et manger :
Pour ce n'est mie de mervaille,
Si je n'oublie ne tressaille
A parler et a reconter
De ceaux qui sont dit vitailler ;
Car Triche y est pour consailler,
Q'au fraude chascuns s'apparaille :
Je prens tesmoign du Taverner, 25990
N'est pas sanz guile le celier
Q'il tient dessoubz sa governaille.

 Du Taverner fai mon appell,
Qant il le vin del an novell
Ove l'autre viel del an devant,
Qui gist corrupt deinz son tonell
Et n'est ne sein ne bon ne bell,
De sa falsine vait mellant,
Et ensi le vait tavernant :
Mais qui luy fuist au droit rendant,
La goule par le haterell 26001
As fourches ly serroit pendant,
Car il occit maint entendant
Au boire de si fals revell.

 Trop est malvoise la mellée,
Qant le vin est ensi mellé,
Dont cil qui boit ne puet faillir
De deux mals dont serra grevé :
L'un est qant il avra paié
Ce dont nul bien luy puet venir, 26010
Et l'autre que luy fra languir
Et grande enferm eté souffrir,
Et molt sovent l'enfermeté
Le meine jusques a morir.

 Qui voet taverne ensi tenir
N'est pas exempt du falseté.
Qant Must vendra primerement,
Molt le vent Triche chierement,
Mais lors sa fraude renovelle :
Comme cil qui fait trop queintement,

Tout en secré l'aqueintement 26021
Ferra du viele et de novelle
Et l'un ove l'autre Must appelle ;
Sovent entrouble sa tonelle,
Si fait crier Must a la gent,
N'en chalt a qui dolt la cervelle,
Maisqu'il sa falseté concelle,
Dont porra gaigner de l'argent.

 Dieus voit bien la falsine atteinte,
Qant taverner la rouge teinte 26030
Met au vin blanc pour tavernage ;
Mais Triche est tant soubtil et queinte
Q'ensi les deux colours aqueinte
Deinz un vaissell par mariage,
Qe qant du blanc voit le visage
Devenir jaune, Triche est sage,
Et du vermail tantost le peinte,
Sicomme l'en fait la viele ymage :
Ensi deçoit son voisinage
Et donne cause de compleignte. 26040

 Et si le vin trop rouge soit,
Encore Triche nous deçoit,
Qant le vin blanc fait adjouster,
Et puis le nomme a luy q'en boit
Colour de paile, dont l'en doit
Du colour plus enamourer :
Et pour le terrage attemprer
Fait del Oseye entremeller,
Dont porra faire son exploit :
Comme Mareschals qui doit curer
Les maladies du courser, 26051
Ensi fait il de son endroit.

 Triche est tout plein de decevance,
Qant il par si fait alliance
Tantz vins divers fait faire unir
D'Espaigne, Guyene et de France,
Voir et du Ryn fait la muance,
Du quoy le gaign puet avenir :
Mais s'il porra fort vin tenir, 26059
Bien sciet del eaue fresche emplir
Sa pynte, et fait tiele attemprance
Dont cil q'au boire en voet venir
Boit l'un ove l'autre, et au partir
Paier luy falt sanz aquitance.

  25982 auor   26044 qenboit   26062 envoet

A la taverne qant irray,
Si tast du vin demanderay,
Ly taverner au primerein
De son bon vin me donne essay;
Mais si mes flaketz empliray,
Qant du bon vin me tiens certein, 26070
Tantost me changera la mein;
Car tout serra d'un autre grein
Le mal vin que j'enporteray.
Qui plus se fie en tiel prochein
Il doit bien savoir au darrein
Qe s'ameisté n'est pas verray.

Si unqes Triche au point voldras
Conoistre, tu le conoistras
De son pyment, de sa clarrée,
Et de son novell ypocras; 26080
Dont il ferra sa bource crass,
Qant les dames de la Cité,
Ainz q'au moustier ou au marchée
Vers la taverne au matinée
Vienont trotant le petit pass:
Mais lors est Triche bien paié,
Car chascun vin ert essaié,
Maisqu'il vinegre ne soit pas.

Et lors les ferra Triche entendre
Q'ils averont, s'ils vuillont attendre,
Garnache, grec et malvoisie; 26091
Pour faire les le plus despendre
Des vins lour nomme mainte gendre,
Candy, Ribole et Romanie,
Provence et le Montross escrie,
Si dist q'il ad en sa baillie
Rivere et Muscadelle a vendre;
Mais il la tierce part n'ad mie,
Ainz dist ce pour novellerie,
Au boire dont les puet susprendre. 26100
D'un soul tonell voir dix maneres
Des vins lour trait, en les chaieres
Qant enseant les puet tenir;
Et si leur dist, 'O mes treschieres,
Mes dames, faitez bonnes cheres,
Bevetz trestout a vo plaisir,
Car nous avons asses laisir.'
Mais lors ad Triche son desir,

Qant il ad tieles chambereres,
Qui leur maritz scievont trichir; 26110
Car riens luy chalt, qant enrichir
S'en puet, maisq'elles soient lieres.
  Plus que nul mestre de divin
Sciet Triche toute l'art du vin
Et la deceipte et la quointise;
Il contrefait de son engin
Du vin françois le vin du Rin,
Voir ce que crust en tiele guise
Pres de la Rive de Tamise
Il le fait brusch et le desguise 26120
Et dist Reneys au crusekin:
Si quointement son fait devise,
N'est homme qui tant bien s'avise
Qe Triche ne le triche au fin.

Si Triche soit el vin malvois,
Enquore a la commune vois
En la cervoise il est pciour:
Ce di je point pour les François,
Ainçois je di pour les Englois,
De ceaux qui boyvent au sojour 26130
De la cervoise chascun jour:
Mais de la povre gent menour,
Qui propre n'ont ne pil ne crois,
Si ce ne soit de leur labour,
Tout cil diont a grant clamour
Le Cervoiser n'est pas curtois.

Ly Cervoiser nous ad emblé
L'argent, qant il du malvois blé
Fait la cervoise malement;
Qant il le fait en tiel degré, 26140
N'est homme qui luy sache gré,
Et dieus le hiet tout proprement:
Car auci chierement le vent
Comme s'il l'eust fait tout bonnement,
Car bien sciet qu'au necessité
Le boire covient a la gent.
Ensi desrobe nostre argent
Et fait de nous sa volenté.

Et s'il avient par aventure
Qe la cervoise est bonne et pure, 26150
Le pris en ert si halt assis
Et tant escharce ert la mesure,

26151 enert

Qe pour compter tout au droiture
La false mesure et le pris,
La cervoise ert pres tant cheris
Sicomme le vin : mais tant vous dis,
C'est a grant tort et demesure,
Car la buillie a mon avis
Ne puet valoir en nul devis
Au vin, s'il trop ne desnature. 26160
 Voir est, qant Triche Cervoiser
Pour ton hostel te doit trover
Cervoise, lors au commençaille
Bonne la fra pour acrocher
Qe tu luy soies coustummer,
Mais puis, qant il en ad la taille,
Lors as deux fois s'il t'apparaille
Cervoise bonne, au tierce il faille :
Mais ja pour tant amenuser
Ne voet sa paie d'une maille, 26170
Tout soit ce q'il sovent te baille
Pres tant du lie comme du clier.
 Ensi comme boire nous covient, f. 143
Tout ensi de nature avient
Q'il nous estuet manger auci ;
Et comme la fraude nous survient
Du Cervoiser, ensi nous vient
De le fournier tout autrecy :
En les Cités je voy tout sy
La gent commune dire ensy, 26180
Qe loyauté ne voit om nient
En ces fourniers, ainz est failly ;
Le pois tesmoigne asses de luy,
Qe son errour trop pres nous tient.
 Jammes fournier garder droit pois
Verras, si ce n'est sur son pois,
Dont om luy treine vilement
Aval la rue ascune fois :
Mais om ly duist bien pendre ainçois,
S'il eust droiture en juggement, 26190
Car pain est le sustienement
Del homme, et qui le pain offent
Encontre les communes loys,
Il tolt les vies de la gent ;
Dont fuist ce bien convenient
A pendre un tiel feloun malvois.

Les pains om voit du maint degré,
Dont solonc la diverseté
Triche ad diverse tricherie ;
Mais je n'en say la propreté, 26200
Forsque de tant que la Cité
Communement s'en plaignt et crie :
Mais sa falsine je desfie,
Qui le frument soubz sa baillie
Tient en muscet, et la marchée
Procure a faire plus cherie,
Siqu'il porra de sa boisdie
Du pain monter la chiereté.
 Dieus ordina de son divin
Le pain, la cervoise et le vin 26210
Pour l'omme, et puis au compernage
Les grosses chars, dont no voisin
Qui sont bouchier tout sont enclin
A tuer ce qui n'est salvage
Des bestes, siq'en leur estage
Les chars vendont au voisinage.
Mais ils ont Triche a lour cousin,
Qui toutdis quiert a l'avantage
Son prou et le commun dammage,
Tant comme porra du mal engin. 26220
 Quiconque vendont du vitaille,
Ou soit en gross ou par retaille,
Om dist que Triche ly bochiers
De son boef et de son ouaille
Au double plus que ce ne vaille
Demande, tant est oultragiers ;
Par quoy les povres communiers
Maldiont, que tieux vitailliers
Ne scievont ce q'est une maille,
Ainz falt q'om porte les deniers, 26230
Car autrement les chars mangiers
Ne serront pas a la pedaille.
 Si l'un soit maigre et l'autre crass
Des boefs, bien sciet Triche en ce cas
Du crass les maigres encrasser,
Et si les vent par fals compas :
Car son engin ne lerra pas
Des festus qu'il y fait ficher
Pour le suët bien attacher ;
Dont tu qui le dois achater, 26240

26166 enad

Qant a manger servi serras,
Si n'es plus sages au tailler,
Tieu fusterie y dois trouver
Dont ton coutell honir porras.
  Du covoitise que luy tient
Triche au sovent ses chars detient,
Qant ne les puet a son voloir
Tout vendre, dont falsine avient;
Car tout cela corrupt devient,
Dont puis s'afforce a decevoir,   26250
Ainz q'om s'en puet aparcevoir:
Mais mainte fois de son espoir
Faldra, tanque le chien survient;
Meilleur marchant n'en puet avoir
A devourer tiel estovoir,
Car la caroigne a luy partient.
  Ensi comme dieus nous ad donné
Dessur les bestes poesté,
Sique pour nostre sustienance
Nous les porrons manger en gré,   26260
Sur les oiseals par tiel degré
Nous ad granté sa bienvuillance;
Par quoy de commune ordinance
Pour faire ent nostre pourvoiance
Les pulletiers sont ordiné:
Mais Triche plain de decevance
Les ad trestous en governance,
N'est uns qui gart sa loyalté.
  Triche ad en son governement
Les pulletiers qui falsement   26270
De leur phesant et leur perdis,
Q'en leur hostell trois jours attent,
Ne say par quell amendement,
Les font monter au treble pris:
Et d'autre part quique s'est mis
Q'il son pullail des tieux amys
Achat ou a creance prent,
S'il n'est plus sage en son avis,
Del pris serra trop entrepris,
Quant doit venir au paiement.   26280
  Tout fresch et novel ert clamez
Le volatill deinz les Cités,
Que Triche ad en sa garde a vendre:
Ce que devant dix jours passez

Estoit del oisellour tuez,
Il dist q'ier soir le fesoit prendre,
Ensi te jure et fait entendre;
Mais ainçois q'il te poet susprendre,
Dont il del argent soit paiez,
N'en sciet sa conscience aprendre.   26290
Si tiel vilain soit a reprendre,
Entre vous autres agardez.
  Mais de si riches oisellines,
Perdis, phesans, ploviers et cines,
Dont Triche ad son mal gain cuilli,
Ne me chalt gaire en mes quisines;
Car sanz delices salvagines
Je me tendray a bien servi:
Mais autrement ils m'ont hony,
Q'ils le chapoun et l'oue auci   26300
M'ont tant cheri de lour falsines,
Qe meintenant il est ensi,
Les oes sont pres tant escheri
Comme jadis furent les gelines.
  D'une autre gent om fait parler,
Qui sont auci comme vitailler,
Car ils vendont communement
Tout quanque l'en porra trover
Du boire ensi comme du manger,
Mesure et pois ont nequedent;   26310
Ce sont qui du vitaillement
Plus servont a la povre gent
Et portont noun du regratier:
Mais Triche est chief de lour covent,
Ce voit om bien au plus sovent
Qant du ferlyn font le denier.
  Trop est le regratour vilein,
Qant achatant en son bargein
Demande large sa mesure,
Mais qant le vent a son prochein,   26320
La tierce en falt de son certein,
Tant falsement le remesure;
Ja par balance de droiture
Ne poise, ne jammais nulle hure
Te fra mesure a juste mein:
Poy valt la chose en sa nature,
Si regratier la tient en cure,
Dont ne voet gaigner au darrein.

26278 plussage   26315 plussouent   26321 enfalt

Mais pour voirdire en cest endroit
As femmes plus partient du droit 26330
Le mestier de Regraterie :
Mais si la femme au faire soit,
Molt plus engine et plus deçoit
Qe l'omme de sa chincherie ;
Car endroit soy ne lerra mie
Le proufit d'une soule mie,
Q'a son voisin ne tient estroit :
Tout perd son temps cil qui la prie,
Car riens ne fait par courtoisie,
Ce sciet qui deinz sa meson boit. 26340

 Ore au final pour brief parler,
Tout cil qui vivont de denier
En achatant et en vendant,
Nes un des tous vuill excepter,
Ne gent marchant ne vitailler
Ne regratier, qui tout avant
Au Triche ne soit entendant ;
Qui sciet guiler s'en vait guilant
Chascun vers autre en son mestier,
Dont qui le temps de meintenant 26350
Voit au droit oill considerant,
Il se porra trop mervailler.

 Triche est commun en nostre ville,
Qui les burgois pres tous avile
Et fait errer les potestatz
Encontre toute loy civile ;
Dont la fortune nous revile
Et tolt l'onour des tous estatz,
Les haltz ensi comme tu verras
Sont en descord avoec les bass, 26360
Chascun sustient sa propre guile :
Dont je me doubte au tiel compas,
Si dieus ne le redresce pas,
N'est autre qui le reconcile.

 De Lucifer l'oppinioun   f. 144
Qu'il tint mist a perdicioun
Maintz autrez, qui de son errour
Tenoiont la conclusioun ;
Ensi c'est une abusioun,
Qant un soul homme en sa folour, 26370
De ce qu'il est superiour
Des autres, quiert solein honour,

Dont il fait la divisioun
De la Cité : car la destour
Fist Rome, qant elle ert maiour,
Venir a sa confusioun.

 En la Cité, u les foreins
Serront plus franc que cils dedeins,
C'est as tous prejudicial ;
Mais quiq'il soit des citezeins   26380
Qui quiert ce mal a ses procheins,
Il erre en son judicial :
Mais qant vient que le governal
Est capitous et desloial
Et se delite es faitz vileins,
Il porra faire trop de mal ;
Mais tout le pis doit au final
Sur soy revertir plus ne meinz.

 Le corps ove l'autre membre auci
Ce font un homme, et tout ensi   26390
Le provost ove celle autre gent
Font la Cité ; pour ce vous dy,
Que sicomme l'omme endroit de luy
Sa main, que maladie prent,
Dont tout le corps soudeinement
Porroit morir, molt asprement
Detrenche, ainz q'il en soit peri,
L'en duist trencher tout ensement
Le mal burgois molt fierement,
Ainz q'il la ville ait malbailly.   26400

 Dieus dist : 'Si l'omme ait main ou pié
Ou oill dont il soit esclandré,
Tantost le doit hoster en voie,
Ainz q'il soit pris en son pecché ;
Car qui du vice est enpesché
Ne puet du ciel entrer la joye.'
Ensi vous di par tiele voie,
Qant Citezein le droit desvoie
Et s'est au tort confederé,
Mieulx valt que l'en le pende ou noie,
Ainz que par luy la gent forsvoie, 26411
Dont soit divise la Cité.

 Mais c'est le peiour que je voi,
Poy sont prodhomme endroit de soi,
Ainçois malice et guilerie
Vont surmontant la bonne foy,

26378 plusfranc   26397 ensoit

Et le prodhomme se tient coy ;
Sique n'est uns de sa partie
Qui nostre Cité justefie,
Et ensi vait la tricherie 26420
Parmy la ville a grant desroy :
Si la fortune nous desfie,
C'est a bon droit, car par envie
Nous avons perdu toute loy.
 Mais si tout cils dont vous ai dit
Cy pardevant fuissent au plit
Q'ils tout gardessent loyalté,
La tricherie enquore vit ;
Car le commun du gent petit,
Qui labourier sont appellé, 26430
La sustienont en leur degré,
Qe ja nul jour de leur bon gré
Au resoun ne serront soubgit :
Poy font labour, mais grant soldée,
Trois tant plus q'ils n'ont labouré,
Vuillont avoir sanz leur merit.
 Trop vait le mond du mal en pis,
Qant cil qui garde les berbis
Ou ly boviers en son endroit
Demande a estre remeriz 26440
Pour son labour plus que jadys
Le mestre baillif ne soloit :
Et d'autre part par tout l'en voit,
Quiconque labour que ce soit,
Ly labourier sont de tieu pris,
Qe qui sa chose faire en doit,
La q'om jadys deux souldz mettoit,
Ore il falt mettre cink ou sis.
 Les labourers d'antiquité
Ne furont pas acoustummé 26450
A manger le pain du frument,
Ainçois du feve et d'autre blé
Leur pain estoit, et abevré
De l'eaue furont ensement,
Et lors fuist leur festoiement
Formage et lait, mais rerement
Si d'autre furent festoié ;
Du gris furont lour vestement :
Lors fuist le monde au tiele gent
En son estat bien ordiné. 26460

Mais la coustumme et le viel us
Ore est tourné de sus en jus,
Ce sciet il bien q'en ad affaire,
Et c'est la riens que grieve plus.
Car labourer nes un je truis
Es marchés u que je repaire,
Que tous ne soient au contraire,
Dont meulx valsist deux seignours plaire
Q'un soul vilain q'est mal estruis,
Car ce sont cils qui ne sont gaire 26470
Loyal, curtois ne debonnaire,
Si force ne les ait vencuz.
 Ly labourer qui sont truant
Voiont le siecle busoignant
De leur service et leur labour,
Et que poy sont le remenant,
Pour ce s'en vont en orguillant ;
Ne font sicome leur ancessour,
Car j'ay bien mesmes veu le jour,
Q'au servir souffrirent plusour 26480
Qui font danger du meintenant.
Mais certes c'est un grant errour
Veoir l'estat superiour
El danger d'un vilein estant.
 Me semble que la litargie
Ad endormi la seignourie,
Si qu'ils de la commune gent
Ne pernont garde a la folie,
Ainz souffront croistre celle urtie
Quelle est du soy trop violent. 26490
Cil qui pourvoit le temps present
Se puet doubter procheinement,
Si dieus n'en face son aïe,
Qe celle urtie inpacient
Nous poindra trop soudainement,
Avant ce q'om la justefie.
 Trois choses sont d'une covyne,
Qui sanz mercy font la ravine
En cas q'ils soient au dessus :
L'un est de l'eaue la cretine, 26500
L'autre est du flamme la ravine,
Et la tierce est des gens menuz
La multitude q'est commuz :
Car ja ne serront arrestuz

26446 endoit

Par resoun ne par discipline;
Et pour cela sanz dire plus,
Ainz que le siecle en soit confus,
Bon est a mettre medicine.
   He, Siecle, au quoy destournes tu?
Par quoy la povre gent menu,   26510
Q'au labour se deussent tenir,
Demandont estre meulx repeu
Qe cil qui les ad retenu;
Et d'autre part se font vestir
Du fin colour et bell atir,
Qui sanz orguil et sanz conspir
Jadis furont du sac vestu.
He, Siecle, ne t'en quier mentir,
Si tu ces mals fais avenir,
Je me compleigns de ta vertu.   26520
   He, Siecle, je ne say quoy dire,
Mais tous l'estatz que je remire
Du primer jusqes au darrein
En son degré chascuns enpire,
Ensi le povre come le sire,
Trestous du vanité sont plein;
La povre gent voi plus haltein
Qe celly q'est leur soverein,
Chascuns a son travers se tire;
Car ly seignour sont plus vilein   26530
Et plus ribald que n'est vilein,
Et pour mal faire et pour mal dire.
   Ce que jadis fuist courtoisie
Ore est tenu pour vilainie,
Et ce q'om loyalté tenoit
Om le dist ore tricherie;
Du Charité l'en fait Envie,
Honte est perdu que nuls la voit,
Le tort ad surmonté le droit,
Largesce est tourné en destroit,   26540
Et bon amour en leccherie,
Qe nul prodhomme en son endroit
Ne sciet par quelle voie il doit
Aler pour mener bonne vie.
   Trop est le siecle destourné,
Que flaterie est allevé,
Et le voirdire est abatu;
Et d'autre part bonne ameisté

Loign du paiis s'en est alé,
Et pour demourer en son lieu   26550
Un feint amy voi retenu,
Qui quiert toutdis son propre preu
Et falt a la necessité:
Par tout le siecle j'ay coru,
Mais mon chemyn ay tout perdu,
Pour sercher apres loyalté.
   Mais plus enqore se debat   f. 145
Le siecle qui tous biens rebat:
Sicome l'en dist au present jour,
Nuls est content de son estat,   26560
Ne le seigneur ne le prelat,
Ne la commune, ainz del errour
Chascun sur autre fait clamour:
Le commun blame le seignour,
Et le burgois son potestat,
Et cils qui sont superiour
Le mettont sur la gent menour,
Et ensi tout le mond combat.
   Helas, q'om voit au jour present
Venir le prophetizement   26570
D'Oseë, qui prophetiza
Qe sur la terre entre la gent
N'ert sapience aucunement
Que plest a dieu; et pour cela
Dieus dist q'il se corroucera,
Dont sur les gens se vengera
Et sur les bestes ensement,
Voir et l'oisel le compara
Ove tout que deinz la mer serra,
Ensi prendra le vengement.   26580
   Par tout la terre est ore oppresse,
Et en poverte et en destresse,
Ce di pour le memorial
De mon paiis, u la noblesse
Jadis estoit et la richesse,
Q'alors avoit nul parigal:
Ne say si par especial
Les laies gens en sont causal,
Ou cils qui chantont nostre messe,
Mais tous diont en communal,   26590
'Le siecle est mal, le siecle est mal!'
N'est qui son propre errour confesse.

26507 ensoit   26530 plusvilein   26588 ensont

Les uns diont, 'Le siecle enpire,'
Les uns, 'Le siecle est a despire.'
Chascuns le blame en son endroit,
Chascuns le siecle vient maldire,
Mais je ne sai ce q'est a dire,
Qe l'en le siecle blamer doit;
Et pour cela, si bon vous soit,
Je pense a demander le droit   26600
Pour quoy le siecle est ore pire
Qe jadis estre ne soloit:
Car chascun de sa part le voit,
N'est qui les mals poet desconfire.

 Puisq'il ad dit del errour de tous les estatz et comment chascuns blame le siecle et excuse soy mesmes, il demandera ore le siecle de quelle partie est ce dont le mal nous vient.

 He, Siecle, responetz a moy,
De ce que je demander doy
La verité tout plain me dy:
Quelle est la cause et le pour qoy
Dont l'en parolt si mal de toy?
Chascuns le dist tu es failly,   26610
Chascuns s'en pleignt endroit de ly:
Bien sai que dieus t'ad estably
Des maintez partz, mais je ne voy
La cause dont l'en dist ensi,
Et pour cela, je t'en suppli,
Respoune, et si m'apren un poy.
Voirs est q'au ton commencement
Te fist dieus bien et noblement,
Des quatre choses t'ordina
Par son tressaint commandement: 26620
Du terre y mist ton fondement,
Et d'eaue puis t'environna,
Del air auci t'abandonna,
Et pour toy faire il adjousta
Le feu, q'est le quart element,
Et puis lumere a toy donna,
Et au darrein sur tout cela
Il t'ad covert du firmament.

 He, Siecle, ditez m'en le voir,
Des tous ceaux je le vuil savoir   26630
Dont est ce que le mal nous vient.
Mais certes a le mien espoir
Pour rien q'en puiss aparcevoir
Blamer la terre ne covient;
Ainz grant proufit nous en avient,
Car des grans biens q'en soi contient
Nous veste et paist matin et soir;
Le fruit et flour a luy partient,
Oisel et beste en soy maintient
Ove l'erbe qu'il nous fait avoir.   26640
Mais puis de l'eaue quoy dirray?
L'excuserai ou blameray
Des mals qui nous avons resçuz?
Par resoun je l'excuseray;
Car parmy l'eaue piscon ay,
Et parmy l'eaue le surplus
Du marchandie est avenuz,
Et parmy l'eaue de dessus
Nous croist la flour et l'erbe en Maii;
Issint q'en l'eaue je ne truis   26650
Du blame, ainçois des grans vertus,
Dont au bon droit la priseray.
 Et pour plus dire a la matiere
De la fontaine et la rivere,
Dont nous ensemble ove l'autre beste
Bevons, lavons ove lée chere,
Comme celle q'est a nous treschere,
N'est Rois qui porra faire feste,
Si dieus celle eaue ne luy preste;
L'eaue est de nostre foy la creste,   26660
En ce q'elle est no baptizere:
Dont m'est avis que la moleste
Ne vient de l'eaue, ainz elle est ceste
Q'a nous est la seconde mere.
 Mais quoy del air, est ce causal,
Par qui nous vient atant de mal?
Certainement je dy nenil.
L'air est de soy si natural,
Qe toute vie en general
Sanz l'air du mort est en peril;   26670
Et d'autre part l'air est soubtil,
Ce scievont tout le volatil,

26635 enavient

Volant amont et puis aval;
L'air est as tous bon et gentil,
Dont nuls puet dire que c'est il
Q'au siecle est prejudicial.
 Et plus avant si je vous die
Del fieu, quel est de sa partie
Du siecle le quart element,
Endroit de luy ne croy je mie   26680
Q'il est coupable du folie;
Ainz grant confort nous fait sovent,
Car fieu de sa nature esprent,
Si nous allume clierement,
Et d'autre part nous fait aïe,
Noz corps eschalfe bonnement,
Si quist et roste no pulment,
Dont sustienons la nostre vie.
 Bon est le fieu de sa nature,
Qui nous mollist la chose dure,   26690
Dont nous la porrons attemprer,
Et puis forger a no mesure,
Sique pour conter la droiture
Le fieu devons par droit loer:
Et ensi pour determiner,
Le siecle je ne say blamer
Es choses que j'ay dit dessure;
Mais plus avant m'estuet sercher,
Pour la malice seculier
Sercher en autre creature.   26700
 He, Siecle, enquore te demande,
Si me respoun a mon demande,
Dont vient le mal que tant t'enpire?
Le solaill qui par tout s'espande
Ne croy je point que dieus commande
Q'il face mal deinz ton empire;
Ainz fait grant bien, qui bien remire,
Car chascun bien de luy respire,
Le pré, le champ, le bois, la lande,
Encontre froid nous est le mire;   26710
Chascuns vers le solaill se tire
Pour le confort quel il nous mande.
 Mais quoy, la lune est ce grevable?
Certes nenil, ainz proufitable,
Q'elle est la mere de moisture,
Si fait la pluvie saisonnable,

Dont arbre et herbe et terre arrable
Pernont racine et puis verdure:
La lune auci de sa nature
Nous esclaircist la nuyt oscure   26720
Pour faire ce q'est busoignable.
Comment q'il soit de mesprisure,
La lune endroit de sa mesure
A mon avis est excusable.
 Q'est ce que plus demanderoie?
Sont ce l'estoilles que je voie,
Dont nostre siecle se destourne?
Nay certes, je responderoie.
Dieus, qui l'estoilles multiploie,
Des grandes vertus les adourne;   26730
La nief de nuyt q'est triste et morne,
De ce que la tempeste tourne
Par halte mer et la desvoie,
Par les estoilles s'en rettourne
Et au sauf port son cours attourne,
Tanq'il ad pris la droite voie.
 Quoy de Saturne et de Commete?
Sont il qui font nostre inquiete,
Sicomme les clercs vont disputant,
Et diont deinz lour cercle et mete   26740
Qe l'un et l'autre est trop replete
De la malice? Et nepourqant
Un soul prodhomme a dieu priant   f.146
Porra quasser du meintenant
Trestout le pis de leur diete:
Dont m'est avis a mon semblant,
Depuisque l'omme est si puissant,
Nous n'avons garde du planete.
 Albumazar dist tielement,
Qant il descrit le firmament,   26750
Qe si ne fuist la clareté
De les estoilles proprement,
L'air pardessoubz entre la gent
S'espesseroit par tiel degré,
Qe toute creature née
En duist morir d'enfermeté:
Siq'il appiert tout clierement,
De dieu, q'ad tous les biens creé,
Sont les estoilles ordiné
Pour nostre bien communement.   26760

26756 Enduist

Les arbres qui sont halt ramu
Et semblont d'avoir grant vertu,
Font ils le mal dont l'en se pleigne?
Certes nenil, bien le scies tu;
Ainçois les uns valont au fu,
Les autres valont a l'ovreigne,
Si portont fruit de lour demeine,
Dont nous mangons par la semeine,
Leur umbre auci nous fait refu   26769
Pour la chalour que nous constreigne;
Dont semble a moy par reson pleine
De ceaux nul mal nous est venu.
   He, quelle part sercher porray,
U la malice trouveray
Par quoy le siecle blamé ont?
Entre les bestes sercheray,
Les queux nounresonables say,
Mais beste et oisel mal ne font,
Ainz comme nature leur somont,
Les lions es montaignes sont,   26780
Es arbres sont ly papegay,
Del malvoisté s'excuseront
Du siecle; qui les blameront,
Par resoun porront dire nay.
   Mal Siecle, enqore je t'oppose,
Si plus y soit ascune chose
Par quoy te vient la malvoisté.
Certes oïl, si dire l'ose:
Beste une y ad, comme je suppose,
A qui dieus ad resoun donné,   26790
C'est cil qui tient en son degré
Les bestes soubz sa poesté,
Des tous sa volenté dispose,
Et pour luy soul ad dieus creé
Les elementz q'ay susnomé
Ove tout ce que le siecle enclose.
   He, certes par le mien avis,
Molt est la beste du grant pris,
Qui dieus ad fait si belle grace,
Primer du resoun q'il ad mis,   26800
Et puis q'il ad a luy soubmis
Trestout ce que le siecle enbrace;
Dont drois est q'il son dieu regrace,
Et son voloir toutdis parface

De la resoun qu'il ad apris:
Mais autrement je demandasse,
Quoy si ce beste a dieu forsface,
Comment serront ses mals puniz?
   A ton demande je responde
Solonc que l'escripture exponde: 26810
Qant il son dieu fait coroucer,
Par son pecché devient inmonde
La proprete du tout le monde,
C'est fieu et air et terre et mer,
Trestous le devont comparer;
Siqu'ils commencent adverser
Au beste q'ensi les confonde;
Dont m'est avis sanz plus parler
Q'a soul ce beste puiss noter
Les mals dont nostre siecle habonde.
   Ore falt savoir le noun du beste   26821
Par qui le siecle ensi tempeste:
Si vous dirray que truis escrit,
C'est cil q'en paradis terreste
De dieu le pere Roy celeste
Estoit fourmez a grant delit,
Et puis de son saint espirit
A sa semblance l'alme y mist,
Si l'appella comme son domeste
Homme; et puis de l'omme prist   26830
Un de ses costes, dont il fist
Femme a l'encress de celle geste.
   He, dieus, ore voi je clierement
Qe c'est de l'omme soulement,
Et nounpas d'autre creature,
Par quoy le siecle au jour present
Se contient si malvoisement:
Mais certes c'est au bon droiture,
Depuisque dieus cel homme honure
Sur toute beste en sa nature   26840
Du sen, viande et vestement,
Et l'omme n'en voet avoir cure,
Si dieus sa peine luy procure,
N'est pas malvois le jugement.
   N'est pas ensi comme nous quidasmes,
Ainçois a molt grant tort errasmes
Pour nostre siecle desfamer,

26842 nenvoet

Mais cil q'en porte les desfames
Il tolt de soi les bonnes fames,
Qant l'autri noun quiert entamer, 26850
Dont q'il est mesmes a blamer:
Mais cils qui soy voldront amer
Au proufit de leur corps et almes,
Amendent soy pour l'amender
Du siecle, qui fait engendrer
L'errour des seignours et des dames.
 Seint Job nous dist expressement
Qe riens sur terre est accident
Sanz cause; et d'autre part je lis
Escript en prophetizement,   26860
Qe pour le pecché de la gent,
Qui n'ont la dieu science adquis,
Serra le siecle en plours et cris
Ove tout ce q'est dedeinz compris;
La beste et l'oisell ensement
Et le piscon en valdra pis,
Trestous en serront malbaillis
Pour le mal homme soulement.
 Gregoire en sa sainte Omelie,
De tant q'om ad resoun garnie,   26870
L'omme a les angles resembla;
Car qui bien vit en ceste vie
Apres la mort, qant il desvie,
Ove les bons angles vivera,
Et d'autre part s'il pecchera
Ove Lucifer tresbuchera,
U l'angre sont du felonnie:
Selonc l'effect que l'omme fra,
Eslire franchement porra
Ou l'une ou l'autre compaignie.   26880
 Gregoire, qui ne volt mentir,
Dist que l'omme est en son sentir
Semblable as autres animals,
En goust et tast, veue et oïr,
Et en aler, car sanz faillir
Ce sont les cink sens principals,
Qui sont as bestes communals:
Mais ne porront les bestials
Leur sens en mal us convertir,
Puisque nature est doctrinals,   26890

Mais l'omme, qui sciet biens et mals,
Leur bon us porra pervertir.
 Gregoire auci par resemblance
Nous dist que l'omme en sa crescance
Est a les arbres resemblable:
Du verge croist halte soubstance,
Et auci du petite enfance
Croist l'omme; mais alors sanz fable,
S'il n'est ensi fructefiable
En sa nature ou plus vaillable,   26900
Comme l'arbre en sa fructefiance
Portant bon fruit et covenable,
Pour ce que l'omme est resonnable,
N'en puet avoir nulle excusance.
 Gregoire, q'en savoit tout l'estre,
Dist que les hommes en leur estre
Sont a les pieres comparé:
Car l'un et l'autre dieus ly mestre
Tout d'une essance les fist nestre,
Mais nounpas d'une equalité;   26910
Car pieres n'ont du propreté
Fors soul leur estre en nul degré,
Ne poont pas sentir ne crestre,
Mais l'omme est autrement doé,
Dont il par droite dueté
Doit autre honour au Roy celestre.
 Tout sicomme vous avetz oÿ,
L'omme ove les angles ad en luy
Entendement du resoun cliere,
L'omme ove la beste ad autrecy   26920
Le sentement, et puis auci
Il ad crescance en sa maniere
Ove l'arbre, et l'estre avec la piere;
Et puisq'il est ove dieu le piere
Sur tous les autrez plus cheri,
S'il lors plus vertuous n'appiere
Des autres, maisq'il le compiere
Drois est, qant il l'ad deservi.
 Mestre Aristotle ly bons clercs,
Qui des sciences fuist expers,   26930
En un des livres qu'il faisoit,
Dont molt notable sont les vers,
L'omme ensi q'est en soy divers

  26848 qenporte 26866 envaldra 26867 enserront 26900 plusvaillable
          26905 qensauoit

Le meindre monde il appelloit ;
Car tout le monde en son endroit f. 147
L'omme en nature de son droit
Contient ; de ce nous sumes certz,
Qant dieus l'umaine char creoit,
Des elementz part y mettoit,
N'est qui puet dire le revers.   26940
   Des noz parens, Adam, Evein,
Dieus fist la char nonpas en vein
Du terre, q'est en soy pesant,
Et d'eaue, q'est a ce prochein ;
Apres faisoit le sanc humein,
Quel par les veines vait corant ;
Et pour ce q'il serroit vivant,
Del air fuist fait son aspirant ;
Et puis du fieu, q'est le darrein,
L'omme ad chalour reconfortant : 26950
Molt estoit dieus no bienvuillant,
Q'ensi nous fourma de sa mein.
   Pour ce si l'omme a dieu forsfait,
Par son pecché trestout desfait
Et terre et eaue et mer et fieu ;
Car dieus se venge du mesfait,
Et leur nature ensi retrait
Q'ils pour le temps sont comme perdu :
Dont par resoun bien le vois tu,
Le siecle endroit de sa vertu   26960
Du plus et meinz par l'omme vait,
Et si nul mal soit avenu,
Ja d'autre chose n'est venu
Fors soul du mal que l'omme fait.
   Mais ore au point voldrai savoir,
Si l'omme fait bien son devoir
En gardant le precept divin,
Lors quel guerdoun doit il avoir
Plus q'autre beste : di m'en voir.
Il avra guerdoun si tresfin   26970
Dont nuls porroit conter le fin ;
Car toutes bestes d'autre lyn
En leur nature remanoir
Estuet sanz passer le chemin,
Mais l'omme, q'ad sen et engin,
Fait bien ou mal a son voloir.
   L'omme ad sa franche volenté,

Solonc que dieus l'ad ordiné,
Dont puet le bien et mal eslire ;
Car l'un et l'autre abandonné   26980
Luy est, par quoy s'il malvoisté
De sa resoun voldra despire,
Et l'alme q'est deinz son empire
Guarder, siq'il son droit n'enpire,
Certein puet estre en son degré
Q'il avra tout ce q'il desire :
C'est la promesse nostre sire
Par son prophete en verité.
   Dieus de sa noble curtoisie
Cela nous dist en prophecie,   26990
Si l'omme a luy soit obeissant,
Tout que le siecle ad en baillie
A grant proufit luy multeplie
Sanz nul damage survenant :
Car de l'espeie le trenchant,
Ne pestilence en occiant
Lors n'entrera deinz sa partie,
Ainz tant comme soit a dieu plesant,
En peas des tous biens habondant
Doit maintenir joyeuse vie.   27000
   Je lis que toute creature
Chascune endroit de sa nature
Est au prodhomme obedient ;
Car le bon angel pardessure
Du compaignie l'omme assure
Sicomme son frere proprement,
Et le mal angel ensement
Sicomme soubgit et pacient,
Malgré q'il doit a sa mesure,
Falt faire le commandement   27010
Del homme, et ce poons sovent
Trouver d'essample en l'escripture.
   Des elementz auci je lis
Q'al homme se sont obeïz :
Car le solail par son degré
En Gabaon, ce m'est avis,
Sanz soy movoir estoit soubgis
A la requeste Josué ;
L'estoille auci s'estoit moustré
Et as trois Rois abandonné,   27020
Pour ce q'au dieu furont amys,

26955 fieu et mer

Et l'air plain de mortalité
Fuist par Gregoire resané
En Rome la Cité jadis.
 Cel element auci de fieu
Fist son service au poeple dieu
Par nuyt oscure en la semblance
D'un halt piler, dont ont tenu
Al grant desert, q'estoit boscu,
Leur droit chemin sanz variance :   27030
La terre auci de sa soubstance
A saint Hillaire, qui du France
Devant le pape estoit venu,
Portoit honour et entendance,
Q'encontre luy par obeissance
Se lieve et l'ad en halt resçu.
 La mer auci ventouse et fiere
Devint paisible as piés saint Piere,
Q'il sur les undes sauf aloit ;
Je lis auci q'en la rivere   27040
Saint Heliseu par sa priere
Fist que le ferr amont flotoit.
Siqu'il apiert en tout endroit
Qe saint prodhomme ad de son droit
Les elementz a sa banere ;
Et d'autre part, u que ce soit,
Beste et piscon auci l'en voit
Soubgit en mesme la maniere.
 Qant Daniel el lac aval   27049
Fuist mis, pour ce n'ot point du mal
Des fiers liouns, ainz fuist tout seins :
Silvestre auci, q'estoit papal,
La bouche du dragoun mortal
Au Rome lia de ses meins :
La Cete auci fuist fait gardeins
Trois jours son ventre pardedeins
Du saint Jonas le dieu vassal,
Sanz mal avoir ou plus ou meinz ;
Du Ninivé les Citezeins
Qant a ce fait sont tesmoignal.   27060
 Au bon Paul l'eremite auci
L'oisell y vint et le servi
Du pain, sicome le dieu message,
Chascune jour q'il n'en failly.
Des toutez partz pour ce vous dy,

Les creatures font servage
A l'omme saint et avantage,
Mais s'il remue son corage
Et s'est des pecchés endormi,
L'onour luy tourne a son hontage   27070
Et au peril et au damage,
Sicomme d'essample avons oÿ.
 Le bon saint angel debouta
Du paradis, qant il peccha,
Adam, et puisq'il fuist ruez,
Cil malvois angel le pena ;
Dathan auci qui murmura
Fuist de la terre transgloutez ;
La mer ot auci devourez
Roy Pharao ove ses armez ;   27080
Le fieu Sodome devoura ;
Auci David par ses pecchés
L'air fist corrumpre : ensi voietz
Q'au malvois homme mal esta.
 Molt est prodhomme en soi puissant,
Car tout est mis a son devant,
Dont puet le bien et mal eslire
En ceste siecle soy vivant :
Maisq'il soit sage governant,
Les choses que fist nostre sire   27090
Soubz le povoir de son Empire
Luy sont soubgit ; siq'au voir dire,
L'omme est tout le plus sufficant
Apres dieu, et s'il voet despire
Pecché, tous mals puet desconfire
En ceste vie et plus avant.
 Encore a demander je pense,
S'apres la mort ait difference
Parentre l'omme et son lignage
Et l'autre beste ove leur semence,   27100
Qui n'ont ne resoun ne science
De juggement ne de language.
He, autrement serroit hontage,
Si ce q'est fait al dieu ymage
Et est doé du sapience,
Ne deust avoir plus d'avantage
Qe l'autre beste a son passage ;
Trop fuist celle inconvenience.
 Dieus, qui sur tous est governals,

27093 plussufficant   27096 plusauant

Voet que le corps des animals 27110
Ove l'alme moerge ensemblement;
Mais l'omme a ceux n'est parigals,
Si noun q'il est auci mortals,
Mais c'est en corps tantsoulement;
Car l'alme vit et puis reprent
Son corps au jour de juggement,
Et s'il avra laissé les mals,
Lors l'un et l'autre joyntement
En joye sanz nul finement
Vivront en les celestials. 27120
 He, homme, molt es benuré,
Sur toutes bestes honeuré,
Qe dieus t'ad fait lour capitain,
Et si bien fais ta dueté,
Apres la mort t'ad ottrié
Du ciel la joye plus haltain:
Du double bien tu es certain, f. 148
Si bien governes le mondain,
Le ciel avras enherité;
Tu scies mal faire ton bargain, 27130
Si tu n'en prens a toi le gain,
Trop as resoun desfiguré.
 Mais oultre ce di quoy serra,
Si l'omme ne se guardera
Pour faire a dieu droite obeissance.
Je dis que malement l'esta,
Car sicomme vous ay dit pieça,
Le siecle ove toute s'alliance
Luy serront en desobeissance,
La terre ert sanz fructefiance, 27140
Et l'air de soy corrumpera,
Et l'eaue en tolt sa sustienance:
Molt serra plain de mescheance
Qui contre luy tout ce verra.
 Mais tout cela n'acompteroie,
Qe je pour ce pecché lerroie,
Si l'en porroit apres monter
De ceste siecle en l'autre joye:
Mais c'est pour nient, car qui forsvoie,
La terre ove tout le ciel plener 27150
Ses pecchés devont accuser;
La terre q'il fist mesuser

Luy jettera du siecle envoie,
Et dieus son ciel ne voet donner
Au tiel malvois; dont falt aler
Jusq'en enfern la halte voie.
 He, beste q'es nounresonnable,
Comme ta nature est delitable
Au regard du fol peccheour!
Tu n'es apres la mort coupable, 27160
Mais l'autre en peine perdurable
En corps et alme sanz retour
Estuet languir pour sa folour;
Il vit du mort en tenebrour,
Et moert du vie q'est dampnable,
Sa vie et mort sont d'un colour:
Qe plain morir ne puet nul jour,
C'est une paine descordable.
 He, homme q'au pecché te donnes,
A ta resoun trop desresonnes, 27170
Qant lais le bien et prens le mal;
Si voes, tu puiss avoir coronnes,
Et si tu voes, tu t'engarçonnes,
Car pour eslire es liberal:
Mais certes trop es desloyal
Et envers dieu desnatural,
Qant ta reson si mal componnes,
Dont pers la vie espirital,
Et en ta vie temporal
Trestout le siecle dessaisonnes. 27180
 He, homme, en soul ton corps en-
  closes
Part des natures que sont closes
En toute l'autre creature;
Et si ta resoun bien disposes,
Tu as en toy plus noblez choses,
Q'as angles de science pure
Resembles. He, comme dieus t'onure,
Qant il ensi t'ad mys dessure,
Plus que ne sont les rouges roses
Sur les cardouns en leur nature! 27190
Car l'alme as a la dieu figure
Solonc les tistres et les gloses.
 He, homme, beste de peresce,
Reson de toy n'est pas mestresse,

27126 plushaltain 27129 en herite 27142 entolt 27147 lenporroit
27185 plusnoblez

Qant soubz ta franche poesté
Tu as du siecle la noblesce,
Et souffres que le mond te blesce,
Et voes enquore tout du gré
Blamer le siecle en son degré.
Tout ce te vient du nyceté,   27200
Du couardie et de fieblesce :
Mais si tu fuisses redrescé
De ta malice et ton pecché,
Tantost le siecle se redresce.
 Pour ce chascuns qui le mal fait
S'amende, et ce serra bien fait,
Car deux biens en puet rescevoir :
L'un est q'il puet de son bienfait
Le siecle, q'est sicomme desfait,
Refourmer tout a son voloir ;   27210
L'autre est que nous savons du voir,
Cil qui bien fait du ciel est hoir :
Dont m'est avis, puisq'ensi vait,
Qe l'omme ad propre le povoir
De l'un et l'autre siecle avoir ;
Fols est s'il l'un ne l'autre en ait.
 Ore est q'om de commun usage
Despute, argue et se fait sage,
Chascuns son argument sustient ;
Tu dis que c'est le seignourage,   27220
Je di que c'est le presterage,
Du qui no siecle mal devient ;
Et l'autre dist, mal se contient
La gent commune et point ne tient
La dueté de son estage :
Mais qui du reson soy sovient
Puet bien savoir que c'est tout nient
D'ensi jangler sanz avantage.
 Qant pié se lieve contre teste,
Trop est la guise deshonneste ;   27230
Et ensi qant contre seignour
Les gens sicomme salvage beste
En multitude et en tempeste
Se lievent, c'est un grant errour ;
Et nepourqant la gent menour
Diont que leur superiour
Donnent la cause du moleste,
C'est de commune le clamour :

Mais tout cela n'est que folour,
Q'au siecle nul remede preste.   27240
 Et pour parler des sovereins,
Qui sont des mals les primereins
De leur tresfole governance,
Ils nous prechont ove vuidez meins ;
Car s'ils nous ont d'un point atteintz,
De cink ou six leur variance
Voions, sique leur ignorance
Nous met le plus en fole errance :
Par quoy le siecle plus ne meinz 27249
N'amendont, ainz croist la distance ;
Chascuns blame autre en sa faisance,
Et chascuns est du blame pleinz.
 N'est pas honneste, ainçois est vile
Maniere, qant prechour revile
Ce dont est mesmes a viler ;
Car dieus nous dist en l'evangile,
' O ypocrite plain du guile,
Le festu scies considerer
En l'oill ton frere pour blamer,
Mais tu ne vois le grant plancher 27260
Qe toy deinz ton oill propre avile.'
Pour ce tu qui nous viens precher
Pour noz defaltes aculper,
Primer toy mesmes reconcile.
 Trestous savons du verité,
Quiconque sur l'autri degré
Met blame par accusement,
Ce n'est trestout que vanité
Qant le blamant ne le blamé
N'en ont ascun amendement :   27270
Mais plus serroit convenient
Qe l'en amendast duement
Chascuns sa propre malvoisté ;
Car qui ne se puet proprement
Amender, je ne say coment
Q'il ait les autres amendé.
 Chascuns souhaide en son endroit
Que nous eussons le siecle au droit,
Car tous desirons l'amender ;
Mais je di que tout bien serroit,   27280
Si chascun de sa part voldroit
Mais q'un soul homme corriger :

   27207 enpuet   27216 enait   27255 aviler

Car ja n'estuet plus loins aler
Forsq'a soy mesmes commencer ;
Et si chascuns ensi ferroit,
Je suy certains sanz nul doubter,
Plus q'om ne sache diviser,
Le siecle amender l'en verroit.
 Chascuns porra penser de soy
Comment le siecle est en effroy   27290
Du pecché q'avons maintenu ;
Mais des tous autres que je voi
Je suy certain que plus que moy
Nuls ad mesfait envers son dieu :
Mais esperance est mon escu
Par l'aide et mercy de Jhesu,
Qui je supplie en mon recoy
Qu'il m'en avra bien absolu,
Combien que soie tard venu
Au repentir comme faire doy.   27300
 Car combien que je riens ne vaille,
Dieus ad tout prestement s'oraille
Pour ascoulter le peccheour ;
Et autrement ne fuist mervaille,
Si tout en vein je m'en travaille
Pour grace quere ne socour :
Car pour recorder tout entour
Le grant pecché, le grant errour,
Dont j'ay mesfait du commençaille,
Si la mercy ne soit maiour,   27310
Bien say q'au paine sanz retour
Ay deservi que je m'en aille.
 Car deinz mon cuer tresbien je sens
Qe ma resoun et mes cink sens
Ay despendu si folement,
Q'encontre dieu et son defens
Le siecle ove tous les elemens
Ay corrumpu vileinement :
Mais dieus dist, cil qui se repent   f. 149
Ne puet faillir d'acordement ;   27320
Et pour cela je me repens
Par volenté d'amendement,
Et me confesse plainement
Qe j'ay esté trop necligens.
 Et quoique soit du remenant,
Mon poair fray desore avant

Un soul chaitif pour amender,
Par quoy le siecle en son estant
Porra le meulx valoir de tant,
De ce que l'ay fait enpirer.   27330
Mais sur tout je doy consirer,
Et mettre y tout mon desirer
A servir dieu q'est toutpuissant ;
Car si j'ensi puiss exploiter,
Le siecle me doit prosperer,
Et puis serray sanz fin joyant.
 Jadis trestout m'abandonoie
Au foldelit et veine joye,
Dont ma vesture desguisay
Et les fols ditz d'amours fesoie,   27340
Dont en chantant je carolloie :
Mais ore je m'aviseray
Et tout cela je changeray,
Envers dieu je supplieray
Q'il de sa grace me convoie ;
Ma conscience accuseray,
Un autre chançon chanteray,
Que jadys chanter ne soloie.
 Mais tu q'escoulter me voldras,
Escoulte que je chante bass,   27350
Car c'est un chançon cordial ;
Si tu la note bien orras,
Au commencer dolour avras
Et au fin joye espirital :
Car Conscience especial,
Qui porte le judicial,
Est de mon consail en ce cas,
Dont si tu voes en communal
Chanter ove moy ce chançonal,
Ensi chantant dirrez, Helas !   27360

 Puisq'il ad dit comment tout le mal dont l'en blame communement le siecle vient soulement de l'omme peccheour, dirra ore comment l'omme se refourmera et priera a dieu.

 Helas, chaitif qoy penserai,
Qant ove moi mesmes tencerai

27283 plusloins   27341 enchantant

De ma chaitive fole vie?
Comme plus en pense, plus m'esmai,
Car bien recorde que je m'ai
Corrupt d'Orguil et false Envie,
De Ire, Accidie et Gloutenie,
De Covoitise et Leccherie;
Ce sont les sept, tresbien le sai,
Qui sont les chiefs de ma folie, 27370
Sique pecché par tout me lie
Sanz nul bonté que je refai.
 Deinz mon penser si je me voie,
Vei la qui vienont en ma voie
Tous les sept vices capiteines!
Chascune clayme que je soie
Le soen, pour ce que je laissoie
Les loys de dieu pour les mondeines.
Maldit soient tieles gardeines,
Q'au fin desaises tant soudeines 27380
Rendont pour les terrienes joyes,
Que perillouses sont et veines;
Dont ay remors toutes les veines
Parmy ma conscience coye.
 Je voi mes mals en tant diffus,
Siq'en pensant je su confus
Par griefté de ma conscience;
Dont je serroie au fin destruis,
Mais repentance, que je truis
Deinz ma resoun et ma science, 27390
M'ad donné meillour evidence:
C'est que par juste providence
Je prieray celluy la sus
Qu'il me pardonne toute offense
Q'ai fait encontre sa defense,
Dont soie a sa mercy resçuz.
 Enqore helas! que le pecché
M'ad deinz le cuer tant enpesché,
Dont se moustront toutdis avant
Honte et paour en ma pensé, 27400
Qe tant comme plus m'ai purpensé,
Tant meinz sai faire mon avant.
Comment vendray mon dieu devant?
Car tant ay esté decevant,
Qe, s'il ne m'avra respité,
Je n'ose prier tant ne qant;

Mais je supplie nepourqant
Ma dame plaine du pité.
 Je mesme, helas! ne puiss souffrire
De bien penser ne de bien dire 27410
Pour honte que me renovelle.
Helas! come je me doi despire,
Qui suy des tous chaitifs le pire,
Plus ord, plus vil, plus fals, plus
 frele;
Mais esperance me repelle
A toy, ma dame, q'es pucelle
Et mere auci du nostre sire,
Tu le leitas de ta mamelle,
Enpernetz, dame, ma querelle
Pour la mercy que je desire. 27420
 O mire des tous mals, Marie,
A m'alme q'est ensi marrie
Donnetz, ma dame, medicine
Pour la santé que je supplie;
Car mon pecché si fort me plie
Qe j'en suy tout a la ruine,
Si tu, ma dame, ove ta covine
De la vertu quelle as divine
Ne guarissetz la maladie,
Dont je languis a la poitrine, 27430
Q'est assetz pis que la farcine,
La quelle fait la char purrie.
 Car c'est de l'alme entierement,
Dont suy naufré si fierement,
Que si je n'eie bonne cure
De vous, ma dame, brievement,
Ne say dont mon relievement
M'en puet venir par creature:
Mais tu, ma dame, q'es dessure,
Si tu me guardes, je m'assure 27440
Des plaies que me font dolent
Je guariray sanz aventure;
Dont m'alme serra blanche et pure,
Q'ore est oscure vilement.
 Ma dame, j'ay sovent oÿ
De toy ce qui m'ad rejoÿ;
Et c'est, cil qui te voet sanz vice
Servir, de toy serra cheri,
Voir et mill fois plus remeri

27364 enpense   27414 Plusord plusvil plusfals plusfrele   27426 iensuy

Que n'est le port de son service : 27450
Pour ce comment que me chevice,
Je ne vuill estre mais si nice,
Que je ne viene ove plour et cry
Pour toy servir d'ascun office,
Dont je porray le benefice,
Ma dame, avoir de ta mercy.

   Bien faire ou dire est a louer,
Dont l'en desert grace et loer,
Mais au bienfaire endroit de moy
Je suy forein et estrangier,   27460
Qe je n'en ose chalenger
Ascun merit ou grant ou poy :
Mais, dame, pour parler de toy
Et dire j'ay asses du quoy ;
Car tu, ma dame, au comencer
Es de la cristiene loy
La mere, dont no droite foy
Remaint, que nous devons guarder.

   Pour ce, ma dame, a ta plesance
Solonc ma povre sufficance   27470
Vuill conter ta concepcioun,
Et puis, ma dame, ta naissance ;
Sique l'en sache ta puissance,
Qui sont du nostre nacioun :
Les clercs en scievont la leçoun
De leur latin, mais autres noun,
Par quoy en langue de romance
J'en fray la declaracioun,
As lays pour enformacioun,
Et a les clercs pour remembrance. 27480

**Ore dirra de la Concepcioun et
de la Nativité de nostre Dame.**

Un noble bier estoit jadis,
Riche et puissant en son paiis,
Et Joachim a noun avoit,
Qui une dame de grant pris,
Ensi comme dieus luy ot apris,
A femme prist et l'espousoit,
La quelle espouse homme appelloit
Dame Anne, q'ert en son endroit
Et belle et bonne au tout devis,
Q'ascune part om ne savoit   27490

Qui envers dieu meulx se gardoit
Selonc la loy des Circumcis.
   Molt fuist honeste assemblement
De l'un et l'autre ensemblement,
Car chascun d'eaux en sa mesure
Gardoit sa loy noun feintement,
Ainz envers dieu molt seintement
Se contienoit sanz mesprisure :
Et chascun aun d'almoisne pure
Trestout le gaign de leur tenure   27500
En trois partz charitousement
Firont partir, dont la figure   [hure
Nous donne essample au present f. 150
D'almoisne faire, oietz comment.

   La part primere ils departoiont
Au temple et a les clercs q'estoiont
Dedeinz le temple a dieu servir ;
La part seconde, u mestier voiont,
Al oeps des povrez gens donoiont
Pour la viande et le vestir ;   27510
Et pour lour mesmes maintenir
Et leur famile sustenir,
La tierce part vers soy gardoiont :
Sanz covoitise et fol desir,
Tansoulement au dieu plesir,
Lour corps et biens abandonnoiont.

   Vingt auns ensemble nepourqant
Estoiont sanz avoir enfant,
Et Joachim pour ce voua
Qe chascun an son dieu devant   27520
Loigns en Jerusalem avant
Au temple irroit pour offrir la,
Au fin que si dieus luy dorra
Ou file ou fils, quelque serra,
Pour dieu servir vait promettant
Q'il deinz le temple l'offrera :
Dame Anne auci le conferma
Et de sa part promette atant.

   Danz Joachim par cel endroit
Trois fois en l'aun au temple aloit, 27530
Dont il avint un aun ensi :
L'evesque, qui la loy gardoit,
Qant vint offrir, le refusoit
Et oultre ce luy dist auci :

27475 enscieuont

'Avant, beal sire, aletz de cy,
Q'es loign du grace et du mercy :
Femme as, mais c'est encontre droit,
Qe nul encress as fait en luy
Du pueple dieu ; pour ce te dy,
Ton offre n'est a dieu benoit.' 27540
　Ensi l'evesque sa sentence
Dist devant tous en audience,
Dont l'autre estoit trop esbahiz ;
Car lors furont en la presence
Des ses voisins, dont il commence
Penser q'arere en son paiis
Ne volt aler par nul devis ;
Ainz en secret s'est departiz
Loigns en desert, u q'il s'apense
Ove les pastours de ses berbis 27550
Mener sa vie comme chaitis
Pour la vergoigne que luy tence.
　Cil q'ot esté de grant honour
Pour honte ensi devint pastour ;
Mais dieus, q'au fin luy volt aider,
Enprist pité de sa dolour,
Et de son ciel superiour
Par l'angle qui fuist messagier
Luy mande, q'il duist retourner
A son hostell et sa mulier, 27560
Et si luy dist : 'N'eietz paour,
Je viens novelles apporter,
Et pour ton cuer reconforter
Enten que dist le creatour.
　'Dieus dist q'il voit bien la matiere
Et le clamour de ta priere
Ove les almoisnes q'as donné ;
Si voet que tu t'en vais arere
Envers ta femme, et la tien chere ;
Car la divine magesté 27570
T'ad tiele grace destiné,
Que de ton corps ert engendré
La file q'ert de sa maniere
Sur toutes la plus beneuré,
Dont tout le siecle serra lée ;
Et pour ce faitez bonne chere.
　'Dame Anne en soi concevera
Et une file enfantera,
Le noun de luy serra Marie,
La quelle offrir te coviendra 27580
Au temple, u q'elle habitera,
Comme celle q'est la dieu amie ;
Car vierge pure nient blemie
Dieu servira toute sa vie,
Siq'en son corps compli serra
Toute la viele prophecie ;
Le fils de dieu, q'om dist Messie,
Parmy sa char s'encharnera.
　'Que ceste chose serra voir
Par signe tu le dois savoir : 27590
En la Cité matin irrez,
Au porte d'orr te fai movoir,
Et la dois tu ta femme avoir,
Dont plus segur estre porrez
Par ce q'illeoques la verrez :
Elle ad esté dolente assetz,
Mais lors doit joye rescevoir.'
Qant l'angel ot ses ditz contez,
Au ciel dont vint s'est remontez
Et l'autre maint en bon espoir. 27600
　Ore a dame Anne vuil tourner :
Qant son mary vist destourner,
Siq'a sa maison ne revint,
Tiel doel commence a demener
Qe nuls au joye remener
La pot ; mais celle nuyt avint
Que l'angle pour conter luy vint,
Dont elle a tout son cuer devint
Joyeuse, et prist a mercier
Son dieu, et lors en peas se tint 27610
Et la matiere bien retint
De ce q'elle ad oÿ conter.
　Ensi dieus de sa providence
Du confort donna l'evidence
As ceaux qui ont esté dolent :
Mais lors leur joye recommence,
Par quoy chascun l'autri presence
Covoite asses devoutement,
Et trop leur semble longement
Ainz q'il vienont ensemblement, 27620
Dont l'un desire et l'autre pense ;
Siq'au matin, qant l'aube esprent,

27574 plusbeneure   27598 angle

La voie au porte chascun prent
Sanz faire ascune resistence.
   Et l'un et l'autre a cuer reporte
Les ditz que l'angle lour apporte,
Par quoy se lievont au matin
Et s'entrecontront a la porte.
Si l'un ove l'autre se desporte,
Drois est, mais puis font lour chemin
Vers lour hostel, u leur voisin   27631
Grant joye font au pelerin,
Q'au sa maison en sauf resorte :
Ensi menont le jour au fin,
Mais le secret q'estoit divin
Ensur trestout les reconforte.
   Qant leur voisin s'en vont partir,
Lors croist l'amour sanz departir
De la divine pourvoiance ;
Qant ils en ont asses leisir,   27640
Chascun dist autre son pleisir
Et font sovent la remembrance
De l'angel dieu et sa parlance,
Dont ils ont fermé la creance
Qe tout cela doit avenir.
Dieus de nature en sa puissance
Leur moustra tant de bienvuillance
Qe l'un et l'autre ot son desir.
   Dame Anne, ensi come dieus voloit,
De son mary lors concevoit,   27650
Et puis a terme de nature
Au dieu plesance elle enfantoit
Sa belle file, et la nomoit
Marie, q'est du grace pure
Sur toute humeine creature :
Savoir poetz tiele engendrure
As les parens joyeuse estoit.
Trois auns la tint a norreture
Dame Anne, et puis de sa droiture
L'offri, comme elle ainçois vouoit. 27660
   Au temple dieu s'en vont avant
Le piere et miere ove tout l'enfant
Pour faire a dieu le sacrefise,
Sicomme promis estoit devant.
L'evesque en fuist asses joyant,
Qant tiele offrende y estoit mise ;
Il la receust deinz sa pourprise,
Et par doulçour et bonne aprise
Au dieu plaisir la vait gardant :
Mais ore oietz la halte enprise   27670
Que la virgine avoit enprise,
Q'estoit miracle apparisant.
   Quinsze degrés y ot du piere
Devant le temple en la manere
Q'om pot par les degrés monter ;
Dont il avint sique la mere
Sa file a la degré primere
Laissa trestoute soule estier :
Mais dieus, qui la voloit amer,
Ce que l'enfant n'ot du poer   27680
Donna de grace la matiere,
Siqu'il la fist la sus aler
Jusques au temple et aourer :
Savoir poetz que dieus l'ot chere.
   Qant les parens tout fait avoiont
Qe faire en celle part devoiont,
A leur hostell sont retourné :
El temple dieu l'enfant lessoiont
Entre les autres qui servoiont
A dieu par droite honesteté ;   27690
Mais celle estoit la plus amé
De dieu, et tout la plus loé
Du pueple, car trestous l'amoiont ;
Mais qant elle ot sept auns passé,
Tant plains estoit d'umilité   f. 151
Qe toutez gens bien en parloiont.
   Solonc que l'auctour me descrit,
D'une coustume truis escrit
Que la virgine acustuma,
Q'au point du jour laissa son lit   27700
Et lors tantost par grant delit
Au dieu prier s'abandonna ;
Et en priant continua
Jusques au tierce, et lors cessa
Et d'autre labour s'entremist,
Les vestementz lors enfila,
Le temple dieu dont aourna,
Et jusq'au au Nonne ensi le fist.
   Apres la Nonne chascun jour
Au temple u q'elle ert au sojour   27710

27640 enont   27665 enfuist   27696 enparloiont

Se mist en contemplacioun :
Au dieu, vers qui tout son amour
Ot attourné, fist sa clamour
Par droite humiliacioun,
Ore ert en meditacioun,
Et ore en supplicacioun
Requist la grace au creatour ;
C'estoit sa conversacioun,
C'estoit sa recreacioun,
C'estoit sa joye et sa doulçour. 27720
　Viande nulle volt gouster
Tiels jours y ot, pour plus penser
En dieu, u tout le cuer ot mys :
Dont par decerte et par loer
La volt dieus amer et louer,
Si luy envoit assetz toutdis
Les signes de son paradis,
Des roses et des fleurs de lys,
Dont ses chapeals puet atiffer ;
Comme cil q'est ses loyalx amys, 27730
Sovent son angel ad tramys
Pour sa virgine visiter.
　Plain quatorsze auns se tint ensi,
Mais qant cel age ot acompli,
Secretement sa chasteté
Vouoit, et promist q'a nully
Son corps dourroit fors q'a celly
Par qui son corps luy fuist donné :
Ensi par droite humilité
Affermoit sa virginité, 27740
Dont l'amour dieu ot establi
Dedeinz le cuer et affermé,
Et dieus l'amour tient confermé
Et de sa part le grante auci.
　Mais ore oietz le grant confort,
Que dieus voloit refaire fort
Adam, qui chaoit par fieblesse,
Dont ils estoiont en descort ;
Mais il volt faire bonne acort
Parmy la vierge et sa noblesse, 27750
Et sicome d'Eve peccheresse,
Q'ert du pecché la fonderesse,
Nasquist Orguil, dont vint la mort,
Ensi volt dieus que par l'umblesse

De la virgine se redresse
La vie q'est tout no desport.
　Dieus, de sa halte providence
Qui voit le fin ainz q'il commence,
Pensa de sa virgine prendre
La nostre char ; mais ce q'il pense 27760
Volt celer de sa sapience,
Qe deable ne le pot entendre :
Et pour cela la vierge tendre
Volt dieus au mariage rendre,
Et d'autre part pour l'evidence,
Q'il volt en soy la loy comprendre ;
Car sanz la loy qant homme engendre,
N'est pas honneste la semence.

Ore dirra la maniere comment nostre Dame fuist espousée a Joseph.

　Du viele loy c'estoit usage
Q'a quatorsze auns le mariage 27770
L'en pot de les pucelles fere :
Pour ce l'evesque en son estage,
Q'ot la pucelle en governage,
Pourpensa soy de cest affere,
Et l'aide dieu prist a requere,
Siq'il ne puisse en ce mesfere,
Ainz q'il porra sanz nul dammage
Son dieu et sa virgine plere ;
Et lors le pueple fist attrere
Pour mieulx en faire l'avantage. 27780
　Et qant le temps ert avenu
Qe tout le pueple estoit venu
Au temple, u que l'evesque estoit,
La cause dont les ad esmu
Leur dist, et charga depar dieu
Qe chascun solonc son endroit
Devoutement dieu prieroit,
Q'il demoustrance leur ferroit
De sa grace et de sa vertu,
Qui la virgine espouseroit : 27790
Ensi le pueple tout prioit,
Envers le ciel coll estendu.
　Chascuns requiert, chascuns supplie,
Chascuns devoutement se plie

27780 enfaire

A faire le commandement
Qe leur Evesque preche et crie :
Vei la tantost, que leur escrie
La vois d'en halt le firmament,
Et si leur dist : ' O bonne gent,
Vous q'estes ore yci present   27800
Estraitz du sainte progenie
Le Roy David, certainement
A l'un de vous l'affaire appent
D'estre maritz de la Marie.
 ' Mais ore plus vous conteray,
Et la maniere enseigneray
Par quoy conoistre le devetz :
Chascuns, sicomme ainçois dit ay,
Prende une verge, et puis dirray
Comment la verge porteretz,   27810
Et vers le ciel l'adresceretz :
Mais celle verge que verretz
Flourie ensi comme l'erbe en Maii,
C'est cil qui vous espouseretz
A la virgine. Ore tost aletz ;
La chose est venue a l'essay.'
 Lors celle vois q'ils ont oÿ
N'en parla plus, ainz s'esvani,
Sur quoy l'evesque meintenant
Bailla sa verge a chascuny :   27820
Chascuns la porte endroit de ly
De ceaux dont vous ai dit devant,
Entre les queux trestout avant
Joseph sa verge fuist portant,
Que s'en flourist, et lors le cry
Se lieve, et tous vont escriant,
' Le viel Joseph au jofne enfant
Serra mari, serra mary.'
 Joseph de l'onour fuist hontous
Et d'espouser molt paourous,   27830
La vierge auci hontouse estoit ;
Mais dieus, qui leur fuist gracious,
Par son saint angel glorious
De sa mercy leur confortoit,
Disant que chastes viveroit
Et l'un et l'autre en son endroit,
Et lors n'estoient pas doubtous
Par ce que dieus leur promettoit ;

Au mariage s'assentoit
La vierge ovesque son espous.   27840
 Du viele loy a coustummance
L'evesque de sa bienvuillance,
Q'estoit prodhomme en son corage,
Enprist sur soy la pourvoiance
De la virgine et l'ordinance
Des noeces et du mariage.
Pareill furont de leur parage,
Mais desparaill estoient d'age,
L'un ot vielesce et l'autre enfance ;
Nientmeinz solonc le viel usage   27850
Fuist fait par juste governage
Le matrimoine au dieu plesance.
 Qant tout fuist fait de l'espousaille,
Joseph, q'avoit la vierge en baille,
Auci sa chasteté voua,
Et tost apres il s'apparaille
Vers son paiis, dont se consaille
Ove la virgine et puis s'en va ;
Dont elle plus n'y sojourna,
En Nazareth ainz retourna,   27860
U q'elle a demourer se taille
Ove ses parens ; mais pour cela
Sa viele usance ne laissa,
Car dieus la tint en governaille.
 Bon amour deinz bon cuer reclus
Du jour en jour croist plus et plus,
Car qui bien ayme point n'oublie ;
Par ceste reson suy conclus
Qe bon amour ja n'ert exclus
Par nulle chose en ceste vie,   27870
Ainz croist toutdis et multeplie :
Ce vuill je dire de Marie,
Q'ot son cuer mys a dieu la sus,
Et dieus auci de sa partie
De plus en plus la tint cherie ;
Ne l'un ne l'autre estoit deçuz.
 O comme l'amour fuist covenable
De la virgine et honurable,
Que soulement son dieu desire ;
Et d'autre part fuist delitable   27880
Au tout le mond et proufitable,
Qui la matiere bien consire,

   27798 denhalt   27841 acoustummance

Car dieus, sicome nous poons lire,
El corps du vierge volt eslire
Son temple, u qu'il enhabitable f. 152
Volt estre, et de son halt empire
Vint naistre pour la mort despire
Et donner vie perdurable.
  O la mercy du creatour,
Qu'il de son ciel superiour   27890
Voloit descendre au basse terre
Pour faire a sa virgine honour,
Et pour moustrer le grant amour
Q'a les vertus nous volt refere,
Et les pecchés mortieux desfere
Qe deble ainçois nous fesoit fere !
Dilors, q'est cil qui par doulçour
Ne duist a celle vierge plere,
En qui dieus mist tout son affere
Dont il devint no salveour ?   27900
  O dame, sanz ta soule grace,
Au fin que je cest ovre enbrace,
Je n'ay savoir pour acompter;
Mais, doulce dame, s'il te place,
Bien sai dieus voet q'en toute place
L'en doit tes oevres reconter,
Pour ta loenge et pris monter
Et pour le deable desmonter,
Q'est desconfit de ta manace :
Pour ce, ma dame, je t'en quier,   27910
Mettez le sens dedeinz mon cuer,
Dont ta loenge conter sace.

   **Ore dirra de la Concepcioun et
   de la Nativité nostre seignour, et
   en partie de les joyes nostre dame.**

Avint un jour de la semeine,
Qant ses pensers la vierge meine
A la divine druerie,
Et deinz sa chambre fuist soleine
Sanz chambrellain ou chambreleine,
Survint un angel de Messie
Et la salue come s'amie,
Et si luy dist, 'Ave, Marie,   27920
Del grace dieu trestoute pleine !'
La vierge en fuist molt esbahie,

        27922 enfuist

Q'elle ert tout soule et desgarnie,
Et la novelle estoit soudeine.
  Mais l'angel par confortement
Luy dist molt debonnairement,
' Ma dame, ne vous doubtez pas,
Car dieu le piere omnipotent
Voet pour sauver l'umaine gent
Que tu son fils conciveras   27930
Et de ton corps l'enfanteras,
Virgine nepourqant serras.'
Et lors tu dis, 'He, dieus, comment
Puet ce venir?' puisque tu n'as,
Ne jammais eustes n'en avras
D'ascun charnel assemblement.
  Ma dame, a ce te respondoit
Saint Gabriel, et te disoit
Qe l'espirit de dieu tout coy
Ove la vertu de ciel vendroit,   27940
Qui tout cell oevere parferroit,
Comme cil q'est toutpuissant en soy :
' Et ce qui naistera de toy
Serra nommé le fils du Roy,
C'est Jhesu Crist, a qui l'en doit
Trestout honour et bonne foy.'
Et puis t'en donna signe au quoy
Lors ta credence ferme soit.
  ' Qe dieus sur tout est soverein
Et ad tout ce q'il voet au mein,   27950
Il te moustra verray signal
De ta cousine et ton prochein
Elizabeth, q'estoit barein,
Six moys devant d'especial ;
Mais dieus, q'est sire et governal
Sur tout le siecle en general,
Luy ad donné son ventre plein
D'un fils qui molt serra loyal :
Ensi deinz ton memorial
Retien que tout serra certein.'   27960
  Qant tu, ma dame, as tout oÿ
Qe l'angel dist, la dieu mercy
Lors en louas, dont simple et coie
Tu luy donnas response ensi :
' La dieu ancelle vei me cy,
Soit ta parole toute moye.'

        27963 enlouas

Qant as ce dit, vers toy se ploie
Saint Gabriel et se desploie
Volant a ciel, si q'apres luy
De nulle part ton cuer s'effroie ; 27970
Et c'estoit la primere Joye,
Dont tu, ma dame, es rejoÿ.
 Solonc la parole angeline
Jhesum conceustez, et virgine
Apres mansistez nette et pure.
Mais qant avint que ta cousine,
Qui d'un enfant ot pris saisine,
Dont elle ert grosse a mesme l'ure,
Vous encontra par aventure,
Dedeinz le ventre a sa mesure 27980
L'enfant de luy vers toy s'acline
Pour faire honour a ta porture
Comme sa demeine creature :
C'estoit miracle assetz divine.
 Elizabeth fuist celle mere,
Que le baptistre a sa costere
Dedeinz son ventre lors porta,
Qui reconoist la dieu matiere,
Et fist l'onour a sa maniere,
Ainz que sa miere l'enfanta. 27990
La miere qant sentist cela,
A toy, ma dame, s'escria
Par halte vois et lée chiere,
Si t'ad benoit, que tu pieça
Par l'angel qui toy noncia
Donnas credence a dieu le piere.
 Elizabeth qant s'aparçoit,
Par grant devocioun disoit :
' Benoite, dame, soies tu
Depar dieus, en bonne houre soit, 28000
Car tout que l'angel noncioit
Est en ton corps ore avenu :
L'enfant deinz moy l'ad bien sentu,
Et par ce je l'ay bien conu.'
C'est un miracle asses benoit
Pour demoustrer la dieu vertu,
Sique, ma dame, en chascun lieu
Tes Joyes vienont par esploit.
 O quelle aperte demoustrance !
Jehans, ainz q'il avoit naiscance, 28010
Son dieu, auci qui n'estoit né,

Honourt et fait reconoiscance,
Ainz que sa langue de parlance
Ascunement estoit doé,
Ainçois qu'il pot aler au pée,
Il s'est el ventre travaillé
Pour faire a dieu sa pourvoiance ;
Ainçois qu'il vist la clareté,
Il perceust la divinité,
Qe la virgine ot en balance. 28020
 Itiele chose q'ert novelle
Tes Joyes, dame, renovelle ;
Mais puis apres grant Joye avetz,
Qant tu sentis soubz ta cotelle
Le vif enfant en ta boëlle,
Qui s'esbanoie a tes costées :
Mais qant ce vient en tes pensées,
Qe c'est il par qui commencez
Tous sont, le madle et la femelle,
Lors si tu, dame, soies leez 28030
Nuls se doit estre esmerveillez,
Q'es mere dieu et sa pucelle.
 Mais a grant peine om conteroit
Coment Joseph s'esmerveilloit,
Qant vist sa femme grosse et pleine,
Q'il de ce fait privé n'estoit ;
Dont par dolour il s'aprestoit
Fuïr, mais l'angel luy restreigne,
Si luy conta trestout l'overeigne.
Mais lors Joseph ses joyes meine 28040
Plus que l'en dire ne porroit,
Et toy servir ades se peyne,
Ma dame, en esperance seine
Q'il le fils dieu nestre verroit.
 Ne puet faillir que dieus destine,
Dont il avint q'a ce termine
Joseph de Nazareth passa
Jusq'au Bethlem, u q'il chemine,
Et ad Marie en sa covine,
Q'ensemble ovesque luy ala. 28050
C'estoit au temps q'elle aprocha
Son terme, issint q'elle enfanta
L'umaine essance ove la divine :
Entre les bestes le posa
En une crecche u reposa,
N'ert pas sa chambre lors marbrine.

O cil q'ert Rois sur tout Empire,
Comme il voloit orguil despire,
Qant il si povrement nasqui !
N'est pas orguil ce q'il desire, 28060
Vers l'asne d'une part se vire
Et vers le boef de l'autre auci,
N'estoit courtine presde luy.
O Rois du gloire, ta mercy,
Qui viens poverte tiele eslire !
La miere que te porte ensi
Scieust nepourqant tresbien de fy
Qe tu sur toute chose es sire.
 Cil q'estoit de nature mestre
Solonc nature voloit nestre 28070
Au due temps ; mais autrement,
Contre l'usance q'est terrestre,
Le grief dolour q'ont nostre ancestre
Al houre de l'enfantement, **f. 153**
Ma doulce dame, ne te prent,
Ainz comme solaill son ray estent
Parmy la verre en la fenestre
Sanz fendure ou molestement,
Ensi, ma dame, salvement
Nasquist de toy le Roy celestre. 28080
 Mais certes, dame, de ta Joye
Que lors avetz, je ne porroie
La disme part conter al hure ;
Car doublement ce te rejoye,
Qant vif en char pres toy costoie
Qui ciel et terre est au dessure,
Et d'aultre part q'il sanz lesure
Nasquit de toy a sa mesure,
Comme dieu puissant par toute voie,
Dont ta virginité fuist pure : 28090
Lors fuist complie l'escripture,
Que Rois David de toi psalmoie.
 O dame, bien dois estre lée,
Qant dieus t'estoit abandonné ;
Qui fuist ton piere ore est ton fils,
Qui toy fourma tu as fourmé,
Qui t'engendra as engendré,
Il toy crea, tu luy norris,
Qui tout comprent tu as compris,
Qui tout governe est ton soubgis, 28100

De qui l'ancelle avetz esté,
Ore es la dame : a mon avis
Nuls puet conter le droit devis,
Dont tu, ma dame, es honouré.
 O dieus, ta file te conçoit,
Et puis t'espouse t'enfantoit,
Et ta norrice estoit t'amie,
Ta soer en berces te gardoit,
Et une vierge t'allaitoit,
Maisque ta miere estoit Marie, 28110
La tue ancelle ot en baillie
Ton corps, qui molt sovent te lie,
Ta creature te portoit :
Ja puis n'ert tiele chose oïe,
Car en toute la compaignie
Forsq'une soule femme estoit.
 O dieus, qui feis trestoute beste,
Et la salvage et la domeste,
Et fourmas l'omme a ta semblance,
Et d'autre part a toy s'apreste 28120
Trestoute chose q'est celeste,
Drois est pour ce q'a ta naiscance
Soit fait ascune demoustrance,
Dont soit oïe la parlance
En tous paiis de la terreste,
Pour meulx avoir la conoiscance :
Mais tout cela de ta puissance
Fuist fait, sicomme nous dist la geste.

Ore dirra de les mervailles qui aviendront, qant nostreseignour fuist née.

As pastours qui la nuyt veilloiont
Et leur berbis en sauf gardoiont 28130
Un angel dieu vint noncier,
Et si leur dist q'ils lées en soint,
Car en Bethlem née troveroiont
Jhesum, qui doit le mond salver ;
Et puis oïront un Miller
Des angles doulcement chanter,
'Soit gloire a dieu en halt,' disoiont,
'Et peas en terre soit plener
As gens qui vuillont peas amer.'
C'estoit le chançon q'ils chantoiont.

28132 ensoiont

Au matin l'endemain suiant 28141
Tout d'un acord passont avant
Jusq'en Bethlem, u qu'ils troveront
Marie, Joseph et l'enfant,
Q'estoit en ses drapeals gisant
En un rastell, u bestes eront;
Dont ils grant joye desmeneront
Et leur avision conteront
As tous qui leur furont devant,
Et puis a l'ostell retourneront. 28150
Les ascoultantz s'esmerveilleront,
Et tu, ma dame, as Joye grant.

Enqore dieus d'autre manere
La nuyt qant il nasquit primere
Sa deité nous demoustroit;
Car d'une estoille belle et clere
Au tout le mond donna lumere,
Et fermement l'establissoit
Sur la maisoun u q'il estoit.
De l'orient lors y venoit 28160
Trois Rois, q'estoiont divinere,
Chascuns offrende ove soi portoit,
Q'il a ton fils sacrifioit
Pardevant toy, sa doulce mere.

En genullant luy font offrens,
C'est orr et mirre et franc encens,
En demoustrance par figure
Qu'il estoit Rois sur toutes gens,
Et verray dieus omnipotens,
Et mortiel homme en sa nature: 28170
L'estoille q'apparust dessure
Nous signefie en sa droiture
Q'il sire estoit des elementz.
O tu sa mere et vierge pure,
Molt t'esjoïstes a celle hure
Des tiels honours, des tieus presentz.

Ore dirra de la Circumcisioun
nostre seignour et la Purificacioun
de nostre dame.

O tu virgine enfanteresse,
Par autre voie avetz leesce,
Qant ton enfant fuist circumcis;
Par ce nous moustra grande humblesce,

Qu'il volt bien que la loy expresse 28181
Fuist en son corps tout acomplis;
Mais a ce point estoit finis
La Circumcision jadis,
Et par toy q'es no salveresse
Solonc la loy de ton chier fils
Ly cristiens baptesme ad pris,
Au quoy se clayme et se professe.

Au jour quarante de s'enfance
Du viele loy a coustumance 28190
Au temple dieu fuist presenté
Ton fils, pour garder l'observance
D'umilité et d'obeissance;
Pour ce s'estoit humilié:
Dont Simeon en son degré
Le receust a grant chiereté,
Q'il estoit prestre, et la faisance
Du temple estoit a luy donné;
Mais unqes jour ne fuist si lée,
Qant om luy dist la circumstance. 28200
De ses deux mains l'enfant manoie
Dessur l'autier et le conjoye,
Et puis l'enbrace par loisir
Et fait honour par toute voie,
Disant: 'O dieus, puisque je voie
Ton corps, ore ay tout mon desir;
Dont s'il te vendroit au plesir,
Laissetz moy ore en pes morir,
Qe je n'ay plus que faire doie,
Car tu es cil qui doit venir.' 28210
Ma dame, en tiele chose oïr
Te croist toutdis novelle Joye.

Cil Simeon maint aun devant
Ot bien oÿ qu'un tiel enfant,
Q'ert fils au Roy superiour,
Serroit par grace survenant
En une vierge, u q'il naiscant
Sa char prendroit pour nostre amour;
Dont lors pria son creatour
Q'il porroit vivre a celle jour, 28220
Pour vir le fils au toutpuissant:
Mais lors, qant il en ot l'onour
Et tint en bras son salveour,
Tout le souffist le remenant.

28190 acoustumance   28222 enot

Ton fils, ma dame, soulement
Ne volt pas estre obedient
Au loy tenir endroit de soy,
Ainçois voloit, ensemblement
Qe tu, ma dame, tielement
Dois loy tenir endroit de toy : 28230
Pour ce solonc la viele loy,
Ma dame, au temple trestout coy
Te viens purer, et nequedent
Qant a nature il n'ert du quoy ;
Car sanz corrupcioun, je croy,
Ton fils portas tout purement.

Qant dieus nasquist, a celle fois
Roy fuist Herode, a qui les trois,
Des queux vous ay le conte fait,
En leur venir furont ainçois, 28240
La qu'il estoit en son palois ;
Et luy conteront tout le fait,
Come par l'estoille chascun vait
Sercher l'enfant qui fuist estrait
De dieu le piere et serroit Rois
Sur tout le mond : mais par agait
Herodes qu'il serroit desfait
Pensa, comme cil q'estoit malvois.

Herodes, qui fuist plein d'envie,
A tous les trois requiert et prie 28250
Q'ils voisent cell enfant sercher,
Et que chascun reviene et die
Ce q'il ad fait de sa partie ;
Car il avoit deinz son penser
Q'il le ferroit tantost tuer.
Mais dieus, a qui riens puet grever,
Qant ils leur cause ont acomplie,
Par songe les fist rettourner
Une autre voie sanz parler
Au fel tirant, qui dieus maldie. 28260

Ore dirra comment Rois [f. 154
Herodes fist occire les enfantz
en Bethlem, et comment nostre
dame et Joseph s'en fuirent
ovesques l'enfant en Egipte.

Herodes, qant s'est aparçuz
Comment il ad esté deçuz,

Q'a luy des trois nul retourna,
Fist a ses privez et ses drus
Leur lances prendre et leur escutz,
Et si leur dist et commanda,
Tous les enfantz q'om tuera
En Bethlem et environ la :
Q'il par ce quide estre au dessus
De luy q'au fin luy venquera ; 28270
Car celluy qui dieus aidera
Des tous perils ert defenduz.

Car dieus, qui tint son fils chery,
Par songe en ot Joseph garny,
Et si luy dist, 'Pernetz l'enfant,
Maisque sa mere voise ove luy :
Aletz vous ent, fuietz de cy
Jusq'en Egipte tout avant,
U vuill que soies demourant.'
Et ils s'en vont du meintenant 28280
Vers la, ou q'ils se sont guari ;
Mais fals Herode le tirant
Tua d'enfantz le remenant
Sanz avoir pité ne mercy.

Drois est que l'en doit acompter
Pour les miracles reconter
Qe lors en Egipte aveneront,
Qant tu ma dame y vins primer
Ove ton enfant pour habiter :
Car les ydoles tresbucheront 28290
En tous les temples u q'ils eront,
Et lieu a ton chier fils doneront,
Q'a sa puissance resister
Ne poent, ainz par tout trembleront :
Les mescreantz s'esmerveilleront,
Dont tu, ma dame, as Joye au cuer.

Une arbre halte, belle et pleine
Auci, ma dame, en une pleine
En celle Egipte lors estoit,
Dont fuist la fame molt longteine, 28300
Q'au toute gent malade et seine,
Qui les racines enbevoit
Ou autrement le fruit mangoit,
Santé du corps asses donnoit :
Dont il avint une semeine
Qe ton chier fils par la passoit,

28274 enot

Et l'arbre au terre s'obeissoit
Pour l'onourer en son demeine.
  O tu virgine et la dieu miere,
Qe ce t'estoit mervaille fiere,   28310
Qant si foreine creature
Conoist son dieu en la maniere;
Dont ta loenge plus appiere
Par ton chier fils, q'est dieu dessure:
Car lors scies tu, de sa droiture
Q'il estoit sire de nature
Et puet tourner l'avant derere,
C'est une chose que t'assure;
Sique, ma dame, en chascune hure
Te vient du Joye la matiere.   28320
  Dieus au sovent la malfaisance
Du male gent par sa souffrance
Laist pour un temps, mais au darrein
De sa justice il prent vengance:
Pour ce vous di que celle enfance,
Qe cil tirant moertrer vilein
Faisoit tuer, vient ore au mein:
Cil q'ad pover du tout humein
Le fist morir sanz pourvoiance
Par dolour qui luy fuist soudein,   28330
Dont cil te manda le certein
Qui t'ad, ma dame, en remembrance.
  Des toutes partz te vient confort,
Car qui sur tous est le plus fort,
C'est ton chier fils, t'ad envoiez
Ses angles, qui te font desport,
Disantz que tu du lée port
En Israel retourneretz.
Je ne say dire les journés,
Mais qant tu viens a tes privez,   28340
Qui sont ove toy du bon acort,
Molt estoit dieus regraciez,
Qui toy, ma dame, ad remenez,
Et ton fils ad guari du mort.
  Ensi, ma dame, d'umble atour
En Nazareth fais ton retour,
Ove tes parens pour sojourner;
Et puis avint que par un jour
Parentre toy, ma dame, et lour
Au temple dieu t'en vas orer,   28350

Si fais ton fils ove toy mener;
Mais qant ce vint au retourner,
Tes joyes changont en dolour,
Car tu ne puiss ton fils trover,
Combien que tu luy fais sercher
En la Cité par tout entour.
  O dame, je ne doubte pas
Que tu fecis maint petit pass,
Ainz que poes ton fils avoir,
Dont tu Joseph auci prias,   28360
Combien q'il fuist et viels et lass,
Q'il duist auci son pée movoir,
S'il te porroit apercevoir:
Deux jours serchastes en espoir,
Qe tu, ma dame, riens trovas,
Mais l'endemain tu puiss veoir
Q'il ad conclus de son savoir
Les phariseus et les prelatz.
  Au tierce jour luy vas trovant
Dedeinz le temple desputant   28370
As mestres de la viele loy,
Qui prou ne scievont a l'enfant
Respondre, ainz ont mervaille grant
De sa doctrine et de sa foy.
Tu luy crias: 'Beal fils, pour quoy
Ne scies tu que ton piere et moy
T'aloms en grant dolour querant?'
Il lieve et puis excuse soy,
Si vait tout simplement ove toy,
Du quoy ton cuer fuist molt joyant.   28380
  Ton fils te suyt molt humblement
Et tu t'en tournes bellement
A Nazareth ton parenté,
Q'ainçois estoiont molt dolent,
Mais ore ont joye a leur talent,
Qe tu ton fils as retrové.
Bien tost apres en Galilée
Ot une feste celebré
Des noeces, u courtoisement,
Ma dame, l'en t'avoit prié   28390
Que ton chier fils y soit mené
Ove toy, ma dame, ensemblement.
  Le feste ert riche et bien servi,
Maisque bon vin leur est failly

28334 plusfort

En la maison Archideclin ;
Dont ton chier fils, qant il l'oï,
Les potz q'estoient d'eaue empli
Fist changer leur nature en vin
Molt bell et bon et fresch et fin,
Dont tous bevoiont en la fin   28400
Et le rendiront grant mercy :
La moustra Jhesus son divin,
Dont le forein et le voisin
De l'escoulter sont esbahi.

 O dame, qui scieust bien conter
Tous les miracles au plener
De ton fils en s'enfantel age,
Sanz nombre en porroit om trover,
Qe molt fesoiont a loer :
Des tous ne suy je mye sage,   28410
Mais q'il ert humble de corage,
Des tous païs savoit langage
Pour bonnes gens acompaigner ;
Mais sur trestous a vo lignage
Chascun endroit de son estage
Faisoit grant joye demener.

 Ore dirra comment nostre sire fuist baptizé.
 Dieus, qui volt changer en sa guise
La Sinagoge pour l'Eglise,
Faisoit la transmutacioun
Q'estoit du viele loy assisse,   28420
Sique baptesme serroit prise
En lieu de Circumcisioun ;
Par quoy de sa provisioun
Ot un servant, Jehans par noun,
Qui molt estoit de sainte aprise,
Faisant sa predicacioun
Au pueple pour salvacioun
Du loy novelle et les baptize.

 Oultre le flom Jordan estoit
Jehan baptist, qui baptisoit   28430
Prechant au pueple la salu
Du loy novelle, et leur disoit
Qe cil qui noz pecchés toldroit
Du ciel en terre ert descendu
Et s'est de nostre char vestu ;
Et qu'il au pueple soit conu,
Jehans du doy le demoustroit
Disant, 'Vey cy l'aignel de dieu !
Vei cy qui tout le mond perdu
De sa mercy refourmer doit !'   28440

 Jehan en le desert se tint
Par grant penance, u q'il s'abstint,
Q'il pain ne vin ne char gousta ;
Delice nulle a soy retint,
Du mell salvage ainz se sustint,
De l'eaue but, que plus n'y a,
Toute vesture refusa
Forsque des peals q'om escorcha
De ces Chameals, car bien sovint
Q'orguil du ciel l'angel rua,   28450
Et gule en paradis tua
Adam, dont nous morir covint.

 De son precher, de sa penance
Toutplein des gens a repentance
Solonc la loy novelle attrait,
Q'a luy vindrent par obeissance,
Et du baptesme l'observance
Resçoivent, sique son bienfait
Au loy novelle grant bien fait.
Par tous païs la fame en vait,   28460
Dont Crist, q'en fist la pourvoiance,
Qui volt refaire no forsfait,
Vint a Jehan et quiert q'il ait
Baptesme, dont sa loy avance.

 Jehans respont : 'Laissetz estier ;
Baptesme tu me dois donner,
Qui viens de moy baptesme quere.'
'Souffretz,' fait Crist, 'de ton parler,
Car ce partient a mon mestier :
Solonc la loy par tout bien fere   28470
Je viens pour estre debonnere,
Et pour cela t'estuet parfere
La chose dont je te requier.'
Ensi disant se fait attrere
En l'eaue, u que de son affere
Jehans le faisoit baptiser.

 La vois de ciel lors descendist,
Et comme tonaire il parle et dist :
'Vei cy mon tresdouls amé fils,

<small>28408 enporroit   28460 envait   28461 qenfist</small>

U toute ma plaisance gist.' 28480
Ove ce le ciel d'amont ovrist,
Et vint y ly saintz esperitz,
Qui la semblance au droit devis
D'un blanc collomb lors avoit pris,
Et pardessus sa teste assist.
De celle veue estoit suspris
Jehans, qui puis apres toutdis
Du grant miracle s'esjoÿt.
 Jehan, q'estoit le dieu amy,
Long temps devant en fuist garni 28490
Par l'angel, qui luy fist savoir
Disant, ' Qant tu verras celluy
Venir, dessur la teste a qui
Le blanc colomb vendra seoir,
C'est le fils dieu, sachez pour voir.'
De tant fuist il en bon espoir;
Mais puis quant dieus le fist ensi
Siq'il le puet des oills veoir,
De lors fist il tout son devoir,
Du quoy la foy soit plus cheri. 28500
 Qui toute chose sciet et voit
Du providence se pourvoit,
Q'il par ses oeveres volt moustrer
Q'il fils de dieu le piere estoit ;
Dont deux miracles il faisoit,
Qui molt firont a mervailler,
Les queux bon est a reciter
Pour sa puissance remembrer
Et pour despire en leur endroit
Les mescreantz, qui baptizer 28510
Ne se voldront, dont excuser
Ne se porront par ascun droit.

Ore dirra en partie des miracles que nostreseignour faisoit avant sa mort.

 Un temps avint q'en Bethanie
Lazar, de Marthe et de Marie
Qui frere estoit solonc nature,
S'estoit passé de ceste vie;
Dont il avoit la char purrie,
Car quatre jours en sepulture
Avoit esté devant celle hure

Que nostre sire en aventure 28520
Y vint ; sique de nulle aÿe
L'en esperoit : mais qui sa cure
Puet faire en toute creature
De son poair la mort desfie.
 Qant nostre sire y doit venir
Au monument, gette un suspir,
Et de ses oils il lermoia
Et de son corps se laist fremir,
Si dist, ' Lazar, vien toy issir.'
Dont l'espirit se retourna 28530
En luy, qui mort estoit pieça,
Ses mains et pées om deslia,
Et il sanz plus du detenir
Se lieve et son dieu mercia.
Le pueple trop s'esmerveilla
Par tout u l'en le puet oïr.
 Une autre fois bien apparust
Qe son chier fils dieus reconust,
Qant cink mill hommes il ameine
Tanq'en desert, u point n'y ust 28540
Ascune riens que l'en mangust,
Et la famine leur constreine;
Mais un y ot q'a molt grant peine
Avoit cink pains en son demeine
Et deux piscons, sicomme dieu plust.
La gent s'assist en une pleine,
Et dieus les faisoit toute pleine
Par son douls fils, qui lors y fust.
 Cil q'est du fuisoun capitein
Les cink pains de sa sainte mein 28550
Et les piscouns tant fuisonoit
Que du relef ot au darrein
Des cophins dousze trestout plein,
Et chascun homme asses mangoit :
Par quoy l'en sciet tresbien et voit,
N'est uns qui faire ce porroit
D'ascun poair qui soit humein ;
Siqu'ils diont et au bon droit,
Que Jhesu Crist en son endroit
Estoit le fils du soverein. 28560
 Et d'autre part communement
Par tout u q'il estoit present

28490 enfuist

Il guarist toutes maladies,
C'estoit de la leprouse gent,
C'estoit des voegles ensement,
C'estoit de les forseneries,
Les gouttes, les ydropesies,
Les fievres et les parlesies,
De sa parole soulement
Faisoit que tout furont garies :   28570
Nuls en pot faire les maistries,
S'il ne fuist dieus omnipotent.
   O tu virgine, la dieu mere,
Tu es des autres la primere,
Qui du verraie experience
De dieu sentistes la matiere ;
Quant il entra deinz ta costiere,
Et puis nasquit sanz violence,
Et molt sovent en ta presence
Puis te moustra bonne evidence   28580
Q'il estoit fils de dieu le piere,
Et molt sovent par audience,
Dont chascun jour te recommence
La joye dont tu es pleniere.
   O dame, pour tes grandes Joyes,
Que lors des tantes partz avoies
Molt plus que je conter ne say,
Je te pry, dame, toutes voies
Par ta pité que tu me voies ;
Car s'ensi fais, je guariray   28590
Des griefs pecchés dont langui ay,
Et vers ton fils m'acorderay,
O dame, a qui si tu m'envoies
A sa mercy rescue serray,
Du quelle faillir ne porray,
Si tu sa mere me convoies.
   De la proverbe me sovient,
Q'om dist que molt sovent avient
Apres grant joye grant dolour,
Ainz que l'en sache ou quide nient :
Pour ce le di q'a toy survient   28601
Devant le Pasques par un jour
Soudainement le grant dolour
De ton fils, dame, et ton seignour,
Dont pour conter ce que te vient
Trestout mon cuer deschiet en plour :

Et nepourqant le creatour
Scieust q'ensi faire le covient.

Ore dirra de la passioun de nostre seignour Jhesu Crist.

   O Jhesu, je te cry mercy,
Si te rens grace et grant mercy,   28610
Qe tu deignas pour nous souffrir ;
Dont s'il te plaist, beal sire, ensi,
En ton honour je pense yci
Conter, que l'en le doit oïr,
La passioun dont vols morir
Pour nous du male mort guarir :
Sur quoy, Jhesu, je t'en suppli
Sique j'en puisse ove toy partir,
Dont m'alme soit au departir
Sanz paine et sanz dolour auci.   28620
   Les mestres de la viele loy,
Qui ne scievont respondre a toy,
Conceivont de leur propre envie
Sanz cause la malice en soy,
Au fin q'ils ta novelle foy
Puissont quasser en ceste vie,
Mais ils en ont leur art faillie :
Et nepourqant que l'en t'occie
Font compasser qant et pour quoy ;
Si font de Judas leur espie,   28630
Qui leur promet tout son aïe,
Maisq'ils gardent consail en coy.
   Trente deniers il prent de lour,
Dont il son mestre et creatour   f. 156
Vendist comme traitre desloyal :
Tout s'acordont du lieu et jour,
Sur quoy Judas pour son seignour
Conoistre leur donna signal,
Si dist q' 'Ove vous a ce journal
Irray, et qui d'especial   28640
Lors baiseray comme paramour,
Celluy tenetz pour principal ;
C'est cil qui vous en communal
Querretz pour faire le dolour.'
   Jhesus, qui tout savoit devant,
De ses disciples au devant
Mande au Cité pour ordiner

28571 enpot   28627 enont

L'ostell u qu'il serroit mangant
Sa cene, et puis lour vait suiant :
Et qant y vient, lors au primer 28650
Il mesmes volt lour piés laver
Humilité pour essampler,
Et puis ove tout le remenant
S'assist au Cene pour manger.
Qant ce fuist fait, apres souper
Il s'en vait oultre meintenant.
  Lors prist Jhesus ovesque luy
Piere et Jehan et Jaque auci
Et laist les autres a derere
Au ville de Gethsemany ; 28660
Et si leur dist, 'Attendetz y,
Qe je vois faire ma priere.'
Et lors passe oultre ove mourne chere
Si loigns comme l'en gette une pere,
Et as genoils s'est obeÿ,
Ses mains levez vers dieu son piere ;
Si luy prioit en la maniere
Comme vous m'orretz conter yci.
  Par ce q'il ot le corps humein
Et vist sa mort devant la mein, 28670
Tant durement il s'effroia,
Du quoy parmy le tendre grein
Du char les gouttes trestout plein
Du sanc et eaue alors sua ;
Si dist : 'O piere, entendes ça,
Fai que la mort me passera,
Car tu sur tout es soverein ;
Et nepourqant je vuil cela
Que vous vuilletz que fait serra,
Car je me tiens a toy certein.' 28680
  Qant ot ce dit, il retournoit
A ses disciples et trovoit
Q'ils s'estoient tous endormis,
Et par deux fois les esveilloit,
Et vait arere et dieu prioit
Semblablement comme je vous dis.
Au tierce fois leur dist : 'Amys,
Dormetz, car je me voi soubmis.
Vei la qui vient a grant esploit,
Cil fals Judas, qui m'ad trahis : 28690

Dormetz en peas, car je suy pris,
N'est qui rescousse faire en doit.'
  Au paine ot il son dit conté,
Qe cil Judas le maluré
En route de la male gent
Y vint trestout devant au pié,
Si ad son mestre salué,
Et ove ce tricherousement
Luy baise ; et lors communement
Sur luy chascuns la main y tent, 28700
De toutes partz estoit hué,
Si l'un luy boute, l'autre prent ;
Ensi fuist pris soudainement
Au venderdy la matinée.
  Au prime tost apres suiant
Devant Pilat le mescreant
Ils ont Jhesum ove soy menez,
Des fals tesmoignes accusant :
Le corps tout nu luy vont liant
A un piler, ses oels bendez, 28710
Et lors luy donnent les collées
Disant, 'O Crist, prophetisés
Qui t'ad feru,' et plus avant
Luy ont d'escourges flaiellez,
Siq'en son corps n'y ot laissez
Un point que tout ne fuist sanglant.
  Al houre tierce en juggement
S'assist Pilat, et falsement
Au mort dampna le corps Jhesu
Par clamour de la male gent, 28720
Qui lors pristront un vestement
Du pourpre et si l'ont revestu,
Et de l'espine trop agu
Luy font coronne, et le pié nu
Sa croix luy baillont proprement
A porter, et ensi vencu
La croix portant s'en vait au lieu
U qu'il morra vilainement.
  Al houre siste sur le mont
De Calvarie tout amont 28730
Firont Jhesum crucifier ;
Des grosses cloues trois y sont,
Des deux les mains trespercé ont,
Du tierce font les piés ficher ;

28659 aderere   28692 endoit   28727 senvait

Si font la croix ensus lever,
Et deux larouns en reprover
D'encoste luy pendant y vont ;
Eysil et fiel puis font meller,
La soif Jhesu pour estancher ;
Des toutes partz dolour luy font.   28740
  Et puis, qant nonne vint a point,
Jhesus, q'estoit en fieble point
Selonc le corps, a dieu pria,
Au fin q'il ne se venge point
De ceaux qui l'ont batu et point ;
Et lors a halte voix cria,
' Hely ! ' et soy recommanda
Au dieu son piere, et en cela
De ceste vie il se desjoynt :
Mais lors tieus signes desmoustra,   28750
Qe nuls par droit se doubtera
Q'il n'est ove dieu le piere joynt.
  L'eclips encontre sa nature
La cliere jour faisoit oscure ;
La terre de sa part trembloit,
Les grosses pierres par fendure
Sont routes, et la sepulture
De la gent morte overte estoit,
Dont il plusours resuscitoit ;
Le voill du temple, u q'il pendoit,   28760
Se fent en deux a mesme l'ure :
Centurio, qui tout ce voit,
Dist q'il le fils de dieu estoit,
Seignour du toute creature.
  Un chivaler y ot Longis,
Qui du voeglesce estoit soubgis,
A luy bailleront une lance,
Qui de Jhesu le cuer au pitz
Tresperce, et lors fuist tout complis
Du passioun la circumstance :   28770
Dont bon Joseph par la suffrance
Du Pilat en droite ordinance
Le corps d'en halt la croix ad pris,
Si l'ad enoignt du viele usance,
Et puis luy ad de pourvoiance
En un sepulcre ensevelis.
  Mais lors se lieve par envie
Des males gens la compaignie,

Et au Pilat s'en vont pour dire
Comment Jhesus s'avanterie   28780
Faisoit, qant il estoit en vie,
Q'il ot poair a desconfire
La mort, et c'estoit a despire :
' Pour ce nous te prions, beal sire,
Nous vuilletz donner la baillie
Du corps garder ' : et sanz desdire
Trestout ce que la gent desire
Leur grante, que dieus le maldie.
  Et lors qant ils en ont pooir
Del corps guarder, pour estovoir   28790
Des chivalers quatre y mettoiont,
Qui par trois jours sanz soy movoir
Le garderont matin et soir,
Qe ses disciples, s'ils vendroiont,
Par nuyt embler ne luy porroiont.
As chivalers grant sold donoiont,
Siqu'ils bien facent leur devoir,
Et cils tresbien le promettoiont ;
Mais contre dieu qant ils guerroiont,
En vein ont mis leur fol espoir.   28800

Ore dirra de la Resureccioun nostreseignour, et la cause pour quoy il voloit mesmes devenir homme et souffrir la mort pour le pecché de Adam.

Ore ay du passioun escrit,
Come l'evangile nous descrit ;
Mais de sa Resureccioun
Savoir porretz. Cil qui nasquit
Par grace du saint espirit
Sanz paine et sanz corrupcioun
De la virgine, et Lazaroun
Resuscita, n'ert pas resoun
Q'il ait son corps du mort soubgit :
Pour ce celle Incarnacioun   28810
Mist a Resuscitacioun
La tierce jour, dont il revit.
  Mais cil, qui ne se volt celer,
Qant il s'ad fait resusciter,
Apparust a la Magdaleine,
Puis a Simon volt apparer,

28773 denhalt   28779 senvont   28789 enont

A Cleophas auci moustrer
Se fist, comme l'escripture enseigne ;
Et que la foy nous soit certeine,
Puis apparust a la douszeine, 28820
Et a Thomas faisoit taster **f. 157**
Le corps q'il ot du char humeine :
Cil qui ne croit a tiele enseigne
Ne say dont se puet excuser.

  O Jhesu Crist, endroit de moy
Qe tu es le fils dieu je croy,
Qui de la vierge as pris naiscance,
Et du baptesme auci la foy
Confesse en ta novelle loy ;
Et oultre ce j'ay ma creance 28830
Que tu ta mort et ta penance
Souffris pour no deliverance
Du deable, qui nous eust a soy
Soubgit ; et puis je n'ay doubtance
Q'au tierce jour de ta puissance
Resuscitas le corps de toy.

  Mais tu, q'es Rois du tout celestre
Et d'infernal et du terrestre,
A grant mervaille je me pense
Coment, beal sire, se puet estre 28840
Que tu deignas en terre nestre
Et donner mesmes ta presence,
Q'es plain du toute sapience,
Par qui tout bien fine et commence ;
Et puisque tu es si grant mestre,
Q'est ce que de ta providence
N'eussetz destourné la sentence
Du lance que te fiert au destre ?

  Deux causes, sire, en ce je voi,
Q'a mon avis sont plain du foi, 28850
L'un est justice et l'autre amour.
Justice voelt que chascun Roy
Droiture face et tiene loy ;
Pour ce covint que cell errour
Qui vint d'Adam nostre ancessour
Soit redrescé d'ascun bon tour :
Mais qant a ce Adam de soy
N'ot le poair, q'ainçois maint jour
Le deable come son peccheour
Le prist et tint a son desroy. 28860
Pris fuist Adam ove sa covine

Par juggement du loy divine,
Dont faire estuet redempcioun ;
Car dieus ne volt pas par ravine
Tollir du deable la saisine,
Ainçois fist paier la rançon.
Par qui fuist ce ? Par l'angel noun ;
Car ce n'eust pas esté resoun,
Depuisq'Adam fist la ruine :
Dont dieus de sa provisioun 28870
Fist faire sans corrupcioun
Un autre Adam de la virgine.

  Icest Adam en s'engendrure
Sanz culpe estoit du forsfaiture
Que le primer Adam faisoit ;
Pour ce pot il de sa droiture
La rançon faire a sa mesure,
Ou autrement de son endroit
Combatre au deable pour son droit :
Mais l'un et l'autre il enpernoit, 28880
Le corps qu'il ot de no nature
Au croix pour no rançoun paioit,
Comme cil qui nostre frere estoit
Et née de la virgine pure ;

  Et pour parler de sa bataille,
Son espirit faisoit mervaille,
Car il enfern ot assiegez,
Dont par vertu les murs assaille,
Sa croix ou main, dont fiert et maille,
Tanqu'il les portes ad brisez, 28890
Et s'est dedeinz au force entrez ;
Dont il Adam ad aquitez,
Si tient le mestre deable en baille
Des ferrs estroitement liez ;
Et puis au corps s'est retournez
Malgré le deble et sa merdaille.

  Qant dieus q'estoit victorials
Ot despuillé les enfernals,
Jusqu'au sepulcre retournoit,
Comme cil q'estoit celestials ; 28900
Le corps q'ainçois estoit mortals
Au tierce jour resuscitoit.
Miracle de si halt endroit
Unques nul homme ne faisoit,
Car c'estoit tout luy principals
Qui nostre foy plus affermoit :

Dont soit le noun de luy benoit,
Q'ensi rechata ses vassals.

 Puisqu'il ad dit de la Passioun nostreseignour Jhesu Crist, dirra ore de la Compassioun nostre dame.

 O vierge et mere dieu Marie,
Bien sai que tu n'es departie,   28910
Qant ton chier fils sa passioun
Souffrist, ainçois en compaignie
Y es; sique de ta partie
T'estuet avoir compassioun :
Dont en ma contemplacioun,
Ma dame, sanz elacioun,
Que ta loenge en soit oïe,
J'en frai la declaracioun,
Sique ta meditacioun
Me puist aider en ceste vie.   28920
 Mais certes je ne puiss suffire
De cuer penser, de bouche dire :
Le cuer me falt tout en pensant,
Pour reconter ne pour descrire
La grant dolour, le grant martire
Qe lors avetz pour ton enfant ;
Car unques femme n'ama tant,
Ne unques femme un autre amant
Avoit de si treshalt empire ;
Plus ert pour ce le doel pesant   28930
De toi, ma dame, al houre qant
Om luy voloit a tort occire.
 Matin qant ton enfant fuist pris
Et ses desciples sont fuïz,
Tu, dame, lors y aprochas ;
En suspirant ove plours et cris
Tu viens devant tes enemys
En la presence de Pilas :
Mais lors y ot nuls advocatz,
Ma dame, pour pleder ton cas   28940
A l'avantage de ton fils,
Dont par dolour sovent palmas ;
Mais autre mercy n'y trovas
Forsq'ils vous ont, dame, escharniz.

 O dame, ce n'estoit mervaille,
Qant tu ne troves que te vaille
Pour ton fils aider en destresce,
Si lors ta paine s'apparaille ;
Car la puante gent merdaille
Pour reviler ta gentillesce   28950
Mainte parole felonnesse
Plain de dolour et de tristesce
Te distront en leur ribaldaille ;
Des males gens auci la presse
Tant fuist, que tu en es oppresse :
Vei la dolente commençaille !
 He, dame, enqure autre dolour
Te croist, que ly fals tourmentour
Ton fils escourgent au piler,
Siq'il en pert sanc et suour,   28960
Dont fuist sanglant par tout entour,
Et tu, ma dame, n'as poer
Ascunement de luy aider :
Nuls ne s'en doit esmervailler
Si lors te change la colour,
Car chascun cop de l'escourger
Te fiert, ma dame, en ton penser
Solonc l'estat du fin amour.
 Tristesce enqore et marrement
Te vienont trop espessement,   28970
Ma dame, qant tu poes oïr
Pilat donner le juggement,
Et puis, ma dame, toy present
Laissa le pueple covenir ;
Lors vient en toy le sovenir,
Q'asses de doel te fait venir,
Pensant de son avienement,
Et q'il nasquit sanz fol desir ;
Pour ce ne duist il pas souffrir
A ton avis si grant tourment.   28980
 He, dame, enqore croist ta peine,
Qant vois venir en la champeine
Des gens sanz nombre et estraier
Des citezeins et gent foreine :
Chascuns endroit de soy se peine
Comme puet venir et aprocher,
Ton fils et toy pour esguarder,

28917 ensoit   28923 enpensant   28936 Ensuspirant
  28941 f. *in ras.*   28955 enes   28960 enpert

La qu'il venoit sa croix porter
Jusques au mont par tiele enseigne
Qe l'en luy deust crucifier: 28990
En tiele chose consirer,
Ma dame, lors te falt aleine.
   Bien tost apres lors voies tu
Les tourmentours, q'ont estendu
Ton fils pour attacher au crois:
Lors escrias, 'O fils Jhesu,
Je te suppli de ta vertu,
Laissetz morir ta mere ainçois.'
Ensi disant deux fois ou trois
Palmas, et a chascune fois, 29000
Qant le poair t'ert revenu,
Tu dis, 'Helas!' a basse vois,
'Helas, Pilat! helas, malvois!
Helas! mon joye ay tout perdu.'
   He, dame, pour mirer au droit
La fourme comme l'en estendoit,
Ton fils qant fuist crucifié,
Dont veine et nerf, u que ce soit,
Trestout au force debrisoit,
Tant sont tirez en long et lée, f. 158
Et tous les joyntz par leur degré 29011
Alors s'estoiont desjoigné,
O qui ta paine conteroit
Que lors te vient en la pensée?
Le corps q'il ot ensi pené
Ton cuer pena de tiel endroit.
   Mais sur trestout te multeplie
Le doel, qant ton chier fils se plie
Dessur la croix et haltement
Cria et laissa ceste vie. 29020
La vois que tu, ma dame, oïe
Avetz t'estonne fierement,
Dont tu pasmas asses sovent:
Son cuer fendu ton cuer pourfent,
La mort de luy toy mortefie;
Son corps morust, ton corps s'extent
Comme mort gisant piteusement,
Car toute joye t'est faillie.
   Du mort qui t'ad fait departir
De ton amy tu voes partir, 29030
Q'a vivre plus tu n'as plesance;
Par quoy la Mort te vient saisir,

Mais Vie ne le voet souffrir,
Ensi commence la destance;
Mort vient et claime l'aqueintance,
Et Vie a soy trait la balance,
Que l'un prent l'autre va tollir:
Ensi toy falt la sufficance,
Qe pour le temps tu n'as puissance
De vivre tout ne tout morir. 29040
   He, dame, bien prophetiza
Saint Simeon, qui toy conta
Comment l'espeie a sa mesure
Ta dolente alme passera.
O dame, ce signefia
Compassioun de ta nature,
Que lors t'avient a mesme l'ure
Qant ton enfant la mort endure:
L'espeie lors te tresperça,
Par quoy la mort te corust sure, 29050
Mais dieus, q'avoit ta vie en cure,
De sa puissance l'aresta.
   He, qui dirroit ta paine fiere,
Qant il tourna vers toy sa chiere,
Et a Jehan tout ensement,
Et si vous dist en la maniere,
'Vei ci ton fils, vei ci ta mere!'
O comme l'eschange fuist dolent,
Qant pour ton fils omnipotent
Il te fait prendre ton client! 29060
Si prens en lieu de ta lumere
La lanterne en eschangement;
Du quoy je n'ay mervaillement
Si celle espeie lors te fiere.
   Si toute paine et le martire
Que le martir et la martire
Souffriront unqes a nul jour
Fuissont en un, ne puet souffire
Pour comparer ne pour descrire,
Dame, au reguard te ta dolour. 29070
Car celle paine q'ert de lour
C'estoit la paine exteriour,
Que soulement le corps enpire,
Mais ta paine ert interiour,
Dont t'alme sente la tristour
Plus que nul homme porroit dire.
   Ce partient, dame, a ton devoir

Pour dolour et tristesce avoir
Plus que nulle autre en terre née ;
Car tu scies, dame, bien du voir 29080
Ce que nul autre puet savoir,
Endroit de sa divinité
Q'il est fils de la trinité,
Et qu'il de toy s'est encharné.
Pour ce, qant tu luy poes veoir
Morir solonc l'umanité,
Le doel que lors tu as mené
N'est cuer qui le puet concevoir.

    Quique remaint, quique s'en vait,
Presde la croix sanz nul retrait, 29090
Ma dame, tu te tiens ensi
En compleignant le grant mesfait
Des males gens, qui tout sustrait
Le fils dieu, qui de toy nasqui :
Mais cil qui lors eust tout oï
Le dolour et la pleignte auci,
Que lors par toy sont dit et fait,
Il porroit dire bien de fy
Que ja de nulle ou de nully
Ne receust cuer si grant deshait. 29100

    Un temps gisoies en pasmant,
Un autre temps en lermoiant,
Ore en suspir, ore en compleignte ;
Et molt sovent vas enbraçant
La croix, u tu ton fils pendant
Reguars, du sanc dont goutte meinte
T'ad du vermail, ma dame, teinte
Des plaies que par grief destreinte
Vienont d'en halt la croix corant :
O tu virgine et mere seinte, 29110
Le dolour de la femme enceinte
A ta dolour n'est resemblant.

    Mais puis, qant Joseph dependoit
Ton fils de la u qu'il pendoit,
Pitousement tes oels levoies ;
Et qant son corps au terre estoit,
Ton corps d'amour s'esvertuoit
Pour l'enbracer, u tu le voies,
Et enbraçant tu luy baisoies,
Et en baisant sur luy pasmoies, 29120
Sovent as chald, sovent as froit ;
Sovent ton douls fils reclamoies,
Des lermes tu son corps muilloies,
Et il ton corps du sanc muilloit.

    Tant come tu as son corps present,
Enqore ascun confortement
En as ; mais deinz brieve houre apres,
Qant Joseph en son monument
Le mist, lors desconfortement
Te vient, ma dame, asses de pres : 29130
Dont tu Joseph prias ades
Q'il pour ton cuer remettre en pes
Toi ove ton fils ensemblement
Volt sevelir, sique jammes
En ceste vie u que tu es
Ne soietz mais entre la gent.

    Mais ce, nientmeinz que tu prias,
Joseph dedist, dont qant veias
Sanz toy ton fils enseveli,
Novel dolour recommenças, 29140
Dont tu crias, ploras, pasmas,
Et regretas la mort de luy
Q'ert ton enfant et ton amy,
Sovent disant, 'Helas, aymy !
O si je ne reverray pas
Mon fils ! Helas, o dieu mercy !
Fai, sire, que je moerge yci
Pour la pité que tu en as.'

    La mort, ma dame, pour certein
A toy lors eust esté prochein, 29150
Si ton chier fils par sa tendresce
N'eust envoié tout prest au mein
De dieu son piere soverein
Ses angles, qui par grant humblesce
Te font confort a la destresce,
Si te diont joye et leesce,
Q'au tierce jour tout vif et sein
Verras ton fils ; et ensi cesse
Par leur novelle la tristesce
En bon espoir de l'endemein. 29160

    Puisq'il ad dit de la Compassioun de nostre dame, dirra ore

---

29079 Plusque   29092 Encompleignant   29109 denhalt   29127 Enas   29148 enas

*de les joyes quelles elle avoit
apres la Resurreccioun de soun
chier fils.*

He, dame, comment conteroie
Deinz brief de la soudeine Joie
Que lors te vient au tierce jour?
Qant l'espirit revient sa voie
D'enfern, u q'il ad pris sa proie
Et aquité nostre ancessour,
Et sur tout ce comme droit seignour
Du mort au corps fait son retour,
Et puis le lieve et le convoie
A ses amys par tout entour, 29170
Et ceaux qui furont en errour
En droite foy les supple et ploie.

O dame, si ton fils appiere
A toy pour moustrer la maniere
Q'il s'est levez du mort en vie,
Drois est que soietz la primere
Ainçois que Jaque, Andreu ne Piere,
Et ensi fuist, n'en doubte mie,
Dont tu, ma dame, es rejoÿe.
Pour celle Joye je te prie 29180
Houstetz, ma dame, la misere
De moy, et par ta courtoisie
En alme et corps sanz departie
Me fai joyous, tresdoulce mere.

Apres sa Resurreccioun
Mort fuist mis en soubjeccioun,
Q'aincois avoit de nous poer;
Dont qant tu as inspeccioun,
Ma dame, ta refeccioun
De molt grant joye estoit plener; 29190
Siq'en avant n'estuet parler
De pleindre ne de suspirer
Ne d'autre tiele objeccioun:
Par quoy desore vuil conter
Tes joyes, dont porray monter,
Ma dame, en ta proteccioun.

He, dame, molt te confortas f. 159
Qant ton fils mort vif revoias,
Qui puis apres au Magdaleine,
Puis a Simon et Cleophas 29200
Se moustra, dont chascuns son cas
Te vient conter a tiele enseigne;
Puis apparust il al unszeine
De sa doctrine et leur enseine,
Et sur ce dist a saint Thomas
Qu'il tasteroit sa char humeine
Pour luy remettre en foy certeine,
Qui pardevant ne creoit pas.

He, dame, ce n'estoit petit,
Qant tiele chose te fuist dit, 29210
Grant Joye en as et grant plesance;
Car lors scies tu sanz contredit
Que les apostres sont parfit
Du droite foy sanz mescreance;
Chascuns en porte tesmoignance,
Et si diont par grande instance,
'No seignour q'estoit mort revit,
Mort est vencu de sa puissance.'
Les mescreantz en ont grevance,
Et tu, ma dame, en as delit. 29220

Puisq'il ad dit de la Resureccioun, dirra ore de l'Ascencioun nostre Seigneur.

Jhesus, qui tout volt confermer,
Qe nous devons jammes douter
Q'il estoit fils au toutpuissant,
Ainçois q'om doit par tout conter,
Sa char humeine fist monter
Au ciel, dont il venoit devant:
L'apostre tous et toy voiant,
Vint une nue en avalant,
Dont il se clost, si q'esgarder
Ne luy poetz de lors avant: 29230
Chascuns s'en vait esmerveillant,
Et tu, ma dame, a leescer.

Qant il montoit, en mesme l'ure
Dieus envoia par aventure
Deux hommes, dame, toy present,
Qui portont blanche la vesture
Et furont du belle estature,

29211 enas 29215 enporte 29219 enont 29220 enas
       29228 enavalant 29231 senvait

Et si diont curtoisement:
'O vous du Galileë gent,
A quoy gardetz le firmament?   29240
Cil Jhesus qui s'en vait dessure,
A son grant Jour de Juggement
Lors revendra semblablement
Pour juger toute creature.'
　Cil qui t'ad guari des tous mals,
C'est ton chier fils, les deux vassals
A ton honour, ma dame, envoit,
Pour toy conter comme tes foials,
Que cil q'ainçois estoit mortals
Sa char humeine lors montoit   29250
A dieu son piere, u qu'il estoit
Et a sa destre s'asseoit.
O dame, q'es de tiels consals
Privé, bien dois en ton endroit
Grant Joye avoir, qant de son droit
Ton fils estoit de ciel Royals.
　O dame, je n'en sui doubtans,
De ciel furont les deux sergantz,
Qui vienont de la court divine
Pour ceaux qui la furont estantz   29260
Faire en la foy le meulx creantz,
Et pour toy conter la covine,
Comment ton fils ot pris saisine
De ciel: et lors chascuns t'encline,
Et puis s'en vont en halt volantz
Vers celle court q'est angeline.
Ton fils, q'ensi la mort termine,
Nous moustra bien q'il est puissantz.
　En ceste siecle se rejoye
Chascune mere, s'elle voie   29270
Son fils monter en grant honour;
Mais tu, ma dame, d'autre voie
Bien dois avoir parfaite Joye,
Voiant ton fils superiour,
De ciel et terre Empereour;
Des tous seignours il est seignour,
Des Rois chascuns vers luy se ploie:
Et ce te fait de jour en jour
Tenir les Joyes au sojour
Et hoster toute anguisse envoie.   29280

Puisqu'il ad dit de l'Ascensioun nostreseignour, dirra ore de l'avenement du saint espirit.

L'en doit bien trere en remembrance
De nostre foy la pourtenance
Comme il avint: pour ce vous dis,
Cil qui nous tient en governance,
Ainz q'il morust, de sa plesance
A ses apostres ot promis
Que depar dieu leur ert tramis
De ciel ly tressaintz esperitz,
Par qui serront en la creance
De toute chose bien apris: 29290
Sur quoy le temps q'il ot assis
Attendont en bonne esperance.
　O dame, q'en scies tout le fait,
Tu n'as pas joye contrefait,
Ainz fuist certain et beneuré;
Dont par consail chascuns s'en vait
De les apostres en aguait
Ove toy, ma dame, en la Cité,
Et la se sont ils demouré,
Sicomme ton fils l'ot assigné,   29300
En esperance et en souhait
Du temps qant serront inspiré
De l'espirit leur avoué,
Par qui bonté serront parfait.
　Ensi comme ton fils leur promist,
Bien tost apres il avenist;
Dieus ses apostres visita,
L'espirit saint il leur tramist,
Qui de sa grace replenist
Leur cuers et tout eslumina;   29310
Diverses langues leur moustra
Semblable au flamme que s'en va
Ardant, dont chascun s'esbahist
Primerement, mais puis cela
La mercy dieu chascuns loa,
Car toute langue il leur aprist.
　Qant tieles langues ont resçuz,
De meintenant leur est infuz
La grace, dont chascuns parloit
En langue des Latins et Greus,   29320
De Mede et Perce et des Caldeus,

29241, 29296 senvait   29265 senvont   29312 senva

D'Egipte et d'Ynde en leur endroit ;
Car terre soubz le ciel n'avoit,
Dont le language ne parloit
L'apostre, qui fuist droit Hebreus :
Du quoy grantment s'esmerveilloit
La multitude quelle estoit
Des autres, q'en sont trop confuz.
 Ensi de grace repleniz
Cils qui de dieu furont apris   29330
S'acordont par commun assent,
Qe l'un de l'autre soit partis
La foy precher en tous paiis
Pour convertir la male gent :
Sur quoy chascuns sa voie prent
Par tout le mond communement ;
Neis un des tous y est remis,
Ma dame, ove toy que soulement
Jehans, qui debonnairement
Pour toy servir t'estoit soubgis.   29340

Ore dirra comment nostre dame se contint en la compaignie de Jehan Evangelist apres l'Ascencioun.

 Apres l'assumpcioun complie
Jehan, ma dame, ades se plie
Pour toy servir et honourer :
Honeste en fuist la compaignie,
L'un vierge a l'autre s'associe
Ensemblement a demourer.
Lors, dame, tu te fais aler
En la Cité pour sojourner
La que tu pues a guarantie
Pres du sepulcre hostell trover,   29350
Pour y aler et contempler
A ta divine druerie.
 Car ja n'estoit ne ja serra
Cuer qui si fort enamoura
Du fin amour en esperance,
Comme tu, ma dame ; et pour cela
Unques celle houre ne passa,
Qe tu ton fils en remembrance
N'eussetz par droite sovenance,
Comme fuist conceu, comme ot naiscance,

Comme Gabriel te salua,   29361
Comme se contint puis en s'enfance,
Comme d'eaue en vin fist la muance,
Comme Lazaroun resuscita.
 De tieles choses tu te penses,
Et puis apres tu contrepenses
De sa penance et dure mort ;
Mais d'autre part qant tu repenses
Son relever, lors tu compenses
Ta peine ovesque ton desport,   29370
Mais au darrein te vient plus fort
La Joye q'en ton cuer resort,
Qant tu l'Ascencioun pourpenses ;
Car lors te vient si grant confort,
Que par tresamourous enhort
Te semble a estre en ses presences.
 Sovent tu vais pour remirer
Le lieu u qu'il se fist monter,
Guardant aval et puis dessure   f. 160
Par amourouse suspirer ;   29380
Ma dame, et lors t'en fais aler
Par fin amour qui te court sure
Pour sercher deinz sa sepulture,
Si tu luy poes par aventure
En l'un ou l'autre lieu trover.
Tu es sa mere de nature,
Et d'autre part sa creature,
Si q'il te falt a force amer.
 Combien que t'alme fuist divine
Et ta pensée celestine,   29390
Ma dame, enqore a mon avis
De tiel amour que je destine
Pour la tendresce femeline
Ton tendre cuer estoit suspris :
Car j'en suy tout certains et fis,
L'amour que portas a ton fils
Estoit de tiele discipline,
Qe tout le monde au droit devis
Ne tous les seintz de paradis
N'en porront conter la covine.   29400
 Mais si d'amour soietz vencu,
Enqore il t'est bien avenu
Qe n'es amie sanz amant ;
Car ly trespuissant fils de dieu

29328 qensont   29344 enfuist   29371 plusfort   29395 iensuy

Q'en toy, ma dame, estoit conceu,
C'est ton amy et ton enfant,
Qui vait de toy enamourant
Sur toute rien que soit vivant :
Loial est il, loiale es tu,
Ce que tu voes il voet atant ; 29410
Bien fuist l'amour de vous seant,
Par qui tout bien nous est venu.
 Ma dame, tu as avantage,
Qe sanz ta lettre et ton message,
Ainz soulement de ta pensée,
Ton amy savoit le corage
De toy et tout le governage
Et en apert et en celée :
Dont il te savoit molt bon gré,
Par quoy sovent en son degré 29420
T'envoia de son halt estage
Son angel, qui t'ad conforté :
Si tu soies enamourée
D'un tiel amy, tu fais que sage.
 La dame que voet estre amye
A tiel amy ne se doit mye
Desesperer ascunement ;
Car quoy q'om pense ou face ou die,
Sa sapience est tant guarnie
Q'il le sciet tout apertement ; 29430
Le ciel ove tout le firmament,
La terre ove tout le fondement,
Tout fist au primere establie.
He, dame, tu fais sagement
D'amer celluy qui tielement
De son sens nous governe et guie.
 Ton amy, dame, est auci fort,
Q'au force il ad vencu la mort,
Et tous les portes enfernals
Malgré le deble et son acort 29440
Rompu, pour faire le confort
A ceaux q'ainçois furont mortals :
Unques Charles Emperials
N'estoit ensi victorials,
Ne si forcibles de son port.
Dont m'est avis q'uns tiels vassals,
Ma dame, parmy ses travals
Digne est d'amour et de desport.

 Enquore pour parler ensi
De la bealté de ton amy, 29450
Lors m'est avis par droit amer
Que tu, ma dame, as bien choisy ;
Car il sur tout est enbelly
Plus que l'en porroit deviser :
Trestous les angles au primer,
Et cils qui dieus glorifier
Voldra, par te sont esjoÿ ;
Car ils n'ont autre desirer,
Fors soul sa face remirer
Pour la bealté q'ils trovent y. 29460
 Et si nous parlons de richesse,
Ma dame, unqes nulle Emperesse
Un autre amy si riche avoit ;
Car ciel et terre ove leur grandesse,
La mer ove tout sa parfondesse,
Le firmament q'ensus l'en voit,
Trestout ce partient a son droit ;
N'y ad richesse en nulle endroit
Dont ne puet faire sa largesce.
He dame, quoy q'avenir doit, 29470
D'un tiel amy qui se pourvoit
Par povreté n'avra destresce.
 De gentillesce pour voir dire,
Ma dame, tu scies bien eslire
Un amy gentil voirement
Plus que nul homme puet souffrir
Pour reconter ne pour descrire :
Car dieu le piere est son parent,
Q'avant trestout commencement
L'engendra mesmes proprement 29480
Egal a luy deinz son empire,
Et puis la char q'il de toy prent
Estoit née du royale gent :
Vei la comme il est gentil sire !
 Et pour parler de curtoisie,
Lors est asses que je vous die
Que ton amy soit plus curtois
Que nuls qui maint en ceste vie ;
Car il est de la court norrie
U jammais vilains ne malvois 29490
Entrer porra nul jour du moys,
S'il par la grace dieu ainçois

29454, 29476 Plusque

Ne laisse toute vilainie.
He, dame, tu as bien ton chois,
Si bien norry qant tu luy vois,
A qui tu mesmes es amye.
　Mais ton amy et ton vassal
Est il, ma dame, liberal?
Certainement je dy que voir
De sa franchise natural 29500
A nous trestous en general
Donna le meulx de son avoir,
C'estoit son corps, dont vie avoir
Nous fist, et puis de son pooir
Le mondein ove l'espirital
Nous ad donné pour meulx valoir.
He, dame, ne te puet doloir
D'avoir si bon especial.
　De treble joye a mon avis
Ton cuer, ma dame, est rejoïz, 29510
En ciel, en terre, en creature;
En ciel pour ce que tes amys
Y est du pres son piere mys,
Comme cil q'est toutpuissant dessure:
C'est une chose que t'assure
Qu'il est auci de ta nature,
Par ce q'en toy sa char ad pris
Et toy laissa virgine pure;
Dont resoun est que l'en t'onure
Pour l'onour de ton noble fils. 29520
　A plus sovent de jour en jour
D'en halt le ciel superiour
Ses angles t'ad fait envoier,
Pour reporter la grant doulçour
De vo tresfin loyal amour,
Q'est entre vous sanz deviser.
He, dame, de tiel messager,
Par qui te voloit visiter,
Q'ert de sa maison angelour,
Grant joye porretz demener, 29530
Q'ensi te fesoit honurer
De son celestial honour.
　En terre auci te fais joÿr,
Car des apostres pues oïr
Chascune jour de la semeigne,
Comme ils les gens font convertir,

Pour queux ton fils voloit morir:
Dont tu, ma dame, as Joye pleine,
Car par cela tu es certeine
La mort ton fils ne fuist pas veine, 29540
Qant tiel effect vois avenir;
Du quoy ton cuer grant Joie meine
Pour la salut du vie humeine,
Quelle autrement devoit perir.
　La nuyt que ton chier fils nasquit
Molt fuist certain que l'angel dist,
Qe peas a l'omme soit en terre;
Car ainz q'il mort pour nous souffrit,
La terre en soy lors fuist maldit,
Mais ton chier fils q'est debonnere 29550
La faisoit de sa mort refere,
Et l'omme, ainçois qui par mesfere
Au deable avoit esté soubgit,
Remist en grace de bienfere.
He, dame, de si bon affere
Ton cuer en terre s'esjoÿt.
　Depuisque l'omme ot offendu
Son dieu, de lors fuist defendu
Qu'il eust pover sur creature,
Sicomme devant avoit eeu; 29560
Car par pecché luy fuist tollu
Ce qu'il ainçois ot de nature:
Mais qant ton fils morust, al hure
Lors fuist redempt la forsfaiture,
Dont la franchise estoit rendu
A l'omme, siq'en sa mesure
De toutes bestes a dessure
Il fuist le seconde apres dieu.
　Et ensi fuist reconcilé
Le forsfait et l'iniquité 29570
Entre autre creature et nous; f. 161
Dont m'est avis en verité
Qe ton cuer, dame, en son degré
Du creature estoit joyous:
Car ton chier fils, q'est gracious,
Le ciel, la terre et nous trestous,
Et chascun creature née,
Ma dame, pour l'amour de vous
Ad du novell fait glorious,
Dont son noun soit glorifié. 29580

29493 No　　29521 plussouent　　29522 Denhalt

**Ore dirra de la mort et de la
Assumpcioun de nostre Dame.**
He, dame, comment conteroie
Ce que je penser ne pourroie?
Car certes je ne puiss suffire,
Si toute langue serroit moie,
Pour reconter la disme joye,
De jour en jour q'en toy respire,
Depuis ce que ton fils et sire
A dieu le piere en son empire
S'estoit monté la halte voie:
Mais sur tout, dame, pour voir dire,
Q'ove luy fuissetz ton cuer desire 29591
Par fin amour qui te convoie.

Et pour ce, dame, ton amy,
Ton chier fils et ton chier norri,
Qui ton desir trestout savoit,
Au temps qu'il avoit establi
Volt bien que tout soit acompli
Ce que ton cuer plus desiroit:
Par quoy, ma dame, en son endroit
Comme ton loyal amy faisoit, 29600
Ne t'avoit pas mys en oubli,
Ainz son saint angel t'envoioit,
Par qui le temps te devisoit
Q'il voet que tu vendretz a luy.

Sicomme l'escript nous fait conter,
Ma dame, pour droit acompter,
Depuis le temps que ton chier fils
Fuist mort et q'il te volt laisser
Derere luy pour demourer,
Douze auns sur terre tu vesquis; 29610
Mais lors de ciel il t'ad tramis
Son angel, q'ad le terme mis,
Quant tu du siecle dois passer
Pour venir a son paradis,
U tu, ma dame, apres toutdis
Dois ton chier fils acompaigner.

Cell angel, dame, te desporte
Par une palme q'il t'apporte,
Q'en paradis avoit crescance,
Au fin que qant tu serres morte, 29620
De les apostres un la porte
Devant ton fertre en obeissance;
Car au jour tierce sanz penance

Morras, ce dist, par l'ordinance
De dieu, q'ot fait ovrir sa porte,
U dois entrer en sa puissance.
Ensi te mist en esperance
Cel angel, qui te reconforte.

Qant as entendu le message,
Dieu en loas du bon corage, 29630
Et oultre ce tu luy prioies
Q'ascun de l'enfernal hostage,
Qant tu serres sur ton passage
Des oels mortielx jammes ne voies;
Et puis prias par toutes voies
Disant: 'O dieus, qui tu m'envoies
Tes saintz apostres au terrage
Du corps dont nestre tu deignoies.'
Tout fuist granté ce que voloies,
Et l'angel monte en son estage. 29640

O dame, cil qui toy fist nestre
D'un ventre viel, baraigne et flestre,
Volt ore auci contre nature
Miracle faire ensi comme mestre,
Par quoy ton fin de la terrestre
Volt guarder comme sa propre cure;
Si fist venir par aventure
Tous ses apostres en une hure,
Q'ainçois en mainte diverse estre
Furont dispers, et il dessure 29650
Te vint garder en sa mesure
Ove grant part de sa court celestre.

Ton fils te dist en confortant,
'O mere, vei cy ton enfant!'
Et tu, ma dame, d'umble atour
Luy ditz, 'Beal fils, je me commant
A toy,' ensi sovent disant,
'Mon fils, mon dieu, mon crea-
    tour!'
Ton corps morust sanz nul dolour,
Et maintenant si bon odour 29660
Par toute la maisoun s'espant,
Qe cils qui furont la entour
Sont repleniz du grant doulçour,
Loenge et grace a dieu rendant.

Qui toute chose en soi comprent,
Il mesmes t'alme enporte et prent
Des angles tout environné,

Et a son piere en fait present,
U toutes joyes du present
Sont a ton oeps apparaillé; 29670
Et puis par grant solempneté
Les saintz apostres ont porté
Ton corps jusq'a l'enterrement :
Mais ainz que fuissetz enterré,
Maint grant miracle y ot moustré
Pour convertir la male gent.
 Ensi come ils ton corps portoiont,
Les males gens q'envie avoiont
Le pensont a deshonourer ;
Dont a ton fiertre s'aroutoiont, 29680
Ruer au terre le voloiont,
Du quoy lour vint grant encombrer ;
Les uns commençont avoegler,
Les autres ne poont houster
Leur mains du fertre u s'aherdoiont,
Si leur covint mercy crier
Et les apostres de prier,
Ainz q'ils de riens gariz en soiont.
 Ton corps des cendals bel attournent,
En terre mettont et adournent 29690
Du Josaphat en la valée ;
Puis lour dist dieus q'ils n'en retour-
 nent,
Mais q'en la place ades sojournent
Trois jours ; car lors en verité
Prendroit le corps resuscité
Pour mener en sa deité.
Ensi l'apostre ne s'en tournent,
Ainz a grant joye ont demouré
Pour estre a la sollempneté ;
Le dieu precept en ce parfournent.
 Ma dame, au jour q'il ot promis 29701
Vint ove ses angles infinitz
Pour ton saint corps resusciter ;
Dont en ton corps l'alme ad remis,
Et si te dist comme bons amys,
O mere, molt de toy louer :
' Virgine sanz nul mal penser,
Ore est le temps du guerdonner,
Qe tu m'as de ton lait nourris :
Venetz la sus enhabiter, 29710

Q'en joye sanz determiner
Serras tu, mere, et je ton fils.
 ' Du vie mere es appellée,
La mort en toy n'ad poesté,
Tenebres ne te pourront prendre,
Q'en toy fuist la lumere née ;
Je mys en toy ma deité,
Pour ce ton corps ne serras cendre.
O belle vierge, fresche et tendre,
Qui ciel ne terre pot comprendre 29720
Tu portas clos en ta costée :
Ore est que je le te vuil rendre,
Venetz ove moy la sus ascendre,
U que tu serras coronnée.
 ' Sicome du joye as repleny
Le mond, q'ainçois estoit peri,
Et celle gent q'estoit perdue,
Ma belle mere, tout ensi
Le ciel amont, qant vendretz y,
S'esjoyera de ta venue. 29730
O tu m'espouse, o tu ma drue,
Tu es la moye et je suy tue,
Ore serra ton desir compli.'
Ensi parlant le corps remue,
Montantz en halt dessur la nue,
L'espouse ovesque son mary.
 De molt grant joye et melodie
La court de ciel fuist replenie,
Qant voiont venir la virgine :
De ce ne me mervaille mye, 29740
Car mesmes dieu la meine et guie
Et de son ciel l'ad fait saisine,
Et la coronne riche et fine
De la richesce que ne fine
Assist dessur le chief Marie ;
Sique sanz fin de sa covine
Ert dame de la court divine,
U tout honour luy multeplie.
 Les saintz apostres qui ce viront
Pour tesmoigner le fait escriront, 29750
Rendant loenge a leur seignour :
Mais au mervaille ils s'en partiront,
Car l'un de l'autre s'esvaniront
Trestout en un moment du jour ;

29668 enfait 29688 ensoiont 29693 Maisqen

Chascuns reguarde soy entour,
Et se trovent sanz nul destour
En les paiis dont ils veniront;
U qu'il prechont leur salveour,
Et par miracles de l'errour
Au droite foy les convertiront.   29760

   Ore dirra les causes par   [f. 162
quoy nostre dame demoura si
longement en ceste vie apres le
decess de son treschier fils.

O bon Jhesu, ne te desplace,
D'un riens si je toi demandasse,
Q'ascuns s'esmerveillont pour quoy,
Qant tu montas ta halte place,
Qe lors, monseignour, de ta grace
N'eussetz mené ta mere ove toy
Sanz plus attendre ; car je croy
Sanz resonnable cause en soy
Le terme ne s'en pourloignasse :
Dont certes, sire, en bonne foy   29770
Trois causes pense en mon recoy,
Les queux dirray, maisq'il te place.
   Qant tu ascendis a ton piere,
Si lors eussetz mené primere
Ta mere ove toy conjointement,
Les angles de ta Court plenere,
Qui n'en savoiont la manere,
Ussont eeu mervaillement,
Voiant si fait aviencment
D'un homme et femme ensemblement,
De toy et de ta doulce mere ;   29781
Dont n'eussont sceu certainement
A qui de vous primerement
Ussont moustré plus bonne chere.
   Une autre cause a mon avis,
Depuisque tu, sire, es son fils,
Qui scies trestoute chose avant,
Par bonne resoun ascendis
Primerement en ton paiis
Comme son amy et son enfant,   29790
Ensi que fuissetz au devant.
Apparaillant et ordinant
Son lieu par si tresbon devis,

Siq'a ta mere en son venant
Trestous luy fuissont entendant,
Sibien les grans comme les petis.
   O Jhesu, mesmes tu le dis,
Tesmoign de tes evangelis,
En terre pour leur conforter
A tes apostres as promis,   29800
Q'apres que d'eaux fuissetz partiz,
Voldretz en ciel apparailler
Lour lieus. O, qui lors puet doubter,
Qant tu l'ostell vols arraier
Pour ceaux qui furont tes soubgis,
Qe tu tout autrement amer
Ne voes ta mere, et ordiner
Pour celle qui t'avoit norriz ?
   La tierce cause est molt notable
As toutes gens et proufitable,   29810
Q'elle ert derere toy laissé,
Car elle estoit si bien creable,
Par quoy no foy la plus estable
De sa presence ert confermé.
Car combien que par leur degré
Les autres furont doctriné,
Dont ils toy furont entendable,
Nientmeinz en ta divinité
Ne poont estre si privé
Comme celle en qui tu es portable.
   Sicomme le livre nous devise,   29821
La droite foy de sainte eglise
Fuist en ta mere soulement
Apres ta mort reposte et mise,
Jusques atant que la franchise
De l'espirit omnipotent
Par son tressaint aviencment
Donnoit le clier entendement
As autres par sa bonne aprise :
Pour ce molt fuist expedient   29830
Qe tu ta mere, toy absent,
Laissas derere en tiele guise.
   O Jhesu, qui tout es parfit,
Par ces trois causes que j'ay dit
Certainement, sicome je pense,
Tu le mettoies en respit,
Q'ainçois ta mere n'ascendist :

29772 masqil

Mais tu, q'es toute sapience,
Qant temps venoit de ta science,
Lors de ta sainte providence   29840
Le corps ovesque l'espirit
De la virgine en ta presence
Montas ove toute reverence
Pour ton honour et son proufit.
  O dame, q'es par tiele assisse
En halte gloire et joye assisse,
Tu fais par tout les joyes crestre:
Les angles en ont joye prise,
Qant leur cité, q'estoit divise,
Que Lucifer ot fait descrestre,   29850
Voint si noblement recrestre
Par toy, ma dame, et par ton estre;
Et d'autre part en leur franchise
Par luy qui deigna de toi nestre
As restitut la gent terrestre,
Qui sont redempt de la juyse.
  O vous, douls fils et doulce mere,
Q'ensemble tante paine amere
Souffristes en la terre yci,
Drois est q'en mesme la manere   29860
Apres vo paine et vo misere
Soietz ensemble rejoÿ.
O fils et mere, ensi vous pry,
Par la dolour dont je vous dy
Mettetz ma dolour loign derere,
Et pour voz joyes vous suppli,
Me donnetz celle joye auci,
Que vous avetz toutdis plenere.
  O dame, tout le cuer me donne,
Pour le grant bien q'en toi fuisonne
Qe nullement me duisse taire   29871
Pour toi louer, de qui l'en sonne
Loenge; dont je m'abandonne,
Ma dame, a ta loenge faire,
Q'es belle et bonne et debonnaire.
Ton fils t'ad donné le doaire
De ciel ovesque la coronne;
Maisqu'il te porroit, dame, plaire,
Trestout le plus de mon affaire
Mette a l'onour de ta personne.   29880
  Grant bien nous est, dame, avenu,

Ton fils t'ad mis en si halt lieu,
U tu le mond poes survoier;
Et es auci si pres de dieu,
Qe qant peril nous est esmeu,
Tantost y viens pour socourer
A nous, qu'il deigna rechater:
Car tout ensi comme tu primer
Portas au monde no salu,
Ensi t'en fais continuer.   29890
C'est ce qui me fait esperer
Que je ne serray pas perdu.
  O dame des honours celestes,
Pour celle joye u vous y estes
Remembre de nous exulés
En ceste vall plain de tempestes,
Plain du misere et des molestes,
Dont suismes tous jours travaillez,
Gardetz nous, dame, et defendetz,
Et qant nous prions tes pités,   29900
Entendetz, dame, a noz requestes;
Car en ce suismes asseurez
Qe tous les nouns dont es clamez
Sont merciables et honnestes.

  Puisqu'il ad dit des joyes et dolours nostre dame, dirra ore les propretés de ses nouns.

  O dame, pour la remembrance
De ton honour et ta plesance
Tes nouns escrivre je voldrai;
Car j'ay en toy tiele esperance,
Que tu m'en fretz bonne alleggance,
Si humblement te nomerai.   29910
Pour ce ma langue enfilerai,
Et tout mon cuer obeierai,
Solonc ma povre sufficance
Tes nouns benoitz j'escriveray,
Au fin que je par ce porray,
Ma dame, avoir ta bienvuillance.
  O mere et vierge sanz lesure,
O la treshumble creature,
Joye des angles gloriouse,
O merciable par droiture,   29920
Restor de nostre forsfaiture,

29848 enont   29886 yviens

Fontaine en g*r*ace plentevouse,
O belle Olive fructuouse,
Palme et Cipresse p*r*eciouse,
O de la mer estoille pure,
O cliere lune esluminouse,
O amiable, o amourouse
Du bon am*our* qui toutdis dure.
 O rose sanz espine dite,
Odour de balsme, o mirre eslite, 29930
O fleur du lys, o turturelle,
O vierge de Jesse confite,
Com*m*encement de no merite,
O dieu espouse, amye, ancelle,

O debonaire columbelle,
Sur toutes belles la plus belle,
O gem*m*e, o fine Margarite,
Mere de mercy l'en t'appelle,
Tu es de ciel la fenestrelle
Et porte a paradis p*ar*fite.   29940
 O gloriouse mere dée,
Vierge des vierges renom*m*ée,
De toy le fils dieu deigna nestre;
O temple de la deité,
Essample auci de chastité,
.   .   .   .

  29936 plusbelle   *A few leaves are lost at the end of the MS.*

BALADES

⟨DEDICATION TO KING HENRY THE FOURTH.⟩

⟨I⟩ 1. Pité, prouesse, humblesse, honour roial
　　　Se sont en vous, mon liege seignour, mis
　　　Du providence q'est celestial.
　　　Noz coers dolentz par vous sont rejoïs;
　　　Par vous, bons Roys, nous susmes enfranchis,
　　　Q'ainçois sanz cause fuismes en servage:
　　　Q'en dieu se fie, il ad bel avantage.

　　2. Qui tient du ciel le regne emperial
　　　Et ad des Rois l'estat en terre assis,
　　　Ceo q'il ad fait de vostre original　　　　　10
　　　Sustiene ades contre vos anemis;
　　　Dont vostre honour soit sauf guardé toutdis
　　　De tiel conseil que soit et bon et sage:
　　　Q'en dieu se fie, il ad bel avantage.

　　3. Vostre oratour et vostre humble vassal,
　　　Vostre Gower, q'est trestout vos soubgitz,
　　　Puisq'ore avetz receu le coronal,
　　　Vous frai service autre que je ne fis,
　　　Ore en balade, u sont les ditz floriz,
　　　Ore en vertu, u l'alme ad son corage:　　　20
　　　Q'en dieu se fie, il ad bel avantage.

　　The authority for the Balades is the MS. at Trentham Hall.

4. O gentils Rois, ce que je vous escris
   Ci ensuant ert de perfit langage,
   Dont en latin ma sentence ai compris:
   Q'en dieu se fie, il ad bel avantage.

O recolende, bone, pie Rex Henrice, patrone,
Ad bona dispone quos eripis a Pharaone;
Noxia depone, quibus est humus hec in agone,
Regni persone quo viuant sub racione;
Pacem compone, vires moderare corone,
Legibus impone frenum sine condicione,
   Firmaque sermone iura tenere mone.
Rex confirmatus licet vndique magnificatus,
H. aquile pullus, quo nunquam gracior vllus,
Hostes confregit que tirannica colla subegit: 10
H. aquile cepit oleum, quo regna recepit,
Sic veteri iuncta stipiti noua stirps redit vncta[1].

Nichil proficiet inimicus in eo, et filius iniquitatis non apponet nocere ei.

Dominus conservet eum, et viuificet eum, et beatum faciat[2] eum in terra, et non tradat eum in animam inimicorum eius.

⟨II⟩ 1. A vous, mon liege Seignour natural,
    Henri le quarte, l'oure soit benoit
    Qe dieu par vous de grace especial
    Nous ad re . . . .

---

[1] *Owing to the loss of a part of the leaf* (f. 12) *on which the Latin occurs, the text of* ll. 9-12 *and of the first prose quotation which follows is imperfect. It runs thus*:

   . . . . . pullus quo nunquam gracior vllus
   . . . . regit que tirannica colla subegit
   . . . ile cepit oleum quo regna recepit
   . . . ri iuncta stipiti noua stirps redit vncta.
   . . il proficiet inimicus in eo et filius iniqui
   . . . non apponet nocere ei.

The missing words are supplied from other copies of the same lines, which are found in a somewhat different arrangement in the All Souls' and Glasgow MSS. of the 'Vox Clamantis' (the prose quotations in the latter only).

[2] faciat *Glasg.*   faciet *Trent.*

II *The damage to* f. 12 *of the MS. has caused the loss of a part of this Balade and of the next.*

BALADES

    Ore est be . . . . . .
    Ore est , ...
    Par d . . . .
    . . . .

2. C . . . . c . . . .
    D . . . .
    O . . . .
    O . . . .
    P . . . .
    V . . . .
    A . . . .
    Ca . . . .

3. Du . . . .
    Ainz graunt . . . . . .
    Car tiel amour q'est . . . .
    Quant temps vendra joious louer reçoit:
    Ensi le bon amour q'estre soloit
    El temps jadis de nostre ancesserie,
    Ore entre nous recomencer om doit
    Sanz mal pensier d'ascune vileinie.

4. O noble Henri, puissant et seignural,
    Si nous de vous joioms, c'est a b⟨on droit⟩:
    Por desporter vo noble Court roia⟨l⟩
    Jeo frai balade, et s'il a vous plerro⟨it⟩,
    Entre toutz autres joie m'en serroit:
    Car en vous soul apres le dieu aïe
    Gist moun confort, s'ascun me grieveroit.
    Li Rois du ciel, monseignour, vous mercie.

5. Honour, valour, victoire et bon esploit,
    Joie et saunté, puissance et seignurie,
    Cil qui toutz biens as bones gentz envoit
    Doignt de sa grace a vostre regalie.

26-28 *The ends of these lines are somewhat damaged and have been conjecturally restored.*   27 Courte

⟨CINKANTE BALADES.⟩

Si apres sont escrites en françois Cinkante bal-
ades, quelles t . . . . d fait, dont les
. . . . ment desporter.

⟨I⟩ 1. . . . . esperance
. . . . attens
. . . . ance
. . . .
. . . .
. . . .
. . . .
⟨Mon coer remaint toutditz en vostre grace.⟩

2. . . . .
. . . .
. . . . . gementz
. . . ssetz mon purpens :
Car qoi qu'om dist d'amer en autre place,
Sanz un soul point muer de toutz mes sens
Moun coer remaint toutditz en vostre grace.

3. Si dieus voldroit fin mettre a ma plesance,
Et terminer mes acomplissementz,
Solonc la foi et la continuance
Que j'ai gardé sanz faire eschangementz,
Lors en averai toutz mez esbatementz :
Mais por le temps, quoique fortune enbrace,
Entre lez biens du siecle et les tormentz
Mon coer remaint toutdits en vostre grace.

4. Par cest escrit, ma dame, a vous me rens :
Si remirer ne puiss vo bele face,
Tenetz ma foi, tenetz mes serementz ;
Mon coer remaint toutditz en vostre grace.

21 enau*e*rai

BALADES

II. 1. L'ivern s'en vait et l'estée vient flori,
De froid en chald le temps se muera,
L'oisel, qu'ainçois avoit perdu soun ny,
Le renovelle, u q'il s'esjoiera:
De mes amours ensi le monde va,
Par tiel espoir je me conforte ades;
Et vous, ma dame, croietz bien cela,
Quant dolour vait, les joies vienont pres.

2. Ma doulce dame, ensi come jeo vous di,
Saver poetz coment moun coer esta,
Le quel vous serve et long temps ad servi,
Tant com jeo vive et toutditz servira:
Remembretz vous, ma dame, pour cela
Q'a moun voloir ne vous lerrai jammes;
Ensi com dieus le voet, ensi serra,
Quant dolour vait, les joies vienont pres.

3. Le jour qe j'ai de vous novelle oï,
Il m'est avis qe rien me grievera:
Porceo, ma chiere dame, jeo vous pri,
Par vo message, quant il vous plerra,
Mandetz a moi que bon vous semblera,
Du quoi moun coer se poet tenir en pes:
Et pensetz, dame, de ceo q'ai dit pieça,
Quant dolour vait, les joies vienont pres.

4. O noble dame, a vous ce lettre irra,
Et quant dieu plest, jeo vous verrai apres:
Par cest escrit il vous remembrera,
Quant dolour vait, les joies vienont pres.

III. 1. D'ardant desir celle amorouse peigne
Mellé d'espoir me fait languir en joie;
Dont par dolçour sovent jeo me compleigne
Pour vous, ma dame, ensi com jeo soloie.
Mais quant jeo pense que vous serretz moie,

II 4 qil ses ioiera   17 nouett

De sa justice amour moun coer enhorte,
En attendant que jeo me reconforte.

2. La renomée, dont j'ai l'oreile pleine,
De vo valour moun coer pensant envoie
Milfoitz le jour, u tielement me meine,
Q'il m'est avis que jeo vous sente et voie,
Plesante, sage, belle, simple et coie :
Si en devient ma joie ades plus forte,
En attendant que jeo me reconforte.

3. Por faire honour a dame si halteigne
A toutz les jours sanz departir me ploie ;
Et si dieus voet que jeo le point atteigne
De mes amours, que jeo desire et proie,
Lors ai d'amour tout ceo q'avoir voldroie :
Mais pour le temps espoir moun coer supporte,
En attendant que jeo me reconforte.

4. A vous, ma dame, ensi come faire doie,
En lieu de moi ceo lettre vous apporte ;
Q'en vous amer moun coer dist toute voie,
En attendant que jeo me reconforte.

IIII. 1. D'entier voloir sanz jammes departir,
Ma belle, a vous, en qui j'ai m'esperance,
En droit amour moun coer s'ad fait unir
As toutz jours mais, pour faire vo plesance :
Jeo vous asseur par fine covenance,
Sur toutes autres neez en ceste vie
Vostre amant sui et vous serrez m'amie.

2. Jeo me doi bien a vous soul consentir
Et doner qanque j'ai de bienvuillance ;
Car pleinement en vous l'en poet sentir
Bealté, bounté, valour et sufficaunce :
Croietz moi, dame, et tenetz ma fiaunce,
Qe par doulçour et bone compaignie
Vostre amant sui et vous serrez m'amie.

III 10 tielment   13 plusforte   14, 21, 25 Enattendant

3. De pluis en pluis pour le tresgrant desir
Qe j'ai de vous me vient la remembrance
Q'en mon pensant me fait tant rejoïr,
Qe si le mond fuist tout en ma puissance,
Jeo ne querroie avoir autre alliance:
Tenetz certain qe ceo ne faldra mie,   20
Vostre amant sui et vous serretz m'amie.

4. Au flour des flours, u toute ma creance
D'amour remaint sanz nulle departie,
Ceo lettre envoie, et croi me sanz doubtance,
Vostre amant sui et vous serretz m'amie.

IIII* 1. Sanz departir j'ai tout mon coer assis
U j'aim toutditz et toutdis amerai;
Sanz departir j'ai loialment promis
Por toi cherir tancome jeo viverai;
Sanz departir ceo qe jeo promis ai
Jeo vuill tenir a toi, ma debonaire;
Sanz departir tu es ma joie maire.

2. Sanz departir jeo t'ai, m'amie, pris,
Q'en tout le mond si bone jeo ne sai;
Sanz departir tu m'as auci compris   10
En tes liens, dont ton ami serrai;
Sanz departir tu m'as tout et jeo t'ai
En droit amour por ta plesance faire;
Sanz departir tu es ma joie maire.

3. Sanz departir l'amour qe j'ai empris
Jeo vuill garder, qe point ne mesprendray;
Sanz departir, come tes loials amis,
Mon tresdouls coer, ton honour guarderai;
Sanz departir a mon poair jeo frai
Des toutes partz ceo qe toi porra plaire;   20
Sanz departir tu es ma joie maire.

IIII* *In the MS. this and the preceding Balade are both numbered* IIII.

4. De coer parfit, certain, loial et vrai
   Sanz departir en trestout mon affaire
   Te vuil amer, car ore est a l'essai ;
   Sanz departir tu es ma joie maire.

V. 1. Pour une soule avoir et rejoïr
   Toutes les autres laisse a noun chaloir :
   Jeo me doi bien a tiele consentir,
   Et faire honour a trestout moun pooir,
   Q'elle est tout humble a faire mon voloir :
   Jeo sui tout soen et elle est toute moie,
   Jeo l'ai et elle auci me voet avoir ;
   Pour tout le mond jeo ne la changeroie.

2. Qui si bone ad bien la devera cherir,
   Q'a sa valour n'est riens qe poet valoir :
   Jeo di pour moi, quant jeo la puiss sentir,
   Il m'est avis qe jeo ne puiss doloir.
   Elle est ma vie, elle est tout mon avoir,
   Elle est m'amie, elle est toute ma joie,
   Elle est tout mon confort matin et soir ;
   Pour tout le mond jeo ne la changeroie.

3. La destinée qe nous ad fait unir
   Benoite soit ; car sanz null decevoir
   Je l'aime a tant com coer porra tenir,
   Ceo prens tesmoign de dieu qui sciet le voir :
   Si fuisse en paradis ceo beal manoir,
   Autre desport de lui ja ne querroie ;
   C'est celle ove qui jeo pense a remanoir,
   Pour tout le mond jeo ne la changeroie.

4. Ceste balade en gré pour recevoir,
   Ove coer et corps par tout u qe jeo soie,
   Envoie a celle u gist tout mon espoir :
   Pour tout le mond jeo ne la changeroie.

Les balades d'amor jesqes enci sont fait especialement pour ceau*x* q'attendont lours amou*rs* par droite mariage.

BALADES

VI. 1. La fame et la treshalte renomée
    Du sens, beauté, manere et gentilesce,
    Qe l'en m'ad dit sovent et recontée
    De vous, ma noble dame, a grant leesce
    M'ad trespercié l'oreille et est impresse
    Dedeinz le coer, par quoi mon oill desire,
    Vostre presence au fin qe jeo remire.

Les balades d'ici jesqes au fin du livere sont universeles a tout le monde, selonc les pretés et les condicions des Amantz, qui sont diversement travailez en la fortune d'amour.

2. Si fortune ait ensi determinée,
    Qe jeo porrai veoir vo grant noblesce,
    Vo grant valour, dont tant bien sont parlée,
    Lors en serra ma joie plus expresse :
    Car pour service faire a vostre haltesse
    J'ai grant voloir, par quoi mon oill desire,
    Vostre presence au fin qe jeo remire.

3. Mais le penser plesant ymaginée,
    Jesqes a tant qe jeo le lieu adesce,
    U vous serretz, m'ad ensi adrescée,
    Qe par souhaid Milfoitz le jour jeo lesse
    Mon coer aler, q'a vous conter ne cesse
    Le bon amour, par quoi moun oill desire,
    Vostre presence au fin que jeo remire.

4. Sur toutes flours la flour, et la Princesse
    De tout honour, et des toutz mals le Mire,
    Pour vo bealté jeo languis en destresce,
    Vostre presence au fin qe jeo remire.

VII. 1. De fin amour c'est le droit et nature,
    Qe tant come pluis le corps soit eslongée,
    Tant plus remaint le coer pres a toute hure,
    Tanqu'il verra ceo qu'il ad desirée.
    Pourceo sachetz, ma tresbelle honourée,
    De vo paiis qe jeo desire l'estre,
    Come cil qui tout vo chivaler voet estre.

VII 5 Pouceo

2. De la fonteine ensi come l'eaue pure
   Tressalt et buile et court aval le prée,
   Ensi le coer de moi, jeo vous assure,
   Pour vostre amour demeine sa pensée ;
   Et c'est toutdits sanz repos travailée,
   De vo paiis que jeo desire l'estre,
   Come cil qui tout vo chivaler voet estre.

3. Sicome l'ivern despuile la verdure
   Du beal Jardin, tanque autresfoitz Estée
   L'ait revestu, ensi de sa mesure
   Moun coer languist, mais il s'est esperée
   Q'encore a vous vendrai joious et lée ;
   De vo paiis qe jeo desire l'estre,
   Come cil qui tout vo chivaler voet estre.

4. Sur toutes belles la plus belle née,
   Plus ne voldrai le Paradis terrestre,
   Que jeo n'ai plus vostre presence amée,
   Come cil qui tout vo chivaler voet estre.

VIII. 1. D'estable coer, qui nullement se mue,
   S'en ist ades et vole le penser
   Assetz plus tost qe falcon de sa Mue ;
   Ses Eles sont souhaid et desirer,
   En un moment il passera la mer
   A vous, ma dame, u tient la droite voie,
   En lieu de moi, tanque jeo vous revoie.

2. Si mon penser saveroit a sa venue
   A vous, ma doulce dame, reconter
   Ma volenté, et a sa revenue
   Vostre plaisir a moi auci conter,
   En tout le mond n'eust si bon Messager ;
   Car Centmillfoitz le jour jeo luy envoie
   A vostre court, tanque jeo vous revoie.

3. Mais combien qu'il ne parle, il vous salue
   Depar celui q'est tout le vostre entier,
   Q'a vous servir j'ai fait ma retenue,
   Come vostre amant et vostre Chivaler:

VIII 12 sibon

>   Le pensement qe j'ai de vous plener,
>   C'est soulement qe mon las coer convoie
>   En bon espoir, tanqe jeo vous revoie.
>
> 4. Ceste balade a vous fait envoier
>   Mon coer, mon corps, ma sovereine joie:
>   Tenetz certein qe jeo vous vuill amer
>   En bon espoir, tanqe jeo vous revoie.

IX. 1. Trop tart a ceo qe jeo desire et proie
      Vient ma fortune au point, il m'est avis;
      Mais nepourquant mon coer toutdis se ploie,
      Parfit, verai, loial, entalentis
      De vous veoir, qui sui tout vos amis
      Si tresentier qe dire ne porroie:
      Q'apres dieu et les saintz de Paradis
      En vous remaint ma sovereine joie.

   2. De mes deux oels ainçois qe jeo vous voie,
      Millfoitz le jour mon coer y est tramis
      En lieu de moi d'aler la droite voie
      Pour visiter et vous et vo paiis:
      Et tanqu'il s'est en vo presence mis,
      Desir ades l'encoste et le convoie,
      Com cil q'est tant de vostre amour suspris,
      Qe nullement se poet partir en voie.

   3. Descoverir a vous si jeo me doie,
      En vous amer sui tielement ravys,
      Q'au plus sovent mon sentement forsvoie,
      Ne sai si chald ou froid, ou mors ou vifs,
      Ou halt ou bass, ou certains ou faillis,
      Ou tempre ou tard, ou pres ou loings jeo soie:
      Mais en pensant je sui tant esbaubis,
      Q'il m'est avis sicom jeo songeroie.

   4. Pour vous, ma dame, en peine m'esbanoie,
      Jeo ris en plour et en santé languis,
      Jeue en tristour et en seurté m'esfroie,
      Ars en gelée et en chalour fremis,

D'amer puissant, d'amour povere et mendis,
Jeo sui tout vostre, et si vous fuissetz moie,
En tout le mond n'eust uns si rejoïs
De ses amours, sicom jeo lors serroie.

5. O tresgentile dame, simple et coie,
Des graces et des vertus replenis,
Lessetz venir merci, jeo vous supploie,
Et demorir, tanqu'il m'avera guaris;
Car sanz vous vivre ne suis poestis.
Tout sont en vous li bien qe jeo voldroie,
En vostre aguard ma fortune est assis,
Ceo qe vous plest de bon grée jeo l'otroie.

6. La flour des flours plus belle au droit devis,
Ceste compleignte a vous directe envoie :
Croietz moi, dame, ensi com jeo vous dis,
En vous remaint ma sovereine joie.

X. 1. Mon tresdouls coer, mon coer avetz souleine,
Jeo n'en puiss autre, si jeo voir dirrai;
Q'en vous, ma dame, est toute grace pleine.
A bone houre est qe jeo vous aqueintai,
Maisqu'il vous pleust qe jeo vous amerai,
Au fin qe vo pité vers moi se plie,
Q'avoir porrai vostre ameisté complie.

2. Mais la fortune qui les amantz meine
Au plus sovent me met en grant esmai,
En si halt lieu qe jeo moun coer asseine,
Qe passe toutz les autres a l'essai :
Q'a mon avis n'est une qe jeo sai
Pareil a vous, par quoi moun coer s'allie,
Q'avoir porrai vostre ameisté complie.

3. S'amour me volt hoster de toute peine,
Et faire tant qe jeo m'esjoierai,
Vous estes mesmes celle sovereine,
Sanz qui jammais en ese viverai :
Et puis q'ensi moun coer doné vous ai,

IX 37 poestes   41 plusbelle   X 9 plussouent

Ne lerrai, dame, qe ne vous supplie, 20
Q'avoir porrai vostre ameisté complie.

4. A vo bealté semblable au Mois de Maii,
Qant le solail s'espant sur la florie,
Ceste balade escrite envoierai,
Q'avoir porrai vostre ameisté complie.

XI. 1. Mes sens foreins se pourront bien movoir,
Mais li coers maint en un soul point toutdis,
Et c'est, ma dame, en vous, pour dire voir,
A qui jeo vuill servir en faitz et ditz :
Car pour sercher le monde, a moun avis
Vous estes la plus belle et graciouse,
Si vous fuissetz un poi plus amerouse.

2. Soubtz ciel n'est uns, maisqu'il vous poet veoir,
Qu'il ne serroit tantost d'amer suspris ;
Q'en la bealté qe dieus t'ad fait avoir 10
Sont les vertus si pleinement compris,
Qe riens y falt ; dont l'en doit doner pris
A vous, ma doulce dame gloriouse,
Si vous fuissetz un poi plus amerouse.

3. Jeo sui del tout, ma dame, en vo pooir,
Come cil qui sui par droit amour soubgis
De noet et jour pour faire vo voloir,
Et dieus le sciet qe ceo n'est pas envis :
Par quoi jeo quiers vos graces et mercis ;
Car par reson vous me serretz pitouse, 20
Si vous fuissetz un poi plus amerouse.

4. A vous, ma dame, envoie cest escris,
Qe trop perestes belle et dangerouse :
Meilour de vous om sciet en null paiis,
Si vous fuissetz un poi plus amerouse.

XI 6 plusbelle   7, 14, 21, 25 plusamerouse   15 lieo

XII. 1. La dame a la Chalandre comparer
       Porrai, la quelle en droit de sa nature
       Desdeigne l'omme a tiel point reguarder,
       Quant il serra de mort en aventure.
       Et c'est le pis des griefs mals qe j'endure,
       Vo tresgent corps, ma dame, quant jeo voie
       Et le favour de vo reguard procure,
       Danger ses oels destorne en autre voie.

   2. Helas, quant pour le coer trestout entier,
       Qe j'ai doné sanz point de forsfaiture,   10
       Ne me deignetz en tant reguerdoner,
       Q'avoir porrai la soule reguardure
       De vous, q'avetz et l'oill et la feture
       Dont jeo languis; car ce jeo me convoie,
       Par devant vous quant jeo me plus assure,
       Danger ses oels destorne en autre voie.

   3. Si tresbeals oels sanz merci pour mirer
       N'acorde pas, ma dame, a vo mesure :
       De vo reguard hostetz pourceo danger,
       Prenetz pité de vostre creature,   20
       Monstrez moi l'oill de grace en sa figure,
       Douls, vair, riant et plein de toute joie ;
       Car jesq'en cy, ou si jeo chante ou plure,
       Danger ses oels destorne en autre voie.

   4. En toute humilité sanz mesprisure
       Jeo me compleigns, ensi come faire doie,
       Q'a moi, qui sui del tout soubtz vostre cure,
       Danger ses oels destorné en autre voie.

XIII. 1. Au mois de Marsz, u tant y ad muance,
        Puiss resembler les douls mals que j'endure :
        Ore ai trové, ore ai perdu fiance,
        Siq'en amer truis ma fortune dure ;
        Qu'elle est sanz point, sanz reule et sanz mesure,
        N'ad pas egual le pois en sa balance,
        Ore ai le coer en ease, ore en destance.

BALADES

2. Qant jeo remire al oill sanz variance
   La gentilesce et la doulce figure,
   Le sens, l'onour, le port, la contenance
   De ma tresnoble dame, en qui nature
   Ad toutz biens mis, lors est ma joie pure,
   Q'amour par sa tresdigne pourveance
   M'ad fait amer u tant y ad plesance.

3. Mais quant me vient la droite sovenance,
   Coment ma doulce dame est a dessure
   En halt estat, et ma nounsuffisance
   Compense a si tresnoble creature,
   Lors en devient ma joie plus obscure
   Par droit paour et par desesperance,
   Qe lune quant eglips la desavance.

4. Pour vous, q'avetz ma vie en aventure,
   Ceste balade ai fait en remembrance:
   Si porte ades le jolif mal sanz cure,
   Tanq'il vous plest de m'en faire allegance.

XIIII. 1. Pour penser de ma dame sovereine,
   En qui tout bien sont plainement assis,
   Qe riens y falt de ce dont corps humeine
   Doit par reson avoir loenge et pris,
   Lors sui d'amour si finement espris,
   Dont maintenant m'estoet soeffrir la peine
   Plus qe Paris ne soeffrist pour Heleine.

2. Tant plus de moi ma dame se desdeigne,
   Come plus la prie; et si jeo mot ne dis,
   Qe valt ce, lors qe jeo ma dolour meine
   De ceo dont jeo ma dame n'ai requis?
   Ensi de deux jeo sui tant entrepris,
   Qe parler n'ose a dame si halteine,
   Et si m'en tais, jeo voi la mort procheine.

XIII 8 al loill   17 no*u*n suffisance   19 endevient
XIIII 2 Een

3. Mais si pités, qui les douls coers enseine,
   Pour moi ne parle et die son avis,
   Et la fierté de son corage asseine,
   Et plie au fin q'elle ait de moi mercis,
   Jeo serrai mortz ou tant enmaladis,
   Ne puiss faillir del un avoir estreine ; 20
   Ensi, ma doulce dame, a vous me pleigne.

4. Ceste balade a vous, ma dame, escris,
   Q'a vous parler me falt du bouche aleine ;
   Par quoi soubtz vostre grace jeo languis,
   Sanz vous avoir ne puiss ma joie pleine.

XV. 1. Com l'esperver qe vole par creance
   Et de son las ne poet partir envoie,
   De mes amours ensi par resemblance
   Jeo sui liez, sique par nulle voie
   Ne puiss aler, s'amour ne me convoie :
   Vous m'avetz, dame, estrait de tiele Mue,
   Combien qe vo presence ades ne voie,
   Mon coer remaint, que point ne se remue.

2. Soubtz vo constreignte et soubtz vo governance
   Amour m'ad dit qe jeo me supple et ploie, 10
   Sicome foial doit faire a sa liegance,
   Et plus d'assetz, si faire le porroie :
   Pour ce, ma doulce dame, a vous m'otroie,
   Car a ce point j'ai fait ma retenue,
   Qe si le corps de moi fuist ore a Troie,
   Mon coer remaint, qe point ne se remue.

3. Sicome le Mois de Maii les prées avance,
   Q'est tout flori quant l'erbe se verdoie,
   Ensi par vous revient ma contienance,
   De vo bealté si penser jeo le doie : 20
   Et si merci me volt vestir de joie
   Pour la bounté qe vous avetz vestue,
   En tiel espoir, ma dame, uque jeo soie,
   Mon coer remaint, qe point ne se remue.

XIIII 15 doules   XV 17 lesprees

4. A vostre ymage est tout ceo qe jeo proie,
   Quant ceste lettre a vous serra venue;
   Q'a vous servir, come cil q'est vostre proie,
   Mon coer remaint, qe point ne se remue.

XVI. 1. Camelion est une beste fiere,
   Qui vit tansoulement de l'air sanz plus;
   Ensi pour dire en mesme la maniere,
   De soul espoir qe j'ai d'amour conçuz
   Sont mes pensers en vie sustenuz:
   Mais par gouster de chose qe jeo sente,
   Combien qe jeo le serche sus et jus,
   Ne puiss de grace trover celle sente.

2. N'est pas ma sustenance assetz pleniere
   De vein espoir qe m'ad ensi repuz;
   Ainz en devient ma faim tant plus amiere
   D'ardant desir qe m'est d'amour accruz:
   De mon repast jeo sui ensi deçuz,
   Q'ove voide main espoir ses douns presente,
   Qe quant jeo quide meux estre au dessus
   En halt estat, jeo fais plus grief descente

3. Quiqu'est devant, souhaid n'est pas derere
   Au feste quelle espoir avera tenuz;
   A volenté sanz fait est chamberere:
   Tiels officers sont ainçois retenuz,
   Par ceux jeo vive et vuill ceo qe ne puiss,
   Ma fortune est contraire a mon entente;
   Ensi morrai, si jeo merci ne truis,
   Q'en vein espoir ascun profit n'avente.

4. A vous, en qui sont toutz bien contenuz,
   Q'es flour des autres la plus excellente,
   Ceste balade avoec centmil salutz
   Envoie, dame, maisq'il vous talente.

XVI 7 Com bien   11 endeuient   16 plusgrief
         26 plusexcellente

XVII. 1. Ne sai si de ma dame la durtée
Salvant l'estat d'amour jeo blamerai;
Bien sai qe par tresfine loialté
De tout mon coer la serve et serviray,
Mais le guardon, s'ascun deservi ai,
Ne sai coment, m'est toutdis eslongé:
Dont jeo ma dame point n'escuseray;
Tant meinz reprens, com plus l'averay doné.

2. A moun avis ceo n'est pas egalté,
Solonc reson si jeo le voir dirrai, 10
A doner tout, coer, corps et volenté,
Quant pour tout ceo reprendre ne porray
D'amour la meindre chose qe jeo sai.
Om dist, poi valt service q'est sanz fée;
Mais ja pour tant ma dame ne lerray,
Q'a lui servir m'ai tout abandoné.

3. Ma dame, qui sciet langage a plentée,
Rien me respont quant jeo la prierai;
Et s'ensi soit q'elle ait a moi parlée,
D'un mot soulein lors sa response orrai, 20
A basse vois tantost me dirra, 'nay.'
C'est sur toutz autres ditz qe jeo plus hee;
Le mot est brief, mais qant vient a l'essay,
La sentence est de grant dolour parée.

4. Ceste balade a celle envoieray,
En qui riens falt fors soulement pitée :
Ne puis lesser, maisque jeo l'ameray,
Q'a sa merci jeo m'ai recomandé.

XVIII. 1. Les goutes d'eaue qe cheont menu
L'en voit sovent percer la dure piere;
Mais cest essample n'est pas avenu,
Semblablement qe jeo de ma priere
La tendre oraille de ma dame chiere
Percer porrai, ainz il m'est defendu:
Com plus la prie, et meinz m'ad entendu.

BALADES

2. Tiel esperver crieis unqes ne fu,
   Qe jeo ne crie plus en ma maniere
   As toutz les foitz qe jeo voi temps et lu;
   Et toutdis maint ma dame d'une chiere,
   Assetz plus dure qe n'est la rochiere.
   Ne sai dont jeo ma dame ai offendu;
   Com plus la prie, et meinz m'ad entendu.

3. Le ciel amont de la justice dieu
   Trespercerai, si jeo les seintz requiere;
   Mais a ce point c'est ma dame abstenu,
   Qe toutdis clot s'oraille a ma matiere.
   Om perce ainçois du marbre la quarere,
   Q'elle ait a ma requeste un mot rendu;
   Com plus la prie, et meinz m'ad entendu.

4. La dieurté de ma dame est ensi fiere
   Com Diamant, qe n'est de riens fendu:
   Ceo lettre en ceo me serra messagiere;
   Com plus la prie, et meinz m'ad entendu.

XIX. 1. Om solt danter la beste plus salvage
   Par les paroles dire soulement,
   Et par parole changer le visage,
   Et les semblances muer de la gent:
   Mais jeo ne voie ascun experiment,
   Qe de ma dame torne le corage;
   Celle art n'est pas dessoubtz le firmament
   Por atrapper un tiel oisel en cage.

2. Jeo parle et prie et serve et faitz hommage
   De tout mon coer entier, mais nequedent
   Ne puis troever d'amour celle avantage,
   Dont ma tresdoulce dame ascunement
   Me deigne un soul regard pitousement
   Doner; mais plus qe Sibille le sage
   S'estrange, ensi qe jeo ne sai coment
   Pour atrapper un tiel oisel en cage.

XVIII 12 plusdure   20 Qell   XIX 1 plussalvage

3. Loigns de mon proeu et pres de mon damage,
   Jeo trieus toutdis le fin du parlement;
   Ne sai parler un mot de tiel estage,
   Par quoi ma dame ne change son talent: 20
   Sique jeo puiss veoir tout clierement
   Qe ma parole est sanz vertu volage,
   Et sanz exploit, sicom frivole au vent,
   Pour atrapper un tiel oisel en cage.

4. Ma dame, en qui toute ma grace attent,
   Vous m'avetz tant soubgit en vo servage,
   Qe jeo n'ai sens, reson n'entendement,
   Pour atrapper un tiel oisel en cage.

XX. 1. Fortune, om dist, de sa Roe vire ades;
   A mon avis mais il n'est pas ensi,
   Car as toutz jours la troeve d'un reles,
   Qe jeo sai nulle variance en li,
   Ainz est en mes deseases establi,
   En bass me tient, q'a lever ne me lesse:
   De mes amours est tout ceo qe jeo di,
   Ma dolour monte et ma joie descresce.

2. Apres la guerre om voit venir la pes,
   Apres l'ivern est l'estée beal flori, 10
   Mais mon estat ne voi changer jammes,
   Qe jeo d'amour porrai troever merci.
   He, noble dame, pour quoi est il ensi?
   Soubtz vostre main gist ma fortune oppresse,
   Tanq'il vous plest qe jeo serrai guari,
   Ma dolour monte et ma joie descresce.

3. Celle infortune dont Palamedes
   Chaoit, fist tant q'Agamenon chosi
   Fuist a l'empire: auci Diomedes,
   Par ceo qe Troilus estoit guerpi, 20
   De ses amours la fortune ad saisi,
   Du fille au Calcas mesna sa leesce:
   Mais endroit moi la fortune est faili,
   Ma dolour monte et ma joie descresce.

XIX 18 tout dis   24 Cage

4. Le coer entier avoec ceo lettre ci
   Envoie a vous, ma dame et ma dieuesce :
   Prenetz pité de mon trespovere cri,
   Ma dolour monte et ma joie descresce.

XXI. 1. Au solail, qe les herbes eslumine
   Et fait florir, jeo fai comparisoun
   De celle q'ad dessoubtz sa discipline
   Mon coer, mon corps, mes sens et ma resoun
   Par fin amour trestout a sa bandoun :
   Si menerai par tant joiouse vie,
   Et servirai de bon entencioun,
   Sanz mal penser d'ascune vilenie.

   2. Si femme porroit estre celestine
   De char humeine a la creacion,
   Jeo croi bien qe ma dame soit devine ;
   Q'elle ad le port et la condicion
   De si tressainte conversacioun,
   Si plein d'onour, si plein de courtoisie,
   Q'a lui servir j'ai fait ma veneisoun,
   Sanz mal penser d'ascune vilenie.

   3. Une autre tiele belle et femeline,
   Trestout le mond pour sercher environ,
   Ne truist om, car elle ad de sa covine
   Honte et paour pour guarder sa mesoun,
   N'i laist entrer ascun amant feloun :
   Dont sui joious, car jeo de ma partie
   La vuill amer d'oneste affeccioun,
   Sanz mal penser d'ascune vilenie.

   4. Mirour d'onour, essample de bon noun,
   En bealté chaste et as vertus amie,
   Ma dame, jeo vous aime et autre noun,
   Sanz mal penser d'ascune vilenie.

XXI 18 Terstout

XXII. 1. J'ai bien sovent oï parler d'amour,
   Mais ja devant n'esprovai la nature
   De son estat, mais ore au present jour
   Jeo sui cheeuz de soudeine aventure
   En la sotie, u jeo languis sanz cure,
   Ne sai coment j'en puiss avoir socour :
   Car ma fortune est en ce cas si dure,
   Q'ore est ma vie en ris, ore est en plour.

2. Pour bien penser jeo truiss assetz vigour,
   Mais quant jeo doi parler en ascune hure, 10
   Le coer me falt de si tresgrant paour,
   Q'il hoste et tolt la vois et la parlure ;
   Q'au peine lors si jeo ma regardure
   Porrai tenir a veoir la doulçour
   De celle en qui j'ai mis toute ma cure,
   Q'ore est ma vie en ris, ore est en plour.

3. Quant puiss mirer la face et la colour
   De ma tresdoulce dame et sa feture,
   Pour regarder en si tresbeal mirour
   Jeo sui ravi de joie oultre mesure : 20
   Mais tost apres, quant sui soulein, jeo plure,
   Ma joie ensi se melle de dolour,
   Ne sai quant sui dessoubtz ne quant dessure,
   Q'ore est ma vie en ris, ore est en plour.

4. A vous, tresbelle et bone creature,
   Salvant toutdis l'estat de vostre honour,
   Ceo lettre envoie : agardetz l'escripture,
   Q'ore est ma vie en ris, ore est en plour.

XXIII. 1. Pour un regard au primere acqueintance,
   Quant jeo la bealté de ma dame vi,
   Du coer, du corps trestoute m'obeissance
   Lui ai doné, tant sui d'amour ravi :
   Du destre main jeo l'ai ma foi plevi,
   Sur quoi ma dame ad resceu moun hommage,
   Com son servant et son loial ami ;
   A bon houre est qe jeo vi celle ymage.

XXII 19 ensi

2. Par lui veoir sanz autre sustenance,
   Mais qe danger ne me soit anemi,
   Il m'est avis de toute ma creance
   Q'as toutz les jours jeo viveroie ensi :
   Et c'est tout voir qe jeo lui aime si,
   Qe mieulx voldroie morir en son servage,
   Qe vivere ailours mill auns loigntain de li :
   A bone houre est qe jeo vi celle ymage.

3. De son consail ceo me dist esperance,
   Qe quant ma dame averai long temps servi
   Et fait son gré d'onour et de plesance,
   Lors solonc ceo qe j'averai deservi
   Le reguerdoun me serra de merci ;
   Q'elle est plus noble et franche de corage
   Qe Maii, quant ad la terre tout flori :
   A bon houre est qe jeo vi celle ymage.

4. Ceo dit envoie a vous, ma dame, en qui
   La gentilesce et le treshalt parage
   Se monstront, dont espoir m'ad rejoï :
   A bon houre est qe jeo vi celle ymage.

XXIIII. 1. Jeo quide qe ma dame de sa mein
   M'ad deinz le coer escript son propre noun ;
   Car quant jeo puiss oïr le chapellein
   Sa letanie dire et sa leçoun,
   Jeo ne sai nomer autre, si le noun ;
   Car j'ai le coer de fin amour si plein,
   Q'en lui gist toute ma devocioun :
   Dieus doignt qe jeo ne prie pas en vein !

2. Pour penser les amours de temps longtein,
   Com la priere de Pigmalion
   Faisoit miracle, et l'image au darrein
   De piere en char mua de s'oreisoun,
   J'ai graunt espoir de la comparisoun
   Qe par sovent prier serrai certein
   De grace ; et pour si noble reguerdoun
   Dieus doignt qe jeo ne prie pas en vein !

XXIII 22 plusnoble

3. Com cil qui songe et est en nouncertein,
   Ainz semble a lui qu'il vait tout environ
   Et fait et dit, ensi quant sui soulein,
   A moi parlant jeo fais maint question,
   Despute et puis responde a ma resoun,
   Ne sai si jeo sui faie ou chose humein :
   Tiel est d'amour ma contemplacion ;
   Dieus doignt qe jeo ne prie pas en vein !

4. A vous, qe m'avetz en subjeccion,
   Soul apres dieu si m'estes soverein,
   Envoie cette supplicacion :
   Dieus doignt qe jeo ne prie pas en vein !

XXV. 1. Ma dame, si ceo fuist a vo plesir,
   Au plus sovent jeo vous visiteroie ;
   Mais le fals jangle et le tresfals conspir
   De mesdisantz m'ont destorbé la voie,
   Et vostre honour sur toute riens voldroie :
   Par quoi, ma dame, en droit de ma partie
   En lieu de moi mon coer a vous envoie ;
   Car qui bien aime ses amours tard oblie.

2. Ils sont assetz des tiels qui de mentir
   Portont le clief pendant a lour curroie ;
   Du quoi, ma dame, jeo ne puiss sentir
   Coment aler, ainçois me torne envoie :
   Mais sache dieus, par tout uque jeo soie,
   D'entier voloir sanz nulle departie
   A vous me tiens, a vous mon coer se ploie ;
   Car qui bien aime ses amours tard oblie.

3. De vo presence a long temps abstenir
   Grief m'est, en cas q'a force ensi feroie ;
   Et d'autrepart, si jeo voldrai venir,
   Sanz vostre esgard ceo faire ne porroie :
   Comandetz moi ceo qe jeo faire en doie,
   Car vous avetz de moi la seignorie,
   Tout est en vous, ma dolour et ma joie ;
   Car qui bien aime ses amours tard oblie.

XXV 2 plussovent   4 mout (?)   21 endoie

BALADES

4. As mesdisantz, dont bon amour s'esfroie,
De male langue dieus les motz maldie;
Q'en lour despit a vostre amour m'otroie;
Car qui bien aime ses amours tard oblie.

XXVI. 1. Salutz honour et toute reverence,
Com cil d'amour q'est tout vostre soubgit,
Ma dame, a vous et a vostre excellence
Envoie, s'il vous plest, d'umble espirit,
Pour fare a vous plesance, honour, profit:
De tout mon coer entier jeo le desire,
Selonc le corps combien qe j'ai petit,
Sanz autre doun le coer doit bien suffire.

2. Qui donne soi, c'est une experience
Qe l'autre bien ne serront escondit:
Si plein com dieus m'ad de sa providence
Fait et formé, si plein sanz contredit
Soul apres lui, ma dame, en fait et dit
Vous donne; et si Rois fuisse d'un Empire,
Tout est a vous: mais en amour perfit
Sanz autre doun le coer doit bien suffire.

3. Primer quant vi l'estat de vo presence,
En vous mirer me vint si grant delit,
Q'unqes depuiss d'ascune negligence
Mon coer pensant vostre bealté n'oublit:
Par quoi toutdis me croist celle appetit
De vous amer, plus qe ne porrai dire;
Et pour descrire amour en son droit plit,
Sanz autre doun le coer doit bien suffire.

4. A vous, ma dame, envoie ceste escript,
Ne sai si vo danger le voet despire;
Mais si reson soit en ce cas eslit,
Sanz autre doun le coer doit bien suffire.

XXVI 22 plusqe

XXVII. 1. Ma dame, quant jeo vi vostre oill [vair et] riant,
Cupide m'ad ferru de tiele plaie
Parmi le coer d'un dart d'amour ardant,
Qe nulle medicine m'est verraie,
Si vous n'aidetz; mais certes jeo me paie,
Car soubtz la cure de si bone mein
Meulx vuil languir qe sanz vous estre sein.

2. Amour de sa constreignte est un tirant,
Mais sa banere quant merci desplaie,
Lors est il suef, courtois et confortant:
Ceo poet savoir qui la fortune essaie;
Mais combien qu'il sa grace me deslaie,
Ma dame, jeo me tiens a vous certein;
Mieulx vuill languir qe sanz vous estre sein.

3. Ensi ne tout guari ne languisant,
Ma dame, soubtz l'espoir de vo manaie
Je vive, et sui vos graces attendant,
Tanque merci ses oignementz attraie,
Et le destroit de ma dolour allaie:
Mais si guaris ne soie enquore au plein,
Mieulx vuill languir qe sanz vous estre sein.

4. Pour vous, q'avetz la bealté plus qe faie,
Ceo lettre ai fait sanz null penser vilein:
Parentre deus combien qe jeo m'esmaie,
Mieulx vuill languir qe sanz vous estre sein.

XXVIII. 1. Dame, u est ore celle naturesce,
Qe soloit estre en vous tiel temps jeo vi,
Q'il ne vous plest de vostre gentilesce
Un soul salutz mander a vostre ami?
Ne quier de vous forsque le coer demi,
Et vous avetz le mien trestout entier:
Om voit sovent de petit poi doner.

2. Les vertus de franchise et de largesce
Jeo sai, ma dame, en vous sont establi;
Et vous savetz ma peine et ma destresce,

　　　　Dont par dolour jeo sui sempres faili
　　　　En le defalte soul de vo merci,
　　　　Q'il ne vous plest un mot a moi mander:
　　　　Om voit sovent de petit poi doner.

　　3. Tout qanque j'ai, ma dame, a vo noblesce
　　　　De coer et corps jeo l'ai doné parmi;
　　　　Par quoi ne vous desplese, en ma simplesce
　　　　De vostre amour si jeo demande ensi;
　　　　Car cil qui done il ad doun deservi,
　　　　Loial servant doit avoir son loer:
　　　　Om voit sovent de petit poi doner.

　　4. Ma doulce dame, qui m'avetz oubli,
　　　　Prenetz ceo dit de moi pour remembrer,
　　　　Et mandetz moi de vos beals ditz auci;
　　　　Q'om voit sovent de petit poi doner.

XXIX. 1. Par droite cause et par necessité,
　　　　Q'est sanz feintise honeste et resonable,
　　　　M'ai par un temps de vous, dame, eslongé,
　　　　Dont par reson jeo serroie excusable:
　　　　Mais fame, q'est par les paiis volable,
　　　　De vo corous me dist novelle ades;
　　　　Si m'ad apris, et jeo le croi sanz fable,
　　　　Q'est d'amour loigns est de desease pres.

　　2. Si vous, ma dame, scieussetz ma pensé,
　　　　Q'a vous servir remaint toutditz estable,
　　　　Ne serrai point sanz cause refusé:
　　　　Car jeo vous tiens si bone et merciable,
　　　　Qe jeo, q'a vous sui toutditz serviçable,
　　　　Et de mon grée ne vuill partir jammes,
　　　　Vo grace averai; et c'est tout veritable,
　　　　Q'est d'amour loigns est de desease pres.

　　3. Le fait de l'omme est en la volenté,
　　　　Car qui bien voet par droit est commendable;
　　　　Et pourcella, ma tresbelle honourée,
　　　　Hostetz corous et soietz amiable:

Si riens ai fait q'a vous n'est pas greable,
De vo merci m'en donetz un reles;
Q'ore a l'essai la chose est bien provable,
Q'est d'amour loigns est de desease pres.

4. Ma graciouse dame et honourable,
Ceste balade a vous pour sercher pes
Envoie; car jeo sui assetz creable,
Q'est d'amour loigns est de desease pres.

XXX. 1. Si com la Nief, quant le fort vent tempeste,
Par halte mier se torne ci et la,
Ma dame, ensi moun coer maint en tempeste,
Quant le danger de vo parole orra;
Le Nief qe vostre bouche soufflera
Me fait sigler sur le peril de vie:
Q'est en danger, falt qu'il merci supplie.

2. Rois Uluxes, sicom nous dist la geste,
Vers son paiis de Troie qui sigla,
N'ot tiel paour du peril et moleste,
Quant les Sereines en la Mier passa,
Et le danger de Circes eschapa,
Qe le paour n'est plus de ma partie:
Q'est en danger, falt qu'il merci supplie.

3. Danger, qui tolt d'amour toute la feste,
Unqes un mot de confort ne sona;
Ainz plus cruel qe n'est la fiere beste,
Au point quant danger me respondera,
La chiere porte, et quant le nai dirra,
Plus que la mort m'estone celle oïe:
Q'est en danger, falt qu'il merci supplie.

4. Vers vous, ma bone dame, horspris cella
Qe danger maint en vostre compainie,
Ceste balade en mon message irra:
Q'est en danger, falt qu'il merci supplie.

XXX 5 Le Nief] *Perhaps rather* Le vent   12 circes   20 Plusque

XXXI. 1. Ma belle dame, bone et graciouse,
　　　　Si pour bealté l'en doit amour doner,
　　　　La bealté, dame, avetz si plentevouse,
　　　　Qe vo bealté porra nulls coers passer,
　　　　Qe ne l'estoet par fine force amer,
　　　　Et obeïr d'amour la discipline
　　　　Par soulement vo bealté regarder :
　　　　Car bon amour a les vertus encline.

　　　2. Et si bounté, q'est assetz vertuouse
　　　　De sa nature, amour porra causer,
　　　　Vous estes, dame, assetz plus bountevouse
　　　　Q'ascun amant le purra deviser :
　　　　Et ceo me fait vostre amour desirer
　　　　Secondement apres l'amour divine,
　　　　Pour chier tenir, servir et honourer ;
　　　　Car bon amour a les vertus encline.

　　　3. Et si la sort de grace est amourouse,
　　　　Lors porrai bien, ma dame, tesmoigner,
　　　　Vo grace entre la gent est si famouse,
　　　　Q'a quelle part qe jeo me vuil torner,
　　　　Jeo puiss oïr vo grace proclamer :
　　　　Toutz en parlont et diont lour covine,
　　　　L'om est benoit qui vous purroit happer ;
　　　　Car bon amour a les vertus encline.

　　　4. Ma dame, en qui sont trestout bien plener,
　　　　Tresfressche flour, honeste et femeline,
　　　　Ceste balade a vous fais envoier ;
　　　　Car bon amour a les vertus encline.

XXXII. 1. Cest aun novell Janus, q'ad double face,
　　　　L'yvern passer et l'estée voit venant :
　　　　Comparison de moi si j'ensi face,
　　　　Contraire a luy mes oills sont regardant,
　　　　Je voi l'ivern venir froid et nuisant,
　　　　Et l'estée vait, ne sai sa revenue ;
　　　　Q'amour me poignt et point ne me salue.

XXXI 16 ales　　　22 enparlont　　　XXXII 5 nuisand

2. La cliere Estée, qui le solail embrace,
   Devient obscure a moi, siq' au devant
   L'yvern me tolt d'amour toute la grace :   10
   Dont par dolour jeo sui mat et pesant,
   Ne sai jeuer, ne sai chanter par tant,
   Ainz sui covert dessoubtz la triste Nue ;
   Q'amour me poignt et point ne me salue.

3. Vo bealté croist, q'a null temps se desface ;
   Pourceo, ma dame, a vous est acordant
   Qe vo bounté se monstre en toute place :
   Mais jeo, pour quoi qe sui tout vo servant,
   Ne puis veoir de grace ascun semblant,
   C'est une dure et forte retenue ;   20
   Q'amour me poignt et point ne me salue.

XXXIII. 1. Au comencer del aun present novell
   Mon corps ove tout le coer a bone estreine
   Jeo done a vous, ma dame, sanz repell,
   Pour le tenir sicom vostre demeine :
   Ne sai conter les joies que jeo meine
   De vous servir, et pour moi guardoner,
   Si plus n'y soit, donetz le regarder.

2. Ne quier de vous avoir autre Juel
   Fors soulement vostre ameisté certeine ;
   Guardetz vo Nouche, guardetz le vostre anel,   10
   Vo beal semblant m'est joie sovereine,
   Q'a mon avis toute autre chose est veine :
   Et s'il vous plest, ma dame, sanz danger,
   Si plus n'y soit, donetz le regarder.

3. L'en solt toutditz au feste de Noël
   Reprendre joie et hoster toute peine,
   Et doner douns ; mais jeo ne demande el,
   De vo noblesce si noun q'il vous deigne
   Doner a moi d'amour ascune enseigne,
   Dont jeo porrai ma fortune esperer :   20
   Si plus n'y soit, donetz le regarder.

XXXII 9 si siqau devant

4. A vous, ma doulce dame treshalteine,
   Ceste balade vait pour desporter ;
   Et pour le bounté dont vous estes pleine,
   Si plus n'y soit, donetz le regarder.

XXXIIII. 1. Saint Valentin l'amour et la nature
   De toutz oiseals ad en governement ;
   Dont chascun d'eaux semblable a sa mesure
   Une compaigne honeste a son talent
   Eslist tout d'un acord et d'un assent :
   Pour celle soule laist a covenir
   Toutes les autres, car nature aprent,
   U li coers est, le corps falt obeïr.

2. Ma doulce dame, ensi jeo vous assure
   Qe jeo vous ai eslieu semblablement ;   10
   Sur toutes autres estes a dessure
   De mon amour si tresentierement,
   Qe riens y falt par quoi joiousement
   De coer et corps jeo vous voldrai servir :
   Car de reson c'est une experiment,
   U li coers est, le corps falt obeïr.

3. Pour remembrer jadis celle aventure
   De Alceone et Ceïx ensement,
   Com dieus muoit en oisel lour figure,
   Ma volenté serroit tout tielment,   20
   Qe sanz envie et danger de la gent
   Nous porroions ensemble par loisir
   Voler tout francs en nostre esbatement :
   U li coers est, le corps falt obeïr.

4. Ma belle oisel, vers qui mon pensement
   S'en vole ades sanz null contretenir,
   Pren cest escript, car jeo sai voirement,
   U li coers est, le corps falt obeïr.

XXXV. 1. Saint Valentin plus qe null Emperour
   Ad parlement et convocacion
   Des toutz oiseals, qui vienont a son jour,

U la compaigne prent son compaignon
En droit amour; mais par comparison
D'ascune part ne puiss avoir la moie:
Qui soul remaint ne poet avoir grant joie.

2. Com la fenix souleine est au sojour
En Arabie celle regioun,
Ensi ma dame en droit de son amour   10
Souleine maint, ou si jeo vuill ou noun,
N'ad cure de ma supplicacion,
Sique d'amour ne sai troever la voie:
Qui soul remaint ne poet avoir grant joie.

3. O com nature est pleine de favour
A ceos oiseals q'ont lour eleccion!
O si jeo fuisse en droit de mon atour
En ceo soul cas de lour condicioun!
Plus poet nature qe ne poet resoun,
En mon estat tresbien le sente et voie: 20
Qui soul remaint ne poet avoir grant joie.

4. Chascun Tarcel gentil ad sa falcoun,
Mais j'ai faili de ceo q'avoir voldroie:
Ma dame, c'est le fin de mon chançoun,
Qui soul remaint ne poet avoir grant joie.

XXXVI. 1. Pour comparer ce jolif temps de Maii,
Jeo le dirrai semblable a Paradis;
Car lors chantont et Merle et Papegai,
Les champs sont vert, les herbes sont floris,
Lors est nature dame du paiis;
Dont Venus poignt l'amant au tiel assai,
Q'encontre amour n'est qui poet dire Nai.

2. Qant tout ceo voi et qe jeo penserai
Coment nature ad tout le mond suspris,
Dont pour le temps se fait minote et gai,   10
Et jeo des autres sui soulein horpris,
Com cil qui sanz amie est vrais amis,
N'est pas mervaile lors si jeo m'esmai,
Q'encontre amour n'est qui poet dire Nai.

XXXV 10 deson   XXXVI 14 nai

3. En lieu de Rose urtie cuillerai,
   Dont mes chapeals ferrai par tiel devis,
   Qe toute joie et confort jeo lerrai,
   Si celle soule, en qui j'ai mon coer mis,
   Selonc le point qe j'ai sovent requis,
   Ne deigne alegger les griefs mals qe j'ai ;   20
   Q'encontre amour n'est qui poet dire Nai.

4. Pour pité querre et pourchacer mercis,
   Va t'en, balade, u jeo t'envoierai ;
   Q'ore en certein jeo l'ai tresbien apris,
   Q'encontre amour n'est qui poet dire Nai.

XXXVII. 1. El Mois de Maii la plus joiouse chose
   C'est fin amour, mais vous, ma dame chiere,
   Prenetz a vous plustost la ruge Rose
   Pour vo desport, et plus la faites chiere
   Qe mon amour ove toute la priere
   Qe vous ai fait maint jour y ad passé :
   Vous estes franche et jeo sui fort lié.

2. Jeo voi toutplein des flours deinz vo parclose,
   Privé de vous mais jeo sui mis derere,
   N'y puiss entrer, qe l'entrée m'est forclose.   10
   Jeo prens tesmoign de vostre chamberere,
   Qe sciet et voit trestoute la matiere,
   De si long temps qe jeo vous ai amé :
   Vous estes franche et jeo sui fort lié.

3. Qant l'erbe croist et la flour se desclose,
   Maii m'ad hosté de sa blanche banere,
   Dont pense assetz plus qe jeo dire n'ose
   De vous, ma dame, qui m'estes si fiere ;
   A vo merci car si jeo me refiere,
   Vostre danger tantost m'ad deslaié :   20
   Vous estes franche et jeo sui fort lié.

4. En le douls temps ma fortune est amiere,
   Le Mois de Maii s'est en yvern mué,
   L'urtie truis, si jeo la Rose quiere :
   Vous estes franche et jeo sui fort lié.

XXXVI 25 nai   XXXVII 1 plusioiouse   3 Ruge   19 refiers

BALADES

XXXVIII 1. Sicom la fine piere Daiamand
De sa nature attrait le ferr au soi,
Ma dame, ensi vo douls regard plesant
Par fine force attrait le coer de moi:
N'est pas en mon poair, qant jeo vous voi,
Qe ne vous aime oultre mesure ensi,
Qe j'ai pour vous toute autre chose oubli.

2. Soubtz ciel n'est oill, maisq'il vous soit voiant,
Qu'il n'ait le coer tantost deinz son recoi
Suspris de vostre amour et suspirant: 10
De tout le monde si jeo fuisse Roi,
Trop fuist petit, me semble en bone foi,
Pour vous amer, car jeo sui tant ravi,
Qe j'ai pour vous toute autre chose oubli.

3. Toutes vertus en vous sont apparant,
Qe nature poet doner de sa loi,
Et dieus vous ad doné le remenant
Des bones mours; par quoi tresbien le croi
Qe jeo ne puiss amer meilour de toi:
Vostre bealté m'ad tielement saisi,   20
Qe j'ai pour vous toute autre chose oubli.

4. D'omble esperit, sicom jeo faire doi,
U toute grace son hostell ad basti
Ceo lettre envoie ove si tresfin otroi,
Qe j'ai pour vous toute autre chose oubli.

XXXIX 1. En vous, ma doulce dame sovereine,
Pour remembrer et sercher les vertus,
Si bounté quier, et vous en estes pleine,
Si bealté quier, vous estes au dessus,
Si grace quier, vous avetz le surplus;
Qe riens y falt de ceo dont char humeine
Doit avoir pris, car c'est tresbien conuz,
Molt est benoit q'ove vous sa vie meine.

2. Qui vo persone en son corage asseine,
Trop ad dur coer s'il ne soit retenuz   10

XXXVIII 9 Quilnait   23 hostell   XXXIX 3 enestes

Pour vous servir come a sa capiteine :
Pour moi le di, q'a ceo me sui renduz,
Et si vous ai de rien, dame, offenduz,
Vous me poetz sicom vostre demeine
Bien chastier ; q'en vostre amour jeo trieus,
Molt est benoit q'ove vous sa vie meine.

3. N'est un soul jour de toute la semeine,
El quell deinz soi mon coer milfoitz et pluis
De vous ne pense : ascune foitz me pleigne,
Et c'est quant jeo sui loign ; mais quant venuz
Sui en presence, uque vous ai veeuz,
Lors est sur tout ma joie plus certeine :
Ensi de vous ma reson ai concluz,
Molt est benoit q'ove vous sa vie meine.

4. Ma dame, en qui tout bien sont contenuz,
Ceo lettre envoie a vo noblesce halteine
Ove Mil et Mil et Mil et Mil salutz :
Molt est benoit q'ove vous sa vie meine.

XL. 1. Om dist, promesses ne sont pas estables ;
Ceo piert en vous, ma dame, au tiele enseigne,
Qe les paroles avetz amiables,
Mais en vos faitz vous n'estes pas certeine.
Vous m'avetz fait com jadis fist Heleine,
Quant prist Paris et laissa Menelai ;
Ne puiss hoster, maisque de vous me pleigne :
Loials amours se provont a l'essai.

2. Si vos promesses fuissent veritables,
Sur vo parole q'estoit primereine
Vous ne serretz, ma dame, si changables,
Pour lesser qe vous avetz en demeine
Et prendre ailours la chose q'est foreine.
Vous savetz bien, ma dame, et jeo le sai,
Selonc qe le proverbe nous enseine,
Loials amours se provont a l'essai.

3. Qant verité d'amour se torne en fables,
Et qe vergoigne pas ne le restreigne
Parmi les voies qe sont honourables,
N'est un vertu qe la fortune meine.

Vostre ameisté vers un n'est pas souleine,
Ainz est a deux: c'est un chaunçon verrai,
Dont chanterai sovent a basse aleine,
Loials amours se provont a l'essai.

4. A dieu, ma joie, a dieu, ma triste peine,
Ore est yvern, qe soloit estre Maii;
Ne sai pour quoi Cupide me desdeigne:
Loials amours se provont a l'essai.

XLI. 1. Des fals amantz tantz sont au jour present,
Dont les amies porront bien doloir:
Cil qui plus jure et fait son serement
De bien amer, plus pense a decevoir.
Jeo sui de celles une, a dire voir,
Qui me compleigns d'amour et sa feintise;
Par quoi, de fals amantz pour peas avoir,
Bon est qe bone dame bien s'avise.

2. Ascuns y ad qui voet bien amer sent,
Et a chascune il fait bien assavoir
Qu'il l'aime sanz nulle autre soulement:
Par tiel engin destorne le savoir
De l'innocent, qe quide recevoir
De ses amours la loialté promise:
Mais pour guarder s'onour et son devoir,
Bon est qe bone dame bien s'avise.

3. Les lievres de la bouche q'ensi ment
Cil tricheour tant beal les sciet movoir,
Q'a peine est nulle qe parfitement
Sache en ceo point le mal aparcevoir:
Mais cil q'ensi d'amour son estovoir
Pourchace, ad bien deservi la Juise;
Si dis pource q'a tiel mal removoir
Bon est qe bone dame bien s'avise.

4. Tu q'es au matin un et autre au soir,
Ceste balade envoie a ta reprise,
Pour toi guerpir et mettre a nonchaloir:
Bon est qe bone dame bien s'avise.

XLI 18 le sciet

XLII. 1. Semblables sont la fortune et les dées
 Au fals amant, quant il d'amour s'aqueinte ;
 Sa loialté pleine est des falsetés,
 Plustost deçoit, quant il se fait plus queinte :
 A toi le di, q'as trahi femme meinte,
 Ceo q'as mespris restorer ne poetz,
 Et pourcella, de ta falsine atteinte
 Si tu voldras briser l'estrein, brisetz.

 2. Trop tard conu m'est ceo qe fait avetz,
 Qe m'as hosté de toi par tiele empeinte, 10
 Qe jammais jour ne serrai retournetz
 Pour obeïr n'a toi n'a ta constreignte.
 He, fals amis, com ta parole est feinte !
 Les viels promesses toutes sont quassetz,
 Trop as en toi la gentilesce exteinte :
 Si tu voldras briser l'estrein, brisetz.

 3. O tu, mirour des mutabilitées,
 Des fals amantz en toi l'image est peinte,
 Tes sens se muent en subtilitées,
 Sil q'ensi fait n'ad pas la vie seinte. 20
 Tu as derrour la conscience enceinte,
 Dont fraude et malengin sont engendrez ;
 Tu as vers moi ta loialté si freinte,
 Si tu voldras briser l'estrein, brisetz.

 4. En les malvois malice n'est restreignte,
 Tu n'en serras de ta part escusez ;
 As toutz amantz jeo fais ceste compleignte :
 Si tu voldras briser l'estrein, brisetz.

XLIII. 1. Plus tricherous qe Jason a Medée,
 A Deianire ou q'Ercules estoit,
 Plus q'Eneas, q'avoit Dido lessée,
 Plus qe Theseüs, q'Adriagne amoit,
 Ou Demephon, quant Phillis oublioit,
 Je trieus, helas, q'amer jadis soloie :
 Dont chanterai desore en mon endroit,
 C'est ma dolour, qe fuist ainçois ma joie.

XLII 4 plusqueinte 12 constregnte XLIII 1 Plustricherous
 2 qercules 3 qeneas

2. Unqes Ector, q'ama Pantasilée,
   En tiele haste a Troie ne s'armoit,
   Qe tu tout nud n'es deinz le lit couché,
   Amis as toutes, quelqe venir doit,
   Ne poet chaloir, mais q'une femne y soit;
   Si es comun plus qe la halte voie.
   Helas, qe la fortune me deçoit,
   C'est ma dolour, qe fuist ainçois ma joie.

3. De Lancelot si fuissetz remembré,
   Et de Tristrans, com il se contenoit,
   Generides, Florent, Partonopé,
   Chascun de ceaux sa loialté guardoit.
   Mais tu, helas, q'est ceo qe te forsvoit
   De moi, q'a toi jammais null jour falsoie?
   Tu es a large et jeo sui en destroit,
   C'est ma dolour, qe fuist ainçois ma joie.

4. Des toutz les mals tu q'es le plus maloit,
   Ceste compleignte a ton oraille envoie;
   Santé me laist et langour me reçoit,
   C'est ma dolour, qe fuist ainçois ma joie.

XLIIII. 1. Vailant, courtois, gentil et renomée,
   Loial, verrai, certain de vo promesse,
   Vous m'avetz vostre corps et coer donné,
   Qe jeo resçoive et prens a grant leesce.
   Si jeo de Rome fuisse l'emperesse,
   Vostre ameisté refuserai jeo mie,
   Q'au tiel ami jeo vuill bien estre amie.

2. La halte fame qe l'en m'ad recontée
   De vo valour et de vo grant prouesse
   De joie m'ad l'oreille trespercée,
   Et conforté le coer, siq'en destresce
   Ne puiss languir, ainz de vo gentilesce
   Pour remembrer sui des toutz mals guarie;
   Q'au tiel ami jeo vuil bien estre amie.

3. Et puisq'il est ensi de verité,
   Qe l'ameisté de vous vers moi se dresce,

XLIII 19 par Tonope

BALADES

Le coer de moi vers vous s'est adrescée
De bien amer par droite naturesce.
Tresdouls amis, tenetz ma foi expresse,
Ceo point d'acord tendrai toute ma vie,
Q'au tiel ami jeo vuill bien estre amie.

4. Par loialté, confort, chierté, tendresce,
Ceste ma lettre, quoique nulls en die,
Ove tout le coer envoie a vo noblesce;
Q'au tiel ami jeo vuill bien estre amie.

XLV. 1. Ma dame, jeo vous doi bien comparer
Au cristall, qe les autres eslumine;
Car celle piere qui la poet toucher
De sa vertu reçoit sa medicine,
Si en devient plus precïouse et fine:
Ensi pour vo bounté considerer
Toutz les amantz se porront amender.

2. Vostre figure auci pour deviser,
La chiere avetz et belle et femeline,
Du quelle, qant jeo me puiss aviser,
Jeo sui constreint, ensi com de famine,
Pour vous amer de tiele discipline,
Dont m'est avis qe pour vous essampler
Toutz les amantz se porront amender.

3. El Cristall dame om porra bien noter
Deux propretés semblable a vo covine:
Le Cristall est de soi et blanc et clier;
Dieus et nature ensi par double line
Vous ont de l'un et l'autre fait saisine:
Par quoi des biens qe vous avetz pleiner
Toutz les amantz se porront amender.

4. Ceste balade, dame, a vous encline
Envoie pour vos graces commender:
De vostre essample et de vostre doctrine
Toutz les amantz se porront amender.

XLIIII 23 endie   XLV 5 endevient plusprecïouse

BALADES

XLVI. 1. En resemblance d'aigle, qui surmonte
Toute autre oisel pour voler au dessure,
Tresdouls amis, vostre amour tant amonte
Sur toutz amantz, par quoi jeo vous assure
De bien amer, sauf toutdis la mesure
De mon honour, le quell jeo guarderai :
Si parler n'ose, ades jeo penserai.

2. Par les paiis la fame vole et conte
Coment prouesce est toute en vostre cure,
Et quant jeo puiss oïr si noble conte
De vo valour, jeo met toute ma cure,
A mon poair dont vostre honour procure :
Mais pour les gentz tresbien m'aviserai ;
Si parler n'ose, ades jeo penserai.

3. Entre nous dames, quant mettons a la compte
Vo noble port et vo fiere estature,
Lors en deviens un poi rugge pour honte,
Mais jeo le torne ensi par envoisure,
Q'aparcevoir null poet la coverture :
Par tiel colour en joie jeo m'esmai ;
Si parler n'ose, ades jeo penserai.

4. A vous, q'avetz d'onour celle aventure,
Qe vos valours toutz passont a l'essai,
Droitz est q'amour vous rende sa droiture :
Si parler n'ose, ades jeo penserai.

XLVII. 1. Li corps se tient par manger et par boire,
Et fin amour le coer fait sustenir,
Mais plus d'assetz est digne la memoire
De vrai amour, qui le sciet maintenir :
Pourceo, ma dame, a vous me vuill tenir,
De tiel amour qe ja ne falsera :
N'est pas oiceus sil qui bien amera.

2. Des tiels y ad qui sont d'amour en gloire,
Par quoi li coers se poet bien rejoïr ;
Des tiels y ad qui sont en purgatoire,

XLVI 17 endeviens

Qe mieulx lour fuist assetz de mort morir ;
Ascuns d'espoir ont pris le vein desir,
Dont sanz esploit l'amant souhaidera :
N'est pas oiceus sil qui bien amera.

3. De fin amour qui voet savoir l'istoire,
Il falt q'il sache et bien et mal suffrir ;
Plus est divers qe l'en ne porra croire :
Et nepourquant ne m'en puiss abstenir,
Ainz me covient amer, servir, cherir
La belle en qui moun coer sojournera :
N'est pas oiceus sil qui bien amera.

4. Demi parti de joie et de suspir
Ceste balade a vous, ma dame, irra ;
Q'en la santé d'amour m'estoet languir :
N'est pas oiceus sil qui bien amera.

XLVIII. 1. Amour est une chose merveilouse,
Dont nulls porra savoir le droit certein ;
Amour de soi est la foi tricherouse,
Qe plus promette et meinz apporte au mein ;
Le riche est povere et le courtois vilein,
L'espine est molle et la rose est urtie :
En toutz errours amour se justefie.

2. L'amier est douls et la doulçour merdouse,
Labour est ease et le repos grievein,
Le doel plesant, la seurté perilouse,
Le halt est bass, si est le bass haltein,
Qant l'en mieulx quide avoir, tout est en vein,
Le ris en plour, le sens torne en folie
En toutz errours amour se justefie.

3. Amour est une voie dangerouse,
Le pres est loign, et loign remaint proschein ;
Amour est chose odible et graciouse,
Orguil est humble et service est desdeign,
L'aignelle est fiere et le leon humein,
L'oue est en cage, la merle est forsbanie :
En toutz errours amour se justifie.

XLVIII 4 e (*for* et)   8 La mier   11 La halt   20 fors banie

4. Ore est amour salvage, ore est soulein,
   N'est qui d'amour poet dire la sotie ;
   Amour est serf, amour est soverein ;
   En toutz errours amour se justifie.

XLIX. 1. As bons est bon et a les mals malvois
   Amour, qui des natures est regent ;
   Mais l'omme qui de reson ad le pois,
   Cil par reson doit amer bonement :
   Car qui deinz soi sanz mal penser comprent
   De bon amour la verité pleinere,
   Lors est amour d'onour la droite miere.

2. Bon amour doit son dieu amer ainçois,
   Qui son dieu aime il aime verraiment,
   Si ad de trois amours le primer chois ;
   Et apres dieu il doit secondement
   Amer son proesme a soi semblablement ;
   Car cil q'ensi voet guarder la maniere,
   Lors est amour d'onour la droite miere.

3. Le tierce point dont amour ad la vois,
   Amour en son endroit ceo nous aprent
   Soubtz matrimoine de les seintes lois,
   Par vie honeste et nonpas autrement.
   En ces trois pointz gist tout l'experiment
   De boun amour, et si j'ensi le quiere,
   Lors est amour d'onour la droite miere.

4. De bon amour, pour prendre avisement,
   Jeo vous ai dit la forme et la matiere ;
   Car quique voet amer honestement,
   Lors est amour d'onour la droite miere.

L. 1. De vrai honour est amour tout le chief,
   Qui le corage et le memorial
   Des bones mours fait guarder sanz meschief :
   De l'averous il fait franc et loial,

XLVIII 25 touz   XLIX 1 ales   19 cest

Et de vilein courtois et liberal,
Et de couard plus fiers qe n'est leoun ;
De l'envious il hoste tout le mal :
Amour s'acorde a nature et resoun.

2. Ceo q'ainz fuist aspre, amour le tempre suef,
Si fait du guerre pes, et est causal
Dont toute vie honeste ad soun relief.
Sibien les choses qe sont natural,
Com celles qe sont d'omme resonal,
Amour par tout sa jurediccioun
Claime a tenir, et par especial
Amour s'acorde a nature et resoun.

3. Au droit amant riens est pesant ne grief,
Dont conscience en soun judicial
Forsvoit, mais li malvois plus qe la Nief
Est en tempeste, et ad son governal
D'onour perdu ; sique du pois egual
La fortune est et la condicioun
De l'omme, et sur tout le plus cordial
Amour s'acorde a nature et resoun.

4. N'est qui d'amour poet dire le final ;
Mais en droit moi c'est la conclusioun,
Qui voet d'onour sercher l'original,
Amour s'acorde a nature et reson.

⟨LI.⟩ 1. Amour de soi est bon en toute guise,
Si resoun le governe et justifie ;
Mais autrement, s'il naist de fole emprise,
N'est pas amour, ainz serra dit sotie.
Avise soi chascuns de sa partie,
Car ma resoun de novell acqueintance
M'ad fait amer d'amour la plus cherie
Virgine et miere, en qui gist ma creance.

2. As toutes dames jeo doi moun servise
Abandoner par droite courtasie,
Mais a ma dame pleine de franchise
Pour comparer n'est une en ceste vie.

L 6 plusfiers   LI 7 pluscherie

Qui voet amer ne poet faillir d'amie,
Car perdurable amour sanz variance
Remaint en luy, com celle q'est florie
De bien, d'onour, de joie et de plesance.

3. De tout mon coer jeo l'aime et serve et prise,
Et amerai sanz nulle departie;
Par quoi j'espoir d'avoir ma rewardise,
Pour quelle jeo ma dame ades supplie: 20
C'est, qant mon corps lerra la compaignie
De m'alme, lors lui deigne en remembrance
D'amour doner a moi le pourpartie,
Dont puiss avoir le ciel en heritance.

O gentile Engleterre, a toi j'escrits,
Pour remembrer ta joie q'est novelle,
Qe te survient du noble Roi Henris,
Par qui dieus ad redrescé ta querele:
A dieu purceo prient et cil et celle,
Q'il de sa grace au fort Roi coroné
Doignt peas, honour, joie et prosperité.

**Expliciunt carmina Iohannis Gower, que Gallice composita
Balades dicuntur.**

15 ceħ

TRAITIÉ

Puisqu'il ad dit ci devant en Englois par voie d'essample la sotie de cellui qui par amours aime par especial, dirra ore apres en François a tout le monde en general un traitié selonc les auctours pour essampler les amantz marietz, au fin q'ils la foi de lour seintes espousailes pourront par fine loialté guarder, et al honour de dieu salvement tenir.

I. 1. Le creatour de toute creature,
  Qui l'alme d'omme ad fait a son ymage,
  Par quoi le corps de reson et nature
  Soit attempré per jouste governage,
  Il done al alme assetz plus d'avantage ;
  Car il l'ad fait discrete et resonable,
  Dont sur le corps raison ert conestable.

2. En dieu amer celle alme ad sa droiture,
  Tant soulement pour fermer le corage
  En tiel amour u nulle mesprisure   10
  De foldelit la poet mettre en servage

Qualiter creator omnium rerum deus hominem duplicis nature, ex anima racionali et humana carne, in principio nobilem creauit; et qualiter anima ex sue creacionis priuilegio supe-corpus dominium possidebit.

The text is that of F (*Fairfax* 3) *with collation of* S (*All Souls'* 98), G (*Glasgow, Hunterian Mus.* T. 2. 17), *and* T (*Trentham Hall*). *A full collation of* B (*Bodl.* 294) *is given for the heading and it is occasionally cited afterwards.*

HEADING. *In* G *as follows* : Cest vn traitie quel Iohan Gower ad fait selonc les auctours touchant lestat de matrimoine dont les amantz marietz se pourront essampler a tenir la foi de lour seintes espousailes.

S T *are imperfect at the beginning.*

1 Puis qil B Pvsquil F cy B englois B 2 celluy B
3 franceis B 4 vn B vne F solonc lez B pur ensampler B
5 foy B seints B 6 purront B
1 *Margin* dominium possidebit] regim*in*is dominiu*m* possidebat B
7 Raison ert Conestable G

De frele char, q'est toutdis en passage:
Mais la bone alme est seinte et permanable;
Dont sur le corps raison ert conestable.

3. En l'alme gist et raison et mesure,
   Dont elle avera le ciel en heritage;
   Li corps selonc la char pour engendrure
   Avera la bone espouse en mariage;
   Qui sont tout une chose et un estage,
   Qe l'un a l'autre soient entendable: 20
   Dont sur le corps raison ert conestable.

Qualiter spiritus, vt celum impleatur, castitatem affectat, et corpus, vt genus humanum in terra multiplicetur, coniugii copulam carnaliter concupiscit.

II. 1. De l'espirit l'amour quiert continence,
   Et vivre chaste en soul dieu contemplant;
   Li corps par naturele experience
   Quiert femme avoir, dont soit multipliant;
   Des bones almes l'un fait le ciel preignant,
   Et l'autre emplist la terre de labour:
   Si l'un est bon, l'autre est assetz meilour.

2. A l'espirit qui fait la providence
   Ne poet failir de reguerdon suiant.
   Plus est en l'alme celle intelligence,   10
   Dont sanz null fin l'omme en serra vivant,
   Qe n'est le corps en ses fils engendrant;
   Et nepourqant tout fist le creatour:
   Si l'un est bon, l'autre est assetz meilour.

3. A l'espirit dieus dona conscience,
   Par quelle om ert du bien et mal sachant.
   Le corps doit pas avoir la reverence,
   Ainz ert a l'alme et humble et obeissant;
   Mais dieus, qui les natures vait creant,
   Et l'un et l'autre ad mis en son atour: 20
   Si l'un est bon, l'autre est assetz meilour.

I 12 Du G   14, 21 Raison ert Conestable G   15 reson G
II 9 *The text of* T *begins here*   11 enserra T   13 toute T

TRAITIÉ

III. 1. Au plus parfit dieus ne nous obligea,
   Mais il voet bien qe nous soions parfitz.
   Cist homme a dieu sa chasteté dona,
   Et cist en dieu voet estre bons maritz:
   S'il quiert avoir espouse a son avis,
   Il plest a dieu de faire honeste issue
   Selonc la loi de seinte eglise due.

Qualiter virginalis castitas in gradu suo matrimonio prefertur: ambo tamen sub sacre conversacionis disciplina deo creatori placabilia consistunt.

2. Primerement qant mesmes dieus crea
   Adam et Eve en son saint paradis,
   L'omme ove la femme ensemble maria, 10
   Dont ait la terre en lour semense emplis:
   Lors fuist au point celle espousaile empris
   Du viele loi, et puis, qant fuist venue,
   Selonc la loi de seinte eglise due.

3. Et puisque dieus qui la loi ordina
   En une char ad deux persones mis,
   Droitz est qe l'omme et femme pourcela
   Tout un soul coer eiont par tiel devis,
   Loiale amie avoec loials amis:
   C'est en amour trop belle retenue 20
   Selonc la loi de seinte eglise due.

IV. 1. Ovesque amour qant loialté s'aqueinte,
   Lors sont les noeces bones et joiouses;
   Mais li guilers, qant il se fait plus queinte,
   Par falssemblant les fait sovent doubtouses,
   A l'oill qant plus resemblont amorouses:
   C'est ensi come de stouppes une corde,
   Qant le penser a son semblant descorde.

Qualiter honestas coniugii non ex libidinis aut auaricie causa, set tantummodo quod sub lege generacio ad cultum dei fiat, primordia sua suscepit.

2. Celle espousaile est assetz forte et seinte,
   D'amour u sont les causes vertuouses:
   Si l'espousaile est d'avarice enceinte, 10

III 1 plus*par*fit MSS.   4 *The text of* S *begins here*   5 quiert
S T G   quier F   7 seint S T   8 q*ua*nt T   14 seint S
esglise F G   21 esglise F
    IV *Margin* libidine S   1 sa queinte G   3 lui G B   guilers
S T G   plusqueinte T   6 com S T

　　　　　Et qe les causes soient tricherouses,
　　　　　Ja ne serront les noeces graciouses ;
　　　　　Car conscience toutdis se remorde,
　　　　　Qant le penser a son semblant descorde.

　　　　3. Honest amour, q'ove loialté s'aqueinte,
　　　　　Fait qe les noeces serront gloriouses ;
　　　　　Et qui son coer ad mis par tiele empeinte,
　　　　　N'estoet doubter les changes perilouses.
　　　　　Om dist qe noeces sont aventurouses ;
　　　　　Car la fortune en tiel lieu ne s'accorde,　　　20
　　　　　Qant le penser a son semblant descorde.

Qualiter matrimonii sacramentum, quod ex duorum mutuo consensu sub fidei iuramento firmius astringitur, propter diuine vindicte offensam euitandam nullatenus dissolui debet.

　　　V. 1. Grant mervaile est et trop contre reson,
　　　　　Q'om doit du propre chois sa femme eslire,
　　　　　Et puis confermer celle eleccion
　　　　　Par espousaile, et puis apres desdire
　　　　　Sa foi, qant il de jour en jour desire
　　　　　Novell amour assetz plus qe la beste :
　　　　　Sa foi mentir n'est pas a l'omme honeste.

　　　　2. De l'espousailes la profession
　　　　　Valt plus d'assetz qe jeo ne puiss descrire :
　　　　　Soubtz cell habit prist incarnacion　　　10
　　　　　De la virgine cil q'est nostre Sire :
　　　　　Par quoi, des toutes partz qui bien remire,
　　　　　En l'ordre de si tresseintisme geste
　　　　　Sa foi mentir n'est pas a l'omme honeste.

　　　　3. De l'espousailes celle beneiçoun
　　　　　Le sacrement de seinte eglise enspire :
　　　　　C'est un liens, sanz dissolucioun
　　　　　Q'om doit guarder; car quique voldra lisre
　　　　　Le temps passé, il avera cause a dire,
　　　　　Pour doubte de vengeance et de moleste,　　　20
　　　　　Sa foi mentir n'est pas a l'omme honeste.

　　　IV 15 sa queinte T　　20 sacorde S T
　　　V 1 merveile S　　　resoun T　　3 puiss T　　eleccioun T
　　13 tressentisme T　　15 lespousails T　　　　beneicoun F T
　　beneiceon S　　beneicon G　　16 esglise S　　17 dissolucion S
　　20 vengance T

TRAITIÉ

VI. 1. Nectanabus, qui vint en Macedoine
D'Egipte, u qu'il devant ot rois esté,
Olimpeas encontre matrimoine,
L'espouse au roi Philipp, ad violé,
Dont Alisandre estoit lors engendré :
Mais quoique soit du primere envoisure,
Le fin demoustre toute l'aventure.

2. Cil q'est de pecché pres sa grace esloigne :
Ceo parust bien, car tiele destinée
Avint depuis, qe sanz nulle autre essoine
Le fils occist le pere tout de grée.
Ore esgardetz coment fuist revengé
D'avolterie celle forsfaiture :
Le fin demoustre toute l'aventure.

3. Rois Uluxes pour plaire a sa caroigne
Falsoit sa foi devers Penolopé ;
Avoec Circes fist mesme la busoigne,
Du quoi son fils Thelogonus fuist née,
Q'ad puis son propre piere auci tué.
Q'il n'est plesant a dieu tiele engendrure,
Le fin demoustre toute l'aventure.

VII. 1. El grant desert d'Ynde superiour
Cil qui d'arein les deux pilers fichoit,
Danz Hercules, prist femme a son honour
Qe file au roi de Calidoine estoit ;
Contre Achelons en armes conquestoit
La belle Deianire par bataille.
C'est grant peril de freindre l'espousaile.

2. Bien tost apres tout changea cell amour
Pour Eolen, dont il s'espouse haoit :
Celle Eolen fuist file a l'emperour
D'Eurice, et Herculem tant assotoit,
Q'elle ot de lui tout ceo q'avoir voloit.

Nota hic contra illos qui nuper sponsalia sua violantes in penam grauis vindicte dilapsi sunt. Et primo narrat qualiter Nectanabus rex Egipti ex Olimpiade vxore Philippi regis Macedonie magnum Alexandrum in adulterio genuit, qui postea patrem suum fortuito casu interfecit.

Qualiter Vluxes Penolope sponsus in insula Cilli Circen ibidem reginam adulterando Thelogonum genuit, qui postea propriis manibus patrem suum mortaliter iaculo transfodit.

Qualiter Hercules, qui Deianiram regis Calidonie filiam desponsauit, ipsam postea propter amorem Eolen Euricie Imperatoris filiam a se penitus amouit. Vnde ipse cautelis Achelontis ex incendio postea periit.

VI 7, 14, 21 demonstre T   8 eloigne S G   9 destine S   10 sanz
om. S   11 piere S G T   18 De S   sont S
VII *Margin* am*m*ouit T   2 darrein T   4 de *om.* S   6 bataile T
8 celle T   10 fille T

N'ert pas le fin semblable au comensaile ;
C'est grant peril de freindre l'espousaile.

3. Unqes ne fuist ne ja serra null jour,
Qe tiel pecché de dieu vengé ne soit :
Car Hercules, ensi com dist l'auctour,
D'une chemise, dont il se vestoit,
Fuist tant deceu, qu'il soi mesmes ardoit.
De son mesfait porta le contretaille ; 20
C'est grant peril de freindre l'espousaile.

Qualiter Iason vxo- VIII. 1. Li prus Jason, q'en l'isle de Colchos
rem suam Medeam
relinquens Creusam Le toison d'or par l'aide de Medée
Creontis regis filiam Conquist, dont il d'onour portoit grant los,
sibi carnaliter copu-
lauit ; vnde ipse cum Par tout le monde en court la renomée,
duobus filiis suis pos- La joefne dame ove soi ad amenée
tea infortunatus de-
cessit. De son paiis en Grece, et l'espousa.
Freinte espousaile dieus le vengera.

2. Qant Medea meulx quide estre en repos
Ove son mari, et q'elle avoit porté
Deux fils de lui, lors changea le purpos, 10
El quel Jason primer fuist obligé :
Il ad del tout Medeam refusé,
Si prist la file au roi Creon Creusa.
Freinte espousaile dieux le vengera.

3. Medea, q'ot le coer de dolour clos,
En son corous, et ceo fuist grant pité,
Ses joefnes fils, quex ot jadis enclos
Deinz ses costées, ensi come forsenée
Devant les oels Jason ele ad tué.
Ceo q'en fuist fait pecché le fortuna ; 20
Freinte espousaile dieux le vengera.

VII 16 vengee S G   19 tant *om.* S   qil S G   20 contre-
taile S G T
VIII 3 loos T   4 encourt S T   10·luy T   11 quell S G
quelle T   15 cloos T   17 queux T   en clos MSS.   18 com S T

TRAITIÉ

IX. 1. Cil avoltiers qui fait continuance
En ses pecchés et toutdis se delite,
Poi crient de dieu et l'ire et la vengeance:
Du quoi jeo trieus une Cronique escrite
Pour essampler; et si jeo le recite,
L'en poet noter par ceo qu'il signifie,
Horribles sont les mals d'avolterie.

Qualiter Egistus, Climestram regis Agamenontis vxorem adulterando, ipsum regem in lecto noctanter dormientem proditorie interfecit, cuius mortem Orestes filius eius crudelissime vindicauit.

2. Agamenon, q'ot soubtz sa governance
De les Gregois toute la flour eslite,
A Troie qant plus fuist en sa puissance, 10
S'espouse, quelle estoit Climestre dite,
Egistus l'ot de fol amour soubgite,
Dont puis avint meinte grant felonie:
Horribles sont les mals d'avolterie.

3. Agamenon de mort suffrist penance
Par treson qe sa femme avoit confite;
Dont elle apres morust sanz repentance:
Son propre fils Horestes l'ad despite,
Dont de sa main receust la mort subite;
Egiste as fourches puis rendist sa vie: 20
Horribles sont les mals d'avolterie.

X. 1. La tresplus belle q'unqes fuist humeine,
L'espouse a roi de Grece Menelai,
C'estoit la fole peccheresse Heleine,
Pour qui Paris primer se faisoit gai;
Mais puis tornoit toute sa joie en wai,
Qant Troie fuist destruite et mis en cendre:
Si haut pecché covient en bass descendre.

Qualiter ex adulterio Helene vxoris Menelai regis Troia magna in cineres conuersa pro perpetuo desolata permansit.

2. Tarquins auci, q'ot la pensé vileine,
Q'avoit pourgeu Lucrece a son essai,
Sanz null retour d'exil receust la peine; 10

Qualiter ob hoc quod Lucrecia Rome Collatini sponsa vi oppressa pre dolore interiit, Tarquinus

IX *Margin* Clemestram S T G 4 croniqe S 6 ceo] se F
qil S T G 17 repentace S 18 Orestes T
X 3 Estoit S 4 quoi T se *om.* S 5 way T 6 Quant T
7 halt T 8 Tarquinus T pensee S T G 10 nul T

c c

ibidem rex vna cum Arronte filio suo, qui sceleris auctores extiterant, pro perpetuo exheredati ex ilium subierunt.

    Et la dolente estoit en tiel esmai,
Qe d'un cotell s'occist sanz null deslai :
Ceo fuist pité, mais l'en doit bien entendre,
Si haut pecché covient en bass descendre.

Qualiter Mundus Romane milicie princeps nobilem Paulinam in templo Ysis decepit ; vnde ipse cum duobus presbiteris sibi confederatis iudicialiter perierunt.

3. Mundus fuist prince de la Court Romeine,
Qui deinz le temple Ysis el mois de Maii
Pourgeust Pauline, espouse et citezeine :
Deux prestres enbastiront tout le plai.
Bani fuist Munde en jugement verai,
Ysis destruit, li prestres vont au pendre :   20
Si haut pecché covient en bass descendre.

Qualiter Helmeges miles Rosemundam regis Gurmondi filiam Albinique primi regis Longobardorum vxorem adulterauit : vnde ipso rege mortaliter intoxicato dictam vxorem cum suo adultero dux Rauenne conuictos pene mortis adiudicauit.

XI. 1. Albins, q'estoit un prince bataillous,
Et fuist le primer roi de Lombardie,
Occist, com cil qui fuist victorious,
Le roi Gurmond par sa chivalerie ;
Si espousa sa file et tint cherie,
La quelle ot noun la belle Rosemonde.
Cil qui mal fait, falt qu'il au mal responde.

2. Tiel espousaile ja n'ert gracious,
U dieus les noeces point ne seintifie :
La dame, q'estoit pleine de corous   10
A cause de son piere, n'ama mie
Son droit mari, ainz est ailours amie ;
Elmeges la pourgeust et fist inmonde.
Cil qui mal fait, falt qu'il au mal responde.

3. Du pecché naist le fin malicious,
Par grief poison Albins perdist la vie :
Elmeges ove sa dame lecherous
Estoient arsz pour lour grant felonie ;
Le duc q'ot lors Ravenne en sa baillie
En son paleis lour jugement exponde :   20
Cil qui mal fait, falt qu'il au mal responde.

    X *Margin* vnam S   12 cotell F T G   coutell S   14 halt T
Margin Paulinam T (*by correction*) G   Paulinum F S   18 embastiront T   19 iuggement S T G   20 prestre S T G   21 halt T
    XI *Margin* Elmeges S   Gurmundi S G   Abbinique F   5 fille T
8 Ciel T   9 seintefie T   12 aillours S   18 estoiont S T G   ars S
19 quot T   20 iuggement S T G

TRAITIÉ

XII. 1. Le noble roi d'Athenes Pandeon
Deux files ot de son corps engendré,
Qe Progne et Philomene avoiont noun :
A Tereüs fuist Progne mariée,
Cil fuist de Trace roi ; mais la bealté
De l'autre soer lui fist sa foi falser.
Malvois amant reprent malvois loer.

2. De foldelit contraire a sa reson
Cil Tereüs par treson pourpensée
De Philomene en sa proteccion
Ravist la flour de sa virginité,
Contre sa foi, qu'il avoit espousée
Progne sa soer, qui puis se fist venger :
Malvois amant reprent malvois loer.

3. Trop fuist cruele celle vengeisoun :
Un joefne fils qu'il ot de Progne né
La miere occist, et en decoccion
Tant fist qe Tereüs l'ad devorée ;
Dont dieus lui ad en hupe transformée,
En signe qu'il fuist fals et avoltier :
Malvois amant reprent malvois loer.

XIII. 1. Seint Abraham, chief de la viele loi,
De Chanaan pour fuïr la famine
Mena Sarrai sa femme ovesque soi
Tanq'en Egipte, u doubta la covine
De Pharao, qui prist a concubine
Sarrai s'espouse, et en fist son voloir.
En halt estat falt temprer le pooir.

2. Cist Abraham, qui molt doubta le roi,
N'osa desdire, ainz suffrist la ravine,
Pour pes avoir et se tenoit tout coi :

Qualiter Tereus rex Tracie Prognem filiam Pandeon regis Athenarum in vxorem duxit, et postea Philomenam dicte vxoris sue sororem virginem vi oppressit. Vnde dicte sorores in peccati vindictam filium suum infantem ex Progne genitum variis decoccionibus in cibos transformatum comedere fecerunt.

Qualiter pro eo quod Pharao rex Egipti Sarrai vxorem Abrahe ob carnis concupiscenciam impudice tractauit, pestilencia per vniuersum Egiptum peccatum vindicauit.

XII *Margin* transmutatum S T B   3 auoient T   6 li T   8 resoun T G
10 proteccioun G   16 nee T   17 decoccioun T G   18 deuouree T
19 transforme T   20 qui fuist T
XIII 6 enfist T   7 haut F   8 moult.... Roy T   10 coy T

Dont il fuist bien ; du roi mais la falsine
De son pecché par tiele discipline
Dieus chastioit, dont il poait veoir,
En halt estat falt temprer le pooir.

3. Soubdeinement, ainz qe l'en scieust pour quoi,
Par toute Egipte espandist la morine ;
Dont Pharao, q'estoit en grant effroi,
Rendist l'espouse, et ceo fuist medicine.
A tiel pecché celle alme q'est encline,
Pour son delit covient au fin doloir : 20
En halt estat falt temprer le pooir.

Qualiter ob pecca- XIV. 1. Trop est humaine char frele et vileine ;
tum regis Dauid, de
eo quod ipse Bersabee
sponsam Vrie ex
adulterio impregnauit,
summus Iudex infan-
tem natum patre peni-
tente sepulcro defunc-
tum tradidit.

Sanz grace nulls se poet contretenir :
Ceo parust bien, sicom le bible enseine,
Qant roi David Urie fist moertrir
Pour Bersabée, dont il ot son plesir :
Espouse estoit, mais il n'en avoit guarde ;
N'ert pas segeur de soi qui dieus ne guarde.

2. La bealté q'il veoit ensi lui meine,
Qu'il n'ot poair de son corps abstenir,
Maisqu'il chaoit d'amour en celle peine, 10
Dont chastes ne se poait contenir :
L'un mal causoit un autre mal venir,
L'avolterie a l'omicide esguarde :
N'ert pas segeur de soi qui dieus ne guarde.

3. Mais cil, qui dieus de sa pité remeine,
David, se prist si fort a repentir,
Q'unqes null homme en ceste vie humeine
Ne receust tant de pleindre et de ghemir :
Merci prioit, merci fuist son desir,
Merci troevoit, merci son point ne tarde. 20
N'ert pas segeur de soi qui dieus ne guarde.

XIII 11 falsisine F   17 esfroi T   19 cel T
XIV *Margin* Bersabe S   sepulcro F B   sepulture S T G
1 lumaine T   3 la Bible S   la bible T G   enseigne S
8 quil S G   9 Qil S   10 Mais quil S   12 un autre] lautre F

TRAITIÉ

XV. 1. Comunes sont la cronique et l'istoire
De Lancelot et Tristrans ensement;
Enqore maint lour sotie en memoire,
Pour essampler les autres du present:
Cil q'est guarni et nulle garde prent,
Droitz est qu'il porte mesmes sa folie;
Car beal oisel par autre se chastie.

2. Tout temps del an om truist d'amour la foire,
U que les coers Cupide done et vent:
Deux tonealx ad, dont il les gentz fait boire, 10
L'un est assetz plus douls qe n'est pyment,
L'autre est amier plus que null arrement:
Parentre deux falt q'om se modefie,
Car beal oisel par autre se chastie.

3. As uns est blanche, as uns fortune est noire;
Amour se torne trop diversement,
Ore est en joie, ore est en purgatoire,
Sanz point, sanz reule et sanz governement:
Mais sur toutz autres il fait sagement,
Q'en fol amour ne se delite mie; 20
Car beal oisel par autre se chastie.

XVI. 1. Om truist plusours es vieles escriptures
Prus et vailantz, q'ont d'armes le renoun,
Mais poi furont q'entre les envoisures
Guarderont chaste lour condicion.
Cil rois qui Valentinians ot noun
As les Romeins ceo dist en son avis,
Qui sa char veint, sur toutz doit porter pris.

2. Qui d'armes veint les fieres aventures,
Du siecle en doit avoir le reguerdoun;
Mais qui du char poet veintre les pointures, 10

Qualiter ob hoc quod Lanceolotus Miles probatissimus Gunnoram regis Arthuri vxorem fatue peramauit, eciam et quia Tristram simili modo Isoldam regis Marci auunculi sui vxorem violare non timuit, Amantes ambo predicti magno infortunii dolore dies suos extremos clauserunt.

Qualiter Princeps qui sue carnis concupiscenciam exuperat pre ceteris laudabilior existit. Narrat enim quod cum probus Valentinianus Imperator octogenarius in armis floruit, et suorum preliorum gesta coram eo publice decantabantur, asseruit se de victoria sue carnis, cuius ipse motus illecebros extinxerat, magis letari, quam si ipse vniuersas mundi partes in gladio belliger subiugasset.

XV Owing to a slight damage to the leaf the beginnings of the first ten lines and a few syllables of the marginal summary are wanting in F.
Margin ex*r*emos S G   1 lestoire S G   4 de S G   6 la T
8 trust... ffoire T   11 plusdouls F T G   12 plusq*ue* F G
14 oiseal T
XVI 1 es S G B   et T, de F   4 condicio*u*n T   6 Romeines T
9 endoit F T   10 poeit S

Le ciel avera trestout a sa bandoun.
Agardetz ore la comparisoun,
Le quell valt plus, le monde ou Paradis :
Qui sa char veint, sur toutz doit porter pris.

3. Amour les armes tient en ses droitures,
Et est plus fort, car la profession
De vrai amour surmonte les natures
Et fait om vivre au loi de sa reson :
En mariage est la perfeccioun ;
Guardent lour foi cils q'ont celle ordre pris : 20
Qui sa char veint, sur toutz doit porter pris.

<small>Nota hic quod secundum iura ecclesie, vt sint duo in carne vna tantum ad sacri coniugii perfeccionem et non aliter expediens est.</small>

XVII. 1. Amour est dit sanz partir d'un et une ;
Ceo voet la foi plevie au destre main :
Mais qant li tierce d'amour se comune,
Non est amour, ainz serra dit barguain.
Trop se descroist q'ensi quiert avoir guain,
Qui sa foi pert poi troeve d'avantage,
A un est une assetz en mariage.

2. N'est pas compaigns q'est comun a chascune ;
Au soule amie ert un ami soulain :
Mais cil qui toutdis change sa fortune, 10
Et ne voet estre en un soul lieu certain,
Om le poet bien resembler a Gawain,
Courtois d'amour, mais il fuist trop volage :
A un est une assetz en mariage.

3. Semblables est au descroisçante lune
Cil q'au primer se moustre entier et plain,
Qant prent espouse, ou soit ceo blanche ou brune,
Et quiert eschange avoir a l'endemain :
Mais qui q'ensi son temps deguaste en vain
Doit bien sentir au fin de son passage, 20
A un est une assetz en mariage.

XVI 11 baundo*u*n S G 12 Agardes G comparison S G
16 plusfort MSS. professio*u*n S 18 reso*u*n S T 19 p*er*feccion S G 20 cell S
XVII *Margin* due F 3 q*u*ant T 6 troue T 16 primere F monstre (?) T 17 Q*u*ant T

TRAITIÉ

XVIII. 1. En propreté cil qui del or habonde
    Molt fait grant tort s'il emble autri monoie :
    Cil q'ad s'espouse propre deinz sa bonde
    Grant pecché fait s'il quiert ailours sa proie.
    Tiels chante, 'c'est ma sovereine joie,'
    Qui puis en ad dolour sanz departie :
    N'est pas amant qui son amour mesguie.

Nota hic secundum auctores quod sponsi fideles ex sui regiminis discreta bonitate vxores sibi fidissimas conseruant. Vnde ipsi ad inuicem congaudentes felicius in domino conualescunt.

2. Des trois estatz benoitz c'est le seconde,
    Q'au mariage en droit amour se ploie ;
    Et qui cell ordre en foldelit confonde   10
    Trop poet doubter, s'il ne se reconvoie.
    Pource bon est qe chascun se pourvoie
    D'amer ensi, q'il n'ait sa foi blemie :
    N'est pas amant qui soun amour mesguie.

3. Deinz son recoi la conscience exponde
    A fol amant l'amour dont il foloie ;
    Si lui covient au fin qu'il en responde
    Devant celui qui les consals desploie.
    O come li bons maritz son bien emploie,
    Qant l'autre fol lerra sa fole amie !   20
    N'est pas amant qui son amour mesguie.

4. Al université de tout le monde
    Johan Gower ceste Balade envoie ;
    Et si jeo n'ai de François la faconde,
    Pardonetz moi qe jeo de ceo forsvoie :
    Jeo sui Englois, si quier par tiele voie
    Estre excusé ; mais quoique nulls en die,
    L'amour parfit en dieu se justifie.

Hic in fine Gower, qui Anglicus est, sua verba Gallica, si que incongrua fuerint, excusat.

Quis sit vel qualis sacer ordo connubialis
Scripsi, mentalis sit amor quod in ordine talis.
Exemplo veteri poterunt ventura timeri ;
Cras caro sicut heri leuiter valet illa moueri.
Non ita gaudebit sibi qui de carne placebit,
Quin corpus flebit aut spiritus inde dolebit :

XVIII *Margin* adinvicem T   2 cil S   4 aillours T   6 enad T
9 endroit T   12 Pourceo S T G   purvoie S G   13 quil S G
naid G   14 soun F   son S T G   19 com T   23 Iehan S G
25 foruoie G   27 en die S   endie F T G

Carne refrenatus qui se regit inmaculatus,
Omnes quosque status precellit in orbe beatus,
Ille deo gratus splendet ad omne latus.

Carmen de variis in amore passionibus breuiter compilatum.

Est amor in glosa pax bellica, lis pietosa,
Accio famosa, vaga sors, vis imperiosa,
Pugna quietosa, victoria perniciosa,
Regula viscosa, scola deuia, lex capitosa,
Cura molestosa, grauis ars, virtus viciosa,
Gloria dampnosa, flens risus et ira iocosa,
Musa dolorosa, mors leta, febris preciosa,
Esca venenosa, fel dulce, fames animosa,
Vitis acetosa, sitis ebria, mens furiosa,
Flamma pruinosa, nox clara, dies tenebrosa, 10
Res dedignosa, socialis et ambiciosa,
Garrula, verbosa, secreta, silens, studiosa,
Fabula formosa, sapiencia prestigiosa,
Causa ruinosa, rota versa, quies operosa,
Vrticata rosa, spes stulta fidesque dolosa.

Magnus in exiguis, variatus vt est tibi clamor,
  Fixus in ambiguis motibus errat amor:
Instruat audita tibi leccio sic repetita;
  Mors, amor et vita participantur ita.

Lex docet auctorum quod iter carnale bonorum
Tucius est, quorum sunt federa coniugiorum:
Fragrat vt ortorum rosa plus quam germen agrorum,
Ordo maritorum caput est et finis amorum:
Hec est nuptorum carnis quasi regula morum, 5
Que saluandorum sacratur in orbe virorum.
Hinc vetus annorum Gower sub spe meritorum
Ordine sponsorum tutus adhibo thorum.

T *omits the* 'Carmen de variis' *etc.*, 'Est amor ... participantur ita,' *and combines the eight lines,* 'Lex docet auctorum,' *with the first piece* 'Quis sit vel qualis'. S *has the title thus*: Carmen quod Iohannes Gower super amoris multiplici varietate sub compendio metrice composuit.   10 tenobrosa S   *The last two lines are omitted in* B

NOTES

MIROUR DE L'OMME

Table of Contents.—This table is written in a hand which differs somewhat from that of the text, and it has some peculiar forms of spelling, as 'diable,' 'eyde,' 'por,' 'noet,' 'fraunchement,' 'fraunchise,' 'governaunce,' 'sount,' 'lesserount': some of these forms are also found in the rubrics.

After the Table four leaves have been cut out, and the first leaf that we have of the text is signed *a* iiii. It is probable that the first of the lost leaves was something like f. 6 in the Glasgow MS. of the *Vox Clamantis*, which is blank on one side and has a picture and some verses on the other (being, as this is, a half-sheet left over after the Table of Contents), and that the text of the *Mirour* began with the first quire of eight (*a* i). If this is so, three leaves of the text are missing, probably containing forty-seven stanzas, i.e. 564 lines, an allowance of twelve lines of space being made for title and rubrics. The real subject of the book begins at l. 37 of the existing text, as will be seen by the rubric there, and what preceded was probably a prologue dealing with the vanity of worldly and sinful pleasures: see ll. 25-30.

1. *Escoulte cea* &c. This is addressed to lovers of sin and of the world, not to lovers in the ordinary sense, as we shall see if we read the first stanzas carefully.

2. *perestes*: see 'perestre' in Glossary. The 3rd pers. sing. 'perest' is fully written out in the MS. several times, e.g. 1760, 2546.

4. *ove tout s'enfant*, 'together with her children,' 's'enfant' (for 'si enfant') being plural. For 'ove tout' cp. 27662,

'Le piere et miere ove tout l'enfant,'

where 'l'enfant' is singular. This shows that 'ove tout' should be combined, and not 'tout s'enfant.' For other adverbial uses of 'tout' see Glossary. 'Ove' counts always as a monosyllable in the verse, and so also 'come': see l. 28.

6. *chapeal de sauls*, the wreath of willow being a sign of mourning.

23. *Changeast*: pret. subjunctive for conditional, a very common use with our author.

25. *porroit*: conditional used for pret. subjunctive, cp. 170, 322, *Bal.* i. 3, &c.

28. *come*, also written 'comme' and 'com,' has always, like 'ove,' the value of a monosyllable in the metre.

31. *l'amour seculer*, 'the love of the world.'

37. *ore*, counting as a monosyllable here, cp. 1775, &c., but as a dissyllable 4737, 11377, *Bal.* xxviii. 1.

39. *fait anientir*, 'annihilates': see note on 1135.

46. *Que*, 'For.'

51. The reference is to John i. 3 f., 'Omnia per ipsum facta sunt: et sine ipso factum est nihil, quod factum est. In ipso vita erat,' &c. This was usually taken with a full stop after 'nihil,' and then 'Quod factum est in ipso, vita erat.' It was read so by Augustine, who seems to suggest the idea which is attributed below to Gregory, viz. that the 'nothing' which was made without God was *sin*. 'Peccatum quidem non per ipsum factum est; et manifestum est quia peccatum nihil est,' &c., *Joann. Evang.* i. 13. Gregory also held that sin was nothing: 'Res quidem aliquid habet esse, peccatum vero esse nullum habet,' i. *Reg. Exp.* v. 14, but I do not know whether he founded his opinion specially on this text. Pierre de Peccham expresses the same idea:

> 'Pecché n'est chose ne nature
> Ne si n'est la deu creature,
> Einz est de nature corrupciun
> Et defaute et destructiun,' &c.
>
> M.S. Bodl. 399, f. 21 v⁰.

65. *de les celestieux*, 'from heaven,' cp. 27120, and such expressions as 'les infernalx' just below.

74. *toutplein*, 'a great number': often written as one word 'toutplein,' so, for example, *Bal.* xxxvii. 2, *Mir.* 25276 &c.; divided as here l. 11021.

83. *au droit divis*, 'rightly,' an adverbial expression which is often used by our author to fill up a line: cp. 872 and Glossary under 'devis.'

84. *du dame Evein*, 'in the person of Eve': 'du' for 'de,' see Glossary.

85. For this kind of repetition cp. 473 and *Conf. Am. Prol.* 60, 'So as I can, so as I mai.'

89. The sentence is broken off and resumed under another form: cp. 997 ff., 17743, &c., and *Conf. Am.* vi. 1796 ff.

94. *q'estoit perdue*, 'that which was lost.' The form *perdue* is not influenced by gender but by rhyme.

100. For the position of 'et' see note on 415.

115. *avoit*, 'there was,' for 'y avoit': so used frequently.

116. *luy*, a form of *ly*, *le*, see Glossary.

118. *n'en fuist mangant*, 'should not eat of them.' This use of pres. participle with auxiliary instead of the simple tense is frequent not

only with our author but in old French generally : see Burguy, *Grammaire* ii. 258.

131. *a qui constance* &c., because of her nature as a woman.

135. *u que*, 'where': sometimes combined into 'uque,' 'uqe,' e.g. *Bal.* xv. 3, but usually separate.

136. *deable*, also written 'deble,' and never more than a dissyllable in the metre.

139. *en ton endroit*, 'for your part.' Phrases composed with 'endroit' or 'en droit' are among the commonest forms of 'fill up' employed by our author: cp. note on l. 83, and see Glossary under 'endroit.'

163. Cp. *Conf. Am.* i. 1610, 'For what womman is *so above*.'

168. *le fist . . forsjuger*, 'condemned him,' see note on 1135.

170. *serroit*: conditional for subjunctive, cp. l. 25.

190. *Ce dont*, 'the cause whereby.'

194. Note that the capital letters of 'Pecché,' 'Mort,' 'Char,' 'Alme,' 'Siecle,' indicating that they are spoken of as persons, are due to the editor.

217 ff. *Tant perservoit . . . dont il fuist* &c. This use of 'dont' (instead of 'que'), after such words as 'tant,' 'si,' &c., to introduce the consequence, is very common with our author, see 544, 657, &c., cp. 682. Compare the similar use of the relative in English, e.g. *Conf. Am.* i. 498. Here there is a second consecutive clause following, which is introduced by 'Que': 'His daughter so kept him in pleasant mood and made him such entertainment that he was enamoured of her so much that,' &c.

218. *en son degré*, 'for her part': cp. note on 139.

230. *vont . . . engendrant*, equivalent to 'engendrent,' another instance of the use of pres. partic. with auxiliary verbs for the simple tense, which is common in old French: cp. 118, 440, 500, and the conclusion of this stanza, where we have 'serray devisant' and 'est nomant' for 'deviserai' and 'nomme.'

238 ff. 'As I will describe to you, (telling) by what names people call them and of the office in which they are instructed.'

253. *celle d'Avarice*, 'that which is called Avarice.' For this apposition with 'de' cp. 84, 14197.

276. *grantment*: corrected here and in 397 from 'grantement,' which would be three syllables. We have 'grantment' 8931.

296. *Accidie*. This counts as three syllables only in the metre, and it is in fact written 'Accide' in l. 255. A similar thing is to be observed in several other words with this ending, as 'Vituperie' 2967, 'familie' 3916, 'contumelie' 4067, 'perjurie' 6409, 'encordie' 6958, 'remedie' 10912, 'pluvie' 26716; and in general, when the accent fell on the antepenultimate, there was a tendency to run the *-ie* into one syllable. The accent, however, was variable (at least in Anglo-Norman) according to the exigences of metre, and in some cases where we should expect the above rule to apply we find the accent thrown on the penultimate and all the syllables fully sounded, as 2362,

'Contumacie l'oi nommer.'

301. *ceos mals*: equivalent to 'les mals,' so 'cel homme' 305, 'celle Alme' 667, 'celle amorouse peigne' *Bal.* iii. 1. This use of demonstrative for definite article is quite common.

305. *pot*, perhaps meant for subjunctive.

307. Cp. *Bal.* v. 3 : 'Si fuisse en paradis ceo beal Manoir.'

322. *serroit*, 'he might be,' conditional for subj.; cp. l. 25.

330. 'And swore it mutually': see note on 1135.

355. *a son derere*, 'to his harm.'

364. *porray*, fut. for subj.

373. *de sa partie*, 'for his part': like 'en son endroit,' 'en son degre,' &c., ll. 139, 218, &c.

397. *grantment*: cp. l. 276.

407. *Q'un messager* &c. 'So that he sent a messenger at once after him in great haste.' This is better than taking 'tramist' as subjunctive ('that he should send' &c.), because of 'Cil messager' in the next stanza. For 'que' meaning 'so that' cp. 431, 485.

415. *Depar le deable et*. This position of the conjunction is characteristic of Gower's English writing, e. g. *Conf. Am. Prol.* 155, 521, 756, &c., and it often occurs also in the present work: cp. 100, 1008, 2955, &c. 'Depar le deable' evidently is better taken here with 'pria' than with the preceding line. The words thus treated are 'et,' 'mais,' 'car,' 'ainz' (24646).

416. *hastera*: see note on 1184.

438. *soiez*, for 'soies,' 2 pers. singular; so 645.

440. *Je t'en vois loer promettant*, 'I promise you payment for it': 'vois' is for 'vais,' and this is a case of the construction noticed at l. 230, &c.

442. *ne t'en soietz*: the singular and plural of the second person are often interchanged by our author: cp. 25839 ff., 27935, 29604, &c.

454. *Et si*, 'and also'; so 471.

488. *se fist muscer*, 'hid himself'; see note on 1135.

492. *Du*, as usual for 'de.'

500. *vas tariant*: cp. 230, 440, &c.

541. The rhyme of 'scies' with 'malvoistés' should be noted.

575. *te lerra q'une haire*, 'will leave thee (nothing) but sackcloth.' The negative is omitted as with 'but' in English.

581. Either 'Makes vain encouragement,' or 'Encourages the foolish person.'

626. *s'estuit*: see note on 997.

637. *si fuissetz avisée*, 'if you only knew !'

654. *Fuissent . . . reconfortant*, 'should encourage': cp. 118.

658. *en*, 'with regard to this.'

667. *celle Alme*, 'the Soul': cp. 301.

682. *Par quoy*, used like 'dont' to introduce the consequence: cp. 696, 743, and see note on 217, where the consecutive clauses are piled up much as they are here.

688. *lessera*, future used as in 416.

740. *Du Char folie*, 'by reason of the wantonness of the Flesh': 'du' belongs to 'folie.'

761. *de ton honour*, 'by means of the honour which you have to bestow.'

780. 'So that you may have Man back again': for this use of 'dois' see note on 1193.

799. *c'il*, for 's'il': so 'ce' for 'se' 1147, 'Ciriens' for 'Siriens' 10314.

815. *qui*, 'whom': this form is quite freely used as an object of the verb; see Glossary.

865. *en son degré*: cp. l. 139, &c.

912. *le*: this is used (side by side with 'luy,' e.g. 921) as indirect object masculine or feminine, though 'la' is also found.

940. We must take 'deesce' as a dissyllable. The usual form is 'duesse' ('dieuesce' *Bal.* xx. 4).

943. *ce buisson*, i.e. 'le buisson.'

948. This line occurs again 9453, and is practically reproduced *Bal.* xiii. 1:

'Quelle est sanz point, sanz reule et sanz mesure.'

It means here that the feasting was without limit. For the form of expression cp. 984.

987. *As grans hanaps* &c., i.e. 'a emplir les grans hanaps.' This kind of combination is not uncommon, e.g. 5492, 'des perils ymaginer.'

988. *par envoisure*, 'in gaiety': 'envoisure' means properly 'trick,' 'device,' connected with such words as 'voisdie,' hence 'pleasantry,' 'gaiety.'

992. *les firont rejoïr*, 'delighted them': see note on 1135.

997. *s'estuit*. In 613 and 15144 this means 'was silent,' from 's'esteire,' and that sense will perhaps do for it here. However, the form 'restuit' below suggests 'esteir,' which presumably might be used reflexively, and 's'estuit' would then mean 'stood.' This may be the sense also in 626.

1008. Cp. 415.

1015. *luy*, used for 'ly,' the def. article: see Glossary under 'ly.'

1016. 'Much resembled one another': cp. such compounds as 's'entrecontrer,' 's'entrasseurer,' &c.

1027. *le livre*. What 'book' is our author following in his statement that the Deadly Sins are 'hermafodrite,' as he calls it? Or does this reference only apply to what follows about the meaning of the word?

1030. 'If I lay upon them female names,' but 'enditer' is employed in an unusual sense.

1061. *au seinte ... quideroit*, 'should believe her to be a saint.'

1066. *Tant plus come*, 'The more that,' answered by 'Tant plus' in the next line.

1069. Apparently the meaning is that Hypocrisy in public separates herself from others and stands apart: for 'singulere' cp. 1513.

1081. 2 Kings xx. 12 ff.

1085. 'According to the divination of the prophet,' taking 'devinant' as a substantive, like 'vivant,' 'pensant,' &c.

1094. For this use of the verb cp. *Trait.* iv. 1, 'qant plus resemblont amorouses.'

1100 ff. Cp. *Conf. Am.* i. 604 f.,

> 'And he that was a lomb beforn
> Is thanne a wolf.'

1117. Matt. xxiii. 27.

1127. Probably Is. ix. 17.

1135. *q'om fait despire*, 'which one abhors,' the auxiliary use of 'faire,' which is very common in our author, like 'do,' 'doth,' in English: cp. 39, 168, 368, 488, 992, 1320, *Bal.* iv. 1, &c. In some places this auxiliary (again like the English 'do') takes the place of the principal verb, which is understood from a preceding clause, e.g. 3180, 10649. These uses are common in Old French generally, but perhaps more so in Anglo-Norman than in the Continental dialects.

1146. Bern. *Serm. in Cant.* xvi. 10.

1147. *ce* for 'se': see note on 799.

1180. *boit*: indicative for subjunctive to suit the rhyme; so 'voit' 1185, 'fait' 1401.

1184. *qu'il serra poy mangant*, 'that he shall eat little,' the future being used in command as in 416, 688. For the participle with auxiliary see note on l. 118.

1193. *l'en doit loer*: 'should praise him': an auxiliary use of 'doit,' which stands for 'may' in all senses: cp. 780, 3294, 6672, 17041, &c.

1194. Similar sayings of Augustine are quoted elsewhere by our author, e.g. 10411, 20547.

1244. *qui lors prise*, &c., 'when one praises her, she thinks not that God can undo her by any means.' This is probably the meaning: cp. such expressions as 'qui bien guarde en son purpens' 9055, 'qui bien se cure' 16541, &c. Compare the use of 'who that' in Gower's English, e. g. *Conf. Am. Prol.* 460.

1261. *laisse nient que*, &c., 'fails not to keep with him,' &c.

1273. Job xxi. 12, 13: 'Tenent tympanum et citharam, et gaudent ad sonitum organi. Ducunt in bonis dies suos, et in puncto ad inferna descendunt.'

1280. Perhaps Is. v. 14.

1285. The passage is Jeremiah xlv. 5. 'Ysaïe' is a mistake for 'Jeremie,' which would suit the metre equally well and perhaps was intended by the author.

1291. There is nothing exactly corresponding to this in the book of Joel, but perhaps it is a general reference to the first chapter.

1317. Ecclus. xxv. 3. This book is sometimes referred to as 'Salomon,' and sometimes more properly as 'Sidrac': cp. 2509.

1326. Ps. li. 3, 'Quid gloriaris in malitia, qui potens es in iniquitate?'

1335. Job xx. 6, 7.

1365. *frise*: a puzzling word. It ought to mean here 'blows,' or 'blows cold,' of the wind.

1375. 'It is she who causes a man to be raised from a foot-page to great lordship.'

1389. 'He plays them so false a turn': 'tresgeter' came to be used especially of cheating or juggling, hence 'tregetour.'

1400. Cp. 14473.

1401. *fait*: indic. for subj. in rhyme.

1416. Cp. 12780, 'N'ad pas la langue au fil pendant.'

1446. Perhaps 'pareill' is here a substantive and means 'equality.'

1447. *qui*, 'whom.'

1460. *est plus amant*, i.e. 'aime.'

1495 ff. Cp. *Conf. Am.* i. 2409-2415, where the same idea of a wind of pride blowing away a man's virtue is suggested under the head of 'Avantance.'

1518. 'Noli me tangere' is perhaps originally from John xx. 17, but it has received a very different application.

1563. The story was that the hunter, having carried off the tiger's cubs and being pursued, would throw behind him in the path of the animal a sphere of glass, the reflection in which was supposed by the tiger to be one of her lost cubs. This would delay her for a time, and by repeating the process the man would be able to ride away in safety with his booty: see Ambrose, *Hex.* vi. 4. The story is founded on that told by Pliny, *Nat. Hist.* viii. 25.

1575. Perhaps an inaccurate reminiscence of John viii. 49.

1585. The reference is to Job xi. 12, 'Vir vanus in superbiam erigitur, et tanquam pullum onagri se liberum natum putat.' The rest is due to our author.

1597. Ecclus. xxxvii. 3. 'O praesumptio nequissima, unde creata es...?' The rest is added by our author.

1618. Perhaps Bern. *de Hum. Cond.* 5, 'Stude cognoscere te: quam multo melior et laudabilior es, si te cognoscis, quam si te neglecto cognosceres cursum siderum,' &c.

1624. Matt. vii. 1, 2.

1627. Probably Is. xxix. 14, but it is not an exact quotation.

1645. Job xxx. 1, 'Nunc autem derident me iuniores tempore.'

1648. Job xii. 4, 'derideatur enim iusti simplicitas.'

1653. The reference is no doubt intended for the Elegies of Maximianus, but I think no such passage occurs in them. Perhaps our author was thinking of Cato, *Distich.* iii. 7,

> Alterius dictum aut factum nec carpseris unquam,
> Exemplo simili ne te derideat alter.

1662. *faisoit*, singular for the rhyme, with the excuse of 'chascun' to follow.

1669. Perhaps Prov. xxiv. 9, 'abominatio hominum detractor,' or xvi. 5, 'Abominatio Domini est omnis arrogans.'

1678. Ps. lix. (*Vulg.* lviii.) 8 (9), 'Et tu, Domine, deridebis eos.'

1684 ff. It is suggested here that Malapert gets his name from discovering things which should be concealed, saying them 'en apert'; but the word is rather from 'apert' in the sense of 'bold' 'impudent,' whence the modern English 'pert.'

1688. *serroit*, 'ought to be,' a common use of the conditional: cp. 6915, 8941, &c., and *Vox Clam*. iii. 1052 and elsewhere, where the Latin imp. subj. is used in the same way.

1709 f. 'All set themselves to listen what he will say.'

1711. *si nuls soit*, 'if there be any.'

1717. Prov. ix. 7, 'Qui erudit derisorem, ipse iniuriam sibi facit.'

1740. *n'en dirroit plus avant*, 'would not go further in speaking of it,' 'avant' being probably an adverb: cp. 1762.

1758. Boeth. *de Cons*. iii. Pr. 8. 'Igitur te pulcrum videri non tua natura sed oculorum spectantium reddit infirmitas.'

1762 f. *si par tout avant*, &c., 'if he could go on further and see the rest.'

1776. *volt*, used apparently for pret. subj., as 327; here in conditional sense.

1784. Aug. *in Joann. Ev*. i. 15, 'Quid est quod te inflas, humana superbia? . . . Pulicibus resiste, ut dormias: cognosce qui sis.'

1790. Boeth. *de Cons*. iii. Pr. 3 ff.

1795. *de nounstable*, 'instead of transient.'

1824. 'Often you see evil come (upon him).' The reference may be to Prov. xvi. 18, or to some similar saying.

1825. Zephaniah iii. 11.

1828. Perhaps Jer. xlviii. 29 ff.

1837. Luke xviii. 9 ff.

1848. *par soy despisant*: a characteristic use of the gerund for infinitive: cp. 6093.

1849. The references to Solinus in this book are mostly false. Many of the anecdotes may be found in Pliny, but not this. Isidore gives the etymology, but the original of the story here is perhaps Albertus Magnus *de Animalibus* (quoted by the Delphin editor on Plin. *N. H.* x. 3).

1868. Perhaps Ps. ci. 5. In any case the last lines of the stanza are an addition by our author to the quotation.

1883. *fait a reprendre*, 'deserves to be blamed': cp. 5055, 9687, 12238, &c., and see the examples quoted by Burguy, *Grammaire*, ii. 167 f.

1887. The story is told at length in *Conf. Am*. i. 2785 ff.

1912 ff. Cp. *Conf. Am*. i. 2416 ff., but the parallel is not very close.

1942. *parferroit*. The contraction is thus written out in all parts of this verb, because 'parfaire,' 'parfait,' occur in full, e. g. 4413. Probably, however, there was fluctuation between 'par' and 'per,' as in 'parfit,' 'parigal.'

1944. It would perhaps be difficult to say why Montpelliers should be a proverbially rich place, but Mr. Archer points out to me that such expressions as this are common in the *chansons de geste*, e. g. *Chanson d'Antioche* ii. 628, 'Il n'y vousist mie estre pour l'or de Montpellier.' Pavia is referred to in *Mir*. 7319 in the same way.

2022. *frocke et haire*, i.e. the outer and the inner garment of a monk or friar.

2037. Perhaps rather 'Tout mal dirra'; but the text may be translated 'he will curse continually.'

2067. *l'en chastie*, 'may correct him for it': but perhaps we should read 'l'enchastie' without separation; cp. 7917.

2090. Rom. v. 19.

2095. *Moises*: a dissyllable here, but elsewhere 'Moïses,' &c.

2101. Sol. *Collect.* 52, '[Monoceros] vivus non venit in hominum potestatem, et interim quidem potest, capi non potest.'

2135 f. Cp. *Conf. Am.* i. 1240 ff.

2142. France is looked upon simply as a land which has revolted from its lawful sovereign, Edward III, who has the right 'from his mother,' 2148. This passage was apparently written before the death of Edward III.

2169. 'Is delivered up in slavery to him.'

2184. *Du permanable vilenie*, to be taken with 'mort,' 'death comes suddenly upon him bringing him to everlasting shame.'

2185. Is. xxxiii. 1. 'Vae qui praedaris, nonne et ipse praedaberis? et qui spernis, nonne et ipse sperneris?' &c.

2197. Deut. xxviii. 38 ff.

2209. Ezek. xvii. 19 ff.

2221. Prov. xvii. 5.

2224. Mal. ii. 10, 'Numquid non pater unus omnium nostrum? numquid non Deus unus creavit nos? Quare ergo despicit unusquisque nostrum fratrem suum?'

2242. Greg. *Moral.* xxiii. 31, 'Obstaculum namque veritatis est tumor mentis.'

2275. Luke xiii. 14. The person who protested was the 'ruler of the synagogue,' whom our author calls 'un archeprestre,' and the miracle was done upon a woman.

2281. Prov. xxix. 22, 'qui ad indignandum facilis est, erit ad peccandum proclivior.'

2293. Prov. xxx. 13.

2301. Is. ii. 11, or v. 15.

2305. *Danger*: see note on *Bal.* xii. l. 8. Here Danger represents the spirit which rejects advances of friendship from motives of pride.

2323. *fait ... appeller*: see note on 1135.

2326. Cp. 2362, where we have 'oi' (monosyllable), as also 410.

2330. Numbers xiv. 30.

2341 ff. Numbers xvi.

2348. *Que*, 'For.'

2351 f. *que plus avant*, &c., 'so that by this he gave warning to the rest for the future' ('plus avant').

2353 ff. Acts ix. 5. In this stanza the word 'point' occurs no less than six times in the rhyme. This is an extreme instance of a common case, any difference in the meaning or manner of employment being held both in French and English verse to justify the repetition of the same word as a rhyme. Here 'point' is the past participle of a verb in 2357 and is used as an adverb in 2356: in the other four cases it is simply the same substantive with differences of meaning.

2377. 1 Macc. iii. 13-24.
2384. 1 Macc. vi. 1-16.
2389. Deut. xxi. 18-21.
2405. Exod. xvii. 1-7.
2413. Deut. xxxii.
2425. 1 Macc. vii. 26-47.
2441. Perhaps Is. v. 20.
2443. 2 Kings xix (Is. xxxvii).
2449. Levit. xxiv. 16.
2452. Luke xxiii. 39 ff., but our author has characteristically reversed the story, giving us the supposed punishment of the blasphemer instead of the mercy shown to the penitent.
2462. *C'est un des tous*, &c. Cp. the expression in fourteenth-century English, 'oon the beste' &c.
2463. Rev. xiii. 1, 6 f.
2509. Ecclus. x. 12 (14). The references of our author to 'Sidrac' are to this book, 'The wisdom of Jesus the son of Sirach,' but he also quotes from it under the name of Solomon, cp. 1317, and curiously enough the very next quotation, taken from the same chapter, is a case of this kind.
2513. Ecclus. x. 7, 'Odibilis coram Deo est et hominibus superbia.'
2534. *fait plus a redoubter*: see note on l. 1883.
2538. *a son passage*, 'at his death.'
2548. Ecclus. x. 17, 'Sedes ducum superborum destruxit Deus, et sedere fecit mites pro eis.'
2587. Mal. i. 6.
2629. *Haymo*: Bishop of Halberstadt, ninth century. The reference is to his Commentary on the Epistle to the Romans, i. 10, 'Detractio est aliorum bene gesta opera vel in malum malitiose mutare, vel invidendo fallaci fraude diminuere,' &c. (Migne. *Patrol.* cxvii. 377).
2653. Numbers xii. 1.
2665. Probably the reference is to Is. xiv. 13-15, but the beginning is loosely quoted: the latter part is closer, see verse 15, 'ad infernum detraheris in profundum laci.'
2677 ff. Cp. *Conf. Am.* ii. 388 ff., where 'Malebouche' comes in as the attendant of 'Detraccioun.'
2700. *le meinz*, 'the less,' cp. 'ly pire' 2760, 'le plus' 12347, 'le meulx' 14396.
2715. I do not understand this. By comparison with *Conf. Am.* ii. 394 ff. the passage should mean that he praises first, and then ends up with blame, which overcasts all the praise: cp. Chaucer, *Persones Tale*, 494 (Skeat). Perhaps we ought to read 'primerement' for 'darreinement.'

NOTES. LINES 2377–3160

2742. For the metre cp. 24625 and see Introduction, p. xlv.

2749. See du Cange under 'fagolidori' (Gr. φαγολοίδοροι), where the passage of Jerome is quoted, but the word is set down as probably a corruption of φιλολοίδοροι.

2761. Ps. x. 7 (*Vulg.* ix. 28).

2779. Ps. cxl. 3 (*Vulg.* cxxxix. 4).

2790. Ps. xxxviii. 20 (*Vulg.* xxxvii. 21), 'Qui retribuunt mala pro bonis, detrahebant mihi, quoniam sequebar bonitatem.'

2799. Jer. xviii. 21 f.

2809. Ps. xxxi. 18 (*Vulg.* xxx. 19), cp. cxix. (*Vulg.* lxviii), 23.

2861. Jer. li. 1, but the passage is misunderstood.

2865. Rom. i. 30, 'Detractores, Deo odibiles.'

2874. Bern. *Int. Dom.* xxiii. 49, 'Detrahentes et audientes pari reatu detinentur.'

2893. The disgusting habits of the hoopoe in nesting are often referred to.

2894 ff. There is a close parallel to this in *Conf. Am.* ii. 413 ff.,

'Lich to the Scharnebudes kinde,
Of whos nature this I finde,' &c.

2908. Perhaps Prov. xxii. 1.

2917 ff. Luke xvii. 1, 2.

2923. Matt. xviii. 8, 9.

2931. Ps. l. (*Vulg.* xlix.) 20, but it is a very much expanded quotation.

2941. Deut. xxii. 13–19.

2955. See note on 415.

2959. Perhaps a general reference to Ezek. xviii.

2961. *ne tient plait de*, &c., 'does not hold discourse of example of holy scripture.'

3109. Acts iv. 1.

3116. This line is too long, no doubt by inadvertence, having five measures instead of four. So in *Bal.* xxvii. the first line is of six measures instead of five. Both might easily be amended, if it were thought desirable: for example, here we might read

'Q'avoit leur prechement oïe.'

The word 'prechement' occurs 18092, and very probably this is what the author meant to write.

3133. Ps. vii. 16 (17).

3137. The reference is perhaps to Ecclus. xxvii. 25–29.

3145. The reference is Jeremiah xlv. 3.

3158. Cp. *Conf. Am.* ii. 222, 'A vice revers unto this,' where the author is speaking of the same thing as here.

3160. The MS. has 'male,' but perhaps the author meant to write 'mal,' for disregard of gender is common with him, while formal irregularity of metre is exceedingly rare. Compare, however, 10623, 10628. For the form of expression cp. 3467.

3180. *fait*, used here to supply the place of 'escoulte.' 'As the fox listens for the hounds, so doth he for other men's loss.' See note on 1135.

3233. *Par si q*', 'provided that,' cp. 20576.

3234 ff. This is the tale told in illustration of the vice of 'Gaudium alterius doloris,' in *Conf. Am.* ii. 291-364.

3240. 'When the game was thus set between them.' From this kind of expression comes 'jeu parti,' 'jeupartie,' meaning a set game or match between two parties, hence a risk or hazardous alternative: Engl. 'jeopardy.'

3248. Ps. xxxviii. 16 (or xiii. 4).

3253. Ezek. xxv. 3 ff.

3265 ff. John xvi. 20.

3271 ff. This is an addition by our author, who is always unwilling to overlook the punishment of the wicked.

3277. Ecclus. xix. 5, 'Qui gaudet iniquitate, denotabitur.'

3285. Matt. viii. 12, &c.

3294. *doit supplanter*, 'may supplant': see note on 1193.

3361. Cic. *de Off.* iii. 21.

3365. *Conjecture*, 'trickery': cp. 6389.

3367. *ce que chalt*: cp. 8905, 25269, 25712. Here and at 8905 it stands by itself, but in the other cases it is followed by 'car,' or 'quant.' It is apparently equivalent to 'it matters not,' or some such phrase.

3388. Ps. xli. 9 (*Vulg.* xl. 10): 'magnificavit super me supplantationem' is the Latin version.

3398. *Ambicioun*: evidently not 'ambition' in the ordinary sense, but the vice of those who go about prying into other people's affairs, and playing the spy upon them with a view to some advantage for themselves.

3415. Perhaps Habakkuk ii. 8, 9: cp. 3601, where Habakkuk is certainly quoted as 'Baruch.'

3445. Jer. iii. 24.

3453. *cele*, used for definite article, see note on 301.

3457. Prov. xi. 3 ff.

3467. A favourite form of expression with our author, cp. 3160, and *Trait.* ii. 1 ff.,

'Si l'un est bon, l'autre est assetz meilour.'

3487. *Qui*, 'He whom.'

3531. Prov. xxvi. 22.

3533. *affole*, 'wounds' (Low Latin 'fullare'), to be distinguished from 'affoler' meaning 'to make foolish.'

3541. Ps. lv. 21 (*Vulg.* liv. 22), 'Molliti sunt sermones eius super oleum, et ipsi sunt iacula.'

3553. Ecclus. xl. 21, 'Tibiae et psalterium suavem faciunt melodiam, et super utraque lingua suavis.'

3559. Prov. xxix. 5.

3575. 'His deeds change into sorrow that by which before he made them laugh': *luy* for *ly = les*.

3584 ff. Cp. the Latin lines (beginning 'Nil bilinguis aget') which introduce the description of 'Fals semblant' in *Conf. Am.* ii. 1879, 'Vultus habet lucem, tenebras mens' &c.

3589. Ecclus. xxxvii. 20 (23) f., 'Qui sophistice loquitur odibilis est: in omni re defraudabitur. Non est illi data a Domino gratia,' &c.

3601. The quotation is from Habakkuk ii. 15 f.

3612 ff. Ps. cxx. 3, 4, of which these two stanzas are a much expanded version.

3637. Ecclus. xxviii. 15 ff.

3667. Perhaps Job v. 12.

3679. Micah ii. 1, 'Vae, qui cogitatis inutile.'

3685. Jer. iv. 4, 'ne forte egrediatur ut ignis indignatio mea, et succendatur, et non sit qui extinguat, propter malitiam cogitationum vestrarum.'

3721. Cp. *Conf. Am.* ii. 401,

> 'For as the Netle which up renneth
> The freisshe rede Roses brenneth,
> And makth hem fade and pale of hewe,
> Riht so this fals Envious hewe' &c.

The opposition of rose and nettle is common in our author, e.g. *Bal.* xxxvi. 3, xlviii. 1, *Vox Clam.* vii. 181.

3725. *Pille Colcos*: cp. *Trait.* viii. 1, and *Conf. Am.* v. 3265 : so also in Chaucer. Guido delle Colonne is the person mainly responsible for the idea.

3727. *Medea la meschine,* 'Medea the maid.' The word 'meschine' means 'maidservant' just above and in 5163, but it was also used generally for 'girl,' 'young woman,' as 'meschin' for 'young man.' The origin is said to be an Arabic word meaning 'poor' (cp. the meaning of 'mesquin,' 'meschino,' in modern French and Italian), hence 'feeble,' 'delicate.'

3735. Rev. xii. 7, 10: 'en oel' stands apparently for 'ante conspectum Dei.'

3747. The description of the basilisk is perhaps from Solinus, *Collect.* 27. He had it from Plin. *Nat. Hist.* viii. 121.

3773. Prov. xiv. 30, 'putredo ossium invidia.'

3781. Levit. xiii. 46.

3801. Hor. *Epist.* i. 2. 58, 'Invidia Siculi non invenere tyranni Maius tormentum.' Our author did not understand it quite rightly.

3805. Cp. *Conf. Am.* ii. 20, and *Prol.* 329. In all these passages the reference is to the fire of Envy as a heat that consumes itself, rather than anything outside itself.

3823. Cp. *Conf. Am.* ii. 3122 ff.

3831. *Conf. Am.* ii. 3095 ff., where the saying is attributed to Seneca: cp. Dante, *Inf.* xiii. 64.

3841. Perhaps Jerome, who says something of the kind: cp. *Wisd.* ii. 24.

3864. *les faisont a despire,* 'hate them': but the preposition with the infinitive in this kind of expression is unusual. As a rule 'faisont a despire' would mean 'ought to be hated': cp. 1883.

3882. *pour poy du riens,* ' for a trifling matter,' lit. 'for little of matter': cp. 4826.

3898. *Ore voet, noun voet,* i. e. 'Ore voet, ore noun voet,' but cp. 5470.

3913. The text is Ecclus. iv. 30 (35): see note on 1317.

3925. Prov. xxv. 28.

3958. Perhaps we ought rather to read ' pour ton salu.'

3977. Exod. xxxii. 21, and other passages.

3997. Baruch iv. 6.

4021. Perhaps suggested by Ps. lxxviii. (*Vulg.* lxxvii.) 58 ff.

4067. *Par contumelie*: for the metre see note on 296, and cp. 4312, 4317.

4077. Cp. 4704.

4112. 'Which flies free without caging.'

4117. Referred to also by Chaucer, *Wyf of Bath, Prol.* 278 ff., and *Tale of Melibeus,* 2276. It is a common enough saying, but not to be found in the Bible in this form: cp. Prov. xxvii. 15.

4129. Jer. viii. 17.

4141. Ecclus. xxv. 15 (22), ' Non est caput nequius super caput colubri, et non est ira super iram mulieris.'

4147. Perhaps Prov. xv. 2, 'os fatuorum ebullit stultitiam.'

4155. Ecclus. xxi. 29, ' In ore fatuorum cor illorum.'

4168. This is related also *Conf. Am.* iii. 639 ff., and there too a doubt is expressed as to whether so much patience was altogether wise.

4189 ff. Ecclus. xxviii. 18 (22) ff.

4203. Ecclus. xxviii. 24 (28), ' Sepi aures tuas spinis, linguam nequam noli audire.'

4213. James iii. 7, 8.

4219. Apparently a vague reference to Amos iv. 6, 9, ' dedi vobis stuporem dentium. . . . Percussi vos in vento urente.'

4237. Zech. v. 5 ff.

4273. *Rampone,* ' raillery,' ' mockery,' cp. Ital. ' rampognare.'

4285 ff. The idea seems to be this: ' Contention wounded by wrath encamps in the heart in a tent of mockery, whence it issues forth through the mouth, and assisted by Slander and Defamation enlarges other men's vices to their greatest extent, until its own wound becomes so foul that he dies who inhales its corruption.'

4369. Prov. xxvii. 6.

4381. Ecclus. xii. 16.

4387. Prov. vi. 16, 18.

4393. Cic. *de Amic.* 89, ' odium, quod est venenum amicitiae.'

4453. Beemoth is here perhaps confused with Leviathan, which was regarded by some as a kind of serpent: see Isidore, *Etym.* viii. 27.

4462. *le al*: there is of course an elision, though not indicated in the text.

4477. 2 Macc. v. 17, &c.

4494. Note that in the forms 'refusablez,' 'abhominablez,' 'delitablez,' &c., the *z* is equivalent to *s*, and does not imply any accenting of the final syllable.

4542. *ou,* for 'au,' see Glossary.

4558. *devant lez meins,* 'beforehand': cp. 5436.

4561. *survient.* This and the other verbs rhyming with it in the stanza seem to be in the past tense; for 'survint,' 'vint,' 'tint,' &c. Other examples of this will be found elsewhere, e. g. 8585, 9816. The passage means : 'When the fire from heaven fell on the sacrifice, it was Malignity that inspired the hatred of Abel in the heart of Cain, for which he was accursed.' 'Dont' answers regularly to such expressions as 'par tiele guise': see note on 217.

4570. Ps. x. 15, 'Contere brachium peccatoris et maligni.'

4605. Ps. xxii. 16 (*Vulg.* xxi. 17), 'concilium malignantium obsedit me,' &c.

4704. *mestre Catoun*: the author of the well-known *Disticha*, many of whose maxims tend to teach patience.

4717. Exod. xxi. 24 f.

4729. Exod. xxi. 26 f.

4741. Cp. *Conf. Am.* iii. 1095,

> 'Contek, so as the bokes sein,
> Folhast hath to his Chamberlein,' &c.

4750. *le court sure,* 'runs upon him'; so 10763 and elsewhere.

4752. *l'un ne lesse,* 'he fails not to attain one or the other,' i.e. either the object of his violence, or his own destruction.

4753. Is. ii. 22, 'Quiescite ergo ab homine, cuius spiritus in naribus eius est.' This illustrates the meaning, otherwise rather obscure, of the Latin line after *Conf. Am.* iii. 1088 (introducing the subject of 'Contek'), which is seen by this to be a reference to the above passage of Isaiah.

4769. *come fist a Asahel,* 'as it did to Asahel': see note on 1135. The reference is to 2 Sam. ii. 18 ff.

4826. Cp. 3882.

4837. Ecclus. xxii. 30, 'Ante ignem camini vapor et fumus ignis inaltatur: sic et ante sanguinem maledicta et contumeliae et minae.'

4850. Cp. *Conf. Am.* iii. 453 ff.

4858. *voit,* used for *vait,* as 3 sing. pres. ind.

4864 ff. This kind of repetition is often used by our author, cp. 8294 ff., *Vox Clam.* iii. 11 ff., and *Conf. Am.* v. 2469 ff.

4870. *ou giroun,* 'in the bosom': 'giro(u)n' is properly the bend or fold of a cloak (sinus).

4897. 2 Sam. iv.

4906. Matt. xxvi. 52, Rev. xiii. 10.

4945. Ex. xxi. 14.

4962. 2 Sam. vii. 4 ff., but it is not quite accurately cited.

4973. Gen. ix. 6.

5005. Ezek. xxv. 12 f.

5018. Is. xiv. 12, 'Corruisti in terram, qui vulnerabas gentes.' The rest is hardly a quotation, though it may give the general sense.

5029 ff. The same thing is related with the same application in *Conf. Am.* iii. 2599–2616. There, as here, it is referred to Solinus, but this seems to be a mistaken reference.

5031. *a diviser*, 'to describe' (or 'compare'), i. e. 'to describe it, we may say that it has' &c. : so, 'pour deviser' 11245, 'au droit deviser' 13204.

5055. *faisont a redoubter*: see note on 1883.

5059. *fait periler*, 'imperils' : *ainçois . . . Que*, 'before that.'

5114 ff. Matt. v. 3, 5.

5126. *D'Accidie*: see note on 296.

5179. For the use of 'lée' in this phrase as a dissyllable cp. 15518, 'ove lée chiere,' 17122, 28337. When occurring in other connexions it seems to follow the usual rule, as in 28132, 28199, &c.

5190 f. Cp. *Conf. Am.* iv. 2739 f.,

> 'And makth his exposicion
> After the disposicion
> Of that he wolde.'

The connexion is the same as here.

5205. On the subject of 'Tirelincel' cp. Waddington, *Man. des Pech.* 4078 ff.

5216. 'Hold thy nurture so dear' (as to think of it in this matter) : 'norreture' is that which has to do with physical development, and 'preu' I take to represent the Latin 'prope,' which appears in this form among others: see Godefroy.

5252. Cp. 8130. To judge by Littré's examples for the fourteenth-century usage of 'bout,' it would seem to be specially used of the top or bottom of a cask.

5257. Prov. xxvi. 14.

5266. Cato, *Distich.* i. 2:

> 'Plus vigila semper, neu somno deditus esto,
> Nam diuturna quies vitiis alimenta ministrat.'

5269. I do not know what passage is referred to.

5283. Jer. li. 39, 'inebriabo eos, ut sopiantur et dormiant somnum sempiternum et non consurgant.'

5329. Ecclus. xli. 1, 'O mors, quam amara est memoria tua homini pacem habenti in substantiis suis.' The rest is our author's addition.

5344. Deut. xxviii. 56 f.

5349. *Cil homme tendre*, equivalent to 'l'omme tendre,' so 5553, 'celle alme peccheresse': see note on 301.

5376. *Luy dorra*: usually in this form of expression (which is common alike in the French, Latin, and English of our author) a negative is used with the verb of the second clause, e. g. *Bal.* xviii. 2.

5377. 'Peresce' answers to 'Ydelnesse' in the *Confessio Amantis*.

5389 ff. Cp. *Conf. Am.* iv. 1090 f.,

'In Wynter doth he noght for cold,
In Somer mai he noght for hete.'

5395 ff. Cp. *Conf. Am.* iv. 1108 ff.,

'And as a cat wolde ete fisshes
Withoute wetinge of his cles,
So wolde he do.'

5436. *apres la mein*: cp. 4558 and *Conf. Am.* iv. 893: 'Thanne is he wys after the hond,' an exact translation of this line.

5437 ff. Cp. *Vox Clam.* iv. 877 ff.

5449. Prov. xx. 4.

5452. *beguinage*, equivalent to 'beggerie' (5800), as 'beguyne' (6898) is used for 'beggar.' The Beguins were mendicants.

5455. 2 Thess. iii. 10.

5458. *le decré*: the reference is probably to the Canon law; cp. 7480.

5492. *des perils ymaginer.* This form of expression, in which the preposition belonging to the infinitive is combined with the article of the object, occurs also 9339, 16303, and elsewhere. So also in other authors, as *Rom. de la Rose* 2875, 'Or sunt as roses garder troi.'

5499. Prov. vii. 10–22.

5500. *Qui*, 'whom.'

5572 f. 'He who has growth in common with the trees'; an allusion to the text of Gregory quoted so often by our author: see 26869.

5580. *apparant*: I take this to mean 'heir apparent,' as in *Conf. Am.* ii. 1711.

5606. Cp. *Conf. Am.* iv. 9,

'And everemore he seith, "Tomorwe."'

5622. The kissing of the 'pax' came after the prayer of consecration.

5645 ff. Matt. x. 22, and Luke ix. 62.

5659. Deut. xxv. 18.

5701 ff. Cp. *Conf. Am.* iv. 3389 ff., where, however, 'Tristesce' is described as developed from 'Slowthe' generally, not (as here) from 'Lachesce' in particular. 'Tristesce' is there synonymous with 'Desesperance.'

5714. Prov. xxv. 20, 'Sicut tinea vestimento et vermis ligno, ita tristitia viri nocet cordi.' The English version is quite different.

5729 ff. Cp. *Conf. Am.* iv. 3432 ff.,

'For Tristesce is of such a kinde,
That forto meintiene his folie

> He hath with him Obstinacie,
> Which is withinne of such a slouthe
> That he forsaketh alle trouthe,
> And wole unto no reson bowe.'

5758. Job vii. 16, 'Desperavi: nequaquam ultra iam vivam.'

5762. Jer. xviii. 12 ff., 'Qui dixerunt: Desperavimus: post cogitationes enim nostras ibimus ... Ideo haec dicit Dominus: Interrogate gentes: quis audivit talia horribilia? ... Quia oblitus est mei populus meus, ... ut fieret terra eorum in desolationem et in sibilum sempiternum: omnis qui praeterierit per eam obstupescet et movebit caput suum.' This is a good example of our author's method of dealing with a text.

5792. Cp. 8492.

5794. *jure vent et voie*: cp. 8685, 'jure tout le monde.'

5822. Cp. *Bal.* vii. 2,

> 'Tressalt et buile et court aval le prée'

(speaking of a spring).

5839. Eccles. ii. 21, 'Nam cum alius laboret in sapientia et doctrina et sollicitudine, homini otioso quaesita dimittit: et hoc ergo vanitas et magnum malum.' I suspect we should read here

> 'que c'est errour
> Et vanité,' &c.

5845. Perhaps Ecclus. xxxiii. 29, 'Multam enim malitiam docuit otiositas,' the rest being added by our author.

5854. The reference is perhaps really to Ezek. xvi. 49.

5868. Matt. xii. 44 f.

5879. After this, one leaf has been cut out, which contained 190 lines and one rubric, 'La quinte file de Accidie, q'est appellée Necgligence,' or something to that effect.

6070. The author seems here to be speaking of the negligence shown by overseers of some kind, who do not efficiently superintend those under their authority.

6082. 2 Tim. ii. 12.

6102. *ou pis*, for 'au pis,' 'in his heart': cp. 7100.

6103. James i. 23 f.

6109. Prov. xxxi. 4, 5.

6115. Hos. iv. 6.

6226. *ne serroit partie*, 'should not be a party interested in the suit.' The conditional is used for subjunctive, as often.

6253 ff. Cp. *Conf. Am.* v. 2015 ff.,

> 'Bote as the Luce in his degre
> Of tho that lasse ben than he
> The fisshes griedili devoureth,' &c.,

where the author is speaking, as here, of 'Covoitise.'

6303. The 'lot,' as a measure of wine, is about half a gallon.

NOTES. LINES 5758–6685

6313 ff. Cp. *Conf. Am.* v. 2859 ff., where Coveitise has two especial counsellors, Falswitness and Perjurie.

6315. 'Chalenge' (Lat. calumnia) is a claim or accusation against a person in a court of law, usually in a bad sense.

6328. *falt . . . pour retenir*, 'it is necessary to retain': 'pour' is often used by our author instead of 'de' or 'a,' representing perhaps the English 'forto': cp. ll. 7650, 10639, 29078, *Bal.* iv*. 1, xlv. 1, 2, &c.

6345. Mal. iii. 5, 'et ero testis velox maleficis et adulteris et periuris et qui calumniantur mercedem mercenarii,' &c.

6363. Jer. l. 33 ff. 'Haec dicit Dominus exercituum: Calumniam sustinent filii Israel . . . Gladius ad Chaldaeos, ait Dominus, et ad habitatores Babylonis,' &c.

6386. Can this be Is. xix. 9, 'Confundentur qui operabantur linum . . . texentes subtilia'?

6389. *Conjecture*, cp. 3365.

6391. Luke xvi. 8.

6397. Ambrose tells the story, *Hex.* v. 8, of the *crab* and the oyster, 'tunc clanculo calculum immittens, impedit conclusionem ostrei.' I do not know the word 'areine.'

6409. *Perjurie*: see note on l. 296.

6434. This was a charge commonly brought against swearers by the preachers of the day: cp. Chaucer, *Pardoneres Tale*, l. 12, &c., *Persones Tale*, 591 (Skeat).

6445. Cp. Matt. xxiii. 21 f.

6451. Probably Is. xlviii. 1.

6482. Zech. v. 1–4.

6496. *si tresfalse noun*, 'except (what was) utterly false': cp. 8853, *Bal.* xxiv. 1.

6498. Ps. lxiii. 11.

6499. Mal. iii. 5: cp. 6345.

6528. Perhaps Prov. i. 18, 'moliuntur fraudes contra animas suas.'

6529. Levit. vi. 2–7.

6539. 'Fails to do right at the risk of his soul,' and not merely of his worldly goods, as by the old law.

6544. Cp. *Bal.* xlii. 3, where 'fraude et malengin' go together, as here.

6545 f. 'It were well if they were caught in the snare, to be thrown far into the deep sea.'

6553 ff. Cp. *Conf. Am.* v. 4396 ff., where the practice here mentioned is ascribed to 'Usure.'

6556. *au creance*, 'on credit,' meaning apparently that they charge exorbitant prices when credit is given, cp. 7246, 7273 ff.

6561. Deut. xxv. 14.

6640. *tout son propre adune*, 'gathers together everything for himself,' i.e. appropriates everything.

6672. *qu'il doit vivre*, 'that he should live': for this use of 'doit,' cp. 1193.

6685 ff. Cp. *Conf. Am.* v. 4917–4922.

6739. For this treatment of *dame* as a monosyllable in the metre, cp. 13514, 16579, and *Bal.* xix. 3, xx. 2, &c.

6745. Cp. *Conf. Am.* v. 1971 (for the form of expression).

6750. Matt. xix. 24.

6758. 1 Tim. vi. 10.

6760. Senec. *Dial.* xii. 13, 'si avaritia dimisit, vehementissima generis humani pestis.'

6769. Prov. xxvii. 20.

6781. *Conf. Am.* vii. 2551.

6783 ff. 2 Chron. xxi. Our author is evidently familiar with every part of the Old Testament history.

6798. Ambros. *Hex.* vi. 24.

6841. Probably Ezek. xxii. 25.

6855. Job iv. 11, 'Tigris periit, eo quod non haberet praedam.' The English version is different.

6859. Prov. xi. 24.

6865. Is. xxxiii. 1.

6869. Jer. xxx. 16.

6877. This time 'Baruch' stands for Nahum, ii. 8 ff.

6886. Nahum ii. 10, 'et facies omnium eorum sicut nigredo ollae.'

6925 ff. The same three that are mentioned here, Robbery, Stealth, and Sacrilege, are dealt with in the same order in the *Confessio Amantis* immediately after 'Ravine' (v. 6075 ff.), though not as dependent upon it.

6940 ff. Cp. *Conf. Am.* v. 6089 ff.,

'Forthi to maken his pourchas
He lith awaitende on the pas,' &c.

6958. *m'encordie*: see note on l. 296; but perhaps we should read 'm'encorde,' cp. l. 7574.

6967. *ne fait pas a demander*, 'there is no need to ask': an impersonal form of the construction noticed on l. 1883.

6987. Ps. lxii. 10.

6991. Prov. xxi. 7.

6999. Joshua vii.

7015. Ambros. *Hex.* v. 18, 'Accipitres feruntur in eo duram adversum proprios fetus habere inclementiam, quod ubi eos adverterint tentare volatus primordia, nidis eiciunt suis,' &c.

7025 f. Cp. *Conf. Am.* v. 6501-6516, a close parallel. 'Stelthe' (in the Latin margin 'secretum latrocinium') corresponds to 'Larcine' here.

7033 ff. Cp. *Conf. Am.* v. 6517-6521.

7081. Gen. xxxi. 19 ff.

7093. This story is told *Conf. Am.* v. 7105*–7207* under the head of Sacrilege, with no essential difference except in the greater detail and in the name of the person involved. Here it is 'Dyonis,' apparently for convenience of rhyming, there Lucius.

d'Appollinis: the genitive form is also used in *Conf. Am.* v. 7109*,

'Unto the temple Appollinis.'

7109. *Conf. Am.* v. 7186* ff.,

'Gold in his kinde, as seith the bok,
Is hevy bothe and cold also,' &c.

7153 ff. The distinctions of various kinds of Sacrilege, indicated in this stanza, are more fully developed *Conf. Am.* v. 7015* ff.: cp. Chaucer, *Persones Tale*, 801 ff. (Skeat).

7177 ff. The same examples occur in *Conf. Am.* v. 7007 ff., with the addition of Antiochus.

7181. 2 Kings xxv. 8 ff.

7193. Jer. l., li.

7209. Cp. Neh. x. 31, &c.

7215. Cp. *Conf. Am.* v. 4395, ' Usure with the riche duelleth.'

7227 ff. Cp. *Conf. Am.* v. 4387.

7249. Lev. xxv. 37, &c., Luke vi. 35.

7270. *Qe*, repeated from the line above.

7282. *ou mein*, apparently for 'au meinz,' 'at least.'

7315. The reference seems to be a mistaken one.

7319. *le tresor de Pavie*, cp. l. 1944. Pavia no doubt has its reputation of wealth from having been the capital of the Lombard kingdom.

7379. *Les lettres*: cp. *Conf. Am. Prol.* 209.

7393 ff. Cp. *Vox Clam.* iii. 1233 ff.

7416. *Poverte avoir*, 'that Poverty has.'

7429. Matt. xxi. 12.

7441. Rev. xi. 1.

7453. Ezek. vii. 12.

7454. Is. xxiv. 2.

7459. 2 Kings v. 20 ff.

7475. *concordance*: that is, what we should call a 'harmony' of the Gospels or other parts of the Bible.

7499. Cp. *Conf. Am.* v. 4678, and the marginal Latin.

7507. Probably we should read 'tenont,' or 'tienont,' for 'tenoit': cp. 8459.

7511. *privé de son secroy*, 'privy to his secret counsels.'

7549. The reference is not really to the Psalter, but to the song of Moses, Deut. xxxii. 13.

7562. Ecclus. xxxi. 29, 'Nequissimo in pane murmurabit civitas.'

7569. 2 Cor. ix. 6.

7587. 'the right pit of helle,' as they said in English. The same comparison is made *Conf. Am.* v. 29 ff. With these cp. Chaucer, *Tale of Melibeus*: 'And therefore seith seint Austyn that the averous man is likned unto helle' &c.

7597. I fear that this is a rendering of 'Avaro autem nihil est scelestius,' with additions by our author: Ecclus. x. 9.

7603 ff. Cp. *Conf. Am.* v. 249 ff.

7609. Col. iii. 5, 'avaritiam, quae est simulacrorum servitus.'

7611. 2 Kings xxi. 21 ff.

7621 ff. Cp. *Conf. Am.* v. 363 ff., where the same comparison is made in fuller detail.

7640. The author referred to as 'Marcial' here and in ll. 15505, 15949, is in fact Godfrey of Winchester, popularly called by the name of the epigrammatist whom he not unhappily imitated. He was a native of Cambrai, and prior of St. Swithin's in the twelfth century. His epigrams are repeatedly quoted under the name of Martial by Albertano of Brescia in the *Liber Consolationis*. They will be found in Wright's *Satirical Poets of the Twelfth Century* (Rolls series). The reference here is to *Ep.* cxxxvi,

> 'Non sibi, non aliis prodest, dum vivit, avarus:
> Et prodest aliis et sibi, dum moritur.'

7645 ff. Cp. *Conf. Am.* v. 49 ff., a very close parallel,

> 'To seie hou such a man hath good,
> Who so that reson understod,
> It is impropreliche seid,
> For good hath him and halt him teid,' &c.

7650. *Pour ... faire*: cp. 6328.

7678. Perhaps Jer. xv. 13.

7694. Bern. *Serm. Resurr.* iii. 1, 'Et vero magna abusio et magna nimis, ut dives esse velit vermiculus vilis, propter quem Deus maiestatis et Dominus sabaoth voluit pauper fieri.'

7728. *farin*: a form of 'frarin' ('frerin'), 'beggarly,' hence 'wretched.'

7731. For this use of 'tire' cp. *Conf. Am.* vi. 817.

7739. See note on 415.

7777. Job xv. 27, 'Operuit faciem eius crassitudo, et de lateribus eius arvina dependet.' Perhaps our author read 'anima' for 'arvina,' unless he was also thinking of xl. 15 (11).

7791. *ces*, for 'les,' see note on 301.

7825 ff. Cp. Chaucer, *Pardoneres Tale*, 76 ff.

7827. Cp. *Conf. Am.* v. 870 (margin), 'Iupiter deus deliciarum.'

7883. *allaita*, apparently here 'sucked (milk)': 'he thinks not of the former time when he sucked the simple milk and longed for it.'

7896. 'Nor will they hunt in that wood,' that is, they will not share in the sport: 'brosser,' 'bruisser,' a term of the chase, meaning to ride or run through thick underwood, see Littré under 'brosser,' and *New Eng. Dict.* 'brush.'

7940. 'Martinmas beef' was the meat salted in the autumn for the supply of the household during the winter, in times when keep for cattle in winter was hard to get.

7969. Cp. *Trait.* xv. 1 ff., 'Car beal oisel par autre se chastie,' a proverbial expression meaning that one should take example by others.

7972. The story is told in the same connexion *Conf. Am.* vi. 986 ff.

7993. 2 Pet. ii. 12 ff.
8049. Deut. xxxii. 15 ff.
8053. Is. xlvii. 8, 9.
8072. For the position of 'et' see note on 415.
8077. Job xx. 15 f. The preceding stanza is mostly the invention of our author.
8089. Job xx. 19 ff.
8103. Lam. iv. 5, 'qui nutriebantur in croceis, amplexati sunt stercora.' Our author misunderstood 'in croceis.'
8138 f. Cp. *Conf. Am.* vi. 19–23.
8191. *serroit governé*, 'should be ruled.'
8236. Gen. xix. 30 ff.
8246 ff. Cp. *Conf. Am.* vi. 71 f.,

> 'He drinkth the wyn, bot ate laste
> The wyn drynkth him and bint him faste.'

8266. *puis la mort*, 'after death,' 'puis' used as a preposition.
8269. Is. v. 11.
8278. Prov. xxiii. 31 f., or Ecclus. xxxi. 32 ff.
8289. Jer. xxv. 15.
8294 ff. See note on 4864.
8376. *ou* = 'ove.'
8403. The 'sestier' would be about a gallon and a half.
8459. I substitute *devont* for *devoit*: cp. 7507.
8482. *superflual*: the adjective form is used instead of the name 'Superfluité' for the sake of the rhyme.
8495. Some correction seems to be required. Perhaps read 'Siqe' for 'Siq'il.'
8501. Cp. *Conf. Am.* v. 7755 f.,

> 'For thanne is ther non other lawe,
> Bot "Jacke was a good felawe."'

8533. Senec. *Ep.* lx. 2, 'Una silva elephantis pluribus sufficit: homo et terra et mari pascitur'
8553. Cp. *Conf. Am.* vi. 60, 'And seith, "Nou baillez ça the cuppe."'
8559. 1 Cor. vi. 13.
8581 ff. This stanza is a repetition, with slight variations, of 8041–8052.
8815. *conivreisoun.* The dictionaries quote no examples of 'conniver' or 'connivence' earlier than the sixteenth century.
8853. *si de vo teste noun*, cp. 6496.
8869. The bird meant is no doubt the lapwing: see note on *Trait.* xii. l. 19.
8905. *ce que chalt*: cp. 3367.
8911. A reference to Wisd. iv. 3, 'spuria vitulamina non dabunt radices altas,' a text not unknown in English history.
8916. Matt. vii. 26.

8924. 'Whereby she will deliver up her body free,' i.e. since she gives presents as well as receiving them, she must be held not to sell herself, but to give herself away to her lover; and this, observes the author, is the worse alternative, because it impoverishes her husband.

8941. *creroie*, 'ought to trust,' see note on 1688.

8942. *verroie*, conditional for pret. subj.: see note on l. 25.

8952. Cp. *Bal.* xliii. 2, 'Si es comun plus qe la halte voie': also 9231 ff.

8984. *soubgite et abandonnée*, 'as his subject and servant.'

9055. 'If we consider well, we shall see that' &c.: see note on 1244.

9068. The reference is to Job xxxi. 9-12. The verse quoted is 'Ignis est usque ad perditionem devorans, et omnia eradicans genimina.'

9085. 'Incest' is here used in a much wider sense than belongs to the word in English. It includes the impure intercourse of those who are near of kin, as we see in ll. 9181 ff.; but the cases of it which are chiefly insisted on have to do with breach of the ecclesiastical vow of purity, and this not only where the confessor corrupts his penitent (who is his daughter in a spiritual sense), but also in general where monk, nun, or priest commits fornication.

9130 ff. 'so that at last by reason of his inconstancy and habitual sin we see Incest throw off his vows and leave the order.'

9132. The 'possessioners' are the members of those religious orders which held property, as distinguished from the mendicant orders mentioned next.

9138. *ses Abbes.* If this is singular, the use of the subject form after a preposition is very harsh: it is 'son Abbes' (though subject) in l. 12115. Perhaps the monastic rent-collector is spoken of here generally, and as coming from a variety of monasteries.

9139. *vois*, the usual form for 'vais,' as 440, &c.

9143. *irroit*, see 1688.

9148. *ly limitantz*, 'the limitour': cp. Chaucer's ironical reference to him at the beginning of the *Wyf of Bath's Tale*.

9156. The woman's husband passes for the father of the children.

9158. *au dieu demeine*, 'in the possession of God.'

9168. 'Than he who does (the same) as regards his neighbour' (who is not under a religious vow).

9171. This is the case of the widow's marriage to the Church, the vow of not marrying again, see 17827 ff. This was taken, for example, by Eleanor, sister of Henry III, who afterwards married Simon de Montfort. The vow of course would be dispensed with, and the relations here contemplated are probably those of marriage, notwithstanding the severity with which they are spoken of in ll. 9172-74: therefore the author is doubtful about the punishment of this offence in a future state, and suggests that the arrangements of human law, by which the wife would often suffer in property by such a marriage, may be a sufficient punishment. On this subject see Furnivall's *Fifty Earliest English Wills*, E. E. T. S.

9229. *en cest escrit,* 'in the scripture,' cp. 9277 : so 'celle' is used for the definite article, 9786 and elsewhere; see note on 301.

9230. The reference seems to be a general one to such passages as Jer. iii. 1 ff.

9240. *en ton despit,* 'in hatred of thee.'

9265. *El viele loy,* e.g. Deut. xxiii. 17.

9281. Perhaps 'burette' is here the same as 'birette,' used for a lady's head-covering, see Littré: usually it means a small phial, and 'burettes' might stand here for scent-bottles.

9292. For 'mie' without negative particle cp. 2589, and *Bal.* xliv. 1.

9311. *au petit loisir* seems to mean 'in a small space of time,' 'loisir' ('leisour') being ordinarily used in its modern sense, referring to restrictions of time: so in the phrase 'par loisir' 5693, and 'a bon leisour' 9222. In the next stanza, however, it has a somewhat different sense, 'femme a son loisir faldra,' 9315, meaning apparently 'the woman shall not be at his (*or* her) own disposal'; and later (9322) 'au bon loisir' means 'with ease.'

9314. *sur luy,* that is 'on her': cp. 2151, 9351.

9320. *luy,* here equivalent to 'la': cp. *Bal.* xxiii. 2.

9359. The reference probably is to Matt. v. 28, 'Whosoever looketh on a woman to lust after her hath committed adultery with her already in his heart.'

9410. *s'ordinaire:* cp. 1477.

9496. 'Compels hearts to love': so 'par destresce' 5549, 'by force.'

9553. 1 Cor. ii. 14, 'Animalis autem homo non percipit ea quae sunt Spiritus Dei.' Our author not unnaturally fails to understand 'animalis.'

9557. Wisd. I. 4, 'in malevolam animam non introibit sapientia.'

tal: used here for the rhyme, but it is in fact the older Norman form, as in *Rom. de Rou,* 2270, quoted by Burguy, *Gramm.* i. 193.

9565. Nihil est enim tam mortiferum ingenio quam luxuria est : quoted as 'Socrates' by Caec. Balbus, p. 43 (ed. Woelfflin).

9579. Amos i. 5, 'disperdam habitatorem de campo idoli et tenentem sceptrum de domo voluptatis.' The English version is different.

9588. *Que,* 'that which': cp. 9646.

9591. *climant.* This is the reading of the MS., but possibly the author wrote 'cliniant' (for 'cligniant').

9601. I do not know the reference.

9611. 'unto the enemy's throat.'

9613. The sense of this line is repeated by the word 'Luxure,' 9616.

9616. Cic. *de Off.* i. 123, 'luxuria . . . cum omni aetati turpis, tum senectuti foedissima.'

9620. 'Others will excuse themselves ill, but the old worse than the rest,—or rather, none will be able to excuse themselves at all': this seems to be the meaning.

9656. *serroit:* note on 1688.

9671. *la halte voie,* &c., the high-way to hell : 'remeine' instead of 'remeint' for the rhyme.

9678. *feis*, 2 sing. pret.

9687. *fait a loer*, 'she ought to be praised,' see note on 1883.

9720. *Qui corps*, 'whose body,' cp. 3491.

9782. *mes amis*: the subject form of the possessive pronoun is used here, as 'tes' in *Bal*. iv*. 3.

9786. The slight alteration of 'mettroit' to 'metteroit' is required by the metre.

9816. *tient* may be preterite, though 'tint' occurs 3322 : cp. 4561 ff.

9820. *dont fuist a baniere*, 'whose leader she was.'

9889. Rev. xiii.

9907. 'Seven heads, because he devotes himself to the seven sins.'

9956. 'When she plays with the mouse': 'se fait juer' is simply equivalent to 'se jue,' cp. 39, 1135, 1320, &c.

10071. *De resoun*, &c., explaining ' le faisoit.'

10117. I take 'pareies' to be for 'parées' (past part.), as 'journeies' for 'journées,' see Introduction, p. xx.

10121. *preies*, i.e. 'proies,' the older form used for sake of the rhyme. For the meaning cp. *Bal*. xv. 4.

10125. *les cornont*, 'play music to them': for 'les' cp. 2416, &c. ; 'par leur journeies' seems to mean 'on their way.'

10140. That is, the meeting will not be one of like with like.

10176. *oietz chançon flourie*: cp. *Bal. Ded*. i. 3, 'Ore en balade, u sont les ditz floriz.'

10176(R). *Puisq'il ad dit*, &c. We have the same form of expression in the heading of the *Traitié*.

10215. 2 Kings iv. 33.

10221. Luke vi. 12.

10233. Ps. cxlv. (*Vulg*. cxliv.) 18.

10239. Ps. xxxvii. (*Vulg*. xxxvi.) 7, ' Subditus esto Domino, et ora eum,' but there is nothing to explain ' delacioun.'

10243. Dan. vi. 10.

10249. 1 Macc. iii. 44 ff., 2 Macc. viii. 1, and x. 25.

10262. Tobit iii. 7 ff.

10267. Tobit iii. 1 ff.

10273. 1 Sam. i.

10279. Luke vii. 38.

10286. Luke xxi. 36.

10297. James v. 16, 'multum enim valet deprecatio iusti assidua.'

10301. Ex. xvii. 8 ff.

10306. 'When he was a lowerer of his hands,' the pres. part. being used as an adjective or substantive.

10311. 2 Chron. xx.

10324. There is nothing, so far as I know, corresponding with this reference. It is possible that the author may have mistaken the application of Jer. xxix. 7, where the Jews who are in captivity are bidden to pray for the peace of the city where they now dwell, namely

Babylon. This occurs in close proximity with anticipations of an eventual return.

10335. Baruch i. 11.

10341. *Puisqu'il.* As 'il' for 'ils' is found in rhyme l. 25064, I have not altered it here: cp. 23922, 24635.

10347. The reference is not quite correct, for the decree of Cyrus was before the time of Ezra, though it did not take full effect until that time.

10358. 2 Macc. xii. 41-45.

10371. Ezra ix. f.

10374. *del oïr,* 'in order to hear.'

10405. Isid. *Sent.* iii. 7. 8, 'Pura est oratio quam in suo tempore saeculi non interveniunt curae; longe autem a Deo animus qui in oratione cogitationibus saeculi fuerit occupatus.'

10411. Aug. *in Ps.* cxviii., *Serm.* xxix. 1, 'Clamor ad Dominum qui fit ab orantibus, si sonitu corporalis vocis fiat, non intento in Deum corde, quis dubitet inaniter fieri?' Or *Serm.* lxxxviii. 12, 'ne forte simus strepentes vocibus et muti moribus.' Cp. 1194, 20547.

10441. Exod. xxiii. 15.

10450. 'But he who bears himself humbly,' &c. For this use of 'qe' cp. *Bal. Ded.* i. 1 ff.,

'Q'en dieu se fie, il ad bel avantage.'

10453. 2 Chron. xxx f.

10467. Exod. xxxv.

10479. Num. xvi.

10498. I do not think that what follows will be found in Jerome. The classification of the seven deadly sins is of later date.

10505. 'Lest Sloth should seize him': the subjunctive was to be expected, but syntax gives way to rhyme.

10526 ff. Cp. Chaucer, *Pers. Tale* 133 ff. (Skeat), where there are six causes which ought to move a man to contrition; but they are not quite the same as those which we have here.

10553. *Q'il n'en deschiece,* 'lest he should fall by reason of it.'

10554. 1 Cor. x. 12.

10574. Luke vi. 21, much expanded.

10605. *solait,* for 'soloit,' which is used as a present in several passages, 15405, 20419.

10612. 2 Cor. xii. 2.

10623. Here and in 10628 we have a pause after the first half of the verse, with a superfluous syllable: see Introduction, p. xlv.

10637. *par semblance,* 'as it were,' implying that 'morir' is metaphorical.

10639. *pour despire*: I take 'pour' to be dependent on 'commence,' and to be used as a variation of 'de': cp. 6328, 10664, 11520, &c.

10642. *tant luy tarde,* as in Mod. French, 'so eager is he.'

10643. *fait sentir,* 'feels': see note on 1135.

MIROUR DE L'OMME

10649. *fait* here, and in l. 10653, supplies the place of the verb 'desire,' like 'doth' or 'does' in English: see note on 1135.

10651. Cp. *Conf. Am.* v. 2238 ff., where, however, the connexion is different.

10669. *ot*, 'there were': so 'ad' is not uncommonly thus used for 'il y a,' e.g. 2174.

10707 ff. *la chalandre.* This bird, which seems to be a kind of lark, is mentioned also in *Bal.* xii. 1. Bozon, *Contes Moralizés*, p. 63, calls it 'calabre,' and says that if a man is ill, and they wish to know whether he will live or die, they may bring in this bird, and if it turns away from him, he will die. See M. Paul Meyer's note on the passage.

10717. The story is probably taken from Solinus, who combines the story of the Arimaspians, as told by Herodotus and Pliny, with the account of the emeralds produced in the country: *Collect.* 15.

10718. 'the land which is called Scythia.'

10747. *Pour nostre essample.* The idea that these things were *done*, not only related, for our example is merely an extension of the usual medieval view of Natural History.

10748. *nous attrait*, 'teaches us,' ('brings before us'). For the various meanings of 'attraire' compare the following passages, 567, 1550, 14480, 16637, 17800, 21623, 23361.

St. Remigius does not, so far as I know, mention the story of the griffons and Arimaspians, but probably the following passage, where the truth is compared to a treasure, may be the one referred to: 'Habemus namque magnum depositum fidei et doctrinae veritatis ... velut pretiosum multiplicem thesaurum divinitus nobis ad custodiendum commendatum: quem sine intermissione domino auxiliante delemus inspicere, extergere, polire atque excutere ac diligentissime servare, ne per incuriam et ignaviam nostram aut pulvere sordescat aut ... malignorum spirituum insidiis vel a nocturnis et occultis furibus effodiatur et deripiatur.' (*De tenenda Script. Verit.* i. 1.)

10800. 'And in it he rejoices': 'fait demener' is equivalent to 'demeine,' and 'demener ses joyes' means 'to rejoice,' cp. 444, 5038, &c.

10801. Probably referring to Albertus Magnus *de Animalibus*, but I do not know the passage.

10813. This comparison does not appear to be in Isidore, though he gives much the same account as we have here of the origin of pearls. (Isid. *Etym.* xii. 6. 49). Isidore no doubt borrowed the story from Solinus (ch. 53), who had it indirectly from Pliny, *N. H.* ix. 54. In Bozon, *Contes Moralizés*, p. 41, we have the story with nearly the same application as here.

10882. 'He who considers this' &c.

10903. 'That which pleases the one' &c., the verb being used here with a direct object.

10909. Cp. *Bal.* xxx. 2, and *Conf. Am.* i. 515 ff.

10912. *remedie* : see note on 296.

10934. Prov. xxviii. 14.

NOTES. LINES 10649–11343

10942. Cp. *Bal.* xx. 1.

10948. Ovid, *Pont.* iv. 3. 35. Cp. *Conf. Am.* vi. 1513, where the original Latin is quoted in the margin and attributed (as here) to 'Oracius.'

10959. Perhaps a reminiscence of the line in *Pamphilus*, 'Ex minima magnus scintilla nascitur ignis.'

10962. The quotation is really from Ovid, *Rem. Am.* 421, 'Parva necat morsu spatiosum vipera taurum.' It has perhaps been confused with Sen. *Dial.* i. 6. 8, 'corpora opima taurorum exiguo concidunt volnere.'

10965. Ecclus. xix. 1, 'qui spernit modica, paulatim decidet.'

10969. Ecclus. v. 4–9, 'Ne dixeris: Peccavi, et quid mihi accidit triste?' &c.

11004. 'And it awaits them after their death.'

11018. 2 Kings xvii.

11020. *Evehi* stands for the Avites, who are 'Hevaei' in the Latin version.

11044. August. *Ep.* cxl. (*De Grat. Nov. Test.*) 21, and many other places.

11056. Probably Rom. viii. 15, with amplifications.

11065. *Quiconque ait*: there is an elision, though it is not indicated in the text.

11069. Esther iii ff.

11102. Matt. x. 28.

11114. Judith xi. 8, 9.

11126. Ps. xxv. (*Vulg.* xxiv.) 14, 'Firmamentum est Dominus timentibus eum.'

11128. Ps. cxi. (*Vulg.* cx.) 5.

11137. Lev. xxvi. 2 ff.

11149. Lev. xxvi. 5.

11160. *arestu*, a past participle from the form 'aresteir, used here for the rhyme.

11177. Neh. i. 11.

11185. Tobit i. 10.

11191. Judith xvi. 19.

11197. Is. xix.

11203. *ly futur*, 'they that should come after.'

11209. Deut. xxviii.

11221. Deut. xxviii. 58 ff.

11243. 'There shall be no bodily fear by which' &c.

11245. *pour deviser*, cp. 12852, so 'a diviser' 5031.

11305. Prov. xxiii. 34, amplified: 'Et eris sicut dormiens in medio mari, et quasi sopitus gubernator, amisso clavo.'

11309. *prist*: this tense is for the sake of the rhyme instead of 'prent.'

11332. Job iv. 13.

11343. Luke xv. 11.

11354. *Tout quatre*: for this use of 'tout' with numerals cp. 11570, 'Ad tout quatre oils.' It seems to be an adverb, as in the expression 'ove tout' ll. 4, 12240, &c., and has no particular meaning apparently.

11396. *au fin que*, 'until.'

11404. This 'Mestre Helemauns' is Hélinand, the monk of Froidmont, whose *Vers de la Mort* were so popular in the thirteenth and fourteenth centuries. The lines which are quoted here are quoted also in the *Somme des Vices et des Vertus*, with a slight difference of text. See M. Paul Meyer in *Romania* i. 365, where a preliminary list of the MSS. is given. Death is supposed to be the speaker here, 'Do away your mockery and your boasting, for many a man who thinketh himself sound and strong hath me already hatching within him.' The usual reading is 'Laissiez vos chiffles' (or 'chifflois'), but 'Ostez' and 'trufes' are also found in the MSS.

11410. 'Death has warned thee of his tricks,' because in the preceding lines Death is supposed to be the speaker.

11412. *atteins*, 'caught unawares.'

11434. *a luy*, 'to her,' so 626, 2151, &c.

11466. *Dont* here seems to stand for 'que,' as it does so commonly in a consecutive sense after 'tant,' 'si,' &c.

11504. *Mais d'une chose*, 'except for one thing.'

11510. *sentence*, perhaps here 'feeling of pain,' 'suffering.'

11520. *Pour venir*, after 'assure,' equivalent to 'de venir': see 6328.

11521. Ecclus. i. 22, 25, 'Corona sapientiae, timor Domini ... Radix sapientiae est timere dominum.'

11535. Is. xxxiii. 6, 'divitiae salutis sapientia et scientia: timor Domini ipse est thesaurus eius.'

11536. Ps. xiv. 4, 'timentes autem Dominum glorificat.'

11540. Luke i. 50.

11548. Jer. x. 7, 'Quis non timebit te, O Rex gentium? tuum est enim decus.'

11570. See note on 11354.

11572. Rev. iv. 6.

11600. That is, 'everything depends, as it were, on the cast of the dice.'

11611. Ps. ci. (*Vulg.* c.) 7, 'Non habitabit in medio domus meae qui facit superbiam.'

11616. 'Which is a true child of Arrogance.'

11647. Rom. vi. 23.

11653. *ly discret*, i.e. Discretion.

11668. Eccles. iii. 19, 'cuncta subiacent vanitati, et omnia pergunt ad unum locum.'

11671. Matt. xxiv. 35, &c.

11676. i.e, 'His word of everlasting doctrine.'

11680. 'Three things make me sure that the state of man' &c., referring to what follows.

11685. Job xiv. 2.

NOTES. LINES 11354-12217

11694. Cp. *Conf. Am.* iv. 1632 f.,

> 'So that these heraldz on him crie,
> "Vailant, vailant, lo, wher he goth!"'

11721 ff. 'But as for man,... by reason of sin which holds possession of his body, hell retains the soul for ever.' For 'celle' see note on 301.

11724. *fait a despire*, 'it is right to loathe': see note on 1883.

11728. *pour sa maisoun*, like 'de sa maisoun,' 'as regards his house.' See 2 Kings xx.

11770. It is likely enough that Cassiodorus says something of this kind in his official letters, but it is hardly worth while to search for it. Expressions such as, 'Multo melius proficitur, si bonis moribus serviatur,' are common enough.

11822. Cp. *Conf. Am.* i. 299.

11846. John iv. 14: but it was said actually to the woman of Samaria, not to the disciples.

11848. *au tiel exploit*, 'in such a manner': properly 'with such success (*or* result).'

11865. *desjoint*: so in Chaucer, *Troilus* iii. 496, 'Or of what wight that stant in swich disjoynte.'

11866. *je quidoie*: cp. *Conf. Am.* v. 7666, 'Til ate laste he seith, "I wende."'

11898. Ps. cxli. (*Vulg.* cxl.) 3, 'Pone, Domine, custodiam ori meo, et ostium circumstantiae labiis meis.'

11939. Perhaps the word is 'enguarise.'

11978. Ecclus. xxxii. 14, 'Ante grandinem praeibit coruscatio: et ante verecundiam praeibit gratia, et pro reverentia accedet tibi bona gratia.'

11989. 1 Tim. ii. 9.

11995. Ecclus. vii. 21, 'gratia enim verecundiae illius super aurum.'

12003. Job iii. 25, 'quod verebar accidit.'

12006. Ps. xliv. 15 (*Vulg.* xliii. 16), 'Tota die verecundia mea contra me est.'

12025. Gen. ix. 22.

12038. *doit*: cp. 12669, and see note on 1193.

12044. Judith xii. 12 ff.

12056. Luke xii. 3.

12140. *ne fais souffrir*, 'you do not endure.'

12161. Deut. xvii. 12.

12169. Eph. vi. 2 ff.

12180. *demeine*, an adjective, 'thine *own* profit.'

12188. Ecclus. iv. 7, 'presbytero humilia animam tuam, et magnato humilia caput tuum.'

12200. Perhaps Rom. x. 9 f.

12202. Heb. xi. 6.

12206. Heb. x. 38.

12209. Mark xvi. 16, 18.

12217 ff. Cp. Heb. xi.

12228. *De Abraham*: for the hiatus cp. 12241, 'De Isaak,' 27367, 'De Ire,' and *Bal.* xxxiv. 3, 'De Alceone.'

12238. Eccles. iv. 17.

fait a loer: see note on 1883.

12240. *ove tout*, 'together with,' cp. l. 4.

12241. *De Isaak*: there is no elision, and 'Isaak' is a trisyllable. For the hiatus cp. 27367 'De Ire, Accidie et Gloutenie.'

12254. *pour foy*, equivalent apparently to 'par foy' 12293 ff., see Heb. xi. 23.

12289. Heb. xi. 33 ff.

12296. *des ces lyons*, i. e. de les lyons: see note on 301.

12303. 1 John v. 4 f.

12326. Eccles. iv. 12.

12331. *du grein ou goute*, 'in any way whatsoever.'

12347. *le plus*, 'the more,' see note on 2700.

12350. The reference belongs apparently to the next line, 'Him whom wind and sea obey,' and presumably it is to Mark iv. 41; but, if so, there seems no reason for referring to St. Mark rather than to the Gospels generally.

12356. Ps. cxviii. 9.

12361. Seneca, *Ep.* lxxxviii. 29, 'Fides sanctissimum humani pectoris bonum est, nulla necessitate ad fallendum cogitur, nullo corrumpitur praemio.'

12373. James ii. 14–20.

12406. Supply 'porte' from the next line: 'he carries equally corn or beans.'

12409. Seneca, *Ep.* xxxvii. 4, 'Si vis omnia tibi subicere, te subice rationi.'

12440. *appara* is future, cp. 1140; used here in the sense of command, 'it shall not appear,' 'obeie' above, and 'requiere' below, being subjunctive in imperative sense, 'let a man obey,' &c.

12448. Bed. *in Luc.* xi., 'Clavis scientiae humilitas Christi est.'

12452. This is a reference to the series of maxims attributed to Ptolemy and prefixed in many MSS. and early printed editions to the Almagest. See the paper in *Anglia* xviii. pp. 133-140, by E. Flügel, who prints the whole set of sayings and shews that the Almagest references in the *Roman de la Rose* and in Chaucer are to these. We have here a reference to the ninth in order, 'Qui inter sapientes humilior est, sapientior existit, sicut locus profundior magis abundat aquis aliis lacunis.'

12464 ff. Cp. *Bal.* xxxviii. 1.

12505. The adjective 'vrais' seems here to fill the place of an adverb.

12518. Ecclus. iii. 20.

12520. Prov. xvi. 19.

12528. *compleindre le contraire*, 'bewail thy disobedience to it.'

12529. Luke xiv. 11.

12565 ff. The story may be found in the *Legenda Aurea*. St. Macarius was a recluse of Upper Egypt, who is described as 'ingeniosus contra daemonis fallaciam.' Several of his personal encounters with the devil are recorded in legend: cp. l. 20905.

12577. *je te vois passant*, 'I surpass you': 'vois' for 'vais,' as often.

12601. Cp. *Conf. Am.* i. 3103 ff.

12624. *privé*, substantive, 'intimate friend.'

12628. The reference is to the 'Benedicite,' Dan. (*Vulg.*) iii. 58 ff.

12664. Perhaps 1 Pet. iii. 12.

12668. Ecclus. xv. 9, 'Non est speciosa laus in ore peccatoris.'

12669. *Q'om doit*, 'that one should,' &c., see note on 1193.

12674. Ps. li. 15, (*Vulg.* l. 17).

12681. Ps. lvi. 10, 11, (*Vulg.* lv. 11).

12685. The reference to Judith is wrong: it should be to Esther (*Vulg.*) xiii. 17, 'ut viventes laudemus nomen tuum, Domine.'

12689. Ps. cxv. 17.

12696. *plier*, 'turn away (from us).'

12697. The form 'fas' is presumably for the rhyme.

12709. Probably Ecclus. xliv. 1.

12725. 'Vox populi, vox Dei.'

12727. See below on 12733. The *Disticha* of Dionysius Cato are supposed to be addressed to the author's son.

12732. *le puet celer avant*, 'can continue to conceal it,' i.e. 'can conceal it for ever.'

12733. Cato, *Distich.* ii. 16,

'Nec te conlaudes, nec te culpaveris ipse;
Hoc faciunt stulti, quos gloria vexat inanis.'

12754. 1 Cor. xi. 2, 17.

12775. *Ainz que voir sciet*, &c., 'But what she truly knows in the matter,' &c.

12780. Cp. 1416.

12835. Zephaniah iii. 19.

12850 f. *en son affaire*, 'for his part': 'secretaire' means 'private adviser,' 'privy-councillor.'

12852. *pour deviser*, 'to describe him,' i.e. 'if one would describe him rightly': cp. 11245.

12855. *cuillante*: the participles are here inflected as adjectives; so 'flairante,' 'fuiante,' 'considerante.' Perhaps 'bien parlante' and 'volante' may be regarded as really adjectives; but, even so, the author would have had no scruple in saying 'parlant,' 'volant,' if it had been more convenient.

12856. *de nature*, 'by nature.'

12865. 'Solyns' seems to be a false reference: the statement may be found in Pliny, *Nat. Hist.* viii. 23.

12877. Ps. lxxiv. (*Vulg.* lxxiii.) 21, 'Ne avertatur humilis factus confusus: pauper et inops laudabunt nomen tuum.'

12885 f. 'And (whereby) in this life neighbours are honourable each to other.'

12925. Luke xv. 8, 'si perdiderit drachmam unam,' &c.

12926. *ert conjoÿs*, 'was rejoiced with,' a transitive use which we find also in l. 12934, where 'luy' stands for direct object, as often. The form '*conjoÿs*' here is an example of that sacrifice of grammar to rhyme which is so frequent.

13005. *Du tiele enprise*, &c., 'for having accomplished such an enterprise.'

13008. *ses amys*: the old subject-form of the possessive, cp. 'mes,' 'tes,' 9782, *Bal.* iv*. 3.

13021. Cp. *Conf. Am.* ii. 1772 ff.

13026. 'So that defeated and taken he led him away.'

13037. *Tout fuist que*, 'albeit that': apparently an imitation of the English expression.

13040. Rom. xii. 15.

13056. 'Whom this example does not bring back to the path.'

13064. 'Makes endeavour to supplant them,' i.e. 'la bonne gent.'

13122. *Redrescer*, 'correct' by punishment, as we see by the last lines of the stanza.

13129. Sen. *de Benef.* vii. 25.

13173. *je m'en vois dessassentant*, 'I disagree.'

13178. Prov. xxvii. 6.

13204. *au droit deviser*, 'to speak aright': cp. 5031.

13264 ff. 'For, simply because she loves God, no adversity of present pain can harm her.'

13301. *ou balance*, i.e. 'au balance.'

13302. Cp. 25607.

13309. This is Fulgentius, Bishop of Ruspa in the sixth century. The passage quoted is from *Serm.* iii. 6, 'Caritas igitur est omnium fons et origo bonorum, munimen egregium, via quae ducit ad caelum,' &c. He is cited also in l. 13861, but there I cannot give the reference.

13333. Greg. *Hom. in Ezech.* vii. It is a commentary on Ezek. xl.

13361. Cp. Isid. *Etym.* xvii. 7. 33, 'Lignum vero iucundi odoris est, nec a tinea unquam exterminatur.'

13435. The philosopher here may be supposed to be Socrates, of whom the Middle Ages knew next to nothing except as a patient husband: cp. 4168.

13441. Phil. iv. 5, 'Modestia vestra nota sit omnibus hominibus.'

13475 f. 'And yet she does not omit to punish according to right.'

13485. Cato, *Distich.* i. 3,

> 'Virtutem primam esse puta compescere linguam:
> Proximus ille deo est, qui scit ratione tacere.'

13498 ff. 'If anyone should take note of good and ill, he would often see experience of both': that is, of endurance leading to honour, and of failure to endure leading to loss of honour. Perhaps we should read 'en prenderoit,' 'take note of it, of the good and the evil,' &c.

13503. *en la fin*: the MS. has 'en fin,' but a correction is required for the metre and 'en la fin' is used elsewhere, e.g. 15299.

13528. 'who being spiritual renders good for evil,' &c.

13537. Aug. *Epist.* clv. 15, and other places.

13514. *Dame Pacience*: see note on 6733.

13550. *a soy mesmes*, 'for his own part,' i.e. speaking of himself.

13554. *a ce que soie*, 'in order that I might be.'

13578. Eph. iv. 15 f.

13586. *dont sont tenant*, 'from whom they hold,' in the feudal sense.

13606. Matt. v. 46.

13669. Sen. *de Mor.* 16, 'Quod tacitum esse velis, nemini dixeris. Si tibi ipsi non imperasti, quomodo ab aliis silentium speras?'

13675. Petr. Alph. *Disc. Cler.* ii., 'Consilium absconditum quasi in carcere tuo est retrusum; revelatum vero te in carcere suo tenet ligatum.'

13686. Ecclus. xiii. 1.

13695. 'Pro amico occidi melius quam cum inimico vivere': quoted as 'Socrates' in Caec. Balbus, *Nug. Phil.* p. 25 (ed. Woelfflin).

13713. *Conf. Am. Prol.* 109.

13717. Ecclus. vi. 15, 'Amico fideli nulla est comparatio, et non est digna ponderatio auri et argenti contra bonitatem fidei illius.'

13732. Ambr. *de Spir. Sanct.* ii. 154, 'Unde quidam interrogatus quid amicus esset, Alter, inquit, ego.'

13741. The reference no doubt is to 2 Tim. iii. 2, 'Erunt homines seipsos amantes,' &c. The explanation suggested by our author of the double word 'se-ipsos' is that these men would love themselves with a double love, that due to God and that due to their neighbour.

13779. 'But it is a covetous bargain.'

13798. *Conf. Am. Prol.* 120 ff.

13805. 1 John iii. 14.

13853. Ps. cxxxiii. 1.

13893. *qui descorde*, 'whosoever may be at variance.'

13897. *paciente*, 'of Patience.'

13918. Cassiod. *Var.* xii. 13, 'Pietas siquidem principum totum custodit imperium': cp. l. 23059, and *Conf. Am.* vii. 3161*.

13921. The saying is thus quoted in the *Liber Consolationis* of Albertano: 'Omnium etenim se esse verum dominum comprobat, qui verum se servum pietatis demonstrat.' Cp. l. 23055, and *Conf. Am.* vii. 3137. The story connected with it is told in the *Legenda Aurea*, 'De sancto Silvestro.'

13929. James ii. 13: cp. *Conf. Am.* vii. 3149*.

13947. 'But it is never less worthy in consequence of this.' The alteration to 'n'est meinz vailable' is not necessary, for 'ja' is sometimes used for 'never' without the negative particle, e.g. 10856.

13953. 1 Tim. iv. 8, 'Pietas autem ad omnia utilis est.' The original of 'pietas' is εὐσέβεια.

13964. *dont elle est pure,* 'of which she is wholly composed.'

14014. 'That I may not be bent by adversity,' the reflexive verb in a passive sense.

14017. Ps. xxxvi. 39, &c.

14026. For 'deinzeine' see Skeat's *Etymol. Dict.* under 'denizen,' where it is pointed out that 'deinzein' was a term legally used 'to denote the trader within the privileges of the city franchise as opposed to "forein."' Here 'la deinzeine' is the inner part of man's nature, the soul, as opposed to that which is without ('forein').

14042. Perhaps 1 Pet. i. 6, 7: cp. Ecclus. ii. 5.

14105. The adjective 'regente' seems to be used as a participle with 'et corps et alme' as object, 'ruling both body and soul.'

14126. *souleine.* Genders of course are of no consequence in comparison with rhymes.

14134. *ly autre seculer,* 'the secular priests also,' those mentioned above being regular.

14143. See note on 5266.

14155. Matt. xxiv. 46.

14163. Matt. xxvi. 41. The interpretation here put upon the latter part of the verse is curious, and not authorised by the Latin: 'Spiritus quidem promptus est, caro autem infirma.'

14172. *ce que faire doit,* 'that which he ought to guard,' 'faire' being used to supply the place of the verb, as so often: cp. 14133 f.

14197. *celle de Peresce,* i. e. the vice of indolence, cp. 253.

14209. Sen. *Ep.* lxxiv. 13, 'magnanimitas, quae non potest eminere, nisi omnia velut minuta contempsit.'

14255. Apparently 'honnesteté' means here 'honourable deed.'

14262. *par chivallerie,* 'in warfare': cp. 15111.

14296. Sen. *Ep.* lix. 18, 'Quod non dedit fortuna, non eripit.'

14307. *quelle part soit,* for 'quelle part que soit,' 'wherever,' or 'on whichever side'; so 'combien' in l. 14310 for 'combien que,' 'however much.'

14343. Perhaps Sen. *Ep.* lxvii. 10, 'constantia, quae deici loco non potest et propositum nulla vi extorquente dimittit.'

14365. 1 Cor. ix. 24, 'omnes quidem currunt, sed unus accipit bravium.'

14392. Matt. x. 22.

14413. Cp. Prov. xxx. 8. There is nothing exactly like it in the book of Tobit.

14425. 2 Thess. iii. 10.

14434 f. *cil qui serra,* &c., 'if a man be industrious, it will avail him much.'

14437. Ps. cxxviii. 2.

14440. A proverb, meaning that God helps those who help themselves.

14443. 1 Kings xix.

14449. The reference is to a dramatic love-poem in Latin elegiac verse with the title *Pamphilus,* or *Pamphilus de Amore,* which was very popular in the thirteenth and fourteenth centuries. Pamphilus (or Panphylus) is the name of the lover who sustains the chief part, but others besides Gower have supposed it to be also the name of the author. The line referred to here is,

'Prouidet et tribuit deus et labor omnia nobis,' (f. 6 v⁰).

I quote from a copy of a rare fifteenth-century edition (without date or place, but supposed to have been printed about 1490 at Rome), in the Douce collection, Bodleian Library. It has the title 'Panphylus de amore,' and ends, 'Explicit amorem per tractus (i. e. pertractans) Panphyli codex.' The book is not without some merit of its own, though to a great extent it is an imitation of Ovid. It is quoted several times by Albertano of Brescia in his *Liber Consolationis*, and was evidently regarded as a serious authority: see Chaucer's *Tale of Melibee*, which is ultimately derived from the *Liber Consolationis*. It is referred to also in the *Frankeleins Tale*, 381 f.,

'Under his brest he bar it more secree
Than ever did Pamphilus for Galathee.'

14462. *au labourer covient*, 'it is necessary to labour.'

14466. 'Whoso wishes,' &c., i. e. 'if a man wishes': see note on 1244.

14473. *dispense*, 'deals favourably': cp. l. 1400.

14496. *le meulx*: see note on 2700.

14551. Matt. vi. 33.

14568. The alteration of 'contemplacioun' to 'contempler,' used as a substantive as in l. 10699, is the simplest way of restoring the metre: but cp. 3116, and *Bal.* xxvii. 1.

14581. Isid. *Diff.* ii. 153.

14619. Rom. xii. 3, 'Non plus sapere quam oportet sapere, sed sapere ad sobrietatem.'

14623. Bern. *Serm. in Cant.* xxxvi. 4, 'Cibus siquidem indigestus... et corrumpit corpus et non nutrit. Ita et multa scientia ingesta stomacho animae,' &c.

14653. Bern. *Serm. in Cant.* xxxvi. 3, 'Sunt namque qui scire volunt eo fine tantum ut sciant, et turpis curiositas est. Et sunt qui scire volunt ut sciantur ipsi, et turpis vanitas est.'

14670. A reference to the story of St. Jerome being chastised in a dream by an angel because he studied the style of his writing overmuch, and was becoming 'Ciceronianus' rather than 'Christianus.'

14701. For the four bodily temperaments, cp. *Conf. Am.* vii. 393 ff.

14707. 'If I be tempered so as to be phlegmatic': cp. *Bal.* l. 2, 'Ceo q'ainz fuist aspre, amour le tempre suef.'

14725. This refers to the so-called 'Salvatio Romae,' the story of which is told (for example) in the *Seven Sages*.

14730. *fesoit avant*, 'he proceeded to make': cp. 17310, 18466, 20537.

14757. An absolute construction, 'with the sword of penitence in his hand.'

14769. *en tiel devis*, answered by 'Dont,' 'in the manner by which,' &c.

14776. I do not understand this. 'Malgré le soen' might perhaps mean 'in spite of itself,' as 'malgré soen' is sometimes used, but how about 'de sa casselle'?

14797. 1 John iv. 1.

14812. Ecclus. xxxii. 24.

14833. It is needless to say that Boethius gives no such directions. They are the usual questions of the priest in enjoining penance, 'Quis, quid, ubi, per quos, quotiens, quomodo, quando': cp. Myrc's *Instructions for Parish Priests* (E. E. T. S. 1868). The name of 'Boece' perhaps crept in by accident in the place of some other, because the writer had in his mind the quotation given at 14899.

14854. *qu'il est atteins*, 'to which he has reached,' i.e. 'in which he is.'

14862. *forain*, here used in opposition to 'benoit,' 'sacred,' meaning that which is outside the consecrated limits.

14899. This is from Boethius, *Cons. Phil.* i. Pr. 4, 'Si operam medicantis expectas, oportet ut vulnus detegas tuum.'

14901. *Sicomme la plaie*, &c. This seems to depend on 'descoverir,' 'how large and grievous the wound is.'

14932. *Y falt*, 'there is needed.'

14945 f. 'According to the exact measure of the delight taken in the sin.' I do not know the passage referred to.

14947. 'But as to the meditation which intercession for sin makes,' &c.

14951. Bern. *Serm. de Div.* xl. 5, 'Tertius gradus est dolor, sed et ipse trina legatione connexûs,' &c.

14961. *om doubteroit*, 'one ought to fear': see note on 1688.

14973. 'and has reflected with a tender heart.' This position of 'et' is quite usual; see note on 415.

15088. *qant ot fait le tour*, &c., 'when he had done the deed of denying his creator.'

15090. Matt. xxvi. 75.

15110. Job vii. 1, 'Militia est vita hominis super terram.' Not the same in A. V.

15194. These are the opening words of the Institutions of Justinian: 'Iustitia est constans et perpetua voluntas ius suum cuique tribuens.'

15205. The sense of this might easily be got from Plato, but of course the citation is not at first hand.

15217. *Civile* is no doubt 'la loy civile,' referred to in 14138, 15194, &c. We find 'Civile' as here in l. 16092 in a connexion which leaves no doubt of its meaning, and again 22266. Civile, it will be remembered, is a personage in *Piers Plowman*.

15227. Cp. *Trait*. xviii. 3, 'Deinz son recoi la conscience exponde.'

15241. Aug. *de Mus*. vi. 37, 'Haec igitur affectio animae vel motus, quo intelligit aeterna, et his inferiora esse temporalia, . . . et haec appetenda potius quae superiora sunt, quam illa quae inferiora esse nouit, nonne tibi prudentia videtur?'

NOTES. Lines 14776–15593

15253. Cp. *Conf. Am.* i. 463 ff.

15260. Matt. x. 16.

15266 ff. The use of the future in these lines is analogous to that noticed in the note on 1184, 'We must extend,' &c.

15326. *cil Justice,* 'those judges.'

15336. *en Galice*: a reference to the shrine of St. James at Compostella and the rich offerings made there.

15337. This might be a reference to Aristotle, *Eth. Nic.* v. 3, but of course it is not taken at first hand.

15371. 'Even though he should have to pay double the (usual) price,' i. e. for the food that he gave to the poor in time of dearth.

15383 f. 'He will not neglect by such payment to keep his neighbour from ruin.'

15396. *tant du bienfait,* 'so many benefits,' 'du' as usual for 'de.'

15445. Tobit iv. 7.

15448. Prov. iii. 9.

15459. 1 Kings xvii.

15463. 'As Elisha prophesied': but it is in fact Elijah, not Elisha, of whom the story is told.

15470. Tobit xii. 12 ff.

15475. Acts x.

15486. Luke xxi. 2.

15500. *du quoy doner.* Here 'du quoy' is used like the modern 'de quoi,' and so elsewhere, e. g. 15819, and 'quoy' 15940; but sometimes we have 'du quoy dont,' e. g. 3339, where it seems to pass from an interrog. pron. into a substantive, and 'quoy' is used simply as a substantive in some passages, e. g. 1781, 12204, meaning 'thing': cp. the use of 'what' in English, *Conf. Am.* i. 1676.

15505. See note on l. 7640. The reference here is to Godfrey of Winchester, *Ep.* clxiv, 'Si donas tristis, et dona et praemia perdis.'

15522. Prov. xxi. 13, 'Qui obturat aurem suam ad clamorem pauperis, et ipse clamabit et non exaudietur.'

15529. 2 Cor. ix. 7.

15533. Sen. *de Ben.* ii. 1, 'nulla res carius constat, quam quae precibus empta est.'

15538 f. The logical sequence is somewhat inverted: it means, 'Hence a reluctant giver gets no reward, for his gift is bought at so high a price.'

15563. *par sa ruine S'en vole* means perhaps, 'he precipitated himself from his place and flew away.'

15566. Is. lxvi. 1, 2: but the quotation is not exact.

15578. Job xxvii. 8; but, as in the quotation above from Isaiah, something is added to make a special application. The original is only, 'Quae est enim spes hypocritae, si avare rapiat?' with no mention of almsgiving.

15593. Jer. xii. 13, but again the quotation has its special application given by our author. The original is 'Seminaverunt triticum et spinas messuerunt: . . . confundemini a fructibus vestris propter iram furoris Domini.'

15613. Ecclus. iii. 33.

15627. Matt. xxv. 14 ff. For the word 'besant' in this connexion cp. *Conf. Am.* v. 1930.

15650. Ecclus. xiv. 13 ff.

15662. Prov. xix. 17.

15665. Matt. xxv. 40, compared with x. 42.

15674. Tobit xii. 8.

15680. Ps. xli. 1.

15691. Is. lviii. 7 ff.

15711. Dan. iv. 24, 'peccata tua eleemosynis redime, et iniquitates tuas misericordiis pauperum.'

15756. 'is for a rich man to turn to poverty.'

15757. This story will be found in any Life of St. Nicholas.

15776. Prov. xxi. 14.

15788. Ecclus. xx. 32 f.

15793 ff. 'This, in short, is a great charity,—he who has more knowledge or power, when he sees his neighbour in distress from a burden too heavy for him, ought to give him aid, and speedily,' &c.

15801. Galat. vi. 2.

15808. Acts iii. 6.

15817. *du petit poy*: cp. *Bal.* xxviii, 'Om voit sovent de petit poi doner.'

15821. *lée*: a form (properly fem.) of 'let,' from Lat. 'latus,' equivalent to 'large,' 15824, to be distinguished from 'liet,' 'lée,' from 'laetus.'

15822. *allegger*, 'allege as an excuse' (allegare) ; to be distinguished from 'allegger,' 'alleviate.'

15867. Matt. xix. 29.

15941. *sur tiele gent et toy*: apparently for 'sur toy et tiele gent,' 'on thyself and on such people as thou shalt see most worthy of thy liberality.'

15949. See note on 7640. The reference here is to Godfrey of Winchester, *Ep.* cx.,

'Ne noceas tibi, sic aliis prodesse memento.'

15954. Cic. *de Off.* i. 43, 'Videndum est igitur ut ea liberalitate utamur, quae prosit amicis, nemini noceat,' &c.

15963. 'Attemprance' however is already in the retinue of Justice, see 15232, and 'Discrecioun,' who is the third daughter of Humility, 11562, and therefore herself the mistress of a household, is also in the employ of Abstinence, 16323.

15985. Ps. xx. 4 (*Vulg.* xix. 5), 'Tribuat tibi secundum cor tuum,' the meaning of which is not what our author supposes.

15997. Cic. *de Off.* i. 21, 'Sunt autem privata nulla natura . . . naturam debemus ducem sequi, communes utilitates in medium afferre,' &c.

16011. Matt. xiv. 15 ff.

16022. Matt. xxii. 21.
16025. Gen. xxviii. 22.
16026. *ainçois*, often used, as here, for 'but.'
16045. Ecclus. xli. 15, but the special application is by our author.
16060. Prov. xxii. 1.
16073. The cry of heralds was 'Largesce!' addressed to the knights whose prowess they recorded. Here the poor with their cry of 'Largesce!' are the heralds by whom the praise of the liberal man is brought before the throne of God.
16092. 'By breach of Canon law or Civil.'
16100. Cp. *Conf. Am. Prol.* 207 ff., where the 'letters' are also mentioned.
16138. The MS. has 'Sa viele loy,' which can hardly stand.
16181. *de celles s'esvertue*, 'strives after these,' that is the offspring of 'Franchise': cp. 16237.
16192. *comblera*: fut. for subj. in dependent command, as 416, 1184, &c.
16203 ff. This passage seems to need some emendation. Perhaps we might read 'est' for 'a' in l. 16203, and 'Les' for 'Des' in 16206, setting a colon after 'trahi.' But I have no confidence that this is what the author intended.
16231. *pour temptacioun*, perhaps 'because of temptation,' i.e. to avoid it.
16285. *Quiconque*, 'He whom.'
16288. *asseine*, 'approaches,' i.e. drinks.
16303. *des tieus delices savourer*, 'from tasting such delicacies': cp. 5492, 'des perils ymaginer' and often elsewhere.
16327. *toute voie*, nevertheless, like the modern 'toutefois.'
16338. *parentre deux*, 'between two things': cp. 1178, *Bal.* xxvii. 4, &c. In the Table of Contents 'parentre deux' seems to be for 'parentre d'eux,' and so it might be in some other places, e.g. *Trait.* xv. 2, as 'entre d'eux' in *Mir.* 874; but this is not the case in 1178, nor probably in the other passages where it occurs.
16347. Greg. *Reg. Past.* iii. 19, 'Non enim Deo sed sibi quisque ieiunat, si ea quae ventri ad tempus subtrahit non egenis tribuit, sed ventri postmodum offerenda custodit.'
16360. Isid. *Sent.* ii. 44. 8, 'Qui autem a cibis abstinent et prave agunt, daemones imitantur, quibus esca non est et nequitia semper est.'
16381. *son pour quoy*, 'his purpose,' that is, the object of his life.
16425. Ecclus. xxxi. 35 ff.
16506. That is, he will not exceed his income.
16513. Luke xiv. 28.
16524. *oultrage*, 'extravagance,' of boasting or expense.
16532. Cp. 15499.
16535. *au commun*, 'for the common good': cp. 14574.
16539. *orine*: properly 'origin,' hence 'stock,' 'race,' ('de franche

F f

orine,' 'ceux de ourine ou ancieneté,' Godefr.). Here it is almost equivalent to 'offspring.'

16541. *Qui bien se cure*, 'if a man takes good heed': note on 1244.

16597 ff. Cp. *Conf. Am.* i. 299 ff.,

> 'For tho be proprely the gates,
> Thurgh whiche as to the herte algates
> Comth alle thing unto the feire,
> Which may the mannes Soule empeire.'

The substance of the stanza is taken from Jerome *adv. Jov.* ii. 8, 'Per quinque sensus, quasi per quasdam fenestras, vitiorum ad animam introitus est. Non potest ante metropolis et arx mentis capi, nisi per portas eius irruerit hostilis exercitus.'

16600. *par si fort estal*, i.e. coming into so strong a position for fighting.

16605. 'The fortress of judgment in the heart.'

16633. 'Quae facere turpe est, haec ne dicere honestum puta:' quoted as 'Socrates' by Caec. Balbus, p. 18: cp. 13695.

16646. *s'en remort*, 'feels sorrow for its offences.'

16670. Perhaps Ecclus. xx. 7.

16673. A similarly severe moral judgment is pronounced upon Ulysses in *Trait.* vi. 3; the story of the Sirens referred to below is repeatedly mentioned, e.g. ll. 9949, 10911, *Bal.* xxx. 2, *Conf. Am.* i. 481 ff. In all these places the spelling 'Uluxes' is the same.

16700. *ne fist que sage*: an elliptical form of expression common in old French, 'ne fist ce que sage feroit,' 'did not act as a wise man': see Burguy *Gramm.* ii. 168.

16701. For this cp. *Conf. Am.* v. 7468 ff.

16710. 'Tanque' here answers to 'tiele' in the same manner as 'dont' so often does.

16717. I do not know the passage.

16721. *ruer luy font*, 'cast it down,' the auxiliary use of 'faire': 'envers' is an adjective, 'inversus.'

16725. *pervers*, used as a substantive, 'a pervert.'

16729. Not Isaiah, but Jer. ix. 21.

16740. 'which cannot be extinguished.'

16741. Job xxxi. 1, 'Pepigi foedus cum oculis meis ut ne cogitarem quidem de virgine.'

16753. Ps. cxix. 37.

16756. Matt. vi. 22.

16768. Perhaps we should read 'soul ove sole.'

16769. 2 Sam. xiii. This example is quoted also in *Conf. Am.* viii. 213 ff.

16797. For the opposite effect produced by love of a higher kind see *Bal.* l. 1,

> 'De l'averous il fait franc et loial,
> Et de vilein courtois et liberal.'

16817. 1 Cor. vi. 18.

16875. Bern. *Super 'Missus est' Hom.* i. 5, 'Pulchra permistio virginitatis et humilitatis.'

16880. *meist*: this must be pret. subj. used for conditional, as in 16883.

16890. *enterine*, 'perfect,' notwithstanding her motherhood.

16906. *clamour*, standing for an adjective, 'loudly expressed.'

16909. *serront*, 'should be,' i. e. ought to be, see note on 1184.

16919. 'If he have nothing wherewith to give support to his hand': cp. 13102, where the verb is transitive.

16924. *suppoer*. This need not be altered to 'supponer,' but may be the same as the French 'soupoier' 'to support,' cp. Lydgate's 'sopouaille' or 'sowpowaylle,' in the *Tale of Troy*: see MS. Digby 232, f. 29, l. 79. (The printed editions do not give it.)

16931. 'So that she allows not her flower to be found elsewhere and seized.'

16952. Eccles. iv. 10.

16955. *N'est autre ... luy puet*: relative omitted, 'there is no other can help him.' This use of 'pour' is rather remarkable.

16957. Gen. xxxiv. 1, 2.

16974. *La dist*: cp. 13268. Sometimes 'le' is used as indirect object fem. as well as masc.; see Glossary.

16980. *quoi signefie*, 'what the meaning is,' that is, what the discourse means.

16987. 'whether in grief or in joy.'

16990. Cp. *Bal.* xxv. 'Car qui bien aime ses amours tard oblie.'

17000. Matt. xxv. 1 ff.

17010. *bealté* seems here to be counted as three syllables. Regularly it is a dissyllable, as 18330, *Bal.* iv. 2.

17019. *virginal endroit*, 'condition of virginity.'

17020. 'Candor vestium sempiternus virginitatis est puritas.'

17030. Jerome, *Comm. Ezech.* xiv. 46, 'Unde et virginitas maior est nuptiis, quia non exigitur ... sed offertur.'

17041. *q'om doit nommer*, 'whom one may mention': for the use of 'devoir' see note on 1193. Just below we have 'doit tesmoigner,' which seems to mean 'may be a witness.'

17044. Rev. xiv. 1-4. Cp. *Conf. Am.* v. 6389.

17064. *endie*: perhaps this should be separated, 'en die,' but 'endire' seems to be used in several passages; see Glossary.

17067. Cp. *Conf. Am.* v. 6395* ff. Gregory says (i. *Reg. Expos.* v. 3) 'incomparabili gratia Spiritus sancti efficitur, ut a manentibus in carne carnis corruptio nesciatur.' But the quotation here and in the *Conf. Am.* seems to be not really from Gregory, but from Guibert or Gilbert (Migne *Patrol.* vol. clvi.), who says of virginity 'adeo excellit ut in carne praeter carnem vivere ut vere angelica dicta sit,' *Mor. in Gen.* v. 17; unless indeed he is quoting from Gregory. For Gilbert see 17113.

17074. Gen. i. 27.

17089. Cp. *Trait.* xvi. and *Conf. Am.* v. 6395 ff. The text of the *Confessio Amantis* makes Valentinian's age 'an hundred wynter,' but the Latin margin both there and in the *Traitié* calls him 'octogenarius.'

17103. Num. xxxi. 17 f.

17113. This is the Gilbert mentioned in the note on l. 17067. He was abbot of S. Marie de Nogent in the early part of the twelfth century. His 'sermoun' is the *Opusculum de Virginitate*, to which this is a rather general reference.

17119. Jerome *adv. Jovin.* i. 41.

17122. See note on 5179.

17125. Cyprian, *Tract.* ii. 'Flos est ille ecclesiastici germinis, decus atque ornamentum gratiae spiritualis.'

17149 ff. Cp. *Trait.* iii. 2.

17166. *Soubz cel habit*, &c., cp. *Trait.* v. 2.

17200. Gen. ii. 18.

17208. *acompaigner*, 'take as a companion.'

17223. 1 Cor. vii. 9.

17228. 'which cause us to take matrimony upon us.'

17238 ff. Cp. *Trait.* iv.

17268. 'I call in the world as my witness to this.'

17293. 'If a man thus takes a wife': cp. 1244, &c.

17308. Cp. *Trait.* v.

17310. *jure avant*, 'proceeds to swear': cp. 14730.

17336. Compare the popular lines,

'When Adam dalf and Eve span,
Who was then the gentleman?'

Much the same argument as we have here is to be found in *Conf. Am.* iv. 2204 ff.

17366. 'the ladies are not of that mind.'

17374. *ainçois demein*, 'before the morrow'; 'ançois' as a preposition.

17417. Tobit iii. 8, and vi. 13, 14, but nothing is said distinctly of the reason here assigned. It may be thought that it is implied in Tobit viii. 9. The idea is fully developed in the *Confessio Amantis*, where the whole story is told with this motive and in connexion with the same argument about chastity in the state of marriage. See *Conf. Am.* vii. 5307-5381.

17450. *regent*, used here as a present participle.

17469. *Naman*: more correctly 'Aman' in 11075.

17472. *retient*, 'saved': it seems to be a preterite, cp. 8585, 9816, &c.

17484. *volt avoir malbailly*: so 'volt avoir confondu' below; perhaps a translation of the English 'would have illtreated' &c.

17497. *fait bien a loer*: see note on 1883.

17498. 'it is good to marry the good': 'du' for 'de.'

17500. Ecclus. vii. 21.

17532. 'to be companions by Holy Church,' that is by ordinance of Holy Church.

17593. Ecclus. ix. 2, xxv. 30.

17608. 2 Sam. vi.
17616. *puis tout jour*, ' ever after.'
17630. *ou*, for ' au,' see Glossary.
17641. Cat. *Distich*. i. 8,

> ' Nil temere uxori de seruis crede querenti,
> Semper enim mulier quem coniux diligit odit.'

17689. *ert*: future in imperative sense, 'shall be'; so in the lines that follow.

17702. *Anne*, called ' Edna ' in the A. V.

17705. Tobit x. 12. The Authorised English version has but one of the five points, and that in a somewhat different form from our author's: ' Honour thy father and thy mother in law, which are now thy parents, that I may hear good report of thee.' The Vulgate reading is, ' Monentes eam honorare soceros, diligere maritum, regere familiam, gubernare domum, et seipsam irreprehensibilem exhibere.'

17714 ff. *estrive ... quiert ... labourt*: apparently present indicative, stating what the good wife does.

17743. ' For if a woman ' &c. The construction is confused, cp. 89.

17776. *n'ait homme tant pecché*, 'however much a man may have sinned.'

17785. Ez. xxxiii. 14 ff.

17801. *Cil*, i.e. 'the latter,' as the following lines show.

17827. The widow's marriage: cp. 9170 and note.

17845. 1 Tim. v. 3-6.

17864. *le vou Marie*: see 27734 ff.

17874. Ps. lxxvi. 11 (*Vulg*. lxxv. 12), 'Vovete et reddite Domino Deo vestro.'

17876. ' that purpose has little merit, which ' &c.: ' decert ' for ' desert,' from ' deservir,' so also the substantive ' decerte ' for ' deserte.'

17882. *sanz en faire glose*, ' without need of comment.'

17904. Nevertheless according to 17302 ff. he is bound to do so.

17935 ff. Cp. *Trait*. ii. 1,

> ' Des bones almes l'un fait le ciel preignant,
> Et l'autre emplist la terre de labour.'

The original of it is perhaps Jerome *adv. Jovin*. i. 16, 'Nuptiae terram replent, virginitas paradisum.' Much the same thing is said by Augustine and by others.

17945. Jerome, *Ep*. xxii. 20, ' Laudo nuptias, laudo coniugium, sed quia mihi virgines generant: lego de spinis rosam.'

17948. 1 Cor. vii. 9.

17952. ' as the highest teaching.'

17996. *trestout ardant* belongs of course to ' fornaise ' in the next line. These inversions are characteristic of the author's style: cp. 15941.

18004. Bern. *de Ord. Vit*. ii. 4, ' Et ne incentivis naturalibus superentur, necesse est ut lasciviens caro eorum crebris frangatur ieiuniis.' *De Convers*. 21, ' Quidni periclitetur castitas in deliciis.'

18018. *chalt pas*, 'at once.'

18025. Ambr. *Hex.* vi. 4. 28, 'Ieiuni hominis sputum si serpens gustaverit, moritur. Vides quanta vis ieiunii sit, ut et sputo suo homo terrenum serpentem interficiat, et merito spiritalem.'

18067. *q'est d'aspre vie*, 'which belongs to hard life.'

18097. Matt. xiii.

18154. 'And then performs the circumstance of it,' that is the deeds suggested by it.

18159 ff. With this passage on the power of the divine word compare that on the power of the human word in *Conf. Am.* vii. 1545 ff.

18172. John xv. 3.

18292. Ps. cxxvi. (*Vulg.* cxxv.) 6, 'Euntes ibant et flebant, mittentes semina sua. Venientes autem venient cum exsultatione, portantes manipulos suos.'

18301. Val. Max. iv. 5. The story is also given in the *Confessio Amantis* v. 6372 ff. with a slight variation in the details, and it is alluded to in *Vox Clam.* vi. 1323. It is to be noted that the same corruption of the original name Spurina, into 'Phirinus,' is found in all three.

The lines corresponding to 18301 f. are *Conf. Am.* v. 6359 f.,

> 'Of Rome among the gestes olde
> I finde hou that Valerie tolde' &c.

18303. *Ot*, 'there was,' for 'y ot.'

18317. *dont*, 'because of which.'

18324. *Celle alme*, 'the soul' : see note on 301.

18329. *Dont* answering to 'ensi,' in consecutive sense, as often.

18348. *qant s'esbanoie*, 'in his glory'; lit. 'when he diverts himself.'

18371. 'What can I say more except that God honours thee?'

18420. *L'escoles*, for 'les escoles,' 'li' (or 'le') being used for 'les': see Glossary 'ly,' 'le.'

18421. The part of the work which begins here runs parallel with a large portion of the *Vox Clamantis*, viz. Books iii.–vi. inclusive.

18445. The assertion that he is merely giving voice to public opinion is more than once repeated by our author in his several works, e.g. *Conf. Am. Prol.* 122 ff.

18451. Simon Magus is the representative of spiritual corruption, called 'simony.' His name is similarly used in our author's other works, e.g. *Conf. Am. Prol.* 204, 439, and often in the *Vox Clamantis*. With the argument here compare *Vox Clam.* iii. ch. 4, where nearly the same line is followed.

18462. *deux pointz*, 'two points,' instead of one: 'ou . . . ou,' 'whether . . . or.'

18466. 'Or if not so, then proceed to tell me' &c. For 'avant' cp. 14730.

18469. 'I cannot believe.'

NOTES. LINES 18018–18761   439

18505. Cp. *Vox Clam.* iii. 265 ff.,

> 'In quanto volucres petit auceps carpere plures,
> Vult tanto laqueos amplificare suos': &c.

Here the speech is put into the mouth of a member of the Roman court, for which cp. *Vox Clam.* iii. 817 ff., where a similarly cynical avowal is put into the mouth of the Pope.

18539. *perchera.* I am disposed to take this as a future of 'percevoir,' in the sense 'receive,' 'collect,' (' parcevoir rentes' Godefr.). Roquefort (Suppl.) gives 'perchoir' as a possible form of the word.

18542. *serrons*, from 'serrer.'

18553. Cp. *Vox Clam.* iii. 141,

> 'Clauiger ethereus Petrus extitit, isteque poscit
> Claues thesauri regis habere sibi.'

18556. Cp. *Conf. Am. Prol.* 206 ff., where the parallel is very close.

18580. The allusion is to the cross upon the reverse of the English gold coinage of Edward III's time, as also on that of some other countries and perhaps on the pound sterling, see 25270.

18584. *cil huissier*, 'the doorkeepers.'

18589. This form of sentence is characteristic of our author: cp. *Bal.* xviii. 2,

> 'Tiel esperver crieis unqes ne fu,
> Qe jeo ne crie plus en ma maniere.'

Also *Bal.* vii. 4, xxx. 2, *Conf. Am.* i. 718 and frequently in the *Vox Clamantis*, e.g. i. 499 ff.

18631. Referring to the payments made by Jews and prostitutes at Rome for liberty to live and exercise their professions.

18637. Cp. *Vox Clam.* iii. 283 ff. and *Conf. Am.* ii. 3486 ff.

18649. John xiv. 27. The discourse however is not to St. Peter alone, cp. 18733.

18663. *des bonnes almes retenir*, for 'de retenir les bonnes almes,' 'in keeping guard over souls': cp. 5492, &c. For the substance of the passage cp. *Vox Clam.* iii. 344,

> 'Hic animas, alius querit auarus opes,'

where 'Hic' is St. Peter and 'alius' the modern Pope.

18672. 'As long as physic may avail' to save us from it.

18673. Cp. *Vox Clam.* iii. 343 ff. and *Conf. Am. Prol.* 212 ff. In the latter we have a pretty literal translation of l. 18675,

> 'Of armes and of brigantaille,'

which seems to mean 'of regular or irregular troops.'

18721. *faisons que sage*: cp. 16700.

18733. Matt. xxiii. 8–10.

18737. Rev. xix. 10. Precisely the same application of this passage is made in *Vox Clam.* iii. 957 ff.

18761 f. 'that he distinguished his cardinals by their red hats.'

18779. With this stanza cp. *Vox Clam.* iii. 11 ff.

18783. *Innocent.* This must be taken to be a reference to the Pope generally and not pressed as an evidence of date. Innocent VI, the only pope of this name in the fourteenth century, died in 1362, whereas we see from 18829 ff. that this work was not completed until after the schism of the year 1378.

18793 ff. Cp. *Vox Clam.* iii. 1247 ff.,

> 'Antecristus aget que sunt contraria Cristo,
> Mores subuertens et viciosa fouens:
> Nescio si forte mundo iam venerat iste,
> Eius enim video plurima signa modo.'

18797. 'What think you of whether such an one has yet come? Yes, for truly pride now rises above humility' &c. That this is the meaning is clear from the above-quoted passage of the *Vox Clamantis.* I assume that the author is now speaking in his own person again, notwithstanding 'nostre court' below, which occurs also in other places, e. g. 18873.

18805. *Vox Clam.* iii. 1271,

> 'In cathedram Moysi nunc ascendunt Pharisei,
> Et scribe scribunt dogma, nec illud agunt'

and *Conf. Am. Prol.* 304 ff.,

> 'And thus for pompe and for beyete
> The Scribe and ek the Pharisee
> Of Moïses upon the See
> In the chaiere on hyh ben set.'

18829 ff. A reference to the schism of the papacy, which must have taken place during the composition of this work : see Introduction p. xlii.

18840 (R). *solonc ce que l'en vait parlant* : cp. 19057 ff. and such expressions as 'secundum commune dictum' in the headings of the chapters of the *Vox Clamantis*, e. g. iii. ch. 15.

18848. *Maisque*, apparently here the same as 'mais.'

18876. *verra*: fut. of 'venir' instead of the usual 'vendra.' Burguy (i. 397) does not admit the form for the Norman dialect, but it was used in Picardy. Usually 'verrai' is the future of 'veoir,' e.g. 19919, as in modern French.

18889 ff. Cp. *Vox Clam.* iii. 1341 ff.,

> 'Cuius honor, sit onus ; qui lucris participare
> Vult, sic de dampnis participaret eis :
> Sic iubet equa fides, sic lex decreuit ad omnes,
> Set modo qui curant ipsa statuta negant.'

18925. 2 Kings v.

18997. The story is alluded to in much the same connexion *Vox Clam.* iii. 249,

> 'Alcius ecce Simon temptat renouare volatum.'

19031. *s'il sa garde pance*, &c., 'if he neglects his belly-armour of antidote': 'garde pance' is to be taken as practically one word, though not written so in the MS. The idea is that the Pope has to take the precaution of an antidote against poison with all his meals.

19044. 'as a chicken does the hen,' i.e. 'follows the hen'; a good instance of the use of 'faire' often noted before.

19057 ff. Cp. *Vox Clam.* iii. *Prol.* 11 ff.,

> 'A me non ipso loquor hec, set que michi plebis
> Vox dedit, et sortem plangit vbique malam;
> Vt loquitur vulgus loquor,' &c.

There, as here, the excuse is prefatory to an attack on Church dignitaries.

19113. *persuacioun*: five syllables in the metre.

19117. The application of this reference, which is here lost, may be supplied from *Vox Clam.* iii. 1145 ff., where the instance is quoted, as here, in condemnation of the laxity of bishops.

19315. The leaf which is here lost contained the full number of 192 lines without any rubric, as we may see by the point at which the present stanza begins. The author is still on the subject of bishops.

19333 ff. With the substance of this and the following stanza cp. *Conf. Am. Prol.* 449 ff.

19345. An unfavourable view of the bee is generally taken by our author: cp. 5437 ff.

19372 f. 'The wanton prelate, who is bound to God, separates himself grievously from him by reason of the sting': 'q'a dieu se joynt' seems only meant to express the fact that by his office he is near to God.

19377. Referring to some such passage as Gal. v. 16 f.

19380. 'would be in better case if they had no sting.'

19407. Cp. Chaucer, *Persones Tale*, 618 (Skeat): 'And ofte tyme swich cursinge wrongfully retorneth agayn to him that curseth, as a brid that retorneth agayn to his owene nest.'

19411. *Du quelle part*, 'in whatever direction.'

19457. *S'en fuit*: apparently used in the same sense as 'fuit,' with 'sainte oreisoun' as direct object.

19501 f. Evidently a play upon the words 'phesant,' 'faisant,' and 'vin,' 'divin,' as afterwards 'coupe,' 'culpe.'

19505 f. 'Rather than to correct and attend to the fault of the Christian man.' This use of 'pour' has been noticed before, 6328, &c.

19891. The two leaves which are lost contained the full number of 384 lines, and we are still on the subject of bishops.

19897. Not Solinus, so far as I know.

19907. 1 Tim. iii. 1.

19941. *la divine creature*, 'God's creature.'

19945. 1 Sam. xii. 19 ff.

19948. 'was not disturbed in his charity.'

19949. *ne place a dieu*, &c., 'God forbid that I should not pray for you.'

19957. Jer. ix. 1, 'Quis dabit capiti meo aquam, et oculis meis fontem lacrymarum?' &c.

19968. Presumably we should read either 'du prelat' or 'des prelatz.'

19971. Possibly Is. lxiii. 3, 5, but it is not an exact quotation.

19972 f. ' He looked, but there was none of the people who regarded, or who sighed for his sufferings.'

19981. Val. Max. v. 6, but he does not give the name of the enemy against whom the war was made, therefore the story is perhaps not taken directly from him. The story is in *Conf. Am.* vii. 3181 ff., beginning,

> 'for this Valeire tolde,
> And seide hou that be daies olde
> Codrus,' &c.

19984. *ceaux d'Orense*: in the *Conf. Am.* 'ayein Dorrence.' The war is said by some authorities to have been 'in Dorienses,' and this is no doubt what is meant, but there is evidently a discrepancy here between the *Mirour* and the *Confessio Amantis* with regard to the name. The MS. reading here is of course 'dorense.'

19995. *proprement*, 'for his own part,' i. e. 'himself.'

19996. ' or suffer his people to be killed.'

20014. *mais pour cherir*, 'except for taking care of.'

20016. Judas is the type of those who fall by transgression from their bishoprics.

20019. Luke x. 30 ff. The 'deacon' here stands for the Levite of the parable.

20035. Zech. x. 3, 'Super pastores iratus est furor meus, et super hircos visitabo.'

20042. Perhaps Is. xxix. 15.

20053. This must be a reference to Matt. xxiii. 13, attributed by mistake to Isaiah.

20065 ff. This is also in *Conf. Am.* v. 1900 ff. with a reference to Gregory's Homilies, and referred to more shortly in *Vox Clam.* iii. 903 ff.

20109. *de celle extente*, 'to that extent.' This seems practically to be the meaning; that is, so far forth as the purse extends.

20120. *la coronne*: evidently this indicates the tonsured priest, whose circle of unshorn hair was supposed to represent the crown of thorns. As to the following lines, we must take them to mean 'if you read the sequence of the Gospel you will know who is meant,' the relative being used in the same way as in 1244, &c.

20123. *son incest*: see note on 9085.

20126 f. ' offices fall to the lot of different persons at different times.'

20140. ' There is no one by whom they may be corrected.'

20153 ff. 'There are those who farm out prostitution as if it were property of land and tillage.'

20161. This stanza is very closely parallel with *Conf. Am. Prol.* 407-413,

> 'And upon this also men sein,
> That fro the leese which is plein
> Into the breres thei forcacche
> Here Orf, for that thei wolden lacche,
> With such duresce and so bereve
> That schal upon the thornes leve
> Of wulle, which the brere hath tore.'

Cp. also *Vox Clam.* iii. 195 f.

20178. *Pour dire* &c., to be connected with 'ce ne te puet excuser': 'it cannot excuse you to say' &c., 'pour' standing for 'de,' as often.

20195. *ma bource estuet* : this looks like a personal use of 'estovoir,' but presumably 'ma bource' is a kind of object, 'it is necessary for my purse,' as in phrases like 'm'estuet.'

20197 ff. Cp. Chaucer, *C. T. Prol.* 658,

> 'Purs is the erchedeknes helle.'

20200. 'It is of a piece with this, that he uses no other virtue to correct me, provided that I give him my substance.'

20225 ff. The substance of this is repeated in *Vox Clam.* iii. 1403 ff.

20244. *entribole* : we might equally well read 'en tribole,' 'disturbs by it.'

20247 ff. To this corresponds *Vox Clam.* iii. 1351 ff.

20250. *puist*, properly pret. subjunctive.

20287 ff. Cp. *Vox Clamantis*, iii. 1375 ff.,

> 'Littera dum Regis papales supplicat aures,
> Simon et est medius, vngat vt ipse manus,' &c.

20294. *s'absentont*. Note the rhyme on the weak final syllable, so below 'esperont': the irregularity is perhaps due to the similarity in appearance of the future form, e. g. 'avanceront,' 'responderont.'

20305 ff. With this compare *Vox Clam.* iii. 1487 ff.

20308. *easera* : fut. for pres. subj. expressing purpose: cp. 364.

20313. Cp. *Vox Clam.* iii. 1509 ff.,

> 'Stat sibi missa breuis, devocio longaque campis,
> Quo sibi cantores deputat esse canes:
> Sic lepus et vulpes sunt quos magis ipse requirit;
> Dum sonat ore deum stat sibi mente lepus.'

20318. *avant*, to be taken here perhaps as strengthening 'Plus': but see note on 20537.

20344 ff. Cp. *Vox Clam.* iii. 1549-1552.

20355. Cp. *Vox Clam.* iii. 1519 ff.,

> 'Dum videt ipse senem sponsum sponsam iuuenemque,
> Tales sub cura visitat ipse sua;
> Suplet ibi rector regimen sponsi, que decore
> Persoluit sponse debita iura sue.'

20401. Matt. xv. 14.

20425 ff. Note the loose usage of the conditional in this stanza for future, pres. subj., and in the sense noticed on l. 1688.

20441. *au primer divis*, 'firstly'; so 'au droit devis,' 'rightly.'

20449. Cp. Greg. *Ep.* vi. 57 (end).

20462. Probably Hos. v. 4-7.

20488. *s'elle*, &c., 'as to whether she,' &c.

20492. Perhaps Prov. vi. 27 ff.

20497 ff. The meaning of the word 'annueler' which occurs in the heading of the section is sufficiently explained in these lines. The corresponding passage in the *Vox Clamantis* is iii. 1555 ff.

20527. *Vox Clam.* iii. 1559, 'Plus quam tres dudum nunc exigit unus habendum.'

20528. *mais*, for 'maisque,' 'provided that.'

20537. *avant*: used often with no particular meaning, cp. 20318. Here we may take it with 'dirrons,' 'what shall we go on to say then,' &c. It might, however, go with what follows, 'takes beforehand.'

20539. *a largesce*, 'freely bestowed': it would be of course a provision in the will of the dead person.

20542. *ardante*, i. e. in purgatory.

20547. Cp. 1194, 10411.

20574. 'Si diaconus sanctior episcopo suo fuerit, non ex eo quod inferior gradu est apud Christum deterior erit.'

20576. *Par si q*': cp. 3233.

20582. 'that however great his learning may be.'

20594. Matt. v. 13, 14.

20621. *fait baraigner*: I take *fait* as auxiliary and *baraigner* to mean 'make barren.'

20700. *legende*. This probably means the passages of the Gospel appointed to be read in the service of the Mass.

20713. The argument used by the priest is that his sin is no worse than the same act in a layman. Cp. *Vox Clam.* iii. 1727 ff.,

'Dicunt presbiteri, non te peccant magis ipsi,
　Dum carnis vicio fit sua victa caro:
Sicut sunt alii fragili de carne creati,
　Dicit quod membra sic habet ipse sua.' &c.

20725 f. *Vox Clam.* iii. 1761,

Presbiter et laicus non sunt bercarius vnum,
　Nec scelus in simili condicione grauat.

20740. Mal. i. 6, 7.

20785 ff. *Vox Clam.* iii. 2049 ff. The author is here dealing with young students, 'scolares.'

20793. *le meulx*: see note on 2700, so 'le plus' below.

20798. Cp. *Vox Clam.* iii. 2071 ff.

20827. *Vox Clam.* iii. 2074, 'Si malus est iuvenis, vix bonus ipse vetus.'

20832. *Qui,* 'whom.'

20833 ff. Cp. *Vox Clam.* iv. 1-676.

20845. This is a very hackneyed quotation, but the origin of it does not seem quite clear; see note on Chaucer, *C. T. Prol.* 179 in Skeat's edition: cp. *Vox Clam.* iv. 277.

20866. Cp. *Vox Clam.* iv. 26 f., 'Pellicibus calidis frigus et omne fugant.'

20892. *mye et crouste,* 'crumb and crust' in the modern sense of the expression.

20905. See note on 12565. I do not know where this story comes from, but somewhat similar tales of the devil visiting Macarius and his monastery are to be found in the *Legenda Aurea* and elsewhere.

20952. *esloigner,* used with a personal object, 'flee from.'

20989. Jerome, *Ep.* cxxv. 7, 'Sordidae vestes candidae mentis indicia sunt.'

20999. Cp. Chaucer, *C. T. Prol.* 193 f.

21001. I do not know anything about this story.

21061 ff. Cp. *Vox Clam.* iv. 371-388.

21076. *cloistrers*: i.e. those who remain within the monastery walls.

21094. *qui s'est rendu,* 'who has delivered himself to God,' by his profession: cp. 20988.

21118. *mais petit voy,* &c., 'but I see small number of them who,' &c.

21133 ff. This passage, in which monastic virtues and vices are personified with the title 'danz' (Lat. 'dompnus') which was given to monks, has a parallel in *Vox Clam.* iv. 327 ff.

21134. *n'ad mais refu*: apparently 'refu' is here a past participle; 'has been again no more,' i.e. has not survived.

21157. The criticism of the life of Canons follows here in the *Vox Clamantis* also, iv. 347 ff.,

'Ut monachos, sic Canonicos quos deuiat error,' &c.

The 'Canons regular' differed but little in their discipline from monks.

21166. *devant*: see 20909 ff.

21181. On the Mendicant orders see *Vox Clamantis* iv. 677 ff.

21190 f. 'I have found out this about the order, that friars seek after the world,' &c.: the perfect is used loosely for present. For 'querre' in this sense cp. 21528.

21197. 2 Cor. vi. 10.

21241. 'The friars go together in pairs': so in Chaucer, *Sompnours Tale*, whence we learn that after having been fifty years in the order they were relieved from this rule. In the next line 'sanz partie' means 'without separating.' The same word used in a different sense is admissible as a rhyme: so 'mestier,' 21275, and cp. note on 2353.

21250. Here, as elsewhere, it is implied that the friars made themselves by preference the confessors of women, cp. 9148, Chaucer, *C. T. Prol.* 215 ff.

21266. The marginal note opposite this stanza has lost the ends of its lines by the cutting of the leaves of the MS. Its purport however is clear enough, and it is certainly from the author. In *Vox Clam.* iv. 689, we have the substance of it,

'Non volo pro paucis diffundere crimen in omnes,
 Spectetur meritis quilibet immo suis;
Quos tamen error agit, veniens ego nuncius illis,
 Que michi vox tribuit verba loquenda fero.' &c.

The note perhaps may be read thus:
'Nota quod super hii⟨s⟩ que in ista pa⟨gina⟩ secundum commune dictum d⟨e fra⟩tribus scripta pa⟨tent⟩, transgressos simp⟨liciter⟩ et non alios mater⟨ia⟩ tangit: vnde h⟨ii⟩ qui in ordine transgressi sunt ad ⟨viam⟩ reuertentes prius⟨quam⟩ in foueam cada⟨nt⟩ hac eminente ⟨scrip⟩tura cercius pre⟨mu⟩niantur.'

21301. *Flaterie professé*, i.e. Flattery the friar.

21325 ff. This stanza is nearly a repetition of ll. 9145-9156.

21369. In Chaucer, *Sompnours Tale*, the sack is carried by a 'sturdy harlot,' who accompanied the two friars. At the present day the Capuchin in his begging expeditions often goes alone and carries his own sack.

21373 ff. Observe how clearly this agrees in substance with Chaucer's humorous description in the *Sompnours Tale*.

21376. 'If the woman has little or nothing to give,' like the widow in Chaucer's *Prologue*,

'Yet wolde he have a ferthing or he wente.'

21377. *meinz* is rather confusedly put in with 'ne s'en abstient.' The writer meant to say 'none the less does he demand,' &c.

21382. Matt. xxiii. 14.

21399. The quotation is actually from Hos. iv. 8. In *Vox Clam.* iv. 767, the same quotation is given in the same connexion and attributed rightly to Hosea.

21403. Cp. *Vox Clam.* iv. 1141 ff. The passage of the *Plowmans Crede* relating to this subject is well known.

21449. An allusion to the story current about the death of the Emperor Henry VII in the year 1313.

21455. *s'il volt lesser*, &c., 'if you ask whether he will spare us,' &c.

21469 ff. Chaucer, *C. T. Prol.* 218 ff.,

'For he hadde power of confessioun,
 As seyde himself, more than a curat.'

The confessor would claim the right of burial, if it were worth having: cp. *Vox Clam.* iv. 735 ff.,

'Mortua namque sibi, quibus hic confessor adhesit,
 Corpora, si fuerint digna, sepulta petit;
Sed si corpus inops fuerit, nil vendicat ipse,' &c.

21477. For baptism there would be no fee: so *Vox Clam.* iv. 739 f.,

> 'Baptizare fidem nolunt, quia res sine lucro
> Non erit in manibus culta vel acta suis.'

21481. Matt. vi. 25.

21499 ff. Cp. *Vox Clam.* iv. 815,

> 'Appetit ipse scolis nomen sibi ferre magistri,
> Quem post exemptum regula nulla ligat:
> Solus habet cameram, propriat commune, que nullum
> Tunc sibi claustralem computat esse parem.'

21517. Cp. *Vox Clam.* iv. 971 ff.

21536. *acomparas*: for this form of future cp. 'compara' 26578, 'dura' 3909, &c.

21544. Cp. *Vox Clam.* iv. 981 ff.

21562. *Vox Clam.* iv. 991 f.,

> 'Set vetus vsus abest, nam circumvencio facta
> Nunc trahit infantes, qui nichil inde sciunt.'

21580. Rom. xvi. 17, 18.

21604. Ps. lxxxiii. (*Vulg.* lxxxii.) 6, 7.

21607. *Brev. in Psalm.* lxxxii. 6; but our author has not quite understood the explanation.

21610. *ou pitz*, i.e. 'au pitz,' 'in the breast.'

21625 ff. Cp. *Vox Clam.* iv. 787 f.,

> 'Nomine sunt plures, pauci tamen ordine fratres;
> Vt dicunt aliqui, Pseudo prophetat ibi.'

It seems that the word 'pseudopropheta' used Rev. xix. 20 and elsewhere was read 'pseudo propheta,' and 'pseudo' taken as a proper name. At the same time this was combined with the idea of the wolf in sheep's clothing suggested by Matt. vii. 15, 'Attendite a falsis prophetis,' &c.

21637. 'The Pseudos whom men call friars.'

21641. 'Cannot fail to suffer for it': 'compere' for 'compiere' from 'comparer,' which is usually transitive, like 'acomparer' 21536, meaning 'to pay for.'

21647. The reference is to 2 Pet. ii. 1–3, where 'pseudoprophetae' is the word used in the Vulgate.

21663 ff. The same argument as was before applied to the monks, 21061 ff.

21676. *n'en puet chaloir*: the meaning apparently is 'it cannot be doubted,' but I cannot clearly explain the phrase.

21739. The Apocalypse does not exactly say this, but it is apparently our author's interpretation of ch. viii. 10, 12, or some such passage.

21754. 'But, before it do trouble us worse, it were well,' &c., 'face' being used as auxiliary with 'grever.'

21769. *m'en soit au travers*, 'should be of the opposite opinion to me on the subject.'

21776. *Mais* &c. : answering apparently to the conditional clause, 's'aucun,' &c.

21780. *Encore . . . plus*, 'even more (than I have said).'

21979. One leaf with its full number of 192 lines has here been cut out. We find ourselves in the favourite story of Nebuchadnezzar's pride and punishment : cp. *Conf. Am.* i. 2785 ff., where it is told in full detail. Here it is one of a series of examples to illustrate the inconstancy of Fortune to those at the head of empires.

22002. The sense seems to require a negative here and in 22004.

22004. *de halt en bass*, '(bringing him) down from his height.'

22009. It is difficult to say what occasion precisely is referred to here.

22026. *mella* : 'Fortune' is the subject of the verb.

22033. With this review of the succession of empires compare *Conf. Am. Prol.* 670 ff.

22081 ff. Cp. *Vox Clam.* ii. 93 ff.

22101. *Vox Clam.* ii. 61, 'Mobilis est tua rota nimis,' a nearly exact translation.

22125. *mal partie*, 'badly ordered.'

22158 ff. With these references to the former greatness and present decay of Rome cp. *Conf. Am. Prol.* 834-848.

22159. *emperere* : apparently used here as a feminine form, but not so in 17120.

22168. *Troian* : this form of the name is used also in *Conf. Am.* vii. 3144, and 'Troianus' in *Vox Clam.* vi. 1273. The justice and humanity of Trajan were proverbial in the Middle Ages, owing chiefly to the legend about him connected with Gregory the Great.

22182. 'Well know I that this has not happened (for nought), but it is because of our wanton life.'

22191. *deux chiefs*, i.e. the Pope and the Emperor.

22192. 'The one is he who sets forth the will of holy Church,' i.e. the Pope.

22201. This stanza seems to be a reference to the helplessness of the Empire.

22273 ff. With these stanzas compare *Vox Clam.* vi. 589 ff., where there is the same reiterated personal address, 'O rex,' 'O bone rex,' &c., but the substance of the advice is there specially adapted to the age and circumstances of Richard II, whereas here it is general.

22292. *par halte enprise*, 'loftily' : cp. l. 22077, and elsewhere.

22294. 'and forces him to confess his error' : 'recreandise' is properly the admission that one is vanquished, or the faintheartedness which might lead to such an admission.

22333. 2 Maccabees xi. 1-12.

22341. The number given is 11,000 footmen and 1600 horsemen.

22350. Lev. xxvi. 17.

22744. After the omission of 384 lines (two leaves cut out), we find

NOTES. LINES 21769-23053

ourselves again in the story of Nebuchadnezzar: cp. *Conf. Am.* v. 7017 ff. Here it seems to be used as a warning against excess of drinking and other such vices, whereas there it is an example of sacrilege. For the form of sentence here, 'Mais cil q'estoit,' &c., cp. *Conf. Am.* v. 6925, vi. 2250, &c.

22765. 3 Esdras iii. f. The story is told at length in *Conf. Am.* vii. 1783 ff., where the number of persons who give answers is three, the third giving two opinions, as in the original. Here no doubt the author is trusting to his memory.

22804. *Ore*, see note on 37.

22819. Cp. *Vox Clam.* vi. 861 f.

22827 ff. Cp. *Vox Clam.* vi. 501 f.,

'Propter peccatum regis populi perierunt,
Quicquid et econtra litera raro docet.'

See also *Conf. Am.* vii. 3925 ff.

22835. *Vox Clam.* vi. 498, 'Nam caput infirmum membra dolere facit.'

22843. 2 Sam. xxiv.

22866. *fait blemir*, 'injures.'

22874. The MS. has 'dix,' but the author evidently meant 'six.'

22883. *au parler*, 'so to say.'

22894. *fait plus ne meinz*, 'does just the same thing.'

22962. 'There is no one whom David will teach by his example,' i.e. who will follow David's example.

22965. That is, for the French the harping is out of tune, because they do not accept their rightful ruler.

22967. With this question cp. *Conf. Am. Prol.* 1053 ff.,

'Bot wolde god that now were on
An other such as Arion,' &c.

22975 f. Apparently the meaning is 'And the sorrow that David felt for his sins is now changed.'

22981. *si fretz que sage*, see note on 16700.

22982. Perhaps *Cic. de Off.* i. 68, 'Non est autem consentaneum, qui metu non frangatur, eum frangi cupiditate.'

22984 ff. Cp. *Vox Clam.* vi. 807-810.

22995. Is. xxviii. 1.

23006. 2 Sam. xvi. 5 ff.

23011. 1 Sam. xxiv.

23021. 2 Kings xix. The number of the slain is given in the Bible as 185,000.

23041 ff. For Justice and Mercy as royal virtues cp. *Conf. Am.* vii. 2695 ff., where they are the third and fourth points of policy, the first and fifth being Truth and Chastity, which have been dealt with in 22753 ff., and the second Liberality, which may have been spoken of in the lines which are lost.

23053. Sen. *Clem.* iii. 2 ff.

23055. Cp. 13921 and *Conf. Am.* vii. 3137.

23059. Cp. 13918 and *Conf. Am.* vii. 3161.*

23072. 1 Macc. iii. 18, 19.

23082. Ps. lxxxv. 10: cp. *Conf. Am. Prol.* 109.

23089. Observe the mixture of tenses, present ind., conditional, and imperfect ind., in the conditional clauses.

23116. *tant amonte,* 'is in the same position.'

23136. *de son aguait,* 'by the snare which he sets for him.'

23149. Cp. *Conf. Am.* vii. 3891 ff.

23191. *Cusy*: in the Vulgate 'Chusai,' A. V. Hushai.

23216. Cp. 5459.

23370. The quotation is actually from Juvenal, but it is attributed to Horace both here and in *Conf. Am.* vii. 3581. The lines are *Sat.* viii. 269 ff.,

> 'Malo pater tibi sit Thersites, dummodo tu sis
> Aeacidae similis Vulcaniaque arma capessas,
> Quam te Thersitae similem producat Achilles.'

Our author no doubt picked up the quotation in a common-place book. He refers to 'Orace' also in ll. 3804 and 10948, the true reference in the latter case being to Ovid, while the former quotation is really from Horace.

23393. The 'pigas' is the long-pointed shoe worn by fashionable people at the time. 'Not one of these rich men is born with his pointed shoe,' says the author.

23413. 'Much is that bird to be blamed,' &c. Cp. *Vox Clam.* v. 835 f.,

> 'Turpiter errat auis, proprium que stercore nidum,
> Cuius erit custos, contaminare studet.'

23492. *si te pourvoie,* 'and provide thyself (accordingly).'

23500. Probably Matt. vi. 19.

23534. 'That the law excuses you': 'despenser avec' is used similarly in l. 1400.

23573 f. *se delitera . . . tout avant,* 'will go on taking pleasure.'

23582. *a ce q'en ce termine,* &c., 'according as the matter appears in regard to this order,' i.e. what lies within the limits of this class: cp. 16151.

23607. *Qe nous ne devons,* 'so that we may not,' so also in 23640; see note on 1193.

23638. 'At the making of the new knight': a curious use of the gerund.

23659. *au prodhomme,* 'to be valiant.'

23671. *l'onour de France*: the particular name of the country is of no consequence and is determined probably by the rhyme. That the general point of view is not a continental one is shown by 23713.

23683. *jours d'amour,* 'love-days,' for reconciliation of those who had differences.

23701 ff. Cp. *Vox Clam.* v. 519 f.

23704 ff. 'If anyone pays him well, he will show himself valiant at the sessions.'

23722 ff. 'Though the heralds cry little to him for largess, yet he gives the poor reason to complain': he robs the poor without the excuse of being generous to others out of the proceeds.

23726. *un chivaler de haie,* 'a hedgerow knight.'

23732 ff. Terms of war are ironically used: he draws up his court in order of battle and throws into confusion the jury-panell, to support his friends and dismay their poorer opponents.

23755. *du loy empereour,* 'by the law of the emperor.'

23815. *n'ad garde de,* 'does not keep himself from.'

23844. *quatorsze.* The precise number is of no importance, cp. 24958. In *Conf. Am.* ii. 97, the author says 'mo than twelve' in a similar manner.

23869. *Sisz chivalers.* The author apparently will not admit the three pagan worthies, Hector, Alexander, and Julius Cæsar.

23895. Cp. *Conf. Am.* iv. 1630 f.,

'Somtime in Prus, somtime in Rodes,
And somtime into Tartarie.'

23907. *vois,* for 'vais.'

23920 ff. Cp. *Conf. Am.* iv. 1634 ff.,

'And thanne he yifth hem gold and cloth,
So that his fame mihte springe,' &c.

also *Vox Clam.* v. 257 ff.

23922. See note on 10341.

23933 ff. Cp. *Conf. Am.* iv. 1664 f., and *Vox Clam.* v. 267 ff.

23982. *trop sont petit*: probably, 'there are too few.'

24097. This denunciation of war is quite characteristic of the author: cp. *Conf. Am. Prol.* 122-192.

24129. *voldroiont,* 'ought to desire': see note on 1688.

24170 f. Cp. *Conf. Am. Prol.* 833,

'The world empeireth every day.'

24216. *Vei la:* so 'vei cy,' 23688.

24226 ff. i.e. he will not undertake the cause which is not favoured by fortune. The 'double ace' would of course be the lowest throw with two dice, and 'sixes' the highest.

24255 ff. Cp. *Vox Clam.* vi. 241-244.

24265. 'Ne quid nimis.'

24267. *Des tieux,* 'such persons,' subject of the verb.

24272 f. 'Neither his nature nor his strain is seasoned with justice.'

24290. The word 'mire' seems here to be used for a surgeon as distinguished from a physician: that, however, is not its ordinary use.

24325. *Qui,* like 'Quique' in 24313, 'Whosoever may have to pay, these will get exemption, if they can.'

24326. *appaier.* I take this to be for 'a paier,' like 'affaire' for 'a faire': 'estovoir' is used with or without 'a,' cp. l. 42.

24338. *volt*, imperf. subj., cp. 327.

24362. *encharné*. The metaphor is from hounds being trained for hunting, as we see from 'quirée,' 'courre,' 'odour,' &c., in the succeeding lines.

24379. Cp. *Vox Clam.* vi. 251,

'Si cupit in primo, multo magis ipse secundo,'

i.e. 'in primo gradu,' which is that of 'Apprentis,' the second being that of 'Sergant.'

24398. Matt. xix. 29, but the quotation is not quite accurate.

24435. *Sur son sergant*: the double meaning of 'sergant' is played upon, as in ' Qui sert au siecle,' 24415.

24440. *coronne*: alluding to the French coin so called from the crown upon it.

24469 ff. I do not know the origin of this curious statement.

24481. Probably Is. v. 21 ff.

24485 f. *mais la partie*, &c., 'but as for the side that is poor, justice sleeps.'

24519. Job xxi. 7-13.

24530. Gen. xxxii. 10.

24543. Is. v. 8, 9, 'Vae, qui coniungitis domum ad domum, et agrum agro copulatis usque ad terminum loci': &c.

24544. Cp. *Vox Clam.* vi. 141.

24582. *la verrour*, i.e. the truth expressed in the preceding line, that they make their gains by wrongful means. Cp. *Vox Clam.* vi. 144,

'Set de fine patet quid sibi iuris habet.'

24583. Cp. *Vox Clam.* vi. 145 ff.

24605. *a demesure*, i. e. at an extravagant price, so that, as the author goes on to say, poor people cannot afford to buy in their market.

24625. For the metre cp. 2742, 26830: see Introd. p. xlv.

24646. 'But advanced my unjust cause,' &c. This position of 'ainz' is quite characteristic of the author: see note on 415.

24678. Ex. xxiii. 8.

24697. James i. 19.

24715. Gal. iii. 19, and Rom. xiii. 4.

24722. Deut. xxvii. 19.

24733 ff. Cp. *Vox Clam.* vi. 387 ff.

24748. *comme tant*, 'how much.'

24769. Is. i. 23.

24782. *Ad*, 'there is.'

24817 ff. The *Vox Clamantis* as usual runs parallel to this, with the heading, 'Hic loquitur de errore Vicecomitum, Balliuorum necnon et in assisis Iuratorum,' &c., vi. 419 ff.

24832. For the order of words cp. 24646.

24852. 'His conscience will not fail him,' that is, will not be an obstacle.

24858. *il n'est pas si nice,* 'he is not so nice,' i.e. not so careful about it. The word 'nice,' meaning originally 'ignorant,' 'foolish,' passes naturally to the meaning of 'foolishly scrupulous' in a half ironical sense, as here.

24917. *enmy la main.* As 'devant la main,' 'apres la main,' mean 'beforehand' and 'afterwards,' this apparently is 'meanwhile.'

24949. *Des soubz baillifs,* &c. Cp. 25014. 'Des' depends on 'tout plein' (toutplein), 'a quantity'; as 'toutplein des flours,' Bal. xxxvii. 2, 'tout plein des autres,' *Mir.* 74. Join 'soubz' with 'baillifs,' 'under-reeves,' the 'visconte' being regarded as a superior 'baillif or reeve,' which of course in a certain sense he was, witness the name 'sheriff.'

24955. *Vei la,* cp. 24216 : 'ministre' is of course plural.

24958. Cp. 23844.

24962. Cp. *Vox Clam.* vi. 467 f.,

> 'Ut crati bufo maledixit, sic maledico
> Tot legum dominis et sine lege magis.'

24973. *Vox Clam.* 463 f.,

> 'Quid seu Balliuis dicam, qui sunt Acherontis
> Vt rapide furie?'

24981. *ribalds*: observe the rhyme, showing that the 'd' is not sounded.

24996. A proverbial expression, which occurs also in 15405 f.

25021 ff. I do not clearly understand the first lines of the stanza. Perhaps it means, 'For the expense to which you go in buying their perjury they pay (or suffer) the burdening of their conscience.' Then afterwards, 'The bribe is enough for them by way of evidence, for covetousness dispenses them from anything more': 'ove leur dispense,' 'arranges with them' that this shall be enough.

25064. *il,* for 'ils,' cp. 10341.

25071. *sanz culpe d'enditer,* 'free from indictable fault.'

25110. *tesmoignal*: the original idea of a jury, as a body of persons living in the locality and able to bear witness to the facts of the case, had not disappeared in the fourteenth century.

25127. *le pot hoster,* 'might have stopped it.'

25151. *serra vendu,* 'will prove to have been bought by you' (at a high price).

25153. 'Truth is no libel,' the author's justification for speaking freely.

25166. Cp. *Vox Clam.* vi. 439,

> 'Causidici lanam rapiunt, isti quoque pellem
> Tollunt, sic inopi nil remanebit oui.'

25177 ff. With this compare the heading of Bk. v. ch. ii. in the *Vox Clamantis*: 'Quia varias rerum proprietates vsui humano necessarias nulla de se prouincia sola parturit vniuersas,' &c.

25216 ff. Cp. *Conf. Am. Prol.* 489 ff.

25239. In the *Vox Clamantis* also we have cheating personified (under the name of Fraus), and its operations classified as affecting (1) Usurers, (2) Merchants and shopkeepers, (3) Artificers, (4) Victuallers. See *Vox Clam.* v. 703-834.

25240. *pour sercher*, &c. For the form of expression cp. *Bal.* xi. l. 5, *Conf. Am.* i. 2278,

> 'To sechen al the worldes riche,'

and other similar passages.

25254. *Brutus*, i. e. Brut of Troy: so London is referred to in the *Confessio Amantis*, Prol. 37*,

> 'Under the toun of newe Troie,
> Which tok of Brut his ferste joie.'

25261 ff. 'Fraud may have large dealings, but he has small honesty when he buys and sells by different standards of weight.' The idea is apparently that the buyer is deceived as to the true market price when wholesale dealings are carried on with weights nominally the same but really different, as when the merchant buys coal by the ton of 21 cwt.

25269. See note on 3367.

25270. *la crois*, &c.: cp. 18580.

25287. Cp. *Bal.* xviii. l. 8.

25289. Cp. *Vox Clam.* v. 749 ff.

25302. 'Chalk for cheese,' a proverbial expression used also in *Conf. Am. Prol.* 415: still current in some parts of England.

25321. John iii. 20.

25327. Cp. *Vox Clam.* v. 779 f.,

> 'Fraus eciam pannos vendit, quos lumine fusco
> Cernere te faciet, tu magis inde caue.'

25332. *du pris la foy*, 'the true price.'

25333. Cp. *Vox Clam.* v. 757 ff.,

> 'Ad precium duplum Fraus ponit singula, dicens
> Sic, "Ita Parisius Flandria siue dedit."
> Quod minus est in re suplent iurancia verba,' &c.

25350. *a son dessus*, so 'at myn above' in *Conf. Am.* vi. 221.

25556. *tu plederas*, 'you will have to sue him.'

25558. 'He pays no regard to honesty.'

25569. *parasi*, equivalent to 'parisi,' properly an adjective used with names of various coins, as 'livre parisie,' but often also by itself to denote some coin of small value, in phrases such as we have here.

25607. For this function of St. Michael cp. 13302. Here the point suggested is that the seller ought to be reminded by his balance of that in which his merits must eventually be weighed.

25618. *enclinez*: this is simply a graphical variation of *enclines*, rhyming with 'falsines,' &c.

25631. Cp. 20912.

25657 ff. 'I would not desire a better stomach than could be ruined by medicines, or a longer purse than could be drained by an apothecary,' i. e. the best of stomachs and the longest of purses may be thus ruined.

25691. 'But if they had worn wool,' &c.

25717 ff. Cp. *Vox Clam.* v. 793 ff.,

> 'Si quid habes panni, de quo tibi vis fore vestem,
> Fraus tibi scindit eam, pars manet vna sibi ;
> Quamuis nil sit opus vestis mensuraque fallit,
> Plus capit ex opere quam valet omne tibi.'

25729 ff. *Vox Clam.* v. 805.

25753 ff. Cp. *Vox Clam.* v. 745 ff.

25801 ff. Cp. *Conf. Am. Prol.* 111 ff.

25826. 'Will see their halls carpeted' (or 'covered with tapestry'), so 'encourtiner' below ; a loose employment of the infinitive.

25839 ff. Observe the confusion of 2nd pers. sing. and 2nd pers. plur. in this stanza, especially 'tu gaignerez' in 25842. Even if we take 'baillerez,' 'gaignerez,' &c., as rhyme-modifications of 'gaigneras,' &c., this will not go for 'avisez,' which must be meant for 2nd pers. plur. pres. subj. : cp. 442, &c.

25853. This would be to avoid arrest. The liberty of St. Peter would perhaps be the precincts of Westminster Abbey, that of St. Martin might be the Church of St. Martin in the Fields : but perhaps no definite reference is intended. He takes advantage of the sanctuary to make terms with his creditors.

25887. Ecclus. xiii. 24 (30), 'Bona est substantia cui non est peccatum in conscientia.'

25898. Matt. xvi. 26.

25975 f. The author returns to the observation made at the beginning of his remarks on the estate of Merchants, that the calling is honourable, though some may pursue it in a dishonest manner.

26019. Cp. *Vox Clam.* v. 777 f.,

> 'Fraus manet in doleo, trahit et vult vendere vinum,
> Sepeque de veteri conficit ipsa novum.'

26112. *maisq'elles soient lieres*, 'even though they should be robbers' (of their husbands): *maisque* can hardly have here its usual meaning 'provided that'; cp. 26927.

26120. *brusch*. The occurrence of this word here in a connexion which leaves no doubt of its identity is worth remark : see *New Engl. Dict.* under 'brusque,' 'brisk,' 'brussly.'

26130. *au sojour*, 'at their ease' in their tavern : 'sojour' means properly 'stay' in a place, hence 'rest' or 'refreshment' : cp. the uses of the verb 'sojourner.'

26133. *ne pil ne crois*, 'neither head nor tail' of a coin, i. e. no money : 'cross and pile' was once a familiar English phrase.

26185 ff. Cp. *Vox Clam.* v. 809 f.,

> 'Fraus facit ob panes pistores scandere clatas,
> Furca tamen furis iustior esset eis.'

26231. *les chars mangiers,* &c., 'flesh will not be food for the common people.'

26288 ff. 'His conscience does not remind him of the truth until after he has been paid.'

26342 ff. 'Of all those who live by buying and selling I will not except a single one as not submissive to Fraud.'

26365. This complaint, directed against some particular Mayor of London, whose proceedings were disapproved of by the author, is repeated in the *Vox Clamantis,* v. 835 ff.

26374. Cp. *Vox Clam.* v. 1005 ff.

26391. *celle autre gent,* 'the other people.'

26401. Matt. v. 29 f.

26427. *guardessent,* for 'guardassent,' or rather 'guardeissent.'

26477. *en orguillant*: perhaps rather 'enorguillant.'

26480. *au servir souffrirent,* 'submitted to service.'

26497 ff. Cp. *Conf. Am. Prol.* after l. 498,

> 'Ignis, aqua dominans duo sunt pietate carentes,
> Ira tamen plebis est violenta magis.'

26571. Hos. iv. 1–3, 'non est enim veritas, et non est misericordia, et non est scientia Dei in terra . . . Propter hoc lugebit terra et infirmabitur omnis qui habitat in ea,' &c.

26581 ff. With this discussion cp. *Conf. Am. Prol.* 520 ff.

26590 ff. Cp. *Vox Clam.* vii. 361,

> 'O mundus, mundus, dicunt, O ve tibi mundus!'

26699. *la malice seculier,* 'the evil of the world.'

26716. *pluvie.* For the suppression of the 'i' see note on 296.

26737. *Commete*: the reference is probably to that of the year 1368.

26745. *diete,* 'influence,' from the idea of regularity in the physical effect which the heavenly bodies are supposed to produce, like that of food or medicine: cp. *Conf. Am.* vii. 633 ff.

26748. *Nous n'avons garde de,* apparently for 'que nous n'avions garde,' 'that we should not pay regard to.'

26749. Albumasar's books on astrology, especially the *Introductorium in Astronomiam* and the *Liber Florum,* were very well known in Latin translations, apparently abridged from the originals. This reference is to *Introduct.* iii. 3: 'Ut vero sol aerem calefacit, purgat, attenuat, sic pro modo suo luna et stellae. Unde Ypocras in libro climatum, Nisi luna et stellae, inquit, nocturnam densitatem attenuarent, elementa impenetrabilis aeris pinguetudine corporum omnium vitam corrumperent.' (Quoted from the Bodleian copy of the edition printed at Venice, 1506.)

NOTES. LINES 26185-27088   457

26799. *Qui,* 'for whom.'

26810. Referring perhaps to Hos. iv. 3, quoted above.

26830. For the metre, cp. 2742.

26851. 'For that in which he is alone to blame': 'dont que' used for 'dont,' cp. 1779.

26857. Job v. 6, 'Nihil in terra sine causa fit': it is different in A. V.

26869. This is a citation which occurs in all the three books of our author: cp. *Conf. Am. Prol.* 945 ff. and *Vox Clam.* vii. 639 ff. In both places the argument is the same as here. The quotation is from Greg. *Hom. in Evang.* ii. 39, 'Omnis autem creaturae aliquid habet homo. Habet namque commune esse cum lapidibus, vivere cum arboribus, sentire cum animalibus, intelligere cum angelis.' Cp. *Moral.* vi. 16.

26885. *Et en aler.* Similarly in the *Vox Clam.* vii. 641 motion is made one of the five senses to the exclusion of smelling,

'Sentit et audit homo, gustat, videt, ambulat.'

26927. *maisq'il le compiere,* 'that he should abye it': for this use of 'maisqe' instead of 'que' cp. 26112.

26931. Aristotle speaks of animals as microcosms (e. g. *Phys.* viii. 2) and argues from them to the μέγας κόσμος, but of course the quotation here is at second hand.

26934. Cp. *Vox Clam.* vii. 645 ff., 'Sic minor est mundus homo, qui fert singula solus,' &c.

26955. The rhyme requires 'mer et fieu' for 'fieu et mer.'

26989. Lev. xxvi. 3 ff.

27001 f. With what follows compare *Vox Clam.* ii. 217-348, where the whole subject is worked out at length with many examples, including nearly all those which occur in this passage.

27015. *Vox Clam.* ii. 243, 'Sol stetit in Gabaon iusto Iosue rogitante,' &c.

27019. *Vox Clam.* ii. 247 f.

27022. *Vox Clam.* ii. 249 f.

27031. *Vox Clam.* ii. 259 f. The story is in the *Legenda Aurea*: it is to the effect that in an assembly of prelates Hilarius found himself elbowed out of all the honourable seats and compelled to sit on the ground. Upon this the floor rose under him and brought him up to a level with the rest.

27037. *Vox Clam.* ii. 253 f.

27040. *Vox Clam.* ii. 255 f.

27046 ff. *Vox Clam.* ii. 265-274.

27061. Paul, the first eremite, is said to have been fed daily by a raven for over sixty years.

27065 ff. *Vox Clam.* ii. 277-280.

27077. *Vox Clam.* ii. 287 f.

27079. *Vox Clam.* ii. 315 f.

27081 ff. *Vox Clam.* ii. 281-284.

27088. *soy vivant,* 'while he is living.'

27165. That is, 'he passes by his death into a life of damnation': the antithesis 'vit du mort' and 'moert du vie' is a very strained one.

27367. *De Ire*: cp. 12241.

27372. 'With no compensating goodness': 'refaire' must mean here 'to do in return' (or in compensation).

27411. *que me renovelle*, 'which is ever renewed in me': for 'renoveller' in this sense cp. 11364.

27568 f. *vais ... tien*: indicative for subjunctive, 'tien' for 'tiens,' unless it is meant for imperative.

27662. *ove tout l'enfant*, 'together with the child': cp. ll. 4, 12240, &c.

27722. *Tiels jours y ot*, 'on some days.'

27814 f. 'He it is whom you will espouse to the virgin,' i.e. the bearer of that rod.

27841. *a coustummance*, 'after the custom': the MS. has 'acoustummance,' but this can hardly stand. The same in 28190.

27867. Cp. *Bal*. xxv., 'Car qui bien aime ses amours tard oblie.'

27935. *eustes*: apparently 2nd pers. pl. preterite. If so, it is combined rather boldly with the 2nd pers. sing. in 'as' and 'avras': cp. 442.

27942. *Comme cil q'est toutpuissant*: a very common form of expression in the *Confessio Amantis*, e.g. i. 925, 1640, &c. See also *Bal*. vii. l. 7, xi. l. 16. It occurs more than once in this narrative portion of the *Mirour*, e.g. 28248, 28883, 28900.

27949. There may be some doubt here as to the arrangement of the inverted commas; but it seems best to take the whole of this stanza as direct report, in which case 'Il' in 27950 refers to 'God.' The sentence below is a little disordered, as is often the case with our author: 'He showed thee a special sign six months since in thy cousin Elizabeth, who was barren, but God,' &c. Cp. 17996, *Conf. Am*. vi. 1603 ff., and many other passages.

28091. Probably Ps. cxxxviii. 6.

28110. *Maisque*, here apparently 'moreover': cp. 28276.

28112. *te lie*, 'binds thee (in swaddling bands).'

28115 f. That is, all these characters, daughter, wife, nurse, mother, sister, &c., were summed up in one woman: 'forsqe' here means 'only,' the negative being omitted, much as we say 'but' in English.

28139. Luke ii. 14, from the text 'et in terra pax hominibus bonae voluntatis.'

28160. *y venoit*, 'there came,' a kind of impersonal expression.

28183. *estoit finis*, 'was brought to an end.'

28190. *a coustumance*: cp. 27841.

28205. Luke ii. 29 ff.

28247. *qu'il serroit desfait*, &c., 'planned that he might be destroyed.'

28310. *fiere*, 'strange.'

28349. 'By agreement between thee and them.'

28358. *fecis*, for 'fesis,' 2nd sing. pret.

28383. That is 'A Nazareth a ton parenté.'

28394. *Maisque*, 'except that,' cp. 1920.

28395. *Archideclin*: a corruption from 'architriclinus,' used in the Latin version of John ii. to represent the Greek ἀρχιτρίκλινος, 'master of the feast,' and commonly supposed to be the name of the entertainer: cp. 28762.

28409. *fesoiont a loer*, 'were fit to be praised': cp. 28506, and see note on 1883.

28414 ff. 'But above all he showed great joy in your lineage, each in his degree,' that is in keeping company with those of the Virgin's family: but it might mean 'he caused great joy to be felt by those of your lineage.'

28475. *de son affere*, 'for his part,' one of those rather meaningless phrases, such as 'endroit de soy,' 'en son degré,' 'au droit devis,' with which our author fills up lines on occasion.

28502. *se pourvoit*, 'considers with himself': cp. 14973.

28547. *toute pleine*: rather a more unscrupulous disregard than usual of gender and number for the sake of metre and rhyme.

28762. *Centurio*, taken as a proper name: cp. 28395.

28790. *pour estovoir*, 'for their need,' i.e. to accomplish that which had to be done.

28813. For the form of expression cp. 22744 and *Trait.* xiv. l. 15: it is common also in the *Confessio Amantis*.

28847. *la sentence*, 'the sentence' in a judicial sense, i.e. the judgment executed by the spear.

28914. *compassioun*, used especially of the sufferings of the Virgin during the passion of Christ.

28919. *ta meditacioun*, 'meditation upon thee,' if the text is right, but I am disposed to suggest 'ta mediacioun.'

28941 f. These two lines are written over an erasure and perhaps in a different hand: cp. 4109, 4116.

29078. *Pour . . . avoir*, see note on 6328.

29178. *n'en doubte mie*. The author shows here an unexpectedly clear perception of the difference between Gospel history and unauthorized legend.

29222. *Qe nous devons*, 'in order that we may,' so below, 'Ainçois q'om doit par tout conter,' 'but that we may tell it everywhere.' For this use of 'devoir' see note on 1193.

29264. *t'encline*, 'bows to thee': the verb is intransitive and the pronoun dative.

29390. The word 'pensée' counts as three syllables in this line, whereas usually the termination '-ée' in Anglo-Norman verse of this period is equivalent to '-é'; cp. 29415. Perhaps we should read 'penseie;' see Introduction p. xx.

29411 f. 'Well fitting was the love which he had for thee, through whom,' &c.

29421. *de son halt estage*: cp. *Conf. Am.* iv. 2977,

'This Yris, fro the hihe stage
Which undertake hath the message,' &c.

29585. *la disme joye*, 'the tenth part of the joy.'

29604. *tu vendretz*: see note on 442.

29636. Probably we should read *que* for *qui* : '(I pray) that thou wouldest send.'

29746. *de sa covine*, ' by his purpose.'

29769. *pourloignasse*: pret. subj. for past conditional, cp. 29778.

29784. *Ussont moustré*, 'they ought to show,' used for conditional in the sense referred to in the note on l. 1688.

29798. 'Witness thy Gospels,' i.e. 'the witness is that of thy Gospels.'

29821. *le livre*: cp. 27475 ff., where it is implied that the author follows a Latin book.

29869. *me donne*, 'tells me.'

29878 ff. 'But in order that it may perchance please thee, I set all my business, as best I may, to do honour to thy person.' I have separated 'Maisque,' because that seems necessary for the sense. The author hopes that, though his Lady has the crown of heaven, yet she may be pleased by his humble endeavours to do her honour on earth.

29890. *t'en fais continuer*, 'thou dost continue in the work,' a reflexive use of ' continuer' with 'faire' as auxiliary.

DEDICATION OF BALADES

I. 7. 'He who trusts in God,' &c. 'Qe' is used for ' Qui.'

15. *Vostre oratour*. The poet means no doubt to speak of himself as one who is bound to pray for the king. At the same time it is to be noticed that 'Orator regius' was at the beginning of the sixteenth century an official title, borne by Skelton in the reign of Henry VIII, and perhaps nearly equivalent to the later 'Poet-laureate.' Skelton was 'laureatus' of the Universities, that is he had taken a degree in rhetoric and poetry at Oxford, and apparently something equivalent at Cambridge.

16. The pronunciation of the name 'Gower' as a dissyllable with the accent on the termination, which is required here and in the Envoy to the *Traitié*, is the same as that which we have in the *Confessio Amantis* viii. 2908, where it rhymes with '-er.'

23. *perfit*: so written in full in the MS. and correctly given by the Roxburghe editor. Dr. Stengel gives 'parfit' on the assumption that there is a contraction. That is not so here, but in many cases of this kind he is right.

24. *sentence*: so in MS. (not with a capital as in the Roxb. ed.). The same remark applies to 'valour' in ii. l. 33, 's'est' in *Bal.* vii l. 18, 'lettre' xviii. l. 24, xx. l. 25, xxii. l. 27, ' lors' xxxvi. l. 3, ' se,' xxxvi. l. 10, ' helas ' xliii. l. 6, ' vous' xlix. l. 23.

O RECOLENDE, &c.

8. After this line probably one has dropped out, for when this piece appears (in a somewhat different form) among the Latin poems of the All Souls' and Glasgow MSS. we have

> 'Rex confirmatus, licet vndique magnificatus,
> Sub Cristo gratus viuas tamen immaculatus,'

and 'licet' seems to require some such addition.

The quotation 'Nichil proficiet' is from Ps. lxxxix. (*Vulg.* lxxxviii.) 23, and the other from Ps. xli. (*Vulg.* xl.) 2.

II. This balade has been printed hitherto as if it consisted of four stanzas only, but in the MS., which is here damaged, there is not only space for another, but the initials of its lines still remain.

20. *vendra*: the reading 'voudra' is a mistake due to the Roxb. edition.

26. For the conjectural ending of the line cp. *Mirour* 26423.

BALADES

TITLE.—This is partly lost by the damage to the leaf of the MS., which has been mentioned above. The fragments of the latter part seem to indicate that the whole series of balades was expressly written by the author for the entertainment of the court of Henry IV: cp. D. ii. l. 27 f. The end of it perhaps ran thus, 'ad fait, dont les nobles de la Court se puissent duement desporter,' or something to that effect.

I. All that remains of the first stanza is the endings of the first three lines, and more than half of the second stanza is also lost.

16. *Moun*. Forms such as this, e. g. 'soun,' 'doun,' 'noun,' 'bounté,' and the '-oun' terminations in xxi. and elsewhere, usually appear with '$\overline{\mathrm{on}}$' in the MS. Note however that 'noun' is written fully in xxi. ll. 25, 27.

17. *voldroit*: a common use of the conditional in our author, cp. *Mir.* l. 25. Here it is answered by the future 'averai.' The meaning seems to be 'If God should put an end to my happiness and to my life at once, my faith being unbroken, I should be content; but meanwhile I remain true to thee always, whatever may befall.'

II. 4. *q'il s'esjoiera*. The Roxb. editor gave by mistake 'qils' for 'qil,' out of which Dr. Stengel produces 'qil ssesjoiera,' with the remark 'Verdoppelung anlautender Consonanten nach vocalischem Auslaut auch sonst häufig.' The passages to which he refers in support of this curious statement are ix. l. 13, where the Roxb. edition has 'tanquil lest' by pure mistake for 'tanquil sest,' and ix. l. 31, where he has chosen to make 'un ssi' out of 'uns si.' This shows the danger of constructing a theory without ascertaining the facts.

9. *come*. Dr. Stengel is not right in proposing to read 'com' for

'come' and 'ou for 'ove,' wherever the words occur. These words regularly count as monosyllables for the metre, but the author much more commonly wrote them with the final '-e.' Occasionally we have 'com' in the *Balades* (twice for instance in this stanza), and once in the *Mirour* we have 'ou' for 'ove' (l. 8376). Similarly 'povere,' 'yvere,' are regularly dissyllables by slurring of the medial 'e,' and are occasionally written 'povre,' 'yvre.' On the other hand 'ore' is sometimes a dissyllable, as *Bal.* xxviii. 1, and sometimes a monosyllable, as *Mir.* 37, 1775, &c., and some words such as 'averai,' 'overaigne,' 'yveresce,' vary between the longer and the shorter form.

12. *com*: so in MS., wrongly 'come' in Roxb. edition, which also has 'viveet' wrongly for 'vive et' of the MS.

23. *Et pensetz, dame.* An additional weak syllable is occasionally found at the caesura in this metre: cp. xix. l. 20, xxiii. l. 14, xxv. l. 8, &c., xxxiii. l. 10, xxxviii. l. 23, xliv. l. 8, xlvi. l. 15, *Trait.* ii. l. 5, &c. In every case the additional syllable is at a break after the second foot (epic caesura). It may be a question, however, whether 'dame' should not be taken as a monosyllable in some cases: see Introd. p. xxx.

III. 1. *celle*, used for the definite article: see note on *Mir.* 301.

peigne: this form of spelling does not indicate any difference in pronunciation, for the rhymes 'pleine,' 'meine,' are used to correspond with it in the next stanza. It is intended to produce visible conformity with the verb 'compleigne,' to which it rhymes, and so in l. 15 we have 'halteigne' pairing with 'atteigne.' The verbal ending 'eigne' rhymes regularly with 'eine' both in the French and English of our author, and the 'g' often falls out of the spelling.

10. *Milfoitz*: one word in the MS.; so 'millfoitz' ix. l. 10.

IIII. 3. *s'ad fait unir*, 'has united itself': see note on *Mir.* 1135.

4. *As toutz jours mais*: cp. *Mir.* 2856.

11. *sufficaunce*: endings of this kind represent the MS. '-āce,' cp. note on i. l. 16.

16. *la*: so in the MS. The Roxb. ed. gives 'sa' by mistake.

IIII*. The number is repeated by inadvertence, so that the whole series consists really of fifty-one balades, apart from the religious dedication at the end and the Envoy.

4. *Por toi cherir*: see note on *Mir.* 6328. The address in the second person singular is unusual in the *Balades* and hardly occurs except here and in the contemptuously hostile pieces, xli-xliii.

11. *dont*, answering to 'auci': see note on *Mir.* 217.

17. *tes*: see Glossary under 'ton': cp. 'vos amis,' ix. l. 5.

22. The MS. has 'De,' as Dr. Stengel has rightly conjectured.

V. 19. *a tant*: cp. vi. l. 16 and *Mir.* 23953.

Margin: *d'amont jesqes enci*, 'from the beginning up to this point': 'd'amour' is a mistake of the Roxb. editor.

VI. 6 f. *par quoi*, &c., 'wherefore mine eye hath desire, to the end that I may see again your presence,' i.e. desires to see, &c.

VII. 6. *l'estre*, 'habitation,' i.e. place of abode. 'I desire your country as my dwelling-place.'
7. *Come cil qui*: cp. xi. l. 16, and see note on *Mir*. 27942.
9. Cp. *Mir.* 5822.
24. *Qe jeo n'ai plus*, &c., a variation of the form of expression used in xviii. l. 8 f. and common in our author: see *Mir.* 18589. Usually the 'plus' of the second clause answers to some such word as 'tiel' in the first.

VIII. 17. *retenue*, 'engagement' to follow or serve: cp. xv. l. 14.

IX. 6. The 'trescentier' of the Roxb. edition is a mistake.
16. *en voie*: see 'envoie' in Glossary.
24. *sicom jeo songeroie*: conditional for subjunctive: cp. *Mir.* 25.
36. *demorir*, 'remain.' Dr. Stengel wrongly alters to 'de morir,' which is nonsense.
37. *poestis*: cp. *Mir.* 1222.
41. *au droit devis*: see note on *Mir.* 83.

X. 2. The reading 'jour' for 'jeo' in this line is simply a mistake of the Roxb. editor.
5. *Maisqu'il vous pleust*, 'provided that it might please you,' pret. subj.: 'maisque' in this sense is used either with indicative or subjunctive, cp. xi. l. 8, xxiii. l. 10, &c.
7. *Q'avoir porrai*, 'so that I may have': cp. *Mir.* 364.
13. *s'allie*, 'binds itself (to you).'

XI. 5. *pour sercher le monde*: cp. xxi. l. 18, and *Mir.* 25240.
23. *perestes*. The reading 'par estes' is a mistake; the MS. has 'pestes,' which might be either *perestes* or *parestes*, but *perest* occurs written out fully in *Mir.* 1760, 2546.
dangerouse, 'reluctant to love': see note on xii. l. 8.

XII. 1. Perhaps the author wrote 'Ma,' but the scribe (or rather the illuminator) gives 'La.'
Chalandre: cp. *Mir.* 10707 ff.
8. *Danger*. This name represents in the love-jargon of the day those elements which are unfavourable to the lover's acceptance by his mistress, partly no doubt external obstacles, but chiefly those feelings in the lady's own mind which tend towards prudence or prompt to disdain. In the *Roman de la Rose*, which was the most influential example of this kind of allegory, Danger is the chief guardian of the rose-bush. He has for his helpers Malebouche, who spreads unfavourable reports of the lover, with Honte and Paour, who represent the feelings excited in the lady's mind leading her to resist his advances.

Of these helpers the most valiant is Honte, daughter of Raison and Mesfait. These all are the adversaries of the Lover and of Bel-Acueil his friend and helper. See *Rom. de la Rose* ll. 2837 ff. Elsewhere the word 'dangier' is used for the scornfulness in love of Narcissus, *Rom. de la Rose* 1498,

> 'Du grant orguel et du dangier
> Que Narcisus li ot mené.'

or of the difficulties made by a mistress,

> 'Or puet o s'amie gesir,
> Qu'el n'en fait ne dangier ne plainte.'
> *Rom. de la Rose* 21446 f.

Here the author says 'Danger turns his eyes away,' that is, the lady's feelings of disdain or reluctance deprive him of her favour, and in l. 19 he entreats her to remove 'danger' from her regard. This idea is illustrated further by the expressions in xxvi. l. 26,

> 'Ne sai si vo danger le voet despire;'

and xxxvii. l. 20,

> 'Vostre danger tantost m'ad deslaié :'

where 'danger' clearly stands for the lady's aversion to the lover's suit: see also xxiii. l. 10, xxx. l. 15 ff., and *Conf. Am.* iv. 3589. In *Conf. Am.* iii. 1517 ff., and v. 6613 ff., Danger is very clearly described as the deadly enemy of the lover, always engaged in frustrating his endeavours by his influence over the lady. Note also the adjective 'dangerous' in the last balade; so 'dangereus,' *Rom. de la Rose* 479, 'grudging,' and 'dangerous' in the English translation, l. 1482, 'disdainful.'

11. The same complaint is made *Conf. Am.* v. 4490 ff., but the reply there given (4542) is complete and crushing.

27. *Q'a*: the Roxb. ed. gives 'Qe' by mistake for 'Qa.'

XIII. 1. *muance*, see Glossary. The Roxb. ed. gives 'nivance,' but the MS. reading seems to be rather 'mvance,' the 'v' being written for greater distinctness as in 'remue' xv. l. 8, &c. Certainly change is more characteristic of March than snow, and it is the changes of his fortune of which the lover complains,

> 'Ore ai trové, ore ai perdu fiance.'

5. Cp. *Mir.* 948.

8. *al oill*: cp. *Mir.* 5591, 'al un n'a l'autre'; but we might read *a l'oill*. For the MS. reading here cp. *Mir.* 5386, where the MS. has 'al lun ne lautre.'

XIIII. 6. *dont*, answering to 'si' above: see note on *Mir.* 217.

17. *asseine*, from 'assener,' here meaning 'strike.'

20. 'I cannot fail to have the fortune of one (or the other),' i.e. death or sickness. The word 'tant' in the line above is not answered by anything and does not seem to mean much.

XV. 1. *creance*: see 'credentia' in Ducange. It means a cord for confining the flight of falcons.

25. 'All my prayers are to your image at the time when,' &c.

27. *vostre proie*, 'your prey,' i.e. your possession by right of capture.

XVI. 6 ff. 'But by feeding on this food of the mind I cannot, though I seek it up and down, find for myself the path of grace.' The food he feeds on is his feeling of hope: for 'celle sente'='la sente,' cp. iii. 1, and see *Mir.* 301.

26. *Q'es.* The confusion of singular and plural in the second person is common in our author: see note on *Mir.* 442.

('Q'es' is of course for 'Qe es,' 'qe' or 'que' being quite a regular form of the relative used as subject by our author. I note this here because Dr. Stengel's remarks are misleading.)

28. *maisq'il vous talente*, 'if only it be pleasing to you.'

XVII. 2. *Salvant l'estat d'amour*: a kind of apology for the idea of blaming his mistress: cp. xxii. l. 26.

5. *guardon*: so written in full in the MS., cp. xxxiii. l. 6, so that it is not a case of 'falsche Auflösung,' as Dr. Stengel assumes. He is right enough as regards 'perlee' l. 19, and 'parcer' xviii. l. 6.

27. 'I cannot leave off from loving her': 'maisque' here 'but that,' cp. xl. l. 7, *Trait.* xiv. l. 10.

XVIII. 11. *Qe jeo ne crie plus*: a favourite form of expression with our author: cp. vii. l. 24, xxx. l. 13, *Mir.* 18589.

17. *c'est*, for 's'est': cp. *Mir.* 1147.

XIX. 17. *proeu*, the same as 'prou' apparently: 'proen' can hardly be right, though the MS. would equally admit that reading.

18. *trieus*: cp. xxxix. l. 15. The usual form in the *Mirour* is 'truis.' The Roxb. ed. has 'criens' by mistake.

XX. 1. *Roe*: treated as a monosyllable in the verse here, but otherwise in *Mir.* 10942.

2. The position of the conjunction 'mais' is characteristic of our author, who frequently treats 'and' and 'but' in the same way in the *Confessio Amantis*. Cp. xxxvii. ll. 9, 19, *Mir.* 100, 415, 7739, &c.

6. So MS. The reading 'basse' and the omission of 'lever' are mistakes of the Roxb. ed.

22. *mesna sa leesce*, 'had his joy': 'mener' (but more commonly 'demener') is used with words meaning joy, sorrow, &c., to indicate the feeling or expression of it, e.g. xxxiii. l. 5.

XXI. 2. *comparisoun*: see note on i. l. 16.

6. *par tant*, 'therefore': cp. *Mir.* 119.

15. *veneisoun*, 'chase,' hence 'endeavour.'

18. Dr. Stengel rightly gives 'Trestout': nevertheless the MS. has 'Terstout' written in full.

20. *Honte et paour*, see note on xii. l. 8.

21. *N'i*. This seems preferable to 'Ni,' being equivalent to 'Ne i,' 'nor there' (i=y), cp. xxxvii. l. 10. The proper word for 'nor' is 'ne,' not 'ni.'

XXIII. 5. *l'* for 'le,' as indirect object, 'to her': see Glossary under le, *pron.*

plevi: so MS., as Dr. Stengel conjectures: cp. *Trait.* xvii. l. 2.

10. *danger*: see note on xii. l. 8.

13. *lui*, 'her,' see Glossary.

15. *auns*: the MS. reading here might be 'anns,' as given in Roxb. ed., but it is quite clearly 'aun' in xxxii. l. 1.

XXIIII. 5. *autre, si le noun*: so MS. rightly. It means 'anything else except it,' i.e. his lady's name, 'noun' being the negative: cp. *Mir.* 6495 f.,

'qu jammais parla
Parole, si tresfalse noun,'

and 8853,

' Certes, si de vo teste noun,
N'ad esté dit d'aucune gent.'

XXV. 8. See note on ii. l. 23.

10. The MS. has 'Portont' and in l. 13 'sache': Roxb. ed. 'Partout' and 'sachez.'

11. *Du quoi*: so MS., Roxb. ed. 'Un quoi,' which is nonsense.

18. *q'a*: Roxb. ed. 'qe' by mistake for 'qa.'

19. *Et d'autrepart*: Roxb. 'En dauterpart,' MS. Et daut*r*epart.

XXVI. 4. MS. 'sil,' not 'cil,' as given in Roxb. ed.

9. 'If a man gives himself, it is a proof,' &c. For the form of expression, which is a favourite one with our author, cp. *Mir.* 1244, note.

15. *perfit*: cp. *Ded.* ii. 23.

26. *vo danger*: see note on xii. l. 8.

XXVII. 1. The first line is too long, but the mistake may be that of the author. Similarly in *Mirour* 3116, 14568, we have lines which are each a foot too long for the metre. In all cases it would be easy to correct: here, for example, by reading ' Ma dame, quant jeo vi vostre oill riant.'

In xii. l. 22 we have, ' Douls, vair, riant,' as a description of eyes.

3. Roxb. ' Par un,' Dr. Stengel ' Par mi,' MS. ' P*a*rmi.'

5. *jeo me paie*, 'I am content.'

24. *Parentre deus*, 'between the two (alternatives)': cp. *Mir.* 1178.

XXIX. 19. *pourcella*, cp. xlii. l. 7, so 'pourcela,' *Mir.* 2349, &c.

XXX. 5. *Le Nief*: I suspect this is a mistake of the transcriber for 'Le vent.' It is not the ship that imperils his life but the storm, and 'Le' for 'La' is rather suspicious here.

8. *Uluxes*: the usual form of spelling in our author's works, both French and English.

13. Cp. xviii. l. 9.

15. *Danger*: see note on xii. l. 8. Here the double meaning of the word is played upon, danger in the ordinary sense and 'danger' as representing the forces opposed to the lover.

XXXII. This alone of the present series of balades has no envoy.

15. Roxb. ed. omits ' se,' and accordingly Dr. Stengel turns 'qa' into 'que ia,' to restore the metre.

20. *retenue*, 'service,' referring to 'servant' just above.

XXXIII. 2. *a bone estreine*, a form of good wish, as 'a mal estreine' (*Mir.* 1435) is of malediction.

5. See note on xx. l. 22.

6. *guardoner*: so in MS., cp. xvii. l. 5.

10. See note on ii. l. 23.

XXXIIII. 6. *a covenir*, apparently 'by agreement.'

11. The word omitted by the Roxb. ed. is 'a.'

18. *De Alceone*. The hiatus must be admitted, as indicated by the separation in the MS., cp. *Mir.* 12228. We must not accent 'Alceone' on the final '-e' as Dr. Stengel proposes, because of the way the word is used in the *Confessio Amantis*, rhyming, for example, with ' one,' iv. 3058. 'Ceïx' is a dissyllable here and in the English.

XXXV. 10. *en droit de*, 'as regards': see Glossary, 'endroit.'

17. *en droit de mon atour*, 'as regards my state.'

22. *falcoun*: the Roxb. ed. gives 'facon,' a false reading which has hitherto entirely obscured the sense.

XXXVI. 3. *Papegai*. This seems to stand for any bright-plumaged bird. It is not to be supposed that Gower had the definite idea of a parrot connected with it.

6. *au tiel*: so MS., but Roxb. ed. 'aut tiel,' whence Dr. Stengel 'au ttiel,' in pursuance, no doubt, of his theory of 'Verdoppelung anlautender Consonanten': see note on ii. l. 4.

au tiel assai, ' with such trial,' i.e. 'so sharply.'

10. Cp. *Mir.* 8716.

15. For the opposition of the rose and the nettle cp. xxxvii. 24, *Mir.* 3538, &c.

XXXVII. 4. *la*: used (as well as 'le') for indirect object fem. See Glossary.

9. See note on xx. l. 2.

10. *entrée.* The termination '-ée' constitutes one syllable only here, as at the end of the verse, where '-é' and '-ée' rhyme freely together: see, for example, the rhymes in xvii.

19. *me refiere,* 'refer myself,' i.e. 'make appeal.' The rhyme requires correction of the reading 'refiers.'

XXXVIII. 1. Cp. *Mir.* 12463 ff., where the 'piere dyamant tresfine' is said to disdain a setting of gold because drawn irresistibly to iron. The loadstone and the diamond became identified with one another because of the supposed hardness of both ('adamant').

XXXIX. 3. For this use of 'et,' cp. xviii. 7.

9. *asseine*: rather a favourite word with our author in various meanings, cp. x. l. 10, 'jeo mon coer asseine,' 'I direct (the affections of) my heart'; xiv. l. 17, 'la fierté de son corage asseine,' 'strike down the pride of her heart'; and here, where 'Qui vo persone ... asseine' means 'he who addresses himself to your person.'

18. *pluis*: this form, which occurs also iv. l. 15, 'De pluis en pluis,' seems to be only a variation of spelling, for it rhymes here and elsewhere with -us, -uz: see Introduction, p. xxviii f.

XL. 7. *Ne puiss hoster,* &c. Cp. xvii. l. 27, 'Ne puis lesser mais jeo l'ameray': 'hoster' means properly 'take away,' hence 'refrain (myself).'

me pleigne: so MS. The Roxb. ed. gives 'ma pleine.'

11. *serretz.* The future tense (if it be future) need give us no anxiety, in view of the looseness about tenses which is habitual with our author: cp. xliv. l. 6, *Mir.* 416. In any case 'serietz,' which Dr. Stengel substitutes, is not a correct form.

22. *chaunçon*: MS. chāncon.

XLI. Here the address is from the lady to her lover, and so it is also in the three succeeding balades and in xlvi. Notice that the second person singular is used in xli.–xliii. where the language is that of hostile contempt.

9. *sent,* for 'cent': so 'Si' for 'Ci' in the Title of the *Balades,* and 'Sil' in xlii. l. 20, &c. The converse change of 's' to 'c' is not uncommon, see *Mir.* 799.

17. *q'ensi ment,* 'which thus lies': Dr. Stengel's alteration 'qensiment' is quite without justification.

18. *sciet*: so MS, not 'ciet.'

20. *aparcevoir*: in MS. contracted, 'apcevoir,' but cp. *Mir.* 123, &c.

XLII. 7. *de ta falsine atteinte,* 'by thy convicted falseness.'

10. *par tiele empeinte*: cp. *Trait.* iv. l. 17.

20. *Sil,* for 'Cil': cp. xli. l. 9, xlvii. l. 7.

XLIII. 6. 'I find him whom I was wont to love.'

7. *en mon endroit,* 'for my part.'

13. *Ne poet chaloir*: see Burguy, *Grammaire* ii. 26.

19. The romance of Generides exists in an English version, which has been edited by Dr. Aldis Wright from a manuscript in the library of Trinity Coll. Camb. (E.E.T.S. 1873).

Florent, no doubt, is the same as the hero of Gower's story in *Conf. Am.* i. 1407 ff., though there are others of his name in Romance.

Partonopé is Partonopeus de Blois. The correction of 'par Tonope' is due to Warton.

XLIIII. Here the lady addresses a true lover, whose suit she accepts.
6. *refuserai*: cp. xl. l. 11.
23. *quoique nulls en die*, 'whatsoever any may say of it.'

XLV. 6. *pour vo bounté considerer*, 'by reflecting on your goodness': 'pour' is here equivalent to 'par.'
8. 'To describe your face.'
12. *Pour vous amer*, 'to love you': see note on *Mir.* 6328.
13. *Dont m'est avis*, answering to 'tiele,' 'in such a manner that': see note on *Mir.* 217.
pour vous essampler, 'by taking you as their example,' cp. l. 6: but this is not a usual sense of 'essampler.'
16. *vo covine*, 'your disposition': see Glossary.

XLVI. The lady speaks again.
5. *sauf toutdis*, 'saving always': cp. xxii. l. 26, 'Salvant toutdis l'estat de vostre honour.'
15. See note on ii. l. 23.
18. *par envoisure*; cp. *Mir.* 988. Here it means 'by raillery' or 'in jest.'
23. *toutz passont a l'essai*, 'surpass all others at the trial.'
24. *q'amour*: the Roxb. ed. reduces the sentence to nonsense by giving 'qamont,' as conversely 'damour' for 'damont' in the margin of *Bal.* v.

XLVII. 2. *fait sustenir*, 'doth support.'
4. *qui le sciet maintenir*, 'if a man can preserve it': cp. xxvi. l. 9.
7. *sil*: cp. xlii. l. 20.
17. *Plus est divers*, 'he has more varied fortune.'

XLVIII. For this kind of thing, which recurs often enough in the literature of the time, cp. *Rom. de la Rose*, 4310 ff.
2. *le droit certein*, 'the true certainty': see 'certein' in Glossary.
9. *le repos*. This is the reading of the MS., and so also 'est bass' in l. 11. Dr. Stengel was safer than he supposed in following Todd.

XLIX. 5. *qui deinz soi*, &c., 'when a man within himself,' &c., cp. xxvi. l. 9.

L. 9. *le tempre suef*: cp. *Mir.* 14707.

TRAITIÉ

⟨LI⟩. This balade is not numbered and does not form one of the 'Cinkante Balades' of which the title speaks. It is a kind of devotional conclusion to the series. The envoy which follows, 'O gentile Engleterre,' does not belong to this balade, being divided from it by a space in the MS. and having a different system of rhymes. It is in fact the envoy of the whole book of balades.

19. *j'espoir*: see Glossary under 'esperer.'

TRAITIÉ

The title 'Traitié' is not in the MSS., but is inserted as that to which reference is made in the Glossary and elsewhere. What follows, 'Puisqu'il ad dit,' &c., is the heading found in those MSS. which give this series of balades together with the *Confessio Amantis*, that is in seven out of ten copies. In the other three the *Traitié* occurs independently, but in two of these, viz. the All Souls and the Trentham MSS., it is imperfect at the beginning, so that we cannot say what heading it had, while in the third, the Glasgow copy, it has that which is given in the critical note. It is certain in any case that the author did not regard it as inseparable from the *Confessio Amantis*.

I. The numbers are introduced for reference: there are none in the MSS.

4. *per*: so in the Fairfax MS. fully written, but we have 'par' fully written elsewhere, as xi. l. 16, therefore the contractions are usually so expanded, e. g. in the preceding line.

8. *celle alme*, 'the soul,' cp. *Bal*. iii. l. 1, and see note on *Mir*. 301.

9. *Tant soulement*, see Glossary, 'tansoulement.'

II. 5. See note on *Bal*. ii. l. 23. For the substance of the passage cp. *Mir*. 17935 ff.

7. He means that continence is better than marriage, as we see from the margin of the next balade.

20. *en son atour*, 'in its own condition.'

III. 1. *parfit*: this form is preferred as expansion of the MS. contraction, because it is more usual and is found fully written both in the *Mirour* (e. g. 1640) and in the present work, xviii. l. 28 (Trentham MS.), but 'perfit' occurs in *Ded*. i. l. 23 and *Bal*. xxvi. l. 15.

20. *retenue*, cp. *Bal*. viii. l. 17.

IV. 5. *resemblont amorouses*: cp. *Mir*. 1094.

17. *par tiele empeinte*: cp. *Bal*. xlii. l. 10. It seems to mean 'in such a manner.'

V. 8. *l'espousailes*, for 'li espousailes,' but this use of 'li' as fem. plur. is rather irregular.

VI. For the story see *Conf. Am.* vi. 1789 ff.

The Latin margin has lost some parts of words in the Trentham MS. by close cutting of the edges. The Roxb. ed. does not indicate the nature of this loss nor correctly represent its extent, so that we are left to suppose, for example, that 'nuper' is omitted, when as a fact it is there, but partly cut away, and that the MS. reads 'violant' for 'violantes.'

6. *envoisure*, 'trickery,' 'deceit,' cp. xvi. l. 3.

10. *sanz nulle autre essoine*, 'without any other cause.'

15. The margin has suffered here also in the Trentham MS., but not exactly as represented in the Roxb. ed.

17. *Circes*: cp. *Mir.* 16674 f., where the same form is used,

   'Uluxes, qant il folparla
   A Circes et a Calipsa.'

VII. Margin damaged in the Trentham MS., as above mentioned. For the story cp. *Conf. Am.* ii. 2145 ff. and iv. 2045 ff.

1. *El grant desert*, &c. Cp. Chaucer, *Monkes Tale*, l. 128.

5. *Achelons*: so in *Conf. Am.* iv. 2068. Chaucer has 'Achiloyns,' wrongly given 'Achiloyus' in some editions.

9. *Eolen*: this is the form of the name used in the *Conf. Am.* v. 6808 ff.

11. *d'Eurice*: 'Euricie' in the Latin margin; cp. 'The kinges dowhter of Eurice,' *Conf. Am.* ii. 2267. It is taken as the name of a country, but no doubt this results from a misunderstanding of some such expression as Ovid's 'Eurytidosque Ioles,' 'of Iole the daughter of Eurytus,' taken to mean 'Eurytian Iole.'

Herculem: cp. 'Medeam' in viii. l. 12.

17. *l'auctour*: probably Ovid, *Met.* ix.

VIII. Cp. *Mir.* 3725 ff. and *Conf. Am.* v. 3247 ff.

13. *Creusa*, a dissyllable, as in *Conf. Am.* v. 4196 ff.

IX. Cp. *Conf. Am.* iii. 1885 ff.

X. 8. Cp. *Conf. Am.* vii. 4757 ff.

15. Cp. *Conf. Am.* i. 761 ff.

18. *enbastiront tout le plai*, 'contrived the whole matter.' The word 'plait' or 'plee' means properly a process at law, hence a process or design of any kind: 'bastir un plait' is the same thing as 'faire un plait,' used of designing or proposing a thing. See Burguy, *Gram.* ii. under 'plait' in the Glossary.

XI. Cp. *Conf. Am.* i. 2459 ff.

3. *com cil qui*: see note on *Mir.* 27942.

XII. Cp. *Conf. Am.* v. 5551 ff.

19. *hupe*: the *Conf. Am.* v. 6041 says, 'A lappewincke mad he was.' The two birds might easily be confused because both are marked by

the crest which in this case (according to the *Confessio Amantis*) determined the transformation. A similar confusion appears in *Mirour* 8869, where the bird that misleads people as to the place of its nest is no doubt meant for a lapwing.

XIII. 10. This punctuation is more in the manner of the author and also gives a better balance to the sentence than if we made the pause after 'avoir': so 'du roi mais' in the next line: see note on *Bal.* xx. l. 2.

13. *dont*, consecutive, answering to 'tiele': see note on *Mir.* 217.

XIV. 7. *qui*, 'whom.'
10. *Maisqu'il chaoit*: cp. *Bal.* xvii. l. 27. 'He had not power to keep his body from falling into the pains of love.'
13. *a l'omicide esguarde*, 'looks towards murder.'

XV. 1-10. The losses at the beginnings of these lines in the Fairfax MS. are as follows: Comun | De Lan | Enqore ma | Pour essamp | Cil q'est gu | Droitz est | Car be | To | U que | Deu |
7. *Car beal oisel*, &c., cp. *Mir.* 7969.
10. Cp. *Conf. Am.* vi. 330 ff.
13. *Parentre deux*: cp. *Bal.* xxvii. l. 24, *Mir.* 1178.

XVI. Cp. *Mir.* 17089 ff., *Conf. Am.* v. 6393 ff.

XVII. 2. 'This the faith pledged with the right hand requires.' For 'plevie au destre main' cp. *Bal.* xxiii. l. 5.
9. *ert*, 'there shall be,' cp. *Mir.* 17689. Both future and conditional are used to express command or obligation.
13. This is the traditional character of Gawain 'the Courteous':

> '"Art thou not he whom men call light-of-love?"
> "Ay," said Gawain, "for women be so light."'
> Tennyson, *Pelleas and Ettarre*.

XVIII. 22. This Envoy, though it may be taken to have reference to the whole series of balades composing the *Traitié*, belongs in form to the concluding balade and speaks of it specially, 'ceste Balade envoie.' It is addressed to the world generally, 'Al université de tout le monde,' and, as was the wont of Englishmen who wrote in French, the author asks pardon for his deficiencies of language.

The Latin lines 'Quis sit vel qualis' follow the *Traitié*, so far as I know, in every existing copy, and must be taken in connexion with it. In all except one of the MSS. these first nine lines are followed, as in the text given, by the short *Carmen de variis in amore passionibus* beginning 'Est amor in glosa,' and this is followed by the eight lines beginning 'Lex docet auctorum.' In the Trentham copy, however, the intervening *Carmen* is omitted and these last eight lines are given as if they formed one piece with the first nine.

'QUIS SIT VEL QUALIS,' &C.

2. *mentalis sit amor*, &c. I take this to mean, 'so that there may be such spiritual love (as I have described) in the order'; but it is not very clear, and it must be noted that F punctuates after 'mentalis.'

3 f. 'We may fear what is to come by the example of what is past; to-morrow as yesterday the flesh may be lightly stirred.'

CARMEN DE VARIIS, &C.

With this compare *Bal.* xlviii., and *Rom. de la Rose*, 4320 ff.,

'Amors ce est pais haïneuse,
Amors est haïne amoreuse,' &c.

1. *in glosa*, 'by interpretation.'

'LEX DOCET AUCTORUM,' &C.

1. *quod iter*, &c., 'that the fleshly pilgrimage is more secure for those who have the bands of wedlock upon them.'

5. *quasi regula*: apparently comparing marriage to a monastic rule, into which men are gathered for their salvation.

7. *Hinc vetus annorum.* The comment on this concluding couplet is to be found in the record of the poet's marriage, in the year 1397-8, to Agnes Groundolf.

GLOSSARY

AND

INDEX OF PROPER NAMES

NOTE. This Glossary is intended to be a complete Vocabulary of the language used by Gower in his French works, recording as far as possible every word and every form of spelling, with a sufficient number of references to serve for verification. The meanings in English are given only where this seems desirable, either for explanation of the less usual words or to distinguish the various uses of those that are more familiar. It must be remembered that some of the meanings given are conjectural, and the unqualified statements of the Glossary are sometimes discussed in the Notes.

With regard to the references, it should be noted that the number of them is not at all an indication of the frequency with which a word occurs. Many of the commonest words, occurring in one form of spelling only and presenting no difficulty, are dismissed with a single reference to the first passage where they occur in each section of the author's works. On the other hand words which are found with different forms of spelling usually have references given for each form, and often the fact that a word is of uncommon occurrence or presents some difficulty as regards meaning has caused it to be followed by a larger number of references. It should be observed that for the purposes of the Glossary our author's French works have been regarded as falling into two distinct sections, the first consisting of the *Mirour de l'Omme*, and the second of the *Balades* and the *Traitié*, and wherever a word or form occurs in both sections the double reference is given. This is done in order to exhibit the likeness or difference of the language used, and to serve as additional evidence of the authorship of the *Mirour*. For Proper Names a complete set of references is regularly given, but allegorical names and personified vices and virtues are not usually classed as Proper Names.

The references to a number only are to lines in the *Mirour de l'Omme*. The letters D, B, and T, followed by a Roman and an Arabic numeral, refer to the balades in the *Dedication*, the *Cinkante Balades*, and the *Traitié* respectively. These are not referred to in the Glossary by lines but only by stanzas. The

476 GLOSSARY AND INDEX OF PROPER NAMES

Table of Contents at the beginning of the *Mirour* is referred to by the letter C. Such a reference as 16272 (R) is to the rubric following l. 16272.

Where difference of spelling consists in the insertion or omission of a single letter, the fact is often recorded by means of parenthesis, e.g. 'con(n)estable,' 'baro(u)n,' indicating that both 'connestable' and 'conestable,' 'baroun' and 'baron,' are found. The inflexional *s* or *z* in the termination of singular nouns is usually treated in the same way, but references are not always given for both forms. The gender of substantives is not noted, because so much irregularity prevails in this respect that it seems hardly worth while to investigate the subject. All verbal inflexions of any interest have been set down. The grammatical abbreviations, *s.* substantive, *a.* adjective, *v. a.* verb active, *v. n.* verb neuter, 1 *s. p.* first person sing. pres. tense, *pp.* past participle, and so on, will be readily understood. Words which occur in the text with an initial mute *h* dropped owing to elision will usually be found under the letter *h*.

A

a, *prep.* 42, D. ii. 1 : *see* al, au, as.
a, *for* ad, *see* avoir.
Aäron, *see* Aron.
aas, as, *s.* 7313, 11600, ace, one.
abaier, *v. a.* 4282, bark forth.
abandonné(e), *s.* 8943, 8984, devoted servant.
abandon(n)er, habandonner, *v. a.* 546, 1507, 2169, B. xvii. 2, deliver up, give freely.
abatre, *v. a.* 315, 7855, beat down, overcome, abate : s'abatre, 16566, be overcome.
abaubir, *v. a.* 25761, confuse.
abay, *s.* 1728, barking.
abbacie, *s.* 20901, abbey.
abbes, *s.* 9138, 12115, abbot.
abbesse, *s.* 12115, abbess.
abeisser, abesser, *v. a.* 2124, 3846, lower, abase.
Abel, 4566, 4969, 12217.
abesser, *see* abeisser.
abev(e)rer, *v. a.* 2410, 11837, supply with drink.
abeyver, *v. a.* 12956, supply with drink.
abhominable, *a.* 1108, 4495.
abhominacioun, *s.* 1670.
abhosmé, *a.* 1121, abominable ; 8195, filled with horror.
abho(s)mer, *v. a.* 2646, 6692, abhor.
Abigail, 13662, 17473.
Abiron, 2343.
abisme, *s.* 1878.
abit, *see* habit.
'abitement, *s.* 12535, habitation.
abject, *a.* 12836, cast away.

able, *a.* 17396, fit.
Abner (1), 4771.
Abner (2), 17480, Heber.
abondance, *see* habondance.
abonder, *see* habonder.
Abraham, 11418, 12228 f., T. xiii. 1.
absent, *a.* 975.
s'absenter, *v.* 20294.
absoldre, *see* assoldre.
Absolon, 1470, 12985, 23190.
absolucioun, *s.* 10380.
abstenir, *v. a.* 1742, B. xviii. 3, T. xiv. 2 : *v. n.* B. xxv. 3.
abstinence, *s.* 7725, 16272 (R).
abstinent, *a.* 16298 ff.
abusée, *a.* 7695, wrongful, perverse.
abusioun, *s.* 20471, abuse.
acatant, *s.* 7456, buyer : *cp.* achatant.
acatement, *s.* 25806, buying.
acater, *v. a.*, 3 *s. p.* acat, 6956, buy : *cp.* achater.
acceptable, *a.* 4491.
accepter, *v. a.* 4493.
accident, *s.* 2069, 23340.
accidie, accide, *s.* 255, 5126, sloth.
accompte, acompte, *s.* 1504, 6519, 11922, reckoning, account, affair.
accord, accorder, *see* acord, acorder.
accoustummé, *s.* 7330, customer.
accru(z), *see* acrestre.
accusatour, *s.* 17471, accuser.
accusement, *s.* 8852, accusation.
accuser, *v. a.* 161.
acemer, ascemer, *v. a.* 1241, 18329, adorn.
Achab, 4957, 6775, 12592, 17635.
Achaie, 20072.
Achar, 6999.
achatant, *s.* 7430, buyer : *cp.* acatant.

GLOSSARY AND INDEX OF PROPER NAMES 477

achater, *v. a.* 1938, 6294; 3 *s. p.* achat, 6904: provide, buy: *cp.* acater.
Achelons, T. vii. 1.
achever, achiever, *v. a.* 331, 336, accomplish.
Achilles, Achillant, 23365 ff.
Achitofel, 23189.
acier, *s.* 883.
s'acliner, *v.* 7836, incline.
acol(l)er, *v. a.* 1051, 8718, embrace.
acompaign(i)er, acompainer, *v. a., n.* and *refl.* 370, 607, 1514, 3871, 4716, 21305, join as companion, accompany.
acomparer, *v. a.* 8336; 2 *s. fut.* acomparas, 21536: pay for.
acomplir, *v.* 4656.
acomplissement, *s.* B. i. 3, deed.
acomptable, *a.* 23112.
acomptant, *s.* 6902, accountant.
acompter, *v.* 1747, reckon up, give an account.
acord, accord, *s.* 1428, 22898, B. xxxiv. 1, acort, 226, 29440, agreement, company.
acordance, *s.* 2947, agreement.
acordant, accordant, *a.* 738, 18001, B. xxxii. 3, in agreement, suitable.
acordement, *s.* 593.
acorder, accorder, *v. n.* and *refl.* 329, 1188, B. xii. 3, l. 1, agree, be willing.
acorder, *s.* 13894, agreement.
acort, *see* acord.
acostoier, *v. n.* 5804, be by the side.
s'acoupler, *v.* 9186, have intercourse together.
ac(o)urre, *v. n.* 7400, 18584, run up.
acoustumer, *see* acustummer.
acoustummable, *a.* 9581, accustomed.
acoustummance, *see* acustummance.
acoustummé, *see* acustummé.
acqueintance, *see* aqueintance.
acquere, a(d)quere, *v. a.* 1990; 3 *s. p.* aquiert, adquiert, 3358, 8400.
acquester, aquester, *v. a.* 1352, 5360, adquester, 7204, acquire.
acquiter, aquiter, *v. a.* 11095, 11209, remit, set free, acquit, perform.
acrestre, (accrestre), acroistre, *v. a.* 7030, 9941, 18007; *pp.* accru(s), accru(z), 2778, B. xvi. 2: increase, strengthen, cause.
acrocher, *v.* 26164, gain.
actif, *a.* 14406.
acuillir, *v. a.* 15086; 3 *s. p.* acuilt, 5047: take, seize.
aculper, *v. a.* 27263, blame.
acun(s), *see* ascun(s).

acurre, *see* acourre.
acustum(m)ance, acoustummance, *s.* 8826, 18003, 24385, custom, intercourse.
acustummant, *a.* 6809, accustomed.
acustummé, acoustum(m)é, *a.* 2680, 6906, 23242, accustomed, habitual.
acustummer, ac(o)ustumer, *v. a.* 6437, accustom; 9450, 27699, practise.
ad, *see* avoir.
Adam, Adans, 82 ff., 6995, 9988, 11366 ff., 12338, 17152, 18689 ff., 21102, 27075, 27747, 28452, 28855 ff., T. iii. 2.
addicioun, *s.* 5192.
ades, *adv.* 195, 2424, 2906, D. i. 2, B. xx. 1, at once, continually, in order.
adescer, adesser, *v. a.* 1800, 2658, 10862, B. vi. 3, take hold of, seize, reach.
adherder, (adherdre), *v. a.* 2347, 6142, attach: *v. n.* 17235, adhere: *cp.* aherdre.
adhers, *pp.* 14457, attached.
adjouster, adjuster, *v. a.* 3148, 6350, add.
adjug(g)er, *v. a.* and *n.* 1504, 24787, judge, pronounce (as a decision).
adjutoire, *s.* 18693, assistance.
adonque, *adv.* 15036, then.
adoubbement, *s.* 18090, equipment.
adoubé, *s.* 15131, armed knight.
adouber, *v. a.* 14271, equip, appoint.
adourer, *see* aourer.
adourner, *see* aourner.
adquere, *see* acquere.
adquester, *see* acquester.
adrescer, *v. a.* 8070, B. vi. 3, direct: s'adrescer, 5784, B. xliv. 3, apply oneself.
aduner, *v. a.* 6640, gather together.
aduré, *a.* 14276, hardened.
advers, adverse, *a.* 4630, 23532, hostile.
adversaire, *s.* 570, enemy.
adversant, *a.* 14084, hostile: *s.* 13038, adversary.
adverse, *s.* 3168, enemy.
adverser, *v. n.* 4084, be opposed.
adverser, *a.* 2324, hostile, perverse.
adverser, adversier(s), *s.* 1429, 5022, 11272; *f.* adversiere, 197: enemy.
adverser, *s.* 10289, 14047, adversity.
adversité, adverseté, *s.* 252, 504.
advocat, *s.* 6329.
aese, ease, aise, ese, *s.* 3879, 5134, 5155, B. x. 3, xiii. 1.
affaire, = a faire, 14, 15228.
affaire, affere, *s.* 178, 681, B. iv. 4.
affaitier, af(f)aiter, *v. a.* 5162, 14065, 20140, train, teach.
affeccioun, *s.* B. xxi. 3.
afferant, *s.* 11756, due place.

GLOSSARY AND INDEX OF PROPER NAMES

affere, *see* affaire.
afferir, *v.*, 3 *s. p.* affiert, 5863, 7111, affiere, 3068, strike, belong, be fitting: s'afferir, 13177, agree.
affermer, *v. a.* 1952, 10187, affirm, strengthen.
affiance, *s.* 8683, assurance.
affier, *v. a.* 10158, affiance: s'affier, 3589, trust.
affiler, *v. a.* 4046, 6292, 9086, 16082, (sharpen), prepare, train.
afflicioun, *s.* 4131.
affliger, *v. a.* 1157.
affoler (1), *v. a.* 2486, 5726, make foolish: *v. n.* 11952, think foolishly.
affoler (2), *v. a.* 2840, 3533, wound, kill.
s'afforcer, *v.* 1995, endeavour.
affoubler, *v. a.* 7111, put on (a garment): s'affoubler, 871, dress oneself.
agait, agaiter, *see* aguait, aguaiter.
Agamenon, B. xx. 3, T. ix. 2.
Agar, 11416 ff.
agard, agarder, *see* aguard, aguarder.
Agarreni, 21604.
age, *s.* 1647.
s'agreer, *v.* 14520, be pleased.
s'aggregger, *v.* 1516, grow worse.
agreste, *a.* 3527, 12868, wild, savage.
agu, *a.* 1766, 28723, (fiebre) ague, 9546, sharp, violent, piercing.
aguait, agait, *s.* 2695, 3847, 9212, 9222, ambush, lurking-place, snare, danger.
aguaiter, agaiter, *v. a.* 719, 4823, 18124, lie in wait for.
aguard, agard, *s.* 4997, 17148, B. ix. 5, care, view.
aguarder, agarder, *v. a.* and *n.* 933, 2157, 2265, 4674, B. xxii. 4; imperat. aguar, 582: see, look at, pay regard, take care.
aguile, *s.* 6751, needle.
aguil(l)oun, aguil(l)on, aiguiloun, *s.* 2354, 3549, 4871, 5437, 19370, sting, goad.
ahertre, *v. a.*, 3 *s. p.* ahert, 5872, attach.
s'ahonter, *v.* 2529, be ashamed.
aide, *s.* T. viii. 1, eide, 528 (R), eyde, C.
aider, *v. a.* and *n.* 327, 5494, 5811, B. xxvii. 1; 3 *s. p. subj.* aid, 25451.
aïe, aÿe, *s.* 374, 28521, D. ii. 4, aiue, ayue, 2966, 6313, aid.
aigle, *s.* 860, B. xlvi. 1.
aignel, aigneal(s), *s.* 1101, 21090; *f.* aignelle, B. xlviii. 3, aignale, 9119: lamb.
aiguiloun, *see* aguilloun.
ailours, *adv.* B. xl. 2, T. xi. 2, aillours, 4456, elsewhere, besides.

aimal, *s.* 21020, jewel (?).
ainçois, *adv.* D. i. 1, ançois, 74, 319, before, on the contrary, but; ainçois que, 2120, B. ix. 2: *prep.* 17374.
ainsi, *see* ensi.
ainz, ains, einz, *adv.* and *conj.* 15, 3375, 11369, 13022, B. xx. 1, l. 2, T. xi. 2, formerly, rather, on the contrary, but: ainz que, 1891.
air, *s.* 2577, B. xvi. 1, eir, 13867.
aire (1), *s.* 2987; de mal aire, 13457, du bon aire, 15187: disposition.
aire (2), *s.* 18056, ground.
s'aïrer, *v.* 22250, be angry.
aise, *see* aese.
aisée, *a.* 5172, at ease.
aiseëment, *adv.* 5259, easily.
aisné, *a.* 244, eldest.
aiue, *see* aïe.
aiuer, *v. a.* 1769, 16412, help.
al, 532, T. i. 1.
alasser, *v. a.* 14278, weary.
Albertes, 10801.
Albins, T. xi. 1.
Albumazar, 26749.
Alceone, B. xxxiv. 3.
alconomie, *s.* 25515, alchemy.
alegger, *see* allegger (1).
aleine, *s.* 2037, B. xiv. 4, breath, voice.
alenter, *see* allentir.
aler, *v. n.* 325, 411, 1572, B. vi. 3; 1 *pl. p.* aloms, 28377: *see* va *and* irrai.
alie, *s.* 23898, alder-berry.
aliener, *v. a.* 5678, estrange.
alier(s), *s.* 10656, traveller.
Alisandre, 12998, 22051 ff., T. vi. 1.
allaier, *v. a.* B. xxvii. 3, alleviate.
allaiter, *v. a.* 1434, 7883, suckle, suck.
alleg(g)ance, *s.* 29909, B. xiii. 4, alleviation.
alleggement, *s.* 10367, alleviation.
allegger (1), *v. a.* 4295, 10210, alegger, B. xxxvi. 3, alleviate, lighten.
allegger (2), *v. a.* 5611, allege.
allentir, alenter, *v. n.* 3712, 14363, grow sluggish, be slack.
allentis, *a.* 5534, sluggish.
allever, *v. a.* 1376, 18208, raise, bring up.
alliance, *s.* 270, 6925, 9853, B. iv. 3, alliance, allies, company, council.
allier, *v. a.* 25515, B. x. 2, join together, alloy: *v. n.* 18138, be an associate.
alliner, *v. n.* 5126, intermarry.
allouer, *v. a.* 20184, 24946, allow, award.
allumer, *v. a.* 26684.
alme, *s.* 392, D. i. 3, T. i. 1, soul.

GLOSSARY AND INDEX OF PROPER NAMES 479

almo(i)sne, *s.* 7576, 13840, 15423, alms.
almoisner, *v. a.* 15495, relieve with alms.
almoisnerie, *s.* 15603, alms-giving.
almosnere, (1), *see* aumosnier(s).
almosnere (2), *s.* 15525, alms.
alors, *adv.* 12964: *cp.* lors.
alouette, *s.* 5637.
Alphonses, Alphonse, 2843, 13675.
alqant, *pron.*, ly(luy) alqant, 2793, 25945, certain persons.
altier, *see* autier.
altre, *see* autre.
alumer, *v. a.* 17987, set on fire.
alure, *s.* 10714, speed.
Amalech, 5662, 10301.
Aman, 11075 ff., Haman: *cp.* Naman.
amant(z), amans, *s.* 1, 9332, B. iv. 1, x. 2.
amasser, *v. a.* 7532.
ambe, ambes, *a.* 2786, both.
ambedeux, *pron.* 3238, both.
ambesaas, *s.* 24226, double ace.
ambicioun, *s.* 3398, *see* note.
Ambrose, Ambroise, 6397, 6798, 7016, 8253, 13321, 13732, 14569, 16927, 17077, 18025.
amegrir, *v. a.* 20865, make lean.
ameisté, amisté, *s.* 501, 4355, B. x. 1.
amendant, *s.* 11396, amends.
amende, *s.* 4733.
amendement, *s.* 1595, 2914.
amender, *v. a.* 731, B. xlv. 1.
amender, *s.* 26854, amendment.
amener, *v. a.* 497, T. viii. 1; 3 *s. p.* ameine, 28539.
amenuser, *v.* 9690, diminish.
amer (1), *v. a.* 1374, B. i. 2; 1 *s. p.* ayme, 1301, aime, B. xxi. 4, aym, 8951, aim, B. iv.* 1; *imp.* amoye, 4022.
amer (2), *s.* 29451, love.
amer(s), *f.* amere, *a.* 157, 2474, 6689, amier, B. xlviii. 2, amiere, B. xvi. 2, bitter.
amerous, *see* amorous.
amerrir, *v. a.* 1915, 2724, diminish, destroy: *v. n.* 11130, fail.
amertume, *s.* 18237, bitterness.
ami(s), amy, *s. m.* 333, 944, B. iv.* 2, 3, ix. 1; *f.* amie, amye, 149, 1609, B. iv. 1.
amiable, *a.* 1113, B. xl. 1, lovable, kind.
amiablement, *adv.* 19483, lovingly.
amie, *see* ami.
amier, *see* amer (1).
amisté, *see* ameisté.
amollir, *v.* 2055, soften.
Amon (1), 3254.
Amon (2), 16770, Amnon.
Amon (3), (King of Judah), 7611.

amonester, *v. a.* 583, warn: *v. n.* 17809, give exhortation.
amont, *prep.* and *adv.* 95, 712, 2123, B. xviii. 3, d'amont, 28481, B. v. 4 (margin), up, up to, up in, above.
amontance, *s.* 13308, rising.
amonter, *v. n.*, 3 *s. p.* amonte, 1501, B. xlvi. 1, amont, 5801, rise high, be worth, signify.
amorous, amourous, *a.* 19, B. iii. 1, xxxi. 3, amerous, B. xi. 1 ff.
amortir, amorter, *v. a.* 9597, 12379, destroy.
Amos, 4220, 9579.
amour, *s.* 3, 23949, D. ii. 3, &c.
amourette, *s.* 9288, 17896.
amourous, *see* amorous.
amperere, *see* emperour.
amy, amye, *see* ami.
an, aun, *s.* 1932, 6621, B. xxiii. 2, T. xv. 2.
ancelle, *s.* 1008, waiting-maid, servant.
ancesserie, *s.* 25802, D. ii. 3, ancestors.
ancessour, *s.* 11959, ancestor.
ancestre, *s.* 15767, 17345, parent.
ancien, *a.* 4729.
ançois, *see* ainçois.
Andreu (Saint), 20071, 29177.
anel, *s.* 7100, B. xxxiii. 2, ring.
anemi, anemy(s), enemy, *s.* 633, 2631, 28937, D. i. 2, B. xxiii. 2; *f.* anemie, 2438: enemy.
anesse, *s.* 8136.
angel, *see* angre.
angelin, *a.* 1149, 5170, angelic.
angelour, *a.* 29529, angelic.
angle (1), *s.* 10598, corner.
angle (2), *s. see* angre.
angre, *s.* 62, 79, angle, 1150, angel, 10702, angel.
anguisse, *s.* 10524.
anguissous, *a.* 23194.
anguler, *a.* 19427, full of corners.
animal, *s.* 24977.
Anne (1), 10274, Hannah.
Anne (2), 17702, Edna.
Anne (3), 27488, St. Anne.
année, *s.* 8416.
annoy, *s.* 3128, harm.
annoyer, *v. a.* 3360, harm.
annueler, *s.* 20496 (R.).
Antecrist, 6721, 18793.
Antiochus, 2384, 4480, 10254.
antiquement, *adv.* 7095.
antiquité, *s.* 12600.
antis, *a.* 5680, old.
aourer, adourer, *v.* 18738, 27683, worship.

aourner, adourner, *v. a.* 11991, 26730, adorn.
aparcevance, *s.* 1984.
aparcevoir, *v. a.* and *refl.* 2697, B. xli 3; 3 *s. pret.* aparçut, 123, aparçuit, 625; *pres. part.* aparceivant, 20764; *pp.* aparceu, 10602.
apareiller, *see* apparailler.
apartenir, *see* appartenir.
s'apenser, *v.* 27549, intend.
apent, *see* appendre.
apert, apers, *a.* 1975, 6980, 21777, open, public, allowable: en apert, 1395, openly.
apert, *adv.* 9002.
apertement, *adv.* 1079.
aperticer, *v. a.* 2995, make known, show.
apiert, *see* apparer.
apocalips, apocalis, 2464, 7441, 8061, 9889, 17044, 21739.
apostata, *s.* 2512.
apostazer, *v. n.* 2020, 9132.
apostazie, *s.* 20979, apostacy (from religious rule).
aposteme, *s.* 13960, abscess.
apostre, *s.* 49.
appaier, = a paier, 24326.
s'appaier, *v.* 10100, be pleased.
apparailler, ap(p)areiller, *v. a.* 1221, 5220, 22211, apparel, prepare.
apparant, *a.* 1182, B. xxxviii. 3.
apparant, *s.* 5580, heir (?).
apparantie, *s.* 1124, appearance.
apparence, apparance, *s.* 3510, 14802.
apparer, *v. n.* and *refl.* 487; 3 *s. p.* apiert, 2597, appiert, 17732, appiere, 1775; 3 *s. fut.* appara, 1140, apparra, 20068; 3 *s. p. subj.* appere, 12035 : appear.
apparisance, *s.* 1138, appearance.
apparisant, *a.* 16900.
ap(p)artenir, *v. n.* 450; 3 *s. pret.* appartient, 4562; *pres. part.* appartienant, 6475.
appell, *s.* 4765, 11281, naming, challenge.
ap(p)eller, *v. a.* 222, 20358; 1 *s. p.* appell, 5041 : call, summon, accuse.
ap(p)endre, *v. n.*, 3 *s. p.* appent, 1535, apent, 2612, belong.
appeser, *v. a.* 17475, appease.
appeticer, *v. a.* 18915, desire.
appetit, *s.* 5198, B. xxvi. 3.
appetiter, *v.* 6275, 8697, desire.
appiert, appiere, *see* apparer.
applier, apploier, *v. a.* 2982, 7578, 14324, 18880.

Appollo, Appollinis, Appolin, 7093, 19986, 22328.
apporter, *v. a.* 259, B. iii. 4.
appourtenance, *s.* 8443.
apprentis, *s.* 24361.
apprentisal, *s.* 25799, apprenticeship
ap(p)roprier, *v. a.* 8092, 13976.
approver, *v. a.* 13325, prove, approve.
aprendre, *v. a.* 57, 240, 835, B. xxix. 1, xxxiv. 1.
apres, *adv.* and *prep.* 385, 675, 4434, D. ii. 4, B. ii. 4; en apres, 92.
aprest, *s.* 6236, loan.
aprester, apprester, *v. a.* 976, 7221, 15356, prepare, lend.
aprise, *s.* 598, 1036, 1149, teaching, skill, school.
aprocher, *v. n.* 3190.
aprompter, *v.* 5446, 7232, borrow.
aproprié, *a.* 10130, proper.
apt, *a.* 5647.
aquasser, *v. a.* 15646, (destroy), remove.
aqueintance, *s.* 1634, acqueintance, B. xxiii. 1, aquointance, 130.
aqueinte (1), *s.* 5293, friend.
aqueinte (2), *s.* 13690, friendship (?).
aqueintement, *s.* 26021.
aqueinter, aquointer, *v. a.* 7267, B. x. 1, make acquaintance with; s'aqueinter (s'aquointer) de, 5072, B. xlii. 1.
aqueste, *s.* 15358, acquisition.
aquester, *see* acquester.
aquiert, *see* acquere.
aquitance, *s.* 26064.
aquiter, *see* acquiter.
aquointance, aquointer, *see* aqueintance, aqueinter.
aquointement, *s.* 4580.
Arabie, B. xxxv. 2.
arbitrement, *s.* 18712, decision.
arbre, *s.* 116.
arbroy, *s.* 7896, wood.
arcbalaste, *s.* 9337, crossbow.
archangre, *s.* 3734, archangel.
arche, *s.* 4533, 10219, ark.
archedeacne, *s.* 20091, archediakne, C., archdeacon.
archepreste, *s.* 2275, chief priest.
archer, *s.* 2834.
Archideclin, 28395.
ardant, *a.* 606, B. iii. 1, xxvii. 1.
ardantment, *adv.* 7664.
ardoir (ardre), *v. a.* and *n.* 9471, T. vii. 3; 1 *s. p.* ars, B. ix. 4; 3 *s.* arst, art, 1879, 3632, 3822; *pp.* arsz, T. xi. 3 : burn.

GLOSSARY AND INDEX OF PROPER NAMES

ardour, *s.* 3030, ardure, 3778, heat, passion.
arein, arrein, *s.* 14731, T. vii. 1, brass.
areine, *s.* 6397, crab (?).
arer, *v.* 5451, plough.
arere, *adv.* 780, 20646, back, behind.
areson(n)er, *v. a.* 528 (R), 685, reason with.
arest, *s.* 11850, hindrance.
arestance, *s.* 3622, stopping.
aresteisoun, *s.* 16735, 17723, delay, ceasing.
arester, (aresteir), *v. a.* and *n.* 2997, 3918, s'arester, 9810; *pp.* arestu, 11160, arrestu(z), 26504: arrest, stop, take one's stand.
argent, *s.* 1076.
argentin, *a.* 24730, of silver.
arguer, *v. a.* 1095, 2973, 10112, refute, blame.
argument, *s.* 1397.
Ariagne, B. xliii. 1.
Arimaspi, 10737.
Aristotle, Aristote, Aristole, 1449, 3382, 7393, 10957, 17617, 17629, 24714, 25969, 26929.
armer, *v. a.* 14274, B. xliii. 2.
armes, *s.* 1941, T. vii. 1.
armoy, *s.* 23718.
armure, *s.* 12887, armour.
Aron, Aäron, 16141, 20701.
arondelle, arundelle, *s.* 16104, 22131, swallow.
aro(u)ser, *v. a.* 3828, 5177, water.
s'arouter, *v.* 20138, 29680, assemble, form a company.
arrable, *a.* 26717.
arraier, *v. a.* 29804, prepare.
arrainier, *v. a.* 18409, declare (war).
array, arrai, arroy, *s.* 840 (R), 854, 5432, 18964.
arrement, *s.* T. xv. 2, ink.
arreri(s), arrery, *pp.* 3232, 3377, put back, damaged.
arrestuz, *see* arester.
arrogance, *s.* 1831.
arroy, *see* array.
ars, art, arst, arsz, *see* ardoir.
arsure, *s.* 11514, burning heat.
art, *s.* 1899, B. xix. 1; *pl.* ars, 1450.
artefice, artifice, *s.* 21418, 25500 (R), device, handicraft.
article, *s.* 12343.
artificer, *s.* C.
Artus, Arthus, 14273, 23870.
arundelle, *see* arondelle.

as,= a les, 949, D. ii. 5; as ses, 3265; as les, 23922, T. xvi. 1: (*also often* a les, e. g. B. xxxi. 1).
as, *s. see* aas.
Asahel, 4769.
ascemer, *see* acemer.
ascencioun, *s.* 29220 (R).
ascendre, *v. n.* 602: *v. a.* 13152.
ascoulter, asculter, *v. a., n.* and *refl.* 472, 1039, 1709, 2692, escoulter, 1, 2736, listen to, listen.
ascun(s), aucun(s), *pron.* 504, 975, 1321, D. ii. 3, 4, B. xvi. 3, acun(s), 1445, 20647, some, any, some one, any one.
ascunefois, *adv.* 25562, *also* ascune fois.
ascunement, *adv.* B. xix. 2, aucunement, 485, 1726, at all, in any way.
ascunepart, *adv.* C., in any direction.
ascuny, *pron.* 2714, any one.
asne, *s.* 889.
aspirant, *s.* 26948, breath.
aspirer, *v. a.* 8538, draw in (as breath).
asporter, *v. a.* 1569, carry off.
aspre, *a.* 3686, B. l. 2, rough, sharp; Aspre vie, 17965.
asprement, *adv.* 2556.
aspreté, *s.* 1156.
assai, *s.* B. xxxvi. 1, trial.
assaillir, *v. a.* 5497; 3 *s. p.* assalt, 2537; assault, 6269; assaille, 4210.
assalt, *v.* 9304, attack.
assavoir,= a savoir, 375, B. xli. 2.
asseine, *see* assener.
assemblé(e), *s.* 1708, 7899.
assembleisoun, *s.* 8645, meeting.
assemblement, *s.* 343, assembly, union.
assembler, *v. a.* 332, join, gather together: s'assembler, 9183, have intercourse together.
assembler, *s.* 8658, meeting.
assener, *v. a.* 25394; 1, 3 *s. p.* asseine, 2745, B. x. 2, xiv. 3, xxxix. 2, strike, direct, address, dispose, approach: s'assener, 13316, address oneself.
assentir, *v. n.* and *refl.* 8682; 3 *s. p.* assente, 13172, 13786.
(asseoir, asseir), *v. a.*, 3 *s. p.* assit, 129, assist, 2160, assiet, 17887; *pp.* assis, *f.* assise, assisse, 906, 1707, 2498, 2938, D. i. 2, B. ix. 5: place, set, appoint, arrange.
assetz, asses, *adv.* 900, 2173, B. viii. 1, T. ii. 1 ff., much, enough: d'assetz, 9166, by much.
asseurance, *s.* 16741.
asseurer, *see* assurer.

assez, *a.* (?) 13828, great.
assieger, *v. a.* 23727, besiege.
assigner, *v. a.* 29300, appoint.
Assirien, *s.* 11021.
assisse, assise, *s.* 2295, 2497, 3743, 5618, place, company, trial, decision; 8264, amount (assessment).
assissour, *s.* 6332, 16112, juror.
assister, *v. n.* 17049, stand by.
associer, *v. a., n.* and *refl.* 2307, 4757; 3 *s. p.* associe, associt, 2437, 17136: join.
assoldre, absoldre, *v. a.* 21262, 22954, absolve.
assorbir, assorber, *v. a.* 7624, 8624.
assoter, *v. n.* and *refl.* 3897, 20688, be foolish, be made a fool; assoter de, 7404, be fond of: *v. a.* 9329, make a fool of.
assuager, *v. n.* 2543, become less: *v. a.* 18227, alleviate.
Assuerus, 17467.
assumpcioun, *s.* 29341.
assurer, asseurer, *v. a.* 8630, 10148; 1 *s. p.* assure, asseur, B. iv. 1, vii. 2: assure, betroth: *v. n.* and *refl.* 4359, 14640, B. xii. 2.
astronomye, *s.* 10679.
atalanter, *v.* 3713, desire.
atant, *s.* and *adv.* 820, 3610; a tant, 23953, B. v. 3: so much, so many, just so; jusques atantque, 3320, until.
ateint, *see* atteindre.
Athenes, 13433, 19982, T. xii. 1.
atiffer, *v. a.* 8716, adorn.
atir, *s.* 8915, 18468, preparation, equipment, arrangement.
atirer, *v. a.* 5562, 15567, 19318, adorn, arrange, prepare; 15145, bring.
atort, *adv.* 13109, wrongly: *cp.* tort.
atour, *s.* 925, 1255, 11178, B. xxxv. 3, T. ii. 3, adornment, equipment, state, manner.
atourner, atto(u)rner, *v. a.* 6283, 16114, 16711, direct, dispose, prepare.
atrapper, *see* attrapper.
attacher, *v. a.* 28995.
atteindre, *v. a.* and *n.* 4312, 5107, 9918, attain, reach, attack, come: *pp.* at(t)eint, atteins, 167, 3662, B. xlii. 1, convicted, tainted.
atteint(z), *a.* 8705, 25033, affected (in the wits), corrupt.
atteinte, *s.* 13687, defilement.
attemprance, *s.* 15232, 22919, self-control, tempering, harmonising.

attemprer, *v.a.* 3874, T. i. 1, temper, tune.
attemprure, *s.* 22898, harmony.
attempter, *v. a.* 2598, 21466, aim at, attack.
attendance, *s.* 272.
attendant, *s.* 5, 881.
attendre, *v. a.* 605, 7919, B. v. *margin*, wait for, expect, be destined to: *v. n.* 309, 597, 3939, B. iii. 1; imperat. atten, 5214: wait, remain, belong.
attenir, *v. n.* 15220, belong.
attourné, *s.* 24795, attorney.
atto(u)rner, *see* atourner.
attraire, attrere, *v.a.* 567, 17356; 3 *s. p.* attrait, attraie, 1550, B. xxvii. 3, xxxviii. 1, attret, 6235: draw, bring, collect, carry out, assume, teach: *see* note on l. 10748.
attrait, *s.* 8938, establishment.
attrap(p)er, atrapper, *v. a.* 2213, 3562, B. xix. 1, catch, confine.
au, *prep., very commonly for* a, 105, 416, B.xxxviii.1,&c.; *also for* a le, 51, B. ix. 1; *and* a la, 133, B. iv. 4, &c.
aube, *s.* 27622.
auci, *adv.* 90, 1101, B. iv.* 2, aussi, 536, so, also, as.
auctorité, *s.* 17143.
auctour, *s.* 1297, 1676, T. vii. 3, author, authority.
aucun(s), *see* ascun(s).
aucunement, *see* ascunement.
audience, *s.* 349.
audit, *s.* 1143, hearing.
auditour, *s.* 3558, 16662, hearer, auditor (of accounts).
augst, august, *s.* 10651, 18295, harvest.
augurre, *s.* 1476, augury.
august, *see* augst.
Augustin(s), 1194, 1784, 4225, 10411, 11044, 13477, 13537, 13549, 15241, 17907, 20547, 20845, 20886.
aulques, aulqes, *adv.* 899, 12256, somewhat.
aultier, *see* autier.
aultre, *see* autre.
aumosnier(s), 8411; *f.* almosnere, 1077: almoner, almsgiver.
aun, *see* an.
aussi, *see* auci.
autier, aultier, *s.* 4463, 20386, altier, 20442, altar.
autre, *a.* and *s.* 247, D. i. 3, B. xxvi. 2, aultre, 7565, altre, 19395, other, second: d'autre part, d'autrepart, 616, 937, on the other hand.

GLOSSARY AND INDEX OF PROPER NAMES 483

autrecy, autreci, *adv.* 746, 1948, thus, just so.
autrement, *adv.* 1727.
autrepart, *adv.* 4419, elsewhere; d'autrepart, 616, on the other hand : *cp.* autre.
autresfoitz, autre(s)fois, *adv.* 7911, 24468, B. vii. 3, another time, again.
autretiel, *a.* 6696, just such; autre tal, 9557, a like thing.
autri, autry, *pron.* 1107, 1419, T. xviii. 1, others, of others.
aux, = eux, 7181.
aval, *adv.* and *prep.* 712, 2257, B. vii. 2, down.
avaler, *v. a.* 8338, 10306, lower, swallow down, bring down : *v. n.* 558, come down.
avancé, *s.* 20232, superior.
avancement, *s.* 6713.
avancer, *v. a.* 274, 1739, B. xv. 3 : *v. n.* 3099.
avancié, *a.* (*pp.*) 20269, promoted.
avant, *adv.* 114, 3628, 9271, first, in front, onwards, henceforth; en avant, 12, further on; si avant, 655, so far; plus avant, 269, 971, moreover, afterwards : puis avant, 2214, thenceforth : avant que, 8360.
avant, *s.* 1740, boast.
avantage, *s.* 827, D. i. 1 ff.
avantance, *s.* 1731, boasting.
s'avanter, 1730 ff., boast.
avanterie, 12087, boasting.
avantgarde, *s.* 3675.
avarice, *s.* 253, T. iv. 2.
ave, *interj.* 16974, hail!
avec, *see* avoec.
avenant, *a.* 1702, 9275, 17261, suitable, agreeable.
avenement, *see* avienement.
avenir, *v. n.* 917, 8789, B. xviii. 1; *3 s. pret.* avint, avient, 8584, T. vi. 2; *fut.* avendra, 3264: happen, be suitable.
aventer, *v. n.* 13782, B. xvi. 3, happen, succeed : *v. a.* 4786, 20101, 21265, follow after.
aventure, *s.* 1239, 1853, 5029, B. xii. 1, chance, danger, uncertainty, strange thing.
aveoc, *see* avoec.
averous, *a.* 7345, B. l. 1, avaricious.
avesques, *see* avoec.
avienement, avenement, *s.* 9079, 29280 (R), coming.
avier(s), *a.* 15998, 19347, miserly.
aviler, *v. a.* 216, 2471, debase, defile.
avis, *s.* 188, B. ii. 3, opinion, thought : m'est avis, 824, &c., in my opinion.

avisé, *a.* 637, 2190, aware, careful.
avisement, *s.* 22772, B. xlix. 4, consideration.
s'aviser, *v.* 729, 23181, B. xlv. 2, take thought, consider.
avisio(u)n, *s.* 5187, 20466, 28148, dream, vision.
aviver, *v. a.* 4638, rouse.
avoec, *prep.* 1047, B. xvi. 4, aveoc, 2196, avec, 18006, avesques, 1339, 2670: *cp.* ove, ovesque.
avoegler, *v. a.* 1390, blind : *v. n.* 29683, become blind.
avoi, avoy, *interj.* 535, 9248, shame !
avoir, *v. a.* 25, B. xiv. 3 ; 1 *s. p.* ay, 122, ai, 9721, D. i. 4 ; 3 *s.* ad, 109, D. i. 1, &c., a, 7109, &c. ; *imp.* avoie, 6620 ; *3 s. pret.* ot, 61, B. xxx. 2, out, 18217 ; 3 *s. fut.* avra, 6, avera, 18535, B. ix. 5, T. i. 3, ara, 3696 ; 2 *pl. imper.* eietz, 446 ; 1 *s. p. subj.* eie, 18503 ; 3 *s.* ait, 1821, B. vi. 2 ; 3 *pl.* eiont, 2703 ; 3 *s. pret. subj.* eust, 181, B. viii. 2, ust, 505, 3238; 2 *pl.* ussetz, 3759, eussetz, 29774 ; 3 *pl.* ussent, 19380, usscnt, 29778, eussont, 29782 ; *pres. part.* eiant, 1468 ; *pp.* eeu, 182.
avoir, *s.* 473, B. v. 2, property, goods : avoir du pois, 25263, wares (of a bulky kind).
s'avoler, *v.* 13673, fly away.
avolterie, avoulterie, *s.* 8748 (R), 8759, T. vi. 2, adultery.
avo(u)ltier(s), *s.* 8828, T. ix. 1, xii. 3 ; *f.* avoultiere, 8953: adulterer, adulteress.
avoltre, *s.* 19108, adultery.
avouer, *v. a.* 29303, promise.
aymy, ay my, *interj.* 11225, 29144, alas !
ayue, *see* aïe.

B

Babilant, Babiloyne, Babiloine, Babyloyne, Babyloine, Babyloigne, Babiloigne, Babilon, 1084, 1889, 2666, 2858, 4004, 7189, 7196, 8054, 10247, 15712, 17991.
Babilonien, *s.* 11020.
bacheler, *s.* 23688, young knight.
Bachus, 970, 20694.
baigner, *v. n.* 6756 ; *refl.* 24474 : bathe.
baille, *s.* 4211, charge.
bailler, *v. a.* 104, 15543, deliver up, give.
baillie, *s.* 2616, T. xi. 3, charge, government.

baillif, s., pl. baillis, 20976, 24949 ff., 25158, overseer, reeve.
baisant, s. 3500, kissing.
baiser, v. a. 3513.
baiser, s. 4373.
balade, s. D. i. 3, B. v. 4.
balance, s. 4960, 10308, B. xiii. 1, balance, weight, measure, danger.
balancer, v. 13302.
baler, v. n. 17611, dance.
balsme, s. 12845, balm.
Baltazar, 7183, 10340.
Banaa, 4898.
bando(u)n, s. 7050, 14183, B. xxi. 1, T. xvi. 2; a bandoun, promptly; a sa bandon, en lour bandoun, in his (her, their) absolute power.
ban(i)ere, s. 5664, 9820, B. xxvii. 2, banner.
banir, v. a. 10037, T. x. 3, banish.
baptesme, s. 3117.
baptist, baptistre, s. 27986, 28430.
baptizer, v. a. 12209.
baptizere, s. 26661, baptiser.
baraign, barein, baraine, baraigne, a. 5578, 12226, 25449, 27953, barren.
baraigner, v. 20621, make barren.
barat, s. 543, 4446, trick, quarrel.
baratier, s. 20689, 20779, cheater, quareller.
baratour, s. 23319.
baratter, v. a. 543, deceive, cheat.
barbe, s. 3719.
barein, see baraign.
bargaign, barg(u)ain, bargein, s. 3301, 3303, 21395, T. xvii. 1, bargain, business.
bargaignement, s. 6284.
bargai(g)ner, bargeiner, v. n. and a., 3368, 7432, 7451, 9483 : bargain, traffic; bargain for, traffic in.
barnage, s. 22051, barons.
baro(u)n, s. 417, 8811, 10266, lord, husband.
Baruch, 1286, 3145, 3416, 3601, 3997, 6877, 10335.
bas, see bass.
basilisque, s. 3747.
bass, bas, a. 69, 320, 18429, B. ix. 3, xvii. 3; de halt en bass, 3183 : adv. 563.
bastarde, s. 11616.
bastir, v. a. 4688, 9858, B. xxxviii. 4, build, establish, make.
basto(u)n, s. 4100, 4115.
batail(l)e, s. 1472, T. vii. 1.
batailler, v. n. 22929, fight.
bataillous, a. T. xi. 1, warlike.
baterie, s. 4647, beating, fighting.

batre, v. a. 2946, 8899.
baucan, s. 903.
baud, a. 8887, bold.
bauldour, s. 13341, confidence.
beal(s), beau, bel(l), f. bel(l)e, 248, 307, 635, 1182, 3493, D. i. 1, B. i. 4, iii. 2, v. 3.
beal, bel(l), beau, adv. 486, 580, 3353, 12646, B. xli, 3.
bealparler, s. 1253, fair speech.
bealpere, s. 19963, father.
bealpinée, a. 1705, (well-combed), well-dressed.
bealsire, s. 436.
bealté, see beuté.
beatitude, s. 15890, blessedness.
beau, see beal(s), beal.
beauté, see beuté.
Bede, 7681, 9603, 12448.
bedell, s. 4842, attendant.
Beemoth, 4453.
begant, pres. part. 6666, begging.
beggerie, s. 5800.
beguinage, s. 5452, beggary.
beguyne, s. 6898, beggar.
bek, s. 4113, beak.
bel, bell, see beal(s), beal.
belement, adv. 3581.
Belsabu, Belzabu, 4802, 7173, 24167.
bende, s. 9282, band.
bender, v. a. 28710, bandage.
benefice, s. 1330, 4536, 7422, benefit, kindness, benefice.
beneiçoun, s. 12036, T. v. 3.
beneuré, see benuré.
benigne, a. 12879.
benignement, adv. 2059.
benigneté, s. 22169.
benoier, benyer, benoïr, v. a. 7145, 8398, 12244, bless.
Benoit, Beneit, 3199, 7931, 9122.
benoit, a. 138, D. ii. 1.
benuré, beneuré, a. 4193, 11147, blessed.
berbis, s., pl. berbis, berbitz, 3448, 22886, sheep.
bercelet, s. 3437, hound.
berces, berce, s. 4798, 13524, cradle.
bercheresse, s. 21031, shepherdess.
berchier(s), s. 20567 ; f. berchere, 5300 : shepherd, shepherdess.
Bernard(s), Bernars, 1146, 1618, 2874, 5877, 7694, 9631, 12445, 14020, 14623, 14653, 14951, 16875, 18004, 20974.
Bersabé(e), 4968, 16699, 22821, T. xiv. 1.
besant, s. 15628, besant (talent).
beste, s. 905, B. xvi. 1.
bestial, a. 7829, 9554.

GLOSSARY AND INDEX OF PROPER NAMES 485

bestial, *s.* 8529, beast.
bestialité, *s.* 24.
Bethanie, 28513.
Bethlem, 28048, 28133 ff.
beuté, beauté, *s.* 1254, 3770, bealté, 17010, B. iv. 2.
beverage, *s.* 6110.
beveresse, *s. f.* 8125, drinker.
beverie, *s.* 7604, 13217, drinking.
bible, *s.* 1657, T. xiv. 1.
bien, *adv.* 80, B. iv. 2 ; le bien venuz, 2263 ; bien tost, 913.
bien, *s.* 140 ; *pl.* biens, bien, 60, D. ii. 5, B. vi. 2 : good, wealth, good things.
bienamé, *a.* 10193 : *s.* 12982.
bienfaire, *v. a.* 3132, 8215 : *v. n.* 10551.
bienfaire, bienfere, *s.* 15731, 22912.
bienfaisance, see bienfesance.
bienfait, *s.* 2272 ; *pl.* bienfaitz, bienfetz, 1839, 13821 : good deed, benefit.
bienfesance, bienfaisance, *s.* 1992, 7539.
bienfesant, bienfaisant, *s.* 1841, 19074, well-doing, well-doer.
bienfesour, *s.* 17454.
bientost, see bien.
bienvenu(s), *a.* 5202, welcome.
bienvuillance, *s.* 5683.
bienvuillant, *s.* 26951, benefactor.
bier, *s.* 23108, man.
bilingues, *a.* and *s.* 3519, 3580, double-tongued, Double-tongue.
blame, *s.* 2958, 12708, blame, reproach.
blamer, *v. a.* 2719, 7682, B. xvii. 1, blasmer, C.
blamer, *s.* 25216, blaming.
blanc, *a.* 3498, B. xlv. 3 ; *f.* blanche, 1560, B. xxxvii. 3.
blanchour, *s.* 9340, whiteness.
blandir, *v. a.* 506, flatter.
blandisant, *a.* 8210.
blandisement, *s.* 1388.
blandisour, *s.* 3559.
blandit, *s.* 8723, caress.
blasmer, see blamer.
blaspheme, *s.* 2438.
blasphemer, *v.* 2446.
blasphemus, *a.* 2450.
blé(e), *s.* 2565 ; *pl.* bledz, bleedz, 11144, 14527 : corn.
blemir, *v. a.* 2625, injure.
blemure, *s.* 9708, blemish.
blescer, *v. a.* 2659, wound.
blesceure, *s.* 2070, wound.
blounde, *s.* 8688, fair one.
bloy, *a.* 25329, blue.
bobance, *s.* 1989, arrogance.

bobancer(s), *s.* 1883, arrogant person.
bobant, *s.* 11057, arrogance.
bochier(s), *see* bouchier(s).
Boëce, 1758, 1790, 14833, 14898.
boef, *s.* 7747.
boël(l)e, *s.* 3396, 8084, bouelle, 8598, bowels.
boidie, *s.* 3848, 6393, deceit.
boire, *v.* 1180, 3603, B. xlvii. 1 ; 3 *s. imp.* bevoit, 18234 ; 3 *pl. pret.* beurent, 21113 ; 3 *s. fut.* bevera, 11852.
bois, *s.* 941.
boiste, buiste, *s.* 2273, 4624, box.
bon(s), *a.* 33, D. i. 1, boun, 11273 ; *f.* bonne, bone, 598, 13154, B. iv. 2.
bonde, *s.* 4053, 8202, T. xviii. 1, bounds, control.
bon(n)ement, *adv.* 2610, 14157, B. xlix. 1, in good manner, good-humouredly.
bonneg(u)arde, *s.* 16585, 16606.
bonté, *s.* 1387, B. xxxiii. 4, bounté, 8317, B. iv. 2.
Boors, 1473.
bordel(l), *s.* 8735, 20637, stews.
bordellant, *s.* 9267, frequenter of stews.
bordeller, *s.* 5502.
bordeller, *v. n.* 9088, commit fornication.
boscage, *s.* 2136, wood.
boscheus, *a.* 5336, bossy.
boscu, *a.* 27029, wooded.
botel(l)er, buteller, *s.* 298, 7547, 16447, butler.
botenure, *s.* 1242, adornment of buttons.
botoun, *s.* 25629, button.
botu(z), *pp.* 171, thrust out : *cp.* bouter.
bouche, *s.* 3513, B. xiv. 4.
bouchier(s), bochier(s), *s.* 26213, 26223, butcher.
bouelle, *see* boel(l)e.
boun, *see* bon.
bounté, *see* bonté.
bountevous, *a.* B. xxxi. 2.
bource, *s.* 910.
bourdant, *s.* 3901, jesting.
Bourdeaux, 25244.
bourny, *see* burny.
bout, *s.* 5252, 8130 (bout de la tonelle).
bouter, *v. a.* 1337 ; 3 *s. p.* bout, 10384 : thrust, put in, cast down.
bovier(s), *s.* 26439, herdsman.
braielle, *s.* 5227, braiel, 7053, girdle.
braier, *v. a.* 7951, bray (in a mortar).
braire, *v. n.* 2807, lament.
brandir, *v. a.* 4671, move about.
branler, *v. a.* 14744, brandish.
bras, *s.* 7099.

brief, *a.* 6604, B. xvii. 3, short, small;
danz brief, in a short time: *adv.* 26341.
brief, *s., pl.* bries, 337, 24865, letter.
brievement, *adv.* 13745.
brigantaille, *s.* 18675, irregular troops.
briser, *v. a.* 9324, B. xlii. 1 : *v. n.* 10952.
brocage, *s.* 6579, 9460, agency, brokerage, intrigue.
brocager, *v. n.* 24890, intrigue.
brocour, *s.* 7225, agent, broker.
Brugges, 25251.
bruiller, *v.* 2345, burn.
bruire, *v. n.* 3032, 19893: *v. a.* 3628: burn.
bruisser, *v. n.* 7896: *see* note.
brun, *a.* T. xvii. 3.
brusch, *a.* 26120, acid, sour.
Brutus, 25254.
buffet, *s.* 13402, blow.
buffle, *s.* 25277, jest (?).
buffoy, *s.* 1778, pride.
builer, buylier, *v. n.* 4148, B. vii. 2, bubble.
buillie, *s.* 3876, 26158, bubbling, brew.
buillon, *s.* 25531, mint.
buisso(u)n, *s.* 943, 8899, bush.
buiste, *see* boiste.
buleter, *v.* 7805, bolt (meal).
bulle, *s.* 18759, bull (of the pope).
burette, *s.* 9281 : *see* note.
burgois, *s.* 7252, citizen.
burgoiserie, *s.* 7897.
burny, bourny, *a.* 1112, 14060, burnished.
busche, *s.* 9470, fragment (of wood).
busoignable, *a.* 14578, necessary.
busoign(e), *s.* 1962, 5405, T. vi. 3, business, affair, necessity.
busoigner, *v. n.* 25194, have need.
busoignous, *a.* 7314, 14541, needy, necessary.
buteller, *see* botel(l)er.
buyller, *see* builer.

C

ça, *adv.* 10917, 24475, hither.
caccher, *v. a.* 7010, drive: *cp.* chacer.
cacheus, *a.* 8601.
cage, *s.* B. xix. 1 : *cp.* gage.
Cahim, Cahym, Chaÿm, 4565, 4969, 12219, Cain.
caitif(s), caitis, caytis, *a.* 4001, 5678, captive, wretched: *s.* 6106, 11368, 11438, wretch, villain: *cp.* chaitif.
Calcas, B. xx. 3.
Caldieu(s), Caldeus, Caldiee, 22017 ff., 29321, Chaldeans.
Caleph, 2336.

Calidoine, T. vii. 1.
Calipsa, 16675.
Calvarie, 28730.
camele, *s.* 4417 : *cp.* chameal(s).
camelion, *s.* B. xvi. 1.
camerette, *s.* 17897.
camp, *s.* 5129, field: *cp.* champ(s).
Canana, 17488.
Candy, 26094.
canin, *a.* 4281, like a dog.
canoller, *s.* 8660, spinning.
cano(u)n, *s.* 2741, 7372, 16092, 21157 f., rule, canon law, canon (regular): *a.* loy canoun, 17140.
capitein, *a.* 27375, chief.
capitein, capitain, *s.* 476, 715; *f.* capiteine, capitaine, 764, 1045, B. xxxix. 2.
capitous, *a.* 26384, obstinate.
capo(u)n, chapoun, *s.* 7746, 15415, 24729.
captivesoun, *s.* 10372, captivity.
car, *conj.* 5, D. ii. 3, &c., quar, 3922, 14479.
carbo(u)n, charbo(u)n(s), 3627, 6888, 8849, 16793.
cardiacre, *s.* 5093, heart-disease: *cp.* M.E. 'cardiacle.'
cardinal, *s.* 18560, 18849 ff.
cardoun, *s.* 27190, thistle.
Carme, *s.* 21760, Carmelite (friar).
caroigne, *s.* 1121, 9537, T. vi. 3, carcass, body, carrion.
carole, *s.* 16668, dance.
caroler, *v. n.* 9366, dance (in a round).
carpenter, *s.* 21430.
carte, *s.* 8890.
cas, *s.* 1861, B. xxii. 1, case, chance: par cas, 1908, perchance.
casselle, *s.* 14776.
Cassodre, 11770, 13920, 23059, 24592, Cassiodorus.
castell, *see* chastel.
catell, *see* chateal.
Catoun(s), Caton(s), 4077, 4704, 5266, 12727, 12733, 13485, 14143, 17617, 17641 ff.
causal, *s.* 154, B. l. 2, cause.
cause, *s.* 100, 11663, D. i. 1, cause, affair.
causer, *v.* 156, B. xxxi. 2.
cautele, *s.* 7076, 24213, device, trickery.
cave, *s.* 21109.
caytis, *see* caitif(s).
ce, *pron.* 13, 78, D. i. 4 ; (with *prep.*) de ce, pour ce, oultre ce, 21, 89, 400: *cp.* pource.
ce, *dem. a.* B. ii. 4 ; *pl.* ce, 14890 : *cp.* ceo, cest.
ce, = se, 1147, B. xviii. 3.

GLOSSARY AND INDEX OF PROPER NAMES 487

cea, *see* ceo.
ceaux, *see* celui.
cedre, *s.* 13357, cedar.
cedule, *s.* 25671, prescription.
ceinture, *s.* 1707.
ceinturelle, *s.* 20654, girdle.
Ceïx, B. xxxiv. 3.
cel, cell, *dem. a.* 152, 305, B. iii. 1, T. xviii. 2 ; *f.* celle 130, cele 3453 : that, the : *cp.* ceo, cest, cil.
cela, *pron.* 106, B. ii. 1, cella, 7195.
celant, *s.* 1737, concealer.
celebré, *a.* 7211.
celebrer, *v. a.* 8662, 16130, celebrate, sanctify.
celée, *a.* 1125, concealed, secret ; au plus celée, 2681, most secretly.
celée, *s.* 494, concealment.
celeëment, *adv.* 1078, secretly.
celer, *v.* 4879, hide.
celer, celier, *s.* 7814, 25991, cellar.
celeste, celestre, *a.* 5068, 17352.
celestial, *a.* 1977, D. i. 1 : *s.* les celestieux, les celestials 65, 27120, heaven.
celestin, *a.* 316, 18640, B. xxi. 2, celestial.
celestious, *a.* 1094, heavenly.
celestre, *see* celeste.
celle, *s.* 21437, cell.
celui, cel(l)uy, celly, *pron.* 1649, 2646, 12167, B. viii. 3 ; *f.* celle, 244, B. v. 4 ; *pl.* ceux, ceaux, 286, 1022, B. xliii. 3 ; *f.* celles, B. xli. 1.
cendal, *s.* 25292.
cendre, *s.* 1367, T. x. 1.
cene, *s.* 28649, supper.
cent, centz, *num.* 1693, 2945; sent, B. xli. 2.
centante, 15871, a hundredfold.
centfois, 24401, a hundredfold.
centisme, *a.* 9982, hundredth.
centmil, *num.* B. xvi. 4, cent mil, 6125.
centmillfoitz, *adv.* B. viii. 2.
Centurio, 28762.
ceo, cea, *pron.* 1, D. i. 2 : *dem. a., pl.* ceos, 301, B. iii. 4, v. 3, xxxv. 3.
cercher, *see* sercher.
cercle, *s.* 9280.
cert(z), certe, *a.* 1691, 3176, sure.
certain(s), certein(s), *a.* 367, 1316, B. iv. 3, viii. 4 ; en certein, 77.
certainement, *adv.* 9032.
certein, certain, *s.* 8372, 9839, 18866, B. xlviii. 1, certainty, obligation, due, certain sum.
certes, *adv.* 555, B. xxvii. 1.
cervel(l)e, *s.* 1270, 3054.

cervoise, *s.* 26127, beer.
cervoiser, *s.* 26136, beer-seller.
Cesar, 16023, 18601, 18625 ff., 19333, 22174.
cesser, *v. n.* 4127, B. vi. 3.
cest, *dem. a.* 36 (R), 9229, B. i. 4 ; *f.* ceste, 528, B. iv. 1 ; *f. pl.* cestes 17893, this, the.
cete, *s.* 27055, whale.
Cezile, 18852, Sicily.
chace, *s.* 3900.
chacer, *v. a.* 7433, 11251 : *cp.* caccher.
chacun, chacuny, *see* chascun, chascuny.
cha(i)ere, *s.* 2481, 3066, seat, place, chair (of a teacher).
chaitif, cheitif, *a.* 3033, 7974, 8275, captive, wretched : *cp.* caitif.
chaitif, chaitis, *s.* 27327, 27551.
cha(i)tivelle, *a.* 1140, 3055, evil, wretched.
chalandre, *s.* 10707, B. xii. 1 : *see* note.
chalanger, *see* chalenger.
chald, *a.* 3031, B. ii. 1 : *s.* 21921 ; chalt pas, *adv.* (hot foot), at once, 18018.
Chaldée, 6361.
chalemelle, *s.* 1263, pipe.
chalenge, *s.* 6315, accusation.
chalenger, chalanger, *v. a.* 6346, 15879, 25433, accuse, claim.
chalice, *s.* 7143, 20693.
challou, *s.* 3716, stone.
chaloir, *v. n. usu. impers.* B. xliii. 2 ; 3 *s. p.* chalt, chault, 1704, 7223 : matter, be of consequence : ce que chalt 3367, 8905, 25712 : with *pers. subject,* ne chalt de tuer, 4827.
chalour, *s.* 3821, B. ix. 4, chalure, 5392.
chalt pas, *see* chald.
Cham, 12025, Ham.
chamberer, *s.* 296, chamberere, 465, B. xvi. 3, xxxvii. 2, chamberlain, chambermaid.
chamberlain, chambirlein, chambirlain, chambrellein, *s.* 2678, 5173, 5429, 7280 ; *f.* chamberleine, chambreleine, 1047, 10185.
chambre, *s.* 713.
chameal(s), *s.* 6752, 28449, camel : *cp.* camele.
champ(s), *s.* 941, 2200, B. xxxvi. 1.
champaine, champeine, *s.* 1604, 28982.
champartie, *s.* 6571.
champestre, *a.* 14850 : *s.* 24588, country.
champio(u)n, *s.* 14038, 14129.
Chanaan, T. xiii. 1.
chance, *s.* 5433 ; par chance, 14876.
chanceler, *v. n.* 11357, 16584, totter, waver.
chancellerie, *s.* 19495.

chançon(s), *s.* 3166, chançoun, B. xxxv. 4, chauncon, B. xl. 3.
chançonal, *s.* 27359, song.
chançonette, *s.* 9285.
chandelle, *s.* 1132.
chandellier, *s.* 20782.
chanel, *s.* 5258, hinge.
changable, *a.* 5876, changing.
change, *s.* T. iv. 3.
changer, *v. a.* and *n.* 69, 1666, 5333, B. v. 1.
chant, *s.* 1699.
chanter, *v.* 943, B. xii. 3.
chanter, *s.* 1433, singing.
chanterole, *s.* 4110, song: *a.* 16629, apt to sing.
chaoir, cheïr, *v. n.* 77, 306, 11655; 3 *s. p.* chiet, 1486; 3 *pl.* cheont, B. xviii. 1; 3 *s. imp.* chaoit, 65, B. xx. 3; 3 *s. pret.* chaïst, 74, chaït, 1150, chaÿ, 18999; *fut.* cherra, 10559; *pp.* cheeu(z), cheeu(s), 127, 600, B. xxii. 1: fall.
chapeal, *s.* 6, 18762, B. xxxvi. 3, chaplet, hat.
chapel(l)ein(s), chapellain(s), *s.* 2132, 4432, B. xxiv. 1.
chapelle, *s.* 4830.
chapero(u)n, *s.* 8819, 20912, hood.
chapitre, *s.* 20152, 21126, 21434, chapter (of a cathedral or abbey), chapter-house.
chapoun, *see* capoun.
char, *s.* 260, 7494, B. xxi. 2, flesh, meat.
charbo(u)n, *see* carboun.
charette, *s.* 5811, 8162, cart.
charettier(s), *s.* 11654; *f.* charettiere, 8161, driver, carter.
chargant, *a.* 2657, burdensome.
charge, *s.* 5400.
charger, *v. a.* 1349, 6467.
charir, *see* cherir.
charitable, *a.* 12883.
charité, *s.* 1974, 12613.
charitousement, *adv.* 12620.
Charles, Charlemain(s), Charlemeine, 1303, 11298, 14273, 23870, 29443.
charme, *s.* 4126.
charn(i)el, *a.* 5049, 7800.
charniere, *s.* 9189.
charrere, *s.* 15725.
charue, *s.* 5655, 14353, plough.
charuer, *s.* 8659, ploughing.
charuere, *s.* 5299.
chascun(s), chescun(s), chacun, *pron.* and *a.* 1, 109, 6596, B. xliii. 3, li. 1.
cha(s)cuny, *pron.* 1623, 6838.
chaste(s), *a.* 9683, B. xxi. 4, T. xiv. 2.

chastel(l), *s.* 1256, 8366, castell, 14173; *pl.* chastealx, 3640.
chastement, *adv.* 17779.
chasteté, chastité, *s.* 9171, 29945, T. iii. 1.
chastiement, *s.* 850.
chastier, *v. a.* 742, B. xxxix. 2, T. xv. 1 ff., rebuke, punish, correct.
chastier, chastoier, *s.* 5024, 11000, punishment, correction.
chat, *s.* 4256.
(chateal), catell, *s.* 8406; *pl.* chateaux, 8930, goods, wealth.
chativelle, *see* chaitivelle.
chaucier, *s.* 5227, hosier.
chaulçure, *s.* 1227, hose.
Chaÿm, *see* Cahim.
cheable, *a.* 1865, liable to fall.
cheïr, *see* chaoir.
cheitif, *see* chaitif.
chemin, chemyn, *s.* 5642, 5879, 26555.
cheminer, *v. n.* 28048, travel.
chemise, *s.* 5238, T. vii. 3.
cher, *see* chier.
chere, *see* chiere.
chericer, *v. a.* 254, cherish.
cheri(s), *a.* 229, 26155, dear.
cherir, *v. a.* 428, B. iv.* 1, charir, 17589, welcome, cherish.
cherra, *see* chaoir.
chescun, *see* chascun.
chevance, *s.* 15455, profit.
chevetein, cheventeine, *s.* 1208, 22067, chief.
cheveux, *s.* (*pl.*), 12988.
chevicer, *see* cheviser.
chevir, *v. a.* 20370, acquire.
chevisance, *s.* 7236, profit, gain.
cheviser, chevicer, *v. n.* and *refl.* 6357, 24859, make profit.
chiche, *a.* 7670, stingy.
chief, *s.* 2432, 5419, B. l. 1, head, end; au chief du (de) tour, 1500, 3420, in the end.
chief, *a.* 4803.
chien(s), *s.* 866, 4435.
chier, cher, *a.* 300, 11765, B. xxxi. 2: *adv.* 3880.
chiere, chere, *s.* 247, 460, 899, B. xviii. 2, face, countenance, appearance, welcome.
chierement, *adv.* 399.
chier(e)té, *s.* 6298, 28196, affection, price.
chiev(e)re, *s.* 929, 20034, goat.
chiminé, *s.* 7331, road.
chincherie, *s.* 26334, stinginess.
chitoun, *s.* 8221, kitten.
chival(s), *s.* 2847; *pl.* chivalx, 18516.

GLOSSARY AND INDEX OF PROPER NAMES 489

chivalcher, chivacher, chivauchier, *v.n.* 902, 9144, 18988, ride: se chivalcher 915, mount.
chival(i)er, *s.* 2537, 7228, B. vii. 1.
chivalerous, *a.* 24002, knightly.
chival(l)erie, *s.* 14262, 23142, T. xi. 1, knighthood, warfare.
Chodrus, 19983.
chois, *s.* 29494, B. xlix. 2.
choisir, chosir, *v. a.* 20569, B. xx. 3.
Choré, 2346, Korah.
chose, *s.* 13, B. xvi. 1.
chosir, *see* choisir.
chymere (1), *s.* 18814, chimere (a bishop's upper vestment).
chymere (2), *s.* 18815, chimera.
ci, cy, *adv.* 198, 838, D. i. 4, B. xii. 3, si, B. title.
cicle, *s.* 2945, shekel.
ciel, *s.* 61, 74, D. i. 2.
cierge, *s.* 21710.
ciffre, ciphre, *s.* 17412, 23856, cipher.
cil, *pron.* 163, 945, D. ii. 5, sil, B. xlii. 3; *f.* celle, 1268: *dem. a.* 73, 27076, B. xli. 3.
c'il, = s'il, 799, 1632.
Cilla, 7761.
cine, *s.* 26294, swan.
cink, cynk, *num.* 1014, 6181.
cinkante, cinquant, *num.* 1932, B. title.
cinkisme, *a.* 16081, fifth.
ciphre, *see* ciffre.
cipresse, *s.* 29924.
Ciprian, 17125.
Circes, 16675, B. xxx. 2, T. vi. 3.
circumcis, *a.* and *s.* 27492, 28179, circumcised, Jew.
circumcisio(u)n, *s.* 28176 (R), 28184.
circumstance, *s.* 9128, 11897, 12801, surroundings, barrier, limit, discipline.
circumvencioun, *s.* 3401.
cire, *s.* 1313, 17293, wax.
Ciriens, 10314, *see* Surien.
cirimp, *s.* 25641, sirup.
Cirus, 10347.
Cisare, 17482, Sisera.
cist, *pron.* (*s.* and *pl.*) 3661, 4864 ff.: *dem. a.* 10715, T. iii. 1, this, these.
cisterne, *s.* 3666, well.
cit, *s.* 7197, city.
cité, *s.* 1822; citée, C.
citezein, *s.* 4803; *f.* citezeine, 4920.
Cithaie, 10718, Scythia.
citole, *s.* 512, lyre.
Civile (1), 25244, Seville.

Civile (2), 15217, 16092, 22266, the civil law: *cp.* civil.
civil, *a.* (loy civile), 9093, 14138, 23749.
clamer, *v.* 2602; 3 *s. p.* claime, clayme, 9972, 20457, B. l. 2 : claim, call.
clamour, *s.* 668.
claret, *s.* 16408 : *cp.* clarrée.
clareté, clarte, *s.* 10624, 10740, brightness, light.
clarré(e), *s.* 3046, 26079 : *cp.* claret.
claustral, *s.* 20953, cloisterer.
Clement, 19484, 20569.
Cleophas, 28817, 29200.
cler, *see* clier.
clerc(s), cler(s), 1447, 3016, clerk, priest.
clerement, *see* clierement.
clergesce, *s.* 5546, clergesse, 7346.
clergie, *s.* 5550, 18423, learning, clergy, clerical office.
clergo(u)n, *s.* 3300, 16082, 20785, priest, student.
clief, *s.* 1494, B. xxv. 2, key.
client, *s.* 1225, 24207, follower, client.
clier, *a.* 201, B. xlv. 3, cler, *f.* clere, 1133, 1774, bright, clear : *adv.* 20764.
cl(i)erement, *adv.* 1391, 6794, B. xix. 3.
climant, *a.* 9591 : *see* note.
Climestre, T. ix. 2.
clochier, *s.* 21413, bell-tower.
clochiere, *s.* 5180, bell.
clocke, clocque, *s.* 14742, 21162, bell.
cloistral, *s.* 21413, cloisters.
cloistre, *s.* 5314, monastery.
cloistrer, *s.* 21076.
clop, *s.* 15811, lame man.
clore, *v. a.*, 3 *s. p.* clot, 10447, B. xviii. 3 ; 3 *s. pret.* clost, 29229 : close, enclose.
clos, *a.* 5146, T. viii. 3, closed, close.
cloue, *s.* 28732, nail.
coadjutour, *s.* 10049, helper.
coard(z), *see* couard.
coardie, *see* couardie.
cocatrice, *s.* 8973.
cock, coc, *s.* 880 : coc chantant, 14189, cock-crowing.
coec(s), *s.* 7844, cook.
coer(s), *s.* 26, B. i. 3, xi. 1, cuer(s), 414, &c.
coffre, *s.* 6950.
cogitacioun, *s.* 1533.
cohabiter, *v. n.* 13855, dwell together.
coi, coy, *a.* 538, 1785, 9247, B. iii. 2, quiet, tranquil, private : en coy, 849.
coiement, *adv.* 10146, quietly.
coife, *s.* 8820, 24376, cap, coif.
coigner, *v. a.* 11976, split.

col, coll, *s.* 2267, 2922.
Colc(h)os, 3725, T. viii. 1.
colée, collée, *s.* 23655, 28711, blow on the neck.
se coler, *v.* 6792, slip, glide.
coleric, *a.* 14710.
collacioun, *s.* 692.
collectour, *s.* 20171.
col(l)omb, *s.* 932, 28484, columb, 13408, dove.
colour, *s.* 934, 24189, B. xlvi. 3, colour, pretence.
colourée, *a.* 7131, specious.
colourer, *v. a.* 6210.
columbelle, *s.* 29935, dove.
com, *see* come.
comander, *see* commander.
combatant, *s.* 3902.
combatour, *s.* 14368.
combatre, *v. n.* and *refl.* 2381, 3736.
combien, *adv.* 1748 : combien que, 2164, 2357, B. viii. 3, however much, although.
combler, *v. a.* 15677, pile up.
come, com, comme, *conj.* 28, 81, B. ii. 2, iii. 1; comme plus... tant plus, 3347.
comencer, *see* commencer.
comencer, *s.* 27465, B. xxxiii. 1, beginning.
comensaile, *see* commensaille.
commender, *v. a.* B. xlv. 4.
com(m)ent, *adv.* 16, 194, B. ii. 2 : coment que, 1690, howsoever.
commandement, *s.* 2198, 6279.
com(m)ander, *v.* 651, 12163, B. xxv. 3; 1 *s. p.* commant, 29656 : command, commend.
commanderesse, *s. f.* 15905.
commant, *s.* 658.
comme, *see* come.
commençaille, *see* commensaille.
commençance, *s.* 7470.
commencement, *s.* 51.
com(m)encer, *v.* 21, 304, 350.
com(m)encer, *s.* 13540, 27465, B. xxxiii. 1.
commendable, *a.* B. xxix. 3.
commendacion, *s.* 18324 (R).
commensaille, commençaille, comensaile, *s.* 15268, 19337, T. vii. 2, beginning.
comment, *see* coment.
commenter, *v. n.* 3709, remark.
commete, *s.* 26737, comet.
commettre, *v. a.* 14100, include.
commoigne, *s.* 20913, fellow-monk.
(commovoir), *v. a., pp.* comm(e)u, 3109, 3955.
com(m)un, *a.* 489, 1143, B. xliii. 2, T. xv. 1.

commun, *adv.* 12403, in common.
commun, *s.* 14574, 23774, common weal, people : *cp.* commune.
communal, *a.* 23484; en communal, 27358.
communal, *s.* 3164 (*pl.*), people generally.
communalté, *s.* 24823, community.
commune, *s.* 6296, 14301, generality (of people), public, right (?) : *cp.* commun, *s.*
communement, *adv.* 332, 2669.
communer, *v.n.* 13634, communicate : se communer, 6638, T. xvii. 1, associate (with), share.
commun(i)er, *s.* 8170, 20780, commoner, sharer.
communer, *a.* 16000, common : *adv.* 23250.
compaign(s), compain(s), compaine, *s.* 3370, 9209, T. xvii. 2 ; *f.* compai(g)ne, 83, 608, B. xxxv. 1.
compai(g)nie, *s.* 153, 384, B. iv. 2, xxx. 4.
compaigno(u)n, *s.* 1525, B. xxxv. 1.
compain(s), compaine, *see* compaign(s).
comparacioun, *s.* 13719, comparison.
comparant, *s.* 1458, rival.
comparant, *a.* 17071, like.
comparer (1), *v. a.* 2525, B. xii. 1, compare.
comparer (2), *v. a.* and *n.* 8112 ; 3 *s. p.* compiert, 3880, 6857, compere, 21641; *fut.* compara, 26578 ; *subj.* compiere, 2001 : pay for, purchase, suffer.
comparisoun, *s.* 2721, B. xxi. 1.
compas, *s.* 4947, 10349, circuit, contrivance.
compassant, *a.* 13372.
compassement, *s.* 797, contrivance.
compasser, *v. a.* 1063, 20750, contrive, arrange.
compassio(u)n, *s.* 4866, 13019, 28914.
compeller, *v. a.* 18892.
compendiousement, *adv.* 18372 (R), shortly.
compenser, *v. a.* 11512, 12922, weigh together, reflect upon.
compernage, *s.* 5453, 8052, 11349, relish, dainty food.
compescer, *v. a.* 4126, tame.
competent, *a.* 6331.
compiere, compiert, *see* comparer.
compiler, *v.a.* 1571, 3414, gather together.
compleindre, complaindre, *v. a., n.* and *refl.* 524, 755, 12528 ; 1 *s. p.* compleigns, B. xii. 4, xli. 1, compleigne, iii. 1 ; 3 *s.* complaint, 524, compleine, 8791 ; *pret.* compleigna, 755.

GLOSSARY AND INDEX OF PROPER NAMES 491

complei(g)nte, *s.* 668, 29103, B. ix. 6.
complet, *a.* 3153.
complexioun, *s.* 14698, disposition.
compli, *a.* 16037, B. x. 1, full, perfect.
complie, *s.* 8554, compline.
complir, *v. a.* 464, 5481; 3 *s. cond.* compleroie, 1932: bring to an end, accomplish.
se comploier, *v.* 15053, be directed.
componer, *v. a.* 16017, 25628, arrange, compound.
compost, *s.* 7862, mixture.
comprendre, *v. a.* 58, 1362, 1721, 3004, 6449, B. xlix. 1, receive, conceive, understand, include, fulfil.
compte, see conte (1).
compter, *v. n.* 9138, give account.
comun, see commun.
conceler, *v. a.*, 3 *s. p.* concelle, concele, 1133, 7157.
concepcioun, *s.* 27471.
concevoir, conceivre, *v. a.* 207, 28623; 3 *s. p.* conçoit, 2459, conceive, 4911, conceipt, 10823; 2 *pl. pret.* conceustez, 27974; 2 *s. fut.* conciveras, 27930; *pp.* conceu, 4914, concu(z), 6728, B. xvi. 1.
concluder, *v. a.* 15900: *v. n.* 9980.
conclure, *v. a., pp.* conclus, 1668, 9092, B. xxxix. 3, shut in, bring to an end, reduce to silence.
conclusioun, *s.* 2974, 24143, conclusion, argument.
concordable, *a.* 2472, agreeable, similar.
concordance, *s.* 3862, 7475, 22265, concord, harmony (of the Gospels).
concorde, *s.* 2736, 13821, agreement.
concorder, *v. a.* 13895, cause to agree.
concubine, *s.* 9003, T. xiii. 1.
concupiscence, *s.* 9124.
condempner, *v. a.* 4932.
condescendre, *v. n.* 14586, come down.
condicio(u)n, *s.* 1107, B. xxi. 2.
conduire, conduier, *v. a.* 10916, 11159: *v. n.* 8518: guide, be leader.
conduiser(s), *s.* 11657, steerer.
conduit, *s.* 11988, guide.
conestable, see connestable.
confederacioun, *s.* 6569.
confederat, *a.* 24262.
confederer, *v. a.* 24254, unite together.
confermer, *v. a.* 9077, T. v. 1: *v. n.* 10463.
confes(s), *a.* 5624, 6588, confessed.
confess, confessé, *s.* 14846, 21402, penitent.

confessement, *s.* 14808, confession.
confesser, *v.* 477, 2046; se confesser, 2662.
confessio(u)n, *s.* 4080, 14831, T. ix. 3.
confessour, *s.* 9148, 14000.
confire, *v. a.* 4344, 4966; *pp.* confit, 2552, 2758: bring about, perform, construct, season.
confiture, *s.* 7961, 18366, contrivance, seasoning.
conflote, *s.* 7397, company (?)
confondement, *s.* 1532, confusion.
confondre, *v. a.*, 3 *s. p.* confont, 2798, confonde, 10841, T. xviii. 2; *pp.* confondus, 3461, confundus, 1904: bring to ruin.
confort, *s.* 223, D. ii. 4, B. xxx. 3.
confortant, *a.* B. xxvii. 2.
confortement, *s.* 12967.
conforter, *v. a.* 3047, B. xliv. 2, support, comfort.
confortour, *s.* 12958.
se confourmer, *v.* 8920.
confrere, *s.* 3198, brother (in religion).
confus, *a.* 1293, 6665, confounded, distressed.
confusio(u)n, *s.* 3089, 3445.
cong(i)é, *s.* 9914, 10348, permission.
congregacioun, *s.* 10880, assembly.
conivreisoun, *s.* 8815, connivance.
conjecture, *s.* 3365, 6389, conjecture, plan, plot.
conjoi(g)ntement, conjoyntement, *adv.* 590, 12966, 29775, together.
conjoint, conjoynt, *a.* 10683, 23029, joined.
conjoïr, conjoier, *v. n.* and *refl.* 12901, 12930, rejoice in common: *v. a.* 12926, rejoice with.
conjoye, *s.* 12903, joy in common.
conjur, *s.* 6977, conspiracy.
conjurer, *v. a.* 5218, 5796, 9803, conjure, appeal to, contrive (by conspiracy).
con(n)estable, *s.* 3674, 9971, T. i. 1, ruler, constable.
connestablie, *s.* 8516, government.
conoiscance, *s.* 6077, knowledge.
conoistre, *v. a.* 670, 1098, B. xxxix. 1.
conquerre, *v. a.* 816, 1215; 3 *s. p.* conquiert, 14688; *pret.* conquist, 3173, T. viii. 1: win.
conquer(r)our, *s.* 1940, 5383.
conqueste, *s.* 9897.
conquester, *v. a.* 3729, T. vii. 1, win.
conroi, conroy, *s.* 842, order, equipage.
conroier, *v. a.* 24747, arrange.

consail, consal, conseil, *s.* 11, 304, 3704, 4082, D. i. 2, B. xxiii. 3, T. xviii. 3.
consail(l)ement, *s.* 12044, 17635, counsel.
consail(l)er, conseil(l)er, *v. a.* and *refl.* 287, 293, 754, 1474, consult, advise.
consailler, consaillour, *s.* 2360, 8861.
consailleresse, *s. f.* 4742.
conscience, *s.* 161, B. xlii. 3, mind, thoughts, conscience.
consecracioun, *s.* 20724.
consecrer, *v. a.* 7478.
conseil, conseiler, *see* consail, &c.
consentir, *v. n.* and *refl.* 516, 2635, B. iv. 2 : *v. a.* 20797.
consequent, *s.* 15287, consequence.
consideracioun, *s.* 2297.
considerer, *v. n.* and *a.* 660, 12863, B. xlv. 1 : *cp.* consirer.
consirer, *v.* 27331, consider.
consistoire, *s.* 11508, 18689, continuance, consistory court.
conspir, *s.* 644, B. xxv. 1.
conspirant, *s.* 6515, conspiracy.
conspirer, *v. n.* 783, 2878, 15246, consult, conspire : *v. a.* 24073, stir up.
constance, *s.* 131, 14318.
constant, *a.* 10626.
Constantin, Costentin, Constant, 13921, 18637, 23055.
constraint, *see* constreindre.
constrei(g)nte, *s.* 931, B. xv. 2, xlii. 2.
constreindre, *v. a.*, 3 *s. p.* constreine, 2030, constreigne, 10537 ; *pp.* constreint, constreins, 4313, 6656, B. xlv. 2, constraint, 2357 : press, compel.
construer, *v. a.* 7374, explain.
constru(i)re, *v. a.* 19418, 20228, build, interpret.
consuëte, *a.* 16252, accustomed.
contagious, *a.* 20769.
contant, *s.* 3226, consideration.
conte, compte, *s.* 1505, 2686, B. xlvi. 2, 3, reckoning, story.
conte(s), *s.* 2237, contour, 18524, count, earl.
conteckour, *s.* 4684, contentious person.
contek, *s.* 4647, contention.
contempcioun, *s.* 4050, contempt.
contemplacio(u)n, *s.* 687, B. xxiv. 3.
contemplatif, *a.* 10613.
contempler, *v. a.* 10604, T. ii. 1 : *v. n.* 29351.
contempler, *s.* 10699, meditation.
contemplier, *s.* 10645, meditator.
contenance, *s.* 1637, B. xiii. 2, contienance, 8318, B. xv. 3.
contencioun, *s.* 4047.

contendement, *s.* 14995, warring.
contenir, *v. a.* 40, B. xvi. 4 ; 3 *s. imp.* contienoit, 965, 1843, contenoit, B. xliii. 3 : *v. n.* 17826.
content, *a.* 16561.
conter, *v. a.* 15, B. vi. 3.
contesse, *s.* 25693.
contienance, *see* contenance.
contienement, *s.* 11789, behaviour.
continence, *s.* 17750, T. ii. 1.
continent, *a.* 9389, continens, 17816.
continuance, *s.* 8967, B. i. 3.
continuer, *v. n.* 10206 : *refl.* 29890.
contour, *see* conte(s).
contourbacioun, *s.* 9869, disturbance.
contourber, *v. a.* 18652, disturb.
contradiccioun, *s.* 2404.
contraire, contrere, *a.* 2050, 23069, T. xii. 2 ; au contraire, 676 ; le contraire, 2026, le contraire de, 2711 : *adv.* B. xxxii. 1.
contraire, contrere, *s.* 175, 16520, transgression, evil.
contraler, *v. n.* 24593, go in opposition.
contralier, *v. a.* 4979, oppose : *refl.* 2385, make resistance.
contrariance, *s.* 2239.
contrariant, *a.* 1183, opposite, opposing.
contrarier, *s.* 21494, (the) opposite.
contrarious, *a.* 2403, perverse, contrary.
contre, *prep.* 144, D. i. 2.
contredire, *v. a.* 2412, 2577.
contredit, *s.* 3931, B. xxvi. 2, opposition, contradiction.
contrée, *s.* 4825.
contrefaire, *v. a.* 25568, counterfeit.
contrefait, contrefeit, *a.* 1397, 2699, 6305, false, falsely invented.
contrefait, *s.* 1714, mocking.
contrepenser, *v. a.* 8420, 10496, 29366, think on the other hand, consider, devise, (as a remedy).
contreplaider, *v. a.* 4064, plead against.
contreplait, *s.* 17004, objection.
contreplit, *s.* 1643, opposition.
contrepois, *s.* 13308.
contrepriser, *v. a.* 13303, counterbalance.
contrere, *see* contraire.
contrestance, *s.* 3619, power of resistance.
contretaile, *s.* T. vii. 3, retribution.
contretencer, *v. a.* 6216, strive against.
contretenir, *v. n.* 2036 ; *refl.* 3521, T. xiv. 1 : defend oneself.
contretenir, *s.* B. xxxiv. 4, opposition.
contrevaloir, *v. n.*, 3 *s. p.* contrevaile, 1467, be equal (to).

GLOSSARY AND INDEX OF PROPER NAMES 493

contricioun, *s.* 14911.
contrister, *v. a.* 10973, make sad.
contrit(z), *a.* 14537.
contro(e)ver, *v. a.* 13, 1220, 5193, invent, contrive.
controveure, *a.* 1955, invented.
contumacie, *s.* 2326.
contumas, *a.* 2389.
contumelie, *s.* 4067.
conu(s), *see* conoistre.
conuscance, *s.* 8234, knowledge.
convenient, *a.* 25771, fitting.
conventual, *a.* 21412.
convers, *a.* 6983, 9888, converted, holy.
conversacioun, *s.* 3086, B. xxi. 2.
converser, *v.* 2894, 3161, have dealings, dwell.
convertir, *v. n.* and *refl.* 647, 749; *pp. f.* converse, 22042 : turn : *v. a.* 29334, convert.
convocacion, *s.* B. xxxv. 1.
convoier, *v. a.* 282, 2816, B. viii. 3, xv. 1.
cop, coup, *s.* 1947, 4236, 5016, blow, stroke: beau cop, 919, great quantity.
cophin, *s.* 28553, basket.
copier, coup(i)er, *v. a.* 2923, 7035, 11124, cut.
corage, *s.* 1068, D. i. 3, heart, spirit.
coragous, *a.* 4644.
coral(s), *a.* 3707, hearty.
corant, *a.* 2847, running.
corbyn, corbin(s), *s.* 6698, 6705, raven.
corde, *s.* 2728, 22899, T. iv. 1.
cordelle, *s.* 20362, lash.
cordial, *a.* 717, 13194, of the heart.
corn, *s.* 9896, horn.
cornage, *s.* 22146, horn-blowing.
Corneille, 15475.
corner, *v. n.* and *a.* 5212, 10125, 22144, play music, blow a note, blow.
corner, *s.* 11303, blowing of the horn.
cornette, *s.* 1263, horn.
corniere, *s.* 1073, corner.
cornoier, *v.* 11321, sound on the horn.
coron(n)al, *s.* 12071, D. i. 3, crown.
coronne, coroune, couronne, *s.* 1510, 9897, 11522, 20120, crown, tonsure.
coronnement, *s.* 22286, coronation.
coron(n)er. *v. a.* 11628, 29724, B. Envoy l. 6.
coroucer, coroucier, *v. a.* 4509 : *v. n.* and *refl.* 649, 2375 : make angry, become angry.
coroucer, *s.* 4460, anger.
corouçous, *a.* 4637, angry.
coroune, *see* coronne.

corous, *s.* 2658, B. xxix. 1, anger.
corporal, corporiel, *a.* 1969, 10996.
corps, *s.* 93, B. v. 4.
correccioun, *s.* 19109.
correctour, *s.* 20170.
corriger, *v. a.* 27282.
corrumpre, *v. a.* 20331 ; 3 *s. p.* corrumpe, 7350, corrumpt, 9114, corrompt, 16792 ; *pp.* corrumpu, 192, corrupt, 16258 : *v. n.* 27141.
corrupcioun, *s.* 13362.
corrupt, *a.* 7784.
corsage, *s.* 12128, body.
corsaint, corseint, *s.* 1149, 4551, saint.
cortil, *s.* 23411.
coru, *see* courre.
corussez, *a.* C., angry.
coste, *s.* 885, side.
costé(e), *s.* 918, 17985, T. viii. 3, costié, 5165, side.
Costentin, *see* Constantin.
costié, *see* costée.
cost(i)ere, *s.* 894, 27986, side.
costoier, *v.* 28085, be beside.
costummer, *see* coustummer.
cosu, *pp.* 10101, sewn.
cotage, *s.* 4118, cottage.
cote, *s.* 883, coat.
cotell, *see* coutell.
cotelle, *s.* 28024, rib (?).
cou(s), *s.* 8761, cuckold.
couard, *a.* 16317, 16596, cowardly.
couard, coard(z), *s.* 5497, B. l. 1, coward.
couardie, coardie, *s.* 5462, 14263, cowardice.
couche, *s.* 895.
couch(i)er, *v. n.* 5140, 5160, B. xliii. 2.
couchour, *a.* 23857, lazy.
coue, *s.* 1406, cue, 15258, keue, 15271, tail.
coufle, *s.* 916, kite.
coulpe, *see* culpe.
coup, *see* cop.
coupable, *a.* 1109.
coupe, *s.* 8291, cup.
coup(i)er, *see* copier.
courber, *v. a.* 2120.
courchief, *s.* 25291.
couronne, *see* coronne.
courre, corre, *v. n.* and *refl.* 1591, 4750, 10723, B. vii. 2 ; *pp.* coru, 26554 : run.
cour(r)oie, *s.* 5792, 8492, curroie, B. xxv. 2, strap, belt.
cours, *s.* 4181.
courser, *s.* 18020.
court, *s.* 1376, D. ii. 4.

court, *a.* 4668 : tenir court de, 7398, 18971, disregard, neglect.
courtement, *adv.* 829.
courte(i)our, *s.* 2731, 16107.
c(o)urtois, curtais, *a.* 1712, 5568, B. xxvii. 2.
c(o)urtoisement, *adv.* 28389, 29238.
c(o)urtoisie, *s.* 1577, 12878, B. xxi. 2.
cousin(s), *s.* 6352 ; *f.* cousine, 1610.
cousinage, *s.* 24658, cousinship.
coustage, *s.* 15972, expense.
c(o)uster, *v.* 7037, 25756, cost.
coustum(m)ance, *s.* 27841, 28190.
coustum(m)e, *s.* 7452, 24349, custom.
co(u)stummer(s), custummer(s), *a.* 11084, 23990, accustomed, habituated : *s.* 1941, 26165, practiser, customer.
co(u)tell, cutel, *s.* 4640, 20655, T. x. 2, culteal, 884, knife.
couver, *v. a.* 11408, conceal.
coveiter, *see* covoiter.
covenable, *a.* 27877.
covenance, *s.* 123, B. iv. 1, covenant, agreement.
covenant, *s.* 6479.
covenir, *v. n.* 4272, 5122, B. xlvii. 3 ; 3 *s. p.* covient, 4272, &c., covenist, 14909 ; *fut.* coviendra, 6332: agree, be fitting, be needful, be obliged.
covenir, *s.* B. xxxiv. 1, agreement.
covent (1), *s.* 20850, convent.
covent (2), *s.* 25514, covenant.
cov(e)rir, *v. a.*, 3 *s. p.* covere, 1407 ; 3 *pl.* coeveront, 12034 ; 3 *s. pret.* covry, 7089 ; *pp.* covert, 716, B. xxxii. 2 : cover, defend, roof over.
covert, *a.* 1688, secret.
covertement, *adv.* 8801.
coverture, *s.* 1168, B. xlvi. 3, concealment, pretence.
covetise, *see* covoitise.
covietter, *v. a.* 6583 : *cp.* covoiter.
covine, covyne, *s.* 136, 324, 5104, 26497, B. xxi. 3, xxxi. 3, T. xiii. 1, company, purpose, device, cunning, disposition.
covoiter, *v. a.* 622, coveiter, 6312, desire.
covoitise, *s.* 6183, covetise, C., covetousness.
covoitour, *s.* 6812.
covoitous, *a.* 6229.
covrir, *see* coverir.
coy, *see* coi.
craie, *s.* 25302, chalk.
crass(e), *s.* 6924, 7778, fat.
crass, *a.* 6840.

creable, *a.* 22104, B. xxix. 4, ready to believe.
creacio(u)n, *s.* 20716, B. xxi. 2.
creance (1), *s.* 6556, B. iv. 4, trust, belief.
creance (2), *s.* B. xv. 1, leash (for a hawk).
creançour, *s.* 7247, creditor.
creatour, *s.* 1258, T. i. 1.
creature, *s.* 166, B. xii. 3.
crecche, *s.* 28055, manger.
crede, *s.* 8131, creed.
credence, *s.* 1167.
creer, *v. a.* 52, T. ii. 3.
cremoit, cremont, &c., *see* criendre.
cremour, *s.* 6412, fear.
cremu, *see* criendre.
Creon, T. viii. 2.
crepalde, crepald(z), *s.* 5337, 11491, toad.
crere, *see* croire.
crescance, *s.* 6892, growth.
crescer, *v. n.* 5572, 15638, grow, increase.
Creseide, 5255.
creste, *s.* 26660, (crown), consummation.
crestre, *see* croistre.
Cresus, 8462.
cretine, *s.* 5105, 20514, flood.
Creusa, T. viii. 2.
crever, *v. a.* 2923, tear out : *v. n.* 8335, burst.
crevice, *s.* 7832, crab.
cri, cry, *s.* 942, 8778, B. xx. 4, cry, ill-fame.
cribre, *s.* 17657, sieve.
crieis, crieys, *a.* 25287, B. xviii. 2, loud in crying.
criendre, (cremoir), *v. a.* 11550 ; 3 *s. p.* crient, 8746, T. ix. 1 ; 3 *pl.* cremont, 11032, criemont, 11006 ; *imp.* cremoit, 11016 ; *pp.* cremu, 4850 : fear.
crier, *v. n.* 1697, 4816, B. xviii. 2, cry, entreat : *v. a.* 334, 8877, proclaim, entreat for.
crime, *s.* 1108.
crimile, *s.* 9281, lace.
criour, *s.* 10412, clamourer.
Crisostomus, 6805, 14941.
Crist, 1911, 12306, 13581, 15475, 18192, 18796, 19901, 27945, 28461, 28559, 28712, 28825.
cristal(l), *s.* 1113, B. xlv. 1.
cristien(s), *a.* 18447 : *s.* 5364.
cristieneté, *s.* 12283.
cristin, *a.* 4486 : *s.* 2105 : Christian.
croire, crere, *v.* 459, 4474, B. xlvii. 3 ; 1 *s. p.* croi, croy, 3074, 8960, B. xxi. 2 ; 1

GLOSSARY AND INDEX OF PROPER NAMES 495

pl. creons, 22178; *imp.* creoit, creioiont, 12317; 2 *s. fut.* creras, 555; *imperat.* croie(t)z, 459, B. ii. 1; *pres. part.* creant, 13040.
crois, croix, *s.* 2453, 4467, cross.
croistre, crestre, *v. n.* 4542, 18647, B. xxvi. 3, grow.
cronique, *s.* T. ix. 1.
crouste, *s.* 20892, crust.
crualté, *s.* 3800.
crucifier, *v. a.* 18225.
crucifix, *a.* 4471, crucified.
cruel, *a.* 1104, B. xxx. 3, crueux, 5018.
cruse, *s.* 15461.
crusequin, crusekin, *s.* 19504, 26121.
cry, *see* cri.
cue, *see* coue.
cuer(s), *see* coer(s).
cuidance, *s.* 8830, belief.
cuill, *s.* 8808, breech.
cuillette, *s.* 14482, store.
cuillir, *v. a.* 10742, gather.
cuisine, *see* cusine.
culpe, *s.* 7091, coulpe, 22188, fault.
culper, *v. a.* 7038, accuse.
culteal, *see* coutell.
cultefier, *v. a.* 18299, cultivate.
cultefiour, *s.* 5384, cultivator.
culvert, culvers, *a.* 6982, 7024, villainous.
Cupide, B. xxvii. 1, xl. 4, T. xv. 2.
curatour, *s.* 19476.
cure, *s.* 986, 10496, B. xii. 4, care, cure, design, charge (of a parish), parish.
curer, *v. n.* and *refl.* 5400, 9362, care, take account, take care: *v. n.* 10559, take care of, heal.
curée, curet, curiet, *s.* 12148, 18620, 20363, parish priest.
curial, *a.* 20286, of the court.
curie, *s.* 7949, cookery.
curious, *a.* 1621, 7349, careful, inquisitive.
curiousement, *adv.* 10228.
curio(u)sité, *s.* 1611, 11703, 14658.
curroie, *see* courroie.
currour, *s.* 3409, 14365, courier, runner.
curtais, curtois, &c., *see* courtois, &c.
cusine, cuisine, quisine, *s.* 7825, 15020, 26296.
custer, *see* couster.
custummer(s), *see* coustummer(s).
Cusy, 23191, Hushai.
cutel, *see* coutell.
cy, *see* ci.
cynk, *see* cink.

D

daiamand, daiamant, *see* diamand.
Daire, 13000 f.
damage, *see* dammage.
Damas, 22011.
dame, *s.* 84, B. i. 4.
dameldée, *see* dampnedée.
dam(m)age, *s.* 540, 3242, B. xix. 3.
dam(m)ager, *v. a.* 3311, 24901, injure.
dam(m)oiselle, *s.* 1059, 9338.
dampnable, *a.* 3673.
dampnacioun, *s.* 1536.
dampnedée, *s.* 4894, dameldée, 18977, the Lord God.
dampner, *v. a.* 4929, condemn.
dancer, dauncer, *v. n.* 1697, 17610.
danger, *s.* 2305, 2963, 26481, B. xii. 1, xxvi. 4: *see* Notes.
dangerous, *a.* B. xi. 4, unwilling (to love).
Daniel, 10243, 15711, 17989, 27049.
danter, *v. a.* 2102, B. xix. 1, tame.
danture, *s.* 9446, taming.
danz, dans, *s.* 4168, 10273, T. vii. 1, (danz Socrates, danz Tullius, &c.), master.
darrein, darrain, derrain, *a.* and *s.*; au darrein, 184; au darrain, 2773; a son derrain, 6347: at last.
darreinement, *adv.* 346, 2715(?), last, at last.
dart, *s.* 3544, B. xxvii. 1.
Dathan, *see* Dithan.
dauncer, *see* dancer.
David, Davy, 1325, 1867, 2178, 2191, 2553, 2761, 2983, 3133, 3248, 3388, 3543, 3613, 3625, 4901, 6498, 6988, 10232, 10239, 11125, 11536, 11898, 12005, 12355, 12673, 12689, 12877, 12976, 12991, 13667, 13852, 14017, 14439, 15679, 15985, 16753, 16809, 17609, 17873, 18291, 22819 ff., 23082, 23871, 27082, 27802, 28092, T. xiv. 1, (quoted also as 'ly prophete,' &c.).
de, *prep.* 6, D. i. 2; de les, 67, B. xlix. 3: 3007, &c., by reason of; 4123, 4142, than: *cp.* del, des, du.
deable(s), deble(s), *s.* 136, 217, 950, diable, C., 528 (R), devil.
deable, *a.* 1147, feeble.
deablerie, deblerie, *s.* 703, 6868, 9648, devils (collectively).
deablesce, deblesce, *s. f.* 9497, 13416.
deablie, *a.* 15167, devilish.
deacne, *s.* 20021, deacon.

GLOSSARY AND INDEX OF PROPER NAMES

dean, *s.* 20092.
debat, *s.* 18943, dispute.
debatement, *s.* 24283, dispute.
debatre, *v. n.* and *refl.* 2244, 26557, contend, dispute: *v. a.* 16279, compel.
deblerie, *see* deablerie.
deblesce, *see* deablesce.
deblet, *s.* 1179, 5197, devil.
debon(n)aire, debonnere, *a.* 957, 3530, 23065, B. iv.* 1, gentle, kind, sweet.
debon(n)aireté, *s.* 13452 (R), 13455, good humour.
debouter, *v. a.*, 3 *s. p.* debout, 10389, deboute, 3092, 11251, cast down, reject.
debriser, *v. a.* 1854, 4662, debruser, 3933: *v. n.* 29009: break, break up.
debte, *see* dette.
deça, *prep.* 23252, on this side of.
deceipte, *s.* 18, deceite, 6304.
dece(i)vable, *a.* 1791, 9968, deceptive, deceitful.
deceivant, desceivant, *a.* 7692, 25025.
deceivement, *s.* 3556, deception.
decent, decente, *see* descendre, descente.
decert, decerte, *see* deservir, deserte.
deces(s), *s.* 199, 2413, departure.
decevable, *see* deceivable.
decevance, *s.* 6554, deceit.
decevant, *s.* 495, deceiver.
decevoir, *v. a.* 311, 6552, 6624, B. xlii. 1; 3 *s. fut.* de(s)ceivera, 9318, 24845; *pp.* deçuz, B. xvi. 2, de(s)ceu, 24569, T. vii. 3.
decevoir, *s.* 20207, B. v. 3, deceit.
declaracioun, *s.* 17625.
declin, *s.* 3438, fall: en declin, 3169, downwards; mettre en declin, 18310, defeat, neglect.
declinement, *s.* 25811, ruin.
decliner, *v. n.* and *refl.* 662, 12466, fall away, turn away: *v. a.* 20480, bring down.
decoccion, *s.* T. xii. 3.
decoste, *prep.* 3630, beside.
decouper, *v. a.* 3104, cut off.
decré(e), decré(z), decret, *s.* 2191, 3382, 20225, rule, law, writing.
decretal, *s.* 20291.
dedeignous, *a.* 12465, disdainful.
dedeinz, dedeins, *adv.* and *prep.* 159, 1567, 7178, B. vi. 1, within.
dedier, *v. a.* 7203, dedicate.
deduyt, *s.* 388, delight.
dée (1), *s. see* dieu.
dée (2), *s.* 5785, 14306, B. xlii. 1, die, *pl.* dice.

deesce, *see* duesse.
defaillir, *v. n.* 561, 16716, fail.
defalte, defaute, *s.* 6341, 13206, B. xxviii. 2, lack, fault.
defence, defens(e), *s.* 9059, 9305, 9808, defence, prohibition.
defencioun, *s.* 4051, prohibition.
defendant, *s.* 6218, defender.
defendement, *s.* 14994, defence.
defendre, *v. a.* 1035, B. xviii. 1; 3 *s. p.* defent, 2145; 3 *s. pret.* def(f)endi, 117, 6986: defend, prevent, forbid.
defens, *see* defence.
defensable, *a.* 4234, 4815, strong, capable.
deferer, *v. a.*, 3 *s. p.* deferre, 5680, put off.
deffendi, *see* defendre.
deffier, *see* desfier.
definement, *s.* 5648, end.
definer, *v. n.* 20483, end.
deflorir, *v. a.* 7820.
defouler, *see* desfouler.
deglouter, *v. a.* 7763, swallow.
degouter, *v. n.* 7059, 12332, trickle away, flow.
degré, *s.* 218, 493, 648, 27673, degree, place, means, manner, step.
deg(u)aster, desg(u)aster, *v. a.* 8464, 8532, 9523, 21713, T. xvii. 3, waste, spoil.
deguerpir, *v. a.* 6356, abandon.
dehors, *adv.* 1100, outwardly.
Deianire, B. xliii. 1, T. vii. 1.
deigner, *v. n.* 9562, B. xii. 2, xix. 2: *impers.* q'il vous deigne, B. xxxiii. 3.
deinz, *prep.* 82, T. viii. 3, in.
deinzeine, *s.* 14026, inner parts.
deité, *s.* 2411.
del,=de le, de l', 972, B. xi. 3, T. viii. 2.
de la, *prep.* 23713, on the other side of.
delacioun, *s.* 2245, 9866, accusation; 10240, delay: *cp.* dilacioun.
delaiement, *see* deslaiement.
Delbora, 17486.
delectacioun, *s.* 694.
deli, *a.* 25405, delicate.
delicacie, *s.* 7797.
delicat, *a.* and *s.* 7837, 7891: *adv.* 5320.
delicatement, *adv.* 8005.
delice, *s.* 656, 7793, delight, delicacy.
delicial, *a.* 8478.
deliement, *adv.* 3557, delightfully.
delit(z), *s.* 456, B. xxvi. 3.
delitable, *a.* 981, 4496.
delitance, *s.* 17422, delight.

GLOSSARY AND INDEX OF PROPER NAMES 497

delitement, *s.* 8631.
deliter, *v. a.* and *refl.* 27, 617, T. ix. 1:
 v. n. 21747.
deliverance, *s.* 9864.
delivrement, *s.* 10654.
delivrer, *v. a.* 2955, 6472, **deliverer,**
 4832, deliver, give away.
demaine, *see* demeine.
demander, *v. a.* 441 : *v. n.* 2225.
demein, demain, *s.* 5433, 9838, 20079,
 morning, the morrow : *adv.* 20126.
demeine, *v. see* demener.
demeine, demaine, demesne, *s.* 767,
 1606, 16043, possession, power.
demeine, *a.* 12180, 17568, 27983, own.
demener, desmener, *v. a.* 444, 5038,
 7818, 28147 ; 3 *s. p.* demeine, B. vii. 2,
 desmeine, 10541 : carry on, experience,
 display : se demener, 8787, behave.
Demephon, B. xliii. 1.
demesure, desmesure, *s.* 1165, 1950,
 11792, excess.
demeure, demure, *s.* 159, 937, delay,
 dwelling.
demi, *see* demy.
demise, *s.* 591, intermission.
demonstracioun, *s.* 18826.
demonstrance, *see* demoustrance.
demostrer, *see* demoustrer.
demourer, demorrer, demorir, *v. n.*
 187, 13377, B. ix. 5 ; 3 *s. p.* demoert,
 3834, demure, 3752 ; 3 *s. fut.* de-
 mo(u)rra, 8901, 8891 : remain, dwell,
 delay.
demoustrance, demonstrance, *s.* 4238,
 12435.
demo(u)strer, *v. a.* 1082, T. vi. 1.
demure, *see* demeure, demourer.
demy, demi, *a.* and *adv.* 255, 5147, B.
 xxviii. 1 ; au demy, 4315, by half.
denier, *s.* 1936, penny ; *pl.* deniers, 7236,
 money.
dent, *s.* 2644.
denyer, *v. a.* 16326, reject.
Denys, (Saint), 3785.
depar, *prep.* 415, B. viii. 3, from, by
 authority of.
departement, *s.* 4091, parting.
departie, *s.* 6876, 7269, B. iv. 4, parting,
 ending.
departir, *v. a., refl.* and *n.* 110, 699, 2939,
 7390, 17369, B. iii. 3, depart, part,
 divide, remove.
dependre, *v. n.* 7780, hang : *v. a.* 29113,
 take down.
deperir, *v.n.*, 3*s.p.* depiert, 17734, perish.

depos, *s.* 4591, charge.
deposer, *v. a.* 11261, 17884, lay aside,
 lay low.
deproier, *v. a.* 5050, prey upon.
depuis, depuiss, *adv.* B. xxvi. 3, T.
 vi. 2.
depuisque, *conj.* 1288, 8997, since.
deputaire, *a.* 12045, 13210, bad, wicked.
derere, *prep.* 1181, behind : *adv.* 891, B.
 xvi. 3; par derere, a derere, 3211, 3451.
derere, *s.* 355, loss, ruin.
derisio(u)n, desrisioun, *s.* 1635, 1681,
 12029.
derisour, *s.* 1651.
derrain, *see* darrein.
derresner, *v. a.* 22339, prove, (? dis-
 prove).
derrour, *adv.* B. xlii. 3 : *cp.* derere.
des, dez, = de les, 75, D. i. 2 ; = de, 7177 ;
 (des les), *used before* tous, tiels, ceaux,
 62, B. iv.* 3, vi. 4, xxv. 2 : *see* de, del.
desacrer, *v. a.* 7199, make unholy.
desaese, desease, desaise, disaise, *s.*
 4087, 15682, 17300, 19320, B. xx. 1,
 trouble, torment.
desallouance, *s.* 20183.
desallouer, *v. a.* 25906, blame.
desamiable, *a.* 9647, unlovely.
desarraier, *v. a.* 23733, throw into con-
 fusion.
desavancer, *v. a.* 1641, 3620, 6933, B.
 xiii. 3, disparage, diminish, injure.
desbarater, *v. a.* 13829, bring down.
desceivant, desceivera, *see* decevoir.
descencioun, *s.* 4054, intermission.
descendre, *v. n.* 312, T. x. 1 ; 3 *s. p.*
 decent, 1278 : *v. a.* 13144.
descense, *s.* 15618, fall, descent.
descente, decente, *s.* 1441, 3108.
desceu, *see* decevoir.
descharger, *v. a.* 8657, set free.
descharitant, *a.* 7685, opposed to charity.
descheable, *a.* 3756, 9585, apt to fall,
 falling : faire descheable, bring to ruin.
descheïr, *v. n.*, 3 *s. p.* deschiet, 1483 ;
 subj. deschiece, 10553 ; 2 *s. fut.* des-
 cherras, 3683 : fall down.
desciple, *see* disciple.
desclos, *a.* 4595, 21724, revealed, open.
descloser, *v. a.* 6398, B. xxxvii. 3, open,
 reveal.
descoler, *v. a.* remove (as from school),
 20233.
descoloré, *a.* 869.
desconfire, *v. a.* 2478, defeat, discomfit.
desconfiture, *s.* 14292.

K k

desconfort, *s.* 5339.
desconfortement, *s.* 29129.
desconforter, *v. refl.* and *n.* 5447, 14443, 24875, come to sorrow, come to ruin.
desconoiscance, desconuscance, *s.* 6084, 8236.
descontenir, *v. n.* 17831, cease to be continent: *v. a.* 25427, cease to hold.
desconu(s), *a.* 1776, unknown.
desconvenue, *s.* 87, evil.
descord, discord, discort, *s.* 3890, 10391, 22966; *pl.* descors, 2770.
descordable, *a.* 14315, out of harmony.
descordant, *a.* 7684.
descordement, *s.* 3991.
descorder, discorder, *v. a.* 2729, put out of harmony: *v. n.* and *refl.* 7577, 9886, T. iv. 1, be at variance.
descordour, *a.* 10414, out of harmony.
descoronner, *v. a.* 1511, discrown.
descoucher, *v. n.* and *refl.* 5181, 5237, get out of bed.
descovenable, *a.* 3681, unseemly.
descov(e)rir, *v. a.* 12017, 13643, B. ix. 3; *pp.* descouvert, 20753: disclose, uncover.
a (au) descovert, *adv.* 1687, 7029, openly.
descrescance, *s.* 6893, diminution.
descrescer, *v. n.* 17726, B. xx. 1, decrease.
descres(s), descrois, *s.* 6376, 25268, loss, decrease.
descrestre, descroistre, *v. n.* and *refl.* 22217, T. xvii. 1, diminish.
descripcioun, discripcioun, *s.* 2472 (R), 3696 (R).
descrire, *v. a.* 1317, B. xxvi. 3; *pp.* descript, 269, descrit, 2504: describe: *v. n.* 13381, write.
descrois, *see* descress.
descroiscant, *a.* T. xvii. 3, waning.
descroistre, *see* descrestre.
desdeign, desdaign, desdein, *s.* 1319, 2155, 8374, B. xlviii. 3.
desdeigner, *v. a.* and *n.* 2325, B. xii. 1, disdain: *refl.* 2269, B. xiv. 2, feel disdain, feel indignation.
desdetter, *v. a.* 5630, free from debt.
desdire, *v. a.* 2085, 5121, T. v. 1, refuse, forbid, disown.
desease, *see* desaese.
desert, *s.* 1284, 4125, T. vii. 1.
desert, *a.* 317, 2333, 10196, left alone, abandoned, lonely, desert.
deserte, decerte, *s.* 2709, 3174, 10195, merit, desert, service.
deserter, *v. a.* 5013, lay waste.

deservir, *v. a.* 1530, 6135, B. xvii. 1; 3 *s. p.* decert, 17876: deserve, earn.
desesperance, *s.* 2100, 5761, B. xiii. 3.
desesperé, *a.* 5750, despairing.
(desesperer), *v. n.*, 3 *s. p.* desespoire, 5340.
desespoir, *s.* 5760.
desfacer, *v. a.* B. xxxii. 3.
desfaire, desfere, *v. a.* 88, 4467; *pp.* desfais, (*pl*) desfaitz, 3014, 3024: ruin, defeat, destroy: *refl.* 14345, be defeated.
desfamacioun, diffamacioun, *s.* 2877, 3797.
desfamant, *a.* 3219.
desfame, *s.* 2906, 12860, defamation, evil report.
desfamer, *v. a.* 2685, 8301, disfamer, diffamer, 2909, 23999.
desfamer, *s.* 4292, defamation.
desfermer, *v. a.* 2341, open.
desfier, deffier, *v. a.* 3045, 5746, 6227, defy, distrust, abhor: *v. n.* 2072, rebel.
desfiguré, disfiguré, *a.* 3772, 8194.
desfigurer, disfigurer, *v. a.* 18835, 20997, 27132, disfigure, debase.
desflo(u)rir, *v. a.* 5681, 8676, deflorir, 16932.
desformer, *v. a.* 3769, disfigure.
desfortuner, *v. a.* 22032, deprive of fortune.
desfouir, *v. a.* 4205, dig up.
de(s)fouler, *v. a.* 11423, 19362, oppress, outrage.
desfuissonner, *v. n.* 8933, decrease.
desgarni, *a.* 5272, 8107, unprepared, unprovided.
desgeter, *v. a.* 8384, cast away.
desgloser, *v. a.* 7484, remove the comment.
desg(u)ager, *v. a.* 7044, release: *refl.* 9787, perform one's promise.
desg(u)aster, *see* deg(u)aster.
desguiser, *v. a.* 1537, 27339.
deshait, *s.* 2696, trouble.
deshaité, *a.* 14066, depressed, vexed.
desherberger, *v. a.* 6667, deprive of lodging.
desheriter, *v. a.* 5062, disinherit.
deshonester, *v. a.* 1354, deprive of honour.
deshon(n)este, *a.* 3526, 5066.
deshon(n)our, *s.* 8993, 11962.
deshonourer, *v. a.* 1578; 3 *s. p.* deshonure, 6681.
deshosteller, *v.* 8380, dislodge.
desir, *s.* 44, B. iii. 1, desire, 5474.
desirant, *a.* 2, desirous.
desirer, *v.* 786, B. vi. 1, ix. 1.
desirer, *s.* 27332, B. viii. 1, desire.
desirrous, *a.* 3969, desirous.

GLOSSARY AND INDEX OF PROPER NAMES 499

desjoindre, desjoigner, *v. a.* 19373, 29012.
desjoint, *a.* 10830, separated.
desjoint, *s.* 11865, difficulty.
se desjoyer, *v.* 12940, grieve.
se desjuner, *v.* 16247, break one's fast.
deslai, deslay, *s.* 24934, T. x. 2.
deslaiement, deslayement, *s.* 5702, 24211, delay, adjournment.
deslaier, *v. a.* B. xxvii. 2, xxxvii. 3, put off.
deslié, *a.* 8635.
deslier, *see* desloier.
desloial(s), desloyal(s), desloiauls, *s.* 8, 70, 2852.
desloier, deslier, *v. a.* 8944, 12338, unbind, loose.
desloyalté, *s.* 22979.
desloyer, *v. a.* 24239, turn into unlawfulness.
desmembrer, *v. a.* 2926, 6435.
desmener, *see* demener.
se desmenter, *v.* 3098, 13908, lament, be disturbed.
desmesurable, *a.* 5088, unmeasured.
desmesure, *see* demesure.
de(s)mesuré, *a.* 1345, 1910, 3821, violent, excessive.
desmettre, *v. a.*, 3 *s. p.* desmette, 5815.
desmonter, *v. a.* 1512, 11926 : *v. n.* 18802.
desmuré(e), *a.* 3926, unwalled.
desnatural, desnaturel, *a.* 3758, 6686, unnatural.
desnaturé, *a.* 24141, unnatural.
desnaturelement, *adv.* 5048.
desnaturer, *v. n.* and *refl.* 6673, 7958, 8711, become unnatural.
desnuer, *v. a.* 1102, 2969, unveil.
desobeïr, *v. n.* 2035: se desobeiera, 8036.
desobeïr, *s.* 12178, disobedience.
desobeis(s)ance, *s.* 2053, 2089.
desobeissant, *a.* 2042.
desolat, *a.* 5328.
desordener, desordiner, *v. a.* 2110, 20051 ; 3 *s. p.* desordeigne, 2317: disturb.
desore, *adv.* 27326, B. xliii. 1, henceforth.
despaiser, *v. a.* 2772, disturb.
desparacioun, *s.* 5748, despair.
desparage, *s.* 824, degradation.
desparager, *v. a.* 1651, 3020, 4013, lower, degrade, despise.
desparaill, *a.* 27848, unequal.
desparigal, *s.* 1972, disparagement.
despendant, *s.* 7535; *f.* despendante, 10139 : spender, spendthrift.
despendre, *v. a.* 1206 ; 2. *s. imper.* despen, 15941.
despense, *s.* 1172, 1399, despens, 7895, expense, profit.

despenser, dispenser, *v. a.* and *n.* 1171, 1400, 7487, 14473, manage, arrange, dispense, make payment.
despenser, *s.* 7486, distributer.
despersonner, *v. a.* 12743, degrade.
despire, *v. a.* 1135, 2188, 2757, B. xxvi. 4, hate, despise, vilify.
despiser, *v. a.* 1142, 4099, scorn, contemn, abuse.
despisour, *s.* 2231, despiser.
despit, *s.* 124, 446, B. xxv. 4, hatred, spite, contempt.
despit, depit, *a.* 9203f., miserable, hateful.
despitous, *a.* 2182, contemptuous.
desplaier, *see* desploier.
desplaire, *v. n.* 572, displaire, 13464 ; 3 *s. p. subj.* desplace, 29761, desplese, B. xxviii. 3.
desplaisir, *s.* 17445.
desploier, desplier, *v. a.* 7575, 9328, 11921, T. xviii. 3, desplaier, B. xxvii. 2, unfold, open, display.
despoiler, *see* despuiller.
desport, *s.* 219, B. v. 3, sport, entertainment ; 389, 2446, mercy.
desporter, *v. a.* 262, D. ii. 4, B. xxxiii. 4, entertain : *v. n.* and *a.* 2881, 2892, 4101, spare.
desposer, *see* disposer.
despourveu, *a.* 11066, helpless.
despriser, *v. a.* 2171, disparage, dispraise.
desprisonner, *v. a.* 5699, set free.
desprofiter, *v. n.* 2759, be hurtful : *refl.* 10966, go to ruin.
desprover, *v. a.* 13252, disprove.
despuil(l)er, despoiler, *v. a.* 165, 3607, 4845, B. vii. 3, strip, despoil, carry off.
desputer, disputer, *v. n.* 3835, 26739, B. xxiv. 3.
se desquasser, *v.* 15644, be stirred strongly.
desraciner, *v. a.* 8201, uproot.
desrainer, *v. a.* 16373, defend.
desresonnal, *a.* 7597, unreasoning.
desresonner, *v. a.* 696, deprive of reason : *v. n.* and *refl.* 12739, 27170, act foolishly.
desreuler, *v. a.* 21461, throw into disorder.
desricher, *v. a.* 7677, deprive of riches.
desrire, *v. n.* 1654 (de), laugh at.
desris, *s.* 1655, derision.
desrisioun, *see* derisioun.
desrob(b)er, *v. a.* 6994, 14170, 26147, rob, steal.
se desroier, *v.* 1921, 10905, go astray, be disordered.

(desrompre), *v. a.*, 3 *s. p.* desrout, 8098, burst asunder.
desroy, desroi, *s.* 844, 3800, 28860, disorder, tumult, (rebellious) power.
dess, *s.* 8477, table: *cp.* dois.
dessaisoner, *v. a.* 27180, put out of harmony.
dessassenter, *v. n.* 13173, disagree.
dessemblable, *a.* 17393, unlike.
desserrer, *v. a.* 553, unlock.
dessoubtz, dessoutz, *adv.* and *prep.* 91, B. xix. 1, below, under.
dessuer, *v. a.* 16178, wipe clean (properly of perspiration).
dessur, desur, *prep.* 130, 3041, 5016, upon, above.
dessure, desseure, a dessure, *adv.* 163, 945, 2430, B. xiii. 3, above, before, on high: *cp.* dessus.
dessus, au dessus, *adv.* 1907, 4033, B. xvi. 2, xxxix. 1, above, up, on high: a son dessus, 25350, at its highest point.
destabler, *v. a.* 6920, remove (from stable).
destager, *v. a.* 13520, disturb: *v. n.* and *refl.* 11638, 11964, be disturbed, be removed, go aside.
destalenter, *v.* 6610, dislike.
destance, distance, *s.* 2139, 4957, B. xiii. 1, offence, dispute, disagreement.
se destenter, *v.* 4288, 13738, issue forth, remove oneself.
destenter, *s.* 4291, coming forth.
destiné(e), *s.* 1507, B. v. 3, fate.
destiner, *v. a.* 1999, 16006, appoint, mark out.
destitut, *a.* 19929, C., deserted.
destour, *s.* 2772, 20164, disturbance, trouble.
destourbance, *s.* 18704.
destourbeisoun, *s.* 6359, trouble.
desto(u)rber, *v. a.* 2727, B. xxv. 1, disturb, trouble.
destourber, *s.* 4703, trouble.
destourdre, *v. a.* and *n.* 9944, 20268.
desto(u)rner, *v. a.* and *n.* 1485, 2061, turn aside.
destre, *a.* 859, B. xxiii. 1: *s.* 15766.
destreindre, *v. a.* 3672, distress.
destreinte, *s.* 29108, distress.
destrer, *s.* 1783, war-horse.
destresce, destress(e), distresce, *s.* 4119, 9496, 14386, 15795, 21532, B. vi. 4, distress, necessity: par destresce, 5549, by force.
destroit, *s.* 1178, 20111, B. xliii. 3, strait, difficulty, trouble.

destroit, *a.* 3060; *pl.* destrois, 3802: oppressed, tormented.
destruccioun, *s.* 3982.
destruire, destrure, *v. a.* 1173, T. x. 3; *fut.* destruiera, 1628.
desveier, *see* desvoier.
desvés, *s.* 5793, madman.
desvestir, *v. a.* 11383.
desvier, *v. n.* 26873, cease to live.
desvoier, desveier, *v. a.* 2819, 5455, turn away, forbid: *v. n.* and *refl.* 14377, 17744, go out of the way, go astray.
desvoluper, *v. a.* 20753, disencumber.
detenir, *v. a.* 6911.
detenir, *s.* 28533, delay.
determiner, *v. n.* 29711, B. vi. 2, decide, end.
detirer, *v. a.* 15251, 19980, draw away, disturb.
detraccio(u)n, *s.* 2619, 2656.
detractour, *s.* 2644, slanderer.
detrahir, *v. a.* and *n.* 2647, 2667, speak evil of, speak evil.
detrahir, *s.* 2649, detraction.
detrencher, *v. a.* 26397, cut off.
detrier, *v. refl.* 12576, trouble (oneself).
dette, debte, *s.* 5629, 6980, debt.
dettour, *s.* 7248.
deutronomii, 8050, 8590, 12162, of Deuteronomy.
deux, deus, *num.* 226, B. ix. 2, xxvii. 4, duy, dui, 97, 7889.
devant, par devant, *prep.* 1748, B. xii. 2, before, in presence of: *adv.* 248, 739, B. xvi. 3, in front, before, formerly: au devant, B. xxxii. 2, cy devant, 14577.
devant, *s.* 3905, advantage.
devenir, *v. n.* 48, B. xlvi. 3; 3 *s. pret.* devint, devient, 1054, 8585: come, become.
deverie, *s.* 4824, madness.
devers, *prep.* 66, T. vi. 3, towards, near.
devine, *see* divin.
devis, devys, divis, *s.* 83, 232, 1220, B. ix. 6, device, design, opinion, manner.
devise, *see* divis(e).
deviser, diviser, *v. a.* and *n.* 238, 286, 1714, 4159, B. xxxi. 2, divide, speak, tell, describe, compare, arrange, contrive.
deviser, *s.* 29526, division.
devisioun, *see* divisioun.
devocioun, *s.* 3093, 10180.
devoir, *v. n.* 36, 588, B. v. 2; 1 *s. p.* doie, 588, B. iii. 4, doy, doi, 9955, B. iv. 2; 2 *s.* deis, 13230; 2 *pl.* devetz, 1021; 3 *s. pret.* dust, 2018; 3 *s. pret. subj.* duist,

GLOSSARY AND INDEX OF PROPER NAMES 501

3071, 4942, deust 9491; 3 *pl.* duissont, 2142, deussent, 26511; *fut.* devera, B. v. 2; *cond.* deveroient, 9228.
devoir, *s.* 5673, 9441, B. xli. 2, duty affair.
devolt, devoltement, *see* devout, &c.
devorour, *s.* 6921.
devo(u)rer, *v. a.* 1859, 6259, T. xii. 3; *fut.* devo(u)ra, 6370, 8568.
devout(e), devolt, *a.* 5628, 10382, 18153.
devoutement, devoltement, *adv.* 1074, 8258.
devys, *see* devis.
dez, *see* des.
diable, *see* deable.
dial, *s.* 4544.
diamant, dyamant, *s.* 12464, B. xviii. 4, daiamand, daiamant, 18343, B. xxxviii. 1.
Dido, B. xliii. 1.
diete, dyete, *s.* 3156, 11128, 16228, lodging, food, moderation in food, regimen.
dieu(s), dieux, *s.* 52, 61, 81, D. i. 1, B. xi. 2, diée, 7112, dée, 8192.
dieuesce, *see* duesse.
dieurté, *see* dureté.
diffamacioun, *see* desfamacioun.
diffamer, *see* desfamer.
difference, *s.* 23973.
diffinaille, *s.* 15273, end.
diffinement, *s.* 20, end.
dif(f)iner, *v.* 2630, 5101, describe, make clear.
diffus, *a.* 15468, spread abroad.
digester, *v. a.* 8338.
digestier, *s.* 8596, digestion.
digne, *a.* 1386, B. xlvii. 1, worthy.
digneté, dignité, *s.* 1169, 19322.
dilacioun, *s.* 16820, delay: *cp.* delacioun.
dileccioun, *s.* 13528, love.
diligent, *a.* 23332.
diluge, *s.* 8198.
dimise, *s.* 4568, remission.
Diomedes, B. xx. 3.
Dionis, 14761, Dionysius.
dire, *v.* 12, B. ix. 1; 1 *s. p.* di, dy, 584, 820, B. ii. 2, die, 10149 (*subj.?*), dis, 5533, B. ix. 6; 3 *s.* dit, 1300, B. xxiv. 3, dist, 1334, B. xxiii. 3; 3 *pl.* diont, 17141, B. xxxi. 3; 2 *s. pret.* ditz, 29656; 3 *s.* dist, 376, 401 (*subj.*); 3 *pl.* distront, 11959; 3 *s. p. subj.* die, 1420, B. xiv. 3; *fut.* dirray, dirrai, 12, B. x. 1; *imperat.* dy, di, 1600, 2590.
direct, *a.* B. ix. 6, addressed.
dis, diss, dix, *num.* 910, 6126, 26284.

dis, *see* toutdis.
disaise, *see* desaese.
disciple, desciple, *s.* 3265, 6722.
discipline, *s.* 665, 2000, 11676, B. xxi. 1, discipline, doctrine, kind.
discipliner, *v. a.* 9011.
disconfiture, *s.* 2435.
discorder, *see* descorder.
discordial, *a.* 4543, of discord.
discort, discord, *see* descord.
discrecioun, *s.* 8225, 11562 ff.
discret, *a.* 11653, T. i. 1.
discretement, *adv.* 22886.
discripcioun, *see* descripcioun.
disfame, *see* desfame.
disfamer, *see* desfamer.
disfigurer, &c., *see* desfigurer, &c.
disme, *a.* 28083, C., tenth.
disme, *s.* 7158, 20213, tithe.
disner, *s.* 7912, 8458.
dispensacio(u)n, *s.* 7365, 21283.
dispenser, *see* despenser.
displaire, *see* desplaire.
displaisance, *s.* 17693.
disposer, desposer, *v. a.* 6405, 11260, plan, dispose: **se disposer de,** 15926, dispose of.
disputeisoun, *s.* 2972, argument.
disputer, *see* desputer.
diss, *see* dis.
dissaisir, *v. a.* 20981, dispossess.
dissemblant, *a.* 13166, unlike.
dissencioun, *s.* 3061.
dissimulacioun, *s.* 3658.
dissipacioun, *s.* 18123.
dissipat, *a.* 6882, dispersed.
dissolucioun, *s.* T. v. 3.
dissolver, *v. a.* 25650.
dissonne, *s.* 15427, discord.
distance, *see* destance.
distresce, *see* destresce.
dit, *s., pl.* dis, ditz, 459, 1297, D. i. 3, B. xxiii. 4, speech, saying, poem.
ditée, *s.* 14, poem.
Dithan, Dathan, 2343, 27077, Dathan.
divers, diverse, *a.* 1002, 3157, 3912, B. xlvii. 3, different, various, perverse.
diversant, *a.* 10615, different.
diversement, *adv.* 7049, 8798, B. vi., *margin*, differently, variously, widely.
diverser, *v. a.* 10116, change: *refl.* and *n.* 4081, 7986, 9880, be different, offend.
diverseté, *s.* 25177.
divider, *v. a.* 25182; **se divider,** C.
divin, divine, *a.* 56, B. xxxi. 2, devine, B. xxi. 2.

divin, *s.* 7938, 8269, 12699, god, divinity, divine word, prophecy.
divinaille, *s.* 1475, prophecy.
diviner, *v. n.* and *a.* 5189, 6513, prophesy, foresee.
divinere, *s.* 28161, diviner.
divinité, *s.* 28019.
divis, *see* **devis.**
divise, *s.* 15734, description: *cp.* **devis.**
divis(e), devise, *a.* 595, 1034, 5089, divided.
diviser, *see* **deviser.**
divisioun, devisioun, *s.* 10500, 11872.
dix, *see* **dis.**
doaire, *s.* 574, 953, dowry, estate, dominion.
doctour(s), *s.* 10411.
doctrinal(s), *a.* 26890, apt to teach.
doctrinal, *s.* 3167, teaching.
doctrine, *s.* 669.
doctriner, *v. a.* 212, instruct.
doel, *s.* 1343, grief.
doer, *v. a.* 1979, endow.
doi, doy, *s.* 7100, 8781, finger.
dois, *s.* 7380, table, place: cp. **dess.**
dolçour, *see* **doulçour.**
dolent, dolens, *a.* 521, 17818, D. i. 1.
doloir, *v. n., refl.* and *impers.* 3700, B. v. 2; 3 *s. p.* **dolt,** 3177, **doelt,** 12951; *pret.* 3 *s.* **dolt,** 724; 3 *pl.* **doleront,** 12033: be in pain, suffer grief, give pain (to).
doloir, *s.* 11489, suffering.
dolour, *s.* 30, B. ii. 1 ff.
dolourous, *a.* 6944, **dolerous,** 14537.
domest(e), *a.* 977, 8527, tame, familiar.
Dominic, 21554.
don, *see* **doun.**
dongon, *s.* 7052.
don(n)er, *v. a.* 328, 486, B. iv. 2; 1 *s. p.* **douns,** 12098; 3 *s. p. subj.* **doignt,** 5477, D. ii. 5, B. xxiv. 1, **doint,** 9718, **doigne,** 1964, **donne,** 2163; *fut.* **dorra,** 809, **dourray,** 12838; *cond.* 2 *s.* **dorroies,** 6615; 3 *s.* **dourroit,** 11223.
donner, *s.* 3295, gift.
donnoier, *v. n.* 1922, make love.
donque, *adv.* 12551, therefore.
dont, *rel. pron.* and *conj.* 3, 1039, D. i. 2, B. xi. 2; **dont que,** 1779: of which, whence, whereupon, wherefore; **si . . . dont, tant . . . dont,** 219 f., 1051 f., &c., so (so much) . . . that: *interrog. adv.* 11427, whence.
dormant, *s.* 4869, sleep; 8189, sleeper.
dormir, *v. n.* 900, 2888.
dorré, *a.* 1118, gilded.
dortour, *s.* 5314, 21434, dormitory.

dos, doss, *s.* 1365, 2120.
double, *a.* 1028, B. xlv. 3.
doublement, *adv.* 3468.
doubler, *v. a.* and *n.* 1716, 3165, 6463.
doubtance, *s.* 8069, B. iv. 4, fear, doubt.
doubte, doute, *s.* 1341, 2112, 4678, T. v. 3, fear, doubt.
doubter, *v. a., n.* and *refl.* 442, 802, 1197, 6324, T. xiii. 1, fear, care, doubt.
doubtous, *a.* 27837, T. iv. 1, doubtful.
douche, *see* **douls.**
doulcement, *adv.* 3553.
doulcet, *a., f.* **doulcette,** 22155, sweet.
doulçour, dolçour, douçour, *s.* 507, 2583, B. iii. 1, iv. 2, sweetness.
douls, doulz, *f.* **doulce, douche,** *a.* 511, 1700, 9961, B. ii. 2, xii. 3.
doun, *s.* 1528, B. xvi. 2, **don,** 24772, gift.
dousze, *num.* 12246, twelve.
douszeine, *s.* 4061, dozen, twelve.
doute, *see* **doubte.**
doy, *see* **doi.**
dragme, *s.* 12927, drachma.
drago(u)n, *s.* 3733, 11491.
drap, *s.* 5717; *pl.* **draps, dras,** 5175, 6941.
drapell, drapeal, *s.* 23493, 28145, cloth.
draper, *s.* 25309, cloth-seller.
drescer, *v. a.* 2999, B. xliv. 3, set, direct, set in order.
droit, droitz, drois, *a.* 2001, 3419, 3561, B. iv. 1, right, just, true.
droit, *adv.* 411, 15202.
droit, *s.* 140, B. vii. 1; **a droit,** 3517: **en droit,** *see* **endroit.**
droitement, *adv.* 16451.
droiture, *s.* 22905, B. xlvi. 4, T. i. 2, right.
droiturer, *a.* 14437, upright.
droituriel, *a.* 17788, upright.
dru, *f.* **drue,** *s.* 4801, 8625, friend, lover, mistress.
druerie, *s.* 9293, 23903, love.
du, *prep.* = **de,** 97, 389, &c.; **du l',** 1149; **du quoi,** B. ii. 3; = **de le,** 27, B. i. 3; = **de la,** D. i. 1, B. xx. 3; = **des,** 4269: *cp.* **de, del.**
duc, *s.* 2237, T. xi. 3.
duement, *adv.* 1530, duly.
duesse, dieuesce, deesce, *s.* 940, 7408, 9504, B. xx. 4, goddess.
dueté, *s.* 1558, 5631, due right, duty.
dui, *see* **deux.**
dur, *see* **durr.**
durable, *a.* 14579, 15106, lasting, untiring.
durement, *adv.* 11092.

GLOSSARY AND INDEX OF PROPER NAMES 503

durer, *v. n.* 2122, 3891 ; 3 *s. fut.* dura, durra, 3909, 16200: *v. a.* 15918.
duresce, *s.* 15158.
dureté, *s.* 2396, durtee, B. xvii. 1, dieurté, B. xviii. 4.
dur(r), *a.* 2054, 4199, B. xiii. 1, hard.
duy, *see* deux.
dyademe, *s.* 18814.
dyamant, *see* diamant.
dyete, *see* diete.
dymenche, *s.* 18594.
Dyna, 16958.
Dyonis, 7101.

E

ease, *see* aese.
easer, *v. a.* 20308, make pleasant.
eauage, *a.* 4120, of water.
eaue, *s.* 2410.
eauerose, *s.* 5177, rose-water.
eaux, eux, eulx, *pron.* 874, 25952, B. xxxiv. 1.
Eccho, 1426.
eclips, *s.* 28753.
Ector, 5520, B. xliii. 2.
edifice, *s.* 21411.
edifier, edefier, *v. a.* 10349, 14669, build.
ées, *s.* 5437, 19345, bee.
eeu, *see* avoir.
Eeve, *see* Eve.
effect, *s.* 3332, 4721.
effeminer, *v.* 5507.
efforcier, *v. a.* 18516, supply.
s'effroier, *v.* 1782, 5790, s'esfroier, B. ix. 4, xxv. 4, be disturbed, be afraid : effroier, *v. n.* 9377, be disturbed.
effroy, effroi, *s.* 539, 852, T. xiii. 3, esfroy, 19386.
effus, *a.* 15465, poured out.
effusioun, *s.* 24142.
egal, *a.* 2109, egual, B. xiii. 1.
egalté, egalité, 14945, B. xvii. 2.
Egipcien, *s.* 1659, 12261, 12269.
Egipte, Egipt, 2407, 3671, 8046, 8586, 11199, 14528, 18231, 22321, 28278 ff., 29322, T. vi. 1.
Egistus, Egiste, T. ix. 2, 3.
eglips, *s.* B. xiii. 3, eclipse.
eglise, *s.* 2370, T. iii. 1 ff., esglise, C. and *v. l.* T. iii.
egual, *see* egal.
eiant, eie, *see* avoir.
eide, eyde, *see* aide.
einsi, *see* ensi.

einz, *adv. see* ainz.
einz, *prep.* 3162, within : *cp.* deinz.
einzgarde, *s.* 16593, (inner guard), stronghold (?).
eir, *see* air.
eisil, eysil, *s.* 4278, 28738, vinegar.
el, *pron.* 1989, 2102, 10559, it, him : *cp.* le.
el, = en le, 309, D. ii. 3 ; = en la, 2941 ; *also* en le, *e. g.* 3457.
elacioun, *s.* 695, 1673, dignity, haughtiness, pride.
elat, *a.* 2241.
ele, *pron. see* elle.
ele, *s.* 19004, B. viii. 1, wing.
eleccio(u)n, *s.* 16143, B. xxxv. 3, T. v. 1, choice.
electuaire, *s.* 7862, 13207, electuary.
eleëscer, *see* esleëscer.
element, *s.* 26625.
elephant, *s.* 8533 : *cp.* oliphant.
Eliphas, 11331.
elisetz, *see* eslire.
Elizabeth, 27953 ff.
elle, *pron.* 1205, B. v. 1, ele, T. viii. 3.
Elmeges, T. xi. 2.
eloquence, *s.* 10050.
Elye, 11155, Elijah.
embatre, *see* enbatre.
embler, *v. a.* 1168, T. xviii. 1, steal.
emblere, *a.* (*f.*), 7060, thievish.
embracer, *see* enbracier.
emendacioun, *s.* 5745.
emparler, *v. n.* 16634, speak.
empeinte, *see* enpeinte.
emperesse, *s.* 29462, B. xliv. 1, emperice, 14056.
emperial, *a.* 18559, D. i. 2.
emperial(s), *s.* 962, emperor.
emperice, *see* emperesse.
emperour, *s.* 1464, B. xxxv. 1, empereour, 23624, emperere, 17120 : *also* amperere.
empire, enpire, *s.* 1136, 7129, 24816, B. xx. 3, empire, kingdom, emperor.
empirer, *see* enpirer.
emplastre, enplastre, *s.* 14906 ff., plaster.
emplastrer, *v. a.* 13139, plaster.
emplir, empler, *v. a.* 987, 16244, T. ii. 1.
emploier, enploier, *v. a.* 8117, 10583, T. xviii. 3.
emprendre, *see* enprendre.
emprise, *see* enprise.
en, *prep.* 8, D. i. 1 ; de jour en jour, T. v. 1 : en voie, *see* envoie.
en, *pron.* 10, B. i. 3, ent, 5184, of it, of them, thence.

GLOSSARY AND INDEX OF PROPER NAMES

l'en, *pron.* 29, B. iv. 2 : *cp.* om.
enamourer, *v. n.* 16965, fall in love.
enamouré, *a.* 220.
enavant, *adv.* 6474, in future.
enbaraigner, *v. n.* 17914, grow barren.
enbastir, *v.* T. x. 3, contrive.
s'enbatre, s'embatre, *v.* 5707, 7034, enter.
enbellir, *v. a.* 29453, make beautiful.
enboer, *v. a.* 1228, defile with mud.
enboire, *v.* 3053, 9070, 28302, drink in, drink up : *pp.* enbu, 11299, imbued.
enbrac(i)er, embracer, *v. a.* 5241, 8104, B. i. 3, xxxii. 2.
enbreuderie, *s.* 17895.
enbroncher, *v. a.* 3911, cast down.
enbrouder, *v. a.* 873.
encager, *s.* 4112, caging.
enceinte, *a.* 11417, B. xlii. 3, T. iv. 2.
encens(e), *s.* 12240, 28166.
enchacer, *v. a.* 11422, persecute.
enchantement, *s.* 1383.
enchanteour, *s.* 1382.
enchanter, *v. a.* 13934, bewitch.
encharner, *v. a.* 9187, make carnal; 24362, flesh, enter (of a hound) : *refl.* 27588, become incarnate.
enchastier, *v. a.* 7917, warn.
(encheïr), *v. n.*, 2 *s. fut.* encherres, 1337, fall.
enchericer, *v. a.* 25504, favour.
encherir, *v. a.* 25748, raise in price.
enchesoner, *v. a.* 25948, allege, excuse.
enchesoun, *s.* 2627, occasion ; par enchesoun que, 2791, because.
enchivalcher, *v. n.* 844, ride.
enci, *adv.* B. v. 4, *margin*, jesqes enci, up to this point ; *cp.* jesq'en cy, B. xii. 3.
enclin, *a.* 8736, B. xlv. 4, bending, disposed, addressed.
enclin, *s.* 1302, bending.
enclinant, *a.* 3633, inclined.
enclinement, *s.* 18739.
encliner, *v. n.* and *refl.* 284, 3842, 29264, B. xxxi. 1 ff.
enclos, *a.* or *pp.* 4587, T. viii. 3, enclus, 7592, enclosed, contained.
encloser, *v. a.* 9974.
encombrement, *s.* 4436.
encombrer, *v.* 3251, harass.
encombrer, *s.* 7039, trouble.
encontre, *prep.* 531, B. xxxvi. 1, against, to meet.
encontrer, *v. a.* 4666, meet.
encontrer, *s.* 10320, meeting, encounter.
encorager, *v. a.* 19338.
encord(i)er, *v. a.* 6958, 7574, tie up, bind.

encore, *adv.* 320, enq(u)ore, 8705, B. xxvii. 3, T. xv. 1.
d'encoste, *prep.* and *adv.* 1923, 5426, by the side of, by the side.
encosteier, *v.* 11754, be by the side.
encoster, *v. a.* B. ix. 2, accompany.
encourtiner, *v. a.* 25828, curtain.
encrasser, *v.* 19367, fatten.
encres, encress, *s.* 202, 3026, 6377, encroiss, 16028, issue, increase.
encrescer, *v. a.* 814, 15161, increase.
encrestre, encroistre, *v. n.* 9201, 24578, increase.
encroiss, *see* encres.
l'endemein, l'endemain, *s.* 7845, 28141 : *cp.* lendemein.
endementiers que, *conj.* 5593, while.
endire, *v. a.* 1710, 2715, say, tell.
enditer (1), *v.* 1030, put upon (?)
enditer (2), *v.* 1031, 2580, 2747, 3428, 6247, 7333, 10962, 13158, inform, teach, utter, accuse.
endoctriner, *v. a.* 2959, teach.
endormir, *v. a.* 1432, lull to sleep : *pp.* endormy, 5145, sleeping.
endroit, *adv.*, la endroit, 14645, 14720, in that place, forthwith ; cy endroit 16816, in this case.
endroit, *s.* 289, 1576, 8796, 9066, place, position, manner, kind : en ton (son) endroit, in regard to thyself, &c., 139, 214 : *prep.* endroit de, endroit, in regard to, 482, 2511, B. xx. 3 ; also en droit, *e.g.* en droit de ma partie, B. xxv. 1.
endurer, *v. a.* and *n.* 3775, 4014, B. xii. 1.
Eneas, B. xliii. 1.
eneauer, *v. a.* 5398, wet.
enemy, *see* anemi.
enfaminer, *v. n.* 1808, 6768, suffer want.
enfance, *s.* 275, 5322, offspring, infancy.
enfant, *s.* 4, enfes, 8082.
enfantel, *a.* 28407, childish.
enfantement, *s.* 177, 3139, birth, labour.
enfanter, *v. a.* 208, 1057, produce (children).
enfanteresse, *s.* 28177, bearer of children.
enfermeté(e), *s.* 1515, 2521.
enfern, *s.* 185.
enfernal, infernal, *a.* 1011, 3636.
enfernals, infernals, infernalx, *s. pl.* 66, 634, 6132, 24973, hell.
enfes, *see* enfant.
enfiebli(s), *pp.* 8188, weakened.
s'enfievrer, *v.* 7651, get fever.

GLOSSARY AND INDEX OF PROPER NAMES 505

enfiler, *v. a.* 4445, 7790, 18841, admit, enter, tell of: 29911, prepare; *cp.* affiler.
enflambier, *v. a.* 16794, set ablaze.
enflammer, *v. a.* 3632, set on fire.
enflé, *a.* 1522, 18228, puffed up, swollen.
enfler, *v. a.* 17912, swell.
enfleure, enflure, *s.* 4295, 5092, swelling.
enforcer, *v. a.* 10078, strengthen: s'enforcer, 23308, endeavour.
enformacioun, *s.* 16823.
enfouir, *v. a.* 3640, 4691, 15790, dig, dig into, break into, bury.
enfourmer, *v. a.* 12197, teach.
enfranchir, *v. a.* 4734, 23601, D. i. 1, set free, endow.
enfreindre, *v. a.* 9174, violate.
enfrons, *a.* 7513 ff., insatiable.
s'enfuier, *v.* 8733, take refuge.
enfumer, *v. a.* 19454, smoke.
engager, *see* enguager.
engalopée, *a.* 1706, galloping.
engarçonner, *v. a.* 27173, make into a servant.
engendrer, *v. a.* 202, B. xlii. 3, engender, produce: *v. n.* 10983, be produced.
engendrure, *s.* 17219, T. i. 3, vi. 3, engendering, offspring.
engenuler, *v. n.* 10250, kneel.
engin, *s.* 1041, 2102, 6545, B. xli. 2, device, skill, trickery, trap, machine.
enginer, *v. a.* 283, 291, 490, contrive, entrap.
enginer, *s.* 14794, contrivance.
enginous, *a.* 3473, designing.
Engleterre, 18702, 25396, B. Envoy.
Englois, *s.* 26129, T. xviii. 4, Englishman.
englu, *s.* 10684, attachment.
engluer, *v. a.* 7941, 9551, 14119, fasten, hold fast, attach.
engorger, engorgoier, *v. a.* 4409, 8490, swallow, devour.
engouster, *v. a.* 20889, eat.
engres(s), *a.* 10483, 18773, violent.
engrosser, *v. n.* 8896, grow big: *v. a.* 17909, make big; 25264, buy wholesale.
eng(u)ager, *v. a.* 7043, 8268, put in pledge, promise.
enhabitable, *s.* 27885, dweller.
enhabiter, *v. a.* 3789, set to dwell: *refl.* 9562, take up abode: *v. n.* 10354, dwell.
enhercer, *v. a.* 4628, lay on the bier.
enheritance, *s.* 19023.
enheritant, *s.* 236, heir.
enheritement, *s.* 18628, inheritance.
enheriter, *v. a.* 228, gain, inherit: *v. n.* 13230.

enhort, *s.* 224, exhortation, persuasion.
enhorter, *v. a.* and *n.* 5206, B. iii. 1, urge, preach.
enjoindre, *v. a.* 23032, command.
enlarder, *v. a.* 16312, fatten.
enlasser, *v.* 2187, 5642, make weary.
enluminer, *v. a.* 11532, light.
enmaigrer, enmegrer, *v. n.* 17984, 20880, grow lean.
enmaigrir *v. a.* 6839, make lean.
enmaladis, *a.* B. xiv. 3, ill.
enmegrer, *see* enmaigrer.
enmy, *prep.* 1336, 2469, 24917 (*see* note); en my, 17999: amidst, in the middle of, in.
ennaturée, *a.* 5061, natural.
ennercir, *v. n.* 6886, grow black.
enobscurer, *v. a.* 8601, darken.
enoindre, *v. a., pp.* enoint, enpoignt, 23030, 28774, anoint.
Enok, 12223.
enorguillant, *a.* 1729, proud.
enorguillir, *v. n.* 11263, grow proud: *v. a.* 23900, make proud.
enpeindre, *v.* 3665, 4317, 5110, 13688, 24095, thrust, thrust in, throw oneself, attack.
enpeinte, empeinte, *s.* 935, 5301, 25840, B. xlii. 2, T. iv. 3, blow, glance (of the eyes), undertaking, manner.
enpenné, *a.* 23450, full-feathered.
enpenser, *v. a.* 3957, think of.
enperiler, *v. a.* 8184.
enpernant, *a.* 11056.
enpescher, *v. a.* 25142, injure.
enpiler, *v. a.* 6300, 19327, 23498, plunder, steal, gather together.
enpire, *see* empire.
enpirer, empirer, *v. n.* 3568, 6153, 8873, grow worse, suffer: *v. a.* 24304, make worse, impair.
enplastre, *see* emplastre.
enpleder, *v. a.* 24654, sue.
enploier, *see* emploier.
enpoigner, *v. a.* 1966, grasp.
enporter, emporter, *v. a.* 3472, 16749, bear, bring, carry off.
enpovrir, *v. a.* 5675, impoverish.
enpreignant, *a.* 4865, pregnant.
enprendre, emprendre, *v. a.* 1359, 1541, 2428, B. iv.* 3; 3 *s. imp.* enpernoit, 28880; 2 *pl. imperat.* enpernetz, 27419: undertake, acquire, take upon oneself: **enprendre sur soy**, 1958, pretend.

enpriendre, *v. a.* 5820, 6592, 23195, press, impress.
enprise, emprise, *s.* 1144, 1357, B. li. 1, undertaking, enterprise, endeavour.
enprisonner, *v. a.* 4833, imprison.
enpuisonner, *v. a.* 4397, poison.
enquere, enquerre, enquerir, *v. a.* and *n.* 13239, 17361, 20382; 3 *s. pret.* enquist, 400: ask for, enquire.
enquerir, *s.* 25137, inquest, trial.
enquerrement, *s.* 23767, enquiry.
enqueste, *s.* 6208, 16113, 24926, trial, jury.
enquore, *see* encore.
enraciné, *pp.* 12370, rooted.
enraciner, *v. n.* 18101, take root.
enrichir, *v. n.* 6803, grow rich: *v. a.* 21058, enrich.
enroer, *v. n.* 9694, grow hoarse.
enrougir, *v. a.* 16907, redden.
ensec(c)her, ensec(c)hir, *v. a.* 2559, 3823, 5096, 18120: *v. n.* 5578: dry up.
ensei(g)ne, *s.* 1056, 2124, 14023, 28989, B. xxxiii. 3, teaching, information, mark, standard, object, condition.
ensei'g'nement, *s.* 9615, 17738, teaching.
ensei(g)ner, *v. a.* and *n.* 1048, 1439, B. xiv. 3, teach, tell.
ensemble, *adv.* 417, B. xxxiv. 3.
ensemblement, *adv.* 344, together.
ensement, *adv.* 100, B. xxxiv. 3, T. xv. 1, thus, similarly.
ensenser, *v. a.* 1398, 6208, inspire, persuade.
enseoir, *v. n.* 26103, sit.
enserrer, *v. a.* 11271, shut up.
ensevelir, *v. a.* 5148, bury.
ensi, ensy, einsi, *adv.* 113, 17684, 25379, D. ii. 3, thus.
ensoter, *v. n.* 6368, grow foolish.
enspirer, *v. a.* 12324, T. v. 3.
ensu(i)ant, *a.* 4333, D. i. 4, following.
(ensuire), *v. a.*, 3 *pl. p.* ensuient, 3335, follow.
ensur, *prep.* 3205, 21185, above, about.
ensus, *adv.* 28735, on high.
ensy, *see* ensi.
ent, *see* en.
entail(l)e, *s.* 1243, 1470, shape, fashion.
entalenter, *v. a.* 21269, induce.
entalentis, *a.* B. ix. 1, desirous.
entamer, *v. a.* 25161, injure.
ente, *s.* 20798, graft.
enteccher, *v. a.* 8344, affect.
entencioun, *s.* 4679, B. xxi. 1.
entendable, *a.* 16847, T. i. 3, obedient.
entendance, *s.* 18152, 27034, meaning, audience, service.

entendant, *s.* 11981, attendant.
entendant, *a.* 656, attentive.
entendement, *s.* 8231, 10229, B. xix. 4, understanding, hearing, meaning.
entendre, *v. a.* and *n.* 11, 601, B. xviii. 1 ff., T. x. 2; *imperat.* enten, 445.
entente, *s.* 2149, B. xvi. 3, purpose, understanding.
ententif, *a.* 10610, intent.
enterin, *a.* 2526, 6718, entire.
enterrement, *s.* 29673.
enterrer, *v. a.* 29674.
enticement, *s.* 422.
enticer, *v. a.* 982, 4329, stir up, entice.
enticer, *s.* 1477, enticement.
entier, *a.* 468, B. iv. 1: *cp.* enterin.
entollir, *adv. a.* 18010, take away.
entour, *adv.* 933, round, about: d'entour, 1827, from among.
entracorder, *v. a.* 4698, reconcile together: *refl.* 24231, agree together.
entraile, *s.* 5518, inner parts.
entraire, *v. a.* 15769, bring.
s'entramer, *v.* 13598, love one another.
entraqueinter, *v. a.* 8822, make acquainted.
s'entrasseurer, *v.* 17272, assure one another.
entre, entre de, *prep.* 590, D. ii. 3., &c.; entre ce, 3319; entre d'eux, 6977; *cp.* s'entr'estoiont parigals, 1016.
s'entrebeiser, s'entrebaiser, *v.* 13713, 23084, kiss one another.
entrechange, *s.* 22145.
s'entrecontrer, *v.* 27628, meet one another.
entredire, *v. a.* 132, 18624, forbid, place under interdict.
entré(e), *s.* 9849, 20863, B. xxxvii. 2.
entrejurer, *v. n.* 330, swear mutually.
entremellé, *a.* 4278, mingled together.
s'entremeller, *v.* 22311, 26048, intermeddle, mingle.
s'entremettre, *v.* 23718, engage oneself.
entreprendre, *v. a.* 237, take possession of.
entrepris, *pp.* 3009, B. xiv. 2, astonished, dismayed.
entrer, *v. a., n.,* and *refl.* 679, 803, 3820, B. xxxvii. 2, enter, enter upon: *v. a.* 25062, 25742, enter (a dog, &c.), *i. e.* train him for some kind of sport.
entresemblable, *a.* 11907, similar.
entretuer, *v. a.* 10319, mutually kill.
entriboler, *v. a.* 20244, disturb.

GLOSSARY AND INDEX OF PROPER NAMES 507

entroubler, *v. a.* 3054, 26024, disturb, stir up.
entusch(i)er, *v. a.* 4280, 21452, poison, mix (as poison).
envaïe, *s.* 3847, attack.
envenimé, *a.* 2524, venomous.
envers, *a.* 16721, overturned.
envesseller, *v. a.* 919 (*pp.*), place in vessels.
enviaille, *s.* 2898, envy.
envie, envye, *s.* 247, 293, B. xxxiv. 3.
envier, *v. a.* 3348: *v. n.* 12705.
envious, *a.* 2644, B. l. 1.
environer, *v. a.* 7873, 23312, go about.
enviro(u)n, *adv.* 4306, 28268, B. xxi. 3.
envis, *adv.* 5544, B. xi. 3, reluctantly, against the will.
envoie, *adv.* 1006, 10901, B. xv. 1, en voie, 5509, 7010, away.
envoier, *v. a.* 279, B. iv. 4, viii. 4; 3 *s. p.* envoit, 2058, D. ii. 5, envoie, 14007; *fut.* envoierai, envoyeray, B. x. 4, xvii. 4: send, send away.
envoisure, *s.* 988, 9369, 9445, B. xlvi. 3, T. vi. 1, xvi. 1, concealment, device, snare, jest.
envolsier, *v. a.* 21404, vault.
envye, *see* envie.
enyv(e)rer, *v. n.* 3605, 16448, become drunk.
Eolen, T. vii. 2.
Epicurus, 9531.
epistre, *s.* 11054, epistle.
equalité, *s.* 26910.
equité, *s.* 4740.
eremite, *s.* 6274, hermit.
ermyne, *s.* 20475.
errance, *s.* 5323, error.
errement, *s.* 11327, wandering.
errer, *v. n.* 2106, wander, err.
errour, *s.* 1492, B. xlviii. 1.
ers, ert, *see* estre.
eructuacioun, *s.* 2246, belching.
es, = en les, 634, T. xvi. 1.
Esaü, Eseau, 3386, 4857.
esbahir, *v. a.* 431, 748, astound, dismay: *refl.* 9777, be dismayed.
s'esbanoier, *v.* 18348, B. ix. 4, divert oneself, rejoice.
esbanoy, *s.* 12504, enjoyment.
esbatement, *s.* B. i. 3, xxxiv. 3, diversion.
esbaubis, *pp.* B. ix. 3, confused.
esbau(l)dir, *v. a.* 3376, 24197, exalt, embolden.
escale, *s.* 6401, shell.
escarbud, *s.* 2894, beetle.

escarlate, *s.* 20454.
eschalfement, *s.* 3990, heat.
eschalfer, *see* eschaulfer.
eschamelle, *s.* 5250, 15571, bench, footstool.
eschange, *s.* 4451, T. xvii. 3.
eschangement, *s.* 8387, B. i. 3.
eschanger, *v. a.* 8388.
eschaper, *v. a.* 767, B. xxx. 2: *refl.* 20423.
escharcement, *adv.* 7567, scantily.
escharceté, *s.* 7491, stinginess.
eschar(s), *f.* escharce, *a.* 7513, 26152, scanty, niggardly.
escharn, *s.* 1642, scorn.
escharner, escharnir, *v. a.* 1638, 1646, 28944, scorn.
eschau(l)fer, eschalfer, *v. a.* 3078, 5238, 5803, heat.
escheate, *s.* 20348.
escheoir, *v. n.* 8910; 3 *s. p.* eschiet, 7040; 3 *s. fut.* escherra, 4268: fall, happen.
eschequer, *s.* 5780, chess.
escherir, *v. a.* 26303, make dear.
eschiele, *s.* 10700, ladder.
eschine, *s.* 5166, back.
eschis, *a.* 5537, 17643, ill-disposed, ill-humoured.
eschiver, *v. a.* 4036, avoid: cp. eschuïr.
eschuïr, eschuïrer, *v. a.* 2094, 11931, avoid: *v. n.* 25129, shrink.
escient, *s.* 24700, knowledge, opinion.
escla(i)rcir, *v. a.* 18174, 26720.
esclaire, *s.* 9281.
s'esclairer, *v.* 3587, shine.
esclandre, *s.* 2709, 2918, slander, scandal.
esclandrer, *v. a.* 2924, offend.
s'esclipser, *v.* 3588, be eclipsed.
escliser, *v. n.* 22763, slip.
escole, *s.* 510, 2843.
escoleier, escoloier, *v. n.* 1440, 20235, go to school.
escoler, *v.* 2842, teach: s'escoler, 7658, go to school.
escomenger, *see* escoumenger.
escondire, *v. a.* 6612, 12550, B. xxvi. 2, refuse, repulse.
escondit, *s.* 15496, refusal.
escorcher, *v. a.* 24995, flay off.
escorpioun, *s.* 3527, 8973, scorpion.
escot, *s.* 8265, reckoning (at a tavern).
escoulter, *see* ascoulter.
esc(o)umenger, escomenger, *v. a.* 9418, 18774, 19399, excommunicate.
escoupe, *s.* 18026, spittle.
escourge, *s.* 28714, scourge.
escourger, *s.* 28966, scourge.

escourter, *v. a.* 5721, shorten.
escrier, *v. n.* and *refl.* 7975, 9827, cry out.
escri(p)t, escris, *s.* 1299, B. i. 4, xi. 4, writing.
escripture, *s.* 1849, 2270, B. xxii. 4, writing, scripture.
escrire, escrivre, *v. a.* 50, 6480, 8889; 1 *s. p.* escris, escrits, D. i. 4, B. Envoy; 3 *s. fut.* escrivera, 14751; 3 *s. pret.* escrist, 50, escript, 7441; *pp.* escript, 2468, B. xxiv. 1, escrit, 2933, B. x. 4.
escuier, esquier, *s.* 882, 9847, squire.
escuieresse, *s.* 25696, squiress.
escumenger, *see* escoumenger.
escumengerie, *s.* 6492, excommunication.
escusacioun, excusacioun, *s.* 5609, 20713, excuse.
escuser, excuser, *v. a.* 160, 6462, B. xvii. 1, T. xviii. 4.
escu(t), *s.* 13927, 24442, shield, crown (of money).
Esdras, 10348, 10373.
ese, *see* aese.
Eseau, *see* Esaü.
esfroier, esfroy, *see* effroier, effroy.
s'esgaier, *v.* 9339, 10102, take delight, adorn oneself.
esgard, *s.* 21060, B. xxv. 3, counsel.
esglise, *see* eglise.
esg(u)arder, *v.* 9898, T. vi. 2, xiv. 2, observe, look upon, look.
eshale(i)er, eshaulcer, *v. a.* 1216, 3083, 11538, exalt.
s'esjoïr, s'esjoÿr, s'esjoier, *v.* 276, 1750, 3699, B. ii. 1; 3 *s. pret.* s'esjoït, s'esjoÿ, 276, 427: rejoice.
eslargir, *v. a.* 12247, 18458, increase, widen.
s'esleëscer, s'eleëscer, *v.* 3267, 15886, rejoice.
eslire, *v. a.* 3087, T. v. 1; 3 *s. pret.* eslust, 3236; 2 *pl. imper.* elisetz, 23147; *pp.* eslieu, 3671, B. xxxiv. 2, eslit, 125, B. xxvi. 4: choose, elect, distinguish.
eslit, *a.* 2499, 4074, 12453, select, chosen, distinguished.
esloigner, *v. a.* 6716, 20952, T. vi. 2, eslonger, 1067, B. vii. 1, xxix. 1, remove far, flee from.
esluminer, *v. a.* 10739, B. xxi. 1, illuminate: *v. n.* 17028, shine.
esluminous, *a.* 29926, bright.
esmai, esmay, *s.* 1240, B. x. 2, dismay, disquiet.

s'esmaier, *v.* 614; 1 *s. p.* esmay, esmai, 4793, B. xxxvi. 2, esmaie, B. xxvii. 4: be dismayed.
esmerveiller, esmervailler, *v. n.* and *refl.* 9139, 21050, marvel.
esmovoir, esmover, *v. a.* 4557, 16750; *pp.* esmeu, 29885.
espace, *s.* 11476.
Espaigne, 23714, 26056.
espandre, *v. a.* 2783, 3396, 4805, B. x. 4, T. xiii. 3, spread abroad, scatter about, shed.
esparnie, *s.* 4978, sparing.
esparnier, esparnir, *v. a.* 3298, 3387: *v. n.* 7509, spare, be sparing.
esparplier, *v. a.* 7536, 13649, dissipate, spread abroad.
espartir, *v. n.* and *refl.* 3627, 9595, separate, begin to burn (?).
espé(e), *see* espeie.
especial, *a.* 3314, 20093, trusted, especial, properly belonging: d'especial, en especial, par especial, 969, 2472 (R), 3280, especially.
especial, *s.* 150, friend.
especial, *adv.* 13198, especially.
especialment, *adv.* C.
espeie, espé(e), *s.* 2786, 4189, sword.
espenir, *s.* 5083, expiation.
esperance, *s.* 323, B. iv. 1.
esperdre, *v. a.* 4041, 5710, trouble, disturb.
esperer, *v. n.* and *refl.* 13004, B. vii. 3; 1 *s. p.* espoir, B. li. 3; 3 *s.* espoire, 11505.
esperit, *see* espirit.
esperv(i)er, *s.* 868, 2848, B. xv. 1.
espessement, *adv.* 28970, thickly.
s'espesser, *v.* 26754, grow thick.
espic(i)er, espiecer, *s.* 7816, 25598, 25699, spicer (of wines), dealer in spices.
espie (1), *s.* 7730, view.
espie (2), *s.* 3490, spy.
espiece, *s.* 7863, 12868, spice.
espier, *v. a.* 3399, spy upon, espy.
espine, *s.* 4205, B. xlviii. 1.
espirit, esperit, *s.* 1147, 2551, T. ii. 1 ff.
espirital, espirit(i)el, *a.* 709, 1492, 6693; *pl.* espiritieux, 62, spiritual: l'espiritals, les espiritals, 1019, 20089, spiritual matters.
espleiter, exploiter, *v. n.* and *refl.* 6301, 27334, exert oneself, succeed in endeavour.
esploit, *s.* 407, 792, D. ii. 5, exploit 1296, 1962, haste, success, management: a l'esploit, 9357, completely.

GLOSSARY AND INDEX OF PROPER NAMES 509

espoentable, *a.* 2465, fearful.
espoentablement, *adv.* 6878, fearfully.
espoenter,*v.a.* 2674, frighten: *refl.* 11219, be afraid.
espoir, *s.* 802, B. ii. 1.
espourger, *see* espurger.
espous, *s.* 11937, husband.
espousail(l)e, *s.* 9083, T. iii. 2; *pl.* 17700, marriage.
espouse, *s.* 2949, T. i. 3, wife.
espouser, *v. a.* 234, T. viii. 1, marry.
esprendre, *v. a.* 9478, set on fire: s'esprendre, 9473, take fire: *pp.* espris, 2010, B. xiv. 1, inflamed.
esprover, *v. a.* 6700, B. xxii. 1, experience, prove.
Espruce, 23895, Prussia.
espurger, espourger, *v. a.* 8352, 15622, purge.
esquasser, *v. a.* 18057, destroy.
esquiele, *s.* 7754, bowl.
esquier, *see* escuier.
esquilier, *s.* 7755, spoon.
esracher, esracer, *v. a.* 4952, 15016, tear away.
esragé, *a.* 11440, mad.
esrag(i)er, *v. a.* 4677, enrage: *v. n.* and *refl.* 4012, 10630, be enraged.
essai, *see* essay.
essaier, *v. a.* 9342, B. xxvii. 2, try.
essamplaire, *s.* 4856.
essample, *s.* 1087, B. xviii. 1.
essamplement, *s.* 3335, example, teaching.
essampler, *v. a.* 2399, B. xlv. 2, T. xv. 1, warn by example, take as example: *v. n.* and *refl.* 5424, 9243, 13043, give example, take example.
essampler, *s.* 2962, example, teaching.
essamplerie, *s.* 2173, examples, example.
essamplour, *s.* 22874, example.
essance, *s.* 26909, essence.
essarter, *v. a.* 8409, extend (?).
essay, essai, *s.* 394, 768, B. iv.* 4, xvii. 3, trial, attempt, use.
essoi(g)ne, *s.* 1959, 11969, T. vi. 2, excuse (for not attending), necessity, cause.
esta, *see* estier.
estable, *a.* 11912, steadfast.
estable, *s.* 6918, stable.
establer, establir, *v. a.* 1889, 2461, 6919, keep, set up, establish.
establissement, *s.* 7945.
estage, *s.* 537, 2292, 17255, 29421, B. xix. 3, place, condition, kind, degree; stay.
s'estager, *v.* 12131, remain.

estaindre, *see* exteindre.
estal, *s.* 16600, position.
estanc, estang, *s.* 18230, 24480, pond.
estance, *s.* 2243, condition.
estancher, *v. a.* 7518, 8544, satisfy, fill up.
estandard, *s.* 9826, standard.
estant, *s.* 10616, 26484, position, nature, class: en estant, 14727, standing upright.
estaple, *s.* 25361, staple (of the wool trade).
estat, *s.* 1377, D. i. 2, estate, dignity.
estature, *s.* 8347, figure, stature.
estée, *s.* 5392, B. ii. 1.
esteign, *s.* 6887, tin.
esteindre, *see* exteindre.
(esteire), *v. refl.,* 3 *s. pret.* s'estuit, s'estuyt, 613, 15144: be silent.
estencelle, *s.* 3988, spark.
estenceller, *v. n.* 16651, sparkle.
estendre, *see* extendre.
esterling, *s.* 25004, pound sterling.
est(i)er, (esteir), *v. n.* 585, (997), 2998; 3 *s. p.* esta, 1822, 2314, B. ii. 2; 2 *s. imperat.* esta, 6879; *pres. part.* estant, 115, 3315: stand, remain: *cp.* steir.
estimacioun, *s.* 16234.
estoet, *see* estovoir.
estoille, *s.* 12631.
estoire, *see* histoire.
estom(m)ac, *s.* 2247, 25651.
estoner, *v. a.* 16013, B. xxx. 3, astound.
estorbuillon, estorbilloun, *s.* 1346, 3924, storm.
estormir, *v.* 5070, be agitated (*or* agitate).
estoultie, *see* estoutie.
estoupaile, *s.* 4206, stopping.
estouppe, *s.* 3971, tow: *cp.* stouppe.
estoupper, *v. a.* 10913, stop up.
estour, *s.* 1927, 12947, combat.
estout, *a.* 1333, foolish, proud.
estoutie, est(o)ultie, estutye, *s.* 862, 2177, 2381, 2582, 11201, folly, pride, rashness.
estovoir, *v. impers.,* 3 *s. p.* estoet, 42, B. xiv. 1, estuet, 16133; *pret.* estuit, 4532: be fitting, right, necessary; m'estoet(a), 42, &c., I must: *pers.* 23066.
estovoir, *s.* 308, 803, B. xli. 3, necessity, duty, wealth.
estraier, *s.* 28983, loiterer, stray person: *cp.* 'estradier,' Godefr. *Dict.*
estraine, *see* estreine.
estraire, *v. a.* 93, B. xv. 1, draw, draw out.
estrange, *a.* 3170: *s.* 12974.
s'estranger, *v.* 5842, B. xix. 2.

estrangier, *s.* 24000, stranger.
estrangler, *v. a.* 20334.
estre, *v.* 5, 448; 1 *s. pres.* sui, suy, 772, 7915, B. iv. 1, su, 9761, suis, B. ix, 5; 1 *pl.* suismes, 591, susmes, 600, sumes, 9796; 2 *pl.* estes, B. x. 3, estez, 362; 3 *pl.* sont, 17, &c., sount, C.; 1 *s. imperf.* iere, 354; 3 *s.* ert, iert, 132, 4529, estoit, 37, B. xl. 2; 3 *pl.* eront, 21112; 1 *s. pret.* fui, 533; 3 *s.* fuist, 63, B. l. 2, T. viii. 2, fuit, C., fu, B. xviii. 2; *fut.* serray, 465; 2 *s.* serras, 5025, serres, 1338, ers, 4280; 3 *s.* serra, 1098, B. ii. 2, ert, 464, D. i. 4, T. i. 1; 1 *s. pres. subj.* soie, B. v. 4; 2 *s.* (?) soiez, 438; 1 *pl.* soion, 18480; 1 *s. pret. subj.* fuisse, B. xxvi. 2; 3 *s.* fuist, B. iv. 3; 2 *pl.* fuissietz, 16883, fuissetz, B. ix. 4; *pp.* esté, 181, &c.
estre, *s.* 1799, 7028, B. 26905 f., vii. 1, existence, substance, condition, habitation, dwelling.
estrein, *s.* B. xlii. 1 ff., bond.
estreine, estraine, *s.* 371, 1435, 9487, B. xiv. 3, gift, fortune; a male (bone) estreine, 1435, B. xxxiii. 1.
estreindre, *v. a.,* 3 *s. p.* estreine, 763; *pres. part.* estreignant: compel, restrain.
estreit, *see* estroit.
estreper, *v. a.* 11280, pull up.
estrif, *s.* 4047, strife.
estriver, *v. n.* 4635, 10620, strive, struggle.
estroit, estreit, *a.* 6302, 7742, 20110, close, narrow, oppressed, stuffed full.
estroit, *adv.* 6312, narrowly, closely.
estroitement, *adv.* 4583.
estru(i)re, *v. a.* 14343, 21418, instruct, set up; *pp.* estru(s), 3668, 17264, estruis, 26469, educated, disposed.
estudier, *v.* 7659.
estuit, *see* estovoir.
s'estuit, s'estuyt, *see* esteire (*or* estier).
estultie, estutye, *see* estoutie.
esvangile, *see* evangile.
esvanir, *v. n.* and *refl.* 1893, 24576, disappear.
esveil(l)er, esveillir, *v. a.* 1727, 5209, 5277, wake up.
s'esvertuer, *v.* 5388, 6321, 15469, exert oneself, endeavour.
et, *conj.* 11; et... et, D. i. 2.
eternal, *a.* 8327.
eterne, *a.* 2256.
ethike, *s.* 3818, hectic (*i.e.* consumption).
ethiopesse, *a. f.* 2655, Ethiopian.
Ethna, 3805.

Eurice, T. vii. 2.
eux, *see* eaux.
evangelin, *a.* 1299, of the gospel.
evangelis, ewangelis, *s.* (*pl.*), 24885, 29798, gospels.
evangelist, *s.* 49.
evangile, *s.* 50, esvangile, 23500, gospel.
Eve, Eeve, Evein, Evain, 84, 90, 131, 17152, 17534, 23404, 27751, T. iii. 2.
Evehi, 11020, Avites.
eveschié, evesché(e), *s.* 7368, 7448, 20016, bishopric.
evesque, *s.* 6274, evesqe, 19056 (R).
evidence, *s.* 3514.
s'evoler, *v.* 2251, fly out.
ewangelis, *see* evangelis.
examiner, *v.* 20791, consider.
exceder, *v. a.* 15647.
excellence, *s.* 12920, B. xxvi. 1.
excellent, *a.* 1386, B. xvi. 4.
excepcioun, *s.* 11674.
excepter, *v. a.* 26344.
excercice, *s.* 8321.
excess(e), *s.* 16398, 16419.
excessif, *a.* 17721, extravagant.
excit, *s.* 4759, urging, excitement.
excitement, *s.* 9462, stirring up.
exciter, *v. a.* 4078, stir up.
excluder, *v. a.* 15897.
exclus, *a.* 3465, shut out.
excusable, *a.* 26724, B. xxix. 1.
excusacioun, *see* escusacioun.
excusance, *s.* 26904, excuse.
excusement, *s.* 4676, excusing.
excuser, *see* escuser.
executour, *s.* 6913.
exempcioun, *s.* 24327.
exempt, *a.* 19101, 23763, exempt, distinguished.
exil, *s.* T. x. 2, banishment.
exiler, *v. a.* 4449, 24022, drive out, lay waste.
Exody, Exodi, 6985, 10441, 10467, the book of Exodus.
expectant, *a.* 16108.
expedient, *a.* 29830.
expendre, *v. a.* 5434.
expense, *s.* 15691.
experience, *s.* 3511, B. xxvi. 2, experience, proof.
experiment, *s.* 13500, B. xix. 1, experience, device.
expermenter, *v. a.* 14048, try.
expert, expers, *a.* 10749, 26930, skilled.
exploit, *see* esploit.
exploiter, *see* espleiter.

GLOSSARY AND INDEX OF PROPER NAMES 511

expondre, v. a., 3 s. p. exponde, 22192, T. xi. 3, set forth.
exponement, s. 55, explanation.
exposicioun, s. 5191.
expresse, a. f. 2663, 8503, B. vi. 2, expressed, manifest, exact.
expressement, adv. 6455.
expresser, v. a. 1815.
exteindre, esteindre, estaindre, v. a. and n. 3690, 3750, B. xlii. 2; 3 s. p. estaignt, exteigne, extei(g)nt, 3750, 4913, 4926, 13715; pp. exteint, 5304: extinguish, destroy, be extinguished.
extendre, estendre, v. a. 2212, 2267, 4464, 7120, spread out, stretch forth.
extense, a. 12230, 13390, extended, open.
extent(e), a. 1452, 7099, expanded, held forth.
extente, s. 20109, extent.
extenter, v. a. 4290, enlarge.
exteriour, a. 3273, outer.
exterminer, v. a. 4571.
extorcio(u)n, s. 8438, 24976.
eysil, see eisil.
Ezechie, Ezechias, 2445, 10454, 11729, 14914, 23022, Hezekiah.
Ezechiel, 2209, 2960, 3253, 3984, 5005, 7453, 17785.

F

fable, s. 1798, B. xxix. 1, falsehood.
face, s. 869, B. i. 4.
faço(u)n, s. 6108, 10721, appearance, fashion.
faconde, s. 1202, 4046, 8678, T. xviii. 4, speech, eloquence.
faculté, s. 2165, 24257, faculty, profession.
fagolidros, s. 2749: see note.
faie, s. B. xxiv. 3, fairy.
faie, a. B. xxvii. 4, of fairy.
faignte, see feint.
faillant, a. 25118, helpless.
fail(l)e, s. 557, 1471, failure.
fail(l)i, failly, a. 1115, 3384, 8650, B. xx. 3, worthless, helpless.
faillie, s. 452, failure.
fail(l)ir, v. n. 371, B. xiv. 3; 3 s. p. falt, 114, 678, B. xi. 2, fault, 6804, faille, 8373; 3 pl. p. faillont, 3477; 1 s. fut. faldray, 381; 3 s. faldra, B. iv. 3; 3 pl. fauldront, 7310: fail, be wanting, be necessary: v. a. 20983, fall short of.
faillir, s. 8911, failure.
faim, faym, s. 7518, B. xvi. 2.

faintise, see feintise.
faire, v. a. 39, B. i. 3, fere, 22910, fare, B. xxvi. 1; 1 s. p. fai, 9053, B. xxi. 1, fay, 2595, fais, xvi. 2, faitz, xix. 2, fas, 23398; 2 s. fes, 22357; 2 pl. faitez, 203; 3 pl. font, 946, &c., faisont, 3247; 3 s. imp. fesoit, 2661, faisoit, B. xxiv. 2; 2 s. pret. feis, 9678, fecis, 28358; 3 s. fist, 52, B. xx. 3; 1 s. fut. fray, 368, ferrai, ferray, 460, B. xxxvi. 3; 3 s. fra, 1917, ferra, 2856; p. subj. face, 1778; 3 s. pret. subj. feist, 3786; 1 pl. feissemus, 18702; 3 pl. feissont, 655; 2 s. imper. fai, fay, 394, 584; 1 pl. faisons, 13044; pres. part. fesant, 1322.
faisance, fesance, s. 11552, 14875, creation, action.
fait il, 352, said he.
fait, a., si fait, 2503, such.
fait, fetz, s. 15056, B. xvi. 3; pl. faitz, 1360, B. xi. 1, fais, 1018, fetz, 2416, fees, 10487.
faitement, adv. 7103, 12977, 15591, skilfully, wisely.
faitis, a., f. faitice, 3052, handsome.
faiture, s. 1244, make, fashion.
falco(u)n, s. 1870, B. viii. 1, xxxv. 4, fau(l)con, 2126, 21045.
fallas, fallace, s. 6238, 6460, deceit.
fals, a. 3, B. xxv. 1; f. faulse, 2621, false, 2728: fals pensier(s), 3674; fals semblant, faulx semblant, 3471 ff., 13152 (R); faux compas, 7309.
falsement, adv. 796.
falser, faulser, v. a. and n. 8979, B. xliii. 3, T. vi. 3, falsify, be false to, be false.
falseté, s. 6508, B. xlii. 1.
falsine, s. 141, B. xlii. 1, faulsine, 6317, falsehood.
falspenser, s. 3651.
falssemblant, s. T. iv. 1: cp. fals semblant.
falte, s. 12085, fault.
fame, s. 2625, B. vi. 1, report, good fame.
fameil(l)ant, a. 7770, 12955, hungry.
fameillous, a. 15741, hungry.
familie, famile, s. 3916, 7792.
familier, a. 17042.
famine, s. 1807, B. xlv. 2, hunger, famine.
famous, a. B. xxxi. 3.
fantasie, s. 1062, fancy.
fantosme, s. 11855, phantom.
farcine, s. 27431, farcy.
fardell, s. 9829, burden.
farin, a. 7728, wretched.
fau(l)con, see falcoun.

faulse, faulser, *see* fals, falser.
faulsine, *see* falsine.
faulx, *see* fals.
favell, favelle, *s.* 17384 f., chestnut horse, chestnut mare.
favelle, *s.* 1267, flattering speech, tale.
faveller, *v.* 3560, speak (flattery).
favour, *s.* B. xii. 1.
faym, *see* faim.
fée, *s.* 5173, B. xvii. 2, en fée, 4621.
feel, *s. see* fiel.
feel, fel, *a.* 2176, 28260.
fees (1), fes, fess, *s.* 2657, 4316, 15055, burden.
fees (2), *see* fait.
fein, *s.* 18081, hay.
feindre, *v. n.* and *refl.* 4514, 4930, 14939, pretend, be negligent.
feint, *a.* 3703, 5296, B. xlii. 2, faignte, 5798, feigned, false, faint.
feintement, *adv.* 27496.
feintise, faintise, *s.* 3659, 7088, B. xxix. 1, pretence, deceit.
fel, *see* feel.
felicité, *s.* 13242.
felon(n)esse, *a. f.* 4124, 8305, cruel, wicked.
felon(n)ie, felonye, *s.* 148, 4817, 6866, T. xi. 3, wickedness, cruelty.
feloun, *a.* and *s.* 2794, 2968, 7163, B. xxi. 3, cruel, evil, guilty.
femelin, *a.* 9155, B. xxi. 3, female, womanly.
femeline, *s.* 133, woman.
femel(l)e, femmelle, *a.* 1029, 9383, female.
femme, *s.* 137, B. xxi. 2, femne, B. xliii. 2.
fendre, *v. a.* 4262, 5274, B. xviii. 4 : *v. n.* 3947, split, burst.
fendure, *s.* 1860, split, cleft.
fenelle, *s.* 8134.
fenestral, *s.* 16598, window.
fenestre, *s.* 7026.
fenestrelle, *s.* 29939, window.
fenestrere, *s.* 25327, window.
fenestrie, *s.* 16730, windows.
fenix, *s.* B. xxxv. 2, phenix.
fere, *see* faire.
ferin, *a.* 2104, savage, wild.
ferir, *v. a.* 4223 ; 3 *s. p.* fiert, 1871 ; *subj.* fiere, 2477, fere, 13404 ; 3 *s. pret.* feri, 4719 ; *pp.* fer(r)u, 4853, B. xxvii. 1 : strike.
ferlyn, *s.* 26316, farthing.
ferm, *adv.* 893, 12370.
ferme, *a.* 1810, 13533.
ferme, *s.* 20155, contract, fixed rent.
fermement, *adv.* 7510.

fermer, *v. a.* 10186, 11289, T. i. 2, strengthen, fix, shut.
fermerie, *s.* 21435, infirmary.
fermeté, *s.* fixed abode.
ferr, *s.* 5527, B. xxxviii. 1, iron.
ferrement, *s.* 21428, iron-work.
fer(r)u, *see* ferir.
fertre, *see* fiertre.
fes, fess, *s. see* fees.
fesance, *see* faisance.
fesour, *s.* 2226, maker.
feste, *s.* 836, B. xvi. 3.
festival, *a.* 8654.
festoiement, *s.* 7891.
festoier, *v. a.* and *refl.* 7906, 8455, feast.
festrer, *v. n.* 19473, fester.
festu(e), *s.* 2996, 12098, 26238, straw, wooden spit.
fesure, *s.* 19351, deed.
feture, *s.* B. xii. 2, xxii. 3, features, form.
fetz, *see* fait.
feu(s), *see* fieu(s).
feve, *s.* 12406, 26452.
fi, fy, *s.*, de fi, de fy, 508, 14186, confidently, certainly.
fiance, *s.* 7243, B. xiii. 1, fiaunce, B. iv. 2, assurance, certainty.
ficher, *v. a.* 7680, 7894, T. vii. 1, fix, fasten.
fieble, *a.* 133.
fieblesce, *s.* 2133, fieblesse, 27747.
fiebre, *see* fievere.
fiel, feel, *s.* 3604, 4278, gall.
fient, *s.* 48, dung.
fier, *v. n.* and *refl.* 577, 747, D. i. 1, trust.
fier(s), *a.* 250, 1211, B. xvi. 1, l. 1, proud, fierce, wild, terrible.
fiere, *s.* 4788, (wild-)beast.
fierement, *adv.* 848.
fierté, *s.* 13917, B. xiv. 3, pride.
f(i)ertre, *s.* 29622, 29680, bier.
fieu(s), feu(s), 1879, 3031, fu, 3954, 13911, fire.
fiev(e)re, *s.* 7652, 28568, fiebre, 9546.
figure, *s.* 134, B. xii. 3.
figurer, *v. a.* 18218, represent.
fil, *s.* 1416, thread.
fil(l)e, *s.* 16, 179, 825, B. xx. 3, T. viii. 2.
fils, filz, *s.* 179, 1567, T. ii. 2, fitz, 958, 10333, fil, 12552.
fin, *s.* 6, B. i. 3, end ; 4948, 6092, fine.
fin, *a.* 883, 3728, 4119, B. iv. 1, vii. 1, pure, perfect, faithful, absolute.
final, *s.* 9, B. l. 4, end.
final, *a.* 13253.
finance, *s.* 1985, 20178, end, payment.
fine, *adv.* 13367, wholly.

GLOSSARY AND INDEX OF PROPER NAMES 513

finement, *s.* 2718, ending.
finement, *adv.* 16854, B. xiv. 1, absolutely, finely.
finer, *v. a.* 13718, refine.
finer, *v. n.* 2003 : *v. a.* 6875 : end.
finir, *s.* 11264, end.
firmament, *s.* 1452, B. xix. 1.
fis, *a.* 10334, sure.
fitz, *see* fils.
flaiell, *s.* 4776, scourge.
flaieller, *v. a.* 4428, scourge, beat.
flairer, *v. n.* 7627, 12847, smell, be fragrant.
flaket, *s.* 26069, bottle.
flamber, *v. n.* 16739, blaze.
flamme, *s.* 2345.
flanc, *s.* 7903.
flaour, *s.* 19466, odour.
flater (1), *v. a.* 12354, flatter.
flater (2), *v.* 4523, cast down.
flaterie, *s.* 1372.
flatour, *s.* 1381, flatterer.
flec(c)hir, fleccher, *v. a.* 12367, 24649 : *v. n.* 11466 : bend.
flestre, *a.* 29642, withered.
flestrer, *v. n.* 16915, wither.
fleumatik, *a.* 14707, phlegmatic.
fleur, *see* flour.
flom, flum, *s.* 7623, 23408, river.
Florence, 25249.
Florent, B. xliii. 3.
florie (1), *s.* B. x. 4, flowers.
florie (2), *s.* 16408, = vin florie.
florin, *s.* 9831.
florir, &c., *see* flourir.
flote, *s.* 8721, excitement (?).
floter, *v. n.* 3889, 7396, 27042, float, abound.
flour, fleur, *s.* 858, 1497, B. iv. 4, flower; flour de lys, 16852.
flourette, *s.* 9959, floweret.
flo(u)rir, *v. n.* and *refl.* 27825, B. xxi. 1, flower : *v. a.* B. xxiii. 3, cause to flower.
flouri(z), flori(z), *a.* 856, 2896, D. i. 3, B. ii. 1, flowery, in flower, adorned ; vin florie, 7819, vin flouri, 19368.
flum, *see* flom.
foi, *see* foy.
foial, *s.* 29248, B. xv. 2, liege subject.
foie, *s.* 5517, liver.
foire, *s.* 1300, T. xv. 2.
fois, foitz, *s.* 3029, 13790, B. xxxix. 3.
fol(s), *f.* fole, *a.* and *s.* 7, 280, 9307 ff., B. li. 1, folz (*pl.*) 2934, foolish, vain, wanton.
folage, *s.* 9164, folly, idle speech.

foldelit, *s.* 261, 9193, T. i. 2, wantonness.
foldelitable, *a.* 5878.
foldesir, *s.* 16860, wanton desire.
foldisour, *s.* 16659, wanton talker.
foldit, *s.* 16905, wanton saying.
folement, *adv.* 600.
folerrer, *s.* 16985, foolish wandering.
folhardy, *a.* 4759, fol hardy, 10971.
folhastif, *a.* and *s.* 4748.
folie, *s.* 156, B. xlviii. 2.
follarge(s), *a.* 8415, extravagant.
follargesce, *s.* 8427, extravagance.
follechour, *s.* 8822, paramour.
foloier, *v. n.* 1004, play the fool.
foloier, *s.* 9218, wantonness.
foloïr, *v.* 16682, hear foolishly.
folour, *s.* 530, 8868, folly, wantonness.
folparler, *v.* 12782.
folpenser, *v.* 9522, think wantonly.
folpenser, *s.* 9560, wanton thought.
folquidance, *s.* 8157, vain belief.
folquider, *s.* 5695, vain belief.
folregard, *s.* 16694, wanton looking.
folsemblant, *s.* 16905, wanton appearance.
foltalent, *s.* 9396, vain desire.
foltoucher, *s.* 16591, wanton touching.
fondacioun, *s.* 12301.
fondement, *s.* 8915, fundament, 2566, foundation.
fonder, *v. a.* 12282, found.
fondour, *s.* 20901, founder.
fonteine, fontaine, *s.* 3876, 4917, B. vii. 2, fontaigne, 12992.
forain(s), *see* forein(s).
forainement, *adv.* 3783.
force, *s.* 1086, B. xxv. 3, au force, 9063.
forcible, *a.* 29445, powerful.
forclos, *see* forsclore.
forein(s), forain(s), *a.* 2291, 3363, B. xi. 1, outward, strange, far away.
forein, *s.* 23256, 28403, alien, stranger.
forfaiture, *see* forsfaiture.
forg(i)er, *v. a.* 7003, 14275, forge, work.
formage, *see* fourmage.
forme, *s.* 57, B. xlix. 4, fourme, 4862.
former, fourmer, *v. a.* 99, 9051, B. xxvi. 2.
formie, *s.* 14478, ant.
fornaise, *s.* 4160, furnace.
fornicacioun, *s.* 8638.
fors, *prep.* 1365, 4533, B. xvii. 4, outside of, except : forsque, 10581, B. xxviii. 1, except that, except.
forsbanir, *v. a.* 1836, 4318, B. xlviii. 3, forsbannir, 22980, banish.
forschacer, *v.* 8287, drive away.

forsclore, forclore, *v. a.* 9564, B. xxxvii. 2, shut out, close.
forsené, *s.* 4012, *f.* forsenée, T. viii. 3, madman, mad-woman.
forsenerie, *s.* 4039, madness.
forsfaire, forsfere, *v. a.* 1248, do away with, forfeit: *v. n.* and *refl.* 4152, 9507, 23661, transgress.
forsfait, *s.* 85, transgression; *pl.* forsfetz 15059.
forsfaiture, *s.* 162, 8897, B. xii. 2, transgression, penalty, forfeiture.
forsjug(g)er, *v. a.* 168, 1626, 24788, condemn, overrule.
forsmettre, *v. a.* put forth.
forsque, *see* fors.
forsvoier, *v. a., n.* and *refl.* 1043, 3223, 7468; 3 *s. p.* forsvoie, forsvoit, B. ix. 3, xliii. 3: lead away, lead astray, go astray.
fort(z), *a.* 1256, 1465, B. iii. 2, xxx. 1.
fort, *adv.* 647, T. xiv. 3.
fortune, *s.* 10937, B. i. 3.
fortuner, *v. a.* 13740, 14300, T. viii. 3, endow with fortune, bring to pass: *v. n.* 15758, happen.
fosse, *s.* 3143.
fossée, *s.* 20404, ditch.
fouc, *s.* 9263, flock.
fouir, *v. a.* 5274, dig, break into.
fouldre, *s.* 4746, lightning.
fouldrere, *s.* 20651, lightning.
four, *s.* 3822, oven.
fourches, *s. pl.* 24960, T. ix. 3, gallows.
fo(u)rmage, *s.* 25302, 26456, cheese.
fourme, *see* forme.
fourmer, *see* former.
fournier, *s.* 26178, baker.
fournir, *v. a.* 24843, supply.
fourré, *see* furrer.
f(o)urrure, *s* 21018, 23493, fur-trimming.
foy, foi, *s.* 367, 1170, B. i. 3, T. title.
franc, *a.* 597, B. xxiii. 3, xxxiv. 3; franc encens, 28166.
France, 2142, 8153, 15848, 18702, 18852, 23671, 26056, 27032.
Franceis (saint), 21522 ff., 21553.
franchement, *adv.* 1587, fraunchement, C.
franchise, *s.* 596, 2306, 12154, B. xxviii. 2, fraunchise, C., freedom, rights, liberality.
françois, *a.* 11615, French.
François, *s.* 22965, 26128, Frenchman.
françois, *s.* B. title, T. title, T. xviii. 4, French (language).

fraternel, fraternal, *a.* 3737, 21602, brotherly, of friars.
fraternité, *s.* 13854, brethren, brotherhood.
fraude, *s.* 6544, B. xlii. 3.
freidure, *s.* 3894, 5390, cold.
frein, *s.* 853, 1590, 5425, bit, bridle.
freindre, *v. a.* 4320, B. xlii. 3, T. vii. 1, break.
freitour, *s.* 21435, refectory.
frel, *f.* frele, frelle, *a.* 133, 16573, T. i. 2, frail.
freleté, *s.* 9191.
fremir, *v. n.* 4794, B. ix. 4, shudder.
frenesie, *s.* 2525, frenzy.
freour, *s.* 4681, fright.
frere, *s.* 2741, 3387.
fresch, *a.* 17941, 26281.
fresine, *a.* 6891, of the ash-tree.
fresen(s), *s.* 6890, ash-tree.
frestelle, *s.* 8132, whistle (in the phrase 'moille sa frestelle,' wets his whistle).
fresteller, *v. a.* 3578, whistle to.
frette, *s.* 9280, fret, band.
friser, *v. n.* 1365, *see* note.
frivole, *s.* 10388, 22164, B. xix. 3, trifle: tenir a frivole, 5733, hold lightly; parler du frivole, 14608, speak lightly.
frocke, frocque, *s.* 2022, 20999, frock (of a monk).
froid, *a.* 5450.
froid, froit, *s.* 5235, 29121, B. ii. 1.
front, *s.* 2469.
froter, *v. a.* 8724.
fructefiable, *a.* 3753, fruitful.
fructefiance, *s.* 18155, bearing of fruit.
fructefier, *v. n.* 5574, bear fruit.
fructuous, *a.* 12458, fruitful.
fruit, fruyt, *s.* 138, 1349.
frument, *s.* 2200, 26451, corn, wheat.
fu, *s. see* fieu.
fu, fui, fuist, *see* estre.
fuiant, *s.* 16780, flight.
fuier, *see* fuïr.
fuill(e), fuil(e), *s.* 1498, 3751, 10420, 16853, leaf.
fuïr, fuier, *v. a.* and *refl.* 10, 887, 9860, T. xiii. 1; 3 *s. p.* fuit, fuyt, 19457, 19478: flee from, avoid, flee.
fuisoun, *s.* 2409, 17720, abundance.
fuis(s)oner, *v. n.* 1506, 8932, 13276, abound, increase: *v. a.* 28551, increase.
Fulgence, 13309, 13861.
fume, *s.* 4838, smoke.
fumé(e), *s.* 4120.
fumigacioun, *s.* 19462.

GLOSSARY AND INDEX OF PROPER NAMES 515

fundament, *see* fondement.
furiis, *s. pl.* 5082, Furies.
furour, *s.* 20035.
furrer, fourrer, *v. a.* 7139, 20476, adorn with fur.
furrer, *s.* 25710, furrier.
furrure, *see* fourrure.
fustain, *s.* 25444, fustian (cloth).
fusterie, *s.* 26243, pieces of wood.
futis, *s.* 11369, fugitive.
futur, *a.* 6984, 11203.
fy, *see* fi.
fymer, *s.* 1338, dung.

G

Gabaon, 27016.
Gabaonite, *a. f.* 9061, of Gibeah.
gabboy, gabboi, *s.* 1968, 20531, vain boasting, jest.
gabelle, *s.* 23775, tax.
Gabriel, 27938, 29361.
gafre, *s.* 7810, wafer.
gage (1), *see* guage.
gage (2), *s.* 1199, cage: *cp.* cage.
gai, gay, *a.* 857, B. xxxvi. 2, T. x. 1.
gaiement, *adv.* 3578.
gaign, g(u)ain, *s.* 1906, 2204, T. xvii. 1, gain.
gaignage, *s.* 8418, harvest, profit.
gaigner, guaigner, gainer, *v.* 1399, 2204, 6353, win, earn, till the ground.
gaigner(s), *s.* 10651, tiller of the soil.
gaignere, *s.* 3214, gainer.
gaignerie, *s.* 15625, 18292, tillage, profit.
gain, gainer, *see* gaign, gaigner.
gaiole, gayole, *s.* 4115, 16632, gaol.
gaire, *see* guaire.
gaite(s), *see* guaite.
Galice, 15336.
Galilée, 28387, 29239.
Gant, 25251.
garant, guarant, *s.* 2216, 3655, 6220, protection, security.
garanter, *v. a.* 4950, protect.
garçonner, *v. a.* 12742, degrade.
garco(u)n, *s.* 8154, 20421, servant.
garde, guarde, *s.* 547, 1037, 2897, T. xiv. 1, care, observation.
gardein, *see* gardin.
gardein(s), guardein(s), *s.* 3441, 6921; *f.* g(u)ardeine, 1431, 7492.
garde pance, *s.* 19031, belly-armour.

garder, guarder, *v. a.* and *n.* 212, B. iv.* 3; 3 *s. p.* g(u)art, 259, 4307, guarde, T. xiv. 1 ff.; 2 *s. imper.* guar, 13635; 3 *pl. pret. subj.* gardessent, 26427: keep, guard, look at, look.
garderesse, *s. f.* 12086, guardian.
gardin, gardein, *s.* 17326, 18279: *cp.* jardin.
garir, guarir, *v. a.* and *n.* 2278, 3036, 3816; 3 *s. p.* garist, 4212; 3 *s. imp.* garisoit, 2278; 3 *s. pret.* guarist, 5520, guarisse, 4533; *fut.* guarra, 5519: heal, get well, be saved.
garisoun, guarisoun, *s.* 420, 5441, 17715, healing, provision.
garite, *s.* 7052, garret.
garnache, *see* gernache.
garnement, *s.* 1226, 23921, 24749, garment, furniture.
garnir, guarnir, *v. a.* 3645, 3973, T. xv. 1, defend, prepare, furnish, warn.
garnisoun, *s.* 7751, garrison.
gas, *s.* 11407, 12134, mockery, jest.
gaste, *a.* 10351.
gastel, *s.* 7808, wastel (bread).
gaster, guaster, *v. a.* and *n.* 1206, 7059, 19122, waste, spoil.
gasteresce, *s. f.* 17725, waster.
gastin, *a.* 19034, waste.
gastine, *s.* 20164, waste place.
Gawain, T. xvii. 2.
gay, *see* gai.
gayole, *see* gaiole.
Gebal, 21604.
Gelboée, 12978.
gelée, *s.* B. ix. 4, frost.
geler, *v. n.* 13736, freeze.
gel(l)ine, *s.* 1982, 6833, hen.
gemme, *s.* 29937, gem.
gendre, *s.* 302, 9155, race, sex, kind.
generacioun, *s.* 2293.
general, *a.*, en general, 3098, T. title.
Generides, B. xliii. 3.
Genesis, genesi, *s.* 112, 11365, 11414, 17074, 17200, Genesis.
genoil, *s.* 28665, knee.
genologie, *s.* 9725.
gent, *s.* 105, 851, B. xxxi. 3; *pl.* gens, 1474, gentz, 11005, D. ii. 5: people.
gent, *a.* 14104, gentle.
gentil(s), *a.* 4728, D. i. 4, B. envoy.
gentil(l)esce, *s.* 12089, B. vi. 1, xiii. 2.
genuflectacioun, *s.* 10245.
genuller, *v. n.* and *refl.* 1224, 10503, bow the knee.
germain, *s.* 6194, brother.

GLOSSARY AND INDEX OF PROPER NAMES

germein, *a.* 2740, true (of kinship).
gernache, garnache, *s.* 7815, 7907, 26091, vernage (wine).
Geronde, 4163.
geste, *s.* 981, 5253, B. xxx. 2, T. v. 2, work, behaviour, story.
Gethsemany, 28660.
getter, jetter, *v. a.* 1564, 6546, 28526, throw, give forth.
geule, goule, *s.* 1918, 2254, 3730, 7995, neck, throat, gluttony : *cp.* gule.
se gheindre, *v.* 14625, complain.
ghemir, *v. n.* 5082, groan.
ghemir, *s.* 11489, T. xiv. 3, groaning.
ghemissement, *s.* 180, groaning.
ghient, *see* gheindre.
gibet, *s.* 5700, gibbet.
Giesy, Gyesi, 7459, 18928, Gehazi.
Gilbert, 17113.
gile, *see* guile.
giroun, *s.* 4870, 15779, 16804, circuit, fold (of a cloak), bosom.
gisir, *v. n.*, 3 *s. p.* gist, D. ii. 4 ; 3 *pl.* gisont, 2763 ; 3 *s. imp.* gisoit, 1046 ; 3 *s. p. subj.* gise, 9106 : lie.
glace, *s.* 6603.
glaun, *s.* 11349, acorn.
gleyve, *s.* 14072, sword.
gloire, *s.* 286, B. xlvii. 2.
glorefier, glorifier, *v. a.* 1064, 1092, glorify : *v. n.* 10884, boast.
glorious, *a.* 1272, B. xi. 2.
glose, *s.* 5156, 11265, 15933, 17882, comment, flattery.
gloser, *v. a.* 7482 ff., 16106, comment on, explain, flatter.
glous, *s.* 7732, 8099, glutton.
glouteëment, *adv.* 16239, gluttonously.
glo(u)tonie, gloutenie, *s.* 258, 914, 7803.
glouter, gloutir, *v. a.* 6253, 8427, swallow.
gloutous, *a.* 15844, gluttonous.
gloutousement, *adv.* 7731, gluttonously.
glu, *s.* 24968, bird-lime.
gobeiant, *a.* 12069.
Godefrois, 23870.
Golie, 2176.
Gorge, 23848, St. George.
gorgette, *s.* 5640, little throat.
gouf(f)re, *s.* 4219, 16204, gulf.
goule, *see* geule.
goupil, *s.* 1406, 3178, fox.
goust, *s.* 7794, taste.
g(o)uster, *v. a.* and *n.* 3568, 6690, 7628, B. xvi. 1, taste.
gouster, *s.* 16304, tasting.

gout(t)e (1), *s.* 3827, 4120, 29106, B. xviii. 1, drop, dropping ; ne . . . goute, 4674, not at all.
gout(t)e (2), *s.* 8599, 28567, gout.
gouvernour, *s.* 8990.
governage, *s.* 533, T. i. 1, rule, behaviour.
governaille, *s.* 25992, management.
governal(s), *s.* 627, B. l. 3, guide, ruler, helm.
governance, *s.* 2238, B. xv. 2, governaunce, C.
governant, *s.* 27089, ruler.
governement, *s.* 15208, B. xxxiv. 1.
governer, gouverner, *v. a.* 4702, 10044, B. li. 1, guide, rule ; se governer, 6951, prevail.
Gower, D. i. 3, T. xviii. 4.
grace, *s.* 556, 4400, 6645, D. ii. 1, B. xi. 3 (*pl.*), favour, forgiveness, thanks.
Gracedieu, *s.* 10149.
gracious, *a.* 1101, 8772, B. xi. 1, T. iv. 2, gracious, highly favoured.
grain, *see* grein.
grand, *see* grant.
grandesce, *s.* 12093, grandesse, 13029.
grange, *s.* 7293, 20493, barn.
grant, graunt, *a.* 124, B. vi. 1, xxiv. 2, grand, 667 ; *f.* grande, 690 ; *pl.* grans, 1797.
granter, *v. a.* 10463, grant.
grantmangier, *s.* 8407, banquet.
grantment, *adv.* 276, 8931.
grater, *v. a.* 5162, scratch.
gré(e), *s.* 217, 1012, 1971, 11693 (*pl.*), B. v. 4, xxix. 2, pleasure, favour, service, inclination; prendre (recevoir) en gré, 1520, &c., receive favourably ; du gré(e), 2045, 3767, with pleasure, with goodwill ; en gré, 4490, 26260, acceptably, at pleasure ; savoir gré(s), 6960, 12660, render thanks; savoir bon gré, 29419, be friendly.
greable, *a.* 4499, acceptable.
grec, *s.* 26091, Greek wine.
Grece, T. viii. 1.
Gregoire, 54, 2077, 2242, 10657, 10790, 12433, 13333, 14005, 14683, 16347, 17067, 19407, 20449, 26869 ff., 27023.
gregois, *a.* 5105, Grecian.
gregois, *s.* 7373, Greek, Greek (language), *see* Grieu.
greignour, greigneur, *a.* 2978, 11904, greater.
grein, grain, *s.* 2202, 7291, 10164, 28672, grain, seed, condition, quality.
greindre, *a.* 6557, 23203, greater, greatest.

GLOSSARY AND INDEX OF PROPER NAMES 517

gresil, *see* grisile.
Greu, *see* Grieu.
grevable, *a.* 2462, grievous, hurtful.
grevain, gr(i)evein, *a.* 2781, 5716, B. xlviii. 2, grievous.
grevance, *s.* 18706, 20639.
grever, *see* griever.
grevous, *a.* 3470.
grevousement, *adv.* 2911.
grief, *f.* grieve, *a.* 1157, 2417, B. xii. 1, heavy, grievous.
grief, *s.* 3177, trouble, grief.
griefté, *s.* 27387, burden.
Grieu, Greu, *s.* 23366, 29320, Greek.
grievein, *see* grevain.
gr(i)ever, *v. a.* and *n.* 1782, 3942, 10392, D. ii. 4, B. ii. 3, annoy, hurt.
griffo(u)n, *s.* 10725 ff.
gris, *a.* 18040.
gris, *s.* 20475, 26458, grey fur, grey stuff.
grisell, *s., f.* griselle, 17382 f., grey horse, grey mare.
grisile, gresil, *s.* 11979, 12634, hail.
grisilon(s), *s.* 5821, grasshopper.
grondiler, grundiller, *v. a.* 3286, gnash (the teeth): *v. n.* and *refl.* 2031, 7563, murmur.
gros, gross, *a.* 1053, 1952, 2104.
grossour, *s.* 25261, wholesale dealer.
groucer, *s.* 2313, grumbling.
grundiller, *see* grondiler.
guage, gage, *s.* 6200, 9786, pledge, possession.
guager, *v.* 24943, make promise.
guain, guaigner, *see* gaign, gaigner.
guaire(s), gaire, guere, *adv.* 7115, 22030, much: ne ... g(u)aire, 920, 5422, 13509, hardly.
guaite, gaite(s), *s.* 11282, 11293, watchman.
guarant, *see* garant.
guarantie, *s.* 20986, security.
guarde, guarder, *see* garde, garder.
guardein, guardeine, *see* gardein.
guardon, guardoner, *see* guerdoun, guerdonner.
guarir, guarisoun, *see* garir, garisoun.
guarnir, *see* garnir.
guast, *s.* 17719, waste.
guaster, *see* gaster.
guenchir, *v. a.* 14778.
guerdonnement, *s.* 6717.
guerdonner, *v.* 6606, guardoner, B. xxxiii. 1.
guerdoun, *s.* 6715, 26968, guardon, B. xvii. 1, reward.

guere, *see* guaires.
guerpir, *v. a.* 46, B. xx. 3, xli. 4, desert.
guerre, *s.* 2139, B. xx. 2.
guerreiour, *s.* 11288, warrior.
guerroier, *v. a.* 828, 13023: *v. n.* 1260.
guerroier (1), *s.* 1485, warring.
guerroier (2), *s.* 294, warrior.
guider, *v. a.* 20410.
guidere, *s. f.* 8164.
guideresse, *s. f.* 14383.
guier, *v. a.,* 3 *s. p.* guie, guye, 1447, 8518: guide.
guile, *s.* 213, gile, 21394.
guilement, *s.* 15599, deceit.
guiler, *v. a.* 1163, deceive.
guilerie, *s.* 1063.
guiler(s), *s.* T. iv. 1, deceiver.
guilour, *s.* 15599, deceiver.
guise, *s.* 594, B. li. 1, manner, habit.
gule, 7789, gluttony: *cp.* geule.
gumme, *s.* 3570.
Gurmond, T. xi. 1.
gustement, *s.* 9545, sense of taste.
Guyene, 26056.
guyere, *s.* 11772, guide.
Gyesi, *see* Giesy.

H

habandonner, *see* abandonner.
habit, *s.* 1100, 15989, T. v. 2; abit, 14210: manner, form, dress, possession.
(h)abitement, *s.* 12535.
habiter, *v. n.* 1028, dwell.
habondance, *s.* 5326.
habondant, *a.* 10619.
habonder, *v. n.* 3346, abonder, 1205.
hachée, *s.* 3945, torture.
haie, *s.* 4206, 18279, hedge.
haïr, *v. a.,* 1 *s. p.* hee, B. xvii. 3; 3 *s.* hiet, 206; 3 *s. imp.* haoit, T. vii. 2; 3 *s. fut.* harra, 1723, herra, 4611; *pp.* haï, 1886, haÿ, 12981.
haire, *s.* 575, 2022, hair-shirt, sack-cloth.
haité, *a.* 20141, encouraged.
haker, *v. a.* 20871, chop up.
halcer, *v. a.* 22027, exalt.
halt, *a.* 69, B. ix. 3, hault, 949, haut, T. x. 1: en halt le ciel, 10515.
halt, *s.* 13349, height.
haltein(s), *a.* 1311, B. xiv. 2, haltain, 603; *f.* halteigne, B. iii. 3.
haltement, *adv.* 2480.
haltesce, haltesse, 1295, B. vi. 2.
hanap, *s.* 987, 4684, jar.

518 GLOSSARY AND INDEX OF PROPER NAMES

hange, *s.* 4335, hatred.
haour, *s.* 4356, hatred.
happer, *v. a.* 13679, B. xxxi. 3, catch.
hardeler, *v. a.* 9348, entangle.
hardement, *s.* 22172, boldness.
hardi(s), hardy, *a.* 1471, 15104.
hardiesce, *s.* 14201, boldness.
harnois, *s.* 20528, trappings.
harpe, *s.* 512.
harper, *v. n.* 22967.
harpour, *s.* 22877.
harra, *see* haïr.
hart, *s.* 3635, 23195, bonds, noose.
hasard, *s.* 5779.
haspald, *s.* 4669, vagabond, rascal.
haste, *s.* 4775, B. xliii. 2.
haster, *v. a.* 416, 4774, hasten, press upon.
hastif, *a., f.* hastive, 4639, hastie, 3866, hasty.
hastivosse, *s.* 4741, haste.
haterel(l), *s.* 3141, 26001, neck.
hatie, *s.* 15318, hate.
hatine, *s.* 4483, hate.
hauberc, *s.* 15124.
hault, *see* halt.
Haymo, 2629.
haÿne, *s.* 4460, hatred.
he, *interj.* 137, B. xlii. 2, ah!
healme, *s.* 15125, helmet.
Hebreu(s), Hebru, *s.* 1660, 2331, 12199, 12267, 29325.
hebreu(s), hebru, *a.* 3978, 22009, *f.* hebrue, 5659.
hée, *s.* 2194, hatred.
heir, *s.* 2541, hoir, 20346, heir.
helas, *interj.* 107.
Helchana, 10273.
Heleine (1), 16701, B. xiv. 1, xl. 1, T. x. 1.
Heleine (2), 18589.
Helemauns, 11404.
Helie, Helye, 6788, 12597, 14443, Elijah.
Helisée, Heliseüs, Heliseu, 10214, 15463, 27041, Elisha.
Hely (1), 19117, Eli.
Hely (2), 28747.
henir, *v. n.* 2502, neigh.
Henri(s), D. ii. 1, 4, B. envoy.
herald, *s.* 1740, hierald(s), 12841.
heraldie, *s.* 16073, heralds.
herbage, *s.* 5823.
herbe, *s.* 3751, B. xxi. 1.
herbergage, *s.* 5826, lodging.
herbergement, *s.* 4579, lodging.
herbergerie, *s.* 707, 15568, lodging.
herberger, *v. a.* and *n.* 4442, 8385, 24741 ff., lodge.

herbergeresce, *s. f.* 14387, hostess.
herbergour, *s.* 12959, entertainer.
herce, *s.* 4627, bier.
Hercules, Herculem, B. xliii. 1, T. vii. 1, 2.
heresie, *s.* 5742.
herice, *s.* 24962, harrow.
heritage, *s.* 6120, T. i. 3.
heritance, *s.* B. li. 3.
herité(e), *a.* 923, hereditary.
heritement, *s.* 8909, inheritance.
hermafodrite, *s.* 1026, hermaphrodite.
hermite, *s.* 2742.
Herodes, Herode, 4984, 11468, 28238 ff.
herra, *see* haïr.
herrow, *interj.* 6945, alas!
hesitacioun, *s.* 5740, 18824, wavering, difficulty.
Hester, 17466.
heu, *interj.* 1834, ah!
hidour, *see* hisdour.
hier, *adv.* 11698, 26286.
hierald(s), *see* herald.
Hillaire, 27032.
Hisboseth, 4900.
hisdour, hidour, *s.* 4793, 10002, hideousness, horror.
histoire, *s.* 1553, B. xlvii. 3; l'estoire, 1023.
hoir, *see* heir.
hom, *s.* 1134, a man, one, l'om, B. xxxi. 3: *cp.* om, homme.
homicide, *s.* 4799, 6424, T. xiv. 2, murder, murderer.
homme, *s.* 25, T. iii. 1, l'omme, 315, B. xii. 1, l'ome, 225.
hommage, *s.* 519, B. xix. 2.
hommesse, *s.* 5508, manliness.
honeste, honneste, *a.* 1351, 3919, B. xxix. 1, honest, C.
honestement, honnestement, *adv.* 10399, B. xlix. 4.
honesteté, honnesteté, *s.* 2978, 11752, 14255, virtue, honesty, honourable deed.
honir, *v. a.* 587, 6250, outrage, injure.
honour, honnour, honeur, *s.* 432, 449, 10008, D. i. 1, B. xxi. 2.
honourable, *a.* 23101, B. xxix. 4, honurable, 27878.
honourance, *s.* 12442.
honouré, *a.* 545, honourable.
honourer, honeurer, *v. a.* 1217, 27122, B. xxxi. 2; 3 *s. p.* honourt, 7402, honure, 12916.
hontage, *s.* 1655.

GLOSSARY AND INDEX OF PROPER NAMES 519

honte, *s.* 446, B. xxi. 3.
hontous, *a.* 9108, 11906, honteus, 12018, shameful, modest.
Horestes, T. ix. 3.
horpris, *see* horspris.
horrible, *a.* 288, T. ix. 1.
hors, *adv.* 316, 2407, out.
horspris, horpris, *a.* 23777, B. xxx. 4, xxxvi. 2, excepted.
hospital, *s.* 8326, lodging.
hospitalité, *s.* 6668, 15908.
hospiteller, *s.* 13231; 23849, host, entertainer.
host, *s.* 10312.
hostage, *s.* 29632, host.
hostal, hosteal, hostell, hostiel, *s.* 713, 972, 3914, 17793, 17847, B. xxxviii. 4, lodging.
hoste, *s.* 4442, guest.
hostellement, *s.* 5123, lodging.
hosteller, *v. a.* 8378, entertain.
hosteller, hostellier, *s.* 6145, 6953, 8377, host, householder.
hostellerie, *s.* 14562, household.
hoster, houster, *v. a.* 1435, 6881, B. x. 3, take away.
hostesse, *s.* 4123, 16043, hostess, housewife.
houre, hure, (h)eure, *s.* 164, 481, 729, 938, D. ii. 1, B. vii. 1, x. 1, hour; al hure, 2432, now, at once; houres, 3094, daily prayers.
houster, *see* hoster.
huan(s), *s.* 893, owl.
hucher, *v. a.* and *n.* 6730, 9601 ff., call to, call.
huer, *v. a.* 5658, 20119, hoot at, shout after.
huiss, *s.* 4462, huss, 13542, door.
huissher, *s.* 11246, door-keeper.
humanité, *s.* 29086.
humble, *a.* 1650, D. i. 3, (h)omble, B. xxxviii. 4.
humblement, *adv.* 10204.
humblesce, humblesse, *s.* 2235, D. i. 1.
humbleté, *s.* 16873.
humein, humain, *a.* 368, 719, B. xiv. 1 : *s. pl.* humeinz, 9919, 22222.
humiler, humilier, *v. a.* 1831, 2118.
humiliacioun, *s.* 2296, 10238, humility.
humiliance, *s.* 11547, humility.
humilité(s), *s.* 2291, 10132, B. xii. 4.
humour, *s.* 18120, moisture.
hupe, *s.* 2893, T. xii. 3, hoopoe.
hure, *see* houre.
hurter, *v. n.* 9896, 16942, strike.

huy, *adv.* 5433, 9269 (au jour d'uy).
hyene, *s.* 2884, hyena.

I

i, *see* y.
ice, *dem. a.* 7600 : *pron.* 15949 : this.
icell, ycell, *dem. pron.* 370, 7327, 9175 : *cp.* icil.
icest, *f.* iceste, yceste, *dem. pron.* 2677, 3193, 20800.
ici, yci, *adv.* 3122, B. vi. 1 *margin.*
icil, *dem. pron.* 4508.
idropesie, *s.* 7603, dropsy.
ignorance, *s.* 6074.
ignorant, *a.* 6086.
il, *pron.* 7, D. i. 1, B. xxv. 2 ; il mesmes, 211 ; ils deux, 226 ; il *for* elle, T. ix. 1 ; il *for* ils, 2805, 10341.
ille, *see* isle.
illeoque(s), *adv.* 959, 20228, illeoc, 7590 there.
illusioun, *s.* 14695.
image, *see* ymage.
imaginer, *see* ymaginer.
implet, *a.* 9040, full.
imposer, *v. a.* 18509.
imposicioun, *s.* 18470.
impresse, *a. f.* 10864, B. vi. 1, imprinted.
impressioun, *s.* 11877.
impressure, *s.* 18272.
incarnacio(u)n, *s.* 28810, T. v. 2.
incest, *s.* 8239.
incestuous, *a.* 21304.
inclinacioun, *s.* 20721.
inconstance, *s.* 5462.
inconstant, *a.* 5465.
incontinence, *s.* 1403.
inconvenience, *s.* 1402, 27108, evil, unfit thing.
inconvenient, *s.* 21646, evil.
incredible, *a.* 5769, incredulous.
incurable, *a.* 9643.
indeterminé, *a.* 3287, endless.
indevoult, *a.* 1195.
indifferent, *a.* 18710, impartial.
indigence, *s.* 12393, indigense, 15755.
indigent, *a.* 12963.
indignacioun, *s.* 2283.
inducer, *v. a.* 8606.
indulgence, *s.* 7366.
infeccioun, *s.* 10497.
infect, *a.* 9042.
infelice, *a.* 21072, unhappy.
infernal, infernals, *see* enfernal, &c.

GLOSSARY AND INDEX OF PROPER NAMES

infinit, *a.* 1284.
inflacioun, *s.* 2249.
inflat, *a.* 2233, puffed up.
infortune, *s.* B. xx. 3, ill fortune.
infuz, *a.* 29318, infused.
ingluvies, *s.* 7713, excess (in eating).
ingrat, *a.* 6613.
ingratitude, *s.* 6321.
inhabitant, *s., pl.* inhabitans, 2576.
iniquité, *s.* 3138.
injustice, *s.* 6822.
inmonde, *a.* 26812, T. xi. 2, unclean.
innocent, *a., pl.* innocens, 3537, 6232, B. xli. 2.
Innocent, 18783.
inobedience, *s.* 2006, disobedience.
inobedient, *a.* 2137.
inpacience, *s.* 3953.
inpacient, *a.* 3961.
inparfait, *a.* 10413, inparfit, 19092.
inproprement, *adv.* 7645.
inpuni, *a.* 23047, *pl.* inpunitz, 23316.
inquietacioun, *s.* 4299.
inquiete, *s.* 3146, 9048, trouble.
insolible, *a.* 5761, inconsolable (?)
inspeccioun, *s.* 16332, 29188.
inspirement, *s.* 56, inspiration.
inspirer, *v. a.* 29302.
instance, *s.* 29216.
intelligence, *s.* 14597, T. ii. 2.
interiour, *a.* 3508, inward.
invasion, *s.* 10492.
ipocresie, ypocresie, ipocrisie, ypocrisie, *s.* 1059, 1123, 1189, 21249.
ipocrital, *s.* 21409, hypocrite.
ipocrite, ypocrite, *s.* and *a.* 1117, 1177.
ipotecaire, *s.* 7864, apothecary.
irascu, *a.* 13652, angry.
ire, *s.* 250, T. ix. 1, anger.
iré, irré(z), irrée, *a.* 2406, 4826, 7617, angry.
irous, *see* irrous.
irrai, irray, *as fut. of* aler, 1022, 2905, B. ii. 4; *cond.* irroit, 174.
irresonnable, *a.* 6438.
irreverence, *s.* 3960.
irritacioun, *s.* 3975.
irrour, *s.* 3880, passion.
irrous, irous, *a.* 4298, 4351, angry, passionate.
irrous, *adv.* 13387.
irrousement, *adv.* 3994, angrily.
Isaak, 12241.
Isaïe, *see* Ysaïe.
Isidre, 10405, 10814, 14581, 16360.
isle, ille, *s.* 3725, 16702, T. viii. 1.

Ismahel, 11419.
isnele pas, *adv.* 10506, 24224, quickly.
Israel, 3998, 10371, 11019, 17483, 17489, 28338.
issi, *adv.* 4683, so.
issint que, *conj.* 3237, 26650, in order that, so that.
issir, *v. n.* 2467, 5390, 28529; 3 *s. p.* ist, 2834; *pres. part.* issant, 2247; *pp.* issu, 4852: go forth, come forth.
issue, *s.* 92, T. iii. 1, race, offspring.
(s'en) ist, *v.* B. viii. 1, goes away : *cp.* irrai, issir.
itiel, itieu, ytiel ytieu, *a.* 275, 2552, 3073, *f.* ytielle, 23151 ; *pl.* itiel, itieu, 7437, 7919, *f.* itieles, 4465, such : *cp.* tiel.
iveresce, *see* yveresce.
ivern, yvern, yver, *s.* 5389, 5450, 14481, B. ii. 1, xxxii. 1, winter.

J

ja, *adv.* 1226, 10856, ever, even, never ; ja ne, 509, 1935, B. v. 3, never.
Jabins, 17488.
Jacob, 3386, 4858, 7084, 10701, 12244 f., 16025, 16957, 24530.
Jacobin, *s.* 21760, Jacobin (friar).
jadis, jadys, *adv.* 354, 1888, 3782, formerly, long ago.
Jahel, 17479.
Jake, *see* Jaques.
Jaket, 1963, Jack.
jalous, *a.* 8762.
jalouser, *s.* 17581, jealousy.
jalousie, *s.* 17562.
jam(m)ais, *adv.* 251, 647, B. x. 3 ; jammes, 678, B. ii. 2 ; jammais jour, 2634, B. xlii. 2.
jangle, *s.* 4636, B. xxv. 1, idle talk, contention.
janglement, *s., pl.* janglemens, 6286.
jangler, *v. n.* 2632, talk idly.
janglerie, *s.* 1694, idle talk.
Janus, B. xxxii. 1.
Japhet, 12030.
Jaques, Jaque, Jake, (saint), 4213, 6103, 13929, 24697, 28658, 29177.
jardin, *s.* 4542, B. vii. 3 : *cp.* gardin.
Jason, B. xliii. 1, T. viii. 1.
jaune, *a.* 26036.
je, *pron.* 12, &c., D. i. 3, jeo, D. ii. 4, B. ii. 2, &c.
jeeu, jeu, *s.* 181, 3903.

GLOSSARY AND INDEX OF PROPER NAMES 521

Jehan(s) (the apostle), 49, 2466, 3112, 7441, 12303, 17035, 18737, 28658, 29055, 29339 ff.
Jehan(s) (the baptist), 28010, 28424 ff.
jeo, *see* je.
Jeremie, 1828, 2799, 2860, 3445, 3685, 3984, 4130, 5283, 5763, 5854, 6363, 6869, 7194, 7615, 7678, 8103, 8289, 9230, 10323, 11173, 11546, 15592, 19957.
Jericho, 7001.
Jerom, 2750, 2871, 5081, 7393, 10498, 11473, 14671, 16479, 16603, 16864, 17020, 17030, 17119, 17945, 17953, 20574, 20933, 20989, 21607.
Jerusalem, 2429, 10259, 10329, 10350, 17465, 27521.
Jesabel(l), Jezabell, 4959, 6775, 11156.
jesqes, jesqe, *see* jusques.
Jesse, 29932.
jetter, *see* getter.
jetteresse, *see* pierre.
jeu, *see* jeeu.
jeualx, jeuaux, *see* juel.
jeuer, *see* juer.
jeupartie, *see* jupartie.
Jhesu, Jhesus, Jhesum, 1911, 2274, 2276, 9079, 12306, 12422, 15475, 18192, 18222, 18939, 19976, 27296, 27945, 27974, 28134, 28402, 28559, 28609 ff., 28707 ff., 29221 ff., 29761 ff.
Joab, 4770, 12989.
Joachim (1), 10336.
Joachim (2), 27483 ff.
Job, 1273, 1334, 1645, 1648, 2640, 3667, 5758, 6855, 7777, 8065, 8089, 9068, 11329, 11684, 12002, 13987, 14821, 15109, 15578, 16741, 24517, 26857.
jo(e)fne, *a.* 218, 8688, T. viii. 1, young.
jofnesse, *s.* 5681, youth.
Johan (Gower), T. xviii. 4.
Johel, 1291.
joial, *s.* 8720: *cp.* juel.
joie, joye, *s.* 68, 316, D. ii. 4, B. ii. 1.
joier, joïr, joÿr, *v. n.* and *refl.* 8062, 29533, D. ii. 4; 3 *s. p.* joÿst, 12918: *v. a.* 13150: rejoice.
joindre, *v. a.* 19372.
joious, joyous, *a.* 3255, 7644, D. ii. 3, B. xxi. 1, *f.* joyeuse, 27000.
joliement, jolyement, *adv.* 1590, 5823, merrily.
jolieté(e), *s.* 5690, merriment.
jolif, joly(s), *f.* jolie, *a.* 939, 1696, B. xiii. 4, pleasant, merry, gay.
jolivet, *f.* jolivette, jolyette, *a.* 9278, 17893, gay.

Jonas, 27057.
Jonathas, 12980.
Joram, 6781.
Jordan, 24531.
Josapha, Josaphat, 6781, 10311, 29691.
Joseph, Josep (son of Jacob), 3663, 3671, 12247, 14521, 16777.
Joseph (husband of Mary), 27824 ff.
Joseph (of Arimathea), 28771, 29113, 29128 ff.
Josué, 2336, 7004, 10302 ff., 11094 f., 12272, 23871, 27018.
jour, *s.* 177, B. ii. 3; jammais jour, 2634, B. xlii. 2.
journal, *s.* 635, 2855, 5596, day, day's work.
journé, *s.* 28339, journey.
journeie, *s.* 10125, journey.
joust(e), *a. see* just.
jouste, *s.* 20882, flagon.
jouster, *v.* 11693, tourney.
joustice, *see* justice.
jovencel, *s.* 8714, young man.
jovencelle, *s.* 17388, young woman.
jovente, *s.* 4787, youth.
jowe, *s.* 13403, cheek.
joyant, *a.* 9, 503, rejoiced.
joye, joyous, joyeuse, *see* joie, joious.
joyeusement, *adv.* 17460.
joynt, *s.* 10831.
joynt, *a.* 10832, 12195, united, clasped.
joyntement, *adv.* 14451, jointly.
Juda, 3256, 5008, 10311.
Judas, 2271, 3389, 3393, 3512, 5757, 15332, 20016, 21104, 23180, 28630, 28690 ff.
Judas (le Machabieu), 2382, 23871, *see* Machabieu.
Judeë, 20067.
judicial, *a.* 3281, 16605, of judgement.
judicial, *s.* 13191, B. l. 3, judgement.
Judieu, *s.* 11069, 18631, Jew.
Judith, 11114, 12044, 12685, 17464.
juel, jeual, *s.* 25561, B. xxxiii. 2; *pl.* jeuaux, jeualx.
juer, *v. n.* and *refl.* 5728, 5779, juer la jeupartie, 25454, jeuer, B. ix. 4, xxxii. 2: play, sport.
juerie, *s.* 3111, Jewry.
jug, *s.* 4196, yoke.
jugge(s), juge, *s.* 6111, 6211.
jug(g)ement, *s.* 169, 1197, T. x. 3.
jug(g)er, *v. a.* 1616, 4883.
juggeour, *s.* 1678, judge.
jugier, *s.* 8597, judgement.
juïse, juÿse, *s.* 1545, 2508, 15429, B. xli. 3, judgement, condemnation.

522 GLOSSARY AND INDEX OF PROPER NAMES

Julian (seint), 15727, 23850.
Julius (Cesar), 19333.
jumente, *s.* 4784, beast of burden.
jun, juyn, *s.* 7766, 7859, fast, fasting.
jun, *a.* 18026, fasting.
juner, *v. n.* and *refl.* 5544, 12568, fast.
jupartie, jeupartie, *s.* 4761, 12260, 24931, game, hazard, jeopardy : *cp.* 3240.
Jupiter, 7826.
jurant, *s.* 6478, oath.
juredicoioun, *s.* B. l. 2.
jurée, *s.* 6467, jury.
jurer, *v. n.* and *a.* 1952, B. xli. 1 ; *pp.* juret, juré, 6651, 23786: swear, swear by.
jurour, *s.* 6433, 24897, juror.
jus, *adv.* 1482, B. xvi. 1, down.
jusques, *adv.* 1336, jusqus, 5214, jesqes, jesqe, B. v. *margin*, B. xii. 3 : as far as.
just(e), *a.* 737, 1650, 1845, jouste, 15197, T. i. 1, joust, 23065.
juste, *prep.* 4075, near.
justefier, justifier, *v. a.* 6114, 26496, B. xlviii. 1, T. xviii. 4, justify, do justice on : *v. n.* 13476, do justice.
justice (1), joustice, *s.* 2514, 15191, 23039, B. iii. 1, justice.
justice (2), justise, *s.* 15326, 24676, judge.
justicerie, *s.* 24617, judges.
justicier(s), *s.* 20505, judge.
juyn, *see* jun, *s.*
Juÿs, *s.* (*pl.*) 4466, Jews.
juÿse, *see* juïse.

K

Katelote, 20678.
keue, *see* coue.

L

la, *adv.* 3331, B. xxx. 1, there : la que, 11375, where.
Laban, 7083.
laborious, *a.* 14534, 16917.
labour, *s.* 1486, B. xlviii. 2, T. ii. 1.
labourer, *v. n.* and *a.* 5391, 5778 ; 3 *s. p.* labourt, 2776, 14546: work, till, labour for.
labourer, *s.* 8655, labour.
labourer(s), labourier, labourour, *s.* 10649, 14456, 26430, labourer.
lac, *s.* 2672, 27049, pit.
lache, *a.* 5590, slack.
lachesce, *s.* 5589, slackness.

lacheté, *s.* 5595, slackness.
lai(s), lay(s), *a.* 3327 ; prestre lay(s), 20549, 20575.
lai(s), lay, *s.* 3016, 3300, 27479, layman.
laid, *a.* 209, 1014, 4820, ugly, hurtful.
laid, *s., pl.* lais, 3017, wrong.
laidement, *adv.* 1723, 10403, wrongly, outrageously.
laidenger, *v. a.* 17607, 20744, abuse, insult.
laidir, *v. a.* 2935, 8767, injure, disgrace.
laine, *see* leine.
laisir, *see* loisir.
laisser, *see* lesser.
lait, *s.* 4797.
laiter, *s.* 8510, feeding (with milk).
lamentacioun, *s.* 2256.
lampe, *s.* 16999.
lampreie, lamprey, *s.* 4453, 7832.
lance, *s.* 5521.
Lancel(l)ot, 1473, B. xliii. 3, T. xv. 1.
lancer, *v. a.* and *n.* 3618, 3621, 20636, hurl, rush.
lande, *s.* 26709, glade.
lang(u)age, *s.* 1198, 6944, D. i. 4.
lang(u)e, *s.* 875, 1416, 1930, 29311 ff., B. xxv. 4, tongue.
langour, *s.* B. xliii. 4, sickness.
languir, *v. n.* 321, B. iii. 1.
languisant, *s.* 3552, sick man.
languissant, *a.* 740, sorrowful.
lanterne, *s.* 15656.
lapider, *v. a.* 2398, stone.
larcine, *s.* 909, theft.
larder, *s.* 20335, larder.
large(s), largez, *a.* 986, 8228, 15956, wide, liberal ; a large, B. xliii. 3, at large.
largement, *adv.* 452.
largesce, largesse, *s.* 470, 25701, B. xxviii. 2, bounty, largess, liberal supply.
largeté, *s.* 7498, liberality.
lar(r)on, lar(r)oun, *s.* 2454, 5273, 6906, 13938.
las, *s.* 893, 3561, B. xv. 1, cord, snare.
las(s), *a.* 889, 14101, B. viii. 3, weary, wretched.
las(s), *interj.* 587, 20077, alas !
latin, *s.* 7373, 21775, D. i. 4, Latin (language).
Latins, *s. pl.* 29320.
laudacioun, *s.* 12757.
laudes, *s.* 5640, 8594.
laver, *v. a.* and *n.* 10522, 26656.
layne, *see* leine.
lays, *see* lai(s).
Lazar (1), 7975.

GLOSSARY AND INDEX OF PROPER NAMES 523

Lazar (2), Lazaro(u)n, 13047, 28514, 28807, 29364.
le, l', *def. art. m.* (used with subject), 99, 107, B. ii. 1, (with object) 20, D. i. 2, &c.; *f.* la, 4, B. i. 3; *pl.* les, lez, 10, 948 (R), B. ii. 1, xxxvi. 1, le, 18644 : *cp.* ly.
le, l', *f.* la, *pron.* (as direct object of verb), 84, 212, B. ii. 1, v. 1, (as indir. obj.) le, la, 912, 2448, 13268, B. xxiii. 1, xxxvii. 1; *pl.* les (dir. and ind.), 46, 2416; (with *prep.*) de la, 107 : *cp.* luy.
leccherie, *s.* 263.
leccherous, lecherous, *a.* 8827, T. xi. 3.
lecchier, lechier, *a.* 9182, 15844, lascivious.
lec(c)hour, lecchier(s), *s.* 929, 8931, 9164, 16663, lecher, paramour.
leçoun, leçon, *s.* 2790, 2971, 8846, B. xxiv. 1, teaching, opinion.
lée (1), *a.* 3196, liée, 17122 ; *pl.* leez, 24291 : joyful, glad.
lée (2), *a.* 15821, large, wide ; en lée, 25706, in width.
lée, *s.* 3379, side.
leësce, *s.* 480, B. vi. 1, delight.
leëscer, *v. n.* 29232, rejoice.
legacie, *s.* 18990, embassy.
legat, *s.* 18422, ambassador.
legende, *s.* 20700.
leg(i)er, *a.* 2419, 5402, active, ready, easy: du (de) leger, 2833, &c., easily.
leg(i)erement, *adv.* 3930, 9609.
legioun, *s.* 6737.
leigne, *s.* 13648, wood.
leine, laine, layne, *s.* 1603, 5313, 7566.
leisour, leisir, *see* loisir.
leiter, *v. a.* 27418, suckle.
lendemein, *s.* 8367, morrow: *cp.* l'endemein.
lent, *a.* 889, slow.
lentement, *adv.* 5614.
leopart, *s.* 9892.
leo(u)n, lioun, lyon, *s.* 849, 4210, 8848, 12296, B. xlviii. 3, lion.
lepre, *s.* 2659, leprosy.
lepre, *a.* 3782, leprous.
leprous, *a.* 28564, leprous.
lerme, *s.* 10203, tear.
lermer, *v. n.* 4383, weep.
lermerie, *s.* 18293, weeping.
lermoier, *v. n.* 10261, weep.
lesser, laisser, *v. a.* 4, B. v. 1, xvii. 4 ; 2 *s. p.* lais, 6164 ; 3 *s.* laist, 666, B. xxi. 3, laisse, 1261, lesse, 4752 ; 3 *s. pret.* laissa, B. xl. 1 ; *fut.* lerrai, lerray, 384, B. ii. 2, xvii. 2 ; 3 *s.* lessera, 688, lerra, B. li. 3 ; *imperat.* lessetz, 4, B. ix. 5.

lesure, *s.* 1176, injury, harm.
letanie, *s.* 20315, B. xxiv. 1.
lettre, (letre), *s.* 6788, B. ii. 4, iii. 4.
lettron, *s.* 20682, lectern.
lettrure, *s.* 7379, reading, letters.
lettuaire, *s.* 25641, electuary : *cp.* electuaire.
leur, lour, *pron.* (dir. or indir. obj.), 77, 239, 6924, B. xlvii. 2.
leur, lour, *poss. adj.* 18, 2230, B. xxv. 2 ; *pl.* leur, lour, leurs, lours, 2995, B. v. *margin*, T. title.
levable, *a.* 1869, rising, raised.
levain(s), *s.* 16789, leaven.
lever, *v. a.* 531 ; 3 *s. p.* lieve, 5239 ; 3 *pl.* lievent, 27234: *v. n.* 5158, 5206, B. xx. 1.
levere, *see* lievere.
leverer, *s.* 21046.
Levite, *s.* 9062.
levitici, 5269, 11137.
li, *see* ly.
liard, *f.* liarde, *s.* 17384 f., dappled horse, dappled mare.
liberal, *a.* 3316, B. l. 1, liberal, free.
liberalité, *s.* 15352.
liberté, *s.* 11081.
licence, *s.* 522, permission.
lie, lye, *s.* 5685, 13214, 26172, dregs, lye.
liegance, ligance, *s.* 2144, B. xv. 2.
liege, lige, *a.* 22253, D. i. 1, C.
lien(s), lyen, *s.* 4197, 12337, B. iv.* 2, T. v. 3, bond.
lier, *v. a.* 1466, B. xv. 1, bind.
liere(s), *s.* 1994, 6560, robber.
lieu(s), *s.* 69, 4056, B. iii. 4, lu, B. xviii. 2.
lieve, lievent, *see* lever.
liev(e)re, levere, *s.* 2782, 2810, 12675, B. xli. 3, lip.
ligance, *see* liegance.
lige, *see* liege.
lignage, *s.* 278.
limitant(z), *s.* 9148, 21328, limitour.
limiter, *v. n.* 21598, make rounds (of begging friars).
lin, lyn, *s.* 3170, 6541, lineage.
(linceal), *s.*, *pl.* linceaux, 5178, sheet.
lincelle, *s.* 5226, sheet.
line, lyne, *s.* 2530, 5125, 13359, B. xlv. 3, order, line.
linx, *s.* 1765, lynx.
lioun, *see* leoun.
liquour, *s.* 3570.
lire, lisre, (liser), *v.* 1081, 1127, T. v. 3 ; 3 *s. p.* lise, 14492 ; 1 *pl. p.* lison, 2330, lisoun, 3983 ; 2 *s. imperat.* lise, 19081 ; *pp.* lieu, 11068.

GLOSSARY AND INDEX OF PROPER NAMES

lit, *s.* 1787, B. xliii. 2.
litargire, litargie, *s.* 6158, 26485, lethargy.
litiere, *s.* 895, 5175, litter, mattrass.
litigious, *a.* 4636.
livre(1), livere, *s.* 1027, B. v. *margin*, book.
livre (2), *s.* 6470, pound (money).
loable, *a.* 12884, praiseworthy.
loant, *s.* 12770, praising.
loement, *s.* 13268, praise.
loenge, *s.* 1080, 12617, B. xiv. 1.
loer, louer, *v. a.* 1145, 12618, praise; je loo, 8052, I advise; se loer de, 1462, 6938, rejoice at.
loer (1), *s.* 1192, praise.
loer (2), *s.* 440, B. xxviii. 3, louer, D. ii. 3, wages, reward.
loggier, *v. a.* 21109, lodge.
logique, *s.* 1451.
loi, loy(s), *s.* 536, 2038, B. xxxviii. 3.
loial(s), loyal(x), *a.* 6621, B. iv.* 3, 4, T. iii. 3, honest, loyal.
loialment, loyalment, *adv.* 9784, B. iv.* 1, loyaument, 12364.
loialté, loyalté, *s.* 6419, 13269, B. xvii. 1.
loign(s), loins, loings, *a.* and *adv.* 185, 567, 891, 27283, B. ix. 3, xxxix. 3, far off; de (du) loign(s), 997, 5405, 7752, far off, long before.
loigntein, loigntain, *a.* 2135, B. xxiii. 2, longtain, longtein, 2784, B. xxiv. 2.
loisir, *s.* 5693, 9311, 9315, B. xxxiv. 3, leisire, 27640, laisir, 26107, leisour, 9222, leisure, space of time, free disposal.
Lombardie, Lumbardie, *s.* 18557, 23233, 23714, T. xi. 1.
Lombardz, Lumbardz, Lombars, *s. pl.* 23257, 25432 ff.
long, *a., f.* longe, longue, 1746, 5220, B. ii. 2: en long, 29010, lengthwise.
long, *adv.* 5691.
longement, longuement, *adv.* 9863, 16564.
Longis, 28765.
longtain, longtein, *a.* see loigntein.
longtains, longtein, *adv.* 4616, 5368.
lors, lor, *adv.* 7, 188, 18465, B. i. 3, a lors, 10080, &c., then, therefore.
los, loos, *s.* 1215, 1556, 23901, T. viii. 1, honour, fame.
losenge, *s.* 7419, flattery.
losenger, *v. a.* 434, flatter.
losengour, losenger, *s.* 2735, 11083, 12766, flatterer, liar.
lot, *s.* 6303, a measure of wine.
Loth, 8236, 9683.
lou, loup(s), *s.* 915, 7525, 8430.
louer, *see* loer.

lour, *see* leur.
loy(s), *see* loi.
loyal, *see* loial.
loyalment, loyaument, *see* loialment.
loyalté, *see* loialté.
lu, *see* lieu.
Luc (saint), 10221, 10286.
luce, *s.* 6253, pike.
Lucifer, 63, 73, 86, 122, 1873, 14352, 18944, 21100, 26365, 26876, 29850.
lucre, *s.* 13780, gain.
Lucrece, T. x. 2.
lui, *see* luy.
luire, *v. n.* 16761; *pres. part.* luisant, 1132: shine.
luiter, luter, *v. n.* 10702, 16943, contend, wrestle.
lumaçoun, *s.* 5414, snail.
lumbard, *a.,* pain lumbard, 7809.
Lumbardie, *see* Lombardie.
Lumbardz, *see* Lombardz.
lumere, *s.* 6802, light.
lune, *s.* 8140, B. xiii. 3.
luour, *s.* 6811, light.
lusard, *s.* 11491, lizard.
luter, *see* luiter.
lutous, *a.* 22113, turbid.
luxure, *s.* 930, lechery.
luxuriant, *a.* 20667, of wantonness.
luxurier, *v. n.* 8710, practise lechery.
luy, lui, *pron. m.* and *f.,* (direct obj. of verb) 165, 415, 9320, B. xxiii. 2, T. xii. 3; (indirect obj.) 12, B. xvii. 2; ly, 4654, 4883; (with *prep.*) 53, 626, B. v. 3, en li, de li, B. xx. 1, xxiii. 2: *cp.* le, *pron.*
ly, li, l', *def. art. m.* (used interchangeably with 'le' in *sing.* and 'les' in *plur.*), 70, 79, 272, D. ii. 4, B. ix. 5, luy, 116, 1015, &c. (both with subj. and obj.).
ly, *pron., see* luy.
Lya, 16957, Leah.
lye, *see* lie.
lyen, *see* lien(s).
lyn, *see* lin.
lyne, *see* line.
lyon, *see* leoun.
lys, lis, *s.* 16852, 16891, lily.
Lysias, 22333.

M

ma, *see* moun.
mace, *s.* 11247, club.
Macedoine, T. vi. 1, Macedon.

GLOSSARY AND INDEX OF PROPER NAMES 525

Machabieu(s), Machabeu, 2382, 10249, 10359, 23072: *see* Judas.
Machaire, 12566, 20905.
maçon, *s.* 8571, hook.
Madians, 17104, Midianites.
madle, *a.* 1029, 17885, male.
la Magdaleine, la Magdeleine, 2272, 10279, 13048, 14560 ff., 15091, 28815, 29199: *cp.* Marie (2).
magesté, *s.* 7699.
magike, *a.* 1899.
magnanimité, *s.* 14199.
magnefier, magnifier, *v. a.* 3391, 25020.
magnificence, *s.* 14247.
Magus, 1897.
maigre, *see* megre.
Maii, 856, B. xv. 3, xxxvii. 1.
mail(l)e, *s.* 15640, 26170, halfpenny.
mailler, *v. a.* 16318, hammer.
mailoller, *s.* 1433, swaddling.
main, *see* mein.
maine, *see* mener.
maint, meint, *a.* and *s.* 42, 932, B. xxiv. 3, xlii. 1; *pl.* maintz, 2417: many a, many.
maint, *v. see* manoir.
maintenance, *s.* 23675.
maintenant, meintenant, *adv.* 408, B. xiv. 1; de maintenant, 1877, de meintenant, 4914.
maintenir, *v. a.* 292, B. xlvii. 1: *v. n.* maintint, 4737, (or main tint).
maintenour, *s.* 23323, maintainer (of a quarrel).
maintenue, *s.* 23734, maintenance.
maintesfois, *adv.* 4683, often.
maiour, *a.* 3182, 17048, greater, greatest.
maire, *a.* 960, B. iv.* 1 ff., greater, greatest.
mais, *conj.* 10, 1608, B. i. 3, but, except: maisque, mais que, mais qe, 3378, 6840, B. xi. 2, xxiii. 2, provided that; B. xvii. 4, xl. 1, T. xiv. 2, but that; 1920, 4305, except that; 18848, but; 26112, 26926, if, even if; 27282, only: mais *for* maisque, 20528.
mais, mes, *adv.* 2856, 5627, more; ne... mais, 10043, no longer; a tous (as toutz) jours mais, 2856, B. iv. 1, for ever more.
maisnye, *see* mesnie.
maisoun, maison, *see* mesoun.
maisque, *see* mais.
maisselle, *s.* 4418, 9340, jaw, cheek.
maistre, *a.* 298, chief.
maistre(s), meistre, mestre(s), *s.* 1305, 1359, 3110, 24714.
maistresse, mestresse, *s.* 13413, 27194.

maistrie, meistrie, mestrie, *s.* 4655, 9910, 25589, mastery, great feat.
maistroier, *v. a.* 9325, overpower.
mal, *a.* 371, D. ii. 3, B. xxv. 4.
mal, *adv.* 1171.
mal, *s., pl.* mals, 10, B. xiii. 4.
Malachie, Malechie, 2224, 2585, 6345, 6499, 20737.
malade, *a.* 6654.
malade, *s.* 5365, sick person.
maladie, *s.* 2070.
maladrie, *s.* 15681, sick people.
malapert, *a.* 1683 ff. (as proper name).
malbailli, malbailly, *a.* (*pp.*) 372, 3608, brought to evil.
maldire, *v. a.* 1911, B. xxv. 4; 3 *s. p.* maldist, maldit, 2141, 2507; 3 *pl.* maldiont, 2140; 3 *s. p. subj.* maldie, 1911: curse.
maldit, maldite, *s.* 3960, 21300, cursing, curse.
maldit, *a.* 266, 2012, accursed.
Malebouche, 2679.
malefice, *s.* 1327, illdoing.
maleiço(u)n, *s.* 6487, 12026, curse.
malement, *adv.* 9620, badly.
malencolie, *s.* 3865.
malencolien, *a.* 3918.
malencolier, *v.* 3870.
malencolious, *a.* 3965.
malengin, *s.* 6544, B. xlii. 3, evil device.
malfaire, *v.* 5836; *pres. part.* malfesant, 4519, malfaisant, 2044.
malfée(s), malfié(s), malfé, *s.* 1161, 8966, 18682, devil.
malfeloun, *s.* 7165, criminal.
malfesance, malfaisance, *s.* 271, 28321.
malfesant, *a.* 4507.
malfesour, *s.* 15320.
malfié(s), *see* malfée(s).
malgaign, *s.* 24578, evil gain.
malgré, *s.* 6823, ill-will.
malgré, *prep.* 3730, in spite of.
malice, *s.* 192, B. xlii. 4.
malicious, *a.* 1096, T. xi. 3.
maligneté, *s.* 4502.
malin, *f.* maligne, *a.* 4572.
malmener, *v. a.* 8179, guide ill.
malmettre, *v. a.* 2576, ruin, spoil.
malnorri, *a.* 3048 (*pp.*), ill-nurtured: *cp.* mal norri, 3129.
maloit, *a.* 4194, B. xliii. 4, accursed.
malparler, *v.* 2682.
malpenser, *s.* 3687: *cp.* mal pensier, mal penser, D. ii. 3, B. xlix. 1.

malsené(s), malsenée, *a.* 1713, 4006, 6957, ill-disposed.
maltalent, *s.* 484, evil will.
maltalentif, *f.* maltalentive, *a.* 4640, moved by ill-will.
maltolt, *s.* 20171, 24044, unjust tax, extortion.
maluré(z), *a.* 245, 549, unhappy.
malurous, *a.* 2196, wretched.
malveis, *see* malvois.
Malveisie, malvoisie, *s.* 7815, 26091.
malveisin, *see* malvoisin.
malvenu, *a.* 5067, unwelcome.
malvois, malveis, malves, *a.* 166, 2821, 4762, 10482, B. xlii. 4, T. xii., evil, wicked.
malvoisement, *adv.* 12384, badly.
malvoisin, malveisin, *a.* 3731, 6894, bad as a neighbour.
malvoisté(e), *s.* 542, 14706, wickedness, malice.
malvoloir, *s.* 4552, ill-will.
malvuillance, *s.* 5524.
malvuillant, *a.* 3732, ill-disposed.
malvuillant, *s.* 2993, ill-will.
mamelle, *s.* 1436, teat, breast.
mamellette, *s.* 17901, breast.
mammona, *s.* 16190, mammon.
manace, *s.* 4841, threat.
manacer, *v.* 1832, threaten.
manaie, manoie, menoie, *s.* 744, 14783, B. xxvii. 3, protection, mercy, power.
manant, *a.* 5807, 17260, in possession.
manantie, *s.* 377, manantise, 6786, possession.
manantis, *s.* 16198, possessor.
Manasses, 21004.
mance, *s.* 21774, sleeve.
mandement, *s.* 425, mandate.
mander, *v. a.* 403, 436, B. ii. 3, xxviii. 1, send, send for.
Mane, 22747.
manere, maniere, *s.* 193, 1770, 11752, B. vi. 1, xvi. 1.
manger, *v. a.* 118, B. xlvii. 1 ; 3 *s. p.* mangut, mangue, 2752, 7933 ; *subj.* mangue, 1180 ; 3 *s. pret.* mangut, 147 ; *subj.* mangast, 119.
manger, mangier, *s.* 7954, 8478, 18515, eating, food, meal.
mangerie, *s.* 7528, eating.
mangue, mangut, *see* manger.
manier, manoier, *v. a.* 5164, 28201, handle.
manifester, *v. a.* 7201.
manoie, *see* manaie.

manoir, *s.* 307, B. v. 3, dwelling, estate.
(manoir), *v. n.*, 3 *s. p.* maint, 4306, B. xi. 1, T. xv. 1, meint, 3669 ; 2 *pl. pret.* mansistez, 27975 : remain.
manteal, *s.* 928, mantell, 871.
mantel(l)et, *s.* 716, 854, mantle.
maquerelle, *s.* 9440, bawd, go-between.
marage, *a.* 10928, 22105, weary, vexatious.
marbre, *s.* B. xviii. 3.
marbrin, *a.* 28056, made of marble.
marc, *s.* 6470, mark (of money).
marchande, *a. f.* 7316, of trade.
marchander, *v.* 7362, traffic.
marchandie, *s.* 6955, marchandise, 7431, trade.
marchandin, *s.* 25783, trader.
marchant, *s.* 6512, 25195 ff.
marche, *s.* 23743, border.
marché(e), marchié(s), *s.* 4670, 6290, 7327 f., market, bargain ; au bon marchée, la marché bonne, 24441, 25314.
marchiere, *s.* 1072, market.
marchis, *s.* 23215, marquis.
Marcial(s), 7640, 15505, 15949.
Mardochieu, Mardochée, Mardoche, 11069, 12686, 17468.
mareschal(s), *s.* 10111, 26050, marshal, farrier.
margarite, *s.* 10821, pearl.
mari, *see* marit(z).
Maria, 2653, Miriam.
mariable, *a.* 17400, fit to be married.
mariage, *s.* 801, B. v. *margin*.
Marie (1), 11539, 12553, 14549, 16733, 16972, 17864, 27421, 27579, 27654 ff., 28909, 29745.
Marie (2), (sister of Lazarus), 28514.
marier, *v. a.* and *refl.* 1010, T. iii. 2 ; 3 *s. p.* marit, 17413.
marier, *s.* 17178, marriage.
marine, marrine, *a.* 5396, 16394.
marine, *s.* 23932, sea.
mariner(s), *s.* 10648.
Marioun, 8660.
marit(z), mari, mary, *s.* 965, 8766, T. iii. 1, viii. 2.
marrement, *s.* 8578, affliction.
marri, *a.* 8876, 17476, afflicted, angry.
Marsz, B. xiii. 1, March.
Marte, 8412.
marteal, *s.* 14059, hammer.
marteler, *v. a.* 11976, hammer.
Martha, Marthe, 13049, 14560 ff., 28514.
Martin (saint), 7940, 15739, 25854.

GLOSSARY AND INDEX OF PROPER NAMES 527

martir, *s.* 13981, *f.* martire, 29066, martyr.
martire, *s.* 1138, 17483, suffering, torment.
martirer, *v. a.* 14011, make into a martyr.
mary, *see* marit(z).
masse, *s.* 15642, great quantity.
mastin(s), *s.* 3440, 24509, *f.* mastine, 15019, mastiff, dog.
mat, *a.* 899, 1115, 9870, dull, confounded.
mater, *v. a.* 15143, confound.
matiere, *s.* 204, B. xxxvii. 2.
matin, *s.* 3815, B. v. 2.
matin, *a.* and *adv.* 5638, 8270, early.
matiné(e), matinez, *s.* 3646, 7907.
matins, *s.* 5548, matins.
matrimoine, *s.* 8756, 17139, B. xlix. 3, T. vi. 1.
matrimonial, *a.* 17194.
Maximian, 1653.
me, m', *pron.* 362, D. ii. 4, B. vi. 1.
Mede, 29321.
Medea, Medeam, Medée, 3727, B. xliii. 1, T. viii. 1, 2.
mediacioun, *s.* 3293.
mediatrice, *s. f.* 7424.
medicine, medecine, *s.* 321, 2561, B. xxvii. 1.
meditacioun, *s.* 14947.
medler, *see* meller.
meëment, *adv.* 5542, above all.
meen, *a.* 14502, middle.
meer, *see* mier.
megre, maigre, *a.* 1185, 15639, 16278, lean, poor.
mehaign, *s.* 4706, 4718, mutilation.
mehaigner, *v. a.* 4730, mutilate.
meil(l)our, *a.* 7385, B. xi. 4, xxxviii. 3, meilleur, 18353.
mein, main, *s.* 81, 97, B. xvi. 2, xxiv. 1 ; devant la mein, (lez meins), 4558, 8370, beforehand : apres la mein, 5436, afterwards: enmy la main, 24917, meanwhile.
mein, *see* meinz.
meindre, *a.* 1647, B. xvii. 2, less, least.
meine, *see* mener.
meint, *v. see* manoir.
meint, *a. see* maint.
meintenant, *see* maintenant.
meinz, *adv.* 29, B. xvii. 1, less : le meinz, 2700, the less: au meinz, 8790, ou mein, 7282, at least.
meisoun, *see* mesoun.
meistre, *see* maistre(s).
meistrie, *see* maistrie.
mel, mell, *s.* 12855, 28445, honey.

Melchisedech, 16129.
meller, medler, *v. a.* 3338, 17645, B. iii. 1, xxii. 3, mingle, embroil: *v. n.* 4764, engage in fight.
mellée, *s.* 4672, 26005, fight, mingling.
melodie, *s.* 993.
membre, *s.* 2116.
membré(z), *a.* 2927, provided with limbs.
memoire, *s.* 636, B. xlvii. 1.
memoracioun, *s.* 9868, mention.
memorial, *s.* 21417, B. l. 1, memory, memorial.
memorial, *a.* 3288, brought to mind.
menable, *a.* 3676, 11882, 17392, easily led.
menage, *s.* 285, 2128, 4020, 4843, training, guiding, train, household.
menaille, *s.* 19334, train, following.
menal, meynal, *a.* 3317, 18555, menial, subject.
mencioun, *s.* 10370.
mençonge, mensonge, *s.* 2699, 2812.
mençonger, *a.* 21638, lying.
mençongere, *s.* 1411, liar.
mendiant, *a.* 9140, begging : *s.* 6225, 9145, beggar, mendicant.
mendicité, *s.* 14500.
mendier, *v. n.* 12880, beg.
mendif, mendis, *s.* 7520, B. ix. 4, beggar.
Menelai, B. xl. 1, T. x. 1.
mener, mesner, *v. a.* 303, 18205, B. xx. 3, T. xiii. 1 ; 3 *s. p.* meine, meyne, 759, 6724, B. iii. 2, x. 2, maine, 1607 ; 3 *pl.* meinont, 13625 ; 1 *s. fut.* menerai, B. xxi. 1 ; 3 *s.* merra, 6327 : lead, guide, carry on, display (joy, &c.).
menestral, *s.* 991.
menoie, *s. see* manaie.
menour, *a.* 1301, menure, 167, inferior.
Menour, *s.* 21760, Minor friar.
mentier(s), *s.* 1934, liar.
mentir, *v. n.* 1733, B. xxv. 2, lie: *v. a.* 8959, T. v. 1 ff., be false to (a promise).
menton, *s.* 7624, chin.
menu, *a.* 851, B. xviii. 1 ; *f.* menue, 851, menuse, 6254: small, inferior.
menuement, *adv.* 876, minutely.
menure, *see* menour.
menuser, *v. a.* 13090, diminish.
mer, *see* mier.
mercerie, *s.* 25274, mercers' trade.
merci(s), mercy(s), merci(z), *s.* 2450, 6131, 6645, B. ix. 5, xiv. 3, mercy, pardon, thanks.
merciable, *a.* 4818, B. xxix. 2, compassionate.

mercier, *v. a.* 399, 6959, D. ii. 4, thank, reward.
merdaille, *s.* 1116, 28949, dung, filth, filthy wretches.
merde, *s.* 8105, filth.
merdous, *a.* B. xlviii. 2, foul.
mere, *see* miere.
merell, *s.* 23496, token, lot.
merelle, *s.* 5780, hopscotch (a game).
merir, *s.* 6167, 11647, merit, reward.
merit(e), *s.* 1158, 17455, desert, reward.
merle, *s.* B. xxxvi. 1, blackbird.
merlot, *s.* 909, merlin (falcon).
merriem, *s.* 896, timber.
mervaillement, *s.* 29063.
merveille(s), mervail(l)e, *s.* 1951, 4057, 4208, B. xxxvi. 2.
merveil(l)ous, *a.* 1024, B. xlviii. 1.
mes, *poss. a. see* moun.
mes, *adv. see* mais, *adv.*
se mesaler, *v.* 11326, go astray.
mesavenir, *v. n.* 14827, happen amiss.
mesavenir, *s.* 11262, misadventure.
mesaventure, *s.* 9112, fault.
meschant, *s.* 3337, wretch.
mescheance, *s.* 126, misfortune.
meschief, *s.* 3256, B.l. 1, harm, misfortune.
meschine, *s.* 3706, 3727, 5163, maiden, maid-servant.
mesconter, *v. a.* 2686, recount ill.
mescreance, *s.* 10301, unbelief.
mescreant, *s.* 28510, unbeliever.
mesdire, *v.* 2942, speak evil.
mesdire, *s.* 13389, evil-speaking.
mesdisance, *s.* 1636.
mesdisant, *a.* and *s.* 2689, B. xxv. 1.
mesdisour, *s.* 12861.
mesdit, *s.* 1642.
mesfaire, mesfere, *v.* 86, 4475.
mesfaire, *s.* 8218.
mesfait, *s.* 1394, T. vii. 3; *pl.* mesfais, 1844.
mesfesant, *s.* 4706.
mesgarde, *s.* 16589, carelessness.
mesguier, *v.a.* 16732, T. xviii. 1, misguide.
mesme(s), *a.* 126, B. x. 3, xvi. 1.
mesner, *see* mener.
mesnie, maisnye, *s.* 9819, 13465, household.
mesoun, meson, meisoun, *s.* 201, 2626, 8816, B. xxi. 3, maison, maisoun(s), 2401, 3883, 14170.
mesparler, *v.* 3246.
mesprendre, *v. n.* and *refl.* 2065, 2649, B. iv.* 3, commit offence : *v. a.* B. xlii. 1, take wrongfully.

mesprendre, *s.* 7001, ill-doing.
mesprise, *s.* 599, 1548, offence, contempt.
mesprisioun, *s.* 7162, 20468, wrongful taking.
mesprisure, *s.* 725, B. xii. 4, contempt, offence.
mess, *s.* 7811, 24516, dish (of food).
message, *s.* 413, 4842, 6699, B. ii. 3, messenger, message.
messag(i)er, *s.* 407, 496, B. viii. 2 ; *f.* messag(i)ere, 3210, 20292 : messenger.
messal, *s.* 20731, service of the mass.
messe, *s.* 5548.
Messie, 12341, 14563, 27587, 27918.
messon, *s.* 15595, harvest.
mestier(s), mester, *s.* 240, 652, 2017, 7264, office, need, manner : estre mestier, 21275, to be needful.
mestrait, *s.* 12711, trickery, deceit.
mestre, *see* maistre(s).
mestresse, *see* maistresse.
mestreter, *v. a.* 9799, cheat.
mestrie, *see* maistrie.
mestroier, *v. a.* 1924, rule.
mestru, *a.* 6452 (*perhaps for* 'mesestru,' badly taught), bad.
mesuage, *s.* 8433, dwelling.
mesure, *s.* 948, 22908, B. vii. 3, measure, degree, temper, music.
mesurement, *adv.* 16532ₓin due measure.
mesurer, *v. a.* 7443.
mesuser, *v. n.* 11825, make ill use : *v. a.* 27152, misuse.
metall, *s.* 14043.
mete, *s.* 3149, 9037, measure.
mettre, metre, *v. a.* 8, B. i. 3 ; 1 *s. p.* met, B. xlvi. 2 ; 3 *s.* met, mette, 8, 6399 ; 3 *s. pret. subj.* meist, 16880.
meulx, meux, *see* mieulx.
meynal, *see* menal.
Micheas, 3679, Micah.
Michel, Michieux, Micheux (saint), 3734, 13302, 25607.
Michol, 17614, Michal.
mie, mye, *s.* 3869, 5801, crumb.
mie, mye, *adv.* 2380, T. xi. 2 (*with negative*), at all ; 381, 2589, B. xliv. 1, not at all.
mien, *poss. a.* 23305, B. xxviii. 1.
mier, mer, meer, *s.* 1213, 2467, 2922, 7762, B. viii. 1, xxx. 1, sea.
miere, mere, *s.* 4, 2148, B. xlix. 1, mother.
mieu(l)x, meu(l)x, *adv.* 588, 1198, 1510, 2460, B. xvi. 2, xxiii. 2, xxvii. 1, T. viii. 2.
mil(l), *num.* 1413, 6621, B. xxiii. 2, xxxix. 4.
mil(l)foitz, *adv.* B. iii. 2, ix. 2.

GLOSSARY AND INDEX OF PROPER NAMES 529

millier, miller, s. 884, 28135.
ministre, s. 21237.
ministrer, v. a. and n. 970, 16140.
minot, see mynot.
miracle, s. 7560, B. xxiv. 2.
mire, myre, s. 10935, 12317, B. vi. 4, physician, surgeon.
mirer, v. 1565, 9760, B. xii. 3; 1 s. p. mir, 21702: gaze at, see, gaze: refl. 11029, observe.
mirour, mireour, s. 1565, 23551, B. xxi. 4.
mirre, s. 3567, myrrh.
misere, s. 356, 2484.
misericorde, s. 7573, mercy.
misteire, misterie, s. 10752, 20124.
mitre, s. 16149.
mixt, a. 3536.
mixture, s. 25530.
Moabite, a. 11091.
mockant, a. 1673, mocking.
mockeour, s. 1679, mocker.
mocker, v. a. 1638, mock at.
modefier, v. a. 13632, T. xv. 2, control, guide.
moderacio(u)n, s. 16488 (R), 16490.
modeste, s. 13398, modesty.
modestement, adv. 13451.
moeble, s. 15379, 22323.
moel, s. 1852, marrow.
moerdre, s. 4863, murder.
moerdrer, s. 4905, murder.
moerdrice, s. f. 8969, murderess.
moerdrir, v. a. 13008, murder.
moerge, see morir.
moertrer, s. 14981, murderer.
moet, moeve, see movoir.
moi, moy, my, pron. 363, 1960, 23583, B. ii. 3; (as direct obj.) B. xxxiii. 1.
moie, moye, poss. a. 4032, 13556, B. iii. 1, v. 1; la moye, 29732.
moignal, monial, a. 9121, 20976, of monks.
moigne(s), s. 2741, 7932, monk.
moiller, see muiller.
mois, moys, s. 12255, B. x. 4, month.
Moïses, see Moÿses.
moisture, s. 5397.
mol, moll, a. 16713; f. mole, 514, molle, B. xlviii. 1: soft.
mole, s. 2921, millstone.
molement, adv. 5174.
moleste, s. 1355, B. xxx. 2, trouble, disturbance.
molestement, s. 24119, trouble.
molester, v. a. 491, injure, disturb.
molt, see moult.
moltoun, multoun, s. 7747, 19106, sheep.

molu, a. 15125, 20874, ground sharp, ground up.
molyn, s. 2921, mill.
moment, s. B. viii. 1.
mon, see moun.
moncell, s. 16794, heap.
mond, monde(s), s. 237, 256, 3267, B. ii. 1, iv. 3.
monde, a. 4048, pure.
mondein, mondain, s. 716, 4270.
monder, v. a. 1234, cleanse.
mondial, a. 965, worldly: s. 7600, world (?).
monestement, s. 12968, admonition.
monial, see moignal.
monoie, monoye, moneie, s. 1925, 3357, 10128, T. xviii. 1, money.
monoier, v. 25532, make coin.
monseignour, s. 29765.
monstre, see mostre.
monstrer, see moustrer.
mont, s. 2119.
montaigne, s. 5300.
montance, s. 24452, value.
monter, v. n. and refl. 598, 848, 2119, B. xx. 1, rise, climb, mount: v. a. 3323, raise.
Montpellers, 1944.
Montross, 26095, (a kind of wine).
monture, s. 10556, high place.
monument, s. 28526, tomb.
moral, a. C.
mordre, v., 3 s. p. mordt, mort, 2645, 2886, morde (? subj.), 2725; pp. mors, 3440.
morell, f. morelle, s. 17381, black horse, black mare.
morgage, s. 6199.
morine, s. 6761, murrain.
morir, v. n. 642; 2 s. p. moers, 5289; 3 s. moert, 2103; 3 s. pret. morust, T. ix. 3; fut. morrai, 689, B. xvi. 3, mourra, 9031; 3 s. p. subj. moerge, 27111.
morir, s. 4201, dwelling.
morne, a. 26731, gloomy.
mors, s. 157, bite.
morsure, s. 18285, bite.
mort, s. 120, B. xii. 1.
mort(z), mors, a. 255, 4190, B. ix. 3, xiv. 3, dead, killed; 8028, deadly (?).
mortal, mortiel, mortieux, a. 64, 147, 162, 1014, deadly, mortal.
mortal, s. 6125, deadly sin.
mortalité, s. 11683.
mortefier, v. a. 392, destroy, kill.
mortiel, mortieux, see mortal.
mortielement, adv. 4397.
mortier, s. 20872, mortar.
mosche, mou(s)che, s. 1783, 5871, 9964.

* M m

530 GLOSSARY AND INDEX OF PROPER NAMES

moster, *see* moustier.
mostre, moustre, monstre, *s.* 1026, 9342, 18817, monster, show.
mostrer, *see* moustrer.
mot, *s.* 4101, B. xiv. 2.
motour, *s.* 24712, mover.
mouche, *see* mosche.
moult, *a.* 912 : moult, molt, *adv.* 98, 172, T. xiii. 2.
moun, mon, *poss. a.* 378, 438, D. i. 1, mes, 9782 ; *f.* ma, m', 353, D. i. 4, B. iv. 1 ; *pl.* mes, mez, 11, B. i. 3.
mourne, *a.* 28663, sad.
mours, *s. pl.* 1752, 8671, B. xxxviii. 3.
mousche, *see* mosche.
mouscle, *s.* 10815, mussel.
mouster, moustier, moster, *s.* 1072, 4830, 5561, minster, monastery.
moustre, *see* mostre.
moustrer, mostrer, monstrer, *v. a.* 640, 958, B. xii. 3 ; *fut.* moustray, 707: show.
movable, *a.* 3899, fickle, changing : *cp.* muable.
movoir, *v. a.* 1499, B. xi. 1 ; 1 *s. p.* moeve, 3251 ; 3 *s.* moet, 5259 ; 3 *pl.* moevont, 22035 ; 3 *s. fut.* movera, 5768.
moy, *see* moi.
moye, *see* moie.
Moÿses, Moïses, Moises, Moysen, 2095, 2653, 3977, 10219, 10304, 10442, 10479, 11149, 11165, 11211, 12161, 12253 ff., 17106, 18205 ff., 18807, 24678.
moytée, *s.* 25869, half.
mu, mue, mut, *a.* 2261, 2815, 8312, mute.
muable, *a.* 1862, 11911, unstable, apt to change.
muance, *s.* 26057, 29363, B. xiii. 1, change.
mue, *s.* 4116, 7714, B. viii. 1, cage.
mué, *a.* (or *pp.*) 868, moulting.
muer (1), *v. a.* 23, B. i. 2, move, remove : *v. n.* 3498, change.
muer (2), *v. a.* 21045, shut in a cage.
muer, (3), *a.* 1870, in full feather (after moulting).
muët, *a.* 1199.
muillé, *a.* 4173, wetted.
muiller, moiller, *v. a.* 8132, 29123 f., wet.
mule, *s.* 846.
muler, mulier, *s.* 17236, 27560, wife.
multipliance, *s.* 6557.
multiplier, multeplier, *v. a.* and *n.* 3118, 7822, T. ii. 1, multeploier, 8114.
multitude, *s.* 15893.
multoun, *see* moltoun.
Mundus, Munde, T. x. 3.
mur, *s.* 1767.

muré, *a.* 1490, walled.
murement, *s.* 21426, wall-building.
murmur, *s.* 2323.
murmurer, *v. n.* 2350.
musard, *s.* 1641, idle fool.
musardie, *s.* 25277, folly.
Muscadelle, *s.* 26097.
muscer, *v. a.* 488, hide.
muscerie, *s.* 15677, 20896, secrecy, hoarding.
muscet, *s.* 26205, concealment.
muser, *v. n.* 24157, reflect.
musette, *s.* 11460, pipe.
musike, musique, *s.* 1275, 22905.
must, *s.* 26017, new wine.
mut, *see* mu.
mutabilité, *s.* 5468.
my, *pron. see* moi.
my, *a.* 6153, middle.
myaille, *s.* 15645, crumb.
mydy, *s.* 13346, the south.
mye, *see* mie.
myne, *s.* 23864, mine.
mynot, minot, *a.* 8716, 18329, B. xxxvi. 2, gracious, dainty.
myparty, *a.* 3611, mingled.
myre, *see* mire.
myte, *s.* 6271, 15485, mite.

N

Naaman, Naman, 7461, 18925.
Nabal, 13663, 17474.
Naboth, 4958, 6778, 17637.
Nabugod, Nabugodonosor, 1887, 10338, 21981.
Nabuzardan, 7181.
nacioun, *s.* 3397, race, nation.
nage, *s.* 6704, 13116, voyage.
nager, *v. n.* 3023, sail.
nai, nay, *adv.* 18961, B. xvii. 3, xxx. 3.
naiscance, nescance, *s.* 267, 9986, birth.
naiscant, *s.* 1025, birth.
naistre, nestre, *v. n.* and *refl.* 275, 1587, 3854, B. li. 1 ; 3 *pl. p.* naiscont, 1024 ; 3 *s. pret.* nasquit, nasquist, 194, 197, nasqui, 1055 ; *pres. part.* naiscant, 2618 ; *pp.* née, 1017, B. iv. 1, nez, 9188.
Naman (1), *see* Naaman.
Naman (2), 17469: *cp.* Aman.
naril, *s.* 4756, nostril.
naselle, *s.* 8603, nose.
Nathan, 4963.
nativité, *s.* 27480 (R).
natur(i)el, natural, *a.* 178, 720, 18504, D. ii. 1, T. ii. 1, natural, friendly.

nature, s. 132, B. vii. 1.
naturesce, s. B. xxviii. 1, xliv. 3, gentle nature.
naufrer, v. a. 4286, wound.
navie, s. 24492, ship, (fleet).
nay, see nai.
Nazareth, 27860, 28047, 28346, 28383.
ne, adv. 256, D. i. 3, B. xxii. 1, ne ... pas, 13; ne ... mie, B. iv. 3; point ne, B. iv.* 3; ne ... goute, 4674, ne ... ne 486, ne ne, 12734: not, nor.
necessaire, a. 673.
necessairement, adv. 5122.
necessité, s. 5454, B. xxix. 1.
necligence, negligence, s. 6072, 10552, 13317.
necligent, a. 701 : s. ly necligens, 6073.
Nectanabus, T. vi. 1.
neele, see nele.
Neëmye, 11177.
nees, s. 7869, nose.
nef, see nief.
negge, s. 8072, snow.
negger, v. n. 13736, snow.
negligence, see necligence.
neif, s. 12634, snow.
neircir, v. n. 6888, grow black.
neis, nes, neis que, adv. 2744, 6164, 22354, neisque, 4163, not even, not even if.
nele, neele, s. 6551, 16175, 20626, tares.
nenil, adv. 8373, no.
nepourq(u)ant, adv. 111, 13035, B. ix. 1, nevertheless.
nequedent, adv. 481, B. xix. 2, nevertheless.
nerf, s. 10831, muscle.
Nero, 24474.
nes, see neis.
nescance, see naiscance.
nestre, see naistre.
net, a. 9100, clean.
nettement, adv. 1228.
netteté, s. 10099.
nettoier, v. a. 18175, cleanse.
neveu, s. 4941.
nice, nyce, niche, a. 264, 979, 7673, 24858, ignorant, foolish, scrupulous, delicate.
niceté, nyceté, s. 9175, 15540, ignorance, folly.
Nichanor, 2425.
Nicholas (saint), 15764.
nief, nef, s. 8182, 9953, 22208, B. xxx. 1.
nient, s. 29 ff., nothing, void: adv. 5570, not at all.
nientmeinz, adv. 2704, nient meinz, 15322, nevertheless.
Nil, 23408.

Ninivé, 4004, 27059.
no, poss. a. 476; pl. no, 97, noz, 2574, D. i. 1, les noz, 20063.
noble, a. 97, D. ii. 4, nobil(e), 11565, 23410: s. 16040.
nobleie, s. 12077, magnificence.
noblement, adv. 98.
noblesce, noblesse, s. 469, 16040, B. vi. 2.
noces, see noece.
noctiluca, s. 1131, glow-worm.
noctua, s. 6793, owl.
Noë, 4533, 4973, 9992, 12025, 12220.
noece, s. 11316; pl. noeces, noces, 946, 10094, T. iv. 1 ff.: wedding.
noef, num. 16505, nine.
noefisme, a. C.
Noël, s. 7324, B. xxxiii. 3.
noer, v. 6255, swim.
noet, see nuyt.
noier, noyer, v. a. 2922, 9954, drown, sink : v. n. 12270, be drowned.
noir, a. 1560, T. xv. 3.
noise, noyse, s. 412, 19478, disturbance, noise.
noiser, v. n. 19480, make a disturbance.
nominacioun, s. 16227.
nommant, s. 4243, naming.
nom(m)er, v. a. 239, 410, B. xxiv. 1.
non, see noun.
nonchaloir, see nounchaloir.
noncier, see nouncier.
nonne (1), s. 5183, nun.
nonne (2), s. 27708, nones.
nonneine, noneine, s. 2741, 5306, nun.
nonpas, see nounpas.
nonsachant, a. 21691, ignorant.
nonsavoir, see nounsavoir.
norreture, s. 5216, 16371.
norri, norry, f. norrie, s. 233, 3209, 5138, offspring, fosterling.
norrice, s. 211, nurse.
nor(r)ir, v. a. 369, 18053, bring up, foster.
north, s. 13339.
nostre, poss. a. D. ii. 3, &c.
nostreseignour, s. 28128 (R), 28908 (R).
nostresire, s. 4467 : see sire(s).
notable, a. 26932.
notablement, adv. 16551.
notaire, s. 6330.
note, s. 3892, 9428, note, song.
noter, v. a. 3279, 26819, B. xlv. 3.
notoire, a. 16421, well-known.
nouche, s. B. xxxiii. 2, brooch.
noun, s. 59, B. xxi. 4, name.
noun, non, adv. 1605, 3908, 4815, B. xxi. 4, not.

532 GLOSSARY AND INDEX OF PROPER NAMES

nouncertein, *s.* B. xxiv. 3, uncertainty.
nouncertein(s), *a.* 11402, uncertain.
no(u)nchaloir, noun chaloir, nounchalure, *s.* 1235, 5665, 6432, B. v. 1, xli. 4, disregard, contempt.
nouncier, noncier, *v. a.* 7190, 14667, 27995, utter, announce.
noundroituriel, *a.* 17789, unrighteous.
nounpaier, *s.* 15392, non-payment.
nounpas, nonpas, *adv.* 73, B. xlix. 3, no(u)n pas, 1070, 13808.
nounreson(n)able, *a.* 26777, 27157, unreasoning.
nounsage(s), *a.* 1754, unwise.
nounsaint, nounseint, *a.* 1356, 9509, unholy.
no(u)nsavoir, *s.* 6614, 8302, folly.
nounstable, *a.* 1105, 22093, changeable.
nounsuffisance, *s.* B. xiii. 3.
nounvaillable, *a.* 1116, worthless.
nounvoir, *a.* 6821, untrue.
nourricement, *s.* 14627, nourishment.
nous, *pron.* D. i. 1, &c.
novel(l), *a.* 1220, B. li. 1; du novell, 9840.
novelle, *s.* 419, 29159, B. ii. 3, news.
novellement, *adv.* 7911.
novellerie, *s.* 26099, novelty.
noyse, *see* noise.
noz, *see* no.
nu, nud, *f.* nue, *a.* 90, 1768, B. xliii. 2, naked.
nue, *s.* 91, 2968, B. xxxii. 2, cloud, sky.
nueté(e), *s.* 3606, 11378, nakedness.
nuisable, nuysable, *a.* 3749, 4230, pernicious.
nuisance, *s.* 6564, hurt.
nuisant, *a.* B. xxxii. 1, hurtful.
nuit, *see* nuyt.
nul(s), null(s), *a.* and *pron.* 9, 200, 1075, B. iv. 4, v. 3, xxxi. 1, no, none, any, anyone: nulle part, 4613, nowhere.
nullement, *adv.* 7739.
nully, *pron.* 1514, 9871, 22937, no-one, any-one (*neg.*).
nuysable, *see* nuisable.
nuysement, *s.* 4027, harm.
nuyt, nuit, *s.* 636, 1132, noet, B. xi. 3, C.
nuytée, *s.* 20356, night-time.
ny, *s.* 1985, B. ii. 1, nest.
nyce, nyceté, *see* nice, niceté.

O

o, *see* ou, *conj.*
obedience, *s.* 12110.
obedient, *a.* 12426: *s.* 25774.

obeier, obeïr, *v. n.* 2038, 2220, B. xlii. 2; *refl.* 12164, 28665 : bend down, incline oneself, obey.
obeis(s)ance, *s.* 2146, 12174, B. xxiii. 1.
obeissant, *a.* 12403, T. ii. 3.
objeccioun, *s.* 29193.
oblier, *see* oublier.
obliger, *v. a.* 2650, T. iii. 1, bind.
oblivioun, *s.* 14691.
obscur, oscur, *a.* 3647, 6813, B. xiii. 3 ; en oscur, 6981 : dark.
obscuracioun, *s.* 2304, obscurity.
obscurer, *s.* 10793, darkness : *cp.* oscurer, *v.*
observance, *s.* 2097.
obstacle, *s.* 6245.
obstinacioun, *s.* 5732.
occasioun, *s.* 3292.
occident, *s.* 25241, west.
occire, occier, *v. a.* 2088, 2804, 9691, T. vi. 2.
occupier, *v. a.* 1343.
odible(s), *a.* 2864, B. xlviii. 3, hateful.
odious, *a.* 4479.
odour, *s.* 3567.
odourer, *v.* 13560, smell.
oedif, *a.* 5785, 17713, idle.
oedivesce, *s.* 5774, idleness.
oef, *s.* 21380; *pl.* oefs, 1983, oes, 26303, owes, 24728 : egg.
oel, oill, *s.* 1064, 3736, B. vi. 1 ; *pl.* oels, oil(l)s, oill, 935, 3238, 6806, B. ix. 2, xxxii. 1 : eye.
oeps, *s.* 7578, 15567, need.
oetisme, *a.* C., eighth.
oevere, oevre, ovre, *s.* 36(R), 4228, 10432, 27902, work.
offence, *see* offense.
offencioun, *s.* 4052.
offendre, *v. a.* 4264, 26192, B. xviii. 2, offend : *refl.* 12984, be offended.
offense, offence, offens, *s.* 352, 2016, 3952, 9058.
office, *s.* 257.
officer, officier, *s.* 3884, 25968, B. xvi. 3.
official, *s.* 11644, officer.
offre, *s.* 3308, 27540, offer, offering.
offrende, *s.* 4491, offrens, 28165, offering.
offrendour, *s.* 25015, worshipper.
offrir, *v. a.* 7119 ; *pp.* offert, 5688.
oiceus, oiseus, *a.* 5800, 14426, B. xlvii. 1, lazy.
oïe, oÿe, *s.* 1428, 3213, B. xxx. 3, hearing, sound, report.
oignement, *s.* 13132, B. xxvii. 3.
oignt, *s.* 2273, ointment.

GLOSSARY AND INDEX OF PROPER NAMES 533

oïl, oÿl, *adv.* 7132, 11380, yes.
oil(1), *see* oel.
oile, oille, *s.* 3541, 7551, oil.
oillage, *s.* 16999, oil.
oindre, *v. a.* 2274, anoint.
oïr, oier, oyer, *v. a.* 324, 10318, 10914, B. ii. 3, xxiv. 1; 3 *s. p.* ot, 16588; 1 *s. pret.* oi, oï, 410, 2326; 3 *s.* oïst, 509, oÿt, 805, oÿ, 10256; *fut.* orrai, B. xvii. 3; 2 *pl.* orretz, oretz, 203, 796; *pp.* oï, 80, B. ii. 3.
oïr, *s.* 26884, hearing.
oisel, oiseal, *s.* 1199, 3577, B. ii. 1; *pl.* oisel, oisealx, oiseals, 942, 3577, B. xxxiv. 1.
oisellette, *s.* 5814.
oiselline, oiseline, *s.* 7829, 26293, bird.
oisellour, *s.* 18505, fowler.
oiseus, *see* oiceus.
oistre, *s.* 6398, oyster.
oitante, *num.* 17091, eighty.
Olimpeas, T. vi. 1.
oliphant, *s.* 15105: *cp.* elephant.
olive, *s.* 29923, olive-tree.
Olophernes, Olophern, 11115, 12047.
oltrage, *see* oultrage.
om, on(s), *s.* 37, 8961, 17722, D. ii. 3, man, one: *cp.* hom.
ombrage, *s.* 3539.
ombre, umbre, *s.* 21612, 26769.
omnipotent, omnipotens, *a.* 1632, 28169.
on(s), *see* om.
onde, unde, *s.* 10840, 15162, 22313, wave, abundance.
oppinioun, *s.* 26365.
opposer, *v. a.* 16162, 26785, disturb, question.
oppress, *a.* 1292, 2660, 23207, B. xx. 2, crushed, burdened.
oppresser, *v. a.* 25002.
or, *see* orr.
Orace, 3804, 10948, 23370.
oracioun, *s.* 10237, prayer.
orage, *s.* 3022.
orail(l)e, oreil(l)e, *s.* 553, 3178, 5212, 7936, B. iii. 2, vi. 1.
oratour, *s.* D. i. 3.
ord, *a.* 2515, 6791, filthy, vile.
ordeignement, *s.* 7956, ordinance.
ordeinement, *adv.* 13561, in orderly fashion.
ordener, ordiner, *v. a.* 102, 951, T. iii. 3, ordei(g)ner, 2319, 3283, 5174.
ordinaire, *s.* 9410.
ordinal, *s.* 21612, rule.
ordinance, *s.* 4958, order, control.
ordiner, *see* ordener.

ordinour, *s.* 23623, ordainer.
ordre, *s.* 2110, 11752, T. v. 2.
ordure, *s.* 1126.
ore, *adv.* 37, 4737, D. i. 3, (ore . . . ore), ore . . . ore . . . ore, 3896 *f.*; a ore, 20523: now.
oreil(l)e, *see* oraille.
oreiller, *v.* 414, whisper.
oreiller, *a., f.* oreillere, 15520, ready to listen.
oreiller(e), *s.* 5178, 5240, pillow.
oreiso(u)n, orisoun, *s.* 1200, 10208, 10502, B. xxiv. 2, prayer.
orendroit, *adv.* 6538, now.
Orense, 19984.
orer, *v.* 1200, 10201 ff., pray, pray for.
orfevere, *s.* 25513, goldsmith.
orguil, *s.* 244, B. xlviii. 3.
orguillant, *a.* 16879, proud.
s'orguillir, s'orguiller, *v.* 1754, 11420, grow proud.
orguillour, *s.* 24177, proud man.
orguillous, *a.* 1093.
orient, oriant, *s.* 846, 13336, east.
origenal, *a.* 17533.
origenal, original, *s.* 152, 8580, 13525, D. i. 2, beginning, rise.
orine, *s.* 3844, 16539, origin, stock.
ornement, *s.* 17128.
orphanin, *s.* 6872, *f.* orphanine, 15377.
orphelin, *a.* 8733, destitute.
orr, or, *s.* 254, 911, T. viii. 1, gold.
ort, *s.* 12868, garden.
oscur, *see* obscur.
oscurement, *adv.* 25334.
oscurer, *v. a.* 21736: *cp.* obscurer, *s.*
oscureté, *s.* 3284.
Oseë (1), 6115, 7315, 20462, 26571, Hosea.
Oseë (2), 11018, Hoshea (the king).
oser, *v.* 727, B. xiv. 2.
Oseye, *s.* 26048.
oss, *s.* 1852, bone.
ossifragus, *s.* 1850, osprey.
ostour, *s.* 907, 21045, hawk.
ostricer, *a.* 25291, of ostrich.
ot, *see* avoir, oïr.
otroi, ottroy, *s.* 3123, B. xxxviii. 4, granting, grace.
otroier, ottrier, *v. a.* 821, B. ix. 5, xv. 2, grant, allow.
ou, *conj.* B. ix. 3, o, 3878, u, 11459, or: ou . . . ou, 1975, ou si . . . ou, B. xii. 3, whether . . . or.
ou=au, 2672, 3808, 4542, &c.
ou=ove, 8376.
ou=u, 11023.

ouaille, ouaile, *s.* 14127, 19486, sheep.
oubli, oubly, *s.* 1110, 2082, 10690, (mettre en oubli).
oubliance, *s.* 6113.
oublier, oblier, o(u)blir, *v. a.*, 3 *s. p.* oublie, oblie, 1620, 4043, B. xxv. 1, oublist, oublit, oblit, 6640, 16686, B. xxvi. 3.
oublier, *s.* 13760, forgetfulness.
oublivioun, *s.* 6100.
oue, *s.* 5511, 26300, B. xlviii. 3, goose.
oultrage, outrage, oltrage, *s.* 288, 1756, 2285, 4707, outrage, extravagance.
oultrageus, *a.* 8391.
oultragier(s), *a.* 11661, 26226, extravagant.
oultragousement, *adv.* 16572.
oultrance, *s.*, (al oultrance), 8040.
oultre, outre, *prep.* 400, B. xxii. 3.
oultre (outre) mer, 1213, 25292.
oultremarin, *a.* 23866.
ou(l)trepasser, *v. a.* 6751, 23166, pass through, transgress.
ours, *s.* 20302, bear: *cp.* urse.
out, *see* avoir.
outrepasser, *see* oultrepasser.
ove, *prep.* 4, 2406, B. v. 3, &c., ou, 8376, with.
ovel, *a.* 8159, 12795, level, equal, like: *adv.* 22792.
ovelement, *adv.* 4722, equally, fairly.
overage, *s.* 8914, 16391, work.
ov(e)raigne, ov(e)reigne, *s.* 363, 3371, 4226, 25549, work, business.
overir, ovrir, *v. a.* 995, 12675.
overt, *a.* 2663, open.
overt, *s.* 4207, opening.
overture, *s.* 6402.
ovesque, *prep.* 167, T. iv. 1: *cp.* ove.
Ovide, 14090.
ovile, *s.* 16089, sheepfold.
ovraigne, ovrir, *see* overaigne, overir.
ovre, *see* oevere.
owes, *see* oef.
oÿe, *see* oïe.
oÿl, *see* oïl.

P

pacience, *s.* 4313.
pacient, *a.* 3968, 4188, 7653, patient, suffering.
pacient, *s.* 24307, sick person.
page, *s.* 1375, page (servant).
paiage, *s.* 6202, payment.

paie, pay, *s.* 7332, 23000, 24564, payment, satisfaction.
paiement, *s.* 3308.
paien(s), *a.* 10342; *s.* 13020: pagan.
paier, *v.* 1314, 5630, B. xxvii. 1, pay, satisfy, pay for.
paiis, païs, *s.* 341, 3789, B. vii. 1, country.
paile, paille, *s.* 3869, 20961, straw.
pain, *s.* 2206; pain lumbard, 7809.
paindemain, paindemeine, *s.* 7808, 16286.
paine, *s.*, *see* peine.
paine, *v.*, *see* pener.
paintour, *s.* 1945, painter.
painture, *s.* 1947, painting.
paire, *s.* 25511, company.
paisible, peisible, *a.* 2568, 15896, peaceful.
paistre, pestre, *v. a.* 1161, 7012, 7031; *pres. part.* paiscant: feed.
paix, *see* pes.
Palamedes, B. xx. 3.
pale, *a.* 870.
palefroy, *s.* 845.
paleis, palois, *s.* 28241, T. xi. 3, palace.
palme (1), *s.* 12469, 29618, palm-tree.
palme (2), *s.* 7741, tennis.
palmer, *see* pasmer.
palois, *see* paleis.
palpebre, *s.* 2295, eyelid.
Pamphilius, 14450.
pance, paunce, *s.* 5522, 8542, paunch: *cp.* garde pance.
Pandeon, T. xii. 1.
pane, *s.* 25706, piece.
panell, *s.* 24896, (jury) panel.
paneter, *s.* 7517, pantler.
Pantasilée, B. xliii. 2.
pantiere, panetere, *s.* 9254, 12866, panther.
paon(s), paoun, *s.* 23451, 23527, peacock.
paour, *s.* 663, B. xiii. 3.
paourous, *a.* 11119, 16910.
papal, *a.* 18481.
papal, *s.* 27052, pope.
pape, *s.* 18492.
papegai, papegay, *s.* 26781, B. xxxvi. 1.
papir, *s.* 4587, 7286, paper.
par, *prep.* 18, D. i. 1, per, T. i. 1; par tout, B. l. 2; par si qe, 3233, par ce que, 12684.
parable, *s.* 11977.
paradis, *s.* 82, B. v. 3.
parage, *s.* 10084, B. xxiii. 4, rank.
se parager, *v.* 13639, associate.
parail, *see* pareil.
parailler, *v. a.* 2900, make like.
paramont, *adv.* 10017, above.

GLOSSARY AND INDEX OF PROPER NAMES 535

paramour, *s.* 28641, lover.
parant, *a.* 1230, apparent.
parasi, *s.* 25569, halfpenny.
parchemin, *s.* 16102, parchment.
parclos(e), *s.* 16157, B. xxxvii. 2, enclosure.
parçon(i)er(s), parcener, *s.* 6992, 8408, 15546, sharer, partaker.
parcroistre, *v. n., pp.* parcru, 4584, 17108, grow up.
pardedeinz, pardedeins, *prep.* and *adv.* 1114, 1120, within.
pardehors, *adv.* 1123, outside.
pardela, *prep.* 23252, on the other side of.
parderere, *adv.* 248.
pardessoutz, pardessoubz, *adv.* 8142, 13884, below.
pardessur(e), *adv.* 1857, 4746, 10147, on the top, above, besides.
pardevant, *prep.* and *adv.* 1845, 2393, par devant, B. xii. 2, before.
pardon, see pardoun.
pardonaunce, *s.* 11730.
pardonnement, *s.* 10512.
pardon(n)er, *v. a.* 15402, T. xviii. 4.
pardonner, *s.* 15092, forgiveness.
pardo(u)n, *s.* 5736, 13342.
parée, *a. f.* (*pp.*) 18328, pareie, 10117, adorned.
pareie, *s.* 10118, wall.
pareil, *a.* B. x. 2.
pareille, pareil(l), parail, *s.* 1212, 1446, 22210, B. x. 2, equal, rival.
paremploier, *v. a.* 14322, set aside.
parensi, *adv.* 15951, in such a manner.
parent, *s.* 97, 2574; *f.* parente, 3100: parent, relation.
parenté(e), *s.* 4283, 6671; *pl.* 9183: kinship, relations.
parenterdit, *a.* 15561.
parentre, *prep.* 1178, 16338, B. xxvii. 4, T. xv. 2; parentre de, C.: between.
parer, *v. a.* 21439, B. xvii. 3, prepare, adorn, equip.
parfaire, parfere, *v. a.* 1942, 2947, 4413, 9435, 28472, make complete.
parfait, *a.* 1170, perfect: *cp.* parfit.
parfaitement, *adv.* 10776.
parfin, *s.* 2383, end.
parfit, *a.* 1640, 2439, T. xviii. 4, perfit, D. i. 4, B. xxvi. 2: perfect, ready.
parfit, *s.* 6828, fulfilment.
parfitement, *adv.* B. xli. 3.
parfond, *a.* 2467, 22317, deep.
parfondement, *adv.* 2673.
parfondesse, *s.* 29465, depth.

parfournir, *v. a.* 4680, 21707, perform.
parigal, perigal(s), *a.* 151, 964, 3159, 5604, equal, like: *s.* 24232.
Paris (son of Priam), 16700, B. xiv. 1, xl. 1.
Paris (city), 25245.
parlance, *s.* 1734.
parlement, *s.* 334, 4998, B. xix. 3.
parler, *v.* 385, B. viii. 3.
parler, *s.* 28468.
parlesie, *s.* 5519, palsy.
parlier(s), *s.* 15997, speaker.
parlire, *v. a.* 14896; *pp.* parlieu, 19956: read through.
parmi, parmy, *prep.* 282, 4113, to, through, by: *adv.* 818, 1628, B. xxviii. 3, right through, throughout, completely, utterly.
paroche, *s.* 20210, parish.
parochiale, *s. f.*, 9115, parishioner.
(paroir), *v. n.*, 3 *s. p.* piert, 1816, B. xl. 1, piere, 1412, 3450 (? *subj.*); 3 *pl.* pieront, 25615; 3 *s. pret.* parust, 2176, T. xiv. 1: appear: *cp.* perestre.
parole, parolle, *s.* 351, 9386, B. xix. 1.
parol(l)er, *v. n.* 2156; 3 *s. p.* parolt, 2720, parole, 3495; *subj.* parolle, 17709: speak.
part, *s.* 276, 2786, 6343, 7386, B. iv*. 3, xxxi. 3; d'autre part, see autre; queu part, 9242, whither? queu part qe, 13864, wherever.
partage, *s.* 1654, sharing.
partenant, *a.* 1089.
partenir, *v. n.* and *refl.* 45, 924, belong.
partie, *s.* 373, 2366, 16080, 18711, side, party, part, departing, quarrel.
partir, *v. a.* 3240, 3981, 6660, divide, distribute, take away: *v. n.* and *refl.* 744 f., 7595, 12524, B. xv. 1, depart, part, share.
partir, *s.* 17549, T. xvii. 1, parting, end.
partison, *s.* 7055, share.
Partonopé, B. xliii. 3.
parvenir, *v. n.* 14925.
pas, pass, *s.* 890, 6940, pace, pass.
pas, *adv.* 900, B. xii. 3.
pasmer, palmer, *v. n.* 28942, 29023, 29120, faint.
Pasques, 4434, 7326, 28602.
passage, *s.* 2538, 27107, T. xvii. 3, journey, death.
passant, *s.* 8465, death.
passer, *v. a.* 5444, B. viii. 1, x. 2: *v. n.* 36, 5575; passer de, 2795, escape from; s'en passer, 4195.
passible, *a.* 5765, suffering.
passio(u)n, *s.* 18191, 28770.

past(e), *s.* 7868, 8363, 15660, paste, pastry, repast.
pastour, *s.* 5012, shepherd.
pastourage, pasturage, *s.* 1593, 5503.
pastoural, *a.* 9116.
pasture, *s.* 1852.
pasturer, *v. n.* 21996, feed.
paternoster, *s.* 5559.
patriarche, patriarc, *s.* 7985, 17159.
Paul(1) (saint), 10612, 13040, 13249, 20069.
Paul (2), 13023 ff.
Paul (3) (l'eremite), 27061.
Pauline, T. x. 3.
paunce, *see* pance.
pautonier, *s.* 21382, vagabond.
pavement, *s.* 21427.
Pavie, 7319.
pay, *see* paie.
peal, pell, *s.* 8724, 23486, skin.
peas, *see* pes.
peccatrice, *s. f.* 2516, sinner.
pecchant, *s.* 2131, sinner; 10519, sin.
pecché(s), *s.* 3, T. vi. 2, sin; 13341, sinner(?).
peccheour, *s.* 3150, pecchour, C., sinner.
peccher, *v. n.* 1847, sin.
peccher, *s.* 1432, sin.
peccheresse, *a.* and *s. f.* 20542, T. x. 1, sinner.
peccune, *s.* 24352 ff., money.
peccunier, *s.* 24463, lover of money.
pectrine, *s.* 2053, breast : *cp.* peitrine.
pedaille, *s.* 26232, common people.
pée, *see* pié.
pees, *see* pes.
peindre, peinter, *v. a.*, 3 *s. p.* peinte, 12077, 26037 ; *pp.* peint, 934, B. xlii. 3: paint, dye, adorn.
peine, paine, *s.* 182, 1438, B. xxviii. 2, peigne, B. iii. 1 ; au peine, a peine, au paine, 2916, 9043, B. xxii. 2, xli. 3.
peine, *see* pener.
peinter, *see* peindre.
peiour, *a.* 2252, worse.
peisible, *see* paisible.
peitrine, peytrine, poitrine, *s.* 3849, 6840, 9010, breast: *cp.* pectrine.
pelerin, *s.* 5641, *f.* pelerine, 16166 : *cp.* peregrin(s).
pell, *see* peal.
pelliçoun, *s.* 20474, furred cloak.
pellure, *s.* 20453, fur, skins.
pelote, *s.* 1460, ball.
pelterie, *s.* 25682, fur.
penance, *s.* 1157, 2093, 29623, punishment, pain.

penant, *a.* 22882, penitent.
pendement, *s.* 14998, hanging.
pendre, *v. n.* 885, 9021, 17843, B. xxv. 2 ; 3 *s. pret.* pendi, 2453: hang, be attached, belong : *v. a.* 4113, 5755, 25022, hang.
pener, *v. a.* and *refl.* 778, 1002 ; 3 *s. p.* peine, 990, 2033, paine, 9208 : make to suffer, give trouble to ; *refl.* take pains, endeavour, suffer pain.
penne, *s.* 3502, 7382, feather, pen.
Penolopé, T. vi. 3.
peno(u)n, *s.* 10103, 23728.
penouncell(e), *s.* 11289, 14261.
pensant, *s.* B. iv. 3, thought.
pensantie, *s.* 14267, weightiness.
pensé(e), *s.* 2192, 3078, B. vii. 2, xxix. 2, penseie, 14404.
pensement, *s.* 5540, B. viii. 3, thought.
penser, *v. n.* and *refl.* 613, 3680, B. ii. 3, iii. 1, think : *v. a.* 360, 11509, weigh, reflect upon.
penser, pensier(s), *s.* 3674, 3683, D. ii. 3, B. vi. 3.
pensif, *a., f.* pensive, 4643.
Pentecoste, 15135.
Pepin, 1303.
pepin, *s.* 6719, 7725, 8531, apple, pip.
per, *see* par.
Perce, *see* Perse.
percer, *v. a.* 13521, B. xviii. 1.
perceus, *a.* 5416, indolent.
percevoir, (perchoir), *v. a.* 28019 ; 3 *s. fut.* perchera (?), 18539: perceive, receive. *See* note on 18539.
perclus, *a.* 7591, shut up.
perdice, *see* perdis.
perdicioun, *s.* 2340.
perdis, *s.* 6262, *f.* perdice, 7831, partridge.
perdre, *v. a.* 94, B. ii. 1 ; 3 *s. p.* pert, 9009, T. xvii. 1.
perdurable, *a.* 1438, 13571, B. li. 2.
perdurablement, *adv.* 2076.
pere, *see* piere, pierre.
peregrin(s), *s.* 10656 : *cp.* pelerin.
peresce, *s.* 5377, indolence.
perestre, *v. n.* 1760, B. xi. 4; 2 *s. p.* peres, 3776 ; 3 *s.* perest, 138 ; 2 *pl.* perestes, 2; 3 *pl.* persont, 3859 ; 3 *s. fut.* perserra, 13691 : appear : *cp.* paroir.
perfeccioun, *s.* T. xvi. 3.
perfit, *see* parfit.
peri, *a.* 75, 2086, 10889, lost.
perigal(s), *see* parigal.
peril, *s.* 6739, B. xxx. 1.
peril(l)er, *v. a.* 5059, 15394, imperil.

GLOSSARY AND INDEX OF PROPER NAMES 537

peril(l)ous, *a.* 1104, 4604, B. xlviii. 2.
perir, *v. n.* 2099; 3 *s. p.* piert, 6856, 8397, 19087; *p. subj.* perisse, 4332.
perjur(s), *s.* 6457, perjurer.
perjuré, *a.* or *s.* 25046.
perjurer, *v. n.* and *refl.* 6421, 6472, commit perjury : *v. a.* 6446, swear falsely by.
perjurer, *s.* 6318, 24850, perjury.
perjurie, *s.* 6428.
perle, *s.* 9282.
permanable, *a.* 1796, T. i. 2, lasting.
permanance, *s.* 11577.
permanant, *a.* 11670.
pernont, *see* prendre.
perpetuel, *a.* 3744.
perrie, *s.* 858, *pl.* 25588, precious stones.
perrier(s), *s.* 25579, jeweller.
perriere, *s.* 3716, catapult.
perrine, *s.* 2054, stone.
perroun, *s.* 2412, rock.
pers, *a.* 6979, 21773, livid, purple.
Persant, *a.* 10347, Persian.
Perse, Perce, 12999, 22035, 29321, Persia.
persecutour, *s.* 6914.
perserver, *v. a.* 217, keep.
perseverance, *s.* 14357.
perseverer, *v. n.* 14393 ff.
Persiens, *s. pl.* 22046.
person(n)e, *s.* 1508, 20208 (R), B. xxxix. 2, T. iii. 3, person, parson.
persuacioun, *s.* 19113.
perte, *s.* 2069.
pertuis, pertus, *s.* 5258, 7587, hole.
perturber, *v. a.* 3639.
pervers(e), *a.* 2545, 16725.
pervertir, *v. a.* 646, 3175, turn aside, ruin.
pes, pees, peas, paix, *s.* 203, 1485, 3069, 11135, B. ii. 3, xli. 1, T. xiii. 2, peace ; 5622, the pax (in a church).
pesance, *s.* 1290, heaviness.
pesant, *a.* 5145, B. xxxii. 2.
pescheur, *s.* 8570, fisher.
peser, *see* poiser.
pestilence, *s.* 4630.
pestre, *see* paistre.
petit, *a.* 890, B. xxviii. 1, *pl.* petis, 29796 : un petit, 806, au petit, 310.
petit, *adv.* 5514.
petitement, *adv.* 16562.
petitesce, petitesse, *s.* 13027, 14236.
peytrine, *see* peitrine.
Pharao(n), 2332, 12258, 12268, 27080, T. xiii. 1.
Phares, 22750.
Phariseu, Pharisée, 1837, 3110, 18805, 28368.

Phenenne, 10274.
phesant, *s.* 3502, 19501.
philesophre, *see* philosophre.
Philipp, T. vi. 1.
Phillis, B. xliii. 1.
Philomene, T. xii. 1.
philosophie, *s.* 1448.
philosophre, philesophre, philosophe(s), *s.* 1813, 7633, 9530.
Phirin, 18303.
phisicien, *s.* 24289.
Phisique, 8521.
phisique, physique, *s.* 7724, 7905, health, medicine.
phisonomie, *s.* 20385.
pichelin, *a.* 6091, small.
pie, *s.* 1696, 9975, magpie.
pié, piée, pée, *s.* 1375, 3797, 10722, foot.
pieça, *adv.* 3271, B. ii. 3, formerly.
piece, *s.* 1858.
pier, *s.* 1821, 18787, 23197, equal, peer; pier a(u) pier, 3342, 23419, on an equality, equally.
piere, *s.* 186, pere, T. vi. 2, father.
piere, *v. see* paroir.
pierre, piere, pere, *s.* 896, 2397, 18343, B. xviii. 1, stone ; la pierre jetteresse, 5781, pitch-pebble (a game).
Pierre, Piere, (saint), 3112, 7993, 12664, 13789, 15088, 15808, 18531, 18553, 18651 ff., 19401, 19484, 20065, 21648, 25854, 27038, 28658, 29177 : *see* Simon.
pierrous, *a.* 1242, jewelled.
piert, *see* paroir, perir.
pigas, *s.* 23394, pointed shoe.
Pigmalion, B. xxiv. 2.
pigne, *s.* 8719, comb.
pilage, *s.* 16183, plunder.
Pilat, Pilas, 28706, 28772 ff., 28938, 28972, 29003.
piler, *v. a.* 1570, plunder.
piler(s), pilier, *s.* 13093, 20783, T. vii. 1, pillar.
pilour, *s.* 15547, plunderer.
piment, *see* pyment.
pire, pir, *a.* 1895, 23972, worse, worst.
pis, *adv.* and *s.* 1662 ; le pis, 183, B. xii. 1, the worst; du pis, 8981, a worse thing.
pis, pitz, *s.* 3808, 17934, breast.
pisco(u)n, *s.* 5396, 8529, fish.
pitance, *s.* 5684, 7546, 8442, portion, share, small portion.
pité(s), pitée, pitié(s), *s.* 2067, 13902 ff., 19967, D. i. 1, B. xiv. 3, xvii. 4 ; *pl.* 29900.

pitous, piteus, *a.* 5236, 8876, B. xi. 3.
pitousement, piteusement, *adv.* 13940, 29027, B. xix. 2.
pitz, *see* pis, *s.*
place, *s.* 11254, B. i. 2.
place, *v. see* plere.
plai, *see* plait.
plaidant, *s.* 19042, pleader.
plaider, pleder, *v. n.* and *a.* 6217, 18425, 21728.
plaidour, pledour, *s.* 24206, C., advocate.
plaie, *s.* 4293, B. xxvii. 1.
plaier, *v. a.* 5019, wound.
plain (1), *a.* 4596, 10230, plain.
plain (2), *a. see* plein(z).
plaindre, *v. see* pleindre.
plaindre, *s.* 11489, complaining.
plainement, pleinement (1), *adv.* 7953, 10202, simply, plainly.
plainement, pleinement (2), *adv.* 2915, B. iv. 2, xiv. 1, fully.
plainerement, *adv.* 10476, fully.
plainte, pleignte, *s.* 25162, 29096.
plaintif, *s.* 6326.
plaire, *see* plere.
plaisance, *see* plesance.
plaisir, plesir, pleisir, *s.* 467, 479, 27641, B. viii. 2, xxv. 1.
plait, plai, plee, *s.* 2961, 6329, T. x. 3, plea, discourse, affair.
plancher, *s.* 27260, beam.
planete, *s.* 9038.
plante, *s.* 6892.
planter, *v. a.* 2201, plant, set down.
plat, *a.* 15257, flat: *adv.* 24260.
platement, *adv.* 15205, plainly.
Platoun(s), 15205, 15237.
pledant, *s.* 24241, pleading.
pleder, *see* plaider.
pledour, *see* plaidour.
plee, *see* plait.
plegge, *s.* 19448.
plegger, *v.* 24943, give pledges.
pleignte, *see* plainte.
plein(z), plain, *a.* 249, 480, B. iii. 2, full; au plain, au plein, 1098, B. xxvii. 3 : *adv.* 27167.
plein (1), *s. see* pleine.
plein (2), *s. see* toutplein.
pleindre, plaindre, *v. n.* and *refl.* 4177; 1 *s. p.* pleigne, 766, B. xiv. 3, pleign, 24950; 3 *s.* plei(g)nt, 1800, 2859, plaignt, 1645, pleigne, 4625; 3 *pl.* pleignont, 4652.
pleindre, *s.* T. xiv. 3, mourning.

pleine, plein, *s.* 23246, 28298, plain.
pleinement, *see* plainement.
pleiner, plen(i)er, *a.* 35, 1779, 12256, B. viii. 3, xlv. 3, full, in full, full-grown.
pleisir, *see* plaisir.
plener, *adv.* 6547.
plen(i)erement, *adv.* 424, 1547, fully.
plenitude, *s.* 15892, fullness.
plenté(e), *s.* 11144, 19960, B. xvii. 3.
plentevous, plentivous, *a.* 12461, 29922, B. xxxi. 1, abundant : *adv.* 20841.
plere, plaire, *v. n.* 176, 571, B. iv*. 3; 3 *s. p.* plest, 809, B. ii. 4; 3 *s. imp.* plesoit, 980 ; 3 *s. pret.* plust, 1916; *p. subj.* place, 19949 ; *pret. subj.* pleust, 3785, B. x. 1 ; *fut.* plerra, 5157, B. ii. 3, plairra, 8035 : *v. a.* 10903.
plesance, *s.* 641, B. i. 3, plaisance, 8033, pleasure.
plesant, *a.* 219, B. iii. 2.
plesir, *see* plaisir.
plevir, *v. a.* 6650, B. xxiii. 1, T. xvii. 1, pledge.
pliant, *a.* 1416.
plier, ploier, *v. a.* 2115, 2811, B. iii. 3, x. 1, xiv. 3 : *v. n.* 7582.
plit, *s.* 2547, 3934, condition, state : par autre plit, d'autre plit, 2081, 7295, on the other hand.
ploier, *see* plier.
plom, *s.* 897, lead.
plonger, *see* plunger.
plorant, *s.* 13042, mourner.
plorer, *v. see* plourer.
plorer, *s.* 11489, weeping.
plour, *s.* 180, B. ix. 4, weeping.
plourement, *s.* 10534.
plourer, plorer, *v. n.* 3164, 10563 ; 1 *s. p.* plure, 15010, B. xii. 3 ; 3 *s.* plourt, 1066, plure, 7224 : weep.
plovier, *s.* 26294, plover.
pluie, *s.* 5610.
pluis, *see* plus.
pluit, pluyt, *see* pluvoir.
plunger, plonger, *v. a.* 2458, 8124 : *v. n.* 7979.
pluralité, *s.* 7363.
plure, *see* plourer.
plus, *adv.* and *s.* 5, 182, B. iii. 2, pluis, B. iv. 3, xxxix. 3.
plusour(s), pluseurs, *pron.* 3015, 7134, T. xvi. 1 ; ly plusour, 2727.
plustost, *adv.* 4452, B. xxxvii. 1, xlii. 1, plus tost, 1908, sooner, rather.
Pluto, 962.
pluvie, *s.* 26716, rain.

GLOSSARY AND INDEX OF PROPER NAMES 539

(pluvoir), *v. n.*, 3 *s. p.* pluit, 13736;
  3 *s. pret.* pluyt, 4531 : rain.
poair, *see* pooir.
poeple(s), pueple, *s.* 2210, 18428, 23153 ff.
poer, *see* pooir.
poesté, *s.* 2557, power.
poestis, *a.* 1222, B. ix. 5, powerful, able.
poi, *see* poy.
poign, *s.* 859, fist.
poignant, *a.* 1798, 11529, piercing, sharp.
poil, *s.* 3719, hair.
poindre, *v. a.* 5026; 3 *s. p.* point, 944,
  2642, poignt, 11860, B. xxxii. 1 ; *pres.
  part.* poignant, 1798 ; *pp.* point, 2357 :
  prick, sting, bite.
point, *s.* 504, 948, B. i. 2, xii. 2, *pl.*
  pointz, poins, 2763, 3793, point, prick,
  position, limit, thing, saying : au point,
  26077, perfectly ; tout a point, 2364,
  fully prepared.
point, *adv.*, ne . . . point, 2356, point
  ne, B. iv*. 3 ; or without 'ne,' 11857 :
  not at all, not.
pointure, *s.* 3528, T. xvi. 2, sting.
poire, *s.* 9961.
pois (1), *s.* 11393, B. xiii. 1, weight : sur
  son pois, 26186, against his will.
pois (2), *s.* 13686, pitch.
poiser, peser, *v. a.* and *n.* 7451, 15075,
  15202, weigh : ce poise moy, 9251, it
  seems to me.
poiso(u)n, *s.* 2524, 4398, T. xi. 3.
poitrine, *see* peitrine.
polain, polein, *s.* 9446, 18074, colt.
poli, *a.* 4240.
policie, *s.* C.
pollut, *a.* 20741, unclean.
pomme, *s.* 117.
pompe, *s.* 18964.
pont, *s.* 4320.
pooir, poair, *s.* 310, 597, B. iv.* 3, v. 1,
  T. xiii. 1, poer, 1252, power: *cp.*
  povoir.
por, *see* pour.
pore, *s.* 4806.
porceo, *see* pourceo.
porcin, *s.* 8273, pig.
porcin, *a.* 20516, of a pig.
porri, *see* purri(z).
port (1), *s.* 834, 27450, B. xiii. 2, bearing,
  value.
port (2), *s.* 4366, harbour.
portable, *a.* 29820, borne.
portal, *s.* 16608, gate.
porte, *s.* 258, gate : porte colice, 9849,
  portcullis.

porter, *v. a.* 263, B. xiii. 4 ; 3 *s. p.* porte,
  port, 263, 6678 ; *subj.* port, 7418.
port(i)er, *s.* 7522, 9607, gate-keeper.
portour, *s.* 3813, bearer.
portraire, *v. a.* and *n.* 1946, 4360, repre-
  sent, design.
porture, *s.* 18370, 27982, bearing, burden.
pose, *s.* 5158, period of time.
poser, *v. a.* 3825.
posicioun, *s.* 23775, imposition.
possessio(u)n, *s.* 6231, 24519.
possessouner, possession(i)er, *a.* 9133,
  20832 (R), 20835, possessed of estates.
possessour, *s.* 7638.
pot, *s.* 4174.
potacioun, *s.* 16230.
potadour, *s.* 8493, drinker.
potage, *s.* 7754.
potagier, *s.* 7759, soup-bowl.
potestat, *s.* 5325, ruler.
poudre, *s.* 20910, powder.
poudré, *a.* 876, scattered about.
pour, *prep.* 27, B. iii. 1, T. vi. 3, por, C.,
  B. i. 3, iii. 3 ; pour tant, B. xvii.
  2 ; pour quoi, B. xx. 2 ; pour ce, 89.
  Also with *inf.* for 'de,' see note on
  6328.
pource, *adv.* 631, 2667 : *cp.* pourceo.
pourcel(l)a, *adv.* 2349, 8995, B. xlii. 1.
pourceo, *adv.* B. vii. 1, porceo, B. ii. 3,
  therefore.
pourchacier, pourchacer, *v. a.* 174,
  21041, B. xxxvi. 4, procure.
pourchacier, pourchaçour, *s.* 5840,
  21052, gainer, trader.
pourchas, *s.* 5841, gain.
pourfendre, *see* purfendre.
pourgatoire, *see* purgatoire.
pourgesir, *v. a.*, 3 *s. pret.* pourgust,
  16772, pourgeust, T. x. 3 ; *pp.* pourgu,
  9063, pourgeu, T. x. 2 : lie with.
pourloignance, *s.* 5586, postponement.
pourloignement, *s.* 24308, delay.
pourloigner, *v. a.* 5596, put off : *refl.*
  29769, be put off.
pourpartie, *s.* 16034, B. li. 3, share.
pourpens, purpens, *s.* 4410, 9055, B. i. 2,
  thought, purpose : *cp.* pourpos.
pourpenser, purpenser, *v. a.* T. xii. 2,
  plan: *refl.* 15619, 23965, 27401, form a
  purpose, reflect.
pourporter, *v. a.* 17181, 18149, signify,
  suggest.
pourpos, purpos, *s.* 331, 3354, 16094, T.
  viii. 2, purpose.
pourposable, *a.* 15027, intending.

pourposer, *v. n.* and *refl.* 11258, 16105, consider, intend.
pourpre, *see* purpre.
pourprendre, *v. a., pres. part.* pourpernant, 11698, 25353, take into possession, seize.
pourprise, *s.* 1711, 2501, enclosure, place.
pourquoy, pourquoi, *adv. see* quoy: *s.* le pourquoy, 1961.
poursuïr, (poursuier), *v. a.* 4766 ; 3 *s. p.* poursuit, 633 ; 3 *s. imp.* poursu(i)oit, 4771, 12999, pursue : persecute.
poursute, *s.* 3838, pursuit.
pourtenance, *s.* 29282, continuance.
pourtendre, purtendre, *v. a.* 6234, 12636, spread out, offer.
pourtienant, *a.* 15635.
pourveoir, p(o)urvoir, *v. a.* and *refl.* 318, 5432, 11797, T. xviii. 2, pourvir, 11623 ; *pp.* pourveu, 10093 : provide, prepare ; *refl.* consider with oneself.
pourvoiance, pourveance, *s.* 5591, B. xiii. 2, providence, provision.
pourvoiour, *s.* 8438, purveyor.
povere(s), povre(s), *a.* 1075, 3337, B. ix. 4, xlviii. 1, poor.
pov(e)rement, *adv.* 7934, 8498.
poverte, *s.* 5484.
povoir, (pooir), *v. n.*, 1 *s. p.* puiss, B. i. 4 ; 2 *s.* poes, 7289, puiss, 11551, pus, 6134, 8060 ; 3 *s.* poet, 311, B. ii. 3, puet, 106, 7358, poot, 16647 ; 1 *pl.* poons, 9060 ; 2 *pl.* poetz, 973, B. ii. 2, poves, 9740, B. xxxix. 2 ; 3 *pl.* poont, 26913, poent, 28294 ; 3 *s. imp.* poait, 795, T. xiii. 2 ; 3 *s. pret.* pot, 305, 660 ; *fut.* po(u)rray, porrai, 188, 380, B. vi. 2, xvii. 2 ; 3 *s.* purra, 2460 ; 3 *pl.* pourront, B. xi. 1 ; 1 *s. cond.* porroie, B. ix. 1 ; 3 *s.* po(u)rroit, 25, 657, B. xxi. 2, purroit, B. xxxi. 3 ; 3 *s. p. subj.* puist, 8694 ; 1 *pl.* puissons, 9718.
povoir, pover, *s.* 3305, 28328: *cp.* pooir.
povre, povrement, *see* povere, poverement.
povreté, *s.* 5832.
poy, poi, *s.* and *adv.* 34, 1399, 1788, B. xi. 1, T. ix. 1, little, few ; pour poy du riens, 4826, for a small matter ; du poy en poy, 7059, little by little ; au poy, 8766, almost, hardly.
praielle, *s.* 17380, meadow.
pré, *see* prée.
prebende, *s.* 7364.
precedent, *a.* 10434.
precedent, *s.* 5650, 17780, former time.

precept, *s.* 2096, command.
precept, *a.* 5133, commanded.
prechement, *s.* 18092, preaching.
precher, *v.* 624, 3113.
precher, *s.* 2132.
precious, *a.* 16912, B. xlv. 1.
precordial, *a.* 4542, of the heart.
predicacioun, *s.* 3116 (?), preaching.
pré(e), *s.* 856, 5822, B. vii. 2, *pl.* prées, pre(e)tz, 8702, 12854, B. xv. 3, meadow.
preie, *see* proie, *s.*
preignant, *a.* T. ii. 1, fruitful.
preis, *see* prendre.
prejudiciel, prejudicial, *a.* 20601, 26379.
prelacie, *s.* 5547.
prelat(z), *s.* 2237.
premunicioun, *s.* 5194.
prendre, *v. a.* B. xlix. 4 ; 3 *s. p.* prent, B. xxxv. 1 ; 1 *pl.* pernons, 18725 ; 3 *pl.* pernont, 21681 ; 2 *s. imperat.* pren, 137, B. xxxiv. 4, prens, 5319 ; 2 *pl.* pernetz, 28275 ; 2 *s. pret.* preis, 8574 ; 3 *s.* prist, 267, B. xl. 1 ; 3 *pl.* pristront, 159 ; 3 *s. p. subj.* preigne, 13511 : *v. n.* 649, 831, begin, take place : *refl.* 21681, behave.
prenosticacioun, *s.* 18819.
pres, *adv.* 680, 5626, B. ii. 1, near, closely, almost, soon ; du pres, 2654, 10322, *cp.* 3065 ; tenir pres, 17210, hold in esteem ; ne loign ne pres, 3036, neither late nor soon : *prep.* 894, *cp.* presde.
presbiterie, *s.* 16131, priesthood.
presde, *prep.* 2984, 4306, pres de, 29884, presdu, 12873, near, before.
presence, *s.* 526, B. vi. 1 ; *pl.* 29376.
present, presens, *a.* 347, 2400, B. xxii. 1 ; au present, en present, 23, 832.
present, *s.* 10431, gift.
presentement, *adv.* 18625, at present.
presenter, *v. a.* 1442, B. xvi. 2.
president, *s.* 12157.
presse, *s.* 1698, crowd.
prest, *a.* 478, 4663, ready, quick.
prestement, *adv.* 24719.
prester, *v. a.* 13402, lend, give.
presterage, *s.* 12188, priests.
presteresse, *s.* 25697, priest's mistress.
prestre, *s.* 2742, T. x. 3, priest.
presumement, *s.* 1531, presumption.
presumpcioun, *s.* 1526.
presumptif, *a.* 1573, presumptuous.
presumptuous, *a.* 1549.
presumptuousement, *adv.* 1622.
pretoire, *s.* 19121, office.

GLOSSARY AND INDEX OF PROPER NAMES 541

preu, *a.* (or *adv.*) 5216, (near), dear (?)
preu, *s. see* prou.
priendre, *v. a.* 20940, oppress.
prier, proier, *v. a.* and *n.* 131, 1189, B. xxiv. 2; 1 *s. p.* pri, 361, B. ii. 3, pry, 9763, prie, B. xiv. 2; 1, 3 *s. p.* proie, 3353, B. ix. 1, xv. 4.
prier, *s.* 5783, prayer.
priere, *s.* 461, B. xviii. 1.
primat, *s.* 3088, 19322.
prime, *s.* 5209, 28705.
primer, *a.* 243, B. xxiii. 1, first; au primer, 158.
primer(e), *adv.* 61, 194, B. xxvi. 3.
primerein, primerain, *a.* 366, 1046, B. xl. 2, first.
primerement, *adv.* 267, T. iii. 2.
primerole, *s.* 3540, primrose.
primes, *adv.* 497, first; au primes, 4179.
primour, *a.* 1308, 2764, first: *cp.* primer.
prince, *s.* 3191.
princesse, *s.* B. vi. 4.
princ(i)er, *s.* 7919, 13235, prince.
principal, *a.* 8483.
principal(s), *s.* 63, chief.
prioresse, *s.* 17336.
priour, *s.* 5315, 14595.
pris, *s.* 954, 1215, B. xi. 2, estimation, glory, praise.
prise, *s.* 7048, taking.
priser, *v. a.* 905, B. li. 3, praise, prize.
priser, *s.* 25217, praise.
prisonne, *s.* 10035 : *cp.* prisoun.
prisonner(s), *s.* 5696.
prisoun, *s.* 2214, prison ; 9840, prisoner.
privé, *a.* 496, 1975, 3075, 29819, private, intimate, well-acquainted; en privé, 12049, in private.
privé(e), *s.* 1958, *pl.* privetz, 13003, privy-councillor, friend.
priver, *v. a.* 10617, B. xxxvii. 2, take away, deprive.
privilege, *s.* 21466.
privilegié, *pp.* 7207, set apart.
probacioun, *s.* 16819.
proceder, *v. n.* 12387.
processioun, *s.* 3979, advance.
prochein, proschein, *a.* B. xiv. 2, xlviii. 3.
prochein, proschain, *adv.* 5426, 8549, near, soon.
prochein, prochain, *f.* procheine, prochaine, *s.* 2040, 2777, 4720, proschein, 4554, neighbour.
procheinement, *adv.* 14229.
proclamer, *v. a.* B. xxxi. 3.
procuracie, *s.* 3355, procuration.

procurage, *s.* 6584, procuring.
procurement, *s.* 25455.
procurer, *v. a.* 1401, 3402, B. xii. 1, bring about, obtain.
procurier, *s.* 7225.
procurour, *s.* 3350, 3412, procurer, proctor.
prodegalité, *s.* 8414.
prodegus, *a.* or *s.* 8425, spendthrift.
prodhomme, *s.* 1186, prodhon(s), prodon(s), 3790, 9235, man of worth.
proesme, prosme, *s.* 3698, 12885, B. xlix. 2, neighbour.
proeu, *see* prou.
profess, *f.* professe, *s.* 5556, 8765, professed member.
professer, *v. a.* 14382, 21143, profess, admit (to an order); *refl.* 8129, take vows.
professio(u)n, *s.* 17824, T. v. 2, xvi. 3.
professour, *s.* 21659.
profit, proufit, *s.* 449, 1332, 5399, B. xvi. 3.
profitable, proufitable, *a.* 6923, 26714.
profitement, *s.* 13939, profit.
profiter, proufiter, *v. n.* 1190, 6270, do good, benefit.
progenie, *s.* 2474, 11540, offspring, generation.
progeniture, *s.* 9698, offspring.
Progne, T. xii. 1.
proie, proye, *s.* 720, 908, B. xv. 4, preie, 10121, prey, booty, prize.
proie, *v. see* prier.
proier, *v. a.* 6860, prey upon.
proisé, 23365, famous: *cp.* priser.
promesse, *s.* 472, B. xl. 1.
promettre, *v. a.* 142, 1794, B. iv.* 1; 3 *s. p.* promette, 4553, B. xlviii. 1, promet, 4661.
promissioun, *s.* 2337, promise.
prophecie, *s.* 3390.
prophete(s), *s.* 1085, prophiete, 9045.
prophetizement, *s.* 26570.
prophetizer, prophetiser, *v. n.* 2553, 21398.
propre, *a.* 81, 1605, B. xxiv. 1.
propre, *s.* 6836, property.
proprement, *adv.* 801, 1624, 2507.
propreté, *s.* 1583, B. xlv. 3, T. xviii. 1, property, right.
proschain, proschein, *see* prochein.
prose, *s.* 9981.
Proserpine, 963.
prosme, *see* proesme.
prosperer, *s.* 3700, prosperity.

prosperité, *s.* 1555, (*pl.*) 5788, B. envoy, success.
proteccio(u)n, *s.* 29196, T. xii. 2.
protestacioun, *s.* 17628.
prou, pru, preu, *s.* 578, 12930, 26552, **proeu,** B. xix. 3, profit.
prou, *adv.* 8964, sufficiently.
prouesce, prouesse, *s.* 3728, D. i. 1, B. xliv. 2, xlvi. 2.
proufit, proufiter, &c., *see* **profit,** &c.
provable, *a.* B. xxix. 3.
Provence, 26095, wine of Provence.
provende, *s.* 18081, provender.
prover, *v. a.* 2391, B. xl. 1.
proverbe, *s.* 5666, B. xl. 2.
proverbial, *s.* 24229, proverb.
proverb(i)er, proverbiour, *s.* 4141, 11086, 11995, speaker of proverbs.
providence, *s.* 4374, 14922, D. i. 1, providence, provision, purpose ; **du providence,** 4374, of set purpose.
provisioun, *s.* 11736.
provisour, *s.* 16110.
provocacioun, *s.* 3985.
provocer, *v. a.* 3989.
provoire, *s.* 19117, priest.
provost, *s.* 19089, 26391, superior, mayor.
proye, *see* **proie.**
pru, *s., see* **prou.**
pru(s), *a.* 1744, T. viii. 1, brave.
prudence, *s.* 357.
prudent, *a.* 15279.
prune, *s.* 6648.
prunelle, *s.* 14773, pupil (of the eye).
psalmoier, *v. n.* and *a.* 4021, 28092.
psalt(i)er, *s.* 1867, 7549.
Pseudo, 21627 ff.
puant, püiant, *a.* 1121, 11500, stinking.
pucellage, *s.* 8676, virginity.
pucelle, *s.* 9379, maiden.
pucellette, *s.* 9277.
pueple, *see* **poeple.**
puiant, *see* **puant.**
puice, *s.* 1786, flea.
puïr, *v. n.,* 3 *s. p.* put, 8602, **puit,** 9666 ; 3 *s. fut.* puera, 9669 : stink.
puis, *adv.* 55, T. v. 1, then, afterwards : *prep.* 8266, after : since.
puis, *s. see* **pus.**
puisné, *a.* 8401, youngest.
puisque, puisqe, *conj.* 31, D. i. 3, B. xliv. 3, **puis qe,** 12105, B. x. 3, since, in order that.
puissance, *s.* 5075, B. iv. 3.
puissant, *a.* 1327, D. ii. 4.
pulent, *a.* 4293, foul.

pullail, *s.* 26276, poultry.
pulletier, *s.* 26265, poulterer.
pulletrie, *s.* 20897, poultry.
pulment, *s.* 26687, food.
pulmon, *s.* 5517, lungs.
pulsin, *s.* 6833, 7010, chicken, young bird.
punicioun, *s.* 21287.
punir, *v. a.* 5771 ; 3 *s. p.* pune, 13868.
punisement, *s.* 10996.
puour(s), *s.* 4296, foul smell.
pupplican, *s.* 1842, 13606, publican.
pur, *a.* 732, B. vii. 2.
purement, *adv.* 16859.
purer, *v. a.* 28233, purify.
purfendre, pourfendre, *v. a.* 1858, 12989, split, pierce through.
purgatoire, *s.* 10364, B. xlvii. 2, T. xv. 3, **pourgatoire,** 11498.
purger, *v. a.* 14058.
purificacioun, *s.* 28176 (R).
purpens, purpenser, *see* **pourpens,** &c.
purpos, *see* **pourpos.**
purpre, pourpre, *s.* 872, 28722.
purreture, *s.* 3774.
purri(z), porri, *a.* 702, 1339, 7784, rotten.
purrir, *v. n.* 10258, rot.
purvoir, *see* **pourveoir.**
pus, puis, *s.* 18230, 19421, well, hole.
pusillamité, *s.* 5463.
putage, *s.* 281, 5502, whoredom.
pute, *a.* 4335, vile.
pute, *s.* 9218, whore.
puteine, putaigne, *s.* 4909, 5500, whore.
puterie, *s.* 9407, 20748, harlotry.
pyment, piment, *s.* 3046, 26079, T. xv. 2.
pynte, *s.* 6303, 26061, pint.

Q

qanq(u)e, *see* **quanque.**
qant(z), *interr. pron.* 14884, how many : **qantes fois,** 14875.
qant, *see* **quant.**
qant a, *prep.* 14805, as regards.
qarante, *see* **quarante.**
qe, qelle, *see* **que, quell.**
qernell, *s.* 11285, battlement.
qoi, *see* **quoy.**
q(u)anque, quanqe, *pron.* 26, 227, B. iv. 2, whatever.
q(u)ant, *conj.* 29, D. ii. 3, B. xiii. 2.
quar, *see* **car.**
quarantain, *s.* 13294, period of forty days.
quarante, qarante, *num.* 16465, 28189.

GLOSSARY AND INDEX OF PROPER NAMES 543

quarell, *s.* 11292, bolt (of a crossbow).
quarere, *s.* B. xviii. 3, (stone-)quarry.
quaresme, *s.* 14866, Lent.
quarré, *s.* 14306, square.
quart(z), quarte, *num. a.* 253, 6320, 22789, D. ii. 1, fourth.
quarte, *s.* 8402, quart.
quartier, *s.* 20500, quarter (of a year).
quasser, *v. a.* 8183, B. xlii. 2, shatter, bring to naught.
quatorsze, *num.* 23844.
quatre, *num.* 1318.
que, qe, *rel. pron.* (as subject), 40, 93, 246, 926, &c., D. i. 1, B. ii. 3, T. viii. 3; (as object), 12, 96, 324, D. i. 2, &c.: who, which, he who, that which.
que, qe, *conj.* 17, 43, D. i. 3, B. ii. 2, &c., that, than, so that, because, for: ne fist que sage, 16700 (*cp.* 18721), 'did not act *as* a wise man.'
queinte, *a.* 925 ff., 5294, B. xlii. 1, T. iv. 1, quointe, 6393, cunning, curious, agreeable.
queintement, *adv.* 26020, cunningly.
queinter, quointer, *v. a.* 3326, 16665, adorn: *refl.* 7268, show cunning.
queinterie, *s.* 855, 6396, ornament, cunning.
queintise, quointise, *s.* 1041, 1152, 14697, cunning.
quel(l), quiel, *f.* quelle, qelle, *rel.* and *interr. pron.* 210, 530, 18501, B. ii. 2, T. viii. 2, queu, 619; *pl. m.* queux, 239, 335, quex, T. viii. 3: *f.* queles, 3852 (R).
quelque, quelqe, *rel. pron.* 447, B. xliii. 2; quelle ... qe, B. xxxi. 3, quelque ... qe, 1454, whoever, whatever.
querelle, querele, *s.* 3056, 14268, B. envoy, complaint, claim, quarrel.
querre, quere, querir, *v.* 174, 8534, 9307, B. xxxvi. 4; 1 *s. p.* quier, B. xi. 3, quiere, xxxvii. 4; 2 *s.* quiers, 2613; 3 *s.* quiert, 1076, quert, 1192; 1 *pl.* querrons, 20947; 3 *pl.* queront, 5134, quieront, 21117; 3 *s. pret.* queist, 18687; 1 *s. cond.* querroie, B. iv. 3: seek, enquire after, look after.
question, *s.* B. xxiv. 3.
questour, questier, *s.* 6221, 24880, 25123, juror.
queu, *see* quell.
qui, *rel. pron.* (as subject) 2, 5, D. i. 2, &c.; (object) 815, 1447, T. xiv. 1; (with *prep.*) B. v. 3, &c.: *indef.* 15364: *cp.* que.
qui (= cui), 3491, 9720, whose.

quiconque(s), *pron.* and *a.* 3016, 3302.
quider, *v. n.* and *a.* 29, 1061, B. xvi. 2, think, expect.
quider, *s.* 1456, opinion.
quiel, *see* quel.
quiete, *s.* 1556, peace.
quietement, *adv.* 24520.
quinsze, *num.* 27673.
quint, *num. a.* 255, 2005, fifth: la quinte, 6534, the fifth part.
Quintilien(s), 16717.
quique, quiqe, *pron.* 10, B. xlix. 4, whosoever.
quir, *s.* 21704, skin, leather.
quire, *v. a.* 18765, boil.
quirée, *s.* 24364, hounds' fee.
quisine, *see* cuisine.
quit, *a.* 4733, free.
quit, *s.* 7840, boiled meat.
quitance, *s.* 20180, acquittance.
quiter, *v. a.* 20181, set free.
quoi, *see* quoy.
quointer, *see* queinter.
quoique, *pron.* B. i. 3, xliv. 4, quoy que, 1417, qoi que, B. i. 2, whatever.
q(u)oy, q(u)oi, *pron. interr.* 853, 1704; pour quoy, pour quoi, 2227, B. xx. 2; le pour quoy, 7893; du quoy, 5435, *cp.* 15500; quoy ... quoy, 7482: *rel.* with *prep.* 41, 214, B. x. 2.
quoy, *s.* 1781, 12204, thing: *cp.* the phrases n'ad quoy, n'ad du quoy, 3339, 5435, &c.

R

Rachab, 4898.
Rachel, 7081.
racine, *s.* 2558.
raconter, *see* reconter.
rage, *s.* 277, 1585, 3019, rage, temper, violence.
Raguel, 17702.
raie, raye, ray, *s.* 10095, 10798, ray, stripe: *a.* 21774, striped.
raier, *v. n.* 10098, shine.
raison, raisonnablement, *see* reson, &c.
ramage, *a.* 2126, wild (of birds).
ramo(u)ner, *v. a.* 5864, 6146, sweep clean.
ramous, *a.* 12460, branching.
ramper, *v. n.* 2267, 4257.
rampone, *s.* 4273, mockery.
ramu, *a.* 26761, branched.
rançon(n)er, *v. a.* 11275, 23681, ransom, hold to ransom.
ranço(u)n, *s.* 10654, 16208.

rancour, *s.* 4575.
rancune, *s.* 13870, rancour.
randoun, *s.* 14182, haste.
Raphael (saint), 15474, 15674.
rasour, *s.* 3718, razor.
rastell, *s.* 28146, manger (?).
Ravenne, T. xi. 3.
ravine, ravyne, *s.* 1998, 6830, T. xiii. 2, rapine, ravening.
raviner, *v. a.* 6858, seize by violence.
raviner, ravener, *s.* 6846, 15547, robber.
ravir, *v. a.* 7014, 9427, B. ix. 3, xxii. 3, T. xii. 2, seize, carry away, ravish, rob.
ravoir, *v. a.* 7338, have back.
ray, raye, *see* raie.
realer, *v. n.* 8339: *cp.* revait.
rebat, *s.* 16282, remission.
rebatre, *v. a.* 22255, fight against.
Rebecke, 4860.
rebell, *a.* 8021.
rebeller, *v. n.* 2359.
rebelleté, *s.* 2339, rebell'ousness.
rebellio(u)n, *s.* 2325, 14738.
rebonder, *v. n.* 1209, spring up.
reboun, *s.* 7743, rebound.
rebours, *s.,* a rebours, 2156, 5307, reversed, wrong.
rebouter, *v. a.* 25800, push back.
rebroier, *v. a.* and *n.* 733, 12007, oppose, make resistance.
rebroy, *s.* 3131, opposition.
recapitulacioun, *s.* 18372 (R).
receipte, *s.* 25627, prescription.
recet, *s.* 25250, fortress.
recevoir, rescevoir, resceivre, *v. a.* 501, 10992, 15359, B. xli. 2 ; 1 *s. pret.* resceu, 7122; 3 *s.* receust, T. ix. 3, resceut, 20855; *fut.* resceivera, 7571; *pres. part.* resceyvant, 6905 ; *pp.* receu, D. i. 3, resceu, B. xxiii. 1.
rechalenger, *v. a.* 6371, claim back.
rechanger, *v. a.* 5467, change.
rechatable, *a.* 18512, redeemable.
rechater, *v. a.* 2215, 6536, rescue, redeem.
rechatier(s), *s.* 24467, redeemer.
recheïr, *v. n.,* 3 *s. p.* rechiet, 4687, fall back.
reciter, *v. a.* 1027, 2746, T. ix. 1.
reclamacioun, *s.* 1677, appeal.
reclamer, *v. a.* 2130, recall.
recliner, *v. a.* 5168, lay down.
recloser, *v. a.* 6400, close again.
reclus, *pp.* 1749, 8541, shut up, enclosed.
reclus, *s.* 2742, *f.* recluse, 15460.
recoi, recoy, *s.* 1780, 7888, B. xxxviii. 2, privacy.

recomander, *v. a.* B. xvii. 4, commend.
recom(m)encer, *v.* 9806, 28583, D. ii. 3.
recompensacioun, *s.* 21284.
recompenser, *v. a.* 8418.
reconcil, *s.* 25067, pardon.
reconciler, *v.* 4452, 7793.
reconforter, *v. a.* 581, 654, 5039, B. iii. 1.
reconoiscance, *s.* 6081.
reconoistre, *v. a.* 2134, recognise.
reconter, raconter, *v. a.* 1750, 11924, B. viii. 2.
reconvoier, *v. a.* T. xviii. 2, lead back.
recorder, *v. a.* and *n.* 2726, 7576, 10396 ; 3 *s. p.* recort, 14144.
recorder, *s.* 13887, remembrance.
recordour, *s.* 14602.
recort, *s.* 7425, counsel.
se recoucher, *v.* 5239, lie down again.
recourir, *v. n.* 4464, run back.
recoverir, *v. n.* 10014, restore oneself.
recoverir, *s.* 4531, 5730, remedy, intermission.
recoy, *see* recoi.
recreacioun, *s.* 7925.
recreandise, *s.* 3742, 4102, submission, faintheartedness.
recreant, *s.* 18251.
recrestre, *v. n.* 29851, grow again.
rectorie, *s.* 16136.
recuillir, *v. a.* 12836.
redd(e), *a.* 2000, 3544, rigorous, hard.
reddement, *adv.* 10504, strongly.
reddour, *s.* 5007, harshness.
redempcioun, *s.* 17116.
redempt, *a.* 29564, redeemed.
redevoir, *v. n.* 24872, be bound.
redonder, *v. n.* 4056, re-echo.
redonner, *v.* 6597, 6648, 13284.
redoubté, *a.* 20137, alarmed.
redoubter, redouter, *v. a.* and *n.* 886, 2534, 5055, fear.
redrescer, redresser, *v. a.* 2914, 8506, 27755, B. envoy.
reëmplir, *v. a.* 8362, refill.
rées, *a.* 20749, shorn.
reetz, retz, *s.* 2212, 6234, 9347, net.
refaire, refere, *v. a.* 1560, 15040, 29551.
refeccioun, *s.* 29189, refreshment.
referir, *v. n.* and *refl.,* 1 *s. p.* refiere, 4777, B. xxxvii. 3 ; 3 *s.* refiere, 1997, 2365, refiert, 8393 : belong, have to do (with).
refourmer, *v. a.* 28440, reformer, C.
refrener, *v. a.* 3928 ; 3 *s. p.* refreine, 18078 : curb, keep back.
refroider, refreider, *v. n.* 7113, 7988, 9527, become cold, grow cool.

GLOSSARY AND INDEX OF PROPER NAMES 545

refu, refuist, *see* restre.
refu, *s.* 26769, refuge.
refus, *s.* 15417.
refusable, *a.* 4494, rejected.
refuser, *v. a.* 789, B. xxix. 2, T. viii. 2.
refuz, *a.* 17267, rejected.
regalie, *s.* D. ii. 5, royalty.
regard, reguard, reguart, *s., pl.* regars, 9334, 11839, 29070, B. xii. 1, xix. 2, look : au regard de, in comparison of.
regarder, reguarder, *v. a.* and *n.* 616, 1760, 29106, B. xii. 1, xxii. 3 : *refl.* 10977.
regarder, *s.* B. xxxiii. 1, look.
regardure, *s.* 1774, B. xii. 2, look.
regehir, *v. a.* 7074, confess.
regent, regens, *a.* 7918, 11018, 17450, ruling.
regent, *s.* 12158, ruler.
regibber, *v. n.* 2355, kick back.
regiment, *s.* 2615, rule.
regioun, region, *s.* 2333, B. xxxv. 2, C.
regne, *s.* 10009, D. i. 2.
regner, *v. n.* 22811.
regrac(i)er, *v. a.* 1582, 26803, thank.
regraterie, *s.* 26331.
regratier, regratour, *s.* 26313 ff.
reguard, reguarder, *see* regard, &c.
reguerdon(n)er, *v. a.* 3762, B. xii. 2.
reguerdo(u)n, *s.* 1529, B. xxiii. 3, T. ii. 2.
reguler, *a.* 14132.
reguler, *s.* 2021, member of a religious order.
rehercer, reherser, *v. a.* 3165, 4082.
rejeter, *v. a.* 5632.
rejoïr, (rejoier), *v. a.* and *refl.* 462, 1054, D. i. 1, B. iv. 3 ; 3 *s. p.* rejoye, 7461.
relacioun, *s.* 12760, 13727, report.
relais, *see* reless.
relef, *s.* 28552, remainder.
relenter, *v. a.* 6603, dissolve.
reles, reless, relais, *s.* 200, 2421, 3021, 3033, B. xx. 1, release, remission, remainder, continuance.
relesser, relaisser, *v. a.* 21251, 21271, absolve.
relevable, *a.* 1872, 9970, to be raised again.
relever, *s.* 29369, resurrection.
relief, *s.* 11310, B. l. 2, help.
relievement, *s.* 2060, improvement.
religio(u)n, *s.* 3085, 7922, 17821.
religious, *a.* 3194, 8765, under vows.
relinquir, *v. a.* 17234, leave.
remanoir, remeindre, *v. n.* 9067, 23206 ; 3 *s. p.* remaint, 6147, B. i. 2 ff., remeint, 4927, remeine, 9671, remaine,
14249, 24324 ; *pp.* remes, 10325, 10484 : remain.
rembre, *v. a.* 4948, ransom.
remedie, remede, *s.* 10912, 22224.
remeindre, *see* remanoir.
remeine, *see* remanoir, remener.
remembrance, *s.* 4582, B. iv. 3.
remembrançour, *s.* 14600.
remembrer, *v. a.* 645, 2416, B. ii. 4, xxviii. 4, remind, recall to mind: *refl.* and *n.* 532, 536, B. ii. 2, remember, be mindful.
remenant, *s.* 435, B. xxxviii. 3.
remener, *v. a.*, 3 *s. p.* remeine, 7589, T. xiv. 3 ; 3 *s. fut.* remerra, 11216 ; 2 *s. imperat.* remeine, 14816 : bring back.
rementevoir, *v. a.* and *refl.* 16047, 18191, remember.
remerir, *v. a.* 2087, 18612, reward, repay.
remerra, *see* remener.
remes, *see* remanoir.
remesurer, *v. a.* 26322.
remettre, *v. a.* 340, 3011, 5685 ; 3 *s. p.* remette, 15708: put back, leave behind, omit, set in return.
remirer (1), *v. a.* and *n.* 620, 1134, B. i. 4, B. vi. 1, look again, look at, see again : se remirer, 14612, look about one.
remirer (2), *v. a.* 23833, treat (as a physician).
remissioun, *s.* 10369.
remonter, *v. a.* 1743, 11927, raise : *v. n.* 557, rise again.
remordre, *v. a.* 386, 6679, 10397, bite in return, devour, move to repentance : se remordre, 10031, T. iv. 2, be moved to remorse.
removoir, *v. a.* 3309, B. xli. 3.
remuer, *v. a.* 3884, B. xv. 1, remove, move.
remuere, *s.* 15842, remover.
Remus, 23624.
Remy (saint), 10748.
renaistre, *v. n.* 5594, come up again.
Renar(s), 7391, 21090.
rendement, *s.* 14996, surrender.
rendre, *v. a.* 2945, B. i. 4, T. ix. 3.
reneyer, renoier, *v. a.* 4013, 5795, deny, reject.
Reneys, 26121, Rhenish (wine).
renomée, *a.* B. xliv. 1, renowned.
renomée, *s.* 2854, 8746, B. iii. 2, T. viii. 1.
renommer, *v. a.* 13244, praise.
renoncer, *v. a.* 15031.
renoun, *s.* 1252, T. xvi. 1.

renoveller, *v. a.* and *n.* 8087, 11364, 23170, B. ii. 1, renew, be renewed.
rente, *s.* 3101, 6242, income, rent, property.
renvoier, *v. a.* 734, send back.
repaiage, *s.* 6517, repayment.
repaiement, *s.* 7220.
repaier, *v. a.* 15670.
repairer, *v. n.* 674, 4166, 5418, come, return, have recourse (to).
repaiser, *v. a.* 19483, 22853, reconcile, appease.
repaistre, *v. a.*, *pp.* repuz, 8537, B. xvi. 2, repeu, 26512, feed.
reparer, *v. a.* 5417, set right.
reparoler, *v. n.* 2489, reply.
repasser, *v. a.* 23163, recall to mind.
repast, *s.* 20879, B. xvi. 2, meal.
repaster, *v. a.* 16295, feed.
repeler, *v. a.* 11354, call back.
repell, reppell, *s.* 4766, B. xxxiii. 1, repulse, recall.
repenser, *v. n.* 1757, reflect: *v. a.* 29368, think again of.
repentance, *s.* 5679, T. ix. 3.
repentant, *a.* 743.
repentin, *a.* 8198, sudden.
repentir, *v. n.* and *refl.* 4527, 21551, T. xiv. 3.
repentir, *s.* 14830, repentance.
repeu, *see* repaistre.
replaier, *v. a.* 4724, wound in return.
replecioun, *s.* 16324.
repleder, *v. a.* 3872, plead against.
repleggement, *s.* 15672, pledge of reward.
repleni(s), repleny, *a.* (*pp.*), 911, 3948, B. ix. 5, filled.
replet, *a.* 9041, 11129, full, filled.
replier, repplier, reploier, *v. n.* 1380, 1421, reply: *v. a.* 7583, 12695, bend back, give in return: *refl.* 15052, turn back.
report, *s.* 2442.
reporter, *v. a.* 2882, 6682, report, return, carry away.
repos, *s.* 1486, B. vii. 2.
reposer, *v. n.* and *refl.* 1787, 9976.
repost, *a.* 7148, laid up: en repost, 10599, in secret.
repostaille, *s.* 19443, storing-place.
repparailler, *v. a.* 556, restore.
reppell, *see* repell.
repplier, *see* replier.
reprendre, *v. a.* 612, 4434, B. xvii. 2, take again, keep back; 1718, 20669, find fault with, attack.

representement, *s.* 18626, representation.
representer, *v.* 1449, 20800.
reprise, *s.* 1358, 2303, 3968, 22356, B. xli. 4, reproach, trouble, requital; 7436, 17868, 20457, 20699, taking, keeping, gain.
reprobacioun, *s.* 2301.
reproeche, reprouche, *s.* 2223, 2937.
reproef, *s.* 2989.
reproever, *see* reprover.
reprovable, *a.* 1106, to be blamed.
reprover, reproever, *v. a.* 1106, 2994.
reprover, *s.* 11999, reproach.
reptil, *s.* 12645.
reputer, *v. a.* 3051, consider.
repuz, *see* repaistre.
requerre, *v. a.*, 1 *s. p.* requiere, B. xviii. 3; 3 *s.* requiert, 2495; *pp.* requis, B. xiv. 2: request, entreat, seek for.
requeste, *s.* 5256, B. xviii. 3.
rere, *v. a.* 3718, shave.
rereguarde, reregarde, *s.* 5660, 11609.
rerement, *adv.* 18543, rarely.
resacher, *s.* 2837, au resacher, backwards.
resacrer, *v. a.* 7200, reconsecrate.
resaillir, *v. n.* 564, mount again.
resaisir, *v. a.* 20980.
resaner, *v. a.* 18212, heal.
rescevoir, resceivre, *see* recevoir.
rescoulter, *v. a.* 16678, hear in return.
rescour(r)e, *v.a.* and *n.* 7726, 10019; *pp.* rescous, 11122: save, come to the rescue.
rescousse, *s.* 23550, help, rescue.
resemblable, *a.* 3746, like, to be compared.
resemblance, *s.* 128, B. xv. 1.
resemblant, *a.* 231, 1424.
resemblant, *s.* 8869, likeness.
resemblement, *s.* 17038, resemblance.
resembler, *v. a.* 1117, 7128, B. xiii. 1, compare, make like : *v. n.* 246, 1094, 5036, T. iv. 1, have likeness, appear.
reserver, *v. a.* 7493, 12802, keep.
reservir, *v.* 8034, serve back.
residence, *s.* 10779.
resistence, *s.* 9813.
resister, *v. a.* and *n.* 1786, 10764.
reson, resoun, *s.* 24, 366, 684, B. xi. 3, T. xii. 2, raiso(u)n, 10876, T. i. 1.
resonant, *a.* 1427, resounding.
reson(n)able, *a.* 3745, B. xxix. 1.
reson(n)ablement, raisonnablement, *adv.* 592, 9542, 16851.
reson(n)al, *a.* 16601, B. l. 2, rational.

GLOSSARY AND INDEX OF PROPER NAMES 547

resonnant, *a.* 5573, rational.
resonner, *v. a.* 527, 9755, 23315, reason with, address, reprove.
resordre, *v. n.* 29372, rise again.
resort, *s.* 227, 2890, 8023, power, remedy, help.
resortir, resorter, *v. n.* and *refl.* 3228, 8025, 13339, retire, turn, have recourse.
resouper, *s.* 7910, second supper.
respirer, *v. n.* 12450, breathe.
respit,*s.*2153, 29836, intermission, release.
respiter, *v. a.* 2744, 11098.
resplendre, *v. n.* 1124, 13351, shine.
respondre, *v. n.* 395, 1212, B. xvii. 3; 3 *s. pret.* respondi, 365; 2 *s. imperat.* respoun, 1600, responde, 2590, respoune, 26616; 2 *pl.* responetz, 15572.
response, *s.* 1427, B. xvii. 3.
(resteir), *v. n.*, 3 *s. pret.* restuit, 1005, resist.
restitucioun, *s.* 7155.
restitut, *pp.* 15066, 19932, made good, restored.
restor, *s.* 13326, restoration.
restorer, *v. a.* 94, B. xlii. 1; 2 *s. fut.* restorras, 24563.
(restre), *v. n.*, 3 *s. pret.* refu, 2384, refuist, 2573; *pp.* refu, 21134 : be again, be in one's turn.
restreindre, restraindre, *v. a.*, 2 *s. p.* restraines, 610; 3 *s.* restreint, 5108, restreigne, 28038, B. xl. 3; *pp.*restreint, 930, restreignt, B. xlii. 4.
restuit, *see* resteir.
resur(r)eccioun, *s.* 28800 (R), 28803.
resuscitacioun, *s.* 28811.
resusciter, *v. a.* 10218.
retaille, *s.* 26222, retail.
retenir, *v. a.* 378, 1682, 2180, B. xvi. 3, xxxix. 2; 3 *s. pret.* retient, 17472, retint, 18564.
retenu, *s.* 19924, retainer.
retenue, *s.* 2965, B. viii. 3, following, retinue, engagement.
rethorique, *s.* 8678.
ret(i)enance, *s.* 5461, 6929, 17660, retinue, company, memory.
retorner, ret(t)ourner, *v. n.* and *refl.* 730, 2252, 5754, B. xlii. 2.
retour, rettour, *s.* 1675, 3031, 10666, T. x. 2, return, reversal, remedy.
retourdre, *v. n.* 18599, return.
retraire, *v. a.* 684, 2614, draw back.
retrait, *s.* 9207, 17805, drawing back, reserve.
retrogradient, *a.* 16128.

retz, *see* reetz.
reule, *s.* 948, 7003, B. xiii. 1, rule, bar.
reuler, *v. a.* 15238, keep in order.
revait, *v.*, 3 *s. p.* 5160: *cp.* realer.
revel(l), *s.* 999, 11284, riot, disturbance.
reveller, *v. n.* and *refl.* 1266, 3059, 19437, revel, rejoice.
revendre, *v. a.* 7245.
revengement, *s.* 2066.
revenger, *v. a.* 3994, 4425, T. vi. 2, avenge.
revenir, *v. n.* 5232, B. xv. 3.
revenue, *s.* 7710, B. viii. 2, return, revenue.
reverdir, *v. n.* 2559, grow green again.
reverence, *s.* 519, B. xxvi. 1.
reverencer, *v. a.* 4379.
reverie, *s.* 863, revelry.
revers, *a.* and *s.* 3158, 26940, opposite.
reverser, *v. n.* 4631, 24106, overturn.
revertible, *a.* 5772, returning.
revertir, *v. n.* and *refl.* 47, 1656, 3134, 11037, return, change, change back.
se revertuer, *v.* 9550, recover strength.
revestir, *v. a.* 942, B. vii. 3, clothe.
revienement, *s.* 10655, return.
reviler, *v. a.*, 3 *s. p.* revile, reville, 206, 4442, revile, abuse.
revivre, *v. n.* 28812.
revoir, *v. a.* 11700, B. viii. 1.
revoler, *v. n.* 19412, fly back.
rewarder, *v. a.* 16313.
rewardie, *s.* 15611, rewardise, B. li. 3, reward.
riant, *a.* 935, B. xii. 3.
ribaldie, *s.* 16611, ribaldry.
ribaudaille, ribaldaille, *s.* 2899, 28953, ribaldry.
ribauld, ribald, *s.* 11294, 24981, rioter, ruffian : *a.* 26531.
Ribole, 26094, (a kind of wine).
riche(s), *a.* 640, B. xlviii. 1.
richement, *adv.* 947.
richesce, richesse, *s.* 377, 473, *pl.* 8077, 10885.
richir, richer, *v. a.* 474, 7669, enrich.
ridelle, *s.* 9382.
rien(s), *s.* 216, 1605, B. xxv. 1, thing, anything : 580, 1608, B. ii. 3, nothing ; ne . . . rien(s), 442, B. v. 2, &c.
rier, *see* rire.
rigolage, *s.* 3249, 5828, wantonness, idle enjoyment.
se rigoler, *v.* 2705, 5728, 14613, wanton, delight oneself.
Rin, *see* Ryn.
riote, *s.* 3890, 8717, riot, disorder.

rire, *v. n.* 1422, B. ix. 4, rier, 3106, laugh : *v. a.* 1635, deride.
ris, *s.* 3535, B. xxii. 1, laughter.
risée, *s.* 3282, laughter.
rivage, *s.* 6702, 10931, landing, shore.
rive, ryve, *s.* 10816, 17724, 26119, stream, shore.
rivere, *s.* 8162, river.
Rivere, 26097, (a kind of wine).
robbeour, *s.* 6974, robber.
robberie, *s.* 6927.
robe, *s.* 10095.
Robin, Robyn, 8659, 20887.
roche, *s.* 1856.
roch(i)ere, *s.* 7540, 18256, B. xviii. 2, rock.
roe, *s.* 10942, B. xx. 1, wheel.
roelle, *s.* 12502, circle.
roi(s), roy(s), *s.* 1081, 1958, 22227 ff., D. i. 1, 4, B. xxxviii. 2, T. vii. 1.
roial, royal, *a.* 3313, 5312, D. i. 1.
roial(s), *s.* 29256, king.
roialté, *s.* 22229.
roidement, *adv.* 4223, severely.
romance, *s.* 8150, 18374, 21775, 27477, French (language), story.
Romanie, 18715, 18995, 26094.
Rome, 1464, 1900, 7094, 14725, 16109, 18450, 18627, 18829, 20349, 22078, 22158 ff., 23624 ff., 26375, 27024, 27054, B. xliv. 1.
Romein(s), Romain, *a.* and *s.* 11053, 12198, 13021, 13695, 17618, 18301, 18502, 22218, 24469, T. x. 3, xvi. 1.
rompre, *v. a.* 537 ; *pp.* rout, 3934, 7066, rompu, 29441.
Romulus, 23625 ff.
ronce, *s.* 18107, bramble.
ronger, *see* rounger.
rose, *s.* 3723, B. xxxvi. 3.
rosé(e), *s.* 10818, 11836, dew.
Rosemonde, T. xi. 1.
rosier, *s.* 11280, rose-bush.
rost, *a.* 7840, roast.
roster, *v. a.* 18765, roast.
rotond, *a.* 20750.
rouge, *a.* 7002, rug(g)e, B. xxxvii. 1, xlvi. 3.
rouge mer, 1667, 12266.
rougir, *v. a.* 2710, redden.
rougir, *v. n.* 6842, roar.
rounger, ronger, runger, *v. a.* 2886, 3450, 11587, gnaw.
rout, *see* rompre.
route, *s.* 345, 1336, 4671, company, multitude, road.
rover, *v. a.* 7987, 16469, ask for, ask.
royalme, *s.* 22070, kingdom.

rubie, *s.* 18668.
rue, *s.* 2257.
ruer, *v. a.* 544, 936, cast, cast down: *v. n.* 16941, fall.
rug(g)e, *see* rouge.
ruigne, *s.* 22891, mange.
ruignous, *a.* 9262, 22887, mangy.
ruiller, *v. n.* 16193, rust.
ruine, *s.* 1811, fall, ruin.
ruinement, *s.* 12534.
ruinous, *a.* 3197, in ruins.
runger, *see* rounger.
russinole, *s.* 4111, nightingale.
ruyteison, *s.* 20673, rutting.
ryme, *s.* 9981, rhyme.
Ryn, Rin, 26057, 26117.
ryve, *see* rive.

S

s', *for* se, si, sa, before vowels: *for* si = son, 794, 1477, = ses, 4, *cp.* 3672.
sabat, *s.* 2278.
sabatier(s), *s.* 24270, cobbler.
sac(s), *s.* 7238, 20483, sack, sackcloth.
sachant, *a.* 141, 2629, 6904, wise, aware.
sachel(l), *s.* 5804, 9830, satchel.
sacre, *a.* 7160.
sacrefier, sacrifier, *v.* 7740, 12217.
sacrefise, sacrifise, *s.* 4563, 16352.
sacrement, *s.* 4438, T. v. 3.
sacrer, *v. a.* 17184, consecrate.
sacrilege, *s.* 6932.
sage(s), *a.* 823, 25131, D. i. 2, B. iii. 2 ; ly sage(s), 3241, 3277, &c.
sage, *adv.* 2051.
sagement, *adv.* 54, T. xv. 3.
sai, *see* savoir.
saiette, *s.* 2833, arrow.
sain, *see* sein(s).
saint, saintefier, *see* seint, &c.
sainteté, *s.* 1356.
saintuaire, *s.* 2492.
saisi(s), seisi, *a.* (*pp.*) 859, 3813, 7675, 9770, 12273, held, in possession, possessed (of).
saisine, se(i)sine, *s.* 137, 1806, 5399, B. xlv. 3, possession.
saisir, *v. a.* 922, 19003, 23015, B. xx. 3, seize, take possession of, put in possession.
saisonnable, *a.* 26716, in season.
saisonner, *v. a.* 8940, mingle.
saisoun, *s.* 10421.
salaire, *s.* 6331.

GLOSSARY AND INDEX OF PROPER NAMES 549

sale, *s.* 970, hall.
salé, *a.* 13912, salt.
salemandre, *s.* 9518.
saler, *v. a.* 20623, season.
salf, *see* saulf.
sallir, saillir, *v. n.* 8912 ; 3 *s. p.* salt, 851 ; 1 *pl. fut.* saldrons, 563 : leap, ascend, descend.
salmoun, *s.* 7748.
Salomon, 1317, 1597, 1823, 1833, 2221, 2281, 2299, 2513, 2555, 2787, 3422, 3793, 3913, 4758, 6859, 6991, 7562, 7916, 9557, 10850, 10888, 10933, 11667, 11869, 12187, 12709, 13684, 14811, 15448, 15521, 15788, 15880, 16063, 17593, 20491, 22312, 23150 ff., 23330, 25885.
salse, *s.* 7839, saulse, 7961.
salu, *pl.* saluz, salutz, *s.* 323, 2262, 3958, B. xvi. 4, salutation, salvation.
saluer, *v. a.* 1302, B. viii. 3.
salute, *s.* 3836, salutation.
salvacioun, *s.* 16822.
salvage, sauvage, *a.* 280, 7756, B. xix. 1.
salvager, *v. n.* 2107, go wild.
salvagine, *a.* 8527, wild.
salvagine, *s.* 317, 10736, wilderness.
salve, *interj.* 2715.
salvement, *adv.* 16455, safely, truly.
salveour, *s.* 3513.
salver, *v. a.* 1667, B. xvii. 1.
salveresse, *s. f.* 28185, saviour.
salveté, *s.* 2335.
Samarie, 11023.
Sampson, 1467.
Samuel, 10277, 19945.
sanc, *s.* 4386, blood.
sanctus, 18751.
saner, *v. a.* 14910, heal.
sanglent, *a.* 5050, bloody.
sanguin, *a.* 4956, 14701, 21773, bloody, sanguine, red.
santé, *see* saunté(e).
sanz, sans, *prep.* 187, 12085, D. i. 1.
Saoul, *see* Saül.
saouler, *see* sauler.
saphir, *s.* 18668.
sapience, *s.* 1619.
sapient, *a.* 1629.
Sarasin, Sarazin, *s.* 18311, 22326, 25379, unbeliever.
Sarepte, 15468.
Sarre, Sarrai (wife of Abraham), 11432, 12226, T. xiii. 1.
Sarre (daughter of Raguel), 10262, 17423, 17703, 17737.

sartilier(s), *s.* 11277, weeder.
Sathan, Sathanas, 2255, 3675, 6177, 7873, 16204.
satin, *s.* 25292.
satisfaccioun, *s.* 15042.
satisfaire, *v. n.* 5215.
saturacioun, *s.* 7929, repletion.
Saturne, 26737.
sauf, *see* saulf.
Saül (1), Saoul, 4899, 12979, 23011 ff.
Saül (2), 2353.
sauler, saouler, *v. a.* 1804, 4891, satisfy, satiate : *v. n.* 18888, be satiated.
saulf, sauf, salf(s), *a.* 2128, 4366, safe, sure ; en saulf, 5698, sauf (saving), B. xlvi. 1, sau(l)f garder, 1035, D. i. 2.
sauls, *s.* 6, willow.
saulse, *see* salse.
saunté(e), santé, 2522, 8310, D. ii. 5, B. ix. 4.
sauvage, *see* salvage.
savoir, saver, *v.* 160, 2142, B. ii. 2, *cp.* xli. 2 ; 1 *s. p.* say, 391, sai, B. iv.* 2 ; 2 *pl.* savetz, B. xxviii. 2 ; *imperat.* sachetz, B. vii. 1, sachiez, 383 ; 3 *s. p. subj.* sace, 9020, sache, B. xxv. 2 ; *fut.* savra, 7072 ; *cond.* saveroit, B. viii. 2.
savoir, *s.* 1496, B. xli. 2.
savour, *s.* 7654, 10673, taste, knowledge.
savourable, *a.* 13218.
savouré, *a.* 16881, savoury.
savourer, *v. a.* 9555, 20617, perceive the savour of, make of good savour.
say, *s.* 21016, woollen stuff.
science, *s.* 353, 14594.
scies, sciet, *v.* 2, 3 *s. p.* 541, 1451, B. v. 3, xli. 3 ; 3 *pl.* scievont, 1623, sciovont, 8964 ; 3 *s. pret.* scieust, 308, T. xiii. 3 ; 2 *pl. pret. subj.* scieussetz, 20, B. xxix. 2 : know, know how.
scilence, *see* silence.
scribe, *s.* 3110, 18805.
se, *refl. pron.* 45, D. i. 1, ce, c', 1147, B. xviii. 3.
seal, *s.* 1313.
secchant, *a.* 19968, dried up.
seccher, *v. n.* 11854, dry up.
sech, *a., f.* secche, 9472, 17901, dry.
seconde(s), secunde, *num. a.* 1201, 13339, T. xviii. 2.
seconde, *s. f.* 8207, helper.
secondement, *adv.* 10867, B. xxxi. 2.
secré(e), secret, *a.* 1378, 3652, 3704, 12027, secret, familiar, privy (to) : en secré(e), 488, 8744.
secret, *s.* 11952.

secretaire, *s.* 677, 8803, secret adviser, privacy.
secretal, *a.* 20732, in private.
secretement, *adv.* 708.
secroy, *s.* 7511, secrecy.
secul(i)er, *a.* 31, 290, 653, 1080, of the world, secular : *s.* 14134, secular priest.
seculierement, *adv.* 20852.
secundaire, *a.* 13453, second.
secur, *a.* 14173 : *cp.* segeur.
sée, sié, *s.* 1308, 18708, 19027, seat, place, see.
seel, *s.* 20594, salt.
segeur, segur, *a.* 6973, T. xiv. 1.
seigneur, seigneurie, *see* **seignour,** &c.
seigneurant, *see* **seignourant.**
seigneurer, *s.* 23254, lordship.
seignoral, *a.* 20961, lordly.
seignour, seigneur, *s.* 1305, 4730, D. i. 1.
seigno(u)rable, *a.* 1794, 18511, powerful.
seigno(u)rage, seigneurage, *s.* 2289, 4736, 12133, lords.
seignourant, seigneurant, *s.* 15631, 24963, ruler.
seignourie, seigneurie, *s.* 1377, 2581, **seignurie, seignorie,** D. ii. 5, B. xxv. 3.
seignouri(s), *a.* 23306, lordly.
seignural, *a.* D. ii. 4.
sein (1), *s.* 7985, bosom.
sein (2), *s.* 3437, mark, quarry.
sein(s), sain, *a.* 3436, 6599, B. xxvii. 1, flourishing, healthy.
seint, saint, *a.* and *s.* 1061, 1100, 2472, 6279, B. ix. 1, xxxiv. 1, xlii. 3, T. iii. 1.
seintement, *adv.* 27497.
seintifier, saintefier, *v. a.* 7206, 11142, T. xi. 2, sanctify, keep holy, ordain.
seisi, seisine, *see* **saisi, saisine.**
selle, *s.* 853, saddle.
seller, *s.* 25729, sadler.
selonc, *see* **solonc.**
Sem, 12030.
semai(g)ne, *see* **semeine.**
semaille, *s.* 15637.
semblable(z), *a.* 1406, 4498, B. x. 4, like ; **son semblable,** 5045.
semblablement, *adv.* 7656, B. xviii. 1.
semblance, *s.* 127, 2897, B. xix. 1.
semblant(e), *s.* 1024, 22115, B. xxxii. 3, appearance, likeness: **a mon semblant,** 26746, by what appears to me.
sembler, *v. n.* 402, B. ii. 3, xxxviii. 2, seem: *v. a.* 9955, compare.
semeine, semeigne, semai(g)ne, *s.* 2321, 4065, 9206, 14374, B. xxxix. 3, week.
semence, semense, *s.* 9805, T. iii. 2, seed, offspring.

semer, *v. a.* 2200, sow.
Semey, 23007, Shimei.
sempiterne, *a.* 5286, everlasting.
sempres, *adv.* B. xxviii. 2, always.
Senacherib, 2444, 23021.
senatour, *s.* 13022.
Senec, Seneques, 1769, 4159, 4390, 5677, 6760, 6808, 7527, 8535, 9565, 9622, 10226, 10945, 11773, 12409, 13129, 13695, 14209, 14296, 14343, 15157, 15279, 15533, 15685, 16635, 16657, 17618, 17653, 23053, 24470, 24699.
seneschal, *s.* 8475.
seneschalchie, *s.* 16077, stewardship.
senestre, *a.* 15297, 24297, left, distorted : **a senestre, a la senestre,** 9945, 24581, to the left, wrongly.
sengler, *s.* 879, boar.
sens, sen, *s.* 1202, 3344, B. i. 2, xiii. 2, *pl.* 10565.
sensibilité, *s.* 12346, experience of sense.
sent, *see* **cent.**
sente, *s.* 13171, path.
sentement, *s.* 16340, B. ix. 3, feeling.
sentence, *s.* 2373, 4062, 28847, D. i. 4.
sentier, *s.* 887, path.
sentir, *v. a.* B. iv. 2 ; 1 *s. p.* **sente,** 13784, B. xvi. 1 ; 3 *s.* **sente,** 23172 ; *pp.* **sentu,** 5527.
sentir, *s.* 26882, feeling.
seoir, (seïr), *v. n.* 135, 812 ; 3 *s. p.* **siet,** 5608 ; 3 *s. pret.* **sist,** 929; *pres. part.* **seant,** 11394 : sit, be set, suit.
Sephonie, 1825, 12834, 21398.
sept, *num.* 235.
septante, *num.* 19403.
septi(s)me, *num. a.* 262, C., seventh.
septre, *s.* 9583, sceptre.
sepulcre, *s.* 1118.
sepulture, *s.* 13017.
sequence, *s.* 20121, order.
sercher, *v. a.* 712, B. xi. 1, **cercher,** 14937, search, look for.
Sereine, 9949, 10911, 16688, B. xxx. 2, Siren.
serement, *see* **serment.**
serf(s) *a.* and *s.* 1795, 18478, B. xlviii. 4.
serf, *s.* 25059, stag.
sergant, *s.* 664, 882, 6221, attendant, servant, sergeant-at-law.
sergantie, *s.* 24387.
serment, serement, *s.* 4016, 6453, B. i. 4.
sermoner, *v. a.* and *n.* 7502, 18808, speak, preach.
sermoun, sermon, *s.* 6101, 6235.
Seron, 2377.

GLOSSARY AND INDEX OF PROPER NAMES 551

serpent, serpens, *s.* 129, 2641, 3724, serpente, 3710, 11491.
serpentelle, *s.* 8083, serpent.
serpentin, *a.* 134, 13480, of a serpent, venomous.
serrer, *v. a.* 18542, lock up.
servage, *s.* 819, 2169, 24692, D. i. 1, service, servitude, bondmen.
servant, *s.* 438, B. xxiii. 1.
serviçable, *a.* B. xxix. 2.
service, servise, *s.* 256, 5403, D. i. 3, B. li. 2.
servir, *v. a.* and *n.* 430, 1690, 2030, 6140, B. ii. 2, xvii. 1 : servir de, 5079.
servitour, *s.* 2151, servant.
servitute, *s.* 1660.
ses, *see* son.
sesine, *see* saisine.
sesoun, *s.* 5440.
sessant(e), *num.* 2129, 5558.
sessioun, *s.* 15878, court-sitting.
sestier, *s.* 8403.
sesze, *num.* 8595.
seur, *a.* 559 : *cp.* segur.
seurement, *adv.* 4403.
seurté(s), *s.* 1792, 14295, B. ix. 4.
sevelir, *v. a.* 29134, bury.
si, *adv.* 8, 196, B. ix. 4, so, thus, also, and.
si, s', *conj.* 20, D. ii. 4, if : si ... noun, 6496, B. xxiv. 1, except ; si noun que, 10366, unless.
si, s', *poss. a., sing.* 1477, 3927 ; *pl.* 4, 3672 : his, her.
si, *adv., for* ci, B. title.
sibien ... come, 7720, ... qe, 8331, both ... and.
Sibille, B. xix. 2.
Sichen, 16964 ff., Shechem.
sicom(m)e, sicom, *conj.* 362, 1027, B. vii. 3, ix. 3, as.
Sidrac, 2509, 3553, 16045, 22803, 23188.
sié, *see* sée.
siecle, *s.* 27, B. i. 3, world, age.
siege, *s.* 8365, siege.
sier, *v.* 7568, reap.
siffler, *v. n.* 5511, hiss.
sigle, *s.* 22106, sailing.
sigler, *v. n.* 4331, B. xxx. 1, sail.
signal, *s.* 12444, sign.
signe, *s.* 2084, T. xii. 3.
signefiance, *s.* 5587.
signefiement, *s.* 18216.
signefier, signifier, *v.* 860, 1425, T. ix. 1.
sil, for cil, B. xlii. 3.
silence, scilence, *s.* 1395, 16637.
Silvestre, 27052.

Simeon, 28195 ff., 29042.
Simon (Magus), 1897, 7369, 18451, 18564 ff., 18857 ff., 18997.
Simon (Peter), 28816, 29200 : *see* Pierre.
simonie, symonie, *s.* 7347, 7468.
simonin, *a.* 16099, of simony.
simple, *a.* 1689, B. iii. 2.
simplement, *adv.* 12522.
simplesce, *s.* 1649, B. xxviii. 3.
sinagoge, *s.* 28418.
singuler, *a.* 1069, 1513, apart, separate.
sintelle, *s.* 10959, spark.
sique, siqe, *conj.* 77, B. xv. 1, (also si que, si qe, e.g. 18209).
sire(s), *s.* 1139, T. v. 2, lord.
sirene, *s.* 2846.
Sirien, *see* Surien.
sis, six, sisz, *num.* 956, 7283 10526.
sisme, *num. a.* C., sixth.
sisnes, *s.* 24228, sixes (at dice).
siste, *num. a.* 257, 10561.
six, *see* sis.
smaragdine, *s.* 10731.
sobre, *a.* 8241.
sobrement, *adv.* 18083.
sobreté, *s.* 16418.
socour, *s.* 605, B. xxii. 1.
socourre, socourer, *v. a.* 10271, 10317 : *v. n.* 20261, 29886, help, give help.
Socrates, 4168.
sodainement, *see* soudainement.
Sodome, Sodomie, 5856, 9510, 27081.
soe, sue, *poss. a. f.* 1369, 12073, (une sue aqueinte), her, of hers.
soeffre, *see* souffrir.
soen, *poss. a.* 3108, les soens, 1827, un soen chambirlain, 2678 : his, her, of hers.
soer, *s.* 841, T. xii. 1, sister : *cp.* sorour.
soffrir, *see* souffrir.
soi, soy, *refl. pron.* 58, B. li. 1 ; *used for* se, 27, 4492, &c.
soie, *s.* 23487.
soif, *s.* 7548.
soir, *s.* 3815.
sojour, *s.* 3152, 5015, 12943, B. xxxv. 2, dwelling, rest, security.
sojourner, *v. n.* 21047, B. xlvii. 3, dwell, rest : *pp.* sojournez, 19329, fresh (of horses).
solacer, *v. n.* 11474, rejoice.
solacer, *s.* 1264, delight.
solail(l), *s.* 3587, 12631, B. x. 4.
solait, *see* soloir.
solas, *s.* 892, 12144, delight, consolation.
sold, *s.* 6340, pay.
soldée, *s.* 6910, wages, payment.

GLOSSARY AND INDEX OF PROPER NAMES

solde(i)our, soldier, soldoier, *s.* 5386, 6747,7173,18674, 23327,soldier, hireling.
solder, *v. a.* 23704, pay.
sole, solein, *see* soul, soulein.
soleinement, *adv.* 2802.
solempnement, *adv.* 840.
soliciter, *v. n.* 18529, be anxious.
solitaire, *a.* 10597.
sollempne, solempne, *a.* 17161, 17815.
sollempneté, *s.* 23635, consecration, ceremony.
sollempnizer, *v. a.* 23639, consecrate.
sollicitous, solicitous, *a.* 14435, 21482, industrious, anxious.
sollicitude, solicitude, *s.* 14402 ff., 15889, industry, anxiety.
soloir, souloir, *v. n.* 726, 18440, D. ii. 3; 3 *s. p.* solt, 1517, B. xix. 1, solait, 10605, soloit, 15405; 1, 2 *s. imp.* soloie, soloies, B. iii. 1, 5019; 3 *s.* soloit, 726, solait, 17247, souloit, 18440; 3 *s. pret.* solt, 3782, 5667: be accustomed.
solonc, *prep.* 289, B. i. 3, xvii. 2, selonc, 9054, B. vi. *margin*, T. iii. 1 ff., according to: solonc que, 112, according as.
Solyn(s), Solin(s), 1849, 2101, 2845, 5029, 12865, 19897.
someiller, *v. n.* 11301, sleep.
somer, *s.* 18540, sumpter mule.
somme, soumme, *s.* 7294, 7300.
somonce, *s.* 2371, 18996, summons.
somons, *a.* 9410, summoned.
(somoner), *v.*, 3 *s. p.* somont, 10010, 26779.
sompnolence, *s.* 5135.
sompnolent, *a.* 5222.
son, soun, *poss. a.* 26, 574, D. i. 3; ses (*sing.*), 13008, *pl.* 7, B. xii. 2; *f.* sa, 127, B. v. 2.
soner, (sonner), *v. a.* 1426, B. xxx. 3, utter: *v. n.* 3554, sound.
songant, *s.* 5285, dreaming.
songe(s), sounge, *s.* 5604, 6137, dream.
songement, *s.* 5267, dreaming.
songer, sounger, *v. n.* 5146, 5184, B. ix. 3.
songerie, *s.* 5286, dreaming.
sonner, *see* soner.
sophistre, *s.* 9979.
sophistrie, *s.* 3590.
sorceresse, *s.* 9494.
sorour, *s.* 989, sister: *cp.* soer.
sort, *s.* 1476, 4367, 16800, 17457, B. xxxi. 3, lot, chance, company.
sot, *a.* 19; *s.* 5422.
sotement, *adv.* 1162.
sotie, *s.* 1154, B. xxii. 1, T. xv. 1, folly.
soubdeinement, *see* soudainement.

soubgit, *pp.* B. xi. 3, xix. 4, T. ix. 2, subdued.
soubgit, soubgis, *a.* 273, 2007, sougit, 4980, subject; en soubgit, 9744, in subjection.
soubgit(z), *s.* 448, D. i. 3; *f.* soubgite, 8984: subject, dependant.
soubit, *a.* 1277, sudden.
soubjeccioun, *see* subjeccioun.
soubmettre, *v. a.* 11052, 12297, make subject.
soubstance, *see* substance.
soubtil, soutil, *a.* 823, 1382, cunning.
sou(b)tilement, *adv.* 421, 7069.
soubtiler, *v. a.* 205, contrive: *v. n.* and *refl.* 1568, 7297, be cunning.
soubtilité, soutileté, *s.* 1020, 3644, subtilitée, B. xlii. 3.
soubtz, soubz, soutz, *prep.* 931, 11311, B. xi. 2, T. v. 2, under.
soudain, soudein, *a.* 2447, B. xxii. 1; *f.* soudeigne, 6741, sudden.
so(u)dainement, so(u)deinement, *adv.* 705, 1283, 1666, 4395, soudaignement, 2855, soubdeinement, T. xiii. 3.
soufficance, soufficant, souffire, *see* sufficance, &c.
souffle, *s.* 2853, breath.
souffler, suffler, soufler, *v. n.* 1347, 2849, 16653, breathe, blow: *v. a.* 9965, B. xxx. 1 (?), blow upon.
soufflet, *s.* 16613, blowing.
s(o)uffrance, *s.* 13495, 17419, 28771.
souffrir, suffrir, *v. a.* 2039, T. ix. 3, soffrir, 14064; 3 *s. p.* soeffre, 1226, souffre, 2162.
souffreite, *see* suffreite.
souffreitous, *a.* 7636, in want.
sougit, *see* soubgit.
souhaid, *s.* 5463, B. vi. 3, desire.
souhaider, *v. a.* 26, B. xlvii. 2, desire.
soul, soule, *a.* 25, 16768, D. ii. 4, *f.* sole, soule, 7661, B. v. 1, alone, single.
soul, *adv.* 1322, only.
sould, *s.*, *pl.* souldz, 7329, shilling.
soulein, solein, soulain, *a.* 73, 718, 881, B. xvii. 3, alone.
souleinement, *adv.* 3788.
soulement, *adv.* 59, 1387, B. viii. 3, only, even.
souler, *s.* 1227, shoe.
souloit, *see* soloir.
soumme, *see* somme.
soun, *s.* 412.
soun, *poss. a., see* son.
sounge, sounger, *see* songe, &c.
soup(i)er, *s.* 7909, 21380.
souple, suple, *a.* 8882, 13428, yielding.

GLOSSARY AND INDEX OF PROPER NAMES 553

soupler, suppler, *v. a.* 17600, B. xv. 2.
souppe, *s.* 7908, sop.
source, *s.* 67.
sourd, *a.* 22203, deaf.
sourdre, *v. n.* 2139, 3875, arise.
sourris, *s.* 9956.
soustenir, &c., *see* sustenir, &c.
soutil, &c., *see* soubtil, &c.
soutz, *see* soubtz.
souvenir, sovenir, *v. n.* 41, 913, come up (in the mind): *v. a.* and *refl.* 4534, 7411, 11438, remember, be mindful.
so(u)venir, *s.* 6102, 28975, recollection.
sovenance, *s.* 8244, B. xiii. 3.
sovent, *adv.* 579, B. iii. 1, often.
soventesfois, sovente fois, *adv.* 3656, 25274, often.
soverein, souverein(z), *a.* 4810, 22775, B. viii. 4, *f.* souveraigne, 9336, supreme.
soverein, soverain, *s.* 76, 2117, 9534, B. xxiv. 4, xlviii. 4; *f.* sovereine, 2117.
soy, *see* soi.
spelunce, *s.* 12873, cave.
statue, *s.* 7093.
(steir), *v. n.*, 3 *s. p.* sta, 7108, stand: *cp.* estier.
stipende, *s.* 20526.
stole, *s.* 17054.
stouppe, *s.* T. iv. 1, tow: *cp.* estouppe.
streigner, (streindre), *v. a.* 7951, 8697, strain, compel.
stupre, *s.* 8669, rape.
su, sui, suy, suismes, susmes, *see* estre.
subit, *a.* T. ix. 3, sudden.
subjeccio(u)n, subgeccioun, soubjeccioun, *s.* 3096, 16329, 29186, B. xxiv. 4.
subsidie, *s.* 18992.
substance, soubstance, *s.* 1736, 7807, 15966, wealth, substance.
subtilitée, *see* soubtilité.
subvertir, *v. a.* 2563, 3915.
succher, sucher, *v. a.* 7550, 12495, suck.
sue, *see* soe.
suef, *a.* and *adv.* 455, 16713, B. xxvii. 2, gentle, gently.
suer, *v. a.* and *n.* 5378, 28674, sweat.
suët, *s.* 26239, fat.
suffica(u)nce, soufficance, *s.* 1738, 5682, 14499, B. iv. 2.
sufficant, souffleant, *a.* 11988, 15716.
sufficer, *v.* 6884.
suffire, souffire, *v. n.* 453, 791, 4709, 5621, 6609, B. xxvi. 1, suffice, satisfy, be able: *v. a.* 6168, supply (?).
suffler, *see* souffler.

sufflure, *s.* 3754, 9472, breath, blowing.
suffrance, suffrir, *see* souffrance, &c.
suffreite, suffraite, *s.* 1807, 5347, souffreite, 6309, want, poverty.
suffrir, *see* souffrir.
suhgenay, *s.* 1241.
suir, suier, *v. a.* and *n.* 2792; 3 *s. p.* suyt, 629, suit, 1008; 3 *pl.* suiont, 8120; 3 *s. imp.* suioit, 675; *fut.* suiera, 2906; *pres. part.* suiant, 877, T. ii. 2: follow.
suitier, *s.* 20501, follower.
sulphre, *s.* 11490, sulphur.
sultif, *a.* 3784, 10609, lonely.
suour, *s.* 14432, sweat.
superflual, *a.* 710, 8482, 8525, surfeiting, overflowing.
superfluement, *adv.* 8382.
superfluer, *v. n.* 8360, 22314.
superflueté, superfluité, *s.* 8328 (R), 8342.
superiour, *a.* 8997, T. vii. 1: le superiour, 23443, the supreme.
suple, *see* souple.
suploier, *see* supplier.
supplant, *s.* 3304, supplanting.
supplantacioun, *s.* 3290.
supplantement, *s.* 3332.
supplanter, *v. a.* 3294.
supplantour, *s.* 3464.
suppler, *see* soupler.
supplicacio(u)n, *s.* 10241, B. xxiv. 4.
supplier, sup(p)loier, *v. n.* and *a.* 3350, 7580, B. ix. 5, x. 3, bend, entreat, pray for.
suppoer, *v. a.* 16924, support.
supponer, *v.* 13102, 16919, support.
support, *s.* 7417, 13061.
supportement, *s.* 13128.
supporter, *v. a.* 260, B. iii. 3; 3 *s. p.* support, 12431.
supposer, *v.* 5491.
sur, *prep.* 221, B. vi. 4.
surcrescant, *pres. part.* 15630, increasing.
surcrois, *s.* 3803, 20526, increase, surplus.
surdoloir, *v. n.* 8300, suffer afterwards.
sure, *adv.* 4750, 10763: *see* Notes.
surfaire, *v. n.* 8330, make a surfeit.
surfait, *s.* 8329, surfeit.
surgir, *v. n.* 4919, rise.
Surien, Sirien, (*pl.*) 22017 ff., Ciriens, 10314.
surjoïr, *v. n.* 14205, rejoice beyond measure.
surmetre, *v.* 11910, reproach.
surmonter, *v. a.* and *n.* 752, 13304, B. xlvi. 1, overcome, surpass.
suronder, *v. a.* 8199, overflow.

surplus, *s.* 11784, B. xxxix. 1, abundance, fulness, profit; **de surplus,** 17960, over and above.
surprendre, *v. a.* 3274.
surquerre, *v. a.*, 3 *s. p.* surquiere, 5295, 7065, 7548, enquire after, come upon.
surquidable, *a.* 1864, overweening.
surquidance, *s.* 1633.
surquidé, *a.* 1561, overweening.
surquider, *v.* 1699, think overweeningly.
surquider(s), *s.* 1453, overweening man.
surquiderie, *s.* 1443.
surquidous, *a.* 1495.
surquidousement, *adv.* 1546.
Surrie, 2377, 22034, 22333, Syria.
survenir, *v. a.* and *n.* 921, 1269, B. envoy; 3 *s. pret.* survient, 4561; 3 *pl.* surveneront, 11019: come, come upon.
surveoir, survoir, survoier, *v. a.* 4881, 8991, 29883, survey, oversee.
sus, *adv.*, de sus en jus, 1482, sus et jus, B. xvi. 1, la sus, 15420: up.
Susanne, 17470.
suslivrer, *v. a.* 6473, withdraw.
susnomer, *v. a.* 10729, name above.
suspecioun, *s.* 8818.
suspir, *s.* 42, B. xlvii. 4, sigh.
suspirer, *v. n.* 621, B. xxxviii. 2.
suspirer, *s.* 29380, sighing.
susprendre, *v. a.* 305, 1543, 8988, B. ix. 2, seize, induce, affect with love.
sustenir, soustenir, *v. a.* 478, 10689, B. xvi. 1.
sustenir, *s.* 24127, sustenance.
sustentacioun, *s.* 16235, support.
sustentif, *a.* 14410, sustaining.
sustenue, *s.* 16238, sustenance.
sustienance, soustienance, sustenance, *s.* 5532, 7472, B. xvi. 2.
sustienement, *s.* 1160.
sustraire, *v. a.* 96, withdraw.
sy, *adv.* 26179, *for* si *or* cy.
sye, *s.* 13838, sickle.
symonie, *see* simonie.

T

tabernacle, *s.* 16196.
table, *s.* 961.
tache, teche, *s.* 1231, 2717, 8767, mark, stain, quality.
tachous, *a.* 9255, spotted.
taiçant, taisant, *a.* 10135, 13459, silent.
taillage, *s.* 22322, tax.

taille, *s.* 19448, 25724, tally, length.
tailler, *v. a.* 8477, cut; **se tailler,** 8366, 19447, 23962, prepare oneself, behove, be ordered.
taire, tere, *v. n.* and *refl.* 2018, 18349, B. xiv. 2; 3 *s. pret.* taist, 4171; *pres. part.* tesant, 2633.
taisant, *see* taiçant.
tal, *see* tiel.
talent, *s.* 22, B. xix. 3, inclination, will.
talenter, *v. n.* 1445, 14102, B. xvi. 4, have desire, be pleasing.
Tamise, 4162, 25253, 26119.
tancom(m)e, tantcomme, *conj.* 3122, 5598, 15658, B. iv.* 1, tant com, B. ii. 2, tant comme, 3034, while, when: tant come pluis . . . tant plus, B. vii. 1, the more . . . the more.
tanque, tanqe, *conj.* 2531, B. vii. 1, xiii. 4, tant que, 3024, until; tanq' en, 8577, T. xiii. 1, into; tanqu' a, 8555, up to.
tansoulement, *adv.* 5098, B. xvi. 1, tantsoulement, 562, only.
tant, *a.* 43, B. vi. 2, xli. 1; en tant, xii. 2: par tant, 119, 10351, B. xxxii. 2, in consequence, in order (that): (ne) tant ne qant, 3654, 23358, (not) anything, (not) at all.
tant, *adv.* 2, B. iv. 3; *see* tancomme, tanque.
Tantali, 7622, of Tantalus.
tantost, *adv.* 89, B. xi. 2.
tantsoulement, *see* tansoulement.
tapicer, *v. a.* 25826, carpet.
tapir, *v. n.* 3525, lie concealed.
tapiser, *v. a.* 4521, conceal: *v. n.* 19424, 21167, hide, lie hid.
tarcel, *s.* B. xxxv. 4, male falcon.
tard, tart, *a.* and *adv.* 5202, B. ix. 1, 3, xxv. 1.
tardement, *adv.* 17782.
tarder, *v. a.* T. xiv. 3, delay: *v. n.*, tant luy tarde, 10642, so eager is he.
tardis, *a.* 5536, slow.
targer, *see* tarier.
tariance, *s.* 4029, 14321, vexation, delay.
tarier, targer, *v. n.* 500, 5585, 15651, delay.
Tarquin(s), T. x. 2.
tart, *see* tard.
Tartarie, 23895.
tasse, *s.* 15643.
tast, *s.* 26066, 26884, touch, taste.
taster, *v. a.* 8011, 9383, feel, taste.
tavernage, *s.* 16449, 26031.
taverne, *s.* 6285.
taverner, *v. a.* 25999, retail (wine, &c.).

taverner, s. 8265, 20690; f. tavernere, 9825: tavern-keeper, frequenter of taverns.
tay, s. 23430, mud.
teche, see tache.
Techel, 22748.
techelé, a. 9254, spotted.
teille, s. 5217, sheet.
teindre, v. a. 29107, dye.
teint, a. 3661, 13686, dyed, defiled.
teinte, s. 26030, colour.
tel(l)e, see tiel.
temperance, s. 15280.
temperat, a. 15281.
tempeste, s. 984, B. xxx. 1.
tempestement, s. 14335, raging.
tempester, v. n. and refl. 1350, 26822, B. xxx. 1, rage, be disturbed: v. a. 6440, do violence to.
temple, s. 1083, T. x. 3.
temporal, temporiel, a. 6122, 7375.
tempre, a. 5202, B. ix. 3, early.
temprer, v. a. 11829, B. l. 2, T. xiii. 1, control, temper.
temps, s. 939, D. ii. 3, par temps, 5621, long temps, B. xxiii. 3.
temptacio(u)n, s. 410, 495.
temptement, s. 698, temptation.
tempter, v. a. 150.
tenant, a. 10138, 21371, grasping, obstinate.
tençable, a. 4235, contentious.
tençant, a. 10134, contentious.
tencer, v. n. 1175, 4049, contend: v. a. 4170, 15750, contend with, urge.
tencer, s. 4216, strife.
tenceresse, a. f. 4122, contentious.
tencerie, s. 4245, contention.
tenço(u)n, s. 4070, 13456, contention.
tendre, v. a. 432, 2722, offer.
tendre, a. 2835, B. xviii. 1.
tendrement, adv. 12973.
tendresce, s. 5296, B. xliv. 4.
tendreté, s. 5352, delicacy.
tenebre, s. 3273, pl. 29715, darkness.
tenebrour, s. 6807, darkness.
tenebrous, a. 25322, dark.
tenement, s. 20613, habitation.
tenir, v. a. and n. D. i. 2; 2 s. p. tien, 27569; 3 s. pret. tint, 3322, tient, 4565, 9816; fut. tendray, tendrai, 26298, B. xliv. 3; 3 s. p. subj. tiegne, 11, tiene, 1148.
tente, s. 4286.
tenure, s. 9117, 22901, 27500, keeping, property, keynote (?)
tere, see taire.

Tereüs, T. xii. 1.
terme, s. 24494, term, period.
termine, s. 16151, 25679, limit, order.
terminer, v. a. 1480, B. i. 3: v. n. 1249.
terminer, s. 3107, end.
Ternagant, 22324.
terrage, s. (1), 26047, clearing of wine (?)
terrage, s. (2), 29639, burial.
terre, s. 171, D. i. 2, pl. (lands) 6199.
terremoete, s. 4522, earthquake.
terrere, s. 358, earth.
terrestre, terreste, a. 974, 5069, B. vii. 4, earthly: les terrestes, la terrestre, 10723, 18639, the earth, the land.
terr(i)en, a. 7472, 12225, earthly.
terrin(e), a. 1306, 1810, earthly.
terrour, s. 4843.
Tersites, 23369 ff.
tes, see ton.
tesmoign(e), s. 6327, 28708, B. v. 3, witness; 6725, evidence.
tesmoignal, a. 3285, 25110, witness-bearing.
tesmoignance, s. 2090.
tesmoigner, v. a. and n. 51, 1823, B. xxxi. 3, bear witness, bear witness of.
testament, s. 7249.
teste, s. 3519, head.
testier, s. 25079, head.
text, s. 5156: cp. tistre.
Thelogonus, T. vi. 3.
Theseüs, B. xliii. 1.
Thimotheu, 11989.
Thobie (1), 10267, 11185, 14413, 15445, 15471, 15674, Tobit.
Thobie (2), 17704, Tobias.
Tholomé, 12452.
Thomas, (saint), 28821, 29205.
throne, s. 6450, 17048.
tiel, tal, f. tiel(l)e, tel(l)e, a. 105, 803, 4057, 9293, 9557, D. i. 2, tieu, 202, 556; pl. tiels, B. xxv. 2, tieux, 419, tieus, 6636, tieu, 1273, tielles, 8633: such, many a one.
tielement, adv. 101, B. iii. 2.
tiers, tierce, num. a. 250, 1441, 3655, B. xlix. 3; au tierce (of time), 5209.
tieu, see tiel.
tiffer, v. a. 18328, decorate.
tigre(s), s. 1563, 6853.
timour, s. 11175, fear.
tine, s. 5717, moth.
tirannie, tirandie, s. 15566, 23234.
tirant, s. 2428, B. xxvii. 2: a. 6252.
Tirelincel, 5205.

556 GLOSSARY AND INDEX OF PROPER NAMES

tirer, v. a. 787, 1310, 3092, draw, take in, tear: v. n. and refl. 5564, 6161, approach.
tiso(u)n, s. 7054, 16739, firebrand.
tistre, s. 7483, 27192, text.
title, s. 4590.
toi, toy, pron. 437, 532, 634, B. iv.* 1, 3.
toise, s. 16291, stretch.
toison, s. 3726, T. viii. 1.
toll, s. 25723.
tollage, s. 4711, 6518, 15071, toll, takings.
tollir, v. a. 2203; 2 s. p. tols, 2206; 3 s. tolt, 1160, B. xxii. 2; 3 s. pret. tollist, 6981; pret. subj. tolsist, 7164; pp. tollu, 1086: take away.
ton, toun, poss. a. 139, 533, B. iv.* 2, tes (sing.) 29512, B. iv.* 3; f. ta, 465, B. xlii. 1; pl. tes, 467, B. iv.* 2.
tonaire, s. 4851, thunder.
tondre, v. a. 20761, shave, clip.
tonell(e), tonel, s. 5252, 8292, 20692; pl. tonealx, 8403, T. xv. 2, tonell, 8327: cask.
tor, s. 1466, bull.
torment, see tourment.
torner, tourner, v. a. 68, 2856, B. xix. 1: v. n. 1487, 3171, B. xlviii. 2: turn, change.
tort, a. 3506, 4740, crooked, wrong.
tort, s. 140, 2443, wrong, injustice: au tort, 13118, cp. atort.
tost, adv., bien tost, 121, 913, T. vii. 2, plus tost, 1908, B. viii. 1, cp. plustost.
touche, s. 25536.
toucher, touchier, v. a. 216, 5218, B. xlv. 1.
toucher, s. 1520, touch.
toun, see ton.
tour (1), s. 1256, tower.
tour (2), s. 926, 1300, 1674, 3516, 15088, turn, round, kind, conclusion, deed: au chef de (du) tour, 1500, 3420, in the end: un autre tour, 10847, in another way.
tourdre, v. a. 18595, torment: v. n. 20265, turn.
tourment(e), torment, s. 3598, 9682; pl. tourmens, 3801, tormentz, B. i. 3: torment, storm.
tourmenter, v. n. 13735, 13880, rage, whirl about.
tourmentour, s. 13992.
tournant, s. 2637, turning.
tourner, see torner.
tournoy, s. 11469.
Tousseins, s. 8702, All Saints' day.

tout, a. 4, B. iv. 3, 4; pl. tout, 362, B. xiv. 1, toutz, 18432, D. ii. 5, tous, 17, f. toutes, B. iv. 1: par tout, 273, &c.
tout, adv. 224, B. v. 1; ove tout, 4, 12240: see note on 11354.
toutdis, toutdiz, toutdys, adv. 187, 3805, D. i. 2, B. ix. 1, C., toutditz, toutdits, B. i. 2, 3, always.
toutdroit, adv. 3141, straight.
toutplein, a. 11404, 13874.
toutplein, s. 25276, 28454, B. xxxvii. 2, tout plein, 74, 11021, a quantity, a great number.
toutpuissant, a. 116.
toy, see toi.
trace, s. 4361, 9018, way, footsteps, company.
Trace, T. xii. 1.
tracer, v. a. 4360.
trahir, v. a. 146, B. xlii. 1.
traicier, traiçour, s. 25035, 25060.
traire, see trere.
trait, s. 17801, stroke.
traiter, see treter.
traitié, s. T. (title), treatise.
traitre(s), s. and a. 168, 1532, 3572, traitor, treacherous.
tramettre, v. 408, B. ix. 2, send.
transcourir, v. a. 15108.
transfigurer, v. a. 14770.
transformer, v. a. T. xii. 3.
transgl(o)uter, v. a. 2342, 27078, swallow.
transmigracioun, s. 10326, exile.
transmuer, v. a. 1894, change.
transmutacioun, s. 28419.
transmuter, v. a. 3839, change.
transporter, v. a. 6834.
travail(l)er, v. a. 1207, 5130, B. vii. 2, trouble, disturb: v. n. 1214, 1367, C., (travaillier), labour, journey.
traval(s), travail, s., pl. travauls, travals, 7, 68, 3702, 5601, 14278, trouble, labour.
travers, a. 4089, contrary: au travers, 6143, on the contrary, 16730, through.
treacle, see triacle.
treble, a. 12325, three-fold.
trecher, v. n. 17611.
treine (1), s. 9957 (?).
treine (2), s. 25553, 25745, trick, contrivance.
treiner, v. a. 6560, 8575, draw.
trembler, v. n. and refl. 723, 6367.
trenchant, a. 2786.
trenchant, s. 26995, edge.
trente, num. 28633.

GLOSSARY AND INDEX OF PROPER NAMES 557

trere, traire, *v. a.* and *n.* 42, 179, 2728;
1 *s. p.* tray, 2761; 3 *s.* tret, 2837, trait,
12394; *imp.* trahoit, 4196; *fut.* trera,
8080; 3 *pl. pres. subj.* treont, 9288:
draw, pull, endure, bring forth.
tresamourous, *a.* 10684.
tresardant, *a.* 10568.
tresauctentique, *a.* 3336.
tresbeal(s), *a.* B. xii. 3, xxii. 3, tresbelle,
1246, B. vii. 1.
tresbenigne, *a.* 3123.
tresbien, *adv.* 1373, B. xxxv. 3.
tresbon, *a.* 9104.
tresbuscher, *v. a.* 3456, cast down: *v. n.*
1871, fall.
treschier, *a.* 773.
tresclier, *a.* 3646.
trescovert, *a.* 3473, very secret.
trescruelement, *adv.* 7179.
tresdigne, *a.* B. xiii. 2.
tresdolorous, *a.* 9503.
tresdouls, *a.* 2473, B. iv.* 3, xix. 2.
tresdur, *a.* 11198.
tresentier, *adv.* B. ix. 1, wholly.
tresentierement, *adv.* B. xxxiv. 2.
tresepoentablement, *adv.* 2676.
tresfals, *a.* 3392, B. xxv. 1.
tresfel, *a.* 3424.
tresfier, *a.* 2535.
tresfierement, *adv.* 700.
tresfin, *a.* 13207, B. xvii. 1.
tresfol, *a.* 701.
tresfort, *a.* 4236.
tresfrel, *a.* 18053.
tresfressch, *a.* B. xxxi. 4.
tresgent, *a.* B. xii. 1.
tresgentil, *a.* B. ix. 5.
tresget, *s.* 6379, fraud.
tresgeter, tresjeter, *v. a.* 1389, 5633,
cast, put off.
tresgrant, *a.* B. iv. 3.
treshalt, *a.* B. vi. 1.
treshonourable, *a.* 17172.
treshumble, *a.* 12423.
tresjeter, *see* tresgeter.
tresmal, *a.* 2695.
tresmalvois, *a.* 209.
tresmeulx, *a.* 13204, best of all.
tresmol, *a.* 13425, very gentle.
tresmortiel, *a.* 15983.
tresnoble, *a.* B. xiii. 2.
treson, tresoun, *s.* 638, 6734, T. ix. 3.
tresor, *s.* 1083.
tresord, *a.* 9638, very foul.
tresorer(s), *s.* 295, treasurer.
tresorie, *s.* 15676.

tresoublier, *v. a.* 623, forget utterly.
tresparmy, *prep.* 1767, right through:
adv. 4148, throughout.
trespas, *s.* 562, transgression.
trespercer, trespercier, *v. a.* 3620, B. vi.
1, xviii. 3, xliv. 2, pierce through.
trespersant, *a.* 1766, piercing.
tresplus, *adv.* T. x. 1, most.
trespovere, *a.* B. xx. 4.
tresprecious, *a.* 13275.
tressage, *a.* 22154.
tressaint(z), *a.* 29288, B. xxi. 2.
tressallir, *v. n.*, 1 *s. p.* tressaille, 25985;
3 *s.* tressalt, 5822, B. vii. 2: leap, omit.
tresseintisme, *a.* T. v. 2, supremely
sacred.
tressoubtil, *a.* 14794.
trestout, *a.* and *s.* 28, 113, B. iv.* 4; *pl.*
trestout, 658, B. xxxi. 4, trestous, 206,
713: all, every.
trestout, *adv.* 198, D. i. 3, wholly.
tresvilain, *a.* 2439.
tresvilement, *adv.* 1236.
treter, traiter, *v. a.* and *n.* 2051, 2509,
7222, 9467, consider, treat, treat of,
deal with, have dealings.
triacle, treacle, *s.* 2522, 3551, 13957,
remedy (for poison).
triacler, *s.* 4294, remedy.
tribe, *s.* 22010.
triboler, *v. a.* 3537, 23288, torment: *v. n.*
19892, be disturbed.
tribulacioun, *s.* 690.
tribut, *s.* 18630.
trichant, *s.* 15199, fraudulent person.
triche, *s.* 6541, 25239 ff., trickery, fraud.
tricheour, *s.* 671, B. xli. 3, deceiver.
tricher, trichir, *v. a.* 368, 26110, defraud,
deceive: *v. n.* 6530, 15199.
tricher (1), *s.* 6319, trickery.
tricher (2), *s.* 6538, *f.* trichere, 3501,
deceiver.
tricherie, *s.* 145, 6506, fraud, deceit,
treachery.
tricherous, *a.* 213, 6517, B. xliii. 1, T. iv. 2.
tricherousement, *adv.* 17636.
trieus, *see* trover.
trinité, *s.* 29083.
trist, *s.* 12942, sorrow.
triste(s), *a.* 13014, B. xxxii. 2.
tristement, *adv.* 172.
tristesce, *s.* 1290.
tristour, *s.* 756, B. ix. 4, sadness.
Tristrans, B. xliii. 3, T. xv. 1.
troeffe, truffe, *s.* 11407, 11945, deceit,
mockery.

troeve, *see* trover.
Troian, 22168, Trajan.
Troie, 23367, B. xv. 2.
Troïlus, Troÿlus, 5254, B. xx. 3.
trois, troi, troy, *num.* 6574, 7889, B. xlix. 2.
trop, *adv.* 124, B. ix. 1, much, very, too (much): le trop, 12791.
trote, *s.* 8713, 17900, old woman, hag.
troter, *v. n.* 26085, trip.
trouble, *a.* 14176, disturbed.
troubleisoun, *s.* 4693, disturbance.
troubler, *v. a.* 3883, disturb.
trover, trouver, troever, *v. a.* 775, 7363, B. xiii. 1, xx. 2; 1 *s. p.* truis, truiss, 112, B. xxii. 2, trieus, B. xix. 3, xxxix. 2, troeve, xx. 1; 3 *s.* truist, 2121, B. xxi. 3, trove, 1553, 1691.
troy, *see* trois.
Troÿlus, *see* Troïlus.
truage, *s.* 6909, 21424, tribute.
truandie, *s.* 5798, beggary.
truandise, *s.* 5406, beggary, idleness.
truant, *s.* 3659, 5284, 19039, vagabond, rogue.
truffe, *see* troeffe.
trunc, *s.* 12472, trunk (of a tree).
tu, *pron.* 444, B. iv.* 1; te, 387, B. iv.* 2.
tue, *poss. a.* 5075, 29732; la tue, 28111.
tuer, *v. a.* 390, T. viii. 3.
tuicioun, *s.* 23782, defence.
Tulles, Tullius, Tulle, 3361, 3505, 4393, 7393, 8677, 9614, 12805, 13925, 14674, 15955, 15997, 22982.
turelle, *s.* 8282, 19432, tower.
turtel, *s.* 7808, pastry.
turtre, *s.* 17882, turtle-dove.
turturelle, *s.* 29931, turtle-dove.
tynel, *s.* 8409.

U

u, *conj.* 321, D. i. 3, ou, 11023, u que, 135, T. xv. 2, u qe, 28291, B. v. 4, uque, 5334, B. xv. 3, where, wherever.
u=au, 1314.
u=ou, (or), 11459.
Uluxes, 16674, B. xxx. 2, T. vi. 3.
umbil, *s.* 7782, navel.
umbre, *see* ombre.
un(s), *num.* and *art.* 25, 34, B. v. 1, xi. 1, 2: *indef. pron.* 10623, 10719, T. xv. 2.
unde, *see* onde.
unicorn, *s.* 2101.
unir, *v. a.* 20573, B. iv. 1.
unité(s), *s.* 3862.

universal(s), universel, *a.* 6121, B. vi. *margin.*
université, *s.* T. xviii. 4, community.
unq(u)es, *adv.* 856, 1639, B. xviii. 2, T. x. 1, ever, never.
unszeine, *s.* 29203, (company of) eleven.
uque, *see* u.
urce, *see* urse.
Urie, 4967, T. xiv. 1.
urse, urce, *s.* 2125, 9894, bear: *cp.* ours.
urtie, *s.* 3538, B. xxxvi. 3, nettle.
us, *s.* 1661, 3460, use.
usage, *s.* 3429.
usance, *s.* 2950, usage.
user, *v. a.* 7666, use, wear.
usure, *s.* 7213, usury.
usurer, *s.* 7227.
usurer, *v. n.* 7303, practise usury.

V

va, *v. n. imperat.* B. xxxvi. 4; 1 *s. p.* vois, 440, 8209; 2 *s.* vas, 500; 3 *s.* va, 909, B. ii. 1, vait, 149, B. ii. 1, voit, 4858; 3 *pl.* vont, T. x. 3; 3 *s. p. subj.* voise, 28276; 3 *pl.* voisent, 28251.
vacherie, *s.* 3448, cows.
vagant, *pres. part.* 17846, wandering.
Vago, 12045, Bagoas.
vail(l)able, *a.* 11881, 13567, worthy, valuable.
vaillance, *s.* 13845, value.
vail(l)ant, *a.* 11694, B. xliv. 1, T. xvi. 1.
vain, *see* vein.
vainement, *adv.* 8006.
vair, *a.* 935, B. xii. 3, grey.
vair, *s.* 20475.
vaisseal, *s.* 3933; *pl.* vaissealx, 4495.
vait, *see* va.
val, vall, *s.* 4881, 5593, 29896.
valée, *s.* 29691.
Valeire, 18302, 19981.
Valentin, (saint), B. xxxiv. 1, xxxv. 1.
Valentinian(s), 17090, T. xvi. 1.
vall, *see* val.
vallettoun, *s.* 8644, man-servant.
valoir, *v. n.* 9433, B. v. 2; 3 *s. p.* valt, 602, B. xiv. 2, vaille, 15276, vale, 15792; 3 *pl.* vaillent, 7448, valont, 18088; *fut.* valra, 5514; *pret. subj.* valsist, 1198.
valour, *s.* 1254, D. ii. 5, B. v. 2, worth.
value, *s.* 95.
vanité, *s.* 1204.
vantance, *s.* 1968, boasting.

GLOSSARY AND INDEX OF PROPER NAMES 559

vantant, *a.* 1829, arrogant.
vanteour, *s.* 1741, boaster.
vanter, *v. n.* and *refl.* 1742, 1778, venter, 10921.
vanterie, *s.* 1826.
vantparler, *v. n.* 2497, boast.
vantparlour, *s.* 510, boaster.
vapour, *s.* 4838.
variance, *s.* 5465, B. xiii. 2.
variant, *a.* 11601, changing.
varlet, *s.* 1963, servant.
vassal(s), *s.* 2854, 3706, 29446, D. i. 3, vassal, servant, fellow, warrior.
vassel(l)age, vassallage, *s.* 2535, 5504, 11961, 22989, courage, prowess.
vavasour, *s.* 7229, vassal.
vecy, *interj.* 3172, 25296: *cp.* vei cy *under* veoir.
vedve, *see* vieve.
veër, *v.* 8279, forbid.
veeu, vei, *see* veoir.
veie, *see* voie.
veille, *s.* 22208, sail.
veil(l)er, *v. n.* 2888, 8008, be awake.
veilour, *s.* 12571, watcher.
vein, vain, *a.* 1201, 1206, 7768, B. xvi. 2, vaine, (veine) gloire, 1201 ff., en vein (vain), 2130, B. xxiv. 1, T. xvii. 3, vein glorious, 11123.
veine, *s.* 9488, 10832, vein, manner.
veintre, (venquer), *v. a.* 1472, T. xvi. 2; 3 *s. p.* veint, 6215, T. xvi. 1, venque, 18238; 3 *s. pret.* venquist, venqui, 3742, 16780; *pp.* vencu, venqu, 2383, 22013: win, overcome.
veïr, *see* veoir.
veisdye, *s.* 3356, stratagem.
veisin, *see* voisin.
veisine, *s. f.* 2824: *cp.* voisin.
veisinée, *s.* 7135, neighbourhood.
venant, *s.* 8835, coming.
vencu, *see* veintre.
vendable, *a.* 24476, for sale.
vendant (1), *s.* 7430, seller.
vendant (2), *s.* 25755, selling.
venderdy, *s.* 28704.
vendre, *v. a.* 6291; 3 *s. p.* vent, 6304, T. xv. 2.
veneisoun, *s.* B. xxi. 2, chase.
veneour, *see* venour.
venerie, *s.* 20314, hunting.
vengable, *a.* 13950, revengeful.
vengance, vengeance, *s.* 1880, T. v. 3, ix. 1.
vengant, *a.* 5009, avenging.
vengeisoun, *s.* T. xii. 3, vengeance.

vengement, *s.* 3281, 4415, vengeance.
venger, *v. a.* 387, 4595, T. viii. 1, xii. 2, avenge, carry out (a purpose).
venim, venym, *s.* 2783, 2851, venom.
venimous, *a.* 3480.
venir, *v. n.* 4097; 3 *s. p.* vient, 178, B. ii. 1; 3 *pl.* vienont, B. ii. 1; 3 *s. pret.* vint, 78, B. xxvi. 3, venist, 18797, vient, 4564; 3 *pl.* vindront, 840 (R); *fut.* vendrai, 6330, B. vii. 3, verrai, 18876; *p. subj.* viene, 4097, viegne, 7269, veigne, 8917.
venir, *s.* 14288, coming.
Venise, 25249.
venour, veneour, *s.* 1568, 8947, hunter.
venque, *see* veintre.
venqueour, *s.* 14369, victor.
venquist, *see* veintre.
vent, *s.* 1365, B. xix. 3; jurer vent et voie, 5794.
vente, *s.* 8922, 13779, sale.
venter (1), *v. a.* and *n.* 3023, 9650, blow upon, blow.
venter (2), *see* vanter.
ventous, *a.* 22108, windy.
ventre, *s.* 3532, 13233, belly, womb.
venue, *s.* 427, 14356, B. viii. 2, coming, retinue.
Venus, 971, 8412, 20695, B. xxxvi. 1.
venym, *see* venim.
veoir, voïr, veïr, vir, *v. a.* 1391, 4179, 6162, 28221, B. vi. 2; 1 *s. p.* voi, voy, 43, 9762, B. xiv. 2, voie, B. iii. 2, xii. 1; 2 *s.* veis, 23512; 1 *pl.* veons, 7914; 2 *pl.* veietz, 20047; 3 *pl.* voient, voiont, 3243, 3263; *imp.* veoit, T. xiv. 2; 1 *s. pret.* vi, 925, B. xxiii. 1; 2 *s.* veias, 29138; 3 *s.* vit, 275, vist, 278; 3 *pl.* viront, 9244; 2 *s. imperat.* vei, 9206, (vei ci, 2704, vei la, 1265); *pres. part.* voiant, B. xxxviii. 2; *pp.* veu, 2387, veeü(z), 1090, B. xxxix. 3.
ver(s), *s.* 3922, worm: *cp.* verm.
verai, *see* verrai.
se verdoier, *v.* B. xv. 3, grow green.
verdure, *s.* 941, B. vii. 3.
verge, vierge, *s.* 4115, 26896, 29932, rod, twig.
vergiere, *s.* 18232, rod.
vergoigne, *s.* 1685, 11900, B. xl. 3.
vergoignous, *a.* 11933, 16909, ashamed, modest.
vergonder, vergunder, *v. n.* 9228, 11955, be ashamed: *v. a.* 20028, shame; *pp.* vergondé, 12051, ashamed.
vergondous, *a.* 9245, ashamed.

GLOSSARY AND INDEX OF PROPER NAMES

vergondousement, *adv.* 10606, modestly.
vergunder, *see* vergonder.
veritable, *a.* 1799, B. xxix. 2.
verité, *s.* 2244, B. xl. 3.
verm, *s.* 1130 : *cp.* ver(s).
vermail, *s.* 29107.
vermaile, *a.* 18763, red.
vermine, *s.* 13362, creeping things, vermin.
ver(r)ai, verray, *a.* 1056, 6725, B. ix. 1, xxvii. 1, true.
verraiment, *adv.* B. xlix. 2.
verre, *s.* 4241, glass.
verrour, *s.* 670, truth.
verrure, *s.* 21428, glazing.
vers, *prep.* 728, 2714, 4688, B. x. 1, towards, to, against.
vers, *s.* 26932.
verser, *v. a.* 988.
vert, *a.* 17894, B. xxxvi. 1.
vertir, *v.* 6415; 3 *s. p.* verte, 6821: change.
vertu, *s.* 1454, 3385, 7169, D. i. 3, B. ix. 5, virtue, quality, power.
vertuer, *v.* 7934, store with virtue (?).
vertuous, *a.* 1640, B. xxxi. 2.
vertuousement, virtuousement, *adv.* 12281, 12713.
vespre, *s.* 8554, vespers.
vesprée, *s.* 3647, evening.
vesquiront, *see* vivre.
vessell, *s.* 13215.
vessellement, *s.* 7184, 24748, vessels, plate.
vesseller (1), *s.* 25534, maker of plate.
vesseller (2), *s.* 25829, plate.
vestement, *s.* 173.
vestir, *v. a.* 1100, 5313, B. xv. 3, clothe, put on, wear.
vesture, *s.* 1231.
veue, vieue, *s.* 1099, 1765, 25293, sight, power of seeing, view.
viaire, *s.* 2710, face.
viande, *s.* 173.
viandour, *s.* 12955, provider of food.
vice (1), *s.* 259, fault.
vice (2), *s.* 5486, function.
vicious, *a.* 1097.
victoire, *s.* 1557, D. ii. 5.
victorial(s), *a.* 28897, victorious.
victorious, *a.* T. xi. 1.
vie, *s.* 386, B. iv. 1.
viel, *a.* 2416, B. xlii. 2; *f.* viel(l)e, 2390, 7209, T. iii. 2.
vielard(z), *s.* 5567.
vielesce, *s.* 5577.
vierge(s) (1), *s.* 2942, 16928, virgin.
vierge (2), *s. see* verge.
vieue, *see* veue.

vieve, vedve, *s.* 6871, 15464, widow.
vif(s), *a.* 2345, B. ix. 3, alive.
vigile, *s.* 5310, 14108, watching.
vigour, *s.* 6644, B. xxii. 2, strength.
vil(s), *a.* 48, 209.
vilain(s), *see* vilein(s).
vilainement, vilaynement, *adv.* 170, 4023.
vilanie, *see* vileinie.
vile, *see* ville.
vilein(s), vilain(s), *a.* 1318, 1599, B. xxvii. 4, base, villainous, uncourteous.
vilein, *s.* 2131.
vile(i)nie, vilainye, vilanie, *s.* 2184, 2440, 2628, 12778, D. ii. 3, B. xxi. 1 ff.
vilement, *adv.* 108, 2392.
viler, *v. a.* 27255, blame.
ville, vile, *s.* 4441, 6290, house, town.
vilté, *s.* 1407, vileness.
vin, *s.* 919.
vine, vyne, *s.* 2201, 6776, vineyard.
vinegre, *s.* 26088.
vinement, *s.* 10652, vintage.
viner(s), *s.* 10652, vine-grower.
vingt, *num.* 25511.
viole, *s.* 16942, viol.
violence, *s.* 6847.
violent, *a.* 215.
violer, *v. a.* 7192.
violette, *s.* 16938.
vir, *see* veoir.
virer, *v. n.* and *refl.* 10942, 28061, B. xx. 1, turn, change.
Virgile, 14726.
virginal, *a.* 16933.
virgine, *s.* 8728, B. li. 1.
virginité, *s.* 8747, 16828, T. xii. 2.
vis, *s.* 2636, face.
visage, *s.* 1196, B. xix. 1, face, person.
viscaire, *s.* 18620, vicar.
visconte, *s.* 24819, sheriff.
viscous, *a.* 7060, sticky.
visioun, *s.* 12033, sight.
visitacioun, *s.* 24998.
visitant, *s.* 21329.
visiter, *v. a.* 11094, B. ix. 2.
visitour, *s.* 12954.
vistement, *adv.* 24697, quickly.
vistesce, *s.* 14200, 15798, quickness, activity.
vitaille, *s.* 5826.
vitaillement, *s.* 26311, supply of food.
vitailler, *v. a.* 8365, supply with food.
vitaill(i)er, *s.* 17979, 26228, provider of food, victualler.
vituperie, *s.* 2967.
vivant, *s.* 443, 5806, life, (means of) living.

GLOSSARY AND INDEX OF PROPER NAMES 561

vivant, *a.* and *s.* 2049, 3478, T. ii. 2, living, living creature.
vivement, *s.* 2205, livelihood.
vivre, vivere, *v. n.* 2205, B. ix. 5, xxiii. 2; 1 *s. p.* vive, B. ii. 2; 3 *s. p.* vit, 4977, B. xvi. 1; 2 *s. pret.* vesquis, 29610; 3 *pl.* vesquiront, 18276; *fut.* viverai, 3879, B. iv.* 1.
vo, vos, *poss. a.* D. i. 3, ii. 4, B. ix. 1, xi. 3; *pl.* vos, voz, 11407, D. i. 2.
voegle, *a.* 2926, blind.
voeglesce, *s.* 10624, blindness.
voiage, *s.* 16167.
voiant, *s.* 1759, sight.
void, *see* vuid.
voie, *s.* 528, 1929, B. viii. 1, way; donner voie, 18338, give way; toute voie, 16327, B. iii. 4, toutes veies, 10120, always, nevertheless: en voie, *see* envoie.
voiette, *s.* 5819, path.
voill, *s.* 28760, veil.
voïr, *see* veoir.
voir(s), *a.* and *s.* 391, B. v. 3, true, truth; du voir, pour voir, 383, 1495, truly.
voir, *adv.* 4080, even.
voirdire, *v. n.* 618, 790, speak truly.
voirdire, *s.* 26547, truth-speaking.
voirdisant, *s.* 24683, truth-speaking.
voirement, *adv.* 15, B. xxxiv. 4, truly.
vois, *s.* 2807, B. xvii. 3, voice.
vois, voisent, *see* va.
voisin, veisin, *s.* 1304, 2825, 3243.
voisinage, *s.* 1821, *pl.* 6112, neighbourhood, neighbours.
volable, *a.* B. xxix. 1, ready to fly.
volage, *a.* 5827, B. xix. 3, T. xvii. 2, unrestrained, fickle, worthless.
volant, *a.* 12862, flying.
volatil(l), *s.* 26282, 26672, birds.
volcis, *a.* 22088, (vaulted), dark (?).
volenté, *s.* 144, B. viii. 2.
volent(i)ers, *adv.* 1692, 1933.
voler, *v. n.* and *refl.* 1855, 5442, B. viii. 1, xxxiv. 4, fly.
voloir, *v. n.*, 1 *s. p.* vuil(l), 15, 437, B. iv.* 1, 4; 2 *s.* voes, 448, voels, 13644; 3 *s.* voet, 10, B. ii. 2, veot, 2358, volt, 72, B. x. 3, voelt, 11927; 2 *pl.* vuillez, 838, voletz, 16799; 3 *pl.* vuillont, 1294; 3 *s. imp.* voloit, 176, volait, 13763; 2 *s. pret.* vols, 2598; 3 *s.* volt, 487; *fut.* voldrai, B. vii. 4; 3 *s.* voldra, T. v. 3, veuldra, 7558, vouldra, 8871, vorra, 646, volra, 11626; *cond.* voldroit, B. i. 3, veuldroit, 7175, vorroit, 1060,
volroit, 25778; *p. subj.* vuille, 14122; *pret. subj.* volsist, 2268, volt, 327.
voloir, *s.* 143, B. ii. 2.
voloy, *s.* 10709, flight.
volsure, *s.* 21427, vaulting.
volum, *s.* 6484.
volupier(s), *s.* 8719.
vomit, vomite, *s.* 2752, 2755.
vomitement, *s.* 4435.
vorage, *s.* 7761, whirlpool.
vos, *see* vo.
vostre, *poss. a.* 22, D. i. 2, B. i. 4.
vou, *s.* 17305, vow.
voucher, *v. a.* 9972, summon.
vouer, vuïr, *v.* 4559, 12175, vow, dedicate.
vous, *pron.* 33, D. i. 1.
voy, *see* veoir.
vrai(s), vray, *a.* 2084, B. iv.* 4, xxxvi. 2.
vuid, void, *a.* 36, 7728, B. xvi. 2, empty.
vuidance, *s.* 18879, vacancy.
vuidement, *adv.* 20068.
vuider, *v. a.* 7296, 25445, empty, take away.
vuill, *s.* 71, 4927, will.
vuïr, *see* vouer.

W

warder, *v. a.* 5425, keep.
way, wai, *s.* 2185, T. x. 1, woe.
Westmoustier, 24281, 24349.

Y

y, i, *adv.* 283, B. ix. 2, xxi. 3; y ad, 449, there is.
ycell, *see* icell.
yceste, *see* iceste.
yci, *see* ici.
ydole, *s.* 7610.
ydropesie, *s.* 28567, dropsy.
Ydumea, 5006.
ymage, image, *s.* 532, B. xv. 4, xxiv. 2.
ymagerie, *s.* 1119, ornament.
ymaginacioun, *s.* 1680.
ymaginant, *s.* 1187, contriver.
ymaginer, imaginer, *v. a.* 638, 2822, 4388, B. vi. 3, imagine, devise, invent.
ymaginer, *s.* 14780, imagination.
Ynde, 29322, T. vii. 1.
yndois, *a.* 10095, dark blue.
ypocras, *s.* 26080.
ypocrisie, *see* ipocresie.

ypocrite, *see* ipocrite.
Ysaïe, Isaïe, 1127, 1280, 1285, 1627, 1833, 2185, 2441, 2665, 4510, 4753, 5017, 6386, 6451, 6865, 7455, 8053, 8269, 11197, 11535, 15565, 15690, 16729, 20041, 23071, 24481, 24542, 24769.
Ysis, T. x. 3.
Ytaille, 18678.
ytant, 11188, pour ytant, in that case.
ytiel, *see* itiel.
yvere(s), *see* yvre(s).

yvereisoun, *s.* 12028, drunkenness.
yveresce, iveresce, *s.* 921, 8115 ff., 8293.
yvern, yver, *see* ivern.
yvernage, *a.* 22113, wintry.
yvor, *s.* 7147, ivory.
yvre(s), yvere(s), *a.* 4918, 8233, drunk.

Z

Zacharie, Zakarie, 4237, 6482, 20040.

ADDENDA

The following words and references are added here, having been omitted in their proper places:—

assent, *s.* 489, B. xxxiv. 1.
assoter, *v. a.*, *add reference to* T. vii. 2.
aventurous, *a.* T. iv. 3.

bienvenu, *s.* 8834, welcome.
bienvuillance, *s.*, *add ref.* B. iv. 2.

chanelle, *s.* 8602, sewer.
changable, *add ref.* B. xl. 2.
conclusioun, *add ref.* B. l. 4.
cordial, *add ref.* B. l. 3.
cuiller (*variation of* cuillir), *v. a.* 10766.
curtine, courtine, *s.* 5152, 28063, curtain.

desputour, *s.* 14639.
devinant, *s.* 1085, divination.
devisour, *s.* 16111.
devocioun, *add ref.* B. xxiv. 1.
devorcer, *v. a.* 21389.
doctrine, *add ref.* B. xlv. 4.
doel, *add ref.* B. xlviii. 2.

eaue, *add ref.* B. vii. 2.
Egipte, *add ref.* T. xiii. 1.

emporter, *see* enporter.
especialement (*var. of* especialment), B. v. margin.
estrument, *s.* 1275, instrument (of music).

fonderesse, *s. f.* 27752, foundress.

garir, guarir, *add ref.* B. xxvii. 3.
greable, *add ref.* B. xxix. 3.
Gregois, *s.*, *add ref.* T. ix. 2.

habonder, *add ref.* T. xviii. 1.
hebreu, *s.* 6451, Hebrew (language).
herbergeresce, *s. f.* 14387, hostess.

joiousement, *adv.* B. xxxiv. 2 : *cp.* joyeusement.

leccherousement, *adv.* 16610.
lée (1), *add ref.* B. vii. 3.

Magus, *add ref.* 18997.
March (saint), 12350, St. Mark.
mat, *add ref.* B. xxxii. 2.

INDEX TO THE NOTES

affoler, 3533.
Albumasar, 26749.
allegger, 15822.
ambicioun, 3398.
anacoluthon, 89.
Archideclin, 28395.
'as he which,' 27942.
assener, B. xxxix. 9.
attraire, 10748.
auxiliary verbs, 118, 230, 1135, 1193.
avant, 14730, 17310, 20537, 23573.

bastir, T. x. 18.
bee, 19345.
Beemoth, 4453.
'beg,' 5452.
bruisser, 7896.
burette, 9281.

Caecilius Balbus, quoted as Seneca, 9565, 13695, 16633.
capitals, use of, 194.
Cato, 4704.
chalandre, 10707.
chalenge, 6315.
chaloir, 3367, 21676.
Chaucer illustrated, 4117, 6434, 7825, 9148, 10526, 21241, 21369 ff., T. vii. 1 ff.
'Civile,' 15217.
come in the verse, 28, B. ii. 9.
concordance, 7475.
conditional, use of, 25, 1688.
conivreisoun, 8815.
conjecture, 3365.
conjunctions, position of, 415, B. xx. 2.
consecutive clauses, 217, 682.
creance, B. xv. 1.
cross, 18580.
'cross and pile,' 26133.

'daiamant,' B. xxxviii. 1.
dame in the verse, 6733.
'Danger,' B. xii. 8.
date, indications of, 2142, 18829.
de, in apposition, 253.
deinzein, 14026.
demonstrative for article, 301.
deviser, 5031.
devoir, as auxiliary, 780, 1193, 17041.
dont, 217, 11466.

-ée, termination, 29390, B. xxxvii. 10.
elision, absence of, 12241, B. xxxiv. 18.
English forms of expression compared, 1135, 2462, 2700, 13037, 17484, 27942, 28115.
'Eurice,' T. vii. 11.

fagolidros, 2749.
faire, as auxiliary, 1135: *cp.* 3864.
fait a reprendre, &c., 1883.
false references, 1285, 1653, 1849, 3601, 6877, 7315, 9565, 10324, 10962, 12685, 13695, 14833, 16633, 16729, 19897, 21399, 23370.
friars, 21181, 21241 ff.
Fulgentius, 13309.
future tense, use of, 364, 1184, 15266, B.x.7.

Galice, 15336.
garde pance, 19031.
gerund for inf., 1848, 23638.
Gilbert, 17113.
giroun, 4870.
Godfrey of Winchester, 7640.
Gower, D. i. 16.

'hedgerow knight,' 23726.
Hélinand, 11404.

hiatus, 12241, B. xxxiv. 18.
Hilarius, 27031.
hoopoe, 2893, 8869, T. xii. 19.
Horace quoted, 3801 : *cp.* 10948, 23370.

-ie termination, 296.
'incest,' 9085.
indic. for subj. 1180.
Innocent, 18783.
inversions of order, 415, 15941, 17996, 27949.

ja, 13947.
jeu parti, 3240.
Juvenal quoted, 23370.

le meinz, le plus, &c., 2700.
lée (1), 5179.
lée (2), 15821.
legende, 20700.
loisir, 9311.
lot, 6303.
love-days, 23683.

Macarius, 12565.
maisque, 26112, 28110.
'Malapert,' 1684.
Marcial, 7640.
Martinmas beef, 7940.
Mayor of London, 26365.
meschine, 3727.
metre, 296, 2742, 3116, 3160, 14568, B. xxvii. 1.
St. Michael, 25607.
mire, 24290.
Montpelliers, gold of, 1944.

Natural History, views of, 10747.
nettle and rose, 3721.

'oon the beste,' 2462.
oratour, D. i. 15.
ore in verse, 37.
orine, 16539.
-oun termination, B. i. 16.
ove in verse, 4.
ove tout, 4.

'Pamphilus,' 10959, 14449.
papegai, B. xxxvi. 3.
parasi, 25569.
pareies, 10117.
parentre deux, 16338.
par si qe, 3233.
Paul the Eremite, 27061.
Pavia, treasures of, 7319.

pearls, 10813.
Pierre de Peccham quoted, 51.
pigas, 23393.
play on words, 19501.
pluis, B. xxxix. 18.
'possessioners,' 9132.
pour, use of, 6328, 10639, 16955.
preposition combined with object of verb, 987, 5492.
pres. part. 12855.
pres. part. with auxiliary, 118, 230, 440.
pret. for perfect, 18797.
preu, 5216.
'Pseudo,' 21625.
Ptolemy's maxims, 12452.

que, 407.
que . . . plus, 18589, B. vii. 24.
que sage, &c., 16700.
qui, use of, 1244.
quoy, du quoy, 15500.

relative omitted, 16955.
rhyme, 541, 1180, 2353, 10505, 11160, 12697, 14126, 20294, 21241.

'Salvatio Romae,' 14725.
sanctuary for debtors, 25853.
schism in the Church referred to, 18829.
second pers. sing. and pl. confused, 442, 25839.
sestier, 8403.
si . . . noun, 6496.
Sidrac, 2509.
Simon, 18451.
sojour, 26130.
Solomon cited for Ecclesiasticus, 1317, 2509.
subj. for conditional, 23, 1776.
suppoer, 16924.

tags to fill up lines, 83, 139, 373, 28475.
'the less,' 'the more,' &c., 2700, 12347.
tiger-hunting, 1563.
tout with numerals, 11354.
Trajan, 22168.
tuns of sweet and bitter drink, T. xv. 10.

Ulysses (Uluxes), 16673.

verra, 18876.
'Vers de la Mort,' 11404.

Waddington, Will. of, 5205.
widow's marriage to the Church, 9171.

THE COMPLETE WORKS

OF

JOHN GOWER

G. C. MACAULAY

✱✱

THE ENGLISH WORKS

HENRY FROWDE, M.A.
PUBLISHER TO THE UNIVERSITY OF OXFORD

LONDON, EDINBURGH, AND NEW YORK

THE COMPLETE WORKS

OF

JOHN GOWER

EDITED FROM THE MANUSCRIPTS
WITH INTRODUCTIONS, NOTES, AND GLOSSARIES

BY

G. C. MACAULAY, M.A.
FORMERLY FELLOW OF TRINITY COLLEGE, CAMBRIDGE

* *

THE ENGLISH WORKS
(CONFESSIO AMANTIS, PROL.—LIB. V. 1970)

'O gentile Engleterre, a toi j'escrits.'

Oxford
AT THE CLARENDON PRESS
1901

Oxford
PRINTED AT THE CLARENDON PRESS
BY HORACE HART, M.A.
PRINTER TO THE UNIVERSITY

PREFATORY NOTE

The circumstances under which this edition was undertaken have already been stated in the Preface to the volume containing the French Works, where mention is also made of the editor's obligations to many librarians and private owners of manuscripts.

At present it need only be said that the editor has become more and more convinced, as his work went on, of the value and authentic character of the text given by the Fairfax MS. of the *Confessio Amantis*, which as proceeding directly from the author, though not written by his hand, may claim the highest rank as an authority for his language.

It is hoped that the list of errata, the result chiefly of a revision made during the formation of the Glossary, may be taken to indicate not so much the carelessness of the editor, as his desire to be absolutely accurate in the reproduction of this interesting text.

The analysis of the *Confessio Amantis* which is printed in the Introduction, was undertaken chiefly at the suggestion of Dr. Furnivall. With reference to this it may be observed that in places where the author is following well-known sources, the summaries are intentionally briefer, and in the case of some of the Biblical stories a reference to the original has been thought sufficient.

Oxford, 1901.

CONTENTS

	PAGE
INTRODUCTION	vii
CONFESSIO AMANTIS:—	
PROLOGUS	1
LIBER I	35
LIBER II	130
LIBER III	226
LIBER IV	301
LIBER V	402
NOTES	457

INTRODUCTION

The *Confessio Amantis* has been the subject both of exaggerated praise and of undue depreciation. It was the fashion of the fifteenth and sixteenth centuries to set Gower side by side with Chaucer, and to represent them as the twin stars of the new English poetry, a view which, however it may be justified by consideration of their language and literary tendencies, seems to imply a very uncritical estimate of their comparative importance. Some of these references are collected below, and they serve to indicate in a general way that the author had a great literary reputation and that his book was very popular, the latter being a conclusion which is sufficiently vouched for also by the large number of manuscripts which existed, and by the three printed editions. We shall confine ourselves here to drawing attention to a few facts of special significance.

In the first place the *Confessio Amantis* is the earliest English book which made its way beyond the limits of its own language. There exists a Spanish translation, dating apparently from the very beginning of the fifteenth century, in which reference is made also to a Portuguese version, not known to be now in existence, on which perhaps the Castilian was based. This double translation into contemporary languages of the Continent must denote that the writer's fame was not merely insular in his life-time.

Secondly, with regard to the position of this book in the sixteenth century, the expressions used by Berthelette seem to me to imply something more than a mere formal tribute. This printer, who is especially distinguished by his interest in language, in the preface to his edition of the *Confessio Amantis* most warmly sets forth his author as a model of pure English, contrasting his native simplicity with the extravagant affectations of style and language which were then in fashion. In fact, when we compare the style of Gower in writing of love with that which we find in some of the books which were at that time issuing from the press, we cannot help feeling that the recommendation was justified.

Again, nearly a century later a somewhat striking testimony to the position of Gower as a standard author is afforded by Ben Jonson's *English Grammar*. The syntax contains about a hundred and thirty illustrative quotations, and of these about thirty are from Gower. Chaucer is cited twenty-five times, Lydgate and Sir Thomas More each about fourteen, the other chief authorities being Norton, Jewel, Fox, Sir John Cheke and the English Bible.

Finally, our author's popularity and established position as a story-teller is decisively vouched for by the partly Shakesperian play of *Pericles*. Plots of plays were usually borrowed without acknowledgement; but here, a plot being taken from the *Confessio Amantis*, the opportunity is seized of bringing Gower himself on the stage to act as Prologue to four out of the five acts, speaking in the measure of his own octosyllabic couplet,

'To sing a song that old was sung
From ashes ancient Gower is come,' &c.

The book was so well known and the author so well established in reputation, that a play evidently gained credit by connecting itself with his name.

The following are the principal references to Gower in the fifteenth and sixteenth centuries. The author of *The King's Quair* dedicates his poem to the memory (or rather to the poems) of his masters Gower and Chaucer. Hoccleve calls him 'my maister Gower,'

'Whos vertu I am insufficient
For to descrive.'

John Walton of Osney, the metrical translator of Boethius, writes,

'To Chaucer, that is flour of rhethorique
In english tonge and excellent poete,
This wot I wel, no thing may I do like,
Though so that I of makinge entermete;
And Gower, that so craftely doth trete
As in his book(es) of moralite,
Though I to hem in makinge am unmete,
Yit moste I schewe it forth that is in me.'

Bokenham in his *Lives of the Saints* repeatedly speaks of Gower, Chaucer and Lydgate, the last of whom was then still living, as the three great lights

# INTRODUCTION

of English literature. Caxton printed the *Confessio Amantis* in 1483, and it seems to have been one of the most popular productions of his press.

In the sixteenth century Gower appears by the side of Chaucer in Dunbar's *Lament for the Makaris* and in Lindsay's poems. Hawes in the *Pastime of Pleasure* classes him with Chaucer and his beloved Lydgate, and Skelton introduces him as first in order of time among the English poets who are mentioned in the *Garland of Laurel*,

> 'I saw Gower that first garnysshed our Englysshe rude,
> And maister Chaucer,' &c.,

a testimony which is not quite consistent with that in the *Lament for Philip Sparow*,

> 'Gower's Englysh is old
> And of no value is told,
> His mater is worth gold
> And worthy to be enrold.'

Barclay in the Preface of his *Mirour of Good Manners* (printed 1516) states that he has been desired by his 'Master,' Sir Giles Alington, to abridge and amend the *Confessio Amantis*, but has declined the task, chiefly on moral grounds. The work he says would not be suitable to his age and order (he was a priest and monk of Ely),

> 'And though many passages therin be commendable,
> Some processes appeare replete with wantonnes:
> . . . .
> For age it is a folly and jeopardie doubtlesse,
> And able for to rayse bad name contagious,
> To write, reade or commen of thing venerious.'

Leland had some glimmering perception of the difference between Chaucer and Gower in literary merit; but Bale suggests that our author was 'alter Dantes ac Petrarcha' (no less), adding the remark, taken perhaps from Berthelette's preface, 'sui temporis lucerna habebatur ad docte scribendum in lingua vulgari[1].' In Bullein's *Dialogue against the Fever Pestilence* (1564) Gower is represented as sitting next to the Classical poets, Homer, Hesiod, Ennius and Lucan. Puttenham in the *Art of English Poesie* (1589), and Sidney in the *Defence of Poesie* (1595), equally class Gower and Chaucer together. The latter, illustrating his thesis that the first writers of each country were the poets, says, 'So among the Romans were Livius Andronicus and Ennius, so in the Italian language . . . the poets Dante, Boccace and Petrarch, so in our English, Gower and Chaucer, after whom, encouraged and delighted with their excellent foregoing, others have followed to beautify our mother tongue, as well in the same kind as in other arts.'

In Robert Greene's *Vision*, printed about 1592, Chaucer and Gower appear as the accepted representatives of the pleasant and the sententious styles in story-telling, and compete with one another in tales upon a given subject, the cure of jealousy. The introduction of Gower into the play of *Pericles, Prince of Tyre* has already been referred to.

The uncritical exaggeration of Gower's literary merits, which formerly prevailed, has been of some disadvantage to him in

[1] In some unpublished papers kindly communicated to me by Miss Bateson.

modern times. The comparison with Chaucer, which was so repeatedly suggested, could not but be unfavourable to him; and modern critics, instead of endeavouring to appreciate fairly such merits as he has, have often felt called upon to offer him up as a sacrifice to the honour of Chaucer, who assuredly needs no such addition to his glory. The true critical procedure is rather the opposite of this. Gower's early popularity and reputation are facts to be reckoned with, in addition to the literary merit which we in our generation may find in his work, and neither students of Middle English, nor those who aim at tracing the influences under which the English language and literature developed during the fifteenth and sixteenth centuries, can afford to leave Gower's English work out of their account.

THE ENGLISH WORKS.

i. LITERARY CHARACTERISTICS.—The reason of the success of the *Confessio Amantis* was naturally the fact that it supplied a popular need. After endeavouring to 'give an account of his stewardship' in various ways as a moralist, the author at length found his true vocation, and this time happily in his native tongue, as a teller of stories. The rest is all machinery, sometimes poetical and interesting, sometimes tiresome and clumsy, but the stories are the main thing. The perception of the popular taste may have come to him partly through the success of Chaucer in the *Legend of Good Women*, and the simple but excellent narrative style which he thereupon developed must have been a new revelation of his powers to himself as well as to others. It is true that he does not altogether drop the character of the moralist, but he has definitely and publicly resigned the task of setting society generally to rights,

> 'It stant noght in my sufficance
> So grete thinges to compasse,
> . . . . . .
> Forthi the Stile of my writinges
> Fro this day forth I thenke change
> And speke of thing is noght so strange,' &c. (i. 4 ff.)

He covers his retreat indeed by dwelling upon the all-pervading influence of Love in the world and the fact that all the evils of society may be said to spring from the want of it; but this is little more than a pretext. Love is the theme partly because it supplies a convenient framework for the design, and partly perhaps out of deference to a royal command. There is no reason to doubt the statement in the first version of the Prologue about the meeting of the author with Richard II on the river, and that he then received suggestions for a book, which the king promised to accept and read. It may easily be supposed that Richard himself suggested love as the subject, being a matter in which, as we know from Froissart, he was apt to take delight. 'Adont me demanda le roy de quoy il traittoit. Je luy dis, " D'amours." De ceste response fut-il tous resjouys, et regarda dedens le livre en plusieurs lieux et y lisy[1].' It was certainly to the credit of the young king that he should have discerned literary merit in the work of the grave monitor who had so lectured him upon his duties in the *Vox Clamantis*, and should have had some part in encouraging him to set his hand to a more promising task; and if it be the fact that he suggested love as the subject, we cannot but admire both the sense of humour displayed by the prince and the address with which our author acquitted himself of the task proposed.

The idea of the Confession was no doubt taken from the *Roman de la Rose*, where the priest of Nature, whose name is Genius, hears her confession; but it must be allowed that Gower has made much better use of it. Nature occupies herself in expounding the system of the universe generally, and in confessing at great length not her own faults but those of Man, whom she repents of having made. Her tone is not at all that of a penitent, though she may be on her knees, and Genius does little or nothing for her in reply except to agree rather elaborately with her view that, if proper precautions had been taken, Mars and Venus might easily have outwitted Vulcan. Gower on the other hand has made the Confession into a framework which will conveniently hold any number of stories upon every possible subject, and at the same time he has preserved for the most part the due propriety of character and situation in the two actors. By giving the scheme an apparent limitation to the subject of love he has not in fact necessarily limited the range of narrative, for there is no impropriety in illustrating by a tale the general nature of a vice or virtue before making the special application to cases which concern lovers, and this special application, made with all due solemnity, has often a character of piquancy in which the moral tale

[1] Froissart, *Chron.*, ed. K. de Lettenhove, vol. xv. p. 167.

pure and simple would be wanting. Add to this that the form adopted tends itself to a kind of quasi-religious treatment of the subject, which was fully in accordance with the taste of the day, and produces much of that impression of quaintness and charm with which we most of us associate our first acquaintance with the *Confessio Amantis*.

The success of the work—for a success it is in spite of its faults—is due to several merits. The first of these is the author's unquestionable talent for story-telling. He has little of the dramatic power or the humour which distinguish Chaucer, but he tells his tales in a well-ordered and interesting manner, does not break the thread by digressions, never tires of the story before it is finished, as Chaucer does so obviously and so often, and carries his reader through with him successfully to the end in almost every case. His narrative is a clear, if shallow, stream, rippling pleasantly over the stones and unbroken either by dams or cataracts. The materials of course are not original, but Gower is by no means a slavish follower in detail of his authorities; the proportions and arrangement of the stories are usually his own and often show good judgement. Moreover he not seldom gives a fresh turn to a well-known story, as in the instances of Jephthah and Saul, or makes a pretty addition to it, as is the case in some of the tales from Ovid. Almost the only story in which the interest really flags is the longest, the tale of Apollonius of Tyre, which fills up so much of the eighth book and was taken as the basis of the plot of *Pericles*; and this was in its original form so loose and rambling a series of incidents, that hardly any skill could have completely redeemed it. There is no doubt that this gift of clear and interesting narrative was the merit which most appealed to the popular taste, the wholesome appetite for stories being at that time not too well catered for, and that the plainness of the style was an advantage rather than a drawback.

Tastes will differ of course as to the merits of the particular stories, but some may be selected as incontestably good. The tale of Mundus and Paulina in the first book is excellently told, and so is that of Alboin and Rosemund. The best of the second book are perhaps the False Bachelor and the legend of Constantine and Silvester, in the latter of which the author has greatly improved upon his materials. In the third book the tale of Canace is most pathetically rendered, far better than in Ovid, so that in spite of Chaucer's denunciation his devoted follower Lydgate could not resist the temptation of borrowing it. The fourth book, which altogether is of special excellence, gives us Rosiphelee, Phyllis, and the very poetically told tale of Ceix and Alceone. The fifth has Jason and Medea, a most admirable example of sustained narrative, simple and yet effective and poetical, perhaps on the whole Gower's best performance: also the oriental tale of Adrian and Bardus, and the well told story of Tereus and Philomela. In the seventh we shall find the Biblical story of Gideon excellently rendered, the Rape of Lucrece, and the tale of Virginia. These may be taken as specimens of Gower's narrative power at its best, and by the degree of effectiveness which he attains in them and the manner in which he has used his materials, he may fairly be judged as a story-teller.

As regards style and poetical qualities we find much that is good in the narratives. Force and picturesqueness certainly cannot be denied to the tale of Medea, with its description of the summer sea glistening in the sun, which blazes down upon the returning hero, and from the golden fleece by his side flashes a signal of success to Medea in her watch-tower, as she prays for her chosen knight. Still less can we refuse to recognize the poetical power of the later phases of the same story, first the midnight rovings of Medea in search of enchantments,

> 'The world was stille on every side;
> With open hed and fot al bare,
> Hir her tosprad sche gan to fare,
> Upon hir clothes gert sche was,
> Al specheles and on the gras
> Sche glod forth as an Addre doth:
> Non otherwise sche ne goth,
> Til sche cam to the freisshe flod,
> And there a while sche withstod.
> Thries sche torned hire aboute,
> And thries ek sche gan doun loute
> And in the flod sche wette hir her,
> And thries on the water ther
> Sche gaspeth with a drecchinge onde,
> And tho sche tok hir speche on honde.' (v. 3962 ff.),

and again later, when the charms are set in action, 4059 ff., a passage of extraordinary picturesqueness, but too long to be quoted here. We do not forget the debt to Ovid, but these descriptions are far more detailed and forcible than the original.

For a picture of a different kind, also based upon Ovid, we may take the description of the tears of Lucrece for her husband, and the reviving beauty in her face when he appears,

> 'With that the water in hire yhe
> Aros, that sche ne myhte it stoppe,
> And as men sen the dew bedroppe
> The leves and the floures eke,
> Riht so upon hire whyte cheke
> The wofull salte teres felle.
> Whan Collatin hath herd hire telle
> The menynge of hire trewe herte,
> Anon with that to hire he sterte,
> And seide, " Lo, mi goode diere,
> Nou is he come to you hiere,
> That ye most loven, as ye sein."
> And sche with goodly chiere ayein
> Beclipte him in hire armes smale,
> And the colour, which erst was pale,
> To Beaute thanne was restored,
> So that it myhte noght be mored' (vii. 4830 ff.),

a passage in which Gower, with his natural taste for simplicity, has again improved upon his classical authority, and may safely challenge comparison with Chaucer, who has followed Ovid more literally.

It is worth mention that Gower's descriptions of storms at sea are especially vivid and true, so that we are led to suppose that he had had more than a mere literary acquaintance with such things. Such for instance is the account of the shipwreck of the Greek fleet, iii. 981 ff., and of the tempests of which Apollonius is more than once the victim, as viii. 604 ff., and in general nautical terms and metaphors, of some of which the meaning is not quite clear, seem to come readily from his pen.

Next to the simple directness of narrative style which distinguishes the stories themselves, we must acknowledge a certain attractiveness in the setting of them. The Lover decidedly engages our interest: we can understand his sorrows and his joys, his depression when his mistress will not listen to the verses which he has written for her, and his delight when he hears men speak her praises. We can excuse his frankly confessed envy, malice and hatred in all matters which concern his rivals in her love. His feelings are described in a very natural manner, the hesitation and forgetfulness in her presence, and the self-reproach afterwards, the eagerness to do her small services, to accompany her to mass, to lift her into her saddle, to ride by her carriage, the delight of being present in her chamber, of singing to her or reading her the tale of Troilus, or if no better may be, of watching her long and slender fingers at work on her weaving or embroidery. Sometimes she will not stay with him, and then he plays with the dog or with the birds in the cage, and converses with the page of her chamber—anything as an excuse to stay; and when it grows late and he must perforce depart, he goes indeed, but returns with the pretence of having forgotten something, in order that he may bid her good-night once more. He rises in the night and looks out of his window over the houses towards the chamber where she sleeps, and loses himself in imagination of the love-thefts which he would commit if by any necromancy he had the power. Yet he is not extravagantly romantic: he will go wherever his lady bids him, but he will not range the world in arms merely in order to gain renown, losing his lady perhaps in the meantime at home. We take his side when he complains of the Confessor's want of feeling for a pain which he does not himself experience, and his readiness to prescribe for a wound of the heart as if it were a sore of the heel. Even while we smile, we compassionate the lover who is at last disqualified on account of age, and recommended to make a 'beau retret' while there is yet time.

But there is also another character in whom we are interested, and that is the lady herself. Gower certainly appreciated something of the delicacy and poetical refinement which ideal love requires, and this appreciation he shows also in his *Balades*; but here we have something more than this. The figure of the lady, which we see constantly in the background of the dialogue, is both attractive and human. We recognize in her a creature of flesh and blood, no goddess indeed, as her lover himself observes, but a charming embodiment of womanly grace and refinement. She is surrounded by lovers, but she is wise and wary. She is courteous and gentle, but at the same time firm: she will not gladly swear, and therefore says nay without an oath, but it is a decisive nay to any who are disposed to presume. She does not neglect her household duties merely because a lover insists upon hanging about her, but leaves him to amuse himself how he may, while she busies herself elsewhere. If she has leisure and can sit down to her embroidery, he may read to her if he will, but it must be some sound romance, and not his own rondels, balades, and virelays in praise of her. Custom allows him to kiss her when he takes his leave, but if he comes back on any pretext and takes his leave again, there is not often a second kiss permitted. She lets him lead her up to the offering in church, and ride by her side when she drives out, but she will take no presents from him, though with some of her younger admirers, whose passion she knows is a less serious matter, she is not so strict, but takes and gives freely. Even the description of her person is not offensive, as such descriptions almost always are. Her lover suspects that her soul may be in a perilous state, seeing that she has the power of saving a man's life and yet suffers him to die, but he admits there is no more violence in her than in a child of three years old, and her words are as pleasant to him as the winds of the South. Usurious dealing is a vice of which he ventures to accuse her, seeing that he has given her his whole heart in return for a single glance of her eye, and she holds to the bargain and will not give heart for heart; but then, as the Confessor very justly replies, 'she may be such that her one glance is worth thy whole heart many times over,' and so he has sold his heart profitably, having in return much more than it is worth.

However, the literary characteristic which is perhaps most remarkable in the *Confessio Amantis* is connected rather with the form of expression than with the subject-matter. No justice is done to Gower unless it is acknowledged that the technical skill which he displays in his verse and the command which he has over the language for his own purposes is very remarkable. In the ease and naturalness of his movement within the fetters of the octosyllabic couplet he far surpasses his contemporaries, including Chaucer himself. Certain inversions of order and irregularities of construction he allows himself, and there are many stop-gaps of the conventional kind in the ordinary flow of his narrative; but in places where the matter requires it, his admirable management of the verse paragraph, the metrical smoothness of his lines, attained without unnatural accent or forced order of words, and the neatness with which he expresses exactly what he has to say within the precise limits which he lays down for himself, show a finished mastery of expression which

LITERARY CHARACTERISTICS

is surprising in that age of half-developed English style, and in a man who had trained himself rather in French and Latin than in English composition. Such a sentence as the following, for example, seems to flow from him with perfect ease, there is no halting in the metre, no hesitation or inversion for the sake of the rhyme, it expresses just what it has to express, no more and no less:

> 'Til that the hihe king of kinges,
> Which seth and knoweth alle thinges,
> Whos yhe mai nothing asterte,—
> The privetes of mannes herte
> Thei speke and sounen in his Ere
> As thogh thei lowde wyndes were,—
> He tok vengance upon this pride.' (i. 2803 ff.)

Or again, as an example of a more colloquial kind,

> 'And if thei techen to restreigne
> Mi love, it were an ydel peine
> To lerne a thing which mai noght be.
> For lich unto the greene tree,
> If that men toke his rote aweie,
> Riht so myn herte scholde deie,
> If that mi love be withdrawe.' (iv. 2677 ff.)

There is nothing remarkable about the sentiment or expression in these passages, but they are perfectly simple and natural, and run into rhyming verse without disturbance of sense or accent; but such technical skill as we have here is extremely rare among the writers of the time. Chaucer had wider aims, and being an artist of an altogether superior kind, he attains, when at his best, to a higher level of achievement in versification as in other things; but he is continually attempting more than he can perform, he often aims at the million and misses the unit. His command over his materials is evidently incomplete, and he has not troubled himself to acquire perfection of craftsmanship, knowing that other things are more important,

> 'And that I do no diligence
> To shewe craft but o sentence.'

The result is that the most experienced reader often hesitates in his metre and is obliged to read lines over twice or even thrice, before he can satisfy himself how the poet meant his words to be accented and what exactly was the rhythm he intended. In fact, instead of smoothing the way for his reader, he often deliberately chooses to spare himself labour by taking every advantage, fair or unfair, of those licences of accent and syllable suppression for which the unstable condition of the literary language afforded scope. The reader of Gower's verse is never interrupted in this manner except by the fault of a copyist or an editor; and when we come to examine the means by which the smoothness is attained, we feel that we have to do with a literary craftsman who by laborious training has acquired an almost perfect mastery over his tools. The qualities of which we are speaking are especially visible in the more formal style of utterance which belongs to the speeches, letters and epitaphs in our author's tales. The reply of Constance to her questioner (ii. 1148 ff.) is a good example of the first:

> 'Quod sche, "I am
> A womman wofully bestad.
> I hadde a lord, and thus he bad,
> That I forth with my litel Sone
> Upon the wawes scholden wone,
> Bot what the cause was, I not:
> Bot he which alle thinges wot
> Yit hath, I thonke him, of his miht
> Mi child and me so kept upriht,
> That we be save bothe tuo."'

And as longer instances we may point to the reflexions of the Emperor Constantine near the end of the same book (ii. 3243 ff.), and the prayer of Cephalus (iv. 3197–3252). The letters of Canace and of Penelope are excellent, each in its own way, and the epitaphs of Iphis (iv. 3674 ff.) and of Thaise (viii. 1533 ff.) are both good examples of the simple yet finished style, e. g.

> 'Hier lith, which slowh himself, Iphis,
> For love of Araxarathen:
> And in ensample of tho wommen,
> That soffren men to deie so,
> Hire forme a man mai sen also,
> Hou it is torned fleissh and bon
> Into the figure of a Ston:
> He was to neysshe and sche to hard.
> Be war forthi hierafterward;
> Ye men and wommen bothe tuo,
> Ensampleth you of that was tho.' (iv. 3674 ff.)

In a word, the author's literary sphere may be a limited one, and his conception of excellence within that sphere may fall

LITERARY CHARACTERISTICS

very far short of the highest standard, but such as his ideals are, he is able very completely to realize them. The French and English elements of the language, instead of still maintaining a wilful strife, as is so often the case in Chaucer's metre, are here combined in harmonious alliance. More especially we must recognize the fact that in Gower's English verse we have a consistent and for the moment a successful attempt to combine the French syllabic with the English accentual system of metre, and this without sacrificing the purity of the language as regards forms of words and grammatical inflexion. We shall see in our subsequent investigations how careful and ingenious he is in providing by means of elision and otherwise for the legitimate suppression of those weak terminations which could not find a place as syllables in the verse without disturbing its accentual flow, while at the same time the sense of their existence was not to be allowed to disappear. The system was too difficult and complicated to be possible except for a specially trained hand, and Gower found no successor in his enterprise; but the fact that the attempt was made is at least worthy of note.

With considerable merits both of plan and execution the *Confessio Amantis* has also no doubt most serious faults. The scheme itself, with its conception of a Confessor who as priest has to expound a system of morality, while as a devotee of Venus he is concerned only with the affairs of love (i. 237-280), can hardly be called altogether a consistent or happy one. The application of morality to matters of love and of love to questions of morality is often very forced, though it may sometimes be amusing in its gravity. The Confessor is continually forgetting one or the other of his two characters, and the moralist is found justifying unlawful love or the servant of Venus singing the praises of virginity. Moreover the author did not resist the temptation to express his views on society in a Prologue which is by no means sufficiently connected with the general scheme of the poem, though it is in part a protest against division and discord, that is to say, lack of love. Still worse is the deliberate departure from the general plan which we find in the seventh book, where on pretence of affording relief and recreation to the wearied penitent, the Confessor, who says that he has little or no understanding except of love, is allowed to make a digression which embraces the whole field of human knowledge, but more especially deals with the duties of a king, a second political pamphlet in fact, in which the stories of kings ruined by lust or insolence, of Sardanapalus, Rehoboam, Tarquin, and the rest, are certainly intended to some extent as an admonition of the author's royal patron. The petition addressed to Rehoboam by his people against excessive taxation reads exactly like one of the English parliamentary protests of the period against the extravagant demands of the crown. Again, the fifth book, which even without this would be disproportionately long, contains an absolutely unnecessary account of the various religions of the world, standing there apparently for no reason except to show the author's learning, and reaching the highest pitch of grotesque absurdity when the Confessor occupies himself in demolishing the claim of Venus to be accounted a goddess, and that too without even the excuse of having forgotten for the moment that he is supposed to be her priest. Minor excrescences of the same kind are to be found in the third book, where the lawfulness of war is discussed, and in the fourth, where there is a dissertation on the rise of the Arts, and especially of Alchemy. All that can be said is that these digressions were very common in the books of the age—the *Roman de la Rose*, at least in the part written by Jean de Meun, is one of the worst offenders.

Faults of detail it would be easy enough to point out. The style is at times prosaic and the matter uninteresting, the verse is often eked out with such commonplace expressions and helps to rhyme as were used by the writers of the time, both French or English. Sometimes the sentences are unduly spun out or the words and clauses are awkwardly transposed for the sake of the uninterrupted smoothness of the verse. The attainment of this object moreover is not always an advantage, and sometimes the regularity of the metre and the inevitable recurrence of the rhyme produces a tiresome result. On the whole however the effect is not unpleasing, 'the ease and regularity with which the verse flows breathes a peaceful contentment, which communicates itself to the reader, and produces the same effect upon the ear as the monotonous but not wearisome splashing of a fountain[1].' Moreover, as has already been pointed out, when the writer is at his best, the rhyme is kept duly in the background, and the paragraph is constructed quite independently of the couplet, so that this

---

[1] B. ten Brink, *Geschichte der Engl. Litt.* ii. 141.

form of metre proves often to be a far better vehicle for the narrative than might have been at first supposed.

ii. DATE AND CIRCUMSTANCES.—The *Confessio Amantis* in its earliest form bears upon the face of it the date 1390 (Prol. 331 *margin*)[1], and we have no reason to doubt that this was the year in which it was first completed. The author tells us that it was written at the command of King Richard II, whom he met while rowing on the Thames at London, and who invited him to come into his barge to speak with him. It is noticeable, however, that even this first edition has a dedication to Henry earl of Derby, contained in the Latin lines at the end of the poem[2], so that it is not quite accurate to say that the dedication was afterwards changed, but rather that this dedication was made more prominent and introduced into the text of the poem, while at the same time the personal reference to the king in the Prologue was suppressed. If the date referred to above had been observed by former editors, the speculations first of Pauli and then of Professor Hales, tending to throw back the completion of the first recension of the *Confessio Amantis* to the year 1386, or even 1383, would have been spared. Their conclusions rest, moreover, on the purest guess-work. The former argues that the preface and the epilogue[3] in their first form date from the year 1386, because from that year the king (who was then nineteen years old) 'developed those dangerous qualities which estranged from him, amongst others, the poet'; and Professor Hales (*Athenæum*, Dec. 1881) contends that the references to the young king's qualities as a ruler, 'Justice medled with pite,' &c. certainly point to the years immediately succeeding the Peasants' revolt (a time when Gower did not regard him as a responsible ruler at all, but excuses him for the evil proceedings of the government on account of his tender age)[4],

---

[1] This date has hitherto been omitted from the text of the printed editions.

[2] The last two lines, which contain the mention of the earl of Derby, are omitted in some MSS. of the first recension, and this may be an indication that the author circulated some copies without them. A full account of the various recensions of the poem is given later, under the head of 'Text.'

[3] The term 'epilogue' is used for convenience to designate the conclusion of the poem after viii. 2940, but no such designation is used by the author: similarly 'preface' means here the opening passage of the Prologue (ll. 1-92).

[4] 'Minoris etatis causa inde excusabilem pronuncians.'

that the reference to Richard's desire to establish peace (viii. 3014* ff.) *must* belong to the period of the negotiations with the French and the subsequent truce, 1383-84, though Professor Hales is himself quite aware that negotiations for peace were proceeding also in 1389, and finally that the mention of 'the newe guise of Beawme' must indicate the very year succeeding the king's marriage to Anne of Bohemia in 1382, whereas in fact the Bohemian fashions would no doubt continue to prevail at court, and still be accounted new, throughout the queen's lifetime. It is on such grounds as these that we are told that the *Confessio Amantis* in its first form *cannot* have been written later than the year 1385 and was probably as early as 1383.

All such conjectures are destroyed by the fact that the manuscripts of the first recension bear the date 1390 at the place cited, and though this does not absolutely exclude a later date for the completion of the book, it is decisive against an earlier one. Moreover, the fact that in the final recension this date is omitted (and deliberately omitted, as we know from the erasure in the Fairfax MS.) points to the conclusion that it is to be regarded definitely as a date of publication, and therefore was inappropriate for a later edition.

This conclusion agrees entirely with the other indications, and they are sufficiently precise, though the fact that one of these also has unluckily escaped the notice of the editors has caused it to be generally overlooked [1].

The form of epilogue which was substituted for that of the first recension, and in which the over-sanguine praise of Richard as a ruler is cancelled, bears in the margin the date of the fourteenth year of his reign (viii. 2973 *margin*), 'Hic in anno quarto decimo Regis Ricardi orat pro statu regni,' &c. Now the fourteenth year of King Richard II was from June 21, 1390, to the same day of 1391. We must therefore suppose that the change in this part of the book took place, in some copies at least, within a few months of its first completion.

Thirdly, we have an equally precise date for the alteration in the Prologue, by which all except a formal mention of Richard II is

---

[1] Dr. Karl Meyer, in his dissertation *John Gower's Beziehungen zu Chaucer und König Richard II* (1889), takes account of these various notes of time, having made himself to some extent acquainted with the MSS., but his conclusions are in my opinion untenable.

excluded, while the dedication to Henry of Lancaster is introduced into the text of the poem; and here the time indicated is the sixteenth year of King Richard (Prol. 25), a date which appears also in the margin of some copies here and at l. 97, so that we may assume that this final change of form took place in the year 1392-93, that is, not later than June 1393.

Having thus every step dated for us by the author, we may, if we think it worth while, proceed to conjecture what were the political events which suggested his action; but in such a case as this it is evidently preposterous to argue first from the political conditions, of which as they personally affected our author and his friends we can only be very imperfectly informed, and then to endeavour to force the given dates into accordance with our own conclusions[1].

It will be observed from the above dates that we are led to infer two stages of alteration, and the expectation is raised of finding the poem in some copies with the epilogue rewritten but the preface left in its original state. This expectation is fulfilled. The Bodley MS. 294 gives a text of this kind, and it is certain that there were others of the same form, for Berthelette used for his edition a manuscript of this kind, which was not identical with that which we have.

In discussing the import of the various changes introduced by the author it is of some importance to bear in mind the fact already mentioned that even the first issue of the *Confessio Amantis* had a kind of dedication to Henry of Lancaster in the Latin lines with which it concluded,

> 'Derbeie comiti, recolunt quem laude periti,
> Vade liber purus sub eo requiesce futurus.'

This seems rather to dispose of the idea that a dedication to Henry would be inconsistent with loyalty to Richard, a suggestion which would hardly have been made in the year 1390, or even 1393.

---

[1] This has been equally the procedure of Prof. Hales on the one hand, who endeavours to throw back the composition of the first recension to an extravagantly early period, and of Dr. Karl Meyer on the other, who wishes to bring down the final form of the book to a time later than the deposition of Richard II. The theory of the latter, that the sixteenth year of King Richard is given as the date of the original completion of the poem, and not of the revised preface, is sufficiently refuted by the date 'fourteenth year' attached to the rewritten epilogue.

No doubt those copies which contained in the preface the statement that the book was written at the command of the king and for his sake, and in the epilogue the presentation of the completed book to him (3050* ff.), if they had also appended to them the Latin lines which commend the work to the earl of Derby, may be said to have contained in a certain sense a double dedication, the compliment being divided between the king and his brilliant cousin, and very probably a copy which was intended for the court would be without the concluding lines, as we find to be the case with some manuscripts; but the suggestion that the expressions of loyalty and the praises of Richard as a ruler which we find in the first epilogue are properly to be called inconsistent with a dedication of the poem to Henry of Lancaster, his cousin and counsellor, is plausible only in the light of later events, which could not be foreseen by the poet, in the course of which Henry became definitely the opponent of Richard and finally took the lead in deposing him. It is true that the earl of Derby had been one of the lords appellant in 1387, but after the king's favourites had been set aside, he was for the time reconciled to Richard, and he could not in any sense be regarded as the leader of an opposition party. That Gower, when he became disgusted with Richard II, should have set Henry's name in the Prologue in place of that of the king, as representing his ideal of knighthood and statesmanship, may be regarded either as a coincidence with the future events, or as indicating that Gower had some discrimination in selecting a possible saviour of society; but it is certain that at this time the poet can have had no definite idea that his hero would become a candidate for the throne.

The political circumstances of the period during which the *Confessio Amantis* was written and revised are not very easy to disentangle. We may take it as probable that the plan of its composition, under the combined influence of Chaucer's *Legend of Good Women*[1] and of the royal command, may have been laid about the year 1386. Before this time Richard would scarcely have been regarded by Gower as responsible for the government, and he would naturally look hopefully upon the young sovereign, then just entering upon his duties, as one who with proper admonition and due choice of advisers might turn out to be a good

---

[1] For the connexion between this and the *Confessio Amantis* see L. Bech in *Anglia*, v. 313 ff.

ruler. During the succeeding years the evil counsellors of the king were removed by the action of the lords appellant and the Parliament, and in the year 1389 a moderate and national policy seemed to have been finally adopted by the king, with William of Wykeham as Chancellor and the young earl of Derby, who had been one of the appellants but had quarrelled with his uncle Gloucester, among the king's trusted advisers. By the light of subsequent events Gower condemned the whole behaviour of the king during this period as malicious and treacherous, but this could hardly have been his judgement of it at the time, for Richard's dissimulation, if dissimulation it were, was deep enough to deceive all parties. Consequently, up to the year 1390 at least, he may have continued, though with some misgivings, to trust in the king's good intentions and to regard him as a ruler who might effectually heal the divisions of the land, as he had already taken steps to restore peace to it outwardly. It is quite possible also that something may have come to his knowledge in the course of the year 1390-91 which shook his faith. It was at this time, in July 1390, just at the beginning of the fourteenth year of King Richard, that his hero the earl of Derby left the court and the kingdom to exercise his chivalry in Prussia, and for this there may have been a good reason. We know too little in detail of the events of the year to be able to say exactly what causes of jealousy may have arisen between the king and his cousin, who was nearly exactly of an age with him and seems to have attracted much more attention than Richard himself at the jousts of St. Inglevert in May of this year. Whatever feeling there may have been on the side of the earl of Derby would doubtless reflect itself in the minds of his friends and supporters, and something of this kind may have deepened into certitude the suspicions which Gower no doubt already had in his heart of the ultimate intentions of Richard II. The result was that in some copies at least of the *Confessio Amantis* the concluding praises of the king as a ruler were removed and lines of a more general character on the state of the kingdom and the duties of a king were substituted, but still there was no mention of the earl of Derby except as before in the final Latin lines. Two years later, 1392-93, when the earl of Derby had fairly won his spurs and at the age of twenty-five might be regarded as a model of chivalry, the mention of Richard as the suggester of the work was removed, and the name of Henry set in the text as the sole object of the dedication.

The date sixteenth year must certainly be that of this last change, but the occasion doubtless was the sending of a presentation copy to Henry, and this would hardly amount to publication. The author probably did not feel called upon publicly to affront the king by removing his name and praises, either at the beginning or the end, from the copies generally issued during his reign. Whether or not this conduct justifies the charge of time-serving timidity, which has been made against Gower, I cannot undertake to decide. He was, however, in fact rather of an opposite character, even pedantically stiff in passing judgement severely on those in high places, and not bating a syllable of what he thought proper for himself to say or for a king to hear, though while the king was young and might yet shake himself free from evil influences he was willing to take as favourable a view of his character as possible. Probably he was for some time rather in two minds about the matter, but in any case 'timid and obsequious' are hardly the right epithets for the author of the *Vox Clamantis*.

Before leaving this subject something should perhaps be said upon a matter which has attracted no little attention, namely the supposed quarrel between the author of the *Confessio Amantis* and Chaucer. It is well known that the first recension of our poem has a passage referring to Chaucer in terms of eulogy (viii. 2941*–57*), and that this was omitted when the epilogue was rewritten. This fact has been brought into connexion with the apparent reference to Gower in the *Canterbury Tales*, where the Man of Law in the preamble to his tale disclaims on Chaucer's behalf such 'cursed stories' as those of Canace and Apollonius, because they treat of incest. It has been thought that this was meant for a serious attack on Gower, and that he took offence at it and erased the praise of Chaucer from the *Confessio Amantis*.

It is known of course that the two poets were on personally friendly terms, not only from the dedication of *Troilus*, but from the fact that when Chaucer was sent on a mission to the Continent in 1378, he appointed Gower one of his attorneys in his absence. It is possible that their friendship was interrupted by a misunderstanding, but it may be doubted whether there is sufficient proof of this in the facts which have been brought forward.

In the first place I question whether Chaucer's censure is to be taken very seriously. That it refers to Gower I have little doubt, but that the attack was a humorous one is almost equally clear. Chaucer was aware that some of his own tales were open to objection on the score of morality, and when he saw a chance of scoring a point on the very ground where his friend thought himself strongest, he seized it with readiness. Some degree of seriousness there probably is, for Chaucer's sound and healthy view of life instinctively rejected the rather morbid horrors to which he refers; but it may easily be suspected that he was chiefly amused by the opportunity of publicly lecturing the moralist, who perhaps had privately remonstrated with him[1]. As to the notion that Chaucer had been seriously offended by the occasional and very trifling resemblances of phrase in Gower's tale of Constance with his own version of the same original, it is hardly worth discussion.

There is of course the possibility that Gower may have taken it more seriously than it was meant, and though he was not quite so devoid of a sense of humour as it has been the fashion to suppose[2], yet he may well have failed to enjoy a public attack, however humorous, upon two of his tales. It must be observed, however, that if we suppose the passage in question to have been the cause of the excision of Gower's lines about Chaucer, we must assume that the publication of it took place precisely within this period of a few months which elapsed between the first and the second versions of Gower's epilogue.

Before further considering the question as to what was actually our author's motive in omitting the tribute to his brother poet, we should do well to observe that this tribute was apparently allowed to stand in some copies of the rewritten epilogue. There is one good manuscript, that in the possession of Lord Middleton,

[1] Lydgate apparently did not take Chaucer's censure very seriously, for he quite needlessly introduced the tale of Canace into his *Falls of Princes*, following Gower's rendering of it.

[2] See for example the picture of Nebuchadnezzar transformed into an ox, 'Tho thoghte him colde grases goode,' &c. (i. 2976 ff.), the account of the jealous husband, who after charging his wife quite unreasonably with wishing she had another there in his stead, turns away from her in bed and leaves her to weep all the night, while he sleeps (v. 545 ff.), and the description of the man who entertains his wife so cheerfully on his return home with tales of the good sport that he has had, but carefully avoids all reference to the occurrence which would have interested her most (v. 6119 ff.).

in which the verses about Chaucer not only stand in combination with the new form of epilogue, but in a text which has also the revised preface, dated two years later [1]. Hence it seems possible that the exclusion of the Chaucer verses was rather accidental than deliberate, and from this and other considerations an explanation may be derived which will probably seem too trivial, but nevertheless is perhaps the true one. We know from the Fairfax MS. of the *Confessio Amantis* and from several original copies of the *Vox Clamantis* that the author's method of rewriting his text was usually to erase a certain portion, sometimes a whole column or page, and substitute a similar number of lines of other matter. It will be observed here that for the thirty lines 2941*–2970*, including the reference to Chaucer, are substituted thirty lines from which that reference is excluded. After this come four Latin lines replacing an equal number in the original recension, and then follow fifteen lines, 2971–2985, which are the same except a single line in the two editions. It may be that the author, wishing to mention the departure of the Confessor and the thoughts which he had upon his homeward way, sacrificed the Chaucer verses as an irrelevance, in order to find room for this matter between the Adieu of Venus and the lines beginning 'He which withinne daies sevene,' which he did not intend to alter, and that this proceeding, carried out upon a copy of the first recension which has not come down to us, determined the general form of the text for the copies with epilogue rewritten, though in a few instances care was taken to combine the allusion to Chaucer with the other alterations. Such an explanation as this would be in accord with the methods of the author in some other respects; for, as we shall see later on, the most probable explanation of the omission in the third recension of the additional passages in the fifth and seventh books, is that a first recension copy was used in a material sense as a basis for the third recension text, and it was therefore not convenient to introduce alterations which increased the number of lines in the body of the work.

[1] The reading in the Latin note at the beginning of 'quarto ⟨decimo⟩' for 'sexto decimo' is probably due to a mistake, for we find 'sextenthe' in the text of l. 25. It may be noted that the MS. mentioned by Pauli as containing the rewritten preface and also the Chaucer verses (New Coll. 326) is a hybrid, copied from two different manuscripts.

iii. ANALYSIS.

PROLOGUS.

1-92. PREFACE. By the books of those that were before us we are instructed, and therefore it is good that we also should write something which may remain after our days. But to write of wisdom only is not good. I would rather go by the middle path and make a book of pleasure and profit both : and since few write in English, my meaning is to make a book * for England's sake now in the sixteenth year of King Richard. Things have changed and books are less beloved than in former days, but without them the fame and the example of the virtuous would be lost. Thus I, simple scholar as I am, purpose to write a book touching both upon the past and the present, and though I have long been sick, yet I will endeavour as I may to provide wisdom for the wise. For this prologue belongs all to wisdom, and by it the wise may recall to their memory the fortunes of the world ; but after the prologue the book shall be of Love, which does great wonders among men. Also I shall speak of the vices and virtues of rulers. But as my wit is too small to admonish every man, I submit my work for correction to my own lord Henry of Lancaster, with whom my heart is in accord, and whom God has proclaimed the model of knighthood. God grant I may well achieve the work which I have taken in hand.

93-192. TEMPORAL RULERS. In the time past things went well : there was plenty and riches, with honour for noble deeds, and each estate kept its due place. Justice was upheld and the people obeyed their rulers. Man's heart was then shown in his face and his thought expressed by his words, virtue was exalted and vice abased. Now all is changed, and above all discord and hatred have taken the place of love, there is no stable peace, no justice and righteousness. All

---

* for King Richard's sake, to whom my allegiance belongs and for whom I pray. It chanced that as I rowed in a boat on the flowing Thames under the town of New Troy, I met my liege lord, and he bad me come from my boat into his barge, and there he laid upon me a charge to write some new thing which he himself might read. Thus I am the more glad to write, and I have the less fear of envious blame. A gentle heart praises without malice, but the world is full of evil tongues and my king's command shall nevertheless be fulfilled. Though I have long been sick, yet I will endeavour to write a book which may be wisdom to the wise and play to those who desire to play. But the proverb says that a good beginning makes a good end : therefore I will here begin the prologue of my book, speaking partly of the former state of the world and partly of the present.

kingdoms are alike in this, and heaven alone knows what is to be done. The sole remedy is that those who are the world's guides should follow good counsel and should be obeyed by their people; and if king and council were at one, it might be hoped that the war would be brought to an end, which is so much against the peace of Christ's religion and from which no land gets any good. May God, who is above all things, give that peace of which the lands have need.

193-498. THE CHURCH. Formerly the life of the clergy was an example to all, there was no simony, no disputes in the Church, no ambition for worldly honour. Pride was held a vice and humility a virtue. Alms were given to the poor and the clergy gave themselves to preaching and to prayer. Thus Christ's faith was first taught, but now it is otherwise. Simony and worldly strife prevail; and if priests take part in wars, I know not who shall make the peace. But heaven is far and the world is near, and they regard nothing but vainglory and covetousness, so that the tithe goes at once to the war, as though Christ could not do them right by other ways. That which should bring salvation to the world is now the cause of evil: the prelates are such as Gregory wrote of, who desire a charge in order that they may grow rich and great, and the faith is hindered thereby. Ambition and avarice have destroyed charity; Sloth is their librarian and delicacy has put away their abstinence. Moreover Envy everywhere burns in the clergy like the fire of Etna, as we may see now [in this year of grace 1390] at Avignon. To see the Church thus fall between two stools is a cause of sorrow to us all: God grant that it may go well at last with him who has the truth. But as a fire spreads while men are slothfully drinking, so this schism causes the new sect of Lollardy to spring up, and many another heresy among the clergy themselves. It were better to dike and delve and have the true faith, than to know all that the Bible says and err as some of these do. If men had before their eyes the virtues which Christ taught, they would not thus dispute about the Papacy. Each one attends to his own profit, but none to the general cause of the Church, and thus Christ's fold is broken and the flock is devoured. The shepherds, intent upon worldly good, wound instead of healing, and rob the sheep unjustly of their wool. Nay, they drive them among the brambles, so that they may have the wool which the thorns tear off. If the wolf comes in the way, their staff is not at hand to defend the sheep, but they are ready enough to smite the sheep with it, if they offend ever so little. There are some indeed in whom virtue dwells, whom God has called as Aaron was called, but most follow Simon at the heels, whose chariot rolls upon wheels of covetousness and pride. They teach how good it is to clothe and feed the poor, yet of their own goods they do not distribute. They say that chastity should be preserved by abstinence, but they eat daintily and lie softly, and whether they preserve their chastity thereby, I dare not say:

I hear tales, but I will not understand. Yet the vice of the evil-doers is no reproof to the good, for every man shall bear his own works.

499-584. THE COMMONS. As for the people, it is to be feared that that may happen which has already come to pass in sundry lands, that they may break the bounds and overflow in a ruinous flood. Everywhere there is lack of law and growth of error; all say that this world has gone wrong, and every one gives his judgement as to the cause; but he who looks inwards upon himself will be ready to excuse his God, in whom there is no default. The cause of evil is in ourselves. Some say it is fortune and some the planets, but in truth all depends upon man. No estate is secure, the fortune of it goes now up, now down, and all this is in consequence of man's doings. In the Bible I find a tale which teaches that division is the chief cause why things may not endure, and that man himself is to blame for the changes which have overthrown kingdoms.

585-662. NABUGODONOSOR in a dream saw an image with the head and neck of gold, the breast and arms of silver, the belly and thighs of brass, the legs of steel, and the feet of mixed steel and clay. On the feet of this image fell a great stone which rolled down from a hill, and the image was destroyed. Daniel expounded this of the successive kingdoms of the world.

663-880. These were the FOUR MONARCHIES, of Babylon, of Persia, of the Greeks, and of the Romans. We are now in the last age, that of dissension and division, as shown by the state of the Empire and the Papacy. This is that which was designated by the feet of the image.

881-1088. We are near to the end of the world, as the apostle tells us. The world stands now divided like the feet of the image. Wars are general, and yet the clergy preach that charity is the foundation of all good deeds. Man is the cause of all the evil, and therefore the image bore the likeness of a man. The heavenly bodies, the air and the earth suffer change and corruption through the sin of man, who is in himself a little world. When he is disordered in himself, the elements are all at strife with him and with each other. Division is the cause of destruction. So it is with man, who has within him diverse principles which are at strife with one another, and in whom also there is a fatal division between the body and the soul, which led to the fall from a state of innocence. The confusion of tongues at the building of the tower of Babel was a further cause of division, and at last all peace and charity shall depart, and the stone shall fall. Thenceforward every man shall dwell either in heaven, where all is peace, or in hell, which is full of discord.

Would God that there were in these days any who could set peace on the earth, as Arion once by harping brought beasts and men into accord. But this is a matter which only God can direct.

LIB. I.

1-92. I cannot stretch my hand to heaven and set in order the world: so great a task is more than I am able to compass: I must let that alone and treat of other things. Therefore I think to change from this time forth the style of my writings, and to speak of a matter with which all the world has to do, and that is Love; wherein almost all are out of rule and measure, for no man is able to resist it or to find a remedy for it. If there be anything in this world which is governed blindly by fortune, it is love: this is a game in which no man knows whether he shall win or lose. I am myself one who belongs to this school, and I will tell what befel me not long since in regard to love, that others may take example thereby.

93-202. I fared forth to walk in the month of May, when every bird has chosen his mate and rejoices over the love which he has achieved; but I was further off from mine than earth is from heaven. So to the wood I went, not to sing with the birds, but to weep and lament; and after a time I fell to the ground and wished for death. Then I looked up to the heaven and prayed the god and the goddess of love to show me some grace. Anon I saw them; and he, the king of love, passed me by with angry look and cast at me a fiery lance, which pierced through my heart. But the queen remained, and asked me who I was, and bade me make known my malady. I told her that I had served her long and asked only my due wage, but she frowned and said that there were many pretenders, who in truth had done no service, and bade me tell the truth and show forth all my sickness. 'That can I well do,' I replied, 'if my life may last long enough.' Then she looked upon me and said, 'My will is first that thou confess thyself to my priest.' And with that she called Genius, her priest, and he came forth and sat down to hear my shrift.

203-288. This worthy priest bade me tell what I had felt for love's sake, both the joy and the sorrow; and I fell down devoutly on my knees and prayed him to question me from point to point, lest I should forget things which concerned my shrift, for my heart was disturbed so that I could not myself direct my wits. He replied that he was there to hear my confession and to question me: but he would not only speak of love; for by his office of priest he was bound to set forth the moral vices. Yet he would show also the properties of Love, for he was retained in the service of Venus and knew little of other things. His purpose was to expound the nature of every vice, as it became a priest to do, and so to apply his teaching to the matter of love that I should plainly understand his lore.

289-574. SINS OF SEEING AND HEARING. I prayed him to say his will, and I would obey, and he bade me confess as touching my five senses, which are the gates through which things come into the heart, and first of the principal and most perilous, the sense of sight. Many a man has done mischief to love through seeing, and often the fiery dart of love pierces the heart through the eye. (289-332.)

Ovid tells a tale of the evils of 'mislook,' how *Acteon* when hunting came upon Diana and her nymphs bathing, and because he did not turn away his eyes, he was changed into a hart and torn to pieces by his own hounds. (333-378.)

Again, the *Gorgons* were three sisters, who had but one eye between them, which they passed one to another, and if any man looked upon them he was straightway turned into a stone. These were all killed by Perseus, to whom Pallas lent a shield with which he covered his face, and Mercury a sword with which he slew the monsters. (389-435.)

My priest therefore bade me beware of misusing my sight, lest I also should be turned to stone; and further he warned me to take good heed of my hearing, for many a vanity comes to man's heart through the ears. (436-462.)

There is a serpent called *Aspidis*, which has a precious stone in his head, but when a man tries to overcome him by charms in order to win this stone, he refuses to hear the enchantment, laying one ear close to the earth and stopping the other with his tail. (463-480.)

Moreover, in the tale of Troy we read of *Sirens*, who are in the form of women above and of fishes below, and these sing so sweetly, that the sailors who pass are enchanted by it and cannot steer their ships: so they are wrecked and torn to pieces by the monsters. Uluxes, however, escaped this peril by stopping the ears of his company, and then they slew many of them. (481-529.)

From these examples (he said) I might learn how to keep the eye and the ear from folly, and if I could control these two, the rest of the senses were easy to rule. (530-549.)

I made my confession then, and said that as for my eyes I had indeed cast them upon the Gorgon Medusa, and my heart had been changed into stone, upon which my lady had graven an eternal mark of love. Moreover, I was guilty also as regards my ear; for when I heard my lady speak, my reason lost all rule, and I did not do as Uluxes did, but fell at once in the place where she was, and was torn to pieces in my thought. (550-567.)

God amend thee, my son, he said. I will ask now no more of thy senses, but of other things. (568-574.)

THE SEVEN DEADLY VICES.—PRIDE.

575-1234. HYPOCRISY. Pride, the first of the seven deadly Vices, has five ministers, of whom the first is called Hypocrisy. Hast thou been of his company, my son?

I know not, father, what hypocrisy means. I beseech you to teach me and I will confess. (575-593.)

A hypocrite is one who feigns innocence without, but is not so within. Such are many of those who belong to the religious orders, with some of those who occupy the high places of the Church, and others also who pretend to piety, while all their design is to increase their worldly wealth. (594–672.)

There are lovers also of this kind, who deceive by flattery and soft speech, and who pretend to be suffering sickness for love, but are ready always to beguile the woman who trusts them. Art thou one of these, my son?

Nay, father, for I have no need to feign: my heart is always more sick than my visage, and I am more humble towards my lady within than any outward sign can show. I will not say but that I may have been guilty towards others in my youth; but there is one towards whom my word has ever been sincere.

It is well, my son, to tell the truth always towards love; for if thou deceive and win thereby, thou wilt surely repent it afterwards, as a tale which I will tell may show. (672–760.)

Mundus and Paulina. At Rome, in the time of Tiberius, a worthy lady Pauline was deceived by Mundus, who bribed the priests of Isis and induced them to bring her to the temple at night on pretence of meeting the god Anubus. Mundus concealed himself in the temple and personated the god. Meeting her on her way home he let her understand the case, and she, overcome with grief and shame, reported the matter to her husband. The priests were put to death, Mundus was sent into exile, and the image of Isis was thrown into the Tiber. (761–1059.)

The Trojan Horse. Again, to take a case of the evil wrought by Hypocrisy in other matters, we read how, when the Greeks could not capture Troy, they made a horse of brass and secretly agreeing with Antenor and Eneas they concluded a feigned peace with the Trojans and desired to bring this horse as an offering to Minerva into the city. The gates were too small to admit it, and so the wall was broken down, and the horse being brought in was offered as an evidence of everlasting peace with Troy. The Greeks then departed to their ships, as if to set sail, but landed again in the night on a signal from Sinon. They came up through the broken gate, and slew those within, and burnt the city. (1060–1189.)

Thus often in love, when a man seems most true, he is most false, and for a time such lovers speed, but afterwards they suffer punishment. Therefore eschew Hypocrisy in love. (1190–1234.)

1235–1875. INOBEDIENCE. The second point of Pride is Inobedience, which bows before no law, whether of God or man. Art thou, my son, disobedient to love?

Nay, father, except when my lady bids me forbear to speak of my love, or again when she bids me choose a new mistress. She might as well say, 'Go, take the Moon down from its place in heaven,' as bid me remove her love out of my breast. Thus far I disobey, but in no other thing. (1235-1342.)

There are two attendants, my son, on this vice, called *Murmur* and *Complaint*, which grudge at all the fortune that betides, be it good or bad. And so among lovers there are those who will not faithfully submit to love, but complain of their fortune, if they fail of anything that they desire.

My father, I confess that at times I am guilty of this, when my lady frowns upon me, but I dare not say a word to her which might displease her. I murmur and am disobedient in my heart, and so far I confess that I am 'unbuxom.'

I counsel thee, my son, to be obedient always to love's hest, for obedience often avails where strength may do nothing; and of this I remember an example written in a chronicle. (1343-1406.)

There was a knight, nephew to the emperor, by name *Florent*, chivalrous and amorous, who seeking adventures was taken prisoner by enemies. He had slain the son of the captain of the castle to which he was led; and they desired to take vengeance on him, but feared the emperor. An old and cunning dame, grandmother to the slain man, proposed a condition. He should be allowed to go, on promise of returning within a certain time, and then he should suffer death unless he could answer rightly the question, 'What do all women most desire?' He gave his pledge, and sought everywhere an answer to the question, but without success. When the day approached, he set out; and as he passed through a forest, he saw a loathly hag sitting under a tree. She offered to save him if he would take her as his wife. He refused at first, but then seeing no other way, he accepted, on the condition that he should try all other answers first, and if they might save him he should be free. She told him that what all women most desire is to be sovereign of man's love. He saved himself by this answer, and returned to find her, being above all things ashamed to break his troth. Foul as she was, he respected her womanhood, and set her upon his horse before him. He reached home, journeying by night and hiding himself by day, and they were wedded in the night, she in her fine clothes looking fouler than before. When they were in bed, he turned away from her, but she claimed his bond; and he turning towards her saw a young lady of matchless beauty by his side. She stayed him till he should make his choice, whether he would have her thus by night or by day; and he, despairing of an answer, left it to her to decide. By thus making her his sovereign, he had broken the charm which bound her. She was the king's daughter of Sicily, and had been transformed by her stepmother, till she should win the love and sovereignty of a peerless knight. Thus obedience may give a man good fortune in love. (1407-1861.)

Know then, my son, that thou must ever obey thy love and follow her will.

By this example, my father, I shall the better keep my observance to love. Tell me now if there be any other point of Pride. (1862–1882.)

1883–2383. SURQUIDRY or PRESUMPTION holds the third place in the court of Pride. He does everything by guess and often repents afterwards : he will follow no counsel but his own, depends only on his own wit, and will not even return thanks to God.

When he is a lover, he thinks himself worthy to love any queen, and he often imagines that he is loved when he is not. Tell me, what of this, my son?

I trow there is no man less guilty here than I, or who thinks himself less worthy. Love is free to all men and hides in the heart unseen, but I shall not for that imagine that I am worthy to love. I confess, however, that I have allowed myself to think that I was beloved when I was not, and thus I have been guilty. But if ye would tell me a tale against this vice, I should fare the better. (1883–1976.)

My son, the proud knight *Capaneus* trusted so in himself that he would not pray to the gods, and said that prayer was begotten only of cowardice. But on a day, when he assailed the city of Thebes, God took arms against his pride and smote him to dust with a thunderbolt. Thus when a man thinks himself most strong, he is nearest to destruction. (1977–2009.)

Again, when a man thinks that he can judge the faults of others and forgets his own, evil often comes to him, as in the tale which follows.

The Trump of Death. There was a king of Hungary, who went forth with his court in the month of May, and meeting two pilgrims of great age, alighted from his car and kissed their hands and feet, giving them alms also. The lords of the land were displeased that the king should thus abase his royalty, and among them chiefly the king's brother, who said that he would rebuke the king for his deed. When they were returned, the brother spoke to the king, and said he must excuse himself to his lords. He answered courteously and they went to supper.

Now there was ordained by the law a certain trumpet of brass, which was called the Trump of Death: and when any lord should be put to death, this was sounded before his gate. The king then on that night sent the man who had this office, to blow the trumpet at his brother's gate. Hearing the sound he knew that he must die, and called his friends together, who advised that he with his wife and his five children should go in all humility to entreat the king's pardon. So they went lamenting through the city and came to the court. Men told the king how it was, and he coming forth blamed his brother because he had been so moved by a mere human sentence of death, which might be revoked. 'Thou canst not now marvel,' he said, 'at that which I did: for I saw in the pilgrims the image of my own death, as appointed by God's ordinance, and to this law I did obeisance; for compared to this all other laws are as nothing. Therefore, my brother, fear God with all thine heart, for all shall die and be equal in his sight.' Thus the king admonished his brother and forgave him. (2010-2253.)

I beseech you, father, to tell me some example of this in the cause of love.

My son, in love as well as in other things this vice should be eschewed, as a tale shows which Ovid told.

There was one *Narcissus*, who had such pride that he thought no woman worthy of him. On a day he went to hunt in the forest, and being hot and thirsty lay down to drink from a spring. There he saw the image of his face in the water and thought it was a nymph. Love for her came upon him and he in vain entreated her to come out to him: at length in despair he smote himself against a rock till he was dead. The nymphs of the springs and of the woods in pity buried his body, and from it there sprang flowers which bloom in the winter, against the course of nature, as his folly was. (2254-2366.)

My father, I shall ever avoid this vice. I would my lady were as humble towards me as I am towards her. Ask me therefore further, if there be ought else.

God forgive thee, my son, if thou have sinned in this: but there is moreover another vice of Pride which cannot rule his tongue, and this also is an evil. (2367-2398.)

2399-2680. AVANTANCE. This vice turns praise into blame by loud proclaiming of his own merit; and so some lovers do. Tell me then if thou hast ever received a favour in love and boasted of it afterwards.

Nay, father, for I never received any favour of which I could boast. Ask further then, for here I am not guilty.

That is well, my son, but know that love hates this vice above all others, as thou mayest learn by an example. (2399-2458.)

Alboin and Rosemund. Albinus was king of the Lombards, and he in war with the Geptes killed their king Gurmond in battle, and made a cup of his skull. Also he took Gurmond's daughter Rosemund as his wife. When the wars were over, he made a great feast, that his queen might make acquaintance with the lords of his kingdom; and at the banquet his pride arose, and he sent for this cup, which was richly set in gold and gems, and bade his wife drink of it, saying, 'Drink with thy father.' She, not knowing what cup it was, took it and drank; and then the king told how he had won it by his victory, and had won also his wife's love, who had thus drunk of the skull. She said nothing, but thought of the unkindness of her lord in thus boasting, as he sat by her side, that he had killed her father and made a cup of his skull. Then after the feast she planned vengeance with Glodeside her maid.

xxxviii GOWER'S ENGLISH WORKS

A knight named Helmege, the king's butler, loved Glodeside. To him the queen gave herself in place of her maid, and then making herself known, she compelled him to help her. They slew Albinus, but were themselves compelled to flee, taking refuge with the Duke of Ravenna, who afterwards caused them to be put to death by poison. (2459-2646.)

It is good therefore that a man hide his own praise, both in other things and also in love, or else he may fail of his purpose.

2681-3066. VAIN GLORY thinks of this world only and delights in new things. He will change his guise like a chameleon. He will make carols, balades, roundels and virelays, and if he gets any advantage in love, he rejoices over it so that he forgets all thought of death. Tell me if thou hast done so.

My father, I may not wholly excuse myself, in that I have been for love the better arrayed, and have attempted rondels, balades, virelays and carols for her whom I love, and sung them moreover, and made myself merry in chamber and in hall. But I fared none the better: my glory was in vain. She would not hear my songs, and my fine array brought me no reason to be glad. And yet I have had gladness at times in hearing how men praised her, and also when I have tidings that she is well. Tell me if I am to blame for this.

I acquit thee, my son, and on this matter I think to tell a tale how God does vengeance on this vice. Listen now to a tale that is true, though it be not of love. (2681-2784.)

There was a king of whom I spoke before, *Nabugodonosor* by name. None was so mighty in his days, and in his Pride he ruled the earth as a god. This king in his sleep saw a tree which overshadowed the whole earth, and all birds and beasts had lodging in it or fed beneath it. Then he heard a voice bidding to hew down the tree and destroy it; but the root (it said) should remain, and bear no man's heart, but feed on grass like an ox, till the water of the heaven should have washed him seven times and he should be made humble to the will of God. The King could find none to interpret this dream, and sent therefore for Daniel. He said that the tree betokened the king, and that as the tree was hewn down, so his kingdom should be overthrown, and he should pasture like an ox and be rained upon and afflicted, until he acknowledged the greatness of God. The punishment was ordained, he said, for his vain glory, and if he would leave this and entreat for grace, he might perchance escape the evil.

But Pride will not suffer humility to stand with him. Neither for his dream nor yet for Daniel's word did this king leave his vain glory, and so that which had been foretold came upon him.

Then after seven years he remembered his former state and wept; and though he might not find words, he prayed within his heart to God and vowed to leave his vain glory, reaching up his feet towards the heaven, kneeling and braying for mercy. Suddenly he was changed again into a man and received his power as before, and the pride of vain glory passed for ever from his heart. (2785-3042.)

Be not thou, my son, like a beast, but take humility in hand, for a proud man cannot win love. I think now again to tell thee a tale which may teach thee to follow Humility and eschew Pride.

3067-3425. HUMILITY. *The Three Questions.* There was once a young and wise king, who delighted in propounding difficult questions, and one knight of his court was so ready in answering them that the king conceived jealousy and resolved to put him to confusion. He bade him therefore answer these three questions on pain of death: (1) What is it that has least need and yet men help it most? (2) What is worth most and yet costs least? (3) What costs most and is worth least? The knight went home to consider, but the more he beat his brains, the more he was perplexed. He had two daughters, the younger fourteen years of age, who, perceiving his grief, entreated him to tell her the cause. At length he did so, and she asked to be allowed to answer for him to the king. When the day came, they went together to the court, and the knight left the answers to the maiden, at which all wondered. She replied to the first question that it was the Earth, upon which men laboured all the year round, and yet it had no need of help, being itself the source of all life. As to the second, it was Humility, through which God sent down his Son, and chose Mary above all others; and yet this costs least to maintain, for it brings about no wars among men. The third question, she said, referred to Pride, which cost Lucifer and the rebel angels the loss of heaven, and Adam the loss of paradise, and was the cause also of so many evils in the world.

The king was satisfied, and looking on the maiden he said, 'I like thine answer well, and thee also, and if thou wert of lineage equal to these lords, I would take thee for my wife. Ask what thou wilt of me and thou shalt have it.' She asked an earldom for her father, and this granted, she thanked the king upon her knees, and claimed fulfilment of his former word. Whatever she may have been once, she was now an earl's daughter, and he had promised to take her as his wife. The king, moved by love, gave his assent, and thus it was. This king ruled Spain in old days and his name was Alphonse: the knight was called Don Petro, and the daughter wise Peronelle. (3067-3402.)

Thus, my son, thou mayest know the evil of Pride, which fell from his place in heaven and in paradise; but Humility is gentle and debonnaire. Therefore leave Pride and take Humility.

My father, I will not forget: but now seek further of my shrift.

My son, I have spoken enough of Pride, and I think now to tell of Envy, which is a hellish vice, in that it does evil without any cause. (3403-3446.)

Lib. II.

1–220. SORROW FOR ANOTHER'S JOY. The next after Pride is ENVY, who burns ever in his thought, if he sees another preferred to himself or more worthy. Hast thou, my son, in love been sick of another man's welfare?

Yea, father, a thousand times, when I have seen another blithe of love. I am then like Etna, which burns ever within, or like a ship driven about by the winds and waves. But this is only as regards my lady, when I see lovers approach her and whisper in her ear. Not that I mistrust her wisdom, for none can keep her honour better; yet when I see her make good cheer to any man, I am full of Envy to see him glad.

My son, the hound which cannot eat chaff, will yet drive away the oxen who come to the barn; and so it is often with love. If a man is out of grace himself, he desires that another should fail. (1–96.)

Acis and Galatea. Ovid tells a tale how Poliphemus loved Galathea, and she, who loved another, rejected him. He waited then for a chance to grieve her in her love, and he saw her one day in speech with young Acis under a cliff by the sea. His heart was all afire with Envy, and he fled away like an arrow from a bow, and ran roaring as a wild beast round Etna. Then returning he pushed down a part of the cliff upon Acis and slew him. She fled to the sea, where Neptune took her in his charge, and the gods transformed Acis into a spring with fresh streams, as he had been fresh in love, and were wroth with Polipheme for his Envy. (97–200.)

Thus, my son, thou mayest understand that thou must let others be.

My father, the example is good, and I will work no evil in love for Envy. (200–220.)

221–382. JOY FOR ANOTHER'S GRIEF. This vice rejoices when he sees other men sad, and thinks that he rises by another's fall, as in other things, so also in love. Hast thou done so, my son?

Yes, father, I confess that when I see the lovers of my lady get a fall, I rejoice at it; and the more they lose, the more I think that I shall win: and if I am none the better for it, yet it is a pleasure to me to see another suffer the same pains as I. Tell me if this be wrong.

This kind of Envy, my son, can never be right. It will sometimes be willing to suffer loss, in order that another may also suffer, as a tale will show. (221–290.)

The Travellers and the Angel. Jupiter sent down an angel to report of the condition of mankind. He joined himself to two travellers, and he found by their talk that one was covetous and the other envious. On parting he told them that he came from God, and in return for their kindness he would grant them a boon: one should choose a gift and the other should have the double of what his fellow asked. The covetous man desired the other to ask, and the other, unwilling that his fellow should have more good than he, desired to be deprived of the sight of one eye, in order that his fellow might lose both. This was done, and the envious man rejoiced. (291-364.)

This is a thing contrary to nature, to seek one's own harm in order to grieve another.

My father, I never did so but in the way that I have said: tell me if there be more.

383-1871. DETRACTION. There is one of the brood of Envy called Detraction. He has Malebouche in his service, who cannot praise any without finding fault. He is like the beetle which flies over the fields, and cares nothing for the spring flowers, but makes his feast of such filth as he may find. So this envious jangler makes no mention of a man's virtue, but if he find a fault he will proclaim it openly. So also in Love's court many envious tales are told. If thou hast made such janglery, my son, shrive thee thereof. (383-454.)

Yes, father, but not openly. When I meet my dear lady and think of those who come about her with false tales, all to deceive an innocent (though she is wary enough and can well keep herself), my heart is envious and I tell the worst I know against them; and so I would against the truest and best of men, if he loved my lady; for I cannot endure that any should win there but I. This I do only in my lady's ear, and above all I never tell any tale which touches her good name. Tell me then what penance I shall endure for this, for I have told you the whole truth.

My son, do so no more. Thy lady, as thou sayest, is wise and wary, and there is no need to tell her these tales. Moreover she will like thee the less for being envious, and often the evil which men plan towards others falls on themselves. Listen to a tale on this matter. (454-586.)

Tale of Constance. The Roman Emperor Tiberius Constantinus had a daughter Constance, beautiful, wise, and full of faith. She converted to Christianity certain merchants of Barbary, who came to Rome to sell their wares, and they, being questioned by the Soldan when they returned, so reported of Constance that he resolved to ask for her in marriage. He sent to Rome and agreed to be converted, and Constance was sent with two cardinals and many other lords, to be his bride. But the mother of the Soldan was moved by jealousy. She invited the whole company to a feast, and there slew her own son and all who had had to do with the marriage except Constance herself, whom she ordered to be placed alone in a rudderless ship with victuals for five years, and so to be committed to the winds and waves. (587-713.)

For three years she drifted under God's guidance, and at last came to land in Northumberland, near a castle on the bank of Humber, which was kept by one Elda for the king of that land Allee, a Saxon and a worthy knight. Elda found her in the ship and committed her to the care of Hermyngheld his wife, who loved her and was converted by her. Hermyngheld in the name of Christ restored sight to a blind man, at which all wondered, and Elda was converted to the faith. On the morrow he rode to the king, and thinking to please him, who was then unwedded, told him of Constance. The king said he would come and see her. Elda sent before him a knight whom he trusted, and this knight had loved Constance, but she had rejected him, so that his love was turned to hate. When he came to the castle he delivered the message, and they prepared to receive the king; but in the night he cut the throat of Hermyngheld and placed the bloody knife under the bed where Constance lay. Elda came the same night and found his wife lying dead and Constance sleeping by her. The false knight accused Constance and discovered the knife where he had placed it. Elda was not convinced, and the knight swore to her guilt upon a book. Suddenly the hand of heaven smote him and his eyes fell out of his head, and a voice bade him confess the truth, which he did, and thereupon died. (714–885.)

After this the king came, and desiring to wed Constance, agreed to receive baptism. So a bishop came from Bangor in Wales and christened him and many more, and married Constance to the king. She would not tell who she was, but the king perceived that she was a noble creature. God visited her and she was with child, but the king was compelled to go out on a war, and left his wife with Elda and the bishop. A son was born and baptized by the name of Moris, and letters were written to the king, and the bearer of them, who had to pass by Knaresborough, stayed there to tell the news to the king's mother Domilde. She in the night changed the letters for others, which said, as from the keepers of the queen, that she had been delivered of a monster. The messenger carried the letters to the king, who wrote back that they should keep his wife carefully till he came again. On his return the messenger stayed again at Knaresborough, and Domilde substituted a letter bidding them on pain of death place Constance and her child in the same ship in which she had come, and commit them to the sea. They grieved bitterly, but obeyed. She prayed to heaven for help and devoted herself to the care of the child (886–1083). After the end of that year the ship came to land near a castle in Spain, where a heathen admiral was lord, who had a steward named Theloüs, a false renegade. He came to see the ship and found Constance, but he let none else see her; and at night he returned, thinking to have her at his will. He swore to kill her if she resisted him, and she bade him look out at the port to see if any man was near: then on the prayer of Constance he was thrown out of the ship and drowned. A wind arose which took her from the land, and after three years she came to a place where a great navy lay. The lord of these ships questioned her, but she told him little, giving her name as Couste. He said that he came from taking vengeance on the Saracens for their treachery, but could hear no news of Constance. He was the Senator of Rome and was married to a niece of the Emperor named Heleine. She came to Rome with her child and dwelt with his wife till twelve years were gone, and none knew what she was, but all loved her well. (1084-1225.)

In the meantime king Allee discovered the treachery and took vengeance on his mother, who was burnt to death after confession of her guilt; and all said that she had well deserved her punishment and lamented for Constance. Having finished his wars, the king resolved to go to Rome for absolution, and leaving Edwyn his heir to rule the land, he set forth with Elda. Arcennus reported to his wife and to Couste the coming of king Allee, and Couste swooned for joy. The king, after seeing the Pope and relieving his conscience, made a feast, to which he invited the Senator and others. Moris went also, and his mother bade him stand at the feast in sight of the king. The king seeing him thought him like his wife Constance, and loved him without knowing why. He asked Arcennus if the child were his son, and from him he heard his story and the name of his mother. The king smiled at the name 'Couste,' knowing that it was Saxon for Constance, and was eager to ascertain the truth. After the feast he besought the Senator to bring him home to see this Couste, and never man was more joyful than he was when he saw his wife. (1226-1445.)

The king remained at Rome for a time with Constance, but still she did not tell him who she was. After a while she prayed him to make an honourable feast before he left the city and to invite the Emperor, who was at a place a few miles away from the city. Moris was sent to beseech him to come and eat with them, which request he granted; and at the time appointed they all went forth to meet the Emperor. Constance, riding forward to welcome him, made herself known to him as his daughter. His heart was overcome, as if he had seen the dead come to life again, and all present shed tears. So a parliament was held and Moris was named heir to the Emperor. King Allee and Constance returned home to the great joy of their land; but soon after this the king died, and Constance came again to Rome. After a short time the Emperor also died in her arms, and she herself in the next year following. Moris was crowned Emperor and known as 'the most Christian.' (1446-1598.)

Thus love at last prevailed and the false tongues were silenced. Beware then thou of envious backbiting and lying, and if thou wouldest know further what mischief is done by backbiting, hear now another tale. (1599-1612.)

Demetrius and Perseus. Philip king of Macedoine had two sons,

Demetrius and Perseus. Demetrius the elder was the better knight, and he was heir to the kingdom ; but Perseus had envy of him and slandered him to his father behind his back, saying that he had sold them to the Romans. Demetrius was condemned on suborned evidence and by a corrupt judge, and so put to death. Perseus then grew so proud that he disdained his father and usurped his power, so that the father perceived the wrong which had been done ; but the other party was so strong that he could not execute justice, and thus he died of grief.

Then Perseus took the government and made war on Rome, gathering a great host. The Romans had a Consul named Paul Emilius, who took this war in hand. His little daughter wept when she parted from him, because her little dog named Perse was dead, and this seemed to him a prognostic of success, for Perseus had spoken against his brother like a dog barking behind a man's back. Perseus rode with his host, not foreseeing the mischief, and he lost a large part of his army by the breaking of the ice of the Danube. Paulus attacked him and conquered both him and his land, so that Perseus himself died like a dog in prison, and his heir, who was exiled from his land, gained his bread by working at a craft in Rome. (1613–1861.)

Lo, my son, what evil is done by the Envy which endeavours to hinder another.

I will avoid it, my father ; but say on, if there be more.

My son, there is a fourth, as deceptive as the guiles of a juggler, and this is called False Semblant. (1862–1878.)

1879–2319. FALSE SEMBLANT. This is above all the spring from which deceit flows. It seems fair weather on that flood ; but it is not so in truth. False Semblant is allied with Hypocrisy, and Envy steers their boat. Therefore flee this vice and let thy semblant always be true. When Envy desires to deceive, it is False Semblant who is his messenger ; and as the mirror shows what was never within it, so he shows in his countenance that which is not in his heart. Dost thou follow this vice, my son ?

Nay, father, for ought I know ; but question me, I pray you.

Tell me then, my son, if ever thou hast gained the confidence of any man in order to tell out his secrets and hinder him in his love. Dost thou practise such devices ?

For the most part I say nay ; but in some measure I confess I may be reckoned with those that use false colours. I feign to my fellow at times, until I know his counsels in love, and if they concern my lady, I endeavour to overthrow them. If they have to do with others than she, I break no covenant with him nor try to hinder him in his love ; but with regard to her my ears and my heart are open to hear all that any man will say,—first that I may excuse her if they speak ill of her, and secondly that I may know who her lovers are. Then I tell tales of them to my lady, to hinder their suit and further mine. And though

CONFESSIO AMANTIS. ANALYSIS

I myself have no help from it, I can conceal nothing from her which it concerns her to know. To him who loves not my lady, let him love as many others as he will, I feign no semblant, and his tales sink no deeper than my ears. Now, father, what is your doom and what pain must I suffer? (1879-2076.)

My son, all virtue should be praised and all vice blamed: therefore put no visor on thy face. Yet many men do so nowadays, and especially I hear how False Semblant goes with those whom we call Lombards, men who are cunning to feign that which is not, and who take from us the profit of our own land, while we bear the burdens. They have a craft called *Fa crere*, and against this no usher can bar the door. This craft discovers everything and makes it known in foreign lands to our grievous loss. Those who read in books the examples of this vice of False Semblant, will be the more on their guard against it. (2077-2144.)

Hercules and Deianira. I will tell thee a tale of False Semblant, and how Deianira and Hercules suffered by it. Hercules had cast his heart only upon this fair Deianira, and once he desired to pass over a river with her, but he knew not the ford. There was there a giant called Nessus, who envying Hercules thought to do him harm by treachery, since he dared not fight against him openly. Therefore, pretending friendship, he offered to carry the lady across and set her safe on the other shore. Hercules was well pleased, and Nessus took her upon his shoulder; but when he was on the further side, he attempted to carry her away with him. Hercules came after them and shot him with a poisoned arrow, but before he died he gave Deianira his shirt stained with his heart's blood, telling her that if her lord were untrue, this shirt would make his love return to her. She kept it well in coffer and said no word. The years passed, and Hercules set his heart upon Eole, the king's daughter of Eurice, so that he dressed himself in her clothes and she was clothed in his, and no remedy could be found for his folly. Deianira knew no other help, but took this shirt and sent it to him. The shirt set his body on fire, and clove to it so that it could not be torn away. He ran to the high wood and tore down trees and made a huge fire, into which he leapt and was burnt both flesh and bones. And all this came of the False Semblant which Nessus made. Therefore, my son, beware, since so great a man was thus lost. (2145-2312.)

Father, I will no more have acquaintance with False Semblant, and I will do penance for my former feigning. Ask more now, if more there be.

My son, there is yet the fifth which is conceived of Envy, and that is Supplantation, by means of which many have lost their labour in love as in other things. (2313-2326.)

2327-3110. SUPPLANTATION. This vice has often overthrown men and deprived them of their dignities. Supplantation obtains for himself the profit of other men's loss, and raises himself upon their fall. In the same way there are lovers who supplant others and deprive them of what is theirs by right, reaping what others have sown. If thou hast done so, my son, confess.

For ought I know, father, I am guiltless in deed, but not so in thought. If I had had the power, I would long ago have made appropriation of other men's love. But this only as regards one, for whom I let all others go. If I could, I would turn away her heart from her other lovers and supplant them, no matter by what device: but force I dare not use for fear of scandal. If this be sin, my father, I am ready to redress my guilt. (2327-2428.)

My son, God beholds a man's thought, and if thou knewest what it were to be a supplanter in love, thou wouldest for thine own sake take heed. At Troy Agamenon supplanted Achilles, and Diomede Troilus. *Geta* and *Amphitrion* too were friends, and Geta was the lover of Almena: but when he was absent, Amphitrion made his way to her chamber and counterfeited his voice, whereby he obtained admittance to her bed. Geta came afterwards, but she refused to let him in, thinking that her lover already lay in her arms. (2429-2500.)

The False Bachelor. There was an Emperor of Rome who ruled in peace and had no wars. His son was chivalrous and desirous of fame, so he besought leave to go forth and seek adventures, but his father refused to grant it. At length he stole away with a knight whom he trusted, and they took service with the Soldan of Persia, who had war with the Caliph of Egypt. There this prince did valiantly and gained renown; moreover, he was overtaken by love of the Soldan's fair daughter, so that his prowess grew more and more, and none could stand against him. At length the Soldan and the Caliph drew to a battle, and the Soldan took a gold ring of his daughter and commanded her, if he should fall in the fight, to marry the man who should produce this ring. In the battle this Roman did great deeds, and Egypt fled in his presence. As they of Persia pursued, an arrow struck the Soldan and he was borne wounded to a tent. Dying he gave his daughter's ring to this knight of Rome. After his burial a parliament was appointed, and on the night before it met, this young lord told his secret to his bachelor and showed him the ring. The bachelor feigned gladness, but when his lord was asleep, he stole the ring from his purse and put another in its stead. When the court was set, the young lady was brought forth. The bachelor drew forth the ring and claimed her hand, which was allowed him in spite of protest, and so he was crowned ruler of the empire. His lord fell sick of sorrow, caring only for the loss of his love; and before his death he called the lords to him and sent a message to his lady, and wrote also a letter to his father the Emperor. Thus he died, and the treason was known. The false bachelor was sent to Rome on demand of the Emperor, to receive punishment there, and the dead body also was taken thither for burial. (2501-2781.)

Thus thou mayest be well advised, my son, not to do so; and above all, when Pride and Envy are joined together, no man can find a remedy for the evil. Of this I find a true example in a chronicle of old time, showing how Supplant worked once in Holy Church. I know not if it be so now. (2782-2802.)

Pope Boniface. At Rome Pope Nicholas died, and the cardinals met in conclave to choose another Pope. They agreed upon a holy recluse full of ghostly virtues, and he was made Pope and called Celestin. There was a cardinal, however, who had long desired the papacy, and he was seized with such envy that he thought to supplant the Pope by artifice. He caused a young priest of his family to be appointed to the Pope's chamber, and he told this man to take a trumpet of brass and by means of it speak to the Pope at midnight through the wall, bidding him renounce his dignity. This he did thrice; and the Pope, conceiving it to be a voice from heaven, asked the cardinals in consistory whether a Pope might resign his place. All sat silent except this cardinal of whom we have spoken, and he gave his opinion that the Pope could make a decree by which this might be done. He did so, and the cardinal was elected in his stead under the name of Boniface. But such treason cannot be hid; it is like the spark of fire in the roof, which when blown by the wind blazes forth. Boniface openly boasted of his device; and such was his pride that he took quarrel with Louis, King of France, and laid his kingdom under interdict. The king was counselled by his barons, and he sent Sir William de Langharet, with a company of men-at-arms, who captured the Pope at Pontsorge near Avignon and took him into France, where he was put in bonds and died of hunger, eating off both his hands. Of him it was said that he came in like a fox, reigned like a lion, and died like a dog. By his example let all men beware of gaining office in the Church by wrongful means. God forbid that it should be of our days that the Abbot Joachim spake, when he prophesied of the shameful traffic which should dishonour the Church of God. (2803-3084.)

Envy it was that moved Joab to slay Abner treacherously; and for Envy Achitophel hanged himself when his counsel was not preferred. Seneca says that Envy is the common wench who keeps tavern for the Court, and sells liquour which makes men drunk with desire to surpass their fellows. (3085-3110.)

Envy is in all ways unpleasant in love; the fire within dries up the blood which should flow kindly through his veins. He alone is moved by pure malice in that which he does. Therefore, my son, if thou wouldest find a way to love, put away Envy.

Reason would that I do so, father; but in order that I may flee from this vice, I pray you to tell me a remedy.

My son, as there is physic for the sick, so there are virtues for the vices, which quench them as water does a fire. Against Envy is set Charity, the mother of Pity, which causes a man to be willing to bear evil himself rather than that another should suffer. Hear from me a tale about this, and mark it well. (3111-3186.)

Constantine and Silvester. In Latin books I find how Constantine, the Emperor of Rome, had a leprosy which could not be cured, and wise men ordered for his healing a bath of the blood of children under seven years old. Orders were sent forth, and mothers brought their children from all parts to the palace. The Emperor, hearing the noise of lamentation, looked forth in the morning and was struck with pity. He thought to himself that rich and poor were all alike in God's sight, and that a man should do to others as he would that others should do to him. He resolved rather to suffer his malady than that so much innocent blood should be shed, and he sent the mothers and children away happy to their homes. In the night he had a vision of Saint Peter and Saint Paul, saying to him, that as he had shown mercy, mercy should be shown to him, and bidding him send to fetch Silvester from Mount Celion, where he was hiding for fear of the Emperor, who had been a foe to Christ's faith. They told him their names and departed, and he did as they commanded. Silvester came and preached to the Emperor of the redemption of mankind and the last judgement, and said that God had accepted the charity and pity which he had shown. Constantine received baptism in the same vessel which had been prepared for the blood; and as he was being baptized, a light from heaven shone in the place and the leprosy fell from him as it were fishes' scales. Thus body and soul both were cleansed. The Emperor sent forth letters bidding all receive baptism on pain of death, and founded two churches in Rome for Peter and Paul, to which he gave great worldly possessions. His will was good, but the working of his deed was bad. As he made the gift, a voice was heard from heaven saying that the poison of temporal things was this day mingled with the spiritual. All may see the evil now, and may God amend it. (3187-3496.)

I have said, my son, how Charity may help a man in both worlds; therefore, if thou wouldest avoid Envy, acquaint thyself with Charity, which is the sovereign virtue.

My father, I shall ever eschew Envy the more for this tale which ye have told, and I pray you to give me my penance for that which I have done amiss, and to ask me further.

I will tell thee, my son, of the vice which stands next after this. (3497-3530.)

LIB. III.

There is a vice which is the enemy to Patience and doth no pleasure to nature. This is one of the fatal Seven and is called IRE, which in English is WRATH.

25-416. He has five servants to help him, of whom the first is MELANCHOLY, which lours like an angry beast and none knows the reason why. Hast thou been so, my son?

Yea, father, I may not excuse myself therof, and love is the cause of it. My heart is ever hot and I burn with wrath, angered with myself because I cannot speed. Waking I dream that I meet with my lady and pray her for an answer to my suit, and she, who will not gladly swear, saith me nay without an oath, wherewith I am so distempered that I almost lose my wits; and when I think how long I have served and how I am refused, I am angry for the smallest thing, and every servant in my house is afraid of me until the fit passes. If I approach my lady and she speaks a fair word to me, all my anger is gone; but if she will not look upon me, I return again to my former state. Thus I hurt my hand against the prick and make a whip for my own self; and all this springs from Melancholy. I pray you, my father, teach me some example whereby I may appease myself.

My son, I will fulfil thy prayer. (25-142.)

Canace and Machaire. There was a king called Eolus, and he had two children, a son Machaire and a daughter Canace. These two grew up together in one chamber, and love made them blind, so that they followed only the law of nature and saw not that of reason. As the bird which sees the food but not the net, so they saw not the peril. At length Canace was with child and her brother fled. The child was born and the truth could not be hid. The father came into her chamber in a frenzy of wrath, and she in vain entreated for mercy. He sent a knight to her with a sword, that she might slay herself; but first she wrote a letter to her brother, while her child lay weeping in her breast. Then she set the pommel of the sword to ground and pierced her heart with the point. The king bade them take the child and cast it out for wild beasts to devour. Little did he know of love who wrought such a cruel deed. (143-336.)

Therefore, my son, have regard to love, and remember that no man's might can resist what Nature has ordained. Otherwise vengeance may fall, as in a tale that I will tell. (337-360.)

Tiresias saw two snakes coupled together and smote them with his staff. Thereupon, as he had disturbed nature, so he was transformed against nature into a woman. (361-380.)

Thus wrote Ovid, and thus we see that we ought not to be wroth against the law of nature in men. There may be vice in love, but there is no malice.

My father, all this is true. Let every man love whom he will; I shall not be wroth, if it be not my lady. I am angry only with myself, because I can find no remedy for my evils. (381–416.)

417–842. CHESTE. The second kind of Wrath is Cheste, which has his mouth ever unlocked and utters evil sayings of every one. Men are more afraid of him than of thunder and exclaim against his evil tongue. Tell me, my son, if thou hast ever chid toward thy love.

Nay, father, never: I call my lady herself to witness. I never dared speak to her any but good words. I may have said at times more than I ought, the best plowman balks sometimes, and I have often spoken contrary to her command; but she knows well that I do not chide. Men may pray to God, and he will not be wroth; and my lady, being but a woman, ought not to be angry if I tell her of my griefs. Often indeed I chide with myself, because I have not said that which I ought, but this avails me nothing. Now ye have heard all, therefore give me absolution.

My son, if thou knewest all the evils of Cheste in love, thou wouldest learn to avoid it. Fair speech is most accordant to love; therefore keep thy tongue carefully and practise Patience.

My father, tell me some example of this. (417–638.)

Patience of Socrates. A man should endure as Socrates did, who to try his own patience married a scolding wife. She came in on a winter day from the well and saw her husband reading by the fire. Not being able to draw an answer to her reproaches, she emptied the water-pot over his head: but he said only that rain in the course of nature followed wind, and drew nearer to the fire to dry his clothes. (639–698.)

I know not if this be reasonable, but such a man ought truly to be called patient by judgement of Love's Court.

Here again is a tale by which thou mayest learn to restrain thy tongue. (699–730.)

Jupiter, Juno and Tiresias. Jupiter and Juno fell out upon the question whether man or wife is the more ardent in love, and they made Tiresias judge. He speaking unadvisedly gave judgement against Juno, who deprived him of his sight. Jupiter in compensation gave him the gift of prophecy, but he would rather have had the sight of his eyes. Therefore beware, and keep thy tongue close. (731–782.)

Phebus and Cornide. Phebus loved Cornide, but a young knight visited her in her chamber. This was told to Phebus by a bird which she kept, and he in anger slew Cornide. Then he repented, and as a punishment he changed the bird's feathers from white to black. (783–817.)

Jupiter and Laar. The nymph Laar told tales of Jupiter to Juno, and he cut off her tongue and sent her down to hell. There are many such now in Love's Court, who let their tongues go loose. Be not thou one of these, my son, and above all avoid Cheste.

My father, I will do so: but now tell me more of Wrath. (818-842.)

843-1088. HATE is the next, own brother to Cheste. Art thou guilty of this?

I know not as yet what it is, except ye teach me.

Listen then: Hate is a secret Wrath, gathering slowly and dwelling in the heart, till he see time to break forth.

Father, I will not swear that I have been guiltless of this; for though I never hated my lady, I have hated her words. Moreover I hate those envious janglers who hinder me with their lies, and I pray that they may find themselves in the same condition as I am. Then I would stand in their way, as they stand in mine, and they would know how grievous a thing it is to be hindered in love.

My son, I cannot be content that thou shouldest hate any man, even though he have hindered thee. But I counsel thee to beware of other men's hate, for it is often disguised under a fair appearance, as the Greeks found to their cost. (843-972.)

King Namplus and the Greeks. After the fall of Troy the Greeks, voyaging home, were overtaken by a storm and knew not how to save their ships. Now there was a king, Namplus, who hated the Greeks because of his son Palamades, whom they had done to death, and he lighted fires to lure their ships towards his rocky coast. They supposed that the fires were beacons to guide them into haven, and many of their ships ran on the rocks. The rest, warned by the cry of those that perished, put forth again to sea.

By this, my son, thou mayest know how Fraud joins with Hate to overthrow men. (973-1088.)

1089-2621. CONTEK and HOMICIDE. Two more remain, namely Contek, who has Foolhaste for his chamberlain, and Homicide. These always in their wrath desire to shed blood, and they will not hear of pity. Art thou guilty of this, my son?

Nay, my father, Christ forbid. Yet as regards love, about which is our shrift, I confess that I have Contek in my heart, Wit and Reason opposing Will and Hope. Reason says that I ought to cease from my love, but Will encourages me in it, and he it is who rules me.

Thou dost wrong, my son, for Will should ever be ruled by Reason, whereof I find a tale written. (1089-1200.)

Diogenes and Alexander. There was a philosopher named Diogenes, who in his old age devised a tun, in which he sat and observed the heavens. King Alexander rode by with his company and sent a knight to find out what this might be. The knight questioned Diogenes, but he could get no answer. 'It is thy king who asks,' said the knight in anger. 'No, not my king,' said the philosopher. 'What then, is he thy man?' 'Nay, but rather my man's man.' The knight told the king, who rode himself to see. 'Father,' he said, 'tell me how I am thy man's man.' Diogenes replied, 'Because I have always kept Will in subjection to me, but with thee Will is master and causes thee to sin.' The king offered to give him whatsoever he should ask. He replied, 'Stand thou out of my sunshine: I need no other gift from thee.'

From this thou mayest learn, my son; for thou hast said that thy will is thy master, and hence thou hast Contek in thine heart, and this, since love is blind, may even breed Homicide. (1201–1330.)

Pyramus and Thisbe. In the city of Semiramis there dwelt two lords in neighbouring houses, and the one had a son named Piramus, and the other a daughter, Tisbee. These loved each other, and when two are of one accord in love, no man can hinder their purpose. They made a hole in the wall between them and conversed through this, till at length they planned to meet near a spring without the town. The maiden was there first; but a lion came to drink at the spring with snout all bloody from a slain beast, and she fled away, leaving her wimple on the ground. This the lion tore and stained with blood, while she lay hid in a bush, not daring to move. Piramus came soon and supposed she had been slain. Reproaching himself as the cause of her death, he slew himself with his sword in his foolhaste. Tisbee came then and found him dead, and she called upon the god and goddess of love, who had so cruelly served those who were obedient to their law. At last her sorrow overcame her, so that she knew not what she did. She set the sword's point to her heart and fell upon it, and thus both were found lying. (1331–1494.)

Beware by this tale that thou bring not evil on thyself by foolhaste.

My father, I will not hide from you that I have often wished to die, though I have not been guilty of the deed. But I know by whose counsel it is that my lady rejects me, and him I would slay if I had him in my power.

Who is this mortal enemy, my son?

His name is *Danger*, and he may well be called 'sanz pite.' It is he who hinders me in all things and will not let my lady receive my suit. He is ever with her and gives an evil answer to all my prayers. Thus I hate him and desire that he should be slain. But as to my lady, I muse at times whether she will be acquitted of homicide, if I die for her love, when with one word she might have saved me.

My son, refrain thine heart from Wrath, for Wrath causes a man to fail of love. Men must go slowly on rough roads and consider before they climb: 'rape reweth,' as the proverb says, and it is better to cast water on the fire than burn up the house. Be patient, my son: the mouse cannot fight with the cat, and whoso makes war on love will have the worse. Love demands peace, and he who fights most will conquer least. Hasten not to thy sorrow: he has not lost who waits.

CONFESSIO AMANTIS. ANALYSIS. liii

Thou mayest take example by Piramus, who slew himself so foolishly. Do nothing in such haste, for suffrance is the well of peace. Hasten not the Court of Love, in which thou hast thy suit. Foolhaste often sets a man behind, and of this I have an example. (1495-1684.)

Phebus and Daphne. Phebus laid his love on Daphne and followed his suit with foolish haste. She ever said him nay, and at length Cupid, seeing the haste of Phebus, said that he should hasten more and yet not speed. He pierced his heart therefore with a golden dart of fire, and that of Daphne with a dart of lead. Thus the more Phebus pursued, the more she fled away, and at length she was changed into a laurel tree, which is ever green, in token that she remained ever a maid. Thus thou mayest understand that it is vain to hasten love, when fortune is against it.

Thanks, father, for this: but so long as I see that my lady is no tree, I will serve her, however fortune may turn.

I say no more, my son, but think how it was with Phebus and beware. A man should take good counsel always, for counsel puts foolhaste away.

Tell me an example, I pray you. (1685-1756.)

Athemas and Demephon. When Troy was taken and the Greeks returned home, many kings found their people unwilling to receive them. Among these were Athemas and Demephon, who gathered a host to avenge themselves and said they would spare neither man, woman, nor child. Nestor however, who was old and wise, asked them to what purpose they would reign as kings, if their people should be destroyed, and bade them rather win by fair speech than by threats. Thus the war was turned to peace: for the nations, seeing the power which the kings had gathered, sent and entreated them to lay aside their wrath. (1757-1856.)

By this example refrain thine heart, my son, and do nothing by violence which may be done by love. As touching Homicide, it often happens unadvisedly through Will, when Reason is away, and great vengeance has sometimes followed. Whereof I shall tell a tale which it is pity to hear. (1857-1884.)

Orestes. Agamenon, having returned from Troy, was slain by his wife Climestre and her lover Egistus. Horestes, his infant son, was saved and delivered into the keeping of the king of Crete. When he grew up, he resolved to avenge his father, and coming to Athens gathered a power there with the help of the duke. When he offered sacrifice in a temple for his success, the god gave him command to slay his mother, tearing away her breasts with his own hands and giving her body to be devoured. He rode to Micene and took the city by siege: then he sent for his mother and did as the oracle had commanded. Egistus, coming to the rescue of Micene, was caught in an ambush and hanged as a traitor.

Fame spread these deeds abroad, and many blamed Horestes for slaying his mother. The lords met at Athens and sent for him to come and answer for his deed. He told how the gods had laid a charge upon him to execute judgement, as he had done, and Menesteus, a duke and worthy knight, spoke for him and championed his cause. They concluded upon this that since she had committed so foul an adultery and murder, she had deserved the punishment, and Horestes was crowned king of Micene. Egiona, daughter of Egistus and Climestre, who had consented to the murder of Agamenon, hanged herself for sorrow that her brother had been acquitted. Such is the vengeance for murder. (1885-2195.)

My father, I pray you tell me if it is possible without sin to slay a man.

Yea, my son, in sundry wise. The judge commits sin if he spares to slay those who deserve death by the law. Moreover a man may defend his house and his land in war, and slay if no better may be.

I beseech you, father, to tell me whether those that seek war in a worldly cause, and shed blood, do well. (2196-2250.)

War. God has forbidden homicide, and when God's Son was born, his angels proclaimed peace to the men of good will. Therefore by the law of charity there should be no war, and nature also commends peace. War consorts with pestilence and famine and brings every kind of evil upon the earth. I know not what reward he deserves who brings in such things; and if he do it to gain heaven's grace, he shall surely fail. Since wars are so evil in God's sight, it is a marvel what ails men that they cannot establish peace. Sin, I trow, is the cause, and the wages of sin is death. Covetousness first brought in war, and among the Greeks Arcadia alone was free from war, because it was barren and poor. Yet it is a wonder that a worthy king or lord will claim that to which he has no right. Nature and law both are against it, but Wit is here oppressed by Will, and some cause is feigned to deceive the world. Thou mayest take an example of this, how men excuse their wrong-doing, and how the poor and the rich are alike in the lust for gain. (2251-2362.)

Alexander and the Pirate. A sea-rover was brought before Alexander and accused of his misdeeds. He replied, 'I have a heart like thine, and if I had the power, I would do as thou dost. But since I am the leader of a few men only, I am called a thief, while thou with thy great armies art called an Emperor. Rich and poor are not weighed evenly in the balance.' The king approved his boldness and retained him in his service. (2363-2417.)

Thus they who are set on destruction are all of one accord, captain and company alike. When reason is put aside, man follows rapine like a bird of prey, and all the world may not suffice for his desires. Alexander overran the whole earth and died miserably, when he thought himself most secure. Lo, what profit it is to slay men for covetousness, as if they were beasts. Beware, my son, of slaying. (2418-2484.)

Is it lawful, my father, fo pass over the sea to war against the Saracen?

My son, Christ bade men preach and suffer for the faith. He made all men free by his own death, and his apostles after him preached and suffered death: but if they had wished to spread the faith by the sword, it would never have prevailed. We see that since the time when the Church took the sword in hand, a great part of that which was won has been lost to Christ's faith. Be well advised then always ere thou slay. Homicide stands now even in the Church itself; and when the well of pity is thus defouled with blood, others do not hesitate to make war and to slay. We see murder now upon the earth as in the days when men bought and sold sins.

In Greece before Christ's faith men were dispensed of the guilt of murder by paying gold: so it was with Peleus, Medea, Almeus, and so it is still. But after this life it shall be known how it fares with those who do such things. Beasts do not prey upon their own kind, and it is not reasonable that man should be worse than a beast.

Solinus tells a tale of a bird with man's face, which dies of sorrow when it has slain a man. By this example men should eschew homicide and follow mercy. (2485-2621.)

I have heard examples of this virtue of MERCY among those who followed the wars. Remember, my son, that this virtue brings grace, and that they who are most mighty to hurt should be the most ready to relieve. (2622-2638.)

Telaphus and Theucer. Achilles and his son Telaphus made war on Theucer, king of Mese. Achilles was about to slay the king in the battle, but Telaphus interceded for him, saying that Theucer once did him good service. Thus the king's life was spared but the Greeks won the victory. Theucer, grateful for this and for other service before rendered by Achilles, made Telaphus heir to all his land, and thus was mercy rewarded. (2639-2717.)

Take pity therefore, my son, of other men's suffering, and let nothing be a pleasure to thee which is grief to another. Stand against Ire by the counsel of Patience and take Mercy to be the governor of thy conscience: so shalt thou put away all homicide and hate, and so shalt thou the sooner have thy will of love.

Father, I will do your hests; and now give me my penance for Wrath, and ask further of my life.

My son, I will do so. Art thou then guilty of Sloth?

My father, I would know first the points which belong to it.

Hearken then, and I will set them forth: and bear well in mind that shrift is of no value to him that will not endeavour to leave his vice. (2718-2774.)

LIB. IV.

1–312. LACHESCE is the first point of SLOTH, and his nature is to put off till to-morrow what he ought to do to-day. Hast thou done so in love?

Yes, my father, I confess I am guilty. When I have set a time to speak to that sweet maid, Lachesce has often told me that another time is better, or has bidden me write instead of speaking by mouth. Thus I have let the time slide for Sloth, until it was too late. But my love is always the same, and though my tongue be slow to ask, my heart is ever entreating favour. I pray you tell me some tale to teach me how to put away Lachesce. (1–76.)

Eneas and Dido. When Eneas came with his navy to Carthage, he won the love of the queen Dido, who laid all her heart on him. Thence he went away toward Ytaile; and she, unable to endure the pain of love, wrote him a letter saying that if he came not again, it would be with her as with the swan that lost her mate, she should die for his sake. But he, being slothful in love, tarried still away, and she bitterly complaining of his delay, thrust a sword through her heart and thus got rest for herself. (77–146.)

Ulysses and Penelope. Again, when Ulixes stayed away so long at Troy, his true wife Penelope wrote him a letter complaining of his Lachesce. So he set himself to return home with all speed as soon as Troy was taken. (147–233.)

Grossteste. The great clerk Grossteste laboured for seven years to make a speaking head of brass, and then by one half-minute of Lachesce he lost all his labour. (234–243.)

It fares so sometimes with the lover who does not keep his time. Let him think of the five maidens whose lamps were not lit when the bridegroom came forth, and how they were shut out.

My father, I never had any time or place appointed me to get any grace: otherwise I would have kept my hour. But she will not alight on any lure that I may cast, and the louder I cry, the less she hears.

Go on so, my son, and let no Lachesce be found in thee. (244–312.)

313–538. PUSILLANIMITY means in our language the lack of heart to undertake man's work. This vice is ever afraid when there is no cause of dread. So as regards love there are truants that dare not speak, who are like bells without clappers and do not ask anything.

I am one of those, my father, in the presence of my lady.

Do no more so, my son, for fortune comes to him who makes continuance in his prayers. (313–370.)

Pygmaleon. There was one named Pymaleon, a sculptor of great skill, who made an image of a woman in ivory, fairer than any living creature. On this he set his love and prayed her ever for a return, as though she understood what he said. At length Venus had pity on him and transformed the image into a woman of flesh and blood. Thus he won his wife; but if he had not spoken, he would have failed. By this example thou mayest learn that word may work above nature, and that the god of love is favourable to those who are steadfast in love. About which also I read a strange tale. (371–450.)

Iphis. King Ligdus told his wife that if her child about to be born should be a daughter, it must be put to death. A daughter was born, whom Isis the goddess of childbirth bade bring up as a boy. So they named him Iphis, and when he was ten years old he was betrothed to Iante. Cupid took pity on them at last for the love that they had to one another, and changed Iphis into a man. (451–505.)

Thus love has goodwill towards those who pursue steadfastly that which to love is due.

My father, I have not failed for lack of prayer, except so far as I said above. I beseech Love day and night to work his miracle for me. (506–538.)

539–886. FORGETFULNESS. There is yet another who serves Accidie, and that is Foryetelness. He forgets always more than the half of that which he has to say to his love.

So it has often been with me, father: I am so sore afraid in her presence that I am as one who has seen a ghost, and I cannot get my wits for fear, but stand, as it were, dumb and deaf. Then afterwards I lament and ask myself why I was afraid, for there is no more violence in her than in a child of three years old. Thus I complain to myself of my forgetfulness; but I never forget the thought of her, nor should do, though I had the Ring of Oblivion, which Moses made for Tharbis. She is near my heart always, and when I am with her, I am so ravished with the sight of her, that I forget all the words that I ought to speak. Thus it is with me as regards forgetfulness and lack of heart.

My son, love will not send his grace unless we ask it. God knows a man's thought and yet he wills that we should pray. Therefore pull up a busy heart and let no chance escape thee; and as touching Foryetelness I find a tale written. (539–730.)

Demophon and Phyllis. King Demephon, as he sailed to Troy, came to Rhodopeie, of which land Phillis was queen. He plighted his troth to her, and she granted him all that he would have. Then came the time that he should sail on to Troy, but he vowed to return to her within a month. The month passed and he forgot his time. She sent him a letter, setting him a day, and saying that if he came not, his sloth would cause her death. She watched and waited, putting up a lantern in a tower by night, but he did not return. Then when the day came and no sail appeared, she ran down from the tower to an arbour where she was alone, and hanged herself upon a bough with a girdle of silk. The gods shaped her into a tree, which men called after her Philliberd, and this name it has still to the shame of Demephon, who repented, but all too late. Thus none can guess the evil that comes through Foryetelness. (731-886.)

887-1082. NEGLIGENCE is he who will not be wise beforehand, and afterwards exclaims, 'Would God I had known!' He makes the stable-door fast after the steed is stolen. If thou art so in love, thou wilt not achieve success.

My father, I may with good conscience excuse myself of this. I labour to learn love's craft, but I cannot find any security therein. My will is not at fault, for I am busy night and day to find out how love may be won.

I am glad, my son, that thou canst acquit thyself of this, for there is no science and no virtue that may not be lost by Negligence. (887-978.)

Phaeton. Phebus had a son named Pheton, who, conspiring with his mother Clemenee, got leave to drive the chariot of the Sun. Phebus advised him how he should do, and that he should drive neither too low nor too high. But he through Negligence let the horses draw the car where they would, and at last the world was set on fire. Phebus then caused him to fall from the car, and he was drowned in a river. (979-1034.)

Icarus. As in high estate it is a vice to go too low, so in low estate it does harm to go too high. Dedalus had a son named Icharus, and they were in prison with Minotaurus and could not escape. This Dedalus then fashioned wings for himself and his son, and he warned his son not to fly too high, lest the wax with which his wings were set on should melt with the sun. Icharus neglected his father's warning and fell to his destruction: and so do some others. (1035-1082.)

1083-2700. IDLENESS is another of the brood of Sloth and is the nurse of every vice. In summer he will not work for the heat and in winter for the cold. He will take no travail for his lady's sake, but is as a cat that would eat fish and yet not wet his claws. Art thou of such a mould? Tell me plainly.

Nay, father, towards love I was never idle.

What hast thou done then, my son?

In every place where my lady is, I have been ready to serve her, whether in chamber or in hall. When she goes to mass, I lead her up to the offering; when she works at her weaving or embroidery, I stand by, and sometimes I tell tales or sing. When she will not stay with me, but busies herself elsewhere, I play with the dog or the birds and talk to the page or the waiting-maid, to make an excuse for my lingering. If she will ride, I lift her into the saddle and go by her side, and at other times I ride by her carriage and speak with her, or sing. Tell me then if I have any guilt of Idleness.

Thou shalt have no penance here, my son; but nevertheless there are many who will not trouble themselves to know what love is, until he overcome them by force. Thus a king's daughter once was idle, until the god of love chastised her, as thou shalt hear. (1083-1244.)

Rosiphelee, daughter of Herupus, king of Armenie, was wise and fair, but she had one great fault of sloth, desiring neither marriage nor the love of paramours. Therefore Venus and Cupid made a rod for her chastising, so that her mood at length was changed. She walked forth once in the month of May, and staying alone under the trees near a lawn, she heard the birds sing and saw the hart and the hind go together, and a debate arose within her as to love. Then casting her eyes about, she saw a company of ladies riding upon white horses. They had saddles richly adorned and were clothed in the fairest copes and kirtles, all alike of white and blue. Their beauty was beyond that of earthly things, and they wore crowns upon their heads such that all the gold of Cresus could not have purchased the least of them.

The king's daughter drew back abashed and hid herself to let them pass, not daring to ask who they were. Then after them she saw a woman on a black horse, lean, galled and limping, yet with a richly jewelled bridle. The woman, though fair and young, had her clothing torn and many score of halters hanging about her middle. The princess came forth and asked her what this company might be, and she said these were they who had been true servants to love, but she herself had been slow and unwilling; and therefore each year in the month of May she must needs ride in this manner and bear halters for the rest. Her jewelled bridle was granted her because at last she had yielded to love, but death came upon her too suddenly. 'I commend you to God, lady,' she said, 'and bid you warn all others for my sake not to be idle in love, but to think upon my bridle.' Thus she passed out of sight like a cloud, and the lady was moved with fear and amended her ways, swearing within her heart that she would bear no halters. (1245-1446.)

Understand then, my son, that as this lady was chastised, so should those knights take heed who are idle towards love, lest they deserve even a greater punishment. Maidens too must follow the law of love and not waste that time during which they might be bearing the charge of children for the service of the world. And about this I think to tell them a tale. (1447-1504.)

Jephthah's daughter. Among the Jews there was a duke named Jepte, who going to war against Amon, made a vow that if victory were granted to him, he would sacrifice to God the first who should meet him on his return. He overcame his foes and returning met his daughter, who came forth to welcome him with songs and dances. When she saw his sorrow and heard the vow that he had made, she bade him keep his covenant, and asked only for a respite of forty days to bewail her maidenhead, in that she had brought forth no children for the increase of her people. So with other maidens she went weeping over the downs and the dales, and mourned for the lost time which she never could now redeem. (1505-1595.)

Father, ye have done well to rebuke maidens for this vice of Sloth: but as to the travail which ye say men ought to take for love, what mean ye by this?

I was thinking, my son, of the deeds of arms that men did in former times for love's sake. He who seeks grace in love must not spare his travail. He must ride sometimes in Pruce and sometimes in Tartary, so that the heralds may cry after him, 'Valiant, Valiant!' and his fame may come to his lady's ear. This is the thing I mean. Confess, if thou hast been idle in this. (1596-1647.)

Yea, my father, and ever was. I know not what good may come of slaying the heathen, and I should have little gain from passing over the sea, if in the meantime I lost my lady at home. Let them pass the sea whom Christ commanded to preach his faith to all the world; but now they sit at ease and bid us slay those whom they should convert. If I slay a Saracen, I slay body and soul both, and that was never Christ's lore.

As for me, I will serve love, and go or stay as love bids me. I have heard that Achilles left his arms at Troy for love of Polixenen, and so may I do: but if my lady bade me labour for her, I would pass through sky or sea at her command. Nevertheless I see that those who labour most for love, win often the least reward, and though I have never been idle in deed, yet the effect is always idleness, for my business avails me nothing. Therefore idle I will call myself.

My son, be patient. Thou knowest not what chance may fall. It is better to wait on the tide than to row against the stream. Perchance the revolution of the heavens is not yet in accord with thy condition. I can bear witness to Venus that thou hast not been idle in love; but since thou art slow to travail in arms and makest an argument of Achilles, I will tell thee a tale to the contrary. (1648-1814.)

Nauplus and Ulysses. King Nauplus, father of Palamades, came to persuade Ulixes to go with the Greeks to Troy. He, however, desired to stay at home with his wife, and feigning madness he yoked foxes to his plough and sowed the land with salt. Nauplus saw the cause and laid the infant son of Ulixes before his plough. The father turned the plough aside, and Nauplus rebuked him for thus unworthily forsaking the honour of arms and for setting love before knighthood. He repented of his folly and went forth with them to Troy. (1815-1891.)

Thus a knight must prefer honour to worldly ease and put away all dread, as did *Prothesilai*, whose wife wrote to him that he should lose his life if he landed at Troy; and he took no heed of her womanish fears, but was the first to land, choosing rather to die with honour than to live reproved. (1892-1934.)

Saul too, when the spirit of Samuel told him that he should be slain in battle, would not draw back from the danger, but with Jonathas his son he met his enemies on the mountains of Gelboe, and won eternal fame. (1935-1962.)

Education of Achilles. Prowess is founded upon hardihood, and we know how Achilles was brought up to this by Chiro, called Centaurus. He was taught not to make his chase after the beasts that fled from him, but to fight with such as would withstand him. Moreover a covenant was set that every day he should slay, or at least wound, some savage beast, as a lion or a tiger, and bring home with him a token of blood upon his weapon. Thus he came to surpass all other knights. (1963-2013.)

Other examples there are, as of Lancelot and many more, which show how Prowess in arms has led to success in love. Let this tale be witness of it. (2014-2044.)

Hercules and Achelons. King Oënes of Calidoyne had a daughter Deianire, who was promised in marriage to Achelons, a giant and a magician. Hercules, that worthy knight who set up the two pillars of brass in the desert of India, sought her love, and the king dared not refuse him. It was ordained then that combat should decide between them. Achelons, stirred up to prowess by love, fought boldly, but Hercules seized him with irresistible strength. Then Achelons tried his craft, changing himself into a snake first and then a bull. Hercules, however, held him by the horns and forced him down, till at length he was overcome. Thus Hercules won his wife by prowess. (2045-2134.)

So *Pantasilee*, queen of Feminee, for love of Hector did deeds of prowess at Troy; and *Philemenis*, because he brought home the body of Pantasilee and saved some of her maidens, had a tribute granted to him of three maidens yearly from the land of Amazoine. *Eneas* also won Lavine in battle against king Turnus. By these examples thou mayest see how love's grace may be gained, for worthy women love manhood and gentilesse. (2135-2199.)

What is *Gentilesse*, my father?

Some set that name upon riches coming down from old time, but there is no true merit in riches; and as for lineage, all are descended from Adam and Eve. Rich and poor are alike in their birth and in their death; the true gentilesse depends upon virtue, and for virtue love may profit much. Especially love is opposed to Sloth, and Sloth is most of all contrary to the nature of man, for by it all knowledge is lost. (2200-2362.)

By *Labour* it was that all useful arts were found out, and the names of many inventors have been handed down by fame, as Cham, Cadmus, Theges, Termegis, Josephus, Heredot, Jubal, Zenzis, Promotheus, Tubal, Jadahel, Verconius, and among women Minerve and Delbora. Saturnus found out agriculture and trade, and he first coined money. (2363-2450.)

Many philosophers have contrived the getting and refining of metals and the science of *Alcnomie*, by which gold and silver are multiplied, with the working of the seven bodies and the four spirits for the finding of the perfect Elixir.

The philosophers of old made three Stones: the Vegetable, by which life and health are preserved, the Animal, by which the five senses are helped in their working, and the Mineral, by which metals are transformed. This science is a true one, but men know not how to follow it rightly, so that it brings in only poverty and debt. They who first founded it have great names, as Hermes, Geber, Ortolan and others. (2451-2632.)

With regard to *Language*, Carmente was the first who invented the Latin letters, and then came those who laid down the rules of rhetoric, as Aristarchus, Dindimus, Tullius and Cithero. Jerome translated the Bible from Hebrew, and others also translated books into Latin from Arabic and Greek. In poetry Ovid wrote for lovers, and taught how love should be cooled, if it were too hot.

My father, I would read his books, if they might avail me; but as a tree would perish if its roots were cut away, so if my love were withdrawn, my heart would die.

That is well said, my son, if there be any way by which love may be achieved; and assuredly he who will not labour and dares not venture will attain to nothing. (2633-2700.)

2701-3388. SOMNOLENCE. The chamberlain of Sloth is Somnolence, who sleeps when he should be awake. When knights and ladies revel in company, he skulks away like a hare and lays himself down to rest; and there he dreams and snores, and when he wakes, he expounds his dreams. If thou wilt serve love, my son, do not thou so.

Surely not, father; it were better for me to die than to have such sluggardy, or rather it were better I had never been born. I have never been sleepy in the place where my lady was, whether I should dance with her, or cast the dice, or read of Troilus. When it is late and I must needs go, I look piteously upon her and take leave upon my knee, or kiss her if I may; and then before I depart from the house, I feign some cause to return and take leave of her again. Then afterwards I curse the night for driving me away from her company, and I sigh and wish for day, or think of the happiness of those who have their love by their side all the long night through. At last I go to bed, but my heart remains still with her: no lock may shut him out, and he passes through the strongest wall. He goes into her bed and takes her softly in his arms, and wishes that his body also were there. In my dreams again I suffer the torments of love, or if I dream sometimes that I meet her alone and that Danger has been left behind, I wake only to find all in vain.

My son, in past times many dreams have told of truth, as thou mayest know by a tale. (2701-2926.)

CONFESSIO AMANTIS. ANALYSIS lxiii

Ceix and Alceone. Ceix, king of Trocinie, went on a pilgrimage for the sake of his brother Dedalion, and left at home Alceone his wife. She besought him to fix the time of his return, and he said 'Within two months.' The time passed and she heard no tidings, and Juno, to whom she prayed, sent Yris to the house of Sleep, bidding him show this lady by dream how the matter was.

Yris bent the heaven like a bow and came down, and she went to the place where Sleep had his dwelling, in a cave where no sun ever shone and no sound could be heard but the murmur of the river Lethes, which ran hard by. He himself was sleeping in a chamber strewn up and down with dreams, and long it was ere her words could pierce his ears. When he at length understood the message, he chose out three, Morpheus, Ithecus and Panthasas, to do this deed. Morpheus appeared to Alceone in the form of her husband lying dead upon the shore, while the other two showed her in action the scene of the tempest and the wreck. She cried out in terror and awoke, and on the morrow, going down to the sea, she saw his body floating on the waves. Careless of death she leapt into the deep, and would have caught him in her arms; but the gods pitied them and changed them into birds of the sea, and so they dwelt together lovingly. (2927-3123.)

Thus dreams prove sometimes true.

Father, I have said that when I am in my lady's company, I do not desire to sleep. But at other times I care little to wake, for I cannot endure to be in company without her. I know not if this be Somnolence.

I acquit thee, my son, and I will tell a tale to show how little love and sleep are in accord. (3124-3186.)

Prayer of Cephalus. He who will wake by night for love may take example by Cephalus, who when he lay with Aurora prayed to the Sun and to the Moon that the night might be made longer and the day delayed, in order that he might follow only the law of love. Sloth cares nothing for the night except that he may sleep, but Cephalus did otherwise. (3187-3275.)

My father, that is no wonder, since he had his love by his side. But this is never my case, so I have never need to entreat the Sun to stay his chariot, or the Moon to lengthen her course. Sometimes I have a dream that makes me glad, but afterwards I find it untrue: so that I know not of what use sleep is to man.

True, my son, except that it helps nature, when it is taken in due measure. But he who sleeps unduly may come by misfortune, as I can show by a tale. (3276-3316.)

Argus and Mercury. Jupiter lay by Io, wherefore Juno changed her into a cow and gave her into the keeping of Argus, who had a hundred eyes. Mercury came to steal the cow, and he piped so cunningly that Argus fell asleep. So Mercury smote off his head and took away Io. Therefore, my son, beware thou sleep not overmuch. (3317-3364.)

Love will not let me do so, father: but ask further, if there be more. Yea, my son, one there is to tell of still. (3365-3388.)

3389-3692. TRISTESCE. When Sloth has done all that he may, he conceives Tristesce, which drives him to utter wretchedness. With Tristesce is Obstinacy, and despair follows them. So it is with some lovers, who lose all hope.

I am one of these, father, except that I do not cease to pray.

My son, do not despair; for when the heart fails, all is lost. Listen to a tale about this. (3389-3514.)

Iphis and Araxarathen. Iphis, son of king Theucer, loved a maid of low estate. Though a prince, he was subject to love, but she would not listen to his suit. At length being brought to despair, he came before her house in the night, and having bewailed his case and lamented her hardness of heart, he hanged himself upon the post of the gate. On the morrow the maiden took the guilt upon herself, and prayed that no pity might be shown to her, as she had shown no pity to him. The gods took away her life and changed her into stone; and men carried the body of Iphis to the city and set up the stone image of the maiden above his tomb, with an epitaph telling of their fate. (3515-3684.)

Thus, my son, despair, as I say, is a grievous thing.

Father, I understand now the nature of Sloth, and I will take heed.

LIB. V.

AVARICE is the root of all strife among men. He ever gets more and more and lets nothing go, and yet he has never enough. He has no profit from his riches any more than an ox from his ploughing or a sheep from his wool: instead of being master of his wealth, he serves it as a slave. Dost thou fare so in love, my son?

No, my father, for I was never in possession; but I cannot here excuse my will, for if I had my lady, I would never let her go; and herein I am like the avaricious man. Moreover, though I have not the wealth, yet I have the care, and am like that ox of which ye told before. Judge if this be Avarice.

My son, it is no wonder if thou art a slave to love; but to be a slave to gold is against nature and reason. (1-140.)

Midas. Bacchus had a priest named Cillenus, and he being drunk and wandering in Frige was brought in bonds before Mide, the king of that land. This king dealt with him courteously, and Bacchus in reward of this bade him ask what worldly thing he would. He debated long within himself between three things, pleasure, power and wealth; and at length he asked that all things might be turned by his touch to gold. The boon granted, he tried his power on stone and leaf, but when he at length sat down to meat, then he saw the folly of Avarice, and prayed Bacchus to take back his gift. The god took pity and bade him bathe in Paceole, and so he recovered his first estate; but the stones in the bed of the river were changed to gold. He went home and put away his Avarice, and taught his people to till the land and breed cattle rather than seek increase of gold. (141-332.)

Before gold was coined, war and usury were unknown, but now through Avarice all the world is out of joint. When thou seest a man have need, give him of thy substance, for the pain of *Tantalus* awaits those who will not give: they stand in a river up to their chin and yet cannot drink, and fruit hangs over and touches their lips, of which they cannot eat. Thus Avarice hungers ever after more, though he has enough, and gets no good from that which he has. If thou desirest to be beloved, thou must use largess and give for thy love's sake: if thou wilt have grace, be gracious, and eschew the disease of Avarice. Some men have no rest for fear their gold should be stolen, and so some lovers cannot be at peace for Jealousy. (333-444.)

What is this *Jealousy*, my father?

It is like a fever, my son, which returns every day. It makes a man look after his lady wherever she goes, and if she make the least sign of countenance to another man, he turns it to a cause of quarrel. Nothing can please him that she does. If he goes from home, he leaves some one to report her doings, and finds fault where there is none. The wife who is married to such a man may well curse the day when the gold was laid upon the book. As the sick man has no appetite for food, so the jealous man has no appetite for love, and yet like the avaricious he is tormented with the fear of losing his treasure. Love hates nothing more than this fever of which I speak, and to show how grievous it is, I will tell thee an example. (445-634.)

Vulcan and Venus. Vulcan the smith had the fair Venus for his wife, whom Mars loved and was beloved again. Jealousy caused Vulcan to spy upon them, and he devised so by his craft that they were caught as they lay together and bound with chains. He called the gods to see, but was only rebuked for his pains. Hence earthly husbands may learn that by Jealousy they bring shame upon themselves. (635-725.)

This example, my father, is hard to understand. How can such things happen among the gods, when there is but one God who is Lord of all? How come such gods as these to have a place?

My son, such gods are received by the unwise in sundry places: I will tell thee how. (726-747.)

747-1970. THE RELIGIONS OF THE WORLD. There were four forms of belief before Christ was born.

The *Chaldees* worshipped the Sun, Moon and Stars and the Elements, which cannot be gods because they suffer change. (747-786.)

The *Egyptians* worshipped beasts, and also three gods and a goddess, of whom the goddess, Ysis, came from Greece and taught them tillage. (787-834.)

The *Greeks* deified the men who were their rulers or who became famous, as Saturnus king of Crete and Jupiter his son,—such was their folly. Of gods they had besides these Mars, Apollo, Mercury, Vulcan, Eolus, Neptune, Pan, Bacchus, Esculapius, Hercules, Pluto, and of goddesses Sibeles, Juno, Minerva, Pallas, Ceres, Diana, Proserpine; also Satyrs, Nymphs and Manes,—it would be too long to tell the whole. (835-1373.)

Yes, father, but why have ye said nothing of the god and the goddess of love?

I have left it for shame, my son, because I am their priest, but since thou desirest it, I will tell thee. Venus was the daughter of Saturn, and she first taught that love should be common. She had children both by gods and men: she lay with her brother Jupiter and her son Cupid, and she first told women to sell their bodies. Therefore they called her the goddess of love and her son the god. (1374-1443.)

The Greeks took a god to help in whatsoever they had to do. Dindimus, king of the Bragmans, wrote to Alexander, blaming the Greek faith, and saying that they had a god for every member of their body, Minerva for the head, Mercury for the tongue, and so on. (1444-1496.)

Idol-worship came first through Cirophanes, who set up an image of his son, and after that Ninus made a statue of his father Belus, which he caused to be worshipped, and third came the statue of Apis or Serapis, who spoke to Alexander in the cave, when he came riding with Candalus. (1497-1590.)

Thus went the misbeliefs of Grece, of Egypt and of Chaldee. Then, as the book says, God chose a people for himself. Habraham taught his lineage to worship only the one true God, and after they had multiplied in Egypt, God delivered them wondrously by Moises and brought them into the land of promise. But when Christ was born, they failed and fell away; so that they now live out of God's grace, dispersed in sundry lands. (1591-1736.)

God sent his Son down from heaven to restore the loss which we suffered in Adam: so that original sin was the cause of man's honour at the last. By this faith only we can attain to Paradise once more, but faith is not enough without good deeds. Therefore be not deceived by Lollardy, which sets the true faith of Christ in doubt. (1737-1824.)

Christ wrought first and then taught, so that his words explained his deeds, but we in these days have the words alone. Our prelates are like that priest who turned away his eyes and let Anthenor steal the Palladion of Troy. Christ died for the faith, but they say that life is sweet, and they follow only their own ease. Therefore the ship of Peter is almost lost in the waves, and tares are sown among the corn. Gregory complains of the sloth of the prelacy, and asks how we shall appear beside the Apostles in the day of Judgement. We shall be like the man who hid his lord's besant and got no increase upon it. We are slow towards our spiritual work, but swift to Avarice, which, as the apostle says, is idolatry.

My father, for this which ye have said I shall take the better heed: but now tell me the branches of Avarice as well in love as otherwise. (1825-1970.)

1971-2858. COVEITISE. Avarice has many servants, and one of these is Coveitise, who is her principal purveyor and makes his gain in every place. He is as the pike who devours the smaller fishes: for him might is always right. I will tell thee a tale of the punishment of this vice. (1971-2030.)

Virgil's Mirror. Virgil made a mirror at Rome, wherein the motions of all enemies for thirty miles round might be seen. They of Carthage had war with Rome, and took counsel with the king of Puile how they might destroy this mirror. Crassus, the Roman Emperor, was above all things covetous. They sent therefore three philosophers to Rome with a great treasure of gold, which they buried in two places secretly. These men professed to the Emperor that by dreams they could discover ancient hoards of gold, and first one and then the other of these buried treasures was found. Then the third master announced a yet greater treasure, to be found by mining under the magic mirror. As they mined, they underset the supports of the mirror with timber, and on a certain night these three set fire to the timber and fled out of the city. So the mirror fell and was destroyed, and Hanybal slew so many of the Romans in a day, that he filled three bushels with their gold rings. The Romans punished their Emperor by pouring molten gold down his throat, so that his thirst for gold might be quenched. (2031-2224.)

Coveitise in a king or in those of his court is an evil thing, my son; but he who most covets often gains least, and Fortune stands for much as well in courts as elsewhere. (2225-2272.)

The Two Coffers. A king heard that his courtiers complained of unequal rewards for their service. He resolved to show them that the fault lay not with him, and he caused two coffers to be made in all respects alike, the one of which he filled with gold and jewels, and the other with straw and stones. He called before him those who had complained, and bade them choose. They chose the worthless coffer, and he proved to them by this, that if they were not advanced, their fortune only was to blame. (2273-2390.)

Like this is the story of the *Two Beggars* whom the Emperor Frederick heard disputing about riches, and for whom he prepared two pasties, one containing a capon and the other full of florins. (2391-2441.)

Thus it is often with love: though thou covet, yet shalt thou not obtain more than fortune has allotted thee. Yet there are those that covet every woman whom they see, finding something to their liking in each. They can no more judge in matters of love than a blind man can judge of colours.

My father, I had rather be as poor as Job than covet in such a manner. There is one whom I would have, and no more. (2442-2513.)

There are some also who choose a woman not for her face nor yet for her virtue, but only for her riches.

Such am not I, father. I could love my lady no more than I do, if she were as rich as Candace or Pantasilee; and I think no man is so covetous that he would not set his heart upon her more than upon gold. To one who knows what love is, my lady seems to have all the graces of nature, and she is also the mirror and example of goodness. It were better to love her than to love one who has a million of gold. I say not that she is poor, for she has enough of worldly goods; yet my heart has never been drawn to her but for pure love's sake.

It is well, my son, for no other love will last. Hear now an example of how coveitise prevailed over love. (2514-2642.)

The King and his Steward's Wife. There was a king of Puile, whom his physicians counselled to take a fair young woman to his bed, and he bade his steward provide. The steward had a wife whom he had married for lucre and not for love, and he set his coveitise before his honour. Having received a hundred pounds from the king to procure him the woman, he brought at night his own wife, against her will. Before the morning he came and desired to take her away, but the king refused to let her go, and at length the steward was compelled to tell him who she was. The king threatened him with death if he remained one day longer in the land, and afterwards he took the woman for his wife. (2643-2825.)

Beware, my son, of this, for it is a great evil when marriage is made for lucre.

Father, so think I, and yet riches may sometimes be a help to love. Now ask me more, if more there be. (2826-2858.)

2859-4382. FALSE WITNESS and PERJURY. Coveitise has two counsellors, False Witness and Perjury, who make gain for their master by lying. So lovers often swear faithful service to a woman, and it is all treachery.

I am not one of these, father: my thought is not discordant to my word. I may safely swear that I love my lady, and if other men should bear witness of it for me, there would be no false swearing.

My son, I will tell thee a tale to show that False Witness is at last found out. (2859-2960.)

Achilles and Deidamia. Thetis, in order that her son Achilles might not go to Troy, disguised him as a girl and put him to dwell with the daughters of king Lichomede. There he was the bedfellow of Deidamie, and so her maidenhead was lost. The Greeks in the meantime assailed Troy in vain, and it was told them by divination that unless they had Achilles, their war would be endless. Ulixes therefore was sent with Diomede to bring him, and coming to the kingdom of Lichomede he could not distinguish Achilles from the rest. Then he set forth the gifts which he had brought for the women, and among them a knight's harness brightly burnished. Achilles left all the rest and chose this, and then he came forth armed in it before them. He was glad enough, but not so Lichomede, who had been so overseen. Thus came out the treachery of False Witness; and if Thetis, who was a goddess, thus deceived Deidamie, what security have women against the untruth of lovers? (2961–3218.)

My father, tell me some tale about Perjury.

I will tell thee, my son, how Jason did to Medea, as it is written in the book of Troy. (3219–3246.)

Jason and Medea. Jason was the nephew of king Peleus; and desiring to achieve adventures and see strange lands, he took a company of knights, and among them Hercules, and sailed to the isle of Colchos to win the fleece of gold. On the way they touched at Troy, where the king Lamedon treated them discourteously, and then they came to Colchos. Oëtes, who was king there, endeavoured to persuade Jason to leave his adventure, but without success; and then the princess Medea entertained him with welcome. Moved by love of him she offered him her help to win the fleece, and he plighted his troth to her and swore that he would never part from her. She taught him what to do, and gave him a magic ring and an ointment, telling him also what charms and prayers to use, so that he might slay the serpent which guarded the fleece, yoke the fire-breathing oxen to the plough, sow the teeth of the serpent and slay the knights who should spring up.

He took his leave of her, and passing over the water in a boat did as Medea bade him. Returning with the fleece he was welcomed back by Medea and the rest, and that night he took Medea and her treasure on board his ship and they sailed away to Greece. It was vain to pursue: they were gone.

When they came to Greece, all received them with joy, and these lovers lived together, till they had two sons. Medea with her charms renewed the youth of Eson, Jason's father, and brought him back to the likeness of a young man of twenty years. No woman could have shown more love to a man than she did to Jason; and yet, when he bare the crown after his uncle Peleus was dead, he broke the oath which he had sworn and took Creusa, daughter of king Creon, to wife. Medea sent her the gift of a mantle, from which fire sprang out and consumed her; then in the presence of Jason she killed his two sons, and was gone to the court of Pallas above before he could draw his sword to slay her. Thus mayest thou see what sorrow it brings to swear an oath in love which is not sooth. (3247–4229.)

I have heard before this how Jason won the fleece, but tell me now who brought that fleece first to Colchos.

Phrixus and Helle. King Athemas by his first wife had two children, Frixus and Hellen; but his second wife Yno hated them and contrived a device against them. She sowed the land with sodden wheat; and when no harvest came, she caused the priests of Ceres to say that the land must be delivered of these children. The queen bade men throw the children into the sea; but Juno saved them, and provided a sheep with golden fleece, which swam with them over the waves. Hellen for dread fell off his back and so was lost, but her brother was borne over to the isle of Colchos, and there the fleece was set, which was the cause why Jason was so forsworn.

My father, he who breaks his troth thus is worthy neither to love nor to be beloved. (4230–4382.)

4383–4670. USURY. Another of the brood of Avarice is Usury, whose brokers run about like hounds, hunting after gain. He has unequal weights and measures, and he takes back a bean where he has lent a pea. So there are many lovers, who though the love they gave will hardly weigh a mite, yet ask a pound again; and often by the help of their brokers these buy love for little.

My father, I am not guilty of this. That which I give is far more than ever I take again. Usury will have double, but I would be content with half. If my lady reward me not the better, I can never recover my cost. Nor yet have I ever used brokers in love. But thought is free, my father, and to me it seems that my lady herself cannot be excused of this that ye call Usury. For one glance of her eye she has my whole heart, and she will render me nothing again. She has all my love and I go loveless: she says not so much as 'Thanks.' Myself I can acquit, and if she be to blame in this, I pray God to give her grace to amend.

My son, thou speakest ill in that thou accusest thy lady. She may be such that her one glance is worth thy heart many times reckoned. Moreover in love the balance is not even: though thy love weigh more, thou must not ask for return as a debt that is due; for Love is lord and does after his own will. Be patient, and perchance all may turn to good. I am well pleased that thou hast used in love no brokerage to deceive. (4383–4572.)

Echo. Brokers of love receive at last that which they have deserved. Juno had Echo among her maidens, and she was of accord with Jupiter to get him new loves and to blind her lady's eyes. When Juno understood this, she reproved her and took vengeance, sending her to dwell in the woods and hills and repeat always the sound of the voices that came to her ears. (4573–4652.)

If ever thou be wedded man, my son, use no such means as this.

4671-4884. PARSIMONY or SCARCENESS. Another there is whom Avarice has for the keeper of his house, and his name is Scarceness. It is easier to flay the flint than to get from him the value of a rush to help another. How is it with thee, my son? Hast thou been scarce or free towards thy love?

My father, if I had all the treasure of Cresus or the gold of Octovien, I would give it all to her, if I might. But indeed I never gave her any gift, for from me she will not take any, lest I should have some small cause of hope. Yet she takes from others and gives again, so that all speak well of her. As for me, she knows that my heart and all that I have is at her command and will be while I live. (4671-4780.)

Babio and Croceus. Scarceness accords not with love, and often a man has lost the coat for the hood. With gift a man may do much, and meed keeps love in house. Babio had a love named Viola, who was both fair and free; but he was a niggard, and so she was ill served. Croceus, liberal and amorous, came in her way, and she left Babio loveless. (4781-4862.)

My father, if there be anything amiss in me toward my love in this matter, I will amend it.

Thou sayest well, and I will pass on. (4863-4884.)

4885-5504. INGRATITUDE or UNKINDNESS. This is a vice which repays no service, and when he has received a barnful, grudges to give a grain in return. God and Nature both condemn this vice, and even a beast loves the creature who does him kindness, as this tale will show by example. (4885-4936.)

Adrian and Bardus. Adrian, a great lord of Rome, while hunting in a forest, fell into a pit. He cried for help all day, but none heard till evening, when one Bardus, a woodcutter, came by with his ass, and heard Adrian promise to give half his goods to him who should help him. He let down a rope, and first an ape and then a serpent was drawn up by it. Bardus was terrified, but still the voice implored help, and at length Adrian was drawn up. At once this lord departed without thanks, and threatened Bardus with vengeance if ever he should claim the promise. The poor man went home, not daring to speak more, and on the next day, going to get wood, he found that the ape had requited his kindness by gathering for him a great heap of sticks, and so continued to do day by day; and the serpent brought him a precious stone in her mouth. This last he sold to a jeweller and afterwards found it again in his purse, and as often as he sold it, the same thing followed. At length this came to be known, and the Emperor heard of it. Calling Bardus before him he listened to his tale, and gave judgement that Adrian should fulfil his promise. (4937-5162.)

Flee this vice, my son, for many lovers are thus unkind.

Alas, father, that such a man should be, who when he has had what he would of love, can find it in his heart to be false. As for me, I dare not say that my lady is guilty of this Unkindness, but I for my part am free.

Thou must not complain of thy lady, my son. Perchance thy desire is not such as she in honour can grant. It is well that thou art not guilty of Unkindness, and I will tell thee a tale to keep thee in that course. (5163-5230.)

Theseus and Ariadne. Minos, king of Crete, having war with those of Athens, compelled them as a tribute to send nine men yearly, whom he gave to be devoured by Minotaurus. The lot fell at last upon Theseus, son of the king of Athens, and he went with the rest to Crete. Adriagne, daughter of Minos, loved him, and she gave him help to slay the monster. Then he took her away with him by ship, and her sister Fedra went in their company. They rested in the isle of Chio, and there he left Adriagne sleeping, and sailed away with Fedra. Thus by his ingratitude and falsehood he broke the law of love, and evil came of it afterwards. (5231-5495.)

5505-6074. RAVINE. Ravine, in whose service is extortion, seizes other men's goods without right and without payment. So there are lovers who will take possession by force. (5505-5550.)

Tereus. Pandion, king of Athens, had two daughters, Progne and Philomene. Progne was married to Tereus, king of Thrace, and desiring to see her sister, she sent Tereus to Athens to bring her. Coming back in company with Philomene he ravished her, and then maddened by her reproaches cut out her tongue, so that she could speak no articulate words. Then he shut her up in prison, and coming home to his wife, he told her that her sister was dead. Philomene in her prison prayed for deliverance, and at length weaving her story with letters and imagery in a cloth of silk, she sent it by a privy messenger to Progne. Progne delivered her sister, and together they concerted vengeance, with prayers to Venus, Cupid and Apollo. Progne slew the son which she had by Tereus and served up his flesh to him for meat, and when he would have pursued the sisters to take vengeance, the gods transformed them all three, Philomene to a nightingale, which complains ever for her lost maidenhead, Progne to a swallow, which twitters round houses and warns wives of the falsehood of their husbands, and Tereus to a lapwing, the falsest of birds, with a crest upon his head in token that he was a knight. (5551-6047.)

Father, I would choose rather to be trodden to death by wild horses or torn in pieces, than do such a thing as this against love's law. (6048-6074.)

6075-6492. ROBBERY. The vice of Robbery gets his sustenance by that which he can take on the high-roads, in woods and in fields. So there are lovers, who, if they find a woman in a lonely place, will take a part of her wares, no matter who she may be; and the wife who

CONFESSIO AMANTIS. ANALYSIS. lxxiii

sits at home waiting for her husband's return from hunting will hear from him nothing of this, but only how his hounds have run or his hawks have flown. (6075-6144.)

Neptune and Cornix. Cornix was a maid attendant on Pallas, and as she went upon the shore, Neptune thought to rob her of the treasure which passes all others and is called the maidenhead. She prayed to Pallas, and by her help escaped from him in the form of a crow, rejoicing more to keep her maidenhead white under the blackness of the feathers than to lose it and be adorned with the fairest pearls. (6145-6217.)

Calistona. King Lichaon had a daughter Calistona, who desired ever to be a maiden and dwelt with the nymphs of Diane. Jupiter by craft stole her maidenhead, and Diane discovering it reproached her, so that she fled away. She was delivered of a son, Archas, but Juno in vengeance transformed her into a bear. In that likeness she met her son in the forest, and he bent his bow against her, but Jupiter ordained for them both so that they were saved from misfortune. (6225-6337.)

Such Robbery, my son, is ever to be avoided, and I will tell thee how in old days VIRGINITY was held in esteem.

Valerius tells how the Emperor did honour to the virgin, when he met her in the way, and we hear also of *Phirinus*, who thrust out his eyes in order that he might the better keep his virginity.

Valentinian moreover, the Emperor, in his old age rejoiced more that he had overcome his flesh, than that he had conquered his enemies in battle. (6338-6428.)

Evil follows when Virginity is taken away in lawless manner, as when Agamenon took Criseide from the city of Lesbon, and plague came upon the host, so that they sent her back with prayer and sacrifice.

Therefore do no Robbery in love's cause, my son. (6429-6492.)

6493-6960. STEALTH. Coveitise has also a servant called Stealth, who takes his prey in secret, coming into houses at night, or cutting purses by day. Like the dog that comes back from worrying sheep, he looks all innocent, so that no man knows what he has done. There are lovers also who take by stealth, either kisses or other things. Hast thou done so? (6493-6561.)

I dare not, father, for my heart is hers and will not do anything against her. Moreover Danger is so watchful a warden that none can steal anything from her. Strong locks make thieves into honest men, and by no lying in wait can I slip through his guard. Yet at night I often wake when others sleep, and I look out from my window upon the houses round, and mark the chamber where she lies. I stand there long in the cold and wish for some device of sorcery, whereby I might enter that chamber and steal. It brings me ease for the time to think of these things, but it profits me nothing in the end. It is for you to judge if I deserve penance for this or no.

Stealth does little good, my son, in the end. I will tell thee a tale from Ovid of stealth which was done by day. (6562-6712.)

Leucothoe. Phebus loved Leuchotoe, whom her mother kept close in chamber and seldom allowed to go forth. On a day he came in suddenly through her chamber wall and stole her maidenhead. Her father, when he knew, dared not take quarrel with Phebus, but without pity he caused her to be buried alive; and Phebus wrought so that she sprang up as a golden flower, which ever follows the sun. (6713-6783.)

No wonder that this came to evil, my father, because it was done in broad day, but lovers sometimes have kept their thefts more secret. Tell me of something done by night. (6784-6806.)

Hercules and Faunus. Hercules and Eolen, going together on a pilgrimage towards Rome, rested in a cave. Faunus, with Saba and her nymphs, were in a wood hard by, and Faunus, having had a sight of Eolen, thought to come by night and steal. Hercules and Eolen went to rest on separate beds, having to offer sacrifice on the morrow, and as they had exchanged clothes with one another in sport, she had his mace by her and his clothes upon her bed, and he her wimple round his face and her mantle over him. The servants slept like drunken swine. Faunus came into the cave, and feeling the mace and lion's skin, he left her bed alone and went over to the other. Hercules seized him and threw him on the floor, where he still lay helpless on the morrow, a laughing-stock to Saba and the nymphs.

I have too faint a heart, father, for any such michery. (6807-6960.)

6961-7609. SACRILEGE. God has laid down a law that men shall not steal, but work for their sustenance, and yet there are those who will even take the goods of holy Church, and this is called Sacrilege. [There are three kinds of Sacrilege, namely, theft of holy thing from holy place, of common thing from holy place, or of holy thing from common place. (7015*-7029*.)] Three princes especially in old days were guilty of this, Antiochus, Nabuzardan and Nabugodonosor. This last wrought sacrilege in the temple at Jerusalem, and Baltazar his heir paid the penalty. (6961-7031.) [A tale is told of one *Lucius* at Rome, who robbed the statue of Apollo of a ring, a golden mantle and a golden beard, and excused himself, saying that he took the ring because it was held out towards him and offered, the mantle because it was too heavy for summer and too cold for winter, and the beard because it was not fit that Apollo should have a beard, when his father, who stood near him, was beardless. Thus can men feign and excuse themselves. (7105*-7209*.)]

There are lovers who at mass will whisper in their lady's ear or take from her hand a ring or glove. Some go to churches to seek out women and to show themselves there in fresh array, looking round upon them all and sighing, so that each thinks it is for her; and yet such a man loves none of them, but goes there only to steal their hearts. All this is Sacrilege.

My father, I do not so: but when my lady goes to matins or to mass, thither I go also; and then my looks are for her alone, and my prayers are that God may change her heart. I watch and wait to steal from her a word or look, and when I lead her up to the offering with my hand about her waist, I win a touch as well. Except in such things I have done no Sacrilege, but it is my power and not my will that fails.

Thy will is to blame, my son; the rest that thou hast said is of little account. Yet all things have their time and place: the church is for prayer and the chamber for other things. That thou mayest know how Sacrilege is punished, I will spend on thee a tale. (7032-7194.)

Paris and Helen. Lamedon was king of Troy, and against him the Greeks made war, and they slew him and destroyed his city. With other prisoners they took the fair Esiona his daughter, and she was given to Thelamon. Priamus, son of Lamedon, built up Troy again, and with advice of his parliament he sent Antenor to demand back Esiona. The Greeks and Thelamon stoutly refused his request, and Priamus called his parliament again to debate of war or peace. Hector spoke for peace, alleging grounds of prudence, though he was ever the first in war; but his brother Paris gave his voice for avenging the wrong. He told how, as he slept beside a well, three goddesses came before him in a vision, and Venus, to whom he assigned the golden apple which was the prize of beauty, had promised to give him in Greece the fairest woman of all the earth. Paris then went forth to Greece, though Cassandra and Helenus lamented for the evil that was to come. Landed in an isle he met the queen Heleine, who came to do sacrifice there to Venus, and he stole her heart. Heleine was in the temple all the night, offering prayer to Venus, and Paris came all suddenly and bore her to his ship. This Sacrilege was the cause why the Greeks laid siege about Troy, and at last burnt and slew all that was within it. (7195-7590.)

Note also how Achilles saw Polixena in the temple of Apollo, and how Troilus first laid his love on Criseide in a holy place. Take heed therefore to thyself.

Thus Avarice has more branches than any other vice, and the working of it is everywhere seen; but if a man would live rightly, he must do Largess. (7591-7640.)

7641-7844. PRODIGALITY and LARGESS. Virtue lies between two extremes: here we see Avarice and Prodigality, and between them Liberality or Largess, which holds the middle path between too much and too little. Where Largess guides a man, he does what is right both to God and the world, and God rewards him with the gift of heaven. The world gives ever to him who hath; but it is better to give than to receive, to have thine own good than to crave that of others. 'If thy good suffice thee not, then refrain thy desires and suffice to thy good.' Charity begins with itself: if thou enrich others making thyself poor, thou wilt have little thanks. 'Jack is a good fellow,' they say while his money lasts, but when that is gone, then 'Jack *was* a good fellow,' and they leave him to starve. (7641-7760.)

There are lovers who spend and waste their love with Prodigality, setting their heart upon many. But he who makes himself thus common, loses the special love of one, if she be wise. Hast thou thus wasted thy love?

Nay, father: I have tasted here and there, but never truly loved any excepting one. On her indeed my love is wasted, for it brings no return: I know not whether this is what ye mean by Prodigality.

My son, perchance thy love is not lost nor wasted. None can say how such a thing will end; therefore I know not whether thou hast lost or won. As summer returns after winter, so perchance thou mayest yet recover thy grace of love. (7761-7834.)

Lib. VI.

1-14. GLUTTONY. The great original sin which brought death on all mankind was Gule, that is, Gluttony. The branches of it are many, but I shall speak of two only.

15-616. DRUNKENNESS makes a wise man foolish and a fool think himself wise. The drunken man thinks that there is nothing that he does not know and nothing that he cannot do, yet he is withal so helpless that he can neither stand nor go; he knows not what he is, nor whether it is day or night. In the morning he calls again for the cup which made him lose his wits at night. The wine binds him fast and makes him a subject and a slave. (5-75.)

There are lovers so besotted with love, that they know no more than drunken men what reason is. The greatest men have been thus overcome: Salomon, Sampson, David, Virgil and Aristotle. Confess if thou art thus drunken, for I think by thy countenance thou art schapen to this malady.

It is true, my father: I confess that I am drunk with love, and often I know not what I do, so that men marvel at me. When I am absent from my lady I am drunk with the thoughts of her, and when I am present, with looking upon her. At times I am in Paradise, and then I wake and my joy is turned to woe. I suffer then the fever of hot and cold, and the evil is that the more I drink, the more I am athirst. Yet I think if I had truly a draught of the drink that I desire, I should be sobered and do well; but tasting of this is forbidden me. (76-305.)

Love-drunkenness, my son, is a grievous thing, and yet none can withstand it. It is not all of one kind, for Jupiter has two tuns full of love-drink in his cellar, the one sweet and the other bitter. Cupid is butler of both, and being blind he gives men to drink of them by chance, now of this and now of that, so that some laugh and others lower. I know by thy tale that thou hast drunk of the potion that is bitter. (306-390.)

Bacchus in the Desert. But thou must ever pray to attain to the other, whereby thy thirst may be allayed, as Bacchus prayed in the desert, when he and all his host were in danger of perishing by thirst. Jupiter sent a ram, which spurned the ground, and there sprang up a fountain of water. (391-439.)

Pray thou thus in thy need: a dumb man seldom gets land. Remember moreover that the butler is blind, and he may by chance give thee a drink of the sweet, which shall cause thee to grow sober.

Of love-drunkenness an example is Tristram, who drank with Bele Ysolde of the drink which Brangwein gave them: and that thou may the more eschew the company of drunken men, hear this tale. (440-484.)

Marriage of Pirithous. The fair Ipotacie was wedded to Pirotoüs, and he invited his friends to the feast. They became drunk both with wine and with desire, and so they carried away the bride by violence from her husband. (485-529.)

Galba and Vitellus were rulers of Spain, and so drunken were they both that the land cried out against them. They ravished both wife and maid, but at length they were brought under the law and condemned to die. Then they filled full a great vessel of wine and drank until their senses left them, and so they were slain, being already half dead. (537-595.)

617-1260. DELICACY. The vice of Delicacy will not lack any pleasure which meat or drink can give, and desires always something new.

So he who is delicate in love cannot content himself with what he has; but though he have a fair wife, yet he will set his heart on others, and though his lady make him cheer, he must have more than she can with honour give.

I am not guilty of this, father: I would be satisfied if I could be fed at all, except with woe. Yet some dainties I pick which please me for the time. (617-752.)

My sight is fed with dainties when I look upon her face and form, yet it may never be fed to the full, but always longs for more. (753-826.)

My hearing has a dainty feast when men commend her worthiness and grace, and above all when I hear her speak, for her words are to me like the winds of the South. Or again, I feed my ears with tales of those who loved before I was born, of Ydoine and Amadas and of many more, and I think how sorrow endures but for a time. (827-898.)

Finally, I have a cook whose name is Thought, who keeps his pots ever boiling with fancy and desire, and sets before me on the table all the pleasant sights that I have seen and words that I have heard. Yet it is no full meal, but one of woulds and wishes, so that the food I have does me little good, and serves only to keep off starvation, till I have the feast which shall satisfy my hunger. (899-938.)

Such are my three delights, and I take my food thus of thinking, hearing and seeing, as a plover does of air. By Delicacy such as this I hope that I do no Gluttony.

It is in small things only that thou hast thy delight, my son; but remember always that the delights of the body do grievance to the soul. (939-974.)

Dives and Lazarus. Christ tells a tale against this vice, which is read in Latin, but for the better knowledge of the truth I will declare it in English. Christ saith, &c. (975-1109.)

Thus, my son, he who follows Delicacy and gives no alms shall fall into distress. He who has power over the good things of this world may wear the richest ornaments and eat the choicest food, yet he must put away Delicacy, if he would not starve his soul while feeding his body. (1110-1150.)

Nero followed his lusts against nature, and in regard to Delicacy he wrought a subtle thing to know how his stomach fared. He chose three men to eat and drink at his table. On a certain day after meat he caused one to ride, another to walk, and the third to sleep, and after this he killed them, in order that he might see which had best digested his food.

He refrained from nothing that was pleasant to him, and above all he set his heart on women, so that he spared neither wife nor maid. So drunk was he with his lusts. (1151-1226.)

Delicacy and Drunkenness go together and pass all bounds of reason. Thus too Love is at times so unrestrained that he takes no heed of God's law, but calls in the powers of heaven and earth and hell to achieve his purpose. (1227-1260.)

1261-2407. SORCERY. There is nothing that love will not dare. He follows no law but his own, and goes forth like Bayard the blind horse, till he fall into the ditch. Thus at times he follows Sorcery, whether Geomance, Ydromance, Piromance or Nigromance, with all the craft both of invocation of spirits and of natural magic.

I know nothing of this, father; but to win my lady I would once have done all that might be done, whether in hell or heaven.

That goes very near, my son: but I warn thee that he who does so is beguiled at last, and that Sorcery has no good end. (1261-1390.)

Ulysses and Telegonus. Of those that were at Troy Uluxes had a name above all for craft and magic arts. This king was vexed by storms as he returned, and in spite of needle and stone his ship was driven upon the strand of Cilly, where he found two queens, Calipsa and Circes. These were sorceresses and they changed many of his men to the form of beasts, but he overcame them with his sorceries, and at length he took his course for home, leaving Circes with child. His wife and all his people rejoiced at his home-coming, but when a man is most in his prosperity, then fortune makes him soonest fall. He had a dream, as he lay upon his bed, and he seemed to see a form of heavenly beauty. He embraced that image and it embraced him again, and it said to him : ' Our acquaintance shall be hereafter to our sorrow : one of us two shall take his death from this love in which we now rejoice.' It showed him then a sign, three fishes wrought upon a pennon, and so all suddenly went forth from him.

Uluxes started from sleep, and making his calculations upon this, he judged that the danger was to be feared from his son Thelamachus. Him therefore he shut up within castle wall, and he made for himself a stronghold and set his servants to keep guard. But none can make resistance against his fate : Thelogonus, his son by Circes, came to find his father, bearing as his ensign a pennon with three fishes upon his spear, and he came to this stronghold of Uluxes. The guards denied him entrance and an affray arose at the gate. The king came forth, and Thelogonus cast his spear at him, not knowing who he was. Uluxes was wounded to death, but he recognized the figure of his dream and the sign upon the pennon, and embraced his son, commending him to the care of Thelamachus before he died.

Lo, what evil came to him of Sorcery : by Sorcery he begat his son, and that which was done against nature was against nature avenged. (1391–1788.)

Nectanabus. The king of Egypt, Nectanabus, a great magician, fled from his enemies to Macedoine. In the chief city there the queen Olimpias kept the feast of her nativity and rode forth to be seen by the people. Nectanabus stood with the others, and gazed upon her so steadfastly, that the queen sent for him and asked him who he was. He replied that he was one who had a message for her, which must be said in private. She appointed a time, and he told her how the god Amos of Lybia desired to be her bedfellow and would beget a child of her who should subdue the whole earth. To prove his words he caused her by his magic to have a vision, which she took for prophecy ; and so at length, coming in the person of the god and transforming himself into various shapes, he had his will of her and begat a son. Nectanabus caused Philip the king, being from home, to have a vision whereby he supposed that a god had lain with his wife, and returning he found her with child. Still he doubted, but by further signs and wonders Nectanabus caused him to forget his jealousy. Amid portents of earthquake and of tempest the child was born, and his name was called Alexander. He grew up, and Aristotle taught him philosophy, while Nectanabus instructed him in astronomy. On a certain night, when they were upon a tower observing the stars, Nectanabus prophesied by them that his own death should be by the hands of his son. Alexander, to prove that he lied, threw him from the tower to the ground, asking what was the use of his art if he could not prophesy his own fate rightly. Nectanabus made known the truth, and Alexander was sorry, and told his mother how it was. Thus he died and was buried, and this was the reward of Sorcery. (1789-2366.)

Zoroaster too and *Saul* came to evil by Sorcery. I counsel thee never to use this, my son. (2367-2400.)

I will not, father. But I beseech you tell me something of that Philosophy which, as ye said, Aristotle taught to Alexander: for to hear of something new might ease my pain.

Thou sayest well; but I, who am of the school of Venus, know not much of this high lore. Yet, as it is comprehended in a book, I can in part show forth to thee how it is. (2401-2440.)

Lib. VII.

1-60. Thou hast prayed me to declare to thee the school of Aristotle, and how Alexander was taught. This is not the matter on which we were set to speak; yet since wisdom is to be desired above all things, I will tell thee of that which Calistre and Aristotle wrote to Alexander.

There are three principal points of Philosophy: Theoric, Rhetoric, Practic.

61-1506. THEORIC. The parts of Theoric are three: Theology, Physics and Mathematics. The first treats of God and things spiritual; the second of bodily things, such as man, beast, herb and stone; and the third has four divisions, Arithmetic, Music, Geometry and Astronomy. (61-202.)

Aristotle taught this young king of the four elements and the four complexions of man, of the principal divisions of the earth, and of the fifth element, Orbis, which contains the whole. (203-632.)

To speak next of *Astronomy*, this Orbis is that which we call the firmament, and in it are first the seven Planets, and then the twelve Signs of the Zodiac, about each of which Alexander was taught in turn. (633-1280.)

Nectanabus, teaching him natural magic, informed him of the Fifteen Stars and of the stone and herb appropriate to each, by means of which wonders may be worked. (1281-1438.)

The authors who taught this science of Astronomy were first Noë, then Nembrot, and after them many others, but principally Tholomee, who wrote the book of Almagest, and Hermes. (1439-1492.)

Thus these Philosophers taught Alexander in regard to that which is called Theoric. (1493-1506.)

1507-1640. RHETORIC. Speech is given to man alone and he must take heed that he turn it to no evil use. There is virtue in stones and in herbs, but word has virtue more than any earthly thing. But the word must not be discordant with the thought, as when Uluxes by his eloquence persuaded Anthenor to betray to him the city of Troy. Words are both evil and good, they make friend of foe and foe of friend. For a true example of Rhetoric read how Julius and the consul Cithero pleaded against one another when the treason of Catiline was discovered.

1641-5397. PRACTIC. This has three divisions, Ethics, Economics and Politics. A king must learn the first in order that he may rule himself in the way of good living, the second teaches him how to order his household, and the third how to govern his kingdom. (1641-1710.)

1711-1984. The first point of Policy is TRUTH, which above all things ought to be found in a king; and this is in part signified by the jewels of his crown.

To show thee that Truth is the sovereign virtue of all, I will tell thee a tale. (1711-1782.)

King, Wine, Woman and Truth. Daires, Soldan of Perce, had three wise men about his chamber, Arpaghes, Manachaz and Zorobabel. To them he put the question, which is strongest, wine, woman, or a king. Of this they disputed in turn, and Arpaghes said, 'A king is the strongest, for he has power over men and can raise them up and cast them down: also he alone stands free from the law.' Manachaz said, 'Wine is the strongest, for this takes reason away from the wise and makes the fool seem learned, this turns cowardice to courage and avarice to largess.' Zorobabel said, 'Women are the strongest, for the king and all other men come of women and bow to the love of women,' and he told how he had seen Cirus upon his throne overcome by the love of Apemen, daughter of Besazis, so that she did with him what she would. Women too make men desire honour, and woman is next to God the greatest help of man, as *Alceste*, wife of Ametus, gave her life to save her husband. Thus Zorobabel told his opinion, but nevertheless he said that above all these the mightiest of all earthly things is Truth: and so the question was concluded, and Zorobabel was most commended for his judgement. (1783-1984.)

1985-2694. LARGESS is the second point of Policy. A king must be free from the vices both of Avarice and of Prodigality. As Aristotle taught by the ill example of the king of Chaldee, he must spend his own substance and not that of his people, he must do justice before he makes gifts, and his gifts must be to those who have deserved them. (1985-2060.)

Julius and the poor Knight. A knight came to plead his cause at Rome, where the Emperor Julius was in presence; but he could get no advocate, because he was poor. He prayed for justice to the Emperor, and Julius assigned him an advocate. The knight was angry, and said, 'When I was with thee in Afric, I fought myself and put no man in my stead; and so thou here shouldest speak for me thyself.' Julius took his cause in hand; and thus every worthy king should help his servants when in need. (2061-2114.)

Antigonus and Cinichus. A king should know how much to give. A poor knight asked King Antigonus for a great sum, and he replied, 'That is too much for thee to ask': then when the knight asked a very small gift, he said, 'That is too little for me to give.'

Kings must not exceed the due measure in giving, and especially they ought not to give to flatterers, who offend against God, against the prince and against the people. Yet flattery is always found in the courts of kings. (2115-2216.)

Diogenes and Aristippus. Two Philosophers went from Carthage to Athens to learn, and thence returned again. The one, Diogenes, was content to dwell apart and study, the other, Arisippus, went to court and got honour and wealth by flattery. Diogenes was gathering herbs in his garden and washing them in the river, when Arisippus passed by with a company, and said, 'If thou hadst known how to make thyself pleasing to thy prince, there would have been no need for thee to pick herbs.' The other replied, 'If thou hadst known how to pick herbs, there would have been no need for thee to make thyself pleasing by thy flatteries.' (2217-2317.)

But the example of Arisippus is chiefly followed, and flattery is that which makes men beloved. [Dante the poet said once to a flatterer, 'Thou hast many more servants than I, for a poet cannot find how to feed and clothe himself, but a flatterer may rule and lead a king and all his land.'] There was a custom among the Romans, which was established against flattery, as follows. (2318-2354.)

Roman Triumph. When an Emperor had a triumph after victory, he went in pomp with four white horses and the nobles of the land before and behind him: but one sat with him in his car, who said continually, 'Know thyself, and remember that good fortune is only for a time.' Moreover he and every other man might speak whatever truth he knew to the Emperor, whether good or bad. (2355-2411.)

The Emperor and his Masons. Again, when an Emperor was enthroned, his masons came to ask him how he would have the stone made for his tomb. There was no flattery then, to deceive princes. (2412-2448.)

Caesar's Answer. One came and did reverence to Cesar, as if he were a god: then he came and sat down by his side as an equal. 'If thou art a god,' he said, 'I have done well in worshipping thee, but if a man, in sitting by thy side.' Cesar answered that he was a fool, and had done ill in one of two things, either in sitting by the side of his god or in worshipping a mere man. They that heard this took it as a lesson against flattery. (2449-2490.)

The king who bestows his goods upon flatterers does harm to himself and his land. There is an example in the Bible. (2491-2526.)

CONFESSIO AMANTIS. ANALYSIS lxxxiii

Ahab and Micaiah. 1 Kings xxii. (2527-2694.)

2695-3102. JUSTICE is the third point of Policy. A land is nothing without men, and men cannot be without law. It is for the king above all others to guide the law, and though he is above the law, yet he must not do things which are against it. He must make his own life right towards God, and then endeavour to rule his people rightly, and he must see that his judges are both wise and true. (2695-2764.)

Maximin, when he appointed a judge, inquired carefully whether he were virtuous or no. Thus the course of law was not hindered by coveitise. (2765-2782.)

Gaius Fabricius, consul of Rome, when the Samnites brought him gold, tried it with taste and smell, and said he knew not for what it would serve. It was better, he said, to rule the men who had the gold, than to possess gold and lose the liberty to be just. (2783-2817.)

In those times none was preferred to the office of judge unless he were a friend to the common right. (2818-2832.)

Conrad ordered matters so that in his time no man durst set aside the law for gold. (2833-2844.)

Carmidotoire the consul slew himself rather than allow his own law to be broken, when by inadvertence he had come armed to the Senate-house. (2845-2888.)

Cambyses flayed a corrupt judge, and nailed his skin upon the chair where his son was set to judge in his place. (2889-2904.)

Ligurgius, prince of Athens, having established good laws in his city, took an oath from the citizens that they would change nothing during his absence; and so he departed, never to return, desiring that Athens might still enjoy good laws. (2917-3028.)

The first Lawgivers. The names of those who first made laws ought to be handed down to fame. They are Moses, Mercurius, Neuma Pompilius, Ligurgius, Foroneus, Romulus. Kings ought to be led by law, and it is a scandal to a king if the law be not executed. (3029-3102.)

3103-4214. The fourth point of Policy is PITY. This is the virtue by which the King of kings was moved when he sent his Son down to this earth. Every subject should fear his king, and every king should have mercy on his people. [The apostle James says that he who shows no pity shall find none. Cassodre says that the kingdom is safe where pity dwells. Tullius that the king who is overcome by pity bears a shield of victory. We read how a knight appealed from the wrath of Alexander to his pity and so obtained grace. (3149*-3179*.)] Constantine said, 'He who is a servant to pity, is worthy to rule all else.' Troian said that he desired his people to obey him rather from love than fear. (3103-3162.)

[*The Pagan and the Jew.* Two travellers went through the desert together, and each asked the other of his belief. The one said, 'I am

f 2

a Pagan, and by my faith I ought to love all men alike and do to others as I would they should do to me.' The other, 'I am a Jew, and by my faith I ought to be true to no man, except he be a Jew, as I am.' The day was hot and the Pagan rode on an ass with his baggage, while the Jew went on foot. The Jew asked the Pagan to let him ease his weariness by riding, and the other assented. So they went on, but when the Pagan desired his ass back, the Jew rode on, saying that thus he did his duty by his law. The Pagan prayed to God to judge his quarrel, and going on further he found the Jew slain by a lion and the ass with the baggage standing by him. Thus a man may know how the pitiful man deserves pity, and that lack of pity is the cause of evil. (3207*–3360*.)]

Codrus, king of Athens, having a war, was informed by Apollo that either he must perish in the battle or his people be discomfited. He had pity upon his people and gave his life for them. Where have we such kings now? (3163–3214.)

Pompey had war against the king of Ermenie, and having taken him captive, he gave him his crown again and restored him to his kingdom. (3215–3248.)

Cruelty is the opposite of Pity. (3249–3266.)

Leoncius the tyrant cruelly cut off the nose and lips of the merciful Justinian: he was so served himself by Tiberius, and Justinian was restored to the empire. (3267–3294.)

Siculus the cruel king caused Berillus to make a bull of brass, within which men should be burnt to death. Berillus was himself the first who suffered this torture. (3295–3332.)

Dionys fed his horses on man's flesh and was slain by Hercules. (3341–3354.)

Lichaon devoured the bodies of his guests and was changed into a wolf. (3355–3369.)

Tyranny may not last. The Lion will not slay the man who falls down before him to entreat mercy, and how then ought a Prince to destroy the man who asks his mercy? Yet some tyrants have been so cruel that Pity cannot move them. (3370–3416.)

Spertachus, a warrior and a cruel man, made war on the queen Thameris, and having taken her son prisoner, he slew him without mercy. The queen gathered a power and took the tyrant in an ambush. Then she filled a vessel with the blood of his princes and cast him therein, bidding him drink his fill of blood. (3417–3513.)

A king, however, must not fail to slay in the cause of Justice, and he must be a champion of his people without any weak pity. If he fears without cause, he is like those in the fable who were in dread when the Mountain was in labour, and at length it brought forth a mouse.

As there is a time for peace, so there is also a time for war, and here too virtue stands between two extremes, between foolish pity and rash cruelty. Of men who have undertaken war for a righteous cause there are examples in the Bible, and of those I will tell thee one. (3514-3626.)

Story of Gideon. Judges vii. (3627-3806.)

Saul and Agag. Saul failed to obey God's command to slay Agag, showing pity wrongfully: therefore he lost his life and his kingdom. (3807-3845.)

On the other hand *Salomon* obeyed his father David's command in slaying Joab, and yet he showed mercy in his reign and wrought no tyranny. Also he was wise and had worthy men about him, and there is nothing better for a ruler than Wisdom. Salomon asked for this gift from God, and this it is which a king chiefly needs in order to hold the balance even between Justice and Pity. (3846-3944.)

Courtiers and Fool. Lucius, king of Rome, asked his steward and his chamberlain what men said about him. The steward merely flattered in his reply, but the chamberlain answered that people thought he would be a worthy king if he had good counsellors. The fool, who played with his bauble by the fire, laughed at both, and said, 'If the king were wise, the council would not be bad.' Thus the king was instructed and put away his bad counsellors. (3945-4010.)

Folly of Rehoboam. 1 Kings xii. 1-20. (4027-4129.)

Counsel of young men thus leads to ruin. There is a question whether it is better that the king be wise or his council. The answer is that it is better to have wise counsellors. (4130-4180.)

The Emperor *Anthonius* said he would rather have one of his subjects saved than a thousand of his enemies slain. Mercy mingled with justice is the foundation of every king's rule. Thus I have spoken of four points, Truth, Largess, Pity and Justice. There is yet a fifth. (4181-4214.)

4215-5397. CHASTITY, the fifth point of Policy. The male is made for the female, but one must not desire many. A man must keep the troth he has plighted in marriage, and this all the more in the high and holy estate of a king.

Aristotle advised Alexander to frequent the company of fair women, but not to beguile himself with them. For it is not they who beguile the men, but the men beguile themselves. The water is not to blame if a man drown himself in it, nor the gold if men covet it. It is by nature that a man loves, but not by nature that he loses his wits: that is like frost in July or hose worn over the shoe. Yet great princes have been thus misled. (4215-4312.)

Sardanapalus lost his kingdom and his honour, because he became effeminate in his lusts. (4313-4343.)

David, however, though he loved many women, preserved the honour of knighthood. (4344-4360.)

Cyrus had a war with the *Lydians*, and he could not conquer them.

Then, feigning, he made a perpetual peace with them, and they fell into idleness and fleshly lust, so that he subdued them easily. (4361–4405.)

Balaam advised king Amalech to send fair women among the Hebrews, and these led them into lust, so that they were discomfited in battle, till Phinees caused them to amend their ways. (4406–4445.)

This virtue of Chastity belongs especially to a king.

Salomon took wives of sundry nations and did idolatry in his folly. Therefore after his death his kingdom was divided.

Antonie, son of Severus, gave an evil example of lust; and the tale which here follows will show what is the end of tyranny and lechery. (4446–4592.)

Tarquin the tyrant had many sons, and among them Arrons. He had a war with the Gabiens, and to their city Arrons went, showing wounds which he said he had received from his father and brethren. They took him as their leader, and he by his father's advice cut off the heads of their chief men, and so the Romans conquered the city. They made a solemn sacrifice in the temple of Phebus, and a serpent came and devoured the offerings and quenched the fires. Phebus said that this was for the sin and pride of Tarquin and his son, and that he who should first kiss his mother, should avenge the wrong. Brutus fell to the ground and kissed his mother Earth. (4593–4753.)

Tarquin had a war afterwards with Ardea, and they were long at the siege. A dispute arose between Arrons and Collatin as to the virtue of their wives, and they rode to Rome to see how they were employed. At the palace they found the wife of Arrons full of mirth and thinking nothing of her husband; at the house of Collatin, Lucrece was working with her women and praying for her husband's return. Arrons was smitten with love of her, and returning again the next day he ravished her. She on the morrow called her husband and her father, with whom came Brutus, and told them her tale. Refusing their forgiveness she slew herself, and they took the body into the market-place, where Brutus told the tale to the people. They remembered also the former evil doings of Tarquin and his son, and sent both into exile. (4754–5130.)

Virginia. When Appius Claudius was governor of Rome, he set his desire upon a gentle maid, daughter of Livius Virginius, and he caused his brother Marcus to claim her unrightfully as his slave. Her father was with the host, but he rode hastily to Rome; and when Appius adjudged her to his brother against the law, finding that he could save her from dishonour in no other way, he thrust her through with his sword and made his way back to the host. Thus the tyranny came to men's ears and the unrighteous king was deposed by the common consent. (5131–5306.)

As an example of chastity in marriage we read the story of *Sarra* the daughter of Raguel. Seven men who married her were strangled by the fiend Asmod, because they took her only for lust; but Thobie, taught by Raphael, had his will and yet kept the law of marriage. God has bound beasts by the law of nature only, but men must follow also the law of reason and do no lechery. Thus the philosopher taught to Alexander. (5307-5397.)

I thank you, father. The tales sound in my ears, but my heart is elsewhere; for nothing can make me forget my love. Leave all else therefore, and let us return to our shrift.

Yes, my son, there is one point more, and this is the last. (5398-5438.)

LIB. VIII.

1-198. LAWS OF MARRIAGE. God created Adam and Eve to repair the loss of Lucifer and his angels, and bade them increase and multiply. In the first generation by God's law brother and sister were joined in marriage, then afterwards cousin wedded cousin, as in the time of Habraham and Jacob. At last under Christian law Marriage was forbidden also in the third degree. Yet some men take no heed to kinship or religion, but go as a cock among the hens and as a stallion among the mares. Such love may be sweet at first, but afterwards it is bitter.

199-2008. EXAMPLES OF INCEST. *Caligula* the Roman Emperor bereft his three sisters of their virginity: therefore God bereft him of his life and of his empire.

Amon lay with his sister Thamar, and Absolon his brother took vengeance upon him.

Lot lay with his daughters, and the stocks which came from them were not good.

Thus if a man so set his love, he will afterwards sorely repent it; and of this I think to tell a tale which is long to hear. (199-270.)

Apollonius of Tyre. In a Chronicle called Pantheon I read how king Antiochus ravished his daughter and lived with her in sin. To hinder her marriage, he proposed a problem to those who sought her love, and if a man failed to resolve it, he must lose his head. At length came the Prince Apollinus of Tyre, and the king proposed to him the question. He saw too clearly what the riddle meant, and Antiochus fearing shame put off the time of his reply for thirty days. (271-439.)

The Prince feared his vengeance and fled home to Tyre, and thence he departed secretly in a ship laden with wheat. Antiochus sent one Taliart in all haste to Tyre, with command to make away with the Prince by poison. Finding that Apollinus had fled, he returned.

In the meantime the Prince came to Tharsis, and took lodging there with one Strangulio and his wife Dionise. The city was suffering famine, and Apollinus gave them his wheat as a free gift, in return for which they set up a statue of him in the common place. (440–570.)

A man came to him from Tyre and reported that king Antiochus desired to slay him. He was afraid and fled thence again by ship. A storm came upon him and the ship was wrecked: Apollinus alone came alive to land. A fisherman helped him and directed him to the town of Pentapolim, where he found the people gathered to see games, and the king and queen of the country there present. (571-695.)

He surpassed all others in the games, and the king called him to supper in his hall. At supper he was sad and ate nothing, and the king sent to him his daughter to console him. To her he told his name and country, and with that he let the tears run down his cheeks. She fetched a harp and sang to it, and he took it from her hand and played and sang divinely. They all saw that he was of gentle blood. (696–799.)

The king's daughter desired her father that he might be her teacher, and in the course of time she turned with all her heart to love of him. She so lost her appetite for meat and drink and sleep that she was in danger of her life.

Three sons of princes demanded her in marriage, and she by letter informed her father how the matter stood: if she might not have Apollinus, she would have none other. (800-911.)

The king sent for Apollinus and showed him his daughter's letter. He assented gladly, and the marriage took place with great festivity. Soon after this men came from Tyre reporting that Antiochus and his daughter were dead, having been both struck by lightning, and entreating him to return to his own people. All were rejoiced to hear that the king's daughter had married so worthy a prince. (912-1019.)

Apollinus sailed away with his wife, she being with child. A storm arose and she began to be in travail. In anguish she was delivered of a maid child, but she herself lay dead. (1020-1058.)

Apollinus sorrowed as never man sorrowed before, but the master of the ship required that the dead body be cast out of the ship, because the sea will not hold within itself any dead creature, and the ship would be driven on the shore if the body remained within her. They made therefore a coffer closely bound with iron and covered with pitch, in which they placed the corpse, with gold and jewels, and with a letter praying that she might receive burial; and so they cast it overboard. Apollinus in the meantime sailed first to Tharsis. (1059-1150.)

The coffer was cast up at Ephesim and was found by Cerymon, a great physician. He by his art restored the seeming corpse to life, and she took upon herself the rule of religion and dwelt with other women in the temple of Diane. (1151-1271.)

Apollinus coming to Tharsis entrusted his infant daughter Thaise to the care of Strangulio and Dionise, and so he sailed on to Tyre. This daughter, until she was fourteen years old, grew up with the daughter of Strangulio, but Thaise was preferred to the other in all places where they went, and Dionise was therefore wroth. She bade her bondman Theophilus take Thaise down to the shore of the sea and there slay her. He brought her to the sea, but her cry called forth pirates from their hiding-place, who carried her with them away to Mitelene and sold her to Leonin, master of a brothel. (1272-1423.)

The young men who came to her were moved by compassion and did her no wrong, so that Leonin sent his own servant in to her. She entreated to be permitted to make gain for him in some other way, and being taken from the brothel and placed in security, she taught such things as gentlewomen desire to learn, and her name went forth over all the land. (1424-1497.)

Theophilus reported that he had slain Thaise, and Dionise, pretending that she had died suddenly, made a great funeral and set up a tomb with an epitaph. After this, Apollinus came to seek for his daughter at Tharsis, and hearing that she was dead, he put forth to sea again in grievous sorrow. He lay weeping alone in the darkness of the ship's hold, until under stress of storm they came to Mitelene. (1498-1617.)

Hearing of his grief, the lord of the city, Athenagoras, sent Thaise to comfort him. He at first rejected all her consolation, but then to his joy discovered that she was the daughter for whom he mourned. Athenagoras asked for her in marriage and was wedded to her. (1618-1776.)

They went forth all together with intent to avenge the treason at Tharsis, but Apollinus was warned in a dream to go to Ephesim, and there in the temple of Diane he found the wife whom he supposed to have been dead. Thence they voyaged to Tyre and were received with joy. Athenagoras and Thaise were there crowned king and queen, and Apollinus sailed away and took due vengeance upon Strangulio and Dionise. (1777-1962.)

When this was done, a letter came to him from Pentapolim, praying him to come and receive that kingdom, since the king was dead. They had a good voyage thither, and he and his wife were crowned there and led their life happily. (1963-2008.)

Thus, my son, thou mayest see how it is with those that love in a good manner, but it is not love when men take their lust like beasts.

2029-3172. CONCLUSION. Father, I may acquit myself in this, but I entreat your counsel as to what way I shall follow in my love.

I counsel thee, my son, to labour no more in things which bring thee no profit. The end of every pleasure is pain. Love is blind, and makes all his servants blind: thou mayest yet withdraw and set thyself under the law of reason.

It is easy to say so, father. My woe is but a game to you, feeling nothing of that which I feel. The hart that goes free knows not the sorrows of the ox under the yoke. But I entreat you to present for me a Supplication to Venus and Cupid, and bring me a good answer back. (2009-2188.)

Then arose a great debate between my Priest and me: my reason understood him well, but my will was against him. At length he agreed to deliver my Supplication, and with tears instead of ink I wrote the letter thus: 'The wofull peine of loves maladie,' &c. (2189-2300.)

The Priest went forth to present my petition, and I abode. Suddenly Venus stood by me, and I fell upon my knee and prayed her to do me grace. 'What is thy name?' she said, as if in game. 'John Gower,' I replied. 'I have read thy bill,' she said, 'in which thou hast complained to Nature and to me. Nature is mistress where she will, and I excuse thee for following her law: but as for what thou sayest, that I am bound to relieve thee, because thou hast served in my Court, I will give thee medicine that will heal thy heart, but perchance it will not be such as thou desirest.' (2301-2376.)

Half in scorn she spoke to me of my age and hoary locks, and counselled me to make a 'beau retret,' while there was yet time; for even though I should attain to my desire, I could not hold covenant duly with love.

I grew cold suddenly for sorrow of my heart, and lay swooning on the ground. Then methought I saw Cupid with his bow bent, and with him a great company, those gentle folk who once were lovers, arrayed in sundry bands. (2377-2459.)

Youth was the leader of one company, and these had garlands, some of the leaf and some of the flower. They went with piping and with song which resounded all about: they laughed and danced and played, and talked of knighthood and of ladies' love. There was Tristram with Ysolde, Lancelot with Gunnore, Jason with Creusa, Hercules with Eole, Troilus with Criseide, but in his mirth he was yet heavy of cheer because of Diomede. Those also I saw who died for love, as Narcissus, Piramus, Achilles; and the women who were forsaken, Dido, Phillis, Adriagne, Deianire and Medea. Many others too I saw, but four women especially who were most commended as examples in marriage, Penolope, Lucrece, Alceste and Alcione. Youth, which led this company, took no heed of me. (2460-2665.)

Then came Eld, leading a company not so great. Their music was low and their dancing soft: they smiled, but they did not laugh aloud. There was David with Bersabee, and Salomon with his wives and concubines, Sampson with Dalida, and Aristotle with the queen of Greece; Virgil also and Plato and Ovid the poet. (2665-2725.)

When this company was come to the place where I lay, they entreated Venus for me, and even some of the younger band said that it was great pity. Cupid came with Venus to me as I lay, and the lovers all pressed round to see. Some said that love was folly in the old, and others that no age could be free, and that while there was yet oil in the lamp, it might always be set alight. Cupid groped after me till he found me, and then he drew forth that fiery lance which before he had cast through my heart, and Venus anointed my wound with a cooling ointment and gave me a mirror in which I might behold myself. I saw my face wrinkled and my eyes dim, and I likened myself to that time of year when winter has despoiled the earth. Then Reason returned to me and I was made sober and sound. (2726-2869.)

Venus beheld me, and laughing asked me what Love was. I answered with confusion that I knew him not, and prayed that I might be excused from my attendance on her Court. As touching my Confession too, I asked an absolution, and the Priest gave it readily. Then the queen delivered to me a pair of beads to hang about my neck, and on them was written *Por reposer* in gold. 'Thus,' said she, 'have I provided for thine ease, and my will is that thou pray for peace. Stay no more in my Court, but go where moral virtue dwells, where are those books which men say that thou hast written: thou and I must commune together never again. *Adieu, for I must go from thee.' And so enveloped in a starry cloud, Venus was taken to her place above, and her Priest departed also at the same time. I stood for a while amazed; and then I smiled, thinking of the beads that she had given me and of the prayers that I should say. And thus I took my way softly homeward. (2870-2970.)

To God, the Creator of all things, I pray for the welfare of this land, and that it may have peace and unity, which every estate should desire. I pray that the clergy may work after the rule of charity, that the order of knighthood may cause extortion to cease and defend the right of the Church, that merchants may follow honesty, and above all that the king may keep himself and all the other estates of the kingdom in the right way. The king who humbly follows the law of

---

* Adieu, for I must go from thee. And greet Chaucer well, as my disciple and my poet, who has filled the land with the songs which he made for my sake. And bid him in his later age make his testament of love, as thou hast made thy shrift.'

And so enveloped in a starry cloud, Venus was taken to her place above, and I turned homeward with my beads in hand. (2940*-2970*.)

To God, the Creator of all things, I pray for my worthy king Richard the Second, in whom has always been found Justice mingled with Pity. In his person it may be shown what a king should be, especially in that he sought no vengeance through cruelty. Though evil came upon the land, yet his estate was kept safe by the high God, as the sun is ever bright in himself, though the air be troubled. He sought love and peace and accord, not only here at home, but abroad also, following

God shall be blessed, and his name shall be remembered for ever. (2971-3105.)

I promised to make in English a book between play and earnest, and now I ask that I may be excused for lack of curious skill. I have written in rude plain words, as sickness and age would suffer me; and I pray my lords that I may stand in their grace, for I desire to do pleasure to those under whose rule I am. (3106-3137.)

And now my Muse bids me rest and write no more of love, which turns the heart away from reason. Of this love then I take my final leave. But that love which stands confirmed by charity, which may save the body and amend the soul, such love may God send us, that in heaven our joy may be without end. (3138-3172.)

Christ's way, and therefore are we bound to serve him, and his name shall be ever remembered. (2971*-3035*.)

I, his subject, helpless with old age and sickness, desire to do him some pleasure, and therefore I present to him this poor book, made both for profit and for sport, and I ask that I may be excused for lack of curious skill. I have written, as I best might, in rude plain words.

And now that I am feeble and old, my Muse bids me rest and write no more of love. He who has achieved what he desired may fitly do his service to love in songs and sayings; but if a man fail, it is otherwise: therefore I take now my final leave of love. But that love which stands confirmed by charity, which brings no repentance and charges not the conscience, this may God send us, that in heaven our joy may be without end. (3036*-3114*.)

iv. ORTHOGRAPHY AND PHONOLOGY.—In the remarks upon Gower's language which here follow there is no systematic completeness. Attention is called to such points as seem to be important or interesting, reference being made especially to the language of Chaucer, as dealt with in B. ten Brink's *Chaucers Sprache und Verskunst* (second edition, 1899). It is necessary perhaps to remark here upon a difference of procedure which distinguishes this investigation from those which have for their object the text of Chaucer or of other writers whose work is handed down to us in manuscripts which do not proceed from the author himself. In such cases we have first to ascertain what the author actually wrote, before we can draw any valid conclusions about the laws of his language. It may even be necessary to restrict the discussion to such forms as are authenticated by rhyme; but when we are compelled to do this, we must remember that we are accepting a rather dangerous limitation. The conclusions drawn from the rhyme-words of a Middle English author will probably not be precisely applicable to his language in general. The sphere of our investigations will be that in which the licentious and exceptional is most likely to be found. If he has any tendency to borrow from other dialects than his own or to use irregular forms, this tendency will be most seen in his rhymes, for it will probably be the exigencies of rhyme which suggest the variation. Chaucer repeatedly uses 'here,' in the sense of the modern 'her,' to rhyme with such words as 'bere,' 'spere,' but we should certainly not be justified in concluding that this and not 'hire' was the normal form of his language. Similarly in the case of Gower by examination of his rhymes alone we might be led to many very doubtful results. For example, we should gather that he almost always used the form *sinne* rather than *senne*, *wile* (verb) and not *wole* or *wol*, *axe* and not *aske*, *sek* (adj.) and never *sik*, *hond* and never *hand*, *couthe* and never *coude*, *sente* (pret.) rather than *sende*, the adverb ending *-ly* in preference to *-liche* or *-lich*. In these cases and in many others we might easily be misled, the forms of these words as used in rhyme being determined chiefly by the comparative frequency of the various rhyme-syllables. Most of the conclusions above mentioned, and others like them, have in fact been arrived at in a paper by K. Fahrenberg, published in the *Archiv für die neueren Sprachen*, vol. 89. The author of this paper, having only Pauli's text before him, very properly confines himself to an examination of the rhymes, and within these limits most of his results are sound enough; but it would be very unsafe to treat them as generally applicable to the language of Gower. In our case it must be understood that the Fairfax manuscript is regarded (for reasons which will afterwards be stated) as a practically accurate reproduction of the author's original text, and consequently the occurrence of a particular form in rhyme is not held necessarily to be of any special significance.

ORTHOGRAPHY.—This being premised, we shall proceed to note first some points which call for attention in the orthography of the text.

In describing the British Museum MS. Harl. 3869, Pauli takes occasion to observe: 'This copy is very remarkable on account of its orthography, which has been carried through almost rigorously according to simple and reasonable principles.' This system he appears to attribute to the copyist of the manuscript in question, but it is in fact that of the author, the text being copied very faithfully from the Fairfax manuscript itself. Pauli appears to have been repelled by the outward appearance of this 'small stout folio' with its rather untidy writing. He did not take the trouble to examine the Oxford copies; but he seems to have perceived that its orthography was the same as that of the Stafford manuscript, and this should have enlightened him. In fact, if instead of taking Berthelette as his basis, he had simply printed the text of the Harleian volume, there would hardly have been need of another edition.

The orthography of the Fairfax text, first hand, confirmed as it is in almost every particular by that of the Stafford manuscript, and supported also by the testimony of others, more especially of MS. Bodley 902, may be assumed to be that of the author; and it is well worthy of our attention, for he evidently regarded exactness and consistency in spelling as a matter of some importance.

We may observe in the first place that it was not Gower's practice to mark vowel-length by doubling the vowel. Naturally there are some MSS. in which this is occasionally found, and in particular the third hand of A gives *caas, paas, glaade, maade, saake, waas, bee, breeþ, soo, aroos, moore, schoon, ooþer, toold*, &c. with considerable frequency, while very many MSS. have *book, look, took, oon, heere, mateere*, and some other forms of the same kind; but this is not in accordance with the author's rule. In the Fairfax MS. the cases of doubled vowel are only occasional, except in the instance of *good*, which is thus regularly distinguished from *god*.

Of *oo* there are very few cases except *good*. We have *oon* about three times for *on*, and *blood, brood, cooste, do* (= doe), *foode, hool, schoo, too* (= toe), *woot*, in isolated instances. The doubling of *e* is more frequent, as *beere, cheeke, cleene, dee* (pl. *dees*), *degree, eem, eer, fee, feede, feer, feere, feet, greene, meene, meete, pees, queene, scheete, see* (subst.), *seene, slee, spreede, thee, tree, weer, weere, wreeche, ȝee, ȝeer*, and a few more. Most of the above words, however, and in general all others, are written usually with a single vowel, and we have quite regularly (for example) *ded, dede, drem, ek, fend, fre, gret, hed, her* (= hair), *lef, red, slep, bok, bon, brod, fot, gon, hot, lok, non, schon, sone* (soon), *tok, wok*, and so on. Where there is variation of spelling in this respect, it is not felt to be a matter which concerns the rhyme; for we have *weer : pouer, pees : reles, sene : meene, there : feere, good : stod, fode : goode, do : schoo*, &c., though sometimes the spelling of

ORTHOGRAPHY

the rhyme-words is evidently brought into harmony, as *meene* : *Almeene*, ii. 2465 f., *beere* : *weere*, iv. 1323 f., *brood* : *good*, v. 4375 f., *goode* : *foode*, vii. 519 f. In a few cases however a phonetic distinction seems to be intended, as when we find *eet* as preterite of *ete*, and *beere* (also *bere*) pret. plur. of *beren*.

Maii (the month) is regularly written with *ii*, but rhymes with *mai*, *gay*, &c.

The doubling of final consonants, apparently to indicate vowel shortness, is more common, as in *all*, *bladd*, *charr*, *hadd*, *happ*, *madd*, *bedd*, *fedd*, *fett*, *spedd*, *bitt*, *bridd*, *chidd*, *godd*, *rodd*, beside *al*, *char*, *had*, *hap*, *mad*, *bed*, *fet*, &c.

The doubling of *s* in a final tone syllable seems to have no such significance, as in *Achilles* : *press*, iv. 2161 f., but *Ulixes* : *pres*, iv. 147 f., so *natheles* : *encress*, *pes* : *encress*, in all of which the vowel must be long.

One of the most noteworthy points of the orthography is the frequent use of *ie* in tonic syllables for close *ē*. This appears in French words such as *achieve*, *appiere*, *chief*, *chiere*, *clier*, *grieve*, *matiere*, *messagier*, *pier*, &c. (also in many of these cases *e*, as *chere*, *cler*, *matere*), but it is very commonly used also in words of English origin and seems invariably to be associated with the close sound of the vowel. Thus we have *hiede*, *spriede*, *lief* (but *levere*), *sieke*, *diel*, *stiel*, *whiel*, *dieme*, *sieme*, *diere*, *fiere* (= company), *hiere* (adv.), *hiere* (verb), *liere*, *stiere*, and others, which have in most cases the alternative spelling with *e*, as *hede*, *sprede*, *seke*, *del*, *stel*, *whel*, *deme*, *seme*, &c., but in all of which the vowel has the close sound.

It is impossible here to discuss the question how far this habit of spelling may have been introduced by analogy from French words with a similar sound of the vowel, and how far it may have grown out the Kentish use of *ie*, *ye* for O. E. *ēo*, *ē*, *ie*. Reference may be made to the remarks in the Introduction to the volume of Gower's French Works, p. xxi, where it is suggested that *ie*, having lost its value as a diphthong in later Anglo-Norman, came to be regarded as a traditional symbol in many cases for close *ē*, and hence such forms as *clier*, *clief*, *pier*, *prophiete*, &c., and as regards *ie* in the Kentish dialect there is a useful statement in the paper by W. Heuser, *Zum Kentischen Dialekt im Mittelenglischen*, published in *Anglia*, xvii, 78 ff.

In any case the fact is pretty clear that this variation was confined by Gower to words in which he gave to the vowel a close sound, and it is therefore useful as a distinguishing note, though there are few words in which this is the only form of spelling.

Both in stems of words and in their terminations *i* is on the whole preferred to *y*, so that we have *crie, hide, lif, like, mile, ride,* &c. more usually than *crye, hyde,* &c. (but perhaps *y* more often after *m, n,* as *knyht, myhte, nyht*), and also *arrai, mai, dai, hardi, ladi, worþi, mi, thi,* more often on the whole than *array, may,* &c., but *-ly* in adverbs more often than *-li*.

In some few cases it seems that a distinction is pretty consistently made, as between *wryte* (inf.) and *write* (past participle), and perhaps between *wite* (know) and *wyte* (blame).

Before *gh* followed by *t* we find *a, o* almost regularly in place of *au, ou.* Thus we have *aghte, straghte, taghte, boghte, broghte, doghter, noght, oghte, oght, soghte, wroghte,* &c., but occasionally *broughte, doughter, ought,* &c. Beside some of these there are forms in which *au (aw), ou (ow)* are written, but followed by simple *h,* as *strawhte, tawhte, douhter (dowhter).*

There is no difference between *-oun* and *-on* as terminations of such French words as *divisioun, complexioun,* &c., but *-oun* is much the more usual form[1]. Where they occur in rhyme, the rhyme-words are usually assimilated to one another in form of spelling, but sometimes *-oun, -on* rhyme together, as *division : doun,* ii. 1743 f., *toun : condicion,* v. 2551, *constellacioun : relacion,* vi. 2253 f.

In the case of *an* followed by a consonant in a tone-syllable the variation to *aun* seems to be merely a question of spelling, and we have such rhymes as *chaunce : remembrance,* ii. 893 f., *demande : comaunde,* iv. 2794, *supplanted : enchaunted,* ii. 2491, *covenant : supplaunt,* ii. 2367. In the French terminations *-ance, -ant,* the simple form is decidedly preferred (but *governaunce : porveaunce,* Prol. 187 f., *graunt : amblaunt,* ii. 1505 f.), and so also in many other words, as *change, strange, comande, demande, supplante* (also *comaunde, supplaunte*). In other cases *au* is either the usual or the only form, as *daunce, daunte, enchaunte, haunte, sclaundre.*

With regard to the consonants, it should be observed that Gower consistently wrote *sch* for *sh* initially, so that we have regularly *schal, schape, sche, schewe, schip, schrifte,* and also *lordschipe, worschipe,* &c.[2], in other places usually *ssh,* as *bisshop* (also *bisschop*)*, buissh, fissh, fleissh* (also *fleisch*), *freissh, reisshe, wisshe.*

The almost regular use of *h* for *gh* in such words as *hih, nyh, sih, kniht, liht, miht, niht, heihte, sleihte,* &c. will be spoken of later.

Gower did not use ʒ for *h* or *gh*. Such forms as *miʒte, riʒt,*

---

[1] The difference in the MS. usually consists only in the line drawn over the final *on*. So also often in the case of the words discussed below, *chaunce, daunce, enchaunte,* &c.

[2] Very seldom *sh* in F, as Prol. 938, i. 2171, i. 1458.

PHONOLOGY

ouȝte, wrouȝt, are practically unknown in the best MSS. (F has *nouȝt* once.) On the other hand initially in such words as *ȝe, ȝer, ȝive* (*forȝive*), *ȝong*, &c., *ȝ* is regularly used. Only late and inferior MSS. have *y*. In regard to this letter Gower's usage is exactly the reverse of that which we find in the *Ayenbite of Inwyt*. We have þ for *th* regularly except in the case of a capital letter being required, as at the beginning of a line, or in connexion with some foreign words and names as *thalemans, thevangile, rethorique, Athemas, Anthenor, Thebith*. Cases of *th* for þ in ordinary English words are very rare in F (but i. 2890, v. 2319, vii. 4203).

In some words there is an interchange of *c* and *s*, as *decerte, pourchace pourchase, service servise, rancoun, suffice suffise, sufficant*, &c., and the French termination *-esse* is also spelt *-esce*, as *largesse largesce, simplesce simplesse*; so also *encresce, redresce*, &c. In such points the orthography of Romance words is usually in accordance with that which we find in the author's French writings, in which also are found such etymological forms as *deceipte, doubte*.

Before quitting the general subject, we ought to note certain words of common occurrence which are spelt not quite in the usual way. The author regularly writes *bot* for *but*, *be* for *by*, when used as a preposition and unemphatic, *ous* for *us* (pers. pron.), *noght* for *not* (*not* being used for *ne wot*). Some forms of proper names, as *Habraham, Irahel*, are characteristic. In these points, as in many others, the writer evidently followed a definite system, and in spite of the variations recorded, the orthography of the Fairfax and Stafford MSS. certainly conveys to the reader the general impression of regularity and consistency.

PHONOLOGY. (1) O. E. SHORT VOWELS AND DIPHTHONGS.

O.E. **a, æ, ea.** In the case of *a* (*o*) before a lengthening nasal combination, *ld, nd, mb, ng*, &c., we may note that though *hond, honde, hondes* are preferred, as by Chaucer, yet *hand, handes* pretty frequently occur, as i. 2, 1807, 2994, ii. 574, iii. 116, v. 1505, &c. (also *handle*, iii. 1956, v. 1949), and that without any necessity of rhyme. In fact *hand* seems to be rather preferred except in rhyme. Contrary to what is apparently Chaucer's usage we find *thonk, thonke* as the regular forms in Gower, and only occasionally *thank*, as ii. 60, 2012. This may be due to the Kentish tendency to lengthen before *nk*, which perhaps was pronounced nearly as *ng* (see Morsbach, *Mittelengl. Gramm.*,

p. 128), and in this connexion we may note the fact that the Fairfax MS. twice has *þong* for *þonk*. On the other hand there is no definite trace of the principle which has been discovered in some of the Kentish texts of lengthening before these combinations when a vowel follows, while preserving *a* when the consonant group ends the word, *honde*, *stonde*, *þonke*, &c., but *hand*, *stand*, *þank*[1]. Gower uses *handes* as well as *hand*, and interchanges *hange* and *honge*, *sang* and *song*, according to convenience.

Note that *upon* rhymes freely with *on* (=one), *anon*, *gon*, &c., but the supposed rhyme *on* (*ăn*) : *mone*, i. 2179, noted by Fahrenberg, is really *one* (*ān*) : *mone*. In some cases of original *ǣ* shortened to *æ* Gower prefers *e* to *a*, as *eny*, only occasionally *any*, *eddre* beside *addre*, but *lesse*, *ledde* only for the sake of rhyme.

ea before *h* becomes *ī* in *sih* (from *seah*, *sæh*, pret. of *sēon*), which in Gower is the usual form of the word. *æg* forms *ai* (*ay*), as in *dai*, *lay*, *mai*, *fain*, *slain*, and other *ai* forms, which are not interchangeable with *ei* (but *said* with variant *seid* by influence of *seie*).

O. E. e. When we are dealing with so careful a rhymer as Gower, we need hardly remark upon the absolute distinction made between *ẹ̄* derived from O. E. *ĕ* and *ę̄* of whatever origin. The case of *skiereþ* : *hiereþ*, cited by Fahrenberg as an instance of the opposite, cannot be regarded as a real exception, in view of the uncertain derivation of *skiere*. His other cases of supposed *ẹ* : *ę* are instances of the pret. pl. *spieke* (*speke*), from *sprǣcon*, as *spieke* : *beseke*, ii. 959, *sieke* : *spieke*, ii. 1455. One is doubtful, viz. *seke* : *mispeke*, ii. 2007, where *mispeke* may be pret. subjunctive; and besides these, *undergete* : *flete*, ii. 1133 f., is irregular.

There is, however, also a well-marked distinction between new-lengthened *ẹ̄* in words like *trede*, *stede*, *bere*, *spere*, &c., *forȝete*, *gete*, *begete* (inf. and partic.), *mete* (subst.), &c., and *ę̄* from *ǣ* or *ēa*, the distinction being due presumably to imperfect lengthening. With the first class rank also words in which *e* is derived from O. E. *y* in open syllables, as *lere* (loss) from O. E. *lyre*, *stere* (stir) from *styrian*, *dede* (pret.) from *dyde*, and also *e* in *answere*.

Thus we find the following quite distinct sets of rhymes: *bede*, *forbede* (past participles), *bede* (subst.), *dede* (pret. = did), *stede* (stead), *trede*,

---

[1] M. Konrath in *Archiv für die neueren Sprachen*, 89, p. 153 ff.

PHONOLOGY

forming one class and rhyming together, while they are kept entirely apart from *threde, drede, dede* (=dead), *rede*, pl. adj. (=red), which have *ẹ̄* from *ēa* or *ǣ*. On the other hand, *bede* the pret. plur. of *bidde* (from *bǣdon*) rhymes with *dede* (dead), e.g. i. 2047.

So also *answere, bere* (subst.), *bere* (verb inf.), *forbere, dere* (destroy), *lere* (loss), *stere* (stir), *bestere, swere* (verb), *tere* (verb), *were* (wear), *were* (defend), form one class of rhyme-words as against *ere, fere* (fear), *there, were* (from *wǣron*), &c. But *eere* (verb) from *erian* rhymes with *there*, v. 819 f., and *scheres* with *teres*, v. 5691. The case of *bere* rhyming with *were* (from *wǣron*), i. 2795 f., vii. 1795 f., is not an exception to the rule, being the preterite plural, from *bǣron*.

Another group is *chele, fele* (many), *hele* (cover), *stele, wele*, as against *hele* (heal), *dele*, &c. : but we find *hele* (*hǣlo*) : *hele* (*helan*), iii. 2755 f.

Again we have *ete, gete* (inf. and partic.), *begete, forȝete, mete* (meat), *sete* (past partic.), kept apart from *grete* (great), *bete* (beaten), *strete, tete, lete* (*lǣtan*), *swete* (verb, = sweat), *threte, whete*, &c. It may be noted that *beȝete* (subst.) belongs to the class *grete, bete*, &c.

There is every reason to suppose that the same distinction would hold with other endings, in the case of which no sufficient rhyme-test is forthcoming, as *breke, speke* (inf.), *wreke* (inf. and past partic.), which have no other words with *ẹ̄* with which they could be rhymed, *eke, seke, meke*, &c., all having *ẹ̄*.

On the whole we may say that this distinction is very carefully kept in Gower's rhymes, and must certainly indicate a difference of pronunciation.

The adverb *wel*, also written *wiel*, has a double sound, as in Chaucer, either *ẹ̄* or *ẹ̄*, rhyming with *del* (*diel*), *stiel, whiel*, &c., and also with *naturel, Daniel*, and the substantive *wel* for *wele*.

eg forms *ei*, which is often interchangeable with *ai*, as *seie, leie, weie, aȝein*.

O. E. i. There is nothing in Gower's rhymes to lend support to the theory that *i* from O. E. *ĭ* in open syllables (i. e. before a single consonant followed by a vowel), as in the past participles *write, drive, schrive*, and the infinitives *ȝive, wite*, is of doubtful quantity. The past participle and plural preterite *write* have *ĭ* and rhyme with *wite* (know), while the infinitive *wryte* rhymes with *wyte* (blame), verb and substantive: the infinitives *live, ȝive, forȝive* and the participles *drive, ȝive, schrive*, &c. rhyme among themselves and not with *schryve* (inf.), *alyve, fyve*: the short vowel words *wile* (verb), *skile, bile* are separate from *wyle* (subst.), *whyle, ile*, &c. This would not be worth mentioning but for ten Brink's argument (*Chaucers Sprache*, §§ 35, 325), based on the very smallest positive evidence.

g 2

hire (*hir*) is used regularly for the personal and possessive pronoun of the third person sing. fem. (= her), and never *here*, as is Chaucer's usage in rhyme.

cherche is Gower's regular form from *cirice*, but *chirche* is common in the orthography of the *Praise of Peace*, e. g. 197, 210, 225, &c., beside *cherche*, 232, 254.

O. E. o. *wolde, scholde, golde, molde* rhyme with *tolde, holde, colde*, &c., but in open syllables a distinction is observed (as in the case of *e*) between new-lengthened $\bar{\varrho}$ and $\bar{\varrho}$ from O. E. $\bar{a}$, so that *tofore, before, therfore, score* and the participles *bore, forbore, lore, schore, swore* are kept separate in rhyme from such words as *hore, more, lore* (subst.), *ore, rore, sore*, to which later group should be added *More* (Moor), and the Romance verb *restore*[1]. This distinction seems to be recognized by Chaucer, cp. *Troilus*, v. 22–26, but with a good many exceptions, as *Legend of Good Women*, 452 f., 550 f., 1516 f., *Cant. Tales*, A 1541 f., 3237 f., &c., chiefly, but not exclusively, in the case of *more*. Gower is very much stricter and allows very few exceptions (*overmore* : *tofore*, i. 3361 f., *nomore* : *therfore*, vii. 3279* f., *more* : *therfore*, vii. 3869 f., *more* : *fore*, viii. 991 f.), which must be regarded as imperfect rhymes. Considering the frequency with which words of these two classes occur in rhyme, it is remarkable that the distinction should be so well kept.

We may note that *bowe* (subst.) from *boga* rhymes with words like *knowe*, in which *ow* is from $\bar{a}w$.

O. E. u. In some words *o* and *u* interchange, as *begonne begunne, conne cunne, coppe cuppe, dronkeschipe drunkeschipe, further forther, ronne* (*over*)*runne, sonne sunne, thurgh thorgh*(*soght*), *tonge tunge, tonne tunne*, &c., but we have without variation, *bole, hunger, note* (nut), *some, under, wonder*, &c. The regular rhyme *under* : *wonder* is enough to show that the sound was the same.

love, above rhyme together and not with any other word. (For the rhyme at v. 7047 f., see under ō.)

sone (from *sunu*), *wone* (custom), *astone*, rhyme only with one another: in the rhyme *wones* : *ones*, which occurs iv. 2217 f., viii. 611 f., we have to do of course with a different word.

[1] In other cases, as with the group *broke, loke, spoke, wroke* (past participles), and *joke* (subst.), there are no rhyme-words with $\bar{\varrho}$ from $\bar{a}$ by which a distinction can be established.

dore (*door*) rhymes with *spore* and *dore* (subjunctive of *dar*), *bole* with *wole* (verb).

O. E. **y**. This is usually represented by *e* (except before *h, gh*), e. g. *abegge, berie, berthe, besy, bregge, dede* (did), *evel, felle* (also *fille*), *felthe, ferst, fest, hell* (also *hill, hull*), *ken* (also *kin*), *kende* (usually *kinde*), *kesse* (also *kisse*), *knette, krepel, lere, lest* (listen), *lest* (= pleases, also *list*), *mende* (also *minde*), *merie, merthe, pet* (also *pitt, put*), *scherte, schetten, senne* (also *sinne*), *stere* (stir), *thenke* (from *þyncan*), *werche* (also *worche*), *werse* (also *worse*): to these must be added *hedde, hed*, pret. and past partic. of *hyde*, in which original *ȳ* was shortened (also *hidde, hid*). On the other hand, we have *gilt* (also *gult*), *gultif, lifte* (sky), *stinten* (not *stenten*), *thinne* (not *thenne*), *thurste, wierdes*. Gower does not use the forms *birthe, bisy, dide* (did), *mirie, mirthe, stire*.

The results obtained for certain words from rhymes by Fahrenberg[1] are rather misleading. For example, he suggests the conclusion that *fille* (subst.) and *fulfille* are used with *i* only, but of the nineteen instances which he quotes, all but two are in rhyme with *wille*, a natural combination (at least for *fulfille*), and one which has determined the form in most cases. Apart from this, both *felle* (subst.) and *fulfelle* are found (*felle* in rhyme, iii. 2609).

Again, *senne* is much more common than would appear from the rhymes. Fahrenberg can quote only one instance in rhyme, as against twenty-nine of *sinne*, but this is certainly due to the greater frequency of the words (such as *beginne, winne*, &c.), which give rhymes to *sinne*. The word occurs seven times in the Prologue, once it is in rhyme, *Sinne : inne*, and of the other six instances five are of *senne* and one only of *sinne*. On the other hand, *hell* (from *hyll*) alone appears in rhyme, but *hill* or *hull* are commoner forms in use.

The mistakes tell both ways, but on the whole the conclusion that *i* is much commoner than *e* in these words is seriously incorrect.

For the use in rhyme of the words of this class with open tone syllable, as *stere, lere* (from *lyre*), see under **e**.

(2) O. E. LONG VOWELS AND DIPHTHONGS.

O. E. **ā**. The *ǭ* of *hom* rhymes, as in Chaucer, with the *ǭ* of the

---

[1] *Archiv für n. Sprachen*, 89, p. 392. As I sometimes have occasion to criticize statements in this paper, I take the opportunity here of acknowledging its merit, as the only careful study lately attempted of Gower's language.

preterites *com*, *nom*, and also *fom* with *nom*, v. 4007. These must be regarded as imperfect rhymes, due to the want of strictly correct rhyme-words. Gower has regularly *most* (O. E. *māst*) and but once in rhyme *mest* (O. E. *mǣst*), *lest* : *althermest*, i. 3101 f. : also regularly *oght*, *noght*, and *oghte* (verb), but *tawht* : *awht*, i. 2770, and *aghte* : *betaghte*, viii. 747.

O. E. ǣ. This, when representing West-Germanic *ā*, Gothic *ē*, appeared as *ē* in the Old Anglian and Kentish dialects, and might naturally be expected to be sometimes close *e* in the language of Chaucer and Gower. It is well known that Chaucer uses many of the words which have this vowel in a variable manner.

The same is true to some extent also in words where the original *ǣ* corresponds to Germanic *ai*, and in which we find Old Kentish *ē*. Of these *leden*, *clene*, *menen*, *leeren* appear in Chaucer sometimes with *ę̄* (and *evere*, *nevere* always). For these and some other cases see ten Brink, *Chaucers Sprache*, § 25.

When we compare Chaucer's usage with that which we find in our author, we find what our former experience has prepared us to expect, viz. a greater strictness and regularity of usage in Gower. The examples of fluctuation between the two sounds are comparatively few.

Taking first the words in which *ē* is from *ǣ* corresponding to West-Germanic *ā*, we find the following with *ę̄*:

bede (pret. pl.), from *bǣdon*, (*dede* : *bede*, i. 2047 f.).
breth (: *deth*, i. 119, 2127, &c.).
fere, 'fear,' (: *ere*, i. 462, ii. 46).
her, 'hair,' (*heres* : *teres*, i. 2999).
lete, from *lǣtan*, (: *grete*, i. 3365, &c.).
lewed (: *thewed*, i. 274, *beschrewed*, iii. 479).
sete, pret. pl., (*sete* : *grete*, iv. 1309), but *siete* (not in rhyme), v. 3339.
strete (: *grete*, i. 938, *bete*, i. 1156).
there (: *ere*, i. 499, 558, &c.), but also *there* : *swere* (neck), iv. 859, and *hiere* (adv.) : *there*, *Praise of Peace*, 178.
were, from *wǣron*, (: *ere*, Prol. 235, i. 2808, &c.), but also *ę̄* in a few instances, as *hiere* (verb) : *were*, i. 2741 f., *hiere* (adv.) : *were*, v. 747 f.
where (e. g. *elleswhere* : *eere*, Prol. 9), but *here* (adv.) : *elleswhere*, v. 361 f.

The substantive and verb *red*, *rede* rhyme about equally with *ę̄* and *ę̄*, the latter cases being almost all with *ded*, *dede* (dead, sing. and pl.), as i. 1446, iv. 1940, 1960, &c. On the other hand, *rede* : *hiede*, i. 447 f., *rede* : *spede*, i. 1293 f., ii. 103 f., &c., *red* : *sped*, iii. 1991 f.

The following words of this class have as a rule *ę̄*:

cheke (*chieke*) (: *mieke*, v. 2471, *eke*, v. 3019).
dede, 'deed,' (: *fede*, Prol. 465, *mede*, i. 1553, &c., *spede*, i. 2653, &c., *ȝede*, ii. 855, *forbiede*, iii. 1122), but *dede* (dead) : *dede*, i. 1037 f.

PHONOLOGY ciii

drede (: *nede*, i. 1987, 2240 [1], : *spede*, iv. 629, : *hiede*, iv. 1448, &c.), but *dede* (dead) : *drede*, ii. 3405 f., *drede* : *rede* (from *rēad*), iv. 185 f.
leche (: *seche*, ii. 3220, *beseche*, iii. 413).
meete, 'dream,' (: *meete*, from *mētan*, iii. 51).
mete (*unmete*), adj. (: *mete*, from *mētan*, ii. 458, iii. 1100).
slep, slepe, subst. and verb, (*kepe* : *slepe*, Prol. 309 f., 475 f., *slep* : *kep*, i. 155, &c.), but *slep* : *hep* (*hēap*), iv. 3007 f.
speche (*spieche*) (: *seche*, Prol. 174, *beseche*, i. 1986).
spieke (*speke*), from *sprǣcon*, pret. pl. (: *beseke*, ii. 959, *sieke*, ii. 1456).
thred (: *sped*, i. 1419).
ȝer, ȝere, (*ȝere* : *stiere*, ii. 2379, *ȝer* : *hi·r*, iii. 129, *ȝeeres* : *pleiefieres*, iv. 481), with no instances apparently of *ę̄*.

If we take now the words in which *ē* is from *ǣ* corresponding to Germanic *ai*, we obtain the following results.

With *ę̄* :
er (: *ner*, ii. 2285).
geth (: *deth*, ii. 1804, 2616, &c.).
lene, 'lend,' (: *bene*, v. 4407).
leve, ' remain,' (: *bereve*, Prol. 412).
se (*see*), ' sea,' (: *stree*, iii. 86, iv. 1715, *sle*, iv. 1664), but *be* : *se*, iv. 1625 f., *me* : *see*, viii. 1723 f.
ȝe (*ȝee*), 'yea,' (: *slee*, iii. 262, 2068, *stree*, iii. 668).
(*stre, slee*, have no *ę̄* rhymes, so we have no reason to suppose, as in the case of Chaucer, that final *e* has a close sound.)

With *ę̄* :
areche, from *ārǣcan*, (: *beseche*, ii. 666).
clene (: *sene*, ii. 3461).
del (*diel*), *somdiel*, &c. (: *whiel*, Prol. 137, *stiel*, Prol. 612, 828).
evere, nevere, (: *levere*, Prol. 38, ii. 5, ii. 2417, &c.).
-hede (*-hiede*) as a suffix : *hiede* : *godhiede*, Prol. 497 f., cp. i. 1211 f., 1719 f., v. 595 f., viii. 95 f., *mede* : *wommanhiede*, iii. 1607 f., *wommanhiede* : *fiede*, vi. 695 f., *maidenhede* : *spede*, vii. 5145 f., viii. 1419 f., and so on, but once *ę̄, Maidenhede* : *rede* (from *rēad*), v. 5987.
hete, subst. and verb, 'heat,' (: *swete*, 'sweet,' ii. 2740, vi. 249), but *hete* : *tobete*, iii. 121 f., *hete* : *bete*, viii. 1195 f.
lede (: *hiede*, v. 156, : *fede*, vii. 2336 *), but *dede* (dead) : *lede*, ii. 2779 f.
lere (*liere*), from *lǣran*, (: *hiere*, verb, i. 454, iii. 2204, v. 2029, *diere*, viii. 1462, *hiere* (adv.), viii. 1497, *unliered* : *stiered*, Prol. 233 f.).
mene (*meene*), verb, (: *sene*, ii. 2830, iv. 1645, *wene*, i. 1937, &c., *grene*, i. 777, &c., *tene*, iii. 771, *queene*, iv. 786).
sprede (*spriede*) (: *fede*, i. 2824, *spede*, ii. 504, *spredeth* : *nedeth*, v. 7679 f., *feedeth*, vi. 895 f.), but *sprede* : *hede* (head), vii. 845 f.
teche (: *beseche*, i. 590, 2260, iii. 132).

The above are the results arrived at by examination of the rhymes with vowels of undoubted quality; i. e. *ę̄* from O. E. *ēa*,

---

[1] According to ten Brink, *nede* ought to be regarded as an uncertain rhyme because of the O. E. *nēades* beside *nīedes*, but Gower never rhymes it with open *ē*.

and $\e̜$ from O. E. $\bar{e}$, $\bar{eo}$, $\bar{ie}$. In addition to this, an investigation has been made of the rhyming of these words among themselves and with words of Romance origin, in the process of which some additional words with $\bar{e}$ from $\bar{æ}$, as *dele*, *hele*, *swete*, 'sweat,' *wete*, are brought in. This cannot here be given in full, but it may be said that in almost all points it confirms the results arrived at above. A few words, however, to which an open vowel is assigned above, rhyme with other words from $\bar{æ}$ which almost certainly have $\e̜$, and therefore must be set as having unstable pronunciation. Thus, in spite of the rhyme *lene* (lend) : *bene* mentioned above, we have *lene* : *mene* (both verb and subst.) and *lene* : *clene*, and though *fere* rhymes more than once with *ere*, we have *lered* : *afered* and *unlered* : *afered*, which suggest that the close sound was possible.

On the whole we may set down the following as the result of our examination.

With open vowel: of the $\bar{æ}$ ($\bar{e}$) class, *bede*, pret. pl., *breth*, *her* (pl. *heres*), *lete*, *lewed*, *strete* : of the $\bar{a} = ai$ class, *er*, *geth*, *leve* (remain), *ʒee* (yea).

With close vowel: of the former class, *leche*, *meete* (dream), *mete* (fit), *slepe*, *speche*, *speke*, pret. pl., *thred*, *wete*, *wreche*, *ʒer*, and with one exception only in each case *dede*, *slep* : of the latter class, *areche*, *clene*, *del*, *evere*, *lere*, *mene*, *nevere*, *teche*, and with one exception in each case, *-hede* (*-hiede*), *lede*, *sprede*.

With unstable vowel: from $\bar{æ}$ ($\bar{e}$), *drede*, *eve*, *fere* (fear), *red* (subst.), *rede*, *there*, *were*, *where* : from $\bar{æ} = ai$, *hete*, *lene*, *see* (sea).

The conclusions to which we are led are, first that in Gower's usage there is less instability of vowel-sound in these words than in Chaucer, the number of words with unstable vowel being smaller and the variations even in their case more exceptional; secondly that Gower's language has a strongly pronounced leaning towards $\e̜$; and finally that this tendency is quite as much visible in the words of the $\bar{æ} = ai$ class as in the others.

O. E. ēa. The substantive *believe* has $\e̜$ by influence of the verb.

There is no use apparently of *nẹde* from *nēad* or of *ʒẹr* from *gēar*, and *ek*, *eke*, seems invariably to have $\e̜$.

From *ēage*, *flēah*, *hēah*, *nēah* we have *yhe*, *flyh*, *hih*, *nyh*.

There seems no reason to suppose that *stre*, *sle* had $\e̜$, as has been concluded for Chaucer's language because of such rhymes as *sle* : *he*, *stre* : *she*, *stree* : *we*, see ten Brink, *Chaucers Sprache*, § 23.

It has already been shown that *see* (sea), which we have supposed to have unstable vowel quality, very seldom rhymes with words having *ẹ̄*, notwithstanding the frequent opportunity for such rhymes, and *ʒee*, 'yea,' never. It may be questioned whether the rule laid down by ten Brink for Chaucer is a sound one, and whether Chaucer's practice does not really depend simply upon the larger supply of rhymes in *ẹ̄*, such as *he*, *she*, *me*, *thee*, *be*, *se* (verb), *tre*, *three*, &c. It is at least possible that the difference here between Gower and Chaucer arises from the fact that the latter was less strict in his rhymes, and certainly the later developments of *sle*, *see*, *stre*, *ʒee* supply no confirmation of the idea that they had *ẹ̄* regularly in Chaucer's language.

O. E. ēo. By the side of *sek* (*siek*) there is occasionally *sik*.

The form *fil*, *fille* for *fell*, *felle*, pret. sing. and pl. from *falle*, are not used by Gower. He rhymes *fell* (*fēoll*) : *hell* (*hyll*) and *felle*, pret. pl. : *felle* (*fyllan*).

The personal pronoun *ʒow* (*ʒou*) from *ēow* rhymes with *thou*, *now*, &c.

O. E. ī. Fahrenberg's instances of *ī* : *ē*, i. 177 f. and iii. 413 f., are both founded on mistakes.

O. E. ū. The personal pronoun from O. E. *ūs* is always written *ous*, but rhymes in some instances with *-us* in Latin names, e. g. *Tricolonius* : *ous*, *Tereüs* : *ous*.

būtan is shortened to *bot*, not *but*. It occurs also as a dissyllable in the form *bote*.

O. E. ȳ. The only example of *ȳ* as *ē* is *fer* from *fȳr*, which occurs in rhyme with *ʒer*, iii. 694, (elsewhere *fyr*). Chaucer has *fere*, dat., rhyming with *here*, adv., *Troilus*, iii. 978, and also *afere* in rhyme with *stere*, 'stir,' *Troilus*, i. 229.

The cases of *hedde*, *hed*, pret. and past participle (from *hȳdan*), are examples of shortened *ȳ* passing naturally to *e*, and so also *fest* from *fȳst*, *felthe* from *fȳlþe*, *threste* from *þrȳsta*.

From *ȳg* in *drȳge* we have *dreie*, but also *drye*.

O. E. ō. Gower, like Chaucer, rhymes the word *do* (*misdo*, *undo*, &c.), and occasionally *to* in *therto*, with words that have *ǭ* derived from *ā*, not only *so*, *also*, *two*, *wo*, but also *tho*, adv. (i. 2609, iii. 683, v. 5331, &c.), *go*, *ago* (ii. 2483, 3513, iv. 1161, 3465,

v. 5173, &c.), *overmo* (i. 2385), *no* (v. 4776), *fo* (iv. 3407). These words also rhyme with proper names, such as *Juno, Lichao, Babio*. The other forms of *do*, as *doth, don*, rhyme nearly always with $\bar{\varrho}$, but once we have *doth* : *goth*, v. 3967 f., and once *don* : *anon*, v. 3627 f. The rhyme *soth* : *goth* also occurs, v. 1579 f. This latter class of rhyme, as *don* : *anon*, *don* : *gon*, *sothe* : *bothe*, *soth* : *wroth*, occurs frequently in Chaucer's earlier work, as the *Book of the Duchess*, but much less so in the later.

These rhymes, like those of *hom* with *com*, &c., noticed above under *ā*, are to be explained as due to scarcity of exactly corresponding rhyme words. The only exact rhyme for *do* and *to* is in fact *schoo*, which is found in Prol. 356, but obviously could not be of frequent occurrence. The explanation given by ten Brink, *Chaucers Sprache*, § 31, and repeated mechanically by others, is that certain words which have $\bar{\varrho}$ from *ā*, as *wo, two, so* (*swā*), may equally have $\bar{\varrho}$ upon occasion owing to the influence of *w*. This is shown to be wrong both by the fact that the rhymes in question are, as we have seen, by no means confined to these words, and by the absence of other evidence in the case of *wo* and *so* that they ever had a tendency to $\bar{\varrho}$. The fact that the rhyme *do* : *so* is by far the commonest instance is due simply to the more frequent occasion for using the words.

In the rhyme *glove* : *love*, v. 7047 f., we have to deal with $\bar{\varrho}$, and there can be no question here of *love* from *lufian*. Both sense and rhyme point to a verb *love* corresponding to the substantive *lof* or *love*, mod. *luff*, and signifying the action of bringing a ship's head up nearer to the wind. The other rhymes used with *glove* are *behove*, Prol. 357, *prove*, iii. 2153.

We may note that *wowe* from *wōgian* rhymes with *bowe* (*būgan*), which does not fit in with ten Brink's very questionable theory about the development of *ou* (*ow*), *Chaucers Sprache*, § 46, Anm.

(3) ROMANCE VOWELS. A few notes only will be added here to what has already been said in the Introduction to Gower's French Works.

Words with *-oun* (*-on*) ending, as *condicioun* (*-on*), *opinioun* (*-on*), &c., rhyme only among themselves or with *toun, doun*, &c. There are no rhymes like Chaucer's *proporcion* : *upon*, and it is to be noted especially that the rhyming of proper names in *-on*, as *Salamon, Acteon*, &c., with this class of words, which is very common in

Chaucer, does not occur in Gower's English, though we occasionally find it in his French. At the same time the possibility of such rhymes cannot be denied, for we have *toun* : *Ylioun*, v. 7235 f., and *Lamedon* : *Jasoun*, v. 7197 f.

Adjectives in *-ous* do not rhyme with *-us*, as in Chaucer *Aurelius* : *amorous*, *Theseüs* : *desirous*.

The terminations *-arie*, *-orie* are not used at all, but instead of them the French forms *-aire*, *-oire*, as *adversaire*, *contraire*, *necessaire*, *gloire*, *histoire*, *memoire*, *purgatoire*, *victoire*. Latin proper names in *o* rhyme with $\bar{o}$, as *Cithero* (: *also*), *Leo* (: *also*), *Phito* (: *tho*), *Juno* (: *so, tho*), &c., but also in several cases with *do*. There seems no sufficient reason to suppose, as ten Brink does, that they regularly had $\bar{o}$.

(4) CONSONANTS. The termination *-liche* (*-lich*) in adjectives and adverbs, which Fahrenberg judging by the rhymes sets down as very uncommon compared with *-ly*, is by far the more usual of the two. It is true that *-ly* occurs more frequently in rhyme, but that is due chiefly to the greater abundance of rhyme words corresponding to it, e. g. *forthi*, *by*, *cri*, *merci*, *enemy* : we have, however, *redely* : *properly*, Prol. 947 f. The general rule of usage is this : *-ly* usually in rhyme (but *besiliche* : *swiche*, iv. 1235 f.), and before a consonant in cases where the metre requires a single syllable, as i. 2069, 'Al prively behinde his bak' (but *frendlīch*, viii. 2173), *-liche* or *-lich* before a vowel, as i. 373, 'That ronne besiliche aboute,' cp. ii. 1695, v. 1247, and *-liche* of course where two syllables are required, as i. 1035, 'Was thanne al openliche schewed,' so ii. 918, iv. 57, and compare also iii. 2065 f.,

> 'Unkindely for thou hast wroght,
> Unkindeliche it schal be boght.'

But in Prol. 719 we have *only* before a vowel,

> 'Noght al only of thorient,'

though *onliche* occurs in a similar position, i. 1948, and *onlich*, iii. 42. Again, 911,

> 'And sodeinly, er sche it wiste,'

but Prol. 503,

> 'Al sodeinliche, er it be wist,'

cp. iv. 921, compared with i. 1336.

The treatment of the O.E. spirant h ($=\chi$) deserves some attention. This occurring before *t* is recognized as having in M. E. a palatal or a guttural sound, according to the nature of the preceding vowel, but the texts of our period usually give it as *gh* in both cases. Gower, however, makes a distinction, writing almost regularly *alihte, briht, dihte, fihte, flihte, kniht, liht, miht, mihte, niht, riht, sihte, wiht, heihte, sleihte*, &c., but *aghte, caghte, straghte, boghte, broghte, noght, oght, oghte, soghte*. Occasionally however in the first class we find *g*, as rarely *bryghte, lighte*, more frequently *heighte, sleighte*, and pretty regularly *eighte*; and there are several words in the second which have variants with *h*, but in these cases *w(u)* is inserted, as *cawhte, strawhte, dowhter* (*douhter*), *owhte*: otherwise *u* is generally absent, as we have already seen. The form referred to is commoner with the vowel *a* than with *o*.

It is hardly necessary to repeat here that *plit* is a word of Romance origin, and rhymes properly with *delit, appetit*, not with *liht, niht*, &c., being separate in etymology from O. E. *pliht*.

From the fact that there is no rhyming of *-iht* with *-it* either in Gower or Chaucer, we may certainly gather that the sounds were somewhat different; but the fact that Gower does not usually write *gh* after *i* indicates, no doubt, that in this case the sound of the spirant was less marked than when preceded by broader vowels.

Where O. E. *h* is a final aspirate, *g* is not usually written, as *sih, hih, nih, bowh, lowh, plowh, slowh, ynowh*, except in the case of *thogh*, but very occasionally we find such forms as *drogh, plogh*. In the words which have *w(u) h* is often dropped, as in *bowes, low, slow* (preterites), *ynow*.

V. INFLEXION.—(1) SUBSTANTIVES. In a certain number of words there is variation in the matter of final *e* : thus we have *drink drinke, felawe felawh* (*fela*), *flyht flyhte, half halve, help helpe, kep kepe, lack lacke, lyf lyve, myn myne, queene queen, sor sore, wel wele, will wille, wyndou wyndowe*, to which must be added many words with the suffixes *-hede, -hode, -schipe*, and the termination *-inge*, e.g. *falshed(e), knyhthod(e), manhed(e), felaschip(e), hunting(e), know-leching(e), teching(e), wenyng(e)*. In these latter cases the presence of the *e* ending is not wholly dependent on the accent, for we have *hunting*, i. 350, but *húntynge*, iv. 2429, *techyng* and *techinge* both equally in rhyme, i. 1592, v. 611, *gládschipe*, i. 3128, *knithód*, v. 2057, *felaschíp*, ii. 1217. Accent however has some influence, and it is hardly conceivable that the final *e* should count in the metre except where the accent falls on the preceding syllable, so that where the accent is thrown back, we find that the word is regularly followed by a vowel. In the case of the (English) termination *-ere* the final *e* is

INFLEXION. SUBSTANTIVES. cix

usually written: such words are *beggere, forthdrawere, hindrere, ledere, lovere, makere, repere, spekere, writere*. This *-e*, however, is either elided or passed over in the metre (as with *janglere*, v. 526), unless an accent falls on the termination, in which case it may be sounded, as vii. 2348, 'The Sothseiere tho was lief.'

The forms *game, gamen* appear side by side both in singular and plural, as i. 347, vi. 1849, viii. 680.

As regards the oblique cases we note the following genitive forms: *cherche, herte* (also *hertes*), *hevene, ladi, soule, sterre* (pl.), *wode* (also *wodes*), to which add *dowhter* (also *dowhtres*), *fader* (also *fadres*), *moder*. In the expressions *horse side, horse heved*, &c., *horse* is genitive singular.

The *-e* termination of the dative appears in a good many prepositional phrases: *to (in) bedde, in boke, to borwe, be (to) bote, with (of) childe, unto the chinne* (but *unto the chin*, i. 1682), *be daie, to (fro) dethe* (also *fro deth*), *of dome, on (under) fote* (but *upon the fot, at his fot*), *on fyre, to (upon) grounde, fro (unto) the grounde* (also *fro the ground*), *on hede, at (fro) home* (also *at hom*), *in (on, upon) honde, to (into) honde,* (but 'bar on *hond*,' *be the hond*), *on horse, to horse, to (in, of) house* (but *in myn hous*), *to (into) londe, be (in, over) londe, of (out of) londe, fro the londe,* (but *of his lond*, &c.), *be lyhte, to lyve, to manne, to mowthe, be mowthe, be nyhte* (also *be nyht*, and regularly *at nyht, on nyht, a nyht, to nyht*), *to rede, be (to, into, out of) schipe* (also *to schip*), *to scorne, to slepe* (also *to slep*), *to toune, to wedde, to wyve, to ȝere, be ȝere.*

In the plural we have *hors, schep* unchanged, and also with numerals, *mile, monthe, pound, ȝer* (beside *ȝeres*), *wynter*. The plural of *thing* is *thinges*, sometimes *thinge*, not *thing*. Mutation plurals, *feet, men, teeth, wommen*. Plurals in *-en, brethren, children, oxen* (also *oxes*), *ton, yhen*.

The forms in *-ere* have plurals *-ers*, as *janglers, kepers, lovers*. From *maiden* we have beside *maidens* also *maidenes* (three syllables), iv. 255, which is perhaps the true reading in Chaucer, *Leg. of G. Women*, 722. From *angel* we have plural *anglis*, iii. 2256, as well as *angles*, and *Nimphis*, v. 6932, but there are few examples of plural in *-is*.

With regard to Romance substantives Gower appears to be stricter than Chaucer in preserving their form. He gives us regularly *beste* 'beast,' *feste, requeste, tempeste*. We have however *baner* (also *banere*), *host, maner, matier* (beside *manere, matiere*), *press* (beside *presse*), *travaile, conseile* (substantives) very occasionally for *travail, conseil*.

Several distinctively feminine forms are used, as *capiteine, chamberere, citezeine, cousine, enemie*.

In some cases the Latin inflexion is introduced, as *Tantaly, Apollinis, Centauri, in Cancro, Achillem, Esionam, Phebum,* the two last apparently introduced after the first recension.

(2) ADJECTIVES AND ADVERBS. A few adjectives vary as regards final *e* in the uninflected form, for example *ech eche, lich liche, low lowe, many manye, moist moiste, old olde, other othre, such suche* (?), *trewe trew, wommanyssh wommannysshe*.

In comparative forms -*e* is often dropped, as *fairer, further, longer, rather, ȝonger*, but more often written, as *furthere, deppere, ferre, gladdere, grettere, lengere, rathere*. This -*e*, however, is either elided or passed over in the metre (as ii. 503, iv. 1459, vi. 1490, 1525, 2010). Where there is syncope of the penultimate, as after *v(u)* in *levere*, the final *e* counts regularly as a syllable, so that in case of elision the word is reduced to a monosyllable, which never takes place with *rathere, furthere*, &c.

When adjectives or adverbs ending in weak *e* are combined with a suffix or another word, -*e* is often dropped; thus we have *everemore evermore, furthermore, joieful joiful, hevenely hevenly, trewely, trewly* (so also *trewman*), and so on. In such cases a previously syncopated penultimate ceases to be so on loss of the following *e*.

A few cases occur of -*id* for -*ed* in adjective endings, as *nakid* (also *naked*), *wickid wikkid* (usually *wicked*), also *hundrid* (usually *hundred*).

The definite form is used pretty regularly in the case of English monosyllabic adjectives, and usually also in monosyllables of French origin. This rule applies (1) to adjectives used after the definite article, a demonstrative pronoun or a possessive; (2) to those employed as vocatives in address; (3) to adjectives in combination with proper names or words used as proper names[1]. Thus we have regularly (1) 'the *grete* hert,' 'the *stronge* coffre,' 'The *qwike* body with the *dede*,' 'this *proude* vice,' 'this *ȝonge* lord,' 'my *longe* wo,' 'his *lose* tunge,' 'thi *fulle* mynde,' 'whos *rihte* name,' &c. (2) 'O *derke* ypocrisie,' 'O *goode* fader,' '*lieve* Sone,' &c. (3) '*grete* Rome,' '*Blinde* Avarice,' '*proude* Envie' (but '*proud* Envie,' Prol. 712), '*faire* Eole,' '*stronge* Sampson,' '*wise* Tolomeüs,' &c.

We must note also the inflexions in the following expressions, 'so *hihe* a love,' ii. 2425 (but *hih*, vii. 2413), 'so *grete* a wo,' v. 5737, so *grete* a lust,' v. 6452, 'so *schorte* a time,' vii. 5201.

With Romance adjectives we find 'his *false* tunge,' 'the *pleine* cas,' '*false* Nessus,' &c., and so usually in monosyllables.

In the case of English monosyllables the exceptions are few. 'His *full* answere,' i. 1629, 'hire *good* astat,' i. 2764, 'here *wrong* condicion,' ii. 295, 'his *slyh* compas,' ii. 2341 (but 'his *slyhe* cast,' ii. 2374), 'the *ferst* of hem,' iii. 27, v. 2863, cp. 5944 (usually 'the *ferste*,' as i. 580, &c.), 'my *riht* hond,' iii. 300, 'the *trew* man,' iii. 2346, 'his *hih* lignage,' iv. 2064 (due perhaps to the usual phrase 'of hih lignage'), 'the *hih* prouesse,' v. 6428*, 'hire *hih* astat,' v. 6597, 'the *gret* oultrage,' vii.

[1] This latter rule explains Chaucer's use of the inflected forms *faire, fresshe*, &c., in 'fresshe Beaute,' 'gode, faire White,' 'fresshe May,' &c.

3413, 'hire *freissh* aray,' vii. 5000, 'hire *hol* entente,' viii. 1222, cp. viii. 1710, 2968 (but 'ȝoure *hole* conseil').

Among Romance adjectives the want of inflexion is more frequent in proportion to the whole number of instances, e. g. 'the *vein* honour,' Prol. 221, 'the *fals* emperour,' Prol. 739, 'Hire *clos* Envie,' ii. 684, &c.

In the case of adjectives of more than one syllable, whether English or French, the definite form is exceptional. The commonest case is that of superlatives, in which the definite form *-este* is regularly used when the accent falls on the termination, whether in rhyme or otherwise, as *faireste*, i. 767, v. 7427, *slyheste*, i. 1442, *wiseste* : *myhtieste*, i. 1097 f., *wofulleste*, vii. 5017. Even when the accent is thrown back, the definite inflexion is more usually given than not, as *faireste*, i. 1804, *hoteste*, i. 2492, *treweste*, ii. 1282, *povereste*, iv. 2238, *heyeste*, vii. 935, but sometimes dropped, as 'the *purest* Eir,' Prol. 921, 'the ȝongest of hem,' i. 3133, 'the *lowest* of hem alle,' vii. 224: in all cases, however, where the accent is thrown back, the adjective is followed by a word beginning with a vowel, so that the metre is not affected.

Other adjectives of which the termination is capable of accent may take the definite inflexion, when the accent is thrown on the termination, as 'the *covoitouse* flaterie,' 'this *lecherouse* pride,' this *tyrannysshe* knyht,' but on the other hand 'his fals *pitous* lokynge,' 'the *pietous* Justinian,' 'the proude *tyrannyssh* Romein,' and cases where the adjective is used as a substantive, 'the *coveitous*,' 'This *Envious*,' '*thaverous*,' &c. We have 'the *parfite* medicine,' iv. 2624 (but 'the parfit Elixir,' iv. 2522, with accent thrown back), and 'O thou *gentile* Venus,' viii. 2294; but perhaps *parfite*, *gentile* are to be regarded as feminine forms, as almost certainly *devolte*, i. 636.

Where the final syllable of the adjective is incapable of accent, there is ordinarily no question of a definite inflexion, except where there is syncope after *v* (*u*), as in *evele*. Such words are *croked*, *wicked*, *cruel*, *litel*, *middel*, *biter*, *dedly*, *lusti*, *sinful(l)*, *wilful*, *woful(l)*, *wrongful*, and we may note that comparatives in *-ere* and adjectives in *-liche* (with accent thrown back) sometimes appear in the truncated form of spelling even where a definite termination is suggested by their position, e. g. 'hire ȝonger Soster,' v. 5395, 'hir *goodlych* yhe,' ii. 2026, 'Ha, thou *ungoodlich* ypocrite,' v. 6293, 'hire *dedlich* yhe,' vii. 5089 (*-lich* in these latter cases to avoid the hiatus of 'ungoodly ypocrite,' &c.). As an exceptional instance the form *nakede* should be observed, 'his *nakede* arm,' iv. 421, given so both by F and S.

The formation of plurals in adjectives and participles used attributively is governed by the same principles. We have '*preciouse* Stones,' iv. 1354, but 'the most *principal*' (pl.), v. 1115. In the expression 'the chief flodes,' v. 1112, *chief* must be considered perhaps as a substantive, like *hed* in 'the hed planete.' Naturally words like *wicked*, *woful*, *lusti*, &c., take no plural inflexion, but we have *manye* (*manie*) beside *many* apparently as a plural form, though *manye* also occurs in the singular, and *enye* once as plural of *eny*. In the expression 'som men' *som* is without inflexion in the plural, e.g. Prol. 529, iii. 2113, but '*somme* clerkes,' Prol. 355, '*some* thinges,' i. 1265.

Adjectives used as predicates or in apposition are to some extent treated according to convenience of metre or rhyme, but in the case of monosyllables there is a decided preference for inflexion. The following are some of the instances : 'Whan we ben *dede*,' Prol. 2, 'hem that weren *goode*,' 42, 'my wittes ben to *smale*,' 81, 'Ther ben of suche manie *glade*,' 299, 'become *grete*,' 303, 'ben with mannes senne *wrothe*,' 920, so *blinde*, i. 774, *smale*, 1145, *glade*, 1151, *hyhe*, *smale*, i. 1678 f., *hore* and *whyte*, i. 2045, *stronge*, iii. 1112, *dulle*, iv. 947, *whyte*, *fatte*, *grete*, iv. 1310, &c. We have also 'hise thoghtes *feinte*,' iv. 118, '*thinges* . . . *veine*,' i. 2689, 'hise bedes most *devoute*,' i. 669, 'in wordes so *coverte*,' iv. 1606, wher the men ben *coveitouse*, v. 4800.

On the other hand, 'Of hem that ben so *derk* withinne,' i. 1077, ' Hire chekes ben with teres *wet*,' i. 1680, ' Thei wexen *doumb*,' iv. 345, ' Here bodies weren *long* and *smal*,' iv. 1320, ' Thei weren *gracious* and *wys*,' vii. 1447, 'thei weren *glad*,' viii. 881, and so frequently.

The participle used as predicate is ordinarily uninflected, but there are a few examples of a plural form adopted for the rhyme, as *made*, Prol. 300, *ansuerde*, i. 3246, iv. 2343, *hidde*, v. 6789.

The usage of *al, alle* as an adjective is in some ways peculiar, but tolerably consistent. In the singular before an article, a demonstrative pronoun or a possessive, the uninflected form *al* (occasionally *all*) is used, as 'al the baronie,' 'al the world,' 'al his welthe,' 'all his proude fare,' 'al a mannes strengthe' (also 'the Cite all,' ii. 3473), but before a substantive the form *alle* (dissyllable)[1], as 'alle grace,' 'alle thing,' 'alle untrouthe,' 'alle vertu,' 'in alle wise,' 'in alle haste,' 'alle wel,' 'alle charite,' but sometimes before vowels *al*, as 'al honour,' i. 879, 'al Erthe,' i. 2825, 'al Envie,' ii. 168, 'al untrowthe,' ii. 1684. In the plural, 'al the,' 'all these,' 'alle the,' &c. ('alle' being counted as a monosyllable), and without the article, 'alle' (but 'al othre,' iv. 1532).

Note also the adverbial expression 'in *none* wise,' cp. '*othre* wise.' In cases of the combination of a French adjective with a feminine substantive of the same origin the adjective occasionally takes the French feminine form. Instances are as follows: '*devolte* apparantie,' i. 636, '*veine* gloire,' i. 2677 ff., 'vertu *soveraine*,' ii. 3507, '*seinte* charite,' iv. 964, 'herbe *sovereine*,' vii. 1392, 'joie *sovereine*,' viii. 2530, and even as predicate, ' Dame Avarice is noght *soleine*,' v. 1971. Possibly also,

---

[1] This is a regular use in Chaucer also, e.g. *Cant. Tales*, E 1749 :
        'Fulfild of alle beautee and plesaunce,'
but it has not always been clearly recognized.

INFLEXION. PRONOUNS

'O thou *divine* pourveance,' ii. 3243, 'the *parfite* medicine,' iv. 2624, 'a *gentile* . . . on,' v. 2713, and 'O thou *gentile* Venus,' viii. 2294, may be examples of the same usage.

There is one instance of the French plural adjective in -*s*, Prol. 738, evidently introduced for the sake of the rhyme.

(3) PRONOUNS. The personal pronoun of the first person is regularly *I*, not *ich*. It is usually written *y* by the copyist of the last 235 lines of the Fairfax MS. and in the *Praise of Peace*.

The third person sing. fem. is *sche* (never written *she*), once *scheo*: the oblique case is *hire*, *hir* (never *here*), and *hire*, though usually equivalent to a monosyllable, sometimes has *-e* fully sounded, as i. 367, iv. 766, v. 1178.

The third person neuter is *it*, seldom *hit*.

In the first person plural the oblique case is *ous*, not shortened to *us* in spelling.

The possessives of the first and second persons sing., *min*, *thin*, have no plural inflexion, but the disjunctive form *thyne* pl. occurs, i. 168. On the other hand *his*, originally an uninflected form, has usually the plural *hise*, but sometimes *his*. The form *hise* is never a dissyllable.

The feminine possessive, 3rd pers., is *hire* or *hir*, freely interchanged and metrically equivalent. There is no question of a plural inflexion here, and we find '*Hire* Nase,' '*hire* browes,' '*hir* lockes,' '*Hire* Necke,' quite indifferently used, i. 1678 ff. The disjunctive is *hire*, v. 6581, and *hires*, v. 6857. The forms *oure*, *ȝoure* are usual for the possessives of the 1st and 2nd pers. plur., and these are commonly used as monosyllables, e. g. i. 2062, 2768, and interchanged with *our*, *ȝour*; but they are also capable of being reckoned as dissyllables, e. g. Prol. 5, iii. 1087. Here again there is no plural inflexion ('*ȝour* wordes,' iii. 627). The disjunctive *ȝoures* occurs in i. 1852.

The possessive of the 3rd pers. plur. is *here*, *her*, which is practically never confused in good MSS. with *hire*, *hir* of the fem. sing.[1] We are fully justified in assuming that for Gower the distinction was absolute.

The ordinary relatives are *which* and *that*: *who* is little used as a relative except in the genitive case, *whos*. The plural *whiche* is usually pronounced as a monosyllable, as ii. 604, iv. 1496, v. 1320, and often loses *-e* in writing, as Prol. 1016, iv. 1367, 1872, v. 4041, but also sometimes counts as a dissyllable, e. g. i. 404, vii. 1256.

In combination with the definite article the singular form is 'the which,' not 'the whiche,' as Prol. 71, 975.

---

[1] In the *Praise of Peace* however the MS. has *here* for *hire*, ll. 108, 329, cp. 254. F has *hire* for *here* once accidentally, iii. 901.

(4) VERBS. In the Infinitive and Gerund, apart from the cases of *do, go, se, sle,* &c., few instances occur of the loss of final *e.* The verb *sein (sain)* has *seie* and also *say,* and beside the regular infinitive *pute* we have also *put* in several instances, the next word beginning with a vowel or mute *h.* The cases are as follows : 'And thoghte put hire in an Ile,' i. 1578, 'To put his lif,' &c., i. 3213, 'put eny lette,' ii. 93, and so also ii. 1021, iii. 1166, iv. 756, 2615, v. 273, viii. 892 : but also, 'It oghte *pute* a man in fere,' i. 462, 'To *puten* Rome in full espeir,' ii. 1551, 'Theucer *pute* out of his regne,' iii. 2648, &c. In addition to the above there are a few instances of the same in other verbs, as '*get* hire a thank,' ii. 60, 'It schal noght wel *mow* be forsake,' ii. 1670, '*flitt* his herte aside,' iv. 214, '*let* it passe,' viii. 2056. (In vi. 202, 'If that sche wolde ȝif me leve,' we ought perhaps to read ȝive with S : cp. i. 1648.)

The gerund 'to done' is common, but we do not find either 'to sene' or 'to seine.'

Present Tense. In the 1st pers. sing. of the present, apart from such forms as *do, go,* &c., and *prai* beside *preie praie,* there are a few cases of apocope, as in the infinitive : 'Than cast I,' iv. 560, 'let it passe,' iv. 363, 'I put me therof in your grace,' i. 732, 'I put it al,' v. 2951, 'I red thee leve,' vi. 1359, 'Nou thenk I,' vii. 4212. In two of these instances it will be noticed that the following word begins with a consonant.

In the 3rd pers. sing. the syncopated and contracted forms are very much used by Gower. He says regularly *bit, ett, get, put, schet, set, sit* (2nd pers. *sist*), *smit, writ* ; *arist, bint, fint, holt* (*halt*), *lest, went, wext* ; *berth, brekth, bringth, crith, drawth, drinkth, falth, farth, forsakth, leith, lyth, preith, spekth, takth* (or *tath*), *thenkth, ȝifth,* and only occasionally *draweth, drinketh, fareth, kepeth, sitteth, waxeth,* &c. In vi. 59 the best MSS. agree in giving *sterte* for *stert,* and in viii. 2428 most have *sitte* for *sit,* but these are probably accidental variations. For the 3rd pers. plural Fahrenberg (p. 404) quotes several supposed instances of *th* ending. Of these most are expressions like 'men seith,' where 'men' is used as singular indefinite. One only is valid, viz. vii. 1107, 'Diverse sterres to him longeth': cp. vii. 536.

Preterite. With regard to the tense formation of Strong Verbs reference may be made to the Glossary, where all the characteristic forms are recorded. We confine ourselves here to a few remarks.

The following instances may be noticed of gradation between the singular and the plural of the preterite : *began,* pl. *begunne begonne, gan,* pl. *gonnen, ran,* pl. *runne, wan,* pl. *wonne, bond,* pl. *bounden, fond,* pl. *founden, song* (*sang*), pl. *songe sunge, sprong,* pl. *spronge sprungen, drank* (*dronk*), pl. *drunke, bar,* pl. *bere* (*beere*), *brak,* pl. *brieken, spak,* pl. *spieke, sat,* pl. *sete*(*n*) *siete*(*n*) *seete, bad,* pl. *bede, lay* (*lih*), pl. *lihe leie*(*n*), *wax,* pl. *woxen, wrot,* pl. *write*(*n*), *rod,*

INFLEXION. VERBS cxv

pl. *riden, ches,* pl. *chose,* and among preterite-presents *can,* pl. *conne, mai,* pl. *mowe, schal,* pl. *schulle schull schol, wot,* pl. *wite.*

There are some few instances in F of strong preterites with irregular -*e* termination in the 1st or 3rd pers. singular, but in no case is this authenticated by metre or rhyme. The following are examples in which F and S are agreed, '*schope* a wile,' v. 4278, ' he *bare* him,' v. 5236, 'which *sihe* his Soster,' v. 5810, '*lete* come,' vi. 1186, 'he tho *toke* hire in his arm,' viii. 1732. These are perhaps mistakes, and they have sometimes been corrected in the text on the authority of other MSS.

The 2nd pers. sing. has the -*e* termination, as *sihe* (*syhe*), iii. 2629, iv. 599, *were,* iv. 600, *knewe,* vi. 2313, *come,* viii. 2076, but *tok,* i. 2421. The 2nd pers. sing. of the preterite-present *mai* is regularly *miht* (*myht*), never 'mayest.' Occasionally the best MSS. give it as *mihte,* e.g. i. 2457, vii. 2637, 3819, but there is no metrical confirmation of this form. The preterite plural is very rarely found without -*e,* as v. 3300, 7534, vii. 3574.

Among Weak Verbs those which have the short or syncopated form keep the -*e* termination almost regularly. Such preterites are, for example, *aspide, cride, deide, leide, obeide, payde, preide, seide, teide, hadde, made, brende, sende, answerde, ferde, herde, solde, spilde, tolde, wende, betidde, dradde, fedde, fledde, hedde, gradde, ladde, radde, spedde, spradde, crepte, duelte, felte, hente, kepte, kiste, lefte, lepte, loste, mente, slepte, wente, wepte, alihte, caste, dihte, grette, knette, kutte, laste, liste, mette, plyhte, putte, schette, sette, sterte, triste, arawhte, broghte, cawhte, oghte, roghte, schryhte, soghte, strawhte, tawhte, thoghte, wroghte, cowthe, dorste, mihte, moste, scholde, wiste, wolde.*

At the same time it must be noted (as in the case of the infinitive) that with some of these forms there is an occasional tendency to drop the -*e* before a vowel at the beginning of the next word (that is, where elision would take place), and the agreement of the best MSS., especially F and S, makes it certain this was sometimes done by the author. It is impossible to trace any system, but the number of verbs affected is not large, and in nearly every case the instances of this kind of elision-apocope are largely outnumbered by the examples of normal inflexion in the same verb [1].

The following is a tolerably full list of references for these preterite forms, which are given in alphabetical order: '*Beraft* hire,' v. 5647, ' it *betidd* upon the cas,' vii. 4381, ' Sche *cast* on me,' i. 152, '*cast* up hire lok,' v. 5436, ' he *cast* his lok,' vi. 1035, '*dorst* he,' ii. 1633, '*drad* him,' viii. 1368,

---

[1] In a few cases, as Prol. 543, i. 183, 1280, v. 3393, vi. 2062, the grammatically correct form has been printed in the text from less good MSS. and against the combined authority of F and S. On a review of the whole subject this does not now seem to me satisfactory.

'And *felt* it' (subj.), viii. 2165, 'so *ferd* I,' viii. 2445, '*had* herd hem,' v. 5865, 'Hir bodi *hent* up,' v. 5702, '*herd* he noght sein,' iii. 2082, 'And *kept* hire,' ii. 181, 'Sche *kept* al doun,' v. 1495, 'he *kest* him,' vi. 1746, 'And *kist* him,' v. 3777, 5592, 'and *knet* it,' v. 6866, 'he *kut* it,' vii. 4525, 'what him *list* he tok,' iii. 2446, 'Sche *lost* al,' ii. 2290, cp. v. 3465, 'That *mad* hem,' ii. 310, and so also v. 986, 3393, 3822, 'ne *myht* I,' i. 1280, '*miht* eschuie*,*' iii. 1356, and so also iii. 1440, vii. 4285, '*Put* under,' Prol. 683, 'Wan and *put* under,' Prol. 718, 'He *put* hem into,' i. 1013, 'Sche *put* hire hand,' i. 1807, and so also ii. 3267, v. 3045, 4088, 5326, 6409, vi. 2062, vii. 4402, viii. 2702, 'thei *putt* hem,' v. 7417, 'Of ous, that *schold* ous,' Prol. 543 (so SF), '*schold* every wys man,' ii. 578, 'And *seid* hir,' i. 3188, '*Seid* ek,' v. 4309, 'And *set* hire,' ii. 2220, 'He *set* him,' v. 3691, 'he *set* an essamplaire,' vii. 4262, 'And *tawht* hem so' ('tawhte' S), iii. 176, '*told* him,' i. 3187, ii. 803, 2865 ('tolde' S), vii. 4688, '*told* hem,' v. 3883, viii. 1555, 'he *told* out,' ii. 884, 'every man *went* on his syde,' v. 7403, 'And *went* hem out' (pl.), v. 7533, 'sche *wist* it,' ii. 2010, 'thanne *wold* I,' i. 183, 'and *wold* have,' v. 4217, 'I *wold* stele,' v. 7137, '*wold* I,' viii. 2298, to which we may add '*myht* obeie,' and '*behight* him' from the Praise of Peace, 39, 41.

Of these examples it is to be remembered, first that in only one case, 'I wold stele,' v. 7137, does this apocope take place before a consonant, though in one other instance, v. 5865, the following word begins with an aspirated *h*; and secondly, that with all these, except perhaps *put*, the full form of the preterite is that which usually occurs before a vowel as well as elsewhere. Even in the case of *put* we have the form *putte* frequently when it is subject to elision, as Prol. 1069, 'And putte awey malencolie,' and so ii. 713, 2684, iv. 399, 1368, &c., as well as regularly before a consonant, as 'With strengthe he putte kinges under,' i. 2797. The form *putt* occurs in v. 7417, and in this case the verb is plural. The only other instances of plurals in the list are Prol. 543 and v. 7533.

With regard to the weak verbs which form preterites with ending *-ede*, the loss of the final *e* is somewhat more common, but it is usually retained, and sometimes it counts as a syllable in the verse. Where this is not the case, it is either elided in the usual way, or if it be dropped in writing, this is only under the conditions which apply to the verbs mentioned above, namely, before a vowel at the beginning of the succeeding word.

It is, however, noteworthy that the use of these forms, whether in *-ede* or *-ed*, is decidedly rare, and was avoided by our author even in cases where the *-e* would have been subject to elision. It is evident that he was always conscious of this ending, even if he did not always write it, and yet he felt that the two weak syllables ought not to have full value in the metre. The result was that he avoided the use of the form generally, so far as it was reasonably possible to do so. The whole number of these preterites in *-ede*, *-ed* to be found in the Confessio Amantis is surprisingly small, both actually and relatively, that is, taking account of the extent to which the verbs in question are employed in their other tenses. The method pursued is chiefly to

INFLEXION. VERBS

substitute in narrative the present tense, or the perfect formed with 'hath,' for the 3rd person singular of the preterite, 'Conforteth' for 'Confortede,' 'Hath axed' for 'axede,' 'feigneth' for 'feignede,' and this apparently as a matter of habit and even in cases where a vowel follows. No doubt the use of the present tense in narrative is quite usual apart from this, but the extremely frequent combination of strong or syncopated preterites with the present tenses of verbs of this class seems to me to indicate clearly how the matter stood.

The following are a few of the examples of this: 'For sche *tok* thanne chiere on honde And *clepeth* him,' i. 1767 f., 'The king *comandeth* ben in pes, And ... *caste*,' 3240 f., '*Comendeth*, and *seide* overmore,' 3361, 'he him *bethoghte*, ... And torneth to the banke ayein,' ii. 167 ff., 'for hem *sente* And *axeth* hem,' 613 f., '*lay* ... *clepeth* oute ... *sterte*,' 848 ff., 'Sche *loketh* and hire yhen *caste*,' 1066, 'This child he loveth kindely ... Bot wel he *sih* ... *axeth* ... *seide*,' 1381 ff., 'Sche *preide* him and *conseileth* bothe,' 1457, 'Which *semeth* outward profitable And *was*,' 2201 f., 'And he himself that ilke throwe *Abod*, and *hoveth* there stille,' iii. 1232 f., and so on.

These examples will serve to illustrate a tendency which every reader will observe, when once his attention has been called to it. There are indeed many narrative passages in which nearly all the strong or syncopated verbs are used in the preterite, and all the others in the present, and it is evident that this cannot be accidental [1].

There are, however, a certain number of instances of the use of weak preterites, indicative or subjunctive, and a few in which the final *e* (or *-en*) is sounded in the metre.

The following are examples of *-ede* preterites (in one instance *-ide*): 'I *wisshide* after deth,' i. 120, 'he *passede* ate laste,' 142, 'he hem *stoppede* alle faste,' 522, 'And *warnede* alle his officiers,' 2506, 'Mi ladi *lovede*, and I it wiste,' ii. 502, 'he *axede* hem anon,' 1248, 'he *rounede* in thin Ere,' 1944, 'Bot he hire *lovede*, er he wente,' 2027, 'Thogh that he *lovede* ten or tuelve,' 2063, '*Supplantede* the worthi knyht,' 2453, 'Sche *pourede* oute,' iii. 679, so also iii. 1631, 2556, iv. 468, 825, 842, 934, 1340, 1345, 1444, 'Lo, thus sche *deiede* a wofull Maide,' iv. 1593, 'it *likede* ek to wende,' 2150, '*Controeveden* be sondri wise,' 2454, '*Translateden*. And otherwise,' 2660, 'And *foundeden* the grete Rome,' v. 904, 'He *feignede* him,' 928, 'And *clepede* him,' 951, 'He *percede* the harde roche,' 1678, 'Thei *faileden*, whan Crist was bore,' 1697, 'Thei *passeden* the toun,' 2182, 'Alle othre *passede* of his hond,' 3258, '*Welcomede* him,' 3373, '*walkede* up and doun' (pl.), 3833, '*axede* him,' 5129, so also 5774, 6132, 6791, 6887, '*oppressede* al the nacion' (pl.), vi. 568, 'That *loveden* longe er I was bore,' 882, 'he *usede* ay,' 1207, '*exilede* out of londe,' 2348, '*Enformeden*,' vii. 1495, '*Devoureden*,' 3346, '*Ensamplede* hem' (pl.),

---

[1] Prof. Lounsbury's criticism on the rhyme of vii. 5103 f., as given in Pauli's edition, is quite sound, and Prof. Skeat's defence of it will not do. Gower never rhymes a past participle in *-ed* with a weak preterite, though he sometimes drops the *-e* of the preterite before a vowel. The rhyme was good enough for Chaucer, however, as Prof. Lounsbury's examples abundantly prove.

4441, '*Restorede* hem,' 4445, so also 4632, 4986, 4992, 4998, &c., '*Eschuieden* to make assay,' viii. 373, 'With love *wrastlede* and was overcome,' 2240.

This list of examples, which is fairly complete up to v. 1970, will sufficiently show the manner in which *-ede* preterites are used. In more than three-fourths of the instances quoted the *-e* is subject to elision, and of those that remain nine are examples of the plural with *-eden* termination, and three only of the ending *-ede*, viz. ii. 2063, 'Thogh that he lovede ten or tuelve,' ii. 2453, 'Supplantede the worthi knyht,' and v. 1678, 'He percede the harde roche,' of which the first is really a case of syncope, 'lov'de,' as also ii. 502 (cp. vi. 882) and iv. 1593, whereas in ii. 2027 'lovede' occurs unsyncopated but with *-e* elided. It will be noted that in the plural the form *-eden* is used regularly when the syllables are to be fully pronounced, though *-ede* can be used for the sake of elision.

The *-ed* form of preterite is less frequent than the other, and I am not aware of any clear example of its employment before a consonant or in rhyme. We have, for example, 'And *used* it,' i. 342, 'Sche *cleped* him,' i. 1535 ('*humbled* him,' i. 2065, is probably a participle, 'to have humbled himself'), '*pryded* I me,' i. 2372, 'ne *feigned* I,' ii. 2061, 'the goddes ... Comanded him,' iii. 2140 f., 'Thei *cleped* him,' v. 876, cp. 1057, &c. In iii. 1759, 'The Gregois *torned* fro the siege,' we have most probably a participle, 'were torned.' We may observe that the *-ed* form stands also in the plural.

Among weak preterites from originally strong verbs we may notice *abreide, crepte* (but past participle *crope*), *foghte, fledde, schotte, slepte* (also *slep*, with past participle *slepe*), *smette* (beside *smot*), *wepte*. The pret. *satte* in vii. 2282, 'He satte him thanne doun,' seems to arise from confusion of *sat* and *sette*.

Imperative. The *Confessio Amantis* is peculiarly rich in imperatives. Beside the regular imperative singular forms, e.g. *ared, besech, behold, ches, com, do, forsak, griet, help, hier, hyd, kep, lef, ly, lei, lest, lep, prei, put, say, schrif, spek, tak, tell, thenk, understond, ʒif*, &c., the MSS. give us also *hyde*, iii. 1502, *seie*, vii. 4084, *speke*, vii. 5422, *take*, iv. 2674, v. 6429, *thenke*, iii. 1083, but not in such positions as to affect the metre. The forms *axe, herkne, loke, wite* are regular, but *lok* also occurs (i. 1703, v. 1220).

In some instances the short form of imperative seems to be used as 3rd pers., e.g. 'hold clos the ston,' v. 3573, for 'let him hold,' 'tak in his minde,' viii. 1128, for 'let him take,' cp. viii. 1420. The singular and plural forms are often used without distinction, as v. 2333 ff., '*Ches* ... and *witeth* ... *ches* and *tak* ... *goth* ... *taketh*,' v. 3986, 'So *help* me nou, I you beseche,' with '*Helpeth*,' just above, several persons being addressed, and so '*taketh* hiede And *kep* conseil,' viii. 1509 f., to one person. In the interchange of speech between the Confessor and the Lover, while sometimes the distinction is preserved, the

INFLEXION. VERBS

Confessor saying *tak, tell, understond,* and the Lover *telleth, axeth* (e.g. i. 1395, 1875), at other times the Lover says *lest, say, tell, lef,* &c. (i. 1942, 1972, ii. 2074, iii. 841, &c.)[1].

Present Participle. The form of the present participle is the most characteristic part of Gower's verb inflexion as compared (for example) with Chaucer's. Chaucer seems regularly to have used the form in *-inge* (often with apocope *-ing*): Gower uses ordinarily the form *-ende,* and normally with the accent thrown on the termination, as i. 204, 'To me *spekende* thus began,' 236, 'Whos Prest I am *touchende* of love,' 428, '*Stondende* as Stones hiere and there,' 633, 'So that *semende* of liht thei werke,' 1379 f., 'That for I se no sped *comende,* ... *compleignende,*' 1682, '*Hangende* doun unto the chin.'

Sometimes the same form is used with accent on the preceding syllable, and in this case the *-e* is systematically elided, e. g. Prol. 11, 'In tyme *comende* after this,' 259, '*Belongende* unto the presthode,' i. 296, 'As *touchende* of my wittes fyve' (cp. 334, 742), 3025, 'And *wailende* in his bestly stevene.'

In a relatively small number of instances the form *-inge* occurs either in rhyme, as i. 524, 'So whan thei comen forth seilinge,' in rhyme with 'singe,' i. 1710, 'And liveth, as who seith, *deyinge,*' in rhyme with 'likynge' (subst.), or with the accent thrown back, as i. 115, '*Wisshinge* and *weping* al myn one,' v. 518, '*Abidinge* in hir compaignie,' vi. 717, 'I mai go *fastinge* everemo'; rarely out of rhyme and with accent, as i. 2721, 'Mi fader, as *touchinge* of al.'

The final *e* is never lost in writing, but when the accent is thrown back it is always elided.

Past Participle. The *-id* termination of weak past participles is very rarely found in the Fairfax MS., except in the concluding passage, which is copied in a different hand from the rest. It occurs commonly in the *Praise of Peace*. Examples found elsewhere in F are *weddid,* iv. 650, *medlid,* iv. 1475.

From *setten* besides the regular past participle *set* there appears the form *sete* twice in rhyme, vii. 2864, *forȝete* : *sete,* and viii. 244, *misgete* (past partic.) : *upsete.* This seems to be formed after the analogy of *gete.* On the other hand we have *ferd,* i. 445, &c., but also *fare(n),* iii. 2692, v. 3797, &c. The past participle of *se* is *sen, sein, seie,* but most commonly *sene.* In a few instances a final *e* is given by the MSS. in weak past participles, e. g. *herde* for *herd,* v. 4231, *schope* for *schop,* v. 4278, *sette* for *set,* vi. 10, *wiste* for *wist,* viii. 37.

The cases of weak past participles with plural inflexion (e.g. Prol. 300, i. 3246, iv. 2343, v. 6789) have already been mentioned in dealing with adjectives.

[1] Except in the case of these imperative forms the 2nd pers. plur. is quite consistently used by the Lover in his shrift, and the 2nd pers. sing. by the Confessor in reply.

There is hardly any use of the prefix *y-* (*i-*), but we have *ybore*, ii. 499.

vi. DIALECT. Gower's language is undoubtedly in the main the English of the Court, and not a provincial dialect. Making allowance for the influences of literary culture and for a rather marked conservatism in orthography and grammatical inflexions, we can see that it agrees on the whole with the London speech of the time, as evidenced by the contemporary documents referred to by Prof. Morsbach. At the same time its tendencies are Southern rather than Midland, and he seems to have used Kentish forms rather more freely than Chaucer. This is shown especially (1) in the more extensive use of the forms in which *e* stands for O. E. *y̆*, as *senne*, *kesse*, *pet*, *hell*, &c.; (2) in the frequent employment of *ie*, both in French and English words, to represent *ē*, a practice which can hardly be without connexion with the Kentish *cliene*, *diepe*, *diere*, *hier*, *hield*, *niede*, &c.; (3) in the use of *-ende* as the normal termination of the present participle. (The *Ayenbite* regularly has *-inde*.) Probably also the preference shown by Gower for the close sound of *ē*, from O. E. *ǣ*, may be to some extent due to Kentish influence. Other points of resemblance between the language of Gower and that of the *Ayenbite* (for example) are the free use of syncopated forms in the 3rd pers. sing. of verbs and the regular employment of *ous* for *us*.

vii. METRE, &c. The smoothness and regularity of Gower's metre has been to some extent recognized. Dr. Schipper in *Englische Metrik*, vol. i. p. 279, remarks upon the skill with which the writer, while preserving the syllabic rule, makes his verse flow always so smoothly without doing violence to the natural accentuation of the words, and giving throughout the effect of an accent verse, not one which is formed by counting syllables. Judging by the extracts printed in Morris and Skeat's *Specimens* (which are taken from MS. Harl. 3869, and therefore give practically the text of Fairfax 3), he observes that the five principal licences which he has noted generally in the English verse of the period are almost entirely absent from Gower's octosyllabics, and in particular that he neither omits the first unaccented syllable, as Chaucer so often does (e. g. 'Be it rouned, red or songe,' *Hous of Fame*, ii. 214, 'Any lettres for to rede,'

iii. 51, 'Of this hill that northward lay,' iii. 62), nor displaces the natural accent (as 'Of Decembre the tenthe day,' *Hous of Fame*, i. 111, 'Jupiter considereth wel this, ii. 134, 'Rounede everych in otheres ere,' iii. 954), nor slurs over syllables.

To say that Gower never indulges in any of these licences would be an exaggeration. Some displacement of the natural accent may be found occasionally, even apart from the case of those French words whose accent was unsettled, but it is present in a very slight degree, and the rhythm produced does not at all resemble that of the lines cited above from Chaucer: e. g. i. 2296, 'Wher that he wolde make his chace,' 2348, 'Under the grene thei begrave,' 2551, '"Drink with thi fader, Dame," he seide.' Such as it is, this licence is nearly confined to the first foot of the verse, and is not so much a displacement of the natural accent of the words as a trochaic commencement, after the fashion which has established itself as an admitted variety in the English iambic. We may, however, read long passages of the *Confessio Amantis* without finding any line in which the accent is displaced even to this extent.

Again, as to slurring of syllables, this no doubt takes place, but on regular principles and with certain words or combinations only. There are hardly more than three or four lines in the whole of the *Confessio Amantis* where a superfluous syllable stands unaccounted for in the body of the verse, as for example,

  iv. 1131, 'Som time in chambre, som time in halle,'
  v. 447, 'Of Jelousie, bot what it is,'
  v. 2914, 'And thus ful ofte aboute the hals,'
  v. 5011, 'It was fantosme, bot yit he herde.'

The writer seems to have no need of any licences. The narrative flows on in natural language, and in sentences and periods which are apparently not much affected by the exigencies of metre or rhyme, and yet the verse is always smooth and the rhyme never fails to be correct. If this is not evidence of the highest style of art, it shows at least very considerable skill.

In Gower's five-accent line, as exhibited in the Supplication of viii. 2217–2300 and in the poem *In Praise of Peace*, Schipper finds less smoothness of metre, 'owing perhaps to the greater unfamiliarity and difficulty of the stanza and verse' (*Englische Metrik*, i. 483 ff.). His examples, however, are not conclusive on this point. Some of the lines cited owe their irregularity to corruptions of text, and others prove to be quite regularly in accordance with Gower's usual metrical principles.

For instance, in viii. 2220 the true text is

'That wher so that I reste or I travaile,'

which is a metrically perfect line. Again, in the *Praise of Peace*, l. 79,

'And to the heven it ledeth ek the weie,'

it is impossible, according to Gower's usage, that 'heven' should stand as a dissyllable. He wrote always 'hevene,' and the penultimate was syncopated. So also 'levere' in l. 340, 'evere,' l. 376. Hence there is no 'epic caesura' in any of these cases. Nor again in l. 164, 'Crist is the heved,' can 'heved' be taken as a dissyllable in the verse: it is always metrically equivalent to 'hed.' The only fair instance of a superfluous syllable at the caesura is in l. 66,

'For of bataile the final ende is pees.'

It seems that the trochee occurs more commonly here than in the short line. Such examples as Schipper quotes, occurring at the beginning of the line,

'Axe of thi god, so schalt thou noght be werned,'
'Pes is the chief of al the worldes welthe,'

are of the same character as those which we find in the octosyllabics. Perhaps, however, a difference is afforded by the more frequent occurrence of the same licence in other parts of the verse, as,

'So that undir his swerd it myht obeie,' 39.

The rhyming on words like 'manhode,' 'axinge,' &c., is in accordance with the poet's general usage.

On the whole, the combination of the syllabic and the accentual system is effected in the five-accent line of these stanzas almost as completely as in the short couplet; and in his command of the measure, in the variety of his caesura, and the ease with which he passes without pause from line to line and rounds off the stanza with the matter, the author shows himself to be as fully master of his craft upon this ground as in the more familiar measure of the *Confessio Amantis*.

As regards the treatment of weak syllables in the metre, Gower's practice, in accordance with the strict syllabic system which he adopted, is very different from Chaucer's. The rules laid down by ten Brink, *Chaucers Sprache*, § 260, as to the cases in which

METRE, ETC.

weak final *e* is never counted as a syllable in the verse, except in rhyme, require some qualification even when applied to Chaucer (for example, 'sone' is certainly a dissyllable in *Cant. Tales*, A 1963, *Hous of Fame*, i. 218), and they are almost wholly inapplicable to Gower, as we shall see if we examine them. (*a*) Gower has the forms *hire, oure, ȝoure*, all occasionally as dissyllables apart from special emphasis or rhyme. (*β*) *these, some, whiche* are all sometimes dissyllables. (*γ*) The strong participles with short stems as *come, drive, write* as a rule have the final *e* sounded. (*δ*) The *-e* of the 2nd pers. sing. of the strong preterite may be sounded, e. g. iii. 2629 (but 'Were thou,' iv. 600). (*ε*) The form *made*, both singular and plural, regularly has *-e* sounded, *were* (pret.) usually, and *wite* sometimes. (*ζ*) *sone, wòne, schipe* (dat.), and the French words in *-ie* (*ye*), &c., have *-e* regularly counted in the metre: so also *beste, entente, tempeste*. (*η*) *before, tofore, there* are used in both ways.

Gower's usage with reference to this matter is as follows:
The personal and possessive pronouns *hire, oure, ȝoure, here* and *hise* (as plural of *his*), written also *hir, our*, &c., are as a rule treated as monosyllables. We have however 'Fro *hire*, which was naked al,' i. 367, 'And thenke untoward *hire* drawe,' iv. 559, so v. 1178, 2757, vii. 1899, &c., 'In *oure* tyme among ous hiere,' Prol. 5 (but '*Oure* king hath do this thing amis,' i. 2062), 'As ȝe be *ȝoure* bokes knowe,' iii. 1087, cp. v. 2951 (but 'Bot, fader, of *ȝoure* lores wise,' i. 2768). Add to these *alle* (pl.) before definite article.
In the following words also the final *e* is sometimes suppressed for the verse: *these* (also *thes*), Prol. 900, 1037, i. 435, ii. 237, &c. (but *thesë*, v. 813, 1127, vii. 1005, &c.): *whiche* plur. (also *which*), ii. 604, iv. 1496, &c. (but *whichë*, i. 404, v. 1269, vii. 822, 1256, &c.): *eche* (also *ech*), v. 6883, according to F, cp. Prol. 516: *there* (usually *ther*), viii. 2311, 2689 (but *therë*, iii. 1233, &c., and often in rhyme): *were* pret. ind. or subj. (also *wer*), iii. 1600, iv. 600, 1657, 1689 (but more usually *werë*, as Prol. 1072, iii. 762, v. 2569, vii. 4458): *where* (usually *wher*), v. 4355 (but *wherë*, v. 2720): *more* (also *mor*), ii. 26, v. 2239, 6207, vii. 3237 (but *morë*, Prol. 55*, 640, iv. 2446, vii. 3287, &c.): *before, tofore* (also *befor, tofor*), i. 2054, 2864, iii. 2052 (but *beforë*, Prol. 848, and often in rhyme): *foure*, vii. 2371 (but *fourë*, ii. 1037, iv. 2464): *fare* (wel), iii. 305, iv. 1378 (but *farëwel*, iv. 4218): *sire*, i. 2878, ii. 2995 (but *sirë*, v. 3547, 5593): *wite*, ii. 455 (but *witë*, v. 3150, 3445): *wole* (also *wol*), v. 2891, 2911, &c.: *bothe*, ii. 1966, 2154, iv. 2138, &c. (but *bothë*, Prol. 1068, i. 851, &c.): *wolde* (also *wold*), v. 4413 (usually *woldë*): *come*, ii. 789, iv. 2826 (but *comë*, pp. iv. 1283, vi. 1493, vii. 4840, inf. viii. 1362): *some*, pl. subst., iii. 2112, v. 2252 (but *somë*, i. 2034 ff.): *have*, Prol. 708, i. 169, 2724, ii. 550, iv. 1600 (but *havë*, ii. 332, iv. 1598): *love*, subst. iv. 930, vi. 1261 (but *lovë* much more often, e. g. i. 103, 251, 760, &c.): *tuelve* (also *tuelf*), iv. 1983 (but *tuelvë*, vii. 1005): *trewe* (also *trew*), v. 2877 (but *trewë*, pl., Prol. 184, def., iii. 2228): *mowe*, inf. (also *mow*), iv. 38: *seie*, inf. and 1st s. pres. iii. 1737, iv. 672, v. 2616, 6428, &c. (but *seië* often): *preie*,

1st s. pres. (also *prai*), v. 4531 (but *preië*, v. 3230): *furthere, forthere* (also *further, forther*), iii. 81, 885: *lengere* (also *lenger*), i. 1516, ii. 2602: *rathere* (also *rather*), ii. 503, vii. 4161, viii. 2141: *janglere*, v. 526: also some isolated cases, as *aboute*, v. 2914, *Take*, v. 7169, *Minotaure*, v. 5327 (but *Minotaurë*, 5291, &c.), *Theophile*, viii. 1500.

In iv. 1131, v. 447, 5011, which we have quoted above, the superfluous syllable in each case may be connected with the pause in the sentence, as in *Mirour de l'omme*, 10623, 'L'un ad franchise, l'autre ad servage.'

Syncope (so far as regards the metre) regularly takes place in the following: *covere* (*discovere*, &c.), *delivere* (but not *deliverance*, i. 1584, v. 1657), *evene, evere, fievere, havene, hevene, levere, nevere, povere, sevene* (also *sefne*), *swevene* (also *swefne*), and some other words of a similar kind, to which add *heved, evel, devel*. In these cases a final *e* is always pronounced unless elided, and in case of elision a word like *hevene, nevere* is reduced to a monosyllable, as

'This world which evere is in balance.'

The following also are sometimes syncopated: *lovede, loveden*, ii. 502, vi. 882, but without syncope ii. 2027, *beloved*, i. 1928, *belovëd*, i. 1920 f., *behovely, behovelich*, iii. 1330, v. 4012, vii. 1949 (but *unbehovëly*, viii. 2884), *leveful*, v. 7053, *Averil*, vii. 1029, *soverein*, vii. 1776 (but usually three syllables, as Prol. 186, i. 1609, and *sovereinete*, five syllables, i. 1847), *amorous*, iii. 745 (but usually three syllables, as i. 1414), *fader*, ii. 2387, cp. *fadre*, ii. 2519 (but ordinarily a dissyllable), *unkendeli*, ii. 3124 (but *unkindëly*, iii. 2065), *comelieste, comelihiede*, v. 3048, 6734 (but *comëly*, ii. 441), *namely*, viii. 3041, also *namly*, ii. 47 (but usually three syllables, as Prol. 144, iii. 63), *Termegis*, iv. 2408. We may note, however, that this kind of syncope is less used by Gower than by Chaucer, and that *chivalerie, chivalerous, foreward, foretokne, loveday, pilegrin, surquiderie*, &c., are fully pronounced.

Unaccented *i* before weak *e* either final or in inflexions has the force of a semi-vowel, and forms no syllable of itself: so *studie, carie, tarie, chirie, merie, manye*, &c. are equivalent to dissyllables, and are reduced by elision to the value of monosyllables, as Prol. 323, 'To *studie* upon the worldes lore,' i. 452, 'To *tarie* with a mannes thoght,' i. 3238, 'And *manye* it hielden for folie,' ii. 2648, 'Thei *carie* til thei come at Kaire'; and so also in the other parts of the same words, e.g. i. 1645, 'And thus he *tarieth* long and late,' and in plurals like *bodies*, iv. 2463. Similarly *Mercurie* is made into a dissyllable by elision, 'And ek the god Mercurie also,' i. 422. Akin to this in treatment is the frequent combination *many a, many an*, counting as two syllables (so 'ful many untrewe,' v. 2886), but *many on, manion* as three. We may note also the case of *statue*, Prol. 891, 'As I tolde of the Statue above,' which is reduced by elision to a monosyllable.

METRE, ETC.

Elision of weak final *e* takes place regularly before a vowel or an unaspirated *h*. We must observe that several classical proper names ending originally in *ē*, as *Alceone, Daphne, Progne, Phebe*, have weak *e* and are subject to elision, and under this head it may be noted that *Canace* rhymes to *place*, whereas Chaucer (referring to Gower's story) gives the name as *Canacee*, in rhyme with *he*. Also the combinations *byme, tome, tothe*, &c., have weak *-e* and are elided before a vowel.

An aspirated *h* prevents elision as effectively as any other consonant. We have 'min holë herte,' 'gretë hornes,' 'Cadmë hyhte,' 'Mi Sonë, herkne,' 'proprë hous,' 'fastë holde' (and even 'othrë herbes,' iv. 3008); but there are some words in which *h* is aspirated only when they are emphatic in sense or position, as *have, hath, he, him, hire, how*, &c. For example, elision takes place usually before *have, he, how*, but not so as a rule in cases where they are used in rhyme or with special emphasis, e. g. i. 2542, 'Of such werk as it scholde have,' ii. 2479, cp. v. 7766, 'Wenende that it were he,' iv. 3604, 'And al the cause hou it wente.' On the other hand, the preterite *hadde* seems to have an aspirated *h* even in unemphatic position, as ii. 589, 'The Sceptre hadde forto rihte': compare vii. 2364, 'Victoire hadde upon his fo,' with vii. 2392, 'Thogh thou victoire have nou on honde.' Elision also takes place before *hierafter*, though not before *hiere*.

There is one instance of hiatus, viii. 110, 'That he his Sone Isaäc,' and it may be noted that the same thing occurs with the same name in the *Mirour*, 12241, 'De Isaak auci je lis.'

The article *the* regularly coalesces with a succeeding word beginning with a vowel or mute *h*, as *thaffeccioun, thalemans, thamende, thapostel, thastat, theffect, themperour, thenvious, therbage, therthe, thexperience, thonour, thother, thunsemlieste, thyle*, &c. The exceptions, which are very few, are cases of special emphasis, as i. 3251, 'The Erthe it is.' Similarly the negative particle *ne* with a succeeding verb beginning with a vowel, as *nam, naproche, nis* (but *ne have*), and also occasionally with some words beginning with *w*, forming *nere, nost, not, nyle, nyste*, &c. In some few instances *to* coalesces with the gerund, as *tacompte, teschuie*.

There is diaeresis regularly in such proper names as *Theseüs, Peleüs, Tereüs*, and also in *Saül, Isaäc*. We have *Moïses* usually, but *Moises* (dissyllable), iv. 648, *Thaise* usually, but *Thaïsis* in the epitaph, viii. 1536. One example occurs affecting the *-ee* termination, viz. *Caldeë*, v. 781 (usually a dissyllable), so *Judeë, Galileë* in *Mirour*, 20067, 29239. This is an essentially different case from that of *degreës*, which is found in Chaucer. The termination *-ius* is usually dissyllabic, but vii. 2967, 'The god Mercurius and no man.' The endings *-ioun, -ious, -ien*, &c., are always fully pronounced.

As regards accent, it has been already observed that the natural accent of words is preserved far better in Gower's verse than in Chaucer's. There are, however, a number of words of French origin, of which the accent was unsettled, and also some instances of English words in which a secondary syllable was capable of receiving the principal accent, either in case of composition, as in *kingdom, knihthode, treweliche*, or with a formative termination, as that of the superlative, *fairéste*, &c., or the present participle, as *wepénde*. In such cases the accent was often determined by the metre. Many Romance words are quite freely treated in the matter of accent, as for example *folie, fortune, mercy, mirour, nature, parfit, preiere, resoun, science, sentence, tempeste*. The terminations *-hode, -hede, -inge, -liche, -ly, -nesse, -schipe* are all capable of accent, and also the penultimate syllables of *answere* and *felawe*.

Nearly all that is important about rhyme has already been said under the head of Phonology. We may here remark on some of the instances in which the form of words is accommodated to the rhyme, these being sometimes cases where variants are supplied by neighbouring dialects. Thus we have *aise* for *ese*, *ar* for *er*, *hair* for *heir*, *naght* once for *noght*, *fer* once for *fyr*, *hade*, with the original long vowel, for *hadde*, *geth* (the originally correct form) for *goth*, *fore* for *for*; and alternatives such as *moneie monoie, aweie awey away, seide saide, soverein soverain*, are used in accordance with the rhyme, though it is difficult to say for certain in all cases whether there was difference of sound. Thus, while we have *away* as rhyme to *day*, *awey* is found rhyming to *ey*, i. 2545, *said, saide* rhyming with *paid, Maide*, while *seide* rhymes with *alleide, obeide*; we find *soverein : aȝein*, but *brayn : soverain*. The form *yhe* often varies to *ÿe* when in rhyme with *-ie* termination, as *clergie : ÿe*, Prol. 329 f., *ÿe : agonie*, i. 967 f. (but also *yhe : pourpartie*, i. 405 f., *yhe : specefie*, i. 571 f.). Sometimes however the other rhyme-word is modified to correspond to it, as *pryhe : yhe*, v. 469 f., and there was probably no perceptible difference of pronunciation in this case. So also the preterite *lowh* is written *low* when in rhyme with *now*, Prol. 1071, and similarly *thou* : *ynou*, vii. 2099 f. (but *bowe* : *ynowhe*, ii. 3225 f.). We have already seen that the use of such alternative forms as *sinne senne, wile wole, lasse lesse, hedde hidde, -ende -inge* is sometimes determined by the rhyme.

Alliteration is used by Gower in a manner which is especially characteristic of the new artistic style of poetry. It is sufficiently frequent, both in formal combinations, such as 'cares colde,' 'lusty lif,' 'park and plowh,' 'swerd or spere,' 'lief and loth,' 'wel or wo,' 'dike and delve,' 'slepe softe,' 'spille . . . spede,' and as an element of the versification :

  i. 886 f. 'For so, thei seide, al stille and softe
      God Anubus hire wolde awake.'
  iv. 2590 'The lost is had, the lucre is lore.'
  iv. 3384 f. 'Which many a man hath mad to falle,
      Wher that he mihte nevere arise.'
  v. 3670 f. 'And thanne he gan to sighe sore,
      And sodeinliche abreide of slep.'
  vii. 3468 f. 'Sche hath hir oghne bodi feigned,
      For feere as thogh sche wolde flee.'

But it is not introduced in accordance with any fixed rules, and it often assists the flow of the verse without in the least attracting the attention of the reader. We do not find any examples of the rather exaggerated popular style which Chaucer sometimes adopts in passages of violent action, e. g. *Cant. Tales*, A 2604 ff. The whole subject of alliteration in Gower has been carefully dealt with by P. Höfer in his dissertation, *Alliteration bei Gower*, 1890, where a very large number of examples are cited and classified; and to this the reader may be referred.

  viii. Text and Manuscripts. About forty manuscript copies of the *Confessio Amantis* are known to exist in public or private libraries or in the hands of booksellers, and probably there may be a few more in private possession, the existence of which has not yet been recorded. As the broad lines for their classification are necessarily laid down by the fact that the book was put forth by the author in several different forms, it is necessary, before proceeding further, to say something about this matter.

That the poem exists in at least two distinct forms, characterized by obvious differences near the beginning and at the end, has been matter of common knowledge. Even in Berthelette's edition of 1532 the difference at the beginning was noted, and though the printer did not venture to deviate from the form of text which had been made current by Caxton, yet he gave in his preface the beginning of the poem as he found it in his manuscript. Dr. Pauli accordingly proceeded on the assumption that there were two normal forms, one having a dedication to Richard II at the beginning and a form of conclusion in which mention is made of Chaucer, and the other with a dedication to Henry of Lancaster and a conclusion in which Chaucer is not mentioned. Copies which do not conform to these standards are for him simply irregular. He is aware of the additional passages in Berthelette's edition and in the Stafford MS., and in one place he speaks of three classes of MSS., but he does not know that there are any written copies except the Stafford MS. which contain the additional passages. If he had had personal knowledge of the manuscripts at Oxford and at Cambridge, instead of being satisfied to gather scraps of information about the former from Bodley's Librarian and about the latter from Todd, he would have found the passages in question also in MS. Bodley 294 at Oxford and in the Trinity and Sidney MSS. at Cambridge.

There are then at least these three classes of manuscripts to be recognized even by a superficial observer, and we shall find that the more obvious differences which have been mentioned are accompanied by a number of others of less importance. The first recension according to our classification is that in which the conclusion of the poem contains praises of Richard II as a just and beneficent ruler and a presentation of the book for his acceptance[1]. The second has the additional passages of the fifth and seventh books, with a rearrangement of the sixth book which has not hitherto been noticed, while the conclusion of the poem has been rewritten so as to exclude the praises of the king, and in some copies there is also a new preface with dedication to Henry of Lancaster. The third exhibits a return to the form of the first as regards the additional passages, but has the rewritten preface and epilogue. Against this merely threefold division some objections might fairly be made. It might be pointed out that the so-called second recension includes at least two distinct forms, and moreover that upon further examination

---

[1] The copies which have this conclusion have also the preface in which Richard is mentioned as the occasion of the author's undertaking, but this preface is found also in combination with the other conclusion.

we see reason to divide the manuscripts of our first recension into two main groups, one exhibiting an earlier and the other a later text, this last being more in accordance generally with that of what we call the second and third recensions than with the earlier form of the first. For practical purposes, however, the division which has been laid down above may fairly be adopted. As regards the order of time, from the political tendency of the differences between them it is clear that what we call the first recension logically precedes the third. The intermediate position of the second is given chiefly by the fact that one of the seven existing manuscripts gives the earlier form of preface, and this may also have been the case with two others, which are defective at the beginning [1]. However, as has been said, the name is used for convenience to cover a class of copies which, as regards the character of their text, do not all belong to the same period, and they must be looked upon as representing rather a concurrent variety of the first or the third recension [2] than as a type which is distinctly intermediate in order of time. At the same time the smaller variations of text exhibited by these seven MSS. in combination, as against all others [3], mark them as really a family apart, more closely related to one another than to those that lie outside the group.

For the sake of clearness the manuscripts are in this edition regularly grouped according to this classification, and in the critical notes each class is cited by itself. At the same time it must not be assumed that the manuscripts of each recension stand necessarily by themselves, and that no connexion is traceable between one class and another. On the contrary, we shall

[1] Berthelette used a manuscript (not now existing) which in this respect, as in many others, resembled B.

[2] It may be noted that the four second recension MSS. which contain the author's Latin note about his books ('Quia vnusquisque,' &c.), viz. BTΛP2, agree in a form of it which is different both from that which is given by first recension copies and that which we find in F, and is clearly intermediate between the other two, the first form fully excusing Richard II for the troubles of his reign and the third entirely condemning him, while this makes no mention of his merits or demerits, but simply prays for the state of the kingdom. It is noticeable that the second recension form definitely substitutes Henry for Richard as the patron of the *Confessio Amantis*, though in one at least of the copies to which it is attached this substitution has not been made in the text of the poem.

[3] e.g. ii. 193, 365 ff., iii. 168, 1241, iv. 283, 1321, v. 1252, &c.

find that many errors in the text of the first recension appear also in some copies of the second, and even of the third. The process by which this was brought about is made clearer to us by the fact that we have an example of a manuscript which has passed from one group into another partly by erasure and partly by substitution of leaves, apparently made under the direction of the author. This is MS. Fairfax 3, which forms the basis of our text, and the handwriting of some of the substituted pages is one which may be recognized as belonging to the 'scriptorium' of the poet.

The example is a suggestive one and serves to explain several things. It makes it easy to understand, for example, how the additional matter introduced into the second recension came to be omitted in the third. The author in this instance had before him a very fully revised and corrected copy of his first edition, and this by a certain amount of rewriting over erasure and by a substitution of leaves at the beginning and end of the poem was converted into a copy of what we call the third recension, which his scribes could use at once as an authoritative exemplar. The introduction of the additional passages in the fifth and seventh books could not have been effected without a process of recopying the whole book, which would have called for much additional labour of the nature of proof-reading on the part of the author, in order to secure its correctness. This argument would apply to a book which was intended to remain in the hands of the author, or rather of the scribes whom he employed, and to be used as an archetype from which copies were to be made. If a new book had to be specially prepared for presentation, the case would be different, and it might then be worth while to incorporate the additional passages with the fully revised and re-dedicated text, as we find was done in the case of the so-called Stafford MS.

Another matter which can evidently be explained in the same way is the reappearance in some copies of the second recension of errors which belong to the first. In producing the originals of such manuscripts as these, partially revised copies of the first recension must have been used as the basis, and such errors as had not yet received correction appear in the new edition.

The assumption that a certain number of errors are original, that is to say, go back either to the author's own autograph or to the transcript first made from it, is in itself probable: we know in fact that some which appear in every copy, without exception, of the first and second recensions at length receive correction by erasure in Fairfax 3. So far as we can judge, the text of the *Confessio Amantis* during its first years exhibited a steady tendency to rid itself of error, and the process of corruption in the ordinary sense can hardly be said to have set in until after the death of the author. There are a large number of various readings in the case of which we find on the one side the great majority of first recension MSS., and on the other a small number of this same type together with practically the whole of the second and third recensions, as, for example[1]:

i. 2836 to H₁XERCLB₂ do AJMG, SAdBΛΛ, FWH₃
 2847 be *om.* H₁XGERCLB₂ *ins.* AJM, SAdBΔ, FWH₃
 2953 wele H . . . B₂ weie AJM, SAd BΔ, FWH₃
 3027 preieth H₁ . . . B₂, W braieth, AJM, S . . . ΔΛ, FH₃
 3374 an Erl hier H₁ . . . B₂, Λ mad a Pier AJM, SAdBΔ, FW (H₃ def.)
 3381 place H₁ . . . B₂, BΛ maide AJM, SAdΔ, FW (H₃ defective)
ii. 833 that diere H₁ . . . B₂, B that other AJ(M), SAdΔΛ, FWH₃
iii. 12 euermore H₁ . . . B₂ enemy AJM, SAdBTΔ, FWH₃
 354 I may H₁ . . . B₂ he may AJM, SAdBTΔ, FWH₃
iv. 109 day H₁ . . . B₂, H₃ lay AJM, SBTΔ, FW (Ad def.)
v. 316 thanne (than) H₁ . . . B₂, Δ hom AJM, SAdBTΔ, FWH₃
 368 And for no drede now wol I wonde H₁ . . . B₂, Λ In helle thou schalt understonde AJM, S . . . Δ, FWH₃ cp. 394, 424, 786, &c.
 2694 Whan that sche was bot of ȝong age For good ERCLB₂ That only for thilke avantage Of good AJMH₁XG, S . . . ΔΛ, FWH₃
 2771 nyh *om.* ERCLB₂ *ins.* AJMH₁XG, S . . . Δ, FWH₃
 3110 burned as the silver ERCLB₂ burned was as selver AJMH₁XG, S . . . ΔΛ, FWH₃ cp. 3032, 3246, &c.

We see in these examples, selected as fairly typical, that some of the variants have evidently the character of errors, while in other cases the difference of reading is due to an alternative version. The circumstances, however, of these two cases are not distinguishable, the errors are supported by as much authority as the rest, and it must be supposed that both have the same

---

[1] For the explanation of the use of letters to designate MSS. the reader is referred to the list of MSS. given later. It should be noted that AJM and FWH₃ represent in each case a group of about seven MSS., and H₁ . . . B₂ one of nearly twenty. We observe in the examples given that B and Λ are sometimes found either separately or together on the side of the H₁ . . . B₂ group, and that the same is true occasionally of W, while on the other hand some MSS. of the H₁ . . . B₂ group are apt to pass over to the other side in a certain part of the text and support what we call the revised reading.

origin. If then we assume that such variations as we find (for example) in i. 3396, 3416, v. 30, 47, 82, 368, 2694, &c., are due to the author, as is almost certain, there can be no doubt that the form of text which is given by the group AJM in combination with the second and third recensions is the later of the two: and if the group $H_1 \ldots B_2$ represents an earlier type as regards this class of variation, it must surely do so also as regards the errors, which, as we have seen, stand upon the same ground in respcet of manuscript authority. As we cannot help believing that the author wrote originally 'To holde hir whil my lif may laste,' v. 82, and 'The more he hath the more he greedeth,' v. 394, so we may reasonably suppose that errors such as 'it' for 'hid,' i. 1755, 'that diere' for 'that other,' ii. 833, 'what' for 'war,' iii. 1065, existed in the copy which first served as an exemplar.

It may be observed here that in cases where revision seems to have taken place, we can frequently see a definite reason for the change; either the metre is made more smooth, as i. 1770, 2622, 3374, ii. 671, 751, 1763, iii. 765, 2042, 2556, iv. 234, v. 368, 1678, &c., or some name is altered into a more correct form, as where 'Element' is changed to 'Clemenee,' iv. 985, with a corresponding alteration of the rhyme, or the expression and run of the sentence is improved, as i. 368, 3416, v. 30, 1906, 6756, &c. In particular we note the tendency towards increased smoothness of metre which is shown in dealing with weak *e* terminations.

It is to be assumed on the principles which have been stated that the group $ERCLB_2$ and the other manuscripts which agree with them represent with more or less accuracy the first form of the author's text, that H_1YXG and a few more form a class in which correction and revision has taken place to some extent, but partially and unsystematically, and that AJM &c. give us the first recension text in a much more fully revised and corrected form.

It has been already said that F was originally a manuscript of the first recension. We shall find however that it did not exactly correspond to any existing first recension manuscript. Setting aside the small number of individual mistakes to be found in it, there are perhaps about eighty instances (many of a very trifling character) in which its text apparently differed originally from that of any first recension copy which we have, and in about half of these the text of F agrees with that of the second recension. The manuscript which comes nearest to F in most respects is J (St. John's Coll., Camb.), and there is a considerable number of instances in which this MS. stands alone among first recension copies in agreement with the Fairfax text. In the sixth book, for example, if J be set aside, there are at least twenty-three passages in which F gives an apparently genuine reading unsupported by the first recension; but in sixteen of these cases J is in agreement with F. It must be noted, however, that this state of things is not equally observable in the earlier part of the poem, and indeed does not become at all marked until the fifth book.

Besides variations of reading, there are in the Fairfax MS. a few additions to the text which are not found in any first recension copy. These are Prol. 495-498, 579-584 and i. 1403-1406, two passages of four lines each and one of six, as well as some additions to the Latin notes in the margin (at Prol. 195, i. 2705, and v. 7725), of which the first two were evidently put in later than the accompanying text. Finally, there are three other additions to the text which are found in a single copy of the first recension, MS. Harl. 3490 (H_1). These are i. 2267-2274, where four lines have been expanded into eight, i. 2343-2358, an interesting addition of sixteen lines to the tale of Narcissus, and i. 2369-2372. Thus in the matter of additions to the text H_1 stands nearer to F than AJM &c., and in a few other passages also it is found standing alone of its recension in company with F, e.g. i. 2043, 2398, ii. 2247. This manuscript does not belong to the 'fully revised' group, but it gives the revised readings more frequently perhaps than any other outside that group.

Thus notwithstanding the differences between the first recension copies, as we have them, and the Fairfax MS. as it originally stood, we shall have no difficulty in regarding the latter as having been originally a revised and corrected copy of that recension, exhibiting a text to which tolerably near approaches are made by A, J, and H_1, each in its own way, though no copy precisely corresponding to it is known to exist.

Passing to the second recension, we must first repeat what has already been said, that it did not supersede the first, but existed and developed by its side, having its origin probably in the very same year, or at latest in the next. Its characteristic point is the presence of considerable additions in the fifth and seventh books, together with a rearrangement of part of the sixth. There are seven manuscripts known to me, of which three are defective at the beginning. All these (except one, which is also defective at the end) have the rewritten epilogue, one in combination with the Chaucer verses and the others without them. Of the four which are perfect at the beginning, one, namely B, has the earlier form of preface, and the other three, ΛP₂ and S, the later. Of the others it is probable, but by no means certain, that T agreed with B in this respect, and practically certain that Δ agreed with S. A more satisfactory line of distinction, which divides the manuscripts of this class into two groups, is given by the general character of the text which they exhibit, and by the insertion or omission of certain of the additional passages of which we have spoken. While some of the passages, viz. v. 6395*–6438*, 7086*–7210*, vii. 3207*–3360*, are common to all the copies, as are also the transposition of vi. 665–964 and (except in case of Λ) the omission of v. 7701–7746, three of them are found in AdBTΛP₂ only, and are omitted in SΔ¹, viz. v. 7015*–7036*, vii. 2329*–2340* and 3149*–3180*. Then, as regards the text generally, the five MSS. first mentioned all have connexions of various kinds with the unrevised form of the first recension, while the last two represent a type which, except as regards variants specially characteristic of the second recension, of which there may be about sixty in all, nearly corresponds with that of the Fairfax MS.²

The relations of the group AdBTΛP₂ with the first recension and with one another are difficult to clear up satisfactorily. Broadly, it may be said that of these B represents an earlier type than the rest in regard to correction and Λ in regard to revision: that is to say, B retains a large number of first recension errors which do not appear in the rest (sharing some, however, with Λ), while at the same time, in cases where a line has been rewritten B almost regularly has the altered form, though with some exceptions in the first two books. On the other hand, though it often happens

---

¹ S is defective in one of these places and Ad in another, but a reckoning of the lines contained in the missing leaves proves that the facts were as stated.

² They do not, however, contain the additions above mentioned, at Prol. 495, 579, i. 1403, 2267, &c.

that Λ is free from original errors which appear in B, yet in many places where B has the revised form of text Λ gives us the original, in agreement with the earlier first recension type, while in others Λ agrees with B in giving the revised reading. Then again, there can be no doubt of the close connexion between B and T, but the agreement between them is not usually on those points in which B follows the first recension in error. It is as if they had been derived from the same archetype, but T (or a manuscript from which T was copied) sprang from it at a later stage than the original of B, when many of the errors noted in the first recension had been corrected, while the text of the book generally was allowed to remain as it was[1]. Finally, the text of Ad approaches very near to a fully revised and corrected type. It very occasionally reproduces the earlier first recension, as if by accident, but seems never deliberately to give an 'unrevised' reading. It should be observed that from a point towards the end of the fifth book (about v. 6280) AdBT is a group which is very frequently found in special agreement, whereas before that point we usually find BT (or BTΛ) with Ad on the other side.

Passing now to the third recension, which has the preface and epilogue as in Λ and S, but excludes the additional passages, we find it represented by eight manuscripts, with Fairfax 3 at their head. We have already seen that this manuscript was originally one of the first recension, and was altered by the author so as to substitute the new epilogue and the new preface. Besides these changes, fresh lines are in several places written over erasures, as i. 2713 f., iv. 1321 f., 1361 f., &c., the marginal date is erased at Prol. 331, and additions have been made to the marginal notes. All these alterations, as well as the points previously noted, in which F originally differed from the other copies of the first recension, are reproduced in the other MSS. of the third recension.

---

[1] It is doubtful, however, whether the special connexion between B and T extended over the whole book. It seems rather to begin about iii. 1500. The question about the relative position of these two MSS. would be easier of solution if it were not that T is defective up to ii. 2687, that is as regards the part where the connexion of B with the first recension is most apparent. The fact is that until about the middle of the third book B is found usually in accord with the ERCLB₂ group, and though it sometimes in these first books presents the characteristic second recension reading, as ii. 193, 365 ff., iii. 168, at other times it departs from it, as i. 1881, 2017.

Of these remaining MSS. one is directly copied from F, and another seems to be certainly derived from the same source, though perhaps not immediately. In the case of H₃ (MS. Harl. 7184) the question of origin is not quite so simple. Its text generally seems to suggest ultimate dependence on F, but it is very unequal as regards accuracy, and in one part it regularly follows the early first recension readings and seems to belong for the time to the ERCLB₂ group. In addition to this it has a Latin marginal note at the beginning of the Prologue, which is wanting in F. The problem is perhaps to be solved by means of the Keswick MS. This is written in several hands, varying greatly in accuracy, and exactly in that place where H₃ seems to follow a first recension copy the Keswick MS. is defective, having lost several leaves. It also contains the marginal note referred to above, and on examination we find that a whole series of corruptions are common to the two MSS. There seems to be very little doubt that K is the source of H₃, the inequality of the latter MS. being to a great extent in accordance with the change of hands in K, and the variation of H₃ in a portion of the third book to a different type of text being exactly coincident with the gap left in K by loss of leaves, a loss which must apparently have taken place in the first forty or fifty years of its existence[1]. As to the text of K itself, in the parts which are most carefully written it reproduces that of F with scrupulous exactness, giving every detail of orthography and punctuation, and for the most part following it in such small errors as it has. It is impossible for one who places these MSS. side by side, as I have been able to do, to avoid the conviction that in some parts at least the exemplar for K was the Fairfax MS. itself. On the other hand, the Latin marginal note at the beginning was derived from some other copy, and setting aside the many mistakes, which possibly are due to mere carelessness on the part of some of the scribes, the Keswick MS. does undoubtedly contain some readings which seem to be derived from a different source. In form of text generally it corresponds exactly with F, reproducing all the additions and corrections made by erasure or otherwise, and containing the same Latin and French pieces in the same order at the end, so far at least as it is perfect. The Magdalen College MS. must be derived ultimately from the same

[1] K belongs to the beginning and H₃ to the middle of the fifteenth century.

source as H_3, and it has the same lapse from the third recension to the first, coinciding with the gap in the Keswick book. On the other hand W, though in form of text it corresponds with these and with F, is quite independent of the group above mentioned, and probably also of the Fairfax MS. It is late and full of corruptions, but in several instances it assists in the correction of errors which appear in F, and it is apparently based on a copy which retained some of the variants of the earlier text still uncorrected.

As for the remaining manuscript, which was formerly in the Phillipps collection, but is now in the hands of a bookseller, I have had so little opportunity for examining it that I ought not to attempt a classification.

Reviewing the whole body of authorities, we can recognize readily that two are pre-eminent as witnesses for the author's final text, that is to say, S and F, the Stafford and the Fairfax MSS. These are practically identical in orthography, and, except as regards the characteristic differences, which sufficiently guarantee their independence, exhibit essentially the same text, and one which bears the strongest marks of authenticity. Both are contemporary with the author, and it is perhaps difficult to say which best represents his final judgement as to the form of his work.

The Stafford MS. seems to be the earlier in time, that is to say, it probably precedes the final conversion of the Fairfax copy. It was evidently written for presentation to a member of the house of Lancaster, perhaps to Henry himself before his accession to the throne. It was doubtless for some such presentation copy that the preface was rewritten in 1392-3, with the dedication to Henry introduced into the English text, while most of the other copies issued during Richard's reign probably retained their original form. If we suppose that the new forms of preface and epilogue were at first intended only for private circulation, we can account for the very considerable preponderance of the first recension in regard to the number of copies by which it is represented, and also allow sufficient time for the gradual development of the text, first into the type which we find in A or J, and finally into that of F, as it originally stood, a process which can hardly be satisfactorily understood if we suppose that from 1393 onwards the Lancastrian dedication had its place in all copies put forth by the author. It seems on the whole probable, for reasons to be stated afterwards, that the final conversion of

F (that is as regards the preface) did not take place until after the deposition of Richard, and it is reasonable enough to suppose that copies were usually issued in the original form, until after that event occurred.

MANUSCRIPTS. The following account of the MSS. is given on my own authority in every detail. I have been able to see them all, and I wish here to express my thanks to the possessors of them, and to the librarians who have them in their charge, for the readiness with which they have given me the use of them. I am indebted especially to the Councils of Trinity College and St. John's College, Cambridge, and to Corpus Christi, Wadham, Magdalen, and New College, Oxford, for allowing their MSS. to be sent to the Bodleian Library for my use, and to remain there for considerable periods. Except in the case of one or two, to which my access was limited, I have examined every one carefully, so that I am able to say (for example) to what extent, if at all, they are imperfect. They are arranged as far as possible in accordance with the classes and groups to which they belong, as follows:

1st Recension (*a*) AJMP$_1$ChN$_2$E$_2$ (*b*) H$_1$YXGOAd$_2$CathQ (*c*) ECRLB$_2$SnDArHdAsh 2nd Recension (*a*) SΔ (*b*) AdTBΛP$_2$ 3rd Recension FH$_2$NKH$_3$MagdWP$_3$ Hn

FIRST RECENSION.

(*a*) *Revised.*

A. BODLEY 902, Bodleian Library (formerly Arch. D. 33, not in Bernard's Catalogue, 1697). Contains *Confessio Amantis* followed by 'Explicit iste liber' (four lines), 'Quam cinxere freta,' and 'Quia vnusquisque.' Parchment, ff. 184, measuring $13\frac{3}{8} \times 9\frac{1}{8}$ in., in quires of 8 with catchwords. Well written in double column of 46 lines in three different hands of early fifteenth cent., of which the first extends to the end of the second quire (ff. 2-16), the second from thence to the end of the tenth quire (ff. 17-80), and the third from f. 81 to the end. The columns nearly correspond with those of the Fairfax MS. up to f. 81, after which point some attempt is made to save space by writing the Latin verses in the margin. Latin summaries in the margin, except very occasionally, as on ff. 10 and 11 v°. Floreated half border in fairly good style at the beginning of each book except the fifth, and one miniature on f. 8, of the Confession, remarkable for the fact that the figure of the Lover is evidently intended as a portrait of the author, being that of an old man and with some resemblance in features to the effigy on Gower's tomb. The Confessor has a red stole, which with his right hand he is laying on the penitent's head, much as in the miniatures which we have in C and L. The note for the miniaturist still stands in the margin, 'Hic fiat confessor sedens *et* confes*sus* cora*m* se genuflectendo.'

The first leaf of the book is lost, and has been supplied in the sixteenth cent. from Berthelette's second edition. It should be noted that this is not the form of commencement which belongs properly to the MS., being that of the third recension, taken by Berthelette from Caxton. The first line of f. 2 is Prol. 144.

As to former possessors, we find written on the last leaf 'Anniballis Admiralis dominicalis,' on f. 80 'Be me Anne Russell' (?), and on f. 115 'Elyzebeth Gardnar my troust ys in god,' all apparently sixteenth cent. The first name is evidently that of Claude d'Annebaut (also called d'Hannybal), who was Admiral of France, and died in 1552. He was in England about the year 1547. The book came to the Bodleian from Gilbert Dolben, Esq., of Finedon, in Northamptonshire, in the year 1697, and not being in the Catalogue of 1697, it has to some extent escaped notice.

The text is a very good one of the revised type. It should be noted, however, that while in the earlier books AJM &c. stand very frequently together on the side of F as against the rest of the first recension, in the later, and especially in the seventh and eighth, AM &c. have an increasing tendency to stand with the first recension generally, leaving J alone in support of the corrected text. In the earlier books A sometimes stands alone in this manner, as i. 1960, ii. 961, 1356.

The orthography (especially that of the second hand) is nearly that of F. As regards final *e*, the tendency is rather to insert wrongly than to omit. Punctuation agrees generally with that of F.

J. ST. JOHN'S COLL., CAMB. B 12. Contains the same as A. Parchment, ff. 214, 12 × 9½ in., in quires of 8 with catchwords : double column of 39 lines, written in a very neat hand of the first quarter of fifteenth century. Latin summaries usually omitted, but most of them inserted up to f. 5 (Prol. 606), and a few here and there in the fifth and seventh books.

The first page has a complete border, but there are no other decorations except red and blue capitals. Old wooden binding.

The seventh leaf of quire 12 (v. 57-213) and the first of quire 14 (v. 1615-1770) are cut out, and a passage of 184 lines is omitted in the first book (i. 631-814) without loss of leaf, which shows that the manuscript from which it was copied, and which here must have lost a leaf, had the normal number of 46 lines to the column.

Various names, as Thomas Browne, Nicolas Helifax, J. Baynorde, are written in the book, and also 'John Nicholas oweth this book,' with the date 1576. At the beginning we find 'Tho. C. S.', which stands for 'Thomas Comes Southampton.' The book was in fact bought with others by Thomas Wriothesley, Earl of Southampton, from William Crashaw, Fellow of St. John's College, and presented by him to the College Library in the year 1635.

This MS. gives a text which is nearer to the type of F than that of any other first recension copy. In the later books especially it seems often to stand alone of its class in agreement with F, as v. 649, 1112, 1339, 1578, 3340, 4351, 4643, 5242, 6059, 6461, 6771, vi. 162, 442, 784, 973, 2089, vii. 445, 1027, 1666, 2424, 3235, 4336, 5348, viii. 13, 239, 747, 845, 1076, 1415, 1456 ff., 2195, 2220, 2228, 2442, 2670 ff., and it is noteworthy that this is the only first recension copy which supplies the accidental omission of 'eorum disciplina— materia' in the author's Latin account of the *Conf. Amantis* at the end. As regards individual correctness it is rather unequal. In some places it has many mistakes, as vi. 1509 ff., while in others it is very correct. The spelling is in most points like that of F, and it is usually good as regards terminations; but the scribe has some peculiarities of his own, which he introduces more or less freely, as 'ho' for 'who,' 'heo' for 'sche' (pretty regularly), 'heor' for 'her,' 'whech' for 'which.' It must also be an individual fancy which leads him regularly to substitute 'som tyme' for 'whilom' wherever it occurs. Punctuation usually agrees with that of F.

M. CAMB. UNIV. Mm. 2. 21 (Bern. Cat. ii. 9648). Contains *Conf. Amantis* only, without 'Explicit,' &c. (the last leaf being lost). Parchment, ff. 183, 14 × 9½ in. Quires of eight with catchwords and signatures: double columns of 46 lines: Latin summaries usually in margin, but occasionally in the text, as in A. Several hands, as follows, (1) ff. 1-32, 41-64, 73-88, 97-136, 145-152, 161-176; (2) ff. 33-40, 89-96, 137-144; (3) ff. 65-72; (4) ff. 153-160; (5) ff. 177-183. Finally another, different from all the above, adds sometimes a marginal note which has been dropped, as on ff. 4, 32 v⁰, 65, 72 v⁰. The first hand, in which more than two-thirds of the book is written, is fairly neat: the third much rougher than the rest, and also more inaccurate.

Floreated half border in fairly good style at the beginning of each book, except the third, fifth, and seventh, and two rather rudely painted miniatures, viz. f. 4 v⁰, Nebuchadnezzar's dream (the king in bed, crowned), and f. 8, the Confession, a curious little picture in the margin. The priest is laying his stole on the head of the penitent, whose features are evidently meant for a portrait. It is quite different however from that which we have in A. Below this picture we find the note, 'Hic fiat Garn*imentum*.'

The last leaf is lost, containing no doubt the 'Explicit,' 'Quam cinxere,' and 'Quia vnusquisque,' as in A

The names Stanhope and Yelverton are written on f. 39 (sixteenth cent.), and 'Margareta Straunge' on the first leaf (seventeenth cent.). Later the book belonged to Bishop Moore of Norwich (No. 462 in his library), and it passed with the rest of his books to the University of Cambridge in 1715, as a gift from the king.

M is very closely connected with A, as is shown by very many instances

MANUSCRIPTS

of special agreement, and some considerations suggest that it may be actually derived from it, as for example the writing of the Latin verses in the margin after f. 80, which in A seems to be connected with a change of hand, whereas in M it begins at the same point without any such reason. On the other hand M has a good many readings which are clearly independent, either correcting mistakes and omissions in A, as Prol. 195 *marg.*, 937, i. 673 *marg.*, 924, 1336, 3445, ii. 951, iii. 2529, vi. 620, or giving an early reading where A has a later, e.g. Prol. 869, i. 1118, 1755, ii. 961, 3516, iii. 1939, v. 3914, 5524, &c. In correctness of text and of spelling M is much inferior to A, especially as regards final *e* : for example, on f. 53 v⁰,

Came neue*r* ȝit to mannes ere	Cam A
Tiding | ne to mannes siȝt	Tidinge ... sihte A
Merueil whiche so sore aflihte	Merueile which A
Amannes herte as it þe dede	þo A
To hym whoche in þe same stede	him which A

P₁, formerly PHILLIPPS 2298, bought in June, 1899, by Mr. B. Quaritch, who kindly allowed me to see it. Parchment, leaf measuring about 9 × 6½ in., double column of 39 lines, in a fairly neat running hand, with many contractions because of the small size of the leaf. Latin summaries omitted. No decoration. Text agrees with AJM group, so far as I have examined it.

Ch. CHETHAM'S LIBR., MANCHESTER, A. 6. 11 (Bern. Cat. ii. 7151). Contains *Conf. Amantis* with 'Explicit' (4 lines) and 'Quam cinxere.' Parchment, ff. 126, about 15¼ × 10¾ in., quires usually of 12 or 14 leaves. Rather irregularly written in double column of 47-61 lines, late fifteenth century. No ornament. Marginal Latin almost entirely omitted, but some English notes by way of summary occasionally in margin, perhaps by later hand.

The first leaf is lost, the MS. beginning Prol. 193, and also two leaves in the second quire (i. 1092-1491) and one in the tenth (viii. 2111-2343); but besides these imperfections there are many omissions, apparently because the copyist got tired of his work, e.g. ii. 3155-3184, iii. 41-126, 817-842, 877-930, 1119-1196, iv. 17-72, 261-370, 569-704, 710-722, 915-968, 1117-1236, v. 72-112. There is also a good deal of omission and confusion in v. 6101-7082. At the end in a scroll is written 'Notehurste,' which indicates probably that the book was copied for one of the Chethams of Nuthurst, perhaps Thomas Chetham, who died 1504. The word 'Notehurst' also occurs at the end of the Glasgow MS. of the 'Destruction of Troy,' which has in another place the names of John and Thomas Chetham of 'Notehurst' as the owners of it.

In text it belongs to the AJM group, and sometimes, as iv. 208, stands alone with J. There are many corruptions, however, and the spelling is late and bad.

N₂. NEW COLLEGE, OXFORD, 326. Contains *Conf. Amantis* only (no 'Explicit'). Parchment, ff. 207 + 4 blanks, about 13¾ × 9½ in., in quires of 8 with catchwords; neatly written in double column of 40 lines (or 39). No Latin summaries or verses. The handwriting changes after f. 62 (at iii. 2164) and becomes rather larger and more ornamental.

Two leaves lost after f. 35, containing ii. 1066–1377, and some of the leaves of the MS. from which it was copied had been displaced, so that iv. 2501–2684 comes after 2864, then follows 3049–3232, then 2865–3048, and after these 3233 ff. (two leaves displaced in the original). Lines omitted sometimes with blanks left, as i. 1044, 2527.

From the coats of arms which it contains the book would seem to have been written for Thomas Mompesson of Bathampton, sheriff of Wilts in 1478 (K. Meyer, *John Gower's Beziehungen*, &c.). It was given to John Mompesson by Sir Giles Mompesson in 1650, and to New College by Thomas Mompesson, Fellow, in 1705.

The text is a combination of two types. It has the Lancaster dedication at the beginning, but the conclusion which belongs to the first recension. On examination it proves that the scribe who wrote the first eight quires followed a manuscript not of the F, but of the S∆ class (agreeing for example with S in i. 1881 f., 2017 ff., ii. 2387, iii. 168, 1241, and differing from F in regard to i. 2267 ff., 2343 ff., &c.), while the copyist of the remainder followed one of the revised first recension. The spelling is poor.

E2. BIBL. EGERTON 913, Brit. Museum. A fragment, containing *Conf. Amantis* from the beginning to i. 1701. Paper, ff. 47, $11\frac{1}{2} \times 8$ in., in quires of 16 with catchwords: single column, 30–37 lines on page: Latin summaries in margin. Three hands, (1) f. 1–26, 31–36; (2) 27–30; (3) 37–47.

On f. 26 v⁰. there is an omission of i. 387–570 (one leaf of 184 lines lost in the copy). This is supplied by the insertion of four leaves after f. 26, containing i. 375–580.

The text belongs to the revised group, as shown by Prol. 6, 7, 115, 659, 869, i. 162, 278, 368, 1262, &c.

(*b*) *Intermediate.*

H1. HARLEIAN 3490, Brit. Museum. Contains, ff. 1–6 St Edmund's *Speculum Religiosorum*, ff. 8–215 *Confessio Amantis*, left unfinished on f. 215 v⁰. Parchment, 215 leaves, $14\frac{1}{2} \times 10$ in., in quires of 8 with catchwords: double column of 34–51 lines, small neat hand of middle fifteenth cent., with some corrections, perhaps in the same hand. Latin summaries in the text, underlined with red. Blank leaf cut out after f. 6, and f. 7 left blank, so that Gower begins on the first leaf of the second quire. The text is left unfinished at viii. 3062*, part of the last page remaining blank.

Floreated pages at the beginning of the books and also at f. 11, with various coats of arms painted.

The text given by this MS. is of an intermediate type. Occasionally throughout it is found in agreement with AJM &c. rather than with ERC &c., as Prol. 6, 7, i. 162, 630, 1755, 1768 ff., 1934, &c., and in a large portion

MANUSCRIPTS cxliii

of the fifth book it passes over definitely in company with XG &c. to the revised class, but it does not contain the distinctive readings of XG. Sometimes it stands alone of the first recension in company with F &c., as iv. 2414, vii. 1749, viii. 2098, and especially in regard to the three passages, i. 2267 ff., 2343 ff., 2369 ff. In individual correctness of text and spelling the MS. does not rank high, and it is especially bad as regards insertion and omission of final *e*, as 'Wherof him ouht welle to drede,' 'Ayenste the poyntes of the beleue,' 'Of whome that he taketh eny hede.' It has *th* regularly for þ and *y* for ȝ.

Y. In the possession of the MARQUESS OF BUTE, by whose kindness I have been allowed to examine it. Contains *Confessio Amantis*, imperfect at beginning and end. Parchment, 15½ × 10¾ in., in quires of 8 with catchwords on scrolls. Very well written in double column of 50 lines, early fifteenth cent. Latin summaries in text (red). Floreated page finely illuminated at the beginning of each book, with good painting of large initials, some with figures of animals, in a style that looks earlier than the fifteenth cent. Spaces left on f. 2, apparently for two miniatures, before and after the Latin lines following i. 202.

Begins in the last Latin summary of the Prologue, 'Arion nuper citharista,' followed by Prol. 1053, 'Bot wolde god,' &c., having lost six leaves. Again, after iv. 819 nine leaves are lost, up to iv. 2490, and one leaf also which contained vi. 2367-vii. 88: the book ends with viii. 2799, two or three leaves being lost here. The book belonged to the first Marquess of Bute, who had his library at Luton. At present it is at St. John's Lodge, Regent's Park.

This is a good manuscript, carefully written and finely decorated. There are very few contractions, and in particular the termination -*oun* is generally written in full, as 'confessioun,' i. 202, 'resoun,' iii. 1111, 'devocioun,' 'contemplacioun,' v. 7125 f. &c., and *th* is written regularly for þ. As regards individual accuracy and spelling it is very fair, but the scribe adds -*e* very freely at the end of words. The type of text represented is evidently intermediate to some extent, but I have not been able to examine it sufficiently to determine its exact character. It supports the revised group in a certain number of passages, e. g. i. 264, 630, 3374, 3396, 3416, ii. 31, 1328, 1758, &c., sometimes in company with H₁ and sometimes not. In particular we may note the passage i. 3374 ff., where in some lines it is revised as above mentioned, and in others, as 3381, 3414, 3443, it keeps the earlier text. Occasionally Y seems to have a tendency to group itself with B, as i. 208, 604, and in other places we find YE or YEC forming a group in agreement with B, as i. 161, iii. 633, v. 1946, 3879.

X. SOCIETY OF ANTIQUARIES, 134. Contains, ff. 1-30 Lydgate's *Life of the Virgin* (imperfect at beginning), f. 1 begins in cap. xiii. 'Therefore quod pees,' ff. 30-249 *Confessio Amantis* with 'Explicit' (six lines), 'Quam cinxere,' and 'Quia vnusquisque,' ff. 250-283, Hoccleve's *Regement of Princes*, with 'Explicit Thomas Occlef,' ff. 283 vº, metrical version of Boethius [by John Walton of Osney] with leaves lost at the end, ends 'Amonges hem þat dwellen nyȝe present.' Parchment, ff. 297, about 15 × 11 in., in quires of 8 without catchwords, in a good and regular hand. The *Conf. Amantis* is in double column of 41 lines. Latin summaries in text (red). Ornamental borders at the beginning of books and space for miniature of Nebuchadnezzar's Dream on f. 34 v°. One leaf lost between ff. 134 and 135, containing v. 1159-1318.

The book belonged formerly to the Rev. Charles Lyttelton, LL.D., who notes that it came originally from the Abbey of Hales Owen.

I owe thanks to the librarian of the Society of Antiquaries for courteously giving me access to the manuscript.

The text is of the intermediate type, passing over in a part of the fifth book with H1 &c. to the revised group, but not giving the revised readings much support on other occasions. It forms however a distinct sub-group with GOAd2, these manuscripts having readings apparently peculiar to themselves in several passages, e.g. v. 3688 and after v. 6848.

The spelling is not very good, and in particular final *e* is thrown in very freely without justification: there are also many *-is*, *-id*, *-ir* terminations, as 'servantis,' 'goodis,' 'nedis,' 'ellis,' 'crokid,' 'clepid,' 'vsid,' 'chambir,' 'aftir,' and ȝ usually for *gh* (*h*), as 'hyȝe,' 'nyȝe,' 'ouȝt,' 'lawȝe,' 'sleyȝtis,' &c. The text however is a fair one, and the use of it by Halliwell in his Dictionary preserved him from some of the errors of the printed editions. The scribe was apt to drop lines occasionally and insert them at the bottom of the column, and some, as iii. 2343, are dropped without being supplied.

G. GLASGOW, HUNTERIAN MUSEUM, S. i. 7. Contains *Confessio Amantis*, imperfect at the end. Parchment, ff. 181 (numbered 179 by doubling 94 and 106) with two blanks at the beginning, 16½ × 10¾ in., in quires of 8 with catchwords: well and regularly written in double column of 46 lines, early fifteenth century. Latin summaries in the text (red). Floreated page at the beginning of each book, so far as they remain, and illuminated capitals. Many catchwords lost by cutting of the margin: it must once have been a very large book.

The manuscript has lost about sixteen leaves at the end, and eight altogether in various other places. In every case except one, however, the place of the lost leaf is supplied by a new leaf inserted, one of which has the missing portion of the text copied out from an early edition, while the rest are blank. The leaves lost are mostly such as would probably have had miniatures or illuminations, including the beginning of the first, second, sixth, seventh, and eighth books. The losses are as follows: f. 4 (containing Prol. 504-657, probably with a miniature), text supplied by later hand, f. 7 (Prol. 984-i. 30), f. 9 (i. 199-336, probably with a miniature), f. 28 (i. 3402-ii. 108), f. 129 (131) (v. 7718-vi. 40), f. 143 (145) (vi. 2343-vii. 60), a leaf after f. 175 (177) (vii. 5399-viii. 126), f. 177 (179) (viii. 271-441), and all after f. 179 (181), that is from viii. 783 to the end.

MANUSCRIPTS

A former owner (seventeenth cent.) says, 'This Book, as I was told by the Gent: who presented it to me, did originally belong to the Abbey of Bury in Suffolk.' If so, the *Confessio Amantis* was probably read in this copy by Lydgate.

I am under great obligations to Dr. Young, Librarian of the Hunterian Museum, for the trouble he has taken to give me access to this excellent manuscript.

The Glasgow MS. is especially related to X (iv. 2773, v. 1486, 3582, 3688, 4110, 6848 ff., vi. 101, vii. 769, &c.), and belongs more generally to the group H_1X &c., which passes over to the revised class almost completely in a considerable part of the fifth book. The text, however, is on the whole much better than that of X, being both individually more correct and more frequently found on the side of the corrected readings, e.g. i. 2836, ii. 1441, 1867, v. 781, 1203, 2996, 4425, 5966, 6839, 7223, 7630, vi. 86, 746 (corrected), 1437, vii. 510, 1361, 1574, 2337, 3902, viii. 568. In at least one place, vii. 1574, it stands alone of the first recension, while in others, as v. 4425, 5966, 7630, vi. 746, 1437, &c., it is accompanied only by J. On the other hand in some passages, as v. 5802, 6019, 6257, vii. 1172 *marg.* &c., G has an earlier reading and X the later, while there is also a whole series of passages where G, sometimes in company with X, seems to show a special connexion of some kind with B (BT), as ii. 1925, iii. 733, iv. 2295, 2508, v. 4, 536, 2508, 3964, 4072, 7048, vi. 1267, 1733, vii. 3748, 4123, &c.

The book is carefully written, and corrected in the same hand, e.g. v. 3145, 5011, vi. 430, 746, vii. 4233. The spelling is pretty good, and in particular it is a contrast to X in the matter of final *e*. This is seldom wrongly inserted, and when it is omitted it is usually in places where the metre is not affected by it. Punctuation often in the course of the line, but not at the end.

O. STOWE 950, Brit. Museum. *Confessio Amantis*, imperfect at beginning and end. Parchment, ff. 175 (177 by numbering leaves of another book pasted to binding), $14\frac{1}{4} \times 10$ in., in eights with catchwords and signatures, double column of 44-46 lines; written in a small, neat hand. Latin summaries in text (red). No decorated pages.

Has lost seven leaves of the first quire, to i. 165 (incl.), and also after f. 16 one leaf (i. 2641-2991), after f. 35 one (ii. 2486-2645), after f. 44 two (iii. 673-998), after f. 97 one (v. 3714-3898), after f. 108 two (v. 5832-6184), after f. 136 two (vii. 771-1111), and at least four leaves at the end (after viii. 2549).

Formerly belonged to Lord Ashburnham.

In text this belongs to the XG group, agreeing with them, for example, at v. 3688, 6848, and in general with H_1XG, where they go together (so far as I have examined the book), e.g. in the Latin verses after v. 2858 ('Vltra testes falsos,' 'penitus') and in the readings of v. 1893, 1906, 2694, 3110, &c.

The handwriting is somewhat like that of H_1: the spelling sometimes fairly good, but unequal; bad especially at the beginning. The metre generally good.

Ad₂. ADDITIONAL 22139, Brit. Museum. *Confessio Amantis*, imperfect, with the author's account of his books, 'Quia vnusquisque,' at the end, followed by Chaucer's poems, 'To you my purse,' 'The firste stok,' 'Some time this worlde,' 'Fle fro the pres.' Parchment, ff. 138, 13¾ × 10¼ in., in quires of 8 with catchwords: regularly and closely written in double column of 53 lines by two hands, the first (ff. 1-71) somewhat pointed, the second rounder and smaller. Date 1432 on a shield, f. 1. Latin summaries in text (red). Illuminated borders at beginning of books (except the eighth) and many gilt capitals: a miniature cut out on f. 4 (before Prol. 595).

The first leaves are much damaged, f. 1 having only two lines left (f. 2 begins Prol. 177), f. 3 has lost Prol. 455-478 and 505-527, &c., f. 4 has a miniature cut out, with Prol. 716-726 on the other side, f. 6 has lost Prol. 979-1061. After f. 7 there is a loss of seventeen leaves (i. 199-ii. 56), after f. 31 (originally 48) two quires (sixteen leaves) are lost and f. 32 is damaged (iii. 1150-iv. 1517), after f. 81 one leaf lost (v. 7807-vi. 154).

Bought by Brit. Museum from Thos. Kerslake of Bristol, 1857.

The text is closely connected with that of X, but not copied from that manuscript itself (see ii. 1711, vii. 92, viii. 2650). There are corrections here and there in a somewhat later hand, e. g. ii. 671, 1045, 1457, iii. 1052, iv. 2922, several of which are cases of lines supplied, which had been dropped. In v. 3688 the ordinary reading has been substituted doubtless for that of X, and in some cases the alterations are wrong, as vii. 2639, viii. 51. The manuscript has a good many individual errors and the spelling is rather poor.

Cath. ST. CATHARINE'S COLL., CAMB. *Confessio Amantis* with 'Explicit' (six lines), 'Quam cinxere' and 'Quia vnusquisque.' Parchment, ff. 188, 17¾ × 12¼ in., in quires of 8 with catchwords: well written in double column of 47 lines, afterwards 40, before the middle of fifteenth cent. Latin summaries in text (red). Floreated whole border at the beginning of each book: miniature on f. 4 v° of Nebuchadnezzar's Dream, and f. 8 v° the Confession (Priest on stool to left of picture, laying hand but not stole on penitent's head), fairly well painted.

Leaves are missing which contained i. 3089-3276, ii. 3331-3518, v. 1182-1363, 6225-6388, vi. 107-460, vii. 984-1155, and viii. 2941-3114*, and the last leaf containing 'Explicit,' &c., is placed now at the beginning of the volume. There is a confusion of the text in the third book, iii. 236-329 being repeated after 678 and 679-766 left out, also a considerable omission in the fourth (iv. 2033-3148) without loss of leaves in this MS. (The statement in the MS. that seven leaves are here lost is a mistake.) In the passage vii. 1486-2678 several leaves have been disarranged in the quire.

Given to the College in 1740 by Wm. Bohun of Beccles (Suffolk), to whose great-grandfather, Baxter Bohun, it was given in 1652 by his 'grandmother Lany.'

The text is of a rather irregular type, but often agrees with the XGO group. It has many mistakes and the spelling is poor.

Q. Belonged to the late Mr. B. Quaritch, who kindly allowed me to examine it slightly. Parchment, leaves measuring about $14 \times 8\frac{3}{4}$ in., in double column of 49 lines, well written, early fifteenth cent. Ends with the account of the author's books, 'Quia vnusquisque.' Floreated pages at the beginning of books and a good miniature of the Confession on f. 3, of a rather unusual type—the priest seated to the left of the picture and the penitent at a little distance. Latin summaries in text (red). Begins with Prol. 342, having lost two leaves here, and has lost also Prol. 529–688, Prol. 842–i. 85, and perhaps more.

The book formerly belonged to a Marquess of Hastings.

This is a good manuscript, and the spelling is fairly correct. I place it provisionally here, because its readings seem to show a tendency towards the XG group.

(c) *Unrevised*.

E. EGERTON 1991, Brit. Museum. *Confessio Amantis* with 'Explicit' (six lines), 'Quam cinxere,' and 'Quia vnusquisque,' after which 'Deo Gracias. And þanne ho no more.' Parchment, ff. 214, $15\frac{1}{4} \times 10$ in., in quires of 8 with catchwords: regularly written in a very good large hand in double column of 42 lines, early fifteenth cent. Latin summaries in text (red). Floreated pages at beginning of books, and a finely painted miniature of the Confession on f. 7 v⁰.

Two leaves lost, originally ff. 1 and 3, containing Prol. 1–134 and 454–594. The book has also suffered from damp, and parts of the first and last leaves are so discoloured as to be illegible.

A seventeenth cent. note on f. 1 v⁰ tells us that the book was given on April 5, 1609, 'at Skarborough Castle' to the lady Eliz. Dymoke by her aunt the lady Catherine Burghe, daughter of Lord Clynton, who was afterwards earl of Lincoln and Lord High Admiral, to whom it came by her mother, the lady Eliz. Talboys. On f. 2 we find the register of the birth of Master Harry Clinton, son and heir of Lord Clinton, born at Canbery, June 6, 1542. The name Willoughby occurs also in the book (sixteenth cent.), and on a flyleaf inserted at the beginning we find 'John Brograve, 1682,' with Latin lines in the form of an acrostic about his family, signed 'Thomas Tragiscus, Bohemus.' Bought by the Brit. Mus. August 6, 1865, at Lord Charlemont's sale.

The text of this fine MS. belongs clearly to the unrevised group. At the same time its original must have had some corrections, and some also appear on the face of this MS. It stands alone of the first recension in agreement with S, F in a few passages, as v. 5438, vi. 1954, vii. 4318 *marg.*, and with J in ii. 2576, iii. 176, v. 4989 f., 7327, vii. 3484. It has also some connexion with B (BTΛ), standing in this matter either with C (or YC), as iii. 633, v. 3688, 3814, 5667, 6318, or by itself, as Prol. 169, i. 2122, ii. 1353, iv. 3401, v. 3992, 6336, vii. 323, 978, viii. 1761, 2706.

The scribe seems to have had a good ear for metre, and seldom goes wrong in any point of spelling which affects the verse, though apt to omit final *e* in case of elision. Sometimes, however, he drops words, as 'swerd,' i. 433, 'so,' v. 122, 'chaste,' v. 6277. On the whole the text of E is probably the best of its class.

C. CORPUS CHRISTI COLL., OXF. 67 (Bern. Cat. i. 2. 1534). *Confessio Amantis* with 'Explicit' (four lines), 'Quam cinxere,' and 'Quia vnusquisque,' after which 'Deo Gracias.' Parchment, large folio, ff. 209, of which three blank, in quires of 8 with catchwords: written in double column in a good hand of first quarter fifteenth cent. Latin summaries in text (red). Pages with complete borders at beginning of books (except Lib. i), and two very fair miniatures, f. 4 v⁰ Nebuchadnezzar's Image, f. 9 v⁰ the Confession (priest laying stole on youthful penitent's head). The book has lost four leaves, the second of the first quire (Prol. 144-301), the last of the 22nd and first of the 23rd (vii. 3137-3416), and the first of the 26th (viii. 1569-1727).

We find on the last leaf in a hand perhaps as early as the fifteenth cent. 'Liber partinet Thomam Crispe Ciuem et Mercerium Londiniarum,' and on the flyleaf at the beginning a device containing the same name, and also A. Crispe, F. Crispe, W. Rawson, Anne Rawson. 'Augusten Crispe me Iure tenet' is written on the first leaf of the text, and also 'Liber Willelmi Rawson A⁰. Dni 1580.' Finally, 'Liber C. C. C. Oxon. 1676.' The device referred to above appears also in the decoration of the book both at the beginning and the end, but the manuscript must have been written much earlier than the time of Thomas Crispe.

This is a good copy of the unrevised group, having some connexion, as we have seen above, with E, but less good in spelling, especially as regards final *e*. For special connexion with B, see i. 2234, iv. 359, &c. CL go specially together apparently in some places, as Prol. 937 f., i. 94, 161, 165, 433, 916, but not throughout. There are some corrections by erasure of final *e*, and a line supplied by a different hand, vi. 1028. No punctuation.

R. REG. 18. C. xxii, Brit. Museum. *Confessio Amantis* with 'Explicit' (six lines), 'Quam cinxere' and 'Quia vnusquisque.' Parchment, ff. 206, 14¼ × 3¾ in., in eights with catchwords: double column of 44 lines, well written, first quarter fifteenth cent. Latin in text (red). Floreated border of first page with miniature of the Confession in the initial O; also a miniature on f. 4 v⁰ of the Image of Nebuchadnezzar's dream (hill with stone to left of picture), and half borders at beginning of books, except Lib. i.

Two blanks cut away at the end, from one of which is set off 'This

MANUSCRIPTS cxlix

boke appertayneth vnto the Right Honorable the Ladie Margaret Strange' (presumably the same whose name appears in M). The binding has 'Lady Mary Strainge.'

A very fair MS. of its class and almost absolutely typical, but gives distinctively revised readings in a few passages, as ii. 925, iv. 1342, v. 3145, viii. 1621. Omits vii. 2889–2916 and some of the Latin summaries. The words 'pope' and 'papacie' are regularly erased, see especially f. 47. Spelling and metre fairly good: no punctuation.

L. LAUD 609, Bodleian Library (Bern. Cat. 754). *Confessio Amantis* with 'Explicit' (four lines), 'Quam cinxere' and 'Quia vnusquisque.' Parchment, ff. 170, 16 × 10¾ in., in quires of 8 with catchwords: double column, first of 40 lines, then about 44, and after f. 16 of 51: well written, first quarter fifteenth cent. Latin in the text (red). Floreated border of first page and half borders at the beginning of books, well executed. Two miniatures, on f. 5 v⁰ the Image of the dream, and on f. 10 the Confession, both much like those in C and B₂, but damaged.

After f. 109 one leaf is lost (v. 5550–5739), one after f. 111 (v. 6140–6325), and eight (quire 16) after f. 118 (v. 7676–vi. 1373).

The names Symon and Thomas Elrington (sixteenth cent.) occur in the book, ff. 89, 170, and 'Liber Guilielmi Laud Archiepiscopi Cantuar. et Cancellarii Vniuersitatis Oxon. 1633' on f. 1.

In correctness of text and spelling the text is decidedly inferior to the foregoing MSS. We may note apparently good readings in the following passages, Prol. 159, i. 3023, v. 1072, vii. 374, 3040, 3639, viii. 358, 483.

B₂. BODLEY 693, Bodleian Library (Bern. Cat. 2875). *Confessio Amantis* with 'Explicit' (six lines), 'Quam cinxere' and 'Quia vnusquisque.' Parchment (gilt edged), ff. 196, 15 × 10 in., in eights with catchwords. Well written, first quarter fifteenth cent., in double column of 46 lines. Latin in text (red). Floreated border of first page and half borders at beginning of books (also on f. 8 v⁰), well executed: two small miniatures, f. 4 v⁰ the Image of the dream, f. 8 v⁰ (within an initial T) the Confession, like those in C and L, but smaller.

At the end we have 'ffrauncois Halle A⁰ Mv°vi' (i.e. 1506), 'Garde le ffine.' In the initial on f. 1 a coat of arms is painted surrounded by the Garter and its motto. The arms are those of Charles Brandon duke of Suffolk (Brandon with quartering of Bruyn and Rokeley, see Doyle, *Official Baronage*, iii. 443), and on the same page is painted the Brandon crest (lion's head erased, crowned per pale gules and arg., langued az.). These must have been painted in later than the date of the MS. The binding is deeply stamped with the arms of Great Britain and Ireland in colours, and the letters I. R., showing that the book belonged to James I. It was presented to the Bodleian by Dr. John King, who was Dean of Ch. Ch. 1605-1611. We must suppose that James gave it to Dr. King.

The fineness of the vellum and the general style of the book seems to indicate that it was written for some distinguished person. The text is very typical of its class. In correctness and spelling it is less good than L, oftener dropping final *e* and having less regard for the metre.

Sn. ARCH. SELD. B. 11, Bodleian Library (Bern. Cat. 3357). *Confessio Amantis* with 'Explicit' (four lines), 'Quam cinxere' and 'Quia vnusquisque.' Paper (with some leaves of parchment), ff. 169, 14½ × 10¾ in. Quires with varying number of leaves, usually 12 or 16, signatures and catchwords. (No written leaves lost, but blanks cut away in quires nine and ten.) Written in double column of 44-65 lines (no ruling), in a small hand, middle fifteenth cent. Latin in text. Red and blue initials, but no other decoration.

The book has the name 'Edwarde Smythe' (sixteenth cent.) as the owner. It came into the Bodleian among John Selden's books.

The text is a poor one with a good many corruptions, from the first line of the Prologue ('To hem' for 'Of hem') onwards, many of them absurd, as 'who thoghte' for 'wo the while' (v. 6752), 'homicides' for 'houndes' (vii. 5256), and some arising from confusion between *þ*, *ȝ*, and *y*. Thus the scribe (who usually has *th* for *þ* and *y* for *ȝ*) is capable of writing 'aþen' or 'athen' for 'aȝein,' 'yer of' for 'þer of,' 'yeff' for 'þef,' 'biþete' for 'biȝete.' There are many mistakes in the coloured initials, e.g. ii. 2501, iii. 2033, 2439. Some northern forms, as 'gude,' iii. 1073, 'Qwhat,' iii. 2439. Note agreement with B in some places, as i. 365, 1479, iii. 1222, v. 2417, 6296, and a few more.

D. CAMB. UNIV. Dd. viii. 19 (Bern. Cat. ii. 9653). *Confessio Amantis* (imperfect). Parchment, ff. 127, quires of 8 with catchwords: double column of 48 (sometimes 50) lines, regularly written in a hand using very thick strokes. Latin in text (red). Spaces left for miniatures, f. 4 v°, f. 8 v° (the latter marked 'hic Imago'), and perhaps also f. 1. Many spaces left for illuminated capitals.

After f. 83 follows a quire of six with 5 v° blank (after end of Lib. iv.) and 6 lost: then a quire of eight with 5 and 6 (also part of 4) blank, and 7, 8 lost: then, f. 94, 'Incipit liber Sextus.' So that of Lib. v. we have only about four leaves (v. 1444-2149). The leaves numbered 16, 17, 15 should stand last (in that order), and the text ends (on f. 15) with vii. 3683, the line unfinished and the rest of the page blank.

Successive owners in sixteenth cent., Magister Asshe, Thom. Carson (or Cursson), Ambr. Belson, J. Barton. It was one of Bishop Moore's books (No. 467), and came to the University in 1715.

The text shows no leaning, so far as I know, to the revised group. Perhaps somewhat akin to the MSS. which precede and follow: see Prol. 331 *marg.*, i. 110, 370.

MANUSCRIPTS

Ar. ARUNDEL 45, College of Arms (Bern. Cat. ii. 5547). *Confessio Amantis* (imperfect). Paper, 168 leaves (numbered 167, but one dropped in numbering after f. 42) + two parchment blank at beginning, $11\frac{1}{2} \times 8\frac{1}{4}$ in. Quires of 8 (usually), with catchwords, double column of 46-51 lines, small neat writing, middle fifteenth cent. Latin in text (red): no illumination, but spaces left for initials.

One leaf lost after f. 7 (i. 63-216), two after f. 116 (v. 5229-5594), and all after viii. 1102 (about twelve leaves gone at the end).

Former possessors, 'Thomas Goodenston, Gerdeler of London,' and (before him probably) 'Jhon Barthylmewe, Gerdyllarr and Marchant.'

Hd. At CASTLE HOWARD, the property of the Earl of Carlisle, who most kindly sent it for my use. *Confessio Amantis* with 'Explicit' (four lines), 'Quam cinxere' and 'Quia vnusquisque.' Parchment, ff. 111 (numbered as 110) 14×11 in., in quires of 8 (usually), marked iiii, v, vi, &c. In double column of 60-74 lines, rather irregularly written in a small, fairly clear hand, later fifteenth cent. Latin in text. Some red and blue initials; no other decoration.

Seventeen leaves lost at the beginning, f. 1 begins at i. 3305, and f. 8 is the first leaf of quire iiii: after f. 73 four leaves lost, containing vi. 264-1306, and in the last quire one, containing viii. 2566-2833. The leaves in the latter half of the book, from f. 66, have been much disarranged in the binding.

The name 'Tho. Martin' is written at the beginning, in the handwriting of the well-known Thomas Martin of Palgrave. This of course is not the book mentioned in Bern. Cat. ii. 611 as among the books collected by Lord William Howard at Naworth Castle. There seems to be at present no Gower MS. at Naworth.

Some readings seem to show a connexion of Hd with L, as iii. 1885, 2763, 'Now herkne and I þe þo,' iv. 1341, 3086, 3449, 3535, but it is not derived from it. Note also the readings of ii. 1577 'Ne,' 2825 'by,' iii. 1173 'Iupartie,' v. 3306 'Oute.' There are many corruptions in the text as well as some deliberate alterations, as 'cleped' regularly to 'called,' and words are often dropped or inserted to the injury of the metre.

Ash. ASHMOLE 35, Bodleian Library (Bern. Cat. 6916). *Confessio Amantis* (imperfect). Paper, ff. 182, $13\frac{1}{2} \times 9\frac{1}{2}$ in. Quires of 12 (usually), with catchwords, double column of 42-48 lines, fairly well written: no Latin verses or summaries, but summaries in English written in the text (red), mostly omitted in the last thirty leaves. Some initials in red, spaces left for larger capitals.

Begins with Prol. 170, having lost two leaves (one blank) at the beginning. After f. 2 one leaf is lost (Prol. 541-725), one after f. 4 (i. 1-169), one after f. 32 (ii. 1749-1927), one after f. 91 (v. 2199-2366), three after f. 181 (viii. 2505-2893), one after f. 182, which ends with viii. 3082*. Half of f. 182 is torn away, but the beginning of the

Chaucer verses remain, as well as a whole column of the early form of conclusion, in spite of the statement in the Ashmole Catalogue. Even if the conclusion were really wanting, there would be no difficulty in assigning the MS. to its proper class.

SECOND RECENSION.

(*a*) S. The STAFFORD MS., now in the possession of the Earl of Ellesmere, by whose kind permission I have been allowed to make use of it. Contains *Confessio Amantis* with ' Explicit ' (six lines) and ' Quam cinxere.' Parchment, ff. 172 (the last three blank), $14 \times 9\frac{3}{4}$ in., quires of 8 with catchwords and signatures (24 in all, the last of five leaves): written in double column of 46 lines in a good square hand of late fourteenth century type. Latin summaries in the margin. The first page has a well-executed border of geometrical pattern and a rather rudely painted miniature of Nebuchadnezzar's dream, in style resembling that of F. This page has also three heraldic shields and a crest, of which more hereafter. Floreated half borders at the beginning of books and illuminated capitals throughout, well executed and with an unusual amount of gold. On f. 56 a well painted grotesque figure of a man with legs and tail of some animal, wearing a pointed headpiece and armed with an axe. This is part of the initial decoration of Lib. iv.

The book has unfortunately lost in all seventeen leaves, as follows : one after f. 1 (Prol. 147–320), one after f. 7 (Prol. 1055–i. 106), three after f. 46 (iii. 573–1112), one after f. 68 (iv. 2351–2530), two after f. 69 (iv. 2711–3078), one after f. 70 (iv. 3262–3442), two after f. 71 (iv. 3627–v. 274), one after f. 107 (v. 6821–7000), one after f. 125 (vi. 2357–vii. 88), two after f. 139 (vii. 2641–3004), two after f. 153 (vii. 5417–viii. 336). In addition to this, one leaf, f. 50 (iii. 1665–1848), is written in a different and probably rather later hand, and seems to have been inserted to supply the place of a leaf lost in quite early times.

The question about the former owners of this fine manuscript is an interesting one. As to the devices on the first page, the first shield (within the initial O) is sable and gules per pale, a swan argent, the second (in the lower margin) sable, three ostrich feathers (argent ?) set in three scrolls or, while in the right margin there is a crest of a lion, collared with label of three points, standing on a chapeau, and below is suspended a shield quartered az. and gules, with no device. The crest is evidently meant for that of John of Gaunt, though it is not quite correct, and the three ostrich feathers (properly ermine) were used by him as a recognisance (see Sandford's *Genealogical Hist.* p. 249), while the swan is the well-known badge of Henry his son, to be seen suspended from Gower's own collar of SS on his tomb and in the miniature of the Fairfax MS. It seems probable then that the book was prepared for presentation to a member of the house of Lancaster, probably either John of Gaunt or Henry. If it be the fact that the swan badge was

MANUSCRIPTS cliii

not adopted by Henry until 1397, this would not be the actual copy sent on the occasion of the dedication to him in 1392-93. On the other hand the absence of all royal emblems indicates that the book was prepared before Henry's accession to the throne.

In the sixteenth cent. (Queen Elizabeth's reign) the book belonged to one William Downes, whose name is written more than once on f. 170. The ornamental letters W. D. on f. 21 are probably his initials, and on f. 76 we have Phillipp Downes in a fifteenth-cent. hand. On f. 171 v⁰ there is a note about 'the parsonages of Gwend... and Stythians in the county of Cornewell, percell of the possessions of the late monastary of Rewley,' and also about the 'personage of Croppreadin in the county of Oxforde,' granted for xxi years by Edward VI and paying lvi pounds a year. 'T. P. Goodwyn' is another name (seventeenth cent.). When Todd saw the MS. at the beginning of this century, it belonged to the Marquess of Stafford.

S has the Lancaster dedication and the rewritten epilogue, and with these the three additional passages, v. 6395*-6438*, 7086*-7210*, vii. 3207*-3360*, omitting v. 7701-7746, and transposing vi. 665-964. In correctness it is inferior only to F, and these two stand far above all others as primary authorities. Their independence of one another is certain, and the general agreement of their text gives it the highest guarantee of authenticity. The spelling is practically the same, as will be seen in those passages which are printed from S in this edition, e. g. vii. 3207*-3360*, indeed in most places the two texts are absolutely the same, letter for letter. As regards f. 50, which is in a different hand, it should be noted not only that it is far less correct than the rest, but also that it is copied from a different original, a MS. of the unrevised first recension, distinctive readings of which are given in iii. 1686, 1763, 1800, 1806, while no trace of such readings appears in any other part of S.

Δ. SIDNEY SUSSEX COLL., CAMB. Δ. 4. 1 (Bern. Cat. i. 3. 726). Contains *Confessio Amantis*, with 'Explicit' (six lines) and 'Quam cinxere,' (ff. 2-202 v⁰), and then an English version of Cato's *Disticha*. Paper, ff. 211 (of which four blank), $11\frac{1}{2} \times 8\frac{1}{2}$ in., in quires of 12 with catchwords and signatures. Written in double column of 41-48 lines in a fairly good hand, middle fifteenth century, with a good many contractions. Latin summaries usually in text, sometimes in margin. No decoration. The first leaf is lost, containing Prol. 1-140.

The book was left to the College by Samuel Ward, Master, 1643. One of the blank leaves has the word 'temsdytton' (i. e. Thames Dytton) in an early hand.

In regard to form of text this MS. agrees throughout with S, and it must no doubt have had the Lancaster preface. It is remarkable as containing the additional lines printed by Caxton at the end of the Prologue (which may have been also in S), and it has eleven Latin hexameters substituted for the prose summaries at Prol. 591 and 617, beginning,

'Dormitans statuam sublimem rex babilonis,'

and again four after the Latin prose at vii. 2891, beginning,

'Sede sedens ista iudex inflexibilis sta.'

The text has many corruptions and the spelling is not very good. Δ does not give the first recension readings on f. 50 of S, which of itself is sufficient proof that it is not derived from that manuscript, for the insertion of this leaf must be much earlier than the date of Δ.

(*b*) Ad. ADDITIONAL 12043, British Museum. *Confessio Amantis*, imperfect at beginning and end. Parchment, ff. 156 (the last blank), 13 × 9¼ in., in quires of 8 with catchwords: well written in double column of 45-50 lines, beginning of fifteenth century. Latin summaries in the margin up to f. 16 (ii. 382), after which they are omitted. Floreated pages in good style at the beginning of each book.

More than twenty leaves are lost, viz. ten at the beginning, up to and including i. 786, one after f. 45 (iv. 1-190), two after f. 47 (iv. 559-932), two after f. 86 (v. 4605-4983), one after f. 131 (vii. 3071-3269*), one after f. 151 (viii. 1440-1632), and five or more at the end, after viii. 2403. There is also omitted without loss of leaf iii. 1665-1848, no doubt owing to loss of leaf in the copy: see below.

'Elizabeth Vernon' (fifteenth century?) on blank leaf at the end. The book belonged in the present century to Bp. Butler of Lichfield.

This MS. heads the group AdBTΛ, being nearer to the fully revised type than any of the rest, and showing only very occasional traces of the earlier readings (but iii. 254, 941, v. 6418, vii. 3298, viii. 856, 1076, &c.). It agrees with the rest, as against SΔ, in giving v. 7015*-7034*, vii. 2329*-2340*, and 3149*-3180*, but does not seem fully to join the group until the latter part of the fifth book. In connexion with this we may note the curious fact that the omitted passage, iii. 1665-1848, is precisely that contained in f. 50 of S, which apparently was supplied in place of a lost leaf. In correctness and spelling the MS. is very fair, but not good in regard to final *e*. Punctuation often where there is a pause in the line.

T. TRIN. COLL., CAMB. R. iii. 2 (Bern. Cat. i. 3. 335). Contains, ff. 1-147, *Confessio Amantis*, imperfect at the beginning, with 'Explicit' (six lines) and 'Quam cinxere,' ff. 148-152 v° the French *Traitié*, with the Latin pieces 'Quis sit vel qualis,' 'Est amor in glosa,' and 'Lex docet,' f. 152 'Quia vnusquisque,' f. 152 v°-154 v° the Latin *Carmen super multiplici viciorum pestilencia*, ending with the ten lines 'Hoc ego bis deno.' Parchment, ff. 154, 14¾ × 10 in., quires of 8 with catchwords, double column of 46 lines. Latin summaries in margin, but in some parts omitted. Well written in several hands, early fifteenth century, of which the first wrote ff. 1-8, 50-57, 74-81, 84 v°-89, 98-113 r°, the second ff. 9-32, the third ff. 33-49, 58-65, 82, 83, 84 r°, 90-97, the fourth ff. 66-73, 113-154. No decoration except coloured or gilt capitals.

The book has lost five whole quires at the beginning, and begins at

MANUSCRIPTS

present with ii. 2687. Also the second col. of f. 84 r⁰ is left blank with omission of v. 7499-7544. A large part of f. 33 is blank, but there is no omission.

Presented to the College by Thomas Nevile, Master.

A good MS., with form of text in v, vi, vii, like that of AdB, and obviously having a special connexion in its readings with B. T, however, is of a more fully corrected type than B, and it must remain doubtful whether the preface of the poem in T was of the earlier or the later form. In any case the original of the two, if (as it seems) they had a common original, was not made up earlier than 1397, for the resemblance of the manuscripts extends to the French and Latin poems which follow the *Conf. Amantis*, and the last of these is dated the 20th year of king Richard.

The third and fourth hands are neater and better than the other two. The first is rather less correct and less good in spelling than the others, and also it omits the Latin marginal notes. The parts written in this hand are ii. 2687-iii. 608, v. 1415-2874, 5805-7082, v. 7545-vi. 1040, vi. 2201-vii. 2532.

With regard to the connexions within the group AdBTΛ, attention may be drawn especially to v. 659, where Ad has the usual reading, T omits the line, leaving a blank, while B and Λ have bad lines made up for the occasion, to v. 4020, where Ad again has the usual text, TΛ omit, and B has a made-up line, and to v. 7303, where AdBT omit two lines necessary to the sense which Λ inserts. We may note the alteration by erasure in T of v. 5936, apparently from the reading of the unrevised text.

B. BODLEY 294, Bodleian Library (Bern. Cat. 2449). Contents, as in T, ff. 1-197 *Conf. Amantis*, &c., ff. 197-199 v⁰ *Traitié*, f. 199 v⁰ ' Quia vnusquisque,' ff. 199 v⁰-201 *Carmen super multiplici*, &c., ending with the lines ' Hoc ego bis deno.' Parchment, ff. 201, $15\frac{1}{2}$ × $10\frac{3}{4}$ in., quires of 8 with catchwords. Well written in double column of 42-47 lines, first quarter of fifteenth cent. Latin summaries in text (red): ' Confessor,' ' Amans,' usually omitted. Complete border of first page and at the beginning of each book except i and ii, painted in good style. Two miniatures, f. 4v⁰ Nebuchadnezzar's dream (the king in bed crowned), f. 9 the Confession, nearly as in E. No leaves lost.

The name 'Edwarde Fletewoode' appears on f. 1, and the book was probably given by him to the University in 1601.

Form of text in v, vi, vii the same as AdT. We have in this MS. a combination of the early preface with the rewritten conclusion, a form which we might reasonably expect to find, and which may have been that of T, as it certainly was of the MS. used by Berthelette. Something has already been said of the text of this MS., and for the rest sufficient information will be found in the critical apparatus. The spelling of B is exemplified in the passages printed from it, Prol. 24*-92*, v. 7015*-7036*, vii. 2329*-2340*, 3149*-3180*. As in the case of E, the copyist is careful of metre, and while omitting final *e* freely before a vowel, rarely does so where it affects the metre, and seldom adds *-e* unduly. There is hardly any punctuation.

Λ. WOLLATON HALL, in the possession of Lord Middleton, who kindly allowed me to examine it. Contents as B. Parchment, ff. 197, $15\frac{1}{4} \times 10\frac{1}{2}$ in., in quires of 8 with catchwords and signatures. Well and regularly written in double column of 46 lines, early fifteenth century. Latin summaries in text (red) as a rule, sometimes in margin. Spaces left for miniatures at the beginning and for initials throughout, not painted. No leaves lost.

The text of this MS. is in many ways interesting. It has Lancaster dedication, but in text it often seems to belong to the unrevised first recension; for though many of the errors of this group are found to be corrected in Λ, even in cases where B retains them, as Prol. 7, 219, *Lat. Verses* after 584, 812, 844, 937 f., i. 8, 54, 264, 278, &c., ii. 671, 833, &c., and though there are also many of the revised readings, as i. 368, ii. 1758 ff. (in both of which B is unrevised), iv. 517, 766, 985 f., 2954, 3153, v. 30, 47 f., 82, 2694 f., 3110, &c., yet in many other places the original readings stand in Λ, as i. 3374 ff., iv. 2407, 2556, v. 274, 316, 394. 1893, 1906 f., &c., where BT are revised. The characteristic second recension readings are almost regularly given by Λ, which agrees with AdBT against SΔ in regard to the passages inserted; but there are some important differences between this MS. and all others of its class, viz. (1) after v. 6430* it has a combination of first and second recensions. (2) v. 7701-7746 is inserted as in the first and third recensions. (3) viii. 2941-2959 is inserted as in the first recension (with the curious corruption 'Cuther' for 'Chaucer'), the rewritten epilogue being carried on from the line 'Enclosed in a sterred skye.'

It will be observed that BTΛ often form a distinct group, as (to take only a few examples) iv. 1567, 1996, 2034, 3132, 3138, v. 654 ff., 4138, &c. We may note, however, v. 7303 f. which are inserted by Λ, though omitted in AdBT, and the reading 'she' in iv. 2973.

P₂. Phillipps 8192, at Thirlestaine House, Cheltenham. Same contents as BTΛ. Parchment, ff. 193, large fol. Well written in double col. of 46 lines, early fifteenth cent. Latin summaries in margin. Illumination on the first page and at the beginning of books, except i. and iii. On the first page a miniature of Nebuchadnezzar's Image, with a small figure in the border, and also a figure painted in the initial O. Two leaves missing and supplied in blank after f. 1 (Prol. 154-509), and one later (vii. 3199-3382). On f. 1 v° 'Joh: Finch Comitis Winchilsea filius 1700.'

A fine MS. of an early type. It has the Lancaster dedication in the Prologue and the later form of epilogue, and as regards the additional passages it agrees with AdBTΛ. In text P₂ is closely related to Λ, but it does not include v. 7701-7746 or viii. 2941-2960, nor does it agree with Λ in v. 6431* ff. As instances of their agreement we may cite Prol. 14, 'It dwelleth oft in,' 115, 'vneuened,' 127, 'ben nought diuided,' &c. In the marginal note of Prol. 22 P₂ has 'sextodecimo,' but the first three letters are over an erasure.

MANUSCRIPTS clvii

THIRD RECENSION.

F. FAIRFAX 3, Bodleian Library (Bern. Cat. 3883). Contains, ff. 2–186, *Confessio Amantis*, with 'Explicit' and 'Quam cinxere,' ff. 186 v°–190 v° *Traitié*, &c., ff. 190 v°–194 *Carmen de multiplici viciorum pestilencia*, ending with the lines 'Hoc ego bis deno,' &c., f. 194 'Quia vnusquisque,' f. 194 v° sixteen Latin lines by 'a certain philosopher' in praise of the author, beginning 'Eneidos Bucolis que Georgica,' f. 195 a leaf of a Latin moral treatise from the old binding. Parchment, ff. 195 (including one blank flyleaf at the beginning and one of another book at the end), $13\frac{1}{2} \times 9\frac{1}{4}$ in., in quires of 8 with catchwords; the first quire begins at f. 2, the twenty-fourth quire has six leaves and the twenty-fifth (last) three. The leaves of the seventh quire are disarranged and should be read in the following order, 50, 52, 53, 51, 56, 54, 55, 57. The *Confessio Amantis* is written in double column of 46 lines, in a very good hand of the end of the fourteenth cent. Latin summaries in the margin. Half borders, some with animal figures, at the beginning of each book, and two miniatures, one at the beginning, rather large, of Nebuchadnezzar's dream, and the other on f. 8 of the Confession, in which the priest is dressed in green and has a wreath of roses on his head, while the penitent, whose features are damaged, wears a hood and a collar of SS with a badge, probably a swan, dependent from it. This was no doubt intended as a portrait of the author: the collar and badge have somewhat the appearance of having been added after the original painting was made. The size of the illuminated capitals indicates precisely the nature of the various divisions of the work.

On f. 2 is written 'The Ladie Isabell Fairfax daughter and hare of Thwats hir bouk,' on f. 8 'This boke belongeth to my lady farfax off Steton,' and on f. 1 'Sr Thomas fayrfax of Denton Knighte true owner of this booke, 1588.' This Lady Isabell Fairfax was the granddaughter and heiress of John Thwaites of Denton, who died in 1511, and was married to Sir William Fairfax of Steeton. Sir Thomas Fairfax of Denton, whose name appears in the book, was her grandson. The book no doubt came from the Thwaites family, and we are thus able to trace it back as far as John Thwaites of Denton, who died in old age not much more than a hundred years after the death of the author. It was bequeathed with other MSS. to the University of Oxford by Sir Thomas Fairfax the parliamentary general, grandson of the above Sir Thomas Fairfax of Denton, and was placed in the Bodleian Library in 1675.

The first leaf of the text, up to Prol. 146, is written in a second hand which has also written ff. 186–194, including the last lines of the *Conf. Amantis* from viii. 3147. A third hand (with very different orthography) has written viii. 2938–3146, being the last 29 lines of f. 41 v° (over an erasure) and the whole of f. 185, which is a leaf inserted in the place of one cut away (the last of quire 23). At viii. 2938 there is visible a note, 'now haue, etc.,' for the guidance of the scribe after the erasure had been made. From the fact that two hands have been employed in the transformation of the MS. at the beginning and end it seems probable that the changes were made at two separate times (as we also know by the dates that the rewritten epilogue preceded the rewritten preface), and that what I have called the third hand was really the second in order of time, being employed to substitute the later epilogue for the former, while the other hand, doing its work probably after the accession of Henry IV, replaced the first leaf by one containing the Lancaster dedication, which had been in existence since 1392–3, but perhaps only in private circulation, and added also the *Traitié* and the Latin poems, with the account of the author's books, 'Quia vnusquisque,' in its revised form. I say after the accession of Henry IV, because the reference in the third recension account of the books to Richard's fall, 'ab alto corruens in foueam quam fecit finaliter proiectus est,' seems to require as late a date as this. It should be noted that this hand is the same as that which has made somewhat similar additions to the All Souls and Glasgow MSS. of the *Vox Clamantis*. Other examples of alteration of first recension readings by erasure in F are Prol. 331 *marg.*, 336, i. 2713 f., iv. 1321 f., 1361 f., *Lat. Verses after* vii. 1640, *Lat. Verses after* vii. 1984.

As this edition prints the text of the Fairfax MS. and its relations have already been discussed, little more need be said here except as to the manner in which the text is dealt with in the printing. It should be noted then that *i* and *j*, *u* and *v* are used in accordance with modern practice, that no distinction is made between the two forms of *s*, that *th* is used for *þ*, and *y* for *ȝ* in *ȝe, ȝit, ȝiue, aȝein, beȝete*, &c. (this last rather against my judgement, for no good MS. has it). It should be observed also that the Fairfax scribe frequently uses *v* for *u* at the end of a word, as 'nov,' 'hov' (often 'hou'), 'þov' (usually 'þou'), 'ȝov' (also 'ȝou'), 'auov,' 'windov,' 'blev,' 'knev,' &c., and sometimes in other positions, either for the sake of distinction from *n* or merely for ornament, as 'comvne,' 'retenve,' 'rvnne,' 'þvrgh,' 'havk,' 'fovl,' 'hovndes,' 'movþ,' 'rovnede,' 'slovh,' 'trovþe,' 'ynovh,' &c., beside 'comune,' 'runne,' 'þurgh,' 'hauk,' 'foul,' &c. In all these cases *v* is given in the text as *u*. The termination '-on' is regularly printed as '-oun.' French words with this ending appear in F with -ou or -on, usually the latter (but 'resoun' in full, Prol. 151), and sometimes we have 'ton' for 'toun,' as vii. 5313, viii. 2523. So also 'stonde : wounde,' i. 1425 f., 'gronde' for 'grounde,' i. 2051, 'exponde : founde,' i. 2867 f., 'branche : staunche,' i. 2837 f., 'chance,' i. 3203, 'granteþ,' ii. 1463, 'supplante,' ii. 2369, 'sklandre,' v. 5536 ('sclaundre,' v. 712), 'comande : launde,' vii. 2159.

The contraction p as a separate word is in this edition almost regularly given as 'per.' It is hardly ever written fully in F, but we have 'Per aunter,' v. 3351, 'Per cha*u*nce,' v. 7816, and J regularly gives 'per chance,' 'per cas,' &c., without contraction. Other MSS., as A and B, incline rather to 'par.' F has 'perceive,' 'aperceive,' but 'parfit.'

With regard to the use of capitals, this edition in the main follows the MS. Some letters, however, as *k*, *v*, *w*, *y*, can hardly be said to have any difference of form, and others are used rather rarely as capitals, while in the case of some, and especially *s*, the capital form is used with excessive

MANUSCRIPTS

freedom. It has seemed desirable therefore to introduce a greater degree of consistency, while preserving the general usage of the MS. Proper names are regularly given in this edition with capitals (usually so in the MS., but not always), and sentences are begun with capital letters after a full stop. On the other hand the *I* (or *J*), which is often used as an initial, has frequently been suppressed, and occasionally this has been done in the case of other letters. It may be observed, however, that capital letters are on the whole used very systematically in the MS., and other good MSS., especially S, agree with F in the main principles. Certain substantives as 'Ere,' 'Erthe,' 'Schip,' 'Sone,' 'Ston,' are almost invariably used with capitals, and names of animals, as 'Cat,' 'Hare,' 'Hound,' 'Leoun,' 'Mous,' 'Oxe,' 'Pie,' 'Ro,' 'Schep,' 'Tigre,' of some parts of the body, as 'Arm,' 'Hiele,' 'Lippes,' 'Nase,' 'Pappes,' 'Skulle,' and many other concrete substantives, are apt to be written with capitals, sometimes apparently in order to give them more importance. Capitals are seldom thus used except in the case of substantives and some numerals, as 'Nyne,' 'Seconde,' 'Sexte,' 'Tenthe,' and in many cases it is pretty evident that a distinction is intended, e. g. between 'Sone' and 'sone' (adv.), 'Se' (= sea) and 'se' (verb), 'Dore' and 'dore' (verb), see iv. 2825 f., 'More' and 'more,' 'Pype' and 'pipe' (verb), iv. 3342 f., 'Myn' and 'myn' (poss. pron.), 'Mone' and 'mone' (verb), but see v. 5804, 5808, 'In' and 'in,' vii. 4921 f., viii. 1169 f., 1285 f. That some importance was attached to the matter is shown by the cases where careful alterations of small letters into capitals have been made in the MS., as Prol. 949, i. 1687, v. 1435, 3206, 4019, vii. 2785, &c.

Many corrections were made by the first hand, and some of these are noteworthy, especially the cases where a final *e* seems to be deliberately erased for the sake of the metre or before a vowel, as i. 60 'get' for 'gete,' iii. 2346 'trew' for 'trewe,' vi. 1359 'I red' for 'I rede,' vii. 1706 'ffyf' for 'ffyue,' or where an *e* has been added afterwards, as ii. 3399 'deþe,' iii. 449 'bowe,' v. 1269, 3726, 5265, 'whiche.'

It remains only to speak of the punctuation of the MS., which is evidently carried out carefully. The frequent stops at the ends of lines are for the most part meaningless, but those elsewhere are of importance and usually may be taken as a guide to the sense. They are sometimes certainly wrong (e. g. i. 1102 Togedre· 1284 will· 2965 fro· ii. 1104 wille· 1397 name· 2354 astat· iii. 2638 be· iv. 497 grace· 1751 besinesse· 1985 hardi· 2502 alle· 3354 Slep· 3635 lif· v. 4 good· 231 herte· 444 wynd· 1342 See· 1630 only· 2318 bord· &c), but the proportion of error is small, and the punctuation of F generally must be treated with respect. There is usually a stop wherever a marked pause comes in the line, and this punctuation occurs on an average about once in ten lines. The following record of the punctuation of iv. 1301-1600 will serve as an illustration of its nature and extent: 1303 loue· 1307 ladis· 1316 cloþed· 1369 seide· 1374 seiþ· 1376 loue· 1388 slow· 1409 wepe· 1412 Dame· 1415 loue· 1439 hirself· 1457 is· 1459 peine· 1461 haltres· 1466 told· 1470 p*a*ramours· 1471 lawe· 1474 ianglinge· 1489 take· 1490 loue· 1491 herte· 1492 mariage· 1496 children· 1497 mai· 1499 tarie· 1501 let· 1512 god· seide· 1532 oþre· 1534 ferste· 1535 dovht*er*· 1536 cloþes· 1547 Toħewe· 1560 seiþ· 1561 point· 1566 maidenhod· 1567 had· 1591 come· 1592 deþ.

H₂. HARLEIAN 3869, Brit. Museum. Contains the same as F, with some religious poems in a different hand on blanks at the beginning and end. Paper, except outer leaves of each quire, ff. 368 (including four leaves at the beginning and two at the end with religious poems as above mentioned), 11¼ × 7½ in., in quires of 16 (usually), with signatures, first quire beginning f. 5 and having 14 leaves. Written in single column of 38-50 lines, rather irregularly. Latin summaries in margin (red). On f. 5 at the beginning of the *Confessio Amantis* a large picture of Nebuchadnezzar's dream, like that in F, on f. 8 an ill-painted picture of the Confession.

On f. 1 we find written 'London yᵉ 28 Janʸ. 1628, George Cogiluy,' and on f. 2 'Jan. 22. 1721 Oxford' (i.e. Harley). On the same page is the date, '1445 yᵉ 23 of May.'

This MS. appears to be copied directly from F, and gives an excellent text, reproducing that of the Fairfax MS. with considerable accuracy, and for the most part copying also its mistakes and peculiarities, as Prol. 80 officie, 249 wich, 419 com, 588 sende, 592 befalle, 668 *marg.* diminuntur, 723 chiualrie, 1078 waxed, i. 120 wisshide, 160 scheo, 227 beleft, 234 sone sone, 335 whilon, 1626 vnsemylieste, 2511 Embroudred, ii. 352 Ennvie, *Lat. after* 382 infamen, 710 hiere, 949 þong, 1169 no, 1441 keste, 1539 *om.* the, and so on. Some obvious mistakes are corrected, however, as Prol. 370, i. 1257, 2105, 3357, ii. 117.

N. NEW COLLEGE, OXF. 266 (Bern. Cat. i. 2. 1230). *Confessio Amantis* with 'Explicit' (six lines) and 'Quam cinxere.' Parchment, ff. 183 (originally 187), 13¼ × 9 in., quires of 8 (one of 10 and the last 9) with catchwords. Well written in double column of 46 lines usually, sometimes more, first quarter fifteenth cent. Latin summaries in margin. Many floreated pages (half borders) and illuminated capitals, well executed. Also a large number of miniatures, of which some have been cut out and others much damaged.

The first two leaves are damaged, and four leaves have been cut out, viz. the original f. 7 (Prol. 1066-i. 106), f. 35 (ii. 1521-1704), f. 74 (iv. 2229-2397) and f. 113 (v. 5505-5662), also the outer half of f. 171 (viii. 271-318) and several miniatures with text at the back.

The name of John Cutt of Schenley, Hertfordshire, appears in the book (late fifteenth cent.), and on the first leaf 'Thomæ Martin Liber,' perhaps the Thomas Martin who was Fellow of New College 1538-1553, and died in 1584. The binding of old black leather has stamped upon it the letters W. D., with a double-headed eagle crowned.

This book seems to be derived from F, though perhaps not immediately. The orthography is like that of F, but differs in some points, as 'shal,' 'she,' &c , for 'schal,' 'sche,' 'noht' for 'noght,' besides being very uncertain about final *e*, often to the destruction of the metre. As examples of particular correspondence with F we may note Prol. 370 argumeten, 588 send, 592 befalle, 723 chiualrie, 957 mistormeth, i. 120 wisshide, 227 beleft, 234 sone

sone, 1036 be shrewed, 3357 seled, ii. 318 ff. fela, felaw, felawh (varying as F), *after* 382 infamen, &c., but sometimes F is corrected in small matters, as Prol. 201 erthly, 249 which, 280 pacience, i. 110 to fare, &c.

The feature of the book is the series of miniatures, illustrating it throughout. In this respect it is unique, so far as I know, though other copies similarly illustrated must once have existed. The following is a complete list of the subjects (leaves cited by original number) : f. 15 (i. 1417) Florent and the old woman, f. 18 (i. 2021) man blowing trumpet, lord, wife, and five children looking out of a castle, f. 23 (i. 2785) *cut out*, f. 24 (i. 3067) *cut out and sewn in, much damaged*, f. 30 (ii. 587) *cut out*, f. 44 (ii. 3187) mothers bringing babies to Constantine, f. 56 (iii. 1885) Clytemnestra torn by horses, two crowned persons conversing in the foreground, f. 59 (iii. 2363) Pirate brought before Alexander, f. 61 (iv. 1) Dido killing herself, Eneas riding away, f. 68 (iv. 1245) lady with halters and red bridle questioned by Rosiphelee, f. 71 (iv. 1815) *cut out*, f. 72 (iv. 2045) fight between Hercules and Achelous, f. 77 (iv. 2927) Alceone in bed dreaming, body of king in the water, f. 83 (v. 141) Midas at table, f. 93 (v. 2031) Crassus having gold poured down his throat, f. 94 (v. 2273) king opening coffers, f. 95 (v. 2391) *cut out*, f. 96 (v. 2643) *cut out*, f. 98 (v. 2961) *almost defaced*, f. 100 (v. 3247) *cut out*, f. 109 (v. 4937) Bardus pulling Adrian out of the pit, f. 111 (v. 5231) Ariadne left sleeping, ship sailing away, f. 117 (v. 6225) a procession of naked nymphs to bathe, f. 120 (v. 6807) *cut out*, f. 133 (vi. 1391) Telegonus supporting his father's head, guards lying dead, f. 136 (vi. 1789) *cut out*, f. 150 (vii. 1783) *cut out*, f. 158 (vii. 3417) *cut out*, f. 159 (vii. 3627) Gideon and his men blowing trumpets, &c., enemy asleep in a tent, f. 165 (vii. 4593) *cut out*, f. 171 (viii. 271 ff.) half the page cut away, with probably three miniatures, for only 52 lines are gone, whereas there was space for 92.

K. KESWICK HALL, near Norwich, in the possession of J. H. Gurney, Esq., who most kindly sent it to Oxford for my use. Contains the same as F, but is slightly imperfect at the end. Parchment, ff. 189, 13 × 9¾ in., quires of 8 with catchwords. Well written in double column of 46 lines (corresponding column for column with F throughout), apparently in six different hands, of which the first wrote quires 1, 2, 6, 8-11, 21, the second 3 and perhaps 7, the third 4, 5, 16, 17, the fourth 12-15, 19, the fifth 18, and the sixth 20, 22-24. Latin summaries in the margin (sometimes omitted). Three leaves are lost in the seventh quire (iii. 1087-1632), and one at the end, containing the last thirteen lines of the Latin *Carmen de multiplici*, &c., with probably the account of the books and the piece 'Eneidos, Bucolis.' A floreated initial to each book, and space left for miniatures on ff. 1 and 7. Old stamped leather binding.

Former possessors, Thomas Stone ' of Bromsberrowe in the County of Glouc.', Henry Harman, William Mallowes (Q. Elizabeth's reign?), John Feynton.

The various hands differ very much from one another in correctness. The first and the fourth give a text so closely corresponding to that of F, that it is almost impossible not to believe that it is copied from it. In the case of some of the other hands this exact correspondence in details of spelling and punctuation disappears, and a much less correct text is given, but this seems chiefly due to carelessness (the third hand, for example, is evidently inaccurate and much neglects the metre). At the same time it must be noted that K has the marginal note at the beginning of the Prologue, which is wanting in F, 'Hic in principio,' &c., and there are some readings which seem to be derived from another source, as iii. 778, 906, 921, 1732, 1832 (all in the seventh quire), where there is agreement with AM. On the whole the question of the dependence of K upon F must be left doubtful.

We can trace to this MS. a good many of the mistakes which appear in H₃ and the Magdalen MS., and found their way sometimes thus into printed editions, e.g. Prol. 160 bothe, 260 to make manhode, i. 3170 *om.* his, ii. 78 fader, 101 hem wolde, 103 all hys cause, 126 he, 135 pore, 138 wich, 162 In (*originally* The). The cause of the great increase of error about the beginning of the second book is the appearance on the scene of the careless third hand, which on f. 40 (for example) in its last ten lines has at least twenty variations in spelling, &c., from the text of F, while the first hand resuming has not a single one in its first eighteen lines. Indeed, whole columns may be found in the parts copied by the first or the fourth hand which do not differ from F in the smallest particular, either of spelling or punctuation.

H₃. HARLEIAN 7184, Brit. Museum. *Confessio Amantis*, imperfect. Parchment, ff. 134, 21½ × 14½ in., in quires of 12 with catchwords: regularly written in double column of 49 lines, in a large pointed hand of the middle fifteenth cent. Latin summaries in the text (red). Large capitals finely illuminated and pages bordered at the beginning of the books (the first page especially is richly decorated, but has suffered damage), also illuminated titles, 'Liber Primus,' &c., at the head of each page.

The book has lost more than fifty leaves, viz. one leaf after each of the following, f. 25 (i. 3322–ii. 46), f. 55 (iii. 1908–2103), f. 61 (iv. 400–576), f. 78 (iv. 3701–v. 161), f. 110 (v. 6183–6360), and f. 118 (vi. *Latin Verses* i. 4–182), twelve leaves after f. 126 (vi. 1571–vii. 1405), four after f. 131 (vii. 2354–3088), and thirty or more after f. 134, from vii. 3594 to the end of the book.

On the first page 'Oxford B. H.'

This is a very large and magnificent volume, written on fine parchment, doubtless for some distinguished person. The text, however, is late and not very good. It is almost certain that it is derived ultimately from the Keswick MS. The evidence of this is as follows: (1) Mistakes made in that MS. are nearly regularly reproduced in H₃. Some instances have been referred to in the account of K: we may add here that where K omits the Latin summaries in a part of the seventh book, e.g. vii. 1641–1884, 1917–2765, H₃ does the same, and where variants apparently from the AM group appear in K, as iii. 778, 906, 921, 1732, they are found also in H₃. (2) The inequality which is to be observed in the text of H₃, some parts being much less correct than others, corresponds in the main with the difference of hands in K. Thus we find that a great crop of error springs up in H₃ from the

MANUSCRIPTS clxiii

point where the third hand of K begins, the preceding portion of the text being very fairly correct, and so to some extent elsewhere. For example, in v. 917–1017 (a part written in K by the first hand) there are about eight metrical faults in a hundred lines, while in vi. 183–283 (written in K by the third hand), there are at least twenty-five. (3) In a certain part of the third book H_3 suddenly ceases to follow the third recension text, and almost regularly gives the readings of the $ERCLB_2$ group. This appears first in iii. 1088 and ceases to be the case after iii. 1686, thus remarkably corresponding with the gap caused in K by the loss of three leaves after iii. 1086. It is difficult not to believe that this very marked change was caused by the following of another MS. in a place where K was defective.

The spelling of H_3 is rather late: there is no use of þ, and *y* is used for ȝ in 'ye,' 'yiue,' &c.

Magd. MAGDALEN COLLEGE, OXF. 213 (Bern. Cat. i. 2. 2354). *Confessio Amantis* with 'Explicit' (six lines) and Table of Contents in English (on two fly-leaves at the beginning and one at the end). Parchment, ff. 180 + 3 (as above), $18\frac{3}{4} \times 13\frac{1}{4}$ in., in quires of 8 with catchwords: written in double column of 48 lines in a large hand of the middle fifteenth cent. something like that of H_3. Table of contents and columns 2, 3, 4 of f. 2 in a different hand. Latin summaries in text (red). Fine coloured letters with floreated half borders at the beginning of each book, and some neat drawing in connexion with the scrolls of the catchwords.

The book has lost one leaf after f. 22 (ii. 409–586) and eight after f. 88 (v. 701–2163). On f. 155 v° the MS. omits vii. 2519–2695 without loss of leaf or blank.

Presented to the College by Marchadin Hunnis in 1620. A note by the present Librarian states that he was elected a demy of the College in 1606, appointed second master of the College Grammar School in 1610, and dismissed from that office as 'insufficiens' in Dec. 1611. The book is reported missing in Coxe's catalogue.

This MS. is in many points like H_3 in its text, and must certainly have the same origin, both being perhaps derived from a MS. dependent on K. It reproduces most of the corruptions which we find in H_3, adding many others of its own, and it has the same readings in the third book which we have already noted in H_3.

A point of interest about this MS. is its apparent connexion with Caxton's edition. It seems evident that among the MSS. from which Caxton worked (and he had three at least) was either this very copy or one so like it as to be practically undistinguishable. Of this we shall say more when we speak of Caxton's edition.

W. WADHAM COLL., OXF. 13. *Confessio Amantis* with 'Explicit' (six lines) and 'Quam cinxere,' then the *Traitié*, slightly imperfect at the end, ending 'un amie soulain,' xvii. 9. Paper, ff. 450, including two original blanks at the beginning, $11\frac{1}{2} \times 8\frac{1}{4}$ in., in quires of 8 with catchwords : written in column of 30-48 lines (without ruling) in two hands, of which the first wrote up to iv. 2132, and the other from thence to the end. Latin summaries in margin, but sometimes omitted or cut short. Some decoration of the first page of the text in black and red ; capitals, titles, &c. in red.

Three leaves are lost in the *Conf. Amantis*, containing Prol. 728-794, iv. 2386-2473, and v. 1-78, and several also at the end of the volume. There is great confusion in the text of the Prologue, which goes as follows : 1-92, 499-860 (with loss as above), 93-144, 861-1044, 145-498, and then 1045 ff. This is not produced by any disarrangement of leaves in the present MS., but a considerable dislocation of quires has taken place in a later part of the volume, seven quires of the fourth and fifth books having been taken out of their proper place and bound up between vi. 2132 and 2133.

This book was evidently written for one John Dedwood, since his name and device, a piece of the trunk of a dead tree, occur as part of the decorations of the first page. The two blanks at the beginning are written over with a list of Mayors and Sheriffs for a series of years, and these prove to be those of the city of Chester from the year 1469-1499 (see Ormerod's *Hist. of Cheshire*, i. 211 f.). The name of John Dedwood occurs among these as Sheriff in the year 1481 and as Mayor in 1483 (but the record in the MS. is here damaged). He had also been Mayor in 1468. We may therefore suppose that the MS. dates from about 1470. The name Troutbecke occurs several times (with other names) in the book, and later (1765) it belonged to Rich. Warner of Woodford Row, Essex.

The first hand of this MS. is cramped and ugly, varying a good deal in size, the second is neat and uniform. The text is late and full of mistakes, and the spelling bad, even such forms as 'loves,' 'beres,' 'gos' being quite common for 'loveth,' &c., and often *-et* or *-ut* as a participle termination, 'despeyret,' 'resignet,' 'weddut,' 'cleput,' &c. A certain interest attaches to the MS. however from the fact that it seems to be clearly independent of F as well as of the KH3 group. While agreeing with F completely in form of text, and supporting it also as a rule against the mistakes of KH3, it has a considerable number of readings which belong to the first recension uncorrected type, and in other cases it agrees specially with B. Instances of the former are to be found in Prol. 159, i. 8, 1839, 2423, 2801, 3027, ii. 961, 1200, 1441, 3306, 3516, iii. 68, 626, 2056, v. 1698, 2500, 3376, vi. 543, 1151, 1631, vii. 1490, *Latin verses after* 1640 and 1984, 5104, viii. 510, 2342, 2925, &c. These, with others of a similar kind, scattered through the whole book, seem to be of the nature of accidental survivals, a first recension copy (the remote ancestor of W) having been altered by collation with one resembling F. W agrees with apparent mistakes of F and the rest of the third recension in some passages, as iii. 446, iv. 2867, 2973, vii. 5135, viii. 1069, 1999, but supports what is apparently the true reading against them in Prol. 1078, i. 1068, ii. 2299, 2537,

MANUSCRIPTS

iii. 1605, v. 2906, &c. In most of these last instances W merely remains in agreement with the first recension, where F, &c. depart from it, therefore its testimony may be of an accidental character.

The list of Mayors and Sheriffs of Chester on the first pages has perhaps some local interest, as it is contemporary and probably made by a responsible person. Comparing it with that given in Ormerod's *Hist. of Cheshire*, we find several differences, as 'Ric. Sadler' for 'Rich. Smith' as one of the Sheriffs of 1475, 'John Monkesfelde, Rob. Pleche,' Sheriffs for 1478, 'Mathewe Hewse' for 'Mathew Johnson,' 1479, 'Rychard Kir e' for 'Rich. Barker,' 1492. The same pages have some notes about current historical events, as (under 1469), 'The which yere were hedet the lorde Wellybe and the lorde Well. his son for the grete insurreccion and rysing of the Comyns of the Counte of Lyncolne. Also the same yere entred our Souereyne and moste noble Prince Kynge Edward now reynynge,' &c. Under 1470 is a note of the battles of Barnet and Tewkesbury, and at 1476 the record of a visit to Chester of 'our Souereigne lorde Prince,' who stayed there from Christmas to Easter.

P3. Formerly PHILLIPPS 8942, bought in March, 1895, by Messrs. H. S. Nichols & Co., and afterwards in the possession of Messrs. Maggs, Booksellers. *Confessio Amantis*, imperfect, ending viii. 3119, 'As Tullius som tyme wrot.' Parchment, rather roughly written, middle of fifteenth century. From the Towneley Collection.

Hn. HATTON 51, Bodleian Library (Bern. Cat. 4099). *Confessio Amantis*, imperfect. Parchment, ff. 206, 12 × 9 in., in quires first of 6 and then usually of 8 (lettered); double column of 42–48 lines, untidy writing. Has lost k 4 (iii. 1314–1475), n 2 (iv. 2118–2268), s 2 (v. 5169–5333), t 2 (v. 6774–6914), and five or six at the end (after viii. 2408). Copied from Caxton's edition, including the Table of Contents and the confusion in leaf numbering.

Besides these, there are several MSS. which contain selections from the *Confessio Amantis*, as

HARL. 7333, Brit. Museum, which, besides the *Canterbury Tales* and other things, has seven stories from the *Conf. Amantis*, viz. f. 120 Tereus (v. 5551 ff.), f. 122 Constance (ii. 587 ff.), f. 126 The Three Questions (i. 3067 ff.), f. 127 v⁰ The Travellers and the Angel (ii. 291 ff.), f. 127 v⁰ Virgil's Mirror, f. 128 v⁰ The Two Coffers, f. 129 The Beggars and the Pasties, &c. (v. 2031–2498). Parchment, large folio, column of 66 lines, no Latin. These stories are in the same hand as the *Cant. Tales*, which go before, and the *Parlement of Foules*, which follows them. The text is that of the first recension unrevised: a very poor copy.

CAMB. UNIV. Ee. ii. 15. Paper, ff. 95, end of fifteenth or beginning of sixteenth cent., much mutilated. Contains ff. 30-32, a fragment of The Three Questions (i. 3124-3315), and ff. 33-35, a fragment of the Trump of Death (i. 2083 ff.).

CAMB. UNIV. Ff. i. 6. Paper, ff. 159, $8\frac{1}{2} \times 6$ in., written in various hands. Contains, ff. 3-5, part of the tale of Tereus (v. 5920-6052), ff. 5-10, iv. 1114-1466 including the tale of Rosiphelee, ff. 45-51, The Three Questions (i. 3067-3425), ff. 81-84, iv. 2746-2926, ff. 84 v°-95, viii. 271-846. The text of iv. 1321 agrees with that of the second recension.

BALL. COLL., OXF. 354. Paper, ff. 253, $11\frac{1}{2} \times 4\frac{1}{4}$ in. Contains a miscellaneous collection of verse and prose, with memoranda &c., all, or nearly all, apparently in the hand of the owner of the book, one Richard Hill of Langley, Herts, who has registered on f. 21 (25) the birth of his seven children, from the year 1518 to 1526, and has kept a short journal of public events which ends with the year 1536. Among the extracts are several stories from the *Confessio Amantis*, neatly written, about 54-60 lines to the page, with no Latin. These extend over about 46 leaves of the book and are as follows (leaves by old numbering): ff. 55-70 v° Tale of Appolinus, viii. 271-2028, ff. 70 v°-81 v° Tales of Constance and of Perseus, ii. 587-1865, ff. 81 v°-83 v° Adrian and Bardus, v. 4937-5162, ff. 83 v°-84 v°, vi. 485-595, ff. 84 v°-86 v° Dives and Lazarus &c., vi. 975-1238, ff. 86 v°-89 v° Constantine, ii. 3187-3507, ff. 89 v°-91 v° Nebuchadnezzar, i. 2785-3066, ff. 91 v°-94 v° Tales of Diogenes and of Pyramus, iii. 1201-1502 and 1655-1672, ff. 94 v°-96 Midas (unfinished), v. 141-312, ff. 171 v°-175, The Three Questions, i. 3067-3402. The text is copied not from Caxton's edition but from a MS. of the first recension (*b*) or (*c*). It is not very correct, and short passages or couplets are omitted here and there, as i. 3051-3054, viii. 1763-1766, 1945 f., &c.

RAWLINSON D. 82, Bodleian Library. Contains on ff. 25-33 *Conf. Amantis*, viii. 2377-2970. Paper, written in single column of 33 lines, no Latin. Copied from a MS. resembling B, but not apparently either from B itself or from Berthelette's MS.

PHILLIPPS 22914 is reported as a fragment (four leaves) containing *Confessio Amantis*, v. 775-1542.

Nine good miniatures cut out of a MS. of the *Conf. Amantis* are in the possession of Mr. A. H. Frere, who kindly allowed me to see them. They are as follows. (1) Tereus, (2) Codrus, (3) Socrates and his wife, (4) Dives and Lazarus, (5) Roman Triumph, (6) Ulysses and Telegonus, (7) The Three Questions, (8) Lycurgus taking an oath from the Athenians (?), (9) King on a quay with bales and gold vessels, apparently landed from a ship near, perhaps Apollonius landing at Tarsis. Several of the pictures represent more than one scene of the story, as that of Tereus, in which we have the king at meat presented with the head of his son, while there are three birds in the background and the scene of the outrage on Philomene on the left; and again in (4), where the rich man and his wife are sitting at table and refusing food to the beggar, while in the background on the right an angel is receiving the soul of the dying Lazarus.

These miniatures are supposed to have belonged to Sir John Fenn, editor of the Paston Letters. The MS. from which they were cut seems to have been of the middle of the fifteenth cent.

Evidence is afforded of one other large and well written MS. of the *Conf. Amantis* by a fragment of parchment in the Shrewsbury School Library, of which a photograph has most kindly been sent to me by Dr. Calvert of Shrewsbury. It contains about 70 lines of the Prologue, viz. 189–195 (with the Latin), 224–244, 274–294, 323–343. The leaf to which it belonged must have measured at least $15\frac{1}{2} \times 11\frac{1}{2}$ in., and was written in double column of 50 lines.

Three other MSS. are mentioned in the Catalogue of 1697 (vol. ii. pt. 1), viz. 611 'John Gower's Old English Poems' with 'S. Anselmi Speculum Religiosorum,' at Naworth Castle, which I strongly suspect is identical with Harl. 3490 (H_1), 4035, 'Goweri Confessio Amantis, Fol. magn.,' belonging to Ric. Brideoake, Esq., of Ledwell, Oxon., and 6974, 'Jo. Gower's Poems, fol.,' belonging to Sir Henry Langley of the County of Salop (i.e. of the Abbey, Shrewsbury).

The average excellence of the Gower MSS. stands high, and there is a surprisingly large proportion of well written and finely decorated copies, which attain to more than a respectable standard of correctness. Manuscripts such as L or B_2, which stand in the third rank among copies of the *Confessio Amantis*, would take a very different place among the authorities for any of Chaucer's works, second only to the Ellesmere MS. if they were copies of the *Canterbury Tales*, and easily in the first place if it were a question of the *Legend of Good Women* or the *Hous of Fame*. It is evident not only that Gower was careful about the text of his writings, but also that there was some organized system of reproduction, which was wanting in the case of Chaucer.

VERSION. It remains to say something of the Spanish prose version of the *Confessio Amantis*, which exists in manuscript in the Library of the Escorial (g. ii. 19). Information about this was first given me by Mr. J. Fitzmaurice-Kelly, and since then by the learned Librarian of the Escorial, Fr. Guillermo Antolin, O.S.A., who most obligingly sent me an account of it. The Catalogue (1858) thus describes the book: 'Confision del amante, libro así intitulado compuesto por Juan Goer natural del Reyno de Englaterra, e tornado en lengua Portuguesa por Roberto Payn ó Payna canónigo de la ciudad de Lisboa, e despues fué puesto en lenguaje castellano por Juan de Cuenca natural de Huete.

Cod. escrito en papel el año de 1400, fol. menor. pasta.' The statement about the author and the translators is taken from the beginning of the translation itself. It seems to be rather implied that the Castilian version made by Juan de Cuenca was based upon the Portuguese of Robert Payn, no doubt an Englishman. The present Librarian adds that it is a book of 411 leaves, and of the end of the fourteenth or beginning of the fifteenth cent.

The translation was made from a copy of the first recension. So far as I can judge by the extracts with which the Librarian has furnished me, it is a tolerably close version. For example, Prol. 22 ff. 'e por que pocos escriven en lenguaje yngles yo entiendo de componer en el un lybro a onrra del Rey rricardo cuyo sugebto yo so en todo obedescimiento de mi coraçon, como dicho sugebto puede y deue a su dicho señor, ... asy fue que un tiempo acaescio como avía de ser que yo yendo en un batel a rremos por el rrio de atenas que va a la cibdad de noua troya ... y yo estonces falle por ventura a este mi señor e luego como me vido mando que fuese a una barca en que el venia, y entre otras cosas que me dixo,' &c. And again viii. 2941 ff. (the Chaucer greeting), 'Saluda de mi parte a caucer mi disciplo e mi poeta, quando con el topares, el qual por mi en la su mancibia fiso toda su diligencia para componer y escreuir desyres e cantares de diversas maneras de los quales toda la tierra es llena, por la qual cosa en especial le soy mucho tenido mas que a ninguno de los otros. Por ende dile que le enbio desir que tal esta en su postrimera hedad por dar fyn a todas sus obras se traveje de faser su testamento de amor, asi como tu has fecho agora en tu confision.'

EDITIONS. The *Confessio Amantis* has been already six times printed, viz. by Caxton, by Berthelette (twice), in Chalmers' English Poets, by Pauli, and by Prof. Henry Morley. All the later editions are dependent, directly or indirectly, on Berthelette.

CAXTON printed the *Conf. Amantis* in 1483. His text is a composite one, taken from at least three MSS. At first he follows a copy of the third recension, either the Magdalen MS. itself or one remarkably like it, and he continues this for more than half the book, up to about v. 4500. Then for a time he seems to follow a second recension copy, either alone or in combination with the other, but from about v. 6400 to the end he prints from a manuscript of the unrevised first recension, inserting however the additional passages in the seventh book and the conclusion (after the Chaucer greeting) from one of his other MSS. The account of the books 'Quia vnusquisque' at the end is from a first recension MS. The principle, no doubt, was to include as much as possible, but two of the additional passages, v. 7015*–7036* and 7086*–7210*, were omitted, probably by oversight, while a first recension copy was being followed. The later form of epilogue was perhaps printed rather than the other because it is longer. Caxton prints the lines at the end of the Prologue, which are given only by Δ, and there are some other indications that he had a MS. of this type; but he had also one of the AdBT group, which alone contain vii. 2329*–2340* and 3149*–3180*.

On f. cxvi v° Caxton still agrees with Magd. almost regularly, e.g. v. 4450 And myn hap   4454 is not trouble   4465 But for that   4467 ne shall yeue and lene   4484 doo   4503 A good word,   whereas on f. cxvii he differs repeatedly, e.g. 4528, 4532, 4543, 4555, 4560, 4572, and seems never to be in full agreement after this. That he is following a first recension copy after about v. 6400 is clear from the unbroken series of readings belonging to this class which he exhibits. The text generally is very poor and the metre extremely bad.

BERTHELETTE in 1532 printed the *Conf. Amantis* from a MS. very closely resembling B. He did not venture, however, to substitute the preface which he found in his copy for that to which Caxton had given currency, but merely expressed surprise that the printed copies should deviate so much from the MSS., and printed separately that which his manuscript gave. He also takes from Caxton the lines at the end of the Prologue, the additional third recension passages, Prol. 495–498, 579–584, i. 1403–1406, 2267–2274, 2343–2358, 2369–2372[1], and also the Chaucer greeting, viii. 2941–2960*, but he has overlooked v. 7701–7746. He inserts of course all the additional passages in v. and vii, as he found them in his MS., loudly protesting against Caxton for omitting 'lynes and columnes, ye and sometyme holle padges.'

Berthelette's text is better than Caxton's, but his manuscript must have been decidedly inferior in correctness to B.

The second edition, 1554, is a reprint of the first, column for column, in different type. A few mistakes are corrected, and the spelling is somewhat changed, especially by substitution in many cases of *i* for *y*.

CHALMERS published the *Conf. Amantis* in vol. ii. of the collection of British Poets, 1810, taking the text from Berthelette's edition of 1554.

PAULI professed to follow Berthelette's first edition with collation throughout of MSS. Harl. 7184 and 3869, and occasional reference to Harl. 3490 and the Stafford MS. It is almost impossible that this full collation can really have been made, for by it nearly all Berthelette's errors might have been corrected, whereas we find them as a matter

---

[1] In the case of most of these passages the text proves them to be taken from Caxton's edition. Thus in Prol. 497 both editions omit 'to,' Prol. 583 both omit 'propre,' i. 2248 both have 'Vnder graue' for 'Vnder the grene,' in 2354 'other' for 'thilke,' and in 2372 'in me' for 'I me.'

of fact on every page of Pauli's edition. As to the critical judgement
of the editor, it is enough to say that he regarded Harl. 7184 as a better
authority for the text and spelling than either Harl. 3869 or the Stafford
MS. (being attracted apparently by the external magnificence of the
volume), and that he actually pronounced it to be of the fourteenth cent.
His diligence may be measured by the fact that because Harl. 3490
stops short at viii. 3062* (in the middle of a sentence), being left
unfinished by the scribe, therefore Pauli's edition omits the remainder
of this conclusion, 3063*–3114*[1], though he had the MS. in the Royal
Library (R) within his reach, by means of which he might have com-
pleted his copy. He is also seriously inaccurate in the statements
which he makes about the Stafford MS. as regards the additional
passages.

A certain number of the errors in Berthelette's edition are corrected,
but very many remain, and in some cases further corruption has been
introduced by the editor, either from Harl. 7184 or otherwise. The
orthography has been 'restored,' but hardly with success.

MORLEY (1889) followed Pauli's text, with conjectural alterations of his
own, and a few corrections from Berthelette, as i. 773. Often the
changes are quite wrong, e. g. Prol. 82, 608, i. 777, 1675 f., 2957 f., the
most extraordinary perhaps being iv. 2408 f. The editor professes to
omit iii. 142–338 and a few lines here and there in other places. The
omissions, however, are much more extensive than this seems to imply.
In the fourth book alone they are as follows, 401–408, 428–436,
443–506, 516–523, 1467–1475, 1490–1594, 2131–2182, 2754–2770,
2858–2862, 2883–2888, 3181–3302, and in some cases it is impossible
even to conjecture on what principle they are made.

THE PRESENT EDITION. The text follows the Bodleian
Fairfax MS. and every deviation from this is noted. The critical
apparatus is constructed upon the following principles.

Three manuscripts have been collated throughout with the text
of F, viz. Bodley 902 (A), Corpus Christi Coll. 67 (C), and Bodley
294 (B). These are selected to represent respectively the first
recension revised, the first recension unrevised, and the second
recension texts. A is an excellent copy, the best of its class, C is a
carefully written MS., the best of the group to which it belongs, with
the exception of Egerton 1991, and B, besides being a good copy

[1] These lines have never been printed in any edition before the present,
though published separately by K. Meyer in his *John Gower's Beziehungen*, &c.,
1889, and by Prof. Easton of the University of Pennsylvania in his *Readings
in Gower*, 1895. There are a large number of sound emendations from the
Brit. Museum MSS. suggested in this latter book, but the author had no
clear idea of the principles on which the text should be constructed.

and almost the only second recension MS. which is not imperfect, has perhaps a special claim to attention because its text is of the type which all the editions except that of Caxton have followed. In all cases where variation has been found, except where it is merely of form and spelling or of a very trifling and accidental kind, the readings of at least fourteen other selected copies have been ascertained, and by this procedure those variations which are merely individual have been distinguished from those which are shared by a class or a group. The result is given in the critical notes, all the variations of A and B being there cited except those that are very trifling[1], while the readings of C are usually given only when shared by some other manuscript.

It is important that it should be observed which the manuscripts are which have thus been referred to and how their evidence is cited. They are divided always according to their recension, first, second or third, and they are cited in an unvarying order, as follows: $AJMH_1 X(G)ERCLB_2$, $SAdBT\Delta$, FWH_3 (or K), so that $A \ldots B_2$ means the whole series of the first class, and $S \ldots \Delta$ that of the second, while $H_1 \ldots B_2$ stands for $H_1X(G)ERCLB_2$, and $E \ldots B_2$ for $ERCLB_2$. These nineteen (or eighteen) manuscripts are present as witnesses throughout, whether named or not; for when the manuscripts are named which give a variation, it is to be assumed that the remainder have the reading of the text. Thus the note

'1295 wisdom] wordes $H_1 \ldots B_2$, H_3'

must be taken to imply that 'wisdom' is the reading of AJM, $SAdBT\Delta$, FW and 'wordes' of $H_1XGERCLB_2$, H_3:

'1296 gostly B'

means that the reading of the text, 'goodly,' is given by every one of the nineteen except B:

'1318 How þer(e) $H_1G \ldots B_2$'

means that the reading of the text is that of AJMX, $SAdBT\Delta$, FWH_3 and that of the note belongs to $H_1GERCLB_2$:

'1330 for to] þat þou $SAdBT\Delta$'

indicates a reading of the second recension only:

[1] The following will serve as examples of those omitted: iii. 367 tawh B 422 vngood lieste A 618 is (*for* it) A 652 softe softe B 658 sely sely B 739 *marg.* litigabant B 864 artow B 923 he (*for* hem) B iv. 635 f. betake ... þurghsott A 650 wedde A 1105 no wol no B 1229 herte B 1239 þo (*for* þou) A, &c.

'3340 tho] þe AM ... B₂'

stands for the fact that all the first recension copies except J vary from F, while the rest agree. Occasionally readings of other MSS. are cited besides those mentioned above, as Y, Λ or Magd., but the absence of such citation must not be taken to imply anything.

It must be observed, however, that in some cases a more limited reference seemed desirable, especially on matters of form and spelling, points about which it would be idle to adduce any evidence but that of a few copies. Where selection of this kind is employed, the manuscripts on both sides are cited: thus such notes as

'3691 set AJ, S, F   sette C, B,'
'4307 all S, F   alle AJ, B'

must not be taken to imply the reading of any copy except those mentioned. In a few cases this form is used to avoid misunderstanding in passages where the record of readings is for some reason incomplete, as i. 2300, viii. 566, 1713, 1927.

In citing a variation as given by a class or group of MSS. no attempt is made to give the spelling of each one separately. The form cited is that given either by the majority or by a leading MS. with variations sometimes added in parentheses.

Attention should be paid also to the following points: (1) It was not found possible to complete the collation of the Glasgow MS. (G) before the text was printed, and consequently its readings must not be taken as implied, when not mentioned, any further than v. 1970. The collation has since been completed and some of the results are noted in the account of the MS. (2) K takes the place of H₃ in vi. 1671–vii. 1405, and vii. 3594 to the end, where H₃ is defective. (3) Before assuming the evidence of any MS. *ex silentio* it is necessary that the reader should assure himself that it is not defective in the part concerned. The means of doing this are fully afforded by the accounts given of the separate MSS., where their imperfections are noted, and it must be remembered that J and Ad are for the most part defective as regards the Latin summaries, and that this is the case with T also in certain parts. The readings of S on f. 50 are for the most part passed over, as not originally belonging to that MS. (4) A few abbreviated Latin terms are used in the critical notes, as *in ras.* to indicate that the text is written over an erasure, or *p. m.* to denote the reading of the first hand.

The lines are numbered in each book (for the first time), and the numbers with an asterisk attached are those of the lines in other recensions than that of the text. In addition to this it

OTHER ENGLISH WORKS   clxxiii

should be observed that as nearly all references to Gower for the last forty years have been made by Pauli's edition, it has been thought advisable to place in the margin of this text indications of the volumes and pages of that edition: thus **P. I. 153** stands for 'Pauli, vol. i. p. 153.'

Setting aside matters of spelling, punctuation and grammatical form, we may note that the material differences of reading between the text of this edition and that of Pauli are in number about two thousand.

OTHER ENGLISH WORKS. With regard to the text of the poem *In Praise of Peace* all that need be said will be found in the notes upon it. The Trentham MS., which contains it, has already been fully described in the volume of 'French Works.'

A poem in five seven-line stanzas, beginning 'Passe forthe þou pilgryme and bridel wele þy beste,' occurs in (Shirley's) MS. Ashmole 59, f. 17 vº (Bodl. Libr.), with the title 'Balade moral of gode counseyle made by Gower.' The same without the final stanza (owing to loss of a leaf) occurs in MS. Rawlinson C. 86, but with no title or ascription of authorship, and both texts have been printed (not quite correctly) by Dr. Karl Meyer in his *John Gower's Beziehungen*, &c., 1889. In addition to these copies there is one in the British Museum MS. Addit. 29729, which has been published by Dr. Max Förster in the *Archiv für das Studium der neueren Sprachen*, vol. 102, p. 50. In this MS. the piece is ascribed to Benedict Burgh, and it is called 'A leson to kepe well the tonge.'

It is almost impossible that these verses can have been written by Gower, but out of deference to Shirley's authority (which is not very weighty however), and in order that the reader may judge, it is printed here, all deviations from the Ashmole text being noted, except in the case of 'th' for 'þ,' and some readings of the Rawlinson copy (R) being added in parentheses.

BALADE MORAL OF GODE COUNSEYLE MADE BY GOWER.

    Passe forth, thou pilgryme, and bridel wel thy beeste;
    Loke not agein for thing that may betyde;
    Thenke what thou wilt, but speke ay with the leeste;
    Avyse thee wel who stondeth thee besyde;
    Let not thyne herte beo with thy tonge bewryde;
    Trust not to muche in fayre visayginge,
    For peynted cheere shapeth efft to stynge.

1 forþe wele   2 ageine   4 weele stondeþe   7 shapeþe (efft] her R)

Byholde thy selff, or that thou other deme;
Ne beo not glad whane other done amyss;
Sey never al that which wolde the sothe seme, 10
Thou maist not wite what thy fortune is:
For there is no wight on lyve iwyss
That stondeth sure, ther fore I rede beware,
And looke aboute for stumbling in the snare.

Reporte not muche on other mennes sawe;
Be ay adrad to here a wicked fame;
For man shal dye by dome of goddes lawe,
That here enpeyreth any mannes name.
Avyse thee wel ther fore or thow attame
Suche as thou mayst never revoke ageyn; 20
A good name leste is leste for ay certain.

Pley not with pecus ne ffawvel to thy feere;
Chese thou hem never, yif thou do affter me;
The hande is hurt that bourdeth with the bere;
Fawvel fareth even right as doth a bee;
Hony mowthed, ful of swetnesse is she,
But loke behinde and ware thee from hir stonge,
Thow shalt have hurt yf thou play with hir longe.

Dispreyse no wight but if effte thou may him preyse,
Ne preyse no firre but thou may discomende: 30
Weyghe thy wordes and hem by mesure peyse;
Thenke that the gilty may by grace amende,
And eke the gode may happen to offende:
Remember eke that what man doth amiss,
Thou hast or art or may be suche as he is.

This is full of lines that Gower would not have written, with superfluous syllables in the metre, as ll. 1, 5, 10, 17, 29, 33, 35 (omitting those that might pass with amended spelling), accent on weak syllables, as ll. 20, 25, 26, 31, defective rhyme, as 'besyde': 'bewryde' (participle), and 'feere' (companion) : 'bere,' or suppression of syllable at the beginning, as in l. 12. The form 'mayst' (maist) for 'miht' is not found in any respectable Gower MS. Moreover the style is not that of Gower, but evidently imitated from Chaucer's poem 'Fle from the pres.'

 9 gladde (glad R) amysse 10 þee 11 wit (witte R) 12 ewysse
13 stondeþe 15 mens (mennys R) 16 adradde 18 enpeyreþe mans (mannes R) 19 wele þowe 20 ageyne 21 gode (good R) certaine 22 (Playe not pecus R) 24 hurte bourdeþe (a brere R) 25 fareþe doþe 26 right ful (full R) 27 frome 28 þowe shalt kache hareme to pleẏ wᵗ þeos beestis longe (Thow shalt haue hurt yf þou play with her longe R) 34 Remembre doþe amisse 35 haste arte

CORRIGENDA ET ADDENDA

p. 2, note on 24-92, for Λ, read ΛP₂, and for *Of these* H₃ Magd. *have* read *Of these* Magd. *has*
p. 13, note on 331, *for* RSnDAr *read* RSnDAr, Δ
p. 14, l. 349, *for* new *read* newe
p. 19, note on 543, *read* scholde A, B, K   schold S, F
p. 23, note on 668, *for* hol] hole AC *read* hol B, F   hole AC
    note on 683, *for* A *read* AM
p. 25, l. 747, *for* for *read* forto
p. 29, l. 871, *for* form *read* forme
p. 33, l. 1024, *for* wist *read* wiste
p. 57, l. 782, *for* There *read* Ther
p. 60, l. 914, *for* She *read* Sche   so also p. 244, l. 679
p. 64, l. 1052, *for* righte *read* rihte
p. 70, l. 1275, *for* Commandeth *read* Comandeth
p. 72, note on 1338, *for* SΔ *read* SAdΔ, H₃
p. 88, l. 1946, *for* wenyinge *read* wenynge
p. 96, l. 2248, *for* well *read* wel
p. 100, l. 2365, *for* myght *read* myht   so also p. 117, l. 2990
p. 107, l. 2630, *for* discoevered *read* descoevered
p. 109, l. 2710, *for* all *read* al   so also p. 156, l. 966, p. 238, l. 447, p. 346, l. 1668
p. 112, l. 2822, *for* bare *read* bar
p. 113, l. 2838, *for* But *read* Bot
p. 133, below l. 96, a small space should be left
p. 138, l. 274, *for* greveth *read* grieveth
p. 150, l. 750, *for* her *read* hire
p. 170, l. 1498, *for* Till *read* Til
p. 182, note on 1916, *for* RCLB₂, H₃ *read* RCLB₂, Δ, H₃
p. 200, note on 2592, *for* AdB *read* SAdBΔ
p. 234, note on 313, *for* H₁ . . . B₂ *read* H₁ . . . B₂, Δ
p. 252, note on 983, *add* pater Δ
p. 257, note on 1164, *for* XRCLB₂ *read* H₁XRCLB₂
p. 260, note on 1258, *for* AdT *read* AdTΔ
p. 262, note on 1336 (*margin*), *add om.* Δ
p. 265, note on 1448, for X . . . B₂, WH₃ *read* X . . . B₂, Δ, WH₃
p. 266, note on 1473, *for* AdBT *read* SAdBTΔ
p. 269, note on 1605, *for* SBΔ *read* BΔ   *and for* AdTΔ *read* SAdTΔ
p. 280, note on 2023, *for* Phoreus T *read* Phoreus TΔ
p. 282, l. 2077, *for* hounde *read* hound
p. 284, note on 2166, *for* W *read* Δ, W
p. 289, l. 2357, *for* pouere *read* povere
p. 292, note on 2444, *for* H₁ . . . B₂ *read* H₁ . . . B₂, SΔ
p. 307, l. 225, *for* distruid *read* destruid
p. 314, l. 498, *for* accordant *read* acordant
p. 334, l. 1224 (*margin*), *add* Confessor
p. 346, l. 1653, *for* accompte *read* acompte
p. 351, note on 1872, *for* AC *read* AC, S
p. 387, l. 3188, *for* By *read* Be
p. 396, l. 3507, *for* thinge *read* thing
p. 421, l. 716, *for* harme *read* harm
p. 464, note on 745 ff., *add* The authority here followed is the *Trésor* of Brunetto Latini, pp. 84-88 (ed. 1863).
p. 468, note on 463 ff., *add* The authority for this is perhaps the *Trésor*, p. 191.
p. 473, l. 11, *for* 7101), Spertachus for Cyrus (vii. 3418), &c. *read* 7101).
p. 489, note on 2459 ff., *for* I am unable—form of it. *read* The name Geta was taken by Gower from the *Geta* of Vitalis Blesensis, a dramatic piece in Latin elegiacs founded on Plautus, in which Geta takes the place of Sosia: see Wright's *Early Mysteries*, &c., pp. 79-90.
p. 509, note on 2606, for *on the ferst,* read *on the ferste,*

CONFESSIO AMANTIS

P. i. 1

i. *Torpor, ebes sensus, scola parua labor minimusque*
Causant quo minimus ipse minora canam:
Qua tamen Engisti lingua canit Insula Bruti
Anglica Carmente metra iuuante loquar.
Ossibus ergo carens que conterit ossa loquelis
Absit, et interpres stet procul oro malus.

Incipit Prologus

OF hem that writen ous tofore
The bokes duelle, and we therfore
Ben tawht of that was write tho:
Forthi good is that we also
In oure tyme among ous hiere
Do wryte of newe som matiere,
Essampled of these olde wyse
So that it myhte in such a wyse,

The text is that of F (*Fairfax* 3). *The* MSS. *most commonly cited are the following:—*

Of the first recension, A (*Bodley* 902), J (*St. John's Coll. Camb.* B 12), M (*Camb. Univ.* Mm. 2. 21), E2 (*Egerton* 913), H1 (*Harleian* 3490), Y (*Marquess of Bute's*), X (*Soc. of Antiquaries* 134), G (*Glasgow, Hunterian Mus.* S i. 7), E (*Egerton* 1991), R (*Reg.* 18 C xxii.), C (*Corpus Christi Coll. Oxf.* 67), L (*Laud* 609), B2 (*Bodley* 693).

Of the second, S (*Stafford*), Ad. (*Brit. Mus. Addit.* 12043), B (*Bodley* 294), T (*Trin. Coll. Camb.* R 3. 2), Δ (*Sidney Coll. Camb.* Δ 4. 1).

Of the third, F (*Fairfax* 3), W (*Wadham Coll.* 13), K (*Keswick Hall*), H3 (*Harl.* 7184), Magd. (*Magdalen Coll. Oxf.* 213).

5 ff. time, write, wise, &c., S   6 Do ME2H1, SΛ, FWKH3
So JXGRB2, B To CL   7 Essampled (Ensampled) JME2H1, SΛ,
FWKH3 Ensamples X ... B2 &c., B   8 awyse F a wise S
**   B

[DESIGN OF THE BOOK.]

Whan we ben dede and elleswhere,
Beleve to the worldes eeré
In tyme comende after this.
Bot for men sein, and soth it is,
That who that al of wisdom writ
It dulleth ofte a mannes wit
To him that schal it aldai rede,
For thilke cause, if that ye rede,
I wolde go the middel weie
And wryte a bok betwen the tweie,
Somwhat of lust, somewhat of lore,
That of the lasse or of the more
Som man mai lyke of that I wryte:
And for that fewe men endite
In oure englissh, I thenke make
*A bok for Engelondes sake,
The yer sextenthe of kyng Richard.
What schal befalle hierafterward
God wot, for now upon this tyde
Men se the world on every syde
In sondry wyse so diversed,
That it welnyh stant al reversed,
As forto speke of tyme ago.

10

P. i. 2

20

P. i. 3

30

Hic in principio declarat qualiter in anno Regis Ricardi secundi sexto decimo Iohannes Gower presentem libellum composuit et finaliter compleuit, quem strenuissimo domino suo domino Henrico de Lancastria tunc Derbeie Comiti cum omni reuerencia specialiter destinauit.

---

*A bok for king Richardes sake,
To whom belongeth my ligeance
With al myn hertes obeissance
In al that evere a liege man
Unto his king may doon or can:
So ferforth I me recomande
To him which al me may comande,
Preyende unto the hihe regne

30*

15 rede *om* B   23 Englisch S   24–92 *These lines are found in copies of the third recension* (FH2NKH3Magd.W&c.) *and also in* SΛ. *The rest have* 24*–92*. *The marginal note*, 'Hic in principio—destinauit,' *is found only in* Λ, KH3Magd. *Of these*, H3Magd. *have* in principio libri *for* in principio, *and* Λ *gives* quarto *for* sexto.   28 on] in S
29, 30 *Two lines omitted in* S
24*–92* *All variations from* B *are noted.*   24* book B
25* bilongeþ B   27* euer B   29* f. recomaunde ... comaunde B
31* Prayend B

PROLOGUS

The cause whi it changeth so
It needeth nought to specifie,
The thing so open is at ẏe
That every man it mai beholde:
And natheles be daies olde,
Whan that the bokes weren levere,
Wrytinge was beloved evere
Of hem that weren vertuous;
For hier in erthe amonges ous,
If noman write hou that it stode,
The pris of hem that weren goode
Scholde, as who seith, a gret partie
Be lost: so for to magnifie
The worthi princes that tho were,
The bokes schewen hiere and there,
Wherof the world ensampled is;

[DESIGN OF THE BOOK.]

P. i. 4

40

Which causeth every king to regne,
That his corone longe stonde.
I thenke and have it understonde,
As it bifel upon a tyde,
As thing which scholde tho betyde,—
Under the toun of newe Troye,
Which tok of Brut his ferste joye,
In Temse whan it was flowende
As I be bote cam rowende,
So as fortune hir tyme sette,
My liege lord par chaunce I mette;
And so befel, as I cam nyh,
Out of my bot, whan he me syh,
He bad me come in to his barge.
And whan I was with him at large,
Amonges othre thinges seid

40*

Hic declarat in primis qualiter ob reuerenciam serenissimi principis domini sui Regis Anglie Ricardi secundi totus suus humilis Iohannes Gower, licet graui infirmitate a diu multipliciter fatigatus, huius opusculi labores suscipere non recusauit, set tanquam fauum ex variis floribus recollectum, presentem libellum ex variis cronicis, historiis, poetarum phi-

33 nouȝt S, F　　38 Writing ... belouyd S　　41 no man S
46 schiewe S　　47 essampled S
36* bityde B　　37* *margin* Regis Anglie Ricardi secundi
erased in B *leaving blank*　　38* took B　　39* Themese G
Themse R　　40* by B　　42* *margin* sed B　　43* bifel B
43* f. neigh ... seigh B　　45* *margin* Cronicarum historiis XG
47* seyde B

CONFESSIO AMANTIS

[DESIGN OF THE BOOK.]

And tho that deden thanne amis
Thurgh tirannie and crualte,
Right as thei stoden in degre,
So was the wrytinge of here werk.
Thus I, which am a burel clerk,
Purpose forto wryte a bok
After the world that whilom tok
Long tyme in olde daies passed:
Bot for men sein it is now lassed,
In worse plit than it was tho,
I thenke forto touche also
The world which neweth every dai,
So as I can, so as I mai.
Thogh I seknesse have upon honde
And longe have had, yit woll I fonde
To wryte and do my bisinesse,
That in som part, so as I gesse,

P. i. 5
50

60

losophorumque dictis, quatenus sibi infirmitas permisit, studiosissime compilauit.

He hath this charge upon me leid,
And bad me doo my besynesse
That to his hihe worthinesse
Som newe thing I scholde boke,
That he himself it mihte loke
After the forme of my writynge.
And thus upon his comandynge
Myn herte is wel the more glad
To write so as he me bad;
And eek my fere is wel the lasse
That non envye schal compasse
Withoute a resonable wite
To feyne and blame that I write.
A gentil herte his tunge stilleth,
That it malice non distilleth,
But preyseth that is to be preised;
But he that hath his word unpeysed

50*

60*

49 tirantie S 51 is þe writing S 52 bural S
63 Tho write S
48* leyde B 49* busynesse B 51* booke B 52* mighte
looke B 53* f. writyng ... comaundyng B 55* hert B
59* Wiþout B 62* noon B

PROLOGUS

[DESIGN OF THE BOOK.]

The wyse man mai ben avised.
For this prologe is so assised
That it to wisdom al belongeth:
What wysman that it underfongeth,
He schal drawe into remembrance
The fortune of this worldes chance,   70
The which noman in his persone
Mai knowe, bot the god al one.
Whan the prologe is so despended,
This bok schal afterward ben ended
Of love, which doth many a wonder
And many a wys man hath put under.
And in this wyse I thenke trete
Towardes hem that now be grete,
Betwen the vertu and the vice   P. i. 6
Which longeth unto this office.   80

And handleth ⟨onwrong⟩ every thing,
I preye un to the hevene king
Fro suche tunges he me schilde.
And natheles this world is wilde
Of such jangling, and what befalle,
My kinges heste schal nought falle,   70*
That I, in hope to deserve
His thonk, ne schal his wil observe;
And elles were I nought excused,
For that thing may nought be refused
Which that a king himselve bit.
Forthi the symplesce of my wit
I thenke if that it myhte avayle
In his service to travaile:
Though I seknesse have upon honde,
And longe have had, yit wol I fonde,   80*

68 wise man S   71 no man S   72 allone S   75 awonder F
76 awys man F   a wise man S   80 officie F
   65* handeleþ B   onkrong euery H₁   outkrong euery JME₂XGR CL   outkroud euery B₂   outtrong euery Ar   outkrong eny B   out wronge ony Cath.   66* pray B   heuene GR   heuen B   69* bifalle B   75* Which JME₂XGCL   What H₁RB₂, B   byt B   76* ffor þy B   77* it might (it myht) JME₂CL   it may GRB₂, B   I may H₁ Sn   it XCath.   78* to do trauayle G   80* long B

[DEDICATION.]

    Bot for my wittes ben to smale
To tellen every man his tale,
This bok, upon amendment
To stonde at his commandement,
With whom myn herte is of accord,
I sende unto myn oghne lord,
Which of Lancastre is Henri named:
The hyhe god him hath proclamed
Ful of knyhthode and alle grace.
So woll I now this werk embrace   90
With hol trust and with hol believe;
God grante I mot it wel achieve.

[THE FORMER TIME BETTER THAN THIS.]

ii. *Tempus preteritum presens fortuna beatum*
    Linquit, et antiquas vertit in orbe vias.
Progenuit veterem concors dileccio pacem,
    Dum facies hominis nuncia mentis erat:
Legibus vnicolor tunc temporis aura refulsit,
    Iusticie plane tuncque fuere vie.
Nuncque latens odium vultum depingit amoris,
    Paceque sub ficta tempus ad arma tegit;
Instar et ex variis mutabile Cameliontis
    Lex gerit, et regnis sunt noua iura nouis: (10)

    So as I made my beheste,
To make a bok after his heste,
And write in such a maner wise,
Which may be wisdom to the wise
And pley to hem that lust to pleye.
But in proverbe I have herd seye
That who that wel his werk begynneth
The rather a good ende he wynneth;
And thus the prologe of my bok
After the world that whilom tok,   90*
And eek somdel after the newe,
I wol begynne for to newe.

Latin Verses ii. 2 antūnas ... vrbe S   6 ff. tunc que ... Nunc que ... Pace que ... sic que F   8 subficta S
    81* byheste B   82* book B   87* bygynneþ B
89* f. book ... took B   92* bygynne B   for to newe JME₂H₁XGR, B   for the newe D Ar.   for to schewe CLB₂

PROLOGUS

Climata que fuerant solidissima sicque per orbem   [TEMPORAL RULERS.]
Soluuntur, nec eo centra quietis habent.

    If I schal drawe in to my mynde
The tyme passed, thanne I fynde
The world stod thanne in al his welthe:
Tho was the lif of man in helthe,
Tho was plente, tho was richesse,
Tho was the fortune of prouesse,
Tho was knyhthode in pris be name,
Wherof the wyde worldes fame   100
Write in Cronique is yit withholde;   P. i. 7
Justice of lawe tho was holde,
The privilege of regalie
Was sauf, and al the baronie
Worschiped was in his astat;
The citees knewen no debat,
The poeple stod in obeissance
Under the reule of governance,
And pes, which ryhtwisnesse keste,
With charite tho stod in reste: 110
Of mannes herte the corage
Was schewed thanne in the visage;
The word was lich to the conceite
Withoute semblant of deceite:
Tho was ther unenvied love,
Tho was the vertu sett above
And vice was put under fote.
Now stant the crop under the rote,
The world is changed overal,
And therof most in special   120
That love is falle into discord.

De statu regnorum, vt dicunt, secundum temporalia, videlicet tempore regis Ricardi secundi anno regni sui sexto decimo.

---

96 *margin* videlicet—sexto decimo *inserted only in* MSS. *of the third recension,* FWKH₃ &c. S *has instead of it (after space of one line)*, Nota quod tempore creacionis huius libri fuerunt guerre et opiniones guerrarum tam in sancta Cristi ecclesia quam per singula mundi regna quasi vniuersaliter diuulgate. Quapropter in hoc presenti prologo euentus tam graues scriptor per singulos gradus specialiter deplangit.
So Λ *without space and with* dei *for* Cristi   109 which JME₂CL, FKH₃ wiþ H₁XGRB₂, SBΛ, W   113 word JME₂B₂, Λ, FWK &c.   world H₁XGRCL &c., SB   115 vnenuied JME₂, S, FWK &c.   vneuened Λ   noon enuyed (non enuied) H₁ ... B₂, B

[TEMPORAL RULERS.]

And that I take to record
Of every lond for his partie
The comun vois, which mai noght lie;
Noght upon on, bot upon alle
It is that men now clepe and calle,
And sein the regnes ben divided,
In stede of love is hate guided,
The werre wol no pes purchace,
And lawe hath take hire double face,   130
So that justice out of the weie   P. i. 8
With ryhtwisnesse is gon aweie:
And thus to loke on every halve,
Men sen the sor withoute salve,
Which al the world hath overtake.
Ther is no regne of alle outtake,
For every climat hath his diel
After the tornynge of the whiel,
Which blinde fortune overthroweth;
Wherof the certain noman knoweth: 140
The hevene wot what is to done,
Bot we that duelle under the mone
Stonde in this world upon a weer,
And namely bot the pouer
Of hem that ben the worldes guides
With good consail on alle sides
Be kept upriht in such a wyse,
That hate breke noght thassise
Of love, which is al the chief
To kepe a regne out of meschief.   150
For alle resoun wolde this,

Apostolus. Regem honorificate.

That unto him which the heved is
The membres buxom scholden bowe,
And he scholde ek her trowthe allowe,
With al his herte and make hem chiere,

Salomon. Omnia fac cum consilio.

For good consail is good to hiere.
Althogh a man be wys himselve,

124 comun GC, S   comune B, F   127 the] þat H₁RB₂, B
143 a weer S   a wer B   aweer F   144 A *begins here*
147 S *has lost a leaf*, ll. 147-320   149 which A, B   whiche F
155 his *om.* B   157 aman F

PROLOGUS

    Yit is the wisdom more of tuelve ;   [TEMPORAL RULERS.]
And if thei stoden bothe in on,
To hope it were thanne anon   160
That god his grace wolde sende   **P. i. 9**
To make of thilke werre an ende,
Which every day now groweth newe:
And that is gretly forto rewe
In special for Cristes sake,
Which wolde his oghne lif forsake
Among the men to yeve pes.
But now men tellen natheles
That love is fro the world departed,
So stant the pes unevene parted   170
With hem that liven now adaies.
Bot forto loke at alle assaies,
To him that wolde resoun seche
After the comun worldes speche
It is to wondre of thilke werre,
In which non wot who hath the werre ;
For every lond himself deceyveth
And of desese his part receyveth,
And yet ne take men no kepe.
Bot thilke lord which al may kepe,   180
To whom no consail may ben hid,
Upon the world which is betid,
Amende that wherof men pleigne
With trewe hertes and with pleine,
And reconcile love ayeyn,
As he which is king sovereign
Of al the worldes governaunce,
And of his hyhe porveaunce
Afferme pes betwen the londes
And take her cause into hise hondes,   190
So that the world may stonde appesed **P. i. 10**
And his godhede also be plesed.

  iii. *Quas coluit Moises vetus aut nouus ipse Iohannes,*
     Hesternas leges vix colit ista dies.

---

159 stoden AJME₂L, Δ, FKH₃   stonden H₁ ... RB₂ &c., BΛ, W
169 loue AJME₂XL, FWKH₃   it E, B   *om.* H₁RB₂Sn

[THE CHURCH.]

Sic prius ecclesia bina virtute polita
   Nunc magis inculta pallet vtraque via.
Pacificam Petri vaginam mucro resumens
   Horruit ad Cristi verba cruoris iter;
Nunc tamen assiduo gladium de sanguine tinctum
   Vibrat auaricia, lege tepente sacra.
Sic lupus est pastor, pater hostis, mors miserator,
   Predoque largitor, pax et in orbe timor.   (10)

De statu cleri, vt dicunt, secundum spiritualia, videlicet tempore Roberti Gibbonensis, qui nomen Clementis sibi sortitus est, tunc antipape.

    To thenke upon the daies olde,
The lif of clerkes to beholde,
Men sein how that thei weren tho
Ensample and reule of alle tho
Whiche of wisdom the vertu soughten.
Unto the god ferst thei besoughten
As to the substaunce of her Scole,
That thei ne scholden noght befole   200
Her wit upon none erthly werkes,
Which were ayein thestat of clerkes,
And that thei myhten fle the vice
Which Simon hath in his office,
Wherof he takth the gold in honde.
For thilke tyme I understonde
The Lumbard made non eschange
The bisschopriches forto change,
Ne yet a lettre for to sende
For dignite ne for Provende,   210
Or cured or withoute cure.
The cherche keye in aventure
Of armes and of brygantaille   P. i. 11
Stod nothing thanne upon bataille;
To fyhte or for to make cheste
It thoghte hem thanne noght honeste;
Bot of simplesce and pacience
Thei maden thanne no defence:
The Court of worldly regalie

Latin Verses iii. 8 tepente JE₂, ΔΛ, FWKH₃   repente AMH₁ ... B₂ B, Magd.   10 Predo que F
   194 ff. *margin* De statu—antipape *om.* AE₂   videlicet—antipape *inserted in third recension only (different hand in F)*   201 ertly F   205 an honde R, B   anhonde H₁B₂   210 prebende A, Λ   215 for *om.* XGLB₂, WH₃   219 worþy(-i) H₁ERLB₂, B   worlde W

PROLOGUS

To hem was thanne no baillie; 220   [THE CHURCH.]
The vein honour was noght desired,
Which hath the proude herte fyred;
Humilite was tho withholde,
And Pride was a vice holde.
Of holy cherche the largesse
Yaf thanne and dede gret almesse
To povere men that hadden nede:
Thei were ek chaste in word and dede,
Wherof the poeple ensample tok;
Her lust was al upon the bok,   230
Or forto preche or forto preie,
To wisse men the ryhte weie
Of suche as stode of trowthe unliered.
Lo, thus was Petres barge stiered
Of hem that thilke tyme were,
And thus cam ferst to mannes Ere
The feith of Crist and alle goode
Thurgh hem that thanne weren goode
And sobre and chaste and large and wyse.
Bot now men sein is otherwise,   240
Simon the cause hath undertake,
The worldes swerd on honde is take;
And that is wonder natheles,   **P. i. 12**
Whan Crist him self hath bode pes
And set it in his testament,
How now that holy cherche is went,
Of that here lawe positif
Hath set to make werre and strif
For worldes good, which may noght laste.
God wot the cause to the laste   250
Of every right and wrong also;
But whil the lawe is reuled so
That clerkes to the werre entende,
I not how that thei scholde amende
The woful world in othre thinges,
To make pes betwen the kynges
After the lawe of charite,
Which is the propre duete

234 Petrus H₁E ... B₂, W   Petris XG   249 wich F

[THE CHURCH.]

Belongende unto the presthode.
Bot as it thenkth to the manhode,   260
The hevene is ferr, the world is nyh,
And veine gloire is ek so slyh,
Which coveitise hath now withholde,
That thei non other thing beholde,
Bot only that thei myhten winne.
And thus the werres thei beginne,
Wherof the holi cherche is taxed,
That in the point as it is axed
The disme goth to the bataille,
As thogh Crist myhte noght availe   270
To don hem riht be other weie.
In to the swerd the cherche keie
Is torned, and the holy bede   P. i. 13
Into cursinge, and every stede
Which scholde stonde upon the feith
And to this cause an Ere leyth,
Astoned is of the querele.
That scholde be the worldes hele
Is now, men sein, the pestilence
Which hath exiled pacience   280
Fro the clergie in special:
And that is schewed overal,
In eny thing whan thei ben grieved.
Bot if Gregoire be believed,
As it is in the bokes write,
He doth ous somdel forto wite
The cause of thilke prelacie,
Wher god is noght of compaignie:
For every werk as it is founded
Schal stonde or elles be confounded;   290
Who that only for Cristes sake
Desireth cure forto take,
And noght for pride of thilke astat,
To bere a name of a prelat,
He schal be resoun do profit

260 to þe manhod(e) AJME₂, ΔΛ, FW   to m. H₁ ... B₂, B   to make m. KH₃   267 þe FKH₃Magd. þat A ... B₂ &c., BΔΛ *om.* W
280 paciencie F

PROLOGUS

In holy cherche upon the plit [THE CHURCH.]
That he hath set his conscience;
Bot in the worldes reverence
Ther ben of suche manie glade,
Whan thei to thilke astat ben made, 300
Noght for the merite of the charge,
Bot for thei wolde hemself descharge
Of poverte and become grete; P. i. 14
And thus for Pompe and for beyete
The Scribe and ek the Pharisee
Of Moïses upon the See
In the chaiere on hyh ben set;
Wherof the feith is ofte let,
Which is betaken hem to kepe.
In Cristes cause alday thei slepe, 310
Bot of the world is noght foryete;
For wel is him that now may gete
Office in Court to ben honoured.
The stronge coffre hath al devoured
Under the keye of avarice
The tresor of the benefice,
Wherof the povere schulden clothe
And ete and drinke and house bothe;
The charite goth al unknowe,
For thei no grein of Pite sowe: 320
And slouthe kepeth the libraire
Which longeth to the Saintuaire;
To studie upon the worldes lore
Sufficeth now withoute more;
Delicacie his swete toth
Hath fostred so that it fordoth
Of abstinence al that ther is.
And forto loken over this,
If Ethna brenne in the clergie,
Al openly to mannes ẏe 330
At Avynoun thexperience

Gregorius. Terrenis lucris inhiant, honore prelacie gaudent, et non vt prosint, set vt presint, episcopatum desiderant.

317 povere] pore þei (þai) CL, W (pouere þey)   321 S *resumes*
331 *Copies of first and second recensions have here in margin* Anno domini Millesimo CCC⁰ Nonagesimo. S *gives this with the addition* quia tunc erat ecclesia diuisa *and so also* RSnDAr   F *has an erasure in the margin.*

[THE CHURCH.]

Therof hath yove an evidence,
Of that men sen hem so divided.
And yit the cause is noght decided;
Bot it is seid and evere schal,
Betwen tuo Stoles lyth the fal,
Whan that men wenen best to sitte:
In holy cherche of such a slitte
Is for to rewe un to ous alle;
God grante it mote wel befalle
Towardes him which hath the trowthe.
Bot ofte is sen that mochel slowthe,
Whan men ben drunken of the cuppe,
Doth mochel harm, whan fyr is uppe,
Bot if somwho the flamme stanche;
And so to speke upon this branche,
Which proud Envie hath mad to springe,
Of Scisme, causeth forto bringe
This new Secte of Lollardie,
And also many an heresie
Among the clerkes in hemselve.
It were betre dike and delve
And stonde upon the ryhte feith,
Than knowe al that the bible seith
And erre as somme clerkes do.
Upon the hond to were a Schoo
And sette upon the fot a Glove
Acordeth noght to the behove
Of resonable mannes us:
If men behielden the vertus
That Crist in Erthe taghte here,
Thei scholden noght in such manere,
Among hem that ben holden wise,
The Papacie so desguise
Upon diverse eleccioun,
Which stant after thaffeccioun
Of sondry londes al aboute:
Bot whan god wole, it schal were oute,

336 lyþ F (*in ras.*) KH₃Magd.   is A...B₂&c., SB∆∆   338 flitte AXGCL   341 whiche F   347 proud A, SB   proude C, F   354 that] what EB₂, B

PROLOGUS

For trowthe mot stonde ate laste. [THE CHURCH.]
Bot yet thei argumenten faste 370
Upon the Pope and his astat,
Wherof thei falle in gret debat;
This clerk seith yee, that other nay,
And thus thei dryve forth the day,
And ech of hem himself amendeth
Of worldes good, bot non entendeth
To that which comun profit were.
Thei sein that god is myhti there,
And schal ordeine what he wile,
Ther make thei non other skile 380
Where is the peril of the feith,
Bot every clerk his herte leith
To kepe his world in special,
And of the cause general,
Which unto holy cherche longeth,
Is non of hem that underfongeth
To schapen eny resistence:
And thus the riht hath no defence,
Bot ther I love, ther I holde.
Lo, thus tobroke is Cristes folde, 390
Wherof the flock withoute guide
Devoured is on every side,
In lacke of hem that ben unware   P. i. 17
Schepherdes, whiche her wit beware
Upon the world in other halve.
The scharpe pricke in stede of salve
Thei usen now, wherof the hele
Thei hurte of that thei scholden hele;
And what Schep that is full of wulle
Upon his back, thei toose and pulle, 400
Whil ther is eny thing to pile:
And thogh ther be non other skile
Bot only for thei wolden wynne,
Thei leve noght, whan thei begynne,
Upon her acte to procede,
Which is no good schepherdes dede.

370 argumeten F   373 This ... þat AJM, SΛ, F &c. This ...
þis E₂X ... B₂, B The ... this H₁   396 pricke *om.* A

[THE CHURCH.]

And upon this also men sein,
That fro the leese which is plein
Into the breres thei forcacche
Her Orf, for that thei wolden lacche 410
With such duresce, and so bereve
That schal upon the thornes leve
Of wulle, which the brere hath tore;
Wherof the Schep ben al totore
Of that the hierdes make hem lese.
Lo, how thei feignen chalk for chese,
For though thei speke and teche wel,
Thei don hemself therof no del:
For if the wolf come in the weie,
Her gostly Staf is thanne aweie, 420
Wherof thei scholde her flock defende;
Bot if the povere Schep offende
In eny thing, thogh it be lyte, P. i. 18
They ben al redy forto smyte;
And thus, how evere that thei tale,
The strokes falle upon the smale,
And upon othre that ben grete
Hem lacketh herte forto bete.
So that under the clerkes lawe
Men sen the Merel al mysdrawe, 430
I wol noght seie in general,
For ther ben somme in special
In whom that alle vertu duelleth,

Qui vocatur a deo tanquam Aaron.

And tho ben, as thapostel telleth,
That god of his eleccioun
Hath cleped to perfeccioun
In the manere as Aaron was:
Thei ben nothing in thilke cas
Of Simon, which the foldes gate
Hath lete, and goth in othergate, 440
Bot thei gon in the rihte weie.
Ther ben also somme, as men seie,
That folwen Simon ate hieles,

409 forcacche AME₂, SΔΛ, FWKH₃ forþ cacche H₁ ... B₂, B for tacche (?) J 410 Her Orf] Herof (Here of) RCSn, Δ Wheorof H₁ Therof Λ 419 com FK 421 folk EC, W

PROLOGUS

Whos carte goth upon the whieles [THE CHURCH.]
Of coveitise and worldes Pride,
And holy cherche goth beside,
Which scheweth outward a visage
Of that is noght in the corage.
For if men loke in holy cherche,
Betwen the word and that thei werche 450
Ther is a full gret difference:
Thei prechen ous in audience
That noman schal his soule empeire, P. i. 19
For al is bot a chirie feire
This worldes good, so as thei telle;
Also thei sein ther is an helle,
Which unto mannes sinne is due,
And bidden ous therfore eschue
That wikkid is, and do the goode.
Who that here wordes understode, 460
It thenkth thei wolden do the same;
Bot yet betwen ernest and game
Ful ofte it torneth other wise.
With holy tales thei devise
How meritoire is thilke dede
Of charite, to clothe and fede
The povere folk and forto parte
The worldes good, bot thei departe
Ne thenken noght fro that thei have.
Also thei sein, good is to save 470
With penance and with abstinence
Of chastite the continence;
Bot pleinly forto speke of that,
I not how thilke body fat,
Which thei with deynte metes kepe
And leyn it softe forto slepe,
Whan it hath elles al his wille,
With chastite schal stonde stille:
And natheles I can noght seie,
In aunter if that I misseye. 480
Touchende of this, how evere it stonde,

450 thei] men B   453 apeyre AM   457 vnto mannes soule is
AME₂   is to mannes synne B

[THE CHURCH.]

I here and wol noght understonde,
For therof have I noght to done:
Bot he that made ferst the Mone,
The hyhe god, of his goodnesse,
If ther be cause, he it redresce.
Bot what as eny man accuse,
This mai reson of trowthe excuse;
The vice of hem that ben ungoode
Is no reproef unto the goode:
For every man hise oghne werkes
Schal bere, and thus as of the clerkes
The goode men ben to comende,
And alle these othre god amende:
For thei ben to the worldes ÿe
The Mirour of ensamplerie,
To reulen and to taken hiede
Betwen the men and the godhiede.

P. i. 20

490

[THE COMMONS.]

iv. *Vulgaris populus regali lege subactus*
Dum iacet, vt mitis agna subibit onus.
Si caput extollat et lex sua frena relaxet,
Vt sibi velle iubet, Tigridis instar habet.
Ignis, aqua dominans duo sunt pietate carentes,
Ira tamen plebis est violenta magis.

De statu plebis, vt
dicunt, secundum ac-
cidencium mutabilia.

Now forto speke of the comune,
It is to drede of that fortune
Which hath befalle in sondri londes:
Bot often for defalte of bondes
Al sodeinliche, er it be wist,
A Tonne, whanne his lye arist,
Tobrekth and renneth al aboute,
Which elles scholde noght gon oute;
And ek fulofte a litel Skar
Upon a Banke, er men be war,
Let in the Strem, which with gret peine,
If evere man it schal restreigne.

500

P. i. 21
510

486 he *om.* AM   487 as AJME₂, SΔ, FKH₃ þat H₁ ... B₂, B
is W   495-498 *Four lines found only in third recension copies*
FWKH₃ &c.   501 *margin* mutabilia accidencium H₁RB₂, B
accidencia mutabilia X   510 euere (euer) AME₂X, SΔΔ, FKH₃
euery JH₁RB₂, W   eny CL, B

PROLOGUS

Wher lawe lacketh, errour groweth,   [THE COMMONS.]
He is noght wys who that ne troweth,
For it hath proeved ofte er this;
And thus the comun clamour is
In every lond wher poeple dwelleth,
And eche in his compleignte telleth
How that the world is al miswent,
And ther upon his jugement
Yifth every man in sondry wise.
Bot what man wolde himself avise,   520
His conscience and noght misuse,
He may wel ate ferste excuse
His god, which evere stant in on:
In him ther is defalte non,
So moste it stonde upon ousselve   [MAN THE CAUSE OF EVIL.]
Nought only upon ten ne twelve,
Bot plenerliche upon ous alle,
For man is cause of that schal falle.

    And natheles yet som men wryte
And sein that fortune is to wyte,   530   Nota contra hoc,
And som men holde oppinion   quod aliqui sortem for-
That it is constellacion,   tune, aliqui influen-
Which causeth al that a man doth: ciam planetarum po-
God wot of bothe which is soth.   nunt, per quod, vt
                                                                      dicitur, rerum euentus
The world as of his propre kynde   necessario contingit.
Was evere untrewe, and as the blynde   Set pocius dicendum
Improprelich he demeth fame,   est, quod ea que nos
                                                                      prospera et aduersa
He blameth that is noght to blame   in hoc mundo voca-
                                                                          mus, secundum merita
                                                                          et demerita hominum
And preiseth that is noght to preise: P. i. 22 digno dei iudicio pro-
Thus whan he schal the thinges peise, 540   veniunt.
Ther is deceipte in his balance,
And al is that the variance
Of ous, that scholde ous betre avise;
For after that we falle and rise,
The world arist and falth withal,
So that the man is overal
His oghne cause of wel and wo.
That we fortune clepe so

518 argument B   543 schold S, F

[MAN THE CAUSE OF EVIL.]

Out of the man himself it groweth;
And who that other wise troweth, 550
Behold the poeple of Irael:
For evere whil thei deden wel,
Fortune was hem debonaire,
And whan thei deden the contraire,
Fortune was contrariende.
So that it proeveth wel at ende
Why that the world is wonderfull
And may no while stonde full,
Though that it seme wel besein;
For every worldes thing is vein, 560
And evere goth the whiel aboute,
And evere stant a man in doute,
Fortune stant no while stille,
So hath ther noman al his wille.
Als fer as evere a man may knowe,
Ther lasteth nothing bot a throwe;

Boicius. O quam dulcedo humane vite multa amaritudine aspersa est!

The world stant evere upon debat,
So may be seker non astat,
Now hier now ther, now to now fro,   P. i. 23
Now up now down, this world goth so, 570
And evere hath don and evere schal:
Wherof I finde in special
A tale writen in the Bible,
Which moste nedes be credible;
And that as in conclusioun
Seith that upon divisioun
Stant, why no worldes thing mai laste,
Til it be drive to the laste.
And fro the ferste regne of alle
Into this day, hou so befalle, 580
Of that the regnes be muable
The man himself hath be coupable,
Which of his propre governance
Fortuneth al the worldes chance.

551 Irael JM, S, FH₂N : *the rest* Israel   565 aman F   579-584
Six lines found only in third recension: *cp.* 495

v. *Prosper et aduersus obliquo tramite versus*
  Immundus mundus decipit omne genus.
  Mundus in euentu versatur vt alea casu,
  Quam celer in ludis iactat auara manus.
  Sicut ymago viri variantur tempora mundi,
  Statque nichil firmum preter amare deum.

[NEBUCHADNEZZAR'S DREAM.]

The hyhe almyhti pourveance,
In whos eterne remembrance
Fro ferst was every thing present,
He hath his prophecie sent,
In such a wise as thou schalt hiere,
To Daniel of this matiere, 590
Hou that this world schal torne and wende,
Till it be falle to his ende;
Wherof the tale telle I schal,
In which it is betokned al.
  As Nabugodonosor slepte, P. i. 24
A swevene him tok, the which he kepte
Til on the morwe he was arise,
For he therof was sore agrise.
To Daniel his drem he tolde,
And preide him faire that he wolde 600
Arede what it tokne may;
And seide: 'Abedde wher I lay,
Me thoghte I syh upon a Stage
Wher stod a wonder strange ymage.
His hed with al the necke also
Thei were of fin gold bothe tuo;
His brest, his schuldres and his armes
Were al of selver, bot the tharmes,
The wombe and al doun to the kne,
Of bras thei were upon to se; 610
The legges were al mad of Stiel,
So were his feet also somdiel,
And somdiel part to hem was take
Of Erthe which men Pottes make;

Hic in prologo tractat de Statua illa, quam Rex Nabugodonosor viderat in sompnis, cuius caput aureum, pectus argenteum, venter eneus, tibie ferree, pedum vero quedam pars ferrea, quedam fictilis videbatur, sub qua membrorum diuersitate secundum Danielis exposicionem huius mundi variacio figurabatur.

Latin Verses v. 3 vesatur vt H₁RB₂, B   vesatur et CL   4 ictat H₁R, B   6 *line om.* H₁RB₂Sn, B
588 send F   592 befalle F   608 the tharmes] þe armes M, Λ tharmes B₂, H₃Magd.   610 weren on AX   611 made al AMH₁

[NEBUCHADNEZZAR'S
DREAM.]

Hic narrat vlterius de quodam lapide grandi, qui, vt in dicto sompnio videbatur, ab excelso monte super statuam corruens ipsam quasi in nichilum penitus contriuit.

    The fieble meynd was with the stronge,
So myhte it wel noght stonde longe.
And tho me thoghte that I sih
A gret ston from an hull on hyh
Fel doun of sodein aventure
Upon the feet of this figure,   620
With which Ston al tobroke was
Gold, Selver, Erthe, Stiel and Bras,
That al was in to pouldre broght,
And so forth torned into noght.'
    This was the swevene which he hadde, **P. i. 25**

Hic loquitur de interpretacione sompnii, et primo dicit de significacione capitis aurei.

That Daniel anon aradde,
And seide him that figure strange
Betokneth how the world schal change
And waxe lasse worth and lasse,
Til it to noght al overpasse.   630
The necke and hed, that weren golde,
He seide how that betokne scholde
A worthi world, a noble, a riche,
To which non after schal be liche.

De pectore argenteo.

Of Selver that was overforth
Schal ben a world of lasse worth;

De ventre eneo.

And after that the wombe of Bras
Tokne of a werse world it was.

De tibeis ferreis.

The Stiel which he syh afterward
A world betokneth more hard: 640

De significacione pedum, qui ex duabus materiis discordantibus adinuicem diuisi extiterant.

Bot yet the werste of everydel
Is last, whan that of Erthe and Stiel
He syh the feet departed so,
For that betokneth mochel wo.
Whan that the world divided is,
It moste algate fare amis,
For Erthe which is meynd with Stiel
Togedre may noght laste wiel,
Bot if that on that other waste;
So mot it nedes faile in haste.   650

De lapidis statuam confringentis significacione.

The Ston, which fro the hully Stage

    616 nought wel KH₃   nought (*om.* wel) AM, W (nat)   618 on] an B   618 *margin* grandi] gracia dei (grā dī) RB₂Sn   627 *margin* dicit *om.* B

He syh doun falle on that ymage,   [NEBUCHADNEZZAR'S
And hath it into pouldre broke,   DREAM.]
That swevene hath Daniel unloke,
And seide how that is goddes myht,
Which whan men wene most upryht
To stonde, schal hem overcaste.
And that is of this world the laste,
And thanne a newe schal beginne,
Fro which a man schal nevere twinne;   660
Or al to peine or al to pes   [THE EMPIRES OF
That world schal lasten endeles.   THE WORLD.]

  Lo thus expondeth Daniel
The kynges swevene faire and wel
In Babiloyne the Cite,
Wher that the wiseste of Caldee
Ne cowthen wite what it mente;
Bot he tolde al the hol entente,
As in partie it is befalle.
Of gold the ferste regne of alle   670
Was in that kinges time tho,
And laste manye daies so,
Therwhiles that the Monarchie
Of al the world in that partie
To Babiloyne was soubgit;
And hield him stille in such a plit,
Til that the world began diverse:
And that was whan the king of Perse,
Which Cirus hyhte, ayein the pes
Forth with his Sone Cambises   680
Of Babiloine al that Empire,
Ryht as thei wolde hemself desire,
Put under in subjeccioun
And tok it in possessioun,
And slayn was Baltazar the king,
Which loste his regne and al his thing.
And thus whan thei it hadde wonne,
The world of Selver was begonne

Margin:
P. i. 26

Hic consequenter scribit qualiter huius seculi regna variis mutacionibus, prout in dicta statua figurabatur, secundum temporum distincciones sencibiliter hactenus diminuuntur.

De seculo aureo, quod in capite statue designatum est, a tempore ipsius Nabugodonosor Regis Caldee vsque in regnum Ciri Regis Persarum.

P. i. 27

De seculo argenteo, quod in pectore desig-

659 schal a newe H₁ ... B₂, B   663 expondeþ S, FK   *al.*
expondeþ   668 al *om.* H₁RB₂, B   hol] hole AC   *margin*
diminuntur F   681 al] of AMERB₂, B *om.* H₁   683 in *om.* A

[THE EMPIRES OF THE WORLD.]

natum est, a tempore ipsius Regis Ciri vsque in regnum Alexandri Regis Macedonie.

De seculo eneo, quod in ventre designatum est, a tempore ipsius Alexandri vsque in regnum Iulii Romanorum Imparatoris.

And that of gold was passed oute:
And in this wise it goth aboute   690
In to the Regne of Darius;
And thanne it fell to Perse thus,
That Alisaundre put hem under,
Which wroghte of armes many a wonder,
So that the Monarchie lefte
With Grecs, and here astat uplefte,
And Persiens gon under fote,
So soffre thei that nedes mote.
And tho the world began of Bras,
And that of selver ended was;   700
Bot for the time thus it laste,
Til it befell that ate laste
This king, whan that his day was come,
With strengthe of deth was overcome.
And natheles yet er he dyde,
He schop his Regnes to divide
To knyhtes whiche him hadde served,
And after that thei have deserved
Yaf the conquestes that he wan;
Wherof gret werre tho began   710
Among hem that the Regnes hadde,
Thurgh proud Envie which hem ladde,
Til it befell ayein hem thus:
The noble Cesar Julius,
Which tho was king of Rome lond,   P. i. 28
With gret bataille and with strong hond
Al Grece, Perse and ek Caldee
Wan and put under, so that he
Noght al only of thorient
Bot al the Marche of thoccident   720
Governeth under his empire,
As he that was hol lord and Sire,
And hield thurgh his chivalerie
Of al this world the Monarchie,
And was the ferste of that honour
Which tok the name of Emperour.

698 nedes] soffre (suffre) ME, B   705 or B   718 putte A
720 of Occident XE, B   723 chiualrie F   724 this] þe H₁XGCL, W

PROLOGUS

Wher Rome thanne wolde assaille,
Ther myhte nothing contrevaille,
Bot every contre moste obeie:
Tho goth the Regne of Bras aweie, 730
And comen is the world of Stiel,
And stod above upon the whiel.
As Stiel is hardest in his kynde
Above alle othre that men finde
Of Metals, such was Rome tho
The myhtieste, and laste so
Long time amonges the Romeins
Til thei become so vileins,
That the fals Emperour Leo
With Constantin his Sone also 740
The patrimoine and the richesse,
Which to Silvestre in pure almesse
The ferste Constantinus lefte,
Fro holy cherche thei berefte.
Bot Adrian, which Pope was,
And syh the meschief of this cas,
Goth in to France for pleigne,
And preith the grete Charlemeine,
For Cristes sake and Soule hele
That he wol take the querele 750
Of holy cherche in his defence.
And Charles for the reverence
Of god the cause hath undertake,
And with his host the weie take
Over the Montz of Lombardie;
Of Rome and al the tirandie
With blodi swerd he overcom,
And the Cite with strengthe nom;
In such a wise and there he wroghte,
That holy cherche ayein he broghte 760
Into franchise, and doth restore
The Popes lost, and yaf him more:

[THE EMPIRES OF THE WORLD.]

De seculo ferreo, quod in tibeis designatum est, a tempore Iulii vsque in regnum Karoli magni Regis Francorum.

P. i. 29

---

730 *margin* vsque ad H₁ . . . B₂, B   732 stant H₁ . . . B₂, B
margin Francie H₁ . . . B₂, B   739 þe fals Emperour AJMXGCL, SΔ,
FKH₃ þe Emp. fals H₁ERB₂ þe emperour B   745 Bot] Good (God)
GCL And H₁   750 wolde MH₁XGCL, Δ   754 haþtake B   did take Δ

[THE EMPIRES OF
THE WORLD.]

And thus whan he his god hath served,
He tok, as he wel hath deserved,
The Diademe and was coroned.
Of Rome and thus was abandoned
Thempire, which cam nevere ayein
Into the hond of no Romein;
Bot a long time it stod so stille
Under the Frensche kynges wille, 770
Til that fortune hir whiel so ladde,
That afterward Lombardz it hadde,
Noght be the swerd, bot be soffrance
Of him that tho was kyng of France,
Which Karle Calvus cleped was; P. i. 30
And he resigneth in this cas
Thempire of Rome unto Lowis
His Cousin, which a Lombard is.
And so hit laste into the yeer
Of Albert and of Berenger; 780
Bot thanne upon dissencioun
Thei felle, and in divisioun
Among hemself that were grete,
So that thei loste the beyete
Of worschipe and of worldes pes.
Bot in proverbe natheles
Men sein, ful selden is that welthe
Can soffre his oghne astat in helthe;
And that was on the Lombardz sene,
Such comun strif was hem betwene 790
Thurgh coveitise and thurgh Envie,
That every man drowh his partie,
Which myhte leden eny route,
Withinne Burgh and ek withoute:
The comun ryht hath no felawe,
So that the governance of lawe
Was lost, and for necessite,
Of that thei stode in such degre
Al only thurgh divisioun,

De seculo nouissimis iam temporibus ad similitudinem pedum in discordiam lapso et diuiso, quod post decessum ipsius Karoli, cum imperium Romanorum in manus Longobardorum peruenerat, tempore Alberti et Berengarii incepit: nam ob eorum diuisionem contigit, vt Almanni imperatoriam adepti sunt maiestatem. In cuius solium quendam principem theotonicum Othonem nomine sublimari primitus constituerunt. Et ab illo regno incipiente diuisio per vniuersum orbem in posteros concreuit, vnde nos ad alterutrum diuisi huius seculi consummacionem iam vltimi expectamus.

764 as he haþ wel ERB2, SBΔΛ   wel as he hath H1   768 the
om. B   785 *margin* peruenerit H1 ... RLB2, B   peruenit C

Hem nedeth in conclusioun 800 [THE EMPIRES OF
Of strange londes help beside. THE WORLD.]
 And thus for thei hemself divide
And stonden out of reule unevene,
Of Alemaine Princes sevene
Thei chose in this condicioun, P. i. 31
That upon here eleccioun
Thempire of Rome scholde stonde.
And thus thei lefte it out of honde
For lacke of grace, and it forsoke,
That Alemans upon hem toke: 810
And to confermen here astat,
Of that thei founden in debat
Thei token the possessioun
After the composicioun
Among hemself, and therupon
Thei made an Emperour anon,
Whos name as the Cronique telleth
Was Othes; and so forth it duelleth,
Fro thilke day yit unto this
Thempire of Rome hath ben and is 820
To thalemans. And in this wise, [THE LATEST TIME.]
As ye tofore have herd divise
How Daniel the swevene expondeth
Of that ymage, on whom he foundeth
The world which after scholde falle,
Come is the laste tokne of alle;
Upon the feet of Erthe and Stiel
So stant this world now everydiel
Departed; which began riht tho,
Whan Rome was divided so: 830
And that is forto rewe sore,
For alway siththe more and more
The world empeireth every day.
Wherof the sothe schewe may,
At Rome ferst if we beginne: P. i. 32

804 Almanie A   812 founden AJME₂, SΔΛ, FWH₃ stonden
X ... R, B   stoden H₁CLB₂   821 To þe almains X ... B₂, BΔ
To Almayns H₁   823 expondeþ S, FKH₃ *al.* expoundeþ

[THE LATEST TIME.]

  The wall and al the Cit withinne
  Stant in ruine and in decas,
  The feld is wher the Paleis was,
  The toun is wast; and overthat,
  If we beholde thilke astat   840
  Which whilom was of the Romeins,
  Of knyhthode and of Citezeins,
  To peise now with that beforn,
  The chaf is take for the corn,
  As forto speke of Romes myht:
  Unethes stant ther oght upryht
  Of worschipe or of worldes good,
  As it before tyme stod.
  And why the worschipe is aweie,
  If that a man the sothe seie,   850

[DIVISION THE CAUSE OF EVIL.]

  The cause hath ben divisioun,
  Which moder of confusioun
  Is wher sche cometh overal,
  Noght only of the temporal
  Bot of the spiritual also.
  The dede proeveth it is so,
  And hath do many day er this,
  Thurgh venym which that medled is
  In holy cherche of erthly thing:
  For Crist himself makth knowleching   860
  That noman may togedre serve
  God and the world, bot if he swerve
  Froward that on and stonde unstable;
  And Cristes word may noght be fable.
  The thing so open is at ÿe,   P. i. 33
  It nedeth noght to specefie
  Or speke oght more in this matiere;
  Bot in this wise a man mai lere
  Hou that the world is gon aboute,

836 al þe Cit S, F   al þe cite (citee) A...B₂, BΔΛ, KH₃   the cite W Magd.   al the toune H₁   837 f. deces... wes ECL, B   deues... was H₁Sn   deues ... wes RB₂   838 wher] þer AME₂H₁ 844 fro (from) H₁ERB₂, B, WMagd.   845 And for to Λ, Magd. And so to H₁EB₂, B   And so R   As to L   850 soþe XGSn, FWKH₃   soþ schal AJMH₁ERCLB₂, SBΔΛ   865 *line om.* B 869 þis world MH₁ ... B₂, B

PROLOGUS

The which welnyh is wered oute,   870 [DIVISION THE CAUSE
After the form of that figure   OF EVIL.]
Which Daniel in his scripture
Expondeth, as tofore is told.
Of Bras, of Selver and of Gold
The world is passed and agon,
And now upon his olde ton
It stant of brutel Erthe and Stiel,
The whiche acorden nevere a diel ;
So mot it nedes swerve aside
As thing the which men sen divide.   880
    Thapostel writ unto ous alle   Hic dicit secundum
And seith that upon ous is falle   apostolum, quod nos
Thende of the world; so may we knowe,   sumus in quos fines
This ymage is nyh overthrowe,   seculi deuenerunt.
Be which this world was signified,
That whilom was so magnefied,
And now is old and fieble and vil,
Full of meschief and of peril,
And stant divided ek also
Lich to the feet that were so,   890
As I tolde of the Statue above.
And this men sen, thurgh lacke of love
Where as the lond divided is,
It mot algate fare amis :
And now to loke on every side,   **P. i. 34**
A man may se the world divide,
The werres ben so general
Among the cristene overal,
That every man now secheth wreche,
And yet these clerkes alday preche   900
And sein, good dede may non be
Which stant noght upon charite :
I not hou charite may stonde,
Wher dedly werre is take on honde.
Bot al this wo is cause of man,
The which that wit and reson can,
And that in tokne and in witnesse

873 Expondeþ S, FK   892 this] þus AMH₁X, H₃   900 these]
þis AM ... E, B, W

CONFESSIO AMANTIS

[DIVISION THE CAUSE OF EVIL.]

That ilke ymage bar liknesse
Of man and of non other beste.
For ferst unto the mannes heste   910
Was every creature ordeined,
Bot afterward it was restreigned:
Whan that he fell, thei fellen eke,
Whan he wax sek, thei woxen seke;
For as the man hath passioun
Of seknesse, in comparisoun
So soffren othre creatures.

Hic scribit quod ex diuisionis passione singula creata detrimentum corruptibile paciuntur.

Lo, ferst the hevenly figures,
The Sonne and Mone eclipsen bothe,
And ben with mannes senne wrothe;   920
The purest Eir for Senne alofte
Hath ben and is corrupt fulofte,
Right now the hyhe wyndes blowe,
And anon after thei ben lowe,
Now clowdy and now clier it is:
So may it proeven wel be this,
A mannes Senne is forto hate,
Which makth the welkne to debate.
And forto se the proprete
Of every thyng in his degree,   930
Benethe forth among ous hiere
Al stant aliche in this matiere:
The See now ebbeth, now it floweth,
The lond now welketh, now it groweth,
Now be the Trees with leves grene,
Now thei be bare and nothing sene,
Now be the lusti somer floures,
Now be the stormy wynter shoures,
Now be the daies, now the nyhtes,
So stant ther nothing al upryhtes,   940
Now it is lyht, now it is derk;
And thus stant al the worldes werk

912 Bot] ffor H₁ERB₂, B   923 hyhe] while H₁ERB₂, B
934 welweþ AJM, W (weloweth)   937 f. the...the] þei...þei
(þay...þay) AH₁ERB₂, B þer...þer CL þese...þey X þe...
þey G   939 þei (þay) daies H₁...R, B   now the nyhtes]
now be þe n. MCB₂, Δ   now be þey (thei) n. H₁XG

After the disposicioun
Of man and his condicioun.
Forthi Gregoire in his Moral
Seith that a man in special
The lasse world is properly:
And that he proeveth redely;
For man of Soule resonable
Is to an Angel resemblable,   950
And lich to beste he hath fielinge,
And lich to Trees he hath growinge;
The Stones ben and so is he:
Thus of his propre qualite
The man, as telleth the clergie,   P. i. 36
Is as a world in his partie,
And whan this litel world mistorneth,
The grete world al overtorneth.
The Lond, the See, the firmament,
Thei axen alle jugement   960
Ayein the man and make him werre:
Therwhile himself stant out of herre,
The remenant wol noght acorde:
And in this wise, as I recorde,
The man is cause of alle wo,
Why this world is divided so.

[DIVISION THE CAUSE OF EVIL.]

   Division, the gospell seith,
On hous upon another leith,
Til that the Regne al overthrowe:
And thus may every man wel knowe,   970
Division aboven alle
Is thing which makth the world to falle,
And evere hath do sith it began.
It may ferst proeve upon a man;
The which, for his complexioun
Is mad upon divisioun
Of cold, of hot, of moist, of drye,
He mot be verray kynde dye:
For the contraire of his astat

Hic dicit secundum euangelium, quod omne regnum in se diuisum desolabitur.

Quod ex sue complexionis materia diuisus homo mortalis existat.

946 aman F   950 Is to an] It is an H₁ERB₂, B   957 mistormeþ FKH₃   963 stant out of acord(e) H₁ERB₂, B   966 Why] Wiþ RCLB₂   967 as þe g. s. AG, W   976 *margin* existit A

[DIVISION THE CAUSE OF EVIL.]

Stant evermore in such debat,
Til that o part be overcome,
Ther may no final pes be nome.
Bot other wise, if a man were
Mad al togedre of o matiere
Withouten interrupcioun,
Ther scholde no corrupcioun
Engendre upon that unite:
Bot for ther is diversite
Withinne himself, he may noght laste,
That he ne deieth ate laste.

Quod homo ex corporis et anime condicione diuisus, sicut saluacionis ita et dampnacionis aptitudinem ingreditur.

Bot in a man yit over this
Full gret divisioun ther is,
Thurgh which that he is evere in strif,
Whil that him lasteth eny lif:
The bodi and the Soule also
Among hem ben divided so,
That what thing that the body hateth
The soule loveth and debateth;
Bot natheles fulofte is sene
Of werre which is hem betwene
The fieble hath wonne the victoire.

Qualiter Adam a statu innocencie diuisus a paradiso voluptatis in terram laboris peccator proiectus est.

And who so drawth into memoire
What hath befalle of old and newe,
He may that werre sore rewe,
Which ferst began in Paradis:
For ther was proeved what it is,
And what desese there it wroghte;
For thilke werre tho forth broghte
The vice of alle dedly Sinne,
Thurgh which division cam inne

Qualiter populi per vniuersum orbem a cultura dei diuisi, Noe cum sua'sequela dumtaxat exceptis, diluuio interierunt.

Among the men in erthe hiere,
And was the cause and the matiere
Why god the grete flodes sende,
Of al the world and made an ende
Bot Noë with his felaschipe,
Which only weren saulf be Schipe.
And over that thurgh Senne it com

982 be nome] benome FKH₃

PROLOGUS

That Nembrot such emprise nom,
Whan he the Tour Babel on heihte
Let make, as he that wolde feihte   1020
Ayein the hihe goddes myht,
Wherof divided anon ryht
Was the langage in such entente,
Ther wist non what other mente,
So that thei myhten noght procede.
And thus it stant of every dede,
Wher Senne takth the cause on honde,
It may upriht noght longe stonde;
For Senne of his condicioun
Is moder of divisioun   1030
And tokne whan the world schal faile.
For so seith Crist withoute faile,
That nyh upon the worldes ende
Pes and acord awey schol wende
And alle charite schal cesse,
Among the men and hate encresce;
And whan these toknes ben befalle,
Al sodeinly the Ston schal falle,
As Daniel it hath beknowe,
Which al this world schal overthrowe,   1040
And every man schal thanne arise
To Joie or elles to Juise,
Wher that he schal for evere dwelle,
Or straght to hevene or straght to helle.
In hevene is pes and al acord,   **P. i. 39**
Bot helle is full of such descord
That ther may be no loveday:
Forthi good is, whil a man may,
Echon to sette pes with other
And loven as his oghne brother;   1050
So may he winne worldes welthe
And afterward his soule helthe.
    Bot wolde god that now were on
An other such as Arion,

[DIVISION THE CAUSE OF EVIL.]

Qualiter in edificacione turris Babel, quam in dei contemptum Nembrot erexit, lingua prius hebraica in varias linguas celica vindicta diuidebatur.

Qualiter mundus, qui in statu diuisionis quasi cotidianis presenti tempore vexatur flagellis, a lapide superueniente, id est a diuina potencia vsque ad resolucionem omnis carnis subito conteretur.

Hic narrat exemplum de concordia et vnitate inter homines

1018 suche prise H₁ERB₂, B   1019 he *om.* RLB₂, B, W   that H₁
1029 condicion F   1033 *margin* vexat H₁ERB₂, B   1038 And A
1055 S *has lost a leaf* (1055—i. 106)

[DIVISION THE CAUSE OF EVIL.]

prouocanda; et dicit qualiter quidam Arion nuper Citharista ex sui cantus cithareque consona melodia tante virtutis extiterat, vt ipse non solum virum cum viro, set eciam leonem cum cerua, lupum cum agna, canem cum lepore, ipsum audientes vnanimiter absque vlla discordia adinuicem pacificauit.

Which hadde an harpe of such temprure,
And therto of so good mesure
He song, that he the bestes wilde
Made of his note tame and milde,
The Hinde in pes with the Leoun,   1060
The Wolf in pes with the Moltoun,
The Hare in pees stod with the Hound;
And every man upon this ground
Which Arion that time herde,
Als wel the lord as the schepherde,
He broghte hem alle in good acord;
So that the comun with the lord,
And lord with the comun also,
He sette in love bothe tuo
And putte awey malencolie.
That was a lusti melodie,   1070
Whan every man with other low;
And if ther were such on now,
Which cowthe harpe as he tho dede,
He myhte availe in many a stede
To make pes wher now is hate;   **P. i. 40**
For whan men thenken to debate,
I not what other thing is good.
Bot wher that wisdom waxeth wod,
And reson torneth into rage,
So that mesure upon oultrage   1080
Hath set his world, it is to drede;
For that bringth in the comun drede,
Which stant at every mannes Dore:
Bot whan the scharpnesse of the spore
The horse side smit to sore,
It grieveth ofte. And now nomore,
As forto speke of this matiere,
Which non bot only god may stiere.

Explicit Prologus

1078 waxed FK   1087 As] And YERSn, B *om.* B₂   1088 god only may H₁ER, B   god may only B₂

[LOVE RULES THE WORLD.]

P. i. 41

Incipit Liber Primus

i. *Naturatus amor nature legibus orbem*
    Subdit, et vnanimes concitat esse feras:
   Huius enim mundi Princeps amor esse videtur,
    Cuius eget diues, pauper et omnis ope.
   Sunt in agone pares amor et fortuna, que cecas
    Plebis ad insidias vertit vterque rotas.
   Est amor egra salus, vexata quies, pius error,
    Bellica pax, vulnus dulce, suaue malum.

 I may noght strecche up to the hevene
Min hand, ne setten al in evene
This world, which evere is in balance:
It stant noght in my sufficance
So grete thinges to compasse,
Bot I mot lete it overpasse
And treten upon othre thinges.
Forthi the Stile of my writinges
Fro this day forth I thenke change   Postquam in Pro-
And speke of thing is noght so strange, 10 logo tractatum hac-
Which every kinde hath upon honde, P. i. 42 tenus existit, qualiter
And wherupon the world mot stonde,   hodierne condicionis
And hath don sithen it began,   diuisio caritatis di-
And schal whil ther is any man;   leccionem superauit,
And that is love, of which I mene   intendit auctor ad
To trete, as after schal be sene.   presens suum libel-
In which ther can noman him reule,   lum, cuius nomen Con-
For loves lawe is out of reule,   fessio Amantis nun-
That of tomoche or of tolite   cupatur, componere de
Welnyh is every man to wyte,   20 illo amore, a quo non
                   solum humanum ge-
                   nus, sed eciam cuncta
                   animancia naturaliter
                   subiciuntur. Et quia
                   nonnulli amantes ultra

1 strecchen vp to h. EC, Δ strecche vp to h. XB₂ (vt) 8 fforþi
(ffor þy) AJME₂E, ΔΛ, FKH₃ ffor H₁YXR ... B₂, B, W 10 thing is]
þinges E₂H₁Y ... B₂, B noght so] more YX 13 *margin*
intendit] intendit eciam ERCL intendit et H₁B₂

[LOVE RULES THE
    WORLD.]
quam expedit desi-
derii passionibus cre-
bro stimulantur, ma-
teria libri per totum
super hiis specialius
diffunditur.

And natheles ther is noman
In al this world so wys, that can
Of love tempre the mesure,
Bot as it falth in aventure:
For wit ne strengthe may noght helpe,
And he which elles wolde him yelpe
Is rathest throwen under fote,
Ther can no wiht therof do bote.
For yet was nevere such covine,
That couthe ordeine a medicine   30
To thing which god in lawe of kinde
Hath set, for ther may noman finde
The rihte salve of such a Sor.
It hath and schal ben everemor
That love is maister wher he wile,
Ther can no lif make other skile;
For wher as evere him lest to sette,
Ther is no myht which him may lette.
Bot what schal fallen ate laste,
The sothe can no wisdom caste,   40
Bot as it falleth upon chance;   P. i. 43
For if ther evere was balance
Which of fortune stant governed,
I may wel lieve as I am lerned
That love hath that balance on honde,
Which wol no reson understonde.
For love is blind and may noght se,
Forthi may no certeinete
Be set upon his jugement,
Bot as the whiel aboute went   50
He yifth his graces undeserved,
And fro that man which hath him served
Fulofte he takth aweye his fees,
As he that pleieth ate Dees,
And therupon what schal befalle
He not, til that the chance falle,
Wher he schal lese or he schal winne.

23 *margin* crebre H₁E...B₂   26 *margin* diffundetur B   37 evere
him lest] himselflest (list) H₁YERB₂, B (lust)   50 aboute is went ACL
is aboute went Δ   51 grace H₁XGERB₂, BΔ   54 And H₁YERB₂, B

LIBER PRIMUS

And thus fulofte men beginne,
That if thei wisten what it mente,
Thei wolde change al here entente.
   And forto proven it is so,
I am miselven on of tho,
Which to this Scole am underfonge.
For it is siththe go noght longe,
As forto speke of this matiere,
I may you telle, if ye woll hiere,
A wonder hap which me befell,
That was to me bothe hard and fell,
Touchende of love and his fortune,
The which me liketh to comune
And pleinly forto telle it oute.
To hem that ben lovers aboute
Fro point to point I wol declare
And wryten of my woful care,
Mi wofull day, my wofull chance,
That men mowe take remembrance
Of that thei schall hierafter rede:
For in good feith this wolde I rede,
That every man ensample take
Of wisdom which him is betake,
And that he wot of good aprise
To teche it forth, for such emprise
Is forto preise; and therfore I
Woll wryte and schewe al openly
How love and I togedre mette,
Wherof the world ensample fette
Mai after this, whan I am go,
Of thilke unsely jolif wo,
Whos reule stant out of the weie,
Nou glad and nou gladnesse aweie,
And yet it may noght be withstonde
For oght that men may understonde.

[EXAMPLE OF THE AUTHOR.]

60 Hic quasi in persona aliorum, quos amor alligat, fingens se auctor esse Amantem, varias eorum passiones variis huius libri distinccionibus per singula scribere proponit.

70

P. i. 44

80

90

ii. *Non ego Sampsonis vires, non Herculis arma*   [HIS WOFUL CASE.]
  Vinco, sum sed vt hii victus amore pari.
Vt discant alii, docet experiencia facti,
  Rebus in ambiguis que sit habenda via.

    76 now B.   80 is him AG

[His woful case.]

*Deuius ordo ducis temptata pericla sequentem
Instruit a tergo, ne simul ille cadat.
Me quibus ergo Venus, casus, laqueauit amantem,
Orbis in exemplum scribere tendo palam.*

    Upon the point that is befalle
Of love, in which that I am falle,
I thenke telle my matiere: P. i. 45
Now herkne, who that wol it hiere,
Of my fortune how that it ferde.
This enderday, as I forthferde
To walke, as I yow telle may,—
And that was in the Monthe of Maii,   100
Whan every brid hath chose his make
And thenkth his merthes forto make
Of love that he hath achieved;
Bot so was I nothing relieved,
For I was further fro my love
Than Erthe is fro the hevene above,
As forto speke of eny sped:
So wiste I me non other red,
Bot as it were a man forfare
Unto the wode I gan to fare,   110
Noght forto singe with the briddes,
For whanne I was the wode amiddes,
I fond a swote grene pleine,
And ther I gan my wo compleigne
Wisshinge and wepinge al myn one,
For other merthes made I none.
So hard me was that ilke throwe,
That ofte sithes overthrowe
To grounde I was withoute breth;
And evere I wisshide after deth,   120
Whanne I out of my peine awok,

Hic declarat materiam, dicens qualiter Cupido quodam ignito iaculo sui cordis memoriam graui vlcere perforauit, quod Venus percipiens ipsum, vt dicit, quasi in mortis articulo spasmatum, ad confitendum se Genio sacerdoti super amoris causa sic semiuiuum specialiter commendauit.

Latin Verses ii. 5 Deuius AJME₂, ΔΛ, FKH₃ Denuus (?) H₁Y Demum XGEC, B Deinque L Deui B₂Sn Veni R   7 Me] Aere H₁Y*p.m.*ERB₂, B
  102 take CL, B   107 S *resumes*   109 forsake B   110 Vnto... I gan tofare F   And to... forth is he fare CL   And to... gan I to fare Y   To... I gan ȝare R   To... I made me ȝare B₂   Vnto... my way gan take B   *line om.* SnD   116 oþere A   120 wisshide FK   wisshide S   wisshid H₃   *al.* wissched

And caste up many a pitous lok   [HIS-COMPLAINT TO
Unto the hevene, and seide thus: CUPID AND VENUS.]
'O thou Cupide, O thou Venus,
Thou god of love and thou goddesse,   P. i. 46
Wher is pite? wher is meknesse?
Now doth me pleinly live or dye,
For certes such a maladie
As I now have and longe have hadd,
It myhte make a wisman madd,   130
If that it scholde longe endure.
O Venus, queene of loves cure,
Thou lif, thou lust, thou mannes hele,
Behold my cause and my querele,
And yif me som part of thi grace,
So that I may finde in this place
If thou be gracious or non.'
And with that word I sawh anon
The kyng of love and qweene bothe;
Bot he that kyng with yhen wrothe   140
His chiere aweiward fro me caste,
And forth he passede ate laste.
Bot natheles er he forth wente   [THE FIERY DART.]
A firy Dart me thoghte he hente
And threw it thurgh myn herte rote:
In him fond I non other bote,
For lenger list him noght to duelle.
Bot sche that is the Source and Welle   [VENUS QUEEN OF
Of wel or wo, that schal betide   LOVE.]
To hem that loven, at that tide   150
Abod, bot forto tellen hiere
Sche cast on me no goodly chiere:
Thus natheles to me sche seide,
'What art thou, Sone?' and I abreide
Riht as a man doth out of slep,   P. i. 47
And therof tok sche riht good kep
And bad me nothing ben adrad:
Bot for al that I was noght glad,
For I ne sawh no cause why.
And eft scheo asketh, what was I: 160

130 wismam FK   160 scheo FK   *al.* sche

[VENUS QUEEN OF LOVE.]

I seide, 'A Caitif that lith hiere:
What wolde ye, my Ladi diere?
Schal I ben hol or elles dye?'
Sche seide, 'Tell thi maladie:
What is thi Sor of which thou pleignest?
Ne hyd it noght, for if thou feignest,
I can do the no medicine.'
'Ma dame, I am a man of thyne,
That in thi Court have longe served,
And aske that I have deserved,   170
Som wele after my longe wo.'
And sche began to loure tho,
And seide, 'Ther is manye of yow
Faitours, and so may be that thow
Art riht such on, and be feintise
Seist that thou hast me do servise.'
And natheles sche wiste wel,
Mi world stod on an other whiel
Withouten eny faiterie:
Bot algate of my maladie   180
Sche bad me telle and seie hir trowthe.
'Ma dame, if ye wolde have rowthe,'
Quod I, 'than wolde I telle yow.'
'Sey forth,' quod sche, 'and tell me how;
Schew me thi seknesse everydiel.'   P. i. 48
'Ma dame, that can I do wel,
Be so my lif therto wol laste.'
With that hir lok on me sche caste,
And seide: 'In aunter if thou live,
Mi will is ferst that thou be schrive;   190
And natheles how that it is
I wot miself, bot for al this

[GENIUS, THE PRIEST OF LOVE.]

Unto my prest, which comth anon,
I woll thou telle it on and on,
Bothe all thi thoght and al thi werk.

161 Ma dame I sayde Iohn Gowere E, B   And I answerde wiþ drery chiere C   And I answerd wiþ ful myld chere L   *line om.* RB₂SnD
162 What wolde ȝe wiþ me my l. d. ERLB₂   What wolde ȝe wiþ me l. d. XGC, B   163 or elles] or schal I C   or L   164 tell (telle) me H₁YE ... B₂, BΛ, W   165 of which] which þat CL where of W   183 þan wolde C   þan wold A, B   þanne wold S, FK

LIBER PRIMUS

    O Genius myn oghne Clerk,   [GENIUS, THE PRIEST
Com forth and hier this mannes schrifte,'   OF LOVE.]
Quod Venus tho; and I uplifte
Min hefd with that, and gan beholde
The selve Prest, which as sche wolde   200
Was redy there and sette him doun
To hiere my confessioun.

iii. *Confessus Genio si sit medicina salutis*
    Experiar morbis, quos tulit ipsa Venus.
  Lesa quidem ferro medicantur membra saluti,
    Raro tamen medicum vulnus amoris habet.

    This worthi Prest, this holy man   [THE LOVER'S
To me spekende thus began,   SHRIFT.]
And seide: 'Benedicite,
Mi Sone, of the felicite
Of love and ek of all the wo
Thou schalt thee schrive of bothe tuo.
What thou er this for loves sake   Hic dicit qualiter
Hast felt, let nothing be forsake,   210   Genio pro Confessore
Tell pleinliche as it is befalle.'   P. i. 49 sedenti prouolutus
And with that word I gan doun falle   Amans ad confiten-
On knees, and with devocioun   dum se flexis genibus
And with full gret contricioun   incuruatur, supplicans
I seide thanne: 'Dominus,   sus informacionem
Min holi fader Genius,   confessor ille in dicen-
So as thou hast experience   dis opponere sibi be-
Of love, for whos reverence   nignius dignaretur.
Thou schalt me schriven at this time,
I prai the let me noght mistime   220
Mi schrifte, for I am destourbed
In al myn herte, and so contourbed,
That I ne may my wittes gete,
So schal I moche thing foryete:
Bot if thou wolt my schrifte oppose
Fro point to point, thanne I suppose,
Ther schal nothing be left behinde.
Bot now my wittes ben so blinde,
That I ne can miselven teche.'

200 Prest *om.* B   208 thee] be Y, B, Magd.   213 and with]
wiþ good B   wiþ XC   as wiþ Λ   224 schal] þat A   227 beleft FK

[THE LOVER'S SHRIFT.]

Sermo Genii sacerdotis super confessione ad Amantem.

Tho he began anon to preche, 230
And with his wordes debonaire
He seide tome softe and faire:
'Thi schrifte to oppose and hiere,
My Sone, I am assigned hiere
Be Venus the godesse above,
Whos Prest I am touchende of love.
Bot natheles for certein skile
I mot algate and nedes wile
Noght only make my spekynges
Of love, bot of othre thinges, 240
That touchen to the cause of vice.   **P. i. 50**
For that belongeth to thoffice
Of Prest, whos ordre that I bere,
So that I wol nothing forbere,
That I the vices on and on
Ne schal thee schewen everychon;
Wherof thou myht take evidence
To reule with thi conscience.
Bot of conclusion final
Conclude I wol in special 250
For love, whos servant I am,
And why the cause is that I cam.
So thenke I to don bothe tuo,
Ferst that myn ordre longeth to,
The vices forto telle arewe,
Bot next above alle othre schewe
Of love I wol the propretes,
How that thei stonde be degrees
After the disposicioun
Of Venus, whos condicioun 260
I moste folwe, as I am holde.
For I with love am al withholde,
So that the lasse I am to wyte,
Thogh I ne conne bot a lyte
Of othre thinges that ben wise:
I am noght tawht in such a wise;

232 tome F   *al.* to me   234 sone sone F   am *om.* B   264 I ne conne] I now can (conne) ECLB₂, B   I ne now can XR   ne can nowe H₁   266 awise FK

LIBER PRIMUS

For it is noght my comun us
To speke of vices and vertus,
Bot al of love and of his lore,
For Venus bokes of nomore   270
Me techen nowther text ne glose.
Bot for als moche as I suppose
It sit a prest to be wel thewed,
And schame it is if he be lewed,
Of my Presthode after the forme
I wol thi schrifte so enforme,
That ate leste thou schalt hiere
The vices, and to thi matiere
Of love I schal hem so remene,
That thou schalt knowe what thei mene.   280
For what a man schal axe or sein
Touchende of schrifte, it mot be plein,
It nedeth noght to make it queinte,
For trowthe hise wordes wol noght peinte:
That I wole axe of the forthi,
My Sone, it schal be so pleinly,
That thou schalt knowe and understonde
The pointz of schrifte how that thei stonde.'

[THE LOVER'S SHRIFT.]

P. i. 51

iv. *Visus et auditus fragilis sunt ostia mentis,*
   Que viciosa manus claudere nulla potest.
   Est ibi larga via, graditur qua cordis ad antrum
   Hostis, et ingrediens fossa talenta rapit.
   Hec michi confessor Genius primordia profert,
   Dum sit in extremis vita remorsa malis.
   Nunc tamen vt poterit semiviua loquela fateri,
   Verba per os timide conscia mentis agam.

[THE FIVE SENSES.]

Betwen the lif and deth I herde
This Prestes tale er I answerde,   290
And thanne I preide him forto seie
His will, and I it wolde obeie
After the forme of his apprise.
Tho spak he tome in such a wise,
And bad me that I scholde schrive

Hic incipit confessio Amantis, cui de

P. i. 52

277 laste (last) JYRCL, BΔΛ   278 vice H₁ ... B₂, B   281 aman F
288 The] þo B   293 the] þer F   294 tome FK   *al.* to me
awise F   wise AEC, B   295 scholde (schuld) me H₁ ... B₂, B

[THE FIVE SENSES.]
duobus precipue quinque sensuum, hoc est de visu et auditu, confessor pre ceteris opponit.

As touchende of my wittes fyve,
And schape that thei were amended
Of that I hadde hem misdispended.
For tho be proprely the gates,
Thurgh whiche as to the herte algates   300
Comth alle thing unto the feire,
Which may the mannes Soule empeire.
And now this matiere is broght inne,
Mi Sone, I thenke ferst beginne
To wite how that thin yhe hath stonde,

[SEEING.]
The which is, as I understonde,
The moste principal of alle,
Thurgh whom that peril mai befalle.

    And forto speke in loves kinde,
Ful manye suche a man mai finde,   310
Whiche evere caste aboute here yhe,
To loke if that thei myhte aspie
Fulofte thing which hem ne toucheth,
Bot only that here herte soucheth
In hindringe of an other wiht;
And thus ful many a worthi knyht
And many a lusti lady bothe
Have be fulofte sythe wrothe.
So that an yhe is as a thief
To love, and doth ful gret meschief;   320
And also for his oghne part
Fulofte thilke firy Dart
Of love, which that evere brenneth,
Thurgh him into the herte renneth:
And thus a mannes yhe ferst   P. i. 53
Himselve grieveth alther werst,
And many a time that he knoweth
Unto his oghne harm it groweth.
Mi Sone, herkne now forthi
A tale, to be war therby   330
Thin yhe forto kepe and warde,
So that it passe noght his warde.

298 mispended XR, FWKH₃   so myspended B₂   310
manye suche S   manye such F   many suche AC   318 Haþ
M ... RLB₂, B

LIBER PRIMUS

Ovide telleth in his bok [TALE OF ACTEON.]
Ensample touchende of mislok,
And seith hou whilom ther was on,
A worthi lord, which Acteon
Was hote, and he was cousin nyh
To him that Thebes ferst on hyh
Up sette, which king Cadme hyhte.
This Acteon, as he wel myhte, 340
Above alle othre caste his chiere,
And used it fro yer to yere,
With Houndes and with grete Hornes
Among the wodes and the thornes
To make his hunting and his chace:
Where him best thoghte in every place
To finde gamen in his weie,
Ther rod he forto hunte and pleie.
So him befell upon a tide
On his hunting as he cam ride, 350
In a Forest al one he was:
He syh upon the grene gras
The faire freisshe floures springe,
He herde among the leves singe
The Throstle with the nyhtingale: P. i. 54
Thus er he wiste into a Dale
He cam, wher was a litel plein,
All round aboute wel besein
With buisshes grene and Cedres hyhe;
And ther withinne he caste his yhe. 360
Amidd the plein he syh a welle,
So fair ther myhte noman telle,
In which Diana naked stod
To bathe and pleie hire in the flod
With many a Nimphe, which hire serveth.
Bot he his yhe awey ne swerveth
Fro hire, which was naked al,

Margin: Hic narrat Confessor exemplum de visu ab illicitis preseruando, dicens qualiter Acteon Cadmi Regis Thebarum nepos, dum in quadam Foresta venacionis causa spaciaretur, accidit vt ipse quendam fontem nemorosa arborum pulcritudine circumuentum superueniens, vidit ibi Dianam cum suis Nimphis nudam in flumine balneantem; quam diligencius intuens oculos suos a muliebri nuditate nullatenus auertere volebat. Vnde indignata Diana ipsum in cerui figuram transformauit; quem canes proprii apprehendentes mortiferis dentibus penitus dilaniarunt.

---

334 *margin* exemplum *om.* AM   335 whilon FK   339 Vp sette S, F   Vpsette AC, B   *margin* spaciaret B   349 atide FK
353 floures freische H₁ ... B₂, B   355 Trostle FK   357 wher was] in to (into) H₁ ... B₂, B   365 many nimphes Sn, B   many Nimphe YEC   many simphe RLB₂   mani a maiden Δ

[TALE OF ACTEON.]

And sche was wonder wroth withal,
And him, as sche which was godesse,
Forschop anon, and the liknesse 370
Sche made him taken of an Hert,
Which was tofore hise houndes stert,
That ronne besiliche aboute
With many an horn and many a route,
That maden mochel noise and cry:
And ate laste unhappely
This Hert his oghne houndes slowhe
And him for vengance al todrowhe.

Confessor.

Lo now, my Sone, what it is
A man to caste his yhe amis, 380
Which Acteon hath dere aboght;
Be war forthi and do it noght.
For ofte, who that hiede toke,
Betre is to winke than to loke.
And forto proven it is so, P. i. 55
Ovide the Poete also
A tale which to this matiere
Acordeth seith, as thou schalt hiere.

[TALE OF MEDUSA.]

In Metamor it telleth thus,
How that a lord which Phorceüs 390
Was hote, hadde dowhtres thre.
Bot upon here nativite
Such was the constellacion,
That out of mannes nacion
Fro kynde thei be so miswent,
That to the liknesse of Serpent
Thei were bore, and so that on
Of hem was cleped Stellibon,
That other soster Suriale,
The thridde, as telleth in the tale, 400
Medusa hihte, and natheles
Of comun name Gorgones

Hic ponit aliud exemplum de eodem, vbi dicit quod quidam princeps nomine Phorceus tres progenuit filias, Gorgones a vulgo nuncupatas, que uno partu exorte deformitatem Monstrorum serpentinam obtinuerunt; quibus, cum in etatem peruenerant, talis destinata fuerat natura, quod quicumque in eas aspiceret in lapidem subito mutabatur. Et sic quam plures incaute respi-

368 for anger þerof swal(l) H₁EXG, B   for anger þerfor swal YR
for anger þerof schall CLB₂   therefore for anger schall DAr   370 and
the] in to CL   in þe B₂   371 taken] in fourme L   om. B₂
374 aroute F   377 hondes FK   388 and seiþ RCLB₂ and says W
391 and hadde CLB₂, W   397 bore] boþe FWKH₃Magd.

LIBER PRIMUS

In every contre ther aboute, [TALE OF MEDUSA.]
As Monstres whiche that men doute, cientes visis illis peri-
Men clepen hem; and bot on yhe erunt. Set Perseus
Among hem thre in pourpartie miles clipeo Palladis
Thei hadde, of which thei myhte se, gladioque Mercurii
Now hath it this, now hath it sche; munitus eas extra
After that cause and nede it ladde, montem Athlantis co-
Be throwes ech of hem it hadde. 410 habitantes animo au-
A wonder thing yet more amis daci absque sui peri-
Ther was, wherof I telle al this: culo interfecit.
What man on hem his chiere caste
And hem beheild, he was als faste
Out of a man into a Ston   P. i. 56
Forschape, and thus ful manyon
Deceived were, of that thei wolde
Misloke, wher that thei ne scholde.
Bot Perseüs that worthi knyht,
Whom Pallas of hir grete myht   420
Halp, and tok him a Schield therto,
And ek the god Mercurie also
Lente him a swerd, he, as it fell,
Beyende Athlans the hihe hell
These Monstres soghte, and there he fond
Diverse men of thilke lond
Thurgh sihte of hem mistorned were,
Stondende as Stones hiere and there.
Bot he, which wisdom and prouesse
Hadde of the god and the godesse,   430
The Schield of Pallas gan enbrace,
With which he covereth sauf his face,
Mercuries Swerd and out he drowh,
And so he bar him that he slowh
These dredful Monstres alle thre.
  Lo now, my Sone, avise the,   Confessor.
That thou thi sihte noght misuse:
Cast noght thin yhe upon Meduse,
That thou be torned into Ston:
For so wys man was nevere non,   440

423 he, as it fell] as it befel (*om.* he) C as it fel L, W 425 These]
þis A   430 Haþ B, W

CONFESSIO AMANTIS

Bot if he wel his yhe kepe
And take of fol delit no kepe,
That he with lust nys ofte nome,
Thurgh strengthe of love and overcome.
Of mislokynge how it hath ferd,   P. i. 57
As I have told, now hast thou herd,
My goode Sone, and tak good hiede.

[HEARING.]

And overthis yet I thee rede
That thou be war of thin heringe,
Which to the Herte the tidinge   450
Of many a vanite hath broght,
To tarie with a mannes thoght.
And natheles good is to hiere
Such thing wherof a man may lere
That to vertu is acordant,
And toward al the remenant
Good is to torne his Ere fro;
For elles, bot a man do so,
Him may fulofte mysbefalle.
I rede ensample amonges alle,   460
Wherof to kepe wel an Ere
It oghte pute a man in fere.

[THE PRUDENCE OF THE SERPENT.]

A Serpent, which that Aspidis
Is cleped, of his kynde hath this,
That he the Ston noblest of alle,
The which that men Carbuncle calle,
Berth in his hed above on heihte.

Hic narrat Confessor exemplum, vt non ab auris exaudicione fatua animus deceptus inuoluatur. Et dicit qualiter ille serpens, qui aspis vocatur, quendam preciosissimum lapidem nomine Carbunculum in sue frontis medio gestans, contra verba incantantis aurem vnam terre affigendo premit, et aliam sue caude stimulo firmissime obturat.

For which whan that a man be sleyhte,
The Ston to winne and him to daunte,
With his carecte him wolde enchaunte,   470
Anon as he perceiveth that,
He leith doun his on Ere al plat
Unto the ground, and halt it faste,
And ek that other Ere als faste
He stoppeth with his tail so sore,   P. i. 58
That he the wordes lasse or more

441 wel AJE₂C, S, FKH₃ wil (wille) YXGERLB₂, BΔ, W wol(e) MH₁, Magd.   447 and *om.* B.   454, 458 aman FK   470 *margin* aspidis B   476 *margin* firmissimo H₁GRCLB₂

Of his enchantement ne hiereth;
And in this wise himself he skiereth,
So that he hath the wordes weyved
And thurgh his Ere is noght deceived.   480

An othre thing, who that recordeth,
Lich unto this ensample acordeth,
Which in the tale of Troie I finde.
Sirenes of a wonder kynde
Ben Monstres, as the bokes tellen,
And in the grete Se thei duellen :
Of body bothe and of visage
Lik unto wommen of yong age
Up fro the Navele on hih thei be,
And doun benethe, as men mai se,   490
Thei bere of fisshes the figure.
And overthis of such nature
Thei ben, that with so swete a stevene
Lik to the melodie of hevene
In wommanysshe vois thei singe,
With notes of so gret likinge,
Of such mesure, of such musike,
Wherof the Schipes thei beswike
That passen be the costes there.
For whan the Schipmen leie an Ere   500
Unto the vois, in here avys
Thei wene it be a Paradys,
Which after is to hem an helle.
For reson may noght with hem duelle,
Whan thei tho grete lustes hiere;
Thei conne noght here Schipes stiere,
So besiliche upon the note
Thei herkne, and in such wise assote,
That thei here rihte cours and weie
Foryete, and to here Ere obeie,   510
And seilen til it so befalle
That thei into the peril falle,

[Tale of the Sirens.]

Aliud exemplum super eodem, qualiter rex Vluxes cum a bello Troiano versus Greciam nauigio remearet, et prope illa Monstra marina, Sirenes nuncupata, angelica voce canoras, ipsum ventorum aduersitate nauigare oporteret, omnium nautarum suorum aures obturari coegit. Et sic salutari prouidencia prefultus absque periculo saluus cum sua classe Vluxes pertransiuit.

P. i. 59

481 oþre SB, F   *rest* oþer   488 womman A   a wom*m*an MXGCLB₂   491 bereþ XRCLB₂, B   505 tho] þe JE₂H₁ ... B₂, B, W   H₃Magd.   so ΔΛ
**

CONFESSIO AMANTIS

[TALE OF THE SIRENS.]

Where as the Schipes be todrawe,
And thei ben with the Monstres slawe.
Bot fro this peril natheles
With his wisdom king Uluxes
Ascapeth and it overpasseth;
For he tofor the hond compasseth
That noman of his compaignie
Hath pouer unto that folie   520
His Ere for no lust to caste;
For he hem stoppede alle faste,
That non of hem mai hiere hem singe.
So whan they comen forth seilinge,
Ther was such governance on honde,
That thei the Monstres have withstonde
And slain of hem a gret partie.
Thus was he sauf with his navie,
This wise king, thurgh governance.

Confessor.

[THE SINS OF THE EYE AND THE EAR.]

Wherof, my Sone, in remembrance   530
Thou myht ensample taken hiere,
As I have told, and what thou hiere
Be wel war, and yif no credence,
Bot if thou se more evidence.
For if thou woldest take kepe   P. i. 60
And wisly cowthest warde and kepe
Thin yhe and Ere, as I have spoke,
Than haddest thou the gates stoke
Fro such Sotie as comth to winne
Thin hertes wit, which is withinne,   540
Wherof that now thi love excedeth
Mesure, and many a peine bredeth.
Bot if thou cowthest sette in reule
Tho tuo, the thre were eth to reule:
Forthi as of thi wittes five
I wole as now nomore schryve,
Bot only of these ilke tuo.
Tell me therfore if it be so,
Hast thou thin yhen oght misthrowe?

Amans.

Mi fader, ye, I am beknowe,   550

522 atte (at) laste XEC, B   531 myht S   might AC, B
myhte F   549 yhe B

LIBER PRIMUS

 I have hem cast upon Meduse,
Therof I may me noght excuse :
Min herte is growen into Ston,
So that my lady therupon
Hath such a priente of love grave,
That I can noght miselve save.
  What seist thou, Sone, as of thin Ere?   Opponit Confessor.
  Mi fader, I am gultyf there;   Respondet Amans.
For whanne I may my lady hiere,
Mi wit with that hath lost his Stiere :   560
I do noght as Uluxes dede,
Bot falle anon upon the stede,
Wher as I se my lady stonde ;
And there, I do yow understonde,
I am topulled in my thoght,   P. i. 61
So that of reson leveth noght,
Wherof that I me mai defende.
  My goode Sone, god thamende :   Confessor.
For as me thenketh be thi speche
Thi wittes ben riht feer to seche.   570
As of thin Ere and of thin yhe
I woll nomore specefie,
Bot I woll axen overthis
Of othre thing how that it is.

 v. *Celsior est Aquila que Leone ferocior ille,*   [THE SEVEN DEADLY
  Quem tumor elati cordis ad alta mouet.   SINS. PRIDE.]
Sunt species quinque, quibus esse Superbia ductrix
 Clamat, et in multis mundus adheret eis.
Laruando faciem ficto pallore subornat
 Fraudibus Ypocrisis mellea verba suis.
Sicque pios animos quamsepe ruit muliebres
 Ex humili verbo sub latitante dolo.

  Mi Sone, as I thee schal enforme,
Ther ben yet of an other forme
Of dedly vices sevene applied,   Hic loquitur quod
Wherof the herte is ofte plied   septem sunt peccata
To thing which after schal him grieve.   put Superbia varias
The ferste of hem thou schalt believe   580   species habet, et earum
                     prima Ypocrisis dici-
                     tur, cuius proprieta-

Latin Verses v. 1 Aquila*que* F   8 sub latitante J, S, F   sublatitante
AC, B   580 ferste C, S   ferst A, F   first B

CONFESSIO AMANTIS

tem secundum vicium simpliciter Confessor Amanti declarat.

[FIVE MINISTERS OF PRIDE.
i. HYPOCRISY.]

Amans.

Is Pride, which is principal,
And hath with him in special
Ministres five ful diverse,
Of whiche, as I the schal reherse,
The ferste is seid Ypocrisie.
If thou art of his compaignie,
Tell forth, my Sone, and schrif the clene.
   I wot noght, fader, what ye mene:
Bot this I wolde you beseche,
That ye me be som weie teche
What is to ben an ypocrite;
And thanne if I be forto wyte,
I wol beknowen, as it is.

P. i. 62

590

Confessor.

   Mi Sone, an ypocrite is this,—
A man which feigneth conscience,
As thogh it were al innocence,
Withoute, and is noght so withinne;
And doth so for he wolde winne
Of his desir the vein astat.
And whanne he comth anon therat,
He scheweth thanne what he was,
The corn is torned into gras,
That was a Rose is thanne a thorn,
And he that was a Lomb beforn
Is thanne a Wolf, and thus malice
Under the colour of justice

600

Ipocrisis Religiosa.

Is hid; and as the poeple telleth,
These ordres witen where he duelleth,
As he that of here conseil is,
And thilke world which thei er this
Forsoken, he drawth in ayein:
He clotheth richesse, as men sein,
Under the simplesce of poverte,
And doth to seme of gret decerte
Thing which is litel worth withinne:
He seith in open, fy! to Sinne,
And in secre ther is no vice

610

582 *margin* primitus declarat A ... B2, S ... Δ   584 I *om.* FKH3
593 be knowen FK   604 toforn Y, B, W   608 *margin*
Ipocrisis Relig. *om.* AM, B   610 word L, B

Of which that he nis a Norrice: [HYPOCRISY.]
And evere his chiere is sobre and softe, **P. i. 63**
And where he goth he blesseth ofte, 620
Wherof the blinde world he dreccheth.
Bot yet al only he ne streccheth
His reule upon religioun,
Bot next to that condicioun
In suche as clepe hem holy cherche
It scheweth ek how he can werche   Ipocrisis ecclesiastica.
Among tho wyde furred hodes,
To geten hem the worldes goodes.
And thei hemself ben thilke same
That setten most the world in blame, 630
Bot yet in contraire of her lore
Ther is nothing thei loven more;
So that semende of liht thei werke
The dedes whiche are inward derke.
And thus this double Ypocrisie
With his devolte apparantie
A viser set upon his face,
Wherof toward this worldes grace
He semeth to be riht wel thewed,
And yit his herte is al beschrewed. 640
Bot natheles he stant believed,
And hath his pourpos ofte achieved
Of worschipe and of worldes welthe,
And takth it, as who seith, be stelthe
Thurgh coverture of his fallas.
And riht so in semblable cas
This vice hath ek his officers
Among these othre seculers   Ipocrisis secularis.
Of grete men, for of the smale **P. i. 64**
As for tacompte he set no tale, 650
Bot thei that passen the comune
With suche him liketh to comune,
And where he seith he wol socoure
The poeple, there he woll devoure;
For now aday is manyon

626 gan AM   schal R   *margin* Ipocr. eccles. *om*. A   627 þe
JE₂H₁ ... B₂, B, W   630 That] þay (þai) X ... B₂, B

[HYPOCRISY.]

Which spekth of Peter and of John
And thenketh Judas in his herte.
Ther schal no worldes good asterte
His hond, and yit he yifth almesse
And fasteth ofte and hiereth Messe: 660
With *mea culpa*, which he seith,
Upon his brest fullofte he leith
His hond, and cast upward his yhe,
As thogh he Cristes face syhe;
So that it seemeth ate syhte,
As he al one alle othre myhte
Rescoue with his holy bede.
Bot yet his herte in other stede
Among hise bedes most devoute
Goth in the worldes cause aboute, 670
How that he myhte his warisoun
Encresce.

    And in comparisoun
Ther ben lovers of such a sort,
That feignen hem an humble port,
And al is bot Ypocrisie,
Which with deceipte and flaterie
Hath many a worthi wif beguiled.
For whanne he hath his tunge affiled,
With softe speche and with lesinge, **P. i. 65**
Forth with his fals pitous lokynge, 680
He wolde make a womman wene
To gon upon the faire grene,
Whan that sche falleth in the Mir.
For if he may have his desir,
How so falle of the remenant,
He halt no word of covenant;
Bot er the time that he spede,
Ther is no sleihte at thilke nede,
Which eny loves faitour mai,
That he ne put it in assai, 690
As him belongeth forto done.
The colour of the reyni Mone

[HYPOCRISY OF LOVERS.]

Hic tractat Confessor cum Amante super illa presertim Ipocrisia, que sub amoris facie fraudulenter latitando mulieres ipsius ficticiis credulas sepissime decipit innocentes.

656 and of] and AM and seynt H₁ 674 *margin* Hic tractat —innocentes *om.* A.

LIBER PRIMUS

With medicine upon his face [Hypocrisy of Lovers.]
He set, and thanne he axeth grace,
As he which hath sieknesse feigned.
Whan his visage is so desteigned,
With yhe upcast on hire he siketh,
And many a contenance he piketh,
To bringen hire in to believe
Of thing which that he wolde achieve,   700
Wherof he berth the pale hewe;
And for he wolde seme trewe,
He makth him siek, whan he is heil.
Bot whanne he berth lowest the Seil,
Thanne is he swiftest to beguile
The womman, which that ilke while
Set upon him feith or credence.
  Mi Sone, if thou thi conscience   Opponit Confessor.
Entamed hast in such a wise,   P. i. 66
In schrifte thou thee myht avise   710
And telle it me, if it be so.
  Min holy fader, certes no.   Respondet Amans.
As forto feigne such sieknesse
It nedeth noght, for this witnesse
I take of god, that my corage
Hath ben mor siek than my visage.
And ek this mai I wel avowe,
So lowe cowthe I nevere bowe
To feigne humilite withoute,
That me ne leste betre loute   720
With alle the thoghtes of myn herte;
For that thing schal me nevere asterte,
I speke as to my lady diere,
To make hire eny feigned chiere.
God wot wel there I lye noght,
Mi chiere hath be such as my thoght;
For in good feith, this lieveth wel,
Mi will was betre a thousendel
Than eny chiere that I cowthe.
Bot, Sire, if I have in my yowthe   730
Don other wise in other place,

704 bereþ (berþ) lowest seil AH₁ ... B₂, B, Magd.   723 tomy F

[HYPOCRISY OF LOVERS.]

I put me therof in your grace:
For this excusen I ne schal,
That I have elles overal
To love and to his compaignie
Be plein withoute Ypocrisie;
Bot ther is on the which I serve,
Althogh I may no thonk deserve,
To whom yet nevere into this day
I seide onlyche or ye or nay,
Bot if it so were in my thoght.
As touchende othre seie I noght
That I nam somdel forto wyte
Of that ye clepe an ypocrite.

Confessor.

Mi Sone, it sit wel every wiht
To kepe his word in trowthe upryht
Towardes love in alle wise.
For who that wolde him wel avise
What hath befalle in this matiere,
He scholde noght with feigned chiere
Deceive Love in no degre.
To love is every herte fre,
Bot in deceipte if that thou feignest
And therupon thi lust atteignest,
That thow hast wonne with thi wyle,
Thogh it thee like for a whyle,
Thou schalt it afterward repente.
And forto prove myn entente,
I finde ensample in a Croniqe
Of hem that love so beswike.

[TALE OF MUNDUS AND PAULINA.]

Quod Ipocrisia sit in amore periculosa, narrat exemplum qualiter sub regno Tiberii Imperatoris quidam miles nomine Mundus, qui Romanorum dux milicie tunc prefuit, dominam Paulinam

It fell be olde daies thus,
Whil themperour Tiberius
The Monarchie of Rome ladde,
Ther was a worthi Romein hadde
A wif, and sche Pauline hihte,
Which was to every mannes sihte
Of al the Cite the faireste,
And as men seiden, ek the beste.

732 put A, SB, F putte C 756 the hit like W it be like H₁L
it be liking C

LIBER PRIMUS

It is and hath ben evere yit,   P. i. 68
That so strong is no mannes wit,   770
Which thurgh beaute ne mai be drawe
To love, and stonde under the lawe
Of thilke bore frele kinde,
Which makth the hertes yhen blinde,
Wher no reson mai be comuned:
And in this wise stod fortuned
This tale, of which I wolde mene;
This wif, which in hire lustes grene
Was fair and freissh and tendre of age,
Sche may noght lette the corage   780
Of him that wole on hire assote.

   There was a Duck, and he was hote
Mundus, which hadde in his baillie
To lede the chivalerie
Of Rome, and was a worthi knyht;
Bot yet he was noght of such myht
The strengthe of love to withstonde,
That he ne was so broght to honde,
That malgre wher he wole or no,
This yonge wif he loveth so,   790
That he hath put al his assay
To wynne thing which he ne may
Gete of hire graunt in no manere,
Be yifte of gold ne be preiere.
And whanne he syh that be no mede
Toward hir love he myhte spede,
Be sleyhte feigned thanne he wroghte;
And therupon he him bethoghte
How that ther was in the Cite   P. i. 69
A temple of such auctorite,   800
To which with gret Devocioun
The noble wommen of the toun
Most comuniche a pelrinage
Gon forto preie thilke ymage
Which the godesse of childinge is,

[TALE OF MUNDUS AND PAULINA.]

pulcherrimam castitatisque famosissimam mediantibus duobus falsis presbiteris in templo Ysis deum se esse fingens sub ficte sanctitatis ypocrisi nocturno tempore viciauit. Vnde idem dux in exilium, presbiteri in mortem ob sui criminis enormitatem dampnati extiterant, ymagoque dee Ysis a templo euulsa vniuerso conclamante populo in flumen Tiberiadis proiecta mergebatur.

---

773 *margin* do*mini* se esse fingens ME₂   do*mini* se esse fingentes A
775 Ther(e) AM   776 stonde RCLB₂   stant H₁GE   782 Duck A, F   Duk (duk) SB   Duke C

CONFESSIO AMANTIS

[TALE OF MUNDUS AND PAULINA.]

And cleped was be name Ysis:
And in hire temple thanne were,
To reule and to ministre there
After the lawe which was tho,
Above alle othre Prestes tuo.   810
This Duck, which thoghte his love gete,
Upon a day hem tuo to mete
Hath bede, and thei come at his heste;
Wher that thei hadde a riche feste,
And after mete in prive place
This lord, which wolde his thonk pourchace,
To ech of hem yaf thanne a yifte,
And spak so that be weie of schrifte
He drowh hem unto his covine,
To helpe and schape how he Pauline   820
After his lust deceive myhte.
And thei here trowthes bothe plyhte,
That thei be nyhte hire scholden wynne
Into the temple, and he therinne
Schal have of hire al his entente:
And thus acorded forth thei wente.

Now lest thurgh which ypocrisie
Ordeigned was the tricherie,
Wherof this ladi was deceived.   P. i. 70
These Prestes hadden wel conceived   830
That sche was of gret holinesse;
And with a contrefet simplesse,
Which hid was in a fals corage,
Feignende an hevenely message
Thei come and seide unto hir thus:
'Pauline, the god Anubus
Hath sent ous bothe Prestes hiere,
And seith he woll to thee appiere
Be nyhtes time himself alone,
For love he hath to thi persone: 840
And therupon he hath ous bede,
That we in Ysis temple a stede

820 he] the B, W   that H₁   834 ffeigned AMH₁XLB₂, W
(ffeignet) þey feigned C   837 seyt vs B *p.m.*   Prestes]
present B

LIBER PRIMUS

Honestely for thee pourveie,
Wher thou be nyhte, as we thee seie,
Of him schalt take avisioun.
For upon thi condicioun,
The which is chaste and ful of feith,
Such pris, as he ous tolde, he leith,
That he wol stonde of thin acord;
And forto bere hierof record 850
He sende ous hider bothe tuo.'
Glad was hire innocence tho
Of suche wordes as sche herde,
With humble chiere and thus answerde,
And seide that the goddes wille
Sche was al redy to fulfille,
That be hire housebondes leve
Sche wolde in Ysis temple at eve
Upon hire goddes grace abide,
To serven him the nyhtes tide. 860
The Prestes tho gon hom ayein,
And sche goth to hire sovereign,
Of goddes wille and as it was
Sche tolde him al the pleine cas,
Wherof he was deceived eke,
And bad that sche hire scholde meke
Al hol unto the goddes heste.
And thus sche, which was al honeste
To godward after hire entente,
At nyht unto the temple wente, 870
Wher that the false Prestes were;
And thei receiven hire there
With such a tokne of holinesse,
As thogh thei syhen a godesse,
And al withinne in prive place
A softe bedd of large space
Thei hadde mad and encourtined,
Wher sche was afterward engined.
Bot sche, which al honour supposeth,
The false Prestes thanne opposeth, 880
And axeth be what observance

[TALE OF MUNDUS AND PAULINA.]

P. i. 71

876 lofte H₁ ... B₂

[TALE OF MUNDUS AND PAULINA.]

Sche myhte most to the plesance
Of godd that nyhtes reule kepe:
And thei hire bidden forto slepe
Liggende upon the bedd alofte,
For so, thei seide, al stille and softe
God Anubus hire wolde awake.
The conseil in this wise take,
The Prestes fro this lady gon;   P. i. 72
And sche, that wiste of guile non,   890
In the manere as it was seid
To slepe upon the bedd is leid,
In hope that sche scholde achieve
Thing which stod thanne upon bilieve,
Fulfild of alle holinesse.
Bot sche hath failed, as I gesse,
For in a closet faste by
The Duck was hid so prively
That sche him myhte noght perceive;
And he, that thoghte to deceive,   900
Hath such arrai upon him nome,
That whanne he wolde unto hir come,
It scholde semen at hire yhe
As thogh sche verrailiche syhe
God Anubus, and in such wise
This ypocrite of his queintise
Awaiteth evere til sche slepte.
And thanne out of his place he crepte
So stille that sche nothing herde,
And to the bedd stalkende he ferde,   910
And sodeinly, er sche it wiste,
Beclipt in armes he hire kiste:
Wherof in wommanysshe drede
She wok and nyste what to rede;
Bot he with softe wordes milde
Conforteth hire and seith, with childe
He wolde hire make in such a kynde
That al the world schal have in mynde
The worschipe of that ilke Sone;   P. i. 73

884 biddeþ B   886 al *om.* B   893 wolde AM   896 hath] þat B   903 to H₁ ... L vnto B₂

For he schal with the goddes wone,   920 [TALE OF MUNDUS
And ben himself a godd also.   AND PAULINA.]
With suche wordes and with mo,
The whiche he feigneth in his speche,
This lady wit was al to seche,
As sche which alle trowthe weneth :
Bot he, that alle untrowthe meneth,
With blinde tales so hire ladde,
That all his wille of hire he hadde.
And whan him thoghte it was ynowh,
Ayein the day he him withdrowh   930
So prively that sche ne wiste
Wher he becom, bot as him liste
Out of the temple he goth his weie.
And sche began to bidde and preie
Upon the bare ground knelende,
And after that made hire offrende,
And to the Prestes yiftes grete
Sche yaf, and homward be the Strete.
The Duck hire mette and seide thus :
'The myhti godd which Anubus   940
Is hote, he save the, Pauline,
For thou art of his discipline
So holy, that no mannes myht
Mai do that he hath do to nyht
Of thing which thou hast evere eschuied.
Bot I his grace have so poursuied,
That I was mad his lieutenant :
Forthi be weie of covenant
Fro this day forth I am al thin,   P. i. 74
And if thee like to be myn,   950
That stant upon thin oghne wille.'
   Sche herde his tale and bar it stille,
And hom sche wente, as it befell,
Into hir chambre, and ther sche fell
Upon hire bedd to wepe and crie,
And seide : ' O derke ypocrisie,
Thurgh whos dissimilacion
Of fals ymaginacion

      924 al to] for to A

[TALE OF MUNDUS AND PAULINA.]

I am thus wickedly deceived!
Bot that I have it aperceived   960
I thonke unto the goddes alle;
For thogh it ones be befalle,
It schal nevere eft whil that I live,
And thilke avou to godd I yive.'
And thus wepende sche compleigneth,
Hire faire face and al desteigneth
With wofull teres of hire ÿe,
So that upon this agonie
Hire housebonde is inne come,
And syh how sche was overcome   970
With sorwe, and axeth what hire eileth.
And sche with that hirself beweileth
Welmore than sche dede afore,
And seide, 'Helas, wifhode is lore
In me, which whilom was honeste,
I am non other than a beste,
Now I defouled am of tuo.'
And as sche myhte speke tho,
Aschamed with a pitous onde   P. i. 75
Sche tolde unto hir housebonde   980
The sothe of al the hole tale,
And in hire speche ded and pale
Sche swouneth welnyh to the laste.
And he hire in hise armes faste
Uphield, and ofte swor his oth
That he with hire is nothing wroth,
For wel he wot sche may ther noght:
Bot natheles withinne his thoght
His herte stod in sori plit,
And seide he wolde of that despit   990
Be venged, how so evere it falle,
And sende unto hise frendes alle.
And whan thei weren come in fere,
He tolde hem upon this matiere,
And axeth hem what was to done:
And thei avised were sone,
And seide it thoghte hem for the beste

975 me *om.* B

LIBER PRIMUS

To sette ferst his wif in reste, [TALE OF MUNDUS
And after pleigne to the king AND PAULINA.]
Upon the matiere of this thing. 1000
Tho was this wofull wif conforted
Be alle weies and desported,
Til that sche was somdiel amended;
And thus a day or tuo despended,
The thridde day sche goth to pleigne
With many a worthi Citezeine,
And he with many a Citezein.
 Whan themperour it herde sein,
And knew the falshed of the vice, P. i. 76
He seide he wolde do justice: 1010
And ferst he let the Prestes take,
And for thei scholde it noght forsake,
He put hem into questioun;
Bot thei of the suggestioun
Ne couthen noght a word refuse,
Bot for thei wolde hemself excuse,
The blame upon the Duck thei leide.
Bot therayein the conseil seide
That thei be noght excused so,
For he is on and thei ben tuo, 1020
And tuo han more wit then on,
So thilke excusement was non.
And over that was seid hem eke,
That whan men wolden vertu seke,
Men scholde it in the Prestes finde;
Here ordre is of so hyh a kinde,
That thei be Duistres of the weie:
Forthi, if eny man forsueie
Thurgh hem, thei be noght excusable.
And thus be lawe resonable 1030
Among the wise jugges there
The Prestes bothe dampned were,
So that the prive tricherie
Hid under fals Ipocrisie
Was thanne al openliche schewed,

 1013 put SB, F putte AC 1015 a] o C, B 1023 seid
A, S seyd B seide F 1027 diustres A

[TALE OF MUNDUS AND PAULINA.]

That many a man hem hath beschrewed.
And whan the Prestes weren dede,
The temple of thilke horrible dede
Thei thoghten purge, and thilke ymage, **P. i. 77**
Whos cause was the pelrinage, 1040
Thei drowen out and als so faste
Fer into Tibre thei it caste,
Wher the Rivere it hath defied:
And thus the temple purified
Thei have of thilke horrible Sinne,
Which was that time do therinne.
Of this point such was the juise,
Bot of the Duck was other wise:
For he with love was bestad,
His dom was noght so harde lad; 1050
For Love put reson aweie
And can noght se the righte weie.
And be this cause he was respited,
So that the deth him was acquited,
Bot for al that he was exiled,
For he his love hath so beguiled,
That he schal nevere come ayein:
For who that is to trowthe unplein,
He may noght failen of vengance.

And ek to take remembrance 1060
Of that Ypocrisie hath wroght
On other half, men scholde noght
To lihtly lieve al that thei hiere,
Bot thanne scholde a wisman stiere
The Schip, whan suche wyndes blowe:
For ferst thogh thei beginne lowe,
At ende thei be noght menable,
Bot al tobreken Mast and Cable,
So that the Schip with sodein blast, **P. i. 78**
Whan men lest wene, is overcast; 1070

1036 haþ hem AME₂H₁L, W (has hem)   be schrewed FK
1059 veniance XRCLB₂   1067 menable AJYXG, SAdΔ, F meuable (moeuable) ELB₂, B, WH₃ *doubtful* MH₁RC, Magd.   1068 al tobroken (al to broke &c.) AMERCB₂, Ad, FH₃Magd.   alto brosten E₂L

As now fulofte a man mai se :
And of old time how it hath be
I finde a gret experience,
Wherof to take an evidence
Good is, and to be war also
Of the peril, er him be wo.

    Of hem that ben so derk withinne,   [THE TROJAN HORSE.]
At Troie also if we beginne,
Ipocrisie it hath betraied :
For whan the Greks hadde al assaied,   1080
And founde that be no bataille
Ne be no Siege it myhte availe
The toun to winne thurgh prouesse,
This vice feigned of simplesce
Thurgh sleyhte of Calcas and of Crise
It wan be such a maner wise.
An Hors of Bras thei let do forge
Of such entaile, of such a forge,
That in this world was nevere man
That such an other werk began.   1090
The crafti werkman Epius
It made, and forto telle thus,
The Greks, that thoghten to beguile
The kyng of Troie, in thilke while
With Anthenor and with Enee,
That were bothe of the Cite
And of the conseil the wiseste,
The richeste and the myhtieste,
In prive place so thei trete
With fair beheste and yiftes grete   1100
Of gold, that thei hem have engined;
Togedre and whan thei be covined,
Thei feignen forto make a pes,
And under that yit natheles
Thei schopen the destruccioun
Bothe of the kyng and of the toun.

[Marginal Latin:]
Hic vlterius ponit exemplum de illa eciam Ypocrisia, que inter virum et virum decipiens periculosissima consistit. Et narrat, qualiter Greci in obsidione ciuitatis Troie, cum ipsam vi comprehendere nullatenus potuerunt, fallaci animo cum Troianis pacem vt dicunt pro perpetuo statuebant : et super hoc quendam eouum mire grossitudinis de ere fabricatum ad sacrificandum in templo Minerue confingentes, sub tali sanctitatis ypocrisi dictam Ciuitatem intrarunt, et ipsam cum inhabitantibus gladio et igne comminuentes pro perpetuo penitus deuastarunt.

P. i. 79

1079 it] hem H₁ ... ECLB₂, B   he R   1083 *margin* inter virum et virum] inter virum H₁E ... B₂   inter viros XG   1090 *margin* hoc *om.* AM   1093 *margin* in templo *om.* H₁ ... B₂   1099 *margin* deuastarunt] demonstrarunt A

[THE TROJAN HORSE.]

And thus the false pees was take
Of hem of Grece and undertake,
And therupon thei founde a weie,
Wher strengthe myhte noght aweie, 1110
That sleihte scholde helpe thanne;
And of an ynche a large spanne
Be colour of the pees thei made,
And tolden how thei weren glade
Of that thei stoden in acord;
And for it schal ben of record,
Unto the kyng the Gregois seiden,
Be weie of love and this thei preiden,
As thei that wolde his thonk deserve,
A Sacrifice unto Minerve, 1120
The pes to kepe in good entente,
Thei mosten offre er that thei wente.
The kyng conseiled in this cas
Be Anthenor and Eneas
Therto hath yoven his assent:
So was the pleine trowthe blent
Thurgh contrefet Ipocrisie
Of that thei scholden sacrifie.

    The Greks under the holinesse P. i. 80
Anon with alle besinesse 1130
Here Hors of Bras let faire dihte,
Which was to sen a wonder sihte;
For it was trapped of himselve,
And hadde of smale whieles twelve,
Upon the whiche men ynowe
With craft toward the toun it drowe,
And goth glistrende ayein the Sunne.
Tho was ther joie ynowh begunne,
For Troie in gret devocioun
Cam also with processioun 1140
Ayein this noble Sacrifise
With gret honour, and in this wise
Unto the gates thei it broghte.
Bot of here entre whan thei soghte,

1115 stood in a cord B   1118 þus M . . . R, BAd, WH₃Magd.
1125 ȝiuen A

The gates weren al to smale; [THE TROJAN HORSE.]
And therupon was many a tale,
Bot for the worschipe of Minerve,
To whom thei comen forto serve,
Thei of the toun, whiche understode
That al this thing was do for goode,   1150
For pes, wherof that thei ben glade,
The gates that Neptunus made
A thousand wynter ther tofore,
Thei have anon tobroke and tore;
The stronge walles doun thei bete,
So that in to the large strete
This Hors with gret solempnite
Was broght withinne the Cite,
And offred with gret reverence,   P. i. 81
Which was to Troie an evidence   1160
Of love and pes for everemo.
The Gregois token leve tho
With al the hole felaschipe,
And forth thei wenten into Schipe
And crossen seil and made hem yare,
Anon as thogh thei wolden fare:
Bot whan the blake wynter nyht
Withoute Mone or Sterre lyht
Bederked hath the water Stronde,
Al prively thei gon to londe   1170
Ful armed out of the navie.
Synon, which mad was here aspie
Withinne Troie, as was conspired,
Whan time was a tokne hath fired;
And thei with that here weie holden,
And comen in riht as thei wolden,
Ther as the gate was tobroke.
The pourpos was full take and spoke:
Er eny man may take kepe,
Whil that the Cite was aslepe,   1180
Thei slowen al that was withinne,

1145 tosmale F   1162 token] toke(n) her(e) CLB₂   1165 trossen
ECL   trussen H₁R   tuossen B₂   1172 Symon H₁CLB₂, FWH₃Magd.
mad *om.* AM

[THE TROJAN HORSE.]

And token what thei myhten wynne
Of such good as was sufficant,
And brenden up the remenant.
And thus cam out the tricherie,
Which under fals Ypocrisie
Was hid, and thei that wende pees
Tho myhten finde no reles
Of thilke swerd which al devoureth.

[HYPOCRISY IN LOVE.]

 Fulofte and thus the swete soureth,   1190
Whan it is knowe to the tast :
He spilleth many a word in wast
That schal with such a poeple trete ;
For whan he weneth most beyete,
Thanne is he schape most to lese.
And riht so if a womman chese
Upon the wordes that sche hiereth
Som man, whan he most trewe appiereth,
Thanne is he forthest fro the trowthe :
Bot yit fulofte, and that is rowthe,   1200
Thei speden that ben most untrewe
And loven every day a newe,
Wherof the lief is after loth
And love hath cause to be wroth.
Bot what man that his lust desireth
Of love, and therupon conspireth
With wordes feigned to deceive,
He schal noght faile to receive
His peine, as it is ofte sene.

Confessor.

 Forthi, my Sone, as I thee mene,   1210
It sit the wel to taken hiede
That thou eschuie of thi manhiede
Ipocrisie and his semblant,
That thou ne be noght deceivant,
To make a womman to believe
Thing which is noght in thi bilieve :
For in such feint Ipocrisie
Of love is al the tricherie,
Thurgh which love is deceived ofte ;

1197 the wordes that] þe which B   1210 *margin* Confessor
om. A   1216 thi] þe XR, B

LIBER PRIMUS

    For feigned semblant is so softe,   1220 [HYPOCRISY IN LOVE.]
    Unethes love may be war.
    Forthi, my Sone, as I wel dar,
    I charge thee to fle that vice,
    That many a womman hath mad nice;
    Bot lok thou dele noght withal.
        Iwiss, fader, nomor I schal.   Amans.
        Now, Sone, kep that thou hast swore: Confessor.
    For this that thou hast herd before
    Is seid the ferste point of Pride:
    And next upon that other side,   1230
    To schryve and speken overthis
    Touchende of Pride, yit ther is
    The point seconde, I thee behote,
    Which Inobedience is hote.

vi. *Flectere quam frangi melius reputatur, et olle*   [ii. INOBEDIENCE.]
    Fictilis ad cacabum pugna valere nequit.
Quem neque lex hominum, neque lex diuina valebit
    Flectere, multociens corde reflectit amor.
Quem non flectit amor, non est flectendus ab vllo,
    Set rigor illius plus Elephante riget.
Dedignatur amor poterit quos scire rebelles,
    Et rudibus sortem prestat habere rudem;
Set qui sponte sui subicit se cordis amore,
    Frangit in aduersis omnia fata pius.   (10)

    This vice of Inobedience
    Ayein the reule of conscience
    Al that is humble he desalloweth,
    That he toward his god ne boweth
    After the lawes of his heste.
    Noght as a man bot as a beste,   1240   Hic loquitur de se-
    Which goth upon his lustes wilde,   cunda specie Superbie,
    So goth this proude vice unmylde,   P. i. 84   que Inobediencia dici-
    That he desdeigneth alle lawe: tur: et primo illius
    He not what is to be felawe,   vicii naturam simpli-
    And serve may he noght for pride;   citer declarat, et trac-
    So is he badde on every side,   tat consequenter su-
    And is that selve of whom men speke,   per illa precipue Ino-
    Which wol noght bowe er that he breke.   bediencia, que in curia
                                                                                        Cupidinis exosa amo-
                                                                                        ris causam ex sua im-
                                                                                        becillitate sepissime
                                                                                        retardat. In cuius

    Latin Verses vi. 4 reflectat H₁ ... CB₂   ne flectat L

materia Confessor A-
manti specialius oppo-
nit.

I not if love him myhte plie,
For elles forto justefie
His herte, I not what mihte availe.

Confessor.

    Forthi, my Sone, of such entaile
If that thin herte be disposed,
Tell out and let it noght be glosed:
For if that thou unbuxom be
To love, I not in what degree
Thou schalt thi goode world achieve.

Amans.

    Mi fader, ye schul wel believe,
The yonge whelp which is affaited
Hath noght his Maister betre awaited,
To couche, whan he seith 'Go lowe,'
That I, anon as I may knowe
Mi ladi will, ne bowe more.
Bot other while I grucche sore
Of some thinges that sche doth,
Wherof that I woll telle soth:
For of tuo pointz I am bethoght,
That, thogh I wolde, I myhte noght
Obeie unto my ladi heste;
Bot I dar make this beheste,
Save only of that ilke tuo
I am unbuxom of no mo.

Opponit Confessor.
Respondet Amans.

    What ben tho tuo? tell on, quod he.
    Mi fader, this is on, that sche
Commandeth me my mowth to close,
And that I scholde hir noght oppose
In love, of which I ofte preche,
Bot plenerliche of such a speche
Forbere, and soffren hire in pes.
Bot that ne myhte I natheles
For al this world obeie ywiss;
For whanne I am ther as sche is,
Though sche my tales noght alowe,
Ayein hir will yit mot I bowe,
To seche if that I myhte have grace:

P. i. 85

1252 *margin* Confessor *om.* S, F   1257 schat F   1263 ne]
me H₁ ... B₂, BA (l. 1263 *om.* Ad)   1273 f. *margin* Opp. Conf.
Resp. Am. *om.* A   1280 myhte A   myht S, F

LIBER PRIMUS

[ii. INOBEDIENCE.]

Bot that thing may I noght enbrace
For ought that I can speke or do;
And yit fulofte I speke so,
That sche is wroth and seith, 'Be stille.'
If I that heste schal fulfille   1290
And therto ben obedient,
Thanne is my cause fully schent,
For specheles may noman spede.
So wot I noght what is to rede;
Bot certes I may noght obeie,
That I ne mot algate seie
Somwhat of that I wolde mene;
For evere it is aliche grene,
The grete love which I have,
Wherof I can noght bothe save   1300
My speche and this obedience: **P. i. 86**
And thus fulofte my silence
I breke, and is the ferste point
Wherof that I am out of point
In this, and yit it is no pride.

   Now thanne upon that other side
To telle my desobeissance,
Ful sore it stant to my grevance
And may noght sinke into my wit;
For ofte time sche me bit   1310
To leven hire and chese a newe,
And seith, if I the sothe knewe
How ferr I stonde from hir grace,
I scholde love in other place.
Bot therof woll I desobeie;
For also wel sche myhte seie,
'Go tak the Mone ther it sit,'
As bringe that into my wit:
For ther was nevere rooted tre,
That stod so faste in his degre,   1320
That I ne stonde more faste
Upon hire love, and mai noght caste

1286 pourchace A   1303 is] þis AME₂, þis is Δ, W   1304 point] ioint GCLB₂, W   1310 For ofte] fful ofte (ffulofte) H₁ ... B₂, B   1314 other] anoþer (an oþer) H₁XRLB₂, BΔ

[ii. INOBEDIENCE.]

Min herte awey, althogh I wolde.
For god wot, thogh I nevere scholde
Sen hir with yhe after this day,
Yit stant it so that I ne may
Hir love out of my brest remue.
This is a wonder retenue,
That malgre wher sche wole or non
Min herte is everemore in on,   1330
So that I can non other chese,   **P. i. 87**
Bot whether that I winne or lese,
I moste hire loven til I deie;
And thus I breke as be that weie
Hire hestes and hir comandinges,
Bot trewliche in non othre thinges.
Forthi, my fader, what is more
Touchende to this ilke lore
I you beseche, after the forme
That ye pleinly me wolde enforme,   1340
So that I may myn herte reule
In loves cause after the reule.

[MURMUR AND COMPLAINT.]

vii. *Murmur in aduersis ita concipit ille superbus,*
   Pena quod ex bina sorte perurget eum.
Obuia fortune cum spes in amore resistit,
   Non sine mentali murmure plangit amans.

Hic loquitur de Murmure et Planctu, qui super omnes alios Inobediencie secreciores vt ministri illi deseruiunt.

Toward this vice of which we trete
Ther ben yit tweie of thilke estrete,
Here name is Murmur and Compleignte:
Ther can noman here chiere peinte,
To sette a glad semblant therinne,
For thogh fortune make hem wynne,
Yit grucchen thei, and if thei lese,
Ther is no weie forto chese,   1350
Wherof thei myhten stonde appesed.
So ben thei comunly desesed;
Ther may no welthe ne poverte
Attempren hem to the decerte

1336 treweliche in oþre A   1338 Touchend vnto H₁ ... B₂, B
Touchende of (Touchand of) SΔ
Latin Verses vii. 4 munere B
1345 compleingte F   1347 *margin* deseruiunt A, SB deseruiant FK

Of buxomnesse be no wise: [MURMUR AND
For ofte time thei despise   COMPLAINT.]
The goode fortune as the badde,   P. i. 88
As thei no mannes reson hadde,
Thurgh pride, wherof thei be blinde.
   And ryht of such a maner kinde   1360
Ther be lovers, that thogh thei have
Of love al that thei wolde crave,
Yit wol thei grucche be som weie,
That thei wol noght to love obeie
Upon the trowthe, as thei do scholde;
And if hem lacketh that thei wolde,
Anon thei falle in such a peine,
That evere unbuxomly thei pleigne
Upon fortune, and curse and crie,
That thei wol noght here hertes plie   1370
To soffre til it betre falle.
Forthi if thou amonges alle
Hast used this condicioun,
Mi Sone, in thi Confessioun
Now tell me pleinly what thou art.
   Mi fader, I beknowe a part,   Amans.
So as ye tolden hier above
Of Murmur and Compleignte of love,
That for I se no sped comende,
Ayein fortune compleignende   1380
I am, as who seith, everemo:
And ek fulofte tyme also,
Whan so is that I se and hiere
Or hevy word or hevy chiere
Of my lady, I grucche anon;
Bot wordes dar I speke non,
Wherof sche myhte be desplesed,   P. i. 89
Bot in myn herte I am desesed:
With many a Murmur, god it wot,
Thus drinke I in myn oghne swot,   1390
And thogh I make no semblant,
Min herte is al desobeissant;

1376 *margin* Amans *om.* A   1378 Compleingte F   1384 Of
... of YXE ... L, B   Of ... or GB₂   ... and (*om.* Or) H₁

CONFESSIO AMANTIS

[MURMUR AND
COMPLAINT.]

And in this wise I me confesse
Of that ye clepe unbuxomnesse.
Now telleth what youre conseil is.

Confessor.

 Mi Sone, and I thee rede this,
What so befalle of other weie,
That thou to loves heste obeie
Als ferr as thou it myht suffise :
For ofte sithe in such a wise   1400
Obedience in love availeth,
Wher al a mannes strengthe faileth ;
Wherof, if that the list to wite
In a Cronique as it is write,
A gret ensample thou myht fynde,
Which now is come to my mynde.

[TALE OF FLORENT.]

Hic contra amori inobedientes ad commendacionem Obediencie Confessor super eodem exemplum ponit ; vbi dicit quod, cum quedam Regis Cizilie filia in sue iuuentutis floribus pulcherrima ex eius Nouerce incantacionibus in vetulam turpissimam transformata extitit, Florencius tunc Imparatoris Claudi Nepos, miles in armis strenuissimus amorosisque legibus intendens, ipsam ex sua obediencia in pulcritudinem pristinam mirabiliter reformauit.

 Ther was whilom be daies olde
A worthi knyht, and as men tolde
He was Nevoeu to themperour
And of his Court a Courteour :   1410
Wifles he was, Florent he hihte,
He was a man that mochel myhte,
Of armes he was desirous,
Chivalerous and amorous,
And for the fame of worldes speche,
Strange aventures forto seche,
He rod the Marches al aboute.   P. i. 90
And fell a time, as he was oute,
Fortune, which may every thred
Tobreke and knette of mannes sped,   1420
Schop, as this knyht rod in a pas,
That he be strengthe take was,
And to a Castell thei him ladde,
Wher that he fewe frendes hadde :
For so it fell that ilke stounde

  1396 and] as B   1396 *margin* Confessor *om.* A   1403–6 *These four lines in third recension only : the others have two, given thus in* A,
    And in ensample of þis matiere
    A tale I fynde, as þou schalt hiere.
 Below this in A, Exemplum super eodem.
  1408 knyht *om.* A   1416 for to] wold he B   1417 *margin* amoris que A . . . B2, Λ   1420 *margin* transformauit A

That he hath with a dedly wounde
Feihtende his oghne hondes slain
Branchus, which to the Capitain
Was Sone and Heir, wherof ben wrothe
The fader and the moder bothe.　　　1430
That knyht Branchus was of his hond
The worthieste of al his lond,
And fain thei wolden do vengance
Upon Florent, bot remembrance
That thei toke of his worthinesse
Of knyhthod and of gentilesse,
And how he stod of cousinage
To themperour, made hem assuage,
And dorsten noght slen him for fere:
In gret desputeisoun thei were　　　1440
Among hemself, what was the beste.
Ther was a lady, the slyheste
Of alle that men knewe tho,
So old sche myhte unethes go,
And was grantdame unto the dede:
And sche with that began to rede,
And seide how sche wol bringe him inne, **P. i. 91**
That sche schal him to dethe winne
Al only of his oghne grant,
Thurgh strengthe of verray covenant　　　1450
Withoute blame of eny wiht.
Anon sche sende for this kniht,
And of hire Sone sche alleide
The deth, and thus to him sche seide:
'Florent, how so thou be to wyte
Of Branchus deth, men schal respite
As now to take vengement,
Be so thou stonde in juggement
Upon certein condicioun,
That thou unto a questioun　　　1460
Which I schal axe schalt ansuere;
And over this thou schalt ek swere,
That if thou of the sothe faile,
Ther schal non other thing availe,

[TALE OF FLORENT.]

1440 despitesoun A　　1464 *line om.* B

[Tale of Florent.]

That thou ne schalt thi deth receive.
And for men schal thee noght deceive,
That thou therof myht ben avised,
Thou schalt have day and tyme assised
And leve saufly forto wende,
Be so that at thi daies ende   1470
Thou come ayein with thin avys.
  This knyht, which worthi was and wys,
This lady preith that he may wite,
And have it under Seales write,
What questioun it scholde be
For which he schal in that degree
Stonde of his lif in jeupartie.   P. i. 92
With that sche feigneth compaignie,
And seith: 'Florent, on love it hongeth
Al that to myn axinge longeth: 1480
What alle wommen most desire
This wole I axe, and in thempire
Wher as thou hast most knowlechinge
Tak conseil upon this axinge.'
  Florent this thing hath undertake,
The day was set, the time take,
Under his seal he wrot his oth,
In such a wise and forth he goth
Hom to his Emes court ayein;
To whom his aventure plein   1490
He tolde, of that him is befalle.
And upon that thei weren alle
The wiseste of the lond asent,
Bot natheles of on assent
Thei myhte noght acorde plat,
On seide this, an othre that.
After the disposicioun
Of naturel complexioun
To som womman it is plesance,
That to an other is grevance;   1500
Bot such a thing in special,
Which to hem alle in general

1479 in loue Sn, B   of loue W   1483 Wher as] þer as AME₂XG
1492 thei *om.* AM   1500 an oþre S, F

Is most plesant, and most desired [TALE OF FLORENT.]
Above alle othre and most conspired,
Such o thing conne thei noght finde
Be Constellacion ne kinde:
And thus Florent withoute cure   P. i. 93
Mot stonde upon his aventure,
And is al schape unto the lere,
As in defalte of his answere.   1510
This knyht hath levere forto dye
Than breke his trowthe and forto lye
In place ther as he was swore,
And schapth him gon ayein therfore.
Whan time cam he tok his leve,
That lengere wolde he noght beleve,
And preith his Em he be noght wroth,
For that is a point of his oth,
He seith, that noman schal him wreke,
Thogh afterward men hiere speke   1520
That he par aventure deie.
And thus he wente forth his weie
Alone as knyht aventurous,
And in his thoght was curious
To wite what was best to do:
And as he rod al one so,
And cam nyh ther he wolde be,
In a forest under a tre
He syh wher sat a creature,
A lothly wommannysch figure,   1530
That forto speke of fleisch and bon
So foul yit syh he nevere non.
This knyht behield hir redely,
And as he wolde have passed by,
Sche cleped him and bad abide;
And he his horse heved aside
Tho torneth, and to hire he rod,   P. i. 94
And there he hoveth and abod,
To wite what sche wolde mene.
And sche began him to bemene,   1540

1505 Such o þing ME2, S, FH3   Suiche one þing Δ   Such a þing
AJH1 . . . B2, BAd, W   1509 in to E . . . B2, B   to H3

[TALE OF FLORENT.]

And seide: 'Florent be thi name,
Thou hast on honde such a game,
That bot thou be the betre avised,
Thi deth is schapen and devised,
That al the world ne mai the save,
Bot if that thou my conseil have.'
   Florent, whan he this tale herde,
Unto this olde wyht answerde
And of hir conseil he hir preide.
And sche ayein to him thus seide: 1550
'Florent, if I for the so schape,
That thou thurgh me thi deth ascape
And take worschipe of thi dede,
What schal I have to my mede?'
'What thing,' quod he, 'that thou wolt axe.'
'I bidde nevere a betre taxe,'
Quod sche, 'bot ferst, er thou be sped,
Thou schalt me leve such a wedd,
That I wol have thi trowthe in honde
That thou schalt be myn housebonde.'   1560
'Nay,' seith Florent, 'that may noght be.'
'Ryd thanne forth thi wey,' quod sche,
'And if thou go withoute red,
Thou schalt be sekerliche ded.'
Florent behihte hire good ynowh
Of lond, of rente, of park, of plowh,
Bot al that compteth sche at noght.   P. i. 95
Tho fell this knyht in mochel thoght,
Now goth he forth, now comth ayein,
He wot noght what is best to sein,   1570
And thoghte, as he rod to and fro,
That chese he mot on of the tuo,
Or forto take hire to his wif
Or elles forto lese his lif.
And thanne he caste his avantage,
That sche was of so gret an age,
That sche mai live bot a while,
And thoghte put hire in an Ile,

   1555 That AM   1573 haue A   1578 put SB, F putte AC

LIBER PRIMUS

[TALE OF FLORENT.]

Wher that noman hire scholde knowe,
Til sche with deth were overthrowe.　1580
And thus this yonge lusti knyht
Unto this olde lothly wiht
Tho seide : 'If that non other chance
Mai make my deliverance,
Bot only thilke same speche
Which, as thou seist, thou schalt me teche,
Have hier myn hond, I schal thee wedde.'
And thus his trowthe he leith to wedde.
With that sche frounceth up the browe :
'This covenant I wol allowe,'　　1590
Sche seith : 'if eny other thing
Bot that thou hast of my techyng
Fro deth thi body mai respite,
I woll thee of thi trowthe acquite,
And elles be non other weie.
Now herkne me what I schal seie.
Whan thou art come into the place,　P. i. 96
Wher now thei maken gret manace
And upon thi comynge abyde,
Thei wole anon the same tide　　1600
Oppose thee of thin answere.
I wot thou wolt nothing forbere
Of that thou wenest be thi beste,
And if thou myht so finde reste,
Wel is, for thanne is ther nomore.
And elles this schal be my lore,
That thou schalt seie, upon this Molde
That alle wommen lievest wolde
Be soverein of mannes love :
For what womman is so above,　　1610
Sche hath, as who seith, al hire wille ;
And elles may sche noght fulfille
What thing hir were lievest have.
With this answere thou schalt save
Thiself, and other wise noght.
And whan thou hast thin ende wroght,
Com hier ayein, thou schalt me finde,
And let nothing out of thi minde.'

[TALE OF FLORENT.]

He goth him forth with hevy chiere,
As he that not in what manere   1620
He mai this worldes joie atteigne:
For if he deie, he hath a peine,
And if he live, he mot him binde
To such on which of alle kinde
Of wommen is thunsemlieste:
Thus wot he noght what is the beste:
Bot be him lief or be him loth,   P. i. 97
Unto the Castell forth he goth
His full answere forto yive,
Or forto deie or forto live.   1630
Forth with his conseil cam the lord,
The thinges stoden of record,
He sende up for the lady sone,
And forth sche cam, that olde Mone.
In presence of the remenant
The strengthe of al the covenant
Tho was reherced openly,
And to Florent sche bad forthi
That he schal tellen his avis,
As he that woot what is the pris.   1640
Florent seith al that evere he couthe,
Bot such word cam ther non to mowthe,
That he for yifte or for beheste
Mihte eny wise his deth areste.
And thus he tarieth longe and late,
Til that this lady bad algate
That he schal for the dom final
Yive his answere in special
Of that sche hadde him ferst opposed:
And thanne he hath trewly supposed   1650
That he him may of nothing yelpe,
Bot if so be tho wordes helpe,
Whiche as the womman hath him tawht;
Wherof he hath an hope cawht
That he schal ben excused so,
And tolde out plein his wille tho.

1626 þunsemylieste FK   þunsemelieste B   1632 acord B
1648 3iue AC, B   3if F   1652 þe AMH₁, Ad, H₃

LIBER PRIMUS

And whan that this Matrone herde   P. i. 98 [TALE OF FLORENT.]
The manere how this knyht ansuerde,
Sche seide: 'Ha treson, wo thee be,
That hast thus told the privite,   1660
Which alle wommen most desire!
I wolde that thou were afire.'
Bot natheles in such a plit
Florent of his answere is quit:
And tho began his sorwe newe,
For he mot gon, or ben untrewe,
To hire which his trowthe hadde.
Bot he, which alle schame dradde,
Goth forth in stede of his penance,
And takth the fortune of his chance,   1670
As he that was with trowthe affaited.
   This olde wyht him hath awaited
In place wher as he hire lefte:
Florent his wofull heved uplefte
And syh this vecke wher sche sat,
Which was the lothlieste what
That evere man caste on his yhe:
Hire Nase bass, hire browes hyhe,
Hire yhen smale and depe set,
Hire chekes ben with teres wet,   1680
And rivelen as an emty skyn
Hangende doun unto the chin,
Hire Lippes schrunken ben for age,
Ther was no grace in the visage,
Hir front was nargh, hir lockes hore,
Sche loketh forth as doth a More,
Hire Necke is schort, hir schuldres courbe, P. i. 99
That myhte a mannes lust destourbe,
Hire body gret and nothing smal,
And schortly to descrive hire al,   1690
Sche hath no lith withoute a lak;
Bot lich unto the wollesak
Sche proferth hire unto this knyht,
And bad him, as he hath behyht,
So as sche hath ben his warant,

1693 proferþ H₁, Ad, F *profurt* W *rest* profreþ, profereþ

[TALE OF FLORENT.]

That he hire holde covenant,
And be the bridel sche him seseth.
Bot godd wot how that sche him pleseth
Of suche wordes as sche spekth:
Him thenkth welnyh his herte brekth   1700
For sorwe that he may noght fle,
Bot if he wolde untrewe be.
  Loke, how a sek man for his hele
Takth baldemoine with Canele,
And with the Mirre takth the Sucre,
Ryht upon such a maner lucre
Stant Florent, as in this diete:
He drinkth the bitre with the swete,
He medleth sorwe with likynge,
And liveth, as who seith, deyinge;   1710
His youthe schal be cast aweie
Upon such on which as the weie
Is old and lothly overal.
Bot nede he mot that nede schal:
He wolde algate his trowthe holde,
As every knyht therto is holde,
What happ so evere him is befalle: P. i. 100
Thogh sche be the fouleste of alle,
Yet to thonour of wommanhiede
Him thoghte he scholde taken hiede;   1720
So that for pure gentilesse,
As he hire couthe best adresce,
In ragges, as sche was totore,
He set hire on his hors tofore
And forth he takth his weie softe;
No wonder thogh he siketh ofte.
Bot as an oule fleth be nyhte
Out of alle othre briddes syhte,
Riht so this knyht on daies brode
In clos him hield, and schop his rode   1730
On nyhtes time, til the tyde
That he cam there he wolde abide;
And prively withoute noise
He bringth this foule grete Coise

1704 Canele] þe Canele YG ... B₂, B

LIBER PRIMUS

    To his Castell in such a wise   [TALE OF FLORENT.]
That noman myhte hire schappe avise,
Til sche into the chambre cam:
Wher he his prive conseil nam
Of suche men as he most troste,
And tolde hem that he nedes moste   1740
This beste wedde to his wif,
For elles hadde he lost his lif.
    The prive wommen were asent,
That scholden ben of his assent:
Hire ragges thei anon of drawe,
And, as it was that time lawe,
She hadde bath, sche hadde reste,   P. i. 101
And was arraied to the beste.
Bot with no craft of combes brode
Thei myhte hire hore lockes schode,   1750
And sche ne wolde noght be schore
For no conseil, and thei therfore,
With such atyr as tho was used,
Ordeinen that it was excused,
And hid so crafteliche aboute,
That noman myhte sen hem oute.
Bot when sche was fulliche arraied
And hire atyr was al assaied,
Tho was sche foulere on to se:
Bot yit it may non other be,   1760
Thei were wedded in the nyht;
So wo begon was nevere knyht
As he was thanne of mariage.
And sche began to pleie and rage,
As who seith, I am wel ynowh;
Bot he therof nothing ne lowh,
For sche tok thanne chiere on honde
And clepeth him hire housebonde,
And seith, 'My lord, go we to bedde,
For I to that entente wedde,   1770
That thou schalt be my worldes blisse:'

1755 hid] it MYX... CB₂, B   di3t L   1768 cleped X... B₂, B
cleput W   1770 entent(e) þe wedde X... CB₂, BΛ   entent was
wedde L, Δ, W

[TALE OF FLORENT.]

And profreth him with that to kisse,
As sche a lusti Lady were.
His body myhte wel be there,
Bot as of thoght and of memoire
His herte was in purgatoire.
Bot yit for strengthe of matrimoine   P. i. 102
He myhte make non essoine,
That he ne mot algates plie
To gon to bedde of compaignie :   1780
And whan thei were abedde naked,
Withoute slep he was awaked ;
He torneth on that other side,
For that he wolde hise yhen hyde
Fro lokynge on that foule wyht.
The chambre was al full of lyht,
The courtins were of cendal thinne,
This newe bryd which lay withinne,
Thogh it be noght with his acord,
In armes sche beclipte hire lord,   1790
And preide, as he was torned fro,
He wolde him torne ayeinward tho ;
'For now,' sche seith, 'we ben bothe on.'
And he lay stille as eny ston,
Bot evere in on sche spak and preide,
And bad him thenke on that he seide,
Whan that he tok hire be the hond.
    He herde and understod the bond,
How he was set to his penance,
And as it were a man in trance   1800
He torneth him al sodeinly,
And syh a lady lay him by
Of eyhtetiene wynter age,
Which was the faireste of visage
That evere in al this world he syh :
And as he wolde have take hire nyh,
Sche put hire hand and be his leve   P. i. 103
Besoghte him that he wolde leve,
And seith that forto wynne or lese

1785 on] of X . . . B2, BΛ   fole F   1793 ben] beþ RCLB2
buþ AM   1809 seide (sayde) for to X . . . B2, B   saide þat for to W

LIBER PRIMUS

He mot on of tuo thinges chese,   1810 [TALE OF FLORENT.]
Wher he wol have hire such on nyht,
Or elles upon daies lyht,
For he schal noght have bothe tuo.
And he began to sorwe tho,
In many a wise and caste his thoght,
Bot for al that yit cowthe he noght
Devise himself which was the beste.
And sche, that wolde his hertes reste,
Preith that he scholde chese algate,
Til ate laste longe and late   1820
He seide: 'O ye, my lyves hele,
Sey what you list in my querele,
I not what ansuere I schal yive:
Bot evere whil that I may live,
I wol that ye be my maistresse,
For I can noght miselve gesse
Which is the beste unto my chois.
Thus grante I yow myn hole vois,
Ches for ous bothen, I you preie;
And what as evere that ye seie,   1830
Riht as ye wole so wol I.'
  'Mi lord,' sche seide, 'grant merci,
For of this word that ye now sein,
That ye have mad me soverein,
Mi destine is overpassed,
That nevere hierafter schal be lassed
Mi beaute, which that I now have,   P. i. 104
Til I be take into my grave;
Bot nyht and day as I am now
I schal alwey be such to yow.   1840
The kinges dowhter of Cizile
I am, and fell bot siththe awhile,
As I was with my fader late,
That my Stepmoder for an hate,
Which toward me sche hath begonne,
Forschop me, til I hadde wonne
The love and sovereinete

1822 ȝe lust AM   thu liste H₁   þou list Δ   ȝe wyl Sn, W (wille)
1839 Bot] Boþ(e) H₁ ... B₂, BΔΛ, W

[TALE OF FLORENT.]

Of what knyht that in his degre
Alle othre passeth of good name:
And, as men sein, ye ben the same, 1850
The dede proeveth it is so;
Thus am I youres evermo.'
Tho was plesance and joye ynowh,
Echon with other pleide and lowh;
Thei live longe and wel thei ferde,
And clerkes that this chance herde
Thei writen it in evidence,
To teche how that obedience
Mai wel fortune a man to love
And sette him in his lust above, 1860
As it befell unto this knyht.

Confessor.

  Forthi, my Sone, if thou do ryht,
Thou schalt unto thi love obeie,
And folwe hir will be alle weie.

Amans.

  Min holy fader, so I wile:
For ye have told me such a skile
Of this ensample now tofore, P. i. 105
That I schal evermo therfore
Hierafterward myn observance
To love and to his obeissance 1870
The betre kepe: and over this
Of pride if ther oght elles is,
Wherof that I me schryve schal,
What thing it is in special,
Mi fader, axeth, I you preie.

Confessor.

  Now lest, my Sone, and I schal seie:
For yit ther is Surquiderie,
Which stant with Pride of compaignie;
Wherof that thou schalt hiere anon,
To knowe if thou have gult or non 1880
Upon the forme as thou schalt hiere:
Now understond wel the matiere.

viii. *Omnia scire putat, set se Presumpcio nescit,*
Nec sibi consimilem quem putat esse parem.

1881 f. *om.* SAdΔΛ

LIBER PRIMUS

Qui magis astutus reputat se vincere bellum,
In laqueos Veneris forcius ipse cadit.
Sepe Cupido virum sibi qui presumit amantem
Fallit, et in vacuas spes redit ipsa vias.

[iii. SURQUIDRY OR
PRESUMPTION.]

    Surquiderie is thilke vice
Of Pride, which the thridde office
Hath in his Court, and wol noght knowe
The trowthe til it overthrowe.
Upon his fortune and his grace
Comth 'Hadde I wist' fulofte aplace;
For he doth al his thing be gesse,
And voideth alle sikernesse.   1890
Non other conseil good him siemeth
Bot such as he himselve diemeth;
For in such wise as he compasseth,   P. i. 106
His wit al one alle othre passeth;
And is with pride so thurghsoght,
That he alle othre set at noght,
And weneth of himselven so,
That such as he ther be nomo,
So fair, so semly, ne so wis;
And thus he wolde bere a pris   1900
Above alle othre, and noght forthi
He seith noght ones 'grant mercy'
To godd, which alle grace sendeth,
So that his wittes he despendeth
Upon himself, as thogh ther were
No godd which myhte availe there:
Bot al upon his oghne witt
He stant, til he falle in the pitt
So ferr that he mai noght arise.
    And riht thus in the same wise   1910
This vice upon the cause of love
So proudly set the herte above,
And doth him pleinly forto wene
That he to loven eny qwene
Hath worthinesse and sufficance;
And so withoute pourveance

Hic loquitur de tercia specie Superbie, que Presumpcio dicitur, cuius naturam primo secundum vicium Confessor simpliciter declarat.

Hic tractat Confessor cum Amante super illa saltem presumpcione, ex cuius superbia quam plures fatui amantes, cum maioris certitudinis in amore spem sibi promittunt,

1889 alle þing B, W   al þis þing M   1891 him] it AM
1895 þurghsoght S   þurgh-soght F   1906 good YXERCB₂, H₃

[iii. Surquidry or Presumption.]
inexpediti cicius destituuntur.

Fulofte he heweth up so hihe,
That chippes fallen in his yhe;
And ek ful ofte he weneth this,
Ther as he noght beloved is,   1920
To be beloved alther best.
Now, Sone, tell what so thee lest
Of this that I have told thee hier.   **P. i. 107**

Amans.

    Ha, fader, be noght in a wer:
I trowe ther be noman lesse,
Of eny maner worthinesse,
That halt him lasse worth thanne I
To be beloved; and noght forthi
I seie in excusinge of me,
To alle men that love is fre.   1930
And certes that mai noman werne;
For love is of himself so derne,
It luteth in a mannes herte:
Bot that ne schal me noght asterte,
To wene forto be worthi
To loven, bot in hir mercy.
Bot, Sire, of that ye wolden mene,
That I scholde otherwise wene
To be beloved thanne I was,
I am beknowe as in that cas.   1940

Confessor.
Amans.

    Mi goode Sone, tell me how.
    Now lest, and I wol telle yow,
Mi goode fader, how it is.
Fulofte it hath befalle or this
Thurgh hope that was noght certein,
Mi wenyinge hath be set in vein
To triste in thing that halp me noght,
Bot onliche of myn oughne thoght.
For as it semeth that a belle
Lik to the wordes that men telle   1950
Answerth, riht so ne mor ne lesse,
To yow, my fader, I confesse,
Such will my wit hath overset,   **P. i. 108**
That what so hope me behet,

1931 noman] no wom*m*an YXGERB₂, B   1934 me noght] not (nouȝt) me X... B₂, BΔ   1940 þis cas B

LIBER PRIMUS

Ful many a time I wene it soth,
Bot finali no spied it doth.
Thus may I tellen, as I can,
Wenyng beguileth many a man;
So hath it me, riht wel I wot:
For if a man wole in a Bot   1960
Which is withoute botme rowe,
He moste nedes overthrowe.
Riht so wenyng hath ferd be me:
For whanne I wende next have be,
As I be my wenynge caste,
Thanne was I furthest ate laste,
And as a foll my bowe unbende,
Whan al was failed that I wende.
Forthi, my fader, as of this,
That my wenynge hath gon amis   1970
Touchende to Surquiderie,
Yif me my penance er I die.
Bot if ye wolde in eny forme
Of this matiere a tale enforme,
Which were ayein this vice set,
I scholde fare wel the bet.

   Mi Sone, in alle maner wise
Surquiderie is to despise,
Wherof I finde write thus.
The proude knyht Capaneüs   1980
He was of such Surquiderie,
That he thurgh his chivalerie
Upon himself so mochel triste,
That to the goddes him ne liste
In no querele to besseche,
Bot seide it was an ydel speche,
Which caused was of pure drede,
For lack of herte and for no nede.
And upon such presumpcioun
He hield this proude opinioun,   1990
Til ate laste upon a dai,

[iii. SURQUIDRY OR PRESUMPTION.]

[TALE OF CAPANEUS.]

Hic ponit Confessor exemplum contra illos, qui de suis viribus presumentes debiliores efficiuntur. Et narrat qualiter ille Capaneus, miles in armis probatissimus, de sua presumens audacia inuocacionem ad superos tempore necessitatis ex vecordia tantum et non aliter primitus prouenisse asseruit. Vnde in obsidione Ciuitatis Thebarum, cum ipse quodam die coram suis hostibus ad debellandum se obtulit, ignis

P. i. 109

1958 a *om.* MGERCB₂, B   1960 For] But B   wold(e) JX... B₂, B   1966 Thanne F   Than AC, B

[TALE OF CAPANEUS.]
de celo subito superveniens ipsum armatum totaliter in cineres combussit.

Aboute Thebes wher he lay,
Whan it of Siege was belein,
This knyht, as the Croniqes sein,
In alle mennes sihte there,
Whan he was proudest in his gere,
And thoghte how nothing myhte him dere,
Ful armed with his schield and spere
As he the Cite wolde assaile,
Godd tok himselve the bataille 2000
Ayein his Pride, and fro the sky
A firy thonder sodeinly
He sende, and him to pouldre smot.
And thus the Pride which was hot,
Whan he most in his strengthe wende,
Was brent and lost withouten ende:
So that it proeveth wel therfore,
The strengthe of man is sone lore,
Bot if that he it wel governe.
And over this a man mai lerne 2010
That ek fulofte time it grieveth,
Whan that a man himself believeth,
As thogh it scholde him wel beseme   P. i. 110
That he alle othre men can deme,
And hath foryete his oghne vice.
A tale of hem that ben so nyce,
And feigne hemself to be so wise,
I schal thee telle in such a wise,
Wherof thou schalt ensample take
That thou no such thing undertake. 2020

   I finde upon Surquiderie,
How that whilom of Hungarie
Be olde daies was a King
Wys and honeste in alle thing:
And so befell upon a dai,
And that was in the Monthe of Maii,

2005 strengthe] triste (truste) X ... B2, B   2009 wil B
2017-20 *For these four lines* SAdΔ *have two,—*
    Wherof þou miht þiselue lere,
    I þenke telle, as þou schalt hiere.
2026 moone (mone) XGR, B

As thilke time it was usance,
This kyng with noble pourveance
Hath for himself his Charr araied,
Wher inne he wolde ride amaied
Out of the Cite forto pleie,
With lordes and with gret nobleie
Of lusti folk that were yonge :
Wher some pleide and some songe,
And some gon and some ryde,
And some prike here hors aside
And bridlen hem now in now oute.
The kyng his yhe caste aboute,
Til he was ate laste war
And syh comende ayein his char
Two pilegrins of so gret age,
That lich unto a dreie ymage
Thei weren pale and fade hewed,
And as a bussh which is besnewed,
Here berdes weren hore and whyte ;
Ther was of kinde bot a lite,
That thei ne semen fulli dede.
Thei comen to the kyng and bede
Som of his good par charite ;
And he with gret humilite
Out of his Char to grounde lepte,
And hem in bothe hise armes kepte
And keste hem bothe fot and hond
Before the lordes of his lond,
And yaf hem of his good therto :
And whanne he hath this dede do,
He goth into his char ayein.
Tho was Murmur, tho was desdeign,
Tho was compleignte on every side,
Thei seiden of here oghne Pride
Eche until othre: 'What is this?
Oure king hath do this thing amis,
So to abesse his realte

[THE TRUMP OF DEATH.]

2030 Hic loquitur Confessor contra illos, qui de sua sciencia presumentes aliorum condiciones diiudicantes indiscrete redarguunt. Et narrat exemplum de quodam principe Regis Hungarie germano, qui cum fratrem suum pauperibus in publico vidit humiliatum, ipsum redarguendo in contrarium edocere presumebat :
2040 set Rex omni sapiencia prepollens ipsum sic incaute presumentem ad humilitatis memoriam terribili prouidencia micius castigauit.

P. i. 111

2050

2060

2041 pilgrimis (pilgrims &c.) AJMXRLB₂   peregrins B   pilgrins H₁
2043 Thei] That H₁, FWKH₃Magd.   2049 pur charite MX . . .
B₂, BΔ, W   2054 his lordes XGECB₂, B

[THE TRUMP OF DEATH.]

That every man it myhte se,
And humbled him in such a wise
To hem that were of non emprise.'
Thus was it spoken to and fro
Of hem that were with him tho
Al prively behinde his bak;
Bot to himselven noman spak.   2070
The kinges brother in presence
Was thilke time, and gret offence
He tok therof, and was the same   P. i. 112
Above alle othre which most blame
Upon his liege lord hath leid,
And hath unto the lordes seid,
Anon as he mai time finde,
Ther schal nothing be left behinde,
That he wol speke unto the king.
    Now lest what fell upon this thing.   2080
The day was merie and fair ynowh,
Echon with othre pleide and lowh,
And fellen into tales newe,
How that the freisshe floures grewe,
And how the grene leves spronge,
And how that love among the yonge
Began the hertes thanne awake,
And every bridd hath chose hire make:
And thus the Maies day to thende
Thei lede, and hom ayein thei wende.   2090
The king was noght so sone come,
That whanne he hadde his chambre nome,
His brother ne was redi there,
And broghte a tale unto his Ere
Of that he dede such a schame
In hindringe of his oghne name,
Whan he himself so wolde drecche,
That to so vil a povere wrecche
Him deigneth schewe such simplesce
Ayein thastat of his noblesce: 2100
And seith he schal it nomor use,
And that he mot himself excuse

2078 beleft FK belefte A   2088 hire] his H₁ ... B₂, B, W

Toward hise lordes everychon. P. i. 113 [THE TRUMP OF DEATH.]
The king stod stille as eny ston,
And to his tale an Ere he leide,
And thoghte more than he seide:
Bot natheles to that he herde
Wel cortaisly the king answerde,
And tolde it scholde be amended.
And thus whan that her tale is ended,   2110
Al redy was the bord and cloth,
The king unto his Souper goth
Among the lordes to the halle;
And whan thei hadden souped alle,
Thei token leve and forth thei go.
The king bethoghte himselve tho
How he his brother mai chastie,
That he thurgh his Surquiderie
Tok upon honde to despreise
Humilite, which is to preise,   2120
And therupon yaf such conseil
Toward his king that was noght heil;
Wherof to be the betre lered,
He thenkth to maken him afered.
 It fell so that in thilke dawe
Ther was ordeined be the lawe
A trompe with a sterne breth,
Which cleped was the Trompe of deth:
And in the Court wher the king was
A certein man this Trompe of bras   2130
Hath in kepinge, and therof serveth,
That whan a lord his deth deserveth,
He schal this dredful trompe blowe   P. i. 114
Tofore his gate, and make it knowe
How that the jugement is yove
Of deth, which schal noght be foryove.
The king, whan it was nyht, anon
This man asente and bad him gon
To trompen at his brother gate;
And he, which mot so don algate,   2140
Goth forth and doth the kynges heste.

2105 An F   2122 which was E, B which is G and was L

[THE TRUMP OF DEATH.]

This lord, which herde of this tempeste
That he tofore his gate blew,
Tho wiste he be the lawe and knew
That he was sikerliche ded:
And as of help he wot no red,
Bot sende for hise frendes alle
And tolde hem how it is befalle.
And thei him axe cause why;
Bot he the sothe noght forthi 2150
Ne wiste, and ther was sorwe tho:
For it stod thilke tyme so,
This trompe was of such sentence,
That therayein no resistence
Thei couthe ordeine be no weie,
That he ne mot algate deie,
Bot if so that he may pourchace
To gete his liege lordes grace.
Here wittes therupon thei caste,
And ben apointed ate laste. 2160

 This lord a worthi ladi hadde
Unto his wif, which also dradde
Hire lordes deth, and children five   P. i. 115
Betwen hem two thei hadde alyve,
That weren yonge and tendre of age,
And of stature and of visage
Riht faire and lusty on to se.
Tho casten thei that he and sche
Forth with here children on the morwe,
As thei that were full of sorwe, 2170
Al naked bot of smok and scherte,
To tendre with the kynges herte,
His grace scholden go to seche
And pardoun of the deth beseche.
Thus passen thei that wofull nyht,
And erly, whan thei sihe it lyht,
Thei gon hem forth in such a wise
As thou tofore hast herd devise,
Al naked bot here schortes one.

2159 Hire FK 2171 Sherte F 2173 go biseche B
2179 schortes M, FK *rest* schertes (shirtes &c.).

LIBER PRIMUS

Thei wepte and made mochel mone,   2180   [THE TRUMP OF DEATH.]
Here Her hangende aboute here Eres;
With sobbinge and with sory teres
This lord goth thanne an humble pas,
That whilom proud and noble was;
Wherof the Cite sore afflyhte,
Of hem that sihen thilke syhte:
And natheles al openly
With such wepinge and with such cri
Forth with hise children and his wif
He goth to preie for his lif.   2190
Unto the court whan thei be come,
And men therinne have hiede nome,
Ther was no wiht, if he hem syhe,   P. i. 116
Fro water mihte kepe his yhe
For sorwe which thei maden tho.
The king supposeth of this wo,
And feigneth as he noght ne wiste;
Bot natheles at his upriste
Men tolden him how that it ferde:
And whan that he this wonder herde,   2200
In haste he goth into the halle,
And alle at ones doun thei falle,
If eny pite may be founde.
The king, which seth hem go to grounde,
Hath axed hem what is the fere,
Why thei be so despuiled there.
His brother seide: 'Ha lord, mercy!
I wot non other cause why,
Bot only that this nyht ful late
The trompe of deth was at my gate   2210
In tokne that I scholde deie;
Thus be we come forto preie
That ye mi worldes deth respite.'
    'Ha fol, how thou art forto wyte,'
The king unto his brother seith,
'That thou art of so litel feith,
That only for a trompes soun

2181 hanged(e) AMH₁, Δ, W (honget)   2191 become FK
2208 wot] not AM

[THE TRUMP OF DEATH.]

Hast gon despuiled thurgh the toun,
Thou and thi wif in such manere
Forth with thi children that ben here,   2220
In sihte of alle men aboute,
For that thou seist thou art in doute
Of deth, which stant under the lawe   P. i. 117
Of man, and man it mai withdrawe,
So that it mai par chance faile.
Now schalt thou noght forthi mervaile
That I doun fro my Charr alihte,
Whanne I behield tofore my sihte
In hem that were of so gret age
Min oghne deth thurgh here ymage,   2230
Which god hath set be lawe of kynde,
Wherof I mai no bote finde:
For wel I wot, such as thei be,
Riht such am I in my degree,
Of fleissh and blod, and so schal deie.
And thus, thogh I that lawe obeie
Of which the kinges ben put under,
It oghte ben wel lasse wonder
Than thou, which art withoute nede
For lawe of londe in such a drede,   2240
Which for tacompte is bot a jape,
As thing which thou miht overscape.
Forthi, mi brother, after this
I rede, sithen that so is
That thou canst drede a man so sore,
Dred god with al thin herte more:
For al schal deie and al schal passe,
Als well a Leoun as an asse,
Als wel a beggere as a lord,
Towardes deth in on acord   2250
Thei schullen stonde.' And in this wise
The king hath with hise wordes wise
His brother tawht and al foryive.   P. i. 118

Confessor.
   Forthi, mi Sone, if thou wolt live
In vertu, thou most vice eschuie,

2224 mai] haþ B   2234 am I] a man C, B   2251 And] as B

And with low herte humblesce suie, [The Trump of Death.]
So that thou be noght surquidous.
   Mi fader, I am amorous, Amans.
Wherof I wolde you beseche
That ye me som ensample teche,   2260
Which mihte in loves cause stonde.
   Mi Sone, thou schalt understonde, Confessor.
In love and othre thinges alle
If that Surquiderie falle,
It may to him noght wel betide
Which useth thilke vice of Pride,
Which torneth wisdom to wenynge
And Sothfastnesse into lesynge
Thurgh fol ymaginacion.
And for thin enformacion,   2270
That thou this vice as I the rede
Eschuie schalt, a tale I rede,
Which fell whilom be daies olde,
So as the clerk Ovide tolde.

   Ther was whilom a lordes Sone, [Tale of Narcissus.]
Which of his Pride a nyce wone
Hath cawht, that worthi to his liche,
To sechen al the worldes riche,
Ther was no womman forto love.   Hic in speciali trac-
So hihe he sette himselve above   2280 tat Confessor cum A-
Of stature and of beaute bothe, mante contra illos, qui
de propria formositate
That him thoghte alle wommen lothe: presumentes amorem
So was ther no comparisoun   P. i. 119 mulieris dedignantur.
Et narrat exemplum,
As toward his condicioun. qualiter cuiusdam Prin-

2260 som ensample] by som weie B   2261 in *om.* XE ... B₂
2265 f.   To man in any maner side
             He may wel nowher þan abide R
             To man in eny maner side
             It may to him nouȝt wel betide B₂
CL *combine the above with the reading of the text.*
   2267–74 *Eight lines found thus in copies of the third recension,*
FWKH₃ &c., *and also in* H₁. *The rest have four, given as follows by* S,
        fforþi eschuie it I þe rede
        ffor in Ouide a tale I rede
        How þat a man was ouertake
        Wherof þou myht ensample take.

**   H

[TALE OF NARCISSUS.]
cipis filius nomine Narcizus estiuo tempore, cum ipse venacionis causa quendam ceruum solus cum suis canibus exagitaret, in grauem sitim incurrens necessitate compulsus ad bibendum de quodam fonte pronus se inclinauit; vbi ipse faciem suam pulcherrimam in aqua percipiens, putabat se per hoc illam Nimpham, quam Poete Ekko vocant, in flumine coram suis oculis pocius conspexisse; de cuius amore confestim laqueatus, vt ipsam ad se de fonte extraheret, pluribus blandiciis adulabatur. Set cum illud perficere nullatenus potuit, pre nimio languore deficiens contra lapides ibidem adiacentes caput exuerberans cerebrum effudit. Et sic de propria pulcritudine qui fuerat presumptuosus, de propria pulcritudine fatuatus interiit.

This yonge lord Narcizus hihte:
No strengthe of love bowe mihte
His herte, which is unaffiled;
Bot ate laste he was beguiled:
For of the goddes pourveance
It fell him on a dai par chance,   2290
That he in all his proude fare
Unto the forest gan to fare,
Amonges othre that ther were
To hunte and to desporte him there.
And whanne he cam into the place
Wher that he wolde make his chace,
The houndes weren in a throwe
Uncoupled and the hornes blowe:
The grete hert anon was founde,
Which swifte feet sette upon grounde,   2300
And he with spore in horse side
Him hasteth faste forto ride,
Til alle men be left behinde.
And as he rod, under a linde
Beside a roche, as I thee telle,
He syh wher sprong a lusty welle:
The day was wonder hot withalle,
And such a thurst was on him falle,
That he moste owther deie or drinke;
And doun he lihte and be the brinke   2310
He teide his Hors unto a braunche,
And leide him lowe forto staunche
His thurst: and as he caste his lok   P. i. 120
Into the welle and hiede tok,
He sih the like of his visage,
And wende ther were an ymage
Of such a Nimphe as tho was faie,
Wherof that love his herte assaie
Began, as it was after sene,
Of his sotie and made him wene   2320
It were a womman that he syh.

2293 *margin* pronus] proulis XE ... B₂   2294 to *om.* B, W   2299 The grete] A grete AM, W   2300 vpon AJ, Ad, FH₃ on þe XERC, B vpon the H₁   2302 *margin* poterat B

LIBER PRIMUS

The more he cam the welle nyh, [TALE OF NARCISSUS.]
The nerr cam sche to him ayein;
So wiste he nevere what to sein;
For whanne he wepte, he sih hire wepe,
And whanne he cride, he tok good kepe,
The same word sche cride also:
And thus began the newe wo,
That whilom was to him so strange;
Tho made him love an hard eschange, 2330
To sette his herte and to beginne
Thing which he mihte nevere winne.
And evere among he gan to loute,
And preith that sche to him come oute;
And otherwhile he goth a ferr,
And otherwhile he draweth nerr,
And evere he fond hire in o place.
He wepth, he crith, he axeth grace,
There as he mihte gete non;
So that ayein a Roche of Ston, 2340
As he that knew non other red,
He smot himself til he was ded.
Wherof the Nimphes of the welles, P. i. 121
And othre that ther weren elles
Unto the wodes belongende,
The body, which was ded ligende,
For pure pite that thei have
Under the grene thei begrave.
And thanne out of his sepulture
Ther sprong anon par aventure 2350
Of floures such a wonder syhte,
That men ensample take myhte
Upon the dedes whiche he dede,
As tho was sene in thilke stede;
For in the wynter freysshe and faire
The floures ben, which is contraire
To kynde, and so was the folie
Which fell of his Surquiderie.
    Thus he, which love hadde in desdeign, Confessor.

2332 neuer mighte B   2335 a ferr J, SB, F aferr A   2343-58
Sixteen lines found only in third recension copies, FWKH₃ &c., *and in* H₁

H 2

[PRESUMPTION OF LOVERS.]

Worste of all othre was besein, 2360
And as he sette his pris most hyhe,
He was lest worth in loves yhe
And most bejaped in his wit:
Wherof the remembrance is yit,
So that thou myght ensample take,
And ek alle othre for his sake.

Amans.

   Mi fader, as touchende of me,
This vice I thenke forto fle,
Which of his wenynge overtroweth;
And nameliche of thing which groweth 2370
In loves cause or wel or wo
Yit pryded I me nevere so.
Bot wolde god that grace sende,   P. i. 122
That toward me my lady wende
As I towardes hire wene!
Mi love scholde so be sene,
Ther scholde go no pride a place.
Bot I am ferr fro thilke grace,
As forto speke of tyme now;
So mot I soffre, and preie yow 2380
That ye wole axe on other side
If ther be eny point of Pride,
Wherof it nedeth to be schrive.

Confessor.

   Mi Sone, godd it thee foryive,
If thou have eny thing misdo
Touchende of this, bot overmo
Ther is an other yit of Pride,
Which nevere cowthe hise wordes hide,
That he ne wole himself avaunte;
Ther mai nothing his tunge daunte, 2390
That he ne clappeth as a Belle:
Wherof if thou wolt that I telle,
It is behovely forto hiere,
So that thou myht thi tunge stiere,
Toward the world and stonde in grace,
Which lacketh ofte in many place

2369-72 *third recension and* H₁ *only*   2379 And X ... B₂, B
2380 and preie]I preie (prey) XGECLB₂, B   I seigh R   2386
euermo JMH₁XGRLB₂, BΔ, W   2396 aplace AM

LIBER PRIMUS

To him that can noght sitte stille,
Which elles scholde have al his wille.

ix. Magniloque propriam minuit iactancia lingue
  Famam, quam stabilem firmat honore cilens.
Ipse sui laudem meriti non percipit, vnde
  Se sua per verba iactat in orbe palam.
Estque viri culpa iactancia, que rubefactas
  In muliere reas causat habere genas.

[iv. AVANTANCE OR BOASTING.]

 The vice cleped Avantance   P. i. 123
With Pride hath take his aqueintance,   2400
So that his oghne pris he lasseth,
When he such mesure overpasseth
That he his oghne Herald is.
That ferst was wel is thanne mis,
That was thankworth is thanne blame,
And thus the worschipe of his name
Thurgh pride of his avantarie
He torneth into vilenie.
I rede how that this proude vice
Hath thilke wynd in his office,   2410
Which thurgh the blastes that he bloweth
The mannes fame he overthroweth
Of vertu, which scholde elles springe
Into the worldes knowlechinge ;
Bot he fordoth it alto sore.
And riht of such a maner lore
Ther ben lovers: forthi if thow
Art on of hem, tell and sei how.
Whan thou hast taken eny thing
Of loves yifte, or Nouche or ring,   2420
Or tok upon thee for the cold
Som goodly word that thee was told,
Or frendly chiere or tokne or lettre,
Wherof thin herte was the bettre,
Or that sche sende the grietinge,
Hast thou for Pride of thi likinge
Mad thin avant wher as the liste?

Hic loquitur de quarta specie Superbie, que Iactancia dicitur, ex cuius natura causatur, vt homo de seipso testimonium perhibens suarum virtutum merita de laude in culpam transfert, et suam famam cum ipse extollere vellet, illam proprio ore subvertit. Set et Venus in amoris causa de isto vicio maculatos a sua Curia super omnes alios abhorrens expellit, et eorum multiloquium verecunda detestatur. Vnde Confessor Amanti opponens materiam plenius declarat.

2398 al *om.* H₁, FH₃   2410 wynd] hunt(e) H₁YX ... L, B haunt B₂   2416 *margin* verecundia M ... B₂, Ad vecundia W
2421 tok (took) J, B, F toke AC   2423 Of JX ... B₂, B, W

Amans.

    I wolde, fader, that ye wiste,
Mi conscience lith noght hiere:
Yit hadde I nevere such matiere,
Wherof min herte myhte amende,
Noght of so mochel that sche sende
Be mowthe and seide, 'Griet him wel:'
And thus for that ther is no diel
Wherof to make myn avant,
It is to reson acordant
That I mai nevere, bot I lye,
Of love make avanterie.
I wot noght what I scholde have do,
If that I hadde encheson so,
As ye have seid hier manyon;
Bot I fond cause nevere non:
Bot daunger, which welnyh me slowh,
Therof I cowthe telle ynowh,
And of non other Avantance:
Thus nedeth me no repentance.
Now axeth furthere of my lif,
For hierof am I noght gultif.

Confessor.

    Mi Sone, I am wel paid withal;
For wite it wel in special
That love of his verrai justice
Above alle othre ayein this vice
At alle times most debateth,
With al his herte and most it hateth.
And ek in alle maner wise
Avantarie is to despise,
As be ensample thou myht wite,
Which I finde in the bokes write.

[TALE OF ALBINUS AND ROSEMUND.]

Hic ponit Confessor exemplum contra istos, qui vel de sua in armis probitate, vel de suo in amoris causa

    Of hem that we Lombars now calle
Albinus was the ferste of alle
Which bar corone of Lombardie,
And was of gret chivalerie
In werre ayein diverse kinges.
So fell amonges othre thinges,
That he that time a werre hadde

P. i. 124
2430

2440

2450

P. i. 125
2460

2457 myht (might) JC, B myhte A, S, F   2460 ferste S ferst A, B, F

With Gurmond, which the Geptes ladde,
And was a myhti kyng also:
Bot natheles it fell him so,
Albinus slowh him in the feld,
Ther halp him nowther swerd ne scheld,   2470
That he ne smot his hed of thanne,
Wherof he tok awey the Panne,
Of which he seide he wolde make
A Cuppe for Gurmoundes sake,
To kepe and drawe into memoire
Of his bataille the victoire.
And thus whan he the feld hath wonne,
The lond anon was overronne
And sesed in his oghne hond,
Wher he Gurmondes dowhter fond,   2480
Which Maide Rosemounde hihte,
And was in every mannes sihte
A fair, a freissh, a lusti on.
His herte fell to hire anon,
And such a love on hire he caste,
That he hire weddeth ate laste;
And after that long time in reste
With hire he duelte, and to the beste
Thei love ech other wonder wel.
Bot sche which kepth the blinde whel,   2490
Venus, whan thei be most above,
In al the hoteste of here love,
Hire whiel sche torneth, and thei felle
In the manere as I schal telle.
  This king, which stod in al his welthe
Of pes, of worschipe and of helthe,
And felte him on no side grieved,
As he that hath his world achieved,
Tho thoghte he wolde a feste make;
And that was for his wyves sake,   2500
That sche the lordes ate feste,
That were obeissant to his heste,

[TALE OF ALBINUS AND ROSEMUND.]

desiderio completo se iactant. Et narrat qualiter Albinus primus Rex Longobardorum, cum ipse quendam alium Regem nomine Gurmundum in bello morientem triumphasset, testam capitis defuncti auferens ciphum ex ea gemmis et auro circumligatum in sue victorie memoriam fabricari constituit: insuper et ipsius Gurmundi filiam Rosemundam rapiens, maritali thoro in coniugem sibi copulauit. Vnde ipso Albino postea coram sui Regni nobilibus in suo regali conuiuio sedente, dicti Gurmundi ciphum infuso vino ad se inter epulas afferri iussit; quem sumptum vxori sue Regine porrexit dicens, 'Bibe cum patre tuo.' Quod et ipsa huiusmodi operis ignara fecit. Quo facto Rex statim super hiis que per prius gesta fuerant cunctis audientibus per singula se iactauit. Regina vero cum talia audisset, celato animo factum abhorrens in mortem domini sui Regis circumspecta industria conspirauit; ipsumque auxiliantibus Glodesida et Helmege breui subsecuto tempore interfecit: cuius mortem Dux Rauennensis tam in corpus dicte Regine quam suorum fautorum postea vindicauit. Set et huius tocius infortunii

P. i. 126

2473 *margin* testum H₁ ... B₂ (E *corr.* testam)   2488 dwelled JMEB₂, Δ, W (dwellet) duelleþ XGRCL   2489 *margin* statim] statum G   statutum XE ... B₂   2497 agrieued B   2501 ate] of þe B

[Tale of Albinus and Rosemund.]
sola superbie iactancia fomitem ministrabat.

Mai knowe: and so forth therupon
He let ordeine, and sende anon
Be lettres and be messagiers,
And warnede alle hise officiers
That every thing be wel arraied:
The grete Stiedes were assaied
For joustinge and for tornement,
And many a perled garnement   2510
Embroudred was ayein the dai.
The lordes in here beste arrai
Be comen ate time set,
On jousteth wel, an other bet,
And otherwhile thei torneie,
And thus thei casten care aweie
And token lustes upon honde.
And after, thou schalt understonde,
To mete into the kinges halle   P. i. 127
Thei come, as thei be beden alle: 2520
And whan thei were set and served,
Thanne after, as it was deserved,
To hem that worthi knyhtes were,
So as thei seten hiere and there,
The pris was yove and spoken oute
Among the heraldz al aboute.
And thus benethe and ek above
Al was of armes and of love,
Wherof abouten ate bordes
Men hadde manye sondri wordes,   2530
That of the merthe which thei made
The king himself began to glade
Withinne his herte and tok a pride,
And sih the Cuppe stonde aside,
Which mad was of Gurmoundes hed,
As ye have herd, whan he was ded,
And was with gold and riche Stones
Beset and bounde for the nones,
And stod upon a fot on heihte
Of burned gold, and with gret sleihte   2540
Of werkmanschipe it was begrave

2511 Embroudred F *rest* Embrowded (Embroudid &c.)

Of such werk as it scholde have, [TALE OF ALBINUS
And was policed ek so clene AND ROSEMUND.]
That no signe of the Skulle is sene,
Bot as it were a Gripes Ey.
The king bad bere his Cuppe awey,
Which stod tofore him on the bord,
And fette thilke. Upon his word
This Skulle is fet and wyn therinne, P. i. 128
Wherof he bad his wif beginne: 2550
'Drink with thi fader, Dame,' he seide.
And sche to his biddinge obeide,
And tok the Skulle, and what hire liste
Sche drank, as sche which nothing wiste
What Cuppe it was: and thanne al oute
The kyng in audience aboute
Hath told it was hire fader Skulle,
So that the lordes knowe schulle
Of his bataille a soth witnesse,
And made avant thurgh what prouesse 2560
He hath his wyves love wonne,
Which of the Skulle hath so begonne.
Tho was ther mochel Pride alofte,
Thei speken alle, and sche was softe,
Thenkende on thilke unkynde Pride,
Of that hire lord so nyh hire side
Avanteth him that he hath slain
And piked out hire fader brain,
And of the Skulle had mad a Cuppe.
Sche soffreth al til thei were uppe, 2570
And tho sche hath seknesse feigned,
And goth to chambre and hath compleigned
Unto a Maide which sche triste,
So that non other wyht it wiste.
This Mayde Glodeside is hote,
To whom this lady hath behote
Of ladischipe al that sche can,
To vengen hire upon this man,
Which dede hire drinke in such a plit P. i. 129
Among hem alle for despit 2580

2544 is] was H₁ ... B₂, B   2569 had C, SB, F   hadde A   haþ J

[TALE OF ALBINUS AND ROSEMUND.]

Of hire and of hire fader bothe;
Wherof hire thoghtes ben so wrothe,
Sche seith, that sche schal noght be glad,
Til that sche se him so bestad
That he nomore make avant.
And thus thei felle in covenant,
That thei acorden ate laste,
With suche wiles as thei caste
That thei wol gete of here acord
Som orped knyht to sle this lord: 2590
And with this sleihte thei beginne,
How thei Helmege myhten winne,
Which was the kinges Boteler,
A proud a lusti Bacheler,
And Glodeside he loveth hote.
And sche, to make him more assote,
Hire love granteth, and be nyhte
Thei schape how thei togedre myhte
Abedde meete: and don it was
This same nyht; and in this cas   2600
The qwene hirself the nyht secounde
Wente in hire stede, and there hath founde
A chambre derk withoute liht,
And goth to bedde to this knyht.
And he, to kepe his observance,
To love doth his obeissance,
And weneth it be Glodeside;
And sche thanne after lay aside,
And axeth him what he hath do,   **P. i. 130**
And who sche was sche tolde him tho,   2610
And seide: 'Helmege, I am thi qwene,
Now schal thi love wel be sene
Of that thou hast thi wille wroght:
Or it schal sore ben aboght,
Or thou schalt worche as I thee seie.
And if thou wolt be such a weie
Do my plesance and holde it stille,
For evere I schal ben at thi wille,
Bothe I and al myn heritage.'

2611 thi] þe JH₁ ... B₂, BΛ

Anon the wylde loves rage, 2620 [TALE OF ALBINUS
In which noman him can governe, AND ROSEMUND.]
Hath mad him that he can noght werne,
Bot fell al hol to hire assent:
And thus the whiel is al miswent,
The which fortune hath upon honde;
For how that evere it after stonde,
Thei schope among hem such a wyle,
The king was ded withinne a whyle.
So slihly cam it noght aboute
That thei ne ben discoevered oute, 2630
So that it thoghte hem for the beste
To fle, for there was no reste:
And thus the tresor of the king
Thei trusse and mochel other thing,
And with a certein felaschipe
Thei fledde and wente awey be schipe,
And hielde here rihte cours fro thenne,
Til that thei come to Ravenne,
Wher thei the Dukes helpe soghte. P. i. 131
And he, so as thei him besoghte, 2640
A place granteth forto duelle;
Bot after, whan he herde telle
Of the manere how thei have do,
This Duk let schape for hem so,
That of a puison which thei drunke
Thei hadden that thei have beswunke.

And al this made avant of Pride:
Good is therfore a man to hide
His oghne pris, for if he speke,
He mai lihtliche his thonk tobreke. 2650
In armes lith non avantance
To him which thenkth his name avance
And be renomed of his dede:
And also who that thenkth to spede
Of love, he mai him noght avaunte;
For what man thilke vice haunte,
His pourpos schal fulofte faile.
In armes he that wol travaile

2622 Hath mad] Made H₁ ... B₂, B   2658 he] who AM

[Avantance.]

Or elles loves grace atteigne,
His lose tunge he mot restreigne, 2660
Which berth of his honour the keie.

Confessor.

Forthi, my Sone, in alle weie
Tak riht good hiede of this matiere.

Amans.

I thonke you, my fader diere,
This scole is of a gentil lore;
And if ther be oght elles more
Of Pride, which I schal eschuie,
Now axeth forth, and I wol suie
What thing that ye me wole enforme. P. i. 132

Confessor.

Mi Sone, yit in other forme 2670
Ther is a vice of Prides lore,
Which lich an hauk whan he wol sore,
Fleith upon heihte in his delices
After the likynge of his vices,
And wol no mannes resoun knowe,
Till he doun falle and overthrowe.
This vice veine gloire is hote,
Wherof, my Sone, I thee behote
To trete and speke in such a wise,
That thou thee myht the betre avise. 2680

[v. Vain-Glory.]

x. *Gloria perpetuos pregnat mundana dolores,*
   Qui tamen est vanus gaudia vana cupit.
Eius amiciciam, quem gloria tollit inanis,
   Non sine blandiciis planus habebit homo:
Verbis compositis qui scit strigilare fauellum,
   Scandere sellata iura valebit eques.
Sic in amore magis qui blanda subornat in ore
   Verba, per hoc brauium quod nequit alter habet.
Et tamen ornatos cantus variosque paratus
   Letaque corda suis legibus optat amor. (10)

Hic loquitur de quinta specie superbie, que Inanis gloria vocatur, et eiusdem vicii naturam primo describens super eodem in amoris causa Confes-

The proude vice of veine gloire
Remembreth noght of purgatoire,
Hise worldes joyes ben so grete,
Him thenkth of hevene no beyete;
This lives Pompe is al his pes:
Yit schal he deie natheles,

2669 ȝe me wole] ȝe wol (wil) me L, Δ ȝe wol(e) AM me woł H₃

LIBER PRIMUS

And therof thenkth he bot a lite,   [v. VAIN-GLORY.]
For al his lust is to delite   sor Amanti consequen-
In newe thinges, proude and veine,   ter opponit.
Als ferforth as he mai atteigne.   2690
I trowe, if that he myhte make   **P. i. 133**
His body newe, he wolde take
A newe forme and leve his olde:
For what thing that he mai beholde,
The which to comun us is strange,
Anon his olde guise change
He wole and falle therupon,
Lich unto the Camelion,
Which upon every sondri hewe
That he beholt he moste newe   2700
His colour, and thus unavised
Fulofte time he stant desguised.
Mor jolif than the brid in Maii
He makth him evere freissh and gay,
And doth al his array desguise,   Salomon. Amictus eius
So that of him the newe guise   annunciat de eo.
Of lusti folk alle othre take;
And ek he can carolles make,
Rondeal, balade and virelai.
And with all this, if that he may   2710
Of love gete him avantage,
Anon he wext of his corage
So overglad, that of his ende
Him thenkth ther is no deth comende:
For he hath thanne at alle tide
Of love such a maner pride,
Him thenkth his joie is endeles.
    Now schrif thee, Sone, in godes pes,   Confessor.
And of thi love tell me plein
If that thi gloire hath be so vein.   2720
    Mi fader, as touchinge of al   **P. i. 134**   Amans.

2687 þerfor AM, W þer on Ad   alite A, SB, F, &c.   2705 *margin*
Salomon. Amictus—eo *in third recension only.*   2713 f. *This text
only in copies of third recension,* F(*in ras.*)WKH₃ &c.   *The rest have,*
      So ouerglad þat purgatoire
      Ne myhte abregge his veine gloire

[THE LOVER'S CONFESSION.]

I may noght wel ne noght ne schal
Of veine gloire excuse me,
That I ne have for love be
The betre adresced and arraied;
And also I have ofte assaied
Rondeal, balade and virelai
For hire on whom myn herte lai
To make, and also forto peinte
Caroles with my wordes qweinte,   2730
To sette my pourpos alofte;
And thus I sang hem forth fulofte
In halle and ek in chambre aboute,
And made merie among the route,
Bot yit ne ferde I noght the bet.
Thus was my gloire in vein beset
Of al the joie that I made;
For whanne I wolde with hire glade,
And of hire love songes make,
Sche saide it was noght for hir sake,   2740
And liste noght my songes hiere
Ne witen what the wordes were.
So forto speke of myn arrai,
Yit couthe I nevere be so gay
Ne so wel make a songe of love,
Wherof I myhte ben above
And have encheson to be glad;
Bot rathere I am ofte adrad
For sorwe that sche seith me nay.
And natheles I wol noght say,   2750
That I nam glad on other side;   **P. i. 135**
For fame, that can nothing hide,
Alday wol bringe unto myn Ere
Of that men speken hier and there,
How that my ladi berth the pris,
How sche is fair, how sche is wis,
How sche is wommanlich of chiere;
Of al this thing whanne I mai hiere,
What wonder is thogh I be fain?
And ek whanne I may hiere sain   2760

2751 nam] am H₁ . . . B₂, W   on] an AJ

LIBER PRIMUS

    Tidinges of my ladi hele,   [THE LOVER'S CON-
Althogh I may noght with hir dele,   FESSION.]
Yit am I wonder glad of that;
For whanne I wot hire good astat,
As for that time I dar wel swere,
Non other sorwe mai me dere,
Thus am I gladed in this wise.
Bot, fader, of youre lores wise,
Of whiche ye be fully tawht,
Now tell me if yow thenketh awht   2770
That I therof am forto wyte.
    Of that ther is I thee acquite,   Confessor.
Mi sone, he seide, and for thi goode
I wolde that thou understode:
For I thenke upon this matiere
To telle a tale, as thou schalt hiere,
How that ayein this proude vice
The hihe god of his justice
Is wroth and gret vengance doth.
Now herkne a tale that is soth: 2780
Thogh it be noght of loves kinde,   P. i. 136
A gret ensample thou schalt finde
This veine gloire forto fle,
Which is so full of vanite.

xi. *Humani generis cum sit sibi gloria maior,*   [NEBUCHADNEZZAR'S
   Sepe subesse solet proximus ille dolor: PUNISHMENT.]
Mens elata graues descensus sepe subibit,
   Mens humilis stabile molleque firmat iter.
Motibus innumeris volutat fortuna per orbem;
   Cum magis alta petis, inferiora time.

    Ther was a king that mochel myhte,
Which Nabugodonosor hihte,
Of whom that I spak hier tofore.   Hic ponit Confessor
Yit in the bible his name is bore,   exemplum contra vi-
For al the world in Orient   cium inanis glorie,
                                       narrans qualiter Na-
Was hol at his comandement: 2790 bugodonosor Rex Cal-
                                       deorum, cum ipse in

2770 þou þenkeþ (þenkþ) AXRCLB₂ þou þenke M ȝe þenke
(þinke) H₁Sn, Δ ȝe thenketh (ye þinketh) Ad, W
   Latin Verses xi. 5 immunis H₁XGECLB₂, B
2789 in the orient Δ, WH₃

[NEBUCHADNEZZAR'S PUNISHMENT.]
omni sue maiestatis gloria celsior extitisset, deus eius superbiam castigare volens ipsum extra formam hominis in bestiam fenum comedentem transmutauit. Et sic per septennium penitens, cum ipse potenciorem se agnouit, misertus deus ipsum in sui regni solium restituta sanitate emendatum graciosius collocauit.

As thanne of kinges to his liche
Was non so myhty ne so riche;
To his Empire and to his lawes,
As who seith, alle in thilke dawes
Were obeissant and tribut bere,
As thogh he godd of Erthe were.
With strengthe he putte kinges under,
And wroghte of Pride many a wonder;
He was so full of veine gloire,
That he ne hadde no memoire   2800
That ther was eny good bot he,
For pride of his prosperite;
Til that the hihe king of kinges,
Which seth and knoweth alle thinges,
Whos yhe mai nothing asterte,—
The privetes of mannes herte
Thei speke and sounen in his Ere   P. i. 137
As thogh thei lowde wyndes were,—
He tok vengance upon this pride.
Bot for he wolde awhile abide   2810
To loke if he him wolde amende,
To him a foretokne he sende,
And that was in his slep be nyhte.
This proude kyng a wonder syhte
Hadde in his swevene, ther he lay:
Him thoghte, upon a merie day
As he beheld the world aboute,
A tree fulgrowe he syh theroute,
Which stod the world amiddes evene,
Whos heihte straghte up to the hevene;   2820
The leves weren faire and large,
Of fruit it bare so ripe a charge,
That alle men it myhte fede:
He sih also the bowes spriede
Above al Erthe, in whiche were
The kinde of alle briddes there;

2796 *margin* subito transmutauit A ... B₂, S ... Δ   2801 good FKH₃ godd (god) A ... B₂, S ... Δ, W   2812 a foretokene K a fortoken W aforetokne S, F afortokene R a fore tokne (token) JXEC, H₃ afore tokne (-en) AMH₁GLB₂, BAdΔ

And eke him thoghte he syh also
The kinde of alle bestes go
Under this tre aboute round
And fedden hem upon the ground. 2830
As he this wonder stod and syh,
Him thoghte he herde a vois on hih
Criende, and seide aboven alle :
'Hew doun this tree and lett it falle,
The leves let defoule in haste
And do the fruit destruie and waste,
And let of schreden every braunche, P. i. 138
But ate Rote let it staunche.
Whan al his Pride is cast to grounde,
The rote schal be faste bounde, 2840
And schal no mannes herte bere,
Bot every lust he schal forbere
Of man, and lich an Oxe his mete
Of gras he schal pourchace and ete,
Til that the water of the hevene
Have waisshen him be times sevene,
So that he be thurghknowe ariht
What is the heveneliche myht,
And be mad humble to the wille
Of him which al mai save and spille.' 2850
　　This king out of his swefne abreide,
And he upon the morwe it seide
Unto the clerkes whiche he hadde:
Bot non of hem the sothe aradde,
Was non his swevene cowthe undo.
And it stod thilke time so,
This king hadde in subjeccioun
Judee, and of affeccioun
Above alle othre on Daniel
He loveth, for he cowthe wel 2860
Divine that non other cowthe:
To him were alle thinges cowthe,

2835 defoule] do foule X ... B₂   doune falle H₁   2836 do]
to H₁XE ... B₂   2839 his Pride] þis pride H₁ ... CB₂
þis tre L   2847 be *om.* H₁ ... B₂, H₃   þurghknowe A, F   þurgh
knowe J, SB

**   　　　I

[NEBUCHADNEZZAR'S PUNISHMENT.]

As he it hadde of goddes grace.
He was before the kinges face
Asent, and bode that he scholde
Upon the point the king of tolde
The fortune of his swevene expounde,   P. i. 139
As it scholde afterward be founde.
Whan Daniel this swevene herde,
He stod long time er he ansuerde,   2870
And made a wonder hevy chiere.
The king tok hiede of his manere,
And bad him telle that he wiste,
As he to whom he mochel triste,
And seide he wolde noght be wroth.
Bot Daniel was wonder loth,
And seide: 'Upon thi fomen alle,
Sire king, thi swevene mote falle;
And natheles touchende of this
I wol the tellen how it is,   2880
And what desese is to thee schape:
God wot if thou it schalt ascape.

The hihe tree, which thou hast sein
With lef and fruit so wel besein,
The which stod in the world amiddes,
So that the bestes and the briddes
Governed were of him al one,
Sire king, betokneth thi persone,
Which stant above all erthli thinges.
Thus regnen under the the kinges,   2890
And al the poeple unto thee louteth,
And al the world thi pouer doubteth,
So that with vein honour deceived
Thou hast the reverence weyved
Fro him which is thi king above,
That thou for drede ne for love
Wolt nothing knowen of thi godd;   P. i. 140
Which now for thee hath mad a rodd,
Thi veine gloire and thi folie

2863 it *om.* H₁XERCB₂   that L, W   2869 his B   þe MX
2874 As] And H₁ ... L   2885 wode B   2891 al] of
H₁ ... B₂   (ofte R)   2898 a rodd AJ, B   arodd S, FK

With grete peines to chastie.　　　　2900　[NEBUCHADNEZZAR'S
And of the vois thou herdest speke,　　　　PUNISHMENT:]
Which bad the bowes forto breke
And hewe and felle doun the tree,
That word belongeth unto thee;
Thi regne schal ben overthrowe,
And thou despuiled for a throwe:
Bot that the Rote scholde stonde,
Be that thou schalt wel understonde,
Ther schal abyden of thi regne
A time ayein whan thou schalt regne.　　2910
And ek of that thou herdest seie,
To take a mannes herte aweie
And sette there a bestial,
So that he lich an Oxe schal
Pasture, and that he be bereined
Be times sefne and sore peined,
Til that he knowe his goddes mihtes,
Than scholde he stonde ayein uprihtes,—
Al this betokneth thin astat,
Which now with god is in debat:　　2920
Thi mannes forme schal be lassed,
Til sevene yer ben overpassed,
And in the liknesse of a beste
Of gras schal be thi real feste,
The weder schal upon thee reine.
And understond that al this peine,
Which thou schalt soffre thilke tide,　P. i. 141
Is schape al only for thi pride
Of veine gloire, and of the sinne
Which thou hast longe stonden inne.　　2930
　So upon this condicioun
Thi swevene hath exposicioun.
Bot er this thing befalle in dede,
Amende thee, this wolde I rede:
Yif and departe thin almesse,
Do mercy forth with rihtwisnesse,
Besech and prei the hihe grace,
For so thou myht thi pes pourchace
　2903 falle H₁ ... B₂, W　　2905 The A

[NEBUCHADNEZZAR'S PUNISHMENT.]

With godd, and stonde in good acord.'
Bot Pride is loth to leve his lord, 2940
And wol noght soffre humilite
With him to stonde in no degree;
And whan a schip hath lost his stiere,
Is non so wys that mai him stiere
Ayein the wawes in a rage.
This proude king in his corage
Humilite hath so forlore,
That for no swevene he sih tofore,
Ne yit for al that Daniel
Him hath conseiled everydel, 2950
He let it passe out of his mynde,
Thurgh veine gloire, and as the blinde,
He seth no weie, er him be wo.
And fell withinne a time so,
As he in Babiloine wente,
The vanite of Pride him hente;
His herte aros of veine gloire,
So that he drowh into memoire
His lordschipe and his regalie
With wordes of Surquiderie. 2960
And whan that he him most avaunteth,
That lord which veine gloire daunteth,
Al sodeinliche, as who seith treis,
Wher that he stod in his Paleis,
He tok him fro the mennes sihte:
Was non of hem so war that mihte
Sette yhe wher that he becom.
And thus was he from his kingdom
Into the wilde Forest drawe,
Wher that the myhti goddes lawe 2970
Thurgh his pouer dede him transforme
Fro man into a bestes forme;
And lich an Oxe under the fot
He graseth, as he nedes mot,
To geten him his lives fode.
Tho thoghte him colde grases goode,
That whilom eet the hote spices,

2953 weie] wele H1 . . . B2

LIBER PRIMUS

Thus was he torned fro delices: [NEBUCHADNEZZAR'S PUNISHMENT.]
The wyn which he was wont to drinke
He tok thanne of the welles brinke   2980
Or of the pet or of the slowh,
It thoghte him thanne good ynowh:
In stede of chambres wel arraied
He was thanne of a buissh wel paied,
The harde ground he lay upon,
For othre pilwes hath he non;
The stormes and the Reines falle,   P. i. 143
The wyndes blowe upon him alle,
He was tormented day and nyht,
Such was the hihe goddes myght,   2990
Til sevene yer an ende toke.
Upon himself tho gan he loke;
In stede of mete gras and stres,
In stede of handes longe cles,
In stede of man a bestes lyke
He syh; and thanne he gan to syke
For cloth of gold and for perrie,
Which him was wont to magnefie.
Whan he beheld his Cote of heres,
He wepte and with fulwoful teres   3000
Up to the hevene he caste his chiere
Wepende, and thoghte in this manere;
Thogh he no wordes myhte winne,
Thus seide his herte and spak withinne:
'O mihti godd, that al hast wroght
And al myht bringe ayein to noght,
Now knowe I wel, bot al of thee,
This world hath no prosperite:
In thin aspect ben alle liche,
The povere man and ek the riche,   3010
Withoute thee ther mai no wight,
And thou above alle othre miht.
O mihti lord, toward my vice
Thi merci medle with justice;

2988 blew(e) M, B   2990 Such] Which H₁...B₂   2997 for]
þe H₁...B₂   of KH₃ *om.*W   3000 fulwoful A, F   ful woful J, B
3010 the riche   *om.* B   3011 wight B, F   wiht AJ, S

[NEBUCHADNEZZAR'S PUNISHMENT.]

'And I woll make a covenant,
That of my lif the remenant
I schal it be thi grace amende,   P. i. 144
And in thi lawe so despende
That veine gloire I schal eschuie,
And bowe unto thin heste and suie   3020
Humilite, and that I vowe.'
And so thenkende he gan doun bowe,
And thogh him lacke vois and speche,
He gan up with his feet areche,
And wailende in his bestly stevene
He made his pleignte unto the hevene.
He kneleth in his wise and braieth,
To seche merci and assaieth
His god, which made him nothing strange,
Whan that he sih his pride change.   3030
Anon as he was humble and tame,
He fond toward his god the same,
And in a twinklinge of a lok
His mannes forme ayein he tok,
And was reformed to the regne
In which that he was wont to regne;
So that the Pride of veine gloire
Evere afterward out of memoire
He let it passe. And thus is schewed
What is to ben of Pride unthewed   3040
Ayein the hihe goddes lawe,
To whom noman mai be felawe.

Confessor.

Forthi, my Sone, tak good hiede
So forto lede thi manhiede,
That thou ne be noght lich a beste.
Bot if thi lif schal ben honeste,
Thou most humblesce take on honde,   P. i. 145
For thanne myht thou siker stonde:
And forto speke it otherwise,
A proud man can no love assise;   3050
For thogh a womman wolde him plese,
His Pride can noght ben at ese.

3023 and speche JH₁L, FWH₃   of speche AM ... CB₂, S ... Δ
3027 braieth] preieþ (prayeþ) H₁ ... B₂, W

LIBER PRIMUS

Ther mai noman to mochel blame [HUMILITY.]
A vice which is forto blame;
Forthi men scholde nothing hide
That mihte falle in blame of Pride,
Which is the werste vice of alle:
Wherof, so as it was befalle,
The tale I thenke of a Cronique
To telle, if that it mai thee like, 3060
So that thou myht humblesce suie
And ek the vice of Pride eschuie,
Wherof the gloire is fals and vein;
Which god himself hath in desdeign,
That thogh it mounte for a throwe,
It schal doun falle and overthrowe.

xii. *Est virtus humilis, per quam deus altus ad yma*
Se tulit et nostre viscera carnis habet.
Sic humilis superest, et amor sibi subditur omnis,
Cuius habet nulla sorte superbus opem:
Odit eum terra, celum deiecit et ipsum,
Sedibus inferni statque receptus ibi.

A king whilom was yong and wys, [TALE OF THE THREE QUESTIONS.]
The which sette of his wit gret pris.
Of depe ymaginaciouns
And strange interpretaciouns, 3070
Problemes and demandes eke, P. i. 146
His wisdom was to finde and seke;
Wherof he wolde in sondri wise
Opposen hem that weren wise.
Bot non of hem it myhte bere
Upon his word to yeve answere,
Outaken on, which was a knyht;
To him was every thing so liht,
That also sone as he hem herde,
The kinges wordes he answerde; 3080
What thing the king him axe wolde,
Therof anon the trowthe he tolde.

Hic narrat Confessor exemplum simpliciter contra Superbiam; et dicit quod nuper quidam Rex famose prudencie cuidam militi suo super tribus questionibus, vt inde certitudinis responsionem daret, sub pena capitalis sentencie terminum prefixit. Primo, quid minoris indigencie ab inhabitantibus orbem auxilium maius obtinuit. Secundo, quid maioris valencie meritum continens minoris expense reprisas exiguit.

Latin Verses xii. 5 eum] eni*m* B
3078 *margin* habitantibus H₁ ... B₂, BΛ   3080 *margin* valencie meritum] meriti H₁ ... B₂, BΛ

[TALE OF THE THREE
   QUESTIONS.]
Tercio, quid omnia bona diminuens ex sui proprietate nichil penitus valuit. Quarum vero questionum quedam virgo dicti militis filia sapientissima nomine patris sui solucionem aggrediens taliter Regi respondit. Ad primam dixit, quod terra nullius indiget, quam tamen adiuuare cotidianis laboribus omnes intendunt. Ad secundam dixit, quod humilitas omnibus virtutibus prevalet, que tamen nullius prodegalitatis expensis mensuram excedit. Ad terciam dixit, quod superbia omnia tam corporis quam anime bona deuastans maiores expensarum excessus inducit. Et tamen nullius valoris, ymmo tocius perdicionis, causam sua culpa ministrat.

The king somdiel hadde an Envie,
And thoghte he wolde his wittes plie
To sette som conclusioun,
Which scholde be confusioun
Unto this knyht, so that the name
And of wisdom the hihe fame
Toward himself he wolde winne.
And thus of al his wit withinne   3090
This king began to studie and muse,
What strange matiere he myhte use
The knyhtes wittes to confounde;
And ate laste he hath it founde,
And for the knyht anon he sente,
That he schal telle what he mente.
Upon thre pointz stod the matiere
Of questions, as thou schalt hiere.
   The ferste point of alle thre   i^{a} questio.
Was this: 'What thing in his degre   3100
Of al this world hath nede lest,   **P. i. 147**
And yet men helpe it althermest?'
   The secounde is: 'What most is worth,   ii^{a} questio.
And of costage is lest put forth?'
   The thridde is: 'Which is of most cost,   iii^{a} questio.
And lest is worth and goth to lost?'
   The king thes thre demandes axeth,
And to the knyht this lawe he taxeth,
That he schal gon and come ayein
The thridde weke, and telle him plein   3110
To every point, what it amonteth.
And if so be that he misconteth,
To make in his answere a faile,
Ther schal non other thing availe,
The king seith, bot he schal be ded
And lese hise goodes and his hed.
The knyht was sori of this thing
And wolde excuse him to the king,
Bot he ne wolde him noght forbere,
And thus the knyht of his ansuere   3120

3108 he *om.* KH₃   3120 his] þis X ... B₂

Goth hom to take avisement: [TALE OF THE THREE
Bot after his entendement QUESTIONS.]
The more he caste his wit aboute,
The more he stant therof in doute.
Tho wiste he wel the kinges herte,
That he the deth ne scholde asterte,
And such a sorwe hath to him take,
That gladschipe he hath al forsake.
He thoghte ferst upon his lif,
And after that upon his wif, 3130
Upon his children ek also, P. i. 148
Of whiche he hadde dowhtres tuo;
The yongest of hem hadde of age
Fourtiene yer, and of visage
Sche was riht fair, and of stature
Lich to an hevenely figure,
And of manere and goodli speche,
Thogh men wolde alle Londes seche,
Thei scholden noght have founde hir like.
Sche sih hire fader sorwe and sike, 3140
And wiste noght the cause why;
So cam sche to him prively,
And that was where he made his mone
Withinne a Gardin al him one;
Upon hire knes sche gan doun falle
With humble herte and to him calle,
And seide: 'O goode fader diere,
Why make ye thus hevy chiere,
And I wot nothing how it is?
And wel ye knowen, fader, this, 3150
What aventure that you felle
Ye myhte it saufly to me telle,
For I have ofte herd you seid,
That ye such trust have on me leid,
That to my soster ne my brother,
In al this world ne to non other,
Ye dorste telle a privite
So wel, my fader, as to me.

3126 schal AM   3155 ne my] ne to my GRB₂, AdΔΛ,
W (nor to my)   and my H₁

[TALE OF THE THREE QUESTIONS.]

Forthi, my fader, I you preie,
Ne casteth noght that herte aweie, 3160
For I am sche that wolde kepe
Youre honour.' And with that to wepe
Hire yhe mai noght be forbore,
Sche wissheth forto ben unbore,
Er that hire fader so mistriste
To tellen hire of that he wiste:
And evere among merci sche cride,
That he ne scholde his conseil hide
From hire that so wolde him good
And was so nyh his fleissh and blod. 3170
So that with wepinge ate laste
His chiere upon his child he caste,
And sorwfulli to that sche preide
He tolde his tale and thus he seide:
'The sorwe, dowhter, which I make
Is noght al only for my sake,
Bot for thee bothe and for you alle:
For such a chance is me befalle,
That I schal er this thridde day
Lese al that evere I lese may, 3180
Mi lif and al my good therto:
Therfore it is I sorwe so.'
'What is the cause, helas!' quod sche,
'Mi fader, that ye scholden be
Ded and destruid in such a wise?'
And he began the pointz devise,
Whiche as the king told him be mowthe,
And seid hir pleinly that he cowthe
Ansuere unto no point of this.
And sche, that hiereth how it is, 3190
Hire conseil yaf and seide tho:
'Mi fader, sithen it is so,
That ye can se non other weie,
Bot that ye moste nedes deie,
I wolde preie of you a thing:

3183 helas A, S, F   A las J   allas B &c.   3185 a *om*. E, B
3187 told SB, F   tolde AJ   3188 seid (seyd) B, F   seide AJ
he ne cowþe H₁XGRCLB₂   3195 pray yow of BΔ   o þing B

LIBER PRIMUS

[TALE OF THE THREE QUESTIONS.]

Let me go with you to the king,
And ye schull make him understonde
How ye, my wittes forto fonde,
Have leid your ansuere upon me;
And telleth him, in such degre 3200
Upon my word ye wole abide
To lif or deth, what so betide.
For yit par chaunce I may pourchace
With som good word the kinges grace,
Your lif and ek your good to save;
For ofte schal a womman have
Thing which a man mai noght areche.'
The fader herde his dowhter speche,
And thoghte ther was resoun inne,
And sih his oghne lif to winne 3210
He cowthe don himself no cure;
So betre him thoghte in aventure
To put his lif and al his good,
Than in the maner as it stod
His lif in certein forto lese.
And thus thenkende he gan to chese
To do the conseil of this Maide,
And tok the pourpos which sche saide.
 The dai was come and forth thei gon,
Unto the Court thei come anon, 3220
Wher as the king in juggement   P. i. 151
Was set and hath this knyht assent.
Arraied in hire beste wise
This Maiden with hire wordes wise
Hire fader ladde be the hond
Into the place, wher he fond
The king with othre whiche he wolde,
And to the king knelende he tolde
As he enformed was tofore,
And preith the king that he therfore 3230
His dowhtres wordes wolde take,
And seith that he wol undertake
Upon hire wordes forto stonde.
Tho was ther gret merveile on honde,

3201 I wole XERCB₂   3209 þought þat þer was XGRCLB₂

[TALE OF THE THREE QUESTIONS.]

That he, which was so wys a knyht,
His lif upon so yong a wyht
Besette wolde in jeupartie,
And manye it hielden for folie:
Bot ate laste natheles
The king comandeth ben in pes, 3240
And to this Maide he caste his chiere,
And seide he wolde hire tale hiere,
He bad hire speke, and sche began:
'Mi liege lord, so as I can,'
Quod sche, 'the pointz of whiche I herde,
Thei schul of reson ben ansuerde.

The ferste I understonde is this,
What thing of al the world it is,
Which men most helpe and hath lest nede.
Mi liege lord, this wolde I rede: 3250
The Erthe it is, which everemo   P. i. 152
With mannes labour is bego;
Als wel in wynter as in Maii
The mannes hond doth what he mai
To helpe it forth and make it riche,
And forthi men it delve and dyche
And eren it with strengthe of plowh,
Wher it hath of himself ynowh,
So that his nede is ate leste.
For every man and bridd and beste, 3260
And flour and gras and rote and rinde,
And every thing be weie of kynde
Schal sterve, and Erthe it schal become;
As it was out of Erthe nome,
It schal to therthe torne ayein:
And thus I mai be resoun sein
That Erthe is the most nedeles,
And most men helpe it natheles.
So that, my lord, touchende of this
I have ansuerd hou that it is. 3270

3245 pointes (pointz) which(e) H₁ ... B₂, B, WKH₃ (pointes which as L)   3249 hath lest nede] haþ most nede R han most nede XEC han lest nede B₂   3261 And] Of H₁ ... B₂, B   3264 of þe erþe AMB₂, ∆

LIBER PRIMUS

[TALE OF THE THREE QUESTIONS.]

That other point I understod,
Which most is worth and most is good,
And costeth lest a man to kepe:
Mi lord, if ye woll take kepe,
I seie it is Humilite,
Thurgh which the hihe trinite
As for decerte of pure love
Unto Marie from above,
Of that he knew hire humble entente,
His oghne Sone adoun he sente,   3280
Above alle othre and hire he ches   P. i. 153
For that vertu which bodeth pes:
So that I may be resoun calle
Humilite most worth of alle.
And lest it costeth to maintiene,
In al the world as it is sene;
For who that hath humblesce on honde,
He bringth no werres into londe,
For he desireth for the beste
To setten every man in reste.   3290
Thus with your hihe reverence
Me thenketh that this evidence
As to this point is sufficant.

And touchende of the remenant,
Which is the thridde of youre axinges,
What leste is worth of alle thinges,
And costeth most, I telle it, Pride;
Which mai noght in the hevene abide,
For Lucifer with hem that felle
Bar Pride with him into helle.   3300
Ther was Pride of to gret a cost,
Whan he for Pride hath hevene lost;
And after that in Paradis
Adam for Pride loste his pris:
In Midelerthe and ek also
Pride is the cause of alle wo,
That al the world ne may suffise
To stanche of Pride the reprise:

3285 to] in AM   3300 into] to AM   3301 grete (gret) cost MH₁G, B

[TALE OF THE THREE QUESTIONS.]

Pride is the heved of alle Sinne,
Which wasteth al and mai noght winne; 3310
Pride is of every mis the pricke,
Pride is the werste of alle wicke,
And costneth most and lest is worth
In place where he hath his forth.
Thus have I seid that I wol seie
Of myn answere, and to you preie,
Mi liege lord, of youre office
That ye such grace and such justice
Ordeigne for mi fader hiere,
That after this, whan men it hiere, 3320
The world therof mai speke good.'

    The king, which reson understod
And hath al herd how sche hath said,
Was inly glad and so wel paid
That al his wraththe is overgo:
And he began to loke tho
Upon this Maiden in the face,
In which he fond so mochel grace,
That al his pris on hire he leide,
In audience and thus he seide: 3330
'Mi faire Maide, wel thee be!
Of thin ansuere and ek of thee
Me liketh wel, and as thou wilt,
Foryive be thi fader gilt.
And if thou were of such lignage,
That thou to me were of parage,
And that thi fader were a Pier,
As he is now a Bachilier,
So seker as I have a lif,
Thou scholdest thanne be my wif. 3340
Bot this I seie natheles,
That I wol schape thin encress;
What worldes good that thou wolt crave,
Axe of my yifte and thou schalt have.'
And sche the king with wordes wise
Knelende thonketh in this wise:
'Mi liege lord, god mot you quite!

    3313 costeþ H₁XLB₂, BΔ, H₃   costs W

LIBER PRIMUS

Mi fader hier hath bot a lite [TALE OF THE THREE
Of warison, and that he wende QUESTIONS.]
Hadde al be lost; bot now amende   3350
He mai wel thurgh your noble grace.'
With that the king riht in his place
Anon forth in that freisshe hete
An Erldom, which thanne of eschete
Was late falle into his hond,
Unto this knyht with rente and lond
Hath yove and with his chartre sesed;
And thus was all the noise appesed.

 This Maiden, which sat on hire knes
Tofore the king, hise charitees   3360
Comendeth, and seide overmore:
'Mi liege lord, riht now tofore
Ye seide, as it is of record,
That if my fader were a lord
And Pier unto these othre grete,
Ye wolden for noght elles lete,
That I ne scholde be your wif;
And this wot every worthi lif,
A kinges word it mot ben holde.
Forthi, my lord, if that ye wolde   3370
So gret a charite fulfille, P. i. 156
God wot it were wel my wille:
For he which was a Bacheler,
Mi fader, is now mad a Pier;
So whenne as evere that I cam,
An Erles dowhter now I am.'

 This yonge king, which peised al,
Hire beaute and hir wit withal,
As he that was with love hent,
Anon therto yaf his assent.   3380
He myhte noght the maide asterte,
That sche nis ladi of his herte;

3357 seled F   3361 euermore MX ... B2, B, W   3363 as] and H1 ... B2, B   3369 it mot ben] mot (mote) nede be H1 ... B2, BΛ   3374 mad a Pier] an Erl(e) hier H1 ... B2, Λ   3379 that] which H1 ... B2, B   3381 maide] place H1 ... B2, BΛ

[Tale of the Three Questions.]

So that he tok hire to his wif,
To holde whyl that he hath lif:
And thus the king toward his knyht
Acordeth him, as it is riht.

And over this good is to wite,
In the Cronique as it is write,
This noble king of whom I tolde
Of Spaine be tho daies olde   3390
The kingdom hadde in governance,
And as the bok makth remembrance,
Alphonse was his propre name:
The knyht also, if I schal name,
Danz Petro hihte, and as men telle,
His dowhter wyse Peronelle
Was cleped, which was full of grace:
And that was sene in thilke place,
Wher sche hir fader out of teene
Hath broght and mad hirself a qweene,   3400
Of that sche hath so wel desclosed
The pointz wherof sche was opposed.

[Humility.]
Confessor.

Lo now, my Sone, as thou myht hiere,
Of al this thing to my matiere
Bot on I take, and that is Pride,
To whom no grace mai betide:
In hevene he fell out of his stede,
And Paradis him was forbede,
The goode men in Erthe him hate,
So that to helle he mot algate,   3410
Where every vertu schal be weyved
And every vice be received.
Bot Humblesce is al otherwise,
Which most is worth, and no reprise
It takth ayein, bot softe and faire,
If eny thing stond in contraire,

P. i. 157

3396 His doughtres (doghter) name Peronelle H₁ . . . B₂, Λ
3398 sene (seene) A, B   scene S, F   schene (*om.* was) J   3403
myht] may H₁ . . . B₂   3412 be] schal be H₁ . . . B₂   3414
worþy and no prise X . . . CB₂   worth and no prise H₁   worþy
and of no prise LSn, Λ   worth and of no reprise W   3416 And
it is alway debonaire H₁ . . . B₂, Λ   stond J, S, F   stonde A, B

LIBER PRIMUS

With humble speche it is redresced: [HUMILITY.]
Thus was this yonge Maiden blessed,
The which I spak of now tofore,
Hire fader lif sche gat therfore, 3420
And wan with al the kinges love.
Forthi, my Sone, if thou wolt love,
It sit thee wel to leve Pride
And take Humblesce upon thi side;
The more of grace thou schalt gete.
  Mi fader, I woll noght foryete Amans.
Of this that ye have told me hiere,
And if that eny such manere
Of humble port mai love appaie,
Hierafterward I thenke assaie: 3430
Bot now forth over I beseche   P. i. 158
That ye more of my schrifte seche. Confessor.
  Mi goode Sone, it schal be do:
Now herkne and ley an Ere to;
For as touchende of Prides fare,
Als ferforth as I can declare
In cause of vice, in cause of love,
That hast thou pleinly herd above,
So that ther is nomor to seie
Touchende of that; bot other weie 3440
Touchende Envie I thenke telle,
Which hath the propre kinde of helle,
Withoute cause to misdo
Toward himself and othre also,
Hierafterward as understonde
Thou schalt the spieces, as thei stonde.

Explicit Liber Primus.

3443 to misdo] of þing misdo H₁ . . . CB₂   of nothing mysdo L
3445 as] as I AJL, Λ, W

Incipit Liber Secundus. P. i. 159

[ENVY.]

i. *Inuidie culpa magis est attrita dolore,*
Nam sua mens nullo tempore leta manet:
Quo gaudent alii, dolet ille, nec vnus amicus
Est, cui de puro comoda velle facit.
Proximitatis honor sua corda veretur, et omnis
Est sibi leticia sic aliena dolor.
Hoc etenim vicium quam sepe repugnat amanti,
Non sibi, set reliquis, dum fauet ipsa Venus.
Est amor ex proprio motu fantasticus, et que
Gaudia fert alius, credit obesse sibi. (10)

Hic in secundo libro tractat de Inuidia et eius speciebus, quarum dolor alterius gaudii prima nuncupatur, cuius condicionem secundum vicium Confessor primitus describens, Amanti, quatenus amorem concernit, super eodem consequenter opponit.

    Now after Pride the secounde
Ther is, which many a woful stounde
Towardes othre berth aboute
Withinne himself and noght withoute;
For in his thoght he brenneth evere,
Whan that he wot an other levere
Or more vertuous than he,
Which passeth him in his degre;
Therof he takth his maladie:
That vice is cleped hot Envie.   10

[i. SORROW FOR ANOTHER MAN'S JOY.]

    Forthi, my Sone, if it be so
Thou art or hast ben on of tho,
As forto speke in loves cas,
If evere yit thin herte was
Sek of an other mannes hele?   P. i. 160
    So god avance my querele,
Mi fader, ye, a thousand sithe:
Whanne I have sen an other blithe
Of love, and hadde a goodly chiere,

Latin Verses i. 10 aliis H₁ . . . B₂, BΛ, W

Ethna, which brenneth yer be yere,   20 [SORROW FOR AN-
Was thanne noght so hot as I   OTHER MAN'S JOY.]
Of thilke Sor which prively
Min hertes thoght withinne brenneth.
The Schip which on the wawes renneth,
And is forstormed and forblowe,
Is noght more peined for a throwe
Than I am thanne, whanne I se
An other which that passeth me
In that fortune of loves yifte.
Bot, fader, this I telle in schrifte,   30
That is nowher bot in o place;
For who that lese or finde grace
In other stede, it mai noght grieve:
Bot this ye mai riht wel believe,
Toward mi ladi that I serve,
Thogh that I wiste forto sterve,
Min herte is full of such sotie,
That I myself mai noght chastie.
Whan I the Court se of Cupide
Aproche unto my ladi side   40
Of hem that lusti ben and freisshe,—
Thogh it availe hem noght a reisshe,
Bot only that thei ben in speche,—
My sorwe is thanne noght to seche:
Bot whan thei rounen in hire Ere,   P. i. 161
Than groweth al my moste fere,
And namly whan thei talen longe;
My sorwes thanne be so stronge
Of that I se hem wel at ese,
I can noght telle my desese.   50
Bot, Sire, as of my ladi selve,
Thogh sche have wowers ten or twelve,
For no mistrust I have of hire
Me grieveth noght, for certes, Sire,
I trowe, in al this world to seche,
Nis womman that in dede and speche
Woll betre avise hire what sche doth,

31 nowher] now heer (here) MX ... B₂

CONFESSIO AMANTIS

[SORROW FOR AN-
OTHER MAN'S JOY.]

    Ne betre, forto seie a soth,
Kepe hire honour ate alle tide,
And yit get hire a thank beside.   60
Bot natheles I am beknowe,
That whanne I se at eny throwe,
Or elles if I mai it hiere,
That sche make eny man good chiere,
Thogh I therof have noght to done,
Mi thought wol entermette him sone.
For thogh I be miselve strange,
Envie makth myn herte change,
That I am sorghfully bestad
Of that I se an other glad   70
With hire; bot of other alle,
Of love what so mai befalle,
Or that he faile or that he spede,
Therof take I bot litel heede.
Now have I seid, my fader, al   P. i. 162
As of this point in special,
Als ferforthli as I have wist.
Now axeth further what you list.

Confessor.

    Mi Sone, er I axe eny more,
I thenke somdiel for thi lore   80
Telle an ensample of this matiere
Touchende Envie, as thou schalt hiere.
Write in Civile this I finde:
Thogh it be noght the houndes kinde
To ete chaf, yit wol he werne
An Oxe which comth to the berne,
Therof to taken eny fode.
And thus, who that it understode,
It stant of love in many place:
Who that is out of loves grace   90
And mai himselven noght availe,
He wolde an other scholde faile;
And if he may put eny lette,
He doth al that he mai to lette.

    59 ate A. S. F at J, B   60 get J, S, F gete AC, B   71 oþer
(othir) MH₁, AdΔ, H₃ oþre AJEC, SB, F   78 further] fader KH₃
92 wolde] þought(e) XEC þough H₁RLB₂

Wherof I finde, as thou schalt wite,
To this pourpos a tale write.
  Ther ben of suche mo than twelve,
That ben noght able as of hemselve
To gete love, and for Envie
Upon alle othre thei aspie;   100
And for hem lacketh that thei wolde,
Thei kepte that non other scholde
Touchende of love his cause spede:
Wherof a gret ensample I rede,
Which unto this matiere acordeth,   P. i. 163
As Ovide in his bok recordeth,
How Poliphemus whilom wroghte,
Whan that he Galathee besoghte
Of love, which he mai noght lacche.
That made him forto waite and wacche   110
Be alle weies how it ferde,
Til ate laste he knew and herde
How that an other hadde leve
To love there as he mot leve,
As forto speke of eny sped:
So that he knew non other red,
Bot forto wayten upon alle,
Til he may se the chance falle
That he hire love myhte grieve,
Which he himself mai noght achieve.   120
This Galathee, seith the Poete,
Above alle othre was unmete
Of beaute, that men thanne knewe,
And hadde a lusti love and trewe,
A Bacheler in his degree,
Riht such an other as was sche,
On whom sche hath hire herte set,
So that it myhte noght be let
For yifte ne for no beheste,
That sche ne was al at his heste.   130

[TALE OF ACIS AND GALATEA.]

Hic ponit Confessor exemplum saltem contra istos qui in amoris causa aliorum gaudiis inuidentes nequaquam per hoc sibi ipsis proficiunt. Et narrat, qualiter quidam iuuenis miles nomine Acis, quem Galathea Nimpha pulcherrima toto corde peramauit, cum ipsi sub quadam rupe iuxta litus maris colloquium adinuicem habuerunt, Poliphemus Gigas concussa rupe magnam inde partem super caput Acis ab alto proiciens ipsum per inuidiam interfecit. Et cum ipse super hoc dictam Galatheam rapere voluisset, Neptunus Giganti obsistens ipsam inuiolatam salua custodia preseruauit. Set et dii miserti corpus Acis defuncti in fontem aque dulcissime subito transmutarunt.

96 write] I write AM   116 *margin* capere H₁ ... B₂, B
117 Bot] Bo F   119 *margin* et *om.* B   123 that men thanne knewe] þat men þat (*om.* knewe) A   þat men þat knew M   that than men knewe Ad   of men that knewe H₃   129 no *om.* AM

[TALE OF ACIS AND GALATEA.]

This yonge knyht Acis was hote,
Which hire ayeinward als so hote
Al only loveth and nomo.
Hierof was Poliphemus wo
Thurgh pure Envie, and evere aspide,   P. i. 164
And waiteth upon every side,
Whan he togedre myhte se
This yonge Acis with Galathe.
  So longe he waiteth to and fro,
Til ate laste he fond hem tuo,   140
In prive place wher thei stode
To speke and have here wordes goode.
The place wher as he hem syh,
It was under a banke nyh
The grete See, and he above
Stod and behield the lusti love
Which ech of hem to other made
With goodly chiere and wordes glade,
That al his herte hath set afyre
Of pure Envie: and as a fyre   150
Which fleth out of a myhti bowe,
Aweie he fledde for a throwe,
As he that was for love wod,
Whan that he sih how that it stod.
This Polipheme a Geant was;
And whan he sih the sothe cas,
How Galathee him hath forsake
And Acis to hire love take,
His herte mai it noght forbere
That he ne roreth lich a Bere;   160
And as it were a wilde beste,
The whom no reson mihte areste,
He ran Ethna the hell aboute,
Wher nevere yit the fyr was oute,
Fulfild of sorghe and gret desese,   P. i. 165
That he syh Acis wel at ese.

136 tyde B   149 set J, SB   sette A, F   150 vyre (vire) H₁ ... L, B, W   160 lich] as B. KH₃   162 The whom AX, SAd, F   Tho whome M   To whom J H₁G ... B₂, Λ   In whom K *in ras*. H₃   The which B, W   Hom (*om*. The) Δ   areste] haue reste J

Til ate laste he him bethoghte, [TALE OF ACIS AND
As he which al Envie soghte, GALATEA.]
And torneth to the banke ayein,
Wher he with Galathee hath seyn   170
Acis, whom that he thoghte grieve,
Thogh he himself mai noght relieve.
This Geant with his ruide myht
Part of the banke he schof doun riht,
The which evene upon Acis fell,
So that with fallinge of this hell
This Poliphemus Acis slowh,
Wherof sche made sorwe ynowh.
And as sche fledde fro the londe,
Neptunus tok hire into honde   180
And kept hire in so sauf a place
Fro Polipheme and his manace,
That he with al his false Envie
Ne mihte atteigne hir compaignie.
This Galathee of whom I speke,
That of hirself mai noght be wreke,
Withouten eny semblant feigned
Sche hath hire loves deth compleigned,
And with hire sorwe and with hire wo
Sche hath the goddes moeved so,   190
That thei of pite and of grace
Have Acis in the same place,
Ther he lai ded, into a welle
Transformed, as the bokes telle,
With freisshe stremes and with cliere, **P. i. 166**
As he whilom with lusti chiere
Was freissh his love forto qweme.
And with this ruide Polipheme
For his Envie and for his hate
Thei were wrothe.
     And thus algate,   200   Confessor.
Mi Sone, thou myht understonde,
That if thou wolt in grace stonde
With love, thou most leve Envie:
And as thou wolt for thi partie

176 þe helle AM (hille) 181 kept J, SB, F kepte A 193 Wher SAdBΔ

[TALE OF ACIS AND
GALATEA.]

Toward thi love stonde fre,
So most thou soffre an other be,
What so befalle upon the chaunce:
For it is an unwys vengance,
Which to non other man is lief,
And is unto himselve grief. 210

Amans.

 Mi fader, this ensample is good;
Bot how so evere that it stod
With Poliphemes love as tho,
It schal noght stonde with me so,
To worchen eny felonie
In love for no such Envie.
Forthi if ther oght elles be,
Now axeth forth, in what degre
It is, and I me schal confesse
With schrifte unto youre holinesse. 220

[ii. JOY FOR ANOTHER
MAN'S GRIEF.]

ii. *Orta sibi solito mentalia gaudia liuor*
 Dum videt alterius, dampna doloris agit.
Inuidus obridet hodie fletus aliorum,
 Fletus cui proprios crastina fata parant.
Sic in amore pari stat sorte iocosus, amantes   P. i. 167
 Cum videt illusos, inuidus ille quasi.
Sit licet in vacuum, sperat tamen ipse leuamen
 Alterius casu, lapsus et ipse simul.

Hic loquitur Confessor de secunda specie Inuidie, que gaudium alterius doloris dicitur, et primo eiusdem vicii materiam tractans amantis conscienciam super eodem vlterius inuestigat.

 Mi goode Sone, yit ther is
A vice revers unto this,
Which envious takth his gladnesse
Of that he seth the hevinesse
Of othre men: for his welfare
Is whanne he wot an other care:
Of that an other hath a fall,
He thenkth himself arist withal.
Such is the gladschipe of Envie
In worldes thing, and in partie 230
Fulofte times ek also
In loves cause it stant riht so.

Latin Verses ii. 1 Orta] Vita H₁ . . . B₂, B   5 sorte] forte H₁XGRCLB₂
228 He] Him E, KH₃

LIBER SECUNDUS

If thou, my Sone, hast joie had,   [JOY FOR ANOTHER
Whan thou an other sihe unglad,   MAN'S GRIEF.]
Schrif the therof.
           Mi fader, yis: Amans.
I am beknowe unto you this.
Of these lovers that loven streyte,
And for that point which thei coveite
Ben poursuiantz fro yeer to yere
In loves Court, whan I may hiere   240
How that thei clymbe upon the whel,
And whan thei wene al schal be wel,
Thei ben doun throwen ate laste,
Thanne am I fedd of that thei faste,
And lawhe of that I se hem loure;
And thus of that thei brewe soure
I drinke swete, and am wel esed   P. i. 168
Of that I wot thei ben desesed.
Bot this which I you telle hiere
Is only for my lady diere;   250
That for non other that I knowe
Me reccheth noght who overthrowe,
Ne who that stonde in love upriht:
Bot be he squier, be he knyht,
Which to my ladiward poursuieth,
The more he lest of that he suieth,
The mor me thenketh that I winne,
And am the more glad withinne
Of that I wot him sorwe endure.
For evere upon such aventure   260
It is a confort, as men sein,   Boicius. Consola-
To him the which is wo besein   cio miserorum est
To sen an other in his peine,   habere consortem in
So that thei bothe mai compleigne.   pena.
Wher I miself mai noght availe
To sen an other man travaile,
I am riht glad if he be let;
And thogh I fare noght the bet,
His sorwe is to myn herte a game:
Whan that I knowe it is the same   270
Which to mi ladi stant enclined,

[JOY FOR ANOTHER MAN'S GRIEF.]

And hath his love noght termined,
I am riht joifull in my thoght.
If such Envie greveth oght,
As I beknowe me coupable,
Ye that be wys and resonable,
Mi fader, telleth youre avis.

Confessor.

Mi Sone, Envie into no pris
Of such a forme, I understonde,
Ne mihte be no resoun stonde. 280
For this Envie hath such a kinde,
That he wole sette himself behinde
To hindre with an othre wyht,
And gladly lese his oghne riht
To make an other lesen his.
And forto knowe how it so is,
A tale lich to this matiere
I thenke telle, if thou wolt hiere,
To schewe proprely the vice
Of this Envie and the malice. 290

[THE TRAVELLERS AND THE ANGEL.]

Hic ponit Confessor exemplum presertim contra illum, qui sponte sui ipsius detrimentum in alterius penam maiorem patitur. Et narrat quod, cum Iupiter angelum suum in forma hominis, vt hominum condiciones exploraret, ab excelso in terram misit, contigit quod ipse angelus duos homines, quorum vnus cupidus, alter inuidus erat, itinerando spacio quasi vnius diei comitabatur. Et cum sero factum esset, angelus eorum noticie seipsum tunc manifestans dixit, quod quicquid alter eorum ab ipso donari sibi pecierit, illud statim obtine-

Of Jupiter this finde I write,
How whilom that he wolde wite
Upon the pleigntes whiche he herde,
Among the men how that it ferde,
As of here wrong condicion
To do justificacion:
And for that cause doun he sente
An Angel, which aboute wente,
That he the sothe knowe mai.
So it befell upon a dai 300
This Angel, which him scholde enforme,
Was clothed in a mannes forme,
And overtok, I understonde,
Tuo men that wenten over londe,
Thurgh whiche he thoghte to aspie
His cause, and goth in compaignie.
This Angel with hise wordes wise
Opposeth hem in sondri wise,
Now lowde wordes and now softe,

P. i. 169

P. i. 170

298 which *om.* B

LIBER SECUNDUS

That mad hem to desputen ofte,
And ech of hem his reson hadde.
And thus with tales he hem ladde
With good examinacioun,
Til he knew the condicioun,
What men thei were bothe tuo;
And sih wel ate laste tho,
That on of hem was coveitous,
And his fela was envious.
And thus, whan he hath knowlechinge,
Anon he feigneth departinge,
And seide he mot algate wende.
Bot herkne now what fell at ende:
For thanne he made hem understonde
That he was there of goddes sonde,
And seide hem, for the kindeschipe
That thei have don him felaschipe,
He wole hem do som grace ayein,
And bad that on of hem schal sein
What thing him is lievest to crave,
And he it schal of yifte have;
And over that ek forth withal
He seith that other have schal
The double of that his felaw axeth;
And thus to hem his grace he taxeth.

   The coveitous was wonder glad,
And to that other man he bad
And seith that he ferst axe scholde:
For he supposeth that he wolde
Make his axinge of worldes good;
For thanne he knew wel how it stod,
That he himself be double weyhte
Schal after take, and thus be sleyhte,
Be cause that he wolde winne,
He bad his fela ferst beginne.
This Envious, thogh it be late,
Whan that he syh he mot algate

310 [THE TRAVELLERS AND THE ANGEL.]

bit, quod et socio suo secum comitanti affirmat duplicandum. Super quo cupidus impeditus auaricia, sperans sibi diuicias carpere duplicatas, primo petere recusauit. Quod cum inuidus animaduerteret, naturam sui vicii concernens, ita vt socius suus vtroque lumine priuaretur, seipsum monoculum fieri constanter primus ab angelo postulabat. Et sic vnius inuidia alterius auariciam maculauit.

P. i. 171

310 mad S, F   made AJ, B   315 *margin* igitur (g¹) diuicias carpere XER, B   sibi diuicias capere MH₁, W   igitur diuicias capere Cl.   346 What þat B   What Ad

[The Travellers and the Angel.]

Make his axinge ferst, he thoghte,
If he worschipe or profit soghte,
It schal be doubled to his fiere:
That wolde he chese in no manere. 350
Bot thanne he scheweth what he was
Toward Envie, and in this cas
Unto this Angel thus he seide
And for his yifte this he preide,
To make him blind of his on yhe,
So that his fela nothing syhe.
This word was noght so sone spoke,
That his on yhe anon was loke,
And his felawh forthwith also
Was blind of bothe his yhen tuo. 360
Tho was that other glad ynowh,
That on wepte, and that other lowh,
He sette his on yhe at no cost,
Wherof that other two hath lost.

Of thilke ensample which fell tho,
Men tellen now fulofte so,
The world empeireth comunly: P. i. 172
And yit wot non the cause why;
For it acordeth noght to kinde
Min oghne harm to seche and finde 370
Of that I schal my brother grieve;
It myhte nevere wel achieve.

Confessor.   What seist thou, Sone, of this folie?
Amans.   Mi fader, bot I scholde lie,
Upon the point which ye have seid
Yit was myn herte nevere leid,
Bot in the wise as I you tolde.
Bot overmore, if that ye wolde
Oght elles to my schrifte seie
Touchende Envie, I wolde preie. 380
Confessor.   Mi Sone, that schal wel be do:
Now herkne and ley thin Ere to.

352 Ennvie F   354 thus] þis A and thus W   365-72 *Eight lines om.* SAdBΔΛ   377 the wise] þis wise B   378 euermore AJMG ... B2, Magd   forthermore W

LIBER SECUNDUS

iii. *Inuidie pars est detraccio pessima, pestem* [iii. DETRACTION.]
    Que magis infamem flatibus oris agit.
Lingua venenato sermone repercutit auras,
    Sic ut in alterius scandala fama volat.
Morsibus a tergo quos inficit ipsa fideles,
    Vulneris ignoti sepe salute carent.
Set generosus amor linguam conseruat, vt eius
    Verbum quod loquitur nulla sinistra gerat.

    Touchende as of Envious brod
I wot noght on of alle good;
Bot natheles, suche as thei be,
Yit is ther on, and that is he
Which cleped is Detraccioun.   Hic tractat Confes-
And to conferme his accioun,   sor de tercia specie
                                        Inuidie, que Detrac-
He hath withholde Malebouche,   cio dicitur, cuius mor-
                                        sus vipereos lesa
Whos tunge neither pyl ne crouche   quamsepe fama de-
                                   390 plangit.
Mai hyre, so that he pronounce   P. i. 173
A plein good word withoute frounce
Awher behinde a mannes bak.
For thogh he preise, he fint som lak,
Which of his tale is ay the laste,
That al the pris schal overcaste:
And thogh ther be no cause why,
Yit wole he jangle noght forthi,
As he which hath the heraldie
Of hem that usen forto lye.   400
For as the Netle which up renneth
The freisshe rede Roses brenneth
And makth hem fade and pale of hewe,
Riht so this fals Envious hewe,
In every place wher he duelleth,
With false wordes whiche he telleth
He torneth preisinge into blame
And worschipe into worldes schame.
Of such lesinge as he compasseth,
Is non so good that he ne passeth   410
Betwen his teeth and is bacbited,
And thurgh his false tunge endited:

    Latin Verses iii. 2 infamen F
    401 the *om.* AM   409 suche F

[DETRACTION.]

Lich to the Scharnebudes kinde,
Of whos nature this I finde,
That in the hoteste of the dai,
Whan comen is the merie Maii,
He sprat his wynge and up he fleth:
And under al aboute he seth
The faire lusti floures springe,
Bot therof hath he no likinge; 420
Bot where he seth of eny beste
The felthe, ther he makth his feste,
And therupon he wole alyhte,
Ther liketh him non other sihte.
Riht so this janglere Envious,
Thogh he a man se vertuous
And full of good condicioun,
Therof makth he no mencioun:
Bot elles, be it noght so lyte,
Wherof that he mai sette a wyte, 430
Ther renneth he with open mouth,
Behinde a man and makth it couth.
Bot al the vertu which he can,
That wole he hide of every man,
And openly the vice telle,
As he which of the Scole of helle
Is tawht, and fostred with Envie
Of houshold and of compaignie,
Wher that he hath his propre office
To sette on every man a vice. 440
How so his mouth be comely,
His word sit evermore awry
And seith the worste that he may.

[DETRACTION OF LOVERS.]

And in this wise now a day
In loves Court a man mai hiere
Fulofte pleigne of this matiere,
That many envious tale is stered,
Wher that it mai noght ben ansuered;
Bot yit fulofte it is believed,
And many a worthi love is grieved 450
Thurgh bacbitinge of fals Envie.
 If thou have mad such janglerie

LIBER SECUNDUS

In loves Court, mi Sone, er this,
Schrif thee therof.
              Mi fader, yis:
Bot wite ye how? noght openly,
Bot otherwhile prively,
Whan I my diere ladi mete,
And thenke how that I am noght mete
Unto hire hihe worthinesse,
And ek I se the besinesse   460
Of al this yonge lusty route,
Whiche alday pressen hire aboute,
And ech of hem his time awaiteth,
And ech of hem his tale affaiteth,
Al to deceive an innocent,
Which woll noght ben of here assent;
And for men sein unknowe unkest,
Hire thombe sche holt in hire fest
So clos withinne hire oghne hond,
That there winneth noman lond;   470
Sche lieveth noght al that sche hiereth,
And thus fulofte hirself sche skiereth
And is al war of 'hadde I wist':—
Bot for al that myn herte arist,
Whanne I thes comun lovers se,
That woll noght holden hem to thre,
Bot welnyh loven overal,
Min herte is Envious withal,
And evere I am adrad of guile,
In aunter if with eny wyle   480
Thei mihte hire innocence enchaunte. **P. i. 176**
Forthi my wordes ofte I haunte
Behynden hem, so as I dar,
Wherof my ladi may be war:
I sai what evere comth to mowthe,
And worse I wolde, if that I cowthe;
For whanne I come unto hir speche,
Al that I may enquere and seche

[DETRACTION OF LOVERS.]

Hic in amoris causa huius vicii crimen ad memoriam reducens Confessor Amanti super eodem plenius opponit.

---

467 vnknowen vnkost R   vnknowen gest AM   473 hadde
I wist] hadde (had) wist XRC   haddy wist(e) H₁ELB₂   haddiwist
M, H₃   haddy I wist Ad

[DETRACTION OF LOVERS.]

Of such deceipte, I telle it al,
And ay the werste in special. 490
So fayn I wolde that sche wiste
How litel thei ben forto triste,
And what thei wolde and what thei mente,
So as thei be of double entente:
Thus toward hem that wicke mene
My wicked word was evere grene.
And natheles, the soth to telle,
In certain if it so befelle
That althertrewest man ybore,
To chese among a thousend score, 500
Which were alfulli forto triste,
Mi ladi lovede, and I it wiste,
Yit rathere thanne he scholde spede,
I wolde swiche tales sprede
To my ladi, if that I myhte,
That I scholde al his love unrihte,
And therto wolde I do mi peine.
For certes thogh I scholde feigne,
And telle that was nevere thoght,
For al this world I myhte noght 510
To soffre an othre fully winne, **P. i. 177**
Ther as I am yit to beginne.
For be thei goode, or be thei badde,
I wolde non my ladi hadde;
And that me makth fulofte aspie
And usen wordes of Envie,
Al forto make hem bere a blame.
And that is bot of thilke same,
The whiche unto my ladi drawe,
For evere on hem I rounge and gknawe 520
And hindre hem al that evere I mai;
And that is, sothly forto say,
Bot only to my lady selve:
I telle it noght to ten ne tuelve,
Therof I wol me wel avise,
To speke or jangle in eny wise
That toucheth to my ladi name,

517 Al] And H₁ ... B₂, H₃

LIBER SECUNDUS

The which in ernest and in game   [Detraction of
I wolde save into my deth;   Lovers.]
For me were levere lacke breth   530
Than speken of hire name amis.
Now have ye herd touchende of this,
Mi fader, in confessioun:
And therfor of Detraccioun
In love, of that I have mispoke,
Tel how ye wole it schal be wroke.
I am al redy forto bere
Mi peine, and also to forbere
What thing that ye wol noght allowe;
For who is bounden, he mot bowe.   540
So wol I bowe unto youre heste,   P. i. 178
For I dar make this beheste,
That I to yow have nothing hid,
Bot told riht as it is betid;
And otherwise of no mispeche,
Mi conscience forto seche,
I can noght of Envie finde,
That I mispoke have oght behinde
Wherof love owhte be mispaid.
Now have ye herd and I have said;   550
What wol ye, fader, that I do?

    Mi Sone, do nomore so,   Confessor.
Bot evere kep thi tunge stille,
Thou miht the more have of thi wille.
For as thou saist thiselven here,
Thi ladi is of such manere,
So wys, so war in alle thinge,
It nedeth of no bakbitinge
That thou thi ladi mis enforme:
For whan sche knoweth al the forme,   560
How that thiself art envious,
Thou schalt noght be so gracious
As thou peraunter scholdest elles.
Ther wol noman drinke of tho welles
Whiche as he wot is puyson inne;
And ofte swich as men beginne

554 of *om.* J ... B₂, B, W

[DETRACTION OF LOVERS.]

Towardes othre, swich thei finde,
That set hem ofte fer behinde,
Whan that thei wene be before.
Mi goode Sone, and thou therfore 570
Bewar and lef thi wicke speche, P. i. 179
Wherof hath fallen ofte wreche
To many a man befor this time.
For who so wole his handes lime,
Thei mosten be the more unclene;
For many a mote schal be sene,
That wolde noght cleve elles there;
And that schold every wys man fere:
For who so wol an other blame,
He secheth ofte his oghne schame, 580
Which elles myhte be riht stille.
Forthi if that it be thi wille
To stonde upon amendement,
A tale of gret entendement
I thenke telle for thi sake,
Wherof thou miht ensample take.

[TALE OF CONSTANCE.]

Hic loquitur Confessor contra istos in amoris causa detrahentes, qui suis obloquiis aliena solacia perturbant. Et narrat exemplum de Constancia Tiberii Rome Imparatoris filia, omnium virtutum famosissima, ob cuius amorem Soldanus tunc Persie, vt eam in vxorem ducere posset, Cristianum se fieri promisit; cuius accepta caucione consilio Pelagii tunc pape dicta filia vna cum duobus Cardinalibus aliisque Rome proceribus in Persiam maritagii causa nauigio

A worthi kniht in Cristes lawe
Of grete Rome, as is the sawe,
The Sceptre hadde forto rihte;
Tiberie Constantin he hihte, 590
Whos wif was cleped Ytalie:
Bot thei togedre of progenie
No children hadde bot a Maide;
And sche the god so wel apaide,
That al the wide worldes fame
Spak worschipe of hire goode name.
Constance, as the Cronique seith,
Sche hihte, and was so ful of feith,
That the greteste of Barbarie,
Of hem whiche usen marchandie, 600
Sche hath converted, as thei come P. i. 180
To hire upon a time in Rome,
To schewen such thing as thei broghte;
Whiche worthili of hem sche boghte,

571 Bewar F   Be war AJ, B   578 schold BS, F   scholde AJ

LIBER SECUNDUS

And over that in such a wise
Sche hath hem with hire wordes wise
Of Cristes feith so full enformed,
That thei therto ben all conformed,
So that baptesme thei receiven
And alle here false goddes weyven.
Whan thei ben of the feith certein,
Thei gon to Barbarie ayein,
And ther the Souldan for hem sente
And axeth hem to what entente
Thei have here ferste feith forsake.
And thei, whiche hadden undertake
The rihte feith to kepe and holde,
The matiere of here tale tolde
With al the hole circumstance.
And whan the Souldan of Constance 620
Upon the point that thei ansuerde
The beaute and the grace herde,
As he which thanne was to wedde,
In alle haste his cause spedde
To sende for the mariage.
And furthermor with good corage
He seith, be so he mai hire have,
That Crist, which cam this world to save,
He woll believe: and this recorded,
Thei ben on either side acorded, 630
And therupon to make an ende
The Souldan hise hostages sende
To Rome, of Princes Sones tuelve:
Wherof the fader in himselve
Was glad, and with the Pope avised
Tuo Cardinals he hath assissed
With othre lordes many mo,
That with his doghter scholden go,
To se the Souldan be converted.
  Bot that which nevere was wel herted,
Envie, tho began travaile 640
In destourbance of this spousaile
So prively that non was war.

P. i. 181

[TALE OF CONSTANCE.]
honorifice destinata fuit: que tamen obloquencium postea detraccionibus variis modis, prout inferius articulatur, absque sui culpa dolorosa fata multipliciter passa est.

Qualiter adueniente Constancia in Barbariam Mater Soldani, huiusmodi nupcias

606 *margin* fuit] fiunt XERCL, B   fue*r*it B₂

[TALE OF CONSTANCE.]
perturbare volens, filium suum vna cum dicta Constancia Cardinalibusque et aliis Romanis primo die ad conuiuium inuitauit; et conuescentibus illis in mensa ipsum Soldanum omnesque ibidem preter Constanciam Romanos ab insidiis latitantibus subdola detraccione interfici procurauit. Ipsamque Constanciam in quadam naui absque gubernaculo positam per altum mare ventorum flatibus agitandam in exilium dirigi solam constituit.

The Moder which this Souldan bar
Was thanne alyve, and thoghte this
Unto hirself: 'If it so is
Mi Sone him wedde in this manere,
Than have I lost my joies hiere,
For myn astat schal so be lassed.'
Thenkende thus sche hath compassed   650
Be sleihte how that sche may beguile
Hire Sone; and fell withinne a while,
Betwen hem two whan that thei were,
Sche feigneth wordes in his Ere,
And in this wise gan to seie:
'Mi Sone, I am be double weie
With al myn herte glad and blithe,
For that miself have ofte sithe
Desired thou wolt, as men seith,
Receive and take a newe feith,   660
Which schal be forthringe of thi lif: **P. i. 182**
And ek so worschipful a wif,
The doughter of an Emperour,
To wedde it schal be gret honour.
Forthi, mi Sone, I you beseche
That I such grace mihte areche,
Whan that my doughter come schal,
That I mai thanne in special,
So as me thenkth it is honeste,
Be thilke which the ferste feste   670
Schal make unto hire welcominge.'
The Souldan granteth hire axinge,
And sche therof was glad ynowh:
For under that anon she drowh
With false wordes that sche spak
Covine of deth behinde his bak.
And therupon hire ordinance
She made so, that whan Constance
Was come forth with the Romeins,
Of clerkes and of Citezeins,   680

649 be so AM   sone be X   658 *margin* in exilium] et in exilium X, B   et exilium H₁ERLB₂   671 welcominge] comyng(e) H₁ ... B₂, B

LIBER SECUNDUS

A riche feste sche hem made: [TALE OF CONSTANCE.]
And most whan that thei weren glade,
With fals covine which sche hadde
Hire clos Envie tho sche spradde,
And alle tho that hadden be
Or in apert or in prive
Of conseil to the mariage,
Sche slowh hem in a sodein rage
Endlong the bord as thei be set,
So that it myhte noght be let;   690
Hire oghne Sone was noght quit,   **P. i. 183**
Bot deide upon the same plit.
Bot what the hihe god wol spare
It mai for no peril misfare:
This worthi Maiden which was there
Stod thanne, as who seith, ded for feere,
To se the feste how that it stod,
Which al was torned into blod:
The Dissh forthwith the Coppe and al
Bebled thei weren overal;   700
Sche sih hem deie on every side;
No wonder thogh sche wepte and cride
Makende many a wofull mone.
Whan al was slain bot sche al one,
This olde fend, this Sarazine,
Let take anon this Constantine
With al the good sche thider broghte,
And hath ordeined, as sche thoghte,
A nakid Schip withoute stiere,
In which the good and hire in fiere,   710
Vitailed full for yeres fyve,
Wher that the wynd it wolde dryve,
Sche putte upon the wawes wilde.
  Bot he which alle thing mai schilde,
Thre yer, til that sche cam to londe,   Qualiter nauis cum
Hire Schip to stiere hath take in honde,   Constancia in partes
And in Northumberlond aryveth;   Anglie, que tunc pa-
And happeth thanne that sche dryveth   gana fuit, prope Hum-
Under a Castel with the flod,   ber sub quodam cas-
                                tello Regis, qui tunc
                                Allee vocabatur, post

710 hiere F   716 *margin* ad partes H₁ ... RLB₂, B

[TALE OF CONSTANCE.]
triennium applicuit, quam quidam miles nomine Elda, dicti castelli tunc custos, e naui lete suscipiens vxori sue Hermynghelde in custodiam honorifice commendauit.

Which upon Humber banke stod 720
And was the kynges oghne also,   P. i. 184
The which Allee was cleped tho,
A Saxon and a worthi knyht,
Bot he believeth noght ariht.
Of this Castell was Chastellein
Elda the kinges Chamberlein,
A knyhtly man after his lawe;
And whan he sih upon the wawe
The Schip drivende al one so,
He bad anon men scholden go 730
To se what it betokne mai.
This was upon a Somer dai,
The Schip was loked and sche founde;
Elda withinne a litel stounde
It wiste, and with his wif anon
Toward this yonge ladi gon,
Wher that thei founden gret richesse;
Bot sche hire wolde noght confesse,
Whan thei hire axen what sche was.
And natheles upon the cas 740
Out of the Schip with gret worschipe
Thei toke hire into felaschipe,
As thei that weren of hir glade:
Bot sche no maner joie made,
Bot sorweth sore of that sche fond
No cristendom in thilke lond;
Bot elles sche hath al hire wille,
And thus with hem sche duelleth stille.

Qualiter Constancia Eldam cum vxore sua Hermynghelda, qui antea Cristiani non extiterant, ad fidem Cristi miraculose conuertit.

Dame Hermyngheld, which was the wif
Of Elda, lich her oghne lif 750
Constance loveth; and fell so,   P. i. 185
Spekende alday betwen hem two,
Thurgh grace of goddes pourveance
This maiden tawhte the creance
Unto this wif so parfitly,
Upon a dai that faste by
In presence of hire housebonde,
Wher thei go walkende on the Stronde,

751 and] and it H₁ ... B₂, B   *margin* Elda H₁G ... B₂, B

LIBER SECUNDUS

A blind man, which cam there lad,   [TALE OF CONSTANCE.]
Unto this wif criende he bad,   760
With bothe hise hondes up and preide
To hire, and in this wise he seide:
'O Hermyngeld, which Cristes feith,
Enformed as Constance seith,
Received hast, yif me my sihte.'
  Upon his word hire herte afflihte
Thenkende what was best to done,
Bot natheles sche herde his bone
And seide, 'In trust of Cristes lawe,
Which don was on the crois and slawe,   770
Thou bysne man, behold and se.'
With that to god upon his kne
Thonkende he tok his sihte anon,
Wherof thei merveile everychon,
Bot Elda wondreth most of alle:
This open thing which is befalle
Concludeth him be such a weie,
That he the feith mot nede obeie.
  Now lest what fell upon this thing.
This Elda forth unto the king   780   Qualiter quidam mi-
A morwe tok his weie and rod,   **P. i. 186** les iuuenis in amorem
And Hermyngeld at home abod   Constancie exardes-
Forth with Constance wel at ese.   cens, pro eo quod ipsa
Elda, which thoghte his king to plese,   assentire noluit, eam
As he that thanne unwedded was,   de morte Hermyng-
Of Constance al the pleine cas   helde, quam ipsemet
Als goodliche as he cowthe tolde.   noctanter interfecit,
The king was glad and seide he wolde   verbis detractoriis ac-
Come thider upon such a wise   cusauit. Set Angelus
That he him mihte of hire avise,   domini ipsum sic de-
The time apointed forth withal.   trahentem in maxilla
This Elda triste in special   subito percuciens non
Upon a knyht, whom fro childhode   solum pro mendace
He hadde updrawe into manhode: comprobauit, set ictu
To him he tolde al that he thoghte,   790 mortali post ipsius
Wherof that after him forthoghte;   confessionem penitus
And natheles at thilke tide   interfecit.

782 *margin* ipsa sibi A . . . B2, BΔ

[Tale of Constance.]

Unto his wif he bad him ride
To make redi alle thing
Ayein the cominge of the king, 800
And seith that he himself tofore
Thenkth forto come, and bad therfore
That he him kepe, and told him whanne.
This knyht rod forth his weie thanne;
And soth was that of time passed
He hadde in al his wit compassed
How he Constance myhte winne;
Bot he sih tho no sped therinne,
Wherof his lust began tabate,
And that was love is thanne hate; 810
Of hire honour he hadde Envie,   P. i. 187
So that upon his tricherie
A lesinge in his herte he caste.
Til he cam home he hieth faste,
And doth his ladi tunderstonde
The Message of hire housebonde:
And therupon the longe dai
Thei setten thinges in arrai,
That al was as it scholde be
Of every thing in his degree; 820
And whan it cam into the nyht,
This wif hire hath to bedde dyht,
Wher that this Maiden with hire lay.
This false knyht upon delay
Hath taried til thei were aslepe,
As he that wolde his time kepe
His dedly werkes to fulfille;
And to the bed he stalketh stille,
Wher that he wiste was the wif,
And in his hond a rasour knif 830
He bar, with which hire throte he cutte,
And prively the knif he putte
Under that other beddes side,

803 told A, SB, F   tolde C   815 his l. to vnderstonde AJMH₁X GRLB₂, BΔ   þis l. tunderstonde Ad   þis l. to vnderstonde C, H₃ his l. vnderstonde E, W   833 that other] þe oþer M   þat dier(e) H₁ ... B₂, B

LIBER SECUNDUS

Wher that Constance lai beside. [Tale of Constance.]
Elda cam hom the same nyht,
And stille with a prive lyht,
As he that wolde noght awake
His wif, he hath his weie take
Into the chambre, and ther liggende
He fond his dede wif bledende, 840
Wher that Constance faste by P. i. 188
Was falle aslepe; and sodeinly
He cride alowd, and sche awok,
And forth withal sche caste a lok
And sih this ladi blede there,
Wherof swounende ded for fere
Sche was, and stille as eny Ston
She lay, and Elda therupon
Into the Castell clepeth oute,
And up sterte every man aboute, 850
Into the chambre and forth thei wente.
Bot he, which alle untrouthe mente,
This false knyht, among hem alle
Upon this thing which is befalle
Seith that Constance hath don this dede;
And to the bed with that he yede
After the falshed of his speche,
And made him there forto seche,
And fond the knif, wher he it leide,
And thanne he cride and thanne he seide, 860
'Lo, seth the knif al blody hiere!
What nedeth more in this matiere
To axe?' And thus hire innocence
He sclaundreth there in audience
With false wordes whiche he feigneth.
Bot yit for al that evere he pleigneth,
Elda no full credence tok:
And happeth that ther lay a bok,
Upon the which, whan he it sih,
This knyht hath swore and seid on hih, 870
That alle men it mihte wite, P. i. 189

844 caste AC, S cast J, B, F 860 thanne ... thanne] þanne
... þus LB2, B, W

[TALE OF CONSTANCE.]

'Now be this bok, which hier is write,
Constance is gultif, wel I wot.'
With that the hond of hevene him smot
In tokne of that he was forswore,
That he hath bothe hise yhen lore,
Out of his hed the same stounde
Thei sterte, and so thei weren founde.
A vois was herd, whan that they felle,
Which seide, 'O dampned man to helle, 880
Lo, thus hath god the sclaundre wroke
That thou ayein Constance hast spoke :
Beknow the sothe er that thou dye.'
And he told out his felonie,
And starf forth with his tale anon.
Into the ground, wher alle gon,
This dede lady was begrave :
Elda, which thoghte his honour save,
Al that he mai restreigneth sorwe.
    For the seconde day a morwe 890
The king cam, as thei were acorded ;
And whan it was to him recorded
What god hath wroght upon this chaunce,
He tok it into remembrance
And thoghte more than he seide.
For al his hole herte he leide
Upon Constance, and seide he scholde
For love of hire, if that sche wolde,
Baptesme take and Cristes feith
Believe, and over that he seith 900
He wol hire wedde, and upon this   P. i. 190
Assured ech til other is.
And forto make schorte tales,
Ther cam a Bisschop out of Wales
Fro Bangor, and Lucie he hihte,
Which thurgh the grace of god almihte
The king with many an other mo
Hath cristned, and betwen hem tuo
He hath fulfild the mariage.
Bot for no lust ne for no rage 910

Qualiter Rex Allee ad fidem Cristi conuersus baptismum recepit et Constanciam super hoc leto animo desponsauit; que tamen qualis vel vnde fuit alicui nullo modo fatebatur. Et cum infra breue postea a domino suo impregnata fuisset, ipse ad debellandum cum Scotis iter arripuit, et ibidem super guerras aliquamdiu permansit.

882 hast] has C, Δ   haþ RLB2, AdB, W   884 told J, SB, F   tolde AC

LIBER SECUNDUS

[TALE OF CONSTANCE.]

Sche tolde hem nevere what sche was;
And natheles upon the cas
The king was glad, how so it stod,
For wel he wiste and understod
Sche was a noble creature.
The hihe makere of nature
Hire hath visited in a throwe,
That it was openliche knowe
Sche was with childe be the king,
Wherof above al other thing 920
He thonketh god and was riht glad.
And fell that time he was bestad
Upon a werre and moste ride;
And whil he scholde there abide,
He lefte at hom to kepe his wif
Suche as he knew of holi lif,
Elda forth with the Bisschop eke;
And he with pouer goth to seke
Ayein the Scottes forto fonde
The werre which he tok on honde. 930

    The time set of kinde is come, P. i. 191
This lady hath hire chambre nome,
And of a Sone bore full,
Wherof that sche was joiefull,
Sche was delivered sauf and sone.
The bisshop, as it was to done,
Yaf him baptesme and Moris calleth;
And therupon, as it befalleth,
With lettres writen of record
Thei sende unto here liege lord, 940
That kepers weren of the qweene:
And he that scholde go betwene,
The Messager, to Knaresburgh,
Which toun he scholde passe thurgh,
Ridende cam the ferste day.
The kinges Moder there lay,
Whos rihte name was Domilde,

Qualiter Regina Constancia infantem masculum, quem in baptismo Mauricium vocant, Rege absente enixa est. Set inuida Regis mater Domilda super isto facto condolens litteris mendacibus Regi certificauit quod vxor sua demoniaci et non humani generis quoddam monstrosum fantasma loco geniture ad ortum produxit; huiusmodique detraccionibus aduersus Constanciam in tanto procurauit, quod ipsa in nauim, qua prius venerat, iterum ad exilium vna cum suo partu remissa desolabatur.

912 the] þis H₁ ... B₂, B, H₃   925 He] And H₁YXGECLB₂, B
938 *margin* quod] quia H₁ ... B₂, B   939 *margin* non *om.* B
947 *margin* desolabitur YRCL, B, W

[TALE OF CONSTANCE.]

Which after al the cause spilde:
For he, which thonk deserve wolde,
Unto this ladi goth and tolde 950
Of his Message al how it ferde.
And sche with feigned joie it herde
And yaf him yiftes largely,
Bot in the nyht al prively
Sche tok the lettres whiche he hadde,
Fro point to point and overradde,
As sche that was thurghout untrewe,
And let do wryten othre newe
In stede of hem, and thus thei spieke:
'Oure liege lord, we thee beseke 960
That thou with ous ne be noght wroth, P. i. 192
Though we such thing as is thee loth
Upon oure trowthe certefie.
Thi wif, which is of faierie,
Of such a child delivered is
Fro kinde which stant all amis:
Bot for it scholde noght be seie,
We have it kept out of the weie
For drede of pure worldes schame,
A povere child and in the name 970
Of thilke which is so misbore
We toke, and therto we be swore,
That non bot only thou and we
Schal knowen of this privete:
Moris it hatte, and thus men wene
That it was boren of the qweene
And of thin oghne bodi gete.
Bot this thing mai noght be foryete,
That thou ne sende ous word anon
What is thi wille therupon.' 980
  This lettre, as thou hast herd devise,
Was contrefet in such a wise
That noman scholde it aperceive:
And sche, which thoghte to deceive,
It leith wher sche that other tok.

Prima littera in commendacionem Constancie ab Episcopo Regi missa per Domildam in contrarium falsata.

949 þong F   951 his] þis AB₂   957 As] And C, H₃
961 ne *om.* J . . . B₂, B, W   962 as] þat ERCB₂

LIBER SECUNDUS

This Messager, whan he awok,   [TALE OF CONSTANCE.]
And wiste nothing how it was,
Aros and rod the grete pas
And tok this lettre to the king.
And whan he sih this wonder thing,   990
He makth the Messager no chiere,   P. i. 193
Bot natheles in wys manere
He wrot ayein, and yaf hem charge
That thei ne soffre noght at large
His wif to go, bot kepe hire stille,
Til thei have herd mor of his wille.
This Messager was yifteles,
Bot with this lettre natheles,
Or be him lief or be him loth,
In alle haste ayein he goth   1000
Be Knaresburgh, and as he wente,
Unto the Moder his entente
Of that he fond toward the king
He tolde; and sche upon this thing
Seith that he scholde abide al nyht
And made him feste and chiere ariht,
Feignende as thogh sche cowthe him thonk.
Bot he with strong wyn which he dronk
Forth with the travail of the day
Was drunke, aslepe and while he lay,   1010
Sche hath hise lettres overseie
And formed in an other weie.

   Ther was a newe lettre write,
Which seith: 'I do you forto wite,   Secunda littera per
That thurgh the conseil of you tuo   Regem Episcopo re-
I stonde in point to ben undo,   missa a Domilda ite-
As he which is a king deposed.   rum falsata.
For every man it hath supposed,
How that my wif Constance is faie;
And if that I, thei sein, delaie   1020
To put hire out of compaignie,   P. i. 194
The worschipe of my Regalie

993 him H₁ ... CB₂, B   1009 ffor wiþ RLB₂   1020 I, thei sein, delaie] I seie (se) eny delaie H₁ ... B₂, B   thei seine d. (*om.* I) H₃   1021 put AJ, S, F   putte C, B

[TALE OF CONSTANCE.]

Is lore; and over this thei telle,
Hire child schal noght among hem duelle,
To cleymen eny heritage.
So can I se non avantage,
Bot al is lost, if sche abide:
Forthi to loke on every side
Toward the meschief as it is,
I charge you and bidde this, 1030
That ye the same Schip vitaile,
In which that sche tok arivaile,
Therinne and putteth bothe tuo,
Hireself forthwith hire child also,
And so forth broght unto the depe
Betaketh hire the See to kepe.
Of foure daies time I sette,
That ye this thing no longer lette,
So that your lif be noght forsfet.'
And thus this lettre contrefet 1040
The Messager, which was unwar,
Upon the kingeshalve bar,
And where he scholde it hath betake.
Bot whan that thei have hiede take,
And rad that writen is withinne,
So gret a sorwe thei beginne,
As thei here oghne Moder sihen
Brent in a fyr before here yhen:
Ther was wepinge and ther was wo,
Bot finaly the thing is do. 1050

Upon the See thei have hire broght, P. i. 195
Bot sche the cause wiste noght,
And thus upon the flod thei wone,
This ladi with hire yonge Sone:
And thanne hire handes to the hevene
Sche strawhte, and with a milde stevene
Knelende upon hire bare kne
Sche seide, 'O hihe mageste,
Which sest the point of every trowthe,
Tak of thi wofull womman rowthe 1060

1045 that writen is] þe writen is AM þat writen was B₂, B, W
þat wryten (*om.* is) X 1048 tofore B, W

LIBER SECUNDUS

And of this child that I schal kepe.' [TALE OF CONSTANCE.]
And with that word sche gan to wepe,
Swounende as ded, and ther sche lay;
Bot he which alle thinges may
Conforteth hire, and ate laste
Sche loketh and hire yhen caste
Upon hire child and seide this:
'Of me no maner charge it is
What sorwe I soffre, bot of thee
Me thenkth it is a gret pite,   1070
For if I sterve thou schalt deie:
So mot I nedes be that weie
For Moderhed and for tendresse
With al myn hole besinesse
Ordeigne me for thilke office,
As sche which schal be thi Norrice.'
Thus was sche strengthed forto stonde;
And tho sche tok hire child in honde
And yaf it sowke, and evere among
Sche wepte, and otherwhile song   1080
To rocke with hire child aslepe: **P. i. 196**
And thus hire oghne child to kepe
Sche hath under the goddes cure.

And so fell upon aventure,
Whan thilke yer hath mad his ende,   Qualiter Nauis Con-
Hire Schip, so as it moste wende   stancie post biennium
                                     in partes Hispanie su-
Thurgh strengthe of wynd which god hath yive, perioris inter Saraze-
Estward was into Spaigne drive   nos iactabatur, a quo-
                                     rum manibus deus ip-
Riht faste under a Castell wall,   sam conseruans gra-
Wher that an hethen Amirall   1090 ciosissime liberauit.
Was lord, and he a Stieward hadde,
Oon Theloüs, which al was badde,
A fals knyht and a renegat.
He goth to loke in what astat
The Schip was come, and there he fond
Forth with a child upon hire hond
This lady, wher sche was al one.

1063 Sownend(e) A, B   1066 yhe A ... B2, SAdB   1070 þenkeþ
it is gret E, B, H3   1071 schalt] most B   1085 ff. *margin*
Qualiter—liberauit *om.* AM(*p.m.*)

[TALE OF CONSTANCE.]

He tok good hiede of the persone,
And sih sche was a worthi wiht,
And thoghte he wolde upon the nyht   1100
Demene hire at his oghne wille,
And let hire be therinne stille,
That mo men sih sche noght that dai.
At goddes wille and thus sche lai,
Unknowe what hire schal betide ;
And fell so that be nyhtes tide
This knyht withoute felaschipe
Hath take a bot and cam to Schipe,
And thoghte of hire his lust to take,
And swor, if sche him daunger make,   1110
That certeinly sche scholde deie.   P. i. 197
Sche sih ther was non other weie,
And seide he scholde hire wel conforte,
That he ferst loke out ate porte,
That noman were nyh the stede,
Which myhte knowe what thei dede,
And thanne he mai do what he wolde.
He was riht glad that sche so tolde,
And to the porte anon he ferde :
Sche preide god, and he hire herde,   1120
And sodeinliche he was out throwe
And dreynt, and tho began to blowe
A wynd menable fro the lond,
And thus the myhti goddes hond
Hire hath conveied and defended.

And whan thre yer be full despended,
Hire Schip was drive upon a dai,
Wher that a gret Navye lay
Of Schipes, al the world at ones :
And as god wolde for the nones,   1130
Hire Schip goth in among hem alle,

Qualiter nauicula Constancie quodam die per altum mare vagans inter copiosam Nauium multitudinem dilapsa est, quarum Arcennus Romano-

1101 at] as AM   1103 mo men sih sche] AM (sighe), SAdΔ (saw), F   no men seih (sigh) sche G ... B2, B, H3   no man s. she H1X, W   no men sie hire J   noght *om.* W   1120 preide] preide to L   preieþ to C   praieth Δ   preith H3   1123 menable M, Δ, F   meuable GRCLB2, B   *doubtful* AJH1YXE, SAd, H3 meveable W   1127 ff. *margin* Qualiter—educauit *om.* AM(*p.m.*) 1129 *margin* vagans] nauigans B

LIBER SECUNDUS

And stinte noght, er it be falle
And hath the vessell undergete,
Which Maister was of al the Flete,
Bot there it resteth and abod.
This grete Schip on Anker rod;
The Lord cam forth, and whan he sih
That other ligge abord so nyh,
He wondreth what it myhte be,
And bad men to gon in and se. 1140
This ladi tho was crope aside, P. i. 198
As sche that wolde hireselven hide,
For sche ne wiste what thei were:
Thei soghte aboute and founde hir there
And broghten up hire child and hire;
And therupon this lord to spire
Began, fro whenne that sche cam,
And what sche was. Quod sche, 'I am
A womman wofully bestad.
I hadde a lord, and thus he bad, 1150
That I forth with my litel Sone
Upon the wawes scholden wone,
Bot why the cause was, I not:
Bot he which alle thinges wot
Yit hath, I thonke him, of his miht
Mi child and me so kept upriht,
That we be save bothe tuo.'
This lord hire axeth overmo
How sche believeth, and sche seith,
'I lieve and triste in Cristes feith, 1160
Which deide upon the Rode tree.'
'What is thi name?' tho quod he.
'Mi name is Couste,' sche him seide:
Bot forthermor for noght he preide
Of hire astat to knowe plein,
Sche wolde him nothing elles sein
Bot of hir name, which sche feigneth;
Alle othre thinges sche restreigneth,

[TALE OF CONSTANCE.]
rum Consul, Dux et Capitaneus ipsam ignotam suscipiens vsque ad Romam secum perduxit; vbi equalem vxori sue Helene permansuram reuerenter associauit, necnon et eiusdem filium Mauricium in omni habundancia quasi proprium educauit.

1132 be falle J, S, F   befalle AC, B   1133 the] þat A ... B2, SAdBΔ
1140 to go in] go in AM, Δ   to gon L   to go doun G   gone (to se) W
1151 forþ wiþ J, SB   forþwiþ A, F   1158 euermo H1 ... CB2, W

** M

[TALE OF CONSTANCE.]

That a word more sche ne tolde.
This lord thanne axeth if sche wolde
With him abide in compaignie,
And seide he cam fro Barbarie
To Romeward, and hom he wente.
Tho sche supposeth what it mente,
And seith sche wolde with him wende
And duelle unto hire lyves ende,
Be so it be to his plesance.
And thus upon here aqueintance
He tolde hire pleinly as it stod,
Of Rome how that the gentil blod
In Barbarie was betraied,
And therupon he hath assaied
Be werre, and taken such vengance,
That non of al thilke alliance,
Be whom the tresoun was compassed,
Is from the swerd alyve passed;
Bot of Constance hou it was,
That cowthe he knowe be no cas,
Wher sche becam, so as he seide.

Hire Ere unto his word sche leide,
Bot forther made sche no chiere.
And natheles in this matiere
It happeth thilke time so:
This Lord, with whom sche scholde go,
Of Rome was the Senatour,
And of hir fader themperour
His brother doughter hath to wyve,
Which hath hir fader ek alyve,
And was Salustes cleped tho;
This wif Heleine hihte also,
To whom Constance was Cousine.
Thus to the sike a medicine
Hath god ordeined of his grace,
That forthwith in the same place

1170

P. i. 199

1180

1190

1200

P. i. 200

1169 o word H₁ECB₂, B   ne] no F   1178 hire (hir) JMX ...
B₂, AdB   hys W   1184 al *om*. H₁Sn, H₃   1189 becam GEC, AdB,
W   be cam (bi cam &c.) A ... XRLB₂, F   1191 forther] for þat H₁ ...
B₂, B   1193 happed H₁ ... RLB₂, B   1200 This] His H₁ ... B₂, B, W

LIBER SECUNDUS

This Senatour his trowthe plihte,   [TALE OF CONSTANCE.]
For evere, whil he live mihte,
To kepe in worschipe and in welthe,
Be so that god wol yive hire helthe,
This ladi, which fortune him sende.
And thus be Schipe forth sailende   1210
Hire and hir child to Rome he broghte,
And to his wif tho he besoghte
To take hire into compaignie:
And sche, which cowthe of courtesie
Al that a good wif scholde konne,
Was inly glad that sche hath wonne
The felaschip of so good on.
Til tuelve yeres were agon,
This Emperoures dowhter Custe
Forth with the dowhter of Saluste   1220
Was kept, bot noman redily
Knew what sche was, and noght forthi
Thei thoghten wel sche hadde be
In hire astat of hih degre,
And every lif hire loveth wel.
    Now herke how thilke unstable whel,
Which evere torneth, wente aboute.
The king Allee, whil he was oute,   Qualiter Rex Allee
As thou tofore hast herd this cas,   inita pace cum Scotis a guerris rediens et non inuenta vxore sua
Deceived thurgh his Moder was: 1230 causam exilii diligencius perscrutans, cum
Bot whan that he cam hom ayein,   Matrem suam Domildam inde culpabilem
He axeth of his Chamberlein
And of the Bisschop ek also,   sciuisset, ipsam in igne
    P. i. 201 proiciens comburi fecit.
Wher thei the qweene hadden do.
And thei answerde, there he bad,
And have him thilke lettre rad,
Which he hem sende for warant,
And tolde him pleinli as it stant,
And sein, it thoghte hem gret pite
To se so worthi on as sche,   1240
With such a child as ther was bore,
So sodeinly to be forlore.

1217 felaschip J, S, F felaschipe A   1226 herkne SAdΔ herkene X, H₃ herken B₂, W   1237 he *om.* B

[TALE OF CONSTANCE.]

He axeth hem what child that were;
And thei him seiden, that naghere,
In al the world thogh men it soghte,
Was nevere womman that forth broghte
A fairer child than it was on.
And thanne he axede hem anon,
Whi thei ne hadden write so:
Thei tolden, so thei hadden do. 1250
He seide, 'Nay.' Thei seiden, 'Yis.'
The lettre schewed rad it is,
Which thei forsoken everidel.
Tho was it understonde wel
That ther is tresoun in the thing:
The Messager tofore the king
Was broght and sodeinliche opposed;
And he, which nothing hath supposed
Bot alle wel, began to seie
That he nagher upon the weie 1260
Abod, bot only in a stede;
And cause why that he so dede
Was, as he wente to and fro, P. i. 202
At Knaresburgh be nyhtes tuo
The kinges Moder made him duelle.
And whan the king it herde telle,
Withinne his herte he wiste als faste
The treson which his Moder caste;
And thoghte he wolde noght abide,
Bot forth riht in the same tide 1270
He tok his hors and rod anon.
With him ther riden manion,
To Knaresburgh and forth thei wente,
And lich the fyr which tunder hente,
In such a rage, as seith the bok,
His Moder sodeinliche he tok
And seide unto hir in this wise:
'O beste of helle, in what juise
Hast thou deserved forto deie,

1245 it] him YX ... B₂, B *om.* H₁Sn   1258 And he which noþing haþ supposed AJM, SAdΔ As he wh. n. haþ supposed FWKH₃ And he noþing haþ ȝit supposed H₁ ... B₂, B

That hast so falsly put aweie 1280 [TALE OF CONSTANCE.]
With tresoun of thi bacbitinge
The treweste at my knowlechinge
Of wyves and the most honeste?
Bot I wol make this beheste,
I schal be venged er I go.'
And let a fyr do make tho,
And bad men forto caste hire inne:
Bot ferst sche tolde out al the sinne,
And dede hem alle forto wite
How sche the lettres hadde write, 1290
Fro point to point as it was wroght.
And tho sche was to dethe broght
And brent tofore hire Sones yhe: P. i. 203
Wherof these othre, whiche it sihe
And herden how the cause stod,
Sein that the juggement is good,
Of that hir Sone hire hath so served;
For sche it hadde wel deserved
Thurgh tresoun of hire false tunge,
Which thurgh the lond was after sunge, 1300
Constance and every wiht compleigneth.
Bot he, whom alle wo distreigneth,
This sorghfull king, was so bestad,
That he schal nevermor be glad,
He seith, eftsone forto wedde,
Til that he wiste how that sche spedde,
Which hadde ben his ferste wif:
And thus his yonge unlusti lif
He dryveth forth so as he mai.
   Til it befell upon a dai, 1310
Whan he hise werres hadde achieved,   Qualiter post lap-
And thoghte he wolde be relieved   sum xii. annorum Rex
Of Soule hele upon the feith   Allee   absolucionis
                                       causa Romam profi-
Which he hath take, thanne he seith   ciscens vxorem suam
That he to Rome in pelrinage   Constanciam vna cum
Wol go, wher Pope was Pelage,   filio suo diuina proui-
                                       dencia ibidem letus
To take his absolucioun.   inuenit.

1285 I schal FWKH₃   It schal A ... B₂, SAdBΔ   1303 so]
þo AM   wo Ad

[TALE OF CONSTANCE.]

And upon this condicioun
He made Edwyn his lieutenant,
Which heir to him was apparant, 1320
That he the lond in his absence
Schal reule: and thus be providence
Of alle thinges wel begon
He tok his leve and forth is gon.
Elda, which tho was with him there,
Er thei fulliche at Rome were,
Was sent tofore to pourveie;
And he his guide upon the weie,
In help to ben his herbergour,
Hath axed who was Senatour, 1330
That he his name myhte kenne.
Of Capadoce, he seide, Arcenne
He hihte, and was a worthi kniht.
To him goth Elda tho forth riht
And tolde him of his lord tidinge,
And preide that for his comynge
He wolde assigne him herbergage;
And he so dede of good corage.
 Whan al is do that was to done,
The king himself cam after sone. 1340
This Senatour, whan that he com,
To Couste and to his wif at hom
Hath told how such a king Allee
Of gret array to the Citee
Was come, and Couste upon his tale
With herte clos and colour pale
Aswoune fell, and he merveileth
So sodeinly what thing hire eyleth,
And cawhte hire up, and whan sche wok,
Sche syketh with a pitous lok 1350
And feigneth seknesse of the See;
Bot it was for the king Allee,
For joie which fell in hire thoght
That god him hath to toune broght.

P. i. 204

P. i. 205

1328 his guide] is guide H₁XGECLB₂, B   1343 how] how þat AM
1353 fell] was E, B   is G   om. XRCLB₂   (that she hadde in here
thouht H₁)

LIBER SECUNDUS

[TALE OF CONSTANCE.]

This king hath spoke with the Pope
And told al that he cowthe agrope,
What grieveth in his conscience;
And thanne he thoghte in reverence
Of his astat, er that he wente,
To make a feste, and thus he sente   1360
Unto the Senatour to come
Upon the morwe and othre some,
To sitte with him at the mete.
This tale hath Couste noght foryete,
Bot to Moris hire Sone tolde
That he upon the morwe scholde
In al that evere he cowthe and mihte
Be present in the kinges sihte,
So that the king him ofte sihe.
Moris tofore the kinges yhe   1370
Upon the morwe, wher he sat,
Fulofte stod, and upon that
The king his chiere upon him caste,
And in his face him thoghte als faste
He sih his oghne wif Constance;
For nature as in resemblance
Of face hem liketh so to clothe,
That thei were of a suite bothe.
The king was moeved in his thoght
Of that he seth, and knoweth it noght; 1380
This child he loveth kindely,
And yit he wot no cause why.
Bot wel he sih and understod   P. i. 206
That he toward Arcenne stod,
And axeth him anon riht there,
If that this child his Sone were.
He seide, 'Yee, so I him calle,
And wolde it were so befalle,
Bot it is al in other wise.'
    And tho began he to devise   1390
How he the childes Moder fond
Upon the See from every lond

1356 agrope A, SAd, F   grope J ... B2, BΔ, WH3   1363 at
]e J, S, F   atte A, B   1378 a suite] o suite AM

[TALE OF CONSTANCE.]

Withinne a Schip was stiereles,
And how this ladi helpeles
Forth with hir child he hath forthdrawe.
The king hath understonde his sawe,
The childes name and axeth tho,
And what the Moder hihte also
That he him wolde telle he preide.
'Moris this child is hote,' he seide,   1400
'His Moder hatte Couste, and this
I not what maner name it is.'
But Allee wiste wel ynowh,
Wherof somdiel smylende he lowh;
For Couste in Saxoun is to sein
Constance upon the word Romein.
Bot who that cowthe specefie
What tho fell in his fantasie,
And how his wit aboute renneth
Upon the love in which he brenneth,   1410
It were a wonder forto hiere:
For he was nouther ther ne hiere,
Bot clene out of himself aweie,   **P. i. 207**
That he not what to thenke or seie,
So fain he wolde it were sche.
Wherof his hertes privete
Began the werre of yee and nay,
The which in such balance lay,
That contenance for a throwe
He loste, til he mihte knowe   1420
The sothe: bot in his memoire
The man which lith in purgatoire
Desireth noght the hevene more,
That he ne longeth al so sore
To wite what him schal betide.
And whan the bordes were aside
And every man was rise aboute,
The king hath weyved al the route,
And with the Senatour al one
He spak and preide him of a bone,   1430
To se this Couste, wher sche duelleth

1412 nouther] nowher LSn   neuer H₃   (now þer now here X)

LIBER SECUNDUS

At hom with him, so as he telleth. [TALE OF CONSTANCE.]
The Senatour was wel appaied,
This thing no lengere is delaied,
To se this Couste goth the king;
And sche was warned of the thing,
And with Heleine forth sche cam
Ayein the king, and he tho nam
Good hiede, and whan he sih his wif,
Anon with al his hertes lif   1440
He cawhte hire in his arm and kiste.
Was nevere wiht that sih ne wiste
A man that more joie made,   P. i. 208
Wherof thei weren alle glade
Whiche herde tellen of this chance.
   This king tho with his wif Constance,
Which hadde a gret part of his wille,
In Rome for a time stille
Abod and made him wel at ese:
Bot so yit cowthe he nevere plese   1450
His wif, that sche him wolde sein
Of hire astat the trowthe plein,
Of what contre that sche was bore,
Ne what sche was, and yit therfore
With al his wit he hath don sieke.
Thus as they lihe abedde and spieke,
Sche preide him and conseileth bothe,
That for the worschipe of hem bothe,
So as hire thoghte it were honeste,
He wolde an honourable feste   1460
Make, er he wente, in the Cite,
Wher themperour himself schal be:
He graunteth al that sche him preide.
Bot as men in that time seide,
This Emperour fro thilke day
That ferst his dowhter wente away
He was thanne after nevere glad;

1434 is] was G, B   1441 armes H₁XRCLB₂, AdΔ, W
kiste] keste F   1445 this] his AM   the W   1447 agret F
1457 preiþ him AM   preith (*om.* him) H₁   1458 worshipe F
1461 the] þat B

[TALE OF CONSTANCE.]

Bot what that eny man him bad
Of grace for his dowhter sake,
That grace wolde he noght forsake; 1470
And thus ful gret almesse he dede,
Wherof sche hadde many a bede.
  This Emperour out of the toun P. i. 209
Withinne a ten mile enviroun,
Where as it thoghte him for the beste,
Hath sondry places forto reste;
And as fortune wolde tho,
He was duellende at on of tho.
The king Allee forth with thassent
Of Couste his wif hath thider sent 1480
Moris his Sone, as he was taght,
To themperour and he goth straght,
And in his fader half besoghte,
As he which his lordschipe soghte,
That of his hihe worthinesse
He wolde do so gret meknesse,
His oghne toun to come and se,
And yive a time in the cite,
So that his fader mihte him gete
That he wolde ones with him ete. 1490
This lord hath granted his requeste;
And whan the dai was of the feste,
In worschipe of here Emperour
The king and ek the Senatour
Forth with here wyves bothe tuo,
With many a lord and lady mo,
On horse riden him ayein;
Till it befell, upon a plein
Thei sihen wher he was comende.
With that Constance anon preiende 1500
Spak to hir lord that he abyde,
So that sche mai tofore ryde,
To ben upon his bienvenue P. i. 210

Qualiter Constancia, que antea per totum tempus exilii sui penes omnes incognitam se celauit, tunc demum patri suo Imperatori seipsam per omnia manifestauit: quod cum Rex Allee sciuisset, vna cum vniuersa Romanorum multitudine inestimabili gaudio admirantes cunctipotentem laudarunt.

1468 eny] euery H₁ . . . L, B eue*r* eny B₂ 1472 he H₁, B
1479 forþ wiþ AJ, SB forþwiþ F 1483 fader half J, B, F faderhalf A, S 1484 Wiþ due reuerence as he oughte H₁ . . . B₂ 1495 fforþ wiþ J, SB fforþwiþ A, F

LIBER SECUNDUS

The ferste which schal him salue; [TALE OF CONSTANCE.]
And thus after hire lordes graunt
Upon a Mule whyt amblaunt
Forth with a fewe rod this qweene.
Thei wondren what sche wolde mene,
And riden after softe pas;
Bot whan this ladi come was 1510
To themperour, in his presence
Sche seide alowd in audience,
'Mi lord, mi fader, wel you be!
And of this time that I se
Youre honour and your goode hele,
Which is the helpe of my querele,
I thonke unto the goddes myht.'
For joie his herte was affliht
Of that sche tolde in remembrance;
And whanne he wiste it was Constance, 1520
Was nevere fader half so blithe.
Wepende he keste hire ofte sithe,
So was his herte al overcome;
For thogh his Moder were come
Fro deth to lyve out of the grave,
He mihte nomor wonder have
Than he hath whan that he hire sih.
With that hire oghne lord cam nyh
And is to themperour obeied;
Bot whan the fortune is bewreied, 1530
How that Constance is come aboute,
So hard an herte was non oute,
That he for pite tho ne wepte. P. i. 211
  Arcennus, which hire fond and kepte,
Was thanne glad of that is falle,
So that with joie among hem alle
Thei riden in at Rome gate.
This Emperour thoghte al to late,
Til that the Pope were come,
And of the lordes sende some 1540
To preie him that he wolde haste:
And he cam forth in alle haste,

1539 the *om.* F

[TALE OF CONSTANCE.]

And whan that he the tale herde,
How wonderly this chance ferde,
He thonketh god of his miracle,
To whos miht mai be non obstacle:
The king a noble feste hem made,
And thus thei weren alle glade.
A parlement, er that thei wente,
Thei setten unto this entente, 1550
To puten Rome in full espeir
That Moris was apparant heir
And scholde abide with hem stille,
For such was al the londes wille.

Qualiter Mauricius cum Imperatore vt heres Imperii remansit, et Rex Allee cum Constancia in Angliam regressi sunt.

Whan every thing was fulli spoke,
Of sorwe and queint was al the smoke,
Tho tok his leve Allee the king,
And with full many a riche thing,
Which themperour him hadde yive,
He goth a glad lif forto live; 1560
For he Constance hath in his hond,
Which was the confort of his lond.
For whan that he cam hom ayein, P. i. 212
Ther is no tunge it mihte sein
What joie was that ilke stounde
Of that he hath his qweene founde,
Which ferst was sent of goddes sonde,
Whan sche was drive upon the Stronde,
Be whom the misbelieve of Sinne
Was left, and Cristes feith cam inne 1570
To hem that whilom were blinde.

Qualiter Rex Allee post biennium in Anglia humane carnis resolucionem subiens nature debitum persoluit, post cuius obitum Constancia cum patre suo Rome se transtulit moraturam.

Bot he which hindreth every kinde
And for no gold mai be forboght,
The deth comende er he be soght,
Tok with this king such aqueintance,
That he with al his retenance
Ne mihte noght defende his lif;
And thus he parteth from his wif,
Which thanne made sorwe ynowh.
And therupon hire herte drowh 1580

1543 the] þis H₁ ... B₂, B   1568 Stronde F   1574 he]
it B   1577 Ne] He YX ... B₂, B   om. H₁

LIBER SECUNDUS

To leven Engelond for evere   [TALE OF CONSTANCE.]
And go wher that sche hadde levere,
To Rome, whenne that sche cam :
And thus of al the lond sche nam
Hir leve, and goth to Rome ayein.
And after that the bokes sein,
She was noght there bot a throwe,
Whan deth of kinde hath overthrowe
Hir worthi fader, which men seide   De morte Impera-
That he betwen hire armes deide.   1590 toris.
And afterward the yer suiende
The god hath mad of hire an ende,   De morte Constan-
And fro this worldes faierie   P. i. 213 cie.
Hath take hire into compaignie.
Moris hir Sone was corouned,   De coronacione
Which so ferforth was abandouned   Mauricii, qui adhuc
To Cristes feith, that men him calle   in Cronicis Mauricius
Moris the cristeneste of alle.   Imperator Cristianis-
    simus nuncupatus est.
    And thus the wel meninge of love
Was ate laste set above;   1600
And so as thou hast herd tofore,
The false tunges weren lore,
Whiche upon love wolden lie.
Forthi touchende of this Envie
Which longeth unto bacbitinge,
Be war thou make no lesinge
In hindringe of an other wiht :
And if thou wolt be tawht ariht
What meschief bakbitinge doth
Be other weie, a tale soth   1610
Now miht thou hiere next suiende,
Which to this vice is acordende.

                                    [DEMETRIUS AND
    In a Cronique, as thou schalt wite,   PERSEUS.]
A gret ensample I finde write,   Hic ponit Confessor
Which I schal telle upon this thing.   exemplum contra istos
Philippe of Macedoyne kyng   detractores, qui in

1582 wher that] where (wher) H₁ ... B₂, BΔ, W   1599 wel
meninge (meuinge) AMRLB₂, SAd, F   welle menyng H₁X   whele
meneng Δ   whel meuynge J   whele mevinge W   whiel (whele)
moeuyng YGEC, B, H₃

[DEMETRIUS AND PERSEUS.]

alterius vituperium mendacia confingentes diffamacionem fieri procurant. Et narrat qualiter Perseus, Philippi Regis Macedonie filius, Demetrio fratri suo ob eius probitatem inuidens, composito detraccionis mendacio ipsum apud patrem suum mortaliter accusauit, dicens quod ipse non solum patrem set et totum Macedonie regnum Romanis hostibus proditorie vendidisset: quem super hoc in iudicium producens, testibus que iudicibus auro subornatis, quamuis falsissime morte condempnatum euicit: quo defuncto eciam et pater infra breue postea mortuus est. Et sic Perseo successiue regnante deus huiusmodi detraccionis inuidiam abhorrens ipsum cum vniuersa suorum pugnatorum multitudine extra Danubii fluuium ab Emilio tunc Romanorum Consule euentu bellico interfici fortunauit. Ita quod ab illo die Macedonie potestas penitus destructa Romano Imperio subiugata deseruiuit, et eius detraccio, quam contra alium conspirauerat, in sui ipsius diffamacionem pro perpetuo diuulgata consistit.

Two Sones hadde be his wif,
Whos fame is yit in Grece rif:
Demetrius the ferste brother
Was hote, and Perseüs that other. 1620
Demetrius men seiden tho
The betre knyht was of the tuo,
To whom the lond was entendant, P. i. 214
As he which heir was apparant
To regne after his fader dai:
Bot that thing which no water mai
Quenche in this world, bot evere brenneth,
Into his brother herte it renneth,
The proude Envie of that he sih
His brother scholde clymbe on hih, 1630
And he to him mot thanne obeie:
That may he soffre be no weie.
With strengthe dorst he nothing fonde,
So tok he lesinge upon honde,
Whan he sih time and spak therto.
For it befell that time so,
His fader grete werres hadde
With Rome, whiche he streite ladde
Thurgh mihty hond of his manhode,
As he which hath ynowh knihthode, 1640
And ofte hem hadde sore grieved.
Bot er the werre were achieved,
As he was upon ordinance
At hom in Grece, it fell per chance,
Demetrius, which ofte aboute
Ridende was, stod that time oute,
So that this Perse in his absence,
Which bar the tunge of pestilence,
With false wordes whiche he feigneth
Upon his oghne brother pleigneth 1650
In privete behinde his bak,
And to his fader thus he spak:
'Mi diere fader, I am holde P. i. 215

1618 ȝit is in G. rif H₁XGRCLB₂ ȝit in G. is rif E, B, H₃
1623 attendant B   1631 þanne mot(e) AM þan mot W   1640 hath ynowh] haþ Inowh of LB₂   inow had of Δ   knihthode J knithode (knythode) A, F   1644 þ chance A, B, F   perchaunce J

LIBER SECUNDUS 175

Be weie of kinde, as resoun wolde,   [DEMETRIUS AND
That I fro yow schal nothing hide,   PERSEUS.]
Which mihte torne in eny side
Of youre astat into grevance:
Forthi myn hertes obeissance
Towardes you I thenke kepe;
For it is good ye take kepe   1660
Upon a thing which is me told.
Mi brother hath ous alle sold
To hem of Rome, and you also;
For thanne they behote him so,
That he with hem schal regne in pes.
Thus hath he cast for his encress
That youre astat schal go to noght;
And this to proeve schal be broght
So ferforth, that I undertake
It schal noght wel mow be forsake.'   1670
   The king upon this tale ansuerde
And seide, if this thing which he herde
Be soth and mai be broght to prove,
'It schal noght be to his behove,
Which so hath schapen ous the werste,
For he himself schal be the ferste
That schal be ded, if that I mai.'
   Thus afterward upon a dai,
Whan that Demetrius was come,
Anon his fader hath him nome,   1680
And bad unto his brother Perse
That he his tale schal reherse
Of thilke tresoun which he tolde.   P. i. 216
And he, which al untrowthe wolde,
Conseileth that so hih a nede
Be treted wher as it mai spede,
In comun place of juggement.
The king therto yaf his assent,
Demetrius was put in hold,
Wherof that Perseüs was bold.   1690

  1669 Soferforþ F   1675 Which so haþ YGER, SAdΔΛ Which
so as AJMH₁XCB₂, B, F   Whych so has W   Which so L   Which
tho as H₃   1678 adai F

[DEMETRIUS AND PERSEUS.]

Thus stod the trowthe under the charge,
And the falshede goth at large,
Which thurgh beheste hath overcome
The greteste of the lordes some,
That privelich of his acord
Thei stonde as witnesse of record:
The jugge was mad favorable:
Thus was the lawe deceivable
So ferforth that the trowthe fond
Rescousse non, and thus the lond   1700
Forth with the king deceived were.
   The gulteles was dampned there
And deide upon accusement:
Bot such a fals conspirement,
Thogh it be prive for a throwe,
Godd wolde noght it were unknowe;
And that was afterward wel proved
In him which hath the deth controved.
Of that his brother was so slain
This Perseüs was wonder fain,   1710
As he that tho was apparant,
Upon the Regne and expectant;
Wherof he wax so proud and vein,   P. i. 217
That he his fader in desdeign
Hath take and set of non acompte,
As he which thoghte him to surmonte;
That wher he was ferst debonaire,
He was tho rebell and contraire,
And noght as heir bot as a king
He tok upon him alle thing   1720
Of malice and of tirannie
In contempt of the Regalie,
Livende his fader, and so wroghte,
That whan the fader him bethoghte
And sih to whether side it drowh,
Anon he wiste well ynowh
How Perse after his false tunge

1706 it were noght AM   1707 that] þus H₁ ... L, B þis B₂
1711 that tho was] which þo was SAd∆ þat was heir H₁YG ...
B₂, B which heyr was X

LIBER SECUNDUS

Hath so thenvious belle runge,
That he hath slain his oghne brother.
Wherof as thanne he knew non other,   1730
Bot sodeinly the jugge he nom,
Which corrupt sat upon the dom,
In such a wise and hath him pressed,
That he the sothe him hath confessed
Of al that hath be spoke and do.
  Mor sori than the king was tho
Was nevere man upon this Molde,
And thoghte in certein that he wolde
Vengance take upon this wrong.
Bot thother parti was so strong,   1740
That for the lawe of no statut
Ther mai no riht ben execut;
And upon this division   P. i. 218
The lond was torned up so doun:
Wherof his herte is so distraght,
That he for pure sorwe hath caght
The maladie of which nature
Is queint in every creature.
  And whan this king was passed thus,
This false tunged Perseüs   1750
The regiment hath underfonge.
Bot ther mai nothing stonde longe
Which is noght upon trowthe grounded;
For god, which alle thing hath bounded
And sih the falshod of his guile,
Hath set him bot a litel while,
That he schal regne upon depos;
For sodeinliche as he aros
So sodeinliche doun he fell.
  In thilke time it so befell,   1760
This newe king of newe Pride
With strengthe schop him forto ride,
And seide he wolde Rome waste,
Wherof he made a besi haste,

[DEMETRIUS AND PERSEUS.]

1728 belles B   1743 diuision J, F diuisioun A, B   1758 as he aros] right as he ros (aros) H₁ ... B₂, B   1763 wold(e) to Rome faste H₁ ... B₂, B

[DEMETRIUS AND PERSEUS.]

And hath assembled him an host
In al that evere he mihte most:
What man that mihte wepne bere
Of alle he wolde non forbere;
So that it mihte noght be nombred,
The folk which after was encombred   1770
Thurgh him, that god wolde overthrowe.
  Anon it was at Rome knowe,
The pompe which that Perse ladde;   P. i. 219
And the Romeins that time hadde
A Consul, which was cleped thus
Be name, Paul Emilius,
A noble, a worthi kniht withalle;
And he, which chief was of hem alle,
This werre on honde hath undertake.
And whanne he scholde his leve take   1780
Of a yong dowhter which was his,
Sche wepte, and he what cause it is
Hire axeth, and sche him ansuerde
That Perse is ded; and he it herde,
And wondreth what sche meene wolde:
And sche upon childhode him tolde
That Perse hir litel hound is ded.
With that he pulleth up his hed
And made riht a glad visage,
And seide how that was a presage   1790
Touchende unto that other Perse,
Of that fortune him scholde adverse,
He seith, for such a prenostik
Most of an hound was to him lik:
For as it is an houndes kinde
To berke upon a man behinde,
Riht so behinde his brother bak
With false wordes whiche he spak
He hath do slain, and that is rowthe.
'Bot he which hateth alle untrowthe,   1800
The hihe god, it schal redresse;
For so my dowhter prophetesse

1770 after were B   was efter H₃   afterward was Δ   1778 As he
FWH₃   1780 whanne *om.* AM   1788 is hed F

LIBER SECUNDUS

Forth with hir litel houndes deth   **P. i. 220**   [DEMETRIUS AND
Betokneth.' And thus forth he geth   PERSEUS.]
Conforted of this evidence,
With the Romeins in his defence
Ayein the Greks that ben comende.
   This Perseüs, as noght seende
This meschief which that him abod,
With al his multitude rod,   1810
And prided him upon the thing,
Of that he was become a king,
And how he hadde his regne gete;
Bot he hath al the riht foryete
Which longeth unto governance.
Wherof thurgh goddes ordinance
It fell, upon the wynter tide
That with his host he scholde ride
Over Danubie thilke flod,
Which al befrose thanne stod   1820
So harde, that he wende wel
To passe: bot the blinde whiel,
Which torneth ofte er men be war,
Thilke ys which that the horsmen bar
Tobrak, so that a gret partie
Was dreint; of the chivalerie
The rerewarde it tok aweie,
Cam non of hem to londe dreie.
   Paulus the worthi kniht Romein
Be his aspie it herde sein,   1830
And hasteth him al that he may,
So that upon that other day
He cam wher he this host beheld,   **P. i. 221**
And that was in a large feld,
Wher the Baneres ben desplaied.
He hath anon hise men arraied,
And whan that he was embatailled,
He goth and hath the feld assailed,
And slowh and tok al that he fond;
Wherof the Macedoyne lond,   1840

  1803 fforþ wiþ A, SB   fforwiþ F   1804 goþ B   1808 sende AJ
1809 This] The A ... B₂, S ... Δ   1811 the] þis X ... B₂, B, W
1829 the] þis H₁, B

[DEMETRIUS AND PERSEUS.]

Which thurgh king Alisandre honoured
Long time stod, was tho devoured.
To Perse and al that infortune
Thei wyte, so that the comune
Of al the lond his heir exile;
And he despeired for the while
Desguised in a povere wede
To Rome goth, and ther for nede
The craft which thilke time was,
To worche in latoun and in bras,   1850
He lerneth for his sustienance.
Such was the Sones pourveance,
And of his fader it is seid,
In strong prisoun that he was leid
In Albe, wher that he was ded
For hunger and defalte of bred.
The hound was tokne and prophecie
That lich an hound he scholde die,
Which lich was of condicioun,
Whan he with his detraccioun   1860
Bark on his brother so behinde.

Confessor.

    Lo, what profit a man mai finde,
Which hindre wole an other wiht.   **P. i. 222**
Forthi with al thin hole miht,
Mi Sone, eschuie thilke vice.

Amans.

    Mi fader, elles were I nyce:
For ye therof so wel have spoke,
That it is in myn herte loke
And evere schal: bot of Envie,
If ther be more in his baillie   1870
Towardes love, sai me what.

Confessor.

    Mi Sone, as guile under the hat
With sleyhtes of a tregetour
Is hidd, Envie of such colour
Hath yit the ferthe deceivant,
The which is cleped Falssemblant,
Wherof the matiere and the forme
Now herkne and I thee schal enforme.

1856 hunger G, SB   hungre AJE, F   1867 þerfor(e) H₁XE
... B₂, B   1869 of] if (ȝif) X ... B₂ om. W

LIBER SECUNDUS

iv. *Nil bilinguis aget, nisi duplo concinat ore,* [iv. FALSE-SEMBLANT.]
   Dumque diem loquitur, nox sua vota tegit.
   Vultus habet lucem, tenebras mens, sermo salutem,
   Actus set morbum dat suus esse grauem.
   Pax tibi quam spondet, magis est prenostica guerre;
   Comoda si dederit, disce subesse dolum.
   Quod patet esse fides in eo fraus est, que politi
   Principium pacti finis habere negat.
   O quam condicio talis deformat amantem,
   Qui magis apparens est in amore nichil.   10

    Of Falssemblant if I schal telle,
    Above alle othre it is the welle   1880
    Out of the which deceipte floweth.
    Ther is noman so wys that knoweth
    Of thilke flod which is the tyde,
    Ne how he scholde himselven guide
    To take sauf passage there.   P. i. 223
    And yit the wynd to mannes Ere
    Is softe, and as it semeth oute
    It makth clier weder al aboute;
    Bot thogh it seme, it is noght so.
    For Falssemblant hath everemo   1890
    Of his conseil in compaignie
    The derke untrewe Ypocrisie,
    Whos word descordeth to his thoght:
    Forthi thei ben togedre broght
    Of o covine, of on houshold,
    As it schal after this be told.
    Of Falssemblant it nedeth noght
    To telle of olde ensamples oght;
    For al dai in experience
    A man mai se thilke evidence   1900
    Of faire wordes whiche he hiereth;
    Bot yit the barge Envie stiereth
    And halt it evere fro the londe,
    Wher Falssemblant with Ore on honde
    It roweth, and wol noght arive,
    Bot let it on the wawes dryve

Hic tractat Confessor super quarta specie Inuidie, que dissimilacio dicitur, cuius vultus quanto maioris amicicie apparenciam ostendit, tanto subtilioris doli fallacias ad decipiendum mens ymaginatur.

1895 a couine H₁XRCLB₂   1896 be told J, B   betold A, S, F
1902 Envie] of Enuie LB₂, H₃

[FALSE-SEMBLANT.]

In gret tempeste and gret debat,
Wherof that love and his astat
Empeireth. And therfore I rede,
Mi Sone, that thou fle and drede   1910
This vice, and what that othre sein,
Let thi Semblant be trewe and plein.
For Falssemblant is thilke vice,
Which nevere was withoute office:
Wher that Envie thenkth to guile,   **P. i. 224**
He schal be for that ilke while
Of prive conseil Messagier.
For whan his semblant is most clier,
Thanne is he most derk in his thoght,
Thogh men him se, thei knowe him noght ;   1920
Bot as it scheweth in the glas
Thing which therinne nevere was,
So scheweth it in his visage
That nevere was in his corage:
Thus doth he al his thing with sleyhte.

Hic in amoris causa Confessor super isto vicio Amanti opponit.

 Now ley thi conscience in weyhte,
Mi goode Sone, and schrif the hier,
If thou were evere Custummer
To Falssemblant in eny wise.

Confessio Amantis.

 For ought I can me yit avise,   1930
Mi goode fader, certes no.
If I for love have oght do so,
Now asketh, I wol praie yow:
For elles I wot nevere how
Of Falssemblant that I have gilt.

Confessor.

 Mi Sone, and sithen that thou wilt
That I schal axe, gabbe noght,
Bot tell if evere was thi thoght
With Falssemblant and coverture
To wite of eny creature   1940
How that he was with love lad ;
So were he sori, were he glad,
Whan that thou wistest how it were,
Al that he rounede in thin Ere

1907 and] and in AM in H₁ 1916 be for] before RCLB₂, H₃
1925 with] by (be) XG, B 1944 rowneth B rownet L

LIBER SECUNDUS

Thou toldest forth in other place,   P. i. 225   [FALSE-SEMBLANT.]
To setten him fro loves grace
Of what womman that thee best liste,
Ther as noman his conseil wiste
Bot thou, be whom he was deceived
Of love, and from his pourpos weyved;   1950
And thoghtest that his destourbance
Thin oghne cause scholde avance,
As who saith, 'I am so celee,
Ther mai no mannes privete
Be heled half so wel as myn.'
Art thou, mi Sone, of such engin?
Tell on.
    Mi goode fader, nay   Amans.
As for the more part I say;
Bot of somdiel I am beknowe,
That I mai stonde in thilke rowe   1960
Amonges hem that Saundres use.
I wol me noght therof excuse,
That I with such colour ne steyne,
Whan I my beste Semblant feigne
To my felawh, til that I wot
Al his conseil bothe cold and hot:
For be that cause I make him chiere,
Til I his love knowe and hiere;
And if so be myn herte soucheth
That oght unto my ladi toucheth   1970
Of love that he wol me telle,
Anon I renne unto the welle
And caste water in the fyr,
So that his carte amidd the Myr,
Be that I have his conseil knowe,   P. i. 226
Fulofte sithe I overthrowe,
Whan that he weneth best to stonde.
Bot this I do you understonde,
If that a man love elles where,
So that my ladi be noght there,   1980
And he me telle, I wole it hide,
Ther schal no word ascape aside,

    1960 in] on B   1971 to me telle B

[FALSE-SEMBLANT.]

For with deceipte of no semblant
To him breke I no covenant;
Me liketh noght in other place
To lette noman of his grace,
Ne forto ben inquisitif
To knowe an other mannes lif:
Wher that he love or love noght,
That toucheth nothing to my thoght,   1990
Bot al it passeth thurgh myn Ere
Riht as a thing that nevere were,
And is foryete and leid beside.
Bot if it touche on eny side
Mi ladi, as I have er spoken,
Myn Eres ben noght thanne loken;
For certes, whanne that betitt,
My will, myn herte and al my witt
Ben fully set to herkne and spire
What eny man wol speke of hire.   2000
Thus have I feigned compaignie
Fulofte, for I wolde aspie
What thing it is that eny man
Telle of mi worthi lady can:
And for tuo causes I do this,   P. i. 227
The ferste cause wherof is,—
If that I myhte ofherkne and seke
That eny man of hire mispeke,
I wolde excuse hire so fully,
That whan sche wist it inderly,   2010
Min hope scholde be the more
To have hir thank for everemore.
  That other cause, I you assure,
Is, why that I be coverture
Have feigned semblant ofte time
To hem that passen alday byme
And ben lovers als wel as I,
For this I weene trewely,
That ther is of hem alle non,
That thei ne loven everich on   2020

1990 to] of AM   2003 eny] euery H₁ ... B₂   2010 wist
SB, F   wiste AJ

LIBER SECUNDUS

Mi ladi: for sothliche I lieve   [FALSE-SEMBLÁNT.]
And durste setten it in prieve,
Is non so wys that scholde asterte,
Bot he were lustles in his herte,
Forwhy and he my ladi sihe,
Hir visage and hir goodlych yhe,
Bot he hire lovede, er he wente.
And for that such is myn entente,
That is the cause of myn aspie,
Why that I feigne compaignie   2030
And make felawe overal;
For gladly wolde I knowen al
And holde me covert alway,
That I fulofte ye or nay
Ne liste ansuere in eny wise,   P. i. 228
Bot feigne semblant as the wise
And herkne tales, til I knowe
Mi ladi lovers al arowe.
And whanne I hiere how thei have wroght,
I fare as thogh I herde it noght   2040
And as I no word understode;
Bot that is nothing for here goode:
For lieveth wel, the sothe is this,
That whanne I knowe al how it is,
I wol bot forthren hem a lite,
Bot al the worste I can endite
I telle it to my ladi plat
In forthringe of myn oghne astat,
And hindre hem al that evere I may.
Bot for al that yit dar I say,   2050
I finde unto miself no bote,
Althogh myn herte nedes mote
Thurgh strengthe of love al that I hiere
Discovere unto my ladi diere:
For in good feith I have no miht
To hele fro that swete wiht,
If that it touche hire eny thing.
Bot this wot wel the hevene king,
That sithen ferst this world began,

2040 it *om.* B   2043 the sothe] and soþ B   2045 alite A, B, F, &c.

[FALSE-SEMBLANT.]

Unto non other strange man 2060
Ne feigned I semblant ne chiere,
To wite or axe of his matiere,
Thogh that he lovede ten or tuelve,
Whanne it was noght my ladi selve:
Bot if he wolde axe eny red   P. i. 229
Al onlich of his oghne hed,
How he with other love ferde,
His tales with myn Ere I herde,
Bot to myn herte cam it noght
Ne sank no deppere in my thoght, 2070
Bot hield conseil, as I was bede,
And tolde it nevere in other stede,
Bot let it passen as it com.
Now, fader, say what is thi dom,
And hou thou wolt that I be peined
For such Semblant as I have feigned.

Confessor.

  Mi Sone, if reson be wel peised,
Ther mai no vertu ben unpreised
Ne vice non be set in pris.
Forthi, my Sone, if thou be wys, 2080
Do no viser upon thi face,
Which as wol noght thin herte embrace:
For if thou do, withinne a throwe
To othre men it schal be knowe,
So miht thou lihtli falle in blame
And lese a gret part of thi name.
And natheles in this degree
Fulofte time thou myht se
Of suche men that now aday
This vice setten in a say: 2090
I speke it for no mannes blame,
Bot forto warne thee the same.
Mi Sone, as I mai hiere talke
In every place where I walke,
I not if it be so or non,   P. i. 230
Bot it is manye daies gon
That I ferst herde telle this,

2072 tolde AJ, S told B, F   2090 a say M, SAd, FH3
asay AJ assay(e) H1 ... B2, B, W

How Falssemblant hath ben and is [FALSE-SEMBLANT.]
Most comunly fro yer to yere
With hem that duelle among ous here,   2100
Of suche as we Lombardes calle.
For thei ben the slyeste of alle,
So as men sein in toune aboute,
To feigne and schewe thing withoute
Which is revers to that withinne:
Wherof that thei fulofte winne,
Whan thei be reson scholden lese;
Thei ben the laste and yit thei chese,
And we the ferste, and yit behinde
We gon, there as we scholden finde   2110
The profit of oure oghne lond:
Thus gon thei fre withoute bond
To don her profit al at large,
And othre men bere al the charge.
Of Lombardz unto this covine,
Whiche alle londes conne engine,
Mai Falssemblant in special
Be likned, for thei overal,
Wher as they thenken forto duelle,
Among hemself, so as thei telle,   2120
Ferst ben enformed forto lere
A craft which cleped is Fa crere:
For if Fa crere come aboute,
Thanne afterward hem stant no doute
To voide with a soubtil hond   P. i. 231
The beste goodes of the lond
And bringe chaf and take corn.
Where as Fa crere goth toforn,
In all his weie he fynt no lette;
That Dore can non huissher schette   2130
In which him list to take entre:
And thus the conseil most secre
Of every thing Fa crere knoweth,
Which into strange place he bloweth,
Where as he wot it mai most grieve.

2111 The profit] To profit XE ... B₂   2122 ffa crere AJ, S, F
al. ffacrere   2128 biforn (be forn) B₂, B

And thus Fa crere makth believe,
So that fulofte he hath deceived,
Er that he mai ben aperceived.
Thus is this vice forto drede;
For who these olde bokes rede
Of suche ensamples as were ar,
Him oghte be the more war
Of alle tho that feigne chiere,
Wherof thou schalt a tale hiere.

[DEIANIRA AND NESSUS.]

Hic ponit Confessor exemplum contra istos, qui sub dissimilate beneuolencie speculo alios in amore defraudant. Et narrat qualiter Hercules, cum ipse quoddam fluuium, cuius vada non nouit, cum Deianira transmeare proposuit, superuenicns Nessus Gigas ob amiciciam Herculis, vt dixit, Deianiram in vlnas suas suscipiens trans ripam salvo perduxit. Et statim cum ad litus peruenisset, quamcito currere potuit, ipsam tanquam propriam in preiudicium Herculis asportare fugiens conabatur: per quod non solum ipsi set eciam Herculi mortis euentum fortuna postmodum causauit.

Of Falssemblant which is believed
Ful many a worthi wiht is grieved,
And was long time er we wer bore.
To thee, my Sone, I wol therfore
A tale telle of Falssemblant,
Which falseth many a covenant,
And many a fraude of fals conseil
Ther ben hangende upon his Seil:
And that aboghten gulteles
Bothe Deianire and Hercules,
The whiche in gret desese felle   P. i. 232
Thurgh Falssemblant, as I schal telle.
Whan Hercules withinne a throwe
Al only hath his herte throwe
Upon this faire Deianire,
It fell him on a dai desire,
Upon a Rivere as he stod,
That passe he wolde over the flod
Withoute bot, and with him lede
His love, bot he was in drede
For tendresce of that swete wiht,
For he knew noght the forde ariht.
Ther was a Geant thanne nyh,
Which Nessus hihte, and whanne he sih
This Hercules and Deianyre,
Withinne his herte he gan conspire,
As he which thurgh his tricherie
Hath Hercules in gret envie,

2139 þe vice H₁ ... B₂   his v. H₃   2150 *margin* speculo *om.*
AM (*p. m.*)   2170 conspire] spire XGRCLB₂ to spire (spere) H₁, Ad

LIBER SECUNDUS

Which he bar in his herte loke, [DEIANIRA AND
And thanne he thoghte it schal be wroke. NESSUS.]
Bot he ne dorste natheles
Ayein this worthi Hercules
Falle in debat as forto feihte;
Bot feigneth Semblant al be sleihte
Of frendschipe and of alle goode,
And comth where as thei bothe stode, 2180
And makth hem al the chiere he can,
And seith that as here oghne man
He is al redy forto do
What thing he mai; and it fell so
That thei upon his Semblant triste, P. i. 233
And axen him if that he wiste
What thing hem were best to done,
So that thei mihten sauf and sone
The water passe, he and sche.
And whan Nessus the privete 2190
Knew of here herte what it mente,
As he that was of double entente,
He made hem riht a glad visage;
And whanne he herde of the passage
Of him and hire, he thoghte guile,
And feigneth Semblant for a while
To don hem plesance and servise,
Bot he thoghte al an other wise.
This Nessus with hise wordes slyhe
Yaf such conseil tofore here yhe 2200
Which semeth outward profitable
And was withinne deceivable.
He bad hem of the Stremes depe
That thei be war and take kepe,
So as thei knowe noght the pas;
Bot forto helpe in such a cas,
He seith himself that for here ese
He wolde, if that it mihte hem plese,
The passage of the water take,
And for this ladi undertake 2210

2178 al] as H₁ . . B₂   2191 hire A   2198 *line om.* B
on oþer JCLB₂, W   2207 seigh (seih) EC   sih(e) LB₂

[DEIANIRA AND NESSUS.]

To bere unto that other stronde
And sauf to sette hire up alonde,
And Hercules may thanne also
The weie knowe how he schal go:
And herto thei acorden alle. P. i. 234
Bot what as after schal befalle,
Wel payd was Hercules of this,
And this Geant also glad is,
And tok this ladi up alofte
And set hire on his schuldre softe, 2220
And in the flod began to wade,
As he which no grucchinge made,
And bar hire over sauf and sound.
Bot whanne he stod on dreie ground
And Hercules was fer behinde,
He sette his trowthe al out of mynde,
Who so therof be lief or loth,
With Deianyre and forth he goth,
As he that thoghte to dissevere
The compaignie of hem for evere. 2230
Whan Hercules therof tok hiede,
Als faste as evere he mihte him spiede
He hyeth after in a throwe;
And hapneth that he hadde a bowe,
The which in alle haste he bende,
As he that wolde an Arwe sende,
Which he tofore hadde envenimed.
He hath so wel his schote timed,
That he him thurgh the bodi smette,
And thus the false wiht he lette. 2240
   Bot lest now such a felonie:
Whan Nessus wiste he scholde die,
He tok to Deianyre his scherte,
Which with the blod was of his herte
Thurghout desteigned overal, P. i. 235
And tolde how sche it kepe schal
Al prively to this entente,

2214 Thei F   2218 glad also H₁ ... B₂   2220 set A, S, F
sette JC, B   2221 began] he gan GCL   2228 and] þo H₁XE
... B₂ *om.* YG, H₃   2247 Al] And H₁, FWH₃

That if hire lord his herte wente [DEIANIRA AND
To love in eny other place, NESSUS.]
The scherte, he seith, hath such a grace, 2250
That if sche mai so mochel make
That he the scherte upon him take,
He schal alle othre lete in vein
And torne unto hire love ayein.
Who was tho glad bot Deianyre?
Hire thoghte hire herte was afyre
Til it was in hire cofre loke,
So that no word therof was spoke.
 The daies gon, the yeres passe,
The hertes waxen lasse and lasse 2260
Of hem that ben to love untrewe:
This Hercules with herte newe
His love hath set on Eolen,
And therof spieken alle men.
This Eolen, this faire maide,
Was, as men thilke time saide,
The kinges dowhter of Eurice;
And sche made Hercules so nyce
Upon hir Love and so assote,
That he him clotheth in hire cote, 2270
And sche in his was clothed ofte;
And thus fieblesce is set alofte,
And strengthe was put under fote,
Ther can noman therof do bote.
Whan Deianyre hath herd this speche, P. i. 236
Ther was no sorwe forto seche:
Of other helpe wot sche non,
Bot goth unto hire cofre anon;
With wepende yhe and woful herte
Sche tok out thilke unhappi scherte, 2280
As sche that wende wel to do,
And broghte hire werk aboute so
That Hercules this scherte on dede,
To such entente as she was bede

2248 lord his] lordes H₁ . . . B₂, Ad   2251 mykel (mekyl &c.)
H₁G . . . B₂, W   2270 he *om.* B   sche H₁   2271 clad fulofte B
2272 fieblest MX . . . C   þe fieblest LB₂   the febleste H₁   feblenes Δ

[DEIANIRA AND NESSUS.]

Of Nessus, so as I seide er.
Bot therof was sche noght the ner,
As no fortune may be weyved;
With Falssemblant sche was deceived,
That whan sche wende best have wonne,
Sche lost al that sche hath begonne. 2290
For thilke scherte unto the bon
His body sette afyre anon,
And cleveth so, it mai noght twinne,
For the venym that was therinne.
And he thanne as a wilde man
Unto the hihe wode he ran,
And as the Clerk Ovide telleth,
The grete tres to grounde he felleth
With strengthe al of his oghne myght,
And made an huge fyr upriht, 2300
And lepte himself therinne at ones
And brende him bothe fleissh and bones.
Which thing cam al thurgh Falssemblant,
That false Nessus the Geant
Made unto him and to his wif; P. i. 237
Wherof that he hath lost his lif,
And sche sori for everemo.

Confessor.
    Forthi, my Sone, er thee be wo,
I rede, be wel war therfore;
For whan so gret a man was lore, 2310
It oghte yive a gret conceipte
To warne alle othre of such deceipte.

Amans.
    Grant mercy, fader, I am war
So fer that I nomore dar
Of Falssemblant take aqueintance;
Bot rathere I wol do penance
That I have feigned chiere er this.
Now axeth forth, what so ther is
Of that belongeth to my schrifte.

Confessor.
    Mi Sone, yit ther is the fifte 2320
Which is conceived of Envie,
And cleped is Supplantarie,
Thurgh whos compassement and guile

2299 of al FH₃ of R, Magd   2316 wolde X ... B₂

LIBER SECUNDUS

Ful many a man hath lost his while
In love als wel as otherwise,
Hierafter as I schal devise.

v. *Inuidus alterius est Supplantator honoris,*
   Et tua quo vertat culmina subtus arat.
Est opus occultum, quasi que latet anguis in herba,
   Quod facit, et subita sorte nociuus adest.
Sic subtilis amans alium supplantat amantem,
   Et capit occulte, quod nequit ipse palam;
Sepeque supplantans in plantam plantat amoris,
   Quod putat in propriis alter habere bonis.

[v. SUPPLANTATION.]

  The vice of Supplantacioun
With many a fals collacioun,
Which he conspireth al unknowe, P. i. 238
Full ofte time hath overthrowe   2330
The worschipe of an other man.
So wel no lif awayte can
Ayein his sleyhte forto caste,
That he his pourpos ate laste
Ne hath, er that it be withset.
Bot most of alle his herte is set
In court upon these grete Offices
Of dignitees and benefices:
Thus goth he with his sleyhte aboute
To hindre and schowve an other oute 2340
And stonden with his slyh compas
In stede there an other was;
And so to sette himselven inne,
He reccheth noght, be so he winne,
Of that an other man schal lese,
And thus fulofte chalk for chese
He changeth with ful litel cost,
Wherof an other hath the lost
And he the profit schal receive.
For his fortune is to deceive   2350
And forto change upon the whel
His wo with othre mennes wel:

Hic tractat Confessor de quinta specie Inuidie, que Supplantacio dicitur, cuius cultor, priusquam percipiatur, aliene dignitatis et officii multociens intrusor existit.

Latin Verses v. 1 Supplantacio AM   supplantare H₃   3 linguis AM   ignis H₁   8 Qua*m* B
2328 manye A, S, F   2337 þis AMG .. L, W   the H₁, Δ

[SUPPLANTATION.]

Of that an other man avaleth,
His oghne astat thus up he haleth,
And takth the bridd to his beyete,
Wher othre men the buisshes bete.
  Mi Sone, and in the same wise
Ther ben lovers of such emprise,
That schapen hem to be relieved   P. i. 239
Where it is wrong to ben achieved :   2360
For it is other mannes riht,
Which he hath taken dai and niht
To kepe for his oghne Stor
Toward himself for everemor,
And is his propre be the lawe,
Which thing that axeth no felawe,
If love holde his covenant.
  Bot thei that worchen be supplaunt,
Yit wolden thei a man supplaunte,
And take a part of thilke plaunte   2370
Which he hath for himselve set :
And so fulofte is al unknet,
That som man weneth be riht fast.
For Supplant with his slyhe cast
Fulofte happneth forto mowe
Thing which an other man hath sowe,
And makth comun of proprete
With sleihte and with soubtilite,
As men mai se fro yer to yere.
Thus cleymeth he the bot to stiere,   2380
Of which an other maister is.

Hic in amoris causa
opponit   Confessor
Amanti super eodem.

  Forthi, my Sone, if thou er this
Hast ben of such professioun,
Discovere thi confessioun :
Hast thou supplanted eny man?

Confessio Amantis.

  For oght that I you telle can,
Min holi fader, as of the dede
I am withouten eny drede

2354 vp he haleþ Δ, FWH₃Magd   he vp haleþ (vphaleþ) A ... B₂,
SAdB   2369 thei] such(e) A ... B₂, SAdBΔ   *line om.* WMagd
2373 men H₁ ... B₂   2382 *margin* Hic in amoris ... eodem]
Confessor B   2387 as of dede SAdBΔ

LIBER SECUNDUS

Al gulteles; bot of my thoght   P. i. 240   [SUPPLANTATION.]
Mi conscience excuse I noght.   2390
For were it wrong or were it riht,
Me lakketh nothing bote myht,
That I ne wolde longe er this
Of other mannes love ywiss
Be weie of Supplantacioun
Have mad apropriacioun
And holde that I nevere boghte,
Thogh it an other man forthoghte.
And al this speke I bot of on,
For whom I lete alle othre gon;   2400
Bot hire I mai noght overpasse,
That I ne mot alwey compasse,
Me roghte noght be what queintise,
So that I mihte in eny wise
Fro suche that mi ladi serve
Hire herte make forto swerve
Withouten eny part of love.
For be the goddes alle above
I wolde it mihte so befalle,
That I al one scholde hem alle   2410
Supplante, and welde hire at mi wille.
And that thing mai I noght fulfille,
Bot if I scholde strengthe make;
And that I dar noght undertake,
Thogh I were as was Alisaundre,
For therof mihte arise sklaundre;
And certes that schal I do nevere,
For in good feith yit hadde I levere
In my simplesce forto die,   P. i. 241
Than worche such Supplantarie.   2420
Of otherwise I wol noght seie
That if I founde a seker weie,
I wolde as for conclusioun
Worche after Supplantacioun,
So hihe a love forto winne.

2392 lakked(e) (lacked) X . . . L   lakket W   bote J, S, F
the rest bot *or* but   2408 the] þo B   2414 I dar A, FWH₃
dar I J . . . B₂, SAdBΔ   2425 hihe AC, S, F   hih GE, B

CONFESSIO AMANTIS

[SUPPLANTATION.]

Now, fader, if that this be Sinne,
I am al redy to redresce
The gilt of which I me confesse.

Confessor.

    Mi goode Sone, as of Supplant
Thee thar noght drede tant ne quant,   2430
As for nothing that I have herd,
Bot only that thou hast misferd
Thenkende, and that me liketh noght,
For godd beholt a mannes thoght.
And if thou understode in soth
In loves cause what it doth,
A man to ben a Supplantour,
Thou woldest for thin oghne honour
Be double weie take kepe :
Ferst for thin oghne astat to kepe,   2440
To be thiself so wel bethoght
That thou supplanted were noght,
And ek for worschipe of thi name
Towardes othre do the same,
And soffren every man have his.
Bot natheles it was and is,
That in a wayt at alle assaies
Supplant of love in oure daies
The lief fulofte for the levere   **P. i. 242**
Forsakth, and so it hath don evere.   2450

Qualiter Agamenon de amore Brexeide Achillem, et Diomedes de amore Criseide Troilum supplantauit.

    Ensample I finde therupon,
At Troie how that Agamenon
Supplantede the worthi knyht
Achilles of that swete wiht,
Which named was Brexeïda ;
And also of Criseïda,
Whom Troilus to love ches,
Supplanted hath Diomedes.

[GETA AND AMPHITRION.]

Qualiter Amphitrion socium suum Getam, qui Almeenam

    Of Geta and Amphitrion,
That whilom weren bothe as on   2460
Of frendschipe and of compaignie,
I rede how that Supplantarie

2427 al *om.* B   2434 godd *om.* AM   2447 a wayt
(a wait) J, S, F   awayt (await) AC, B   2461 *margin* socrum
H₁ ... B₂

LIBER SECUNDUS

In love, as it betidde tho,   [GETA AND AMPHI-
Beguiled hath on of hem tuo.   TRION.]
For this Geta that I of meene,   peramauit, seipsum
To whom the lusti faire Almeene   loco alterius cautelosa
Assured was be weie of love,   supplantacione sub-
Whan he best wende have ben above   stituit.
And sikerest of that he hadde,
Cupido so the cause ladde,   2470
That whil he was out of the weie,
Amphitrion hire love aweie
Hath take, and in this forme he wroghte.
Be nyhte unto the chambre he soghte,
Wher that sche lay, and with a wyle
He contrefeteth for the whyle
The vois of Gete in such a wise,
That made hire of hire bedd arise,
Wenende that it were he,   P. i. 243
And let him in, and whan thei be   2480
Togedre abedde in armes faste,
This Geta cam thanne ate laste
Unto the Dore and seide, 'Undo.'
And sche ansuerde and bad him go,
And seide how that abedde al warm
Hir lief lay naked in hir arm;
Sche wende that it were soth.
Lo, what Supplant of love doth:
This Geta forth bejaped wente,
And yit ne wiste he what it mente;   2490
Amphitrion him hath supplanted
With sleyhte of love and hire enchaunted:
And thus put every man out other,
The Schip of love hath lost his Rother,
So that he can no reson stiere.
And forto speke of this matiere
Touchende love and his Supplant,
A tale which is acordant
Unto thin Ere I thenke enforme.

2473 in this forme he] in thys forme W   þis infortune YGEC
in þis fortune H₁XRLB₂   2477 a wise J, SB   awise A, F
2497 þis AM

[TALE OF THE FALSE
BACHELOR.]

Hic in amoris causa contra fraudem detraccionis ponit Confessor exemplum. Et narrat de quodam Romani Imparatoris filio, qui probitates armorum super omnia excercere affectans nesciente patre vltra mare in partes Persie ad deseruiendum Soldano super guerras cum solo milite tanquam socio suo ignotus se transtulit. Et cum ipsius milicie fama super alios ibidem celsior accreuisset, contigit ut in quodam bello contra Caliphum Egipti inito Soldanus a sagitta mortaliter vulneratus, priusquam moreretur, quendam anulum filie sue secretissimum isti nobili Romano tradidit, dicens qualiter filia sua sub paterne benediccionis vinculo adiurata est, quod quicumque dictum anulum ei afferret, ipsam in coniugem pre omnibus susciperet. Defuncto autem Soldano, versus Ciuitatem que Kaire dicitur itinerantes, iste Romanus commilitoni suo huius misterii secretum reuelauit; qui noctanter a bursa domini sui anulum furto surripiens, hec que audiuit usui proprio falsissima Supplantacione applicauit. Et sic seruus pro domino desponsata sibi Soldani filia coronatus Persie regnauit.

Now herkne, for this is the forme. 2500
Of thilke Cite chief of alle
Which men the noble Rome calle,
Er it was set to Cristes feith,
Ther was, as the Cronique seith,
An Emperour, the which it ladde
In pes, that he no werres hadde:
Ther was nothing desobeissant
Which was to Rome appourtenant,
Bot al was torned into reste. P. i. 244
To some it thoghte for the beste, 2510
To some it thoghte nothing so,
And that was only unto tho
Whos herte stod upon knyhthode:
Bot most of alle of his manhode
The worthi Sone of themperour,
Which wolde ben a werreiour,
As he that was chivalerous
Of worldes fame and desirous,
Began his fadre to beseche
That he the werres mihte seche, 2520
In strange Marches forto ride.
His fader seide he scholde abide,
And wolde granten him no leve:
Bot he, which wolde noght beleve,
A kniht of his to whom he triste,
So that his fader nothing wiste,
He tok and tolde him his corage,
That he pourposeth a viage.
If that fortune with him stonde,
He seide how that he wolde fonde 2530
The grete See to passe unknowe,
And there abyde for a throwe
Upon the werres to travaile.
And to this point withoute faile
This kniht, whan he hath herd his lord,
Is swore, and stant of his acord,

2510 þought hem for B   2519 for to seche X ... B₂   2520 þo werres G ... B₂   2523 hem B   2530 how that] how H₁ þat B

LIBER SECUNDUS

As thei that bothe yonge were ; [Tale of the false
So that in prive conseil there   Bachelor.]
Thei ben assented forto wende.
And therupon to make an ende,
Tresor ynowh with hem thei token,
And whan the time is best thei loken,
That sodeinliche in a Galeie
Fro Romelond thei wente here weie
And londe upon that other side.
The world fell so that ilke tide,
Which evere hise happes hath diverse,
The grete Soldan thanne of Perse
Ayein the Caliphe of Egipte
A werre, which that him beclipte,
Hath in a Marche costeiant.
And he, which was a poursuiant
Worschipe of armes to atteigne,
This Romein, let anon ordeigne,
That he was redi everydel :
And whan he was arraied wel
Of every thing which him belongeth,
Straght unto Kaire his weie he fongeth,
Wher he the Soldan thanne fond,
And axeth that withinne his lond
He mihte him for the werre serve,
As he which wolde his thonk deserve.
 The Soldan was riht glad with al,
And wel the more in special
Whan that he wiste he was Romein ;
Bot what was elles in certein,
That mihte he wite be no weie.
And thus the kniht of whom I seie
Toward the Soldan is beleft,
And in the Marches now and eft,
Wher that the dedli werres were,
He wroghte such knihthode there,
That every man spak of him good.
And thilke time so it stod,

2537 As H₁, W   And AJMYX ... B₂, SAdBΔΛ, FH₃Magd
2559 he *om.* AM   2562 þong F   2573 That] And B

[TALE OF THE FALSE
BACHELOR.]

This mihti Soldan be his wif
A Dowhter hath, that in this lif
Men seiden ther was non so fair.
Sche scholde ben hir fader hair,
And was of yeres ripe ynowh:
Hire beaute many an herte drowh 2580
To bowe unto that ilke lawe
Fro which no lif mai be withdrawe,
And that is love, whos nature
Set lif and deth in aventure
Of hem that knyhthode undertake.
  This lusti peine hath overtake
The herte of this Romein so sore,
That to knihthode more and more
Prouesce avanceth his corage.
Lich to the Leoun in his rage, 2590
Fro whom that alle bestes fle,
Such was the knyht in his degre:
Wher he was armed in the feld,
Ther dorste non abide his scheld;
Gret pris upon the werre he hadde.
Bot sche which al the chance ladde,
Fortune, schop the Marches so,
That be thassent of bothe tuo,
The Soldan and the Caliphe eke, P. i. 247
Bataille upon a dai thei seke, 2600
Which was in such a wise set
That lengere scholde it noght be let.
Thei made hem stronge on every side,
And whan it drowh toward the tide
That the bataille scholde be,
The Soldan in gret privete
A goldring of his dowhter tok,
And made hire swere upon a bok
And ek upon the goddes alle,
That if fortune so befalle 2610
In the bataille that he deie,

2576 this] his AMXR ... B₂, H₃W hire G here H₁   2581 that
ilke] þilke AM   2586 Thus AM   2592 þe H₁ ... B₂, FWH₃
þis AJM, AdB

That sche schal thilke man obeie
And take him to hire housebonde,
Which thilke same Ring to honde
Hire scholde bringe after his deth.
This hath sche swore, and forth he geth
With al the pouer of his lond
Unto the Marche, where he fond
His enemy full embatailled.
 The Soldan hath the feld assailed: 2620
Thei that ben hardy sone assemblen,
Wherof the dredfull hertes tremblen:
That on sleth, and that other sterveth,
Bot above alle his pris deserveth
This knihtly Romein; where he rod,
His dedly swerd noman abod,
Ayein the which was no defence;
Egipte fledde in his presence,
And thei of Perse upon the chace   P. i. 248
Poursuien: bot I not what grace   2630
Befell, an Arwe out of a bowe
Al sodeinly that ilke throwe
The Soldan smot, and ther he lay:
The chace is left for thilke day,
And he was bore into a tente.
 The Soldan sih how that it wente,
And that he scholde algate die;
And to this knyht of Romanie,
As unto him whom he most triste,
His Dowhter Ring, that non it wiste,   2640
He tok, and tolde him al the cas,
Upon hire oth what tokne it was
Of that sche scholde ben his wif.
Whan this was seid, the hertes lif
Of this Soldan departeth sone;
And therupon, as was to done,
The dede body wel and faire
Thei carie til thei come at Kaire,
Wher he was worthily begrave.
 The lordes, whiche as wolden save   2650

2632 that ilke] wiþinne a B   2649 Wher] Ther B

[TALE OF THE FALSE BACHELOR.]

[TALE OF THE FALSE BACHELOR.]

The Regne which was desolat,
To bringe it into good astat
A parlement thei sette anon.
Now herkne what fell therupon:
This yonge lord, this worthi kniht
Of Rome, upon the same niht
That thei amorwe trete scholde,
Unto his Bacheler he tolde
His conseil, and the Ring with al   P. i. 249
He scheweth, thurgh which that he schal,   2660
He seith, the kinges Dowhter wedde,
For so the Ring was leid to wedde,
He tolde, into hir fader hond,
That with what man that sche it fond
She scholde him take to hire lord.
And this, he seith, stant of record,
Bot noman wot who hath this Ring.
    This Bacheler upon this thing
His Ere and his entente leide,
And thoghte more thanne he seide,   2670
And feigneth with a fals visage
That he was glad, bot his corage
Was al set in an other wise.
These olde Philosophres wise
Thei writen upon thilke while,
That he mai best a man beguile
In whom the man hath most credence;
And this befell in evidence
Toward this yonge lord of Rome.
His Bacheler, which hadde tome,   2680
Whan that his lord be nihte slepte,
This Ring, the which his maister kepte,
Out of his Pours awey he dede,
And putte an other in the stede.
    Amorwe, whan the Court is set,
The yonge ladi was forth fet,
To whom the lordes don homage,

2654 herkneþ XE ... B₂   2661 kinges] soldans X ... B₂ Souldan H₁   2678 þus AM   2680 tome AJYGECB₂, SAdBΔΛ, FWKH₃   thome L   come MH₁XR

And after that of Mariage [TALE OF THE FALSE
Thei trete and axen of hir wille.   P. i. 250   BACHELOR.]
Bot sche, which thoghte to fulfille   2690
Hire fader heste in this matiere,
Seide openly, that men mai hiere,
The charge which hire fader bad.
 Tho was this Lord of Rome glad
And drowh toward his Pours anon,
Bot al for noght, it was agon :
His Bacheler it hath forthdrawe,
And axeth ther upon the lawe
That sche him holde covenant.
The tokne was so sufficant   2700
That it ne mihte be forsake,
And natheles his lord hath take
Querelle ayein his oghne man ;
Bot for nothing that evere he can
He mihte as thanne noght ben herd,
So that his cleym is unansuerd,
And he hath of his pourpos failed.
 This Bacheler was tho consailed
And wedded, and of thilke Empire
He was coroned Lord and Sire,   2710
And al the lond him hath received ;
Wherof his lord, which was deceived,
A seknesse er the thridde morwe
Conceived hath of dedly sorwe :
And as he lay upon his deth,
Therwhile him lasteth speche and breth,
He sende for the worthieste
Of al the lond and ek the beste,
And tolde hem al the sothe tho,   P. i. 251
That he was Sone and Heir also   2720
Of themperour of grete Rome,
And how that thei togedre come,
This kniht and he ; riht as it was,
He tolde hem al the pleine cas,
And for that he his conseil tolde,

2698 þer vpon J, SB   þervpon A, F   2708 þo was H1 . . . B2
was so H3   hath so T

[TALE OF THE FALSE
BACHELOR.]

That other hath al that he wolde,
And he hath failed of his mede:
As for the good he takth non hiede,
He seith, bot only of the love,
Of which he wende have ben above. 2730
And therupon be lettre write
He doth his fader forto wite
Of al this matiere as it stod;
And thanne with an hertly mod
Unto the lordes he besoghte
To telle his ladi how he boghte
Hire love, of which an other gladeth;
And with that word his hewe fadeth,
And seide, 'A dieu, my ladi swete.'
The lif hath lost his kindly hete, 2740
And he lay ded as eny ston;
Wherof was sory manyon,
Bot non of alle so as sche.

   This false knyht in his degree
Arested was and put in hold:
For openly whan it was told
Of the tresoun which is befalle,
Thurghout the lond thei seiden alle,
If it be soth that men suppose, P. i. 252
His oghne untrowthe him schal depose. 2750
And forto seche an evidence,
With honour and gret reverence,
Wherof they mihten knowe an ende,
To themperour anon thei sende
The lettre which his Sone wrot.
And whan that he the sothe wot,
To telle his sorwe is endeles,
Bot yit in haste natheles
Upon the tale which he herde
His Stieward into Perse ferde 2760
With many a worthi Romein eke,
His liege tretour forto seke;
And whan thei thider come were,

2733 this] þe A...B2, SAdBTΔ   2741 ded] stille B   2752 and gret] and with gret LB2, W

This kniht him hath confessed there
How falsly that he hath him bore,
Wherof his worthi lord was lore.
Tho seiden some he scholde deie,
Bot yit thei founden such a weie
That he schal noght be ded in Perse;
And thus the skiles ben diverse. 2770
Be cause that he was coroned,
And that the lond was abandoned
To him, althogh it were unriht,
Ther is no peine for him diht;
Bot to this point and to this ende
Thei granten wel that he schal wende
With the Romeins to Rome ayein.
And thus acorded ful and plein,
The qwike body with the dede
With leve take forth thei lede, 2780
Wher that Supplant hath his juise.

    Wherof that thou thee miht avise
Upon this enformacioun
Touchende of Supplantacioun,
That thou, my Sone, do noght so:
And forto take hiede also
What Supplant doth in other halve,
Ther is noman can finde a salve
Pleinly to helen such a Sor;
It hath and schal ben everemor, 2790
Whan Pride is with Envie joint,
He soffreth noman in good point,
Wher that he mai his honour lette.
And therupon if I schal sette
Ensample, in holy cherche I finde
How that Supplant is noght behinde;
God wot if that it now be so:
For in Cronique of time ago
I finde a tale concordable
Of Supplant, which that is no fable, 2800
In the manere as I schal telle,
So as whilom the thinges felle.

[TALE OF THE FALSE BACHELOR.]

P. i. 253

2775 þe point H₁ ... B₂

[POPE BONIFACE.]

Hic ponit Confessor exemplum contra istos in causa dignitatis adquirende supplantatores. Et narrat qualiter Papa Bonefacius predecessorem suum Celestinum a papatu coniectata circumuencione fraudulenter supplantauit. Set qui potentes a sede deponit, huiusmodi supplantacionis fraudem non sustinens, ipsum sic in sublime exaltatum postea in profundi carceris miseriam proici, fame que siti cruciari, necnon et ab huius vite gaudiis dolorosa morte explantari finali conclusione permisit.

At Rome, as it hath ofte falle,
The vicair general of alle
Of hem that lieven Cristes feith
His laste day, which non withseith,
Hath schet as to the worldes ÿe,
Whos name if I schal specefie,
He hihte Pope Nicolas.   P. i. 254
And thus whan that he passed was,   2810
The Cardinals, that wolden save
The forme of lawe, in the conclave
Gon forto chese a newe Pope,
And after that thei cowthe agrope
Hath ech of hem seid his entente:
Til ate laste thei assente
Upon an holy clerk reclus,
Which full was of gostli vertus;
His pacience and his simplesse
Hath set him into hih noblesse.   2820
Thus was he Pope canonized,
With gret honour and intronized,
And upon chance as it is falle,
His name Celestin men calle;
Which notefied was be bulle
To holi cherche and to the fulle
In alle londes magnified.
Bot every worschipe is envied,
And that was thilke time sene:
For whan this Pope of whom I meene   2830
Was chose, and othre set beside,
A Cardinal was thilke tide
Which the papat longe hath desired
And therupon gretli conspired;
Bot whan he sih fortune is failed,
For which long time he hath travailed,
That ilke fyr which Ethna brenneth
Thurghout his wofull herte renneth,

2806 *margin* causa] casu H₁ ... B₂   2810 *margin* conieeta A ... B₂, B   2814 agrope J, SAdT, FH₃   grope AM ... B₂, BΔ, W   2817 *margin* fameque F   2821 he] þe ERL, BTΛ
2822 Wit F   2825 be] þe X ... B₂

Which is resembled to Envie,   P. i. 255   [POPE BONIFACE.]
Wherof Supplant and tricherie
Engendred is; and natheles
He feigneth love, he feigneth pes,
Outward he doth the reverence,
Bot al withinne his conscience
Thurgh fals ymaginacioun
He thoghte Supplantacioun.
And therupon a wonder wyle
He wroghte: for at thilke whyle
It fell so that of his lignage
He hadde a clergoun of yong age,   2850
Whom he hath in his chambre affaited.
This Cardinal his time hath waited,
And with his wordes slyhe and queinte,
The whiche he cowthe wysly peinte,
He schop this clerk of which I telle
Toward the Pope forto duelle,
So that withinne his chambre anyht
He lai, and was a prive wyht
Toward the Pope on nyhtes tide.
   Mai noman fle that schal betide.   2860
This Cardinal, which thoghte guile,
Upon a day whan he hath while
This yonge clerc unto him tok,
And made him swere upon a bok,
And told him what his wille was.
And forth withal a Trompe of bras
He hath him take, and bad him this:
'Thou schalt,' he seide, 'whan time is
Awaite, and take riht good kepe,   P. i. 256
Whan that the Pope is fast aslepe   2870
And that non other man be nyh;
And thanne that thou be so slyh
Thurghout the Trompe into his Ere,
Fro hevene as thogh a vois it were,
To soune of such prolacioun
That he his meditacioun

2852 þis tyme B   2865 told A, B, F   tolde J   2870 on slepe H₁XGRCL... B₂, Ad, W   2875 The sone AM

[POPE BONIFACE.]

Therof mai take and understonde,
As thogh it were of goddes sonde.
And in this wise thou schalt seie,
That he do thilke astat aweie   2880
Of Pope, in which he stant honoured,
So schal his Soule be socoured
Of thilke worschipe ate laste
In hevene which schal evere laste.'
This clerc, whan he hath herd the forme
How he the Pope scholde enforme,
Tok of the Cardinal his leve,
And goth him hom, til it was Eve,
And prively the trompe he hedde,
Til that the Pope was abedde.   2890
And at the Midnyht, whan he knewh
The Pope slepte, thanne he blewh
Withinne his trompe thurgh the wal,
And tolde in what manere he schal
His Papacie leve, and take
His ferste astat: and thus awake
This holi Pope he made thries,
Wherof diverse fantasies
Upon his grete holinesse   P. i. 257
Withinne his herte he gan impresse.   2900
The Pope ful of innocence
Conceiveth in his conscience
That it is goddes wille he cesse;
Bot in what wise he may relesse
His hihe astat, that wot he noght.
And thus withinne himself bethoght,
He bar it stille in his memoire,
Til he cam to the Consistoire;
And there in presence of hem alle
He axeth, if it so befalle   2910
That eny Pope cesse wolde,
How that the lawe it soffre scholde.
Thei seten alle stille and herde,
Was non which to the point ansuerde,

2881 of which M, B   which E (*p. m.*)   2903 is *om.* F
2906 bethoght] he þought H₁ ... B₂, B, W

For to what pourpos that it mente [Pope Boniface.]
Ther was noman knew his entente,
Bot only he which schop the guile.
  This Cardinal the same while
Al openly with wordes pleine
Seith, if the Pope wolde ordeigne 2920
That ther be such a lawe wroght,
Than mihte he cesse, and elles noght.
And as he seide, don it was;
The Pope anon upon the cas
Of his Papal Autorite
Hath mad and yove the decre:
And whan that lawe was confermed
In due forme and al affermed,
This innocent, which was deceived,   P. i. 258
His Papacie anon hath weyved, 2930
Renounced and resigned eke.
That other was nothing to seke,
Bot undernethe such a jape
He hath so for himselve schape,
That how as evere it him beseme,
The Mitre with the Diademe
He hath thurgh Supplantacion:
And in his confirmacion
Upon the fortune of his grace
His name is cleped Boneface. 2940
  Under the viser of Envie,
Lo, thus was hid the tricherie,
Which hath beguiled manyon.
Bot such conseil ther mai be non,
With treson whan it is conspired,
That it nys lich the Sparke fyred
Up in the Rof, which for a throwe
Lith hidd, til whan the wyndes blowe
It blaseth out on every side.
This Bonefas, which can noght hyde 2950
The tricherie of his Supplant,
Hath openly mad his avant
How he the Papacie hath wonne.
Bot thing which is with wrong begonne

[POPE BONIFACE.]

Mai nevere stonde wel at ende;
Wher Pride schal the bowe bende,
He schet fulofte out of the weie:
And thus the Pope of whom I seie,
Whan that he stod on hih the whiel,
He can noght soffre himself be wel.
Envie, which is loveles,
And Pride, which is laweles,
With such tempeste made him erre,
That charite goth out of herre:
So that upon misgovernance
Ayein Lowyz the king of France
He tok querelle of his oultrage,
And seide he scholde don hommage
Unto the cherche bodily.
Bot he, that wiste nothing why
He scholde do so gret servise
After the world in such a wise,
Withstod the wrong of that demande;
For noght the Pope mai comande
The king wol noght the Pope obeie.
This Pope tho be alle weie
That he mai worche of violence
Hath sent the bulle of his sentence
With cursinge and with enterdit.
 The king upon this wrongful plyt,
To kepe his regne fro servage,
Conseiled was of his Barnage
That miht with miht schal be withstonde.
Thus was the cause take on honde,
And seiden that the Papacie
Thei wolde honoure and magnefie
In al that evere is spirital;
Bot thilke Pride temporal
Of Boneface in his persone,
Ayein that ilke wrong al one
Thei wolde stonden in debat:
And thus the man and noght the stat

2959 on þe hih(e) whiel LB₂ opon the whele W   2964 out of
þe herre AM   out of herte J

LIBER SECUNDUS

The Frensche schopen be her miht [POPE BONIFACE.]
To grieve. And fell ther was a kniht,
Sire Guilliam de Langharet,
Which was upon this cause set;
And therupon he tok a route
Of men of Armes and rod oute,
So longe and in a wayt he lay,
That he aspide upon a day   3000
The Pope was at Avinoun,
And scholde ryde out of the toun
Unto Pontsorge, the which is
A Castell in Provence of his.
Upon the weie and as he rod,
This kniht, which hoved and abod
Embuisshed upon horse bak,
Al sodeinliche upon him brak
And hath him be the bridel sesed,
And seide: 'O thou, which hast desesed   3010
The Court of France be thi wrong,
Now schalt thou singe an other song:
Thin enterdit and thi sentence
Ayein thin oghne conscience
Hierafter thou schalt fiele and grope.
We pleigne noght ayein the Pope,
For thilke name is honourable,
Bot thou, which hast be deceivable
And tricherous in al thi werk,   P. i. 261
Thou Bonefas, thou proude clerk,   3020
Misledere of the Papacie,
Thi false bodi schal abye
And soffre that it hath deserved.'
  Lo, thus the Supplantour was served;
For thei him ladden into France
And setten him to his penance
Withinne a tour in harde bondes,
Wher he for hunger bothe hise hondes
Eet of and deide, god wot how:

2993 schapen H₁ ... B₂, BTΛ   2999 a wayt F   a wait J   awayt
AC, B   3003 Poursorge H₁ ... B₂, B   3012 an other] a
newe H₁, B   3021 the] þi H₁ ... B₂, B, Magd

[POPE BONIFACE.]

Cronica Bonefacii. Intrasti ut vulpis, regnasti ut leo, et mortuus es ut canis.

Of whom the wrytinge is yit now 3030
Registred, as a man mai hiere,
Which spekth and seith in this manere:
  Thin entre lich the fox was slyh,
Thi regne also with pride on hih
Was lich the Leon in his rage;
Bot ate laste of thi passage
Thi deth was to the houndes like.
  Such is the lettre of his Cronique
Proclamed in the Court of Rome,
Wherof the wise ensample nome. 3040
And yit, als ferforth as I dar,
I rede alle othre men be war,
And that thei loke wel algate
That non his oghne astat translate
Of holi cherche in no degree
Be fraude ne soubtilite:
For thilke honour which Aaron tok
Schal non receive, as seith the bok,
Bot he be cleped as he was. **P. i. 262**
What I schal thenken in this cas 3050
Of that I hiere now aday,
I not: bot he which can and may,
Be reson bothe and be nature
The help of every mannes cure,
He kepe Simon fro the folde.

Nota de prophecia Ioachim Abbatis.

Quanti Mercenarii erunt in ouile dei, tuas aures meis narracionibus fedare nolo.

For Joachim thilke Abbot tolde
How suche daies scholden falle,
That comunliche in places alle
The Chapmen of such mercerie
With fraude and with Supplantarie 3060
So manye scholden beie and selle,
That he ne may for schame telle
So foul a Senne in mannes Ere.
Bot god forbiede that it were
In oure daies that he seith:
For if the Clerc beware his feith

3055 He kepe] He helpe H₁ ... B₂, B   He kepte T   To kepe SAdΔ   3058 ff *margin* Quanti ... nolo SΔ, FH₃Magd *om.* A ... B₂, B (S *has* qui sic ait Quanti Mercenarii tunc erunt &c.)

In chapmanhod at such a feire,   [POPE BONIFACE.]
The remenant mot nede empeire
Of al that to the world belongeth;
For whan that holi cherche wrongeth,   3070
I not what other thing schal rihte.
And natheles at mannes sihte
Envie forto be preferred
Hath conscience so differred,
That noman loketh to the vice
Which is the Moder of malice,
And that is thilke false Envie,
Which causeth many a tricherie;
For wher he may an other se   P. i. 263
That is mor gracious than he,   3080
It schal noght stonden in his miht
Bot if he hindre such a wiht:
And that is welnyh overal,
This vice is now so general.

   Envie thilke unhapp indrowh,   [JOAB. AHITOPHEL.]
Whan Joab be deceipte slowh   Qualiter Ioab princeps milicie Dauid
Abner, for drede he scholde be   inuidie causa Abner
With king David such as was he.   subdole interfecit. Et
And thurgh Envie also it fell   qualiter eciam Achitofell ob hoc quod Cusy
Of thilke false Achitofell,   3090 in consilio Absolon
For his conseil was noght achieved, preferebatur, accensus inuidia laqueo se
Bot that he sih Cusy believed   suspendit.
With Absolon and him forsake,
He heng himself upon a stake.

   Senec witnesseth openly   [NATURE OF ENVY.]
How that Envie proprely
Is of the Court the comun wenche,
And halt taverne forto schenche
That drink which makth the herte brenne,
And doth the wit aboute renne,   3100
Be every weie to compasse
How that he mihte alle othre passe,
As he which thurgh unkindeschipe
Envieth every felaschipe;
So that thou miht wel knowe and se,

3085 indrowh AJ, F   in drowh (in drough) C, SB

[NATURE OF ENVY.]

    Ther is no vice such as he,
Ferst toward godd abhominable,
And to mankinde unprofitable:
And that be wordes bot a fewe
I schal be reson prove and schewe.

vi. *Inuidie stimulus sine causa ledit abortus,*
    Nam sine temptante crimine crimen habet.
Non est huius opus temptare Cupidinis archum,
    Dumque faces Veneris ethnica flamma vorat.
Absque rubore gene, pallor quas fuscus obumbrat,
    Frigida nature cetera membra docent.

Hic describit Confessor naturam Inuidie tam in amore quam aliter secundum proprietatem vicii sub compendio.

    Envie if that I schal descrive,
He is noght schaply forto wyve
In Erthe among the wommen hiere;
For ther is in him no matiere
Wherof he mihte do plesance.
Ferst for his hevy continance
Of that he semeth evere unglad,
He is noght able to ben had;
And ek he brenneth so withinne,
That kinde mai no profit winne,
Wherof he scholde his love plese:
For thilke blod which scholde have ese
To regne among the moiste veines,
Is drye of thilke unkendeli peines
Thurgh whiche Envie is fyred ay.
And thus be reson prove I may
That toward love Envie is noght;
And otherwise if it be soght,
Upon what side as evere it falle,
It is the werste vice of alle,
Which of himself hath most malice.
For understond that every vice
Som cause hath, wherof it groweth,
Bot of Envie noman knoweth
Fro whenne he cam bot out of helle.
For thus the wise clerkes telle,
That no spirit bot of malice

P. i. 294
3110

3120

3130

P. i. 265

3112 schapli noght AM   3119 An F

LIBER SECUNDUS

Be weie of kinde upon a vice [NATURE OF ENVY].
Is tempted, and be such a weie
Envie hath kinde put aweie 3140
And of malice hath his steringe,
Wherof he makth his bakbitinge,
And is himself therof desesed.
So mai ther be no kinde plesed;
For ay the mor that he envieth,
The more ayein himself he plieth.
Thus stant Envie in good espeir
To ben himself the develes heir,
As he which is his nexte liche
And forthest fro the heveneriche, 3150
For there mai he nevere wone.
   Forthi, my goode diere Sone,   Confessor.
If thou wolt finde a siker weie
To love, put Envie aweie.
   Min holy fader, reson wolde   Amans.
That I this vice eschuie scholde:
Bot yit to strengthe mi corage,
If that ye wolde in avantage
Therof sette a recoverir,
It were tome a gret desir, 3160
That I this vice mihte flee.
   Nou understond, my Sone, and se,   Confessor.
Ther is phisique for the seke,
And vertus for the vices eke.
Who that the vices wolde eschuie,   P. i. 266
He mot be resoun thanne suie
The vertus; for be thilke weie
He mai the vices don aweie,
For thei togedre mai noght duelle:
For as the water of a welle 3170
Of fyr abateth the malice,
Riht so vertu fordoth the vice.
Ayein Envie is Charite,
Which is the Moder of Pite,
That makth a mannes herte tendre,

3160 tome A, F   to me JC, SB   3170 þe welle H₁ . . .
B₂, B

[CHARITY AND PITY.]

That it mai no malice engendre
In him that is enclin therto.
For his corage is tempred so,
That thogh he mihte himself relieve,
Yit wolde he noght an other grieve,   3180
Bot rather forto do plesance
He berth himselven the grevance,
So fain he wolde an other ese.
Wherof, mi Sone, for thin ese
Now herkne a tale which I rede,
And understond it wel, I rede.

[TALE OF CONSTANTINE AND SILVESTER.]

Among the bokes of latin
I finde write of Constantin
The worthi Emperour of Rome,
Suche infortunes to him come,   3190
Whan he was in his lusti age,
The lepre cawhte in his visage
And so forth overal aboute,
That he ne mihte ryden oute:
So lefte he bothe Schield and spere,   P. i. 267
As he that mihte him noght bestere,
And hield him in his chambre clos.
Thurgh al the world the fame aros,
The grete clerkes ben asent
And come at his comandement   3200
To trete upon this lordes hele.
So longe thei togedre dele,
That thei upon this medicine
Apointen hem, and determine
That in the maner as it stod
Thei wolde him bathe in childes blod
Withinne sevene wynter age:
For, as thei sein, that scholde assuage
The lepre and al the violence,
Which that thei knewe of Accidence   3210
And noght be weie of kinde is falle.
And therto thei acorden alle

Hic ponit Confessor exemplum de virtute caritatis contra Inuidiam. Et narrat de Constantino Helene filio, qui cum Imperii Romani dignitatem optinuerat, a morbo lepre infectus, medici pro sanitate recuperanda ipsum in sanguine puerorum masculorum balneare proposuerunt. Set cum innumera multitudo matrum cum filiis huiusmodi medicine causa in circuitu palacii affuisset, Imparatorque eorum gemitus et clamores percepisset, caritate motus ingemiscens sic ait: 'O vere ipse est dominus, qui se facit seruum pietatis.' Et hiis dictis statum suum cunctipotentis medele committens, sui ipsius morbum pocius quam infancium mortem benignus elegit. Vnde ipse, qui antea Paganus et leprosus exti-

3177 enclynd (enclined) H₁...B₂, BT, W   inclinand Δ   3199
ben] were B   3204 *margin* est ipse A ... B₂, SBΔ   3207
margin medele] indele H₁...B₂, B   3209 *margin* benignius A, SBΔ

As for final conclusioun,
And tolden here opinioun
To themperour: and he anon
His conseil tok, and therupon
With lettres and with seales oute
Thei sende in every lond aboute
The yonge children forto seche,
Whos blod, thei seiden, schal be leche   3220
For themperoures maladie.
Ther was ynowh to wepe and crie
Among the Modres, whan thei herde
Hou wofully this cause ferde,
Bot natheles thei moten bowe;   P. i. 268
And thus wommen ther come ynowhe
With children soukende on the Tete.
Tho was ther manye teres lete,
Bot were hem lieve or were hem lothe,
The wommen and the children bothe   3230
Into the Paleis forth be broght
With many a sory hertes thoght
Of hem whiche of here bodi bore
The children hadde, and so forlore
Withinne a while scholden se.
The Modres wepe in here degre,
And manye of hem aswoune falle,
The yonge babes criden alle:
This noyse aros, the lord it herde,
And loked out, and how it ferde   3240
He sih, and as who seith abreide
Out of his slep, and thus he seide:
'O thou divine pourveance,
Which every man in the balance
Of kinde hast formed to be liche,
The povere is bore as is the riche
And deieth in the same wise,
Upon the fol, upon the wise
Siknesse and hele entrecomune;
Mai non eschuie that fortune   3250

[TALE OF CONSTANTINE AND SILVESTER.]
terat, ex vnda baptismatis renatus vtriusque materie, tam corporis quam anime, diuino miraculo consecutus est salutem.

3214 *margin* ex vnda baptismatis *om.* H₁ ... B₂, BΔ   3220 scholde AM, TΔ, W   3231 be] he AM   3237 on swowne H₁ ... B₂, B

[TALE OF CONSTAN-
TINE AND SILVESTER.]

Which kinde hath in hire lawe set;
Hire strengthe and beaute ben beset
To every man aliche fre,
That sche preferreth no degre
As in the disposicioun   P. i. 269
Of bodili complexioun:
And ek of Soule resonable
The povere child is bore als able
To vertu as the kinges Sone;
For every man his oghne wone   3260
After the lust of his assay
The vice or vertu chese may.
Thus stonden alle men franchised,
Bot in astat thei ben divised;
To some worschipe and richesse,
To some poverte and distresse,
On lordeth and an other serveth;
Bot yit as every man deserveth
The world yifth noght his yiftes hiere.
Bot certes he hath gret matiere   3270
To ben of good condicioun,
Which hath in his subjeccioun
The men that ben of his semblance.'
And ek he tok a remembrance
How he that made lawe of kinde
Wolde every man to lawe binde,
And bad a man, such as he wolde
Toward himself, riht such he scholde
Toward an other don also.
And thus this worthi lord as tho   3280
Sette in balance his oghne astat
And with himself stod in debat,
And thoghte hou that it was noght good
To se so mochel mannes blod
Be spilt for cause of him alone.   P. i. 270
He sih also the grete mone,
Of that the Modres were unglade,
And of the wo the children made,

Nota.

3265 *margin* Nota AJ, F   *om.* C, B   3283 hou that] how ML,
Δ, W   3285 for] by (be) H₁ . . . B₂, H₃

Wherof that al his herte tendreth, [TALE OF CONSTAN-
And such pite withinne engendreth, 3290 TINE AND SILVESTER.]
That him was levere forto chese
His oghne bodi forto lese,
Than se so gret a moerdre wroght
Upon the blod which gulteth noght.
Thus for the pite which he tok
Alle othre leches he forsok,
And put him out of aventure
Al only into goddes cure ;
And seith, 'Who that woll maister be,
He mot be servant to pite.' 3300
So ferforth he was overcome
With charite, that he hath nome
His conseil and hise officers,
And bad unto hise tresorers
That thei his tresour al aboute
Departe among that povere route
Of wommen and of children bothe,
Wherof thei mihte hem fede and clothe
And saufli tornen hom ayein
Withoute lost of eny grein. 3310
Thurgh charite thus he despendeth
His good, wherof that he amendeth
The povere poeple, and contrevaileth
The harm, that he hem so travaileth :
And thus the woful nyhtes sorwe P. i. 271
To joie is torned on the morwe ;
Al was thonkinge, al was blessinge,
Which erst was wepinge and cursinge ;
Thes wommen gon hom glade ynowh,
Echon for joie on other lowh, 3320
And preiden for this lordes hele,
Which hath relessed the querele,
And hath his oghne will forsake
In charite for goddes sake.
 Bot now hierafter thou schalt hiere
What god hath wroght in this matiere,

3290 gendreþ AM, W 3306 that] þe M . . . B₂, SAdBΔ, W
3314 so *om.* H₁ ,⋏ . B₂

[Tale of Constantine and Silvester.]

As he which doth al equite.
To him that wroghte charite
He was ayeinward charitous,
And to pite he was pitous: 3330
For it was nevere knowe yit
That charite goth unaquit.
The nyht, whan he was leid to slepe,
The hihe god, which wolde him kepe,
Seint Peter and seint Poul him sende,
Be whom he wolde his lepre amende.
Thei tuo to him slepende appiere
Fro god, and seide in this manere:
'O Constantin, for thou hast served
Pite, thou hast pite deserved: 3340
Forthi thou schalt such pite have
That god thurgh pite woll thee save.
So schalt thou double hele finde,
Ferst for thi bodiliche kinde,
And for thi wofull Soule also, P. i. 272
Thou schalt ben hol of bothe tuo.
And for thou schalt thee noght despeire,
Thi lepre schal nomore empeire
Til thou wolt sende therupon
Unto the Mont of Celion, 3350
Wher that Silvestre and his clergie
Togedre duelle in compaignie
For drede of thee, which many day
Hast ben a fo to Cristes lay,
And hast destruid to mochel schame
The prechours of his holy name.
Bot now thou hast somdiel appesed
Thi god, and with good dede plesed,
That thou thi pite hast bewared
Upon the blod which thou hast spared. 3360
Forthi to thi salvacion
Thou schalt have enformacioun,
Such as Silvestre schal the teche:
The nedeth of non other leche.'
 This Emperour, which al this herde,
'Grant merci lordes,' he ansuerde,

'I wol do so as ye me seie.
Bot of o thing I wolde preie:
What schal I telle unto Silvestre
Or of youre name or of youre estre?' 3370
And thei him tolden what thei hihte,
And forth withal out of his sihte
Thei passen up into the hevene.
And he awok out of his swevene,
And clepeth, and men come anon:
He tolde his drem, and therupon
In such a wise as he hem telleth
The Mont wher that Silvestre duelleth
Thei have in alle haste soght,
And founde he was and with hem broght 3380
To themperour, which to him tolde
His swevene and elles what he wolde.
And whan Silvestre hath herd the king,
He was riht joiful of this thing,
And him began with al his wit
To techen upon holi writ
Ferst how mankinde was forlore,
And how the hihe god therfore
His Sone sende from above,
Which bore was for mannes love, 3390
And after of his oghne chois
He tok his deth upon the crois;
And how in grave he was beloke,
And how that he hath helle broke,
And tok hem out that were him lieve;
And forto make ous full believe
That he was verrai goddes Sone,
Ayein the kinde of mannes wone
Fro dethe he ros the thridde day,
And whanne he wolde, as he wel may, 3400
He styh up to his fader evene
With fleissh and blod into the hevene;
And riht so in the same forme
In fleissh and blod he schal reforme,
Whan time comth, the qwike and dede

3395 were hem B   3402 into heuene AMR, Δ, W

[TALE OF CONSTAN-
TINE AND SILVESTER.]

At thilke woful dai of drede,
Where every man schal take his dom,
Als wel the Maister as the grom.
The mihti kinges retenue
That dai may stonde of no value 3410
With worldes strengthe to defende;
For every man mot thanne entende
To stonde upon his oghne dedes
And leve alle othre mennes nedes.
That dai mai no consail availe,
The pledour and the plee schal faile,
The sentence of that ilke day
Mai non appell sette in delay;
Ther mai no gold the Jugge plie,
That he ne schal the sothe trie 3420
And setten every man upriht,
Als wel the plowman as the kniht:
The lewed man, the grete clerk
Schal stonde upon his oghne werk,
And such as he is founde tho,
Such schal he be for everemo.
Ther mai no peine be relessed,
Ther mai no joie ben encressed,
Bot endeles, as thei have do,
He schal receive on of the tuo. 3430
And thus Silvestre with his sawe
The ground of al the newe lawe
With gret devocion he precheth,
Fro point to point and pleinly techeth
Unto this hethen Emperour;   P. i. 275
And seith, the hihe creatour
Hath underfonge his charite,
Of that he wroghte such pite,
Whan he the children hadde on honde.
Thus whan this lord hath understonde 3440
Of al this thing how that it ferde,
Unto Silvestre he thanne ansuerde,
With al his hole herte and seith

3406 On H₁ ... B₂ And H₃ (That ilke W) 3430 He schal] Thei
schul (schal) H₁ ... B₂ 3431 And þis H₁ERC, W And þus þis L

That he is redi to the feith.
And so the vessel which for blod
Was mad, Silvestre, ther it stod,
With clene water of the welle
In alle haste he let do felle,
And sette Constantin therinne
Al naked up unto the chinne.   3450
And in the while it was begunne,
A liht, as thogh it were a Sunne,
Fro hevene into the place com
Wher that he tok his cristendom;
And evere among the holi tales
Lich as thei weren fisshes skales
Ther fellen from him now and eft,
Til that ther was nothing beleft
Of al his grete maladie.
For he that wolde him purefie,   3460
The hihe god hath mad him clene,
So that ther lefte nothing sene;
He hath him clensed bothe tuo,
The bodi and the Soule also.

   Tho knew this Emperour in dede
That Cristes feith was forto drede,
And sende anon hise lettres oute
And let do crien al aboute,
Up peine of deth that noman weyve
That he baptesme ne receive: 3470
After his Moder qweene Heleine
He sende, and so betwen hem tweine
Thei treten, that the Cite all
Was cristned, and sche forth withall.
This Emperour, which hele hath founde,
Withinne Rome anon let founde
Tuo cherches, whiche he dede make
For Peter and for Poules sake,
Of whom he hadde avisioun;
And yaf therto possessioun   3480
Of lordschipe and of worldes good.

3458 Til that ... beleft] Til ... him beleft (be lefte &c.) H₁ ... B₂
3470 ne *om.* AM   3476 he let(e) founde AM   3479 Of hem B

[Tale of Constantine and Silvester.]

Bot how so that his will was good
Toward the Pope and his Franchise,
Yit hath it proved other wise,
To se the worchinge of the dede:
For in Cronique this I rede;
Anon as he hath mad the yifte,
A vois was herd on hih the lifte,
Of which al Rome was adrad,
And seith: 'To day is venym schad   3490
In holi cherche of temporal,
Which medleth with the spirital.'
And hou it stant of that degree
Yit mai a man the sothe se:
God mai amende it, whan he wile,   P. i. 277
I can ther to non other skile.

Confessor.

 Bot forto go ther I began,
How charite mai helpe a man
To bothe worldes, I have seid:
And if thou have an Ere leid,   3500
Mi Sone, thou miht understonde,
If charite be take on honde,
Ther folweth after mochel grace.
Forthi, if that thou wolt pourchace
How that thou miht Envie flee,
Aqueinte thee with charite,
Which is the vertu sovereine.

Amans.

 Mi fader, I schal do my peine:
For this ensample which ye tolde
With al myn herte I have withholde, 3510
So that I schal for everemore
Eschuie Envie wel the more:
And that I have er this misdo,
Yif me my penance er I go.
And over that to mi matiere
Of schrifte, why we sitten hiere
In privete betwen ous tweie,
Now axeth what ther is, I preie.

Confessor.

 Mi goode Sone, and for thi lore

3486 For] ffro F 3487 so as AM 3492 Wich F
3516 why] whil(e) M . . . B₂, W

I woll thee telle what is more, 3520
So that thou schalt the vices knowe:
For whan thei be to thee full knowe,
Thou miht hem wel the betre eschuie.
And for this cause I thenke suie
The forme bothe and the matiere, P. i. 278
As now suiende thou schalt hiere
Which vice stant next after this:
And whan thou wost how that it is,
As thou schalt hiere me devise,
Thow miht thiself the betre avise. 3530

Explicit Liber Secundus.

Incipit Liber Tercius.

[IRE OR WRATH.]

i. *Ira suis paribus est par furiis Acherontis,*   P. i. 279
   Quo furor ad tempus nil pietatis habet.
   Ira malencolicos animos perturbat, vt equo
   Iure sui pondus nulla statera tenet.
   Omnibus in causis grauat Ira, set inter amantes,
   Illa magis facili sorte grauamen agit:
   Est vbi vir discors leuiterque repugnat amori,
   Sepe loco ludi fletus ad ora venit.

Hic in tercio libro tractat super quinque speciebus Ire, quarum prima Malencolia dicitur, cuius vicium Confessor primo describens Amanti super eodem consequenter opponit.

  IF thou the vices lest to knowe,
Mi Sone, it hath noght ben unknowe,
Fro ferst that men the swerdes grounde,
That ther nis on upon this grounde,
A vice forein fro the lawe,
Wherof that many a good felawe
Hath be distraght be sodein chance;
And yit to kinde no plesance
It doth, bot wher he most achieveth
His pourpos, most to kinde he grieveth, 10
As he which out of conscience
Is enemy to pacience:
And is be name on of the Sevene,
Which ofte hath set this world unevene,
And cleped is the cruel Ire, P. i. 280
Whos herte is everemore on fyre
To speke amis and to do bothe,
For his servantz ben evere wrothe.
  Mi goode fader, tell me this:
What thing is Ire?
     Sone, it is 20
That in oure englissh Wrathe is hote,

7 *margin* primo] prima H₁XERCL   primum B₂   *om.* G   9 f. he ... he] it ... it XRC, W   it ... he H₁GELB₂   12 enemy] euermore (euer more) H₁ ... B₂

LIBER TERCIUS

Which hath hise wordes ay so hote,
That all a mannes pacience
Is fyred of the violence.
For he with him hath evere fyve
Servantz that helpen him to stryve:
The ferst of hem Malencolie   [i. MELANCHOLY.]
Is cleped, which in compaignie
An hundred times in an houre
Wol as an angri beste loure,   30
And noman wot the cause why.
Mi Sone, schrif thee now forthi:
Hast thou be Malencolien?
  Ye, fader, be seint Julien,   Confessio Amantis.
Bot I untrewe wordes use,
I mai me noght therof excuse:
And al makth love, wel I wot,
Of which myn herte is evere hot,
So that I brenne as doth a glede
For Wrathe that I mai noght spede.   40
And thus fulofte a day for noght
Save onlich of myn oghne thoght
I am so with miselven wroth,
That how so that the game goth
With othre men, I am noght glad;   P. i. 281
Bot I am wel the more unglad,
For that is othre mennes game
It torneth me to pure grame.
Thus am I with miself oppressed
Of thoght, the which I have impressed,   50
That al wakende I dreme and meete
That I with hire al one meete
And preie hire of som good ansuere:
Bot for sche wol noght gladly swere,
Sche seith me nay withouten oth;
And thus wexe I withinne wroth,
That outward I am al affraied,
And so distempred and esmaied.
A thousand times on a day
Ther souneth in myn Eres nay,   60

49 mi seluen A   51 walkend(e) H₁ ... CB₂, B   wawende L

[MELANCHOLY.]

The which sche seide me tofore:
Thus be my wittes as forlore;
And namely whan I beginne
To rekne with miself withinne
How many yeres ben agon,
Siththe I have trewly loved on
And nevere tok of other hede,
And evere aliche fer to spede
I am, the more I with hir dele,
So that myn happ and al myn hele 70
Me thenkth is ay the leng the ferre,
That bringth my gladschip out of herre,
Wherof my wittes ben empeired,
And I, as who seith, al despeired.
For finaly, whan that I muse P. i. 282
And thenke how sche me wol refuse,
I am with anger so bestad,
For al this world mihte I be glad:
And for the while that it lasteth
Al up so doun my joie it casteth, 80
And ay the furthere that I be,
Whan I ne may my ladi se,
The more I am redy to wraththe,
That for the touchinge of a laththe
Or for the torninge of a stree
I wode as doth the wylde Se,
And am so malencolious,
That ther nys servant in myn hous
Ne non of tho that ben aboute,
That ech of hem ne stant in doute, 90
And wenen that I scholde rave
For Anger that thei se me have;
And so thei wondre more and lasse,
Til that thei sen it overpasse.
Bot, fader, if it so betide,
That I aproche at eny tide
The place wher my ladi is,
And thanne that hire like ywiss

62 al forlore (alle for lore) H₁, B, H₃   68 fer AJ, STΔΛ, FH₃
for M ... B₂, AdB, W   86 wolde AM

To speke a goodli word untome,   [MELANCHOLY.]
For al the gold that is in Rome   100
Ne cowthe I after that be wroth,
Bot al myn Anger overgoth;
So glad I am of the presence
Of hire, that I all offence
Foryete, as thogh it were noght,   P. i. 283
So overgladed is my thoght.
And natheles, the soth to telle,
Ayeinward if it so befelle
That I at thilke time sihe
On me that sche miscaste hire yhe,   110
Or that sche liste noght to loke,
And I therof good hiede toke,
Anon into my ferste astat
I torne, and am with al so mat,
That evere it is aliche wicke.
And thus myn hand ayein the pricke
I hurte and have do many day,
And go so forth as I go may,
Fulofte bitinge on my lippe,
And make unto miself a whippe,   120
With which in many a chele and hete
Mi wofull herte is so tobete,
That all my wittes ben unsofte
And I am wroth, I not how ofte;
And al it is Malencolie,
Which groweth of the fantasie
Of love, that me wol noght loute:
So bere I forth an angri snoute
Ful manye times in a yer.
Bot, fader, now ye sitten hier   130
In loves stede, I yow beseche,
That som ensample ye me teche,
Wherof I mai miself appese.

 Mi Sone, for thin hertes ese   Confessor.
I schal fulfille thi preiere,   P. i. 284
So that thou miht the betre lere
What mischief that this vice stereth,

109 þat þilke AM

Which in his Anger noght forbereth,
Wherof that after him forthenketh,
Whan he is sobre and that he thenketh   140
Upon the folie of his dede;
And of this point a tale I rede.

[TALE OF CANACE AND MACHAIRE.]

Hic ponit Confessor exemplum contra istos, qui cum vires amoris non sunt realiter experti, contra alios amantes malencolica seueritate ad iracundiam vindicte prouocantur. Et narrat qualiter Rex Eolus filium nomine Macharium et filiam nomine Canacem habuit, qui cum ab infancia vsque ad pubertatem inuicem educati fuerant, Cupido tandem ignito iaculo amborum cordis desideria amorose penetrauit, ita quod Canacis natura cooperante a fratre suo inpregnata parturit: super quo pater, intollerabilem iuuentutis concupiscenciam ignorans nimiaque furoris malencolia preuentus, dictam filiam cum partu dolorosissimo casu interfici adiudicauit.

Ther was a king which Eolus
Was hote, and it befell him thus,
That he tuo children hadde faire,
The Sone cleped was Machaire,
The dowhter ek Canace hihte.
Be daie bothe and ek be nyhte,
Whil thei be yonge, of comun wone
In chambre thei togedre wone,   150
And as thei scholden pleide hem ofte,
Til thei be growen up alofte
Into the youthe of lusti age,
Whan kinde assaileth the corage
With love and doth him forto bowe,
That he no reson can allowe,
Bot halt the lawes of nature:
For whom that love hath under cure,
As he is blind himself, riht so
He makth his client blind also.   160
In such manere as I you telle
As thei al day togedre duelle,
This brother mihte it noght asterte
That he with al his hole herte
His love upon his Soster caste: P. i. 285
And so it fell hem ate laste,
That this Machaire with Canace
Whan thei were in a prive place,
Cupide bad hem ferst to kesse,
And after sche which is Maistresse   170
In kinde and techeth every lif
Withoute lawe positif,
Of which sche takth nomaner charge,

148 *margin* malencolia H₁ ... B₂   162 *margin* concupiscencia H₁XR ... B₂   168 Whan ... in a] Whan þat ... in SAdBTΔ Whenne ... in W

LIBER TERCIUS

[TALE OF CANACE AND MACHAIRE.]

Bot kepth hire lawes al at large,
Nature, tok hem into lore
And tawht hem so, that overmore
Sche hath hem in such wise daunted,
That thei were, as who seith, enchaunted.
And as the blinde an other ledeth
And til thei falle nothing dredeth,   180
Riht so thei hadde non insihte ;
Bot as the bridd which wole alihte
And seth the mete and noght the net,
Which in deceipte of him is set,
This yonge folk no peril sihe,
Bot that was likinge in here yhe,
So that thei felle upon the chance
Where witt hath lore his remembrance.
So longe thei togedre assemble,
The wombe aros, and sche gan tremble,   190
And hield hire in hire chambre clos
For drede it scholde be disclos
And come to hire fader Ere :
Wherof the Sone hadde also fere,
And feigneth cause forto ryde ;   P. i. 286
For longe dorste he noght abyde,
In aunter if men wolde sein
That he his Soster hath forlein :
For yit sche hadde it noght beknowe
Whos was the child at thilke throwe.   200
Machaire goth, Canace abit,
The which was noght delivered yit,
Bot riht sone after that sche was.
  Now lest and herkne a woful cas.
The sothe, which mai noght ben hid,
Was ate laste knowe and kid
Unto the king, how that it stod.
And whan that he it understod,
Anon into Malencolie,
As thogh it were a frenesie,   210

176 tawht (taught) AJ, B, F   tawhte S   overmore] euermore
AMH₁XGRCLB₂, TΔ, W   181 in sihte (in siht) AJM   186
that] al B   200 drowe AM

[Tale of Canace and Machaire.]

He fell, as he which nothing cowthe
How maistrefull love is in yowthe:
And for he was to love strange,
He wolde noght his herte change
To be benigne and favorable
To love, bot unmerciable
Betwen the wawe of wod and wroth
Into his dowhtres chambre he goth,
And sih the child was late bore,
Wherof he hath hise othes swore   220
That sche it schal ful sore abye.
And sche began merci to crie,
Upon hire bare knes and preide,
And to hire fader thus sche seide:
'Ha mercy! fader, thenk I am   P. i. 287
Thi child, and of thi blod I cam.
That I misdede yowthe it made,
And in the flodes bad me wade,
Wher that I sih no peril tho:
Bot now it is befalle so,   230
Merci, my fader, do no wreche!'
And with that word sche loste speche
And fell doun swounende at his fot,
As sche for sorwe nedes mot.
Bot his horrible crualte
Ther mihte attempre no pite:
Out of hire chambre forth he wente
Al full of wraththe in his entente,
And tok the conseil in his herte
That sche schal noght the deth asterte,   240
As he which Malencolien
Of pacience hath no lien,
Wherof his wraththe he mai restreigne.
And in this wilde wode peine,
Whanne al his resoun was untame,
A kniht he clepeth be his name,
And tok him as be weie of sonde
A naked swerd to bere on honde,
And seide him that he scholde go
And telle unto his dowhter so   250

LIBER TERCIUS

[TALE OF CANACE AND MACHAIRE.]

In the manere as he him bad,
How sche that scharpe swerdes blad
Receive scholde and do withal
So as sche wot wherto it schal.
Forth in message goth this kniht   P. i. 288
Unto this wofull yonge wiht,
This scharpe swerd to hire he tok:
Wherof that al hire bodi qwok,
For wel sche wiste what it mente,
And that it was to thilke entente   260
That sche hireselven scholde slee.
And to the kniht sche seide: 'Yee,
Now that I wot my fadres wille,
That I schal in this wise spille,
I wole obeie me therto,
And as he wole it schal be do.
Bot now this thing mai be non other,
I wole a lettre unto mi brother,
So as my fieble hand may wryte,
With al my wofull herte endite.'   270
Sche tok a Penne on honde tho,
Fro point to point and al the wo,
Als ferforth as hireself it wot,
Unto hire dedly frend sche wrot,
And tolde how that hire fader grace
Sche mihte for nothing pourchace;
And overthat, as thou schalt hiere,
Sche wrot and seide in this manere:
'O thou my sorwe and my gladnesse,
O thou myn hele and my siknesse,   280
O my wanhope and al my trust,
O my desese and al my lust,
O thou my wele, o thou my wo,
O thou my frend, o thou my fo,
O thou my love, o thou myn hate,   P. i. 289
For thee mot I be ded algate.
Thilke ende may I noght asterte,
And yit with al myn hole herte,
Whil that me lasteth eny breth,

254 it schal] sche schal H₁ ... B₂, Ad   286 For thee] ffor þi B

[TALE OF CANACE
AND MACHAIRE.]

I wol the love into my deth. 290
Bot of o thing I schal thee preie,
If that my litel Sone deie,
Let him be beried in my grave
Beside me, so schalt thou have
Upon ous bothe remembrance.
For thus it stant of my grevance;
Now at this time, as thou schalt wite,
With teres and with enke write
This lettre I have in cares colde:
In my riht hond my Penne I holde, 300
And in my left the swerd I kepe,
And in my barm ther lith to wepe
Thi child and myn, which sobbeth faste.
Now am I come unto my laste:
Fare wel, for I schal sone deie,
And thenk how I thi love abeie.'
The pomel of the swerd to grounde
Sche sette, and with the point a wounde
Thurghout hire herte anon sche made,
And forth with that al pale and fade 310
Sche fell doun ded fro ther sche stod.
The child lay bathende in hire blod
Out rolled fro the moder barm,
And for the blod was hot and warm,
He basketh him aboute thrinne. P. i. 290
Ther was no bote forto winne,
For he, which can no pite knowe,
The king cam in the same throwe,
And sih how that his dowhter dieth
And how this Babe al blody crieth; 320
Bot al that mihte him noght suffise,
That he ne bad to do juise
Upon the child, and bere him oute,
And seche in the Forest aboute
Som wilde place, what it were,
To caste him out of honde there,
So that som beste him mai devoure,

290 vnto H₁ ... B₂   313 modres (moderis, moders) H₁ ... B₂
315 baskleþ AMH₁Sn, SΔΛ   basked C

Where as noman him schal socoure.
Al that he bad was don in dede:
Ha, who herde evere singe or rede
Of such a thing as that was do?
Bot he which ladde his wraththe so
Hath knowe of love bot a lite;
Bot for al that he was to wyte,
Thurgh his sodein Malencolie
To do so gret a felonie.

   Forthi, my Sone, how so it stonde,
Be this cas thou miht understonde
That if thou evere in cause of love
Schalt deme, and thou be so above
That thou miht lede it at thi wille,
Let nevere thurgh thi Wraththe spille
Which every kinde scholde save.
For it sit every man to have
Reward to love and to his miht,
Ayein whos strengthe mai no wiht:
And siththe an herte is so constreigned,
The reddour oghte be restreigned
To him that mai no bet aweie,
Whan he mot to nature obeie.
For it is seid thus overal,
That nedes mot that nede schal
Of that a lif doth after kinde,
Wherof he mai no bote finde.
What nature hath set in hir lawe
Ther mai no mannes miht withdrawe,
And who that worcheth therayein,
Fulofte time it hath be sein,
Ther hath befalle gret vengance,
Wherof I finde a remembrance.

   Ovide after the time tho
Tolde an ensample and seide so,
How that whilom Tiresias,
As he walkende goth per cas,

[TALE OF CANACE AND MACHAIRE.]

Confessor.

[TIRESIAS AND THE SNAKES.]

331 that] þo AM, Ad, Magd hyt W   354 I may H₁ ... B₂
355 What þing nature haþ set in lawe A ... B₂, S ... Δ

[TIRESIAS AND THE SNAKES.]
Hic narrat qualiter Tiresias in quodam monte duos serpentes inuenit pariter commiscentes, quos cum virga percussit. Irati dii ob hoc quod naturam impediuit, ipsum contra naturam a forma virili in muliebrem transmutarunt.

    Upon an hih Montaine he sih
Tuo Serpentz in his weie nyh,
And thei, so as nature hem tawhte,
Assembled were, and he tho cawhte
A yerde which he bar on honde,
And thoghte that he wolde fonde   370
To letten hem, and smot hem bothe:
Wherof the goddes weren wrothe;
And for he hath destourbed kinde
And was so to nature unkinde,
Unkindeliche he was transformed,   P. i. 292
That he which erst a man was formed
Into a womman was forschape.
That was to him an angri jape;
Bot for that he with Angre wroghte,
Hise Angres angreliche he boghte.   380

Confessor.

    Lo thus, my Sone, Ovide hath write,
Wherof thou miht be reson wite,
More is a man than such a beste:
So mihte it nevere ben honeste
A man to wraththen him to sore
Of that an other doth the lore
Of kinde, in which is no malice,
Bot only that it is a vice:
And thogh a man be resonable,
Yit after kinde he is menable   390
To love, wher he wole or non.
Thenk thou, my Sone, therupon
And do Malencolie aweie;
For love hath evere his lust to pleie,
As he which wolde no lif grieve.

Amans.

    Mi fader, that I mai wel lieve;
Al that ye tellen it is skile:
Let every man love as he wile,
Be so it be noght my ladi,
For I schal noght be wroth therby.   400
Bot that I wraththe and fare amis,

390 menable H₁XG, AdΔ, F   menabe J   meuable (?) AMB₂, ST, H₃   mevable R   moeuable EC, B   mouable (movable) L, W

LIBER TERCIUS

 Al one upon miself it is,   [MELANCHOLY.]
That I with bothe love and kinde
Am so bestad, that I can finde
No weie how I it mai asterte: **P. i. 293**
Which stant upon myn oghne herte
And toucheth to non other lif,
Save only to that swete wif
For whom, bot if it be amended,
Mi glade daies ben despended,   410
That I miself schal noght forbere
The Wraththe which that I now bere,
For therof is non other leche.
Now axeth forth, I yow beseche,
Of Wraththe if ther oght elles is,
Wherof to schryve.
     Sone, yis.

ii. *Ira mouet litem, que lingue frena resoluens*   [ii. CHESTE.]
 Laxa per infames currit vbique vias.
Rixarum nutrix quos educat ista loquaces,
 Hos Venus a latere linquit habere vagos.
Set pacienter agens taciturno qui celet ore,
 Vincit, et optati carpit amoris iter.

 Of Wraththe the secounde is Cheste,
Which hath the wyndes of tempeste
To kepe, and many a sodein blast
He bloweth, wherof ben agast   420
Thei that desiren pes and reste.   Hic tractat Confes-
He is that ilke ungoodlieste   sor super secunda
           specie Ire, que Lis
Which many a lusti love hath twinned; dicitur, ex cuius con-
For he berth evere his mowth unpinned, tumeliis innumerosa
           dolorum occasio tam
So that his lippes ben unloke   in amoris causa quam
And his corage is al tobroke,   aliter in quampluribus
           sepissime exorta est.
That every thing which he can telle,
It springeth up as doth a welle,
Which mai non of his stremes hyde,
Bot renneth out on every syde.   430
So buillen up the foule sawes   **P. i. 294**

402 Al one] Along(e) H₁G ... B₂ All longe X   408 Save] Saufly B
Latin Verses ii. 6 Vincit] Viuat H₁ ... CB₂ Viuit L

[CHESTE.]

That Cheste wot of his felawes:
For as a Sive kepeth Ale,
Riht so can Cheste kepe a tale;
Al that he wot he wol desclose,
And speke er eny man oppose.
As a Cite withoute wal,
Wher men mai gon out overal
Withouten eny resistence,
So with his croked eloquence 440
He spekth al that he wot withinne:
Wherof men lese mor than winne,
For ofte time of his chidinge
He bringth to house such tidinge,
That makth werre ate beddeshed.
He is the levein of the bred,
Which soureth all the past aboute:
Men oghte wel such on to doute,
For evere his bowe is redi bent,
And whom he hit I telle him schent, 450
If he mai perce him with his tunge.
And ek so lowde his belle is runge,
That of the noise and of the soun
Men feeren hem in al the toun
Welmore than thei don of thonder.
For that is cause of more wonder;
For with the wyndes whiche he bloweth
Fulofte sythe he overthroweth
The Cites and the policie,
That I have herd the poeple crie, 460
And echon seide in his degre, P. i. 295
'Ha wicke tunge, wo thee be!'
For men sein that the harde bon,
Althogh himselven have non,
A tunge brekth it al to pieces.
He hath so manye sondri spieces
Of vice, that I mai noght wel
Descrive hem be a thousendel:
Bot whan that he to Cheste falleth,

445 makeþ ... at H₁ ... B₂, BΔ   446 He] His FWKH₃
It Magd

Ful many a wonder thing befalleth,   470   [CHESTE.]
For he ne can nothing forbere.
  Now tell me, Sone, thin ansuere,   Opponit Confessor.
If it hath evere so betidd,
That thou at eny time hast chidd
Toward thi love.
         Fader, nay;   Confessio Amantis.
Such Cheste yit unto this day
Ne made I nevere, god forbede:
For er I sunge such a crede,
I hadde levere to be lewed;
For thanne were I al beschrewed   480
And worthi to be put abak
With al the sorwe upon my bak
That eny man ordeigne cowthe.
Bot I spak nevere yit be mowthe
That unto Cheste mihte touche,
And that I durste riht wel vouche
Upon hirself as for witnesse;
For I wot, of hir gentilesse
That sche me wolde wel excuse,
That I no suche thinges use.   490
And if it scholde so betide   **P. i. 296**
That I algates moste chide,
It myhte noght be to my love:
For so yit was I nevere above,
For al this wyde world to winne
That I dorste eny word beginne,
Be which sche mihte have ben amoeved
And I of Cheste also reproeved.
Bot rathere, if it mihte hir like,
The beste wordes wolde I pike   500
Whiche I cowthe in myn herte chese,
And serve hem forth in stede of chese,
For that is helplich to defie;
And so wolde I my wordes plie,
That mihten Wraththe and Cheste avale

---

476 yit *om.* AM   478 synge (sing) H₁XECB₂, AdBΛ, H₃
480 be schrewed FK   490 no þinges suche H₁XGRCB₂   no thynge
suche W   504 wolde I] wolde (*om.* I) FKH₃   wolle I W

[CHESTE.]

With tellinge of my softe tale.
Thus dar I make a foreward,
That nevere unto my ladiward
Yit spak I word in such a wise,
Wherof that Cheste scholde arise. 510
This seie I noght, that I fulofte
Ne have, whanne I spak most softe,
Per cas seid more thanne ynowh;
Bot so wel halt noman the plowh
That he ne balketh otherwhile,
Ne so wel can noman affile
His tunge, that som time in rape
Him mai som liht word overscape,
And yit ne meneth he no Cheste.
Bot that I have ayein hir heste 520
Fulofte spoke, I am beknowe; P. i. 297
And how my will is, that ye knowe:
For whan my time comth aboute,
That I dar speke and seie al oute
Mi longe love, of which sche wot
That evere in on aliche hot
Me grieveth, thanne al my desese
I telle, and though it hir desplese,
I speke it forth and noght ne leve:
And thogh it be beside hire leve, 530
I hope and trowe natheles
That I do noght ayein the pes;
For thogh I telle hire al my thoght,
Sche wot wel that I chyde noght.
Men mai the hihe god beseche,
And he wol hiere a mannes speche
And be noght wroth of that he seith;
So yifth it me the more feith
And makth me hardi, soth to seie,
That I dar wel the betre preie 540
Mi ladi, which a womman is.
For thogh I telle hire that or this
Of love, which me grieveth sore,

519 meueþ (?) JMXELB2, W   moeueþ GC   532 the] hir (hire) H1
... B2   536 hire B

LIBER TERCIUS

Hire oghte noght be wroth the more, [CHESTE.]
For I withoute noise or cri
Mi pleignte make al buxomly
To puten alle wraththe away.
Thus dar I seie unto this day
Of Cheste in ernest or in game
Mi ladi schal me nothing blame. 550
   Bot ofte time it hath betidd
That with miselven I have chidd,
That noman couthe betre chide:
And that hath ben at every tide,
Whanne I cam to miself al one;
For thanne I made a prive mone,
And every tale by and by,
Which as I spak to my ladi,
I thenke and peise in my balance
And drawe into my remembrance; 560
And thanne, if that I finde a lak
Of eny word that I mispak,
Which was to moche in eny wise,
Anon my wittes I despise
And make a chidinge in myn herte,
That eny word me scholde asterte
Which as I scholde have holden inne.
And so forth after I beginne
And loke if ther was elles oght
To speke, and I ne spak it noght: 570
And thanne, if I mai seche and finde
That eny word be left behinde,
Which as I scholde more have spoke,
I wolde upon miself be wroke,
And chyde with miselven so
That al my wit is overgo.
For noman mai his time lore
Recovere, and thus I am therfore
So overwroth in al my thoght,
That I myself chide al to noght: 580
Thus for to moche or for to lite
Fulofte I am miself to wyte.

573 S *has lost three leaves* (ll. 573–1112)   581 Thus] That B

[CHESTE.]

Bot al that mai me noght availe,
With cheste thogh I me travaile:
Bot Oule on Stock and Stock on Oule;
The more that a man defoule,
Men witen wel which hath the werse;
And so to me nys worth a kerse,
Bot torneth on myn oghne hed,
Thogh I, til that I were ded,   590
Wolde evere chyde in such a wise
Of love as I to you devise.
Bot, fader, now ye have al herd
In this manere how I have ferd
Of Cheste and of dissencioun,
Yif me youre absolucioun.

Confessor.

  Mi Sone, if that thou wistest al,
What Cheste doth in special
To love and to his welwillinge,
Thou woldest flen his knowlechinge   600
And lerne to be debonaire.
For who that most can speke faire
Is most acordende unto love:
Fair speche hath ofte brought above
Ful many a man, as it is knowe,
Which elles scholde have be riht lowe
And failed mochel of his wille.
Forthi hold thou thi tunge stille
And let thi witt thi wille areste,
So that thou falle noght in Cheste,   610
Which is the source of gret destance: **P. i. 300**
And tak into thi remembrance
If thou miht gete pacience,
Which is the leche of alle offence,
As tellen ous these olde wise:

Seneca. Paciencia est vindicta omnium iniuriarum.

For whan noght elles mai suffise
Be strengthe ne be mannes wit,
Than pacience it oversit
And overcomth it ate laste;
Bot he mai nevere longe laste,   620

611 destrance AM   612 vnto H₁ ... B₂   619 overcomth t] ouercomeþ C

LIBER TERCIUS

Which wol noght bowe er that he breke.   [CHESTE.]
Tak hiede, Sone, of that I speke.
    Mi fader, of your goodli speche   Amans.
And of the witt which ye me teche
I thonke you with al myn herte :
For that world schal me nevere asterte,
That I ne schal your wordes holde,
Of Pacience as ye me tolde,
Als ferforth as myn herte thenketh;
And of my wraththe it me forthenketh.   630
Bot, fader, if ye forth withal
Som good ensample in special
Me wolden telle of som Cronique,
It scholde wel myn herte like
Of pacience forto hiere,
So that I mihte in mi matiere
The more unto my love obeie
And puten mi desese aweie.

    Mi Sone, a man to beie him pes   [PATIENCE OF
Behoveth soffre as Socrates   640   SOCRATES.]
Ensample lefte, which is write :   **P. i. 301**
And for thou schalt the sothe wite,
Of this ensample what I mene,   Hic ponit Confessor
Althogh it be now litel sene   exemplum de pacien-
Among the men thilke evidence,   cia in amore contra
Yit he was upon pacience   lites habenda. Et nar-
So sett, that he himself assaie   rat qualiter vxor So-
In thing which mihte him most mispaie   cratis ipsum quodam
Desireth, and a wickid wif   die multis sermonibus
He weddeth, which in sorwe and strif   650   litigauit ; set cum ipse
Ayein his ese was contraire.   absque vlla respon-
Bot he spak evere softe and faire,   sione omnia probra
Til it befell, as it is told,   pacienter sustulit, in-
In wynter, whan the dai is cold,   dignata vxor quan-
This wif was fro the welle come,   dam ydriam plenam
Wher that a pot with water nome   aque, quam in manu
                                            tenebat, super caput
                                            viri sui subito effudit,
                                            dicens, 'Euigila et lo-
                                            quere': qui respon-
                                            dens tunc ait, 'O vere
                                            iam scio et expertus

624 wich F   626 world (worlde) AM, AdTΔ, FH₃   word JH₁
... B₂, BΛ, W   633 teche YEC, B   of] in AM, H₃   639
a man to] for to B   647 assaie *om.* A (*p. m.*)   to assaie M, H₃
assayed X   did assai Δ

[PATIENCE OF SOCRATES.]

sum quia post ventorum rabiem sequuntur ymbres': et isto modo litis contumeliam sua paciencia deuicit.

Sche hath, and broghte it into house,
And sih how that hire seli spouse
Was sett and loked on a bok
Nyh to the fyr, as he which tok   660
His ese for a man of age.
And sche began the wode rage,
And axeth him what devel he thoghte,
And bar on hond that him ne roghte
What labour that sche toke on honde,
And seith that such an Housebonde
Was to a wif noght worth a Stre.
He seide nowther nay ne ye,
Bot hield him stille and let hire chyde;
And sche, which mai hirself noght hyde,   670
Began withinne forto swelle,   **P. i. 302**
And that sche broghte in fro the welle,
The waterpot sche hente alofte
And bad him speke, and he al softe
Sat stille and noght a word ansuerde;
And sche was wroth that he so ferde,
And axeth him if he be ded;
And al the water on his hed
She pourede oute and bad awake.
Bot he, which wolde noght forsake   680
His Pacience, thanne spak,
And seide how that he fond no lak
In nothing which sche hadde do:
For it was wynter time tho,
And wynter, as be weie of kinde
Which stormy is, as men it finde,
Ferst makth the wyndes forto blowe,
And after that withinne a throwe
He reyneth and the watergates
Undoth; 'and thus my wif algates,   690
Which is with reson wel besein,
Hath mad me bothe wynd and rein
After the Sesoun of the yer.'
And thanne he sette him nerr the fer,

663 axex F   679 bad] bad him AM, H₃

LIBER TERCIUS

And as he mihte hise clothes dreide,   [PATIENCE OF
That he nomore o word ne seide;   SOCRATES.]
Wherof he gat him somdel reste,
For that him thoghte was the beste.
   I not if thilke ensample yit   Confessor.
Acordeth with a mannes wit,   700
To soffre as Socrates tho dede: P. i. 303
And if it falle in eny stede
A man to lese so his galle,
Him oghte among the wommen alle
In loves Court be juggement
The name bere of Pacient,
To yive ensample to the goode
Of pacience how that it stode,
That othre men it mihte knowe.
And, Sone, if thou at eny throwe   710
Be tempted ayein Pacience,
Tak hiede upon this evidence;
It schal per cas the lasse grieve.
   Mi fader, so as I believe,   Amans.
Of that schal be no maner nede,
For I wol take so good hiede,
That er I falle in such assai,
I thenke eschuie it, if I mai.
Bot if ther be oght elles more
Wherof I mihte take lore,   720
I preie you, so as I dar,
Now telleth, that I mai be war,
Som other tale in this matiere.
   Sone, it is evere good to lere,   Confessor.
Wherof thou miht thi word restreigne,
Er that thou falle in eny peine.
For who that can no conseil hyde,
He mai noght faile of wo beside,
Which schal befalle er he it wite,
As I finde in the bokes write.   730

   Yit cam ther nevere good of strif,   P. i. 304
To seche in all a mannes lif:

704 Him] He H₁ . . . B₂   732 teche XERCB₂

[JUPITER, JUNO AND
TIRESIAS.]

Hic ponit Confessor exemplum, quod de alterius lite intromittere cauendum est. Et narrat qualiter Iupiter cum Iunone super quadam questione litigabat, videlicet vtrum vir an mulier in amoris concupiscencia feruencius ardebat; super quo Tiresiam eorum iudicem constituebant. Et quia ille contra Iunonem in dicte litis causa sentenciam diffiniuit, irata dea ipsum amborum oculorum lumine claritatis absque remissione priuauit.

Thogh it beginne on pure game,
Fulofte it torneth into grame
And doth grevance upon som side.
Wherof the grete Clerk Ovide
After the lawe which was tho
Of Jupiter and of Juno
Makth in his bokes mencioun
How thei felle at dissencioun 740
In manere as it were a borde,
As thei begunne forto worde
Among hemself in privete:
And that was upon this degree,
Which of the tuo more amorous is,
Or man or wif. And upon this
Thei mihten noght acorde in on,
And toke a jugge therupon,
Which cleped is Tiresias,
And bede him demen in the cas; 750
And he withoute avisement
Ayein Juno yaf juggement.
This goddesse upon his ansuere
Was wroth and wolde noght forbere,
Bot tok awey for everemo
The liht fro bothe hise yhen tuo.
Whan Jupiter this harm hath sein,
An other bienfait therayein
He yaf, and such a grace him doth,
That for he wiste he seide soth, 760
A Sothseiere he was for evere: **P. i. 305**
Bot yit that other were levere,
Have had the lokinge of his yhe,
Than of his word the prophecie;
Bot how so that the sothe wente,
Strif was the cause of that he hente
So gret a peine bodily.

Confessor.

Mi Sone, be thou war ther by,

733 on] in H₁XE ... B₂, AdΔ, W of G, B   741 aborde A, FK
743 *margin* constituebat H₁ ... B₂   750 the cas] þis cas BΛ, W
756 hise] her B   762 were him leuere H₁ ... B₂ hadde leu*er* W
765 Bot] Lo H₁ ... B₂

LIBER TERCIUS 247

And hold thi tunge stille clos: [CHESTE.]
For who that hath his word desclos   770
Er that he wite what he mene,
He is fulofte nyh his tene
And lest ful many time grace,
Wher that he wolde his thonk pourchace.
And over this, my Sone diere,
Of othre men, if thou miht hiere
In privete what thei have wroght,
Hold conseil and descoevere it noght,
For Cheste can no conseil hele,
Or be it wo or be it wele: 780
And tak a tale into thi mynde,
The which of olde ensample I finde.

    Phebus, which makth the daies lihte,   [PHEBUS AND
A love he hadde, which tho hihte   CORNIDE.]
Cornide, whom aboven alle   Quia litigantes ora
He pleseth: bot what schal befalle   sua cohibere nequiunt,
Of love ther is noman knoweth,   hic ponit Confessor
Bot as fortune hire happes throweth.   exemplum contra illos
So it befell upon a chaunce,   qui in amoris causa
A yong kniht tok hire aqueintance   790 alterius consilium re-
And hadde of hire al that he wolde: P. i. 306 dam auis tunc albis-
Bot a fals bridd, which sche hath holde   consilium domine sue
And kept in chambre of pure yowthe,   Cornide Phebo denu-
Discoevereth all that evere he cowthe.   dauit; vnde contigit non
This briddes name was as tho   solum ipsam Cornidem
Corvus, the which was thanne also   interfici, set et coruum,
Welmore whyt than eny Swan,   qui antea tanquam nix
And he that schrewe al that he can   albus fuit, in piceum
Of his ladi to Phebus seide;   colorem pro perpetuo
And he for wraththe his swerd outbreide, 800 transmutari.
With which Cornide anon he slowh.
Bot after him was wo ynowh,
And tok a full gret repentance,
Wherof in tokne and remembrance

773 many a time CL, B, W   778 it *om.* AJM, KH₃ hem Δ
784 *margin* Quia] Qualiter H₁ ... B₂   788 happe (hap) H₁ ...
CB₂, W   happeþ L   795 *margin* fuerit H₁XRCLB₂ fuerat GE
798 that] þe H₁ ... B₂, B

[PHEBUS AND CORNIDE.]

Of hem whiche usen wicke speche,
Upon this bridd he tok this wreche,
That ther he was snow whyt tofore,
Evere afterward colblak therfore
He was transformed, as it scheweth,
And many a man yit him beschreweth,   810
And clepen him into this day
A Raven, be whom yit men mai
Take evidence, whan he crieth,
That som mishapp it signefieth.
Be war therfore and sei the beste,
If thou wolt be thiself in reste,
Mi goode Sone, as I the rede.
   For in an other place I rede

[JUPITER AND LAAR.]

Hic loquitur super eodem: Et narrat qualiter Laar Nimpha de eo quod Iupiter Iuturnam adulterauit, Iunoni Iouis vxori secretum reuelauit. Quapropter Iupiter ira commotus lingua Laaris prius abscisa ipsam postea in profundum Acherontis exulem pro perpetuo mancipauit.

Of thilke Nimphe which Laar hihte:
For sche the privete be nyhte,   820
How Jupiter lay be Jutorne,   P. i. 307
Hath told, god made hire overtorne:
Hire tunge he kutte, and into helle
For evere he sende hir forto duelle,
As sche that was noght worthi hiere
To ben of love a Chamberere,
For sche no conseil cowthe hele.
And suche adaies be now fele
In loves Court, as it is seid,
That lete here tunges gon unteid.   830
   Mi Sone, be thou non of tho,
To jangle and telle tales so,
And namely that thou ne chyde,
For Cheste can no conseil hide,
For Wraththe seide nevere wel.

Amans.

   Mi fader, soth is everydel
That ye me teche, and I wol holde
The reule to which I am holde,
To fle the Cheste, as ye me bidde,
For wel is him that nevere chidde.   840

807 snow whyt J, B, F   snowwhyt A   808 colblak A, F   col blak J, B   817 the om. B   818 For] Lo H₁...B₂, B   More W   822 god] and B   margin secretam AMH₁XRCLB₂, H₃   831 margin Amans A

LIBER TERCIUS

    Now tell me forth if ther be more
As touchende unto Wraththes lore.

iii. *Demonis est odium quasi Scriba, cui dabit Ira*   [iii. HATE.]
    Materiam scripti cordis ad antra sui.
Non laxabit amor odii quem frena restringunt,
    Nec secreta sui iuris adire sinit.

    Of Wraththe yit ther is an other,
Which is to Cheste his oghne brother,
And is be name cleped Hate,   Hic tractat Confes-
That soffreth noght withinne his gate   sor de tercia specie
                                                  Ire, que Odium dicitur,
That ther come owther love or pes,   P. i. 308 cuius natura omnes Ire
For he wol make no reles   inimicicias ad mentem
Of no debat which is befalle.   reducens, illas vsque
                                                         ad tempus vindicte ve-
    Now spek, if thou art on of alle,   850 lut Scriba demonis in
That with this vice hast ben withholde.   cordis papiro com-
    As yit for oght that ye me tolde,   memorandas inserit.
Mi fader, I not what it is.
    In good feith, Sone, I trowe yis.
    Mi fader, nay, bot ye me lere.
    Now lest, my Sone, and thou schalt here.
Hate is a wraththe noght schewende,
Bot of long time gaderende,
And duelleth in the herte loken,
Til he se time to be wroken;   860
And thanne he scheweth his tempeste
Mor sodein than the wilde beste,
Which wot nothing what merci is.
Mi Sone, art thou knowende of this?
    My goode fader, as I wene,   Confessio Amantis.
Now wot I somdel what ye mene;
Bot I dar saufly make an oth,
Mi ladi was me nevere loth.
I wol noght swere natheles
That I of hate am gulteles;   870
For whanne I to my ladi plie
Fro dai to dai and merci crie,
And sche no merci on me leith
Bot schorte wordes to me seith,
Thogh I my ladi love algate,

848 *margin* velud B, F   858 gaderende F   868 me] mo AM

[HATE.]

Tho wordes moste I nedes hate;
And wolde thei were al despent,
Or so ferr oute of londe went
That I nevere after scholde hem hiere;
And yit love I my ladi diere.   880
Thus is ther Hate, as ye mai se,
Betwen my ladi word and me;
The word I hate and hire I love,
What so me schal betide of love.

   Bot forthere mor I wol me schryve,
That I have hated al my lyve
These janglers, whiche of here Envie
Ben evere redi forto lie;
For with here fals compassement
Fuloften thei have mad me schent   890
And hindred me fulofte time,
Whan thei no cause wisten bime,
Bot onliche of here oghne thoght:
And thus fuloften have I boght
The lie, and drank noght of the wyn.
I wolde here happ were such as myn:
For how so that I be now schrive,
To hem ne mai I noght foryive,
Til that I se hem at debat
With love, and thanne myn astat   900
Thei mihten be here oghne deme,
And loke how wel it scholde hem qweme
To hindre a man that loveth sore.
And thus I hate hem everemore,
Til love on hem wol don his wreche:
For that schal I alway beseche
Unto the mihti Cupido,
That he so mochel wolde do,
So as he is of love a godd,
To smyte hem with the same rodd   910
With which I am of love smite;
So that thei mihten knowe and wite
How hindringe is a wofull peine

   900 thanne] þan wiþ H₁XGECLB₂, B þan in R   901 hire F
906 I schal AM, KH₃Magd

To him that love wolde atteigne. [Hate.]
Thus evere on hem I wayte and hope,
Til I mai sen hem lepe a lope,
And halten on the same Sor
Which I do now: for overmor
I wolde thanne do my myht
So forto stonden in here lyht, 920
That thei ne scholden finde a weie
To that thei wolde, bot aweie
I wolde hem putte out of the stede
Fro love, riht as thei me dede
With that thei speke of me be mowthe.
So wolde I do, if that I cowthe,
Of hem, and this, so god me save,
Is al the hate that I have,
Toward these janglers everydiel;
I wolde alle othre ferde wel. 930
Thus have I, fader, said mi wille;
Say ye now forth, for I am stille.

 Mi Sone, of that thou hast me said   Confessor.
I holde me noght fulli paid:
That thou wolt haten eny man,
To that acorden I ne can,
Thogh he have hindred thee tofore.   P. i. 311
Bot this I telle thee therfore,
Thou miht upon my beneicoun
Wel haten the condicioun 940
Of tho janglers, as thou me toldest,
Bot furthermor, of that thou woldest
Hem hindre in eny other wise,
Such Hate is evere to despise.
Forthi, mi Sone, I wol thee rede,
That thou drawe in be frendlihede
That thou ne miht noght do be hate;
So miht thou gete love algate
And sette thee, my Sone, in reste,
For thou schalt finde it for the beste. 950

918 ouermor F eueremore (euer mor etc.) A ... B₂, AdBTΔ, WKH₃ 921 finde] haue AM, KH₃Magd be put L 941 tho] þe H₁ ... B₂, AdB, W

[HATE.]

And over this, so as I dar,
I rede that thou be riht war
Of othre mennes hate aboute,
Which every wysman scholde doute:
For Hate is evere upon await,
And as the fisshere on his bait
Sleth, whan he seth the fisshes faste,
So, whan he seth time ate laste,
That he mai worche an other wo,
Schal noman tornen him therfro,   960
That Hate nyle his felonie
Fulfille and feigne compaignie
Yit natheles, for fals Semblant
Is toward him of covenant
Withholde, so that under bothe
The prive wraththe can him clothe,
That he schal seme of gret believe.   P. i. 312
Bot war thee wel that thou ne lieve
Al that thou sest tofore thin yhe,
So as the Gregois whilom syhe: 970
The bok of Troie who so rede,
Ther mai he finde ensample in dede.

[KING NAMPLUS AND THE GREEKS.]

Hic ponit Confessor exemplum contra illos qui, cum Ire sue odium aperte vindicare non possint, ficta dissimilacione vindictam subdole assequuntur. Et narrat quod cum Palamades princeps Grecorum in obsidione Troie a quibusdam suis emulis proditorie interfectus fuisset, paterque suus Rex Namplus in patria sua tunc existens huiusmodi euentus certitudinem

Sone after the destruccioun,
Whan Troie was al bete doun
And slain was Priamus the king,
The Gregois, whiche of al this thing
Ben cause, tornen hom ayein.
Ther mai noman his happ withsein;
It hath be sen and felt fulofte,
The harde time after the softe: 980
Be See as thei forth homward wente,
A rage of gret tempeste hem hente;
Juno let bende hire parti bowe,
The Sky wax derk, the wynd gan blowe,
The firy welkne gan to thondre,
As thogh the world scholde al to sondre;

970 þe whilom H₁XGCL   973 destruccioun AJ, B destruccion F   979 *margin* assequentur A   982 *margin* proditorum H₁XRCLB₂   983 *margin* patroque X ... B₂

LIBER TERCIUS

Fro hevene out of the watergates
The reyni Storm fell doun algates
And al here takel made unwelde,
That noman mihte himself bewelde.
Ther mai men hiere Schipmen crie,
That stode in aunter forto die:
He that behinde sat to stiere
Mai noght the forestempne hiere;
The Schip aros ayein the wawes,
The lodesman hath lost his lawes,
The See bet in on every side:
Thei nysten what fortune abide,
Bot sette hem al in goddes wille,
Wher he hem wolde save or spille.
   And it fell thilke time thus:
Ther was a king, the which Namplus
Was hote, and he a Sone hadde,
At Troie which the Gregois ladde,
As he that was mad Prince of alle,
Til that fortune let him falle:
His name was Palamades.
Bot thurgh an hate natheles
Of some of hem his deth was cast
And he be tresoun overcast.
His fader, whan he herde it telle,
He swor, if evere his time felle,
He wolde him venge, if that he mihte,
And therto his avou behihte:
And thus this king thurgh prive hate
Abod upon await algate,
For he was noght of such emprise
To vengen him in open wise.
The fame, which goth wyde where,
Makth knowe how that the Gregois were
Homward with al the felaschipe
Fro Troie upon the See be Schipe.
Namplus, whan he this understod,
And knew the tydes of the flod,

[KING NAMPLUS AND THE GREEKS.]

sciuisset, Grecos in sui cordis odium super omnia recollegit. Vnde contigit quod, cum Greci deuicta Troia per altum mare versus Greciam nauigio remeantes obscurissimo noctis tempore nimia ventorum tempestate iactabantur, Rex Namplus in terra sua contra litus maris, vbi maiora saxorum eminebant pericula, super cacumina montium grandissimos noctanter fecit ignes: quos Greci aspicientes saluum portum ibidem inuenire certissime putabant, et terram approximantes diruptis nauibus magna pars Grecorum periclitabatur. Et sic, quod Namplus viribus nequiit, odio latitante per dissimilacionis fraudem vindicauit.

P. i. 313

990

1000

1010

1020

1000 wolde hem AM, Δ, WH₃   1005 *margin* Et sic quo*que* H₁ ... B₂
1007 *margin* latitantem B   1014 behihte] he hight(e) GCL, W

[KING NAMPLUS AND THE GREEKS.]

And sih the wynd blew to the lond,
A gret deceipte anon he fond
Of prive hate, as thou schalt hiere, P. i. 314
Wherof I telle al this matiere.
This king the weder gan beholde,
And wiste wel thei moten holde 1030
Here cours endlong his marche riht,
And made upon the derke nyht
Of grete Schydes and of blockes
Gret fyr ayein the grete rockes,
To schewe upon the helles hihe,
So that the Flete of Grece it sihe.
And so it fell riht as he thoghte:
This Flete, which an havene soghte,
The bryghte fyres sih a ferr,
And thei hem drowen nerr and nerr, 1040
And wende wel and understode
How al that fyr was mad for goode,
To schewe wher men scholde aryve,
And thiderward thei hasten blyve.
In Semblant, as men sein, is guile,
And that was proved thilke while;
The Schip, which wende his helpe acroche,
Drof al to pieces on the roche,
And so ther deden ten or twelve;
Ther mihte noman helpe himselve, 1050
For ther thei wenden deth ascape,
Withouten help here deth was schape.
Thus thei that comen ferst tofore
Upon the Rockes be forlore,
Bot thurgh the noise and thurgh the cri
These othre were al war therby;
And whan the dai began to rowe, P. i. 315
Tho mihten thei the sothe knowe,
That wher they wenden frendes finde,
Thei founden frenschipe al behinde. 1060
The lond was thanne sone weyved,

1028 this] my B 1029 The king B 1031 Here] His AM, H₃ Hir(e) J, T 1044 afterward B 1047 This schip H₁ ... B₂, B 1060 frenschipe A, F frenschip J frendschip B

LIBER TERCIUS

Wher that thei hadden be deceived, [KING NAMPLUS AND
And toke hem to the hihe See; THE GREEKS.]
Therto thei seiden alle yee,
Fro that dai forth and war thei were
Of that thei hadde assaied there.
    Mi Sone, hierof thou miht avise Confessor.
How fraude stant in many wise
Amonges hem that guile thenke;
Ther is no Scrivein with his enke 1070
Which half the fraude wryte can
That stant in such a maner man:
Forthi the wise men ne demen
The thinges after that thei semen,
Bot after that thei knowe and finde.
The Mirour scheweth in his kinde
As he hadde al the world withinne,
And is in soth nothing therinne;
And so farth Hate for a throwe:
Til he a man hath overthrowe, 1080
Schal noman knowe be his chere
Which is avant, ne which arere.
Forthi, mi Sone, thenke on this.
    Mi fader, so I wole ywiss; Amans.
And if ther more of Wraththe be,
Now axeth forth per charite,
As ye be youre bokes knowe, P. i. 316
And I the sothe schal beknowe.

iv. *Qui cohibere manum nequit, et sit spiritus eius* [iv. v. CONTEK AND
   Naribus, hic populo sepe timendus erit. HOMICIDE.]
Sepius in luctum Venus et sua gaudia transfert,
   Cumque suis thalamis talis amicus adest.
Est amor amplexu non ictibus alliciendus,
   Frangit amicicias impetuosa manus.

    Mi Sone, thou schalt understonde
That yit towardes Wraththe stonde 1090
Of dedly vices othre tuo:

1065 dai] tyme H₁ ... B₂, B   war] what X ... B₂, B   what that H₁
Latin Verses iv. 1 sit] sic H₁ ... B₂, B, WH₃

[CONTEK AND HOMI-
CIDE.]

Hic tractat Confessor super quarta et quinta specie Ire, que impetuositas et homicidium dicuntur. Set primo de impetuositate specialius tractare intendit, cuius natura spiritum in naribus gestando ad omnes Ire mociones in vindictam parata pacienciam nullatenus obseruat.

And forto telle here names so,
It is Contek and Homicide,
That ben to drede on every side.
Contek, so as the bokes sein,
Folhast hath to his Chamberlein,
Be whos conseil al unavised
Is Pacience most despised,
Til Homicide with hem meete.
Fro merci thei ben al unmeete,   1100
And thus ben thei the worste of alle
Of hem whiche unto wraththe falle,
In dede bothe and ek in thoght:
For thei acompte here wraththe at noght,
Bot if ther be schedinge of blod;
And thus lich to a beste wod
Thei knowe noght the god of lif.
Be so thei have or swerd or knif
Here dedly wraththe forto wreke,
Of Pite list hem noght to speke;   1110
Non other reson thei ne fonge,
Bot that thei ben of mihtes stronge.
Bot war hem wel in other place,   P. i. 317
Where every man behoveth grace,
Bot ther I trowe it schal hem faile,
To whom no merci mihte availe,
Bot wroghten upon tiraundie,
That no pite ne mihte hem plie.

Opponit Confessor.

Now tell, my Sone.
                Fader, what?
If thou hast be coupable of that.   1120

Confessio Amantis.

Mi fader, nay, Crist me forbiede:
I speke onliche as of the dede,
Of which I nevere was coupable
Withoute cause resonable.
    Bot this is noght to mi matiere
Of schrifte, why we sitten hiere;

1094 to drede] togidre B   to geder H₁   1108 thei] þe F
1112 Bot that] But (Bot) at H₁XCLB₂   1113 S *resumes*   1118
ne *om.* MH₁L, Δ, WH₃   1119 my] me EL, W   me my H₁
1122 as of] as for M, Ad   of L   1123 was neuer(e) H₁, Ad, WH₃

For we ben sett to schryve of love,   [CONTEK WITHIN THE
As we begunne ferst above: HEART.]
And natheles I am beknowe
That as touchende of loves throwe,   1130
Whan I my wittes overwende,
Min hertes contek hath non ende,
Bot evere it stant upon debat
To gret desese of myn astat
As for the time that it lasteth.
For whan mi fortune overcasteth
Hire whiel and is to me so strange,
And that I se sche wol noght change,
Than caste I al the world aboute,
And thenke hou I at home and oute   1140
Have al my time in vein despended,
And se noght how to ben amended,
Bot rathere forto be empeired,   P. i. 318
As he that is welnyh despeired:
For I ne mai no thonk deserve,
And evere I love and evere I serve,
And evere I am aliche nerr.
Thus, for I stonde in such a wer,
I am, as who seith, out of herre;
And thus upon miself the werre   1150
I bringe, and putte out alle pes,
That I fulofte in such a res
Am wery of myn oghne lif.
So that of Contek and of strif
I am beknowe and have ansuerd,
As ye, my fader, now have herd.
Min herte is wonderly begon
With conseil, wherof witt is on,
Which hath resoun in compaignie;
Ayein the whiche stant partie   1160
Will, which hath hope of his acord,
And thus thei bringen up descord.
Witt and resoun conseilen ofte
That I myn herte scholde softe,
And that I scholde will remue

1145 þong J, F   þing BΔ, W   1164 I *om.* XRCLB₂, H₃

[CONTEK WITHIN THE HEART.]

And put him out of retenue,
Or elles holde him under fote:
For as thei sein, if that he mote
His oghne rewle have upon honde,
Ther schal no witt ben understonde. 1170
Of hope also thei tellen this,
That overal, wher that he is,
He set the herte in jeupartie P. i. 319
With wihssinge and with fantasie,
And is noght trewe of that he seith,
So that in him ther is no feith:
Thus with reson and wit avised
Is will and hope aldai despised.
Reson seith that I scholde leve
To love, wher ther is no leve 1180
To spede, and will seith therayein
That such an herte is to vilein,
Which dar noght love, and til he spede,
Let hope serve at such a nede:
He seith ek, where an herte sit
Al hol governed upon wit,
He hath this lyves lust forlore.
And thus myn herte is al totore
Of such a Contek as thei make:
Bot yit I mai noght will forsake, 1190
That he nys Maister of my thoght,
Or that I spede, or spede noght.

Confessor.

    Thou dost, my Sone, ayein the riht;
Bot love is of so gret a miht,
His lawe mai noman refuse,
So miht thou thee the betre excuse.
And natheles thou schalt be lerned
That will scholde evere be governed
Of reson more than of kinde,
Wherof a tale write I finde. 1200

    A Philosophre of which men tolde

1166 put AJ, F   putte C, B   1171 thei tellen] to telle B   1173 jeupartie] champartie H₁ ... B₂   1174 wihssinge AJ, F   wissching (wisshing) C, B   1179 I] it AM   1187 this] his H₁ ... B₂, WH₃
1190 will] wel H₁ ... B₂, WH₃   1198 evere *om.* H₁ ... B₂, H₃

LIBER TERCIUS

Ther was whilom be daies olde,
And Diogenes thanne he hihte.
So old he was that he ne mihte
The world travaile, and for the beste
He schop him forto take his reste,
And duelte at hom in such a wise,
That nyh his hous he let devise
Endlong upon an Axeltre
To sette a tonne in such degre,
That he it mihte torne aboute;
Wherof on hed was taken oute,
For he therinne sitte scholde
And torne himself so as he wolde,
To take their and se the hevene
And deme of the planetes sevene,
As he which cowthe mochel what.
And thus fulofte there he sat
To muse in his philosophie
Solein withoute compaignie:
So that upon a morwetyde,
As thing which scholde so betyde,
Whan he was set ther as him liste
To loke upon the Sonne ariste,
Wherof the propretes he sih,
It fell ther cam ridende nyh
King Alisandre with a route;
And as he caste his yhe aboute,
He sih this Tonne, and what it mente
He wolde wite, and thider sente
A knyht, be whom he mihte it knowe,
And he himself that ilke throwe
Abod, and hoveth there stille.
This kniht after the kinges wille
With spore made his hors to gon
And to the tonne he cam anon,
Wher that he fond a man of Age,
And he him tolde the message,
Such as the king him hadde bede,

P. i. 320

[TALE OF DIOGENES AND ALEXANDER.]

Hic ponit Confessor exemplum, quod hominis impetuosa voluntas sit discrecionis moderamine gubernanda. Et narrat qualiter Diogenes, qui motus animi sui racioni subiugarat, Regem Alexandrum super isto facto sibi opponentem plenius informauit.

1210

1220

1230

P. i. 321

1208 That] But B   1211 *margin* opponente H₁ . . . B₂, H₃
1212 Wherof] Wher(e) H₁XRCB₂, H₃   1222 so] þo L, B

[TALE OF DIOGENES
AND ALEXANDER.]

And axeth why in thilke stede 1240
The Tonne stod, and what it was.
And he, which understod the cas,
Sat stille and spak no word ayein.
The kniht bad speke and seith, 'Vilein,
Thou schalt me telle, er that I go;
It is thi king which axeth so.'
'Mi king,' quod he, 'that were unriht.'
'What is he thanne?' seith the kniht,
'Is he thi man?' 'That seie I noght,'
Quod he, 'bot this I am bethoght, 1250
Mi mannes man hou that he is.'
'Thou lyest, false cherl, ywiss,'
The kniht him seith, and was riht wroth,
And to the king ayein he goth
And tolde him how this man ansuerde.
The king, whan he this tale herde,
Bad that thei scholden alle abyde,
For he himself wol thider ryde.
And whan he cam tofore the tonne,
He hath his tale thus begonne: 1260
'Alheil,' he seith, 'what man art thou?'
Quod he, 'Such on as thou sest now.'
The king, which hadde wordes wise, **P. i. 322**
His age wolde noght despise,
Bot seith, 'Mi fader, I thee preie
That thou me wolt the cause seie,
How that I am thi mannes man.'
'Sire king,' quod he, 'and that I can,
If that thou wolt.' 'Yis,' seith the king.
Quod he, 'This is the sothe thing: 1270
Sith I ferst resoun understod,
And knew what thing was evel and good,
The will which of my bodi moeveth,
Whos werkes that the god reproeveth,
I have restreigned everemore,
As him which stant under the lore
Of reson, whos soubgit he is,

1241 he was SAdBTΔ   1253 king B   1258 wold(e)
M ... CB2, AdT, WH3   1276 As] Of B   And W

So that he mai noght don amis: [TALE OF DIOGENES
And thus be weie of covenant   AND ALEXANDER.]
Will is my man and my servant,   1280
And evere hath ben and evere schal.
And thi will is thi principal,
And hath the lordschipe of thi witt,
So that thou cowthest nevere yit
Take o dai reste of thi labour;
Bot forto ben a conquerour
Of worldes good, which mai noght laste,
Thou hiest evere aliche faste,
Wher thou no reson hast to winne:
And thus thi will is cause of Sinne,   1290
And is thi lord, to whom thou servest,
Wherof thou litel thonk deservest.'
The king of that he thus answerde   P. i. 323
Was nothing wroth, bot whanne he herde
The hihe wisdom which he seide,
With goodly wordes this he preide,
That he him wolde telle his name.
'I am,' quod he, 'that ilke same,
The which men Diogenes calle.'.
Tho was the king riht glad withalle,   1300
For he hadde often herd tofore
What man he was, so that therfore
He seide, 'O wise Diogene,
Now schal thi grete witt be sene;
For thou schalt of my yifte have
What worldes thing that thou wolt crave.'
Quod he, 'Thanne hove out of mi Sonne,
And let it schyne into mi Tonne;
For thou benymst me thilke yifte,
Which lith noght in thi miht to schifte: 1310
Non other good of thee me nedeth.'
   This king, whom every contre dredeth,
Lo, thus he was enformed there:
Wherof, my Sone, thou miht lere
How that thi will schal noght be lieved,

1295 wisdom] wordes H₁ ... B₂, H₃   1296 gostly B   1307 mi]
þe A   1312 This] The B

[Contek.]

Where it is noght of wit relieved.
And thou hast seid thiself er this
How that thi will thi maister is;
Thurgh which thin hertes thoght withinne
Is evere of Contek to beginne,   1320
So that it is gretli to drede
That it non homicide brede.
For love is of a wonder kinde,   P. i. 324
And hath hise wittes ofte blinde,
That thei fro mannes reson falle;
Bot whan that it is so befalle
That will schal the corage lede,
In loves cause it is to drede:
Wherof I finde ensample write,
Which is behovely forto wite.   1330

[Pyramus and Thisbe.]

Hic in amoris causa ponit Confessor exemplum contra illos qui in sua dampna nimis accelerantes ex impetuositate seipsos multociens offendunt. Et narrat qualiter Piramus, cum ipse Tisbee amicam suam in loco inter eosdem deputato tempore aduentus sui promptam non inuenit, animo impetuoso seipsum pre dolore extracto gladio mortaliter transfodit: que postea infra breue veniens cum ipsum sic mortuum inuenisset, eciam et illa in sui ipsius mortem impetuose festinans eiusdem gladii cuspide sui cordis intima per medium penetrauit.

I rede a tale, and telleth this:
The Cite which Semiramis
Enclosed hath with wall aboute,
Of worthi folk with many a route
Was enhabited here and there;
Among the whiche tuo ther were
Above alle othre noble and grete,
Dwellende tho withinne a Strete
So nyh togedre, as it was sene,
That ther was nothing hem betwene,   1340
Bot wow to wow and wall to wall.
This o lord hadde in special
A Sone, a lusti Bacheler,
In al the toun was non his pier:
That other hadde a dowhter eke,
In al the lond that forto seke
Men wisten non so faire as sche.
And fell so, as it scholde be,
This faire dowhter nyh this Sone
As thei togedre thanne wone,   1350
Cupide hath so the thinges schape,
That thei ne mihte his hand ascape,

1318 How þer(e) H₁G ... B₂, H₃   1330 forto] þat þou SAdBTΔ
1331 this] þus H₁E ... B₂, H₃   1332 Semiranus E ... B₂, H₃   1336
margin ipsos H₁ ... B₂, H₃

That he his fyr on hem ne caste: P. i. 325   [PYRAMUS AND
Wherof her herte he overcaste   THISBE.]
To folwe thilke lore and suie
Which nevere man yit miht eschuie;
And that was love, as it is happed,
Which hath here hertes so betrapped,
That thei be alle weies seche
How that thei mihten winne a speche,   1360
Here wofull peine forto lisse.
  Who loveth wel, it mai noght misse,
And namely whan ther be tuo
Of on acord, how so it go,
Bot if that thei som weie finde;
For love is evere of such a kinde
And hath his folk so wel affaited,
That howso that it be awaited,
Ther mai noman the pourpos lette:
And thus betwen hem tuo thei sette   1370
An hole upon a wall to make,
Thurgh which thei have her conseil take
At alle times, whan thei myhte.
This faire Maiden Tisbee hihte,
And he whom that sche loveth hote
Was Piramus be name hote.
So longe here lecoun thei recorden,
Til ate laste thei acorden
Be nihtes time forto wende
Al one out fro the tounes ende,   1380
Wher was a welle under a Tree;
And who cam ferst, or sche or he,
He scholde stille there abide.   P. i. 326
So it befell the nyhtes tide
This maiden, which desguised was,
Al prively the softe pas
Goth thurgh the large toun unknowe,
Til that sche cam withinne a throwe
Wher that sche liketh forto duelle,
At thilke unhappi freisshe welle,   1390
Which was also the Forest nyh.

1358 so *om.* AM   1384 the] by (be) H₁ ... B₂, H₃   a W

[PYRAMUS AND THISBE.]

Wher sche comende a Leoun syh
Into the feld to take his preie,
In haste and sche tho fledde aweie,
So as fortune scholde falle,
For feere and let hire wympel falle
Nyh to the welle upon therbage.
This Leoun in his wilde rage
A beste, which that he fond oute,
Hath slain, and with his blodi snoute, 1400
Whan he hath eten what he wolde,
To drynke of thilke stremes colde
Cam to the welle, where he fond
The wympel, which out of hire hond
Was falle, and he it hath todrawe,
Bebled aboute and al forgnawe;
And thanne he strawhte him forto drinke
Upon the freisshe welles brinke,
And after that out of the plein
He torneth to the wode ayein. 1410
And Tisbee dorste noght remue,
Bot as a bridd which were in Mue
Withinne a buissh sche kepte hire clos P. i. 327
So stille that sche noght aros;
Unto hirself and pleigneth ay.

And fell, whil that sche there lay,
This Piramus cam after sone
Unto the welle, and be the Mone
He fond hire wimpel blodi there.
Cam nevere yit to mannes Ere 1420
Tidinge, ne to mannes sihte
Merveile, which so sore aflihte
A mannes herte, as it tho dede
To him, which in the same stede
With many a wofull compleignynge
Began his handes forto wringe,
As he which demeth sikerly
That sche be ded: and sodeinly

1394 fleigh (fleih &c.) H₁G ... B₂, H₃ flew X   1406 al fordrawe
(al for drawe) H₁XRCB₂, H₃   alto gnawe L   1422 afrighte
(afriht &c.) H₁G ... B₂, H₃

His swerd al nakid out he breide
In his folhaste, and thus he seide: 1430
'I am cause of this felonie,
So it is resoun that I die,
As sche is ded be cause of me.'
And with that word upon his kne
He fell, and to the goddes alle
Up to the hevene he gan to calle,
And preide, sithen it was so
That he may noght his love as tho
Have in this world, that of her grace
He miht hire have in other place,   1440
For hiere wolde he noght abide,
He seith: bot as it schal betide,
The Pomel of his swerd to grounde   **P. i. 328**
He sette, and thurgh his herte a wounde
He made up to the bare hilte:
And in this wise himself he spilte
With his folhaste and deth he nam;
For sche withinne a while cam,
Wher he lai ded upon his knif.
So wofull yit was nevere lif   1450
As Tisbee was, whan sche him sih:
Sche mihte noght o word on hih
Speke oute, for hire herte schette,
That of hir lif no pris sche sette,
Bot ded swounende doun sche fell.
Til after, whanne it so befell
That sche out of hire traunce awok,
With many a wofull pitous lok
Hire yhe alwei among sche caste
Upon hir love, and ate laste   1460
Sche cawhte breth and seide thus:
'O thou which cleped art Venus,
Goddesse of love, and thou, Cupide,
Which loves cause hast forto guide,
I wot now wel that ye be blinde,

[PYRAMUS AND THISBE.]

1430 fulhast (fulle haste &c.) AMH₁XCLB₂, Ad, W   foule haste Δ
1433 As] And H₁ ... B₂, H₃   1440 miht (might) J, B, F   mihte A   1448 fforþ sche X ... B₂, WH₃   And sche T   1462 art cleped L, AdBTΔ

[PYRAMUS AND THISBE.]

Of thilke unhapp which I now finde
Only betwen my love and me.
This Piramus, which hiere I se
Bledende, what hath he deserved?
For he youre heste hath kept and served,   1470
And was yong and I bothe also:
Helas, why do ye with ous so?
Ye sette oure herte bothe afyre,   P. i. 329
And maden ous such thing desire
Wherof that we no skile cowthe;
Bot thus oure freisshe lusti yowthe
Withoute joie is al despended,
Which thing mai nevere ben amended:
For as of me this wol I seie,
That me is levere forto deie   1480
Than live after this sorghful day.'
And with this word, where as he lay,
Hire love in armes sche embraseth,
Hire oghne deth and so pourchaseth
That now sche wepte and nou sche kiste,
Til ate laste, er sche it wiste,
So gret a sorwe is to hire falle,
Which overgoth hire wittes alle.
As sche which mihte it noght asterte,
The swerdes point ayein hire herte   1490
Sche sette, and fell doun therupon,
Wherof that sche was ded anon:
And thus bothe on o swerd bledende
Thei weren founde ded liggende.

Confessor.

Now thou, mi Sone, hast herd this tale,
Bewar that of thin oghne bale
Thou be noght cause in thi folhaste,
And kep that thou thi witt ne waste
Upon thi thoght in aventure,
Wherof thi lyves forfeture   1500
Mai falle: and if thou have so thoght
Er this, tell on and hyde it noght.

1473 hertes H₁ ... B₂, AdBT, WH₃   1479 as for me H₁ ... B₂, H₃   1487 gret EC, SB   grete AJ, F   1489 And sche H₁ ... B₂, H₃
1496 that of] of þat H₁XE ... B₂

LIBER TERCIUS

    Mi fader, upon loves side   P. i. 330   [THE LOVER'S CONFESSION. DANGER.]
Mi conscience I woll noght hyde,
How that for love of pure wo   Confessio Amantis.
I have ben ofte moeved so,
That with my wisshes if I myhte,
A thousand times, I yow plyhte,
I hadde storven in a day;
And therof I me schryve may,   1510
Though love fully me ne slowh,
Mi will to deie was ynowh,
So am I of my will coupable:
And yit is sche noght merciable,
Which mai me yive lif and hele.
Bot that hir list noght with me dele,
I wot be whos conseil it is,
And him wolde I long time er this,
And yit I wolde and evere schal,
Slen and destruie in special.   1520
The gold of nyne kinges londes
Ne scholde him save fro myn hondes,
In my pouer if that he were;
Bot yit him stant of me no fere
For noght that evere I can manace.
He is the hindrere of mi grace,
Til he be ded I mai noght spede;
So mot I nedes taken hiede
And schape how that he were aweie,
If I therto mai finde a weie.   1530
    Mi Sone, tell me now forthi,   Confessor.
Which is that mortiel enemy
That thou manacest to be ded.   P. i. 331
    Mi fader, it is such a qwed,   Confessio Amantis.
That wher I come, he is tofore,
And doth so, that mi cause is lore.
    What is his name?
                   It is Daunger,
Which is mi ladi consailer:
For I was nevere yit so slyh,
To come in eny place nyh   1540
    1503 loue F   1512 was] is BT

[DANGER.]

Wher as sche was be nyht or day,
That Danger ne was redy ay,
With whom for speche ne for mede
Yit mihte I nevere of love spede;
For evere this I finde soth,
Al that my ladi seith or doth
To me, Daunger schal make an ende,
And that makth al mi world miswende:
And evere I axe his help, bot he
Mai wel be cleped sanz pite;   1550
For ay the more I to him bowe,
The lasse he wol my tale alowe.
He hath mi ladi so englued,
Sche wol noght that he be remued;
For evere he hangeth on hire Seil,
And is so prive of conseil,
That evere whanne I have oght bede,
I finde Danger in hire stede
And myn ansuere of him I have;
Bot for no merci that I crave,   1560
Of merci nevere a point I hadde.
I finde his ansuere ay so badde,
That werse mihte it nevere be: P. i. 332
And thus betwen Danger and me
Is evere werre til he dye.
Bot mihte I ben of such maistrie,
That I Danger hadde overcome,
With that were al my joie come.
Thus wolde I wonde for no Sinne,
Ne yit for al this world to winne;   1570
If that I mihte finde a sleyhte,
To leie al myn astat in weyhte,
I wolde him fro the Court dissevere,
So that he come ayeinward nevere.
Therfore I wisshe and wolde fain
That he were in som wise slain;
For while he stant in thilke place,
Ne gete I noght my ladi grace.

1562 And þus daunger my fortune ladde H₁ ... B₂, H₃ (chaunce *for* fortune E)

LIBER TERCIUS

Thus hate I dedly thilke vice, [DANGER.]
And wolde he stode in non office   1580
In place wher mi ladi is;
For if he do, I wot wel this,
That owther schal he deie or I
Withinne a while; and noght forthi
On my ladi fulofte I muse,
How that sche mai hirself excuse,
If that I deie in such a plit.
Me thenkth sche mihte noght be qwyt
That sche ne were an homicide:
And if it scholde so betide,   1590
As god forbiede it scholde be,
Be double weie it is pite.
For I, which al my will and witt   P. i. 333
Have yove and served evere yit,
And thanne I scholde in such a wise
In rewardinge of my servise
Be ded, me thenkth it were a rowthe:
And furthermor, to telle trowthe,
Sche, that hath evere be wel named,
Were worthi thanne to be blamed   1600
And of reson to ben appeled,
Whan with o word sche mihte have heled
A man, and soffreth him so deie.
Ha, who sawh evere such a weie?
Ha, who sawh evere such destresse?
Withoute pite gentilesse,
Withoute mercy wommanhede,
That wol so quyte a man his mede,
Which evere hath be to love trewe.
Mi goode fader, if ye rewe   1610
Upon mi tale, tell me now,
And I wol stinte and herkne yow.
    Mi Sone, attempre thi corage   Confessor.
Fro Wraththe, and let thin herte assuage:
For who so wole him underfonge,

1597 a *om.* H₁ ... B₂, BΔ, H₃   1603 so deie] to deie JH₁GE, BT, WH₃ forto deie L   1605 such (suche) YXGECLB₂, SBΔ, W   in such AJM, AdTΔ, F   such a H₁R, H₃Magd   1611 tell me] telle ȝe AM

[MORE HASTE WORSE SPEED.]

He mai his grace abide longe,
Er he of love be received;
And ek also, bot it be weyved,
Ther mihte mochel thing befalle,
That scholde make a man to falle   1620
Fro love, that nevere afterward
Ne durste he loke thiderward.
In harde weies men gon softe,   P. i. 334
And er thei clymbe avise hem ofte:
Men sen alday that rape reweth;
And who so wicked Ale breweth,
Fulofte he mot the werse drinke:
Betre is to flete than to sincke;
Betre is upon the bridel chiewe
Thanne if he felle and overthrewe,   1630
The hors and stikede in the Myr:
To caste water in the fyr
Betre is than brenne up al the hous:
The man which is malicious
And folhastif, fulofte he falleth,
And selden is whan love him calleth.
Forthi betre is to soffre a throwe
Than be to wilde and overthrowe;
Suffrance hath evere be the beste
To wissen him that secheth reste: 1640
And thus, if thou wolt love and spede,
Mi Sone, soffre, as I the rede.
What mai the Mous ayein the Cat?
And for this cause I axe that,
Who mai to love make a werre,
That he ne hath himself the werre?
Love axeth pes and evere schal,
And who that fihteth most withal
Schal lest conquere of his emprise:
For this thei tellen that ben wise,   1650
Wicke is to stryve and have the werse;
To hasten is noght worth a kerse;
Thing that a man mai noght achieve,   P. i. 335

1641 and *om.* H₁, B   1649 Schal best B   Lest schal
H₁ ... B₂, H₃

LIBER TERCIUS

That mai noght wel be don at Eve,   [MORE HASTE WORSE
It mot abide til the morwe.   SPEED.]
Ne haste noght thin oghne sorwe,
Mi Sone, and tak this in thi witt,
He hath noght lost that wel abitt.
   Ensample that it falleth thus,
Thou miht wel take of Piramus,   1660
Whan he in haste his swerd outdrowh
And on the point himselve slowh
For love of Tisbee pitously,
For he hire wympel fond blody
And wende a beste hire hadde slain;
Wher as him oghte have be riht fain,
For sche was there al sauf beside:
Bot for he wolde noght abide,
This meschief fell. Forthi be war,
Mi Sone, as I the warne dar,   1670
Do thou nothing in such a res,
For suffrance is the welle of Pes.
Thogh thou to loves Court poursuie,
Yit sit it wel that thou eschuie
That thou the Court noght overhaste,
For so miht thou thi time waste;
Bot if thin happ therto be schape,
It mai noght helpe forto rape.
Therfore attempre thi corage;
Folhaste doth non avantage,   1680
Bot ofte it set a man behinde
In cause of love, and that I finde
Be olde ensample, as thou schalt hiere, **P. i. 336**
Touchende of love in this matiere.

   A Maiden whilom ther was on,   [TALE OF PHEBUS AND
Which Daphne hihte, and such was non   DAPHNE.]
Of beaute thanne, as it was seid.
Phebus his love hath on hire leid,   Hic ponit Confessor
And therupon to hire he soghte   exemplum contra il-
    los qui in amoris causa
In his folhaste, and so besoghte,   1690 nimia festinacione con-

1661 outdrowh F   out drowh (drough) AJ, B   1671 a res
GEC, B   ares AJ, S, F   1686 such was] þer was H₁ ... B₂, H₃

[TALE OF PHEBUS AND DAPHNE.]

cupiscentes tardius expediunt. Et narrat qualiter pro eo quod Phebus quamdam virginem pulcherimam nomine Daphnem nimia amoris acceleracione insequebatur, iratus Cupido cor Phebi sagitta aurea ignita ardencius vulnerauit : et econtra cor Daphne quadam sagitta plumbea, que frigidissima fuit, sobrius perforauit. Et sic quanto magis Phebus ardencior in amore Daphnem prosecutus est, tanto magis ipsa frigidior Phebi concupiscenciam toto corde fugitiua dedignabatur.

That sche with him no reste hadde ;
For evere upon hire love he gradde,
And sche seide evere unto him nay.
So it befell upon a dai,
Cupide, which hath every chance
Of love under his governance,
Syh Phebus hasten him so sore :
And for he scholde him haste more,
And yit noght speden ate laste,
A dart thurghout his herte he caste,   1700
Which was of gold and al afyre,
That made him manyfold desire
Of love more thanne he dede.
To Daphne ek in the same stede
A dart of Led he caste and smot,
Which was al cold and nothing hot.
And thus Phebus in love brenneth,
And in his haste aboute renneth,
To loke if that he mihte winne ;
Bot he was evere to beginne,   1710
For evere awei fro him sche fledde,
So that he nevere his love spedde.
And forto make him full believe   P. i. 337
That no Folhaste mihte achieve
To gete love in such degree,
This Daphne into a lorer tre
Was torned, which is evere grene,
In tokne, as yit it mai be sene,
That sche schal duelle a maiden stille,
And Phebus failen of his wille.   1720

Be suche ensamples, as thei stonde,
Mi Sone, thou miht understonde,
To hasten love is thing in vein,
Whan that fortune is therayein.
To take where a man hath leve
Good is, and elles he mot leve ;
For whan a mannes happes failen,
Ther is non haste mai availen.

Amans.

Mi fader, grant merci of this :

1704 *margin* prosecutus T, F   persecutus AC, B, W

LIBER TERCIUS

Bot while I se mi ladi is   1730   [Fool-haste.]
No tre, but halt hire oghne forme,
Ther mai me noman so enforme,
To whether part fortune wende,
That I unto mi lyves ende
Ne wol hire serven everemo.

    Mi Sone, sithen it is so,   Confessor.
I seie nomor; bot in this cas
Bewar how it with Phebus was.
Noght only upon loves chance,
Bot upon every governance   1740
Which falleth unto mannes dede,
Folhaste is evere forto drede,
And that a man good consail take,   P. i. 338
Er he his pourpos undertake,
For consail put Folhaste aweie.

    Now goode fader, I you preie,   Amans.
That forto wisse me the more,
Som good ensample upon this lore
Ye wolden telle of that is write,
That I the betre mihte wite   1750
How I Folhaste scholde eschuie,
And the wisdom of conseil suie.

    Mi Sone, that thou miht enforme   Confessor.
Thi pacience upon the forme
Of olde essamples, as thei felle,
Now understond what I schal telle.

    Whan noble Troie was belein   [Athemas and
And overcome, and hom ayein   Demephon.]
The Gregois torned fro the siege,
The kinges founde here oghne liege   1760   Hic ponit Confessor
In manye places, as men seide,   exemplum contra il-
That hem forsoke and desobeide.   los qui nimio furore
Among the whiche fell this cas   accensi vindictam Ire
To Demephon and Athemas,   sue vltra quam decet
That weren kinges bothe tuo,   consequi affectant. Et
And bothe weren served so: narrat qualiter Athe-
                                                  mas et Demephon Re-
                                                  ges, cum ipsi de bello
                                                  Troiano ad propria

---

1732 me *om*. AML, KH₃Magd   (no man so me W)   1763 þe
cas H₁ . . . B₂

[ATHEMAS AND DEMEPHON.]

remeassent et a suis ibidem pacifice recepti non fuissent, congregato aliunde pugnatorum excercitu, regiones suas non solum incendio vastare set et omnes in eisdem habitantes a minimo vsque ad maiorem in perpetuam vindicte memoriam gladio interficere feruore iracundie proposuerunt. Set Rex Nestor, qui senex et sapiens fuit, ex paciencia tractatus inter ipsos Reges et eorum Regna inita pace et concordia huiusmodi impetuositatem micius pacificauit.

Here lieges wolde hem noght receive,
So that thei mote algates weyve
To seche lond in other place,
For there founde thei no grace. 1770
Wherof they token hem to rede,
And soghten frendes ate nede,
And ech of hem asseureth other   P. i. 339
To helpe as to his oghne brother,
To vengen hem of thilke oultrage
And winne ayein here heritage.
And thus thei ryde aboute faste
To gete hem help, and ate laste
Thei hadden pouer sufficant,
And maden thanne a covenant, 1780
That thei ne scholden no lif save,
Ne prest, ne clerc, ne lord, ne knave,
Ne wif, ne child, of that thei finde,
Which berth visage of mannes kinde,
So that no lif schal be socoured,
Bot with the dedly swerd devoured:
In such Folhaste here ordinance
Thei schapen forto do vengance.
Whan this pourpos was wist and knowe
Among here host, tho was ther blowe 1790
Of wordes many a speche aboute:
Of yonge men the lusti route
Were of this tale glad ynowh,
Ther was no care for the plowh;
As thei that weren Folhastif,
Thei ben acorded to the strif,
And sein it mai noght be to gret
To vengen hem of such forfet:
Thus seith the wilde unwise tonge
Of hem that there weren yonge. 1800
Bot Nestor, which was old and hor,
The salve sih tofore the sor,
As he that was of conseil wys: P. i. 340
So that anon be his avis

1767 liege B   1777 *margin* feruorem AM   1783 *margin* micius]
inicius H₁GECL   1800 weren þer(e) H₁XE . . . B₂   weren þanne G

LIBER TERCIUS

Ther was a prive conseil nome. [ATHEMAS AND
The lordes ben togedre come; DEMEPHON.]
This Demephon and Athemas
Here pourpos tolden, as it was;
Thei sieten alle stille and herde,
Was non bot Nestor hem ansuerde.   1810
He bad hem, if thei wolde winne,
They scholden se, er thei beginne,
Here ende, and sette here ferste entente,
That thei hem after ne repente:
And axeth hem this questioun,
To what final conclusioun
Thei wolde regne Kinges there,
If that no poeple in londe were;
And seith, it were a wonder wierde
To sen a king become an hierde,   1820
Wher no lif is bot only beste
Under the liegance of his heste;
For who that is of man no king,
The remenant is as no thing.
He seith ek, if the pourpos holde
To sle the poeple, as thei tuo wolde,
Whan thei it mihte noght restore,
Al Grece it scholde abegge sore,
To se the wilde beste wone
Wher whilom duelte a mannes Sone: 1830
And for that cause he bad hem trete,
And stinte of the manaces grete.
Betre is to winne be fair speche,   P. i. 341
He seith, than such vengance seche;
For whanne a man is most above,   Nota.
Him nedeth most to gete him love.
   Whan Nestor hath his tale seid,
Ayein him was no word withseid;
It thoghte hem alle he seide wel:
And thus fortune hire dedly whiel   1840
Fro werre torneth into pes.
Bot forth thei wenten natheles;

1806 come] nome XCLB₂   1830 a om. H₁GECL, B   1832 the]
þo AJM, SBTΔ, K   om. R   1835 margin Nota F om. A, B

[ATHEMAS AND DEMEPHON.]

And whan the Contres herde sein
How that here kinges be besein
Of such a pouer as thei ladde,
Was non so bold that hem ne dradde,
And forto seche pes and grith
Thei sende and preide anon forthwith,
So that the kinges ben appesed,
And every mannes herte is esed;   1850
Al was foryete and noght recorded.
And thus thei ben togedre acorded;
The kinges were ayein received,
And pes was take and wraththe weived,
And al thurgh conseil which was good
Of him that reson understod.

Confessor.

Nota.

 Be this ensample, Sone, attempre
Thin herte and let no will distempre
Thi wit, and do nothing be myht
Which mai be do be love and riht.   1860
Folhaste is cause of mochel wo;
Forthi, mi Sone, do noght so.

[HOMICIDE.]

And as touchende of Homicide   P. i. 342
Which toucheth unto loves side,
Fulofte it falleth unavised
Thurgh will, which is noght wel assised,
Whan wit and reson ben aweie
And that Folhaste is in the weie,
Wherof hath falle gret vengance.
Forthi tak into remembrance   1870
To love in such a maner wise
That thou deserve no juise:
For wel I wot, thou miht noght lette,
That thou ne schalt thin herte sette
To love, wher thou wolt or non;
Bot if thi wit be overgon,
So that it torne into malice,
Ther wot noman of thilke vice,
What peril that ther mai befalle:
Wherof a tale amonges alle,   1880
Which is gret pite forto hiere,

  1859 *margin* Nota F *om.* A, B   **1866** Thourgh F

I thenke forto tellen hiere,
That thou such moerdre miht withstonde,
Whan thou the tale hast understonde.

 Of Troie at thilke noble toun,   [TALE OF ORESTES.]
Whos fame stant yit of renoun
And evere schal to mannes Ere,
The Siege laste longe there,
Er that the Greks it mihten winne,
Whil Priamus was king therinne;   1890
Bot of the Greks that lyhe aboute
Agamenon ladde al the route.
This thing is knowen overal,   P. i. 343
Bot yit I thenke in special
To my matiere therupon
Telle in what wise Agamenon,
Thurgh chance which mai noght be weived,
Of love untrewe was deceived.
An old sawe is, 'Who that is slyh
In place where he mai be nyh,   1900
He makth the ferre Lieve loth':
Of love and thus fulofte it goth.
Ther while Agamenon batailleth
To winne Troie, and it assailleth,
Fro home and was long time ferr,
Egistus drowh his qweene nerr,
And with the leiser which he hadde
This ladi at his wille he ladde:
Climestre was hire rihte name,
Sche was therof gretli to blame,   1910
To love there it mai noght laste.
Bot fell to meschief ate laste;
For whan this noble worthi kniht
Fro Troie cam, the ferste nyht
That he at home abedde lay,
Egistus, longe er it was day,

Hic ponit Confessor exemplum contra illos qui ob sue concupiscencie desiderium homicide efficiuntur. Et narrat qualiter Climestra vxor Regis Agamenontis, cum ipse a bello Troiano domi redisset, consilio Egisti, quem adultera peramauit, sponsum suum in cubili dormientem sub noctis silencio trucidabat; cuius mortem filius eius Horestes tunc minoris etatis postea diis admonitus seueritate crudelissima vindicauit.

1885 at thilke] þilke B, H₃   þat ilke W   of þilke L   1893 thing] king ERL, BT   1899 *margin* crudelissima seueritate A ... B₂, BT &c. 1908 hadde B   1913 worþi noble AM   1914 ferste (firste) AJ, B ferst F

[TALE OF ORESTES.]

As this Climestre him hadde asent,
And weren bothe of on assent,
Be treson slowh him in his bedd.
Bot moerdre, which mai noght ben hedd,   1920
Sprong out to every mannes Ere,
Wherof the lond was full of fere.
   Agamenon hath be this qweene   P. i. 344
A Sone, and that was after sene;
Bot yit as thanne he was of yowthe,
A babe, which no reson cowthe,
And as godd wolde, it fell him thus.
A worthi kniht Taltabius
This yonge child hath in kepinge,
And whan he herde of this tidinge,   1930
Of this treson, of this misdede,
He gan withinne himself to drede,
In aunter if this false Egiste
Upon him come, er he it wiste,
To take and moerdre of his malice
This child, which he hath to norrice:
And for that cause in alle haste
Out of the lond he gan him haste
And to the king of Crete he strawhte
And him this yonge lord betawhte,   1940
And preide him for his fader sake
That he this child wolde undertake
And kepe him til he be of Age,
So as he was of his lignage;
And tolde him over al the cas,
How that his fadre moerdred was,
And hou Egistus, as men seide,
Was king, to whom the lond obeide.
And whanne Ydomeneux the king
Hath understondinge of this thing,   1950
Which that this kniht him hadde told,
He made sorwe manyfold,
And tok this child into his warde,   P. i. 345
And seide he wolde him kepe and warde,

1924 and *om.* BT   1930 herde AJ, B   herd F   1935 and]
a AM   *om.* WMagd   1939 Grece MH₁XGRCLB₂   Crece E

LIBER TERCIUS

[TALE OF ORESTES.]

Til that he were of such a myht
To handle a swerd and ben a knyht,
To venge him at his oghne wille.
And thus Horestes duelleth stille,
Such was the childes rihte name,
Which after wroghte mochel schame   1960
In vengance of his fader deth.
   The time of yeres overgeth,
That he was man of brede and lengthe,
Of wit, of manhod and of strengthe,
A fair persone amonges alle.
And he began to clepe and calle,
As he which come was to manne,
Unto the King of Crete thanne,
Preiende that he wolde him make
A kniht and pouer with him take,   1970
For lengere wolde he noght beleve,
He seith, bot preith the king of leve
To gon and cleyme his heritage
And vengen him of thilke oultrage
Which was unto his fader do.
The king assenteth wel therto,
With gret honour and knyht him makth,
And gret pouer to him betakth,
And gan his journe forto caste:
So that Horestes ate laste   1980
His leve tok and forth he goth.
As he that was in herte wroth,
His ferste pleinte to bemene,   **P. i. 346**
Unto the Cite of Athene
He goth him forth and was received,
So there was he noght deceived.
The Duc and tho that weren wise
Thei profren hem to his servise;
And he hem thonketh of here profre
And seith himself he wol gon offre   1990
Unto the goddes for his sped,

1968 Unto] Vnto to F   Grece M ... B₂ (*except* EC)   1979 gan his journe] gan his money XGE   gaue his money H₁RCLB₂   1989 he *om.* B

[TALE OF ORESTES.]

As alle men him yeven red.
So goth he to the temple forth:
Of yiftes that be mochel worth
His sacrifice and his offringe
He made; and after his axinge
He was ansuerd, if that he wolde
His stat recovere, thanne he scholde
Upon his Moder do vengance
So cruel, that the remembrance 2000
Therof mihte everemore abide,
As sche that was an homicide
And of hire oghne lord Moerdrice.
Horestes, which of thilke office
Was nothing glad, as thanne he preide
Unto the goddes there and seide
That thei the juggement devise,
How sche schal take the juise.
And therupon he hadde ansuere,
That he hire Pappes scholde of tere 2010
Out of hire brest his oghne hondes,
And for ensample of alle londes
With hors sche scholde be todrawe, P. i. 347
Til houndes hadde hire bones gnawe
Withouten eny sepulture:
This was a wofull aventure.
And whan Horestes hath al herd,
How that the goddes have ansuerd,
Forth with the strengthe which he ladde
The Duc and his pouer he hadde, 2020
And to a Cite forth thei gon,
The which was cleped Cropheon,
Where as Phoieus was lord and Sire,
Which profreth him withouten hyre
His help and al that he mai do,
As he that was riht glad therto,
To grieve his mortiel enemy:
And tolde hem certein cause why,
How that Egiste in Mariage

2003 of] þus B   2005 and þan (þanne) GL, BT   2023 Phogeus
H₁ ... B₂   Phoreus T   Florence W

His dowhter whilom of full Age 2030 [TALE OF ORESTES.]
Forlai, and afterward forsok,
Whan he Horestes Moder tok.
  Men sein, 'Old Senne newe schame':
Thus more and more aros the blame
Ayein Egiste on every side.
Horestes with his host to ride
Began, and Phoieus with hem wente;
I trowe Egiste him schal repente.
Thei riden forth unto Micene,
Wher lay Climestre thilke qweene, 2040
The which Horestes moder is:
And whan sche herde telle of this,
The gates weren faste schet, P. i. 348
And thei were of here entre let.
Anon this Cite was withoute
Belein and sieged al aboute,
And evere among thei it assaile,
Fro day to nyht and so travaile,
Til ate laste thei it wonne;
Tho was ther sorwe ynowh begonne. 2050
  Horestes dede his moder calle
Anon tofore the lordes alle
And ek tofor the poeple also,
To hire and tolde his tale tho,
And seide, 'O cruel beste unkinde,
How mihtest thou thin herte finde,
For eny lust of loves drawhte,
That thou acordest to the slawhte
Of him which was thin oghne lord?
Thi treson stant of such record, 2060
Thou miht thi werkes noght forsake;
So mot I for mi fader sake
Vengance upon thi bodi do,
As I comanded am therto.
Unkindely for thou hast wroght,
Unkindeliche it schal be boght,

2041 is] was H₁ ... B₂   2042 herd telle of þis cas H₁ ... B₂
2044 entre] purpos H₁ ... B₂   2046 lieged AM   2056 þou þin
(þi) AJM, SAdΛ, F   þou in þin (þi) H₁ ... B₂, BΔ, W   in thyn T

[Tale of Orestes.]

The Sone schal the Moder sle,
For that whilom thou seidest yee
To that thou scholdest nay have seid.'
And he with that his hond hath leid 2070
Upon his Moder brest anon,
And rente out fro the bare bon
Hire Pappes bothe and caste aweie P. i. 349
Amiddes in the carte weie,
And after tok the dede cors
And let it drawe awey with hors
Unto the hounde and to the raven;
Sche was non other wise graven.

Egistus, which was elles where,
Tidinges comen to his Ere 2080
How that Micenes was belein,
Bot what was more herd he noght sein;
With gret manace and mochel bost
He drowh pouer and made an host
And cam in rescousse of the toun.
Bot al the sleyhte of his tresoun
Horestes wiste it be aspie,
And of his men a gret partie
He made in buisshement abide,
To waite on him in such a tide 2090
That he ne mihte here hond ascape:
And in this wise as he hath schape
The thing befell, so that Egiste
Was take, er he himself it wiste,
And was forth broght hise hondes bounde,
As whan men han a tretour founde.
And tho that weren with him take,
Whiche of tresoun were overtake,
Togedre in o sentence falle;
Bot false Egiste above hem alle 2100
Was demed to diverse peine,
The worste that men cowthe ordeigne,
And so forth after be the lawe P. i. 350
He was unto the gibet drawe,

2077 and to] vnto BΔΛ 2082 herd J, SB, F herde A 2100 false AJ, S, F fals C, B

Where he above alle othre hongeth, [TALE OF ORESTES.]
As to a tretour it belongeth.
  Tho fame with hire swifte wynges
Aboute flyh and bar tidinges,
And made it cowth in alle londes
How that Horestes with hise hondes 2110
Climestre his oghne Moder slowh.
Some sein he dede wel ynowh,
And som men sein he dede amis,
Diverse opinion ther is:
That sche is ded thei speken alle,
Bot pleinli hou it is befalle,
The matiere in so litel throwe
In soth ther mihte noman knowe
Bot thei that weren ate dede:
And comunliche in every nede 2120
The worste speche is rathest herd
And lieved, til it be ansuerd.
The kinges and the lordes grete
Begonne Horestes forto threte
To puten him out of his regne:
'He is noght worthi forto regne,
The child which slowh his moder so,'
Thei saide; and therupon also
The lordes of comun assent
A time sette of parlement, 2130
And to Athenes king and lord
Togedre come of on acord,
To knowe hou that the sothe was: P. i. 351
So that Horestes in this cas
Thei senden after, and he com.
King Menelay the wordes nom
And axeth him of this matiere:
And he, that alle it mihten hiere,
Ansuerde and tolde his tale alarge,
And hou the goddes in his charge 2140
Comanded him in such a wise
His oghne hond to do juise.

2107 Tho AJM, ST, F   The H₁ ... B₂, AdBΔΛ, WH₃   hire]
his C   the H₁   om. AM   2139 at large H₁XGECL, B, W

[Tale of Orestes.]

And with this tale a Duc aros,
Which was a worthi kniht of los,
His name was Menesteüs,
And seide unto the lordes thus:
'The wreeche which Horestes dede,
It was thing of the goddes bede,
And nothing of his crualte;
And if ther were of mi degree 2150
In al this place such a kniht
That wolde sein it was no riht,
I wole it with my bodi prove.'
And therupon he caste his glove,
And ek this noble Duc alleide
Ful many an other skile, and seide
Sche hadde wel deserved wreche,
Ferst for the cause of Spousebreche,
And after wroghte in such a wise
That al the world it oghte agrise, 2160
Whan that sche for so foul a vice
Was of hire oghne lord moerdrice.
Thei seten alle stille and herde, P. i. 352
Bot therto was noman ansuerde,
It thoghte hem alle he seide skile,
Ther is noman withseie it wile;
Whan thei upon the reson musen,
Horestes alle thei excusen:
So that with gret solempnete
He was unto his dignete 2170
Received, and coroned king.
And tho befell a wonder thing:
Egiona, whan sche this wiste,
Which was the dowhter of Egiste
And Soster on the moder side
To this Horeste, at thilke tide,
Whan sche herde how hir brother spedde,
For pure sorwe, which hire ledde,
That he ne hadde ben exiled,

2166 wiþsatt his wille X ... B₂   withsit hit wille H₁   with seith
hys wille W   2168 þei alle X ... B₂   2177 herde AJ, B
herd F

LIBER TERCIUS

    Sche hath hire oghne lif beguiled   2180 [TALE OF ORESTES.]
Anon and hyng hireselve tho.
It hath and schal ben everemo,
To moerdre who that wole assente,
He mai noght faille to repente:
This false Egiona was on,
Which forto moerdre Agamenon
Yaf hire acord and hire assent,
So that be goddes juggement,
Thogh that non other man it wolde,
Sche tok hire juise as sche scholde;   2190
And as sche to an other wroghte,
Vengance upon hireself sche soghte,
And hath of hire unhappi wit   P. i. 353
A moerdre with a moerdre quit.
Such is of moerdre the vengance.

    Forthi, mi Sone, in remembrance   Confessor.
Of this ensample tak good hiede:
For who that thenkth his love spiede
With moerdre, he schal with worldes schame
Himself and ek his love schame.   2200

    Mi fader, of this aventure   Amans.
Which ye have told, I you assure
Min herte is sory forto hiere,
Bot only for I wolde lere
What is to done, and what to leve.
    And over this now be your leve,   Hic queritur quibus de causis licet hominem occidere.
That ye me wolden telle I preie,
If ther be lieffull eny weie
Withoute Senne a man to sle.
    Mi Sone, in sondri wise ye.   2210   Confessor.
What man that is of traiterie,
Of moerdre or elles robberie
Atteint, the jugge schal noght lette,
Bot he schal slen of pure dette,
And doth gret Senne, if that he wonde.
For who that lawe hath upon honde,

2206f. *margin* Hic queritur—occidere *om.* B   2207 *margin*
hominem FWH₃   homini hominem A . . . B₂, STΔΛ   2209 to]
may B   *om.* AM

[LAWFUL HOMICIDE.]

Seneca. Iudex qui parcit vlcisci, multos improbos facit.

Apostolus. Non sine causa Iudex gladium portat.

Pugna pro patria.

Amans.

Confessor.

　　And spareth forto do justice
For merci, doth noght his office,
That he his mercy so bewareth,
Whan for o schrewe which he spareth
A thousand goode men he grieveth :
With such merci who that believeth
To plese god, he is deceived,
Or elles resoun mot be weyved.
The lawe stod er we were bore,
How that a kinges swerd is bore
In signe that he schal defende
His trewe poeple and make an ende
Of suche as wolden hem devoure.
Lo thus, my Sone, to socoure
The lawe and comun riht to winne,
A man mai sle withoute Sinne,
And do therof a gret almesse,
So forto kepe rihtwisnesse.
　　And over this for his contre
In time of werre a man is fre
Himself, his hous and ek his lond
Defende with his oghne hond,
And slen, if that he mai no bet,
After the lawe which is set.
　　Now, fader, thanne I you beseche
Of hem that dedly werres seche
In worldes cause and scheden blod,
If such an homicide is good.
　　Mi Sone, upon thi question
The trowthe of myn opinion,
Als ferforth as my wit arecheth
And as the pleine lawe techeth,
I woll thee telle in evidence,
To rewle with thi conscience.

P. i. 354

2220 *margin* Seneca *om.* B　　2221 *margin* parcit] parat H₁G . . . B₂　　2225 *margin* Apostolus—portat *om.* H₁ . . . B₂ 2235 *margin* Pugna pro patria] Pugna pro patria · licitum est vim vi repellere SBT　Pro patria pugna &c. Λ *om.* H₁　　2244 Is such an homicide good H₁ . . . B₂ (In *for* Is R)　　2248 techeþ FWH₃Magd　it techeþ A . . . B₂, S . . . ΔΛ

v. *Quod creat ipse deus, necat hoc homicida creatum,*   [EVIL OF WAR.]
   Vltor et humano sanguine spargit humum.
   Vt pecoris sic est hominis cruor, heu, modo fusus, **P. i. 355**
   Victa iacet pietas, et furor vrget opus.
   Angelus 'In terra pax' dixit, et vltima Cristi
   Verba sonant pacem, quam modo guerra fugat.

    The hihe god of his justice
  That ilke foule horrible vice   Hic loquitur con-
  Of homicide he hath forbede,   tra motores guerre,
  Be Moïses as it was bede.   que non solum ho-
  Whan goddes Sone also was bore,   micidii set vniversi
  He sende hise anglis doun therfore,   mundi desolacionis
  Whom the Schepherdes herden singe,   mater existit.
  Pes to the men of welwillinge
  In erthe be among ous here.
  So forto speke in this matiere   2260
  After the lawe of charite,
  Ther schal no dedly werre be :
  And ek nature it hath defended
  And in hir lawe pes comended,
  Which is the chief of mannes welthe,
  Of mannes lif, of mannes helthe.
  Bot dedly werre hath his covine
  Of pestilence and of famine,
  Of poverte and of alle wo,
  Wherof this world we blamen so,   2270
  Which now the werre hath under fote,
  Til god himself therof do bote.
  For alle thing which god hath wroght
  In Erthe, werre it bringth to noght :
  The cherche is brent, the priest is slain,
  The wif, the maide is ek forlain,
  The lawe is lore and god unserved :
  I not what mede he hath deserved
  That suche werres ledeth inne.   **P. i. 356**
  If that he do it forto winne,   2280
  Ferst to acompte his grete cost
  Forth with the folk that he hath lost,
  As to the worldes rekeninge

2256 anglis C, F   angelis AJ   aungels B   2259 be *om.* AM

[EVIL OF WAR.]

Ther schal he finde no winnynge;
And if he do it to pourchace
The hevene mede, of such a grace
I can noght speke, and natheles
Crist hath comanded love and pes,
And who that worcheth the revers,
I trowe his mede is ful divers. 2290
And sithen thanne that we finde
That werres in here oghne kinde
Ben toward god of no decerte,
And ek thei bringen in poverte
Of worldes good, it is merveile
Among the men what it mai eyle,
That thei a pes ne conne sette.
I trowe Senne be the lette,

Apostolus. Stipendium peccati mors est.

And every mede of Senne is deth;
So wot I nevere hou that it geth: 2300
Bot we that ben of o believe
Among ousself, this wolde I lieve,
That betre it were pes to chese,
Than so be double weie lese.
 I not if that it now so stonde,
Bot this a man mai understonde,
Who that these olde bokes redeth,
That coveitise is on which ledeth,
And broghte ferst the werres inne.
At Grece if that I schal beginne, 2310
Ther was it proved hou it stod:
To Perce, which was ful of good,
Thei maden werre in special,
And so thei deden overal,
Wher gret richesse was in londe,
So that thei leften nothing stonde
Unwerred, bot onliche Archade.
For there thei no werres made,

Nota, quod Greci omnem terram fertilem debellabant, set tantum Archadiam, pro eo quod pauper et

Be cause it was bareigne and povere,
Wherof thei mihten noght recovere; 2320
And thus poverte was forbore,

2287 and *om.* B   2293 of] in AM   2299 *margin* Apostolus
—mors est *om.* B   2318 werre H₁ . . . B₂, T

He that noght hadde noght hath lore.   [EVIL OF WAR.]
Bot yit it is a wonder thing,   sterilis fuit, pacifice
Whan that a riche worthi king,   dimiserunt.
Or other lord, what so he be,
Wol axe and cleyme proprete
In thing to which he hath no riht,
Bot onliche of his grete miht :
For this mai every man wel wite,
That bothe kinde and lawe write   2330
Expressly stonden therayein.
Bot he mot nedes somwhat sein,
Althogh ther be no reson inne,
Which secheth cause forto winne :
For wit that is with will oppressed,
Whan coveitise him hath adressed,
And alle resoun put aweie,
He can wel finde such a weie
To werre, where as evere him liketh,   **P. i. 358**
Wherof that he the world entriketh,   2340
That many a man of him compleigneth :
Bot yit alwei som cause he feigneth,
And of his wrongful herte he demeth
That al is wel, what evere him semeth,
Be so that he mai winne ynowh.
For as the trew man to the plowh
Only to the gaignage entendeth,
Riht so the werreiour despendeth
His time and hath no conscience.
And in this point for evidence   2350
Of hem that suche werres make,
Thou miht a gret ensample take,
How thei her tirannie excusen
Of that thei wrongfull werres usen,
And how thei stonde of on acord,
The Souldeour forth with the lord,
The pouere man forth with the riche,
As of corage thei ben liche,
To make werres and to pile

2343 herte] cause H₁ . . . B₂ (*line om.* X)   2346 trew S, F
trewe AJ, B

**   U

[ALEXANDER AND
THE PIRATE.]

Hic declarat per exemplum contra istos Principes seu alios quoscumque illicite guerre motores. Et narrat de quodam pirata in partibus marinis spoliatore notissimo, qui cum captus fuisset, et in iudicium coram Rege Alexandro productus et de latrocinio accusatus, dixit, 'O Alexander, vere quia cum paucis sociis spoliorum causa naues tantum exploro, ego latrunculus vocor; tu autem, quia cum infinita bellatorum multitudine vniuersam terram subiugando spoliasti, Imperator diceris. Ita quod status tuus a statu meo differt, set eodem animo condicionem parilem habemus.' Alexander vero eius audaciam in responsione comprobans, ipsum penes se familiarem retinuit; et sic bellicosus bellatori complacuit.

For lucre and for non other skyle: 2360
Wherof a propre tale I rede,
As it whilom befell in dede.

Of him whom al this Erthe dradde,
Whan he the world so overladde
Thurgh werre, as it fortuned is,
King Alisandre, I rede this;
How in a Marche, where he lay,
It fell per chance upon a day
A Rovere of the See was nome,   P. i. 359
Which many a man hadde overcome   2370
And slain and take here good aweie:
This Pilour, as the bokes seie,
A famous man in sondri stede
Was of the werkes whiche he dede.
This Prisoner tofor the king
Was broght, and there upon this thing
In audience he was accused:
And he his dede hath noght excused,
Bot preith the king to don him riht,
And seith, 'Sire, if I were of miht,   2380
I have an herte lich to thin;
For if the pouer were myn,
Mi will is most in special
To rifle and geten overal
The large worldes good aboute.
Bot for I lede a povere route
And am, as who seith, at meschief,
The name of Pilour and of thief
I bere; and thou, which routes grete
Miht lede and take thi beyete,   2390
And dost riht as I wolde do,
Thi name is nothing cleped so,
Bot thou art named Emperour.
Oure dedes ben of o colour
And in effect of o decerte,
Bot thi richesse and my poverte
Tho ben noght taken evene liche.

2379 *margin* cum *om.* II₁ . . . B₂, B   2382 the] þy (thi) XL

And natheles he that is riche
This dai, tomorwe he mai be povere; P. i. 360
And in contraire also recovere 2400
A povere man to gret richesse
Men sen: forthi let rihtwisnesse
Be peised evene in the balance.
 The king his hardi contienance
Behield, and herde hise wordes wise,
And seide unto him in this wise:
'Thin ansuere I have understonde,
Wherof my will is, that thou stonde
In mi service and stille abide.'
And forth withal the same tide 2410
He hath him terme of lif withholde,
The mor and for he schal ben holde,
He made him kniht and yaf him lond,
Which afterward was of his hond
An orped kniht in many a stede,
And gret prouesce of armes dede,
As the Croniqes it recorden.
 And in this wise thei acorden,
The whiche of o condicioun
Be set upon destruccioun: 2420
Such Capitein such retenue.
Bot forto se to what issue
The thing befalleth ate laste,
It is gret wonder that men caste
Here herte upon such wrong to winne,
Wher no beyete mai ben inne,
And doth desese on every side:
Bot whan reson is put aside
And will governeth the corage, P. i. 361
The faucon which that fleth ramage 2430
And soeffreth nothing in the weie,
Wherof that he mai take his preie,
Is noght mor set upon ravine,
Than thilke man which his covine
Hath set in such a maner wise:

[ALEXANDER AND THE PIRATE.]

2402 rihtwisne F   2406 to him JH₁ ... B₂   2412 schulde (sholde) BT   2434 is couine JMCLB₂, Ad

[WARS AND DEATH OF ALEXANDER.]

Hic secundum gesta Regis Alexandri de guerris illicitis ponit Confessor exemplum, dicens quod quamuis Alexander sua potencia tocius mundi victor sibi subiugarat imperium, ipse tandem mortis victoria subiugatus cunctipotentis sentenciam euadere non potuit.

    For al the world ne mai suffise
To will which is noght resonable.
    Wherof ensample concordable
Lich to this point of which I meene,
Was upon Alisandre sene,   2440
Which hadde set al his entente,
So as fortune with him wente,
That reson mihte him non governe,
Bot of his will he was so sterne,
That al the world he overran
And what him list he tok and wan.
In Ynde the superiour
Whan that he was ful conquerour,
And hadde his wilful pourpos wonne
Of al this Erthe under the Sonne,   2450
This king homward to Macedoine,
Whan that he cam to Babiloine,
And wende most in his Empire,
As he which was hol lord and Sire,
In honour forto be received,
Most sodeinliche he was deceived,
And with strong puison envenimed.
And as he hath the world mistimed
Noght as he scholde with his wit,
Noght as he wolde it was aquit.   2460
    Thus was he slain that whilom slowh,
And he which riche was ynowh
This dai, tomorwe he hadde noght:
And in such wise as he hath wroght
In destorbance of worldes pes,
His werre he fond thanne endeles,
In which for evere desconfit
He was. Lo now, for what profit
Of werre it helpeth forto ryde,
For coveitise and worldes pride   2470
To sle the worldes men aboute,

2436 ne mai] may nought (not &c) A... B₂, S... Δ   2437 To will] To him H₁ ... B₂   2443 non] nought (not) JMCB₂, B, W   2444 *margin* subiugauerat H₁ ... B₂   2449 wilsful F   2460 it was quit (quite &c) H₁ ... B₂, TΔ   was hyt quyt W   he was aquit M

LIBER TERCIUS

    As bestes whiche gon theroute.   [WARS AND DEATH
For every lif which reson can   OF ALEXANDER.]
Oghth wel to knowe that a man
Ne scholde thurgh no tirannie
Lich to these othre bestes die,
Til kinde wolde for him sende.
I not hou he it mihte amende,
Which takth awei for everemore
The lif that he mai noght restore.·   2480
    Forthi, mi Sone, in alle weie   Confessor.
Be wel avised, I thee preie,
Of slawhte er that thou be coupable
Withoute cause resonable.
    Mi fader, understonde it is,   Amans.
That ye have seid; bot over this
I prei you tell me nay or yee,   [ARE CRUSADES
To passe over the grete See   LAWFUL?]
To werre and sle the Sarazin,   P. i. 363
Is that the lawe?
                   Sone myn,   2490
To preche and soffre for the feith,   Confessor.
That have I herd the gospell seith;
Bot forto slee, that hiere I noght.
Crist with his oghne deth hath boght
Alle othre men, and made hem fre,
In tokne of parfit charite;
And after that he tawhte himselve,
Whan he was ded, these othre tuelve
Of hise Apostles wente aboute
The holi feith to prechen oute,   2500
Wherof the deth in sondri place
Thei soffre, and so god of his grace
The feith of Crist hath mad aryse:
Bot if thei wolde in other wise
Be werre have broght in the creance,   Nota.

2474 Oghþ SAdT, F   Oght (Ought &c.) AMGC, Δ, W
Oweþ JH₁XERLB₂, B, H₃   2476 othre] olde B   2478 mihte
(myght) FWH₃   mai (may) A ... B₂, S ... Δ   2491 fei SΔ
feie Ad2492   sei SΔ   seie Ad   2505 *margin* Nota AJ, F
om. B

[ARE CRUSADES LAWFUL?]

It hadde yit stonde in balance.
And that mai proven in the dede;
For what man the Croniqes rede,
Fro ferst that holi cherche hath weyved
To preche, and hath the swerd received,   2510
Wherof the werres ben begonne,
A gret partie of that was wonne
To Cristes feith stant now miswent:
Godd do therof amendement,
So as he wot what is the beste.

[GUILT OF HOMICIDE.]

Bot, Sone, if thou wolt live in reste
Of conscience wel assised,
Er that thou sle, be wel avised:
For man, as tellen ous the clerkes,   P. i. 364
Hath god above alle ertheli werkes   2520
Ordeined to be principal,
And ek of Soule in special
He is mad lich to the godhiede.
So sit it wel to taken hiede
And forto loke on every side,
Er that thou falle in homicide,
Which Senne is now so general,
That it welnyh stant overal,
In holi cherche and elles where.
Bot al the while it stant so there,   2530
The world mot nede fare amis:
For whan the welle of pite is
Thurgh coveitise of worldes good
Defouled with schedinge of blod,
The remenant of folk aboute
Unethe stonden eny doute
To werre ech other and to slee.
So is it al noght worth a Stree,
The charite wherof we prechen,
For we do nothing as we techen: 2540
And thus the blinde conscience
Of pes hath lost thilke evidence
Which Crist upon this Erthe tawhte.
Now mai men se moerdre and manslawhte

2529 and] as AJX ... B₂, BT   2544 manslawte F

Lich as it was be daies olde,
Whan men the Sennes boghte and solde.
  In Grece afore Cristes feith,
I rede, as the Cronique seith,
Touchende of this matiere thus,   **P. i. 365**
In thilke time hou Peleüs   2550
His oghne brother Phocus slowh;
Bot for he hadde gold ynowh
To yive, his Senne was despensed
With gold, wherof it was compensed:
Achastus, which with Venus was
Hire Priest, assoilede in that cas,
Al were ther no repentance.
And as the bok makth remembrance,
It telleth of Medee also;
Of that sche slowh her Sones tuo,   2560
Egeüs in the same plit
Hath mad hire of hire Senne quit.
The Sone ek of Amphioras,
Whos rihte name Almeüs was,
His Moder slowh, Eriphile;
Bot Achilo the Priest and he,
So as the bokes it recorden,
For certein Somme of gold acorden
That thilke horrible sinfull dede
Assoiled was. And thus for mede   2570
Of worldes good it falleth ofte
That homicide is set alofte
Hiere in this lif; bot after this
Ther schal be knowe how that it is
Of hem that suche thinges werche,
And hou also that holi cherche
Let suche Sennes passe quyte,
And how thei wole hemself aquite
Of dedly werres that thei make.   **P. i. 366**
For who that wolde ensample take,   2580
The lawe which is naturel
Be weie of kinde scheweth wel

[GUILT OF HOMI-
CIDE.]

Facilitas venie oc-
casionem prebet delin-
quendi.

2556 assoiled him H₁XE ... B₂   assoileþ him G   2568 For]
Of A ... B₂   2573 lif] world B   2578 wold M, B

[GUILT OF HOMI-
CIDE.]

That homicide in no degree,
Which werreth ayein charite,
Among the men ne scholde duelle.
For after that the bokes telle,
To seche in al this worldesriche,
Men schal noght finde upon his liche
A beste forto take his preie:
And sithen kinde hath such a weie,　　2590
Thanne is it wonder of a man,
Which kynde hath and resoun can,
That he wol owther more or lasse
His kinde and resoun overpasse,
And sle that is to him semblable.
So is the man noght resonable
Ne kinde, and that is noght honeste,
Whan he is worse than a beste.

[A STRANGE BIRD.]
Nota secundum Solinum contra homicidas de natura cuiusdam Auis faciem ad similitudinem humanam habentis, que cum de preda sua hominem juxta fluuium occiderit videritque in aqua similem sibi occisum, statim pre dolore moritur.

　　Among the bokes whiche I finde
Solyns spekth of a wonder kinde,　　2600
And seith of fowhles ther is on,
Which hath a face of blod and bon
Lich to a man in resemblance.
And if it falle him so per chance,
As he which is a fowhl of preie,
That he a man finde in his weie,
He wol him slen, if that he mai:
Bot afterward the same dai,
Whan he hath eten al his felle,　　P. i. 367
And that schal be beside a welle,　　2610
In which whan he wol drinke take,
Of his visage and seth the make
That he hath slain, anon he thenketh
Of his misdede, and it forthenketh
So gretly, that for pure sorwe
He liveth noght til on the morwe.
Be this ensample it mai well suie
That man schal homicide eschuie,
For evere is merci good to take,
Bot if the lawe it hath forsake　　2620
And that justice is therayein.

2587 *Paragraph here* ΛJ, F　　2591 it is G ... B2, Δ

LIBER TERCIUS

For ofte time I have herd sein
Amonges hem that werres hadden,
That thei som while here cause ladden
Be merci, whan thei mihte have slain,
Wherof that thei were after fain:
And, Sone, if that thou wolt recorde   [MERCY.]
The vertu of Misericorde,
Thou sihe nevere thilke place,
Where it was used, lacke grace.   2630
For every lawe and every kinde
The mannes wit to merci binde;
And namely the worthi knihtes,
Whan that thei stonden most uprihtes
And ben most mihti forto grieve,
Thei scholden thanne most relieve
Him whom thei mihten overthrowe,
As be ensample a man mai knowe.

    He mai noght failen of his mede   P. i. 368 [TALE OF TELAPHUS
That hath merci: for this I rede,   2640   AND TEUCER.]
In a Cronique and finde thus.
Whan Achilles with Telaphus
His Sone toward Troie were,
It fell hem, er thei comen there,
Ayein Theucer the king of Mese
To make werre and forto sese
His lond, as thei that wolden regne
And Theucer pute out of his regne.
And thus the Marches thei assaile,
Bot Theucer yaf to hem bataille;   2650
Thei foghte on bothe sides faste,
Bot so it hapneth ate laste,
This worthi Grek, this Achilles,
The king among alle othre ches:
As he that was cruel and fell,
With swerd in honde on him he fell,
And smot him with a dethes wounde,
That he unhorsed fell to grounde.

Hic ponit Confessor exemplum de pietate contra homicidium in guerris habenda. Et narrat qualiter Achilles vna cum Thelapho filio suo contra Regem Mesee, qui tunc Theucer vocabatur, bellum inierunt; et cum Achilles dictum Regem in bello prostratum occidere voluisset, Thelaphus pietate motus ipsum clipeo suo cooperiens veniam pro Rege a patre postulauit: pro quo facto ipse Rex adhuc viuens Thephalum Regni sui heredem libera voluntate constituit.

2624 That] But BT   2638 And BT   2642 Telaphus J, F
Thelaphus A, SB   2650 Bot] That H₁ ... B₂

[TALE OF TELAPHUS AND TEUCER.]

Achilles upon him alyhte,
And wolde anon, as he wel mihte, 2660
Have slain him fullich in the place;
Bot Thelaphus his fader grace
For him besoghte, and for pite
Preith that he wolde lete him be,
And caste his Schield betwen hem tuo.
Achilles axeth him why so,
And Thelaphus his cause tolde,
And seith that he is mochel holde,
For whilom Theucer in a stede   P. i. 369
Gret grace and socour to him dede, 2670
And seith that he him wolde aquite,
And preith his fader to respite.
Achilles tho withdrowh his hond;
Bot al the pouer of the lond,
Whan that thei sihe here king thus take,
Thei fledde and han the feld forsake:
The Grecs unto the chace falle,
And for the moste part of alle
Of that contre the lordes grete
Thei toke, and wonne a gret beyete. 2680
And anon after this victoire
The king, which hadde good memoire,
Upon the grete merci thoghte,
Which Telaphus toward him wroghte,
And in presence of al the lond
He tok him faire be the hond,
And in this wise he gan to seie:
'Mi Sone, I mot be double weie
Love and desire thin encress;
Ferst for thi fader Achilles 2690
Whilom ful many dai er this,
Whan that I scholde have fare amis,
Rescousse dede in mi querele
And kepte al myn astat in hele:
How so ther falle now distance
Amonges ous, yit remembrance

2671 wol B   2684 Telaphus F Thelaphus AJ, SB
2696 remembrance] in remembrance AM

I have of merci which he dede [TALE OF TELAPHUS AND TEUCER.]
As thanne : and thou now in this stede
Of gentilesce and of franchise   P. i. 370
Hast do mercy the same wise.   2700
So wol I noght that eny time
Be lost of that thou hast do byme ;
For hou so this fortune falle,
Yit stant mi trust aboven alle,
For the mercy which I now finde,
That thou wolt after this be kinde :
And for that such is myn espeir,
As for my Sone and for myn Eir
I thee receive, and al my lond
I yive and sese into thin hond.'   2710
And in this wise thei acorde,
The cause was Misericorde :
The lordes dede here obeissance
To Thelaphus, and pourveance
Was mad so that he was coroned :
And thus was merci reguerdoned,
Which he to Theucer dede afore.

   Lo, this ensample is mad therfore,   Confessor.
That thou miht take remembrance,
Mi Sone ; and whan thou sest a chaunce, 2720
Of other mennes passioun
Tak pite and compassioun,
And let nothing to thee be lief,
Which to an other man is grief.
And after this if thou desire
To stonde ayein the vice of Ire,
Consaile thee with Pacience,
And tak into thi conscience
Merci to be thi governour.   P. i. 371
So schalt thou fiele no rancour,   2730
Wherof thin herte schal debate
With homicide ne with hate
For Cheste or for Malencolie :
Thou schalt be soft in compaignie
Withoute Contek or Folhaste :
For elles miht thou longe waste

2723 belief FK

	Thi time, er that thou have thi wille	
	Of love; for the weder stille	
	Men preise, and blame the tempestes.	
Amans.	Mi fader, I wol do youre hestes,	2740
	And of this point ye have me tawht,	
	Toward miself the betre sawht	
	I thenke be, whil that I live.	
	Bot for als moche as I am schrive	
	Of Wraththe and al his circumstance,	
	Yif what you list to my penance,	
	And asketh forthere of my lif,	
	If otherwise I be gultif	
	Of eny thing that toucheth Sinne.	
Confessor.	Mi Sone, er we departe atwinne,	2750
	I schal behinde nothing leve.	
Amans.	Mi goode fader, be your leve	
	Thanne axeth forth what so you list,	
	For I have in you such a trist,	
	As ye that be my Soule hele,	
	That ye fro me wol nothing hele,	
	For I schal telle you the trowthe.	
Confessor.	Mi Sone, art thou coupable of Slowthe	
	In eny point which to him longeth? **P. i. 372**	
Amans.	My fader, of tho pointz me longeth	2760
	To wite pleinly what thei meene,	
	So that I mai me schrive cleene.	
Confessor.	Now herkne, I schal the pointz devise;	
	And understond wel myn aprise:	
	For schrifte stant of no value	
	To him that wol him noght vertue	
	To leve of vice the folie:	
	For word is wynd, bot the maistrie	
	Is that a man himself defende	
	Of thing which is noght to comende,	2770
	Wherof ben fewe now aday.	
	And natheles, so as I may	
	Make unto thi memoire knowe,	
	The pointz of Slowthe thou schalt knowe.	

Explicit Liber Tercius.

2763 the] þo AJG ... B₂, SBTΔ   2764 myn] þis B

Incipit Liber Quartus.

i. *Dicunt accidiam fore nutricem viciorum,*   **P. ii. 1**   [SLOTH.]
  Torpet et in cunctis tarda que lenta bonis:
Que fieri possent hodie transfert piger in cras,
  Furatoque prius ostia claudit equo.
Poscenti tardo negat emolumenta Cupido,
  Set Venus in celeri ludit amore viri.

    UPON the vices to procede   [i. LACHESSE.]
After the cause of mannes dede,
The ferste point of Slowthe I calle
Lachesce, and is the chief of alle,   Hic in quarto libro
And hath this propreliche of kinde,   loquitur Confessor de
To leven alle thing behinde.   speciebus Accidie, qua-
Of that he mihte do now hier   rum primam Tardacio-
He tarieth al the longe yer,   nem vocat, cuius con-
And everemore he seith, 'Tomorwe';   dicionem pertractans
And so he wol his time borwe,   10   Amanti super hoc con-
And wissheth after 'God me sende,'   **P. ii. 2**   sequenter opponit.
That whan he weneth have an ende,
Thanne is he ferthest to beginne.
Thus bringth he many a meschief inne
Unwar, til that he be meschieved,
And may noght thanne be relieved.
    And riht so nowther mor ne lesse
It stant of love and of lachesce:
Som time he slowtheth in a day
That he nevere after gete mai.   20
Now, Sone, as of this ilke thing,
If thou have eny knowleching,
That thou to love hast don er this,
Tell on.
      Mi goode fader, yis.   Confessio Amantis.

Latin Verses i. 6 ludet H₁ ... B₂
12 to haue H₁XGRCLB₂

[LACHESSE.]

As of lachesce I am beknowe
That I mai stonde upon his rowe,
As I that am clad of his suite:
For whanne I thoghte mi poursuite
To make, and therto sette a day
To speke unto the swete May,   30
Lachesce bad abide yit,
And bar on hond it was no wit
Ne time forto speke as tho.
Thus with his tales to and fro
Mi time in tariinge he drowh:
Whan ther was time good ynowh,
He seide, 'An other time is bettre;
Thou schalt mowe senden hire a lettre,
And per cas wryte more plein
Than thou be Mowthe durstest sein.'   40
Thus have I lete time slyde   P. ii. 3
For Slowthe, and kepte noght my tide,
So that lachesce with his vice
Fulofte hath mad my wit so nyce,
That what I thoghte speke or do
With tariinge he hield me so,
Til whanne I wolde and mihte noght.
I not what thing was in my thoght,
Or it was drede, or it was schame;
Bot evere in ernest and in game   50
I wot ther is long time passed.
Bot yit is noght the love lassed,
Which I unto mi ladi have;
For thogh my tunge is slowh to crave
At alle time, as I have bede,
Min herte stant evere in o stede
And axeth besiliche grace,
The which I mai noght yit embrace.
And god wot that is malgre myn;
For this I wot riht wel a fin,   60
Mi grace comth so selde aboute,
That is the Slowthe of which I doute

30 the] þat A ... B2, S ... ΔΛ   45 þought to speke BΛ, W
46 hield me] hielde (held) AM   59 As AM

LIBER QUARTUS

Mor than of al the remenant [LACHESSE.]
Which is to love appourtenant.
And thus as touchende of lachesce,
As I have told, I me confesse
To you, mi fader, and beseche
That furthermor ye wol me teche;
And if ther be to this matiere
Som goodly tale forto liere   70
How I mai do lachesce aweie, P. ii. 4
That ye it wolden telle I preie.

 To wisse thee, my Sone, and rede,   Confessor.
Among the tales whiche I rede,
An old ensample therupon
Now herkne, and I wol tellen on.

 Ayein Lachesce in loves cas   [ENEAS AND DIDO.]
I finde how whilom Eneas,
Whom Anchises to Sone hadde,
With gret navie, which he ladde 80 Hic ponit Confessor
Fro Troie, aryveth at Cartage,   exemplum contra istos
Wher for a while his herbergage   qui in amoris causa
He tok; and it betidde so,   tardantes delinquunt.
                                    Et narrat qualiter Di-
With hire which was qweene tho   do Regina Cartaginis
Of the Cite his aqueintance   Eneam ab incendiis
He wan, whos name in remembrance   Troie fugitiuum in
Is yit, and Dido sche was hote;   amorem suum gauisa
Which loveth Eneas so hote   suscepit: qui cum post-
Upon the wordes whiche he seide,   ea in partes Ytalie a
That al hire herte on him sche leide Cartagine bellaturum
And dede al holi what he wolde.   se transtulit, nimiam-
                                    que ibidem moram fa-
 Bot after that, as it be scholde, ciens tempus reditus
Fro thenne he goth toward Ytaile 90 sui ad Didonem vltra
Be Schipe, and there his arivaile   modum tardauit, ipsa
Hath take, and schop him forto ryde. intollerabili dolore con-
Bot sche, which mai noght longe abide cussa sui cordis intima
The hote peine of loves throwe,   mortali gladio trans-
Anon withinne a litel throwe   fodit.
A lettre unto hir kniht hath write,
And dede him pleinly forto wite,   100

69 to this] to my B of this H₃ 70 liere] hiere (here &c.)
H₁ ... B₂, BTΛ 84 qweene] a queene BTΛ

[ENEAS AND DIDO.]

If he made eny tariinge,   P. ii. 5
To drecche of his ayeincomynge,
That sche ne mihte him fiele and se,
Sche scholde stonde in such degre
As whilom stod a Swan tofore,
Of that sche hadde hire make lore;
For sorwe a fethere into hire brain
She schof and hath hireselve slain;
As king Menander in a lay
The sothe hath founde, wher sche lay   110
Sprantlende with hire wynges tweie,
As sche which scholde thanne deie
For love of him which was hire make.
   'And so schal I do for thi sake,'
This qweene seide, 'wel I wot.'
Lo, to Enee thus sche wrot
With many an other word of pleinte:
Bot he, which hadde hise thoghtes feinte
Towardes love and full of Slowthe,
His time lette, and that was rowthe: 120
For sche, which loveth him tofore,
Desireth evere more and more,
And whan sche sih him tarie so,
Hire herte was so full of wo,
That compleignende manyfold
Sche hath hire oghne tale told,
Unto hirself and thus sche spak:
'Ha, who fond evere such a lak
Of Slowthe in eny worthi kniht?
Now wot I wel my deth is diht   130
Thurgh him which scholde have be mi lif.' **P. ii. 6**
Bot forto stinten al this strif,
Thus whan sche sih non other bote,
Riht evene unto hire herte rote
A naked swerd anon sche threste,
And thus sche gat hireselve reste
In remembrance of alle slowe.

Confessor.   Wherof, my Sone, thou miht knowe

109 day H₁ ... B₂, H₃   111 Spraulende (Sprawland) M, WKH₃
138 miht (myht) J, S   mihte A, F

LIBER QUARTUS

How tariinge upon the nede [ENEAS AND DIDO.]
In loves cause is forto drede; 140
And that hath Dido sore aboght,
Whos deth schal evere be bethoght.
And overmore if I schal seche
In this matiere an other spieche,
In a Cronique I finde write
A tale which is good to wite.

At Troie whan king Ulixes
Upon the Siege among the pres [ULYSSES AND
Of hem that worthi knihtes were   PENELOPE.]
Abod long time stille there, 150
In thilke time a man mai se
How goodli that Penolope, Hic loquitur super
Which was to him his trewe wif, eodem qualiter Peno-
Of his lachesce was pleintif; lope Vlixem maritum
Wherof to Troie sche him sende suum, in obsidione
Hire will be lettre, thus spekende: Troie diucius moran-
  'Mi worthi love and lord also, tem, ob ipsius ibidem
It is and hath ben evere so, tardacionem Epistola
That wher a womman is al one, sua redarguit.
It makth a man in his persone 160
The more hardi forto wowe, **P. ii. 7**
In hope that sche wolde bowe
To such thing as his wille were,
Whil that hire lord were elleswhere.
And of miself I telle this;
For it so longe passed is,
Sithe ferst than ye fro home wente,
That welnyh every man his wente
To there I am, whil ye ben oute,
Hath mad, and ech of hem aboute, 170
Which love can, my love secheth,
With gret preiere and me besecheth:
And some maken gret manace,
That if thei mihten come in place,
Wher that thei mihte here wille have,

---

143 euermore AM, Δ, WH₃   168 is went(e) ML, ΔΛ, WH₃
170 Had AMJXGERLB₂, BΛ, FH₃
* *   X

[ULYSSES AND
PENELOPE.]

Ther is nothing me scholde save,
That thei ne wolde werche thinges;
And some tellen me tidynges
That ye ben ded, and some sein
That certeinly ye ben besein   180
To love a newe and leve me.
Bot hou as evere that it be,
I thonke unto the goddes alle,
As yit for oght that is befalle
Mai noman do my chekes rede:
Bot natheles it is to drede,
That Lachesse in continuance
Fortune mihte such a chance,
Which noman after scholde amende.'
Lo, thus this ladi compleignende   190
A lettre unto hire lord hath write,   P. ii. 8
And preyde him that he wolde wite
And thenke hou that sche was al his,
And that he tarie noght in this,
Bot that he wolde his love aquite,
To hire ayeinward and noght wryte,
Bot come himself in alle haste,
That he non other paper waste;
So that he kepe and holde his trowthe
Withoute lette of eny Slowthe.   200
 Unto hire lord and love liege
To Troie, wher the grete Siege
Was leid, this lettre was conveied.
And he, which wisdom hath pourveied
Of al that to reson belongeth,
With gentil herte it underfongeth:
And whan he hath it overrad,
In part he was riht inly glad,
And ek in part he was desesed:
Bot love his herte hath so thorghsesed   210
With pure ymaginacioun,

184 foroght A, F   189 after noman AM   205 resoun to H1 ... B2   208 In part he was inly glad AM   In partie (party) he was inly glad H1 ... B2   In parti he was riht inly glad J   In parti was inli riht glad Δ

LIBER QUARTUS

That for non occupacioun   [ULYSSES AND
Which he can take on other side,   PENELOPE.]
He mai noght flitt his herte aside
Fro that his wif him hadde enformed;
Wherof he hath himself conformed
With al the wille of his corage
To schape and take the viage
Homward, what time that he mai:
So that him thenketh of a day   220
A thousand yer, til he mai se   P. ii. 9
The visage of Penolope,
Which he desireth most of alle.
And whan the time is so befalle
That Troie was distruid and brent,
He made non delaiement,
Bot goth him home in alle hihe,
Wher that he fond tofore his yhe
His worthi wif in good astat:
And thus was cessed the debat   230
Of love, and Slowthe was excused,
Which doth gret harm, where it is used,
And hindreth many a cause honeste.

    For of the grete Clerc Grossteste   [GROSTESTE.]
I rede how besy that he was   Nota adhuc super
Upon clergie an Hed of bras   eodem de quodam
                                                                      Astrologo, qui quod-
To forge, and make it forto telle   dam opus ingeniosum
Of suche thinges as befelle.   quasi ad complemen-
                              tum septennio perdu-
And sevene yeres besinesse   cens, vnius momenti
He leyde, bot for the lachesse   240 tardacione omnem sui
Of half a Minut of an houre,   operis diligenciam
Fro ferst that he began laboure,   penitus frustrauit.
He loste all that he hadde do.

    And otherwhile it fareth so,
In loves cause who is slow,
That he withoute under the wow
Be nyhte stant fulofte acold,
Which mihte, if that he hadde wold

---

214 flitt AJ, S, F   flitte B   215 Fro] ffor L, BΛ, WH₃   hadde him H₁ ... B₂   226 no H₁ ... CB₂, BTΔ, W   234 Lo of H₁ ... B₂ (of *om.* R)   242 ffor ferst B

His time kept, have be withinne.
    Bot Slowthe mai no profit winne, 250
Bot he mai singe in his karole
How Latewar cam to the Dole,
Wher he no good receive mihte.
And that was proved wel be nyhte
Whilom of the Maidenes fyve,
Whan thilke lord cam forto wyve:
For that here oyle was aweie
To lihte here lampes in his weie,
Here Slowthe broghte it so aboute,
Fro him that thei ben schet withoute. 260
    Wherof, my Sone, be thou war,
Als ferforth as I telle dar.
For love moste ben awaited:
And if thou be noght wel affaited
In love to eschuie Slowthe,
Mi Sone, forto telle trowthe,
Thou miht noght of thiself ben able
To winne love or make it stable,
All thogh thou mihtest love achieve.
    Mi fader, that I mai wel lieve. 270
Bot me was nevere assigned place,
Wher yit to geten eny grace,
Ne me was non such time apointed;
For thanne I wolde I were unjoynted
Of every lime that I have,
If I ne scholde kepe and save
Min houre bothe and ek my stede,
If my ladi it hadde bede.
Bot sche is otherwise avised
Than grante such a time assised; 280
And natheles of mi lachesse
Ther hath be no defalte I gesse
Of time lost, if that I mihte:
Bot yit hire liketh noght alyhte

[THE FOOLISH VIRGINS.]
Nota adhuc contra tardacionem de v. virginibus fatuis, que nimiam moram facientes intrante sponso ad nupcias cum ipso non introierunt.

Confessor.

Confessio Amantis

P. ii. 10

P. ii. 11

254 that] it H₁ ... B₂   255 the] þo H₁ ... L, SBTΔ   no AM   261 Ther of B, WH₃   263 love] sloupe B   276 If] And B SAdBTΔ   277 houre] honour MH₁GEC, W   283 if] in

LIBER QUARTUS

Upon no lure which I caste; [LACHESSE.]
For ay the more I crie faste,
The lasse hire liketh forto hiere.
So forto speke of this matiere,
I seche that I mai noght finde,
I haste and evere I am behinde, 290
And wot noght what it mai amounte.
Bot, fader, upon myn acompte,
Which ye be sett to examine
Of Schrifte after the discipline,
Sey what your beste conseil is.
   Mi Sone, my conseil is this: Confessor.
Hou so it stonde of time go,
Do forth thi besinesse so,
That no Lachesce in the be founde:
For Slowthe is mihti to confounde 300
The spied of every mannes werk.
For many a vice, as seith the clerk,
Ther hongen upon Slowthes lappe
Of suche as make a man mishappe,
To pleigne and telle of hadde I wist.
And therupon if that thee list
To knowe of Slowthes cause more,
In special yit overmore
Ther is a vice full grevable
To him which is therof coupable, 310
And stant of alle vertu bare, P. ii. 12
Hierafter as I schal declare.

ii. *Qui nichil attemptat, nichil expedit, oreque muto* [ii. PUSILLANIMITY.]
   Munus Amicicie vir sibi raro capit.
Est modus in verbis, set ei qui parcit amori
   Verba referre sua, non fauet vllus amor.

   Touchende of Slowthe in his degre,
Ther is yit Pusillamite,
Which is to seie in this langage,
He that hath litel of corage Hic loquitur Con-
And dar no mannes werk beginne: fessor de quadam
   specie Accidie, que

296 this *om.* AM   297 go AJ, S, F   ago B   310 To] Of B
Latin Verses ii. 3 parcat H₁ ... B₂   parat H₃   4 refert H₁ ... B₂

[PUSILLANIMITY.]
pusillanimitas dicta est, cuius ymaginatiua formido neque virtutes aggredi neque vicia fugere audet; sicque vtriusque vite, tam actiue quam contemplatiue, premium non attingit.

So mai he noght be resoun winne;
For who that noght dar undertake,
Be riht he schal no profit take.   320
Bot of this vice the nature
Dar nothing sette in aventure,
Him lacketh bothe word and dede,
Wherof he scholde his cause spede:
He woll no manhed understonde,
For evere he hath drede upon honde:
Al is peril that he schal seie,
Him thenkth the wolf is in the weie,
And of ymaginacioun
He makth his excusacioun   330
And feigneth cause of pure drede,
And evere he faileth ate nede,
Til al be spilt that he with deleth.
He hath the sor which noman heleth,
The which is cleped lack of herte;
Thogh every grace aboute him sterte,
He wol noght ones stere his fot;   P. ii. 13
So that be resoun lese he mot,
That wol noght auntre forto winne.

Confessor.
And so forth, Sone, if we beginne   340
To speke of love and his servise,
Ther ben truantz in such a wise,
That lacken herte, whan best were
To speke of love, and riht for fere
Thei wexen doumb and dar noght telle,
Withoute soun as doth the belle,
Which hath no claper forto chyme;
And riht so thei as for the tyme
Ben herteles withoute speche
Of love, and dar nothing beseche;   350
And thus thei lese and winne noght.
Forthi, my Sone, if thou art oght
Coupable as touchende of this Slowthe,
Schrif thee therof and tell me trowthe.

Amans.
Mi fader, I am al beknowe

328 the] his H₁ ... B₂, Ad   342 tyrauntz (tirauntis &c.)
YCB₂, B

LIBER QUARTUS

That I have ben on of tho slowe, [Pusillanimity.]
As forto telle in loves cas.
Min herte is yit and evere was,
As thogh the world scholde al tobreke,
So ferful, that I dar noght speke 360
Of what pourpos that I have nome,
Whan I toward mi ladi come,
Bot let it passe and overgo.
  Mi Sone, do nomore so: Confessor.
For after that a man poursuieth
To love, so fortune suieth,
Fulofte and yifth hire happi chance P. ii. 14
To him which makth continuance
To preie love and to beseche;
As be ensample I schal thee teche. 370

  I finde hou whilom ther was on,
Whos name was Pymaleon, [Pygmaleon and the
Which was a lusti man of yowthe: Statue.]
The werkes of entaile he cowthe Hic in amoris causa
Above alle othre men as tho; loquitur contra pusil-
And thurgh fortune it fell him so, lanimes, et dicit quod
As he whom love schal travaile, Amans pre timore
He made an ymage of entaile verbis obmutescere
Lich to a womman in semblance non debet, set contin-
Of feture and of contienance, uando preces sui
  380 Et ponit Confessor
So fair yit nevere was figure. exemplum, qualiter
Riht as a lyves creature Pigmaleon, pro eo
Sche semeth, for of yvor whyt quod preces continu-
He hath hire wroght of such delit, auit, quandam ymagi-
That sche was rody on the cheke nem eburneam, cuius
And red on bothe hire lippes eke; pulcritudinis concu-
Wherof that he himself beguileth. piscencia illaqueatus
For with a goodly lok sche smyleth, extitit, in carnem et
So that thurgh pure impression sanguinem ad latus
Of his ymaginacion 390 suum transformatam
With al the herte of his corage senciit.

356 þo J, T, F þe AM ... B2, SAdBΔ, WH3   359 Al þough
C, B   363 let AJ, S, F lete (lette) C, B   372 Pymaleon
AJ, S, F   Pigmaleon EC, B, H3   384 hire] it B

[PYGMALEON AND THE STATUE.]

His love upon this faire ymage
He sette, and hire of love preide;
Bot sche no word ayeinward seide.
The longe day, what thing he dede,
This ymage in the same stede
Was evere bi, that ate mete   **P. ii. 15**
He wolde hire serve and preide hire ete,
And putte unto hire mowth the cuppe;
And whan the bord was taken uppe,   400
He hath hire into chambre nome,
And after, whan the nyht was come,
He leide hire in his bed al nakid.
He was forwept, he was forwakid,
He keste hire colde lippes ofte,
And wissheth that thei weren softe,
And ofte he rouneth in hire Ere,
And ofte his arm now hier now there
He leide, as he hir wolde embrace,
And evere among he axeth grace,   410
As thogh sche wiste what he mente:
And thus himself he gan tormente
With such desese of loves peine,
That noman mihte him more peine.
Bot how it were, of his penance
He made such continuance
Fro dai to nyht, and preith so longe,
That his preiere is underfonge,
Which Venus of hire grace herde;
Be nyhte and whan that he worst ferde,   420
And it lay in his nakede arm,
The colde ymage he fieleth warm
Of fleissh and bon and full of lif.
  Lo, thus he wan a lusti wif,
Which obeissant was at his wille;
And if he wolde have holde him stille
And nothing spoke, he scholde have failed: **P. ii. 16**
Bot for he hath his word travailed
And dorste speke, his love he spedde,

401 into his chambre H₁...B₂(*except* E)   403 He] And AM
411 he] it H₁, B

LIBER QUARTUS

 And hadde al that he wolde abedde.
For er thei wente thanne atwo,
A knave child betwen hem two
Thei gete, which was after hote
Paphus, of whom yit hath the note
A certein yle, which Paphos
Men clepe, and of his name it ros.
 Be this ensample thou miht finde
That word mai worche above kinde.
Forthi, my Sone, if that thou spare
To speke, lost is al thi fare,
For Slowthe bringth in alle wo.
And over this to loke also,
The god of love is favorable
To hem that ben of love stable,
And many a wonder hath befalle:
Wherof to speke amonges alle,
If that thee list to taken hede,
Therof a solein tale I rede,
Which I schal telle in remembraunce
Upon the sort of loves chaunce.

 The king Ligdus upon a strif
Spak unto Thelacuse his wif,
Which thanne was with childe grete;
He swor it scholde noght be lete,
That if sche have a dowhter bore,
That it ne scholde be forlore
And slain, wherof sche sory was.
So it befell upon this cas,
Whan sche delivered scholde be,
Isis be nyhte in privete,
Which of childinge is the goddesse,
Cam forto helpe in that destresse,
Til that this lady was al smal,
And hadde a dowhter forth withal;
Which the goddesse in alle weie
Bad kepe, and that thei scholden seie

430 [Pygmaleon and the Statue.]

Confessor.

440

450

[Tale of Iphis.]

P. ii. 17

Hic ponit exemplum super eodem, qualiter Rex Ligdus vxori sue Thelacuse pregnanti minabatur, quod si filiam pareret, infans occideretur: 460 que tamen postea cum filiam ediderat, Isis dea partus tunc presens filiam nomine filii Yphim appellari ipsamque more masculi educari admonuit: quam pater filium credens, ipsam in maritagium filie cuiusdam

453 f. grete: lete AJ, S, F   gret: let B   458 *margin* Isus H₁G RCLB₂, T

[Tale of Iphis.] *principis etate solita copulauit. Set cum Yphis debitum sue coniugi vnde soluere non habuit, deos in sui adiutorium interpellabat; qui super hoc miserti femininum genus in masculinum ob affectum nature in Yphe per omnia transmutarunt.*

It were a Sone: and thus Iphis
Thei namede him, and upon this
The fader was mad so to wene.
And thus in chambre with the qweene   470
This Iphis was forthdrawe tho,
And clothed and arraied so
Riht as a kinges Sone scholde.
Til after, as fortune it wolde,
Whan it was of a ten yer age,
Him was betake in mariage
A Duckes dowhter forto wedde,
Which Iante hihte, and ofte abedde
These children leien, sche and sche,
Whiche of on age bothe be.   480
So that withinne time of yeeres,
Togedre as thei ben pleiefieres,
Liggende abedde upon a nyht,
Nature, which doth every wiht
Upon hire lawe forto muse,
Constreigneth hem, so that thei use
Thing which to hem was al unknowe;   **P. ii. 18**
Wherof Cupide thilke throwe
Tok pite for the grete love,
And let do sette kinde above,   490
So that hir lawe mai ben used,
And thei upon here lust excused.
For love hateth nothing more
Than thing which stant ayein the lore
Of that nature in kinde hath sett:
Forthi Cupide hath so besett
His grace upon this aventure,
That he accordant to nature,
Whan that he syh the time best,
That ech of hem hath other kest,   500
Transformeth Iphe into a man,
Wherof the kinde love he wan
Of lusti yonge Iante his wif;

470 *line om.* B   479 he and sche H₁ ... B₂ sche and he B
481 a tyme B   497 Hir B   498 he] be BT   499 the]
his AdB *om.* L

And tho thei ladde a merie lif,   [TALE OF IPHIS.]
Which was to kinde non offence.
   And thus to take an evidence,   Confessor.
It semeth love is welwillende
To hem that ben continuende
With besy herte to poursuie
Thing which that is to love due.   510
Wherof, my Sone, in this matiere
Thou miht ensample taken hiere,
That with thi grete besinesse
Thou miht atteigne the richesse
Of love, if that ther be no Slowthe.
   I dar wel seie be mi trowthe,   Amans.
Als fer as I my witt can seche,   P. ii. 19
Mi fader, as for lacke of speche,
Bot so as I me schrof tofore,
Ther is non other time lore,   520
Wherof ther mihte ben obstacle
To lette love of his miracle,
Which I beseche day and nyht.
Bot, fader, so as it is riht
In forme of schrifte to beknowe
What thing belongeth to the slowe,
Your faderhode I wolde preie,
If ther be forthere eny weie
Touchende unto this ilke vice.
   Mi Sone, ye, of this office   530   Confessor.
Ther serveth on in special,
Which lost hath his memorial,
So that he can no wit withholde
In thing which he to kepe is holde,
Wherof fulofte himself he grieveth:
And who that most upon him lieveth,
Whan that hise wittes ben so weyved,
He mai full lihtly be deceived.

514 myht (might) J, B   mihte A, S, F   the] þi H₁ ... B₂
to T   515 that *om.* B   517 Also fer as my E ... B₂   As (Als)
fer as my H₁XG   521 mihte ben] might(e) be non H₁ ... B₂
535 himself fulofte A ... B₂ (fulle of M), W

[iii. Forgetfulness.]

iii. *Mentibus oblitus alienis labitur ille,*
 Quem probat accidia non meminisse sui.
Sic amor incautus, qui non memoratur ad horas,
 Perdit et offendit, quod cuperare nequit.

  To serve Accidie in his office,
Ther is of Slowthe an other vice,   540
Which cleped is Foryetelnesse;
That noght mai in his herte impresse
Of vertu which reson hath sett,   P. ii. 20
So clene his wittes he foryet.
For in the tellinge of his tale
Nomore his herte thanne his male
Hath remembrance of thilke forme,
Wherof he scholde his wit enforme
As thanne, and yit ne wot he why.
Thus is his pourpos noght forthi   550
Forlore of that he wolde bidde,
And skarsly if he seith the thridde
To love of that he hadde ment:
Thus many a lovere hath be schent.
Tell on therfore, hast thou be oon
Of hem that Slowthe hath so begon?

Hic tractat Confessor de vicio Obliuionis, quam mater eius Accidia ad omnes virtutum memorias necnon et in amoris causa immemorem constituit.

Confessio Amantis.

  Ye, fader, ofte it hath be so,
That whanne I am mi ladi fro
And thenke untoward hire drawe,
Than cast I many a newe lawe   560
And al the world torne up so doun,
And so recorde I mi lecoun
And wryte in my memorial
What I to hire telle schal,
Riht al the matiere of mi tale:
Bot al nys worth a note schale;
For whanne I come ther sche is,
I have it al foryete ywiss;
Of that I thoghte forto telle
I can noght thanne unethes spelle   570
That I wende altherbest have rad,

Latin Verses iii. 3 morabatur AM
546 *margin* se constituit B   548 wit] herte A ... B₂   555 therfore] forþer(e) BT   560 cast J, SB, F   caste A

So sore I am of hire adrad. [FORGETFULNESS.]
For as a man that sodeinli P. ii. 21
A gost behelde, so fare I;
So that for feere I can noght gete
Mi witt, bot I miself foryete,
That I wot nevere what I am,
Ne whider I schal, ne whenne I cam,
Bot muse as he that were amased.
Lich to the bok in which is rased   580
The lettre, and mai nothing be rad,
So ben my wittes overlad,
That what as evere I thoghte have spoken,
It is out fro myn herte stoken,
And stonde, as who seith, doumb and def,
That all nys worth an yvy lef,
Of that I wende wel have seid.
And ate laste I make abreid,
Caste up myn hed and loke aboute,
Riht as a man that were in doute   590
And wot noght wher he schal become.
Thus am I ofte al overcome,
Ther as I wende best to stonde:
Bot after, whanne I understonde,
And am in other place al one,
I make many a wofull mone
Unto miself, and speke so:
'Ha fol, wher was thin herte tho,
Whan thou thi worthi ladi syhe?
Were thou afered of hire yhe?   600
For of hire hand ther is no drede:
So wel I knowe hir wommanhede,
That in hire is nomore oultrage P. ii. 22
Than in a child of thre yeer age.
Whi hast thou drede of so good on,
Whom alle vertu hath begon,
That in hire is no violence
Bot goodlihiede and innocence
Withouten spot of eny blame?

574 be holde R   beholdeþ BT, W   584 ouht fro F   out of
H₁ ... B₂, B   588 abreid (abreide) A, F   a breid JEC, B

[FORGETFULNESS.]

 Ha, nyce herte, fy for schame!   610
Ha, couard herte of love unlered,
Wherof art thou so sore afered,
That thou thi tunge soffrest frese,
And wolt thi goode wordes lese,
Whan thou hast founde time and space?
How scholdest thou deserve grace,
Whan thou thiself, darst axe non,
Bot al thou hast foryete anon?'
And thus despute I loves lore,
Bot help ne finde I noght the more,   620
Bot stomble upon myn oghne treine
And make an ekinge of my peine.
For evere whan I thenke among
How al is on miself along,
I seie, 'O fol of alle foles,
Thou farst as he betwen tuo stoles
That wolde sitte and goth to grounde.
It was ne nevere schal be founde,
Betwen foryetelnesse and drede
That man scholde any cause spede.'   630
And thus, myn holi fader diere,
Toward miself, as ye mai hiere,
I pleigne of my foryetelnesse;   **P. ii. 23**
Bot elles al the besinesse,
That mai be take of mannes thoght,
Min herte takth, and is thorghsoght
To thenken evere upon that swete
Withoute Slowthe, I you behete.
For what so falle, or wel or wo,
That thoght foryete I neveremo,   640
Wher so I lawhe or so I loure:
Noght half the Minut of an houre
Ne mihte I lete out of my mende,
Bot if I thoghte upon that hende.
Therof me schal no Slowthe lette,
Til deth out of this world me fette,

<small>618 And B 624 is] þis XCL 627 Thow (þou) AM 628 schal] it schal AJH₁ ... CB₂ 641 or wher (wheþer) I H₁G ... B₂ or where so I X or elles T or Δ 642 a mynut (minute) X, BΔ, W</small>

LIBER QUARTUS

Althogh I hadde on such a Ring,   [FORGETFULNESS.]
As Moises thurgh his enchanting
Som time in Ethiope made,
Whan that he Tharbis weddid hade.   650
Which Ring bar of Oblivion
The name, and that was be resoun
That where it on a finger sat,
Anon his love he so foryat,
As thogh he hadde it nevere knowe:
And so it fell that ilke throwe,
Whan Tharbis hadde it on hire hond,
No knowlechinge of him sche fond,
Bot al was clene out of memoire,
As men mai rede in his histoire;   660
And thus he wente quit away,
That nevere after that ilke day
Sche thoghte that ther was such on;   P. ii. 24
Al was foryete and overgon.
Bot in good feith so mai noght I:
For sche is evere faste by,
So nyh that sche myn herte toucheth,
That for nothing that Slowthe voucheth
I mai foryete hire, lief ne loth;
For overal, where as sche goth,   670
Min herte folwith hire aboute.
Thus mai I seie withoute doute,
For bet, for wers, for oght, for noght,
Sche passeth nevere fro my thoght;
Bot whanne I am ther as sche is,
Min herte, as I you saide er this,
Som time of hire is sore adrad,
And som time it is overglad,
Al out of reule and out of space.
For whan I se hir goodli face   680
And thenke upon hire hihe pris,
As thogh I were in Paradis,
I am so ravisht of the syhte,
That speke unto hire I ne myhte

672 seie A, S, F   sey (say) J, B   676 erþis F   684 That]
To FWKH₃

[Forgetfulness.]

As for the time, thogh I wolde:
For I ne mai my wit unfolde
To finde o word of that I mene,
Bot al it is foryete clene;
And thogh I stonde there a myle,
Al is foryete for the while, 690
A tunge I have and wordes none.
And thus I stonde and thenke al one
Of thing that helpeth ofte noght; P. ii. 25
Bot what I hadde afore thoght
To speke, whanne I come there,
It is foryete, as noght ne were,
And stonde amased and assoted,
That of nothing which I have noted
I can noght thanne a note singe,
Bot al is out of knowlechinge: 700
Thus, what for joie and what for drede,
Al is foryeten ate nede.
So that, mi fader, of this Slowthe
I have you said the pleine trowthe;
Ye mai it as you list redresce:
For thus stant my foryetelnesse
And ek my pusillamite.
Sey now forth what you list to me,
For I wol only do be you.

Confessor. Mi Sone, I have wel herd how thou 710
Hast seid, and that thou most amende:
For love his grace wol noght sende
To that man which dar axe non.
For this we knowen everichon,
A mannes thoght withoute speche
God wot, and yit that men beseche
His will is; for withoute bedes
He doth his grace in fewe stedes:
And what man that foryet himselve,
Among a thousand be noght tuelve, 720
That wol him take in remembraunce,
Bot lete him falle and take his chaunce.

698-700 *om.* B   708 whatt F   713 which] þat M, B, W
om. T

LIBER QUARTUS

Forthi pull up a besi herte,   P. ii. 26   [FORGETFULNESS.]
Mi Sone, and let nothing asterte
Of love fro thi besinesse:
For touchinge of foryetelnesse,
Which many a love hath set behinde,
A tale of gret ensample I finde,
Wherof it is pite to wite
In the manere as it is write.   730

   King Demephon, whan he be Schipe   [DEMEPHON AND
To Troieward with felaschipe   PHILLIS.]
Sailende goth, upon his weie
It hapneth him at Rodopeie,   Hic in amoris causa
As Eolus him hadde blowe,   contra obliuiosos po-
To londe, and rested for a throwe.   nit Confessor exem-
And fell that ilke time thus,   plum, qualiter Deme-
The dowhter of Ligurgius,   phon versus bellum
Which qweene was of the contre,   Troianum itinerando
Was sojournende in that Cite   740   a Phillide Rodopeie
Withinne a Castell nyh the stronde,   Regina non tantum in
Wher Demephon cam up to londe.   hospicium, set eciam
Phillis sche hihte, and of yong age   in amorem, gaudio
And of stature and of visage   magno susceptus est:
Sche hadde al that hire best besemeth.   qui postea ab ipsa
Of Demephon riht wel hire qwemeth,   Troie discedens redi-
Whan he was come, and made him chiere;   turum infra certum
And he, that was of his manere   tempus fidelissime se
A lusti knyht, ne myhte asterte   compromisit. Set quia
That he ne sette on hire his herte;   huiusmodi promissi-
So that withinne a day or tuo   onis diem statutum
He thoghte, how evere that it go,   postmodum oblitus
He wolde assaie the fortune,   P. ii. 27   est, Phillis obliuionem
And gan his herte to commune   Demephontis lacrimis
With goodly wordes in hire Ere;   primo deplangens, tan-
And forto put hire out of fere,   dem cordula collo suo
He swor and hath his trowthe pliht   circumligata in qua-
To be for evere hire oghne knyht.   dam corulo pre dolore
And thus with hire he stille abod,   750   se mortuam suspendit.
Ther while his Schip on Anker rod,   760

740 *margin* ob ipsa H₁XE ... B₂   760 Ther while] The while
BT, W   þat while M   Theke while J

[DEMEPHON AND
PHILLIS.]

 And hadde ynowh of time and space
To speke of love and seche grace.
 This ladi herde al that he seide,
And hou he swor and hou he preide,
Which was as an enchantement
To hire, that was innocent:
As thogh it were trowthe and feith,
Sche lieveth al that evere he seith,
And as hire infortune scholde,
Sche granteth him al that he wolde.   770
Thus was he for the time in joie,
Til that he scholde go to Troie;
Bot tho sche made mochel sorwe,
And he his trowthe leith to borwe
To come, if that he live may,
Ayein withinne a Monthe day,
And therupon thei kisten bothe:
Bot were hem lieve or were hem lothe,
To Schipe he goth and forth he wente
To Troie, as was his ferste entente.   780
 The daies gon, the Monthe passeth,
Hire love encresceth and his lasseth,
For him sche lefte slep and mete,   P. ii. 28
And he his time hath al foryete;
So that this wofull yonge qweene,
Which wot noght what it mihte meene,
A lettre sende and preide him come,
And seith how sche is overcome
With strengthe of love in such a wise,
That sche noght longe mai suffise   790
To liven out of his presence;
And putte upon his conscience
The trowthe which he hath behote,
Wherof sche loveth him so hote,
Sche seith, that if he lengere lette
Of such a day as sche him sette,
Sche scholde sterven in his Slowthe,

766 al Innocent H₁ ... B₂   an Innocent M   790 longe may not
(nought) X ... B₂   longe nouht may H₁   797 wold(e) AM
wolde hym W

LIBER QUARTUS

Which were a schame unto his trowthe. [DEMEPHON AND
This lettre is forth upon hire sonde, PHILLIS.]
Wherof somdiel confort on honde 800
Sche tok, as sche that wolde abide
And waite upon that ilke tyde
Which sche hath in hire lettre write.
   Bot now is pite forto wite,
As he dede erst, so he foryat
His time eftsone and oversat.
Bot sche, which mihte noght do so,
The tyde awayteth everemo,
And caste hire yhe upon the See:
Somtime nay, somtime yee, 810
Somtime he cam, somtime noght,
Thus sche desputeth in hire thoght
And wot noght what sche thenke mai; **P. ii. 29**
Bot fastende al the longe day
Sche was into the derke nyht,
And tho sche hath do set up lyht
In a lanterne on hih alofte
Upon a Tour, wher sche goth ofte,
In hope that in his cominge
He scholde se the liht brenninge, 820
Wherof he mihte his weies rihte
To come wher sche was be nyhte.
Bot al for noght, sche was deceived,
For Venus hath hire hope weyved,
And schewede hire upon the Sky
How that the day was faste by,
So that withinne a litel throwe
The daies lyht sche mihte knowe.
Tho sche beheld the See at large;
And whan sche sih ther was no barge 830
Ne Schip, als ferr as sche may kenne,
Doun fro the Tour sche gan to renne
Into an Herber all hire one,
Wher many a wonder woful mone
Sche made, that no lif it wiste,
As sche which all hire joie miste,
That now sche swouneth, now sche pleigneth,

[DEMEPHON AND
PHILLIS.]

And al hire face sche desteigneth
With teres, whiche, as of a welle
The stremes, from hire yhen felle ;   840
So as sche mihte and evere in on
Sche clepede upon Demephon,
And seide, 'Helas, thou slowe wiht,   **P. ii. 30**
Wher was ther evere such a knyht,
That so thurgh his ungentilesce
Of Slowthe and of foryetelnesse
Ayein his trowthe brak his stevene?'
And tho hire yhe up to the hevene
Sche caste, and seide, 'O thou unkinde,
Hier schalt thou thurgh thi Slowthe finde,   850
If that thee list to come and se,
A ladi ded for love of thee,
So as I schal myselve spille ;
Whom, if it hadde be thi wille,
Thou mihtest save wel ynowh.'
With that upon a grene bowh
A Ceinte of Selk, which sche ther hadde,
Sche knette, and so hireself sche ladde,
That sche aboute hire whyte swere
It dede, and hyng hirselven there.   860
Wherof the goddes were amoeved,
And Demephon was so reproeved,
That of the goddes providence
Was schape such an evidence
Evere afterward ayein the slowe,
That Phillis in the same throwe
Was schape into a Notetre,
That alle men it mihte se,
And after Phillis Philliberd
This tre was cleped in the yerd,   870
And yit for Demephon to schame
Into this dai it berth the name.
This wofull chance how that it ferde   **P. ii. 31**
Anon as Demephon it herde,
And every man it hadde in speche,
His sorwe was noght tho to seche ;
He gan his Slowthe forto banne,

Bot it was al to late thanne.
   Lo thus, my Sone, miht thou wite   Confessor.
Ayein this vice how it is write;   880
For noman mai the harmes gesse,
That fallen thurgh foryetelnesse,
Wherof that I thi schrifte have herd.
Bot yit of Slowthe hou it hath ferd
In other wise I thenke oppose,
If thou have gult, as I suppose.

iv. *Dum plantare licet, cultor qui necgligit ortum,*   [iv. NEGLIGENCE.]
   Si desint fructus, imputet ipse sibi.
Preterit ista dies bona, nec valet illa secunda,
   Hoc caret exemplo lentus amore suo.

   Fulfild of Slowthes essamplaire
Ther is yit on, his Secretaire,
And he is cleped Negligence:
Which wol noght loke his evidence,   890   Hic tractat Confes-
Wherof he mai be war tofore;   sor de vicio Necgligen-
                                         cie, cuius condicio Ac-
Bot whanne he hath his cause lore,   cidiam amplectens om-
Thanne is he wys after the hond: nes artes sciencie, tam
Whanne helpe may no maner bond,   in amoris causa quam
                                           aliter, ignominiosa
Thanne ate ferste wolde he binde: preretmittens, cum
Thus everemore he stant behinde.   nullum poterit emin-
                                           ere remedium, sui mi-
Whanne he the thing mai noght amende, nisterii diligenciam
Thanne is he war, and seith at ende,   expostfacto in vacuum
                                         attemptare presumit.
'Ha, wolde god I hadde knowe!'   P. ii. 32
Wherof bejaped with a mowe   900
He goth, for whan the grete Stiede
Is stole, thanne he taketh hiede,
And makth the stable dore fast:
Thus evere he pleith an aftercast
Of al that he schal seie or do.
He hath a manere eke also,
Him list noght lerne to be wys,
For he set of no vertu pris
Bot as him liketh for the while;
So fieleth he fulofte guile,   910
Whan that he weneth siker stonde.

     Latin verses iv. 2 ipse] esse AM, W

[NEGLIGENCE.]

And thus thou miht wel understonde,
Mi Sone, if thou art such in love,
Thou miht noght come at thin above
Of that thou woldest wel achieve.

Confessio Amantis.

 Mi holi fader, as I lieve,
I mai wel with sauf conscience
Excuse me of necgligence
Towardes love in alle wise:
For thogh I be non of the wise,   920
I am so trewly amerous,
That I am evere curious
Of hem that conne best enforme
To knowe and witen al the forme,
What falleth unto loves craft.
Bot yit ne fond I noght the haft,
Which mihte unto that bladd acorde;
For nevere herde I man recorde
What thing it is that myhte availe   P. ii. 33
To winne love withoute faile.   930
Yit so fer cowthe I nevere finde
Man that be resoun ne be kinde
Me cowthe teche such an art,
That he ne failede of a part;
And as toward myn oghne wit,
Controeve cowthe I nevere yit
To finden eny sikernesse,
That me myhte outher more or lesse
Of love make forto spede:
For lieveth wel withoute drede,   940
If that ther were such a weie,
As certeinliche as I schal deie
I hadde it lerned longe ago.
Bot I wot wel ther is non so:
And natheles it may wel be,
I am so rude in my degree
And ek mi wittes ben so dulle,
That I ne mai noght to the fulle
Atteigne to so hih a lore.
Bot this I dar seie overmore,   950

  927 þe blad (blade) M, BTΔ, WHs

LIBER QUARTUS

Althogh mi wit ne be noght strong, [NEGLIGENCE.]
It is noght on mi will along,
For that is besi nyht and day
To lerne al that he lerne may,
How that I mihte love winne:
Bot yit I am as to beginne
Of that I wolde make an ende,
And for I not how it schal wende,
That is to me mi moste sorwe. P. ii. 34
Bot I dar take god to borwe, 960
As after min entendement,
Non other wise necgligent
Thanne I yow seie have I noght be:
Forthi per seinte charite
Tell me, mi fader, what you semeth.

    In good feith, Sone, wel me qwemeth,   Confessor.
That thou thiself hast thus aquit
Toward this vice, in which no wit
Abide mai, for in an houre
He lest al that he mai laboure 970
The longe yer, so that men sein,
What evere he doth it is in vein.
For thurgh the Slowthe of Negligence
Ther was yit nevere such science
Ne vertu, which was bodely,
That nys destruid and lost therby.
Ensample that it hath be so
In boke I finde write also.

    Phebus, which is the Sonne hote, [TALE OF PHAETON.]
That schyneth upon Erthe hote 980
And causeth every lyves helthe,
He hadde a Sone in al his welthe,   Hic contra vicium
Which Pheton hihte, and he desireth   necgligencie ponit
And with his Moder he conspireth,   Confessor exemplum;
The which was cleped Clemenee,   et narrat quod cum
For help and conseil, so that he   Pheton filius Solis
  currum patris sui per
  aera regere debuerat,

955 mihte] may hir B   may T   968 vice om. BT   974 neuere
ȝit AM   984 margin cum om. BT   985 Clemenee] Element
ERC Olement H₁XG Clement LB₂ Clemencee T Clemente M
986 so that he] þat he sent H₁ ... B₂

[TALE OF PHAETON.]
admonitus a patre vt equos ne deuiarent equa manu diligencius refrenaret, ipse consilium patris sua negligencia preteriens, equos cum curru nimis basse errare permisit; vnde non solum incendio orbem inflammauit, set et seipsum de curru cadentem in quoddam fluuium demergi ad interitum causauit.

His fader carte lede myhte
Upon the faire daies brihte.
And for this thing, thei bothe preide   P. ii. 35
Unto the fader, and he seide   990
He wolde wel, bot forth withal
Thre pointz he bad in special
Unto his Sone in alle wise,
That he him scholde wel avise
And take it as be weie of lore.
Ferst was, that he his hors to sore
Ne prike, and over that he tolde
That he the renes faste holde;
And also that he be riht war
In what manere he lede his charr,   1000
That he mistake noght his gate,
Bot up avisement algate
He scholde bere a siker yhe,
That he to lowe ne to hyhe
His carte dryve at eny throwe,
Wherof that he mihte overthrowe.
And thus be Phebus ordinance
Tok Pheton into governance
The Sonnes carte, which he ladde:
Bot he such veine gloire hadde   1010
Of that he was set upon hyh,
That he his oghne astat ne syh
Thurgh negligence and tok non hiede;
So mihte he wel noght longe spede.
For he the hors withoute lawe
The carte let aboute drawe
Wher as hem liketh wantounly,
That ate laste sodeinly,
For he no reson wolde knowe,   P. ii. 36
This fyri carte he drof to lowe,   1020
And fyreth al the world aboute;
Wherof thei weren alle in doubte,
And to the god for helpe criden

988 brihte] nyhte (niȝt) AM   1002 up] vpon BT   vp an Ad
om. M   1014 wel noght longe] nought longe wel C   not
longe W

LIBER QUARTUS

Of suche unhappes as betyden.   [TALE OF PHAETON.]
Phebus, which syh the necgligence,
How Pheton ayein his defence
His charr hath drive out of the weie,
Ordeigneth that he fell aweie
Out of the carte into a flod
And dreynte. Lo now, hou it stod   1030
With him that was so necgligent,
That fro the hyhe firmament,
For that he wolde go to lowe,
He was anon doun overthrowe.

   In hih astat it is a vice   [TALE OF ICARUS.]
To go to lowe, and in service
It grieveth forto go to hye,   Exemplum super
Wherof a tale in poesie   eodem de Icharo De-
    dali filio in carcere
I finde, how whilom Dedalus,   Minotauri existente,
Which hadde a Sone, and Icharus 1040 cui Dedalus, vt inde
    euolaret, alas com-
He hihte, and thogh hem thoghte lothe,   ponens, firmiter in-
In such prison thei weren bothe   iunxit ne nimis alte
    propter Solis ardorem
With Minotaurus, that aboute   ascenderet : quod Ich-
Thei mihten nawher wenden oute;   arus sua negligencia
    postponens, cum alc-
So thei begonne forto schape   ius sublimatus fuisset,
How thei the prison mihte ascape.   subito ad terram cor-
    ruens expirauit.
This Dedalus, which fro his yowthe
Was tawht and manye craftes cowthe,
Of fetheres and of othre thinges   P. ii. 37
Hath mad to fle diverse wynges   1050
For him and for his Sone also;
To whom he yaf in charge tho
And bad him thenke therupon,
How that his wynges ben set on
With wex, and if he toke his flyhte
To hyhe, al sodeinliche he mihte
Make it to melte with the Sonne.
And thus thei have her flyht begonne
Out of the prison faire and softe;
And whan thei weren bothe alofte,   1060
This Icharus began to monte,

1029 þe flod (flood) E, B   1035 *Paragr. in* MSS. *begins at*
l. 1039

[TALE OF ICARUS.]

  And of the conseil non accompte
He sette, which his fader tawhte,
Til that the Sonne his wynges cawhte,
Wherof it malt, and fro the heihte
Withouten help of eny sleihte
He fell to his destruccion.
And lich to that condicion
Ther fallen ofte times fele
For lacke of governance in wele,   1070
Als wel in love as other weie.

Amans.

  Now goode fader, I you preie,
If ther be more in the matiere
Of Slowthe, that I mihte it hiere.

Confessor.

  Mi Sone, and for thi diligence,
Which every mannes conscience
Be resoun scholde reule and kepe,
If that thee list to taken kepe,
I wol thee telle, aboven alle   P. ii. 38
In whom no vertu mai befalle,   1080
Which yifth unto the vices reste
And is of slowe the sloweste.

[v. IDLENESS.]

 v. *Absque labore vagus vir inutilis ocia plectens,*
  Nescio quid presens vita valebit ei.
 Non amor in tali misero viget, immo valoris
  Qui faciunt opera clamat habere suos.

Hic loquitur Confessor super illa specie Accidie, que Ocium dicitur, cuius condicio in virtutum cultura nullius occupacionis diligenciam admittens, cuiuscumque expedicionem cause non attingit.

  Among these othre of Slowthes kinde,
Which alle labour set behinde,
And hateth alle besinesse,
Ther is yit on, which Ydelnesse
Is cleped, and is the Norrice
In mannes kinde of every vice,
Which secheth eases manyfold.
In Wynter doth he noght for cold,   1090
In Somer mai he noght for hete;
So whether that he frese or swete,

1073 þis matiere B₂, BΛ   1074 it *om.* H₁, B   1075 and] as BT   1082 slowe AJM, F   slouþe H₁ ... B₂, S ... ΔΛ, WH₃
1086 yit on, which] on ȝit which A, W   on ȝit þat M   on which þat H₁ ... B₂

LIBER QUARTUS

Or he be inne, or he be oute,   [IDLENESS.]
He wol ben ydel al aboute,
Bot if he pleie oght ate Dees.
For who as evere take fees
And thenkth worschipe to deserve,
Ther is no lord whom he wol serve,
As forto duelle in his servise,
Bot if it were in such a wise,   1100
Of that he seth per aventure
That be lordschipe and coverture
He mai the more stonde stille,
And use his ydelnesse at wille.
For he ne wol no travail take   P. ii. 39
To ryde for his ladi sake,
Bot liveth al upon his wisshes;
And as a cat wolde ete fisshes
Withoute wetinge of his cles,
So wolde he do, bot natheles   1110
He faileth ofte of that he wolde.
  Mi Sone, if thou of such a molde   Confessor.
Art mad, now tell me plein thi schrifte.
  Nay, fader, god I yive a yifte,   Amans.
That toward love, as be mi wit,
Al ydel was I nevere yit,
Ne nevere schal, whil I mai go.
  Now, Sone, tell me thanne so,   Confessor.
What hast thou don of besischipe
To love and to the ladischipe   1120
Of hire which thi ladi is?
  Mi fader, evere yit er this   Confessio Amantis.
In every place, in every stede,
What so mi lady hath me bede,
With al myn herte obedient
I have therto be diligent.
And if so is sche bidde noght,
What thing that thanne into my thoght
Comth ferst of that I mai suffise,
I bowe and profre my servise,   1130
Somtime in chambre, somtime in halle,

1093 be he ... be he C, BΔ, H₃   be ... be he H₁   1095 oght *om.* B

[IDLENESS.]

Riht as I se the times falle.
And whan sche goth to hiere masse,
That time schal noght overpasse,
That I naproche hir ladihede,
In aunter if I mai hire lede
Unto the chapelle and ayein.
Thanne is noght al mi weie in vein,
Somdiel I mai the betre fare,
Whan I, that mai noght fiele hir bare, 1140
Mai lede hire clothed in myn arm:
Bot afterward it doth me harm
Of pure ymaginacioun;
For thanne this collacioun
I make unto miselven ofte,
And seie, 'Ha lord, hou sche is softe,
How sche is round, hou sche is smal!
Now wolde god I hadde hire al
Withoute danger at mi wille!'
And thanne I sike and sitte stille, 1150
Of that I se mi besi thoght
Is torned ydel into noght.
Bot for al that lete I ne mai,
Whanne I se time an other dai,
That I ne do my besinesse
Unto mi ladi worthinesse.
For I therto mi wit afaite
To se the times and awaite
What is to done and what to leve:
And so, whan time is, be hir leve, 1160
What thing sche bit me don, I do,
And wher sche bidt me gon, I go,
And whanne hir list to clepe, I come.
Thus hath sche fulliche overcome
Min ydelnesse til I sterve,
So that I mot hire nedes serve,
For as men sein, nede hath no lawe.
Thus mot I nedly to hire drawe,

1133 to hire (hir) masse AMH₁, Ad   to huyre masse B   toward hir masse X ... B₂   1162 bidt F (*cp.* l. 2802) bit J, SB biddeþ A

LIBER QUARTUS [IDLENESS.]

I serve, I bowe, I loke, I loute,
Min yhe folweth hire aboute,   1170
What so sche wole so wol I,
Whan sche wol sitte, I knele by,
And whan sche stant, than wol I stonde:
Bot whan sche takth hir werk on honde
Of wevinge or enbrouderie,
Than can I noght bot muse and prie
Upon hir fingres longe and smale,
And now I thenke, and now I tale,
And now I singe, and now I sike,
And thus mi contienance I pike.   1180
And if it falle, as for a time
Hir liketh noght abide bime,
Bot besien hire on other thinges,
Than make I othre tariinges
To dreche forth the longe dai,
For me is loth departe away.
And thanne I am so simple of port,
That forto feigne som desport
I pleie with hire litel hound
Now on the bedd, now on the ground,   1190
Now with hir briddes in the cage;
For ther is non so litel page,
Ne yit so simple a chamberere,
That I ne make hem alle chere,
Al for thei scholde speke wel: P. ii. 42
Thus mow ye sen mi besi whiel,
That goth noght ydeliche aboute.
And if hir list to riden oute
On pelrinage or other stede,
I come, thogh I be noght bede,   1200
And take hire in min arm alofte
And sette hire in hire sadel softe,
And so forth lede hire be the bridel,
For that I wolde noght ben ydel.
And if hire list to ride in Char,
And thanne I mai therof be war,

1174 And B   1183 oþer JGC, S, F   oþre AE, AdB, H₃ othere T

[IDLENESS.]

Anon I schape me to ryde
Riht evene be the Chares side;
And as I mai, I speke among,
And otherwhile I singe a song,   1210
Which Ovide in his bokes made,
And seide, 'O whiche sorwes glade,
O which wofull prosperite
Belongeth to the proprete
Of love, who so wole him serve!
And yit therfro mai noman swerve,
That he ne mot his lawe obeie.'
And thus I ryde forth mi weie,
And am riht besi overal
With herte and with mi body al,   1220
As I have said you hier tofore.
My goode fader, tell therfore,
Of Ydelnesse if I have gilt.

 Mi Sone, bot thou telle wilt
Oght elles than I mai now hiere,   P. ii. 43
Thou schalt have no penance hiere.
And natheles a man mai se,
How now adayes that ther be
Ful manye of suche hertes slowe,
That wol noght besien hem to knowe   1230
What thing love is, til ate laste,
That he with strengthe hem overcaste,
That malgre hem thei mote obeie
And don al ydelschipe aweie,
To serve wel and besiliche.
Bot, Sone, thou art non of swiche,
For love schal the wel excuse:
Bot otherwise, if thou refuse
To love, thou miht so per cas
Ben ydel, as somtime was   1240
A kinges dowhter unavised,
Til that Cupide hire hath chastised:
Wherof thou schalt a tale hiere
Acordant unto this matiere.

 1207 for to ride H₁ ... B₂   1212 seide] say B   1224 bot]
but if H₁ ... B₂, Ad, W

LIBER QUARTUS

    Of Armenye, I rede thus,
Ther was a king, which Herupus
Was hote, and he a lusti Maide
To dowhter hadde, and as men saide
Hire name was Rosiphelee;
Which tho was of gret renomee,   1250
For sche was bothe wys and fair
And scholde ben hire fader hair.
Bot sche hadde o defalte of Slowthe
Towardes love, and that was rowthe;
For so wel cowde noman seie,   P. ii. 44
Which mihte sette hire in the weie
Of loves occupacion
Thurgh non ymaginacion;
That scole wolde sche noght knowe.
And thus sche was on of the slowe   1260
As of such hertes besinesse,
Til whanne Venus the goddesse,
Which loves court hath forto reule,
Hath broght hire into betre reule,
Forth with Cupide and with his miht:
For thei merveille how such a wiht,
Which tho was in hir lusti age,
Desireth nother Mariage
Ne yit the love of paramours,
Which evere hath be the comun cours   1270
Amonges hem that lusti were.
So was it schewed after there:
For he that hihe hertes loweth
With fyri Dartes whiche he throweth,
Cupide, which of love is godd,
In chastisinge hath mad a rodd
To dryve awei hir wantounesse;
So that withinne a while, I gesse,
Sche hadde on such a chance sporned,
That al hire mod was overtorned,   1280
Which ferst sche hadde of slow manere:

[Tale of Rosiphe-
lee.]

Hic ponit Confessor exemplum contra istos qui amoris occupacionem omittentes, grauioris infortunii casus expectant. Et narrat de quadam Armenie Regis filia, que huiusmodi condicionis in principio iuuentutis ociosa persistens, mirabili postea visione castigata in amoris obsequium pre ceteris diligencior efficitur.

1249 *margin* amoris] in amoris AC, H₃   in Amoris *causa* W   1251 *margin* expectaret H₁ ... B₂   1257 *margin* diligencior *om.* B   1266 how] of B   1272 schrewed A   1275 Cupide AJ, F   Cupido SBT

[TALE OF ROSIPHE-LEE.]

For thus it fell, as thou schalt hiere.
Whan come was the Monthe of Maii,
Sche wolde walke upon a dai,
And that was er the Sonne Ariste;   P. ii. 45
Of wommen bot a fewe it wiste,
And forth sche wente prively
Unto the Park was faste by,
Al softe walkende on the gras,
Til sche cam ther the Launde was,   1290
Thurgh which ther ran a gret rivere.
It thoghte hir fair, and seide, 'Here
I wole abide under the schawe':
And bad hire wommen to withdrawe,
And ther sche stod al one stille,
To thenke what was in hir wille.
Sche sih the swote floures springe,
Sche herde glade foules singe,
Sche sih the bestes in her kinde,
The buck, the do, the hert, the hinde,   1300
The madle go with the femele;
And so began ther a querele
Betwen love and hir oghne herte,
Fro which sche couthe noght asterte.
And as sche caste hire yhe aboute,
Sche syh clad in o suite a route
Of ladis, wher thei comen ryde
Along under the wodes syde:
On faire amblende hors thei sete,
That were al whyte, fatte and grete,   1310
And everichon thei ride on side.
The Sadles were of such a Pride,
With Perle and gold so wel begon,
So riche syh sche nevere non;
In kertles and in Copes riche   P. ii. 46
Thei weren clothed, alle liche,
Departed evene of whyt and blew;
With alle lustes that sche knew
Thei were enbrouded overal.
Here bodies weren long and smal,   1320

1310 faire GEC, BΛ, H₃

LIBER QUARTUS

[TALE OF ROSIPHE-LEE.]

The beaute faye upon her face
Non erthly thing it may desface;
Corones on here hed thei beere,
As ech of hem a qweene weere,
That al the gold of Cresus halle
The leste coronal of alle
Ne mihte have boght after the worth:
Thus come thei ridende forth.

 The kinges dowhter, which this syh,
For pure abaissht drowh hire adryh   1330
And hield hire clos under the bowh,
And let hem passen stille ynowh;
For as hire thoghte in hire avis,
To hem that were of such a pris
Sche was noght worthi axen there,
Fro when they come or what thei were:
Bot levere than this worldes good
Sche wolde have wist hou that it stod,
And putte hire hed alitel oute;
And as sche lokede hire aboute,   1340
Sche syh comende under the linde
A womman up an hors behinde.
The hors on which sche rod was blak,
Al lene and galled on the back,
And haltede, as he were encluyed,   P. ii. 47
Wherof the womman was annuied;
Thus was the hors in sori plit,
Bot for al that a sterre whit
Amiddes in the front he hadde.
Hir Sadel ek was wonder badde,   1350
In which the wofull womman sat,

1321 f. *Text thus in third recension (but* faire WKH₃Magd *for* faye F *and* hir H₃   the W *for* her): faye—desface *in ras.* F
  A *has*   The beaute of hire face schon
       Wel bryhtere þan þe Cristall ston
so the others of first recension, but most have here (her) *for* hire *and many (as* H₁GRCLB₂) *read* faces
  S *has*   The beaute of here faye face
       Ther mai non erþly þing deface
so AdBTΔΛ *with* faire (fair) *for* faye *and some* (AdT) hir *for* here
 1341 a lynde L, BΛ   1342 vpon hors XC, BΛ   vpon an (a) hors H₁GLB₂, AdTΔ, W, H₃   on an h. M   1348 And B
**
      Z

[TALE OF ROSIPHE-LEE.]

And natheles ther was with that
A riche bridel for the nones
Of gold and preciouse Stones.
Hire cote was somdiel totore ;
Aboute hir middel twenty score
Of horse haltres and wel mo
Ther hyngen ate time tho.
 Thus whan sche cam the ladi nyh,
Than tok sche betre hiede and syh   1360
This womman fair was of visage,
Freyssh, lusti, yong and of tendre age ;
And so this ladi, ther sche stod,
Bethoghte hire wel and understod
That this, which com ridende tho,
Tidinges couthe telle of tho,
Which as sche sih tofore ryde,
And putte hir forth and preide abide,
And seide, 'Ha, Suster, let me hiere,
What ben thei, that now riden hiere,   1370
And ben so richeliche arraied ?'
 This womman, which com so esmaied,
Ansuerde with ful softe speche,
And seith, 'Ma Dame, I schal you teche.
These ar of tho that whilom were   P. ii. 48
Servantz to love, and trowthe beere,
Ther as thei hadde here herte set.
Fare wel, for I mai noght be let :
Ma Dame, I go to mi servise,
So moste I haste in alle wise ;   1380
Forthi, ma Dame, yif me leve,
I mai noght longe with you leve.'
 'Ha, goode Soster, yit I preie,
Tell me whi ye ben so beseie
And with these haltres thus begon.'
 'Ma Dame, whilom I was on

1361 f. *Thus in third recension* (and *om.* W)   F *has the lines written over erasure, except* womman
  A *has*   The womman was riht fair of face
    Al þogh hire lackede oþer grace
so S *and the other copies of first and second recensions*
 1367 Which J, S, F   Whiche A, B

LIBER QUARTUS

That to mi fader hadde a king; [TALE OF ROSIPHE-
Bot I was slow, and for no thing   LEE.]
Me liste noght to love obeie,
And that I now ful sore abeie.   1390
For I whilom no love hadde,
Min hors is now so fieble and badde,
And al totore is myn arai,
And every yeer this freisshe Maii
These lusti ladis ryde aboute,
And I mot nedes suie here route
In this manere as ye now se,
And trusse here haltres forth with me,
And am bot as here horse knave.
Non other office I ne have,   1400
Hem thenkth I am worthi nomore,
For I was slow in loves lore,
Whan I was able forto lere,
And wolde noght the tales hiere
Of hem that couthen love teche.'   P. ii. 49
'Now tell me thanne, I you beseche,
Wherof that riche bridel serveth.'
  With that hire chere awei sche swerveth,
And gan to wepe, and thus sche tolde:
'This bridel, which ye nou beholde   1410
So riche upon myn horse hed,—
Ma Dame, afore, er I was ded,
Whan I was in mi lusti lif,
Ther fel into myn herte a strif
Of love, which me overcom,
So that therafter hiede I nom
And thoghte I wolde love a kniht:
That laste wel a fourtenyht,
For it no lengere mihte laste,
So nyh my lif was ate laste.   1420
Bot now, allas, to late war
That I ne hadde him loved ar:
For deth cam so in haste bime,
Er I therto hadde eny time,

1393 And *om.* AM   1397 now] mow (mowe) J, AdB, W
1419 non AJ

[TALE OF ROSIPHE-
LEE.]

That it ne mihte ben achieved.
Bot for al that I am relieved,
Of that mi will was good therto,
That love soffreth it be so
That I schal swiche a bridel were.
Now have ye herd al myn ansuere: 1430
To godd, ma Dame, I you betake,
And warneth alle for mi sake,
Of love that thei ben noght ydel,
And bidd hem thenke upon mi brydel.'
And with that word al sodeinly   P. ii. 50
Sche passeth, as it were a Sky,
Al clene out of this ladi sihte:
And tho for fere hire herte afflihte,
And seide to hirself, 'Helas!
I am riht in the same cas. 1440
Bot if I live after this day,
I schal amende it, if I may.'
And thus homward this lady wente,
And changede al hire ferste entente,
Withinne hire herte and gan to swere
That sche none haltres wolde bere.

Confessor.

Lo, Sone, hier miht thou taken hiede,
How ydelnesse is forto drede,
Namliche of love, as I have write.
For thou miht understonde and wite, 1450
Among the gentil nacion
Love is an occupacion,
Which forto kepe hise lustes save

Non quia sic se
habet veritas, set
opinio Amantum.

Scholde every gentil herte have:
For as the ladi was chastised,
Riht so the knyht mai ben avised,
Which ydel is and wol noght serve
To love, he mai per cas deserve
A grettere peine than sche hadde,
Whan sche aboute with hire ladde 1460
The horse haltres; and forthi
Good is to be wel war therbi.
Bot forto loke aboven alle,

1454 f. *margin* Non quia—Amantum *om.* G, BΔ

LIBER QUARTUS

These Maidens, hou so that it falle, [IDLENESS IN LOVE.]
Thei scholden take ensample of this P. ii. 51
Which I have told, for soth it is.
  Mi ladi Venus, whom I serve,
What womman wole hire thonk deserve,
Sche mai noght thilke love eschuie
Of paramours, bot sche mot suie   1470
Cupides lawe; and natheles
Men sen such love sielde in pes,
That it nys evere upon aspie
Of janglinge and of fals Envie,
Fulofte medlid with disese:
Bot thilke love is wel at ese,
Which set is upon mariage;
For that dar schewen the visage
In alle places openly.
A gret mervaile it is forthi,   1480
How that a Maiden wolde lette,
That sche hir time ne besette
To haste unto that ilke feste,
Wherof the love is al honeste.
Men mai recovere lost of good,
Bot so wys man yit nevere stod,
Which mai recovere time lore:
So mai a Maiden wel therfore
Ensample take, of that sche strangeth
Hir love, and longe er that sche changeth 1490
Hir herte upon hir lustes greene
To mariage, as it is seene.
For thus a yer or tuo or thre
Sche lest, er that sche wedded be,
Whyl sche the charge myhte bere   P. ii. 52
Of children, whiche the world forbere
Ne mai, bot if it scholde faile.
Bot what Maiden hire esposaile
Wol tarie, whan sche take mai,
Sche schal per chance an other dai   1500
Be let, whan that hire lievest were.
Wherof a tale unto hire Ere,

1501 that hire] þat sche H₁ ... B₂ hir ΔΛ   it M

[TALE OF JEPHTHAH'S
DAUGHTER.]

Hic ponit exemplum super eodem: Et narrat de filia Iepte, que cum ex sui patris voto in holocaustum deo occidi et offerri deberet, ipsa pro eo quod virgo fuit et prolem ad augmentacionem populi dei nondum genuisset, xl. dierum spacium vt cum suis sodalibus virginibus suam defleret virginitatem, priusquam moreretur, in exemplum aliarum a patre postulauit.

Which is coupable upon this dede,
I thenke telle of that I rede.

Among the Jewes, as men tolde,
Ther was whilom be daies olde
A noble Duck, which Jepte hihte.
And fell, he scholde go to fyhte
Ayein Amon the cruel king:
And forto speke upon this thing, 1510
Withinne his herte he made avou
To god and seide, 'Ha lord, if thou
Wolt grante unto thi man victoire,
I schal in tokne of thi memoire
The ferste lif that I mai se,
Of man or womman wher it be,
Anon as I come hom ayein,
To thee, which art god sovereign,
Slen in thi name and sacrifie.'
And thus with his chivalerie 1520
He goth him forth, wher that he scholde,
And wan al that he winne wolde
And overcam his fomen alle.
Mai noman lette that schal falle.
This Duc a lusti dowhter hadde, P. ii. 53
And fame, which the wordes spradde,
Hath broght unto this ladi Ere
How that hire fader hath do there.
Sche waiteth upon his cominge
With dansinge and with carolinge, 1530
As sche that wolde be tofore
Al othre, and so sche was therfor
In Masphat at hir fader gate
The ferste; and whan he com therate,
And sih his douhter, he tobreide
Hise clothes and wepende he seide:
'O mihti god among ous hiere,
Nou wot I that in no manere

1507 duck A, F   duk J, SB   1511 auou (auov, avow) AJC,
B, F   a vou (a vowe) MH₁, S   1519 *margin* aliorum A ... B₂, S
... ΔΛ, H₃   1521 wher that] so as B   1525 Duc F   duck A
duk J, SB   1532 Al AJ, S, F   Alle C, BT

LIBER QUARTUS 343

This worldes joie mai be plein. [TALE OF JEPHTHAH'S
I hadde al that I coude sein   1540   DAUGHTER.]
Ayein mi fomen be thi grace,
So whan I cam toward this place
Ther was non gladdere man than I:
But now, mi lord, al sodeinli
Mi joie is torned into sorwe,
For I mi dowhter schal tomorwe
Tohewe and brenne in thi servise
To loenge of thi sacrifise
Thurgh min avou, so as it is.'
   The Maiden, whan sche wiste of this, 1550
And sih the sorwe hir fader made,
So as sche mai with wordes glade
Conforteth him, and bad him holde
The covenant which he is holde
Towardes god, as he behihte.   P. ii. 54
Bot natheles hire herte aflihte
Of that sche sih hire deth comende;
And thanne unto the ground knelende
Tofore hir fader sche is falle,
And seith, so as it is befalle   1560
Upon this point that sche schal deie,
Of o thing ferst sche wolde him preie,
That fourty daies of respit
He wolde hir grante upon this plit,
That sche the whyle mai bewepe
Hir maidenhod, which sche to kepe
So longe hath had and noght beset;
Wherof her lusti youthe is let,
That sche no children hath forthdrawe
In Mariage after the lawe,   1570
So that the poeple is noght encressed.
Bot that it mihte be relessed,
That sche hir time hath lore so,
Sche wolde be his leve go
With othre Maidens to compleigne,
And afterward unto the peine

1541 þi...my B   1543 non AJC, F   no SB   1555 as]
and B   1558 ground] world BΛ   1567 had] kept BTΛ   *om.* Δ

[TALE OF JEPHTHAH'S DAUGHTER.]

Of deth sche wolde come ayein.
　　The fader herde his douhter sein,
And therupon of on assent
The Maidens were anon asent, 1580
That scholden with this Maiden wende.
So forto speke unto this ende,
Thei gon the dounes and the dales
With wepinge and with wofull tales,
And every wyht hire maidenhiede   P. ii. 55
Compleigneth upon thilke nede,
That sche no children hadde bore,
Wherof sche hath hir youthe lore,
Which nevere sche recovere mai:
For so fell that hir laste dai 1590
Was come, in which sche scholde take
Hir deth, which sche may noght forsake.
Lo, thus sche deiede a wofull Maide
For thilke cause which I saide,
As thou hast understonde above.

Amans.

　　Mi fader, as toward the Love
Of Maidens forto telle trowthe,
Ye have thilke vice of Slowthe,
Me thenkth, riht wonder wel declared,
That ye the wommen have noght spared 1600
Of hem that tarien so behinde.
Bot yit it falleth in my minde,
Toward the men hou that ye spieke
Of hem that wole no travail sieke
In cause of love upon decerte :
To speke in wordes so coverte,
I not what travaill that ye mente.

Confessor.

　　Mi Sone, and after min entente
I woll thee telle what I thoghte,
Hou whilom men here loves boghte 1610
Thurgh gret travaill in strange londes,
Wher that thei wroghten with here hondes
Of armes many a worthi dede,
In sondri place as men mai rede.

LIBER QUARTUS

vi. *Quem probat armorum probitas Venus approbat, et quem* P. ii. 56
    Torpor habet reprobum reprobat illa virum. [LOVERS MUST AP-
    Vecors segnicies insignia nescit amoris, PROVE THEMSELVES IN
    Nam piger ad brauium tardius ipse venit. ARMS.]

  That every love of pure kinde
Is ferst forthdrawe, wel I finde:
Bot natheles yit overthis
Decerte doth so that it is
The rather had in mani place.
Forthi who secheth loves grace,   1620   Hic loquitur quod in amoris causa mi-
Wher that these worthi wommen are,   licie probitas ad ar-
He mai noght thanne himselve spare   morum laboris ex-
Upon his travail forto serve,   cercicium nullatenus torpescat.
Wherof that he mai thonk deserve,
There as these men of Armes be,
Somtime over the grete Se:
So that be londe and ek be Schipe
He mot travaile for worschipe
And make manye hastyf rodes,
Somtime in Prus, somtime in Rodes,   1630
And somtime into Tartarie;
So that these heraldz on him crie,
'Vailant, vailant, lo, wher he goth!'
And thanne he yifth hem gold and cloth,
So that his fame mihte springe,
And to his ladi Ere bringe
Som tidinge of his worthinesse;
So that sche mihte of his prouesce
Of that sche herde men recorde,
The betre unto his love acorde   1640
And danger pute out of hire mod,
Whanne alle men recorden good,
And that sche wot wel, for hir sake   P. ii. 57
That he no travail wol forsake.

  Mi Sone, of this travail I meene: Confessor.
Nou schrif thee, for it schal be sene
If thou art ydel in this cas.
  My fader ye, and evere was: Confessio Amantis.

1622 *margin* nultenus F   1625 Wher B   1637 Som tidinge]
Somtime (Som tyme) H₁XE ... B₂   Some tydinges Λ   1640 bet B

[ARGUMENTS TO THE CONTRARY.]

For as me thenketh trewely
That every man doth mor than I
As of this point, and if so is
That I have oght so don er this,
It is so litel of accompte,
As who seith, it mai noght amonte
To winne of love his lusti yifte.
For this I telle you in schrifte,
That me were levere hir love winne
Than Kaire and al that is ther inne:
And forto slen the hethen alle,
I not what good ther mihte falle,
So mochel blod thogh ther be schad.
This finde I writen, hou Crist bad
That noman other scholde sle.
What scholde I winne over the Se,
If I mi ladi loste at hom?
Bot passe thei the salte fom,
To whom Crist bad thei scholden preche
To all the world and his feith teche:
Bot now thei rucken in here nest
And resten as hem liketh best
In all the swetnesse of delices.
Thus thei defenden ous the vices,
And sitte hemselven al amidde;   P. ii. 58
To slen and feihten thei ous bidde
Hem whom thei scholde, as the bok seith,
Converten unto Cristes feith.
Bot hierof have I gret mervaile,
Hou thei wol bidde me travaile:
A Sarazin if I sle schal,
I sle the Soule forth withal,
And that was nevere Cristes lore.
Bot nou ho ther, I seie nomore.

  Bot I wol speke upon mi schrifte;
And to Cupide I make a yifte,
That who as evere pris deserve
Of armes, I wol love serve;
And thogh I scholde hem bothe kepe,

1670 hem liken H₁XRCLB₂, W   hym likeþ M

LIBER QUARTUS

    Als wel yit wolde I take kepe   [ARGUMENTS TO THE
Whan it were time to abide,   CONTRARY.]
As forto travaile and to ryde: 1690
For how as evere a man laboure,
Cupide appointed hath his houre.
    For I have herd it telle also,   Hic allegat Amans
Achilles lefte hise armes so   in sui excusacionem,
                                             qualiter Achilles apud
Bothe of himself and of his men   Troiam propter amo-
At Troie for Polixenen,   rem Polixenen arma
Upon hire love whanne he fell,   sua per aliquod tem-
That for no chance that befell   pus dimisit.
Among the Grecs or up or doun,
He wolde noght ayein the toun   1700
Ben armed, for the love of hire.
And so me thenketh, lieve Sire,
A man of armes mai him reste   P. ii. 59
Somtime in hope for the beste,
If he mai finde a weie nerr.
What scholde I thanne go so ferr
In strange londes many a mile
To ryde, and lese at hom therwhile
Mi love? It were a schort beyete
To winne chaf and lese whete.   1710
Bot if mi ladi bidde wolde,
That I for hire love scholde
Travaile, me thenkth trewely
I mihte fle thurghout the Sky,
And go thurghout the depe Se,
For al ne sette I at a stre
What thonk that I mihte elles gete.
What helpeth it a man have mete,
Wher drinke lacketh on the bord?
What helpeth eny mannes word   1720
To seie hou I travaile faste,
Wher as me faileth ate laste
That thing which I travaile fore?

   1690 As] And B   for to (forto) ride H₁ ... B₂   1693 herd
it] it herd A, Δ   herd M   1701 the *om.* AM   1705 weie]
werre B   1706 go þan (þen) AM   go þanne W   1708 þe while
H₁XE ... B₂, W   my while G   þat while M, Δ

[ARGUMENTS TO THE CONTRARY.]

O in good time were he bore,
That mihte atteigne such a mede.
Bot certes if I mihte spede
With eny maner besinesse
Of worldes travail, thanne I gesse,
Ther scholde me non ydelschipe
Departen fro hir ladischipe.   1730
Bot this I se, on daies nou
The blinde god, I wot noght hou,
Cupido, which of love is lord,   P. ii. 60
He set the thinges in discord,
That thei that lest to love entende
Fulofte he wole hem yive and sende
Most of his grace; and thus I finde
That he that scholde go behinde,
Goth many a time ferr tofore:
So wot I noght riht wel therfore,   1740
On whether bord that I schal seile.
Thus can I noght miself conseile,
Bot al I sette on aventure,
And am, as who seith, out of cure
For ought that I can seie or do:
For everemore I finde it so,
The more besinesse I leie,
The more that I knele and preie
With goode wordes and with softe,
The more I am refused ofte,   1750
With besinesse and mai noght winne.
And in good feith that is gret Sinne;
For I mai seie, of dede and thoght
That ydel man have I be noght;
For hou as evere I be deslaied,
Yit evermore I have assaied.
Bot thogh my besinesse laste,
Al is bot ydel ate laste,
For whan theffect is ydelnesse,
I not what thing is besinesse.   1760
Sei, what availeth al the dede,

1738 that] which AJH₁ ... B₂   1740 So þat I not H₁ ... B₂
1752 that] it B

Which nothing helpeth ate nede?
For the fortune of every fame   P. ii. 61
Schal of his ende bere a name.
And thus for oght is yit befalle,
An ydel man I wol me calle
As after myn entendement :
Bot upon youre amendement,
Min holi fader, as you semeth,   [THE CONFESSOR RE-
Mi reson and my cause demeth.   1770   PLIES.]
    Mi Sone, I have herd thi matiere,   Confessor.
Of that thou hast thee schriven hiere :
And forto speke of ydel fare,
Me semeth that thou tharst noght care,
Bot only that thou miht noght spede.
And therof, Sone, I wol thee rede,
Abyd, and haste noght to faste ;
Thi dees ben every dai to caste,
Thou nost what chance schal betyde.
Betre is to wayte upon the tyde   1780
Than rowe ayein the stremes stronge :
For thogh so be thee thenketh longe,
Per cas the revolucion
Of hevene and thi condicion
Ne be noght yit of on acord.
Bot I dar make this record
To Venus, whos Prest that I am,
That sithen that I hidir cam
To hiere, as sche me bad, thi lif,
Wherof thou elles be gultif,   1790
Thou miht hierof thi conscience
Excuse, and of gret diligence,
Which thou to love hast so despended,   P. ii. 62
Thou oghtest wel to be comended.
Bot if so be that ther oght faile,
Of that thou slowthest to travaile
In armes forto ben absent,
And for thou makst an argument
Of that thou seidest hiere above,
Hou Achilles thurgh strengthe of love   1800

1769 you] ȝe A ... B₂ (*except* G)   1780 Bet B

[THE CONFESSOR REPLIES.]

Hise armes lefte for a throwe,
Thou schalt an other tale knowe,
Which is contraire, as thou schalt wite.
For this a man mai finde write,
Whan that knyhthode schal be werred,
Lust mai noght thanne be preferred;
The bedd mot thanne be forsake
And Schield and spere on honde take,
Which thing schal make hem after glade,
Whan thei ben worthi knihtes made.   1810
Wherof, so as it comth to honde,
A tale thou schalt understonde,
Hou that a kniht schal armes suie,
And for the while his ese eschuie.

[TALE OF NAUPLUS AND ULYSSES.]

Hic dicit quod amoris delectamento postposito miles arma sua preferre debet: Et ponit exemplum de Vlixe, cum ipse a bello Troiano propter amorem Penolope remanere domi voluisset, Nauplus pater Palamades eum tantis sermonibus allocutus est, quod Vlixes thoro sue coniugis relicto labores armorum vna cum aliis Troie magnanimus subiba

Upon knyhthode I rede thus,
How whilom whan the king Nauplus,
The fader of Palamades,
Cam forto preien Ulixes
With othre Gregois ek also,
That he with hem to Troie go,   1820
Wher that the Siege scholde be,
Anon upon Penolope
His wif, whom that he loveth hote,   P. ii. 63
Thenkende, wolde hem noght behote.
Bot he schop thanne a wonder wyle,
How that he scholde hem best beguile,
So that he mihte duelle stille
At home and welde his love at wille:
Wherof erli the morwe day
Out of his bedd, wher that he lay,   1830
Whan he was uppe, he gan to fare
Into the field and loke and stare,
As he which feigneth to be wod:
He tok a plowh, wher that it stod,
Wherinne anon in stede of Oxes
He let do yoken grete foxes,
And with gret salt the lond he siew.
But Nauplus, which the cause kniew,

1805 knythode F   1816 Namplus T (*and so afterwards*)   1833
which] þat M ... B₂   feigned B₂, B   1838 Namplus J, BT

LIBER QUARTUS

Ayein the sleihte which he feigneth [TALE OF NAUPLUS
An other sleihte anon ordeigneth. 1840 AND ULYSSES.]
And fell that time Ulixes hadde
A chyld to Sone, and Nauplus radde
How men that Sone taken scholde,
And setten him upon the Molde,
Wher that his fader hield the plowh,
In thilke furgh which he tho drowh.
For in such wise he thoghte assaie,
Hou it Ulixes scholde paie,
If that he were wod or non.
   The knihtes for this child forthgon; 1850
Thelamacus anon was fett,
Tofore the plowh and evene sett,
Wher that his fader scholde dryve. P. ii. 64
Bot whan he sih his child, als blyve
He drof the plowh out of the weie,
And Nauplus tho began to seie,
And hath half in a jape cryd:
'O Ulixes, thou art aspyd:
What is al this thou woldest meene?
For openliche it is now seene 1860
That thou hast feigned al this thing,
Which is gret schame to a king,
Whan that for lust of eny slowthe
Thou wolt in a querele of trowthe
Of armes thilke honour forsake,
And duelle at hom for loves sake:
For betre it were honour to winne
Than love, which likinge is inne.
Forthi tak worschipe upon honde,
And elles thou schalt understonde 1870
These othre worthi kinges alle
Of Grece, which unto thee calle,
Towardes thee wol be riht wrothe,
And grieve thee per chance bothe:
Which schal be tothe double schame

1850 The] This AJH₁ . . . B₂   These M   forþgon A, F   forþ
gon JC, SB   1872 which J, B, F   whiche AC   1875 toþe A, F
to þe JC, B &c.

[TALE OF NAUPLUS AND ULYSSES.]

Most for the hindrynge of thi name,
That thou for Slouthe of eny love
Schalt so thi lustes sette above
And leve of armes the knyhthode,
Which is the pris of thi manhode
And oghte ferst to be desired.'
Bot he, which hadde his herte fyred
Upon his wif, whan he this herde,
Noght o word therayein ansuerde,
Bot torneth hom halvinge aschamed,
And hath withinne himself so tamed
His herte, that al the sotie
Of love for chivalerie
He lefte, and be him lief or loth,
To Troie forth with hem he goth,
That he him mihte noght excuse.
Thus stant it, if a knyht refuse
The lust of armes to travaile,
Ther mai no worldes ese availe,
Bot if worschipe be with al.
And that hath schewed overal;
For it sit wel in alle wise
A kniht to ben of hih emprise
And puten alle drede aweie;
For in this wise, I have herd seie,
 The worthi king Protheselai
On his passage wher he lai
Towardes Troie thilke Siege,
Sche which was al his oghne liege,
Laodomie his lusti wif,
Which for his love was pensif,
As he which al hire herte hadde,
Upon a thing wherof sche dradde
A lettre, forto make him duelle
Fro Troie, sende him, thus to telle,
Hou sche hath axed of the wyse
Touchende of him in such a wise,
That thei have don hire understonde,

1880

P. ii. 65

1890

1900

1910

P. ii. 66

[EXAMPLES OF PROWESS. PROTESILAUS.]

Hic narrat super eodem qualiter Laodomia Regis Protheselai vxor, volens ipsum a bello Troiano secum retinere, fatatam sibi mortem in portu Troie prenunciauit: set ipse miliciam pocius quam ocia affectans, Troiam adiit, vbi sue mortis precio perpetue laudis Cronicam ademit.

1892 king C, B   1893 lust AJ, SB   luste F   1901 Prothefelay H₁G ... B₂, B

LIBER QUARTUS

Towardes othre hou so it stonde,
The destine it hath so schape
That he schal noght the deth ascape
In cas that he arryve at Troie.
Forthi as to hir worldes joie
With al hire herte sche him preide,
And many an other cause alleide,   1920
That he with hire at home abide.
Bot he hath cast hir lettre aside,
As he which tho no maner hiede
Tok of hire wommannysshe drede;
And forth he goth, as noght ne were,
To Troie, and was the ferste there
Which londeth, and tok arryvaile :
For him was levere in the bataille,
He seith, to deien as a knyht,
Than forto lyve in al his myht   1930
And be reproeved of his name.
Lo, thus upon the worldes fame
Knyhthode hath evere yit be set,
Which with no couardie is let.

   Of king Saül also I finde,
Whan Samuel out of his kinde,
Thurgh that the Phitonesse hath lered,
In Samarie was arered
Long time after that he was ded,
The king Saül him axeth red,   1940
If that he schal go fyhte or non.
And Samuel him seide anon,
'The ferste day of the bataille   P. ii. 67
Thou schalt be slain withoute faile
And Jonathas thi Sone also.'
Bot hou as evere it felle so,
This worthi kniht of his corage
Hath undertake the viage,
And wol noght his knyhthode lette
For no peril he couthe sette;   1950

[EXAMPLES OF PROW-
ESS. PROTESILAUS.]

[SAUL.]
Adhuc super eodem, qualiter Rex Saul, non obstante quod per Samuelem a Phitonissa suscitatum et coniuratum responsum, quod ipse in bello moreretur, accepisset, hostes tamen suos aggrediens milicie famam cunctis huius vite blandimentis preposuit.

1916 the deth] þe day X ... B₂   1922 hir] his H₁ ... CB₂
this L   1928 the *om.* H₁XGE, B   1940 axeþ him H₁ ... B₂, W
1944 beslain F
**   A a

[SAUL.]

Wherof that bothe his Sone and he
Upon the Montz of Gelboë
Assemblen with here enemys:
For thei knyhthode of such a pris
Be olde daies thanne hielden,
That thei non other thing behielden.
And thus the fader for worschipe
Forth with his Sone of felaschipe
Thurgh lust of armes weren dede,
As men mai in the bible rede;   1960
The whos knyhthode is yit in mende,
And schal be to the worldes ende.

And forto loken overmore,
It hath and schal ben evermore
That of knihthode the prouesse
Is grounded upon hardinesse
Of him that dar wel undertake.
And who that wolde ensample take
Upon the forme of knyhtes lawe,
How that Achilles was forthdrawe   1970
With Chiro, which Centaurus hihte,
Of many a wondre hiere he mihte.
For it stod thilke time thus,   P. ii. 68
That this Chiro, this Centaurus,
Withinne a large wildernesse,
Wher was Leon and Leonesse,
The Lepard and the Tigre also,
With Hert and Hynde, and buck and doo,
Hadde his duellinge, as tho befell,
Of Pileon upon the hel,   1980
Wherof was thanne mochel speche.
Ther hath Chiro this Chyld to teche,
What time he was of tuelve yer age;
Wher forto maken his corage
The more hardi be other weie,
In the forest to hunte and pleie
Whan that Achilles walke wolde,

[EDUCATION OF ACHILLES.]

Hic loquitur quod miles in suis primordiis ad audaciam prouocari debet. Et narrat qualiter Chiro Centaurus Achillem, quem secum ab infancia in monte Pileon educauit, vt audax efficeretur, primitus edocuit, quod cum ipse venacionibus ibidem insisteret, leones et tigrides huiusmodique animalia sibi resistencia et nulla alia fugitiua agitaret. Et sic Achilles in iuuentute animatus famosissime milicie probitatem postmodum adoptauit.

1966 hardiesse AH₁XGECB₂   hardiest L   1975 *margin*
exagitaret SBΔΛ (*Latin om.* AdT)   1978 and *om.* MXGL, B, W
margin optauit A

LIBER QUARTUS

[EDUCATION OF ACHILLES.]

Centaurus bad that he ne scholde
After no beste make his chace,
Which wolde flen out of his place,   1990
As buck and doo and hert and hynde,
With whiche he mai no werre finde;
Bot tho that wolden him withstonde,
Ther scholde he with his Dart on honde
Upon the Tigre and the Leon
Pourchace and take his veneison,
As to a kniht is acordant.
And therupon a covenant
This Chiro with Achilles sette,
That every day withoute lette   2000
He scholde such a cruel beste
Or slen or wounden ate leste,
So that he mihte a tokne bringe   P. ii. 69
Of blod upon his hom cominge.
And thus of that Chiro him tawhte
Achilles such an herte cawhte,
That he nomore a Leon dradde,
Whan he his Dart on honde hadde,
Thanne if a Leon were an asse:
And that hath mad him forto passe   2010
Alle othre knihtes of his dede,
Whan it cam to the grete nede,
As it was afterward wel knowe.

[PROWESS.]
Confessor.

    Lo, thus, my Sone, thou miht knowe
That the corage of hardiesce
Is of knyhthode the prouesce,
Which is to love sufficant
Aboven al the remenant
That unto loves court poursuie.
Bot who that wol no Slowthe eschuie,   2020
Upon knihthode and noght travaile,
I not what love him scholde availe;
Bot every labour axeth why
Of som reward, wherof that I

1996 make BTΛ   2008 in honde MX ... B₂, W   2010 mad (maad) AJC, T   made B, F   2012 to *om.* B   2015 hardiesce AC, F   hardinesse J, SB   2020 Bot] That H₁ ... B₂

A a 2

[PROWESS.]

Amans.
Confessor.

Ensamples couthe telle ynowe
Of hem that toward love drowe
Be olde daies, as thei scholde.
Mi fader, therof hiere I wolde.
Mi Sone, it is wel resonable, 2030
In place which is honorable
If that a man his herte sette,
That thanne he for no Slowthe lette
To do what longeth to manhede.   P. ii. 70
For if thou wolt the bokes rede
Of Lancelot and othre mo,
Ther miht thou sen hou it was tho
Of armes, for thei wolde atteigne
To love, which withoute peine
Mai noght be gete of ydelnesse.
And that I take to witnesse 2040
An old Cronique in special,
The which into memorial
Is write, for his loves sake
Hou that a kniht schal undertake.

[TALE OF HERCULES
AND ACHELONS.]

Hic dicit, quod Miles priusquam amoris amplexu dignus efficiatur, euentus bellicos victoriosus amplectere debet. Et narrat qualiter Hercules et Achelons propter Deianiram Calidonie Regis filiam singulare duellum adinuicem inierunt, cuius victor Hercules existens armorum meritis amorem virginis laudabiliter conquestauit.

Ther was a king, which Oënes
Was hote, and he under his pes
Hield Calidoyne in his Empire,
And hadde a dowhter Deianire.
Men wiste in thilke time non
So fair a wiht as sche was on; 2050
And as sche was a lusti wiht,
Riht so was thanne a noble kniht,
To whom Mercurie fader was.
This kniht the tuo pilers of bras,
The whiche yit a man mai finde,
Sette up in the desert of Ynde;
That was the worthi Hercules,
Whos name schal ben endeles
For the merveilles whiche he wroghte.
This Hercules the love soghte 2060

2034 the] þy (thi) H₁, BTΛ   *om.* Ad   2039 begete FH₃
2045 Cenes L, BΛ   seues M   2052 propter *om.* H₁ ... B₂
2055 *margin* armorum] amorum RCLB₂

LIBER QUARTUS

Of Deianire, and of this thing [TALE OF HERCULES
Unto hir fader, which was king, AND ACHELONS.]
He spak touchende of Mariage. P. ii. 71
The king knowende his hih lignage,
And dradde also hise mihtes sterne,
To him ne dorste his dowhter werne;
And natheles this he him seide,
How Achelons er he ferst preide
To wedden hire, and in accord
Thei stode, as it was of record: 2070
Bot for al that this he him granteth,
That which of hem that other daunteth
In armes, him sche scholde take,
And that the king hath undertake.
This Achelons was a Geant,
A soubtil man, a deceivant,
Which thurgh magique and sorcerie
Couthe al the world of tricherie:
And whan that he this tale herde,
Hou upon that the king ansuerde 2080
With Hercules he moste feighte,
He tristeth noght upon his sleighte
Al only, whan it comth to nede,
Bot that which voydeth alle drede
And every noble herte stereth,
The love, that no lif forbereth,
For his ladi, whom he desireth,
With hardiesse his herte fyreth,
And sende him word withoute faile
That he wol take the bataille. 2090
Thei setten day, thei chosen field,
The knihtes coevered under Schield
Togedre come at time set, P. ii. 72
And echon is with other met.
It fell thei foghten bothe afote,
Ther was no ston, ther was no rote,
Which mihte letten hem the weie,
But al was voide and take aweie.

2072 dãnteþ F daunteþ C, B danteþ AJ, S   2088 hardiesse
A, F hardinesse J, SB

[TALE OF HERCULES
AND ACHELONS.]

Thei smyten strokes bot a fewe,
For Hercules, which wolde schewe 2100
His grete strengthe as for the nones,
He sterte upon him al at ones
And cawhte him in hise armes stronge.
This Geant wot he mai noght longe
Endure under so harde bondes,
And thoghte he wolde out of hise hondes
Be sleyhte in som manere ascape.
And as he couthe himself forschape,
In liknesse of an Eddre he slipte
Out of his hond, and forth he skipte; 2110
And efte, as he that feighte wole,
He torneth him into a Bole,
And gan to belwe of such a soun,
As thogh the world scholde al go doun:
The ground he sporneth and he tranceth,
Hise large hornes he avanceth
And caste hem here and there aboute.
Bot he, which stant of him no doute,
Awaiteth wel whan that he cam,
And him be bothe hornes nam 2120
And al at ones he him caste
Unto the ground, and hield him faste,
That he ne mihte with no sleighte   P. ii. 73
Out of his hond gete upon heighte,
Til he was overcome and yolde,
And Hercules hath what he wolde.
The king him granteth to fulfille
His axinge at his oghne wille,
And sche for whom he hadde served,
Hire thoghte he hath hire wel deserved. 2130
And thus with gret decerte of Armes
He wan him forto ligge in armes,
As he which hath it dere aboght,
For otherwise scholde he noght.

[PENTHESILEA.]
Nota de Pantasilea

And overthis if thou wolt hiere
Upon knihthode of this matiere,

2118 hem SBT   2135 ouerþis A, F   ouer þis J, SB   2136 of]
in A ... B₂

LIBER QUARTUS

Hou love and armes ben aqueinted,
A man mai se bothe write and peinted
So ferforth that Pantasilee,
Which was the queene of Feminee, 2140
The love of Hector forto sieke
And for thonour of armes eke,
To Troie cam with Spere and Schield,
And rod hirself into the field
With Maidens armed al a route
In rescouss of the toun aboute,
Which with the Gregois was belein.
   Fro Pafagoine and as men sein,
Which stant upon the worldes ende,
That time it likede ek to wende 2150
To Philemenis, which was king,
To Troie, and come upon this thing
In helpe of thilke noble toun;   P. ii. 74
And al was that for the renoun
Of worschipe and of worldes fame,
Of which he wolde bere a name:
And so he dede, and forth withal
He wan of love in special
A fair tribut for everemo.
   For it fell thilke time so; 2160
Pirrus the Sone of Achilles
This worthi queene among the press
With dedli swerd soghte out and fond,
And slowh hire with his oghne hond;
Wherof this king of Pafagoine
Pantasilee of Amazoine,
Wher sche was queene, with him ladde,
With suche Maidens as sche hadde
Of hem that were left alyve,
Forth in his Schip, til thei aryve; 2170
Wher that the body was begrave
With worschipe, and the wommen save.
And for the goodschipe of this dede
Thei granten him a lusti mede,

[PENTHESILEA.]
Amazonie Regina, que Hectoris amore colligata contra Pirrum Achillis filium apud Troiam arma ferre eciam personaliter non recusauit.

[PHILEMENIS.]
Nota qualiter Philemenis propter milicie famam a finibus terre in defensionem Troie veniens tres puellas a Regno Amazonie quolibet anno percipiendas sibi et heredibus suis impertuum ea de causa habere promeruit.

2153 *margin* Amozonie H₁ ... B₂ (*except* G), B   2165 þe king H₁ ... B₂   2166 of Amozoine H₁ ... RLB₂ and Amozoine C

[PHILEMENIS.]

That every yeer as for truage
To him and to his heritage
Of Maidens faire he schal have thre.
And in this wise spedde he,
Which the fortune of armes soghte,
With his travail his ese he boghte; 2180
For otherwise he scholde have failed,
If that he hadde noght travailed.

[ENEAS.]

Nota pro eo quod Eneas Regem Turnum in bello deuicit, non solum amorem Lavine, set et regnum Ytalie sibi subiugatum obtinuit.

　　Eneas ek withinne Ytaile, P. ii. 75
Ne hadde he wonne the bataille
And don his miht so besily
Ayein king Turne his enemy,
He hadde noght Lavine wonne;
Bot for he hath him overronne
And gete his pris, he gat hire love.
　　Be these ensamples here above, 2190
Lo, now, mi Sone, as I have told,
Thou miht wel se, who that is bold
And dar travaile and undertake
The cause of love, he schal be take
The rathere unto loves grace;
For comunliche in worthi place
The wommen loven worthinesse

[GENTILESSE.]

Hic dicit, quod generosi in amoris causa sepius preferuntur. Super quo querit Amans, Quid sit generositas : cuius veritatem questionis Confessor per singula dissoluit.

Of manhode and of gentilesse,
For the gentils ben most desired.
　　Mi fader, bot I were enspired 2200
Thurgh lore of you, I wot no weie
What gentilesce is forto seie,
Wherof to telle I you beseche.
　　The ground, Mi Sone, forto seche
Upon this diffinicion,
The worldes constitucion
Hath set the name of gentilesse
Upon the fortune of richesse
Which of long time is falle in age.
Thanne is a man of hih lignage 2210
After the forme, as thou miht hiere,

2175 as for] for his BT　　2186 margin Lavine] set vine A　se uine M　　2189 And gete] He gette (gete, get) X . . . B2　He gate H1　And gat M, W　　2199 ff. margin Hic dicit—dissoluit om. B

LIBER QUARTUS

Bot nothing after the matiere.   [GENTILESSE.]
For who that resoun understonde,   **P. ii. 76**
Upon richesse it mai noght stonde,
For that is thing which faileth ofte :
For he that stant to day alofte
And al the world hath in hise wones,
Tomorwe he falleth al at ones
Out of richesse into poverte,
So that therof is no decerte,   2220
Which gentilesce makth abide.
And forto loke on other side
Hou that a gentil man is bore,
Adam, which alle was tofore
With Eve his wif, as of hem tuo,
Al was aliche gentil tho ;
So that of generacion
To make declaracion,
Ther mai no gentilesce be.
For to the reson if we se,   2230
Of mannes berthe the mesure,
It is so comun to nature,
That it yifth every man aliche,
Als wel to povere as to the riche ;
For naked thei ben bore bothe,
The lord nomore hath forto clothe
As of himself that ilke throwe,
Than hath the povereste of the rowe.
And whan thei schulle bothe passe,
I not of hem which hath the lasse   2240
Of worldes good, bot as of charge
The lord is more forto charge,
Whan god schal his accompte hiere,   **P. ii. 77**
For he hath had hise lustes hiere.
Bot of the bodi, which schal deie,   *Omnes quidem ad*
Althogh ther be diverse weie   *vnum finem tendimus,*
To deth, yit is ther bot on ende,   *set diuerso tramite.*

2218 faileþ H₁GRCLB₂, Δ   2224 þe which al was X ... B₂
the wiche was alle H₁   2227 gouernacioun AM   2234 the
om. H₁XECLB₂, Ad, WH₃   (to *om.* R)   2241 as of] ȝit of H₁ ...
B₂ of W

[GENTILESSE.]

To which that every man schal wende,
Als wel the beggere as the lord,
Of o nature, of on acord :   2250
Sche which oure Eldemoder is,
The Erthe, bothe that and this
Receiveth and alich devoureth,
That sche to nouther part favoureth.
So wot I nothing after kinde
Where I mai gentilesse finde.

 For lacke of vertu lacketh grace,
Wherof richesse in many place,
Whan men best wene forto stonde,
Al sodeinly goth out of honde :   2260
Bot vertu set in the corage,
Ther mai no world be so salvage,
Which mihte it take and don aweie,
Til whanne that the bodi deie;
And thanne he schal be riched so,
That it mai faile neveremo;
So mai that wel be gentilesse,
Which yifth so gret a sikernesse.
For after the condicion
Of resonable entencion,   2270
The which out of the Soule groweth
And the vertu fro vice knoweth,
Wherof a man the vice eschuieth,   P. ii. 78
Withoute Slowthe and vertu suieth,
That is a verrai gentil man,
And nothing elles which he can,
Ne which he hath, ne which he mai.
Bot for al that yit nou aday,
In loves court to taken hiede,
The povere vertu schal noght spiede,   2280
Wher that the riche vice woweth;
For sielde it is that love alloweth
The gentil man withoute good,

2251 Eldemoder (elde moder) AJH₁ &c., SAd, FH₃ eldirmodir (eldermoder) L, Δ oldmoder M olde moder BT alder moder W
2254 he B   2259 wene best to H₁ ... B₂, W wene best for to M
2278 aday J, F   a day (a dai) AC, SB

LIBER QUARTUS 363

  Thogh his condicion be good.   [GENTILESSE.]
Bot if a man of bothe tuo
Be riche and vertuous also,
Thanne is he wel the more worth:
Bot yit to putte himselve forth
He moste don his besinesse,
For nowther good ne gentilesse   2290
Mai helpen hem whiche ydel be.
  Bot who that wole in his degre   [EFFECTS OF LOVE.]
Travaile so as it belongeth,
It happeth ofte that he fongeth
Worschipe and ese bothe tuo.
For evere yit it hath be so,
That love honeste in sondri weie
Profiteth, for it doth aweie
The vice, and as the bokes sein,
It makth curteis of the vilein,   2300
And to the couard hardiesce
It yifth, so that verrai prouesse
Is caused upon loves reule   P. ii. 79
To him that can manhode reule;
And ek toward the wommanhiede,
Who that therof wol taken hiede,
For thei the betre affaited be
In every thing, as men may se.
For love hath evere hise lustes grene
In gentil folk, as it is sene,   2310
Which thing ther mai no kinde areste:
I trowe that ther is no beste,
If he with love scholde aqueinte,
That he ne wolde make it queinte
As for the while that it laste.
And thus I conclude ate laste,
That thei ben ydel, as me semeth,
Whiche unto thing that love demeth
Forslowthen that thei scholden do.
  And overthis, mi Sone, also   2320
After the vertu moral eke   Nota de amore cari-

2295 ese] eek (ek) XG, BTΛ   2300 the *om.* H₁E, BTΛ   2307
thei] þough BT   2311 areste] haue reste AM

tatis, vbi dicit, Qui non diligit, manet in morte.

[LOVE CONTRARY TO SLOTH.]

To speke of love if I schal seke,
Among the holi bokes wise
I finde write in such a wise,
'Who loveth noght is hier as ded';
For love above alle othre is hed,
Which hath the vertus forto lede,
Of al that unto mannes dede
Belongeth: for of ydelschipe
He hateth all the felaschipe.   2330
For Slowthe is evere to despise,
Which in desdeign hath al apprise,
And that acordeth noght to man: P. ii. 80
For he that wit and reson kan,
It sit him wel that he travaile
Upon som thing which mihte availe,
For ydelschipe is noght comended,
Bot every lawe it hath defended.
And in ensample therupon
    The noble wise Salomon,   2340
Which hadde of every thing insihte,
Seith, 'As the briddes to the flihte
Ben made, so the man is bore
To labour,' which is noght forbore
To hem that thenken forto thryve.
For we, whiche are now alyve,
Of hem that besi whylom were,

Apostolus. Quecumque scripta sunt, ad nostram doctrinam scripta sunt.

Als wel in Scole as elleswhere,
Mowe every day ensample take,
That if it were now to make   2350
Thing which that thei ferst founden oute,
It scholde noght be broght aboute.
Here lyves thanne were longe,
Here wittes grete, here mihtes stronge,
Here hertes ful of besinesse,
Wherof the worldes redinesse
In bodi bothe and in corage
Stant evere upon his avantage.

2324 awise F   2325 as hier is ded BT   2330 all the] alle
(al) A...CB₂   2348 ff. *margin* Apostolus—scripta sunt *om.* S...Δ
2351 S *has lost a leaf* (ll. 2351-2530)

LIBER QUARTUS

    And forto drawe into memoire
    Here names bothe and here histoire,   2360
    Upon the vertu of her dede
    In sondri bokes thou miht rede.

vii. *Expedit in manibus labor, vt de cotidianis*   **P. ii. 81** [USES OF LABOUR.]
Actibus ac vita viuere possit homo.
Set qui doctrine causa fert mente labores,
Preualet et merita perpetuata parat.

    Of every wisdom the parfit
    The hyhe god of his spirit
    Yaf to the men in Erthe hiere   Hic loquitur contra
    Upon the forme and the matiere   ociosos quoscumque,
    Of that he wolde make hem wise: et maxime contra is-
    And thus cam in the ferste apprise   prudencie ingenium
    Of bokes and of alle goode   habentes absque fruc-
    Thurgh hem that whilom understode 2370 Et ponit exemplum de
    The lore which to hem was yive,   sorum, qui ad tocius
    Wherof these othre, that now live,   humani generis doc-
    Ben every day to lerne newe.   continuis laboribus et
    Bot er the time that men siewe,   studiis, gracia medi-
    And that the labour forth it broghte,   sciencias primitus in-
    Ther was no corn, thogh men it soghte, uenerunt.
    In non of al the fieldes oute;
    And er the wisdom cam aboute
    Of hem that ferst the bokes write,
    This mai wel every wys man wite,   2380
    Ther was gret labour ek also.
    Thus was non ydel of the tuo,
    That on the plogh hath undertake
    With labour which the hond hath take,
    That other tok to studie and muse,
    As he which wolde noght refuse
    The labour of hise wittes alle.
    And in this wise it is befalle,
    Of labour which that thei begunne
    We be now tawht of that we kunne: 2390
    Here besinesse is yit so seene,   **P. ii. 82**

Latin Verses vii. 1 in] de B
2373 *margin* et laboribus AM   2377 al F ałł J alle A, B   2391 so] to BTΔ

[DISCOVERERS AND INVENTORS.]

That it stant evere alyche greene;
Al be it so the bodi deie,
The name of hem schal nevere aweie.
In the Croniqes as I finde,
 Cham, whos labour is yit in minde,
Was he which ferst the lettres fond
And wrot in Hebreu with his hond:
Of naturel Philosophie
He fond ferst also the clergie. 2400
 Cadmus the lettres of Gregois
Ferst made upon his oghne chois.
 Theges of thing which schal befalle,
He was the ferste Augurre of alle:
And Philemon be the visage
Fond to descrive the corage.
 Cladyns, Esdras and Sulpices,
Termegis, Pandulf, Frigidilles,
Menander, Ephiloquorus,
Solins, Pandas and Josephus 2410
The ferste were of Enditours,
Of old Cronique and ek auctours:
And Heredot in his science
Of metre, of rime and of cadence
The ferste was of which men note.
 And of Musique also the note
In mannes vois or softe or scharpe,
That fond Jubal; and of the harpe
The merie soun, which is to like,
That fond Poulins forth with phisique. 2420
 Zenzis fond ferst the pourtreture, **P. ii. 83**
And Promotheüs the Sculpture;
After what forme that hem thoghte,
The resemblance anon thei wroghte.
 Tubal in Iren and in Stel
Fond ferst the forge and wroghte it wel:
 And Jadahel, as seith the bok,
Ferst made Net and fisshes tok:
Of huntynge ek he fond the chace,

2397 lettre BT   2407 Eldras H₁ ... B₂, Λ   2414 and rime AJMX ... B₂

LIBER QUARTUS

Which now is knowe in many place: 2430 [DISCOVERERS AND
A tente of cloth with corde and stake   INVENTORS.]
He sette up ferst and dede it make.
   Verconius of cokerie
Ferst made the delicacie.
   The craft Minerve of wolle fond
And made cloth hire oghne hond;
   And Delbora made it of lyn:
Tho wommen were of great engyn.
   Bot thing which yifth ous mete and drinke
And doth the labourer to swinke 2440
To tile lond and sette vines,
Wherof the cornes and the wynes
Ben sustenance to mankinde,
In olde bokes as I finde,
Saturnus of his oghne wit
Hath founde ferst, and more yit
Of Chapmanhode he fond the weie,
And ek to coigne the moneie
Of sondri metall, as it is,
He was the ferste man of this. 2450
   Bot hou that metall cam a place P. ii. 84
Thurgh mannes wit and goddes grace
The route of Philosophres wise
Controeveden be sondri wise,
Ferst forto gete it out of Myne,
And after forto trie and fyne.
   And also with gret diligence   [ALCHEMY.]
Thei founden thilke experience,   Nota de Alconomia.
Which cleped is Alconomie,
Wherof the Selver multeplie 2460
Thei made and ek the gold also.
And forto telle hou it is so,
Of bodies sevene in special
With foure spiritz joynt withal
Stant the substance of this matiere.
The bodies whiche I speke of hiere
Of the Planetes ben begonne:
The gold is titled to the Sonne,

2433 Herconius H₁XGECLB₂, BΛ Hercenius R Berconius T, H₃

[ALCHEMY.]

  The mone of Selver hath his part,
And Iren that stant upon Mart,   2470
The Led after Satorne groweth,
And Jupiter the Bras bestoweth,
The Coper set is to Venus,
And to his part Mercurius
Hath the quikselver, as it falleth,
The which, after the bok it calleth,
Is ferst of thilke fowre named
Of Spiritz, whiche ben proclamed;
And the spirit which is secounde
In Sal Armoniak is founde: 2480
The thridde spirit Sulphur is;   **P. ii. 85**
The ferthe suiende after this
Arcennicum be name is hote.
With blowinge and with fyres hote
In these thinges, whiche I seie,
Thei worchen be diverse weie.
For as the philosophre tolde
Of gold and selver, thei ben holde
Tuo principal extremites,
To whiche alle othre be degres   2490
Of the metalls ben acordant,
And so thurgh kinde resemblant,
That what man couthe aweie take
The rust, of which thei waxen blake,
And the savour and the hardnesse,
Thei scholden take the liknesse
Of gold or Selver parfitly.
  Bot forto worche it sikirly,
Betwen the corps and the spirit,
Er that the metall be parfit,   2500
In sevene formes it is set;
Of alle and if that on be let,
The remenant mai noght availe,
Bot otherwise it mai noght faile.
For thei be whom this art was founde
To every point a certain bounde
Ordeignen, that a man mai finde

2477 Is] The B   2501 as it is set H₁ . . . B₂

LIBER QUARTUS

This craft is wroght be weie of kinde,   [ALCHEMY.]
So that ther is no fallas inne.
Bot what man that this werk beginne,   2510
He mot awaite at every tyde,   P. ii. 86
So that nothing be left aside,
Ferst of the distillacion,
Forth with the congelacion,
Solucion, descencion,
And kepe in his entencion
The point of sublimacion,
And forth with calcinacion
Of veray approbacion
Do that ther be fixacion   2520
With tempred hetes of the fyr,
Til he the parfit Elixir
Of thilke philosophres Ston
Mai gete, of which that many on
Of Philosophres whilom write.
And if thou wolt the names wite
Of thilke Ston with othre tuo,
Whiche as the clerkes maden tho,
So as the bokes it recorden,
The kinde of hem I schal recorden.   2530

These olde Philosophres wyse   [THE THREE STONES
Be weie of kinde in sondri wise   OF THE PHILOSO-
Thre Stones maden thurgh clergie.   PHERS.]
The ferste, if I schal specefie,   Nota de tribus lapi-
Was *lapis vegetabilis*,   dibus, quos philosophi
Of which the propre vertu is   composuerunt, quo-
     rum primus dicitur
To mannes hele forto serve,   lapis vegetabilis, qui
As forto kepe and to preserve   sanitatem conseruat,
     secundus dicitur lapis
The bodi fro siknesses alle,   animalis, qui membra
Til deth of kinde upon him falle.   et virtutes sencibiles
     2540 fortificat, tercius dici-
The Ston seconde I thee behote   P. ii. 87 tur lapis mineralis, qui
Is *lapis animalis* hote,   omnia metalla purificat
     et in suum perfectum
The whos vertu is propre and cowth   naturali potencia de-
     ducit.

2512 lefte F   2524 many on F   2531 S *resumes*   The BT
2534 ferste S   ferst AJ, F   2535 *lapis*] cleped BT   2538 As] And
H₁ . . . B₂, Λ   2539 *margin* qui membra] que membra F
sencibiles] sanabiles H₁ . . . B₂, Λ
**   B b

[THE THREE STONES OF THE PHILOSOPHERS.]

For Ere and yhe and nase and mouth,
Wherof a man mai hiere and se
And smelle and taste in his degre,
And forto fiele and forto go
It helpeth man of bothe tuo :
The wittes fyve he underfongeth
To kepe, as it to him belongeth. 2550
  The thridde Ston in special
Be name is cleped Minerall,
Which the metalls of every Mine
Attempreth, til that thei ben fyne,
And pureth hem be such a weie,
That al the vice goth aweie
Of rust, of stink and of hardnesse :
And whan thei ben of such clennesse,
This Mineral, so as I finde,
Transformeth al the ferste kynde 2560
And makth hem able to conceive
Thurgh his vertu, and to receive
Bothe in substance and in figure
Of gold and selver the nature.
For thei tuo ben thextremetes,
To whiche after the propretes
Hath every metal his desir,
With help and confort of the fyr
Forth with this Ston, as it is seid,
Which to the Sonne and Mone is leid ; 2570
For to the rede and to the whyte   P. ii. 88
This Ston hath pouer to profite.
It makth multiplicacioun
Of gold, and the fixacioun
It causeth, and of his habit
He doth the werk to be parfit
Of thilke Elixer which men calle
Alconomie, as is befalle
To hem that whilom weren wise.

2555 aweie F   2556 vice goth] filþe be H₁ . . . B₂, Λ (line om. W)   2562 to om. BT   2565 thextremetes] extremites X . . . B₂, B   2569 ffor AM   þe ston H₁ . . . B₂   2576 He] It S . . . Δ   2578 as] which A . . . B₂

LIBER QUARTUS

Bot now it stant al otherwise; 2580 [THE THREE STONES
Thei speken faste of thilke Ston,   OF THE PHILOSO-
Bot hou to make it, nou wot non   PHERS.]
After the sothe experience.
And natheles gret diligence
Thei setten upon thilke dede,
And spille more than thei spede;
For allewey thei finde a lette,
Which bringeth in poverte and dette
To hem that riche were afore:
The lost is had, the lucre is lore, 2590
To gete a pound thei spenden fyve;
I not hou such a craft schal thryve
In the manere as it is used:
It were betre be refused
Than forto worchen upon weene
In thing which stant noght as thei weene.
Bot noght forthi, who that it knewe,
The science of himself is trewe
Upon the forme as it was founded,
Wherof the names yit ben grounded 2600
Of hem that ferste it founden oute; P. ii. 89
And thus the fame goth aboute
To suche as soghten besinesse
Of vertu and of worthinesse.
Of whom if I the names calle,
  Hermes was on the ferste of alle,   [THE FIRST AL-
To whom this art is most applied;   CHEMISTS.]
Geber therof was magnefied,
And Ortolan and Morien,
Among the whiche is Avicen, 2610
Which fond and wrot a gret partie
The practique of Alconomie;
Whos bokes, pleinli as thei stonde
Upon this craft, fewe understonde;
Bot yit to put hem in assai
Ther ben full manye now aday,
That knowen litel what thei meene.

2587 all weies (alweies) XGRCLB₂   2609 Orcalan H₁ ... B₂
2615 put AJ, S, F   putte C, B

[THE FIRST AL-
CHEMISTS.]

It is noght on to wite and weene;
In forme of wordes thei it trete,
Bot yit they failen of beyete, 2620
For of tomoche or of tolyte
Ther is algate founde a wyte,
So that thei folwe noght the lyne
Of the parfite medicine,
Which grounded is upon nature.
Bot thei that writen the scripture
Of Grek, Arabe and of Caldee,
Thei were of such Auctorite
That thei ferst founden out the weie
Of al that thou hast herd me seie; 2630
Wherof the Cronique of her lore   P. ii. 90
Schal stonde in pris for everemore.

[LETTERS AND
LANGUAGE.]

    Bot toward oure Marches hiere,
Of the Latins if thou wolt hiere,
Of hem that whilom vertuous
Were and therto laborious,
Carmente made of hire engin
The ferste lettres of Latin,
Of which the tunge Romein cam,
Wherof that Aristarchus nam 2640
Forth with Donat and Dindimus
The ferste reule of Scole, as thus,
How that Latin schal be componed
And in what wise it schal be soned,
That every word in his degre
Schal stonde upon congruite.
And thilke time at Rome also
Was Tullius with Cithero,
That writen upon Rethorike,
Hou that men schal the wordes pike 2650
After the forme of eloquence,
Which is, men sein, a gret prudence:

2620 faile of þe beȝete H₁ ... B₂   fallen of b. T   but þei faile ȝit
of b. Δ   2627 of *om*. M, BT, H₃   2629 out] out of AMH₁
2641 ffor B   2642 as SBTΔ   is Ad   and A ... B₂, Δ, FWH₃
2650 schal the wordes] schal þe worde S   shal wordes W   scholde
þe wordes Ad   scholde her wordes B

LIBER QUARTUS

And after that out of Hebreu [LETTERS AND
Jerom, which the langage kneu, LANGUAGE.]
The Bible, in which the lawe is closed,
Into Latin he hath transposed;
And many an other writere ek
Out of Caldee, Arabe and Grek
With gret labour the bokes wise
Translateden. And otherwise 2660
The Latins of hemself also P. ii. 91
Here studie at thilke time so
With gret travaile of Scole toke
In sondri forme forto boke,
That we mai take here evidences
Upon the lore of the Sciences,
Of craftes bothe and of clergie;
Among the whiche in Poesie
To the lovers Ovide wrot
And tawhte, if love be to hot, 2670
In what manere it scholde akiele.

   Forthi, mi Sone, if that thou fiele Confessor
That love wringe thee to sore,
Behold Ovide and take his lore.

   My fader, if thei mihte spede Amans.
Mi love, I wolde his bokes rede;
And if thei techen to restreigne
Mi love, it were an ydel peine
To lerne a thing which mai noght be.
For lich unto the greene tree, 2680
If that men toke his rote aweie,
Riht so myn herte scholde deie,
If that mi love be withdrawe.
Wherof touchende unto this sawe
There is bot only to poursuie
Mi love, and ydelschipe eschuie.

   Mi goode Sone, soth to seie, Confessor.
If ther be siker eny weie
To love, thou hast seid the beste:

2662 and þilke time so H₁ ... RLB₂ and þilke time also C at thilke t. also W at þilke tyme þo M 2674 take AJ, S, F tak C, BT 2676 hise A 2681 take B

  For who that wolde have al his reste   2690
  And do no travail at the nede,   **P. ii. 92**
  It is no resoun that he spede
  In loves cause forto winne;
  For he which dar nothing beginne,
  I not what thing he scholde achieve.
  Bot overthis thou schalt believe,
  So as it sit thee wel to knowe,
  That ther ben othre vices slowe,
  Whiche unto love don gret lette,
  If thou thin herte upon hem sette.   2700

[vi. SOMNOLENCE.]   viii. *Perdit homo causam linquens sua iura sopori,*
   Et quasi dimidium pars sua mortis habet.
   Est in amore vigil Venus, et quod habet vigilanti
   Obsequium thalamis fert vigilata suis.

   Toward the Slowe progenie
   Ther is yit on of compaignie,
Hic loquitur de Sompnolencia, que Accidie Cameraria dicta est, cuius natura semimortua alicuius negocii vigilias obseruare soporifero torpore recusat: vnde quatenus amorem concernit Confessor Amanti diligencius opponit.
   And he is cleped Sompnolence,
   Which doth to Slouthe his reverence,
   As he which is his Chamberlein,
   That many an hundrid time hath lein
   To slepe, whan he scholde wake.
   He hath with love trewes take,
   That wake who so wake wile,
   If he mai couche a doun his bile,   2710
   He hath al wowed what him list;
   That ofte he goth to bedde unkist,
   And seith that for no Druerie
   He wol noght leve his sluggardie.
   For thogh noman it wole allowe,
   To slepe levere than to wowe
   Is his manere, and thus on nyhtes,   **P. ii. 93**
   Whan that he seth the lusti knyhtes
   Revelen, wher these wommen are,
   Awey he skulketh as an hare,   2720
   And goth to bedde and leith him softe,

2704 *margin* Accidia H₁E . . . B₂, W   2707 *margin* sopori fero MH₁ERL, Λ, WH₃   sopori sero XGCB₂, B   2710 a doun C, B, F adoun AJ, S   2711 S *has lost two leaves* (ll. 2711–3078)

LIBER QUARTUS

And of his Slouthe he dremeth ofte [SOMNOLENCE.]
Hou that he stiketh in the Myr,
And hou he sitteth be the fyr
And claweth on his bare schanckes,
And hou he clymbeth up the banckes
And falleth into Slades depe.
Bot thanne who so toke kepe,
Whanne he is falle in such a drem,
Riht as a Schip ayein the Strem, 2730
He routeth with a slepi noise,
And brustleth as a monkes froise,
Whanne it is throwe into the Panne.
And otherwhile sielde whanne
That he mai dreme a lusti swevene,
Him thenkth as thogh he were in hevene
And as the world were holi his:
And thanne he spekth of that and this,
And makth his exposicion
After the disposicion 2740
Of that he wolde, and in such wise
He doth to love all his service;
I not what thonk he schal deserve.
Bot, Sone, if thou wolt love serve,
I rede that thou do noght so.
  Ha, goode fader, certes no. Confessio Amantis.
I hadde levere be mi trowthe, P. ii. 94
Er I were set on such a slouthe
And beere such a slepi snoute,
Bothe yhen of myn hed were oute. 2750
For me were betre fulli die,
Thanne I of such a slugardie
Hadde eny name, god me schilde;
For whan mi moder was with childe,
And I lay in hire wombe clos,
I wolde rathere Atropos,
Which is goddesse of alle deth,
Anon as I hadde eny breth,
Me hadde fro mi Moder cast.
Bot now I am nothing agast, 2760

2743 shal F   2744 wolde A   2760 I am now H₁ ... B₂, Λ

[THE LOVER'S WAKE-
FULNESS.]

I thonke godd; for Lachesis,
Ne Cloto, which hire felawe is,
Me schopen no such destine,
Whan thei at mi nativite
My weerdes setten as thei wolde;
Bot thei me schopen that I scholde
Eschuie of slep the truandise,
So that I hope in such a wise
To love forto ben excused,
That I no Sompnolence have used. 2770
For certes, fader Genius,
Yit into nou it hath be thus,
At alle time if it befelle
So that I mihte come and duelle
In place ther my ladi were,
I was noght slow ne slepi there:
For thanne I dar wel undertake,
That whanne hir list on nyhtes wake
In chambre as to carole and daunce,
Me thenkth I mai me more avaunce, 2780
If I mai gon upon hir hond,
Thanne if I wonne a kinges lond.
For whanne I mai hire hand beclippe,
With such gladnesse I daunce and skippe,
Me thenkth I touche noght the flor;
The Ro, which renneth on the Mor,
Is thanne noght so lyht as I:
So mow ye witen wel forthi,
That for the time slep I hate.
And whanne it falleth othergate, 2790
So that hire like noght to daunce,
Bot on the Dees to caste chaunce
Or axe of love som demande,
Or elles that hir list comaunde
To rede and here of Troilus,
Riht as sche wole or so or thus,
I am al redi to consente.
And if so is that I mai hente

2773 times BT   2788 mow F   mowe AJ, B   2792 a chaunce
H₁ ... RLB₂, BT   his chaunce C   2796 wole or so] wolde so BT

Somtime among a good leisir, [THE LOVER'S WAKE-
So as I dar of mi desir 2800 FULNESS.]
I telle a part; bot whanne I preie,
Anon sche bidt me go mi weie
And seith it is ferr in the nyht;
And I swere it is even liht.
Bot as it falleth ate laste,
Ther mai no worldes joie laste,
So mot I nedes fro hire wende P. ii. 96
And of my wachche make an ende:
And if sche thanne hiede toke,
Hou pitousliche on hire I loke, 2810
Whan that I schal my leve take,
Hire oghte of mercy forto slake
Hire daunger, which seith evere nay.
  Bot he seith often, 'Have good day,'
That loth is forto take his leve:
Therfore, while I mai beleve,
I tarie forth the nyht along,
For it is noght on me along
To slep that I so sone go,
Til that I mot algate so; 2820
And thanne I bidde godd hire se,
And so doun knelende on mi kne
I take leve, and if I schal,
I kisse hire, and go forth withal.
And otherwhile, if that I dore,
Er I come fulli to the Dore,
I torne ayein and feigne a thing,
As thogh I hadde lost a Ring
Or somwhat elles, for I wolde
Kisse hire eftsones, if I scholde, 2830
Bot selden is that I so spede.
And whanne I se that I mot nede
Departen, I departe, and thanne
With al myn herte I curse and banne
That evere slep was mad for yhe;
For, as me thenkth, I mihte dryhe

2802 bidt A, F bit J bid C, B 2822 doun *om.* AM 2826
to the] atte M, B 2833 Departen] Depart(e) and H1 ... B2, BΛ

[THE LOVER'S WAKE-FULNESS.]

Withoute slep to waken evere, P. ii. 97
So that I scholde noght dissevere
Fro hire, in whom is al my liht:
And thanne I curse also the nyht 2840
With al the will of mi corage,
And seie, 'Awey, thou blake ymage,
Which of thi derke cloudy face
Makst al the worldes lyht deface,
And causest unto slep a weie,
Be which I mot nou gon aweie
Out of mi ladi compaignie.
O slepi nyht, I thee defie,
And wolde that thou leye in presse
With Proserpine the goddesse 2850
And with Pluto the helle king:
For til I se the daies spring,
I sette slep noght at a risshe.'
And with that word I sike and wisshe,
And seie, 'Ha, whi ne were it day?
For yit mi ladi thanne I may
Beholde, thogh I do nomore.'
And efte I thenke forthermore,
To som man hou the niht doth ese,
Whan he hath thing that mai him plese 2860
The longe nyhtes be his side,
Where as I faile and go beside.
Bot slep, I not wherof it serveth,
Of which noman his thonk deserveth
To gete him love in eny place,
Bot is an hindrere of his grace
And makth him ded as for a throwe, P. ii. 98
Riht as a Stok were overthrowe.
And so, mi fader, in this wise
The slepi nyhtes I despise, 2870
And evere amiddes of mi tale
I thenke upon the nyhtingale,
Which slepeth noght be weie of kinde
For love, in bokes as I finde.

2846 go now (gon now) M ... B2   2860 mai] might (miȝte)
H1 ... B2   doth W   2867 him A ... B2   hem AdBTΔ, FWH3

Thus ate laste I go to bedde,   [THE LOVER'S WAKE-
And yit min herte lith to wedde   FULNESS.]
With hire, wher as I cam fro;
Thogh I departe, he wol noght so,
Ther is no lock mai schette him oute,
Him nedeth noght to gon aboute,   2880
That perce mai the harde wall;
Thus is he with hire overall,
That be hire lief, or be hire loth,
Into hire bedd myn herte goth,
And softly takth hire in his arm
And fieleth hou that sche is warm,
And wissheth that his body were
To fiele that he fieleth there.
And thus miselven I tormente,
Til that the dede slep me hente: 2890
Bot thanne be a thousand score   [DREAMS.]
Welmore than I was tofore
I am tormented in mi slep,
Bot that I dreme is noght of schep;
For I ne thenke noght on wulle,
Bot I am drecched to the fulle
Of love, that I have to kepe,   P. ii. 99
That nou I lawhe and nou I wepe,
And nou I lese and nou I winne,
And nou I ende and nou beginne.   2900
And otherwhile I dreme and mete
That I al one with hire mete
And that Danger is left behinde;
And thanne in slep such joie I finde,
That I ne bede nevere awake.
Bot after, whanne I hiede take,
And schal arise upon the morwe,
Thanne is al torned into sorwe,
Noght for the cause I schal arise,
Bot for I mette in such a wise,   2910
And ate laste I am bethoght
That al is vein and helpeth noght:
Bot yit me thenketh be my wille
I wolde have leie and slepe stille,

[DREAMS.]

Confessor.

To meten evere of such a swevene,
For thanne I hadde a slepi hevene.
Mi Sone, and for thou tellest so,
A man mai finde of time ago
That many a swevene hath be certein,
Al be it so, that som men sein   2920
That swevenes ben of no credence.
Bot forto schewe in evidence
That thei fulofte sothe thinges
Betokne, I thenke in my wrytinges
To telle a tale therupon,
Which fell be olde daies gon.

[TALE OF CEIX AND ALCEONE.]

Hic ponit exemplum, qualiter Sompnia prenostice veritatis quandoque certitudinem figurant. Et narrat quod, cum Ceix Rex Trocinie pro reformacione fratris sui Dedalionis in Ancipitrem transmutati peregre proficiscens in mari longius a patria dimersus fuerat, Iuno mittens Yridem nunciam suam in partes Chymerie ad domum Sompni, iussit quod ipse Alceone dicti Regis uxori huius rei euentum per Sompnia certificaret. Quo facto Alceona rem perscrutans corpus mariti sui, vbi super fluctus mortuus iactabatur, inuenit; que pre dolore angustiata cupiens corpus amplectere, in altum mare super ipsum prosiliit. Vnde dii miserti amborum corpora in aues, que adhuc Alceones dicte

This finde I write in Poesie: P. ii. 100
Ceïx the king of Trocinie
Hadde Alceone to his wif,
Which as hire oghne hertes lif   2930
Him loveth; and he hadde also
A brother, which was cleped tho
Dedalion, and he per cas
Fro kinde of man forschape was
Into a Goshauk of liknesse;
Wherof the king gret hevynesse
Hath take, and thoghte in his corage
To gon upon a pelrinage
Into a strange regioun,
Wher he hath his devocioun   2940
To don his sacrifice and preie,
If that he mihte in eny weie
Toward the goddes finde grace
His brother hele to pourchace,
So that he mihte be reformed
Of that he hadde be transformed.
To this pourpos and to this ende
This king is redy forto wende,
As he which wolde go be Schipe;
And forto don him felaschipe   2950
His wif unto the See him broghte,

2937 *margin* demersus AM   2942 *margin* Quo facto *om.* A ... B₂
2945 *margin* mortuus *om.* A ... B₂

LIBER QUARTUS

With al hire herte and him besoghte, [TALE OF CEIX AND
That he the time hire wolde sein, ALCEONE.]
Whan that he thoghte come ayein : sunt, subito conuer-
'Withinne,' he seith, 'tuo Monthe day.' terunt.
And thus in al the haste he may
He tok his leve, and forth he seileth **P. ii. 101**
Wepende, and sche hirself beweileth,
And torneth hom, ther sche cam fro.
Bot whan the Monthes were ago, 2960
The whiche he sette of his comynge,
And that sche herde no tydinge,
Ther was no care forto seche :
Wherof the goddes to beseche
Tho sche began in many wise,
And to Juno hire sacrifise
Above alle othre most sche dede,
And for hir lord sche hath so bede
To wite and knowe hou that he ferde,
That Juno the goddesse hire herde, 2970
Anon and upon this matiere
Sche bad Yris hir Messagere
To Slepes hous that sche schal wende,
And bidde him that he make an ende
Be swevene and schewen al the cas
Unto this ladi, hou it was.
  This Yris, fro the hihe stage
Which undertake hath the Message,
Hire reyny Cope dede upon,
The which was wonderli begon 2980
With colours of diverse hewe,
An hundred mo than men it knewe ;
The hevene lich unto a bowe
Sche bende, and so she cam doun lowe,
The god of Slep wher that sche fond.
And that was in a strange lond,
Which marcheth upon Chymerie : **P. ii. 102**
For ther, as seith the Poesie,

2954 thoghte] wolde H₁ ... B₂   wol L   thought to W   2955
monþes H₁ ... B₂, H₃   2973 she Λ, Magd   he A ... B₂, AdBTΔ,
FWKH₃   2984 so *m.* AM

[TALE OF CEIX AND ALCEONE.]

The god of Slep hath mad his hous,
Which of entaille is merveilous. 2990
Under an hell ther is a Cave,
Which of the Sonne mai noght have,
So that noman mai knowe ariht
The point betwen the dai and nyht:
Ther is no fyr, ther is no sparke,
Ther is no dore, which mai charke,
Wherof an yhe scholde unschette,
So that inward ther is no lette.
And forto speke of that withoute,
Ther stant no gret Tree nyh aboute 3000
Wher on ther myhte crowe or pie
Alihte, forto clepe or crie:
Ther is no cok to crowe day,
Ne beste non which noise may
The hell, bot al aboute round
Ther is growende upon the ground
Popi, which berth the sed of slep,
With othre herbes suche an hep.
A stille water for the nones
Rennende upon the smale stones, 3010
Which hihte of Lethes the rivere,
Under that hell in such manere
Ther is, which yifth gret appetit
To slepe. And thus full of delit
Slep hath his hous; and of his couche
Withinne his chambre if I schal touche,
Of hebenus that slepi Tree   P. ii. 103
The bordes al aboute be,
And for he scholde slepe softe,
Upon a fethrebed alofte 3020
He lith with many a pilwe of doun:
The chambre is strowed up and doun
With swevenes many thousendfold.
Thus cam Yris into this hold,
And to the bedd, which is al blak,

2992 the *om.* AM   2994 betwen the] betwene A ... B2, T
(bitwen)   betwen bothe H3   2997 Wherfor(e) AJMG ... B2
3023 many a XGL, AdBTΔ, WH3

Sche goth, and ther with Slep sche spak,   [TALE OF CEIX AND
And in the wise as sche was bede   ALCEONE.]
The Message of Juno sche dede.
Fulofte hir wordes sche reherceth,
Er sche his slepi Eres perceth;   3030
With mochel wo bot ate laste
His slombrende yhen he upcaste
And seide hir that it schal be do.
Wherof among a thousend tho,
Withinne his hous that slepi were,
In special he ches out there
Thre, whiche scholden do this dede:
The ferste of hem, so as I rede,
Was Morpheüs, the whos nature
Is forto take the figure   3040
Of what persone that him liketh,
Wherof that he fulofte entriketh
The lif which slepe schal be nyhte;
And Ithecus that other hihte,
Which hath the vois of every soun,
The chiere and the condicioun
Of every lif, what so it is: P. ii. 104
The thridde suiende after this
Is Panthasas, which may transforme
Of every thing the rihte forme,   3050
And change it in an other kinde.
Upon hem thre, so as I finde,
Of swevenes stant al thapparence,
Which otherwhile is evidence
And otherwhile bot a jape.
Bot natheles it is so schape,
That Morpheüs be nyht al one
Appiereth until Alceone
In liknesse of hir housebonde
Al naked ded upon the stronde,   3060
And hou he dreynte in special
These othre tuo it schewen al.
The tempeste of the blake cloude,

3027 þe wise þat M ... CB₂   þis wise as BT, H₃   3033 schulde
BT, W   3056 was AdBTΔ   3058 vnto JH₁ ... B₂, Δ, WH₃

[Tale of Ceix and Alceone.]

The wode See, the wyndes loude,
Al this sche mette, and sih him dyen;
Wherof that sche began to crien,
Slepende abedde ther sche lay,
And with that noise of hire affray
Hir wommen sterten up aboute,
Whiche of here ladi were in doute,   3070
And axen hire hou that sche ferde;
And sche, riht as sche syh and herde,
Hir swevene hath told hem everydel.
And thei it halsen alle wel
And sein it is a tokne of goode;
Bot til sche wiste hou that it stode,
Sche hath no confort in hire herte,   P. ii. 105
Upon the morwe and up sche sterte,
And to the See, wher that sche mette
The bodi lay, withoute lette   3080
Sche drowh, and whan that sche cam nyh,
Stark ded, hise armes sprad, sche syh
Hire lord flietende upon the wawe.
Wherof hire wittes ben withdrawe,
And sche, which tok of deth no kepe,
Anon forth lepte into the depe
And wolde have cawht him in hire arm.
  This infortune of double harm
The goddes fro the hevene above
Behielde, and for the trowthe of love,   3090
Which in this worthi ladi stod,
Thei have upon the salte flod
Hire dreinte lord and hire also
Fro deth to lyve torned so,
That thei ben schapen into briddes
Swimmende upon the wawe amiddes.
And whan sche sih hire lord livende
In liknesse of a bridd swimmende,
And sche was of the same sort,
So as sche mihte do desport,   3100
Upon the joie which sche hadde

3074 falsen AM   3079 S *resumes*   3082 hir BT   3086 forth lepte] lepte forþ AM   lepte L

LIBER QUARTUS

Hire wynges bothe abrod sche spradde,   [TALE OF CEIX AND
And him, so as sche mai suffise,   ALCEONE.]
Beclipte and keste in such a wise,
As sche was whilom wont to do:
Hire wynges for hire armes tuo
Sche tok, and for hire lippes softe   P. ii. 106
Hire harde bile, and so fulofte
Sche fondeth in hire briddes forme,
If that sche mihte hirself conforme   3110
To do the plesance of a wif,
As sche dede in that other lif:
For thogh sche hadde hir pouer lore,
Hir will stod as it was tofore,
And serveth him so as sche mai.
Wherof into this ilke day
Togedre upon the Sce thei wone,
Wher many a dowhter and a Sone
Thei bringen forth of briddes kinde;
And for men scholden take in mynde   3120
This Alceoun the trewe queene,
Hire briddes yit, as it is seene,
Of Alceoun the name bere.

    Lo thus, mi Sone, it mai thee stere   Confessor.
Of swevenes forto take kepe,
For ofte time a man aslepe
Mai se what after schal betide.
Forthi it helpeth at som tyde
A man to slepe, as it belongeth,
Bot slowthe no lif underfongeth   3130
Which is to love appourtenant.

    Mi fader, upon covenant   Confessio Amantis.
I dar wel make this avou,
Of all mi lif that into nou,
Als fer as I can understonde,
Yit tok I nevere Slep on honde,
Whan it was time forto wake;   P. ii. 107
For thogh myn yhe it wolde take,
Min herte is evere therayein.

3129 Aman F   3132 þe couenant BTΛ   3138 For]
And BTΛ

[SLEEPING AND WAKING.]

Bot natheles to speke it plein,   3140
Al this that I have seid you hiere
Of my wakinge, as ye mai hiere,
It toucheth to mi lady swete;
For otherwise, I you behiete,
In strange place whanne I go,
Me list nothing to wake so.
For whan the wommen listen pleie,
And I hir se noght in the weie,
Of whom I scholde merthe take,
Me list noght longe forto wake,   3150
Bot if it be for pure schame,
Of that I wolde eschuie a name,
That thei ne scholde have cause non
To seie, 'Ha, lo, wher goth such on,
That hath forlore his contenaunce!'
And thus among I singe and daunce,
And feigne lust ther as non is.
For ofte sithe I fiele this;
Of thoght, which in mi herte falleth
Whanne it is nyht, myn hed appalleth,   3160
And that is for I se hire noght,
Which is the wakere of mi thoght:
And thus as tymliche as I may,
Fulofte whanne it is brod day,
I take of all these othre leve
And go my weie, and thei beleve,
That sen per cas here loves there;   P. ii. 108
And I go forth as noght ne were
Unto mi bedd, so that al one
I mai ther ligge and sighe and grone   3170
And wisshen al the longe nyht,
Til that I se the daies lyht.
I not if that be Sompnolence,
Bot upon youre conscience,
Min holi fader, demeth ye.

Confessor.   My Sone, I am wel paid with thee,

3140 it] in H₁ ... B₂   3141 that *om.* AM   3142 walkyng
H₁RCB₂ *line om.* T   3153 ne *om.* H₁ ... B₂   3154 Ha *om.*
A ... B₂   3159 mi F   myn AJ, B   3165 all S, F   alle AJ, B

LIBER QUARTUS

Of Slep that thou the Sluggardie [SLEEPING AND
Be nyhte in loves compaignie WAKING.]
Eschuied hast, and do thi peine
So that thi love thar noght pleine: 3180
For love upon his lust wakende
Is evere, and wolde that non ende
Were of the longe nyhtes set.
Wherof that thou be war the bet,
To telle a tale I am bethoght,
Hou love and Slep acorden noght.

For love who that list to wake [THE PRAYER OF
By nyhte, he mai ensample take CEPHALUS.]
Of Cephalus, whan that he lay
With Aurora that swete may 3190 Hic dicit quod vigi-
In armes all the longe nyht. lia in Amantibus et
Bot whanne it drogh toward the liht, non Sompnolencia
That he withinne his herte sih laudanda est. Et po-
The dai which was amorwe nyh, nit exemplum de Ce-
 phalo filio Phebi, qui
Anon unto the Sonne he preide nocturno cilencio Au-
For lust of love, and thus he seide: roram amicam suam
 diligencius amplec-
'O Phebus, which the daies liht P. ii. 109 tens, Solem et lunam
Governest, til that it be nyht, interpellabat, videli-
 cet quod Sol in circulo
And gladest every creature ab oriente distanciori
After the lawe of thi nature,— currum cum luce sua
 3200 retardaret, et quod
Bot natheles ther is a thing, luna spera sua lon-
Which onli to the knouleching gissima orbem circu-
Belongeth as in privete iens noctem continu-
 aret; ita vt ipsum Ce-
To love and to his duete, phalum amplexibus
Which asketh noght to ben apert, Aurore volutum, pri-
 usquam dies illa illuc-
Bot in cilence and in covert esceret, suis deliciis
Desireth forto be beschaded: adquiescere diucius
And thus whan that thi liht is faded permittere dignaren-
 tur.
And Vesper scheweth him alofte,
And that the nyht is long and softe, 3210
Under the cloudes derke and stille
Thanne hath this thing most of his wille.
Forthi unto thi myhtes hyhe,

3190 þe AM   3199 *margin* sua *om.* BT   3202 *margin* ita
quod AM   3204 *margin* illa *om.* SBTΔ (*Latin om.* Ad)
3206 cilence S, F   silence AJ, B   *margin* dignaretur A . . . B₂, Λ

[The Prayer of Cephalus.]

As thou which art the daies yhe,
Of love and myht no conseil hyde,
Upon this derke nyhtes tyde
With al myn herte I thee beseche
That I plesance myhte seche
With hire which lith in min armes.
Withdrawgh the Banere of thin Armes,   3220
And let thi lyhtes ben unborn,
And in the Signe of Capricorn,
The hous appropred to Satorne,
I preie that thou wolt sojorne,
Wher ben the nihtes derke and longe:
For I mi love have underfonge,
Which lith hier be mi syde naked,   P. ii. 110
As sche which wolde ben awaked,
And me lest nothing forto slepe.
So were it good to take kepe   3230
Nou at this nede of mi preiere,
And that the like forto stiere
Thi fyri Carte, and so ordeigne,
That thou thi swifte hors restreigne
Lowe under Erthe in Occident,
That thei towardes Orient
Be Cercle go the longe weie.

And ek to thee, Diane, I preie,
Which cleped art of thi noblesse
The nyhtes Mone and the goddesse,   3240
That thou to me be gracious:
And in Cancro thin oghne hous
Ayein Phebus in opposit
Stond al this time, and of delit
Behold Venus with a glad yhe.
For thanne upon Astronomie
Of due constellacion
Thou makst prolificacion,
And dost that children ben begete:
Which grace if that I mihte gete,   3250

3221 ben unborn] be vp (vppe) AM   3233 Thi (Thy) A . . . B₂,
S . . . Δ   This FWKH₃   3244 all] at S . . . Δ   3250 if that I]
if I H₁ . . . B₂

LIBER QUARTUS

With al myn herte I wolde serve [THE PRAYER OF
Be nyhte, and thi vigile observe.' CEPHALUS.]
  Lo, thus this lusti Cephalus Confessor.
Preide unto Phebe and to Phebus
The nyht in lengthe forto drawe,
So that he mihte do the lawe
In thilke point of loves heste,   P. ii. 111
Which cleped is the nyhtes feste,
Withoute Slep of sluggardie;
Which Venus out of compaignie   3260
Hath put awey, as thilke same,
Which lustles ferr from alle game
In chambre doth fulofte wo
Abedde, whanne it falleth so
That love scholde ben awaited.
But Slowthe, which is evele affaited,
With Slep hath mad his retenue,
That what thing is to love due,
Of all his dette he paieth non :
He wot noght how the nyht is gon   3270
Ne hou the day is come aboute,
Bot onli forto slepe and route
Til hyh midday, that he arise.
Bot Cephalus dede otherwise,
As thou, my Sone, hast herd above.
  Mi fader, who that hath his love Amans.
Abedde naked be his syde,
And wolde thanne hise yhen hyde
With Slep, I not what man is he:
Bot certes as touchende of me,   3280
That fell me nevere yit er this.
Bot otherwhile, whan so is
That I mai cacche Slep on honde
Liggende al one, thanne I fonde
To dreme a merie swevene er day;
And if so falle that I may
Mi thought with such a swevene plese, P. ii. 112

  3252 vigilie B   3255 nyht (night) AC, B nyhte (nihte) J, S, F
3259 of] or X . . . B₂, W   3263 S *has lost a leaf* (ll. 3263–
3442)

[THE PRAYER OF
CEPHALUS.]

Me thenkth I am somdiel in ese,
For I non other confort have.
So nedeth noght that I schal crave 3290
The Sonnes Carte forto tarie,
Ne yit the Mone, that sche carie
Hire cours along upon the hevene,
For I am noght the more in evene
Towardes love in no degree :
Bot in mi slep yit thanne I se
Somwhat in swevene of that me liketh,
Which afterward min herte entriketh,
Whan that I finde it otherwise.
So wot I noght of what servise 3300
That Slep to mannes ese doth.

Confessor.

Mi Sone, certes thou seist soth,
Bot only that it helpeth kinde
Somtyme, in Phisique as I finde,
Whan it is take be mesure :
Bot he which can no Slep mesure
Upon the reule as it belongeth,
Fulofte of sodein chance he fongeth
Such infortune that him grieveth.
Bot who these olde bokes lieveth, 3310
Of Sompnolence hou it is write,
Ther may a man the sothe wite,
If that he wolde ensample take,
That otherwhile is good to wake :
Wherof a tale in Poesie
I thenke forto specefie.

[ARGUS AND MERCURY.]

Hic loquitur in amoris causa contra istos qui Sompnolencie dediti ea que seruare tenentur amittunt. Et narrat quod, cum Yo puella pulcherima a Iunone in vaccam transformata et in

Ovide telleth in his sawes, P. ii. 113
How Jupiter be olde dawes
Lay be a Mayde, which Yo
Was cleped, wherof that Juno 3320
His wif was wroth, and the goddesse
Of Yo torneth the liknesse
Into a cow, to gon theroute
The large fieldes al aboute

3288 in] at XGEC, BT   3308 he] it H₁ ... B₂   3322 Of þo turneþ
(torneþ) M, Ad   Of hem þat turneþ X   Of hem þat turnen H₁G ... B₂

LIBER QUARTUS

And gete hire mete upon the griene.
And therupon this hyhe queene
Betok hire Argus forto kepe,
For he was selden wont to slepe,
And yit he hadde an hundred yhen,
And alle alyche wel thei syhen.
Now herkne hou that he was beguiled.
Mercurie, which was al affiled
This Cow to stele, he cam desguised,
And hadde a Pipe wel devised
Upon the notes of Musiqe,
Wherof he mihte hise Eres like.
And over that he hadde affaited
Hise lusti tales, and awaited
His time; and thus into the field
He cam, where Argus he behield
With Yo, which beside him wente.
With that his Pype on honde he hente,
And gan to pipe in his manere
Thing which was slepi forto hiere;
And in his pipinge evere among
He tolde him such a lusti song,
That he the fol hath broght aslepe.   P. ii. 114
Ther was non yhe mihte kepe
His hed, the which Mercurie of smot,
And forth withal anon fot hot
He stal the Cow which Argus kepte,
And al this fell for that he slepte.
Ensample it was to manye mo,
That mochel Slep doth ofte wo,
Whan it is time forto wake:
For if a man this vice take,
In Sompnolence and him delite,
Men scholde upon his Dore wryte
His epitaphe, as on his grave;
For he to spille and noght to save
Is schape, as thogh he were ded.

[ARGUS AND MER-
CURY.]
Argi custodiam sic
deposita fuisset, su-
perueniens Mercurius
Argum dormientem
occidit, et ipsam vac-
cam a pastura rapiens,
quo voluit secum
perduxit.

3330

3340

3350

3360

3337 haþ AdBTΔ   3341 Wiþ þo which(e) E ... B₂, AdT
Wiþ þo þe whiche B   3349 the *om.* H₁ ... B₂, AdTΔ, WH₃   3355
Whan] ffor whan H₁E ... B₂   3361 as] and BT   he] it AM

Confessor.

Forthi, mi Sone, hold up thin hed,
And let no Slep thin yhe englue,
Bot whanne it is to resoun due.

Amans.

Mi fader, as touchende of this,
Riht so as I you tolde it is,
That ofte abedde, whanne I scholde,
I mai noght slepe, thogh I wolde;
For love is evere faste byme,
Which takth no hiede of due time.   3370
For whanne I schal myn yhen close,
Anon min herte he wole oppose
And holde his Scole in such a wise,
Til it be day that I arise,
That selde it is whan that I slepe.
And thus fro Sompnolence I kepe
Min yhe: and forthi if ther be
Oght elles more in this degre,
Now axeth forth.

Confessor.

Mi Sone, yis:
For Slowthe, which as Moder is   3380
The forthdrawere and the Norrice
To man of many a dredful vice,
Hath yit an other laste of alle,
Which many a man hath mad to falle,
Wher that he mihte nevere arise;
Wherof for thou thee schalt avise,
Er thou so with thiself misfare,
What vice it is I wol declare.

[vii. Tristesse or Despondency.]

ix. *Nil fortuna iuuat, vbi desperacio ledit;*
Quo desiccat humor, non viridescit humus.
Magnanimus set amor spem ponit et inde salutem
Consequitur, quod ei prospera fata fauent.

Hic loquitur super vltima specie Accidie, que Tristicia siue Desperacio dicitur,

Whan Slowthe hath don al that he may
To dryve forth the longe day,   3390
Til it be come to the nede,
Thanne ate laste upon the dede
He loketh hou his time is lore,

3366 telle H₁ ... B₂, W   3370 no M, F   *the rest* non (none)
Latin Verses ix. 1 Nil fortuna valet (*rest of line blank*) AM

P. ii. 115

LIBER QUARTUS

And is so wo begon therfore,
That he withinne his thoght conceiveth
Tristesce, and so himself deceiveth,
That he wanhope bringeth inne,
Wher is no confort to beginne,
Bot every joie him is deslaied :
So that withinne his herte affraied   3400
A thousand time with o breth
Wepende he wissheth after deth,
Whan he fortune fint adverse.   P. ii. 116
For thanne he wole his hap reherce,
As thogh his world were al forlore,
And seith, 'Helas, that I was bore!
Hou schal I live? hou schal I do?
For nou fortune is thus mi fo,
I wot wel god me wol noght helpe.
What scholde I thanne of joies yelpe,   3410
Whan ther no bote is of mi care?
So overcast is my welfare,
That I am schapen al to strif.
Helas, that I nere of this lif,
Er I be fulliche overtake!'
And thus he wol his sorwe make,
As god him mihte noght availe :
Bot yit ne wol he noght travaile
To helpe himself at such a nede,
Bot slowtheth under such a drede,   3420
Which is affermed in his herte,
Riht as he mihte noght asterte
The worldes wo which he is inne.
    Also whan he is falle in Sinne,
Him thenkth he is so ferr coupable,
That god wol noght be merciable
So gret a Sinne to foryive;
And thus he leeveth to be schrive.
And if a man in thilke throwe
Wolde him consaile, he wol noght knowe   3430
The sothe, thogh a man it finde:

[TRISTESSE OR DE-
SPONDENCY.]
cuius obstinata con-
dicio tocius consola-
cionis spem deponens,
alicuius remedii, quo
liberari poterit, for-
tunam sibi euenire
impossibile credit.

3397 *margin* poterit *om.* BT   3401 tymes E, BT   3427 gret
JC, B   grete A, F

[TRISTESSE OR DE-
SPONDENCY.]

Obstinacio est con-
tradiccio veritatis ag-
nite.

For Tristesce is of such a kinde,
That forto meintiene his folie, P. ii. 117
He hath with him Obstinacie,
Which is withinne of such a Slouthe,
That he forsaketh alle trouthe,
And wole unto no reson bowe;
And yit ne can he noght avowe
His oghne skile bot of hed:
Thus dwyneth he, til he be ded, 3440
In hindringe of his oghne astat.
For where a man is obstinat,
Wanhope folweth ate laste,
Which mai noght after longe laste,
Till Slouthe make of him an ende.
Bot god wot whider he schal wende.

Confessor.

Mi Sone, and riht in such manere
Ther be lovers of hevy chiere,
That sorwen mor than it is ned,
Whan thei be taried of here sped 3450
And conne noght hemselven rede,
Bot lesen hope forto spede
And stinten love to poursewe;
And thus thei faden hyde and hewe,
And lustles in here hertes waxe.
Hierof it is that I wolde axe,
If thou, mi Sone, art on of tho.

Confessio Amantis.

Ha, goode fader, it is so,
Outake a point, I am beknowe;
For elles I am overthrowe 3460
In al that evere ye have seid.
Mi sorwe is everemore unteid,
And secheth overal my veines; P. ii. 118
Bot forto conseile of mi peines,
I can no bote do therto;
And thus withouten hope I go,
So that mi wittes ben empeired,
And I, as who seith, am despeired

3437 no *om.* AM   3443 S *resumes*   folweth] falleþ SAdBΔ
faileth TΛ   3449 more þan is B, H₃ more þan hit L   3459 o
point BT, W

LIBER QUARTUS

To winne love of thilke swete,   [Tristesse or De-
Withoute whom, I you behiete,   3470 spondency.]
Min herte, that is so bestad,
Riht inly nevere mai be glad.
For be my trouthe I schal noght lie,
Of pure sorwe, which I drye
For that sche seith sche wol me noght,
With drecchinge of myn oghne thoght
In such a wanhope I am falle,
That I ne can unethes calle,
As forto speke of eny grace,
Mi ladi merci to pourchace.   3480
Bot yit I seie noght for this
That al in mi defalte it is;
For I cam nevere yit in stede,
Whan time was, that I my bede
Ne seide, and as I dorste tolde:
Bot nevere fond I that sche wolde,
For oght sche knew of min entente,
To speke a goodly word assente.
And natheles this dar I seie,
That if a sinful wolde preie   3490
To god of his foryivenesse
With half so gret a besinesse
As I have do to my ladi,   **P. ii. 119**
In lacke of askinge of merci
He scholde nevere come in Helle.
And thus I mai you sothli telle,
Save only that I crie and bidde,
I am in Tristesce al amidde
And fulfild of Desesperance:
And therof yif me mi penance,   3500
Min holi fader, as you liketh.
    Mi Sone, of that thin herte siketh   Confessor.
With sorwe, miht thou noght amende,
Til love his grace wol thee sende,
For thou thin oghne cause empeirest
What time as thou thiself despeirest.

3479 eny] my AM   3484 my] me H₁RCLB₂, W (me bidde)
3489 I dar AM   3502 if þat H₁ ... B₂, W

I not what other thinge availeth,
Of hope whan the herte faileth,
For such a Sor is incurable,
And ek the goddes ben vengable :   3510
And that a man mai riht wel frede,
These olde bokes who so rede,
Of thing which hath befalle er this :
Now hier of what ensample it is.

[TALE OF IPHIS
AND ARAXARATHEN.]

Whilom be olde daies fer
Of Mese was the king Theucer,
Which hadde a kniht to Sone, Iphis :

Hic narrat qualiter
Iphis, Regis Theucri
filius, ob amorem cuiusdam puelle nomine
Araxarathen, quam
neque donis aut precibus vincere potuit,
desperans ante patris
ipsius puelle ianuas
noctanter se suspendit. Vnde dii commoti dictam puellam
in lapidem durissimum transmutarunt,
quam Rex Theucer
vna cum filio suo
apud Ciuitatem Salamynam in templo
Veneris pro perpetua
memoria sepeliri et
locari fecit.

Of love and he so maistred is,
That he hath set al his corage,
As to reguard of his lignage,   3520
Upon a Maide of lou astat.
Bot thogh he were a potestat
Of worldes good, he was soubgit   P. ii. 120
To love, and put in such a plit,
That he excedeth the mesure
Of reson, that himself assure
He can noght; for the more he preide,
The lasse love on him sche leide.
He was with love unwys constreigned,
And sche with resoun was restreigned :   3530
The lustes of his herte he suieth,
And sche for drede schame eschuieth,
And as sche scholde, tok good hiede
To save and kepe hir wommanhiede.
And thus the thing stod in debat
Betwen his lust and hire astat :
He yaf, he sende, he spak be mouthe,
Bot yit for oght that evere he couthe
Unto his sped he fond no weie,
So that he caste his hope aweie,   3540
Withinne his herte and gan despeire
Fro dai to dai, and so empeire,
That he hath lost al his delit

3529 *margin* Ciuitatem *om.* BT   3531 hert sche BΛ   sche
(*om.* herte) T   3535 king (kyng) JL, BT

LIBER QUARTUS

Of lust, of Slep, of Appetit, [Tale of Iphis and
That he thurgh strengthe of love lasseth Araxarathen.]
His wit, and resoun overpasseth.
As he which of his lif ne rowhte,
His deth upon himself he sowhte,
So that be nyhte his weie he nam,
Ther wiste non wher he becam; 3550
The nyht was derk, ther schon no Mone,
Tofore the gates he cam sone,
Wher that this yonge Maiden was, P. ii. 121
And with this wofull word, 'Helas!'
Hise dedli pleintes he began
So stille that ther was noman
It herde, and thanne he seide thus:
'O thou Cupide, o thou Venus,
Fortuned be whos ordinaunce
Of love is every mannes chaunce, 3560
Ye knowen al min hole herte,
That I ne mai your hond asterte;
On you is evere that I crie,
And yit you deigneth noght to plie,
Ne toward me youre Ere encline.
Thus for I se no medicine
To make an ende of mi querele,
My deth schal be in stede of hele.
 Ha, thou mi wofull ladi diere,
Which duellest with thi fader hiere 3570
And slepest in thi bedd at ese,
Thou wost nothing of my desese,
Hou thou and I be now unmete.
Ha lord, what swevene schalt thou mete,
What dremes hast thou nou on honde?
Thou slepest there, and I hier stonde.
Thogh I no deth to the deserve,
Hier schal I for thi love sterve,
Hier schal a kinges Sone dye
For love and for no felonie; 3580
Wher thou therof have joie or sorwe,
Hier schalt thou se me ded tomorwe.

  3560 manes F   3576 sleplest F

[TALE OF IPHIS AND ARAXARATHEN.]

O herte hard aboven alle,   P. ii. 122
This deth, which schal to me befalle
For that thou wolt noght do me grace,
Yit schal be told in many a place,
Hou I am ded for love and trouthe
In thi defalte and in thi slouthe:
Thi Daunger schal to manye mo
Ensample be for everemo,   3590
Whan thei my wofull deth recorde.'
And with that word he tok a Corde,
With which upon the gate tre
He hyng himself, that was pite.
   The morwe cam, the nyht is gon,
Men comen out and syhe anon
Wher that this yonge lord was ded:
Ther was an hous withoute red,
For noman knew the cause why;
Ther was wepinge and ther was cry.   3600
This Maiden, whan that sche it herde,
And sih this thing hou it misferde,
Anon sche wiste what it mente,
And al the cause hou it wente
To al the world sche tolde it oute,
And preith to hem that were aboute
To take of hire the vengance,
For sche was cause of thilke chaunce,
Why that this kinges Sone is spilt.
Sche takth upon hirself the gilt,   3610
And is al redi to the peine
Which eny man hir wole ordeigne:
And bot if eny other wolde,   P. ii. 123
Sche seith that sche hirselve scholde
Do wreche with hire oghne hond,
Thurghout the world in every lond
That every lif therof schal speke,

3586 ȝit schal... many a place J, S, FH₃ ȝit schalt ... many a place AM   ȝit schal ... many place Ad, W   ȝit schal it ... mani place TΔ   It (Hit) schal ... many a place H₁XGRCLB₂   It schal ... many place E, B   3587 and] of H₁ ... B₂, B   3596 syhe (sihe) AJ, SB   syh F   3612 wold(e) BT, W

LIBER QUARTUS

Hou sche hirself it scholde wreke.   [TALE OF IPHIS AND
Sche wepth, sche crith, sche swouneth ofte,   ARAXARATHEN.]
Sche caste hire yhen up alofte   3620
And seide among ful pitously:
'A godd, thou wost wel it am I,
For whom Iphis is thus besein:
Ordeine so, that men mai sein
A thousand wynter after this,
Hou such a Maiden dede amis,
And as I dede, do to me:
For I ne dede no pite
To him, which for mi love is lore,
Do no pite to me therfore.'   3630
And with this word sche fell to grounde
Aswoune, and ther sche lay a stounde.
The goddes, whiche hir pleigntes herde
And syhe hou wofully sche ferde,
Hire lif thei toke awey anon,
And schopen hire into a Ston
After the forme of hire ymage
Of bodi bothe and of visage.
And for the merveile of this thing
Unto the place cam the king   3640
And ek the queene and manye mo;
And whan thei wisten it was so,
As I have told it hier above,   P. ii. 124
Hou that Iphis was ded for love,
Of that he hadde be refused,
Thei hielden alle men excused
And wondren upon the vengance.
And forto kepe in remembrance,
This faire ymage mayden liche
With compaignie noble and riche   3650
With torche and gret sollempnite
To Salamyne the Cite
Thei lede, and carie forth withal
The dede corps, and sein it schal

3622 O god þou wost þat it B   O god þou wost it TΛ (wotest)
3627 S *has lost two leaves* (ll. 3627—v. 274)   3632 astounde
AMR, T, W   3638 and of] and eke of AM

[Tale of Iphis and Araxarathen.]

Beside thilke ymage have
His sepulture and be begrave:
This corps and this ymage thus
Into the Cite to Venus,
Wher that goddesse hire temple hadde,
Togedre bothe tuo thei ladde.   3660
This ilke ymage as for miracle
Was set upon an hyh pinacle,
That alle men it mihte knowe,
And under that thei maden lowe
A tumbe riche for the nones
Of marbre and ek of jaspre stones,
Wherin this Iphis was beloken,
That evermor it schal be spoken.
And for men schal the sothe wite,
Thei have here epitaphe write,   3670
As thing which scholde abide stable:
The lettres graven in a table
Of marbre were and seiden this: P. ii. 125
'Hier lith, which slowh himself, Iphis,
For love of Araxarathen:
And in ensample of tho wommen,
That soffren men to deie so,
Hire forme a man mai sen also,
Hou it is torned fleissh and bon
Into the figure of a Ston: 3680
He was to neysshe and sche to hard.
Be war forthi hierafterward;
Ye men and wommen bothe tuo,
Ensampleth you of that was tho.'

Confessor.
          Lo thus, mi Sone, as I thee seie,
It grieveth be diverse weie
In desespeir a man to falle,
Which is the laste branche of alle
Of Slouthe, as thou hast herd devise.
Wherof that thou thiself avise   3690

3656 Hir B   be begrave] begraue A, Δ   be graue MH₁ERLB₂, W
3666 ek *om.* C, BTΛ   3667 this] þat AdBTΛ   3676 tho] þe JH₁ ... B₂, BΛ, W   3678 aman F   3687 despeir JMH₁XRLB₂, AdBTΔ, W   vespeir H₃

LIBER QUARTUS

Good is, er that thou be deceived, [Tale of Iphis and
Wher that the grace of hope is weyved. Araxarathen.]
  Mi fader, hou so that it stonde, Amans.
Now have I pleinly understonde
Of Slouthes court the proprete,
Wherof touchende in my degre
For evere I thenke to be war.
Bot overthis, so as I dar,
With al min herte I you beseche,
That ye me wolde enforme and teche   3700
What ther is more of youre aprise
In love als wel as otherwise,
So that I mai me clene schryve.   P. ii. 126
  Mi Sone, whyl thou art alyve Confessor.
And hast also thi fulle mynde,
Among the vices whiche I finde
Ther is yit on such of the sevene,
Which al this world hath set unevene
And causeth manye thinges wronge,
Where he the cause hath underfonge: 3710
Wherof hierafter thou schalt hiere
The forme bothe and the matiere.

    Explicit Liber Quartus.

Incipit Liber Quintus.

[AVARICE.]

i. *Obstat auaricia nature legibus, et que*   **P. ii. 127**
Largus amor poscit, striccius illa vetat.
Omne quod est nimium viciosum dicitur aurum,
Vellera sicut oues, seruat auarus opes.
Non decet vt soli seruabitur es, set amori
Debet homo solam solus habere suam.

Hic in quinto libro intendit Confessor tractare de Auaricia, que omnium malorum radix dicitur, necnon et de eiusdem vicii speciebus: set primo ipsius Auaricie naturam describens Amanti quatenus amorem concernit super hoc specialius opponit.

FERST whan the hyhe god began
This world, and that the kinde of man
Was falle into no gret encress,
For worldes good tho was no press,
Bot al was set to the comune.
Thei spieken thanne of no fortune
Or forto lese or forto winne,
Til Avarice broghte it inne;
And that was whan the world was woxe
Of man, of hors, of Schep, of Oxe,   10
And that men knewen the moneie.
Tho wente pes out of the weie
And werre cam on every side,
Which alle love leide aside
And of comun his propre made,   **P. ii. 128**
So that in stede of schovele and spade
The scharpe swerd was take on honde;
And in this wise it cam to londe,
Wherof men maden dyches depe
And hyhe walles forto kepe   20
The gold which Avarice encloseth.
Bot al to lytel him supposeth,
Thogh he mihte al the world pourchace;

Latin Verses i. 5 dicet AM ... B₂
4 þer was G, AdB

LIBER QUINTUS

> For what thing that he may embrace [AVARICE.]
> Of gold, of catel or of lond,
> He let it nevere out of his hond,
> Bot get him more and halt it faste,
> As thogh the world scholde evere laste.
> So is he lych unto the helle;
> For as these olde bokes telle, 30
> What comth therinne, lasse or more,
> It schal departe neveremore:
> Thus whanne he hath his cofre loken,
> It schal noght after ben unstoken,
> Bot whanne him list to have a syhte
> Of gold, hou that it schyneth brihte,
> That he ther on mai loke and muse;
> For otherwise he dar noght use
> To take his part, or lasse or more.
> So is he povere, and everemore 40
> Him lacketh that he hath ynowh:
> An Oxe draweth in the plowh,
> Of that himself hath no profit;
> A Schep riht in the same plit
> His wolle berth, bot on a day   P. ii. 129
> An other takth the flees away:
> Thus hath he, that he noght ne hath,
> For he therof his part ne tath.
> To seie hou such a man hath good,
> Who so that reson understod, 50
> It is impropreliche seid,
> For good hath him and halt him teid,
> That he ne gladeth noght withal,
> Bot is unto his good a thral,
> And as soubgit thus serveth he,
> Wher that he scholde maister be:
> Such is the kinde of thaverous.
>   Mi Sone, as thou art amerous, Confessor.

30 Wher in it moste nedes dwelle H₁ ... B₂   35 asyhte F
40 ouermore B   47 that he] þat . þat A
47 f.   ffor he þer of his part ne taþ
     Bot kepeþ to anoþer þat he haþ
So H₁ ... B₂ *with some variations* (þat *for* Bot C   it hath *for* he haþ H₁)

[AVARICE.]
Confessio Amantis.

    Tell if thou farst of love so.
      Mi fader, as it semeth, no;   60
That averous yit nevere I was,
So as ye setten me the cas:
For as ye tolden here above,
In full possession of love
Yit was I nevere hier tofore,
So that me thenketh wel therfore,
I mai excuse wel my dede.
Bot of mi will withoute drede,
If I that tresor mihte gete,
It scholde nevere be foryete,   70
That I ne wolde it faste holde,
Til god of love himselve wolde
That deth ous scholde parte atuo.
For lieveth wel, I love hire so,
That evene with min oghne lif,   P. ii. 130
If I that swete lusti wif
Mihte ones welden at my wille,
For evere I wolde hire holde stille:
And in this wise, taketh kepe,
If I hire hadde, I wolde hire kepe,   80
And yit no friday wolde I faste,
Thogh I hire kepte and hielde faste.
Fy on the bagges in the kiste!
I hadde ynogh, if I hire kiste.
For certes, if sche were myn,
I hadde hir levere than a Myn
Of Gold; for al this worldesriche
Ne mihte make me so riche
As sche, that is so inly good.
I sette noght of other good;   90
For mihte I gete such a thing,
I hadde a tresor for a king;
And thogh I wolde it faste holde,
I were thanne wel beholde.
Bot I mot pipe nou with lasse,

59 farst F   fare A . . . B₂, Ad . . . Δ   73 departe AMH₁
om. Ad   82 To holde hir whil my lif may laste H₁ . . . B₂
line om. T

LIBER QUINTUS

And suffre that it overpasse,   [AVARICE.]
Noght with mi will, for thus I wolde
Ben averous, if that I scholde.
Bot, fader, I you herde seie
Hou thaverous hath yit som weie,   100
Wherof he mai be glad; for he
Mai whanne him list his tresor se,
And grope and fiele it al aboute,
Bot I fulofte am schet theroute,
Ther as my worthi tresor is.   P. ii. 131
So is mi lif lich unto this,
That ye me tolden hier tofore,
Hou that an Oxe his yock hath bore
For thing that scholde him noght availe:
And in this wise I me travaile;   110
For who that evere hath the welfare,
I wot wel that I have the care,
For I am hadd and noght ne have,
And am, as who seith, loves knave.
Nou demeth in youre oghne thoght,
If this be Avarice or noght.

    Mi Sone, I have of thee no wonder,   Confessor.
Thogh thou to serve be put under
With love, which to kinde acordeth:
Bot, so as every bok recordeth,   120
It is to kinde no plesance
That man above his sustienance
Unto the gold schal serve and bowe,
For that mai no reson avowe.
Bot Avarice natheles,
If he mai geten his encress
Of gold, that wole he serve and kepe,
For he takth of noght elles kepe,
Bot forto fille hise bagges large;
And al is to him bot a charge,   130
For he ne parteth noght withal,
Bot kepth it, as a servant schal:

---

103 fiele] seche A...B₂   104 fulofte I A...B₂   ofte I H₁
110 wise] þing A...B₂   120 acordeþ XE...B₂   129
fulle AM

And thus, thogh that he multeplie
His gold, withoute tresorie
He is, for man is noght amended   **P. ii. 132**
With gold, bot if it be despended
To mannes us; wherof I rede
A tale, and tak therof good hiede,
Of that befell be olde tyde,
As telleth ous the clerk Ovide.   140

[TALE OF MIDAS.]

Bachus, which is the god of wyn,
Acordant unto his divin

Hic loquitur contra istos Auaros. Et narrat qualiter Mida Rex Frigie Cillenum Bachi sacerdotem, quem rustici vinculis ferreis alligarunt, dissoluit, et in hospicium suum benignissime recollegit; pro quo Bachus quodcunque munus Rex exigere vellet donari concessit. Vnde Rex Auaricia ductus, ut quicquid tangeret in aurum conuerteretur, indiscrete peciit. Quo facto postea contigit quod cibos cum ipse sumere vellet, in aurum conuersos manducare non potuit. Et sic percipiens aurum pro tunc non posse sibi valere, illud auferri, et tunc ea que victui sufficerent necessaria iteratis precibus a deo mitissime postulauit.

A Prest, the which Cillenus hihte,
He hadde, and fell so that be nyhte
This Prest was drunke and goth astraied,
Wherof the men were evele apaied
In Frigelond, where as he wente.
Bot ate laste a cherl him hente
With strengthe of other felaschipe,
So that upon his drunkeschipe   150
Thei bounden him with chenes faste,
And forth thei ladde him als so faste
Unto the king, which hihte Myde.
Bot he, that wolde his vice hyde,
This courteis king, tok of him hiede,
And bad that men him scholde lede
Into a chambre forto kepe,
Til he of leisir hadde slepe.
And tho this Prest was sone unbounde,
And up a couche fro the grounde   160
To slepe he was leid softe ynowh;
And whanne he wok, the king him drowh
To his presence and dede him chiere,
So that this Prest in such manere,
Whil that him liketh, there he duelleth: **P. ii. 133**
And al this he to Bachus telleth,
Whan that he cam to him ayein.
And whan that Bachus herde sein

133 that he] he to H₁ ... B₂   135 He is] He as H₁ ... B₂
141 the *om.* AMB₂, T   142 his] þis A ... B₂   143 the] is AM
146 payed CB₂, AdB   159 tho] þus BT   160 *margin* tunc]
tantum BT   *om.* G, Δ   168 that *om.* B

How Mide hath don his courtesie,   [TALE OF MIDAS.]
Him thenkth it were a vilenie,   170
Bot he rewarde him for his dede,
So as he mihte of his godhiede.
Unto this king this god appiereth
And clepeth, and that other hiereth:
This god to Mide thonketh faire
Of that he was so debonaire
Toward his Prest, and bad him seie:
What thing it were he wolde preie,
He scholde it have, of worldes good.
This king was glad, and stille stod,   180
And was of his axinge in doute,
And al the world he caste aboute,
What thing was best for his astat,
And with himself stod in debat
Upon thre pointz, the whiche I finde
Ben lievest unto mannes kinde.
The ferste of hem it is delit,
The tuo ben worschipe and profit.
And thanne he thoghte, 'If that I crave
Delit, thogh I delit mai have,   190
Delit schal passen in myn age:
That is no siker avantage,
For every joie bodily
Schal ende in wo: delit forthi
Wol I noght chese. And if worschipe   P. ii. 134
I axe and of the world lordschipe,
That is an occupacion
Of proud ymaginacion,
Which makth an herte vein withinne;
Ther is no certein forto winne,   200
For lord and knave al is o weie,
Whan thei be bore and whan thei deie.
And if I profit axe wolde,
I not in what manere I scholde
Of worldes good have sikernesse;

173 þe king A...B₂   185 þe poyntes whiche H₁, BT, W
188 Tho XGERCB₂, B   They H₁   196 the world] worldes
A...B₂, Λ   201 is al AM

[Tale of Midas.]

For every thief upon richesse
Awaiteth forto robbe and stele :
Such good is cause of harmes fele.
And also, thogh a man at ones
Of al the world withinne his wones   210
The tresor myhte have everydel,
Yit hadde he bot o mannes del
Toward himself, so as I thinke,
Of clothinge and of mete and drinke,
For more, outake vanite,
Ther hath no lord in his degre.'
And thus upon the pointz diverse
Diverseliche he gan reherce
What point him thoghte for the beste;
Bot pleinly forto gete him reste   220
He can no siker weie caste.
And natheles yit ate laste
He fell upon the coveitise
Of gold; and thanne in sondri wise
He thoghte, as I have seid tofore,   P. ii. 135
Hou tresor mai be sone lore,
And hadde an inly gret desir
Touchende of such recoverir,
Hou that he mihte his cause availe
To gete him gold withoute faile.   230
Withinne his herte and thus he preiseth
The gold, and seith hou that it peiseth
Above al other metall most :
'The gold,' he seith, 'may lede an host
To make werre ayein a King;

Salomon. Pecunie
obediunt omnia.

The gold put under alle thing,
And set it whan him list above;
The gold can make of hate love
And werre of pes and ryht of wrong,
And long to schort and schort to long;   240
Withoute gold mai be no feste,
Gold is the lord of man and beste,

210 þis world H₁...B₂   211 myhte *om.* H₁...B₂   (hadde *for* have H₁)   212 a mannes H₁...B₂, Ad, W   217 the] þo GEC þese (þeis) AdBTΔ   235 þe king BT   242 the *om.* AMH₁XRLB₂

And mai hem bothe beie and selle ;   [Tale of Midas.]
So that a man mai sothly telle
That al the world to gold obeieth.'
Forthi this king to Bachus preieth
To grante him gold, bot he excedeth
Mesure more than him nedeth.
Men tellen that the maladie
Which cleped is ydropesie   250
Resembled is unto this vice
Be weie of kinde of Avarice :
The more ydropesie drinketh,
The more him thursteth, for him thinketh
That he mai nevere drinke his fille ;   **P. ii. 136**
So that ther mai nothing fulfille
The lustes of his appetit :
And riht in such a maner plit
Stant Avarice and evere stod ;
The more he hath of worldes good,   260
The more he wolde it kepe streyte,
And evere mor and mor coveite.
And riht in such condicioun
Withoute good discrecioun
This king with avarice is smite,
That al the world it myhte wite :
For he to Bachus thanne preide,
That wherupon his hond he leide,
It scholde thurgh his touche anon
Become gold, and therupon   270
This god him granteth as he bad.
Tho was this king of Frige glad,
And forto put it in assai
With al the haste that he mai,
He toucheth that, he toucheth this,
And in his hond al gold it is,
The Ston, the Tree, the Lef, the gras,
The flour, the fruit, al gold it was.

249 telleþ AM   253 dropesie (dropseie) AM   268 þer vpon B
273 put AJ, F   putte C, BT   274 He touched (toucheþ) al þat
by him lay H₁ . . . B₂, Λ   (toucheþ H₁GC   touchit B₂   touche X)
278 al] as AM

[TALE OF MIDAS.]

Thus toucheth he, whil he mai laste
To go, bot hunger ate laste
Him tok, so that he moste nede
Be weie of kinde his hunger fede.
The cloth was leid, the bord was set,
And al was forth tofore him fet,
His disch, his coppe, his drinke, his mete; **P. ii. 137**
Bot whanne he wolde or drinke or ete,
Anon as it his mouth cam nyh,
It was al gold, and thanne he syh
Of Avarice the folie.
And he with that began to crie,
And preide Bachus to foryive
His gilt, and soffre him forto live
And be such as he was tofore,
So that he were noght forlore.
This god, which herde of his grevance,
Tok rowthe upon his repentance,
And bad him go forth redily
Unto a flod was faste by,
Which Paceole thanne hyhte,
In which as clene as evere he myhte
He scholde him waisshen overal,
And seide him thanne that he schal
Recovere his ferste astat ayein.
This king, riht as he herde sein,
Into the flod goth fro the lond,
And wissh him bothe fot and hond,
And so forth al the remenant,
As him was set in covenant:
And thanne he syh merveilles strange,
The flod his colour gan to change,
The gravel with the smale Stones
To gold thei torne bothe at ones,
And he was quit of that he hadde,
And thus fortune his chance ladde.
And whan he sih his touche aweie, **P. ii. 138**

281 him most(e) AJMG ... B₂   288 al] as AMXERLB₂
295 þis SBT   301 waisshen F waisschen B wasshen (waschen)
AJ, S   306 wyssh (wissh) SB wisshe AJ, F   314 change AM

LIBER QUINTUS

[TALE OF MIDAS.]

He goth him hom the rihte weie
And liveth forth as he dede er,
And putte al Avarice afer,
And the richesse of gold despiseth,
And seith that mete and cloth sufficeth. 320
Thus hath this king experience
Hou foles don the reverence
To gold, which of his oghne kinde
Is lasse worth than is the rinde
To sustienance of mannes fode;
And thanne he made lawes goode
And al his thing sette upon skile:
He bad his poeple forto tile
Here lond, and live under the lawe,
And that thei scholde also forthdrawe 330
Bestaile, and seche non encress
Of gold, which is the breche of pes.
For this a man mai finde write,
Tofor the time, er gold was smite
In Coign, that men the florin knewe,
Ther was welnyh noman untrewe;
Tho was ther nouther schield ne spere
Ne dedly wepne forto bere;
Tho was the toun withoute wal,
Which nou is closed overal; 340
Tho was ther no brocage in londe,
Which nou takth every cause on honde:
So mai men knowe, hou the florin
Was moder ferst of malengin
And bringere inne of alle werre, P. ii. 139
Wherof this world stant out of herre
Thurgh the conseil of Avarice,
Which of his oghne propre vice
Is as the helle wonderfull;
For it mai neveremor be full, 350
That what as evere comth therinne,
Awey ne may it nevere winne.
Bot Sone myn, do thou noght so,

316 hom] þanne (þan) H₁ ... B₂, Λ   332 bruche AM
350 befull F

Let al such Avarice go,
And tak thi part of that thou hast:
I bidde noght that thou do wast,
Bot hold largesce in his mesure;
And if thou se a creature,
Which thurgh poverte is falle in nede,
Yif him som good, for this I rede   360
To him that wol noght yiven here,
What peine he schal have elleswhere.

[THE PUNISHMENT OF TANTALUS.]

Nota de pena Tantali, cuius amara sitis dampnatos torquet auaros.

 Ther is a peine amonges alle
Benethe in helle, which men calle
The wofull peine of Tantaly,
Of which I schal thee redely
Devise hou men therinne stonde.
In helle, thou schalt understonde,
Ther is a flod of thilke office,
Which serveth al for Avarice: 370
What man that stonde schal therinne,
He stant up evene unto the chinne;
Above his hed also ther hongeth
A fruyt, which to that peine longeth,
And that fruit toucheth evere in on   **P. ii. 140**
His overlippe: and therupon
Swich thurst and hunger him assaileth,
That nevere his appetit ne faileth.
Bot whanne he wolde his hunger fede,
The fruit withdrawth him ate nede,   380
And thogh he heve his hed on hyh,
The fruit is evere aliche nyh,
So is the hunger wel the more:
And also, thogh him thurste sore
And to the water bowe a doun,
The flod in such condicioun
Avaleth, that his drinke areche
He mai noght. Lo nou, which a wreche,
That mete and drinke is him so couth,

364 Benethe] Grieueþ C &c.   368 And for no drede now wol I wonde H₁ ... B₂, Λ   371 ffor what man stonde B   ffor what man þat stonde T   372 unto] to H₁ ... B₂, BTΔ, W   vp to Λ   385 a doun J, F   adoun A, B

LIBER QUINTUS

And yit ther comth non in his mouth ! 390 [THE PUNISHMENT OF
Lich to the peines of this flod   TANTALUS.]
Stant Avarice in worldes good :
He hath ynowh and yit him nedeth,
For his skarsnesse it him forbiedeth,
And evere his hunger after more
Travaileth him aliche sore,
So is he peined overal.
Forthi thi goodes forth withal,
Mi Sone, loke thou despende,   [AVARICE.]
Wherof thou myht thiself amende 400
Bothe hier and ek in other place.
And also if thou wolt pourchace
To be beloved, thou most use
Largesce, for if thou refuse
To yive for thi loves sake,   P. ii. 141
It is no reson that thou take
Of love that thou woldest crave.
Forthi, if thou wolt grace have,
Be gracious and do largesse,
Of Avarice and the seknesse 410
Eschuie above alle other thing,
And tak ensample of Mide king
And of the flod of helle also,
Where is ynowh of alle wo.
And thogh ther were no matiere
Bot only that we finden hiere,
Men oghten Avarice eschuie ;
For what man thilke vice suie,
He get himself bot litel reste.
For hou so that the body reste, 420
The herte upon the gold travaileth,
Whom many a nyhtes drede assaileth ;
For thogh he ligge abedde naked,
His herte is everemore awaked,
And dremeth, as he lith to slepe,
How besi that he is to kepe

394 forbiedeþ J, S, F   forbedeþ A, B   The more he haþ þe
more he greedeþ H₁ . . . B₂, Λ   (dredeþ *for* greedeþ R)   412 tak
SB   take AJ, F   424 everemore] ouercome AM . . . B₂, Λ

[JEALOUSY OF
LOVERS.]

His tresor, that no thief it stele.
Thus hath he bot a woful wele.
   And riht so in the same wise,
If thou thiself wolt wel avise, 430
Ther be lovers of suche ynowe,
That wole unto no reson bowe.
If so be that thei come above,
Whan thei ben maistres of here love,
And that thei scholden be most glad, P. ii. 142
With love thei ben most bestad,
So fain thei wolde it holden al.
Here herte, here yhe is overal,
And wenen every man be thief,
To stele awey that hem is lief; 440
Thus thurgh here oghne fantasie
Thei fallen into Jelousie.
Thanne hath the Schip tobroke his cable,
With every wynd and is muable.

Amans.

   Mi fader, for that ye nou telle,
I have herd ofte time telle
Of Jelousie, bot what it is
Yit understod I nevere er this:
Wherfore I wolde you beseche,
That ye me wolde enforme and teche 450
What maner thing it mihte be.

Confessor.

   Mi Sone, that is hard to me:
Bot natheles, as I have herd,
Now herkne and thou schalt ben ansuerd.

   Among the men lacke of manhode
In Mariage upon wifhode
Makth that a man himself deceiveth,
Wherof it is that he conceiveth
That ilke unsely maladie,
The which is cleped Jelousie: 460
Of which if I the proprete
Schal telle after the nycete,

Nota de Ialousia, cuius fantastica suspicio amorem quamuis fidelissimum multociens sine causa corruptum ymaginatur.

448 vnderstod (vnderstood) AJ, B vnderstode S, F   er this]
}is AM ... L I wis B2   454 Now *om.* A ... B2   458 *margin*
de *om.* AMXRCLB2, Λ   459 ilke] þilke AM

[Jealousy of Lovers.]

So as it worcheth on a man,
A Fievere it is cotidian,
Which every day wol come aboute, **P. ii. 143**
Wher so a man be inne or oute.
At hom if that a man wol wone,
This Fievere is thanne of comun wone
Most grevous in a mannes yhe:
For thanne he makth him tote and pryhe,
Wher so as evere his love go;
Sche schal noght with hir litel too
Misteppe, bot he se it al.
His yhe is walkende overal;
Wher that sche singe or that sche dance,
He seth the leste contienance,
If sche loke on a man aside
Or with him roune at eny tyde,
Or that sche lawghe, or that sche loure,
His yhe is ther at every houre.
And whanne it draweth to the nyht,
If sche thanne is withoute lyht,
Anon is al the game schent;
For thanne he set his parlement
To speke it whan he comth to bedde,
And seith, 'If I were now to wedde,
I wolde neveremore have wif.'
And so he torneth into strif
The lust of loves duete,
And al upon diversete.
If sche be freissh and wel araied,
He seith hir baner is displaied
To clepe in gestes fro the weie:
And if sche be noght wel beseie,
And that hir list noght to be gladd, **P. ii. 144**
He berth an hond that sche is madd
And loveth noght hire housebonde;
He seith he mai wel understonde,
That if sche wolde his compaignie,

463 on] in H1 . . . B2 471 as *om.* H1 . . . B2, Δ 486 I] it AM
487 neveremore] neuer B neu*er*more more T 493 fro] by (be)
H1 . . . B2, B

[JEALOUSY OF LOVERS.]

Sche scholde thanne afore his ÿe 500
Schewe al the plesir that sche mihte.
So that be daie ne be nyhte
Sche not what thing is for the beste,
Bot liveth out of alle reste;
For what as evere him liste sein,
Sche dar noght speke a word ayein,
Bot wepth and holt hire lippes clos.
Sche mai wel wryte, 'Sanz repos,'
The wif which is to such on maried.
 Of alle wommen be he waried, 510
For with this Fievere of Jalousie
His echedaies fantasie
Of sorghe is evere aliche grene,
So that ther is no love sene,
Whil that him list at hom abyde.
And whan so is he wol out ryde,
Thanne hath he redi his aspie
Abidinge in hir compaignie,
A janglere, an evel mouthed oon,
That sche ne mai nowhider gon, 520
Ne speke a word, ne ones loke,
That he ne wol it wende and croke
And torne after his oghne entente,
Thogh sche nothing bot honour mente.
Whan that the lord comth hom ayein, **P. ii. 145**
The janglere moste somwhat sein;
So what withoute and what withinne,
This Fievere is evere to beginne,
For where he comth he can noght ende,
Til deth of him have mad an ende. 530
For thogh so be that he ne hiere
Ne se ne wite in no manere
Bot al honour and wommanhiede,
Therof the Jelous takth non hiede,
Bot as a man to love unkinde,
He cast his staf, as doth the blinde,
And fint defaulte where is non;

505 liste] lust to B   511 his H₁ ... B₂, W   534 Wher of H₁G ... B₂   Where þat X   536 as doth] and as G, B

LIBER QUINTUS

As who so dremeth on a Ston
Hou he is leid, and groneth ofte,
Whan he lith on his pilwes softe.   540
So is ther noght bot strif and cheste;
Whan love scholde make his feste,
It is gret thing if he hir kisse:
Thus hath sche lost the nyhtes blisse,
For at such time he gruccheth evere
And berth on hond ther is a levere,
And that sche wolde an other were
In stede of him abedde there;
And with tho wordes and with mo
Of Jelousie, he torneth fro   550
And lith upon his other side,
And sche with that drawth hire aside,
And ther sche wepeth al the nyht.
Ha, to what peine sche is dyht,
That in hire youthe hath so beset   **P. ii. 146**
The bond which mai noght ben unknet!
I wot the time is ofte cursed,
That evere was the gold unpursed,
The which was leid upon the bok,
Whan that alle othre sche forsok   560
For love of him; bot al to late
Sche pleigneth, for as thanne algate
Sche mot forbere and to him bowe,
Thogh he ne wole it noght allowe.
For man is lord of thilke feire,
So mai the womman bot empeire,
If sche speke oght ayein his wille;
And thus sche berth hir peine stille.

    Bot if this Fievere a womman take,
Sche schal be wel mor harde schake;   570
For thogh sche bothe se and hiere,
And finde that ther is matiere,
Sche dar bot to hirselve pleine,
And thus sche suffreth double peine.

    Lo thus, mi Sone, as I have write,   Confessor.
Thou miht of Jelousie wite

[JEALOUSY OF LOVERS.]

     545 at *om.* AM   551 his] þat B
E e

[JEALOUSY OF LOVERS.]

His fievere and his condicion,
Which is full of suspecion.
Bot wherof that this fievere groweth,
Who so these olde bokes troweth, 580
Ther mai he finden hou it is:
For thei ous teche and telle this,
Hou that this fievere of Jelousie
Somdel it groweth of sotie
Of love, and somdiel of untrust. P. ii. 147
For as a sek man lest his lust,
And whan he may no savour gete,
He hateth thanne his oughne mete,
Riht so this fieverous maladie,
Which caused is of fantasie, 590
Makth the Jelous in fieble plit
To lese of love his appetit
Thurgh feigned enformacion
Of his ymaginacion.
 Bot finali to taken hiede,
Men mai wel make a liklihiede
Betwen him which is averous
Of gold and him that is jelous
Of love, for in on degre
Thei stonde bothe, as semeth me. 600
That oon wolde have his bagges stille,
And noght departen with his wille,
And dar noght for the thieves slepe,
So fain he wolde his tresor kepe;
That other mai noght wel be glad,
For he is evere more adrad
Of these lovers that gon aboute,
In aunter if thei putte him oute.
So have thei bothe litel joye
As wel of love as of monoie. 610
 Now hast thou, Sone, at my techinge
Of Jelousie a knowlechinge,
That thou myht understonde this,
Fro whenne he comth and what he is,

601 bagge BT   606 euere more AJ, F   eueremore SB
611 at] of B

And ek to whom that he is lik.   P. ii. 148   [JEALOUSY OF LOVERS.]
Be war forthi thou be noght sik
Of thilke fievere as I have spoke,
For it wol in himself be wroke.
For love hateth nothing more,
As men mai finde be the lore   620
Of hem that whilom were wise,
Hou that thei spieke in many wise.
   Mi fader, soth is that ye sein.   Amans.
Bot forto loke therayein,
Befor this time hou it is falle,
Wherof ther mihte ensample falle
To suche men as be jelous
In what manere it is grevous,
Riht fain I wolde ensample hiere.
   My goode Sone, at thi preiere   630   Confessor.
Of suche ensamples as I finde,
So as thei comen nou to mynde
Upon this point, of time gon
I thenke forto tellen on.

   Ovide wrot of manye thinges,   [TALE OF VULCAN AND VENUS.]
Among the whiche in his wrytinges
He tolde a tale in Poesie,
Which toucheth unto Jelousie,
Upon a certein cas of love.
Among the goddes alle above   640   Hic ponit exem-
It fell at thilke time thus: plum contra istos mar-
The god of fyr, which Vulcanus   itos quos Ialousia mac-
Is hote, and hath a craft forthwith   ulauit. Et narrat qua-
Assigned, forto be the Smith   liter Vulcanus, cuius
                                                                      vxor Venus extitit,
Of Jupiter, and his figure   P. ii. 149   suspicionem inter ip-
Bothe of visage and of stature   sam et Martem con-
Is lothly and malgracious,   cipiens, eorum gestus
Bot yit he hath withinne his hous   diligencius explor-
As for the likynge of his lif   abat: vnde contigit
                                                                      quod ipse quadam
The faire Venus to his wif.   vice ambos inter se
                                                                      pariter amplexantes in
                                                                      lecto nudos inuenit,
Bot Mars, which of batailles is   650   et exclamans omnem
The god, an yhe hadde unto this: cetum deorum et dea-
                                                                      rum ad tantum spec-
                                                                    taculum conuocauit:

649 Al AM ... B₂

[TALE OF VULCAN
  AND VENUS.]

super quo tamen de-
risum pocius quam
remedium a tota co-
horte consecutus est.

As he which was chivalerous,
It fell him to ben amerous,
And thoghte it was a gret pite
To se so lusti on as sche
Be coupled with so lourde a wiht:
So that his peine day and nyht
He dede, if he hire winne myhte;
And sche, which hadde a good insihte   660
Toward so noble a knyhtli lord,
In love fell of his acord.
Ther lacketh noght bot time and place,
That he nys siker of hire grace:
Bot whan tuo hertes falle in on,
So wys await was nevere non,
That at som time thei ne mete;
And thus this faire lusti swete
With Mars hath ofte compaignie.
Bot thilke unkynde Jelousie,   670
Which everemor the herte opposeth,
Makth Vulcanus that he supposeth
That it is noght wel overal,
And to himself he seide, he schal
Aspie betre, if that he may;   **P. ii. 150**
And so it fell upon a day,
That he this thing so slyhli ledde,
He fond hem bothe tuo abedde
Al warm, echon with other naked.
And he with craft al redy maked   680
Of stronge chenes hath hem bounde,
As he togedre hem hadde founde,
And lefte hem bothe ligge so,
And gan to clepe and crie tho
Unto the goddes al aboute;
And thei assembled in a route
Come alle at ones forto se.
Bot none amendes hadde he,
Bot was rebuked hiere and there

654 auerous BTΛ   659 And sche þan þoughte how sche
mighte B   Grete it was *and* sore he sight Λ   *line om.* T   660 As
sche BTΛ   671 apposeþ AM, W   681 him AMECLB₂

LIBER QUINTUS

Of hem that loves frendes were ; 690 [TALE OF VULCAN
And seiden that he was to blame,   AND VENUS.]
For if ther fell him eny schame,
It was thurgh his misgovernance :
And thus he loste contienance,
This god, and let his cause falle ;
And thei to skorne him lowhen alle,
And losen Mars out of hise bondes.
Wherof these erthli housebondes
For evere myhte ensample take,
If such a chaunce hem overtake : 700
For Vulcanus his wif bewreide,
The blame upon himself he leide,
Wherof his schame was the more ;
Which oghte forto ben a lore
For every man that liveth hiere, P. ii. 151
To reulen him in this matiere.
Thogh such an happ of love asterte,
Yit scholde he noght apointe his herte
With Jelousie of that is wroght,
Bot feigne, as thogh he wiste it noght : 710
For if he lete it overpasse,
The sclaundre schal be wel the lasse,
And he the more in ese stonde.
For this thou myht wel understonde,
That where a man schal nedes lese,
The leste harme is forto chese.
Bot Jelousie of his untrist
Makth that full many an harm arist,
Which elles scholde noght arise ;
And if a man him wolde avise 720
Of that befell to Vulcanus,
Him oghte of reson thenke thus,
That sithe a god therof was schamed,
Wel scholde an erthli man be blamed
To take upon him such a vice.
    Forthi, my Sone, in thin office *Confessor.*
Be war that thou be noght jelous,

691 that] how þat H₁XRCLB₂   how GE   698 þe BT
702 he leide] is leid(e) H₁ . . . B₂   was leyed W

[TALE OF VULCAN AND VENUS.]
Amans.

Which ofte time hath schent the hous.
    Mi fader, this ensample is hard,
Hou such thing to the heveneward   730
Among the goddes myhte falle:
For ther is bot o god of alle,
Which is the lord of hevene and helle.
Bot if it like you to telle
Hou suche goddes come aplace,   P. ii. 152
Ye mihten mochel thonk pourchace,
For I schal be wel tawht withal.

Confessor.

   Mi Sone, it is thus overal
With hem that stonden misbelieved,
That suche goddes ben believed: 740
In sondri place sondri wise
Amonges hem whiche are unwise
Ther is betaken of credence;
Wherof that I the difference
In the manere as it is write
Schal do the pleinly forto wite.

[THE GODS OF THE NATIONS.]

ii. *Gentibus illusis signantur templa deorum,*
    Vnde deos cecos nacio ceca colit.
   Nulla creatori racio facit esse creatum
    Equiperans, quod adhuc iura pagana fouent.

[i. BELIEF OF THE CHALDEANS.]

   Er Crist was bore among ous hiere,
Of the believes that tho were
In foure formes thus it was.
Thei of Caldee as in this cas   750
Hadde a believe be hemselve,
Which stod upon the signes tuelve,
Forth ek with the Planetes sevene,
Whiche as thei sihe upon the hevene.
Of sondri constellacion
In here ymaginacion
With sondri kerf and pourtreture
Thei made of goddes the figure.
    In thelementz and ek also
Thei hadden a believe tho;   760

Quia secundum Poetarum fabulas in huius libelli locis quampluribus nomina et gestus deorum falsorum intitulantur, quorum infidelitas vt Cristianis clarius innotescat, intendit de ipsorum origine secundum varias Paganorum Sectas scribere consequenter.
   Et primo de Secta Chaldeorum tractare proponit.

Latin Verses ii. 1 Mentibus H₁ . . . B₂, BTΛ, W   4 Equiperans
A   Equipans J, B, F

LIBER QUINTUS

And al was that unresonable: **P. ii. 153** [BELIEF OF THE CHALDEANS.]
For thelementz ben servicable
To man, and ofte of Accidence,
As men mai se thexperience,
Thei ben corrupt be sondri weie;
So mai no mannes reson seie
That thei ben god in eny wise.
And ek, if men hem wel avise,
The Sonne and Mone eclipse bothe,
That be hem lieve or be hem lothe,   770
Thei soffre; and what thing is passible
To ben a god is impossible.
These elementz ben creatures,   Et nota quod Nem-
So ben these hevenly figures,   broth quartus a Noe
Wherof mai wel be justefied   ignem tanquam deum
That thei mai noght be deified: in Chaldea primus
And who that takth awey thonour   adorari decreuit.
Which due is to the creatour,
And yifth it to the creature,
He doth to gret a forsfaiture.   780
Bot of Caldee natheles
Upon this feith, thogh it be les,
Thei holde affermed the creance;
So that of helle the penance,
As folk which stant out of believe,   [ii. BELIEF OF THE EGYPTIANS.]
They schull receive, as we believe.
 Of the Caldeus lo in this wise   De Secta Egipcio-
Stant the believe out of assisse: rum.
Bot in Egipte worst of alle
The feith is fals, hou so it falle;   790
For thei diverse bestes there   **P. ii. 154**
Honoure, as thogh thei goddes were:
And natheles yit forth withal
Thre goddes most in special
Thei have, forth with a goddesse,

764 experience H₁ . . . B₂, Δ   773 ff. *margin* Et nota—decreuit *om.* BT   781 of] as E . . . B₂ os X   786 And wol (woln) non oþer maner leue H₁ . . . B₂ (whi *for* wol R)   787 lo] so B *om.* ME *margin* De Secta Egipciorum *om.* B   792 thogh *om.* AMH₁B₂, Δ 795 forth] feiþ L   seþ C   seintis B₂

[BELIEF OF THE EGYPTIANS.]

In whom is al here sikernesse.
Tho goddes be yit cleped thus,
Orus, Typhon and Isirus :
Thei were brethren alle thre,
And the goddesse in hir degre 800
Here Soster was and Ysis hyhte,
Whom Isirus forlai be nyhte
And hield hire after as his wif.
So it befell that upon strif
Typhon hath Isre his brother slain,
Which hadde a child to Sone Orayn,
And he his fader deth to herte
So tok, that it mai noght asterte
That he Typhon after ne slowh,
Whan he was ripe of age ynowh. 810
Bot yit thegipcienes trowe
For al this errour, which thei knowe,
That these brethren ben of myht
To sette and kepe Egipte upriht,
And overthrowe, if that hem like.
Bot Ysis, as seith the Cronique,
Fro Grece into Egipte cam,
And sche thanne upon honde nam
To teche hem forto sowe and eere,
Which noman knew tofore there. 820
And whan thegipcienes syhe   P. ii. 155
The fieldes fulle afore here yhe,
And that the lond began to greine,
Which whilom hadde be bareigne,—
For therthe bar after the kinde
His due charge,—this I finde,
That sche of berthe the goddesse
Is cleped, so that in destresse
The wommen there upon childinge
To hire clepe, and here offringe 830
Thei beren, whan that thei ben lyhte.
Lo, hou Egipte al out of syhte

811 þegipcienes (þe Egipcienes) YGEC, BΔ   þe Egipcianis X thegipciens (þe Egipciens) AJMH₁RB₂, SAdT, FWH₃   egipcens L
821 *as in* 811 *but* Egipcienes Y   þegipciens L

LIBER QUINTUS

Fro resoun stant in misbelieve [iii. BELIEF OF THE
For lacke of lore, as I believe. GREEKS.]

    Among the Greks, out of the weie De Secta Grecorum.
As thei that reson putte aweie,
Ther was, as the Cronique seith,
Of misbelieve an other feith,
That thei here goddes and goddesses,
As who seith, token al to gesses   840
Of suche as weren full of vice,
To whom thei made here sacrifice.
The hihe god, so as thei seide,
To whom thei most worschipe leide,
Saturnus hihte, and king of Crete   Nota qualiter Sa-
He hadde be; bot of his sete   turnus deorum sum-
He was put doun, as he which stod   mus appellatur.
In frenesie, and was so wod,
That fro his wif, which Rea hihte,
Hise oghne children he to plihte,   850
And eet hem of his comun wone.   **P. ii. 156**
Bot Jupiter, which was his Sone
And of full age, his fader bond
And kutte of with his oghne hond
Hise genitals, whiche als so faste
Into the depe See he caste;
Wherof the Greks afferme and seie,
Thus whan thei were caste aweie,
Cam Venus forth be weie of kinde.
And of Saturne also I finde   860
How afterward into an yle
This Jupiter him dede exile,
Wher that he stod in gret meschief.
Lo, which a god thei maden chief!
And sithen that such on was he,
Which stod most hihe in his degre
Among the goddes, thou miht knowe,

---

833 Fro] Of A ... B₂   835 *margin* De Secta Grecorum] De
secta egipciorum B *om.* E   836 that *om.* XRCLB₂   850 he to
plihte (toplighte &c.) J, SAdBTΔ, FWH₃   al to plyhte (alto plight
&c.) AM ... B₂   862 dede him H₁ ... B₂, Δ, W   866 hihe
A, S, F   hih BT

[BELIEF OF THE GREEKS.]

Iupiter deus deliciarum.

These othre, that ben more lowe,
Ben litel worth, as it is founde.
 For Jupiter was the secounde,   870
Which Juno hadde unto his wif;
And yit a lechour al his lif
He was, and in avouterie
He wroghte many a tricherie;
And for he was so full of vices,
Thei cleped him god of delices:
Of whom, if thou wolt more wite,
Ovide the Poete hath write.
Bot yit here Sterres bothe tuo,
Saturne and Jupiter also,   880
Thei have, althogh thei be to blame, **P. ii. 157**
Attitled to here oghne name.

Mars deus belli.

 Mars was an other in that lawe,
The which in Dace was forthdrawe,
Of whom the clerk Vegecius
Wrot in his bok, and tolde thus,
Hou he into Ytaile cam,
And such fortune ther he nam,
That he a Maiden hath oppressed,
Which in hire ordre was professed,   890
As sche which was the Prioresse
In Vestes temple the goddesse,
So was sche wel the mor to blame.
Dame Ylia this ladi name
Men clepe, and ek sche was also
The kinges dowhter that was tho,
Which Mynitor be name hihte.
So that ayein the lawes ryhte
Mars thilke time upon hire that
Remus and Romulus begat,   900
Whiche after, whan thei come in Age,
Of knihthode and of vassellage
Ytaile al hol thei overcome
And foundeden the grete Rome;
In Armes and of such emprise
Thei weren, that in thilke wise

 893 he BT   901 Whiche A, S   Which J, B, F

LIBER QUINTUS

Here fader Mars for the mervaile   [BELIEF OF THE GREEKS.]
The god was cleped of bataille.
Thei were his children bothe tuo,
Thurgh hem he tok his name so,   910
Ther was non other cause why: P. ii. 158
And yit a Sterre upon the Sky
He hath unto his name applied,
In which that he is signified.

  An other god thei hadden eke,   Appollo deus Sapiencie.
To whom for conseil thei beseke,
The which was brother to Venus,
Appollo men him clepe thus.
He was an Hunte upon the helles,
Ther was with him no vertu elles,   920
Wherof that enye bokes karpe,
Bot only that he couthe harpe;
Which whanne he walked over londe,
Fulofte time he tok on honde,
To gete him with his sustienance,
For lacke of other pourveance.
And otherwhile of his falshede
He feignede him to conne arede
Of thing which after scholde falle;
Wherof among hise sleyhtes alle   930
He hath the lewed folk deceived,
So that the betre he was received.
Lo now, thurgh what creacion
He hath deificacion,
And cleped is the god of wit
To suche as be the foles yit.

  An other god, to whom thei soghte,   Mercurius deus Mercatorum et furtorum.
Mercurie hihte, and him ne roghte
What thing he stal, ne whom he slowh.
Of Sorcerie he couthe ynowh,   940
That whanne he wolde himself transforme, P. ii. 159

---

915 *margin* Sciencie A   923 whane F   928 feigneþ B
936 be the] beþ þe AMXE ... B₂   ther beth H₁   ben (*om.* the) J, Δ, W   937 f. *margin* Mercurius—furtorum *om.* X ... CB₂, H₃
Mercurius deus lat*ronum* L   Mercurie deus H₁   939 stal] dide (dede) H₁ ... B₂

[BELIEF OF THE
GREEKS.]

Fulofte time he tok the forme
Of womman and his oghne lefte;
So dede he wel the more thefte.
A gret spekere in alle thinges
He was also, and of lesinges
An Auctour, that men wiste non
An other such as he was on.
And yit thei maden of this thief
A god, which was unto hem lief,   950
And clepede him in tho believes
The god of Marchantz and of thieves.
Bot yit a sterre upon the hevene
He hath of the planetes sevene.

Vulcanus deus Ignis.

    But Vulcanus, of whom I spak,
He hadde a courbe upon the bak,
And therto he was hepehalt:
Of whom thou understonde schalt,
He was a schrewe in al his youthe,
And he non other vertu couthe   960
Of craft to helpe himselve with,
Bot only that he was a Smith
With Jupiter, which in his forge
Diverse thinges made him forge;
So wot I noght for what desir
Thei clepen him the god of fyr.

Eolus deus ventorum.

    King of Cizile Ypolitus
A Sone hadde, and Eolus
He hihte, and of his fader grant
He hield be weie of covenant   970
The governance of every yle   **P. ii. 160**
Which was longende unto Cizile,
Of hem that fro the lond forein
Leie open to the wynd al plein.
And fro thilke iles to the londe
Fulofte cam the wynd to honde:
After the name of him forthi
The wyndes cleped Eoli
Tho were, and he the god of wynd.

948 ôn F   951 tho] þe X . . . B₂, Ad   967 *margin* Eolus
deus ventorum *om.* B   979 Tho] They (þai &c.) H₁ . . . B₂, B

LIBER QUINTUS 429

Lo nou, hou this believe is blynd! 980 [BELIEF OF THE
  The king of Crete Jupiter, GREEKS.]
The same which I spak of er, Neptunus deus maris.
Unto his brother, which Neptune
Was hote, it list him to comune
Part of his good, so that be Schipe
He mad him strong of the lordschipe
Of al the See in tho parties;
Wher that he wroghte his tyrannyes,
And the strange yles al aboute
He wan, that every man hath doute 990
Upon his marche forto saile;
For he anon hem wolde assaile
And robbe what thing that thei ladden,
His sauf conduit bot if thei hadden.
Wherof the comun vois aros
In every lond, that such a los
He cawhte, al nere it worth a stre,
That he was cleped of the See
The god be name, and yit he is
With hem that so believe amis. 1000
This Neptune ek was thilke also, P. ii. 161
Which was the ferste foundour tho
Of noble Troie, and he forthi
Was wel the more lete by.
  The loresman of the Schepherdes, Pan deus nature.
And ek of hem that ben netherdes,
Was of Archade and hihte Pan:
Of whom hath spoke many a man;
For in the wode of Nonarcigne,
Enclosed with the tres of Pigne, 1010
And on the Mont of Parasie
He hadde of bestes the baillie,
And ek benethe in the valleie,

981 *margin* Neptunus deus maris *om.* X . . . B₂ Iubiter deus deliciarum H₁   986 mad J, S, F   made AC, B   987 tho] þe H₁ . . . B₂   989 al *om.* BT   992 wold(e) hem H₁ . . . B₂, Δ he wolde hem M   1006 ben *om.* AM   1009 Nonarigne (Nouarigne, Nonareigne &c.) H₁ . . . B₂, B   Nonartigne (Nonartyne) M, WH₃   1013 benethe in] beneþe (by neþe, benethen &c.) H₁ . . . B₂, BT   beneþin A

[BELIEF OF THE GREEKS.]

Wher thilke rivere, as men seie,
Which Ladon hihte, made his cours,
He was the chief of governours
Of hem that kepten tame bestes,
Wherof thei maken yit the festes
In the Cite Stinfalides.
And forth withal yit natheles   1020
He tawhte men the forthdrawinge
Of bestaile, and ek the makinge
Of Oxen, and of hors the same,
Hou men hem scholde ryde and tame:
Of foules ek, so as we finde,
Ful many a soubtiel craft of kinde
He fond, which noman knew tofore.
Men dede him worschipe ek therfore,
That he the ferste in thilke lond
Was which the melodie fond   1030
Of Riedes, whan thei weren ripe,   P. ii. 162
With double pipes forto pipe;
Therof he yaf the ferste lore,
Til afterward men couthe more.
To every craft for mannes helpe
He hadde a redi wit to helpe
Thurgh naturel experience:
And thus the nyce reverence
Of foles, whan that he was ded,
The fot hath torned to the hed,   1040
And clepen him god of nature,
For so thei maden his figure.

Bachus deus vini.

   An other god, so as thei fiele,
Which Jupiter upon Samele
Begat in his avouterie,
Whom, forto hide his lecherie,
That non therof schal take kepe,
In a Montaigne forto kepe,
Which Dyon hihte and was in Ynde,
He sende, in bokes as I finde: 1050
And he be name Bachus hihte,
Which afterward, whan that he mihte,

    1050 sende] sayde B   *line om.* T

LIBER QUINTUS

A wastour was, and al his rente   [BELIEF OF THE
In wyn and bordel he despente.   GREEKS.]
Bot yit, al were he wonder badde,
Among the Greks a name he hadde;
Thei cleped him the god of wyn,
And thus a glotoun was dyvyn.
   Ther was yit Esculapius   Esculapius deus
A godd in thilke time as thus.   1060 medicine.
His craft stod upon Surgerie,   P. ii. 163
Bot for the lust of lecherie,
That he to Daires dowhter drowh,
It fell that Jupiter him slowh:
And yit thei made him noght forthi
A god, and was no cause why.
In Rome he was long time also
A god among the Romeins tho;
For, as he seide, of his presence
Ther was destruid a pestilence,   1070
Whan thei to thyle of Delphos wente,
And that Appollo with hem sente
This Esculapius his Sone,
Among the Romeins forto wone.
And there he duelte for a while,
Til afterward into that yle,
Fro whenne he cam, ayein he torneth,
Where al his lyf that he sojorneth
Among the Greks, til that he deide.
And thei upon him thanne leide   1080
His name, and god of medicine
He hatte after that ilke line.
   An other god of Hercules   Hercules deus for-
Thei made, which was natheles   titudinis.
A man, bot that he was so strong,
In al this world that brod and long
So myhti was noman as he.
Merveiles tuelve in his degre,
As it was couth in sondri londes,

1058 a glotoun] þe glotoun B   1059 *margin* Esculapius deus medicine *om.* B   1065 thei *om.* AMXRCLB₂   1072 him AM... CB₂, BT, WH₃   1083 *margin* Hercules &c. *om.* B.

[BELIEF OF THE GREEKS.]

He dede with hise oghne hondes 1090
Ayein geantz and Monstres bothe, P. ii. 164
The whiche horrible were and lothe,
Bot he with strengthe hem overcam :
Wherof so gret a pris he nam,
That thei him clepe amonges alle
The god of strengthe, and to him calle.
And yit ther is no reson inne,
For he a man was full of sinne,
Which proved was upon his ende,
For in a rage himself he brende ; 1100
And such a cruel mannes dede
Acordeth nothing with godhede.

Pluto deus Inferni.

Thei hadde of goddes yit an other,
Which Pluto hihte, and was the brother
Of Jupiter, and he fro youthe
With every word which cam to mouthe,
Of eny thing whan he was wroth,
He wolde swere his commun oth,
Be Lethen and be Flegeton,
Be Cochitum and Acheron, 1110
The whiche, after the bokes telle,
Ben the chief flodes of the helle :
Be Segne and Stige he swor also,
That ben the depe Pettes tuo
Of helle the most principal.
Pluto these othes overal
Swor of his commun custummance,
Til it befell upon a chance,
That he for Jupiteres sake
Unto the goddes let do make 1120
A sacrifice, and for that dede P. ii. 165
On of the pettes for his mede
In helle, of which I spak of er,
Was granted him ; and thus he ther

1103 *margin* Pluto &c. *om.* AH₁XE . . . B₂ (*ins. later* M), B
1105 fro] for H₁, BT of W   1107 euery H₁ . . . B₂   1109
fflagetoun AMH₁, W   fflogetoun GECLB₂, B   1112 of the helle]
of helle AM . . . B₂, AdBΔΛ, W   1119 Iupiteres (Iubiteres &c.)
MYXGERC, SB   Iupiters (Iubiters) AJLB₂, FH₃   Iupiter (Iubiter)
H₁, AdTΔ, W

LIBER QUINTUS

Upon the fortune of this thing
The name tok of helle king.
  Lo, these goddes and wel mo
Among the Greks thei hadden tho,
And of goddesses manyon,
Whos names thou schalt hiere anon,   1130
And in what wise thei deceiven
The foles whiche here feith receiven.

  So as Saturne is soverein
Of false goddes, as thei sein,
So is Sibeles of goddesses
The Moder, whom withoute gesses
The folk Payene honoure and serve,
As thei the whiche hire lawe observe.
Bot forto knowen upon this
Fro when sche cam and what sche is,   1140
Bethincia the contre hihte,
Wher sche cam ferst to mannes sihte;
And after was Saturnes wif,
Be whom thre children in hire lif
Sche bar, and thei were cleped tho
Juno, Neptunus and Pluto,
The whiche of nyce fantasie
The poeple wolde deifie.
And for hire children were so,
Sibeles thanne was also   1150
Mad a goddesse, and thei hire calle   **P. ii. 166**
The moder of the goddes alle.
So was that name bore forth,
And yit the cause is litel worth.

  A vois unto Saturne tolde
Hou that his oghne Sone him scholde
Out of his regne putte aweie;
And he be cause of thilke weie,
That him was schape such a fate,
Sibele his wif began to hate   1160

Marginalia:
[BELIEF OF THE GREEKS.]
Nota, qualiter Sibeles Dearum Mater et origo nuncupatur.
Iuno Dea Regnorum et diuiciarum.

1134 *margin* dearum JY, S ... Δ, FH₃   deorum AM ... B₂, W
1138 the *om.* H₁ ... B₂, Δ, W   lawes H₁ ... B₂   1149 here (her) B, W   his C   1155 f. *margin* Iuno &c. *om.* AM ... B₂   et diuiciarum *om.* BT   1156 him *om.* B
**
F f

[BELIEF OF THE GREEKS.]

And ek hire progenie bothe.
And thus, whil that thei were wrothe,
Be Philerem upon a dai
In his avouterie he lai,
On whom he Jupiter begat;
And thilke child was after that
Which wroghte al that was prophecied,
As it tofore is specefied:
So that whan Jupiter of Crete
Was king, a wif unto him mete   1170
The Dowhter of Sibele he tok,
And that was Juno, seith the bok.
Of his deificacion
After the false oppinion,
That have I told, so as thei meene;
And for this Juno was the queene
Of Jupiter and Soster eke,
The foles unto hire sieke,
And sein that sche is the goddesse
Of Regnes bothe and of richesse: 1180
And ek sche, as thei understonde,   P. ii. 167
The water Nimphes hath in honde
To leden at hire oghne heste;
And whan hir list the Sky tempeste,
The reinbowe is hir Messager.
Lo, which a misbelieve is hier!
That sche goddesse is of the Sky
I wot non other cause why.

Minerua Dea sapi-
enciarum.

An other goddesse is Minerve,
To whom the Greks obeie and serve: 1190
And sche was nyh the grete lay
Of Triton founde, wher sche lay
A child forcast, bot what sche was
Ther knew noman the sothe cas.
Bot in Aufrique sche was leid
In the manere as I have seid,
And caried fro that ilke place
Into an Yle fer in Trace,

1165 Iupiter he SAdΔ   1172 was *om.* H₁ ... B₂   as seiþ H₁ ... B₂
1176 And *om.* BT

LIBER QUINTUS

The which Palene thanne hihte,
Wher a Norrice hir kepte and dihte. 1200
And after, for sche was so wys
That sche fond ferst in hire avis
The cloth makinge of wolle and lyn,
Men seiden that sche was divin,
And the goddesse of Sapience
Thei clepen hire in that credence.
  Of the goddesse which Pallas
Is cleped sondri speche was.
On seith hire fader was Pallant,
Which in his time was geant, 1210
A cruel man, a bataillous:
An other seith hou in his hous
Sche was the cause why he deide.
And of this Pallas some ek seide
That sche was Martes wif; and so
Among the men that weren tho
Of misbelieve in the riote
The goddesse of batailles hote
She was, and yit sche berth the name.
Now loke, hou they be forto blame. 1220
  Saturnus after his exil
Fro Crete cam in gret peril
Into the londes of Ytaile,
And ther he dede gret mervaile,
Wherof his name duelleth yit.
For he fond of his oghne wit
The ferste craft of plowh tilinge,
Of Eringe and of corn sowinge,
And how men scholden sette vines
And of the grapes make wynes; 1230
Al this he tawhte, and it fell so,
His wif, the which cam with him tho,
Was cleped Cereres be name,
And for sche tawhte also the same,

[BELIEF OF THE GREEKS.]

Pallas Dea bellorum.

P. ii. 168

Ceres dea frugum.

1199 Palon(e) H₁ ... B₂   1201 after þat for sche was w. AM ... B₂
1203 The] To H₁E ... B₂   1207 *margin* Pallas &c. *om.* C, BT
1221 *margin* Ceres dea frugum *om.* JH₁ ... B₂   Saturnus dea
frugum B   1230 grape AM ... B₂, Δ   1232 the *om.* AM W

[BELIEF OF THE GREEKS.]

And was his wif that ilke throwe,
As it was to the poeple knowe,
Thei made of Ceres a goddesse,
In whom here tilthe yit thei blesse,
And sein that Tricolonius
Hire Sone goth amonges ous   1240
And makth the corn good chep or dere, **P. ii. 169**
Riht as hire list fro yer to yeere;
So that this wif be cause of this
Goddesse of Cornes cleped is.

Diana Dea Moncium et Siluarum.

   King Jupiter, which his likinge
Whilom fulfelde in alle thinge,
So priveliche aboute he ladde
His lust, that he his wille hadde
Of Latona, and on hire that
Diane his dowhter he begat   1250
Unknowen of his wif Juno.
And afterward sche knew it so,
That Latona for drede fledde
Into an Ile, wher sche hedde
Hire wombe, which of childe aros.
Thilke yle cleped was Delos;
In which Diana was forthbroght,
And kept so that hire lacketh noght.
And after, whan sche was of Age,
Sche tok non hiede of mariage,   1260
Bot out of mannes compaignie
Sche tok hire al to venerie
In forest and in wildernesse;
For ther was al hire besinesse
Be daie and ek be nyhtes tyde
With arwes brode under the side
And bowe in honde, of which sche slowh
And tok al that hir liste ynowh
Of bestes whiche ben chacable:
Wherof the Cronique of this fable   1270
Seith that the gentils most of alle **P. ii. 170**

1238 her tilþes B   1245 *margin* et Siluarum *om*. AM   1252 And]
Bot (But) SAdBTΔΛ   1253 ledde BT   1256 was cleped BTΛ
1262 al to] vnto B

LIBER QUINTUS

Worschipen hire and to hire calle,   [BELIEF OF THE
And the goddesse of hihe helles,   GREEKS.]
Of grene trees, of freisshe welles,
They clepen hire in that believe,
Which that no reson mai achieve.
    Proserpina, which dowhter was   *Proserpina Dea In-*
Of Cereres, befell this cas :   *fernorum.*
Whil sche was duellinge in Cizile,
Hire moder in that ilke while   1280
Upon hire blessinge and hire heste
Bad that sche scholde ben honeste,
And lerne forto weve and spinne,
And duelle at hom and kepe hire inne.
Bot sche caste al that lore aweie,
And as sche wente hir out to pleie,
To gadre floures in a pleine,
And that was under the monteine
Of Ethna, fell the same tyde
That Pluto cam that weie ryde,   1290
And sodeinly, er sche was war,
He tok hire up into his char.
And as thei riden in the field,
Hire grete beaute he behield,
Which was so plesant in his ÿe,
That forto holde in compainie
He weddeth hire and hield hire so
To ben his wif for everemo.
And as thou hast tofore herd telle
Hou he was cleped god of helle,   1300
So is sche cleped the goddesse   **P. ii. 171**
Be cause of him, ne mor ne lesse.
    Lo, thus, mi Sone, as I thee tolde,   *Confessor.*
The Greks whilom be daies olde
Here goddes hadde in sondri wise,
And thurgh the lore of here aprise
The Romeins hielden ek the same.

    1279 Whil sche was] Which was H₁ . . . B₂   1286 hir
om. H₁ . . . B₂   1287 To gedre ARCLB₂   To gedres M
1290 Than BTΛ   þe weie H₁E . . . B₂   1297 hield] tok(e)
H₁ . . . B₂

[BELIEF OF THE GREEKS.]

And in the worschipe of here name
To every godd in special
Thei made a temple forth withal,   1310
And ech of hem his yeeres dai
Attitled hadde; and of arai
The temples weren thanne ordeigned,
And ek the poeple was constreigned
To come and don here sacrifice;
The Prestes ek in here office
Solempne maden thilke festes.
And thus the Greks lich to the bestes
The men in stede of god honoure,
Whiche mihten noght hemself socoure,   1320
Whil that thei were alyve hiere.
And over this, as thou schalt hiere,

Nota, quod dii Montium Satiri vocantur.

    The Greks fulfild of fantasie
Sein ek that of the helles hihe
The goddes ben in special,
Bot of here name in general
Thei hoten alle Satiri.

Oreades Nimphe Montium.

Ther ben of Nimphes proprely
In the believe of hem also:
Oreades thei seiden tho   1330
Attitled ben to the monteines;   P. ii. 172

Driades Siluarum.

And for the wodes in demeynes
To kepe, tho ben Driades;

Naiades fontium.

Of freisshe welles Naiades;

Nereides Marium.

And of the Nimphes of the See
I finde a tale in proprete,
Hou Dorus whilom king of Grece,
Which hadde of infortune a piece,—
His wif forth with hire dowhtres alle,
So as the happes scholden falle,   1340
With many a gentil womman there
Dreint in the salte See thei were:
Wherof the Greks that time seiden,
And such a name upon hem leiden,

1308 in *om.* AM   for H₁ ... B₂   1318 to bestes ER, BTΔ, W
1331 Attitred AMXRB₂   1333 tho] þer H₁ ... B₂   1336 *margin*
Nereides Marium *om.* B   1339 forth *om.* AM ... B₂

Nereïdes that thei ben hote, [BELIEF OF THE
The Nimphes whiche that thei note GREEKS.]
To regne upon the stremes salte.
Lo now, if this believe halte!
Bot of the Nimphes as thei telle,
In every place wher thei duelle 1350
Thei ben al redi obeissant
As damoiselles entendant
To the goddesses, whos servise
Thei mote obeie in alle wise;
Wherof the Greks to hem beseke
With tho that ben goddesses eke,
And have in hem a gret credence.
    And yit withoute experience   Manes dii mortuo-
Salve only of illusion,   rum.
Which was to hem dampnacion, 1360
For men also that were dede P. ii. 173
Thei hadden goddes, as I rede,
And tho be name Manes hihten,
To whom ful gret honour thei dihten,
So as the Grekes lawe seith,
Which was ayein the rihte feith.
    Thus have I told a gret partie;
Bot al the hole progenie
Of goddes in that ilke time
To long it were forto rime. 1370
Bot yit of that which thou hast herd,
Of misbelieve hou it hath ferd,
Ther is a gret diversite.
    Mi fader, riht so thenketh me.   Amans.
Bot yit o thing I you beseche,
Which stant in alle mennes speche,
The godd and the goddesse of love,
Of whom ye nothing hier above
Have told, ne spoken of her fare,
That ye me wolden now declare 1380
Hou thei ferst comen to that name.

1349 the *om.* AM ... B₂   1353 goddes BΛ, W   goddesse
AM ... B₂   1358 *margin* Manes &c. *om.* B   1381 comen
ferst AM   came first W

[BELIEF OF THE GREEKS.]
Qualiter Cupido et Venus deus et dea amoris nuncupantur.

Mi Sone, I have it left for schame,
Be cause I am here oghne Prest;
Bot for thei stonden nyh thi brest
Upon the schrifte of thi matiere,
Thou schalt of hem the sothe hiere:
And understond nou wel the cas.
Venus Saturnes dowhter was,
Which alle danger putte aweie
Of love, and fond to lust a weie; 1390
So that of hire in sondri place P. ii. 174
Diverse men felle into grace,
And such a lusti lif sche ladde,
That sche diverse children hadde,
Nou on be this, nou on be that.
Of hire it was that Mars beyat
A child, which cleped was Armene;
Of hire also cam Andragene,
To whom Mercurie fader was:
Anchises begat Eneas 1400
Of hire also, and Ericon
Biten begat, and therupon,
Whan that sche sih ther was non other,
Be Jupiter hire oghne brother
Sche lay, and he begat Cupide.
And thilke Sone upon a tyde,
Whan he was come unto his Age,
He hadde a wonder fair visage,
And fond his Moder amourous,
And he was also lecherous: 1410
So whan thei weren bothe al one,
As he which yhen hadde none
To se reson, his Moder kiste;
And sche also, that nothing wiste
Bot that which unto lust belongeth,
To ben hire love him underfongeth.
Thus was he blind, and sche unwys:
Bot natheles this cause it is,

1383 ff. *margin* Qualiter &c. *om.* H₁ ... B₂   1383 here] hire (hir)
JL, Ad, W   ȝour(e) X ... CB₂   1384 þe brest A ... B₂, Ad,
H₃   1405 lay] haþ AM

LIBER QUINTUS

Why Cupide is the god of love,
For he his moder dorste love. 1420
And sche, which thoghte hire lustes fonde, **P. ii. 175**
Diverse loves tok in honde,
Wel mo thanne I the tolde hiere:
And for sche wolde hirselve skiere,
Sche made comun that desport,
And sette a lawe of such a port,
That every womman mihte take
What man hire liste, and noght forsake.
To ben als comun as sche wolde.
Sche was the ferste also which tolde 1430
That wommen scholde here bodi selle;
Semiramis, so as men telle,
Of Venus kepte thilke aprise,
And so dede in the same wise
Of Rome faire Neabole,
Which liste hire bodi to rigole;
Sche was to every man felawe,
And hild the lust of thilke lawe,
Which Venus of hirself began;
Wherof that sche the name wan, 1440
Why men hire clepen the goddesse
Of love and ek of gentilesse,
Of worldes lust and of plesance.
   Se nou the foule mescreance
Of Greks in thilke time tho,
Whan Venus tok hire name so.
Ther was no cause under the Mone
Of which thei hadden tho to done,
Of wel or wo wher so it was,
That thei ne token in that cas 1450
A god to helpe or a goddesse. **P. ii. 176**
Wherof, to take mi witnesse,
   The king of Bragmans Dindimus
Wrot unto Alisandre thus:
In blaminge of the Grekes feith

[BELIEF OF THE GREEKS.]

Nota de Epistola Dindimi Regis Bragmannorum Alexandro magno directa, vbi di-

1423 telle X, B, W   1429 a comun AM   all comyn X
1438 hild J, F   hield SB   huld A   1447 no] þe AM ... B₂
1453 Bragmas AM ... B₂, H₃

[BELIEF OF THE GREEKS.]

cit quod Greci tunc ad corporis conseruacionem pro singulis membris singulos deos specialiter appropriari credunt.

 And of the misbelieve, he seith
How thei for every membre hadden
A sondri god, to whom thei spradden
Here armes, and of help besoghten.
 Minerve for the hed thei soghten,   1460
For sche was wys, and of a man
The wit and reson which he can
Is in the celles of the brayn,
Wherof thei made hire soverain.
 Mercurie, which was in his dawes
A gret spekere of false lawes,
On him the kepinge of the tunge
Thei leide, whan thei spieke or sunge.
 For Bachus was a glotoun eke,
Him for the throte thei beseke,   1470
That he it wolde waisshen ofte
With swote drinkes and with softe.
 The god of schuldres and of armes
Was Hercules; for he in armes
The myhtieste was to fihte,
To him tho Limes they behihte.
 The god whom that thei clepen Mart
The brest to kepe hath for his part,
Forth with the herte, in his ymage
That he adresce the corage.   1480
 And of the galle the goddesse,   **P. ii. 177**
For sche was full of hastifesse
Of wraththe and liht to grieve also,
Thei made and seide it was Juno.
 Cupide, which the brond afyre
Bar in his hond, he was the Sire
Of the Stomak, which builleth evere,
Wherof the lustes ben the levere.
 To the goddesse Cereres,
Which of the corn yaf hire encress   1490
Upon the feith that tho was take,

1476 tho] þe H₁XGCLB₂, AdB, W   1477 whom that] þe whom B whom H₁B₂, TΔ, W   1482 hastifesse J, S, F   hastifnesse A hastiuesse B   1485 of fire H₁E ... B₂, Δ, WH₃   1486 Bar] Bereþ (Berþ) XG   But AME ... B₂   1489 To] Lo AMH₁XG

LIBER QUINTUS

The wombes cure was betake;
And Venus thurgh the Lecherie,
For which that thei hire deifie,
Sche kept al doun the remenant
To thilke office appourtenant.

Thus was dispers in sondri wise
The misbelieve, as I devise,
With many an ymage of entaile,
Of suche as myhte hem noght availe; 1500
For thei withoute lyves chiere
Unmyhti ben to se or hiere
Or speke or do or elles fiele;
And yit the foles to hem knele,
Which is here oghne handes werk.
Ha lord, hou this believe is derk,
And fer fro resonable wit!
And natheles thei don it yit:
That was to day a ragged tre,
To morwe upon his majeste 1510
Stant in the temple wel besein. **P. ii. 178**
How myhte a mannes resoun sein
That such a Stock mai helpe or grieve?
Bot thei that ben of such believe
And unto suche goddes calle,
It schal to hem riht so befalle,
And failen ate moste nede.
Bot if thee list to taken hiede
And of the ferste ymage wite,
Petornius therof hath write 1520
And ek Nigargorus also;
And thei afferme and write so,
That Promotheüs was tofore
And fond the ferste craft therfore,
And Cirophanes, as thei telle,
Thurgh conseil which was take in helle,
In remembrance of his lignage
Let setten up the ferste ymage.

[ORIGIN OF IDOL-WORSHIP.]

Nota de prima ydolorum cultura, que ex tribus precipue Statuis exorta est; quarum prima fuit illa, quam in filii sui memoriam quidam princeps nomine Cirophanes a sculptore Promotheo fabricari constituit.

1495 kept J, B, F kepte A   1517 ate] at here (atte her) AM ... B₂
at hor W   1520 Petornius A, S, F Petronius J, B   1526 which *om.*
E ... B₂   þat W   to helle E ... B₂   1527 hir(e) E ... B₂ (her R)

[ORIGIN OF IDOL-WORSHIP.]

Of Cirophanes seith the bok,
That he for sorwe, which he tok   1530
Of that he sih his Sone ded,
Of confort knew non other red,
Bot let do make in remembrance
A faire ymage of his semblance
And sette it in the market place,
Which openly tofore his face
Stod every dai to don him ese.
And thei that thanne wolden plese
The fader, scholden it obeie,
Whan that they comen thilke weie.   1540

Secunda Statua fuit illa, quam ad sui patris Beli culturam Rex Ninus fieri et adorari decreuit. Et sic de nomine Beli postea Bel et Belzebub ydolum accreuit.

And of Ninus king of Assire   P. ii. 179
I rede hou that in his empire
He was next after the secounde
Of hem that ferst ymages founde.
For he riht in semblable cas
Of Belus, which his fader was
Fro Nembroth in the rihte line,
Let make of gold and Stones fine
A precious ymage riche
After his fader evene liche;   1550
And therupon a lawe he sette,
That every man of pure dette
With sacrifice and with truage
Honoure scholde thilke ymage:
So that withinne time it fell,
Of Belus cam the name of Bel,
Of Bel cam Belzebub, and so
The misbelieve wente tho.

Tercia Statua fuit illa, que ad honorem Apis Regis Grecorum sculpta fuit, cui postea nomen Serapis imponentes, ipsum quasi deum Pagani coluerunt.

The thridde ymage next to this
Was, whan the king of Grece Apis   1560
Was ded, thei maden a figure
In resemblance of his stature.
Of this king Apis seith the bok
That Serapis his name tok,
In whom thurgh long continuance
Of misbelieve a gret creance
Thei hadden, and the reverence

1535 sette SB   set AJ, F

LIBER QUINTUS

Of Sacrifice and of encence [Origin of Idol-
To him thei made: and as thei telle, worship.]
Among the wondres that befelle, 1570
Whan Alisandre fro Candace **P. ii. 180**
Cam ridende, in a wilde place
Undur an hull a Cave he fond;
And Candalus, which in that lond
Was bore, and was Candaces Sone,
Him tolde hou that of commun wone
The goddes were in thilke cave.
And he, that wolde assaie and have
A knowlechinge if it be soth,
Liht of his hors and in he goth, 1580
And fond therinne that he soghte:
For thurgh the fendes sleihte him thoghte,
Amonges othre goddes mo
That Serapis spak to him tho,
Whom he sih there in gret arrai.
And thus the fend fro dai to dai
The worschipe of ydolatrie
Drowh forth upon the fantasie
Of hem that weren thanne blinde
And couthen noght the trouthe finde. 1590
   Thus hast thou herd in what degre
Of Grece, Egipte and of Caldee
The misbelieves whilom stode;
And hou so that thei be noght goode
Ne trewe, yit thei sprungen oute,
Wherof the wyde world aboute
His part of misbelieve tok.
Til so befell, as seith the bok,
That god a poeple for himselve
Hath chose of the lignages tuelve, 1600
Wherof the sothe redely, **P. ii. 181**
As it is write in Genesi,
I thenke telle in such a wise
That it schal be to thin apprise.

1573 Vndur A, F Vnder J, S, B   1578 And he] He AM ... B₂
1593 mysbelieue H₁E ... B₂

[iv. Belief of the Jews.]

De Hebreorum seu Iudeorum Secta, quorum Sinagoga, ecclesia Cristi superueniente, defecit.

After the flod, fro which Noë
Was sauf, the world in his degre
Was mad, as who seith, newe ayein,
Of flour, of fruit, of gras, of grein,
Of beste, of bridd and of mankinde,
Which evere hath be to god unkinde: 1610
For noght withstondende al the fare,
Of that this world was mad so bare
And afterward it was restored,
Among the men was nothing mored
Towardes god of good lyvynge,
Bot al was torned to likinge
After the fleissh, so that foryete
Was he which yaf hem lif and mete,
Of hevene and Erthe creatour.
And thus cam forth the grete errour, 1620
That thei the hihe god ne knewe,
Bot maden othre goddes newe,
As thou hast herd me seid tofore:
Ther was noman that time bore,
That he ne hadde after his chois
A god, to whom he yaf his vois.
Wherof the misbelieve cam
Into the time of Habraham:
Bot he fond out the rihte weie,
Hou only that men scholde obeie 1630
The hihe god, which weldeth al, P. ii. 182
And evere hath don and evere schal,
In hevene, in Erthe and ek in helle;
Ther is no tunge his miht mai telle.
This Patriarch to his lignage
Forbad, that thei to non ymage
Encline scholde in none wise,
Bot here offrende and sacrifise
With al the hole hertes love
Unto the mihti god above 1640
Thei scholden yive and to no mo:
And thus in thilke time tho

1624 bore] bifore BT   1628 habraham F   *rest* Abraham
(J *defective here*) so also l. 1650   1633 and erþe E ... B₂, Ad

LIBER QUINTUS

Began the Secte upon this Erthe,   [BELIEF OF THE
Which of believes was the ferthe.   JEWS.]
Of rihtwisnesse it was conceived,
So moste it nedes be received
Of him that alle riht is inne,
The hihe god, which wolde winne
A poeple unto his oghne feith.
On Habraham the ground he leith,   1650
And made him forto multeplie
Into so gret a progenie,
That thei Egipte al overspradde.
Bot Pharao with wrong hem ladde
In servitute ayein the pes,
Til god let sende Moïses
To make the deliverance;
And for his poeple gret vengance
He tok, which is to hiere a wonder.
The king was slain, the lond put under,   1660
God bad the rede See divide,   **P. ii. 183**
Which stod upriht on either side
And yaf unto his poeple a weie,
That thei on fote it passe dreie
And gon so forth into desert:
Wher forto kepe hem in covert,
The daies, whan the Sonne brente,
A large cloude hem overwente,
And forto wissen hem be nyhte,
A firy Piler hem alyhte.   1670
And whan that thei for hunger pleigne,
The myhti god began to reyne
Manna fro hevene doun to grounde,
Wherof that ech of hem hath founde
His fode, such riht as him liste;
And for thei scholde upon him triste,
Riht as who sette a tonne abroche,

1643 the Secte] þat secte S...Δ   this secte W   to sette AMH₁X
this] þe AM...B₂   1646 And alle mysbelieue weyued E...B₂,
Λ (misbelieues RLB₂)   1647 is] was E...B₂   1653 al *om*.
XE...B₂   1662 on] in BT   1664 on fote (foote) passen
ECLB₂, B   on fete p. R   on fote myght p. W   in fote it p. X
1667 The daies] Be (By) daies S...Δ   A dayes W

[BELIEF OF THE JEWS.]

He percede the harde roche,
And sprong out water al at wille,
That man and beste hath drunke his fille: 1680
And afterward he yaf the lawe
To Moïses, that hem withdrawe
Thei scholden noght fro that he bad.
And in this wise thei be lad,
Til thei toke in possession
The londes of promission,
Wher that Caleph and Josuë
The Marches upon such degre
Departen, after the lignage
That ech of hem as Heritage 1690
His porpartie hath underfonge. **P. ii. 184**
And thus stod this believe longe,
Which of prophetes was governed;
And thei hadde ek the poeple lerned
Of gret honour that scholde hem falle;
Bot ate moste nede of alle
Thei faileden, whan Crist was bore.
Bot hou that thei here feith have bore,
It nedeth noght to tellen al,
The matiere is so general: 1700
Whan Lucifer was best in hevene
And oghte moste have stonde in evene,
Towardes god he tok debat;
And for that he was obstinat,
And wolde noght to trouthe encline,
He fell for evere into ruine:
And Adam ek in Paradis,
Whan he stod most in al his pris
After thastat of Innocence,
Ayein the god brak his defence 1710
And fell out of his place aweie:
And riht be such a maner weie
The Jwes in here beste plit,
Whan that thei scholden most parfit

1678 perced(e) þo þe RCLB2, Λ, W 1685 toke (tooke) C, SB tok (took) A, F 1698 lore MH1XGLB2, AdBT, W (hath lore H1L, W) 1713 Iwes F Iewes A, SB

LIBER QUINTUS

Have stonde upon the prophecie, [BELIEF OF THE
Tho fellen thei to most folie, JEWS.]
And him which was fro hevene come,
And of a Maide his fleissh hath nome,
And was among hem bore and fedd,
As men that wolden noght be spedd   1720
Of goddes Sone, with o vois   P. ii. 185
Thei hinge and slowhe upon the crois.
Wherof the parfit of here lawe
Fro thanne forth hem was withdrawe,
So that thei stonde of no merit,
Bot in truage as folk soubgit
Withoute proprete of place
Thei liven out of goddes grace,
Dispers in alle londes oute.

And thus the feith is come aboute,   1730
That whilom in the Jewes stod,
Which is noght parfihtliche good.
To speke as it is nou befalle,
Ther is a feith aboven alle,
In which the trouthe is comprehended,
Wherof that we ben alle amended.

    The hihe almyhti majeste,   [THE CHRISTIAN
Of rihtwisnesse and of pite,   FAITH.]
The Sinne which that Adam wroghte,   De fide Cristiana,
Whan he sih time, ayein he boghte,   1740   in qua perfecte legis
And sende his Sone fro the hevene   complementum, summi misterii sacramen-
To sette mannes Soule in evene,   tum, nostreque salua-
Which thanne was so sore falle   cionis fundamentum
Upon the point which was befalle,   infallibiliter consist-
That he ne mihte himself arise.   ere credimus.
    Gregoire seith in his aprise,

    1715 stonde AC, B   stond F   1742 Which mannes soule haþ set in euene S . . . Δ
    1743   And haþ his grace reconciled
                 ffro which þe man was ferst exiled
                 And in himself so sore falle
So S . . . Δ (*inserting a couplet between* 1742 *and* 1743)   1743 *margin* ineffabiliter . . . creditur B   1745 auise E . . . B₂   1746 *margin* Gregorius. Nichil nobis nasci profuit, nisi redimi profuisset SBΔ (proficit *for* profuit B)
    **

[THE CHRISTIAN FAITH.]

It helpeth noght a man be bore,
If goddes Sone were unbore;
For thanne thurgh the ferste Sinne,
Which Adam whilom broghte ous inne,   1750
Ther scholden alle men be lost;   P. ii. 186
Bot Crist restoreth thilke lost,
And boghte it with his fleissh and blod.
And if we thenken hou it stod
Of thilke rancoun which he payde,
As seint Gregoire it wrot and sayde,

Gregorius. O necessarium Ade peccatum! O felix culpa, que talem ac tantum meruit habere redemptorem!

Al was behovely to the man:
For that wherof his wo began
Was after cause of al his welthe,
Whan he which is the welle of helthe,   1760
The hihe creatour of lif,
Upon the nede of such a strif
So wolde for his creature
Take on himself the forsfaiture
And soffre for the mannes sake.
Thus mai no reson wel forsake
That thilke Senne original
Ne was the cause in special
Of mannes worschipe ate laste,
Which schal withouten ende laste.   1770
For be that cause the godhede
Assembled was to the manhede
In the virgine, where he nom
Oure fleissh and verai man becom
Of bodely fraternite;
Wherof the man in his degre
Stant more worth, as I have told,
Than he stod erst be manyfold,
Thurgh baptesme of the newe lawe,
Of which Crist lord is and felawe.   1780
    And thus the hihe goddes myht,   P. ii. 187
Which was in the virgine alyht,

1756 ff. *margin* O certe necessarium Ade peccatum etc*etera* B   O felix—redemptorem *om.* SBΔ(AdT) *The note stands at l.* 1746 *in* H₃
1763 wolde he AdB   1772 to] wiþ BT
1781-1793   Thurgh vertu of his hihe myht
                Which in Marie was alyht

LIBER QUINTUS

The mannes Soule hath reconsiled,   [THE CHRISTIAN
Which hadde longe ben exiled.   FAITH.]
So stant the feith upon believe,
Withoute which mai non achieve
To gete him Paradis ayein:
Bot this believe is so certein,
So full of grace and of vertu,
That what man clepeth to Jhesu   1790
In clene lif forthwith good dede,
He mai noght faile of hevene mede,
Which taken hath the rihte feith;
For elles, as the gospel seith,
Salvacion ther mai be non.
And forto preche therupon
Crist bad to hise Apostles alle,
The whos pouer as nou is falle
On ous that ben of holi cherche,
If we the goode dedes werche;   1800   Iacobus. Fides sine
For feith only sufficeth noght,   operibus mortua est.
Bot if good dede also be wroght.
  Now were it good that thou forthi,   Confessor.
Which thurgh baptesme proprely
Art unto Cristes feith professed,
Be war that thou be noght oppressed   Nota hic contra is-
With Anticristes lollardie.   tos qui iam lollardi
For as the Jwes prophecie   dicuntur.

    To begge mannes soule aȝein
    And þis belieue is so certein
    So full of grace and of vertu
    That what man clepeþ to Jhesu
    In clene lif forþwiþ good dede
    He mai noght faile of heuene mede   1790*
    So þat it stant vpon belieue
    That euery man mai wel achieue
    Which taken haþ &c. SAdBTΔ

1791 forþwiþ F   forþ wiþ AJ, B   1800 þe goode dede JE ... B₂
(þo C)   the goodenesse (þe goodnesse) H₁X   goode dedes G
1800 f. *margin* Iacobus &c. *om.* S ... Δ
    1801 f.   ffor feiþ . bot if þer be good dede
        Thapostel seiþ is worþ no mede SAdBTΔ
1807 f. *margin* Nota hic—dicuntur *om.* BΔ(AdT), W   Nota contra
istos qui lollardi dicuntur S   Nota contra lollardos C   1808 Iwes F
Iewes AJ, SB

[The Christian Faith.]

Was set of god for avantage,
Riht so this newe tapinage   1810
Of lollardie goth aboute   P. ii. 188
To sette Cristes feith in doute.
The seintz that weren ous tofore,
Be whom the feith was ferst upbore,
That holi cherche stod relieved,
Thei oghten betre be believed
Than these, whiche that men knowe
Noght holy, thogh thei feigne and blowe
Here lollardie in mennes Ere.
Bot if thou wolt live out of fere,   1820
Such newe lore, I rede, eschuie,
And hold forth riht the weie and suie,
As thine Ancestres dede er this:
So schalt thou noght believe amis.

Incepit Jhesus facere et docere.

   Crist wroghte ferst and after tawhte,
So that the dede his word arawhte;
He yaf ensample in his persone,
And we the wordes have al one,
Lich to the Tree with leves grene,
Upon the which no fruit is sene.   1830

   The Priest Thoas, which of Minerve
The temple hadde forto serve,
And the Palladion of Troie
Kepte under keie, for monoie,
Of Anthenor which he hath nome,
Hath soffred Anthenor to come
And the Palladion to stele,
Wherof the worschipe and the wele
Of the Troiens was overthrowe.
Bot Thoas at the same throwe,   1840
Whan Anthenor this Juel tok,   P. ii. 189
Wynkende caste awei his lok
For a deceipte and for a wyle:
As he that scholde himself beguile,
He hidde his yhen fro the sihte,
And wende wel that he so mihte

Nota quod, cum Anthenor Palladium Troie a templo Minerue abstulit, Thoas ibidem summus sacerdos auro corruptus oculos auertit, et sic malum quasi non videns scienter fieri permisit.

1826 his dede þe BT   his dede his Λ, W   1835 Anthenor AJ, SB   Antenor F

LIBER QUINTUS 453

Excuse his false conscience.   [THE CHRISTIAN
I wot noght if thilke evidence   FAITH.]
Nou at this time in here estatz
Excuse mihte the Prelatz,   1850
Knowende hou that the feith discresceth
And alle moral vertu cesseth,
Wherof that thei the keies bere,
Bot yit hem liketh noght to stere
Here gostliche yhe forto se
The world in his adversite;
Thei wol no labour undertake
To kepe that hem is betake.
Crist deide himselve for the feith,
Bot nou our feerfull prelat seith,   1860
'The lif is suete,' and that he kepeth,
So that the feith unholpe slepeth,
And thei unto here ese entenden
And in here lust her lif despenden,
And every man do what him list.
Thus stant this world fulfild of Mist,
That noman seth the rihte weie:
The wardes of the cherche keie
Thurgh mishandlinge ben myswreynt,
The worldes wawe hath welnyh dreynt   1870
The Schip which Peter hath to stiere,   **P. ii. 190**
The forme is kept, bot the matiere
Transformed is in other wise.
Bot if thei weren gostli wise,
And that the Prelatz weren goode,
As thei be olde daies stode,
It were thanne litel nede
Among the men to taken hiede
Of that thei hieren Pseudo telle,
Which nou is come forto duelle,   1880
To sowe cokkel with the corn,
So that the tilthe is nyh forlorn,
Which Crist sew ferst his oghne hond.

1849 estatz F   estates J   astatz (astates) A, SB   1855 goodly
(goodlich) BT   1879 Pseudo telle] Pheudo telle E   Pfeudo t. C
hem telle Λ   *om.* T   1883 sew A, S, F   siew B

[THE CHRISTIAN
FAITH.]

 Nou stant the cockel in the lond,
Wher stod whilom the goode grein,
For the Prelatz nou, as men sein,
Forslowthen that thei scholden tile.
And that I trowe be the skile,
Whan ther is lacke in hem above,
The poeple is stranged to the love   1890
Of trouthe, in cause of ignorance ;
For wher ther is no pourveance
Of liht, men erren in the derke.
Bot if the Prelatz wolden werke
Upon the feith which thei ous teche,
Men scholden noght here weie seche
Withoute liht, as now is used :
Men se the charge aldai refused,
Which holi cherche hath undertake.
 Bot who that wolde ensample take,   1900

Gregorius. Quando Petrus cum Judea, Andreas cum Achaia, Thomas cum Yndea, et Paulus cum gente venient, quid dicemus nos moderni, quorum fossum talentum pro nichilo computabitur?

Gregoire upon his Omelie   P. ii. 191
Ayein the Slouthe of Prelacie
Compleigneth him, and thus he seith :
'Whan Peter, fader of the feith,
At domesdai schal with him bringe
Judeam, which thurgh his prechinge
He wan, and Andrew with Achaie
Schal come his dette forto paie,
And Thomas ek with his beyete
Of Ynde, and Poul the routes grete   1910
Of sondri londes schal presente,
And we fulfild of lond and rente,
Which of this world we holden hiere,
With voide handes schul appiere,
Touchende oure cure spirital,
Which is our charge in special,
I not what thing it mai amonte
Upon thilke ende of oure accompte,
Wher Crist himself is Auditour,

  1893 erren] crepen E ... B2, Λ
  1906 f. Which haþ conuert wiþ his prechinge
    And whan þat Andrew   E ... B2, Λ
 (conuerted ... teching L conuer E) 1911 schal] to B

LIBER QUINTUS

Which takth non hiede of vein honour.' 1920 [THE CHRISTIAN FAITH.]
Thoffice of the Chancellerie
Or of the kinges Tresorie
Ne for the writ ne for the taille
To warant mai noght thanne availe;
The world, which nou so wel we trowe,
Schal make ous thanne bot a mowe:
So passe we withoute mede,
That we non otherwise spede,
Bot as we rede that he spedde,
The which his lordes besant hedde 1930
And therupon gat non encress.   **P. ii. 192**
Bot at this time natheles,
What other man his thonk deserve,
The world so lusti is to serve,
That we with him ben all acorded,
And that is wist and wel recorded
Thurghout this Erthe in alle londes
Let knyhtes winne with here hondes,
For oure tunge schal be stille
And stonde upon the fleisshes wille. 1940
It were a travail forto preche
The feith of Crist, as forto teche
The folk Paiene, it wol noght be;
Bot every Prelat holde his See
With al such ese as he mai gete
Of lusti drinke and lusti mete,
Wherof the bodi fat and full
Is unto gostli labour dull
And slowh to handle thilke plowh.
Bot elles we ben swifte ynowh 1950
Toward the worldes Avarice;
And that is as a sacrifice,
Which, after that thapostel seith,
Is openly ayein the feith
Unto thidoles yove and granted:

1923 no writ ... þe taile A   no writ ... no t. YE ... B₂   to write
... to taile B   1925 which now we see and trowe E ... B₂, Λ
1946 and] of YEC, BT   1952 as a sacrifice] a good s. E ... B₂
1953 þat after E ... B₃

[THE CHRISTIAN FAITH.]

Bot natheles it is nou haunted,
And vertu changed into vice,
So that largesce is Avarice,
In whos chapitre now we trete.

Amans.

 Mi fader, this matiere is bete 1960
So fer, that evere whil I live **P. ii. 193**
I schal the betre hede yive
Unto miself be many weie:
Bot over this nou wolde I preie
To wite what the branches are
Of Avarice, and hou thei fare
Als wel in love as otherwise.

Confessor.

 Mi Sone, and I thee schal devise
In such a manere as thei stonde,
So that thou schalt hem understonde. 1970

 1965 the] þo E...L 1969 a *om.* BT, W 1970 hem *om.* BT wel Ad

(LIBRI QUINTI §§ iii–xiii *in sequenti volumine continentur*)

AN ADDITIONAL MS. OF THE 'CONFESSIO AMANTIS'

ON June 12, 1902, a very valuable manuscript of the *Confessio Amantis*, which had not hitherto been described, was offered for sale by Messrs. Sotheby. By the kind assistance of Dr. Furnivall, who was allowed by the auctioneers to examine the book before the sale, I am able to give the following description of it.

FOUNTAINE MS. Contains *Confessio Amantis* with 'Explicit' (six lines), 'Quam cinxere,' and 'Quia vnusquisque,' after which 'Deo gracias.' Then at the end an alphabetical index to the contents of the poem. Parchment, ff. 213 (originally), $17\frac{1}{2} \times 12\frac{1}{4}$ in., neatly written in double column of 46 lines to the column, Latin summaries in the text, red: middle of the fifteenth century. Illustrated throughout with well-painted miniatures, of which there were originally 108, including pictures of the signs of the Zodiac and of the positions of the principal stars. Of these miniatures nine are missing from the book, but these have now been identified with the series of nine miniatures in the possession of Mr. A. H. Frere, which are described on p. clxvi of my Introduction. At the end of the text (f. 203) is written 'And[w]. Fountaine, 1791. Æ. 20.'

This is a very large folio, giving a fair text of the first recension. The interest of it depends upon the miniatures. In describing the illustrated New College MS. 266 I remarked that other similar copies must once have existed. In saying this I was referring to the Frere miniatures, and it is a matter of some interest to me to have been able to identify these with the nine which are missing from the Fountaine MS. The subjects of the Frere miniatures correspond duly with the places from which pictures have been cut out, and the words which in some cases have been cut away with the pictures fit in with those that remain in the MS. For example, on f. 26 a miniature has been cut out before i. 3067 (the tale of the Three Questions), the text of the Latin summary above the missing picture being cut off after the words 'tocius perdicionis.' The Frere miniature which relates to this tale continues the sentence, supplying the words 'causam sua culpa ministrat'; and so also with some of the others. In some respects we can now correct our account of the Frere miniatures. The subjects of seven are correctly given in the description, but the last two represent, as we can now see, (8) Alexander and the Pirate, iii. 2363 ff., (9) Lycurgus departing with his goods from Athens, vii. 2917 ff. The book was bought by Mr. Quaritch for £1550, certainly the highest price ever paid for a Gower manuscript.

G. C. M.

NOTES

PROLOGUS

Latin Verses. i. 1 f. The author acknowledges his incapacity for higher themes, as at the beginning of the first book. The subject of the present work is a less exalted one than that of those which preceded it.

3 f. *Qua tamen* &c. The couplet may be translated, 'Yet in that tongue of Hengist in which the island of Brut sings, I will utter English measures by the aid of Carmentis.'

5 f. *Ossibus ergo carens* &c. That is, 'Let the evil tongue be far away.' The reference is to Prov. xxv. 15, 'A soft tongue breaketh the bone,' taken here in a bad sense: cp. iii. 463 ff.

---

7. 'Moved by the example of these wise men of old.' For this use of 'ensampled' cp. *Traitié*, xv. l. 4,

'Pour essampler les autres du present.'

13. *Who that al* &c. 'If one writes of wisdom only': a common form of expression in Gower's French and English both; see note on *Mirour*, 1244. In English we have 'who that,' 'who so (that)' or 'what man (that),' sometimes with indic. and sometimes with subjunctive: cp. Prol. 460, 550, i. 383, 481, ii. 88, iii. 971, 2508, &c. See also note on l. 460.

writ, present tense, syncopated form.

16. *if that ye rede*, 'if ye so counsel me,' i.e. if you approve, equivalent to the 'si bon vous sembleroit' of the *Mirour*, l. 33.

24. The marginal note is wanting in F and S, and may perhaps have been added after the year 1397, when Henry became Duke of Hereford, cp. 'tunc Derbie comiti,' or even later, for in the *Cron. Tripertita* Gower calls him Earl of Derby at the time of his exile, using the same expression as here, 'tunc Derbie comiti.' Caxton, followed by

---

24*—92*. For this variation see the Introduction. The text of B, which is here followed, is as good as any other, but none of the copies which give the passage are thoroughly good in spelling, and the text has in this respect been slightly normalized. A and E are here defective,

Berthelet, gives the following: 'Hic in primis declarat Ioannes Gower quam ob causam presentem libellum composuit et finaliter compleuit, An. regni regis Ric. secundi 16.'

31. That is, compared with what it was in former time: cp. l. 133.

41. *write ... stode*: subjunctive. For the subjunctive in indirect question cp. ii. 1243, 1943, iii. 708, 771, &c.

43. *as who seith*, i.e. ' as one may say,' a qualification of what follows, a gret partie': the phrase is a common one, e.g. i. 1381, 'as who seith, everemo,' 2794, ii. 696, ' as who seith, ded for feere,' &c.

46. *schewen*, used absolutely, ' set forth their histories.'

52. *a burel clerk*, 'a man of simple learning,' esp. 'a layman'; cp. Chaucer, *Cant. Tales*, B 3145, D 1872: 'burel' was a coarse cloth.

54. *tok*, 'took place,' 'existed': cp. Chaucer, *Troilus*, iv. 1562,

' And if so be that pees herafter take.'

So 'prendre' in French, e.g. *Mir.* 831,

'Le mariage devoit prendre.'

---

and J, which is the best available MS., has eccentricities of spelling ('Richardus,' 'wyche,' 'hyt,' 'hys,' 'aftur,' 'resonabul,' 'ȝef,' 'be heste,' 'be ginne,' &c.), which make it rather unsuitable as a basis for the text. It will be found however that J and B mutually correct each other to a great extent, and we have also MGRCL as additional witnesses of a respectable character. Thus in regard to some of the variations in spelling from B we have as follows:—

24* bok J   25 belongeþ MC   27* euere JML   31* Preiende G Preiend MCL   36* betyde (betide) GCL   40* be JML   43* f. nyh : syh (sih) JL   47* f. seid : leyd J   49* besinesse J   51* boke JM   52* myhte loke J   53* f. wrytinge : comandinge J   55* herte JMGCL   59* wiþoute GC   62* non JGC   65* handleþ JMGL   66* preye (preie) JMGCL   heuene JMG   69* befalle J   75* bit JMCL   80 longe JML   82* bok J   87* begynneþ (beginneþ) ML   89* f. bok : tok J   92* begynne MCL.

34* ff. A very loosely constructed sentence. It means apparently, 'I consider how it befell, as a thing destined then to come to pass, namely that as on Thames I came rowing by boat &c., I chanced to meet my liege lord.' The disorder in which the clauses are thrown together is a feature which we shall notice elsewhere in our author's style. 'The toun of newe Troye' is of course London, supposed to have been founded by Brut of Troy, whence was derived 'Britain,' the 'insula Bruti' of the opening lines.

52*. *loke*, 'examine': cp. ii. 733, vi. 1959.

65*. There is here a corruption which affects all the existing copies. The various readings are given in the critical notes, and evidently 'outkrong' is that which has most support. I conjecture that the author wrote 'onwrong,' i.e. 'awrong,' which being an unusual word suffered corruption at the hand of the first transcriber, the 'w' being

72. *the god*, so 198, ii. 594; cp. 'the vertu,' 116, 'the manhode,' 260, 'the man,' 546, 582, 'The charite,' 319, &c.

74. *ended*, 'continued to the end.'

77 ff. Apparently a reference to the treatise on the duties of a ruler contained in the seventh book: 'I shall make a discourse also with regard to those who are in power, marking the distinction between the virtues and the vices which belong to their office.'

81 ff. 'But as my wit is too small to correct the faults of every one, I send this book unto my own lord Henry of Lancaster... to be amended at his command.' For 'upon amendement to stonde' cp. ii. 583. The suggestion of amendment at the hands of the author's patron is of course a mere compliment, like that paid by Chaucer to Gower at the conclusion of *Troilus*, but it gives a modest appearance to the general censure.

It is not likely that the expression 'upon amendement' refers to the change made in this part of the text, to which the author would hardly have called attention thus. Also, unless we explain as above, the meaning would seem to be 'as my wit is too small to admonish every one, I send my work as now revised to my own lord Henry of Lancaster,' a much too pointed application of the coming admonitions.

It is hardly needful to add that 'to tellen every man his tale' is not a reference to the *Canterbury Tales*, as some have supposed.

Latin Verses. ii. 2. *vertit in orbe*, 'turns round,' as upon her wheel.

4. Cp. 111 f.

11. 'And thus those regions which were once the strongest fall into

---

mistaken, as it easily might be, for 'tk': cp. Chaucer, *H. of Fame*, ii. 403, where 'tokne' is apparently a corruption of 'towne.'

66*. *the hevene king*, 'the king of hevene.' Gower regularly writes the final 'e' in 'hevene,' 'evene,' 'evere,' 'nevere,' &c. The preceding syllable is of course syncopated in pronunciation.

69*. *what befalle*, 'whatsoever may befall': cp. iii. 325, 'what it were.'

75*. *bit*, i.e. 'biddeth.'

85*. The true reading is probably 'listen pleie,' which is preferable both as regards form and construction: cp. iv. 3147, 'whan the wommen listen pleie.' The readings are as follows: 'listen pleye' J, 'lusten pleie' M, 'luste pley' B2; the rest mostly 'lust to pleye.' The verb seems usually to be followed by a preposition when used impersonally, as i. 147, 1403, and otherwise more generally not, as i. 2741, iv. 3147, but there are exceptions both ways, e.g. iv. 907 and iii. 111, iv. 3187.

90*. Cp. 54 ff.

92*. *for to newe*. This is the reading of the better MSS., and 'schewe' is probably the correction of a copyist who did not understand it. The word 'newe' means here 'produce,' but in l. 59 'neweth' is intransitive and means 'comes into being.'

decay throughout the world, and have no centre of rest there.' (The first 'que' is the relative, for 'quae.') It is possible however that 'per orbem' may refer again to Fortune's wheel, cp. 138 ff., where the sense of this couplet seems to be expressed, and in that case the meaning is, 'fall into decay as they turn upon the wheel.'

116. *the vertu*: for this French use of the article, which is often found in Gower, see note on l. 72.

122 ff. 'And in witness of that I take the common voice of every land, which may not lie.' This appeal to the common voice, the 'commune dictum,' is characteristic of our author, who repeats the proverb 'Vox populi vox dei' several times in various forms, e.g. *Mirour*, 12725. For the use of 'that' in such expressions cp. l. 907, and iv. 2040.

133. *to loke* &c., 'when we look on all sides': cp. 31, i. 1060, 2278, &c.

139. *blinde fortune.* 'Fortune' must here be taken as a proper name, and hence the definite form of adjective: cp. i. 3396, 'wyse Peronelle,' ii. 588, 2721, 'of grete Rome,' ii. 2304, 'false Nessus,' iii. 2100, 'false Egiste,' &c.

143. *upon a weer*, i.e. in doubt or distress: cp. iii. 1148, and Chaucer, *House of Fame*, 979,

'Tho gan I wexen in a wer.'

144 ff. 'And especially if the power of the rulers of the world be not kept upright by good counsel in such wise that' &c.

152. *heved*, always a monosyllable in the metre: the word also appears as 'hefd' i. 199, and frequently as 'hed.'

154. *her trowthe allowe*, 'approve of their loyalty,' i.e. accept it.

155. 'And welcome them with all his heart.' For the position of the conjunction cp. 521, 756, 759, 1014, i. 854, 863, &c., and note on *Mirour*, 415. Mr. Liddell points out to me that the same usage occurs frequently in the ME. Palladius.

156 (margin). The quotation is from Ecclus. xxxii. 24, 'Fili, sine consilio nihil facias.' This book is often cited as Solomon in the *Mirour*.

162. A truce with both France and Scotland was made for three years in 1389, but peace was not finally concluded till 1396.

166 f. Cp. *Praise of Peace*, 190.

172. *at alle assaies*, 'in every way': cp. ii. 2447.

Latin Verses. iii. 1. *Iohannes*: St. John the Evangelist, who is mentioned either as the teacher of brotherly love or because his Gospel contains the exhortations to St. Peter, 'Feed my sheep,' 'Feed my lambs.'

2. *ista*, 'this.'

3. *bina virtute*, perhaps charity and chastity, cp. 464 ff.

4. *inculta*, nominative in spite of metre, so *auaricia* in l. 8.

8. *tepente*, 'being lukewarm,' that is, held in a lukewarm manner.

196 (margin). *Roberti Gibbonensis*, Robert of Geneva, elected pope in opposition to Urban VI, under the title of Clement VII.

198. *the god*, see note on l. 72.

204. *Simon*, i.e. Simon Magus, whence simony has its name: cp. 442 ff., *Mirour*, 18451 ff., and *Vox Clamantis*, iii. 249, 1217, &c.

207 ff. The reference is to Lombard bankers employed as intermediaries in obtaining Church preferment. The 'letter' referred to is the papal provision, or perhaps the letter of request addressed to the pope in favour of a particular person: cp. *Vox Clam*. iii. 1375 f.,

> 'Littera dum Regis papales supplicat aures,
> Simon et est medius, vngat vt ipse manus.'

210. *provende*, equivalent to prebend, and in fact 'prebende' is a var. reading here. Littré quotes from Wace,

> 'Cil me dona et Diez li rende
> À Baiex une provende,'

and from Rutebeuf,

> 'Qui argent porte a Rome, assés tot provende a.'

212. 'The authority of the Church' (symbolized by the key) 'did not then lie at the mercy of armed bands or depend upon the issue of battle.' For 'brigantaille,' meaning bands of irregular troops, cp. *Mir.* 18675.

218. *defence*, 'prohibition': cp. iv. 1026, v. 1710, and Chaucer, *Troil.* iii. 138, 'if that I breke your defence.'

220. 'was then no charge of theirs,' i.e. did not come under their authority: 'baillie' means the charge or government of a thing, as *Trait.* xi. 19, 'Le duc q'ot lors Ravenne en sa baillie,' hence a thing placed in a person's charge.

221. *The vein honour*: the definite form is rather less regularly used by Gower in adjectives taken from French than in others, e.g. iii. 889, 'For with here fals compassement'; but on the other hand, i. 864, 'the pleine cas,' ii. 412, 'And thurgh his false tunge endited,' and 824, 'This false knyht upon delay.'

246. *is went*: cp. iii. 878 and Chaucer, *Cant. Tales*, E 1013, F 567.

247. *here lawe positif*: the 'lex positiva' is that which is not morally binding in itself, but only so because imposed by (ecclesiastical) authority: cp. *Vox Clam*. iii. 227 ff. This is naturally the sphere within which Church dispensations of all kinds take effect.

248. *Hath set.* Apparently 'set' is intransitive, 'Since their positive law hath set itself to make,' &c. There is no good authority for reading 'hire.'

252. There is hardly another instance of 'but' for 'bot' in F, and the form 'right' for 'riht' in the preceding line is very unusual.

260. *the manhode*, i.e. human nature: see note on l. 72. For 'thenkth' see note on 461.

263. *withholde*, 'retained as her servant.'

268. *in the point* &c., i.e. so soon as it is collected. The allusion is to the circumstances of the campaign of the Bishop of Norwich in

1385; cp. *Vox Clam.* iii. 373 (margin), and see Froissart (ed. Lettenhove), vol. x. p. 207.

278. *That scholde be* &c., i. e. the papacy, which by reason of the schism has become a cause of war and strife.

289. *Gregoire.* The reference is to such passages as *Regula Pastoralis*, i. cap. 8, 9. The quotation in the margin at l. 298 is loosely taken from the Homilies on the Gospel (Migne, *Patrol.* vol. 76. p. 1128), 'Mercenarius quippe est qui locum quidem pastoris tenet, sed lucra animarum non quaerit: terrenis commodis inhiat, honore praelationis gaudet, temporalibus lucris pascitur, impensa sibi ab hominibus reverentia laetatur.' The idea expressed by 'non vt prosint sed vt presint' often occurs in Gregory's writings, e.g. *Reg. Past.* ii. cap. 6, 'nec praeesse se hominibus gaudent sed prodesse.'

299. *manie*: the final 'e' counts as a syllable and the preceding vowel is absorbed; see note on 323: but 'many' is also used as the plural.

305. Cp. *Vox Clam.* iii. 1271, 'In cathedram Moysi nunc ascendunt Pharisei,' and see *Rom. de la Rose*, 11809 ff. (ed. Méon), English version, 6889 ff.

311. *is noght foryete*, an impersonal use, 'there is no forgetting': cp. 338.

323. Here 'studie' is reduced by elision to the value of a monosyllable: see note on *Mirour*, 296. The rule applies to substantives like 'accidie,' 'Mercurie,' 'chirie,' adjectives like 'manie' (l. 299), and verbs like 'studie,' 'carie,' 'tarie.'

329. *If Ethna brenne* &c. What is meant is the fire of Envy, which is often compared to that of Etna, ii. 20, 2337, &c.

338 f. The verb is used impersonally, 'there is cause for us all to be sorry.'

348. 'it causeth this new sect to be brought in.' The subject must be supplied from the previous clause.

366 f. That is, the various claimants to the papacy are supported in various lands by national partiality or interest.

380 f. 'They use no other reasoning than this as to the peril of religion.'

383. *his world*, i. e. his fortune, cp. 1081, i. 178, &c.

388 f. That is, the right cause has no defence but in the rule of personal inclination and interest, the principle expressed by 'Where I love, there I hold.'

407 ff. This is a charge against those who hold office in the Church of deliberately throwing temptation in the way of their people, in order to profit by the fines which may be imposed for breaches of morality and discipline. The meaning is fully illustrated by parallel passages in the *Mirour de l'omme*, 20161 ff., and the *Vox Clamantis*, iii. 195; cp. Chaucer, *Pers. Tale*, 721. The sentence here is a little disorderly and therefore obscure: 'Men say that they drive forth their flock from the smooth meadow into the briars, because they wish to seize and by such

ill-treatment take away the wool which shall remain upon the thorns, torn out by the briars,' &c. The archdeacon's court is chiefly referred to.

416. *chalk for chese*, cp. ii. 2346: it is a proverbial expression still current.

430. 'We see the lot drawn amiss': for 'merel' cp. *Mir.* 23496.

434. Hebr. v. 4.

452. *in audience*, 'in public assembly' : cp. ii. 2556.

454. *a chirie feire*, taken as an emblem of delights which are transitory: cp. vi. 890 f.,

'And that endureth bot a throwe,
Riht as it were a cherie feste.'

460. *understode*, past subj. with indefinite sense: cp. i. 383, ii. 88, iii. 971, iv. 2597, 2728, vi. 1474. 'Whoso understood their words, to him it seems likely,' &c., instead of 'to him it would seem likely'; cp. l. 520.

461. The distinction between 'thinke' and 'thenke' is completely lost in Gower's usage: 'thenke' is the regular form for both, but 'thinke' is admitted equally for both in rhyme, as v. 213, 254.

480. 'For fear that (On the chance that) I may say wrong.' The subject is a delicate one and the author shows similar caution when dealing with it in the *Mirour*.

492. *as of*, 'as regards': cp. i. 557, iii. 1479, &c.

Latin Verses. iv. 4. *velle*, used as a noun, 'will' : so 'de puro velle' in the lines at the beginning of the second book.

509 f. 'Which with great difficulty man shall restrain, if he shall restrain it ever.'

521. For the position of 'and' see note on 155.

525. *stonde upon*: cp. 214.

529. *som men*: 'som' is uninflected in this expression: on the other hand we have 'somme clerkes,' l. 355.

546. *the man*, so 582: see note on 72.

550 f. 'If any one thinks otherwise, look at the people of Israel': 'Behold' is 2nd sing. imperative. The unusual form 'Irael' is given by the best MSS. here and elsewhere, and we must suppose that it proceeds from the author.

558. *stonde full*: perhaps a reference to 503 ff., or a metaphor from the tides.

567 (margin). The quotation is from *Cons. Phil.* ii. Pr. 4: 'Quam multis amaritudinibus humanae felicitatis dulcedo respersa est.' The constant references to Fortune and her wheel may probably be suggested by Boethius, e. g. ii. Pr. 1.

578. i. e. till the end of all things.

585 ff. This vision of Nebuchadnezzar, which our author takes as his guide to universal history, is made the subject of illustration in those MSS. which have miniatures at or near the beginning of the *Confessio Amantis*.

618. *Fel doun*: cp. iii. 2492, 'That have I herd the gospell seith.'

668. *hol*: see note on 683.

676. 'And he kept himself in this condition undisturbed,' the subject being supplied from l. 671, 'Was in that kinges time tho.' For omission of pronoun cp. Prol. 348, i. 1895, 2083, 2462, &c. However, the fall of the Empire took place not in the reign of Nebuchadnezzar but of Belshazzar (see l. 685).

683. Here and in 693 the best MSS. have 'put' for 'putte,' and this entire suppression of the inflexional syllable in cases where it is lost to the metre by elision is sufficiently well-attested to justify us in accepting it as an occasional practice of the author, both in the case of verbs and adjectives; cp. 668, 739, &c. It is especially common with this particular verb, e.g. i. 1578, 1807, 3213, ii. 93, 1021, &c., where 'put' is used for infinitive as well as for the preterite. Much more rarely in cases where there is no elision, as i. 732. On the other hand, we have 'putte' pret. before an elision, l. 1069, i. 2797, 'pute' inf. i. 462, iv. 1641.

702. In the marginal summary here F gives 'Imparatoris,' and sometimes in other places where the word is fully written, as i. 1417, ii. 593, 2506, 3201. However, 'Imperator' is also found in various places of the same MS., as vii. 2416, and the contracted form 'Impator' has in this edition been written out so.

725. *Of that honour which tok*, i. e. 'of such honour that he took.'

738. *so vileins*: a clear case of French plural of the adjective, used here for the sake of the rhyme.

739. *fals*: see notes on 221, 683.

745 ff. It is hardly necessary to point out that our author's history is here incorrect. Charlemagne was not called in against the Emperor Leo, who died in the year before he was born, but against the Lombards by Adrian I, and then against the rebellious citizens of Rome by Leo III, on which latter occasion he received the imperial crown.

756. *Of Rome and*: cp. ll. 759, 766, and note on 155.

761. *doth restore*, i. e. 'causeth to be restored.'

772 ff. Here again the story is historically inaccurate, but it is not worth while to set it straight.

786 ff. The meaning seems to be, 'But this after all is what we might expect, for prosperity (they say) seldom endures.'

795. *hath no felawe*, 'hath no supporter or champion': cp. *Praise of Peace*, 266, 'And in this wise hath charite no brother.'

809. The punctuation follows F.

823. *expondeth*. This form occurs also in ll. 663, 873, as a reading of F. The French terminations '-on,' '-oun,' had the same sound and rhymed together, and the same is true of '-ance,' '-aunce.' Probably on the same principle therefore 'expondeth' may stand for 'expoundeth,' and rhyme with 'foundeth': cp. viii. 235 f. On the other hand, in i. 2867 we have expo*u*nde, founde. It may be noted that 'exponde' is the form used in the French works, e. g. *Mir.* 22192, *Trait.* xi. 20, where it

rhymes with *Rosemonde, responde, immonde*. As a rule in the *Mirour* this class of words is given without 'u,' but in one stanza we have 'responde,' 'monde,' 'blou̯nde' in rhyme together, 8681 ff.

836. *Cit*: this is the true reading; the word occurs also *Mir.* 7197.

843. *now with that beforn*, 'the present with the past,' 'now' being used as a substantive.

850. *the sothe seie*: this is the reading of the third recension; the others have 'the soth schal seie.' Either text is admissible, for 'soth' is used as a substantive, but 'the sothe' is usually preferred, as in l. 834, and i. 981, iii. 765.

858. Cp. ii. 3490.

881. *writ*: syncopated present, 'writeth.' The reference is to 1 Cor. x. 11.

891. *Statue*: a dissyllable in Gower and Chaucer (equivalent to 'statwe'), and here reduced to one syllable by elision: cp. *Cant. Tales*, A. 975. The longer form 'stature' occurs vi. 1524.

900. *these clerkes*: demonstrative for definite article, as in French; cp. i. 608, and see note on *Mir.* 301.

905. See l. 965. Perhaps here 'cause of' means 'because of,' as 'whos cause' for 'because of which' 1040; but I suspect rather an inversion of order, for 'Man is cause of al this wo.'

907. *that in tokne*, cp. 122.

910 ff. This matter of the corruption of all creation through man's fall is discussed at length both in the *Mirour*, 26605 ff., and in the *Vox Clamantis*, vii. 509 ff.

945 ff. This is one of Gower's favourite citations: it occurs also *Mir.* 26869, *Vox Clam.* vii. 639. It is quoted here from *Moralia*, vi. 16 (Migne, *Patr.* vol. 75, p. 740): 'Homo itaque, quia habet commune esse cum lapidibus, vivere cum arboribus, sentire cum animalibus, discernere cum angelis, recte nomine universitatis exprimitur.' In the *Mirour* it is given as from the Homilies; see *Hom. in Ev.* xxix. 2. The passage is also quoted in the *Roman de la Rose*, 19246 ff. (ed. Méon),

'Il a son estre avec les pierres,
Et vit avec les herbes drues,
Et sent avec les bestes mues,' &c.

947. *the lasse world*, i.e. a microcosm: cp. *Vox Clam.* vii. 645,

'Sic minor est mundus homo, qui fert singula solus.'

The saying is attributed to Aristotle in *Mirour*, 26929.

953. That is, the stones have existence and so hath he, this being the only point in common.

955. *as telleth the clergie*, 'as learning informs us.'

975. *The which*, resumed by 'He' in 978: *for*, i.e. 'since.'

979. That is, the opposite elements in his constitution ('complexioun') are so much at variance with one another.

985. 'Without separation of parts.'

**   H h

995. *also*, a repetition of 'yit over this,' 991.

1013. *sende*, pret., cp. i. 851, 992, 1452, &c. (but 'sente' in rhyme i. 3095, ii. 613, v. 1072), so 'bende' ii. 2235.

1047. That is, there can be no conciliation of the discord.

1055 ff. Cp. Ovid, *Fasti*, ii. 83 ff.

1066. *commun*: this form, as well as 'commune,' occurs in the *Mirour*.

1085. *The horse side*: cp. i. 1536, 2301, &c.

After 1088 the Sidney Coll. MS. (Δ) has the following lines,

> 'So were it gode at þis tide
> þat eueri man vpon his side
> besowt and preied for þe pes
> wiche is þe cause of al encres
> of worschep and of werldis welþe
> of hertis rest of soule helþe
> withouten pes stant no þing gode
> forthi to crist wiche sched his blode
> for pes beseketh alle men
> Amen amen amen amen.'

These were printed by Caxton, and after him by Berthelet, with some slight variations of spelling, and the reading 'and soules helthe' for 'of soule helþe.' No other MS. contains them, so far as I know, except Hatton 51, which is copied from Caxton's edition. If we read 'So were it good as at þis tide,' and correct the spelling throughout, the lines will be such as Gower might have written, and I rather suspect that they may have been contained in the Stafford MS. (S), to which Δ is nearly allied. S has lost a leaf here, on which ample room for them could have been found, the number of lines missing being only 156, while the number for a full leaf is 184. The authority of S would be conclusive in their favour.

LIB. I.

After setting forth in the Prologue the evils of the existing state of society and tracing them for the most part to lack of love and concord between man and man, the author now deliberately renounces the task of setting right the balance of the world, an undertaking which he has not shrunk from in former years, but recognizes now as too great for his strength. He proposes to change the style of his writings and to deal with something which all may understand, with that emotion of love which Nature has implanted both in man and beast, which no one is able to keep within rule or measure, and which seems to be under the dominion of blind chance, like the gifts of fortune.

Latin Verses. i. 7 f. Cp. the lines 'Est amor in glosa pax bellica, lis pietosa,' &c., which follow the *Traitié*.

10. *of thing is*, i.e. 'of thing which is': cp. ii. 1393, 'Withinne a Schip was stiereles,' so iii. 219, v. 298 &c., and *Mirour*, 16956.

21. *natheles*: as in Prol. 36, this seems to mean here 'moreover,' or perhaps 'in truth,' rather than 'nevertheless.'

37. That is, 'Wheresoever it pleases him to set himself,' 'him' serving a double function.

50. *went* : present tense, 'goes.'

62. *I am miselven* &c. Note, however, that the author guards himself in the margin with 'quasi in persona aliorum, quos amor alligat, fingens se auctor esse Amantem.'

88. *jolif wo*, cp. 'le jolif mal sanz cure,' *Bal.* xiii. 24.

98 ff. The construction is broken off, and then resumed in a new form: cp. i. 2948, iii. 1595, 2610, iv. 3201, v. 1043, 1339, &c.

116. *other* : this must be regarded as a legitimate plural form beside 'othre': cp. iv. 1183, and see Morsbach, *Schriftsprache*, p. 23. On the other hand, 'othre' is sometimes used as singular, e.g. l. 481, ii. 283.

178. *Mi world*, i.e. 'my fortune': cp. Prol. 383.

196. The idea of 'Genius' is taken from the *Roman de la Rose*, where Genius is the priest of Nature, 'Qui célébroit en sa chapelle,' and she confesses to him, 16487 ff. (ed. Méon).

205. *Benedicite* : the regular beginning of a confessor's address to his penitent.

213. Cp. *Rom. de la Rose*, 16927 f. (of Nature confessing to Genius),

> 'Qui dit par grant dévocion
> En plorant sa confession.'

225. *my schrifte oppose*, 'question me as to my confession,' cp. the use of 'opponere' in the margin here and 299, 708, &c.

232. *tome*. This is Gower's usual form of combination where the accent is to be thrown on the preposition. We have also 'byme,' ii. 2016, &c., tome, l. 294, ii. 3160, &c., 'untome,' iii. 99, 'tothe,' iv. 1875. In such cases, as is seen below, l. 294, the final syllable becomes weak and subject to elision.

279. *remene*, 'bring back,' from Fr. 'remener': cp. 'demenen.'

299 ff. See note on *Mir.* 16597.

320. The punctuation is here determined by that of F, which has a stop after 'love.' Otherwise the meaning might be, 'And doth great mischief to love,' the conjunction being transposed, as often.

333 ff. The story is from Ovid, *Metam.* iii. 138 ff.

350. *cam ride*. For this use of the infin. see *New Engl. Dict.*, 'come,' B. i. 3. f.: so 'thei comen ryde,' iv. 1307.

367. For the use of 'hire' as a dissyllable in the verse, cp. 872, 1667: on the other hand, 884, 887, 939, 1673, &c.

383. That is, if a man gave heed to the matter, he would see that it was, &c. : cp. Prol. 460.

389. Ovid, *Metam.* iv. 772 ff. This, however, is not Gower's only authority, for he mentions details, as for example the names of Medusa's sisters, which are not given by Ovid. The confusion which we find here between the Graeae and the Gorgons appears in Boccaccio, *De Gen. Deorum*, x. 10, which possibly our author may have seen; but I suspect he had some other authority. The names which Gower gives as Stellibon and Suriale are properly Stheno (Stennio in Boccaccio) and Euryale.

422. *Mercurie*: see note on Prol. 323. Mercury's sword is not mentioned either by Ovid or Boccaccio.

431. *gan enbrace*, 'placed on his arm'; see the quotations in *New Engl. Dict.* under 'embrace v. 1,' e.g. *K. Alis.* 6651, 'His scheld enbraceth Antiocus.'

452. *To tarie with*, 'with which to vex': cp. i. 2172, ii. 283, 1081, v. 925, &c., and *Cant. Tales*, F 471, 'To hele with youre hurtes hastily.'

463 ff. Cp. *Mirour*, 15253. The legend is founded upon Psalm lviii. 4 f. (*Vulg.* lvii. 5 f.), 'Furor illis secundum similitudinem serpentis; sicut aspidis surdae et obturantis aures suas, quae non exaudiet vocem incantantium,' &c. (Hence the genitive form 'Aspidis' in our author.) The moral application is connected with the Gospel precept, 'Be ye wise as serpents,' to which reference is made in the *Mirour*. The serpent's method of stopping his ears was perhaps first suggested by Augustine, *In Ps.* lvii, who is followed by Isid. *Etym.* xii. 4, but there is nothing in these authorities about the carbuncle.

481. *an othre thing*: for 'othre' cp. i. 1496, ii. 511.

who that recordeth, 'if a man calls it to mind': see note on Prol. 13.

483. *tale of Troie*, i.e. Guido di Colonna, *Hist. Troiana*, lib. 32 (o 2, ed. Argent. 1494), which is here followed. Benoît mentions the Sirens, but does not describe their form nor state that Ulysses stopped his men's ears.

492 ff. This manner of piling up consecutive clauses is observable in the author's French style, and the use of relatives like 'wherof,' 'which' (l. 771) to introduce them is parallel to that of 'Dont,' 'Par quoy,' &c. in the French: e.g. *Mir.* 219 ff.,

> 'Et tant luy fist plesant desport,
> Dont il fuist tant enamouré,
> Que sur sa fille,' &c.

Cp. *Mir.* 681.

527. 'plus quam mille ex eis interfecimus,' Guido, *Hist. Troi.*, lib. 32.

532. *hiere*, subjunctive: cp. ii. 252, iii. 665, &c.

574. *othre thing*: plural no doubt, but we have also 'othre (other) thinges,' i. 2464, iv. 1183.

Latin Verses. v. i. *que Leone*. This position of 'que' is quite common in our author's Latin writings: see the lines after the *Praise of Peace*, ll. 10, 49, 50, &c.

8. *sub latitante*, 'lurking underneath,' 'sub' being an adverb. The best copies have the words separate.

577. *applied*, 'assigned'; cp. iv. 2607, v. 913, vii. 1100.

585. *seid*, 'named.'

595. *feigneth conscience*, that is, makes pretence as to his feeling, or state of mind, ('As thogh it were al innocence'): cp. iii. 1504, 'Mi conscience I woll noght hyde.' The explanation suggested in the *New Engl. Dict.* that 'conscience' stands for 'conscientiousness' or 'rightful dealing,' will hardly do, and the word does not seem to be used early in this sense.

599. *the vein astat*: see note on Prol. 221.

608. *these ordres*, i.e. 'the orders' (of religion): so 'these clerkes,' Prol. 900.

where he duelleth, that is, the hypocrite, standing for Hypocrisy in general.

623. *religioun*, the members of the religious orders, as distinguished from the rest of the clergy.

626. *It scheweth*, 'it appears': cp. Prol. 834.

636. *devolte apparantie*: the words are pure French, and the French feminine form is as naturally used for the adjective, as in the 'seinte apparantie' of *Mir.* 1124. We cannot apply the English rule of the definite adjective to such combinations as this: cp. note on Prol. 221. However, 'devoute' in l. 669 seems to be the plural form.

637. *set*, present tense: so ll. 650, 707, &c.

648. *these othre seculers*, 'the men of the world also.'

650. 'He makes no reckoning in his account.'

695. *As he which* &c.; that is simply, 'feigning to be sick,' so iv. 1833, 'As he who feigneth to be wod'; cp. vii. 3955. The expression 'as he which,' 'as sche which,' is very commonly used by Gower in this sense; cp. i. 925, 1640, &c., and *Mir.* 27942, 'Comme cil q'est tout puissant,' 'being all-powerful.'

698. Cp. iv. 1180, 'And thus mi contienance I pike.' It means 'he makes many a pretence.'

709. *Entamed*, 'wounded': used in a similar moral sense in *Mir.* 25161, 'Car Covoitise les entame.'

713. *As forto feigne*, i.e. 'as regards feigning': so l. 723, 'as to my ladi diere.'

718 ff. For the form of sentence, which is a favourite one with our author in all his three languages, but especially perhaps in Latin, cp. *Mirour*, 18589 ff.,

> 'Unques le corps du sainte Heleine
> Serchant la croix tant ne se peine,
> Qe nous ovesque nostre Court,
> Assetz n'y mettons plus du peine,' &c.

Vox Clam. i. 263 ff.,

> 'In Colchos tauri, quos vicit dextra Iasonis,
> Non ita sulphureis ignibus ora fremunt,
> Quin magis igne boues isti,' &c.

So also *Bal.* vii. 23, xviii. 8, xxx. 10; *Vox Clam.* i. 355, 449, 499, &c.; *Conf. Am.* i. 1259, 1319, &c.

733. 'For I shall not declare this in my defence, that' &c.; a somewhat different use of the word from that which we find in the quotations given by the *New Engl. Dict.*, 'Excuse *v*.' i. 1. d.

761 ff. The story of Mundus and Paulina is historical, related by Josephus, *Ant*. xviii. 66 ff., and after him by Hegesippus, ii. 4, from whom it was taken by Vincent of Beauvais, *Spec. Hist*. vii. 4, and also doubtless, directly or indirectly, by Gower. It is told in verse by Godfrey of Viterbo, *Pantheon*, xv, but it is certain that this was not Gower's source.

771. *Which*: for this use of the relative in a consecutive clause, which is very common in our author's style, see note on 492, and cp. 801.

773. *thilke bore frele kinde*. Human nature is described as frail from birth, and by its weakness causing blindness of the heart.

776 f. 'And such were the fortunes of this tale of which I would speak,' i. e. this was the passion which determined its course.

816. *his thonk pourchace*, 'win their gratitude towards himself.'

833. 'In which a false heart was concealed,' an instance of inverted order, for which cp. ii. 565,

'Whiche as he wot is puyson inne.'

872. *hire*, cp. 367.

894. *which stod thanne upon believe*, 'which then was thought to be possible.'

938. *homward*, i. e. 'goes towards home'; cp. iii. 1021, 2451.

940 ff. In Hegesippus the address is as follows: 'Beata Paulina concubitu dei. Magnus deus Anubis cuius tu accepisti mysteria. Sed disce te sicut diis ita et hominibus non negare, quibus dii tribuant quod tu negaveras: quia nec formas suas dare nobis nec nomina dedignantur. Ecce ad sacra sua deus Anubis vocavit et Mundum, ut tibi iungeret. Quid tibi profuit duritia tua, nisi ut te xx milium quae obtuleram defraudaret compendio? Imitare deos indulgentiores, qui nobis sine pretio tribuunt quod abs te magno pretio impetrari nequitum est. Quod si te humana offendunt vocabula, Anubem me vocari placuit, et nominis huius gratia effectum iuvit.' It must be allowed that our author has improved upon this offensive prolixity.

987. *sche may ther noght*, 'she hath no power in the matter': cp. 725, 'there I lye noght.'

1006. *Citezeine*. Gower uses several of these feminine forms of substantives. Besides 'citezeine' we have cousine, ii. 1201, capiteine, v. 1972, enemie, v. 6753, anemie, viii. 1355 (all of which also occur in the *Mirour*), and occasionally adjectives, as 'veine' (gloire), i. 2677 ff., (vertu) 'sovereine,' ii. 3507, 'seinte' (charite), iv. 964, 'soleine,' v. 1971, and probably 'divine,' ii. 3243, 'gentile,' viii. 2294.

1013 ff. 'questioni subicit, confessos necat.' Our author here expands his original.

1040. *Whos cause*, 'for the sake of which.'

1051. *put*, pres. tense, 'putteth.'

1067. *menable*, 'fit to guide,' the ship; cp. ii. 1123, 'A wynd menable fro the londe.' The word occurs several times in our author's French, as *Mirour*, 3676, 11882, 17392. The meaning in English is not always the same, the word being, like others of this form, sometimes active and sometimes passive: cp. 'deceivable' (ii. 1698, 2202). Here and in the passage quoted the meaning is 'leading,' 'fit to guide': elsewhere it stands for 'easily led,' 'apt to be guided,' as in iii. 390 and the French examples.

1068. 'tobreken' is the reading of JH1XGL, SBΔ, W, and is evidently required by the sense.

1077 ff. Here Gower mainly follows Benoît de Sainte-More (*Roman de Troie*, 25620 ff.), but he was of course acquainted also with Guido (*Historia Troiana*, lib. 27: m 5, ed. Argent. 1494). The name Epius is from Benoît, for Guido has 'Apius': on the other hand, Guido and not Benoît describes the horse as made of brass. In speaking of the discussion about pulling down a portion of the walls, and of the walls themselves as built by Neptune, 1146, 1152 ff., our author is certainly drawing from Benoît. Some points of the story and many details are original.

Of hem that &c., 'As regards those who have such deceit in their hearts,' i. e. hypocrites: cp. 956, 'O derke ypocrisie.'

1102. The MS. can hardly be right in punctuating after 'Togedre.'

1129 f. So Lydgate, perhaps with this passage in his mind,

> 'Makynge a colour of devocion
> Through holynesse under ypocrisie.'
> *Tale of Troye*, bk. iv.

1133. *trapped*. 'In quo construentur quedam clausure sic artificiose composite, quod' &c. *Hist. Troiana*, m 4 v°. Gower does not say that men were contained within, though this is stated by his authorities, of whom Benoît places Sinon inside the horse, while Guido finds room there for a thousand armed men. The 'twelve' wheels seem to be due to Gower, as also the picturesque touch, 'And goth glistrende ayein the Sunne.'

1146 ff. Cp. *Roman de Troie*, 25814 ff. (ed. Joly),

> 'Et quant ço virent Troien,
> Conseil pristrent que des terralz
> Abatroient les granz muralz,
> Les biax, les granz, que Neptunus
> Ot fet, M. anz aveit et plus,
> Et qu' Apollo ot dedié.'

1165. *crossen seil*, 'set their sails across (the mast).'

1172. *Synon*. The reading of F may be right, for 'Simon' is the form of the name given in many copies of Guido. Here however the whole of the second recension and the better copies of the first give 'Synon,' and a copyist's alteration would be towards the more familiar name.

1225. *lok.* In l. 1703 we have 'loke' for the imperative, which must be regarded as more strictly correct.

Latin Verses. vi. 1 f. *olle Fictilis ad cacabum,* a proverb derived from Ecclus. xiii. 3, 'Quid communicabit cacabus ad ollam? quando enim se colliserint confringetur.'

6. The elephant was supposed to have no joints.

1262 f. *That I ... ne bowe more.* For the form of expression see note on 718. Pauli makes the text here quite unintelligible by reproducing an error of Berthelet's edition and adding to it another of his own.

1293. A proverbial expression like that in vi. 447, 'For selden get a domb man lond.'

1328. *retenue,* 'engagement of service': cp. *Bal.* viii. 17,

'Q'a vous servir j'ai fait ma retenue.'

1354. *the decerte Of buxomnesse,* i. e. 'the service of obedience.' For both the spelling and meaning of 'decerte' cp. *Mir.* 10194,

'Qe ja ne quiert ou gaign ou perte
Du siecle avoir pour sa decerte.'

1407 ff. The 'Tale of Florent' is essentially the same as Chaucer's 'Wife of Bath's Tale,' but the details are in many ways different. According to Chaucer the hero of the adventure is a knight of Arthur's court and the occasion of his trouble a much less creditable one than in the case of Florent. In Chaucer's tale the knight sees a fairy dance of ladies in the forest before he meets his repulsive deliverer, and she gets from him a promise that he will grant her next request if it lies in his power, the demand of marriage being put off until after the question has been successfully solved by her assistance. The rather unseasonable lectures on gentilesse, poverty, and old age are not introduced by Gower. On the other hand, Chaucer's alternative, 'Will you have me old and ugly but a faithful wife, or young and fair with the attendant risks?' is more pointed and satisfactory than the corresponding feature in Gower's tale. Finally, Chaucer has nothing about the enchantment by which the lady had been transformed.

It is tolerably certain that neither borrowed the story from the other, though there are a few touches of minute resemblance which may suggest that one was acquainted with the other's rendering of it: see ll. 1587, 1727.

We cannot point to the precise original of either; but a very similar story is found in *The Weddynge of Sir Gawene and Dame Ragnell,* published in the collection of poems relating to Gawain edited by Sir F. Madden (Bannatyne Club, 1839) and contained in MS. Rawlinson C. 86. In this ballad Arthur's life is spared by a strange knight who meets him unarmed in the forest, on condition of answering his question, 'What do women love best,' at the end of twelve months. He is assisted by Dame Ragnell, who demands in return to be married to

Sir Gawain. Sir Gawain accepts the proposal from loyalty to his lord, and the rest is much as in Gower's version. It should be noted that the alternative of day or night appears in the ballad and was a feature of the original story, which Chaucer altered.

The Percy fragment of *The Marriage of Sir Gawain*, also printed in Sir F. Madden's volume, is the same story as we have in the other ballad. The name Florent and that of the Emperor Claudius are probably due to Gower, who is apt to attach to his stories names of his own choosing: cp. Lucius and Dionys (*Conf. Am.* v. 7124*, *Mir.* 7101), Spertachus for Cyrus (vii. 3418), &c.

Shakespeare refers to Gower's story in the line,

'Be she as foul as was Florentius' love.'
Tam. of the Shr. i. 2. 69.

1427. *his oghne hondes*: cp. iii. 2011, 2142; v. 1884, 5455 ('seide his oghne mouth').

1509. *schape unto the lere*, 'prepared for the loss' (OE. lyre).

1521. *par aventure*, or 'per aventure' as given by J. The former of the two words is as usual contracted in F.

1536. *his horse heved*, 'his horse's head': cp. Prol. 1085, iv. 1357, &c. The word 'heved,' also written 'hefd,' 'hed,' is a monosyllable as regards the metre.

1541. *Florent be thi name*: cp. Chaucer, *Cant. Tales*, B 3982, 'dan Piers be youre name.'

1556. 'I ask for nothing better (to be imposed) as a task.'

1587. *Have hier myn hond*: so in Chaucer, 'Have heer my trouthe,' D 1013.

1662. This is one of the closest parallels with the ballad,

'And she that told the nowe, sir Arthoure,
I pray to god I maye se her bren on a fyre.'
Weddynge of Syr Gawene, 475.

1676. *what*: cp. the use of 'quoy' in French, e.g. *Mir.* 1781.

1677. *caste on his yhe*, 'cast his eye upon.'

1714. 'He must, whom fate compels.' The words 'schal,' 'scholde' are regularly used by Gower to express the idea of destiny, e.g. iii. 1348, iv. 92, 377.

1722. 'Placing her as he best could.'

1727. *Bot as an oule* &c. So in Chaucer,

'And al day after hidde him as an owle,
So wo was hym, his wyf looked so foule.'
D 1081 f.

1767. *tok thanne chiere on honde*, 'began to be merry.'

1771. *And profreth him ... to kisse*, i.e. offers to kiss him: cp. v. 6923, 'Anon he profreth him to love.'

1886. *til it overthrowe*, i.e. till it fall into calamity, 'overthrowe' being intransitive, as 1962.

1888. *Hadde I wist*: cp. ii. 473, iv. 305.

1895. *And is*, i.e. 'And he is,' the pronoun being frequently omitted: cp. Prol. 348, 676, i. 2083, 2462, ii. 258, 624, 2071, 2985, iii. 1063, &c.

1917 f. A proverbial expression: cp. Lydgate, *Secrees of the Philosophres*, 459, 'Yit wer me loth ovir myn hed to hewe.'

1934. *ne schal me noght asterte*, 'shall not escape me,' in the sense of letting a fault be committed by negligence in repressing it: cp. i. 722.

1967. *unbende*, 1st sing. pret., 'I unbent (my bow).' For the form cp. 'sende,' Prol. 1013.

1980 ff. The example of Capaneus is probably from Statius. The medieval romances (e.g. the French *Roman de Thèbes*) do not represent Capaneus as slain by a lightning stroke. The impious speech alluded to here, 'Primus in orbe deos fecit timor!' is Statius, *Theb.* iii. 661, and the death of Capaneus, *Theb.* x. 827 ff.

2007. *it proeveth*, i.e. 'it appears': cp. Prol. 926.

2021 ff. This story was probably taken by Gower from the *Vita Barlaam et Josaphat*, cap. vi (Migne, *Patrol.* vol. 74. p. 462 f.). The incidents are the same, but amplified with details by Gower, who has also invented the title of the king. In the original he is only 'magnus quidam et illustris rex.' The story is found in several collections, as *Gesta Romanorum*, 143, Holkot, 70, see *Gesta Romanorum*, ed. Oesterley.

2030. *ride amaied*: cp. Chaucer, *Cant. Tales*, C 406, and Skeat's note.

2049. *par charite*. Rather perhaps 'per charite,' following J. F and A both have the contracted form. So also 'per chance,' 'per chaunce,' in ll. 2225, 2290, 3203, and 'per aventure,' l. 2350.

2073. *was the same ... which*, cp. viii. 3062 *.

2078. This line, which would more naturally follow the next, seems to be thrown in parenthetically here.

2106. So also ii. 895, 2670.

2172. *to tendre with*, 'whereby to soften': cp. i. 452, 'To tarie with a mannes thoght,' and ii. 283.

2176. *sihe*: the mixture of past with present tenses is common in Gower.

2214 ff. 'O stulte ac demens, si fratris tui, cum quo idem tibi genus et par honos est, in quem nullius omnino sceleris tibi conscius es, praeconem ita extimuisti, quonam modo mihi reprehensionis notam idcirco inussisti, quod Dei mei praecones, qui mortem, ac Domini, in quem me multa et gravia scelera perpetrasse scio, pertimescendum adventum mihi quavis tuba vocalius altiusque denuntiant, humiliter ac demisse salutarim?' *Barl. et Jos.* cap. vi.

2225. See note on 2049.

2236. *obeie*, 'do obeisance to': cp. v. 1539.

2275 ff. The tale of Narcissus is no doubt from Ovid, *Met.* iii. 402 ff., but the account of his death is different from that which we find there. Ovid relates that he pined away gradually, and that his body was not found, but in place of it a flower.

2290. *par chance*: see note on 2049.

2316 f. Cp. Bocc. *Gen. Deorum*, vii. 59, 'existimans fontis Nympham.' By the margin we find that the nymph here meant is Echo, who is represented by Ovid as having wasted away for love of Narcissus and as giving an answer now to his cries.

2317. *as tho was faie*, 'as then was endued with (magic) power,' 'faie' being an adjective, as in ii. 1019, v. 3769.

2320. *of his sotie*, to be taken with what follows.

2340 ff. I know of no authority for this manner of his death.

2343–2358. This pretty passage is a late addition, appearing only in the third recension MSS. and one other copy, so far as I know. According to Ovid, the nymphs of the fountains and of the woods mourned for Narcissus,

'Planxere sorores
Naides, et sectos fratri posuere capillos;
Planxerunt Dryades, plangentibus assonat Echo,'

but when they desired to celebrate his obsequies, they found nothing there but a flower.

2350. *par aventure* : see note on 2049.

2355 ff. This application of the story, founded on the fact that the narcissus blooms in early spring, seems to be due to our author : cp. ii. 196, iii. 1717.

2377. *a place*, equivalent to 'aplace,' which we find in l. 1888, i. e. 'on place,' 'into place.' We might read 'aplace' here also, for though the words were at first written separately in F, there seems to have been an intention of joining them afterwards. However, such separations are often found elsewhere, as 'a doun,' iv. 2710, v. 385 ; 'a ferr,' i. 2335 ; 'a game,' viii. 2319 ; and most MSS. have 'a place' here.

2398. The reading of F, 'Which elles scholde haue his wille,' is a possible one, but the preservation of final 'e' before 'have' used unemphatically, as here, would be rather unusual. Instances such as l. 2465, 'a werre hadde,' are not to the point, and in l. 2542, where there is a better example, 'Of such werk as it scholde have,' the word 'have' is made more emphatic by standing in rhyme.

Latin Verses. ix. 2. *cilens.* Such forms of spelling are not uncommon in Gower's Latin : cp. 'cenatore,' v. 4944 (margin).

2410. *wynd.* The curious corruption 'hunt,' which appears in one form or another in all the copies of the unrevised first recension, must have been one of the mistakes of the original copyist. The critical note here should be, 'hunt(e) H₁YX ... C hante L haunt B₂,' and the actual reading in L is, 'Haþ þilke errour hante in his office,' which seems due to a marginal note having been incorporated in the text.

2411. *Which*, for 'that' in consecutive sense, answering to 'thilke,' see note on l. 492. In this case it does not even stand as the subject of the verb, for we have ' he overthroweth.'

2421. *tok*. This is second person singular, and we might rather expect 'toke,' which in fact is the reading of some good copies: cp. ii. 234, iii. 2629, viii. 2076.

2443. *daunger*. See note on *Balades*, xii. 8. The name represents the influences which are unfavourable to the lover's suit, and chiefly the feelings in the lady's own mind which tend towards prudence or prompt her to disdain. The personification in the *Roman de la Rose* is well known. There Danger is the chief guardian of the rose-bush, and has for his helpers Malebouche, who spreads unfavourable reports of the lover, with Honte and Paour, who represent the feelings in the lady's mind which lead her to resist his advances: see *Roman de la Rose*, 2837 ff., Chaucer, *Leg. of G. Women*, B 160, *Troilus*, ii. 1376. Danger, however, also stands without personification for scornfulness or reluctance in love, and so the adjective 'dangereus' *Rom. de la Rose*, 479 (Eng. 'dangerous,' *Cant. Tales*, D 1090, ' Is every knight of his so dangerous?').

In the *Confessio Amantis* the principal passages relating to Danger as a person are iii. 1537 ff. and v. 6613 ff. Such expressions also frequently occur as ' hire daunger,' iv. 2813; 'thi Daunger,' iv. 3589; 'make daunger,' ii. 1110; 'withoute danger,' iv. 1149: cp. Chaucer, *Troilus*, ii. 384.

For the references to Danger in Lydgate see Dr. Schick's note on *Temple of Glas*, 156 (E. E. T. S.).

2459 ff. The story of Alboin and Rosemund is related by Paulus Diaconus, *Gest. Langob.* ii. 28, and after him by many others. This historian declares that he has himself seen the cup made of a skull from which the queen was invited to drink. According to him, Helmichis, the king's foster-brother and shield-bearer, plotted with Rosemunda against the king and induced her to gain the support of one Peredeus by the device of substituting herself for her waiting-maid. In some versions of the story this Peredeus was omitted. For example, in the *Pantheon* of Godfrey of Viterbo (xvii), where the story is related first in prose and then in verse, he is only slightly mentioned in the prose account and not at all in the verse, Helmegis being substituted for him in both as the object of the queen's artifice. It seems probable that Gower followed this author, with whose book we know he was acquainted (viii. 271). The name of the waiting-maid, Glodeside, seems to have been supplied by our author, who took it no doubt from ' Glodosinda,' the name of Alboin's former wife. Helmege the king's 'boteler' is the ' Helmegis pincerna regis' of the *Pantheon*, and some expressions correspond closely, as 2474 (margin), 'ciphum ex ea gemmis et auro circumligatum ... fabricari constituit,' with the line ' Arte scyphum fieri statuens auroque ligari.'

The tale is well told by Gower, but he alters the final catastrophe, so as not to lengthen the story unnecessarily and divert attention from his principal object, which has to do with Alboin's punishment for boasting and not with the fate of the adulterous pair. He is responsible for most of the details: in the *Pantheon* the story occupies only sixty lines of Latin verse and is rather meagre in style. Compare, for example, the following with the account given by Gower of the holding of the banquet, the cruel boast of Alboin, and the feelings of the queen (2495-2569),

> 'Ipse caput soceri, quem fecerat ense necari,
> Arte scyphum fieri statuens auroque ligari,
>   Vina suae sponsae praecipit inde dari.
> Femina nescisset quod testa paterna fuisset,
> Vina nec hausisset, nisi diceret impius ipse,
>   "Testa tui patris est, cum patre, nata, bibe."
> Dum bibit immunda data vina gemens Rosimunda,
> Pectora pessumdat, lacrymae vehementer inundant,
>   Occisique patris res fit amara satis.'

2485 (margin). *Bibe cum patre tuo*: these are the exact words of the prose account in the *Pantheon*.

2504. There is a stop after 'ordeine' in F, therefore 'sende' should be taken as a past tense rather than as infinitive dependent on 'let.'

2533. 'And took a pride within his heart.'

2548. The punctuation is that of the MSS.

2569. *had mad*. The use of 'had' for 'hadde' in a position like this, where it is followed by a consonant (or of 'hadde' with the value of a monosyllable in such a position), is most unusual in Gower's verse. If there were a little more authority for it, we might read 'hath,' as given by J: cp. iv. 170, where many of the best copies read 'Had mad' for 'Hath mad.' It is possible that the author meant here 'hath had mad' ('had' being past participle), but I cannot quote any clear example of this form of speech at so early a date.

2642 ff. Here Gower departs from the authorities and winds up the story abruptly. According to the original story, Longinus the prefect of Ravenna conspired with Rosemunda to poison Helmichis; and he, having received drink from her hand and feeling himself poisoned, compelled her to drink also of the same cup.

2677. *veine gloire*. The adjective here adopts the French feminine from, as we have it in this very combination in the *Mirour*, e. g. l. 1219. On the other hand, where the words are separated, as l. 2720, the uninflected form is used. See note on l. 1006.

Latin Verses. x. 5. *strigilare fauellum*, ' to curry favel.'

2684. 'Heaven seems no gain to him.' The forms 'þinken' and 'þenken' are identified by Gower under 'þenken'; but 'þinke' is sometimes used in rhyme, and indifferently for either, e.g. v. 213, 254.

2701. *unavised*, adv., 'in a foolish fashion.'

2703 ff. Cp. *Mir.* 27337 ff., where the author pleads guilty to these crimes, as the lover also does below.

2705 (margin). Ecclus. xix. 27, 'Amictus corporis et risus dentium et ingressus hominis enunciant de illo.'

2706 f. *the newe guise of lusti folk,* i.e. the latest fashion for men of pleasure.

2713 f. This is one of the cases in which the third recension reading has been introduced over erasure into the text of F: cp. Prol. 336, iv. 1321, 1361, vii. *Lat. Verses* after ll. 1640 and 1984.

The original lines are given in the foot-note in accordance with S. They were altered perhaps to avoid repetition of 2681 f.

2745. *songe,* so here in F and A, elsewhere 'song.'

2746. *Wherof*: cp. l. 498.

2764. *hire good astat.* For the loss of inflexion cp. ii. 2341, 'his slyh compas.'

2769. *whiche*: often treated as a monosyllable in the verse, as ii. 604, iv. 1498, &c., but cp. l. 2825.

2787. Prol. 585 ff.

2795. *bere*: pret., as shown both by sense and rhyme.

2801. *good.* The original reading was 'godd,' which perhaps may be thought better, but the alteration may have been made by the author to avoid a repetition of the same word that he had used in l. 2796. The meaning is, 'he did not remember that there was anything else of worth except himself.'

2830. *And fedden hem,* i.e. 'And that they fed themselves,' &c.; cp. 2833, 'and seide.'

2883. *sein*: so ii. 170, iii. 757, in rhyme always.

2890. Written in F 'vnder þe kinges,' as if to make a distinction, but 'þee' in the next line.

2939. The punctuation after 'godd' is on the authority of F: otherwise it would be better to take 'with godd and stonde in good acord' together.

2951. *He let it passe* &c. The preceding sentence is broken off, and a new one begins which takes no account of the negative: see note on i. 98. This seems better than to make 'it' refer to his pride, for 'mynde' can hardly mean anything here but memory.

3032. 'He found the same gentleness in his God.'

3050. *can no love assise,* 'can adapt no love to his liking.'

3067 ff. The tale of the Three Questions is one of which I cannot trace the origin, notwithstanding the details of name and place which are given at the end, viz. that the king was of Spain and was called Alphonso, that the knight's name was Pedro and his daughter's Petronilla. A reference to the second and third questions occurs in the *Mirour de l'omme,* 12601 ff.

3153. *herd you seid*: so v. 1623, 7609, 'herd me told.' This form of expression, for 'herd you seie,' 'herd me telle,' may have sprung from such a use of the participle as we have in v. 3376, 'Sche hadde herd spoke of his name': cp. the use of participle for infinitive with 'do' in ii. 1799 and Chaucer, *Cant. Tales*, A 1913, 'Hath Theseüs doon wroght,' E 1098, 'Hath doon yow kept.'

3203. *par chaunce*: see note on 2049.

3246. *ansuerde*. This seems to be a plural form of the participle, used here for the rhyme: so iv. 1810, v. 6789.

3296. *leste*: elsewhere 'lest'; cp. 3106, 3313. Here we have 'leste' A, F, 'lest' JC, B. The form 'moste' is undoubtedly used for 'most' (adv.) i. 307.

3308. *reprise*, 'trouble,' as we have 'paine et reprise' in *Mirour*, 3968.

3365 f. *lete That I ne scholde be*: cp. iv. 454. In both cases 'lete' is the past participle of 'leten' (lǣtan), and not from 'letten,' meaning 'hinder.' In these expressions 'lete' means 'left' in the sense of 'omitted' (like 'lete Of wrong to don,' vii. 2726), and in this usage is naturally followed by a negative: cp. v. 4465, 'I wol noght lete, What so befalle of mi beyete, That I ne schal hire yive and lene.' The same phrase occurs with the past participle 'let' (meaning 'hindered') in ii. 128, and the sense is nearly the same.

3369 ff. Several corrections have been made by the author in this passage, either to make the verse run more smoothly, as 3369 'it mot ben holde' for 'mot nede be holde,' 3374 'mad a Pier' for 'an Erl hier,' 3412 'vice be received' for 'vice schal be received,' or to improve the sense and expression, as 3381 'maide' for 'place,' 3396 'wyse Peronelle' for 'name Peronelle,' 3414 'worth, and no reprise' for 'worthy, and no prise,' 3416 'If eny thing stond in contraire' for 'And it is alway debonaire,' an awkward parenthesis. It should be noted that Λ (the Wollaton copy of the second recension) here goes with the unrevised first recension, whereas B agrees with the revised form, except in ll. 3369, 3381.

3381. *the maide asterte*, 'escape the influence of the maiden.'

3442 f. The hellish nature of Envy consists in the fact that it wrongs both itself and others without cause, that is without having any further object to gain. It rejoices in evil for the sake of the evil itself and not for any advantage to be won from it. Cp. ii. 3132 ff.

LIB. II.

11. *if it be so*, equivalent to 'is it so,' from the form 'I ask if it be so.'

20. *Ethna*: cp. *Mirour*, 3805 ff.,

'Ly mons Ethna, quele art toutdiz,
Nulle autre chose du paiis
Forsque soy mesmes poet ardoir;
Ensi q' Envie tient ou pis
En sentira deinz soy le pis.'

The idea is that Envy, like Mount Etna, burns within itself continually, but is never consumed: cp. Ovid, *Met.* xiii. 867 (in the tale which follows below of Acis and Galatea),

> 'Uror enim, laesusque exaestuat acrius ignis,
> Cumque suis videor translatam viribus Aetnam
> Pectore ferre meo.'

83. *Write in Civile.* 'Civile' is certainly the Civil Law, for so we find it in *Mirour*, 15217, 16092, &c., and also personified in *Piers Plowman*. The reference here has puzzled me rather, but the following, I believe, is the explanation of it, strange as it may seem at first sight.

In the Institutions of Justinian, i. 7, 'De lege Furia Caninia sublata,' we read that this law, which restricted the power of owners of slaves to manumit them by will, was repealed 'quasi libertatibus impedientem et quodammodo invidam.' It seems that medieval commentators upon this, reading 'canina' for Caninia in the title of the law, explained the supposed epithet by reference to the adjective 'invidam' used in the description of it, and conceived the law to have been called 'canina' because it compelled men to imitate the dog in the manger by withholding liberty from those for whom they no longer had any use as slaves. In Bromyard's *Summa Predicantium* we find the following under the head of 'Invidia': 'Omnes isti sunt de professione legis Fusie canine. Ille enim Fusius inventor fuit legis cuius exemplum seu casus est iste. Quidam habet fontem quo non potest proprium ortum irrigare... posset tamen alteri valere sine illius nocumento; ipse tamen impedit ne alteri prosit quod sibi prodesse non potest, ad modum canis, sicut predictum est: a cuius condicione lex canina vocata est inter leges duodecim tabularum, que quia iniqua fuit, in aliis legibus correcta est, sicut patet Institut. lib. i. de lege Fusia canina tollenda.'

It seems likely then that Gower took the fable from some comment on this passage of the Institutions.

88. *who that understode*, 'if a man understood,' subjunctive: see notes on Prol. 13, 460.

104 ff. From Ovid, *Met.* xiii. 750 ff., where it is told at greater length. The circumstance, however, of Polyphemus running round Etna and roaring with rage and jealousy before he killed Acis, is added by Gower, possibly from a misunderstanding of l. 872. It is certainly an improvement.

128. *it myhte noght be let* &c. See note on i. 3365.

196. *as he whilom* &c. This suggestion is due to our author: cp. i. 2355 ff.

252. *who overthrowe, Ne who that stonde.* The verbs are probably singular and subjunctive: cp. iii. 665.

258. *And am*: cp. note on i. 1895.

261. Cp. Chaucer, *Cant. Tales*, G 746 ff., where the Ellesmere MS. has in the margin 'Solacium miseriorum' &c. The quotation does not seem to be really from Boethius.

265 f. 'When I see another man labour where I cannot achieve success.' For this use of 'to' cp. Prol. 133, &c.

283. *to hindre with*, 'whereby to hinder': cp. i. 452, 2172.

291 ff. This story, as Prof. Morley points out, is to be found among the fables of Avian, which were widely known. Gower has amplified it considerably. The fable is as follows:

> xxii. 'Iuppiter, ambiguas hominum praediscere mentes,
>   Ad terram Phoebum misit ab arce poli.
> Tunc duo diversis poscebant numina votis,
>   Namque alter cupidus, invidus alter erat ;
> His sese medium Titan scrutatus utrumque
>   Obtulit et, " Precibus Iuppiter aecus," ait,
> " Praestandi facilis ; nam quae speraverit unus,
>   Protinus haec alter congeminata feret."
> Sed cui longa iecur nequiit satiare cupido,
>   Distulit admotas in sua dona preces,   10
> Spem sibi confidens alieno crescere voto,
>   Seque ratus solum munera ferre duo.
> Ille ubi captantem socium sua praemia vidit,
>   Supplicium proprii corporis optat ovans ;
> Nam petit extincto iam lumine degat ut uno,
>   Alter ut hoc duplicans vivat utroque carens.
> Tum sortem sapiens humanam risit Apollo,
>   Invidiaeque malum rettulit ipse Iovi,
> Quae dum proventis aliorum gaudet iniquis,
>   Laetior infelix et sua damna cupit.'   20

l. 6. Iuppiter aecus *Lachmann* vt peteretur *codd.*

309. *Now lowde wordes* &c., i.e. Now with loud words, &c.; cp. vii. 170.

317. *That on*, 'The one.'

323 (margin). *maculauit*. Du Cange has, '*Maculare*, Vulnerare, vel vulnerando deformare.'

389. *Malebouche*, cp. *Roman de la Rose*, 2847 ff., *Mirour de l'omme*, 2677 ff.

390. *pyl ne crouche*, 'pile nor cross,' cross and pile being the too sides of a coin, head and tail.

399 f. The meaning of 'heraldie' is rather uncertain here. Probably it stands for 'office of herald,' and the passage means, 'Holding the place of herald in the court of liars'; but the *New Engl. Dict.* apparently takes it in the sense of 'livery,' comparing the French 'heraudie,' a cassock, and an eighteenth-century example in English. In this case we must understand the lines to mean 'wearing the livery of those who lie,' that is, being in their service.

401 ff. Cp. *Mirour*, 3721 ff.

404. *fals*, see note on Prol. 221. Just below (l. 412) we have 'his false tunge.'

413 ff. Cp. *Mirour*, 2893 ff.,

> 'La hupe toutdis fait son ny,
> Et l'escarbud converse auci,
> Entour l'ordure et la merdaille;
> Mais de ces champs qui sont flori
> N'ont garde: et par semblance ensi
> Malvoise langue d'enviaille,' &c.

447. 'That many envious tale is stered,' 'many' being a monosyllable for the metre before the vowel, as frequently in the expression 'many a,' and 'envious' accented on the penultimate syllable. For the use of 'many' by itself in the singular cp. ii. 89, iv. 1619, &c.

473. That is, she is on her guard against doing that of which she might afterwards repent. For 'hadde I wist' cp. i. 1888.

510 f. *I myhte noght To soffre* &c. A very unusual construction.

547 ff. 'I cannot find that I have spoken anything amiss by reason of envy,' &c.

565. 'In which he knows that there is poison': for the arrangement of words cp. i. 833.

583. 'To be amended': cp. Prol. 83.

587 ff. The tale of Constance is Chaucer's *Man of Law's Tale*, and the story was derived by the two authors from the same source, Nicholas Trivet's Anglo-Norman chronicle. The story as told by him has been printed for the Chaucer Society from MS. Arundel 56, with collation of a Stockholm copy (*Originals and Analogues*, 1872). The quotations in these Notes, however, are from the Bodleian MS., Rawlinson B. 178.

Gower has followed the original more closely than Chaucer, but he diverges from it in a good many points, as will be seen from the following enumeration:

(1) Gower says nothing of the proficiency of Constance in sciences and languages, on which Trivet lays much stress. (2) He abridges the negotiations for marriage with the Souldan (620 ff.). (3) He does not mention the seven hundred Saracens with whom the Souldan's mother conspired. (4) He brings Constance to land in Northumberland in the summer instead of on Christmas day (732). (5) He omits the talk between Constance and Hermyngeld which leads to the conversion of the latter (cp. 752 ff.). (6) According to Trivet the blind man who received his sight was one of the British Christians who had remained after the Saxon conquest, and he went to Wales to bring the bishop Lucius. (7) The knight who solicited Constance had been left, according to Trivet, in charge during Elda's absence, and planned his accusation against her for fear she should report his behaviour to Elda on his return (cp. 792 ff.). (8) The words spoken when the felon knight was smitten are not the same. Gower moreover makes him confess his crime and then die, whereas in the French book he is put to death by the king (cp. 879 ff.). (9) The reasons for Domilde's

hatred of Constance are omitted by Gower. (10) Trivet says that Domilde gave the messenger a drugged potion on each occasion (cp. 952 ff., 1008 ff.). (11) The communication to Constance of the supposed letter from the king, and her acceptance of her fate, are omitted by Gower. (12) The prayers of Constance for herself and her child upon the sea and her nursing of the child are additions made by Gower (1055-1083). (13) According to Trivet, Constance landed at the heathen admiral's castle and was entertained there, going back to her ship for the night. Then in the night Thelous came to her, and professing to repent of having denied his faith, prayed that he might go with her and return to a Christian country. So they put out at sea, and he, moved by the devil, tempted her to sin. She persuaded him to look out for land, with a promise of yielding to his desires on reaching the shore, and while he is intent on this occupation, she pushes him overboard (cp. 1084-1125). (14) The vengeance of king Alle on his mother is related by Trivet immediately after this, by Gower later. According to Trivet he hewed her to pieces (cp. 1226-1301). In the ballad of *Emaré* the mother is condemned to be burnt, but her sentence is changed to exile. (15) Gower omits the entry of king Alle into Rome and the incident of his being seen by Constance as he passed through the streets. (16) Trivet says that when Morice took the message to the Emperor, the latter was struck by his resemblance to his lost daughter. (17) Gower adds the incident of Constance riding forward to meet her father (1500 ff.). (18) According to Trivet, Constance returned to Rome because of the illness of her father (cp. 1580 ff.).

These differences, besides others of detail, show that Gower treated the story with some degree of freedom.

Before Trivet was known as the common source for Chaucer and Gower, Tyrrwhitt suggested that Chaucer's tale was taken from Gower. Chaucer in fact criticizes and rejects one feature of the tale which occurs in Gower's version of it, namely the sending of 'the child Maurice' to invite the Emperor. This incident however comes from Trivet, and it is probably to him that Chaucer refers.

It has been argued however in recent times from certain minute resemblances in detail and forms of expression between Chaucer's tale and Gower's, that Chaucer was acquainted with Gower's rendering of the story as well as with Trivet's (E. Lücke in *Anglia*, vol. xiv); and the same line of reasoning has been employed by others, e.g. Dr. Skeat in his edition of Chaucer, to prove that Gower borrowed to some extent from Chaucer. It seems probable that Chaucer's tale of Constance was written earlier than Gower's, and it is likely enough that Gower was acquainted with his friend's work and may have conveyed some expressions from it into his own. Lücke adduces twenty-seven instances, more than half of them trivial or unconvincing, but amounting on the whole to a tolerably strong proof that one of the two poets was acquainted with the other's story. The most convincing of the parallels are the following: Gower, 'Let take anon this Constantine' 706, Chaucer, 'And Custance have they take anon' *Cant. Tales*, B 438; Gower, 'lich hir oghne lif Constance loveth' 750, Chaucer, 'loved hire right as hir lif' B 535; Gower, 'yif me my sihte' 765, Chaucer, 'yif me my sighte again' B 560, Trivet, 'qe tu me facetz le signe de la croiz sur mes eux enveugles' f. 34; Gower, 'The king with many another mo Hath christned' 907, Chaucer, 'The kyng and many another in that place converted was' B 685; Gower, 'to kepe his wif' 925, Chaucer, 'his wyf to kepe' B 717; Gower, 'goth to seke Ayein the Scottes for to fonde The werre' 928 ff.; Chaucer, 'whan he is gon To Scotlondward, his fomen for to seke' B 717 f.; Gower, 'The time set of kinde is come, This lady hath hir chambre nome' 931 f. Chaucer, 'She halt hire chambre abiding Cristes wille. The tyme is come' B 721 f. These resemblances of phrase are such as we might expect to find if Gower had read Chaucer's story before writing his own. In all essentials he is independent, and it is surely not necessary to suppose, as Dr. Skeat does, that a quarrel between them was caused by such a matter as this.

590. Tiberius Constantinus was Emperor (at Constantinople) for four years only, 578-582; his wife's name was Anastasia. He selected Maurice of Cappadocia to succeed him, and gave him his daughter in marriage. The romance related by Trivet seems to have no historical foundation, but it was during the reign of Maurice that the mission went from Rome for the conversion of the English, and this may have had something to do with the story that Maurice himself was partly of English origin. Trivet himself mentions the historical form of the story, but pretends that he finds a different account in the old Saxon chronicles, 'les aunciens croniques des Sessouns,' or 'l'estoire de Sessons.'

594. *the god*: cp. Prol. 72. We find both 'god' and 'godd' as forms of spelling, so 'rod' and 'rodd,' 'bed' and 'bedd.' Here 'godd' has been altered in F by erasure.

613. Both Chaucer and Gower make the Souldan send for the merchants, whereas in Trivet they are brought before him on accusation: but in fact here Gower agrees in essentials with Trivet, while Chaucer invents a quite different occasion for the interview.

653. *Betwen hem two*, 'by themselves together': cp. 752, 3517, iii. 1466.

684. *Hire clos Envie*: see note on Prol. 221. The metaphor here may be from spreading a net, or perhaps it means simply she displayed her secret envy.

693 f. Compare Chaucer's development of the idea with examples, *Cant. Tales*, B 470 ff.

709. *withoute stiere*: Chaucer says 'a ship al steereles' where Trivet has 'sanz sigle et sanz naviroun,' or 'sanz viron' (MS. Rawl.): but either 'viron' or 'naviron' might stand for the oar with which the ship was steered.

709 ff. Note the free transposition of clauses for the sake of the rhymes. The logical order would be 709, 711, 710, 713, 712.

711. *for yeres fyve.* Trivet says 'pur treis aunz,' but he keeps her at sea nevertheless for nearly five.

736. *gon*, plural, 'he and his wife go': cp. 1152.

749 ff. In the MSS. the paragraph begins at 'Constance loveth,' l. 751.

752. 'They speaking every day together alone,' an absolute use: cp. 1723. For 'betwen hem two' cp. 653.

762. Punctuated after 'hire' in F.

771. *Thou bysne man.* The word 'bysne' is taken from the original story. Trivet says she spoke in the Saxon language and said, 'Bisne man, en Ihesu name in rode yslawe haue þi siht' (MS. Rawl. f. 34).

785. *As he that.* The reference is to the king, so that we should rather expect 'As him that,' but the phrase is a stereotyped one and does not always vary in accordance with grammatical construction: cp. 1623. We find however also 'As him which,' iii. 1276.

791. 'The time being appointed moreover': an absolute use of the participle.

831. 'trencha la gowle Hermigild': therefore the fact that Gower and Chaucer agree in saying that he cut her throat has no special significance.

833. The reading 'that dier,' or 'that diere,' was apparently a mistake of the original copyist. It appears in all the unrevised copies of the first recension and also in B. A however has the corrected reading.

857. *After*, 'In accordance with.'

880 ff. Here Chaucer follows the original more closely than Gower, as also just above, 'him smoot upon the nekke boon.' The words of the miraculous voice are given in Latin by Trivet, 'Aduersus filiam matris ecclesie ponebas scandalum: hoc fecisti et tacui' ('et non tacui' Rawl. Stockh.). Chaucer has (B 674 ff.),

> 'And seyde, "Thou hast desclaundred gilteles
> The doughter of holy chirche in heigh presence:
> Thus hastou doon and yet holde I my pees."'

895. This line occurs several times, e.g. i. 2106, ii. 2670.

905. *Lucie*, apparently to be pronounced 'Lucíe.' Such names usually appear either in the Latin forms 'Lucius,' 'Tiberius,' 'Claudius,' 'Virginius,' or with accent on the antepenultimate syllable 'Tibérie,' 'Mercúrie,' the 'i' not being counted as a syllable.

947. What the right name really is we can hardly say for certain. The printed text of the French gives 'Domulde' or 'Domilde,' the Rawlinson MS. has 'Downilde,' and Chaucer makes it 'Donegild.'

964. *which is of faierie.* In the French book the letter states that the queen has been transformed since the king's departure into the likeness of another creature and is an evil spirit in woman's form.

994 f. 'comaunda qe sanz nul countredit feissent sa femme sauvement garder' f. 34 v⁰.

1001. I punctuate after 'Knaresburgh' on the authority of F.

1010. The manuscript has a stop after 'drunke' and this seems best.

1020. Here we have apparently one of the original corruptions of the author's text.

1046 ff. The original has only 'grant duel et grant dolour demeneient.'

1081. *To rocke with*: cp. i. 452.

1110. *if sche him daunger make*, 'if she resist his desire': see note on i. 2443.

1123. *menable*: see note on i. 1067.

1132. *er it be falle And hath* &c.; that is, 'until it be so come that it hath,' &c.

1152. *scholden*: note the plural verb after 'I forth with my litel Sone': cp. 736.

1163. Trivet adds 'qar issit l'apelerent les Sessoneis' f. 35 v⁰.

1164. *for noght he preide* &c., 'for none of his prayers to be told,' &c.

1173. The stop after 'Romeward' is on the authority of F, with which A agrees. We can say either, 'He was coming from Barbarie towards Rome, and was going home,' or 'He was coming from Barbarie, and was going home towards Rome'; but the latter perhaps is the more natural.

1191. *made sche no chiere*. This must mean here, 'she gave no outward sign of her thought.' Usually 'to make cheer' means to be cheerful.

1243. *what child that were*, subjunctive in indirect question: cp. 1943, iii. 708, 771, &c. See note on Prol. 41.

1259. *alle wel*: 'wel' seems to be a substantive.

1275. *as seith the bok*. The 'book' only says 'ia tut enflammé de ire.'

1285. *I schal be venged*: cp. v. 6766. The first and second recensions have 'It schal.'

1300. *was after sunge*. The French book does not say this. It seems probable that Gower was acquainted with ballads on the subject, such as that of *Emaré*, printed in Ritson's *Metrical Romances*, ii. 204 ff. It is to be noted that *Emaré* is taken from a Breton lay:

> 'Thys ys of Brytayne layes,
> That was used by olde dayes
> Men callys playn the garye.'

1317. According to Trivet he came especially to get absolution for having killed his mother, and Chaucer follows him here.

1329. *In help to ben his herbergour*. This seems to mean that the question was asked with a view to helping to provide a lodging for the king. The expression is rather obscure however.

1351. *seknesse of the See*. This is absurd here, but not so in the original story. Constance attributes her weakness to the effects produced by her long wanderings at sea, 'se acundut par feblesce de sa cervele que lui avint en la mere' f. 36.

1369. *sihe*, subjunctive, 'so that the king might see him.'

1381 f. Cp. viii. 1702 ff.

1393. 'a ship which was,' cp. i. 10.

1405 f. See note on 1163. Trivet speaks here only of the name of Moris.

1423 f. Gower's more usual form would be, 'Desireth not the heaven so much, that he ne longeth more,' as i. 718, &c.

1464 ff. The connexion of this remark is clearer in the original story, which says that Constance told her husband, if the Emperor should refuse his prayer, to ask 'pur l'amur q'il avoit al alme sa fille Constaunce'; because she knew that he denied no one who prayed in this form.

1586 ff. *after that*, 'according as': cp. Prol. 544, iii. 1074. The book says in fact with much apparent accuracy that Alla died nine months after his return, that Constance returned to Rome half a year after, 'pur la novele qe ele oit de la maladie son pere,' that on the thirteenth day after her arrival the Emperor died in the arms of his daughter, and she followed him in a year, the date being St. Clement's day of the year 585. It is further stated that Elda, who had accompanied Constance to Rome, died at Tours on his way back to England.

1599. *the wel meninge of love*. In spite of the variations there can hardly be a doubt about the true reading here. The word is clearly 'meninge' both in F and S, and the change to 'whel' was suggested no doubt by the misreading 'meuinge.' For the expression cp. iii. 599, 'To love and to his welwillinge.'

1613 ff. Gower apparently pieced together this story of Demetrius and Perseus from several sources, for it does not seem to occur in any single authority precisely as he gives it. The first part, which has to do with the false accusation brought against Demetrius and its consequences, agrees with the account given in Justin, *Epitome*, lib. xxxii. The story of the daughter of Paulus Emilius and her little dog is told by Valerius Maximus, *Mem.* i. 5. 3. Finally, the details of the defeat of Perseus seem to be taken from the account of a catastrophe which about the same time befell the Basternae, a Thracian tribe allied with Perseus, who according to Orosius (iv. 20), when crossing the Danube in winter with large numbers of men and horses, were almost annihilated by the breaking of the ice. The same author mentions that after the defeat and capture of Perseus his son exercised the craft of a brass-worker at Rome.

It is possible of course that Gower had before him some single account in which these elements were already combined. In Vincent of Beauvais, *Speculum Hist.* v. 65 f., we find first the catastrophe of the Basternae, taken from Orosius, then the Macedonian war from Justin and Orosius, with the incident of the dog inserted from Valerius.

1631 (margin). *testibus que iudicibus*, 'witnesses and judges,' a common use of the conjunction in Gower's Latin: cp. 'Celsior est Aquila que Leone ferocior,' *Latin Verses after* i. 574.

1633. *dorst,* so here in the best MSS. for 'dorste.'

1711. *apparant,* for 'heir apparant,' which was the original reading of the first recension: cp. *Mirour,* 5580,

> 'Car d'autre bien n'est apparant.'

1723. *livende his father*: for this absolute use cp. 752.

1757. *upon depos,* that is, having his power given to him as a temporary charge. See the examples in the *New Engl. Dict.*

1778. *And he.* 'As he' is an error which crept into the third recension. The interchange of 'As' with 'And' in Gower MSS. is very common.

1793 f. 'For such an omen of an hound was most like to him,' the words being transposed for the sake of the metre.

1799. *do slain.* This is apparently past participle by attraction for infinitive: cp. i. 3153, iv. 249, 816.

1817 ff. This incident is not related of the army of Perseus in any history, so far as I know: see note on 1613.

Latin Verses. iv. 7 f. As punctuated in F the couplet runs,

> 'Quod patet esse fides in eo, fraus est que politi
> Principium pacti, finis habere negat.'

This does not seem to give any sense. The text may be translated thus: 'What appears to be faith in him is in fact fraud, and the end of the smooth covenant disowns the beginning' (*lit.* 'denies that it has the beginning').

1921. *it scheweth,* 'there appeareth': cp. iii. 809.

1943. *how it were*: subjunctive of indirect question; cp. 1243.

1950. *of love, and.* The punctuation is that of F.

2016. *byme*: see note on i. 232.

2018. *For this I weene,* 'the other cause is because I ween,' &c.

2025. *Forwhy and,* 'provided that': the same line occurs again in v. 2563. Compare the use of 'for why that' in *Le Morte Arth.* 389 (Roxb.), 'Thou shalt haue yiftis good, For why þat thou wilte dwelle wyth me,' quoted in the *New Engl. Dict.*

2066. *of his oghne hed.* It may be questioned whether 'hed' is not here from an O.E. '*hǣd,' a collateral form of 'hád,' like the termination '-hed' for '-hod.' See *New Engl. Dict.*, 'hede.' In that case, 'of his oghne hed' would mean 'about his own condition.' The rhyme with 'red' is no guide to us.

2071. *Bot hield,* i.e. 'But I held'; see note on i. 1895.

2098 ff. With this attack on the Lombards compare *Mirour de l'omme,* 25429 ff. It is the usual popular jealousy of foreign rivals in trade.

2122. *Fa crere,* 'make-believe,' the art by which they acquired credit in business. The form 'crere' is used in Gower's French, e.g. *Mirour,* 4474.

2124. *hem stant no doute,* 'they have no fear,' 'they are sure': cp. iii. 1524, v. 7244. In v. 2118, 'which stant of him no doute,' we have a somewhat different form of the expression: cp. iii. 2536.

2157 ff. The story is mainly taken from Ovid, *Metam.* ix. 101 ff., but probably Gower was acquainted also with the epistle *Deianira Herculi,* and he has (naturally enough) supposed that what is there said of Hercules and Omphale, the exchange of clothes &c., referred to the relations of Hercules and Iole: see 2268 ff. 'The kinges dowhter of Eurice' is no doubt derived from the expression 'Eurytidosque Ioles': cp. *Traitié,* vii. 2. Ovid's account of the death of Hercules is very much shortened by our author, and not without good reason.

2160. That is, 'it befell him to desire,' &c.

2297. Ovid, *Met.* ix. 229 ff.

2299. *al of*: so the first and second recension copies generally, and also W. The sense seems to require it, rather than 'of al,' given by FH₃.

2341. *his slyh compas*: a clear case of the loss of inflexion in the adjective, notwithstanding that it is a native English stem. The same word occurs in the definite form in l. 2374 'with his slyhe cast.'

2346. *chalk for chese*: cp. Prol. 416.

2366. *axeth no felawe,* 'requires none to share it.'

2392. The metre requires the form 'bote,' which is etymologically correct, and is given in the best MSS.

2403. *Me roghte noght*: pret. subjunctive, 'I should not care.'

2423. *I wolde*: cp. iii. 78. We should expect the negative 'I nolde,' as in i. 2750 f.,

'I wol noght say
That I nam glad on other side.'

The conditional clause thrown in has broken the thread of the sentence.

2430. *tant ne quant*: so *Mirour de l'omme,* 3654, 23358.

2437. *A man to ben,* cp. vi. 57.

2447. *in a wayt*: so given by the best copies, cp. 2999, but 'upon await' iii. 955, 1016.

2451 ff. In the MSS. the paragraph is marked as beginning with the next line, 'At Troie how that,' the line before being insignificant. As to the first story referred to in the text, Gower may have known it from Hyginus (*Fab.* cvi), or from Ovid, *Her. Ep.* iii. The example of Diomede and Troilus had been popularized by Chaucer, who had the name 'Criseide' 'from Boccaccio's 'Griseida.' In Benoît and Guido the name is 'Briseida,' but Boccaccio was aware that Briseis was a different person (*Gen. Deorum,* xii. 52).

2459 ff. I am unable to say where Gower found this version of the story. The name Geta is quite unknown in the classical form of it. It may be suspected that our author himself modified the story in order to make it more suitable for his purpose by substituting a mortal friend for Jupiter. We may note that he has also reversed the part played by Amphitryon.

2501 ff. I cannot indicate the source of this tale.

2537. *As thei.* The sense seems to require this reading, which is found however in only two MSS., so far as I know, and those not the best. It appears as a correction in Berthelet's second edition.

2550. *which that him beclipte.* Either this means 'who was encompassing him,' that is pressing upon his borders, referring to the Caliph of Egypt, or 'which encircled his territory,' referring to what follows, 'in a Marche costeiant.' In the latter case we should have a very bold inversion of clauses for the sake of rhyme, but hardly more so than in 709 ff.

2558. *unto Kaire.* It is evident that the author conceives this as the capital not of Egypt but of Persia: cp. 2648.

2578. *hair.* The form of the word is accommodated to the rhyme: so iv. 1252.

2642. *Upon hire oth* &c., inverted order, 'how it was a token that she should be his wife upon her oath,' i. e. in accordance with her oath.

2670. The same line occurs also i. 2106, ii. 895.

2680. *tome,* i. e. 'leisure,' 'opportunity,' from the adjective 'tom,' empty. The reading 'come' is due probably to the misunderstanding of a rather unusual word, but the rhyme 'Rome: come' (past partic.) is not an admissible one (cp. K. Fahrenburg in *Archiv für neuere Sprachen*, vol. 89, p. 406, who of course is not aware of the corruption).

2803. The account of Boniface VIII which was most current in England is that which we find given in Rishanger's Chronicle and repeated by Higden and Walsingham. It is as follows, under the year 1294:—

Papa cedit.

'Coelestinus Papa se minus sufficientem ad regendam Ecclesiam sentiens, de consilio Benedicti Gaietani cessit Papatui, edita prius constitutione super cessione Pontificum Romanorum.

Supplantatio Papae.

'In vigilia Natalis Domini apud Neapolim in Papam eligitur Benedictus Gaietanus. ... De quo praedecessor eius Coelestinus, vir vitae anachoriticae, eo quod eum ad cedendum Papatui subdole induxisset, prophetavit in hunc modum, prout fertur: "Ascendisti ut vulpes, regnabis ut leo, morieris ut canis." Et ita sane contigit; nam ipsum Papam ut Papatui cederet et ut Papa quilibet cedere posset, constitutionem edere fecit; quam quidem postmodum ipsemet Papa effectus revocavit. Deinde rigide regens generosos quosdam de Columpna Cardinales deposuit; Regi Francorum in multis non solum obstitit, sed eum totis viribus deponere insudavit. Igitur Senescallus Franciae, Willemus de Longareto, vir quidem in agibilibus admodum circumspectus, et fratres de Columpna praedicti, foederatis viribus Bonifacium Papam comprehenderunt et in equum effrenem, versa facie ad caudam, sine freno posuerunt ; quem sic discurrere ad novissimum halitum coegerunt, ac tandem fame necaverunt.'

It remains to be asked where Gower found the story of the speaking-trumpet by means of which Celestin was moved to his abdication, why he supposed that the capture of Boniface took place near Avignon, and whence came such additional details as we have in l. 3028.

As to the first, it was certainly a current story, because we find it repeated by later writers, as Paulus Langius, *Chron. Citiz.*, ann. 1294, 'Per fistulam etiam frequentius noctu in cubili per parietem missam, velut coelica vox esset, loquebatur ei : " Celestine, Celestine, renuncia papatui, quia aliter saluari non poteris, nam vires tuas excedit."'

As to the death of Boniface, it was commonly reported that he had been starved in prison, the fact being that after the episode of his captivity he refused to take food, and the biting of his hands was observed as a symptom of extreme vexation, 'saepe caput muro concussit et digitos momordit,' 'per plures dies ira feruidus manus sibi arrodere videbatur,' &c. Ciacon. *Vita Pont.* p. 655.

2837 f. cp. Prol. 329.

2875. *of such prolacioun*, 'with so prolonged a note.'

2889. *hedde* : cp. v. 1254.

2966. *Lowyz.* This of course is a mistake historically.

2985. *And seiden.* For omission of pronoun cp. i. 1895.

2995. *de Langharet.* We find this form of the name, or something equivalent, in the English Chronicles quoted, and also in Villani. The true name was apparently 'de Nogaret.'

3001. *at Avinoun.* This is quite unhistorical, and the precise mention of 'Pontsorge' (or as our author first wrote it, 'Poursorge') seems to point to the use of some particular form of the story, which cannot at present be indicated.

3033 ff. This saying is sometimes given in the form of a prophecy, and attributed to the predecessor of Boniface, whose resignation he was said to have procured : see the passage quoted on l. 2803.

3037. *to the houndes like*, 'after the likeness of the hound': cp. i. 2791, 'to his liche.' The form 'like' would hardly be admissible here as an adjective for 'lik.'

3056. This prophecy no doubt was current among the many attributed to the Abbot Joachim, but I do not find it exactly in the form here given. The quotation of it in the margin of F is in a different hand from that of the text and of the heading 'Nota de prophecia' &c. The omission of the Latin altogether in some manuscripts, as AdT, W, has no special significance for this passage.

3081 f. 'He shall not be able to abstain from hindering him.'

3095. This saying, which is here attributed to Seneca, and which appears also in the *Mirour de l'omme* in a slightly different form, 3831 ff., may be based really upon the well-known passage of Dante, *Inf.* xiii. 64.

Latin Verses. vi. 4. *Dumque,* for 'Dum,' as sometimes in the *Vox Clamantis.*

ethnica flamma : see note on l. 20.

3122 ff. Cp. *Mirour,* 3819 ff.

3160. See note on i. 232.

3187. The Latin books referred to are the current lives of Saint Silvester, the substance of which is reproduced in the *Legenda Aurea.* Gower tells the story in considerably better style than we have it there, with amplifications of his own, especially as regards the reflections of Constantine, 3243 ff., and the preaching of Silvester to the Emperor, 3383 ff. There are some variations in detail from the current account which may or may not point to a special source. For example, in the Life of Silvester we are told that the Emperor met the lamenting mothers as he was riding up to the Capitol to take his bath of blood, and in all forms of the legend that I have seen the mountain where Silvester lay in hiding was Soracte (or Saraptis) and not Celion. The name may however have been altered by Gower for metrical reasons, as was sometimes his habit; see note on i. 1407 (end).

3210. *of Accidence.* 'Accidentia' in its medical sense is explained as 'affectus praeter naturam' : cp. v. 763.

3243 ff. These reflections, continued to l. 3300, are an expanded and improved form of the rather tasteless string of maxims given in the legend, the most pointed of which is that with which our author concludes, 'Omnium se esse dominum comprobat, qui servum se monstraverit pietatis.'

3260. *his oghne wone.* This appears to mean 'according to his own habits,' like 'his oghne hondes' (i. 1427), 'his oghne mouth' (v. 5455), for 'with his own hands,' &c.

3507. *vertu sovereine*: a clear case of the French feminine inflexion, which must have been a very natural variation in such expressions as this; cp. i. 2677. In French as in English our author would feel at liberty to adapt the form to the rhyme or metre : so we have 'sa joye soverein' *Mir.* 4810, but 'ma sovereine joie' *Bal.* ix. 7.

3517. *betwen ous tweie,* i. e. 'together'; cp. l. 653.

LIB. III.

4. *ther nis on.* Note the repetition of the negative from the clause above.

71. *the leng the ferre,* i. e. 'the lengere the ferre.'

78. *mihte I,* for 'ne mihte I': cp. ii. 2423.

83. *redy to wraththe*: cp. ii. 3444, 'redi to the feith.'

143 ff. The story is from Ovid, *Her. Ep.* xi. It is that which is referred to by Chaucer, *Cant. Tales,* B 77,

> 'But certeinly no word ne writeth he
> Of thilke wikke ensample of Canacee,
> That loved hir owene brother synfully.'

(Note that the name 'Canace' is used by Gower so as to rhyme with 'place.')

In spite of the character of the subject, it must be allowed that Gower tells the story in a very touching manner, and he shows good taste in omitting some of Ovid's details, as for example those in *Ep.* 39-44. The appeal of Canace to her father as given by Gower is original, and so for the most part is the letter to her brother and the picturesque and pathetic scene of her death. On the whole this must be regarded as a case in which our author has greatly improved upon his authority. Lydgate obviously has Gower's story before him when he introduces the tale (quite needlessly) into his *Fall of Princes*. It may be noted that in Ovid also the catastrophe is given as a consequence of ungoverned anger:

'Imperat, heu! ventis, tumidae non imperat irae.'

172. *lawe positif*: see note on Prol. 247. Gower's view is that there is nothing naturally immoral about an incestuous marriage, but that it is made wrong by the 'lex positiva' of the Church. This position he makes clear at the beginning of the eighth book, by showing that in the first ages of the world such marriages must have been sanctioned by divine authority, and that the idea of kinship as a bar to marriage had grown up gradually, cousins being allowed to marry among the Jews, though brother and sister might not, and that finally the Church had ordered,

'That non schal wedden of his ken
Ne the seconde ne the thridde.' viii. 147 f.

If attacked by Chaucer with regard to the subject of this story, he would no doubt defend himself by arguing that the vice with which it dealt was not against nature, and that the erring brother and sister were in truth far more deserving of sympathy than the father who took such cruel vengeance. Notwithstanding his general strictness in matters of morality, Gower was something of a fatalist, cp. the recurring phrases of 1222, 1348, 1677, iv. 1524, &c., and he repeatedly emphasizes the irresistible character of the impulses of nature in love; cp. i. 17 ff., 1051 ff., 2621, vi. 1261 ff., and here l. 161 (margin), 'intollerabilem iuuentutis concupiscenciam.'

219. 'the child which was,' cp. i. 10.

253 f. Ovid, *Her. Ep.* xi. 96,

'Et iubet ex merito scire quid iste velit.'

279 ff. This letter is for the most part original. That which we have in Ovid is mainly narrative.

292. *If that* &c. The point of this as it occurs in Ovid depends upon the fact that her child has already been exposed and, as she conceives, torn by wild beasts, and she entreats her brother if possible to collect his remains and lay them by her,—a very natural and pathetic request. Gower has chosen for the sake of picturesque effect in this

scene to make the exposure of the child come after the death of the mother, and he should therefore perhaps have omitted the reference to the child's burial.

300 f. Ovid, *Her. Ep.* xi. 3, 4,

> 'Dextra tenet calamum, strictum tenet altera ferrum,
> Et iacet in gremio charta soluta meo.'

315. The word 'baskleth' is perhaps a genuine alternative reading.

331. 'Of such a thing done as that was.' We must not be tempted by the correction 'tho' for 'that.'

352. A fatalistic maxim which is often repeated, e. g. i. 1714, 'nede he mot that nede schal.'

355. The revision of this line for the third recension may indicate a preference for throwing back the accent of 'nature' in the English fashion: so ii. 1376, but 'natúre' ll. 175, 350.

361 ff. This is from Ovid, *Met.* iii. 324 ff. Gower has chosen to omit the sequel of the story, which was that after seven years Tiresias saw the same snakes again, and by striking them a second time recovered his former sex. This being so, he is obliged to make a separate story (736 ff.) of the dispute between Jupiter and Juno, which gave Ovid occasion for mentioning the incident of the snakes.

382. *Wherof*, 'In regard to which.'

390. *menable*, 'apt to be led'; see note on i. 1067. For the variations of reading cp. ii. 1599, and below, 519.

417. 'Cheste' is that form of contention which expresses itself in angry words. Gower seems to have taken it to be connected with the verb 'chide,' see 443, 492, 534, 552 ff.

431. Cp. *Mirour*, 4146 ff.,

> 'ly sage auci
> Ce dist, que deinz le cuer de luy
> Folie buylle tresparmy,
> Comme du fontaine la liquour.'

The reference is to Proverbs xv. 2, 'os fatuorum ebullit stultitiam.'

436. *oppose*, 'inquire.'

463 ff. See note on the Latin verses at the beginning of the Prologue, 5 f.

479. That is, rather than sing such a creed, I would choose to be unlearned and know no creed at all.

487. *Upon hirself*, i. e. upon her authority.

515. *balketh*. A 'balk' is a ridge left unploughed, and 'to balk' in ploughing is to leave a ridge either between two furrows or in the furrow itself, the plough being permitted to pass over a piece of ground without breaking it. Here it is referred to as an accident arising either from not ploughing straight or not keeping the ploughshare regularly at the proper depth. From this idea of leaving out something come most of the other meanings of the verb: see *New Engl. Dict.*

544. *Hire oghte noght be.* For this impersonal use with the simple infinitive cp. 704.

545. *For I*, i.e. 'For that I': cp. 820, &c.

585. This expression, which Pauli for some reason calls an 'obscene proverb,' seems to be nearly equivalent to the saying about the bird that fouls his own nest (cp. *Mirour*, 23413), and refers apparently to recriminations between the owl and the stock upon which he sits, on the matter of cleanliness. The application is to the case of the man who quarrels with his own performances, and naturally has the worst of it himself.

626. 'World' seems to be the true reading here, though 'word' stood in the earlier form of text. The meaning is 'that state of things shall never be permitted by me.' The use of 'world' is like that which we have in i. 178, where 'mi world' means 'my condition': cp. Prol. 383, 1081. The verb 'asterte' is used in the sense of escaping notice and so being allowed to pass or to happen: cp. i. 1934,

'Bot that ne schal me noght asterte,
To wene forto be worthi,' &c.

Cp. i. 722.

The expression 'that word schal me nevere asterte' is a more ordinary one (and therefore more likely to have been introduced by a copyist), but it gives no satisfactory sense here.

641 ff. The story was a hackneyed one, and occurs in many places. It is shortly told by Jerome, *Adv. Jovin.* i. 48.

665. *what labour that sche toke.* The verb is subjunctive, either because the form of speech is indirect, cp. 708, or because the expression is indefinite.

699. Cp. *Mirour*, 4185 ff., where after telling the same story the author roundly declares that he shall not follow the example.

704. *Him oghte . . . . bere* : cp. 544, 1666.

708. *how that it stode*: subjunctive of indirect speech, under rhyme influence: cp. ii. 1243 and l. 771 below, and see note on Prol. 41.

736. *Met.* iii. 316 ff. We have here the rest of the story which was referred to above, 361 ff. The point of the incident as told by Ovid is (perhaps purposely) missed by Gower, who does not mention the reason why Tiresias was selected as judge.

737. That is, according to the religious belief which then prevailed.

762. 'And yet the other state would have pleased him better, to have had' &c.

771. *what he mene*: for the subjunctive cp. 708.

782. *of olde ensample* : for 'olde' in this expression cp. 1683; but 'of old time,' i. 1072, 'an old ensample,' iv. 75.

783. This is from Ovid, *Met.* ii. 542 ff. The Cornide of Gower's story is Coronis. The story is told at greater length by Chaucer as the *Manciple's Tale*.

818 ff. From Ovid, *Fasti*, ii. 585 ff.

889. *fals*: see note on Prol. 221.

918. F alone gives 'overmor,' but it is probably what the author intended, though his first editions had the common variation 'evermor.' S is here defective.

957. *sleth*, 'strikes.'

971. *who so rede*: subjunctive because indefinite; cp. 2508 and note on Prol. 460.

973 ff. This story may be found in Benoît's *Roman de Troie*, 27551 ff. and in Guido, lib. 32 (n 3 v⁰, ed. Argent.). We must note however that for the classical Nauplius we find in Gower 'Namplus,' whereas in Benoît and Guido both it is 'Naulus': therefore it would seem that our author had before him also some other form of the story, where he found the name 'Nauplius' or 'Nauplus,' which he read 'Nanplus' or 'Namplus.' Perhaps this may have been Hyginus, *Fab.* cxvi. Elsewhere Gower usually follows Benoît rather than Guido, but here several expressions occur which seem to be suggested by Guido's form of the story: see notes on 1030 and 1063. Also Gower says nothing of the incident of rocks being hurled down on the Greeks (*Rom. de Troie*, 27795 ff.), which is also omitted by Guido.

1002. The name which appears here and in the Latin margin as 'Namplus,' with no important variation of reading, is quite clearly 'Nauplus' in iv. 1816 ff.

1021. *Homward*, i.e. going towards home: cp. 2451.

1030 f. *Hist. Troiana*, n 4, 'qui necesse habebant per confinia regni sui transire.'

1036. *it sihe*, 'might see it.'

1049. *ten or twelve.* Guido says two hundred. Benoît does not specify the number of ships, but says that ten thousand men were lost. Gower has judiciously reduced the number.

1063. Cp. *Hist. Troiana*, n 4 v⁰, 'fugiunt et se immittunt in pelagus spaciosum.'

1065. 'what' for 'war,' which appears in the unrevised form of the first recension, must be an error of the original scribe: on the other hand, 'tyme' for 'dai' proceeded no doubt originally from the author and was altered in order to make the verse run more smoothly.

Latin Verses. iv. 1. *et sit spiritus eius Naribus*: a reference to Isaiah ii. 22, 'Quiescite ergo ab homine, cuius spiritus in naribus eius est.' The same passage is quoted in *Mirour*, 4754, and it is evident there that the 'breath in the nostrils' was understood by our author to stand for fury of anger.

1113. *war hem wel*, 'let them beware.'

1158. The contest in the heart between Wit and Reason on the one hand and Will and Hope on the other is quite in the style of the *Roman de la Rose*, where Reason and the Lover have an endless controversy (2983 ff.). Though the agencies are clearly personified here, the author has not assigned capital letters to their names.

1166. *out of retenue,* 'out of my service.'

1173. *jeupartie,* 'discord,' one side being matched against the other. The first reading was 'champartie,' which may have proceeded from the author. It is clear that this word was used by Lydgate in the sense of 'rivalry' or 'contest' in the phrase 'holde champartie,' and this may either have come from the idea of partnership, implying division of power and so rivalry, as in Chaucer, *Cant. Tales,* A 1949, or from the legal sense, with which Gower and Lydgate would doubtless be acquainted, meaning partnership for a contentious purpose. There seems no sufficient reason for supposing (with the *New Engl. Dict.*) that Lydgate's use was founded on a misunderstanding of Chaucer.

1183. *and til.* Caxton and Berthelet both have 'tyl that' for 'and til,' and one is tempted to suggest that 'and til' was meant to stand for 'until.'

1201 ff. The story of the visit of Alexander to Diogenes was a common one enough, and it is hardly worth while to investigate its source for Gower. He probably here combined various materials into one narrative, for the usual form of the story as given by Vincent of Beauvais, *Spec. Hist.* iii. 68 f., and in the *Gesta Romanorum,* does not include the conversation about the Reason and the Will. This may have been derived from Walter Burley, *De Vita Philosophorum,* cap. 1., ' Dum Alexander rex coram Diogene transiret, Diogenes tanquam illum spernens non respexit ; cui dixit Alexander, "Quid est Diogenes quod me non respicis, quasi mei non indigeas?" Cui ille, "Ad quid necesse habeo servi servorum meorum?" Et Alexander, "Numquid servorum tuorum servus sum?" Ait, " Ego prevaleo cupiditatibus meis refrenans illas et subiciens mihi illas ut serviant : tibi autem cupiditates prevalent, et servus earum efficeris, earum obtemperans iussioni : servus igitur es servorum meorum."' Burley gives the other part of the conversation separately.

The incident of the messenger sent to inquire and of the answer which he brought back is no doubt due to Gower, as also the idea of the 'tun' being set on an axle and adapted for astronomical observations.

1212. The 'dolium' was of course popularly regarded as a wooden cask.

1222. 'As fate would have it': see note on 172 (end), and cp. 1442.

1224. *the Sonne ariste,* i.e. the rising of the sun : so iv. 1285, 'and that was er the Sonne Ariste.'

1310. *to schifte,* 'to dispose of.' In Burley, 'rogo ne auferas quod dare non potes.'

1331 ff. The tale of Pyramus and Thisbe is from Ovid, *Met.* iv. 55–166. Chaucer has taken it from the same source in the *Legend of Good Women.* When we compare the results, we find that in this instance it is Chaucer who has followed his authority closely, while Gower gives a paraphrase in his own language and with several variations of detail. He says, for example, that the lovers themselves made the hole in the wall through which they conversed; he omits Ninus' tomb; he speaks of a lion, not a lioness; he says that Thisbe hid herself in a bush (not a cave), and that then the lion slew and devoured a beast before drinking at the spring; he cuts short the speech of Pyramus before killing himself; he represents that Pyramus was slain at once instead of living until Thisbe came; he invents an entirely new speech for Thisbe; and he judiciously omits, as Chaucer does also, the mention of the mulberry-tree and its transformation.

In short, Gower writes apparently from a general recollection of the story, while Chaucer evidently has his Ovid before him and endeavours to translate almost every phrase, showing thereby his good taste, for Ovid tells the story well.

The following points in Ovid (among others) are reproduced by Chaucer and not by Gower: l. 56, 'quas Oriens habuit'; 58, 'Coctilibus muris'; 59, 'Notitiam primosque gradus vicinia fecit' (which Chaucer misunderstands, however); 62, 'Ex aequo captis' &c.; 64, 'Quoque magis tegitur, tectus magis aestuat ignis'; 65, 'Fissus erat tenui rima,' &c.; 68, 'Quid non sentit amor?'; 73–77, the speeches of the lovers to the wall; 81 f., 'Postera nocturnos aurora' &c.; 85, 'Fallere custodes'; 87, 'Neve sit errandum' &c.; 94, 'adopertaque vultum'; 97, 'leaena'; 99, 'ad lunae radios'; 100, 'in antrum'; 105, 'vestigia vidit in alto Pulvere' &c.; 108, 'Una duos nox, inquit, perdet amantes,' and the rest of this speech; 117 f., 'Utque dedit notae lacrimas,' &c.; 122, 'Non aliter quam cum vitiato fistula plumbo Scinditur'; 130, 'Quantaque vitarit narrare pericula gestit'; 133, 'tremebunda videt pulsare cruentum Membra solum'; 134 f., 'oraque buxo' &c.; 140, 'Vulnera supplevit' &c.; 145, 'oculos iam morte gravatos'; 148 ff., the speech of Thisbe, except the reference to the mulberry-tree.

Gower's rendering of the story is inferior to that of Chaucer, as might be expected, but nevertheless it is simple and pathetic. It has even some points of superiority, as 1386 f., the passage of Thisbe through the town at night; 1400, 'with his blodi snoute'; 1411, the terror of Thisbe when concealed in the bush; and finally 1486 ff., where instead of deliberately resolving on death and inflicting it with calm resolution, she is more naturally represented as overcome by a sudden impulse in the midst of her mourning and killing herself almost without consciousness of what she did.

1348. *as it scholde be*: cp. 1222, 'As thing which scholde so betyde.'

1356. All the best copies have 'miht' or 'might' here: cp. 1440. The distinction, however, between 'miht' (=mayest) and 'mihte' is usually well preserved by our author.

1394. *In haste and*: so ll. 1396, 1415. On the other hand, in 1430 we have a stop after 'folhaste' (in F), while 1447 remains doubtful.

1442. *as it schal betide*, cp. 1222.

1448. *For sche*, a reference to the 'folhaste' of the previous line. It was his haste that destroyed him, for if he had waited but a little he would have seen her come.

1466 f. 'If it be only by this mishap which has befallen my love and me together.' For the use of 'betwen' see note on ii. 653. The position of 'Only' is affected by metrical requirements: see note on ii. 709.

1473. *oure herte bothe,* 'the hearts of us both.' The singular 'herte' is given by the best copies of each recension.

1496. *Bewar*: thus written several times in F, e. g. 1738. Here A also has 'Bewar.'

1524. *him stant of me no fere*: cp. ii. 2124.

1537. *Daunger*: see note on i. 2443.

1593 ff. The construction of the sentence is interrupted, but the sense is clear: 'For if I, who have given all my will and wit to her service, should in reward thereof be suffered to die, it would be pity.' For this kind of irregularity cp. i. 98, 2948, &c.

1605. The reading 'in such,' though given by both S and F, must be wrong.

1630. *overthrewe*. The verb no doubt is intransitive, as often, e. g. i. 1886, 1962, and below, l. 1638.

1666. *him oghte have be*: cp. 704.

1685 ff. Ovid, *Met*. i. 453–567. Gower cuts the story short.

1701. Ovid, *Met*. i. 470,

'Quod facit auratum est et cuspide fulget acuta.'

(Merkel alters 'auratum' to 'hamatum,' but this is certainly wrong.)

1704. Note that the final syllable of 'Daphne' is subject to elision here and in 1716: so 'Progne' v. 5574, &c.

1718 ff. The suggestion is Gower's own, as in other similar cases, e. g. i. 2355.

1743. 'And it is to be desired that a man,' &c.

1757 ff. This story is chiefly from Benoît, *Roman de Troie*, 28025 ff. Guido omits many details which are given by Gower. Note that in l. 28025, where Joly's edition has 'Samas,' Guido and Gower both have 'Athemas.' Our author has treated his materials freely and tells the story at greater length. The speech which he assigns to Nestor is for the most part original.

1885 ff. The tale of Orestes is from Benoît de Sainte-More, *Rom. de Troie*, 27925–27990, 28155–28283, and 28339–28402. Guido omits the visit of Orestes to Athens to obtain help for his expedition, the portion of the oracle which bad him tear away his mother's breasts, and the name of Menetius (or Menesteus), who defended Orestes, and Gower's details are in general more in accordance with those of Benoît. A few exceptions may be found, however. For example, Gower says that Agamemnon was murdered as he lay in bed (1915), Guido, 'dum suo soporatus dormiret in lecto,' but Benoît only, 'L'ont la première nuit ocis.' Again, Guido calls Idomeneus 'consanguineum eius,' and Gower says, 'So as he was of his lignage,' of which Benoît says nothing. No doubt Gower was acquainted with both, and preferred the French because he perceived it to be better.

1911. 'To set her love in place where it cannot be secure.'

2022 f. *Cropheon ... Phoieus*. The names are given as 'Trofion' and 'Florentes' by Benoît (Joly's text), 'Troiesem' ('Croeze' MS.) and 'Forensis' by Guido. They are originally derived from a misunderstanding of a passage in Dictys, *Bell. Troi.* vi. 3, 'armatus cum praedicta manu ad Strophium venit : is namque Phocensis, cuius filia,' &c.

2055 ff. This speech is introduced by Gower.

2112 f.
   'Li un dient qu'il a fet dreit,
   Et li autre que non aveit.'
        Rom. de Troie, 28275.

2145. *Menesteüs*. This is a more correct form of the name than the 'Menetius,' which we have in Joly's text of Benoît.

2148. *of the goddes bede*. Here we perhaps have Guido rather than Benoît.

2173. *Egiona*. The name is properly Erigona, and so it is given by Benoît. The moralization on her fate, 2183 ff., is due to our author, and it is rather out of place, considering the circumstances of the story.

2346. *the trew man*. In F we have 'trew,' altered apparently from 'trewe,' which is the usual and the more correct form : 'the trew man to the plowh' means the labourer who truly serves the plough.

2358. This is simply a repetition of 2355, 'thei stonde of on acord.' 'As of corage' means as regards their feeling or inclination : for this use of 'as' cp. Prol. 492, i. 557, &c.

2363 ff. A very common story, found shortly in Augustine, *Civ. Dei*, iv. 4, and repeated in the *Gesta Romanorum* and many other books. Gower has expanded it after his own fashion.

2424 f. 'that men set their hearts to make gain by such wrong doing.'

2451. *homward*, i. e. 'going homeward.' The word included something of a verbal sense, as we see in i. 938, iii. 1021 : so also 'toward' in l. 2643.

2458. *the world mistimed*. The verb 'mistime' means properly 'to happen amiss,' with the suggestion that it is by the fault of the person concerned. Gower uses it here transitively for 'to manage amiss,' while in vi. 4 'was mystymed' means 'came unhappily about.'

2508. *what man .... rede*: for the subjunctive see note on Prol. 460.

2536. 'Hardly have any fear': see note on ii. 2124.

2555. Acastus was king of Iolcos. He purified Peleus, as some say of the murder of Euryton, but according to others of that of Phocus : cp. Bocc. *Gen. Deorum*, xii. 50, 'ad Magnetas abiit, ubi ab Achasto fraterna caede purgatus est.'

2563 f. Alcmaeon, son of Amphiaraus, was purified by Achelous, whom our author here takes for a priest.

2599 ff. This anecdote is told also in the *Mirour*, 5029–5040, and there also it is ascribed to Solinus. I do not find it, however, in his book.

2608 ff. For the irregularity of this sentence cp. 1593 ff.

2639 ff. The story is taken from Benoît (*Rom. de Troie*, 6497–6590), as we may see at once from the name 'Theucer,' which Guido gives rather more correctly as 'Theutran.' Also ll. 2674-2680, *Roman de Troie*, 6545-6553, have nothing corresponding to them in Guido. Guido here certainly referred to a copy of the so-called Dares, where the name occurs in its classical form 'Teuthras.' He is particularly interested in the story on local grounds, being concerned to show that the 'Messe' which he found in Benoît might be connected with the name of his place of residence, Messina, and that the events related occurred actually in Sicily. Accordingly he speaks of certain columns popularly called 'columns of Hercules,' which existed in his own time in Sicily, 'ex parte Barbarorum,' i.e. on the south coast, and takes them as evidence of the connexion of Hercules with the island, and hence of the probability that this story (which in the original has to do with Hercules, though Gower has excluded him from it) had its scene in Sicily. Dares, he admits, says nothing of this, and his reference to Dares is here in more precise form than usual, 'in suo codice' according to the Bodleian MS., though the printed editions give 'in suo opere' (MS. Add. A. 365, f. 50 v').

He says of the place where these columns are, 'qui locus dicitur adhuc columpnarum,' and adds that the emperor Frederic II has established a town there, and that the place is now called 'terra nova.' This is obviously identical with the modern Terranova, founded by Frederic II near the site of the ancient Gela. It seems probable that Guido may have been himself a native of this place or of its immediate neighbourhood, and that he chose to call himself after its former designation, 'Columpna' or 'Columpnae,' instead of by the new name which had come into use during his own lifetime[1].

2643. *His Sone.* This is a mistake on the part of Gower. Both Benoît and Guido state quite clearly that Telephus was the son of Hercules, and that it was to Hercules that the obligation was due which is referred to in 2690 ff. Perhaps the copy of the *Roman de Troie* which Gower used had 'Thelefus fu filz Achilles' for 'Thelefus fu filz Hercules,' in l. 6506.

2756. We should rather have expected 'That I fro you wol nothing hele.'

LIB. IV.

9. Cp. *Mirour*, 5606,
'Lachesce dist, Demein, Demein.'

38. *Thou schalt mowe*: cp. ii. 1670, where we have 'mow' for 'mowe.'

60. *a fin*. This is a French expression, which appears repeatedly in the *Mirour* as 'au fin.'

77 ff. The only definite indication of sources here is the reference (such as it is) to Ovid, *Her. Ep.* vii., contained in ll. 104-115.

92. *as it be scholde*, cp. iii. 1348.

[1] On inquiry in the locality I find that Terranova, which has always had a column for its emblem, claims Guido as a native: see *Memorie Gelesi* by Sign. S. D. Navarra, Terranova 1896, pp. 72 f.

104 ff. This picture seems to be constructed partly from a misreading or misunderstanding of Ovid, *Her. Ep.* vii. 1 f.,

> 'Sic ubi fata vocant, udis abiectus in herbis
> Ad vada Maeandri concinit albus olor.'

It is difficult to see how our author translated these lines, but the result, which must have been chiefly due to his imagination, is rather creditable to him. Chaucer gives the true sense in the *Legend of Good Women*, 1355 ff.,

> 'Ryght so,' quod she, 'as that the white swan
> Ayenst his deth begynneth for to synge.
> Ryght so to yow I make my compleynynge.'

128. *such a lak of Slowthe*, 'such a fault of Sloth.'

137. That is, to put all the slothful in mind (of their duty).

147 ff. The general idea of this is taken from the letter of Penelope to Ulysses, Ovid, *Her. Ep.* i, but this is not closely followed in details, and it will be noticed that Gower represents the letter as sent while the siege of Troy still continued, and apparently he knows nothing of the great length of the wandering afterwards: cp. 226 ff.

170. The reading 'Had' for 'Hath' is given by many MSS., including F. We find 'Hath' in the following, H₁C, SAdTΔ, W, and it must certainly be the true reading.

196 ff. Ovid, *Her. Ep.* i. 2, 'Nil mihi rescribas, attamen ipse veni.'

234. Robert Grosteste's reputation for learning in the sciences earned for him, as for his contemporary Roger Bacon, the character of a student of magic. In the metrical life of Grosteste by Robert of Bardney (Wharton, *Anglia Sacra*, i. 333) one chapter is 'De aeneo capite quod Oxoniae fecit Grosthede ad dubia quaeque determinanda.' This author says only that by some accident the head fell and was broken, and that its inventor thereupon abandoned the study of forbidden sciences.

Naudé in his *Apologie pour les grands hommes soupçonnez de Magie* classes 'Robert de Lincolne' and Albertus Magnus together as supposed makers of speaking images, but the former only on the authority of Gower, with whom he had been made acquainted by Selden.

242 f. That is, he lost all that he had done from the time when he first began to work; an inversion of clauses for the sake of the rhyme: cp. ii. 709 ff.

249. *kept*: more properly 'kepe,' but the infinitive is attracted into the form of the participle 'wold,' much as the participle of the mood auxiliary in modern German takes the form of the infinitive: see note on ii. 1799.

305. *hadde I wist*, cp. i. 1888, ii. 473. It is the exclamation of those who fall into evil by neglect of proper precaution. The same sentiment is expressed more fully in l. 899,

> 'Ha, wolde god I hadde knowe!'

345. *dar*. This form stands as plural here and l. 350.

371 ff. The story of Pygmalion is from Ovid, *Metam.* x. 243-297.

377. 'Being destined to the labours of love': cp. note on iii. 143 (end).

415. *how it were*, i.e. 'how so ever it were': cp. l. 1848.

448. *a solein tale*, 'a strange tale.' This word 'solein' (or 'soulein'), which English etymologists in search for the origin of 'sullen' report as hardly to be found in French, occurs repeatedly in the *Mirour de l'omme* in the sense of 'alone,' 'lonely.' For the meaning here assigned to it we may compare the modern use of the word 'singular,' which in Gower's French meant 'lonely.' There is no authority for Pauli's reading 'solempne,' and it gives neither sense nor metre.

451 ff. The tale of Iphis is from Ovid, *Metam.* ix. 666-797, abbreviated and altered with advantage.

453 ff. The authority of the MSS. is strongly in favour of 'grete : lete' in these lines, and this reading is certainly right. We must take 'lete' as the past participle of the strong verb 'leten' (from 'lǽtan'), meaning 'leave,' 'omit,' and 'grete' as accommodated to the rhyme. The negative construction following rather suggests 'let,' meaning 'hindered,' as ii. 128 ff., but the rhyme 'let : gret' would be an impossible one. See note on i. 3365 and cp. l. 1153.

585. *And stonde*, i.e. 'And I stonde': cp. i. 1895, &c., and below, l. 697.

624. *on miself along*, so below l. 952, 'It is noght on mi will along,' and Chaucer, *Troilus*, ii. 1001,

'On me is nought along thyn yvel fare.'

The use of 'on' for 'of' in this phrase is still known in some dialects.

647 ff. For the Ring of Forgetfulness here spoken of see Petrus Comestor, *Exodus* vi., where it is related that Moses in command of the Egyptians captured the chief city of the Ethiopians by the help of Tarbis, daughter of their king, and married her in recompense of her services. Then, wishing to return to Egypt and being detained by his wife, 'tanquam vir peritus astrorum duas imagines sculpsit in gemmis huius efficaciae, ut altera memoriam, altera oblivionem conferret. Cumque paribus anulis eas inseruisset, alterum, scilicet oblivionis anulum, uxori praebuit, alterum ipse tulit; ut sic pari amore sic paribus anulis insignirentur. Coepit ergo mulier amoris viri oblivisci, et tandem libere in Aegyptum regressus est' (Migne, *Patrol.* vol. 198, p. 1144). Cp. Godfr. Viterb., *Pantheon*, v. (p. 115).

731 ff. Partly from Ovid, *Her. Ep.* ii. and *Rem. Am.* 591-604; but there was probably some other source, for our author would not find anything in Ovid about the transformation into a tree. Many of the details seem to be of his own invention, and he is probably responsible for the variation which makes the visit of Demophon to Thrace take place on the way to Troy instead of on the return. Chaucer's form of the story in the *Legend of Good Women* is quite different.

733. F is here followed in punctuation.

776. *a Monthe day*: Ovid, *Her. Ep.* ii. 3 f.,

'Cornua cum lunae pleno semel orbe coissent,
Litoribus nostris ancora pacta tua est.'

782. Cp. Ovid, *Ars Am.* ii. 354,

'Exarsit velis acrius illa datis.'

787 ff. Except the idea of a letter being sent, Gower takes little here from Ovid.

816 ff. This passage seems mostly of Gower's invention, partly perhaps on the suggestion of the story of Hero and Leander in Ovid, *Her. Ep.* xix. 33 ff. See Bech in *Anglia*, v. 347.

do set up. Apparently 'set' is the participle, cp. ii. 1799.

833. *al hire one.* This idea is emphasized by Ovid, *Rem. Am.* 591 f.

869. This piece of etymology is perhaps due to our author, who usually adds something of his own to the stories of transformation which he relates; see note on i. 2355. Lydgate says that Phyllis hanged herself upon a filbert-tree, but he perhaps took the notion from Gower :

'Upon the walles depeint men myght se
Hou she was honged upon a filbert tre.'

Temple of Glas, 88.

See the note in Dr. Schick's edition, E. E. T. S. 1891.

893. Cp. *Mirour*, 5436,

'Lors est il sage apres la mein,'

of which this line is an exact reproduction.

904. *pleith an aftercast.* This looks like a metaphor from casting dice, but it is difficult to see the exact application. It means of course here that he is always too late in what he says and does.

914. *come at thin above*, i.e. attain to success: cp. *Mirour*, 25350,

'Car lors est Triche a son dessus.'

964. See note on i. 2677.

979 ff. The story may probably enough be taken from Ovid, *Metam.* ii. 1-324, but if so it is much abbreviated.

which is the Sonne hote, 'which is called the Sun'; cp. ii. 131 f. Possibly, however, 'hote' may be the adjective, with definite termination for the sake of the rhyme. There would be no objection to rhyming with it the adverb of the same form.

1030 ff. The moral drawn by Gower from the story of Phaeton is against going too low, that is abandoning the higher concerns of love owing to slothful negligence. The next story is against aiming too high and neglecting the due claims of service.

1035 ff. Ovid, *Metam.* viii. 183-235.

1090 f. Cp. *Mirour*, 5389 ff.

1096. *who as evere take*: so 'what man' is very commonly used with subjunctive, iii. 2508 &c., but the uncertainty of the construction is shown by 'And thinkth' in the next line. See notes on Prol. 13, 460.

1108 ff. Cp. *Mirour*, 5395 ff.

1131. A superfluous syllable, such as we have at the pause in this line, is very unusual in Gower's verse ; but cp. v. 447.

1153. *lete I ne mai*, 'I may not neglect': see note on i. 3365.

1180. Cp. i. 698, 'And many a contenance he piketh.' It means here perhaps 'thus I keep up a pretence (for staying).'

1245 ff. A somewhat similar story to this is to be found in Andreas Capellanus, *De Amore*, to which my attention was first called by Mr. Archer. This book (written about 1220) gives imaginary colloquies between different kinds of persons, to illustrate the ways of courtship, 'Plebeius loquitur plebeiae,' 'Plebeius nobili,' 'Nobilis plebeiae,' 'Nobilis nobili.' In this last occurs the story of a squire who saw the god of love leading a great company of ladies in three bands, the first well mounted and well attended, the second well mounted but attended by so many that it was a hindrance rather than a help, and the third in wretched array with lame horses and no attendance. The meaning of the sight is explained to the squire by one of these last, and he is taken to see the appropriate rewards and punishments of each band. He relates what he has seen to his mistress in order to make her more ready to accept his suit (pp. 91–108, ed. Trojel, 1892).

There are some expressions which resemble those which Gower uses, as 'quarum quaelibet in equo *pinguissimo* et formoso et *suavissime ambulante* sedebat' (p. 92), cp. 1309 f.,

> 'On faire amblende hors thei sete
> That were al whyte, fatte and grete.'

And again, 'domina quaedam . . . habens equum macerrimum et turpem et tribus pedibus claudicantem,' cp. 1343 ff. The story, however, is different in many ways from that of Gower. For other similar stories see the article in *Romania* for January 1900 on the 'Purgatory of Cruel Beauties' by W. A. Neilson.

The tale of Rosiphelee is well told by Gower, and in more than one passage it bears marks of having been carefully revised by the author. The alteration of 1321 f. is peculiarly happy, and gives us one of the best couplets in the *Confessio Amantis*.

1285. *the Sonne Ariste*: cp. iii. 1224. The capital letter was perhaps intended to mark 'Ariste' as a substantive.

1307. *comen ryde*: cp. i. 350.

1309. 'hors' is evidently plural here : so i. 2036 and often.

1320. *long and smal*, i.e. tall and slender. Adjectives used predicatively with a plural subject take the plural inflection or not according to convenience. Thus in Prol. 81 we have 'Bot for my wittes ben to smale' in rhyme with 'tale.'

1323. *beere*. This is pret. plur., as 1376 : the same form for pret. subj. 2749.

1330. *For pure abaissht*: cp. Chaucer, *Troilus*, ii. 656, 'And with that thought for pure ashamed she Gan in hir hed to pulle.' The parallel, to which my attention was called by Prof. McCormick, suggests the idea that 'abaissht' is a participle rather than a noun, and the use of the past participle with 'for' in this manner occurs several times in Lydgate, e. g. 'for unknowe,' 'meaning from ignorance,' *Temple of Glas*, 632, 'for astonied,' 934, 1366, and so with an adjective, 'for pure wood' in the English *Rom. of the Rose*, 276. See Dr. Schick's note on Lydgate, *Temple of Glas*, 632.

1422. *That I ne hadde*, 'I would that I had': cp. v. 3747,

'Ha lord, that he ne were alonde!'

'to late war' is in a kind of loose apposition to the subject.

1429. *swiche*. Rather perhaps 'swich,' as ii. 566 f., v. 377. Most MSS. have 'such.'

1432 ff. *warneth ... bidd*. The singular of the imperative seems to be freely interchanged with the plural in this form of address.

1454 (margin). The author dissociates himself personally from the extreme doctrines enunciated in the text, as at first he took care to remind his readers that the character of a lover was for him only an assumed one (i. 63 ff. margin).

1490. *and longe er that sche changeth* &c. This is a puzzling sentence, and we are not helped by the punctuation of the MSS., which for the most part have a stop after 'herte.' I can only suppose that it means 'and is long before she changes her heart in her youth to marriage.' We can hardly make 'longe' a verb, 'and may be eager until she changes,' because of the lines which follow.

1505 ff. Judges xi. Our author has expanded the story so far as regards the mourning for the virginity of Jephthah's daughter, that being the point with which he was particularly concerned here.

1516. 'Whether it be of man or woman.'

1537 ff. In the original this is different, 'Heu me, filia mea, decepisti me et ipsa decepta es : aperui enim os meum ad Dominum, et aliud facere non potero.' Gower deals freely here as elsewhere with the narrative, especially in the matter of speeches.

1563. *fourty daies* : in the original 'duobus mensibus.'

1632 ff. Cp. *Mirour*, 11694.

1649. *as me thenketh ... That*, equivalent to 'me thinketh ... That,' either 'as' or 'That' being redundant.

1659. The best MSS. give 'heþen' here, not 'heþene.'

1693 ff. *Roman de Troie*, 18385 ff. In the medieval Tale of Troy it is the love of Polyxena which serves as motive for the withdrawal of Achilles from the war.

1723. *which I travaile fore*. We have here rather a remarkable instance of emphasis thrown on the preposition, with a modification of form for the sake of the rhyme : cp. ii. 565.

1741. *On whether bord*, i. e. on which tack : technical terms of the sea occur several times in the *Confessio Amantis*, e. g. v. 3119, 7048, viii. 1983.

1810. *made* : cp. Prol. 300.

1815 ff. Gower seems to have dealt rather freely with this story. The usual form of it gives Palamedes, not Nauplius, as the person who came to fetch Ulysses, and makes Ulysses yoke a horse and an ox together in a plough as a sign of madness: see Hyginus, *Fab.* xcv. As to the name of Nauplus, see notes on iii. 973, 1002.

1833. That is, 'feigning to be mad,' not 'like one who feigns to be mad': see note on i. 695.

1847 ff. 'He thought to try if he were mad or no, however it might please Ulysses,' that is, whether it pleased him or not. 'Hou' seems to be for 'How so evere': cp. l. 415.

1875. *tothe*, written so when the emphasis falls on the preposition, see note on i. 232.

1901 ff. Ovid, *Her. Ep.* xiii.

1927. F has a stop after 'londeth,' thus throwing the clause, 'and was the ferste there Which londeth,' into a parenthesis.

1935 ff. 1 Sam. xxviii., where the witch is called 'mulier pythonem habens.'

1968 ff. The story of the education of Achilles by Chiron, as we have it here, is apparently taken, directly or indirectly, from Statius, *Achill.* ii. 121 (407) ff.,

> 'Nunquam ille imbelles Ossaea per avia damas
> Sectari, aut timidas passus me cuspide lyncas
> Sternere, sed tristes turbare cubilibus ursos
> Fulmineosque sues, et sicubi maxima tigris
> Aut seducta iugis fetae spelunca leaenae.
> Ipse sedens vasto facta exspectabat in antro,
> Si sparsus magno remearem sanguine; nec me
> Ante nisi inspectis admisit ad oscula telis.'

2014 ff. The argument is to the effect that Prowess, which is acknowledged to be the virtue opposed to Sloth, see *Mirour*, 10136 &c., must show itself partly in the spirit of warlike boldness, 'the corage of hardiesce,' leading to such undertakings as those of which the Lover had disputed the necessity.

2040. *And that*, i. e. 'And as to that': cp. Prol. 122.

2045 ff. The fight between Hercules and Achelous is related in detail by Ovid, *Metam.* ix. 31-88. Some parts of this seem to be reproduced by Gower, but the details are not very exactly copied. For the story generally he had some other authority, whence he got for example the names 'Oënes' and 'Calidoyne.'

It is to be noted that Gower gives 'Achelons' instead of Achelous, as he does also in the *Traitié*, vii. 5, where the story is shortly told in the same way as here, and there we find 'Achelontis' in the margin as the genitive case. He ought to have been preserved from the mistake by the occurrence of the name in Ovid's verse.

2054. For these two pillars cp. Chaucer, *Cant. Tales*, B 3307 f., but Gower supposes them to have been both set up in the 'desert of India,'

'El grant desert d'Ynde superiour' as he has it in *Traitié*, vii. 1, whereas according to Chaucer one was set up in the East and the other in the West, to mark the extreme bounds of the world.

2123 f. Such forms of spelling as 'sleighte,' 'heighte' are unusual with our author, but cp. vii. 1121, 1227 f.

2135. For the stories of 'Pantasilee' and Philemenis we may refer to the *Roman de Troie*, 23283 ff. and 25663-25704.

2200 ff. From this question arises the inevitable discussion of the nature of 'gentilesse' and how far it depends upon birth, riches or personal merit. Gower accepts only the last qualification, and argues for it after the fashion of John Ball, though he was neither a Lollard nor a social revolutionist: cp. *Mirour*, 23389 ff. For the general subject cp. Dante, *Convito*, iv. 10, *Roman de la Rose*, 18807 ff. (ed. Méon), Chaucer, *Cant. Tales*, D 1109 ff.

To Gower we must grant the merit of clearness and conciseness in handling the well-worn theme.

2208 f. Cp. Dante, *Convito*, iv. 3.

2305 ff. 'And love is of profit also as regards women, so that they may be the better "affaited."'

2314. *make it queinte*, 'behave gently': cp. 'make it tough,' Chaucer, *Troilus*, v. 101. For the meaning of 'queinte' see the quotations in Godefroy's Dictionary under 'cointe.'

2325. 1 John iii. 14.

2342. This is from Job v. 7.

2396 ff. Many of these names are unknown to me, and Warton's conjectures on the subject are very wild, but some points may be illustrated from Godfrey of Viterbo. For example, as regards the first we find,

'Septem quas legimus Cham primus scripserat artes.'
Pantheon, iii. (p. 88).

2401. Godf. Vit., *Pantheon*, vi. (p. 133), 'Tunc Cadmus Graecas literas sedecim fecit.'

2410. *Termegis*. The word is a dissyllable for the metre. Probably this name stands for Termegistus (i. e. Trismegistus), and in that case we must throw the accent upon the final syllable and pass lightly over the preceding one.

2418 ff. I suspect that 'Poulins' means Apollo or Apollinis: cp. *Pantheon*, vi. (p. 133), 'Apollo etiam citharam condidit et artem medicinalem invenit.'

2421. *Zenzis*, i. e. Zeuxis, who is referred to in the *Rom. de la Rose* (for example) as the chief of painters, 16387 ff. (ed. Méon).

2422. Cp. Godf. Vit., *Panth.* v. (p. 121),

'Tunc et Prometheus, qui filius est Atlantis
Dat statuas hominis humano more meantes.'

2427. 'Jadahel' is the Jabal (or Jebal) of the Bible (Gen. iv. 20). Godfrey of Viterbo calls him by the same name and makes the same statement about his hunting and fishing:

'In mundo Iadahel posuit tentoria primus,
Venator prior ipse fuit feritate ferinus,
Primus et invalidis retia mersit aquis.'
Panth. ii. (p. 77).

2439 ff. Godf. Vit., *Panth.* iv. (p. 98),

'Saturnus statuit super aequora vela moueri,
Denarios posuit commercia rite mereri.

. . . .

Aedificans Sutrium dum vivit ibi dominatur,
Triticeum semen primus in urbe serens.'

2462 ff. For the seven bodies and four spirits of Alchemy cp. Chaucer, *Cant. Tales*, G 818 ff. Mercury, it will be noticed, is reckoned both as a body and as a spirit, but some authorities called this a spirit only and reckoned six metallic bodies.

2476. *after the bok it calleth*, 'according as the book calls it.'

2488 ff. Cp. 2565 ff.

2501. The seven forms are those enumerated in 2513 ff., viz. distillation, congelation, solution, descension, sublimation, calcination, fixation.

2522. Cp. Chaucer, *Cant. Tales*, G 862 f.

2533. *Thre Stones.* According to some authors, as Hortulanus (MS. Ashmole 1478, iv.), there was but one stone, the Elixir, which had vegetable, animal and mineral qualities or functions; but in Lydgate, *Secrees of the Philosophres*, l. 530 (E.E.T.S.), we have,

'And of stones, specially of three,
Oon mineral, another vegetatyff,' &c.;

and the editor quotes from *Rosarium Philosophorum*, 'Tres sunt lapides et tres sales sunt, ex quibus totum magisterium consistit, scilicet mineralis, plantalis et animalis.' In the *Secreta Secretorum*, however, the stone seems to be one only, see the chapter 'De lapide animali vegetabili.'

2597. *who that it knewe*: cp. ii. 88, and see note on Prol. 460.

2606. *Hermes*, i. e. Hermes Trismegistus, to whom the invention of the science was attributed.

on the ferst, 'the very first,' cp. vi. 1481. It may be questioned, however, whether the theory put forward by C. Stoffel in *Englische Studien*, xxvii. 253 ff., is the correct explanation of this expression, which survived to Elizabethan times (Shaksp., *Cymb.* i. 6. 165, 'he is one the truest mannered'). He takes 'on' in the sense of the Latin 'unus' in 'iustissimus unus,' to mean 'alone,' 'above all.' It is perhaps more likely that the usual explanation, which regards it as an elliptical expression for 'one who was the first,' is correct, especially in view of such expressions as 'two the first,' 'three the noblest,' &c., which also occur in the fourteenth century. The use of 'on' ('oon') for 'a person' is common enough, as in the expressions 'so good on,' 'so worthi on,' ii. 1217, 1240, and 'Oon Theloüs,' ii. 1092. We find a similar expression in Gower's French, e.g. *Mirour*, 2462.

2608. A work by Geber, 'Super Artem Alkemie,' in six books, translated from Arabic into Latin, may be found in MS. Ashmole 1384. It seems to treat in a practical and systematic manner of the method of transmutation of metals into gold.

2609. 'Ortolan' is the Englishman John Garland, called Hortulanus, for which name see the note in MS. Ashmole 1471 iv. prefixed to an English translation of his 'Commentary on the Smaragdine Table of Hermes.'

Morien is said to have been a hermit in the mountains near Jerusalem. The two 'books of Morien' in the form of dialogues between him and Kalid the son of Gesid may be read in Latin (translated from Arabic) in MS. Digby 162.

2610. A short treatise of Avicen on Alchemy may be found in MS. Ashm. 1420.

2624. *the parfite medicine.* The inflexion is perhaps in imitation of the definite form of the English adjective, as in vii. 2168, 4994, while in l. 2522, where the accent is thrown back, we have 'the parfit Elixir.' It is possible, however, that this is a case of the French feminine form such as we have in i. 2677, ii. 3507, iv. 964, cp. i. 636. So perhaps ii. 3243, 'O thou divine pourveance,' and viii. 23, 'O thou gentile Venus.'

2637. *Carmente*: cp. Godf. Vit., *Panth.* vi. (p. 135).

2641. Dindymus here means the grammarian Didymus, a follower of the school of Aristarchus and a very voluminous writer on Greek language and literature. Our author here classes Aristarchus and Didymus with Donatus, and supposes them all to be concerned with the Latin tongue.

2648. *Tullius with Cithero.* It is apparent from this passage, which has been differently given without any authority in the printed editions, that Gower supposed Tullius and Cicero to be two different persons. There would have been reason to suspect this from the passage in the seventh book where he refers to the debate on the death sentence of the Catiline conspirators, speaking of Tullius as his authority for the rules of rhetoric there illustrated, and 'Cithero' as the consul, without any hint that they are the same person (vii. 1588 ff.). In Gower's French works Tullius (Tulles) is the only name used. The form Cithero (or Scithero) is used also by Chaucer, *Cant. Tales*, F 722.

2738 ff. Cp. *Mirour,* 5185 ff.

2749. *beere*, past tense subjunctive, cp. 1323.

2756 ff. Gower seems to be exceptionally well informed on the subject of the Fates and their separate functions.

2792. This casting with the dice would not be for ordinary gambling, but for divining characters and telling fortunes in matters of love. Each combination produced by the three dice thrown would have a certain meaning determined beforehand, as we see by the piece called *The Chaunces of the Dyse* in the Bodleian MSS. Fairfax 16 and Bodl. 638. For example, the throw of six, four and ace is there explained by the following stanza:

> 'O mekenesse of vertu principal,
> That may be founde in eny creature!
> In this persone of kunnynge ordinal
> Is ful assembled, I yow dar assure,
> The lorde of vertu and al vices cure,
> Perfit beaute grounded without envye,
> Assured trust withoute gelousye.'

And similarly there is a stanza, complimentary or otherwise, for each possible throw.

2813. *Hire daunger*: see note on i. 2443.

2855. *whi ne were it*, 'would it were': cp. the expression 'that he ne were,' vii. 3747, &c.

2895 f. Apparently he means that his dreams were of no such harmless things as sheep and their wool, or perhaps not of business matters, alluding to wool as the staple of English commerce.

2901 ff. Cp. *Roman de la Rose*, 2449-2479.

2905. *I ne bede nevere awake*: cp. *Romaunt of the Rose*, 791, 'Ne bode I never thennes go.' It means apparently ' I should desire never to awake ' (' I should not pray ever to awake ').

2924. *in my wrytinges*. The author forgets here that he is speaking in the person of the Confessor.

2927 ff. This is from Ovid, *Metam*. xi. 266-748, where the story is told at great length. Gower follows some parts of it, as the description of the House of Sleep and its surroundings, very closely.

Chaucer tells the story in the *Book of the Duchess*, but he has not been so successful in reproducing it as Gower. It is here introduced only as an illustration of the truth of dreams, but with its description of the House of Sleep it is very appropriate also in other respects to the subject of Somnolence, which is under discussion.

2928. *Trocinie*, from the adjective 'Trachinia,' in such expressions as ' Trachinia tellus,' *Metam*. xi. 269.

2973. The reading of all the best MSS. in this line is 'he': (S however is defective). We cannot doubt that the author meant to write 'sche,' for in what follows he regularly refers to Iris as female; but the mistake apparently escaped his notice, and we must regard the reading 'she' in the two copies in which I have found it as an unauthorized correction. Chaucer makes the messenger male, but does not name him.

2977-3055. This passage very happily follows Ovid, *Met*. xi. 589-645. Our author gives all the essential features, but rearranges them freely and adds details of his own.

2996. *Metam*. xi. 608,

> 'Ianua, ne verso stridores cardine reddat,
> Nulla domo tota.'

3009 ff. *Metam.* xi. 602 ff.,

'saxo tamen exit ab imo
Rivus aquae Lethes, per quem cum murmure labens
Invitat somnos crepitantibus unda lapillis.'

3015 ff. *Metam.* xi. 610 ff.,

'At medio torus est ebeno sublimis in antro,
Plumeus, unicolor, pullo velamine tectus,
Quo cubat ipse deus membris languore solutis.
Hunc circa passim varias imitantia formas
Somnia vana iacent,' &c.

3044. 'Ithecus' is a misreading of 'Icelos,' as 'Panthasas' in l. 3049 of 'Phantasos.'

3061 ff. Here Gower has made a real improvement in the story by employing the two other ministers of Sleep, whose functions have been described, to represent the scene of the tempest and the wreck, while Morpheus plays the part of Ceyx in the same scene. Ovid introduces the characters of Icelos and Phantasos, but makes no use of them, sending Morpheus alone to relate what has taken place, instead of representing it in action, as it would more naturally appear in a dream.

3159. *mi herte*: more usually 'min herte' as 3139, and so generally before 'h,' whether aspirated or not, e. g. 3561; but 'for mi housebondes were,' vii. 4813, (with 'myn housebonde' below, 4829).

3187 ff. This seems to be for the most part original. A hint may have been given by the lines of Ovid in which it is suggested that Aurora might have used a somewhat similar prayer:

'At si quem manibus Cephalum complexa teneres,
Clamares, Lente currite, noctis equi.'
Amor. i. 13, 39.

3222. The sun enters Capricorn on Dec. 21.

3273. *that he arise*: so 3374, 'Til it be dai that I arise,' and v. 3422, 'Til dai cam that sche moste arise.'

The verb seems here to be attracted into the subjunctive by the indefinite meaning of 'Til.' In the other passages the mood is uncertain.

3317 ff. Ovid, *Metam.* i. 588-723, much abbreviated. It was, however, Jupiter who turned Io into a cow.

3386. *for thou thee schalt avise*, 'in order that thou mayest consider.'

3414. *that I nere of this lif*, 'would that I were out of this life.' For 'that I nere' cp. note on 1422. For 'of this lif' cp. vii. 2883, 'whan he were of dawe.'

3438 f. 'And yet he (Obstinacy) cannot support his own cause by any argument but by headstrong wilfulness.'

For the expression 'of hed' we may compare the Latin expression quoted by Du Cange 'de testa esse,' explained 'esse obstinatum' (Ital. 'essere di testa'), and the French adjective 'testu,'

'Car fol estoient et testu,' &c.

Froissart says of Pope Urban VI that after his election 'il s'en outrecuida et enorguilli, et volt user de poissance et de teste,' which is translated by Berners, 'he waxed proude and worked all on heed.' We find also the Latin adjective 'capitosus' used by Gower in the margin at the beginning of the *Cronica Tripertita*, and the adverb 'capitose,' meaning 'in a headstrong manner,' in Walsingham, *Hist. Anglica*, e.g. 'Regem contra regni consuetudinem Cancellarium deposuisse capitose,' vol. ii. p. 70 (Rolls Series).

The usual way of reading the sentence has been to punctuate after 'skile' and to take 'bot of hed' with the next line, 'but he wastes away in his condition' ('hed' from a supposed 'hēd' akin to the suffix '-hed' or '-hede'). This word perhaps occurs *Conf. Am.* ii. 2066, but it would give no very good sense here, and it is doubtful whether it would be rhymed with 'ded.' The suffix '-hed' '-hede' apparently has 'e' in Gower's rhymes. Again, if so marked a break in the middle of the line were intended, the Fairfax MS. would almost certainly have had a stop to indicate it, as in 3423, 3431, 3458, 3459, 3484, 3485, to quote instances only from the same page of the MS.

For the use of 'avowe' in this sense, cp. v. 124.

3515 ff. The story is based upon Ovid, *Metam.* xiv. 698–761. Our author, however, has reversed the position of the lover and his mistress. In Ovid Anaxarete is a high-born maid of the race of Teucer, while Iphis is 'humili de stirpe creatus.' Moreover, the story is considerably developed by Gower, to whom belong the speech of Iphis, the whole account of the grief and self-condemnation of Araxarathen, the details of the funeral and the tomb, and finally the very successful epitaph. Ovid says that she saw from a window the body of Iphis being carried by for burial, and was forthwith turned into stone, and that as witness of the truth of his tale a statue may still be seen at Salamis. There is nothing said about remorse on her part, rather the opposite is implied.

3516. Our author supposes this to be the same as the person mentioned in iii. 2645 ff. (who is really Teuthras king of Mysia). This is Teucer son of Telamon, founder of Salamis in Cyprus.

3520 f. These lines are transposed for the sake of the rhyme. It means 'on a maid of low estate compared with his': cp. ii. 709, and below, l. 3616.

3542. Punctuated in accordance with F.

3589. *Thi Daunger*, 'thy unwillingness to love': see note on i. 2443.

3658 f. Naturally the expression of Ovid,

'Veneris quoque nomine templum
Prospicientis habet,'

was not understood.

LIB. V.

18. *it cam to londe, wherof,* 'the occasion arose, whence,' &c.

22. *him supposeth*: the verb is used impersonally, like 'him thenketh.' Probably the confusion between 'thinke' and 'thenke' gave rise to this expression.

29 ff. So below, 348 ff.: cp. *Mirour,* 7585 ff.

47 f. This seems, as it stands at present, to be an application of the instances to the case of the avaricious man, 'Thus he so possesses his wealth that he in truth possesses nothing,' ('that' for 'so that'). The original couplet however, as read by all the unrevised class of manuscripts, applies to the case of the sheep, and we may take it so also in its revised form ('Thus' being answered by 'that').

49 ff. Cp. *Mirour,* 7645 ff.,

> 'L'en dist, mais c'est inproprement,
> Qe l'averous ad grant argent;
> Mais voir est que l'argent luy a:
> En servitude ensi le prent,' &c.

65. *nevere hier.* Note that there is no elision before 'hier.'

81 f. 'And yet, though I held her fast (as a miser his hoard), my life would be a perpetual feast, even on Fridays.' If he possessed the treasure, his avarice would not allow him to let it go, and yet he would not keep it unused, as a miser does his gold. So later, 93, 'Though I should hold it fast, I should so be doing that which I were bound to do.'

95. *pipe,* 'be content': perhaps from the idea of a bird-catcher piping or whistling for birds, but failing to snare them.

127-136. Note the repetition of the word 'gold' in an emphatic position.

141 ff. Ovid, *Metam.* xi. 85-147, freely treated as usual. The debate of Midas as to which of three things he should prefer (ll. 180-245) is all due to our author. In Ovid he chooses without hesitation.

143. *Cillenus,* i.e. Silenus.

154 f. Gower attributes the action of the king to pure courtesy, Ovid to the fact that Midas recognized in Silenus a fellow-mystic.

249 ff. Cp. *Mirour,* 7603 ff.

272 ff. Ovid, *Metam.* xi. 106,

> 'Laetus abit gaudetque malo Berecyntius heros:
> Pollicitique fidem tangendo singula temptat.
> Ilice detraxit virgam, virga aurea facta est:
> Tollit humo saxum, saxum quoque palluit auro': &c.

298. See note on i. 10.

315-332. This is an expansion of *Metam.* xi. 146 f.,

> 'Ille perosus opes silvas et rura colebat,
> Panaque montanis habitantem semper in antris.'

363 ff. The punishment referred to is certainly more appropriate for avarice than for the offence committed by Tantalus: cp. Hor. *Sat.* i. 1. 68. The story of Tantalus is alluded to several times in Ovid, as *Metam.* iv. 458, and told by Hyginus, *Fab.* lxxxii. Perhaps our author rather followed Fulgentius, *Mythol.* ii. 18, who quotes from Petronius,

> 'Divitis haec magni facies erit, omnia late
> Qui tenet, et sicco concoquit ore famem.'

Cp. *Mirour*, 7621 ff.,

> 'Dame Avarice est dite auci
> Semblable au paine Tantali,' &c.

370. This seems to mean that it serves for the punishment of the avaricious; but from what follows in 391 ff. we gather that the pains of avarice in this life also are to be compared with this particular pain of hell, and so the application is made in the *Mirour*, 7621–7632.

388. *which a wreche*, 'what a punishment.'

418. *suie*: cp. Prol. 460.

447. For the superfluous syllable at the pause in the middle of this line cp. iv. 1131.

496. *berth an hond*: equivalent to 'berth on hond,' l. 546.

519. Count 'evel' as a monosyllable for the verse; so regularly, e.g. iii. 1272, vii. 2773.

526. *janglere*. The final '-e' is not pronounced here.

558 f. *the gold ... The which was leid upon the bok.* The gold in question is that which is laid upon the service-book in payment of the marriage fees: 'and the Man shall give unto the Woman a Ring, laying the same upon the book with the accustomed duty to the Priest and Clerk.' *Marriage Service.*

564. 'though he will not praise it,' i.e. he gives her no credit for it: cp. Prol. 154.

635 ff. Ovid, *Ars Am.* ii. 561–592, but the original is not very closely followed.

665. Cp. iii. 1362 ff.

729 ff. From this arises the very ill-advised digression of ll. 747–1970 about the various forms of Religion. There is no more reason why this should come in here than anywhere else, indeed if the question of false gods was to be raised at all, it ought to have come in as an explanation of the appearance of Venus and Cupid in the first book. Many stories have been told, for example those of Acteon, of the Gorgons, of Tiresias, of Phoebus and Daphne, of Phaeton, of Ceix, of Argus, and of Midas, which required the explanation quite as much as this one, and the awkwardness of putting it all into the mouth of the priest of Venus is inexcusable.

The main authority followed in this account of the religions of Chaldea, Egypt, and Greece is the *Vita Barlaam et Josaphat*, cap. xxvii. (Migne, *Patrol.* vol. 73, p. 548 ff.), but Gower adds much to it, especially as regards the gods and goddesses of Greece.

763. *of Accidence*: cp. ii. 3210.

774. *hevenly*: so Prol. 918, but 'hevenely' i. 834, 3136, the second syllable in that case being syncopated, as regularly in 'hevene.' So also in the case of 'evermore' and 'everemore' as compared with 'evere.'

782. *les*, that is, 'falsehood.'

798. *Isirus*, i. e. Osiris.

811. *thegipcienes*. This must be the true reading for the sake of the metre, both here and in l. 821, though the best copies fail to give it. A similar case occurs in l. 1119, but there the authority for 'Jupiteres' is made much stronger by the accession of S.

897. *Mynitor*, i. e. Numitor.

899 f. *that Remus and Romulus*. For the position of 'that' cp. 1166, 1249.

925. *To gete him with*: cp. i. 452.

1004. *wel the more lete by*, 'much the more esteemed': cp. *Piers Plowman*, A vi. 105, 'to lete wel by thyselve,' and xi. 29: also with 'of,' v. 5840; cp. *Piers Plowm*. iv. 160, 'Love let of hire lighte and lewte yit lasse,' *Orm*. 7523, 'uss birrth... lætenn wel off othre menn.'

1009. *Nonarcigne*. The name is taken no doubt from the adjective 'Nonacrinus' (from Nonacris), used as in Ovid, *Met*. i. 690, where it occurs in the story of Pan and Syrinx, told by Mercury to lull Argus to sleep: cp. *Conf. Am*. iv. 3345 ff.

1040. Cp. Prol. 118.

1043 ff. The sentence is interrupted and then begun again at l. 1051: see note on i. 98.

1063. *That he*, i. e. 'In that he.' Gower has here mistaken his authority, which says 'post autem eum propter Tyndarei Lacedaemonii filium a Jove fulmine percussum interiisse narrant.' *Vita Barl. et Jos*. xxvii.

1071. Delphi and Delos are very naturally confused in the medieval Tale of Troy and elsewhere; but Delos is mentioned correctly enough below, 1256.

1097. *no reason inne*: cp. i. 3209.

1163. *Philerem*, presumably Philyra, but there is no authority for making her the mother of Jupiter.

1249. *that*: cp. 899. Apparently it means, 'that Diane of whom I am to speak.' The necessities of rhyme are responsible for these forms of speech.

1276. 'Which may not attain to reason.'

1323. The paragraph is made to begin here in the MSS. with what is, strictly speaking, its second line, because it is marked by a proper name which indicates its subject, the first line being a mere formal introduction. So also below, 1453: cp. ii. 2451.

1337. The name 'Dorus' seems to have been suggested by that of Doris, mother of the Nereids.

1389. *alle danger*, that is, all reluctance or coyness.

1397. *Armene*, i. e. Harmonia.

1398. *Andragene* Androgynus or Hermaphroditus.

1428. *noght forsake To ben*, i. e. 'not refuse to be.'
1449. 'whether it was of weal or wo': 'wher' for 'whether.'
1453. See note on 1323.

As for the letters said to have been exchanged between Alexander and the king of the Bragmans (or Brahmins), we find them at length in the *Historia Alexandri Magni de Preliis*, which was the source of most of the current stories about Alexander. The passage referred to is as follows: 'Tot deos colis quot in tuo corpore membra portas. Nam hominem dicis paruum mundum, et sicut corpus hominis habet multa membra, ita et in celo dicis multos deos existere. Iunonem credis esse deum cordis, eo quod iracundia nimia mouebatur. Martem vero deum pectoris esse dicis, eo quod princeps extitit preliorum. Mercurium deum lingue vocas, ex eo quod plurimum loquebatur. Herculem deum credis brachiorum, eo quod duodecim virtutes exercuit preliando. Bachum deum gutturis esse putas, eo quod ebrietatem primus inuenit. Cupidinem esse deam dicis, eo quod fornicatrix extitit; tenere dicis facem ardentem, cum qua libidinem excitat et accendit, et ipsam deam iecoris etiam existimas. Cererem deam ventris esse dicis, et Venerem, eo quod fuit mater luxurie, deam genitalium membrorum esse profers' (e 2, ed. Argent. 1489).

Cp. the English alliterative *Wars of Alexander*, E. E. T. S., 1886, ll. 4494 ff. There is no mention of Minerva in either of these.

1520 ff. The usual account is to the effect that Ninus set up the first idol: see below, 1541. What we have here seems to be taken from Fulgentius, *Mythol.* ii. 9, where the authorities here cited, Nicagoras and Petronius, are quoted. The passage is apparently corrupt, and our author obviously did not quite understand it: 'Et quamvis Nicagoras in Disthemithea libro quem scripsit, primum illum formasse idolum referat, et quod vulturi iecur praebeat livoris quasi pingat imaginem: unde et Petronius Arbiter ait,

"Qui vultur iecor intimum pererrat"' &c.

From the same author, *Mythol.* i. 1, he got the story about Syrophanes, who set up an image of his dead son, to which offerings were made by those who wished to gain his favour.

1541. Cp. Godfr. Vit., *Panth.* iv. (p. 102), whose account agrees very nearly with what we have here, though he represents this image as the first example of an idol, under the heading, 'Quare primum idolum in mundo et quo tempore fuit.' Cp. Guido, *Hist. Troiana*, lib. x (e 5, ed. Argent. 1494).

1559. Godf. Vit., *Panth.* iv. (p. 112): 'His temporibus apud Egyptios constructum est idolum magnum in honorem Apis, Regis Argivorum; quidam tamen dicunt in honorem Ioseph, qui liberavit eos a fame; quod idolum Serapis vocabatur, quasi idolum Apis.'

1571 ff. *Hist. Alexandri*, f 1 v°, ed. Argent. 1489: 'Exiens inde Alexander cum Candeolo profecti sunt iter diei vnius, et venerunt ad quandam speluncam magnam et hospitati sunt ibi. Dixitque Candeolus,

"Omnes dii concilium in ista spelunca concelebrant." Cum hoc audisset Alexander, statim fecit victimas diis suis, et ingressus in speluncam solus vidit ibi caligines maximasque nubes stellasque lucentes, et inter ipsas stellas quendam deum maximum,' &c.

Cp. the English alliterative *Wars of Alexander*, ll. 5387 ff.

1624. *herd me seid*: see note on i. 3153.

1636. There is a stop after 'Forbad' in F. The meaning is that he gave a prohibition commanding them not to bow to an image.

1677. *Riht as who sette*: the verb apparently is subjunctive.

1746 ff. What purports to be the original passage is quoted in the margin of the second recension.

1747. For the form of expression cp. vi. 56 f.,

> 'O which a sorwe
> It is a man be drinkeles!'

1756 ff. The substance of this is to be found in Gregory, *In* i. *Reg.* viii. 7 f. (Migne, *Patrol.* vol. 79. p. 222): 'Et quidem, nisi Adam peccaret, Redemptorem nostrum carnem suscipere nostram non oporteret.... Si ergo pro peccatoribus venit, si peccata deessent, eum venire non oporteret... Magna quippe sunt mala quae per primae culpae meritum patimur, sed quis electus nollet peiora perpeti, quam tantum Redemptorem non habere?'

1781 ff. Note that here twelve lines are replaced in the second recension by ten, one of the couplets (or the substance of it) having been inserted earlier, after l. 1742.

1826. 'So that his word explained his deed': 'arawhte' from 'arechen' (āreccan).

1831 ff. *Roman de Troie*, 25504–25559.

1848-1959. With this compare Prol. 193–498.

1865. 'And they do every man what he pleases,' the verb being plural.

1879. *Pseudo*: cp *Mirour*, 21625 ff.,

> 'Il estoit dit grant temps y a
> Q'un fals prophete a nous vendra,
> Q'ad noun Pseudo le decevant;
> Sicomme aignel se vestira,
> Et cuer du loup il portera.
> O comme les freres maintenant
> A Pseudo sont bien resemblant!'

So also *Vox Clam.* iv. 787 f.,

> 'Nomine sunt plures, pauci tamen ordine fratres;
> Vt dicunt aliqui, Pseudo prophetat ibi.'

It seems that the word 'pseudopropheta,' used Rev. xix. 20 and elsewhere, was read 'Pseudo propheta,' and 'Pseudo' was taken as a proper name. This was combined with the idea of the wolf in sheep's clothing suggested by Matt. vii. 15, 'Attendite a falsis prophetis,' &c., and the application was made especially to the friars.

1888. 'And this I am brought to believe by the argument that where those above neglect their duty, the people are ignorant of the truth, (as they now are).'

1900 ff. Cp. *Mirour*, 20065 ff., and *Vox Clamantis*, iii. 903. The reference is to Gregory, *Hom. in Evang.* xvii. (Migne, *Patrol.* vol. 76, p. 1148): 'Ibi Petrus cum Iudaea conversa, quam post se traxit, apparebit: ibi Paulus conversum, ut ita dixerim, mundum ducens. Ibi Andreas post se Achaiam, ibi Iohannes Asiam, Thomas Indiam in conspectum sui regis conversam ducet.... Cum igitur tot pastores cum gregibus suis ante aeterni pastoris oculos venerint, nos miseri quid dicturi sumus, qui ad Dominum nostrum post negotium vacui redimus?'

1919. Cp. *Mirour*, 16662, 'U q'il ert mesmes auditour.' The metaphor from rendering accounts in the Exchequer is especially appropriate here for the prelates.

1930. *his lordes besant hedde* : Matt. xxv. 18.

1944. *every Prelat holde*, 'let every Prelate hold.'

1952 ff. Coloss. iii. 5, 'avaritiam, quae est simulacrorum servitus.'

END OF VOL. II

OXFORD
PRINTED AT THE CLARENDON PRESS
BY HORACE HART, M.A.
PRINTER TO THE UNIVERSITY

THE COMPLETE WORKS

OF

JOHN GOWER

G. C. MACAULAY

* * *

THE ENGLISH WORKS

HENRY FROWDE, M.A.
PUBLISHER TO THE UNIVERSITY OF OXFORD

LONDON, EDINBURGH, AND NEW YORK

THE COMPLETE WORKS

OF

JOHN GOWER

EDITED FROM THE MANUSCRIPTS
WITH INTRODUCTIONS, NOTES, AND GLOSSARIES

BY

G. C. MACAULAY, M.A.
FORMERLY FELLOW OF TRINITY COLLEGE, CAMBRIDGE

***

THE ENGLISH WORKS
(Confessio Amantis, Lib. V. 1971—Lib. VIII; *and* In Praise of Peace)

'O gentile Engleterre, a toi j'escrits.'

Oxford
AT THE CLARENDON PRESS
1901

Oxford
PRINTED AT THE CLARENDON PRESS
BY HORACE HART, M.A.
PRINTER TO THE UNIVERSITY

CONTENTS

	PAGE
CONFESSIO AMANTIS:—	
LIBER V (l. 1971)	1
LIBER VI	167
LIBER VII	233
LIBER VIII	386
IN PRAISE OF PEACE	481
NOTES	495
GLOSSARY AND INDEX OF PROPER NAMES	555
INDEX TO THE NOTES	651

CORRIGENDA ET ADDENDA

p. 1, l. 1981, *for* one *read* on
p. 11, l. 2349, *for* well *read* wel
p. 25, note on l. 2872, *for* B, *read* SB,
p. 35, l. 3222, *for* well *read* wel
p. 57, l. 4068, *for* both *read* bothe
p. 96, l. 5504, *for* ware *read* war
p. 97, l. 5540, *for* luste *read* lust
p. 104, l. 5771, *for* letres *read* lettres
p. 111, notes on ll. 6020, 6046, *for* AdΔ, *read* SAdΔ,
p. 113, l. 6114, *for* parte *read* part
p. 116, l. 6215, *for* escaped *read* ascaped
p. 119, note on l. 6313, *for* AdBTΔ *read* SAdBTΔ
p. 122, l. 6422* *read* Forthi   l. 6431* *read* daies
p. 123, l. 6408 (*margin*), *for* obtinu- *read* optinu-.
p. 127, l. 6541, *for* crafte *read* craft
p. 143, l. 7169*, *for* don *read* do
p. 144, l. 7181* *read* poverte   7182* *read* underfing
p. 145, l. 7208* *read* Sacrilegge
p. 170, l. 116, *for* verraliche *read* verrailiche
p. 178, l. 415, *for* Distruid *read* Destruid
p. 180, note on l. 497 (*margin*), *for* BΔ *read* SBΔ
p. 218, l. 1880, *for* schall *read* schal
p. 240, note on l. 262, *for* Nomans, F *read* Noman S, F
p. 245, note on l. 451 *read* J, SB, F
p. 259, l. 983 (*margin*), *for* adesse *read* ad esse
p. 270, note on l. 1393, *for* ellef þe *read* ellefþe
p. 272, l. 1445, *for* whiche *read* which
p. 283, l. 1871, *for* Well *read* Wel

CONFESSIO AMANTIS

(LIBER QUINTUS).

iii. *Agros iungit agris cupidus domibusque domosque,*   [COVEITISE.]
Possideat totam sic quasi solus humum.
Solus et innumeros mulierum spirat amores,
Vt sacra millenis sit sibi culta Venus.

    Dame Avarice is noght soleine,
Which is of gold the Capiteine;
Bot of hir Court in sondri wise
After the Scole of hire aprise
Sche hath of Servantz manyon,   Hic tractat confes-
Wherof that Covoitise is on;   sor super illa specie
Which goth the large world aboute,   Auaricie, que Cupi-
To seche thavantages oute,   amoris causa pertrac-
Wher that he mai the profit winne   tans Amanti super hoc
To Avarice, and bringth it inne.   1980   opponit.
That one hald and that other draweth,
Ther is no day which hem bedaweth,
No mor the Sonne than the Mone,
Whan ther is eny thing to done,
And namely with Covoitise;
For he stant out of al assisse
Of resonable mannes fare.   P. ii. 194
Wher he pourposeth him to fare

Latin verses iii. 4 tibi AM ... B₂, AdBT
  1973 his AM ... B₂   1976 *margin* cupiditatis RCLB₂
1978 þauantage (þe auantage) E ... B₂, W þe vantages MH₁XG
1979 that *om.* RCLB₂   1981 That on *om.* B And that oon H₁
hald S, F   halt A, B   haltd J   1988 tofare S, F

[COVEITISE.]

Upon his lucre and his beyete,
The smale path, the large Strete,   1990
The furlong and the longe Mile,
Al is bot on for thilke while:
And for that he is such on holde,
Dame Avarice him hath withholde,
As he which is the principal
Outward, for he is overal
A pourveour and an aspie.
For riht as of an hungri Pie
The storve bestes ben awaited,
Riht so is Covoitise afaited   2000
To loke where he mai pourchace,
For be his wille he wolde embrace
Al that this wyde world beclippeth;
Bot evere he somwhat overhippeth,
That he ne mai noght al fulfille
The lustes of his gredi wille.
Bot where it falleth in a lond,
That Covoitise in myhti hond
Is set, it is ful hard to fiede;
For thanne he takth non other hiede,   2010
Bot that he mai pourchace and gete,
His conscience hath al foryete,
And not what thing it mai amonte
That he schal afterward acompte.
Bote as the Luce in his degre
Of tho that lasse ben than he
The fisshes griedeli devoureth,   P. ii. 195
So that no water hem socoureth,
Riht so no lawe mai rescowe
Fro him that wol no riht allowe;   2020
For wher that such on is of myht,
His will schal stonde in stede of riht.
Thus be the men destruid fulofte,
Til that the grete god alofte
Ayein so gret a covoitise
Redresce it in his oghne wise:

1992 while] Mile AM   2002 he his wille wolde AMH₁E ... B₂
2020 ffor him E ... B₂

LIBER QUINTUS

And in ensample of alle tho
I finde a tale write so,
The which, for it is good to liere,
Hierafterward thou schalt it hiere.   2030

Whan Rome stod in noble plit,
Virgile, which was tho parfit,
A Mirour made of his clergie
And sette it in the tounes ÿe
Of marbre on a piler withoute;
That thei be thritty Mile aboute
Be daie and ek also be, nyhte
In that Mirour beholde myhte
Here enemys, if eny were,
With al here ordinance there,   2040
Which thei ayein the Cite caste:
So that, whil thilke Mirour laste,
Ther was no lond which mihte achieve
With werre Rome forto grieve;
Wherof was gret envie tho.
And fell that ilke time so,
That Rome hadde werres stronge   P. ii. 196
Ayein Cartage, and stoden longe
The tuo Cites upon debat.
Cartage sih the stronge astat   2050
Of Rome in thilke Mirour stonde,
And thoghte al prively to fonde
To overthrowe it be som wyle.
And Hanybal was thilke while
The Prince and ledere of Cartage,
Which hadde set al his corage
Upon knihthod in such a wise,
That he be worthi and be wise
And be non othre was conseiled,
Wherof the world is yit merveiled   • 2060
Of the maistries that he wroghte
Upon the marches whiche he soghte.

[TALE OF VIRGIL'S MIRROR.]

Hic ponit exemplum contra magnates cupidos. Et narrat de Crasso Romanorum Imperatore, qui turrim, in qua speculum Virgilii Rome fixum extiterat, dolosa circumuentus cupiditate euertit; vnde non solum sui ipsius perdicionem, set 'tocius Ciuitatis intollerabile dampnum contingere causauit.

2030 thou schalt it] as þou schalt BT   2050 seeþ H₁XG   seiþ AM
2057 knyhthod S   knithod F   knyhthode AJ   in] on E ... B₂
vp on Δ   2059 non oþre AJ, S, F   non oþer C, B

[Tale of Virgil's Mirror.]

And fell in thilke time also,
The king of Puile, which was tho,
Thoghte ayein Rome to rebelle,
And thus was take the querele,
Hou to destruie this Mirour.
Of Rome tho was Emperour
Crassus, which was so coveitous,
That he was evere desirous   2070
Of gold to gete the pilage;
Wherof that Puile and ek Cartage
With Philosophres wise and grete
Begunne of this matiere trete,
And ate laste in this degre
Ther weren Philosophres thre,
To do this thing whiche undertoke,   P. ii. 197
And therupon thei with hem toke
A gret tresor of gold in cophres,
To Rome and thus these philisophres   2080
Togedre in compainie wente,
Bot noman wiste what thei mente.
Whan thei to Rome come were,
So prively thei duelte there,
As thei that thoghten to deceive:
Was non that mihte of hem perceive,
Til thei in sondri stedes have
Here gold under the ground begrave
In tuo tresors, that to beholde
Thei scholden seme as thei were olde.   2090
And so forth thanne upon a day
Al openly in good arai
To themperour thei hem presente,
And tolden it was here entente
To duellen under his servise.
And he hem axeth in what wise;
And thei him tolde in such a plit,
That ech of hem hadde a spirit,
The which slepende a nyht appiereth

2068 tho] þat E... B2   2074 matier(e) to trete H₁L, AdBT, W
2079 cophres AC, F   cofres (coffres) J, SB   2098 ech AJ, B
eche F

And hem be sondri dremes lereth
After the world that hath betid.
Under the ground if oght be hid
Of old tresor at eny throwe,
They schull it in here swevenes knowe;
And upon this condicioun,
Thei sein, what gold under the toun
Of Rome is hid, thei wole it finde,
Ther scholde noght be left behinde,
Be so that he the halvendel
Hem grante, and he assenteth wel;
And thus cam sleighte forto duelle
With Covoitise, as I thee telle.
This Emperour bad redily
That thei be logged faste by
Where he his oghne body lay;
And whan it was amorwe day,
That on of hem seith that he mette
Wher he a goldhord scholde fette:
Wherof this Emperour was glad,
And therupon anon he bad
His Mynours forto go and myne,
And he himself of that covine
Goth forth withal, and at his hond
The tresor redi there he fond,
Where as thei seide it scholde be;
And who was thanne glad bot he?
  Upon that other dai secounde
Thei have an other goldhord founde,
Which the seconde maister tok
Upon his swevene and undertok.
And thus the sothe experience
To themperour yaf such credence,
That al his trist and al his feith
So sikerliche on hem he leith,
Of that he fond him so relieved,
That thei ben parfitli believed,
As thogh thei were goddes thre.
Nou herkne the soutilete.

2108 beleft F   2114 faste by A, F   fasteby J, B

[TALE OF VIRGIL'S MIRROR.]

The thridde maister scholde mete,
Which, as thei seiden, was unmete 2140
Above hem alle, and couthe most;
And he withoute noise or bost
Al priveli, so as he wolde,
Upon the morwe his swevene tolde
To themperour riht in his Ere,
And seide him that he wiste where
A tresor was so plentivous
Of gold and ek so precious
Of jeueals and of riche stones,
That unto alle hise hors at ones 2150
It were a charge sufficant.
This lord upon this covenant
Was glad, and axeth where it was.
The maister seide, under the glas,
And tolde him eke, as for the Myn
He wolde ordeigne such engin,
That thei the werk schull undersette
With Tymber, that withoute lette
Men mai the tresor saufli delve,
So that the Mirour be himselve 2160
Withoute empeirement schal stonde:
And this the maister upon honde
Hath undertake in alle weie.
This lord, which hadde his wit aweie
And was with Covoitise blent,
Anon therto yaf his assent;
And thus they myne forth withal, P. ii. 200
The timber set up overal,
Wherof the Piler stod upriht;
Til it befell upon a nyht 2170
These clerkes, whan thei were war
Hou that the timber only bar
The Piler, wher the Mirour stod,—
Here sleihte noman understod,—
Thei go be nyhte unto the Myne

2150 unto] it to BT to Δ   2157 scholde (schuld &c.)
M . . . B2, TΔ, W   2162 And þus A . . . B2, W   Al þis
S . . . Δ

With pich, with soulphre and with rosine, [TALE OF VIRGIL'S MIRROR.]
And whan the Cite was a slepe,
A wylde fyr into the depe
They caste among the timberwerk,
And so forth, whil the nyht was derk,   2180
Desguised in a povere arai
Thei passeden the toun er dai.
And whan thei come upon an hell,
Thei sihen how the Mirour fell,
Wherof thei maden joie ynowh,
And ech of hem with other lowh,
And seiden, 'Lo, what coveitise *
Mai do with hem that be noght wise!'
And that was proved afterward,
For every lond, to Romeward   2190
Which hadde be soubgit tofore,
Whan this Mirour was so forlore
And thei the wonder herde seie,
Anon begunne desobeie
With werres upon every side;
And thus hath Rome lost his pride
And was defouled overal.   P. ii. 201
For this I finde of Hanybal,
That he of Romeins in a dai,
Whan he hem fond out of arai,   2200
So gret a multitude slowh,
That of goldringes, whiche he drowh
Of gentil handes that ben dede,
Buisshelles fulle thre, I rede,
He felde, and made a bregge also,
That he mihte over Tibre go
Upon the corps that dede were
Of the Romeins, whiche he slowh there.

 Bot now to speke of the juise,
The which after the covoitise   2210
Was take upon this Emperour,
For he destruide the Mirour;

2177 a slepe B, F   aslepe AJ   2202 goldringes JE, S, F
gold ringes A, B   2208 Of þe comuns E ... B₂ (þo EC) Of þe
bomeins (?) M   Of Romayns W

[Tale of Virgil's Mirror.]

It is a wonder forto hiere.
The Romeins maden a chaiere
And sette here Emperour therinne,
And seiden, for he wolde winne
Of gold the superfluite,
Of gold he scholde such plente
Receive, til he seide Ho:
And with gold, which thei hadden tho   2220
Buillende hot withinne a panne,
Into his Mouth thei poure thanne.
And thus the thurst of gold was queynt,
With gold which hadde ben atteignt.

[Coveitise.]
Confessor.

    Wherof, mi Sone, thou miht hiere,
Whan Covoitise hath lost the stiere
Of resonable governance,
Ther falleth ofte gret vengance.
For ther mai be no worse thing
Than Covoitise aboute a king: 2230
If it in his persone be,
It doth the more adversite;
And if it in his conseil stonde,
It bringth alday meschief to honde
Of commun harm; and if it growe
Withinne his court, it wol be knowe,
For thanne schal the king be piled.
The man which hath hise londes tiled,
Awaiteth noght more redily
The Hervest, than thei gredily   2240
Ne maken thanne warde and wacche,
Wher thei the profit mihten cacche:
And yit fulofte it falleth so,
As men mai sen among hem tho,
That he which most coveiteth faste
Hath lest avantage ate laste.
For whan fortune is therayein,
Thogh he coveite, it is in vein;
The happes be noght alle liche,
On is mad povere, an other riche,   2250
The court to some doth profit,

P. ii. 202

2226 the] his XCB₂, Ad

LIBER QUINTUS

And some ben evere in o plit; [COVEITISE.]
And yit thei bothe aliche sore
Coveite, bot fortune is more
Unto that o part favorable.
And thogh it be noght resonable,
This thing a man mai sen alday, P. ii. 203
Wherof that I thee telle may
A fair ensample in remembrance,
Hou every man mot take his chance 2260
Or of richesse or of poverte.
Hou so it stonde of the decerte,
Hier is noght every thing aquit,
For ofte a man mai se this yit,
That who best doth, lest thonk schal have;
It helpeth noght the world to crave,
Which out of reule and of mesure
Hath evere stonde in aventure
Als wel in Court as elles where:
And hou in olde daies there 2270
It stod, so as the thinges felle,
I thenke a tale forto telle.

In a Cronique this I rede. [TALE OF THE TWO
Aboute a king, as moste nede, COFFERS.]
Ther was of knyhtes and squiers
Gret route, and ek of Officers: Hic ponit Confessor
Some of long time him hadden served, exemplum contra il-
And thoghten that thei have deserved los, qui in domibus
Avancement, and gon withoute; Regum seruientes, pro
And some also ben of the route 2280 eo quod ipsi secundum
That comen bot a while agon, eorum cupiditatem
And thei avanced were anon. promoti non existunt,
These olde men upon this thing, de regio seruicio
So as thei dorste, ayein the king quamuis in eorum de-
Among hemself compleignen ofte: fectu indiscrete mur-
Bot ther is nothing seid so softe, murant.
That it ne comth out ate laste; P. ii. 204
The king it wiste, and als so faste,

2278 *margin* eorum *om.* AMH₁   2288 and als so] anon als B
and als (as) X, WH₃

[TALE OF THE TWO COFFERS.]

As he which was of hih Prudence,
He schop therfore an evidence 2290
Of hem that pleignen in that cas,
To knowe in whos defalte it was.
And al withinne his oghne entente,
That noman wiste what it mente,
Anon he let tuo cofres make
Of o semblance and of o make,
So lich that no lif thilke throwe
That on mai fro that other knowe:
Thei were into his chambre broght,
Bot noman wot why thei be wroght, 2300
And natheles the king hath bede
That thei be set in prive stede.
As he that was of wisdom slih,
Whan he therto his time sih,
Al prively, that non it wiste,
Hise oghne hondes that o kiste
Of fin gold and of fin perrie,
The which out of his tresorie
Was take, anon he felde full;
That other cofre of straw and mull 2310
With Stones meind he felde also.
Thus be thei fulle bothe tuo,
So that erliche upon a day
He bad withinne, ther he lay,
Ther scholde be tofore his bed
A bord upset and faire spred;
And thanne he let the cofres fette, P. ii. 205
Upon the bord and dede hem sette.
He knew the names wel of tho,
The whiche ayein him grucche so, 2320
Bothe of his chambre and of his halle,
Anon and sende for hem alle,
And seide to hem in this wise:
'Ther schal noman his happ despise;
I wot wel ye have longe served,
And god wot what ye have deserved:
Bot if it is along on me

2291 þe cas S ... Δ   2297 lich J, S, F   liche A, B

LIBER QUINTUS

Of that ye unavanced be, [TALE OF THE TWO COFFERS.]
Or elles it be long on you,
The sothe schal be proved nou, 2330
To stoppe with youre evele word.
Lo hier tuo cofres on the bord:
Ches which you list of bothe tuo;
And witeth wel that on of tho
Is with tresor so full begon,
That if ye happe therupon,
Ye schull be riche men for evere.
Now ches and tak which you is levere:
Bot be wel war, er that ye take;
For of that on I undertake 2340
Ther is no maner good therinne,
Wherof ye mihten profit winne.
Now goth togedre of on assent
And taketh youre avisement,
For bot I you this dai avance,
It stant upon youre oghne chance
Al only in defalte of grace: P. ii. 206
So schal be schewed in this place
Upon you alle well afyn,
That no defalte schal be myn.' 2350
Thei knelen alle and with o vois
The king thei thonken of this chois:
And after that thei up arise,
And gon aside and hem avise,
And ate laste thei acorde;
Wherof her tale to recorde,
To what issue thei be falle,
A kniht schal speke for hem alle.
He kneleth doun unto the king,
And seith that thei upon this thing, 2360
Or forto winne or forto lese,
Ben alle avised forto chese.
Tho tok this kniht a yerde on honde,
And goth there as the cofres stonde,
And with assent of everichon

2328 vnauanced (vn auanced) ʒe be E . . . B2   2350 faute
E . . . B2   2352 his chois AM . . . B2, BT   2357 be falle] byfalle A

[Tale of the two Coffers.]

He leith his yerde upon that on,
And seith the king hou thilke same
Thei chese in reguerdoun be name,
And preith him that thei mote it have.
The king, which wolde his honour save,   2370
Whan he hath herd the commun vois,
Hath granted hem here oghne chois
And tok hem therupon the keie.
Bot for he wolde it were seie
What good thei have, as thei suppose,
He bad anon the cofre unclose,
Which was fulfild with straw and stones: P. ii. 207
Thus be thei served al at ones.
This king thanne in the same stede
Anon that other cofre undede,   2380
Where as thei sihen gret richesse,
Wel more than thei couthen gesse.
'Lo,' seith the king, 'nou mai ye se
That ther is no defalte in me;
Forthi miself I wole aquyte,
And bereth ye youre oghne wyte
Of that fortune hath you refused.'
Thus was this wise king excused,
And thei lefte of here evele speche
And mercy of here king beseche.   2390

[Tale of the Beggars and the Pasties.]
Nota hic de diuiciarum Accidencia: vbi narrat qualiter Fredericus Romanorum Imperator duos pauperes audiuit litigantes, quorum vnus dixit, 'Bene potest ditari, quem Rex vult ditare.' Et alius dixit, 'Quem deus vult ditare, diues erit.' Que res cum ad experimentum postea probata fuisset, ille qui deum inuocabat pastellum auro plenum sortitus

Somdiel to this matiere lik
I finde a tale, hou Frederik,
Of Rome that time Emperour,
Herde, as he wente, a gret clamour
Of tuo beggers upon the weie.
That on of hem began to seie,
'Ha lord, wel mai the man be riche
Whom that a king list forto riche.'
That other saide nothing so,
Bot, 'He is riche and wel bego,   2400
To whom that god wole sende wele.'
And thus thei maden wordes fele,
Wherof this lord hath hiede nome,
And dede hem bothe forto come

To the Paleis, wher he schal ete,   [TALE OF THE BEG-
And bad ordeine for here mete   GARS AND THE
Tuo Pastes, whiche he let do make. **P. ii. 208** PASTIES.]
A capoun in that on was bake,   est, alius vero caponis
And in that other forto winne   pastellum sorte pre-
Of florins al that mai withinne   2410 elegit.
He let do pute a gret richesse;
And evene aliche, as man mai gesse,
Outward thei were bothe tuo.
This begger was comanded tho,
He that which hield him to the king,
That he ferst chese upon this thing:
He sih hem, bot he felte hem noght,
So that upon his oghne thoght
He ches the Capoun and forsok
That other, which his fela tok.   2420
Bot whanne he wiste hou that it ferde,
He seide alowd, that men it herde,
'Nou have I certeinly conceived
That he mai lihtly be deceived,
That tristeth unto mannes helpe;
Bot wel is him whom god wol helpe,
For he stant on the siker side,
Which elles scholde go beside:
I se my fela wel recovere,
And I mot duelle stille povere.'   2430
   Thus spak this begger his entente,
And povere he cam and povere he wente;
Of that he hath richesse soght,
His infortune it wolde noght.
So mai it schewe in sondri wise,
Betwen fortune and covoitise
The chance is cast upon a Dee;   **P. ii. 209**
Bot yit fulofte a man mai se
Ynowe of suche natheles,
Whiche evere pute hemself in press   2440
To gete hem good, and yit thei faile.

2405 *margin* sorte *om.* A ... B₂   2411 He] And BT   2412
man] a man AMH₁   men WH₃   2417 seeþ B   2433 he richesse
(*om.* hath) E ... B₂   richesse he haþ Ad

[COVEITISE OF LOVERS.]

And forto speke of this entaile
Touchende of love in thi matiere,
Mi goode Sone, as thou miht hiere,
That riht as it with tho men stod
Of infortune of worldes good,
As thou hast herd me telle above,
Riht so fulofte it stant be love:
Thogh thou coveite it everemore,
Thou schalt noght have o diel the more, 2450
Bot only that which thee is schape,
The remenant is bot a jape.
And natheles ynowe of tho
Ther ben, that nou coveiten so,
That where as thei a womman se,
Ye ten or tuelve thogh ther be,
The love is nou so unavised,
That wher the beaute stant assised,
The mannes herte anon is there,
And rouneth tales in hire Ere, 2460
And seith hou that he loveth streite,
And thus he set him to coveite,
An hundred thogh he sihe aday.
So wolde he more thanne he may;
Bot for the grete covoitise
Of sotie and of fol emprise
In ech of hem he fint somwhat   P. ii. 210
That pleseth him, or this or that;
Som on, for sche is whit of skin,
Som on, for sche is noble of kin, 2470
Som on, for sche hath rodi chieke,
Som on, for that sche semeth mieke,
Som on, for sche hath yhen greie,
Som on, for sche can lawhe and pleie,
Som on, for sche is long and smal,
Som on, for sche is lyte and tall,
Som on, for sche is pale and bleche,
Som on, for sche is softe of speche,
Som on, for that sche is camused,
Som on, for sche hath noght ben used, 2480

2453 ynowe] I trowe BT   2465 Bot] So BT   2477 Somon F

LIBER QUINTUS

    Som on, for sche can daunce and singe;   [COVEITISE OF
So that som thing to his likinge   LOVERS.]
He fint, and thogh nomore he fiele,
Bot that sche hath a litel hiele,
It is ynow that he therfore
Hire love, and thus an hundred score,
Whil thei be newe, he wolde he hadde;
Whom he forsakth, sche schal be badde.
The blinde man no colour demeth,   Cecus non iudicat
But al is on, riht as him semeth; 2490 de coloribus.
So hath his lust no juggement,
Whom covoitise of love blent.
Him thenkth that to his covoitise
Hou al the world ne mai suffise,
For be his wille he wolde have alle,
If that it mihte so befalle :
Thus is he commun as the Strete,   P. ii. 211
I sette noght of his beyete.
    Mi Sone, hast thou such covoitise?   Confessor.
    Nai, fader, such love I despise, 2500 Amans.
And whil I live schal don evere,
For in good feith yit hadde I levere,
Than to coveite in such a weie,
To ben for evere til I deie
As povere as Job, and loveles,
Outaken on, for haveles
His thonkes is noman alyve.
For that a man scholde al unthryve
Ther oghte no wisman coveite,
The lawe was noght set so streite : 2510
Forthi miself withal to save,
Such on ther is I wolde have,
And non of al these othre mo.
    Mi Sone, of that thou woldest so,   Confessor.
I am noght wroth, bot over this
I wol thee tellen hou it is.
For ther be men, whiche otherwise,

2482 to] of BT   2488 forsakeþ sche is b. BT   forsaketh he shal be b. H₃   2500 My fader G ... B₂   2508 that] þan (þanne) XG, B   þough E ... B₂   2513 al A, S, F   alle J, B

[COVEITISE OF LOVERS.]

Riht only for the covoitise
Of that thei sen a womman riche,
Ther wol thei al here love affiche; 2520
Noght for the beaute of hire face,
Ne yit for vertu ne for grace,
Which sche hath elles riht ynowh,
Bot for the Park and for the plowh,
And other thing which therto longeth:
For in non other wise hem longeth
To love, bot thei profit finde; P. ii. 212
And if the profit be behinde,
Here love is evere lesse and lesse,
For after that sche hath richesse, 2530
Her love is of proporcion.
If thou hast such condicion,
Mi Sone, tell riht as it is.

Confessio Amantis.

Min holi fader, nay ywiss,
Condicion such have I non.
For trewli, fader, I love oon
So wel with al myn hertes thoght,
That certes, thogh sche hadde noght,
And were as povere as Medea,
Which was exiled for Creusa, 2540
I wolde hir noght the lasse love;
Ne thogh sche were at hire above,
As was the riche qwen Candace,
Which to deserve love and grace
To Alisandre, that was king,
Yaf many a worthi riche thing,
Or elles as Pantasilee,
Which was the quen of Feminee,
And gret richesse with hir nam,
Whan sche for love of Hector cam 2550
To Troie in rescousse of the toun,—
I am of such condicion,
That thogh mi ladi of hirselve
Were also riche as suche tuelve,

2526 hem *om.* RCB₂   he L   2540 for J, FH₃   fro AM ... B₂,
S ... Δ, WMagd.   2546 Yaf] Of E ... B₂   2550 to Hector BT
2551 recousse F   2554 also] as AM ... B₂, Ad, W

LIBER QUINTUS

I couthe noght, thogh it wer so, [COVEITISE OF LOVERS.]
No betre love hir than I do.
For I love in so plein a wise,   P. ii. 213
That forto speke of coveitise,
As for poverte or for richesse
Mi love is nouther mor ne lesse.   2560
For in good feith I trowe this,
So coveitous noman ther is,
Forwhy and he mi ladi sihe,
That he thurgh lokinge of his yhe
Ne scholde have such a strok withinne,
That for no gold he mihte winne
He scholde noght hire love asterte,
Bot if he lefte there his herte;
Be so it were such a man,
That couthe Skile of a womman.   2570
For ther be men so ruide some,
Whan thei among the wommen come,
Thei gon under proteccioun,
That love and his affeccioun
Ne schal noght take hem be the slieve;
For thei ben out of that believe,
Hem lusteth of no ladi chiere,
Bot evere thenken there and hiere
Wher that here gold is in the cofre,
And wol non other love profre: 2580
Bot who so wot what love amounteth
And be resoun trewliche acompteth,
Than mai he knowe and taken hiede
That al the lust of wommanhiede,
Which mai ben in a ladi face,
Mi ladi hath, and ek of grace
If men schull yiven hire a pris,   P. ii. 214
Thei mai wel seie hou sche is wys
And sobre and simple of contenance,

2563 he] I (y) BT   2564 his] hir X ... B₂, T   2571 some] of some A ... B₂, B   2573 protectio*u*n (?) F   2574 and] of B 2579 þe gold is in her cofre AdBT   her(e) gold is in her(e) E ... B₂ ther ... her H₁   2587 schulde E ... B₂, W   hire a pris BTΔ, F hir(e) apris (appris) AJMXERLB₂, W   here a pris C   her(e) apris H₁, Ad, H₃

[COVEITISE OF LOVERS.]

And al that to good governance 2590
Belongeth of a worthi wiht
Sche hath pleinli: for thilke nyht
That sche was bore, as for the nones
Nature sette in hire at ones
Beaute with bounte so besein,
That I mai wel afferme and sein,
I sawh yit nevere creature
Of comlihied and of feture
In eny kinges regioun
Be lich hire in comparisoun: 2600
And therto, as I have you told,
Yit hath sche more a thousendfold
Of bounte, and schortli to telle,
Sche is the pure hed and welle
And Mirour and ensample of goode.
Who so hir vertus understode,
Me thenkth it oughte ynow suffise
Withouten other covoitise
To love such on and to serve,
Which with hire chiere can deserve 2610
To be beloved betre ywiss
Than sche per cas that richest is
And hath of gold a Milion.
Such hath be myn opinion
And evere schal: bot natheles
I seie noght sche is haveles,
That sche nys riche and wel at ese, P. ii. 215
And hath ynow wherwith to plese
Of worldes good whom that hire liste;
Bot o thing wolde I wel ye wiste, 2620
That nevere for no worldes good
Min herte untoward hire stod,
Bot only riht for pure love;
That wot the hihe god above.
Nou, fader, what seie ye therto?

Confessor.

Mi Sone, I seie it is wel do.
For tak of this riht good believe,

2591 of] to AJMXG vnto H₁E ... B₂ as Δ   2627 To take
E ... B₂

LIBER QUINTUS

What man that wole himself relieve [COVEITISE OF
To love in eny other wise, LOVERS.]
He schal wel finde his coveitise 2630
Schal sore grieve him ate laste,
For such a love mai noght laste.
Bot nou, men sein, in oure daies
Men maken bot a fewe assaies,
Bot if the cause be richesse;
Forthi the love is wel the lesse.
And who that wolde ensamples telle,
Be olde daies as thei felle,
Than mihte a man wel understonde
Such love mai noght longe stonde. 2640
Now herkne, Sone, and thou schalt hiere
A gret ensample of this matiere.

    To trete upon the cas of love, [TALE OF THE KING
So as we tolden hiere above, AND HIS STEWARD'S
I finde write a wonder thing. WIFE.]
Of Puile whilom was a king,
A man of hih complexioun P. ii. 216 Hic ponit exemplum contra istos qui non propter amorem sed propter diuicias sponsalia sumunt. Et narrat de quodam Regis Apulie Seneschallo, qui non solum propter pecuniam vxorem duxit, set eciam pecunie commercio vxorem sibi desponsatam vendidit.
And yong, bot his affeccioun
After the nature of his age
Was yit noght falle in his corage 2650
The lust of wommen forto knowe.
So it betidde upon a throwe
This lord fell into gret seknesse:
Phisique hath don the besinesse
Of sondri cures manyon
To make him hol; and therupon
A worthi maister which ther was
Yaf him conseil upon this cas,
That if he wolde have parfit hele,
He scholde with a womman dele, 2660
A freissh, a yong, a lusti wiht,
To don him compaignie a nyht;
For thanne he seide him redily,
That he schal be al hol therby,

2637 ensample AM...B₂, W   2658 conseil upon] to conseil in AM...B₂

[TALE OF THE KING AND HIS STEWARD'S WIFE.]

And otherwise he kneu no cure.
    This king, which stod in aventure
Of lif and deth, for medicine
Assented was, and of covine
His Steward, whom he tristeth wel,
He tok, and tolde him everydel,   2670
Hou that this maister hadde seid :
And therupon he hath him preid
And charged upon his ligance,
That he do make porveance
Of such on as be covenable
For his plesance and delitable ;
And bad him, hou that evere it stod,   P. ii. 217
That he schal spare for no good,
For his will is riht wel to paie.
    The Steward seide he wolde assaie :   2680
Bot nou hierafter thou schalt wite,
As I finde in the bokes write,
What coveitise in love doth.
This Steward, forto telle soth,
Amonges al the men alyve
A lusti ladi hath to wyve,
Which natheles for gold he tok
And noght for love, as seith the bok.
A riche Marchant of the lond
Hir fader was, and hire fond   2690
So worthily, and such richesse
Of worldes good and such largesse
With hire he yaf in mariage,
That only for thilke avantage
Of good this Steward hath hire take,
For lucre and noght for loves sake,
And that was afterward wel seene ;
Nou herkne what it wolde meene.
    This Steward in his oghne herte

2666 The B   2671 his maister E ... B₂   2682 the *om*.
E ... B₂   2685 al the] alle (all) XE ... B₂   2690 hire] he
hir(e) A ... B₂, S ... Δ
2694 f.   Whan þat sche was but of ȝong age
    ffor good E ... B₂ (was of L)
2696 And lucre E ... B₂

LIBER QUINTUS

Sih that his lord mai noght asterte 2700
His maladie, bot he have
A lusti womman him to save,
And thoghte he wolde yive ynowh
Of his tresor; wherof he drowh
Gret coveitise into his mynde,
And sette his honour fer behynde.
Thus he, whom gold hath overset,   P. ii. 218
Was trapped in his oghne net;
The gold hath mad hise wittes lame,
So that sechende his oghne schame 2710
He rouneth in the kinges Ere,
And seide him that he wiste where
A gentile and a lusti on
Tho was, and thider wolde he gon:
Bot he mot yive yiftes grete;
For bot it be thurgh gret beyete
Of gold, he seith, he schal noght spede.
The king him bad upon the nede
That take an hundred pound he scholde,
And yive it where that he wolde,   2720
Be so it were in worthi place:
And thus to stonde in loves grace
This king his gold hath abandouned.
And whan this tale was full rouned,
The Steward tok the gold and wente,
Withinne his herte and many a wente
Of coveitise thanne he caste,
Wherof a pourpos ate laste
Ayein love and ayein his riht
He tok, and seide hou thilke nyht 2730
His wif schal ligge be the king;
And goth thenkende upon this thing
Toward his In, til he cam hom
Into the chambre, and thanne he nom
His wif, and tolde hire al the cas.
And sche, which red for schame was,
With bothe hire handes hath him preid P. ii. 219

[TALE OF THE KING AND HIS STEWARD'S WIFE.]

2714 Ther was RCLB₂, W   Wher was E   2735 tolde J, S told A, B, F   2737 hath him preid] to him preide B with him p. T

[TALE OF THE KING AND HIS STEWARD'S WIFE.]

Knelende and in this wise seid,
That sche to reson and to skile
In what thing that he bidde wile   2740
Is redy forto don his heste,
Bot this thing were noght honeste,
That he for gold hire scholde selle.
And he tho with hise wordes felle
Forth with his gastly contienance
Seith that sche schal don obeissance
And folwe his will in every place;
And thus thurgh strengthe of his manace
Hir innocence is overlad,
Wherof sche was so sore adrad   2750
That sche his will mot nede obeie.
And therupon was schape a weie,
That he his oghne wif be nyhte
Hath out of alle mennes sihte
So prively that non it wiste
Broght to the king, which as him liste
Mai do with hire what he wolde.
For whan sche was ther as sche scholde,
With him abedde under the cloth,
The Steward tok his leve and goth   2760
Into a chambre faste by;
Bot hou he slep, that wot noght I,
For he sih cause of jelousie.

Bot he, which hath the compainie
Of such a lusti on as sche,
Him thoghte that of his degre
Ther was noman so wel at ese: P. ii. 220
Sche doth al that sche mai to plese,
So that his herte al hol sche hadde;
And thus this king his joie ladde,   2770
Til it was nyh upon the day.
The Steward thanne wher sche lay
Cam to the bedd, and in his wise
Hath bede that sche scholde arise.

2738 seyde BT   2740 bidde] didde AM   2752 a weie MC, T
aweie AJ, B, F   2761 faste by AJ, B fasteby F   2771 nyh
om. E ... B₂   2773 þis wise JR, BT, W

LIBER QUINTUS

[TALE OF THE KING AND HIS STEWARD'S WIFE.]

The king seith, 'Nay, sche schal noght go.'
His Steward seide ayein, 'Noght so;
For sche mot gon er it be knowe,
And so I swor at thilke throwe,
Whan I hire fette to you hiere.'
The king his tale wol noght hiere,   2780
And seith hou that he hath hire boght,
Forthi sche schal departe noght,
Til he the brighte dai beholde.
And cawhte hire in hise armes folde,
As he which liste forto pleie,
And bad his Steward gon his weie,
And so he dede ayein his wille.
And thus his wif abedde stille
Lay with the king the longe nyht,
Til that it was hih Sonne lyht;   2790
Bot who sche was he knew nothing.
  Tho cam the Steward to the king
And preide him that withoute schame
In savinge of hire goode name
He myhte leden hom ayein
This lady, and hath told him plein
Hou that it was his oghne wif.   P. ii. 221
The king his Ere unto this strif
Hath leid, and whan that he it herde,
Welnyh out of his wit he ferde,   2800
And seide, 'Ha, caitif most of alle,
Wher was it evere er this befalle,
That eny cokard in this wise
Betok his wif for coveitise?
Thou hast bothe hire and me beguiled
And ek thin oghne astat reviled,
Wherof that buxom unto thee
Hierafter schal sche nevere be.
For this avou to god I make,
After this day if I thee take,   2810
Thou schalt ben honged and todrawe.

2776 The stiward BT Theward J   seide no þing so B
2779 hire fette to] hire fette vnto C   ȝou fette vnto B   2780 wold(e)
H₁E ... B₂, W   2793 that *om.* AdB

[Tale of the King and his Steward's Wife.]

Nou loke anon thou be withdrawe,
So that I se thee neveremore.'
This Steward thanne dradde him sore,
With al the haste that he mai
And fledde awei that same dai,
And was exiled out of londe.
 Lo, there a nyce housebonde,
Which thus hath lost his wif for evere!
Bot natheles sche hadde a levere;   2820
The king hire weddeth and honoureth,
Wherof hire name sche socoureth,
Which erst was lost thurgh coveitise
Of him, that ladde hire other wise,
And hath himself also forlore.

Confessor.

 Mi Sone, be thou war therfore,
Wher thou schalt love in eny place,   P. ii. 222
That thou no covoitise embrace,
The which is noght of loves kinde.
Bot for al that a man mai finde   2830
Nou in this time of thilke rage
Ful gret desese in mariage,
Whan venym melleth with the Sucre
And mariage is mad for lucre,
Or for the lust or for the hele:
What man that schal with outher dele,
He mai noght faile to repente.

Amans.

 Mi fader, such is myn entente:
Bot natheles good is to have,
For good mai ofte time save   2840
The love which scholde elles spille.
Bot god, which wot myn hertes wille,
I dar wel take to witnesse,
Yit was I nevere for richesse
Beset with mariage non;
For al myn herte is upon on
So frely, that in the persone
Stant al my worldes joie al one:
I axe nouther Park ne Plowh,

2816 þe same E ... B₂, S ... Δ, WH₃ 2836 outher] oþer (oþir) M ... B₂, AdBT, W eiþer Δ

LIBER QUINTUS

If I hire hadde, it were ynowh,   2850
Hir love scholde me suffise
Withouten other coveitise.
Lo now, mi fader, as of this,
Touchende of me riht as it is,
Mi schrifte I am beknowe plein;
And if ye wole oght elles sein,
Of coveitise if ther be more   P. ii. 223
In love, agropeth out the sore.

iv. *Fallere cum nequeat propria vir fraude, subornat*   [FALSE WITNESS AND
    Testes, sit quod eis vera retorta fides.   PERJURY.]
Sicut agros cupidus dum querit amans mulieres,
    Vult testes falsos falsus habere suos.
Non sine vindicta periurus abibit in eius
    Visu, qui cordis intima cuncta videt.
Fallere periuro non est laudanda puellam
    Gloria, set false condicionis opus.

    Mi Sone, thou schalt understonde
Hou Coveitise hath yit on honde   2860
In special tuo conseilours,
That ben also hise procurours.
The ferst of hem is Falswitnesse,   *Hic tractat super*
Which evere is redi to witnesse   *illis Auaricie specie-*
What thing his maister wol him hote: *bus, que falsum Testi-*
Perjurie is the secounde hote,   *monium et Periurium*
Which spareth noght to swere an oth,   *nuncupantur; quorum*
Thogh it be fals and god be wroth.   *fraudulenta circum-*
That on schal falswitnesse bere,   *uencio tam in cupidi-*
That other schal the thing forswere,   2870 *tatis quam in amoris*
Whan he is charged on the bok.   *causa sui desiderii*
So what with hepe and what with crok   *propositum quamsepe*
Thei make here maister ofte winne   *fallaciter attingit.*
And wol noght knowe what is sinne

2856 wold(e) RCLB₂, W
Latin Verses iv. 2 vere A ... CB₂   vero L   verba W   4-7 *om.* B
7 laudando E ... B₂
    2863 ferst J, S, F   ferste A   2863 *margin* super illis] semper
de illis E ... B₂   2866 Periurie J, F   Periure AC, B   2867 *margin*
tam cupiditatis EC   *causa* cup. RLB₂   tam in cupiditate H₁
2868 be wroth] wroth AMH₁   2872 hepe J, B, F   hipe T hupe C
hup A

[FALSE WITNESS AND
PERJURY.]

For coveitise, and thus, men sain,
Thei maken many a fals bargain.
Ther mai no trewe querele arise
In thilke queste and thilke assise,
Where as thei tuo the poeple enforme;
For thei kepe evere o maner forme,   2880
That upon gold here conscience   **P. ii. 224**
Thei founde, and take here evidence;
And thus with falswitnesse and othes
Thei winne hem mete and drinke and clothes.

   Riht so ther be, who that hem knewe,
Of thes lovers ful many untrewe:
Nou mai a womman finde ynowe,
That ech of hem, whan he schal wowe,
Anon he wole his hand doun lein
Upon a bok, and swere and sein   2890
That he wole feith and trouthe bere;
And thus he profreth him to swere
To serven evere til he die,
And al is verai tricherie.
For whan the sothe himselven trieth,
The more he swerth, the more he lieth;
Whan he his feith makth althermest,
Than mai a womman truste him lest;
For til he mai his will achieve,
He is no lengere forto lieve.   2900
Thus is the trouthe of love exiled,
And many a good womman beguiled.

[FALSE WITNESS.]
Confessor.

   And ek to speke of Falswitnesse,
There be nou many suche, I gesse,
That lich unto the provisours
Thei make here prive procurours,
To telle hou ther is such a man,
Which is worthi to love and can
Al that a good man scholde kunne;
So that with lesinge is begunne   2910
The cause in which thei wole procede, **P. ii. 225**
And also siker as the crede

2878 and] of BT   in XE, W   2900 *line om.* B   2904 suche
J, SB   such A, F   2906 hire AR, F   procurous B, F

LIBER QUINTUS

Thei make of that thei knowen fals. [FALSE WITNESS.]
And thus fulofte aboute the hals
Love is of false men embraced;
Bot love which is so pourchaced
Comth afterward to litel pris.
Forthi, mi Sone, if thou be wis,
Nou thou hast herd this evidence,
Thou miht thin oghne conscience 2920
Oppose, if thou hast ben such on.

    Nai, god wot, fader, I am non, Amans.
Ne nevere was; for as men seith,
Whan that a man schal make his feith,
His herte and tunge moste acorde;
For if so be that thei discorde,
Thanne is he fals and elles noght:
And I dar seie, as of my thoght,
In love it is noght descordable
Unto mi word, bot acordable. 2930
And in this wise, fader, I
Mai riht wel swere and salvely,
That I mi ladi love wel,
For that acordeth everydel.
It nedeth noght to mi sothsawe
That I witnesse scholde drawe,
Into this dai for nevere yit
Ne mihte it sinke into mi wit,
That I my conseil scholde seie
To eny wiht, or me bewreie 2940
To sechen help in such manere, **P. ii. 226**
Bot only of mi ladi diere.
And thogh a thousend men it wiste,
That I hire love, and thanne hem liste
With me to swere and to witnesse,
Yit were that no falswitnesse;
For I dar on this trouthe duelle,
I love hire mor than I can telle.
Thus am I, fader, gulteles,

2932 saluely S, F   sauely AJ, B   2937 euere BT   2940
bewreie C, SB   be wreie J, F   by wreie A   2942 of] for BT
on W

CONFESSIO AMANTIS

[FALSE WITNESS.]

Confessor.

As ye have herd, and natheles 2950
In youre dom I put it al.
Mi Sone, wite in special,
It schal noght comunliche faile,
Al thogh it for a time availe
That Falswitnesse his cause spede,
Upon the point of his falshiede
It schal wel afterward be kid;
Wherof, so as it is betid,
Ensample of suche thinges blinde
In a Cronique write I finde. 2960

[TALE OF ACHILLES AND DEIDAMIA.]

Hic ponit exemplum de illis, qui falsum testificantes amoris innocenciam circumueniunt. Et narrat qualiter Thetis Achillem filium suum adolescentem, muliebri vestitum apparatu, asserens esse puellam inter Regis Lichomedis filias ad educandum produxit. Et sic Achilles decepto Rege filie sue Deidamie socia et cubicularia effectus super ipsam Pirrum genuit; qui postea mire probitatis miliciam assecutus mortem patris sui apud Troiam in Polixenen tirannice vindicauit.

The Goddesse of the See Thetis,
Sche hadde a Sone, and his name is
Achilles, whom to kepe and warde,
Whil he was yong, as into warde
Sche thoghte him salfly to betake,
As sche which dradde for his sake
Of that was seid in prophecie,
That he at Troie scholde die,
Whan that the Cite was belein.
Forthi, so as the bokes sein, 2970
Sche caste hire wit in sondri wise, P. ii. 227
Hou sche him mihte so desguise
That noman scholde his bodi knowe:
And so befell that ilke throwe,
Whil that sche thoghte upon this dede,
Ther was a king, which Lichomede
Was hote, and he was wel begon
With faire dowhtres manyon,
And duelte fer out in an yle.
Nou schalt thou hiere a wonder wyle: 2980
This queene, which the moder was
Of Achilles, upon this cas
Hire Sone, as he a Maiden were,
Let clothen in the same gere
Which longeth unto wommanhiede:
And he was yong and tok non hiede,

2951 put AJ, S, F (?) putte C, BT 2964 as] and BT, H₃
2966 And AM ... B₂, W 2967 in] of BT 2975 this] his AMH₁X

LIBER QUINTUS

Bot soffreth al that sche him dede.   [TALE OF ACHILLES
Wherof sche hath hire wommen bede   AND DEIDAMIA.]
And charged be here othes alle,
Hou so it afterward befalle,   2990
That thei discovere noght this thing,
Bot feigne and make a knowleching,
Upon the conseil which was nome,
In every place wher thei come
To telle and to witnesse this,
Hou he here ladi dowhter is.
And riht in such a maner wise
Sche bad thei scholde hire don servise,
So that Achilles underfongeth
As to a yong ladi belongeth   3000
Honour, servise and reverence.   **P. ii. 228**
For Thetis with gret diligence
Him hath so tawht and so afaited,
That, hou so that it were awaited,
With sobre and goodli contenance
He scholde his wommanhiede avance,
That non the sothe knowe myhte,
Bot that in every mannes syhte
He scholde seme a pure Maide.
And in such wise as sche him saide,   3010
Achilles, which that ilke while
Was yong, upon himself to smyle
Began, whan he was so besein.

And thus, after the bokes sein,
With frette of Perle upon his hed,
Al freissh betwen the whyt and red,
As he which tho was tendre of Age,
Stod the colour in his visage,
That forto loke upon his cheke
And sen his childly manere eke,   3020
He was a womman to beholde.
And thanne his moder to him tolde,
That sche him hadde so begon
Be cause that sche thoghte gon
To Lichomede at thilke tyde,

2996 hir(e) lady H₁ ... B₂, B, W (here l. G)   3004 it] he S ... Δ

[TALE OF ACHILLES AND DEIDAMIA.]

Wher that sche seide he scholde abyde
Among hise dowhtres forto duelle.
   Achilles herde his moder telle,
And wiste noght the cause why;
And natheles ful buxomly   3030
He was redy to that sche bad,
Wherof his moder was riht glad,
To Lichomede and forth thei wente.
And whan the king knew hire entente,
And sih this yonge dowhter there,
And that it cam unto his Ere
Of such record, of such witnesse,
He hadde riht a gret gladnesse
Of that he bothe syh and herde,
As he that wot noght hou it ferde   3040
Upon the conseil of the nede.
Bot for al that king Lichomede
Hath toward him this dowhter take,
And for Thetis his moder sake
He put hire into compainie
To duelle with Deïdamie,
His oghne dowhter, the eldeste,
The faireste and the comelieste
Of alle hise doghtres whiche he hadde.
   Lo, thus Thetis the cause ladde,   3050
And lefte there Achilles feigned,
As he which hath himself restreigned
In al that evere he mai and can
Out of the manere of a man,
And tok his wommannysshe chiere,
Wherof unto his beddefere
Deïdamie he hath be nyhte.
Wher kinde wole himselve rihte,
After the Philosophres sein,
Ther mai no wiht be therayein: 3060
And that was thilke time seene.

    3026 he] sche E, BT   3032 hir B   riht] ful E ... B₂   3045 put AJ, S, F   putte C, B   3046 wiþ þat Dedamie RCLB₂   3054 the *om.* AMGRLB₂   alle (maner of man) H₁   3058 wolde EL, BT

LIBER QUINTUS

The longe nyhtes hem betuene [TALE OF ACHILLES
Nature, which mai noght forbere, AND DEIDAMIA.]
Hath mad hem bothe forto stere:
Thei kessen ferst, and overmore
The hihe weie of loves lore
Thei gon, and al was don in dede,
Wherof lost is the maydenhede;
And that was afterward wel knowe.
   For it befell that ilke throwe 3070
At Troie, wher the Siege lay
Upon the cause of Menelay
And of his queene dame Heleine,
The Gregois hadden mochel peine
Alday to fihte and to assaile.
Bot for thei mihten noght availe
So noble a Cite forto winne,
A prive conseil thei beginne,
In sondri wise wher thei trete;
And ate laste among the grete 3080
Thei fellen unto this acord,
That Protheüs, of his record
Which was an Astronomien
And ek a gret Magicien,
Scholde of his calculacion
Seche after constellacion,
Hou thei the Cite mihten gete:
And he, which hadde noght foryete
Of that belongeth to a clerk,
His studie sette upon this werk. 3090
So longe his wit aboute he caste, **P. ii. 231**
Til that he fond out ate laste,
Bot if they hadden Achilles
Here werre schal ben endeles.
And over that he tolde hem plein
In what manere he was besein,
And in what place he schal be founde;
So that withinne a litel stounde
Ulixes forth with Diomede
Upon this point to Lichomede 3100

   3090 his werk E ... B₂, Δ the werke W

[TALE OF ACHILLES AND DEIDAMIA.]

Agamenon togedre sente.
Bot Ulixes, er he forth wente,
Which was on of the moste wise,
Ordeigned hath in such a wise,
That he the moste riche aray,
Wherof a womman mai be gay,
With him hath take manyfold,
And overmore, as it is told,
An harneis for a lusti kniht,
Which burned was as Selver bryht,   3110
Of swerd, of plate and ek of maile,
As thogh he scholde to bataille,
He tok also with him þe Schipe.
And thus togedre in felaschipe
Forth gon this Diomede and he
In hope til thei mihten se
The place where Achilles is.

The wynd stod thanne noght amis,
Bot evene topseilcole it blew,
Til Ulixes the Marche knew,   3120
Wher Lichomede his Regne hadde.   P. ii. 232
The Stieresman so wel hem ladde,
That thei ben comen sauf to londe,
Wher thei gon out upon the stronde
Into the Burgh, wher that thei founde
The king, and he which hath facounde,
Ulixes, dede the message.
Bot the conseil of his corage,
Why that he cam, he tolde noght,
Bot undernethe he was bethoght   3130
In what manere he mihte aspie
Achilles fro Deïdamie
And fro these othre that ther were,
Full many a lusti ladi there.

Thei pleide hem there a day or tuo,
And as it was fortuned so,

3110 burned as þe siluer E... B₂   b. was with s. W   b. was of s. H₃
3119 topseilcole ACL, SAd, FH₃   topseil cole (coole) MH₁XGERB₂, BT   top seile cole Δ   to pseilcole J   to Pheilcole W   to pleiseil cole Λ

LIBER QUINTUS

[TALE OF ACHILLES AND DEIDAMIA.]

It fell that time in such a wise,
To Bachus that a sacrifise
Thes yonge ladys scholden make;
And for the strange mennes sake, 3140
That comen fro the Siege of Troie,
Thei maden wel the more joie.
Ther was Revel, ther was daunsinge,
And every lif which coude singe
Of lusti wommen in the route
A freissh carole hath sunge aboute;
Bot for al this yit natheles
The Greks unknowe of Achilles
So weren, that in no degre
Thei couden wite which was he, 3150
Ne be his vois, ne be his pas. P. ii. 233
Ulixes thanne upon this cas
A thing of hih Prudence hath wroght:
For thilke aray, which he hath broght
To yive among the wommen there,
He let do fetten al the gere
Forth with a knihtes harneis eke,—
In al a contre forto seke
Men scholden noght a fairer se,—
And every thing in his degre 3160
Endlong upon a bord he leide.
To Lichomede and thanne he preide
That every ladi chese scholde
What thing of alle that sche wolde,
And take it as be weie of yifte;
For thei hemself it scholde schifte,
He seide, after here oghne wille.
   Achilles thanne stod noght stille:
Whan he the bryhte helm behield,
The swerd, the hauberk and the Schield, 3170
His herte fell therto anon;
Of all that othre wolde he non,
The knihtes gere he underfongeth,

3145 Al (Alle) lusti wommen AMH₁   A lusty womman ECLB₂
Of women lusti Ad   þat route E ... B₂   3152 this] þe BT
3158 a contre] þe contre BTΔ   3169 the *om*. B

* *
  *   D

[TALE OF ACHILLES AND DEIDAMIA.]

And thilke aray which that belongeth
Unto the wommen he forsok.
And in this wise, as seith the bok,
Thei knowen thanne which he was:
For he goth forth the grete pas
Into the chambre where he lay;
Anon, and made no delay,   3180
He armeth him in knyhtli wise,   P. ii. 234
That bettre can noman devise,
And as fortune scholde falle,
He cam so forth tofore hem alle,
As he which tho was glad ynowh.
But Lichomede nothing lowh,
Whan that he syh hou that it ferde,
For thanne he wiste wel and herde,
His dowhter hadde be forlein;
Bot that he was so oversein,   3190
The wonder overgoth his wit.
For in Cronique is write yit
Thing which schal nevere be foryete,
Hou that Achilles hath begete
Pirrus upon Deïdamie,
Wherof cam out the tricherie
Of Falswitnesse, whan thei saide
Hou that Achilles was a Maide.
Bot that was nothing sene tho,
For he is to the Siege go   3200
Forth with Ulixe and Diomede.

Confessor.

Lo, thus was proved in the dede
And fulli spoke at thilke while:
If o womman an other guile,
Wher is ther eny sikernesse?
Whan Thetis, which was the goddesse,
Deïdamie hath so bejaped,
I not hou it schal ben ascaped
With tho wommen whos innocence
Is nou alday thurgh such credence   3210
Deceived ofte, as it is seene,   P. ii. 235

3192 in a Cronique AMH₁RCLB₂, AdΔ. H₃   3197 thei] he X, BT
3209 whos] which AMH₁XG   3210 now a day X, B, WH₃

LIBER QUINTUS

With men that such untrouthe meene.
For thei ben slyhe in such a wise,
That thei be sleihte and be queintise
Of Falswitnesse bringen inne
That doth hem ofte forto winne,
Wher thei ben noght worthi therto.
Forthi, my Sone, do noght so.   [PERJURY.]

   Mi fader, as of Falswitnesse   Amans
The trouthe and the matiere expresse,   3220
Touchende of love hou it hath ferd,
As ye have told, I have well herd.
Bot for ye seiden otherwise,
Hou thilke vice of Covoitise
Hath yit Perjurie of his acord,
If that you list of som record
To telle an other tale also
In loves cause of time ago,
What thing it is to be forswore,
I wolde preie you therfore,   3230
Wherof I mihte ensample take.

   Mi goode Sone, and for thi sake   Confessor.
Touchende of this I schal fulfille
Thin axinge at thin oghne wille,
And the matiere I schal declare,
Hou the wommen deceived are,
Whan thei so tendre herte bere,
Of that thei hieren men so swere;
Bot whan it comth unto thassay,
Thei finde it fals an other day: 3240
As Jason dede to Medee,   **P. ii. 236**
Which stant yet of Auctorite
In tokne and in memorial;
Wherof the tale in special
Is in the bok of Troie write,
Which I schal do thee forto wite.

   In Grece whilom was a king,
Of whom the fame and knowleching

3217 Wher] þer BT   3225 Periurie J, B, F   Periure AC
3237 hertes XL, S ... Δ   3241 vnto B   of T   3246 Who
þat wol rede it þer may wite E ... B₂

TALE OF JASON AND MEDEA.]

Hic in amoris causa ponit exemplum contra periuros. Et narrat qualiter Iason, priusquam ad insulam Colchos pro aureo vellere ibidem conquestando transmearet, in amorem et coniugium Medee Regis Othonis filie iuramento firmius se astrinxit; set suo postea completo negocio, cum ipsam secum nauigio in Greciam perduxisset, vbi illa senectam patris sui Esonis in floridam iuuentutem mirabili sciencia reformauit, ipse Iason fidei sue ligamento aliisque beneficiis postpositis, dictam Medeam pro quadam Creusa Regis Creontis filia periurus dereliquit.

Beleveth yit, and Peleüs
He hihte; bot it fell him thus, 3250
That his fortune hir whiel so ladde
That he no child his oghne hadde
To regnen after his decess.
He hadde a brother natheles,
Whos rihte name was Eson,
And he the worthi kniht Jason
Begat, the which in every lond
Alle othre passede of his hond
In Armes, so that he the beste
Was named and the worthieste, 3260
He soghte worschipe overal.
Nou herkne, and I thee telle schal
An aventure that he soghte,
Which afterward ful dere he boghte.

 Ther was an yle, which Colchos
Was cleped, and therof aros
Gret speche in every lond aboute,
That such merveile was non oute
In al the wyde world nawhere,
As tho was in that yle there. 3270
Ther was a Schiep, as it was told, P. ii. 237
The which his flees bar al of gold,
And so the goddes hadde it set,
That it ne mihte awei be fet
Be pouer of no worldes wiht:
And yit ful many a worthi kniht
It hadde assaied, as thei dorste,
And evere it fell hem to the worste.
Bot he, that wolde it noght forsake,
Bot of his knyhthod undertake 3280
To do what thing therto belongeth,
This worthi Jason, sore alongeth
To se the strange regiouns
And knowe the condiciouns
Of othre Marches, where he wente;
And for that cause his hole entente

3261 *margin* illam senectam E ... B₂, BT   illa senecta MH₁
3281 þerto what þing A ... B₂

[TALE OF JASON AND MEDEA.]

    He sette Colchos forto seche,
And therupon he made a speche
To Peleüs his Em the king.
And he wel paid was of that thing; 3290
And schop anon for his passage,
And suche as were of his lignage,
With othre knihtes whiche he ches,
With him he tok, and Hercules,
Which full was of chivalerie,
With Jason wente in compaignie;
And that was in the Monthe of Maii,
Whan colde stormes were away.
The wynd was good, the Schip was yare,
Thei tok here leve, and forth thei fare 3300
Toward Colchos: bot on the weie **P. ii. 238**
What hem befell is long to seie;
Hou Lamedon the king of Troie,
Which oghte wel have mad hem joie,
Whan thei to reste a while him preide,
Out of his lond he hem congeide;
And so fell the dissencion,
Which after was destruccion
Of that Cite, as men mai hiere:
Bot that is noght to mi matiere. 3310
Bot thus this worthi folk Gregeis
Fro that king, which was noght curteis,
And fro his lond with Sail updrawe
Thei wente hem forth, and many a sawe
Thei made and many a gret manace,
Til ate laste into that place
Which as thei soghte thei aryve,
And striken Sail, and forth as blyve
Thei sente unto the king and tolden
Who weren ther and what thei wolden. 3320
    Oëtes, which was thanne king,

3290 that] þis B   3295 was ful AMH₁XG   3300 tok (took) AJ, SB, F   toke C, Ad, H₃ (token leue H₁)   3304 have mad] to make BT   3306 But (Bot) of his lond E ... B₂   3311 this] þe B   þese X   3311 f. gregeis (Gregeis): curteis J, S, F Gregois (gregois): curtois (courtoys) AC, B   3321 which þanne (þan) was þe k. E ... B₂ which was the k. H₁, W   which was þer k. X

[TALE OF JASON AND MEDEA.]

Whan that he herde this tyding
Of Jason, which was comen there,
And of these othre, what thei were,
He thoghte don hem gret worschipe:
For thei anon come out of Schipe,
And strawht unto the king thei wente,
And be the hond Jason he hente,
And that was ate paleis gate,
So fer the king cam on his gate 3330
Toward Jason to don him chiere; **P. ii. 239**
And he, whom lacketh no manere,
Whan he the king sih in presence,
Yaf him ayein such reverence
As to a kinges stat belongeth.
And thus the king him underfongeth,
And Jason in his arm he cawhte,
And forth into the halle he strawhte,
And ther they siete and spieke of thinges,
And Jason tolde him tho tidinges, 3340
Why he was come, and faire him preide
To haste his time, and the kyng seide,
'Jason, thou art a worthi kniht,
Bot it lith in no mannes myht
To don that thou art come fore:
Ther hath be many a kniht forlore
Of that thei wolden it assaie.'
Bot Jason wolde him noght esmaie,
And seide, 'Of every worldes cure
Fortune stant in aventure, 3350
Per aunter wel, per aunter wo:
Bot hou as evere that it go,
It schal be with myn hond assaied.'
The king tho hield him noght wel paied,
For he the Grekes sore dredde,
In aunter, if Jason ne spedde,
He mihte therof bere a blame;
For tho was al the worldes fame
In Grece, as forto speke of Armes.
Forthi he dredde him of his harmes, 3360

3340 tho] þe AM ... B₂

And gan to preche him and to preie; **P. ii. 240** [Tale of Jason and Medea.]
Bot Jason wolde noght obeie,
Bot seide he wolde his porpos holde
For ought that eny man him tolde.
The king, whan he thes wordes herde,
And sih hou that this kniht ansuerde,
Yit for he wolde make him glad,
After Medea gon he bad,
Which was his dowhter, and sche cam.
And Jason, which good hiede nam, 3370
Whan he hire sih, ayein hire goth;
And sche, which was him nothing loth,
Welcomede him into that lond,
And softe tok him be the hond,
And doun thei seten bothe same.
Sche hadde herd spoke of his name
And of his grete worthinesse;
Forthi sche gan hir yhe impresse
Upon his face and his stature,
And thoghte hou nevere creature 3380
Was so wel farende as was he.
And Jason riht in such degre
Ne mihte noght withholde his lok,
Bot so good hiede on hire he tok,
That him ne thoghte under the hevene
Of beaute sawh he nevere hir evene,
With al that fell to wommanhiede.
Thus ech of other token hiede,
Thogh ther no word was of record;
Here hertes bothe of on acord 3390
Ben set to love, bot as tho **P. ii. 241**
Ther mihten be no wordes mo.
The king made him gret joie and feste,
To alle his men he yaf an heste,
So as thei wolde his thonk deserve,
That thei scholde alle Jason serve,
Whil that he wolde there duelle.
And thus the dai, schortly to telle,

3365 thes] þis MXGEC   3376 speke(n) AM . . . B₂, B, W
3393 made AJ, B   mad S, F

[TALE OF JASON AND MEDEA.]

With manye merthes thei despente,
Til nyht was come, and tho thei wente, 3400
Echon of other tok his leve,
Whan thei no lengere myhten leve.
I not hou Jason that nyht slep,
Bot wel I wot that of the Schep,
For which he cam into that yle,
He thoghte bot a litel whyle;
Al was Medea that he thoghte,
So that in many a wise he soghte
His witt wakende er it was day,
Som time yee, som time nay, 3410
Som time thus, som time so,
As he was stered to and fro
Of love, and ek of his conqueste
As he was holde of his beheste.
And thus he ros up be the morwe
And tok himself seint John to borwe,
And seide he wolde ferst beginne
At love, and after forto winne
The flees of gold, for which he com,
And thus to him good herte he nom. 3420
 Medea riht the same wise,   **P. ii. 242**
Til dai cam that sche moste arise,
Lay and bethoughte hire al the nyht,
Hou sche that noble worthi kniht
Be eny weie mihte wedde :
And wel sche wiste, if he ne spedde
Of thing which he hadde undertake,
Sche mihte hirself no porpos take ;
For if he deide of his bataile,
Sche moste thanne algate faile 3430
To geten him, whan he were ded.
Thus sche began to sette red
And torne aboute hir wittes alle,
To loke hou that it mihte falle
That sche with him hadde a leisir
To speke and telle of hir desir.
And so it fell that same day

3422 rise RCLB₂, T, W   3437 þe same day XE ... B₂, BT∆

That Jason with that suete may
Togedre sete and hadden space
To speke, and he besoughte hir grace. 3440
And sche his tale goodli herde,
And afterward sche him ansuerde
And seide, 'Jason, as thou wilt,
Thou miht be sauf, thou miht be spilt;
For wite wel that nevere man,
Bot if he couthe that I can,
Ne mihte that fortune achieve
For which thou comst: bot as I lieve,
If thou wolt holde covenant
To love, of al the remenant 3450
I schal thi lif and honour save,   P. ii. 243
That thou the flees of gold schalt have.'
He seide, 'Al at youre oghne wille,
Ma dame, I schal treuly fulfille
Youre heste, whil mi lif mai laste.'
Thus longe he preide, and ate laste
Sche granteth, and behihte him this,
That whan nyht comth and it time is,
Sche wolde him sende certeinly
Such on that scholde him prively 3460
Al one into hire chambre bringe.
He thonketh hire of that tidinge,
For of that grace him is begonne
Him thenkth alle othre thinges wonne.

The dai made ende and lost his lyht,
And comen was the derke nyht,
Which al the daies yhe blente.
Jason tok leve and forth he wente,
And whan he cam out of the pres,
He tok to conseil Hercules, 3470
And tolde him hou it was betid,
And preide it scholde wel ben hid,
And that he wolde loke aboute,
Therwhiles that he schal ben oute.
Thus as he stod and hiede nam,

[TALE OF JASON AND MEDEA.]

3440 he *om.* E ... B₂   3465 lost is l. AYEC, S   3472
And nought þer of haþ fro him hid E ... B₂   ben wel MH₁X

[TALE OF JASON AND MEDEA.]

A Mayden fro Medea cam
And to hir chambre Jason ledde,
Wher that he fond redi to bedde
The faireste and the wiseste eke;
And sche with simple chiere and meke,   3480
Whan sche him sih, wax al aschamed.   P. ii. 244
Tho was here tale newe entamed;
For sikernesse of Mariage
Sche fette forth a riche ymage,
Which was figure of Jupiter,
And Jason swor and seide ther,
That also wiss god scholde him helpe,
That if Medea dede him helpe,
That he his pourpos myhte winne,
Thei scholde nevere parte atwinne,   3490
Bot evere whil him lasteth lif,
He wolde hire holde for his wif.
And with that word thei kisten bothe;
And for thei scholden hem unclothe,
Ther cam a Maide, and in hir wise
Sche dede hem bothe full servise,
Til that thei were in bedde naked:
I wot that nyht was wel bewaked,
Thei hadden bothe what thei wolde.
And thanne of leisir sche him tolde,   3500
And gan fro point to point enforme
Of his bataile and al the forme,
Which as he scholde finde there,
Whan he to thyle come were.

Sche seide, at entre of the pas
Hou Mars, which god of Armes was,
Hath set tuo Oxen sterne and stoute,
That caste fyr and flamme aboute
Bothe at the mouth and ate nase,
So that thei setten al on blase   3510
What thing that passeth hem betwene: P. ii. 245
And forthermore upon the grene
Ther goth the flees of gold to kepe

3481 aschamed A, SB   a schamed J, F   3482 hire tale AJMXE
3484 sette BT   3490 departe AMXG

LIBER QUINTUS

[TALE OF JASON AND MEDEA.]

A Serpent, which mai nevere slepe.
Thus who that evere scholde it winne,
The fyr to stoppe he mot beginne,
Which that the fierce bestes caste,
And daunte he mot hem ate laste,
So that he mai hem yoke and dryve;
And therupon he mot as blyve 3520
The Serpent with such strengthe assaile,
That he mai slen him be bataile;
Of which he mot the teth outdrawe,
As it belongeth to that lawe,
And thanne he mot tho Oxen yoke,
Til thei have with a plowh tobroke
A furgh of lond, in which arowe
The teth of thaddre he moste sowe,
And therof schule arise knihtes
Wel armed up at alle rihtes. 3530
Of hem is noght to taken hiede,
For ech of hem in hastihiede
Schal other slen with dethes wounde:
And thus whan thei ben leid to grounde,
Than mot he to the goddes preie,
And go so forth and take his preie.
Bot if he faile in eny wise
Of that ye hiere me devise,
Ther mai be set non other weie,
That he ne moste algates deie. 3540
'Nou have I told the peril al: P. ii. 246
I woll you tellen forth withal,'
Quod Medea to Jason tho,
'That ye schul knowen er ye go,
Ayein the venym and the fyr
What schal ben the recoverir.
Bot, Sire, for it is nyh day,
Ariseth up, so that I may
Delivere you what thing I have,
That mai youre lif and honour save.' 3550
Thei weren bothe loth to rise,

3517 the] þo ERC, SBT   3533 dethes] hasty E . . . B2
3534 leid] brought B   3545 and] of BT

[TALE OF JASON AND MEDEA.]

Bot for thei weren bothe wise,
Up thei arisen ate laste:
Jason his clothes on him caste
And made him redi riht anon,
And sche hir scherte dede upon
And caste on hire a mantel clos,
Withoute more and thanne aros.
Tho tok sche forth a riche Tye
Mad al of gold and of Perrie, 3560
Out of the which sche nam a Ring,
The Ston was worth al other thing.
Sche seide, whil he wolde it were,
Ther myhte no peril him dere,
In water mai it noght be dreynt,
Wher as it comth the fyr is queynt,
It daunteth ek the cruel beste,
Ther may no qued that man areste,
Wher so he be on See or lond,
Which hath that ring upon his hond: 3570
And over that sche gan to sein,
That if a man wol ben unsein,
Withinne his hond hold clos the Ston,
And he mai invisible gon.
The Ring to Jason sche betauhte,
And so forth after sche him tauhte
What sacrifise he scholde make;
And gan out of hire cofre take
Him thoughte an hevenely figure,
Which al be charme and be conjure 3580
Was wroght, and ek it was thurgh write
With names, which he scholde wite,
As sche him tauhte tho to rede;
And bad him, as he wolde spede,
Withoute reste of eny while,
Whan he were londed in that yle,
He scholde make his sacrifise
And rede his carecte in the wise
As sche him tauhte, on knes doun bent,
Thre sithes toward orient; 3590

P. ii. 247

3582 name RCLB₂, T   which AJ, S, F   whiche B

LIBER QUINTUS

[TALE OF JASON AND MEDEA.]

For so scholde he the goddes plese
And winne himselven mochel ese.
And whanne he hadde it thries rad,
To opne a buiste sche him bad,
Which sche ther tok him in present,
And was full of such oignement,
That ther was fyr ne venym non
That scholde fastnen him upon,
Whan that he were enoynt withal.
Forthi sche tauhte him hou he schal   3600
Enoignte his armes al aboute,   **P. ii. 248**
And for he scholde nothing doute,
Sche tok him thanne a maner glu,
The which was of so gret vertu,
That where a man it wolde caste,
It scholde binde anon so faste
That noman mihte it don aweie.
And that sche bad be alle weie
He scholde into the mouthes throwen
Of tho tweie Oxen that fyr blowen,   3610
Therof to stoppen the malice ;
The glu schal serve of that office.
And over that hir oignement,
Hir Ring and hir enchantement
Ayein the Serpent scholde him were,
Til he him sle with swerd or spere :
And thanne he may saufliche ynowh
His Oxen yoke into the plowh
And the teth sowe in such a wise,
Til he the knyhtes se arise,   3620
And ech of other doun be leid
In such manere as I have seid.
   Lo, thus Medea for Jason
Ordeigneth, and preith therupon
That he nothing foryete scholde,
And ek sche preith him that he wolde,
Whan he hath alle his Armes don,
To grounde knele and thonke anon

3599 enoynt J, S, F   anoynt AC, B   *So* 3601   3619 such(e)
wise XGE, B

[TALE OF JASON AND MEDEA.]

The goddes, and so forth be ese
The flees of gold he scholde sese.   3630
And whanne he hadde it sesed so,   P. ii. 249
That thanne he were sone ago
Withouten eny tariynge.
　Whan this was seid, into wepinge
Sche fell, as sche that was thurgh nome
With love, and so fer overcome,
That al hir world on him sche sette.
Bot whan sche sih ther was no lette,
That he mot nedes parte hire fro,
Sche tok him in hire armes tuo,   3640
An hundred time and gan him kisse,
And seide, 'O, al mi worldes blisse,
Mi trust, mi lust, mi lif, min hele,
To be thin helpe in this querele
I preie unto the goddes alle.'
And with that word sche gan doun falle
On swoune, and he hire uppe nam,
And forth with that the Maiden cam,
And thei to bedde anon hir broghte,
And thanne Jason hire besoghte,   3650
And to hire seide in this manere:
'Mi worthi lusti ladi dere,
Conforteth you, for be my trouthe
It schal noght fallen in mi slouthe
That I ne wol thurghout fulfille
Youre hestes at youre oghne wille.
And yit I hope to you bringe
Withinne a while such tidinge,
The which schal make ous bothe game.'
　Bot for he wolde kepe hir name,   3660
Whan that he wiste it was nyh dai,   P. ii. 250
He seide, 'A dieu, mi swete mai.'
And forth with him he nam his gere,
Which as sche hadde take him there,
And strauht unto his chambre he wente,
And goth to bedde and slep him hente,

3647 Of swoune RCLB₂, BT Inne swone W   uppe nam] vp
þo nam E . . . B₂   vpon name H₁   3665 he *om*. E . . . B₂, BT, W

LIBER QUINTUS

And lay, that noman him awok,   [Tale of Jason and Medea.]
For Hercules hiede of him tok,
Til it was undren hih and more.
And thanne he gan to sighe sore   3670
And sodeinliche abreide of slep;
And thei that token of him kep,
His chamberleins, be sone there,
And maden redi al his gere,
And he aros and to the king
He wente, and seide hou to that thing
For which he cam he wolde go.
The king therof was wonder wo,
And for he wolde him fain withdrawe,
He tolde him many a dredful sawe,   3680
Bot Jason wolde it noght recorde,
And ate laste thei acorde.
Whan that he wolde noght abide,
A Bot was redy ate tyde,
In which this worthi kniht of Grece
Ful armed up at every piece,
To his bataile which belongeth,
Tok ore on honde and sore him longeth,
Til he the water passed were.
  Whan he cam to that yle there,   3690
He set him on his knes doun strauht, **P. ii. 251**
And his carecte, as he was tawht,
He radde, and made his sacrifise,
And siththe enoignte him in that wise,
As Medea him hadde bede;
And thanne aros up fro that stede,
And with the glu the fyr he queynte,
And anon after he atteinte
The grete Serpent and him slowh.
Bot erst he hadde sorwe ynowh,   3700
For that Serpent made him travaile

3668 of hem CL   on him W   3669 vndern ERL, BT, H₃   vndorne X   vndur CB₂, W   3671 abreide] he breide E . . . B₂, BT, H₃   3678 was wonder wo] þan was ful wo YE . . . B₂, BTΛ   3688 ore on] oore in RLB₂, Δ   sore in EC, BT   (And forþ wi*th* all his wey he fongeþ X)   3691 set AJ, S, F   sette C, B

[TALE OF JASON AND MEDEA.]

So harde and sore of his bataile,
That nou he stod and nou he fell:
For longe time it so befell,
That with his swerd ne with his spere
He mihte noght that Serpent dere.
He was so scherded al aboute,
It hield all eggetol withoute,
He was so ruide and hard of skin,
Ther mihte nothing go therin; 3710
Venym and fyr togedre he caste,
That he Jason so sore ablaste,
That if ne were his oignement,
His Ring and his enchantement,
Which Medea tok him tofore,
He hadde with that worm be lore;
Bot of vertu which therof cam
Jason the Dragon overcam.
And he anon the teth outdrouh,
And sette his Oxen in a plouh, 3720
With which he brak a piece of lond   **P. ii. 252**
And sieu hem with his oghne hond.
Tho mihte he gret merveile se:
Of every toth in his degre
Sprong up a kniht with spere and schield,
Of whiche anon riht in the field
Echon slow other; and with that
Jason Medea noght foryat,
On bothe his knes he gan doun falle,
And yaf thonk to the goddes alle. 3730
The Flees he tok and goth to Bote,
The Sonne schyneth bryhte and hote,
The Flees of gold schon forth withal,
The water glistreth overal.
  Medea wepte and sigheth ofte,
And stod upon a Tour alofte:
Al prively withinne hirselve,
Ther herde it nouther ten ne tuelve,
Sche preide, and seide, 'O, god him spede,

3705 ne] and BT, W   3706 þe serpent XB₂, BT, W   3720 his plough YE . . . B₂, BT   the plogh W

LIBER QUINTUS

The kniht which hath mi maidenhiede!' 3740 [TALE OF JASON AND
And ay sche loketh toward thyle.   MEDEA.]
Bot whan sche sih withinne a while
The Flees glistrende ayein the Sonne,
Sche saide, 'Ha lord, now al is wonne,
Mi kniht the field hath overcome:
Nou wolde god he were come;
Ha lord, that he ne were alonde!'
Bot I dar take this on honde,
If that sche hadde wynges tuo,
Sche wolde have flowe unto him tho   3750
Strawht ther he was into the Bot.   **P. ii. 253**
   The dai was clier, the Sonne hot,
The Gregeis weren in gret doute,
The whyle that here lord was oute:
Thei wisten noght what scholde tyde,
Bot waiten evere upon the tyde,
To se what ende scholde falle.
Ther stoden ek the nobles alle
Forth with the comun of the toun;
And as thei loken up and doun,   3760
Thei weren war withinne a throwe,
Wher cam the bot, which thei wel knowe,
And sihe hou Jason broghte his preie.
And tho thei gonnen alle seie,
And criden alle with o stevene,
'Ha, wher was evere under the hevene
So noble a knyht as Jason is?'
And welnyh alle seiden this,
That Jason was a faie kniht,
For it was nevere of mannes miht   3770
The Flees of gold so forto winne;
And thus to talen thei beginne.
With that the king com forth anon,
And sih the Flees, hou that it schon;

3742 whan (when) AJC, B   whanne F   3744 a (ha) lord al
is y wonne (al is wonne) YE . . . B₂, BTΛ   ha lord al now is w.
MH₁XG   3747 on londe E . . . B₂, BTΛ, W   3751 he *om.* AM
3765 cried (criede) RCLB₂, Δ   3772 to talen] talen B   of talen M
of tales H₁   to talkan W

[TALE OF JASON AND MEDEA.]

And whan Jason cam to the lond,
The king himselve tok his hond
And kist him, and gret joie him made.
The Gregeis weren wonder glade,
And of that thing riht merie hem thoghte,
And forth with hem the Flees thei broghte, 3780
And ech on other gan to leyhe;
Bot wel was him that mihte neyhe,
To se therof the proprete.
And thus thei passen the cite
And gon unto the Paleis straght.

Medea, which foryat him naght,
Was redy there, and seide anon,
'Welcome, O worthi kniht Jason.'
Sche wolde have kist him wonder fayn,
Bot schame tornede hire agayn; 3790
It was noght the manere as tho,
Forthi sche dorste noght do so.
Sche tok hire leve, and Jason wente
Into his chambre, and sche him sente
Hire Maide to sen hou he ferde;
The which whan that sche sih and herde,
Hou that he hadde faren oute
And that it stod wel al aboute,
Sche tolde hire ladi what sche wiste,
And sche for joie hire Maide kiste. 3800
The bathes weren thanne araied,
With herbes tempred and assaied,
And Jason was unarmed sone
And dede as it befell to done:
Into his bath he wente anon
And wyssh him clene as eny bon;
He tok a sopp, and oute he cam,
And on his beste aray he nam,
And kempde his hed, whan he was clad,
And goth him forth al merie and glad 3810
Riht strawht into the kinges halle.
The king cam with his knihtes alle

3791 as tho] also AM ... B₂, BT   3796 sche] he H₁, BT
3798 al *om.* AMH₁, H₃W

LIBER QUINTUS

[TALE OF JASON AND MEDEA.]

And maden him glad welcominge;
And he hem tolde the tidinge
Of this and that, hou it befell,
Whan that he wan the schepes fell.
    Medea, whan sche was asent,
Com sone to that parlement,
And whan sche mihte Jason se,
Was non so glad of alle as sche.   3820
Ther was no joie forto seche,
Of him mad every man a speche,
Som man seide on, som man seide other;
Bot thogh he were goddes brother
And mihte make fyr and thonder,
Ther mihte be nomore wonder
Than was of him in that cite.
Echon tauhte other, 'This is he,
Which hath in his pouer withinne
That al the world ne mihte winne: 3830
Lo, hier the beste of alle goode.'
Thus saiden thei that there stode,
And ek that walkede up and doun,
Bothe of the Court and of the toun.
    The time of Souper cam anon,
Thei wisshen and therto thei gon,
Medea was with Jason set:
Tho was ther many a deynte fet
And set tofore hem on the bord,
Bot non so likinge as the word   3840
Which was ther spoke among hem tuo, **P. ii. 256**
So as thei dorste speke tho.
Bot thogh thei hadden litel space,
Yit thei acorden in that place
Hou Jason scholde come at nyht,
Whan every torche and every liht
Were oute, and thanne of other thinges
Thei spieke aloud for supposinges
Of hem that stoden there aboute:

3814 the] þo EC, B   3822 mad AJ, S, F   made C, B   3823
seide . . . seide AC, B   seid . . . seide S, F   seid . . . seid J
3847 of *om*. E . . . B₂, BT

E 2

[TALE OF JASON AND MEDEA.]

For love is everemore in doute, 3850
If that it be wisly governed
Of hem that ben of love lerned.
   Whan al was don, that dissh and cuppe
And cloth and bord and al was uppe,
Thei waken whil hem lest to wake,
And after that thei leve take
And gon to bedde forto reste.
And whan him thoghte for the beste,
That every man was faste aslepe,
Jason, that wolde his time kepe, 3860
Goth forth stalkende al prively
Unto the chambre, and redely
Ther was a Maide, which him kepte.
Medea wok and nothing slepte,
Bot natheles sche was abedde,
And he with alle haste him spedde
And made him naked and al warm.
Anon he tok hire in his arm:
What nede is forto speke of ese?
Hem list ech other forto plese, 3870
So that thei hadden joie ynow: **P. ii. 257**
And tho thei setten whanne and how
That sche with him awey schal stele.
With wordes suche and othre fele
Whan al was treted to an ende,
Jason tok leve and gan forth wende
Unto his oughne chambre in pes;
Ther wiste it non bot Hercules.
   He slepte and ros whan it was time,
And whanne it fell towardes prime, 3880
He tok to him suche as he triste
In secre, that non other wiste,
And told hem of his conseil there,
And seide that his wille were
That thei to Schipe hadde alle thinge
So priveliche in thevenynge,
That noman mihte here dede aspie

3851 ffor if it be E . . . B₂, BT   But if hit be W   3879 slepte]
slep (sleep) YE, B   3883 him AH₁XR

LIBER QUINTUS

[TALE OF JASON AND MEDEA.]

Bot tho that were of compaignie:
For he woll go withoute leve,
And lengere woll he noght beleve; 3890
Bot he ne wolde at thilke throwe
The king or queene scholde it knowe.
Thei saide, 'Al this schal wel be do:'
And Jason truste wel therto.

  Medea in the mene while,
Which thoghte hir fader to beguile,
The Tresor which hir fader hadde
With hire al priveli sche ladde,
And with Jason at time set
Awey sche stal and fond no let, 3900
And straght sche goth hire unto schipe P. ii. 258
Of Grece with that felaschipe,
And thei anon drowe up the Seil.
And al that nyht this was conseil,
Bot erly, whan the Sonne schon,
Men syhe hou that thei were agon,
And come unto the king and tolde:
And he the sothe knowe wolde,
And axeth where his dowhter was.
Ther was no word bot Out, Allas! 3910
Sche was ago. The moder wepte,
The fader as a wod man lepte,
And gan the time forto warie,
And swor his oth he wol noght tarie,
That with Caliphe and with galeie
The same cours, the same weie,
Which Jason tok, he wolde take,
If that he mihte him overtake.
To this thei seiden alle yee:
Anon thei weren ate See, 3920
And alle, as who seith, at a word
Thei gon withinne schipes bord,
The Sail goth up, and forth thei strauhte.
Bot non espleit therof thei cauhte,
And so thei tornen hom ayein,

3888 in compaignie AM ... B₂, BT   3914 wolde (wold)
M ... B₂, BTΔ, WH₃

[TALE OF JASON AND MEDEA.]

For al that labour was in vein.
 Jason to Grece with his preie
Goth thurgh the See the rihte weie:
Whan he ther com and men it tolde,
Thei maden joie yonge and olde.   3930
Eson, whan that he wiste of this,   **P. ii. 259**
Hou that his Sone comen is,
And hath achieved that he soughte
And hom with him Medea broughte,
In al the wyde world was non
So glad a man as he was on.
Togedre ben these lovers tho,
Til that thei hadden sones tuo,
Wherof thei weren bothe glade,
And olde Eson gret joie made   3940
To sen thencress of his lignage;
For he was of so gret an Age,
That men awaiten every day,
Whan that he scholde gon away.
Jason, which sih his fader old,
Upon Medea made him bold,
Of art magique, which sche couthe,
And preith hire that his fader youthe
Sche wolde make ayeinward newe:
And sche, that was toward him trewe,   3950
Behihte him that sche wolde it do,
Whan that sche time sawh therto.
Bot what sche dede in that matiere
It is a wonder thing to hiere,
Bot yit for the novellerie
I thenke tellen a partie.
 Thus it befell upon a nyht,

Nota quibus medicamentis Esonem senectute decrepitum ad sue iuuentutis adolescenciam prudens Medea reduxit.

Whan ther was noght bot sterreliht,
Sche was vanyssht riht as hir liste,
That no wyht bot hirself it wiste,   3960
And that was ate mydnyht tyde.   **P. ii. 260**
The world was stille on every side;

3956 telle a gret partie B, W   tellen it a parti Δ   3960 it wiste] wiste CLB₂, BTΔ   ne wist(e) MH₁X   3962 in euery side E... B₂, BT

LIBER QUINTUS

With open hed and fot al bare,   [TALE OF JASON AND
Hir her tosprad sche gan to fare,   MEDEA.]
Upon hir clothes gert sche was,
Al specheles and on the gras
Sche glod forth as an Addre doth:
Non otherwise sche ne goth,
Til sche cam to the freisshe flod,
And there a while sche withstod.   3970
Thries sche torned hire aboute,
And thries ek sche gan doun loute
And in the flod sche wette hir her,
And thries on the water ther
Sche gaspeth with a drecchinge onde,
And tho sche tok hir speche on honde.
Ferst sche began to clepe and calle
Upward unto the sterres alle,
To Wynd, to Air, to See, to lond
Sche preide, and ek hield up hir hond   3980
To Echates, and gan to crie,
Which is goddesse of Sorcerie.
Sche seide, 'Helpeth at this nede,
And as ye maden me to spede,
Whan Jason cam the Flees to seche,
So help me nou, I you beseche.'
With that sche loketh and was war,
Doun fro the Sky ther cam a char,
The which Dragouns aboute drowe:
And tho sche gan hir hed doun bowe,   3990
And up sche styh, and faire and wel   **P. ii. 261**
Sche drof forth bothe char and whel
Above in thair among the Skyes.
The lond of Crete and tho parties
Sche soughte, and faste gan hire hye,
And there upon the hulles hyhe
Of Othrin and Olimpe also,
And ek of othre hulles mo,

3964 Hir heed BT   3966 and on] vpon BT   3975 dreechinge
honde J   drenching(e) onde YXGEC, BTΛ   drenching(e) hond(e)
AH₁RLB₂   dremchinge honde M   3990 An F   3992 bothe]
by þe E, BTΛ   but H₃

[TALE OF JASON AND MEDEA.]

Sche fond and gadreth herbes suote,
Sche pulleth up som be the rote, 4000
And manye with a knyf sche scherth,
And alle into hir char sche berth.
Thus whan sche hath the hulles sought,
The flodes ther foryat sche nought,
Eridian and Amphrisos,
Peneie and ek Spercheïdos,
To hem sche wente and ther sche nom
Bothe of the water and the fom,
The sond and ek the smale stones,
Whiche as sche ches out for the nones, 4010
And of the rede See a part,
That was behovelich to hire art,
Sche tok, and after that aboute
Sche soughte sondri sedes oute
In feldes and in many greves,
And ek a part sche tok of leves:
Bot thing which mihte hire most availe
Sche fond in Crete and in Thessaile.

In daies and in nyhtes Nyne,
With gret travaile and with gret pyne, 4020
Sche was pourveid of every piece, P. ii. 262
And torneth homward into Grece.
Before the gates of Eson
Hir char sche let awai to gon,
And tok out ferst that was therinne;
For tho sche thoghte to beginne
Such thing as semeth impossible,
And made hirselven invisible,
As sche that was with Air enclosed
And mihte of noman be desclosed. 4030
Sche tok up turves of the lond
Withoute helpe of mannes hond,
Al heled with the grene gras,
Of which an Alter mad ther was

4006 Spertheidos XECB₂, BT   4008 and of þe AM ... B₂,
BTΔΛ, W   4020 To make wiþ þis medicine B *line om.* TΛ
4024 His AMRC, T   4029 þat wiþ þe air YE ... B₂, BT þat was
with þe air Δ   þat was of air XG

LIBER QUINTUS

Unto Echates the goddesse [TALE OF JASON AND
Of art magique and the maistresse, MEDEA.]
And eft an other to Juvente,
As sche which dede hir hole entente.
Tho tok sche fieldwode and verveyne,
Of herbes ben noght betre tueine,   4040
Of which anon withoute let
These alters ben aboute set:
Tuo sondri puttes faste by
Sche made, and with that hastely
A wether which was blak sche slouh,
And out therof the blod sche drouh
And dede into the pettes tuo;
Warm melk sche putte also therto
With hony meynd: and in such wise
Sche gan to make hir sacrifice,   4050
And cride and preide forth withal   **P. ii. 263**
To Pluto the god infernal,
And to the queene Proserpine.
And so sche soghte out al the line
Of hem that longen to that craft,
Behinde was no name laft,
And preide hem alle, as sche wel couthe,
To grante Eson his ferste youthe.

    This olde Eson broght forth was tho,
Awei sche bad alle othre go   4060
Upon peril that mihte falle;
And with that word thei wenten alle,
And leften there hem tuo al one.
And tho sche gan to gaspe and gone,
And made signes manyon,
And seide hir wordes therupon;
So that with spelling of hir charmes
Sche tok Eson in both hire armes,
And made him forto slepe faste,
And him upon hire herbes caste.   4070
The blake wether tho sche tok,

4043 puttes AJ, B, F   pettes S   4049 and in such wise] in such
a wise C   in such(e) wise BT   and such(e) wise RLB₂   4067 And
þan B   And þat T

[TALE OF JASON AND MEDEA.]

And hiewh the fleissh, as doth a cok;
On either alter part sche leide,
And with the charmes that sche seide
A fyr doun fro the Sky alyhte
And made it forto brenne lyhte.
Bot whan Medea sawh it brenne,
Anon sche gan to sterte and renne
The fyri aulters al aboute:
Ther was no beste which goth oute   4080
More wylde than sche semeth ther: **P. ii. 264**
Aboute hir schuldres hyng hir her,
As thogh sche were oute of hir mynde
And torned in an other kynde.
Tho lay ther certein wode cleft,
Of which the pieces nou and eft
Sche made hem in the pettes wete,
And put hem in the fyri hete,
And tok the brond with al the blase,
And thries sche began to rase   4090
Aboute Eson, ther as he slepte;
And eft with water, which sche kepte,
Sche made a cercle aboute him thries,
And eft with fyr of sulphre twyes:
Ful many an other thing sche dede,
Which is noght writen in this stede.
Bot tho sche ran so up and doun,
Sche made many a wonder soun,
Somtime lich unto the cock,
Somtime unto the Laverock,   4100
Somtime kacleth as a Hen,
Somtime spekth as don the men:
And riht so as hir jargoun strangeth,
In sondri wise hir forme changeth,
Sche semeth faie and no womman;
For with the craftes that sche can
Sche was, as who seith, a goddesse,
And what hir liste, more or lesse,
Sche dede, in bokes as we finde,

4072 þe cook H₁G, BT   4073 either] euery AM . . . B₂
4088 put J, S, F   putte AC, B   4106 fforþ A . . . GC

LIBER QUINTUS 59

    That passeth over manneskinde.   4110 [TALE OF JASON AND
    Bot who that wole of wondres hiere, **P. ii. 265**   MEDEA.]
    What thing sche wroghte in this matiere,
    To make an ende of that sche gan,
    Such merveile herde nevere man.
      Apointed in the newe Mone,
    Whan it was time forto done,
    Sche sette a caldron on the fyr,
    In which was al the hole atir,
    Wheron the medicine stod,
    Of jus, of water and of blod,   4120
    And let it buile in such a plit,
    Til that sche sawh the spume whyt;
    And tho sche caste in rynde and rote,
    And sed and flour that was for bote,
    With many an herbe and many a ston,
    Wherof sche hath ther many on:
    And ek Cimpheius the Serpent
    To hire hath alle his scales lent,
    Chelidre hire yaf his addres skin,
    And sche to builen caste hem in;   4130
    A part ek of the horned Oule,
    The which men hiere on nyhtes houle;
    And of a Raven, which was told
    Of nyne hundred wynter old,
    Sche tok the hed with al the bile;
    And as the medicine it wile,
    Sche tok therafter the bouele
    Of the Seewolf, and for the hele
    Of Eson, with a thousand mo
    Of thinges that sche hadde tho,   4140
    In that Caldroun togedre as blyve **P. ii. 266**
    Sche putte, and tok thanne of Olyve
    A drie branche hem with to stere,
    The which anon gan floure and bere
    And waxe al freissh and grene ayein.

    4110 over] euery ERLB2, W   ony C   oure X   4113 make] take
ERCB2   4129 his] hir C, B   4137 therafter] after E ... B2
her (hir) after BT   4138 seefoul E, BTΛ sedewolf L   4140
that] which E ... B2, W

[TALE OF JASON AND MEDEA.]

Whan sche this vertu hadde sein,
Sche let the leste drope of alle
Upon the bare flor doun falle;
Anon ther sprong up flour and gras,
Where as the drope falle was, 4150
And wox anon al medwe grene,
So that it mihte wel be sene.
Medea thanne knew and wiste
Hir medicine is forto triste,
And goth to Eson ther he lay,
And tok a swerd was of assay,
With which a wounde upon his side
Sche made, that therout mai slyde
The blod withinne, which was old
And sek and trouble and fieble and cold. 4160
And tho sche tok unto his us
Of herbes al the beste jus,
And poured it into his wounde;
That made his veynes fulle and sounde:
And tho sche made his wounde clos,
And tok his hand, and up he ros;
And tho sche yaf him drinke a drauhte,
Of which his youthe ayein he cauhte,
His hed, his herte and his visage
Lich unto twenty wynter Age; 4170
Hise hore heres were away, P. ii. 267
And lich unto the freisshe Maii,
Whan passed ben the colde schoures,
Riht so recovereth he his floures.

Lo, what mihte eny man devise,
A womman schewe in eny wise
Mor hertly love in every stede,
Than Medea to Jason dede?
Ferst sche made him the flees to winne,
And after that fro kiththe and kinne 4180
With gret tresor with him sche stal,
And to his fader forth withal

4151 mede E ... B2   4152 be sene (seene) AJ, B   besene S, F
4160 and fieble] fieble E, B, W   4161 into (in to) AM ... B2
4177 eny stede XGL, BΔ

LIBER QUINTUS

His Elde hath torned into youthe,   [TALE OF JASON AND
Which thing non other womman couthe: MEDEA.]
Bot hou it was to hire aquit,
The remembrance duelleth yit.
  King Peleüs his Em was ded,
Jason bar corone on his hed,
Medea hath fulfild his wille:
Bot whanne he scholde of riht fulfille   4190
The trouthe, which to hire afore
He hadde in thyle of Colchos swore,
Tho was Medea most deceived.
For he an other hath received,
Which dowhter was to king Creon,
Creusa sche hihte, and thus Jason,
As he that was to love untrewe,
Medea lefte and tok a newe.
Bot that was after sone aboght:
Medea with hire art hath wroght   4200
Of cloth of gold a mantel riche,   **P. ii. 268**
Which semeth worth a kingesriche,
And that was unto Creusa sent
In name of yifte and of present,
For Sosterhode hem was betuene;
And whan that yonge freisshe queene
That mantel lappeth hire aboute,
Anon therof the fyr sprong oute
And brente hir bothe fleissh and bon.
Tho cam Medea to Jason   4210
With bothe his Sones on hire hond,
And seide, 'O thou of every lond
The moste untrewe creature,
Lo, this schal be thi forfeture.'
With that sche bothe his Sones slouh
Before his yhe, and he outdrouh
His swerd and wold have slayn hir tho,
Bot farewel, sche was ago
Unto Pallas the Court above,
Wher as sche pleigneth upon love,   4220
As sche that was with that goddesse,

4186 telleþ BT   4217 wold C, SB, F   wolde AJ

[TALE OF JASON AND MEDEA.]
Confessor.

And he was left in gret destresse.
Thus miht thou se what sorwe it doth
To swere an oth which is noght soth,
In loves cause namely.
Mi Sone, be wel war forthi,
And kep that thou be noght forswore:
For this, which I have told tofore,
Ovide telleth everydel.

Amans.

Mi fader, I may lieve it wel,   4230
For I have herde it ofte seie   **P. ii. 269**
Hou Jason tok the flees aweie
Fro Colchos, bot yit herde I noght
Be whom it was ferst thider broght.
And for it were good to hiere,
If that you liste at mi preiere
To telle, I wolde you beseche.

Confessor.

Mi Sone, who that wole it seche,
In bokes he mai finde it write;
And natheles, if thou wolt wite,   4240
In the manere as thou hast preid
I schal the telle hou it is seid.

[TALE OF PHRIXUS AND HELLE.]

Nota qualiter aureum vellus in partes insule Colchos primo deuenit. Athemas Rex Philen habuit coniugem, ex qua Frixum et Hellen genuit: mortua autem Philen Athemas Ynonem Regis Cadmi filiam postea in vxorem duxit, que more Nouerce dictos infantes in tantum recollegit odium, quod ambos in mare proici penes Regem procurauit. Vnde Iuno compaciens quendam Arietem grandem aureo vestitum vellere ad litus

The fame of thilke schepes fell,
Which in Colchos, as it befell,
Was al of gold, schal nevere deie;
Wherof I thenke for to seie
Hou it cam ferst into that yle.
Ther was a king in thilke whyle
Towardes Grece, and Athemas
The Cronique of his name was;   4250
And hadde a wif, which Philen hihte,
Be whom, so as fortune it dihte,
He hadde of children yonge tuo.
Frixus the ferste was of tho,
A knave child, riht fair withalle;
A dowhter ek, the which men calle
Hellen, he hadde be this wif.
Bot for ther mai no mannes lif

4231 herde AJ, F   herd C, B   4243 schepe felle B   4250 *margin*
mortua autem Philen S∆∆   mortua autem Hellen A ... B₂, BT, FWH₃

LIBER QUINTUS

Endure upon this Erthe hiere,
This worthi queene, as thou miht hiere, 4260
Er that the children were of age, P. ii. 270
Tok of hire ende the passage,
With gret worschipe and was begrave.
  What thing it liketh god to have
It is gret reson to ben his;
Forthi this king, so as it is,
With gret suffrance it underfongeth:
And afterward, as him belongeth,
Whan it was time forto wedde,
A newe wif he tok to bedde, 4270
Which Yno hihte and was a Mayde,
And ek the dowhter, as men saide,
Of Cadme, which a king also
Was holde in thilke daies tho.
Whan Yno was the kinges make,
Sche caste hou that sche mihte make
These children to here fader lothe,
And schope a wyle ayein hem bothe,
Which to the king was al unknowe.
A yeer or tuo sche let do sowe 4280
The lond with sode whete aboute,
Wherof no corn mai springen oute;
And thus be sleyhte and be covine
Aros the derthe and the famine
Thurghout the lond in such a wise,
So that the king a sacrifise
Upon the point of this destresse
To Ceres, which is the goddesse
Of corn, hath schape him forto yive,
To loke if it mai be foryive, 4290
The meschief which was in his lond. P. ii. 271
Bot sche, which knew tofor the hond
The circumstance of al this thing,
Ayein the cominge of the king
Into the temple, hath schape so,

[TALE OF PHRIXUS AND HELLE.]

natantem destinauit; super cuius dorsum pueros apponi iussit. Quo facto Aries super vndas regressus cum solo Frixo sibi adherente in Colchos applicuit, vbi Iuno dictum Arietem cum suo vellere, prout in aliis canitur cronicis, sub arta custodia collocauit.

4266 *margin* cum solo vellere A ... B₂, B   4267 *margin* canitur YGE, BTΔΛ   canetur AMH₁XRCLB₂, S, FH₃   habetur W   4276 Anon sche bigan for to make E ... B₂   She kest anone howe she myght make W   4278 schope AJ, S, F   schop (schoop) C, B

[TALE OF PHRIXUS AND HELLE.]

Of hire acord that alle tho
Whiche of the temple prestes were
Have seid and full declared there
Unto the king, bot if so be
That he delivere the contre   4300
Of Frixus and of Hellen bothe,
With whom the goddes ben so wrothe,
That whil tho children ben therinne,
Such tilthe schal noman beginne,
Wherof to gete him eny corn.
Thus was it seid, thus was it sworn
Of all the Prestes that ther are;
And sche which causeth al this fare
Seid ek therto what that sche wolde,
And every man thanne after tolde   4310
So as the queene hem hadde preid.

   The king, which hath his Ere leid,
And lieveth al that evere he herde,
Unto here tale thus ansuerde,
And seith that levere him is to chese
Hise children bothe forto lese,
Than him and al the remenant
Of hem whiche are aportenant
Unto the lond which he schal kepe:
And bad his wif to take kepe   4320
In what manere is best to done,   P. ii. 272
That thei delivered weren sone
Out of this world. And sche anon
Tuo men ordeigneth forto gon;
Bot ferst sche made hem forto swere
That thei the children scholden bere
Unto the See, that non it knowe,
And hem therinne bothe throwe.

   The children to the See ben lad,
Wher in the wise as Yno bad   4330
These men be redy forto do.
Bot the goddesse which Juno

    4307 all S, F   alle AJ, B   4309 seid AJ, B, F   seide C
4311 hem haþ preid B   hath hem preide W   4321 it is AMH₁
4330 Wherin J, F

LIBER QUINTUS

Is hote, appiereth in the stede, [TALE OF PHRIXUS
And hath unto the men forbede AND HELLE.]
That thei the children noght ne sle;
Bot bad hem loke into the See
And taken hiede of that thei sihen.
Ther swam a Schep tofore here yhen,
Whos flees of burned gold was al;
And this goddesse forth withal   4340
Comandeth that withoute lette
Thei scholde anon these children sette
Above upon this Schepes bak;
And al was do, riht as sche spak,
Wherof the men gon hom ayein.
And fell so, as the bokes sein,
Hellen the yonge Mayden tho,
Which of the See was wo bego,
For pure drede hire herte hath lore,
That fro the Schep, which hath hire bore, 4350
As sche that was swounende feint,   P. ii. 273
Sche fell, and hath hirselve dreint;
With Frixus and this Schep forth swam,
Til he to thyle of Colchos cam,
Where Juno the goddesse he fond,
Which tok the Schep unto the lond,
And sette it there in such a wise
As thou tofore hast herd devise,
Wherof cam after al the wo,
Why Jason was forswore so   4360
Unto Medee, as it is spoke.

    Mi fader, who that hath tobroke   Amans.
His trouthe, as ye have told above,
He is noght worthi forto love
Ne be beloved, as me semeth:
Bot every newe love quemeth
To him which newefongel is.
And natheles nou after this,

4334 þo men H₁XGEC, B   4343 þe AMH₁XGB₂, Δ, W
4349 was lore H₁ ... B₂   4351 As] And AM ... B₂   4352
hirself adreynt B   4361 was spoke H₁XECLB₂   4367 To him
þat BT, W

>   If that you list to taken hiede
>   Upon mi Schrifte to procede,   4370
>   In loves cause ayein the vice
>   Of covoitise and Avarice
>   What ther is more I wolde wite.

Confessor.

>   Mi Sone, this I finde write,
>   Ther is yit on of thilke brood,
>   Which only for the worldes good,
>   To make a Tresor of Moneie,
>   Put alle conscience aweie:
>   Wherof in thi confession
>   The name and the condicion   4380
>   I schal hierafterward declare,   **P. ii. 274**
>   Which makth on riche, an other bare.

[USURY.]

> v. *Plus capit vsura sibi quam debetur, et illud*
> *Fraude colorata sepe latenter agit.*
> *Sic amor excessus quamsepe suos vt auarus*
> *Spirat, et vnius tres capit ipse loco.*

Hic tractat de illa specie Auaricie, que Vsura dicitur, cuius creditor in pecunia tantum numerata plusquam sibi de iure debetur incrementum lucri adauget.

>   Upon the bench sittende on hih
>   With Avarice Usure I sih,
>   Full clothed of his oghne suite,
>   Which after gold makth chace and suite
>   With his brocours, that renne aboute
>   Lich unto racches in a route.
>   Such lucre is non above grounde,
>   Which is noght of tho racches founde;   4390
>   For wher thei se beyete sterte,
>   That schal hem in no wise asterte,
>   Bot thei it dryve into the net
>   Of lucre, which Usure hath set.
>   Usure with the riche duelleth,
>   To al that evere he beith and selleth
>   He hath ordeined of his sleyhte
>   Mesure double and double weyhte:
>   Outward he selleth be the lasse,
>   And with the more he makth his tasse,   4400
>   Wherof his hous is full withinne.

4369 you] þou H₁YB₂, BT, WH₃ 4391 where þe biȝete sterte EC wher euere þei be ȝit stert(e) H₁XRLB₂ 4396 To] And H₁ . . . B₂

LIBER QUINTUS

He reccheth noght, be so he winne, [Usury.]
Though that ther lese ten or tuelve:
His love is al toward himselve
And to non other, bot he se
That he mai winne suche thre;
For wher he schal oght yive or lene, **P. ii. 275**
He wol ayeinward take a bene,
Ther he hath lent the smale pese.
And riht so ther ben manye of these 4410
Lovers, that thogh thei love a lyte,
That scarsly wolde it weie a myte,
Yit wolde thei have a pound again,
As doth Usure in his bargain.
Bot certes such usure unliche
It falleth more unto the riche,
Als wel of love as of beyete,
Than unto hem that be noght grete,
And, as who seith, ben simple and povere;
For sielden is whan thei recovere, 4420
Bot if it be thurgh gret decerte.
And natheles men se poverte
With porsuite and continuance
Fulofte make a gret chevance
And take of love his avantage,
Forth with the help of his brocage,
That maken seme wher is noght.
And thus fulofte is love boght
For litel what, and mochel take,
With false weyhtes that thei make. 4430

 Nou, Sone, of that I seide above   Confessor.
Thou wost what Usure is of love:
Tell me forthi what so thou wilt,
If thou therof hast eny gilt.

 Mi fader, nay, for ought I hiere.   Amans.
For of tho pointz ye tolden hiere
I wol you be mi trouthe assure, **P. ii. 276**

4402 by so AMH₁XRCLB₂, B so W 4411 thei] sche B
4413 wolde he H₁XRCLB₂ 4423 of continuance BT and
contenance LB₂, WH₃ 4425 his om. AM ... B₂ 4427
wher it is A ... B₂, FWKH₃

F 2

[USURY.]

Mi weyhte of love and mi mesure
Hath be mor large and mor certein
Than evere I tok of love ayein: 4440
For so yit couthe I nevere of sleyhte,
To take ayein be double weyhte
Of love mor than I have yive.
For als so wiss mot I be schrive
And have remission of Sinne,
As so yit couthe I nevere winne,
Ne yit so mochel, soth to sein,
That evere I mihte have half ayein
Of so full love as I have lent:
And if myn happ were so wel went, 4450
That for the hole I mihte have half,
Me thenkth I were a goddeshalf.
For where Usure wole have double,
Mi conscience is noght so trouble,
I biede nevere as to my del
Bot of the hole an halvendel;
That is non excess, as me thenketh.
Bot natheles it me forthenketh;
For wel I wot that wol noght be,
For every day the betre I se 4460
That hou so evere I yive or lene
Mi love in place ther I mene,
For oght that evere I axe or crave,
I can nothing ayeinward have.
Bot yit for that I wol noght lete,
What so befalle of mi beyete,
That I ne schal hire yive and lene P. ii. 277
Mi love and al mi thoght so clene,
That toward me schal noght beleve.
And if sche of hire goode leve 4470
Rewarde wol me noght again,
I wot the laste of my bargain
Schal stonde upon so gret a lost,
That I mai neveremor the cost
Recovere in this world til I die.

4452 it were AM   4462 ther] þat BT   4468 My þought
and al my loue BT   Mi loue and al mi trewþe Δ

So that touchende of this partie [Usury.]
I mai me wel excuse and schal;
And forto speke forth withal,
If eny brocour for me wente,
That point cam nevere in myn entente: 4480
So that the more me merveilleth,
What thing it is mi ladi eilleth,
That al myn herte and al my time
Sche hath, and doth no betre bime.

  I have herd seid that thoght is fre,
And natheles in privete
To you, mi fader, that ben hiere
Min hole schrifte forto hiere,
I dar min herte wel desclose.
Touchende usure, as I suppose, 4490
Which as ye telle in love is used,
Mi ladi mai noght ben excused;
That for o lokinge of hire yë
Min hole herte til I dye
With al that evere I may and can
Sche hath me wonne to hire man:
Wherof, me thenkth, good reson wolde P. ii. 278
That sche somdel rewarde scholde,
And yive a part, ther sche hath al.
I not what falle hierafter schal, 4500
Bot into nou yit dar I sein,
Hire liste nevere yive ayein
A goodli word in such a wise,
Wherof min hope mihte arise,
Mi grete love to compense.
I not hou sche hire conscience
Excuse wole of this usure;
Be large weyhte and gret mesure
Sche hath mi love, and I have noght
Of that which I have diere boght, 4510
And with myn herte I have it paid;
Bot al that is asyde laid,
And I go loveles aboute.

4485 sein (seie) MXCLB₂, W 4504 mihte S miht (might)
AJ, B, F 4507 usure] mesure BT 4512 al þis BT

[USURY.]

Hire oghte stonde in ful gret doute,
Til sche redresce such a sinne,
That sche wole al mi love winne
And yifth me noght to live by:
Noght als so moche as 'grant mercy'
Hir list to seie, of which I mihte
Som of mi grete peine allyhte.   4520
Bot of this point, lo, thus I fare
As he that paith for his chaffare,
And beith it diere, and yit hath non,
So mot he nedes povere gon:
Thus beie I diere and have no love,
That I ne mai noght come above
To winne of love non encress.   P. ii. 279
Bot I me wole natheles
Touchende usure of love aquite;
And if mi ladi be to wyte,   4530
I preie to god such grace hir sende
That sche be time it mot amende.

Confessor.

Mi Sone, of that thou hast ansuerd
Touchende Usure I have al herd,
Hou thou of love hast wonne smale:
Bot that thou tellest in thi tale
And thi ladi therof accusest,
Me thenkth tho wordes thou misusest.
For be thin oghne knowlechinge
Thou seist hou sche for o lokinge   4540
Thin hole herte fro the tok:
Sche mai be such, that hire o lok
Is worth thin herte manyfold;
So hast thou wel thin herte sold,
Whan thou hast that is more worth.
And ek of that thou tellest forth,
Hou that hire weyhte of love unevene
Is unto thin, under the hevene
Stod nevere in evene that balance
Which stant in loves governance.   4550
Such is the statut of his lawe,

4518 als so] als (as) X, Ad, WH₃   4523 it *om.* B   4525 Thus beie
I diere] I beye deere H₁ . . . B₂   4526 noght *om.* H₁RCLB₂, W

LIBER QUINTUS

That thogh thi love more drawe [USURY.]
And peise in the balance more,
Thou miht noght axe ayein therfore
Of duete, bot al of grace.
For love is lord in every place,
Ther mai no lawe him justefie   P. ii. 280
Be reddour ne be compaignie,
That he ne wole after his wille
Whom that him liketh spede or spille.   4560
   To love a man mai wel beginne,
Bot whether he schal lese or winne,
That wot noman til ate laste:
Forthi coveite noght to faste,
Mi Sone, bot abyd thin ende,
Per cas al mai to goode wende.
Bot that thou hast me told and said,
Of o thing I am riht wel paid,
That thou be sleyhte ne be guile
Of no brocour hast otherwhile   4570
Engined love, for such dede
Is sore venged, as I rede.

   Brocours of love that deceiven,   [LOVE-BROKERAGE.
No wonder is thogh thei receiven   TALE OF ECHO.]
After the wrong that thei decerven;
For whom as evere that thei serven
And do plesance for a whyle,
Yit ate laste here oghne guile
Upon here oghne hed descendeth,
Which god of his vengance sendeth,   4580
As be ensample of time go
A man mai finde it hath be so.
It fell somtime, as it was sene,
The hihe goddesse and the queene
Juno tho hadde in compainie
A Maiden full of tricherie;
For sche was evere in on acord   P. ii. 281

Hic ponit exemplum contra istos maritos qui vltra id quod proprias habent vxores ad noue voluptatis incrementum alias mulieres superflue lucrari non verentur. Et narrat qualiter Iuno vindictam suam in Eccho decreuit, pro eo quod ipsa Eccho in huius-

4565 þe ende H₁...B₂   4568 riht wel paid] wel a payd (appaied)
H₁...B₂   4571 of suche dede BT   4574 thogh] of ERCB₂
if H₁   4576 ffro whom AM   4579 hire AJM   4586 *margin*
decreuit, pro eo quod ipsa Eccho *om.* BT, H₃   4587 on *om.* BT

[LOVE-BROKERAGE.
TALE OF ECHO.]
modi mulierum lucris
adquirendis de con-
silio mariti sui Iouis
mediatrix extiterat.

  With Jupiter, that was hire lord,
To gete him othre loves newe,
Thurgh such brocage and was untrewe   4590
Al otherwise than him nedeth.
Bot sche, which of no schame dredeth,
With queinte wordes and with slyhe
Blente in such wise hir lady yhe,
As sche to whom that Juno triste,
So that therof sche nothing wiste.
Bot so prive mai be nothing,
That it ne comth to knowleching;
Thing don upon the derke nyht
Is after knowe on daies liht: 4600
So it befell, that ate laste
Al that this slyhe maiden caste
Was overcast and overthrowe.
For as the sothe mot be knowe,
To Juno was don understonde
In what manere hir housebonde
With fals brocage hath take usure
Of love mor than his mesure,
Whan he tok othre than his wif,
Wherof this mayden was gultif,   4610
Which hadde ben of his assent.
And thus was al the game schent;
Sche soffreth him, as sche mot nede,
Bot the brocour of his misdede,
Sche which hir conseil yaf therto,
On hire is the vengance do:
For Juno with hire wordes hote,   P. ii. 282
This Maiden, which Eccho was hote,
Reproveth and seith in this wise:
'O traiteresse, of which servise   4620
Hast thou thin oghne ladi served!
Thou hast gret peine wel deserved,
That thou canst maken it so queinte,
Thi slyhe wordes forto peinte
Towardes me, that am thi queene,
Wherof thou madest me to wene

4595 that *om.* MH₁XRCLB₂, Δ, W   4612 was *om.* AM

That myn housbonde trewe were,   [LOVE-BROKERAGE.
Whan that he loveth elleswhere,   TALE OF ECHO.]
Al be it so him nedeth noght.
Bot upon thee it schal be boght,   4630
Which art prive to tho doinges,
And me fulofte of thi lesinges
Deceived hast: nou is the day
That I thi while aquite may;
And for thou hast to me conceled
That my lord hath with othre deled,
I schal thee sette in such a kende,
That evere unto the worldes ende
Al that thou hierest thou schalt telle,
And clappe it out as doth a belle.'   4640
And with that word sche was forschape,
Ther may no vois hire mouth ascape,
What man that in the wodes crieth,
Withoute faile Eccho replieth,
And what word that him list to sein,
The same word sche seith ayein.
Thus sche, which whilom hadde leve **P. ii. 283**
To duelle in chambre, mot beleve
In wodes and on helles bothe,
For such brocage as wyves lothe,   4650
Which doth here lordes hertes change
And love in other place strange.
  Forthi, if evere it so befalle,   Confessor.
That thou, mi Sone, amonges alle
Be wedded man, hold that thou hast,
For thanne al other love is wast.
O wif schal wel to thee suffise,
And thanne, if thou for covoitise
Of love woldest axe more,
Thou scholdest don ayein the lore   4660
Of alle hem that trewe be.
  Mi fader, as in this degre   Amans.
My conscience is noght accused;

  4634 quite BT, W   4642 vice BT   4643 in the wodes]
euere in wodes AM ... B₂   4651 herte XEC, BT, W   4652
places XGLB₂, B

For I no such brocage have used,
Wherof that lust of love is wonne.
Forthi spek forth, as ye begonne,
Of Avarice upon mi schrifte.

Confessor.

Mi Sone, I schal the branches schifte
Be ordre so as thei ben set,
On whom no good is wel beset. 4670

[PARSIMONY.]

vi. *Pro verbis verba, munus pro munere reddi*
Convenit, vt pondus equa statera gerat.
Propterea cupido non dat sua dona Cupido,
Nam qui nulla serit, gramina nulla metet.

Blinde Avarice of his lignage
For conseil and for cousinage,
To be withholde ayein largesse,   P. ii. 284
Hath on, whos name is seid Skarsnesse,

Hic tractat super illa specie Auaricie que Parcimonia dicitur, cuius natura tenax aliqualem sue substancie porcionem aut deo aut hominibus participare nullatenus consentit.

The which is kepere of his hous,
And is so thurghout averous,
That he no good let out of honde;
Thogh god himself it wolde fonde,
Of yifte scholde he nothing have;
And if a man it wolde crave, 4680
He moste thanne faile nede,
Wher god himselve mai noght spede.
And thus Skarsnesse in every place
Be reson mai no thonk porchace,
And natheles in his degree
Above alle othre most prive
With Avarice stant he this.
For he governeth that ther is
In ech astat of his office
After the reule of thilke vice; 4690
He takth, he kepth, he halt, he bint,
That lihtere is to fle the flint
Than gete of him in hard or neisshe
Only the value of a reysshe
Of good in helpinge of an other,
Noght thogh it were his oghne brother.

4671 Blinde AJ, S, F   Blind C, B   4680 wole A
4682 Whan EC

LIBER QUINTUS

    For in the cas of yifte and lone   [PARSIMONY.]
Stant every man for him al one,
Him thenkth of his unkindeschipe
That him nedeth no felaschipe: 4700
Be so the bagge and he acorden,
Him reccheth noght what men recorden
Of him, or it be evel or good.   **P. ii. 285**
For al his trust is on his good,
So that al one he falleth ofte,
Whan he best weneth stonde alofte,
Als wel in love as other wise;
For love is evere of som reprise
To him that wole his love holde.
Forthi, mi Sone, as thou art holde,   4710
Touchende of this tell me thi schrifte :
Hast thou be scars or large of yifte
Unto thi love, whom thou servest?
For after that thou wel deservest
Of yifte, thou miht be the bet;
For that good holde I wel beset,
For why thou miht the betre fare;
Thanne is no wisdom forto spare.
For thus men sein, in every nede
He was wys that ferst made mede;   4720
For where as mede mai noght spede,
I not what helpeth other dede :
Fulofte he faileth of his game
That wol with ydel hand reclame
His hauk, as many a nyce doth.
Forthi, mi Sone, tell me soth
And sei the trouthe, if thou hast be
Unto thy love or skars or fre.
    Mi fader, it hath stonde thus,   Confessio Amantis.
That if the tresor of Cresus   4730
And al the gold Octovien,
Forth with the richesse Yndien
Of Perles and of riche stones,   **P. ii. 286**
Were al togedre myn at ones,

4701 By (Bi) so AM ... B₂, B (Be so G)   4717 why F which
A ... B₂, S ... Δ, KH₃Magd   thi W   4732 ffor wiþ SΔ

[PARSIMONY.]

I sette it at nomore acompte
Than wolde a bare straw amonte,
To yive it hire al in a day,
Be so that to that suete may
I myhte like or more or lesse.
And thus be cause of my scarsnesse   4740
Ye mai wel understonde and lieve
That I schal noght the worse achieve
The pourpos which is in my thoght.
Bot yit I yaf hir nevere noght,
Ne therto dorste a profre make;
For wel I wot sche wol noght take,
And yive wol sche noght also,
She is eschu of bothe tuo.
And this I trowe be the skile
Towardes me, for sche ne wile   4750
That I have eny cause of hope,
Noght also mochel as a drope.
Bot toward othre, as I mai se,
Sche takth and yifth in such degre,
That as be weie of frendlihiede
Sche can so kepe hir wommanhiede,
That every man spekth of hir wel.
Bot sche wole take of me no del,
And yit sche wot wel that I wolde
Yive and do bothe what I scholde   4760
To plesen hire in al my myht:
Be reson this wot every wyht,
For that mai be no weie asterte,   P. ii. 287
Ther sche is maister of the herte,
Sche mot be maister of the good.
For god wot wel that al my mod
And al min herte and al mi thoght
And al mi good, whil I have oght,
Als freliche as god hath it yive,
It schal ben hires, while I live,   4770
Riht as hir list hirself commande.
So that it nedeth no demande,

4738 By so AMX ... B2, B   4739 I myhte] It m. AM ... B2,
S ... Δ   4742 That it schal H1 ... B2   4770 I schal BT

To axe of me if I be scars
To love, for as to tho pars
I wole ansuere and seie no.
   Mi Sone, that is riht wel do.   *Confessor.*
For often times of scarsnesse
It hath be sen, that for the lesse
Is lost the more, as thou schalt hiere
A tale lich to this matiere.   4780

   Skarsnesse and love acorden nevere,   [Tale of Babio
For every thing is wel the levere,   and Croceus.]
Whan that a man hath boght it diere:
And forto speke in this matiere,   Hic loquitur contra
For sparinge of a litel cost   istos, qui Auaricia
Fulofte time a man hath lost   stricti largitatis bene-
The large cote for the hod.   ficium in amoris causa
What man that scars is of his good   confundunt. Et ponit
And wol noght yive, he schal noght take: exemplum, qualiter
With yifte a man mai undertake   4790 Croceus largus et hil-
The hihe god to plese and queme,   laris Babionem aua-
With yifte a man the world mai deme; rum et tenacem de
For every creature bore,   P. ii. 288 amore Viole, que
If thou him yive, is glad therfore,   pulcherrima fuit,
And every gladschipe, as I finde,   donis largissimis cir-
Is confort unto loves kinde   cumuenit.
And causeth ofte a man to spede.
So was he wys that ferst yaf mede,
For mede kepeth love in house;
Bot wher the men ben coveitouse   4800
And sparen forto yive a part,
Thei knowe noght Cupides art:
For his fortune and his aprise
Desdeigneth alle coveitise
And hateth alle nygardie.
And forto loke of this partie,
A soth ensample, hou it is so,
   I finde write of Babio;
Which hadde a love at his menage,

4788 That man H₁ . . . B₂   4789 *margin* Babilonem A . . . B₂
4792 yifte *om.* H₁RCLB₂   4808 Rabio A . . . B₂

[TALE OF BABIO
AND CROCEUS.]

Ther was non fairere of hire age, 4810
And hihte Viola be name;
Which full of youthe and ful of game
Was of hirself, and large and fre,
Bot such an other chinche as he
Men wisten noght in al the lond,
And hadde affaited to his hond
His servant, the which Spodius
Was hote. And in this wise thus
The worldes good of sufficance
Was had, bot likinge and plesance, 4820
Of that belongeth to richesse
Of love, stod in gret destresse;
So that this yonge lusty wyht   P. ii. 289
Of thing which fell to loves riht
Was evele served overal,
That sche was wo bego withal,
Til that Cupide and Venus eke
A medicine for the seke
Ordeigne wolden in this cas.
So as fortune thanne was, 4830
Of love upon the destine
It fell, riht as it scholde be,
A freissh, a fre, a frendly man
That noght of Avarice can,
Which Croceus be name hihte,
Toward this swete caste his sihte,
And ther sche was cam in presence.
Sche sih him large of his despence,
And amorous and glad of chiere,
So that hir liketh wel to hiere 4840
The goodly wordes whiche he seide;
And therupon of love he preide,
Of love was al that he mente,
To love and for sche scholde assente,
He yaf hire yiftes evere among.
Bot for men sein that mede is strong,
It was wel seene at thilke tyde;

4814 such *om.* AMRCL   4817 Spondeus H₁ ... B₂   Spo*n*dius T
4818 in *om.* RCB₂

LIBER QUINTUS

For as it scholde of ryht betyde,   [TALE OF BABIO
This Viola largesce hath take   AND CROCEUS.]
And the nygard sche hath forsake: 4850
Of Babio sche wol no more,
For he was grucchende everemore,
Ther was with him non other fare   P. ii. 290
Bot forto prinche and forto spare,
Of worldes muk to gete encress.
So goth the wrecche loveles,
Bejaped for his Skarcete,
And he that large was and fre
And sette his herte to despende,
This Croceus, the bowe bende,   4860
Which Venus tok him forto holde,
And schotte als ofte as evere he wolde.

  Lo, thus departeth love his lawe,
That what man wol noght be felawe
To yive and spende, as I thee telle,
He is noght worthi forto duelle
In loves court to be relieved.
Forthi, my Sone, if I be lieved,
Thou schalt be large of thi despence.

  Mi fader, in mi conscience   4870   Amans.
If ther be eny thing amis,
I wol amende it after this,
Toward mi love namely.

  Mi Sone, wel and redely   Confessor.
Thou seist, so that wel paid withal
I am, and forthere if I schal
Unto thi schrifte specefie
Of Avarices progenie
What vice suieth after this,
Thou schalt have wonder hou it is,   4880
Among the folk in eny regne
That such a vice myhte regne,
Which is comun at alle assaies,   P. ii. 291
As men mai finde nou adaies.

4851 Rabio A ... B₂   4856 the] he AM   4862 schette
(schet) JXERCB₂   4868 I] it BT þou H₁ ... B₂   4872 wold B
4877 thi] þis H₁E ... B₂

[INGRATITUDE.]

vii. *Cuncta creatura, deus et qui cuncta creauit,*
Dampnant ingrati dicta que facta viri.
Non dolor alonge stat, quo sibi talis amicam
Traxit, et in fine deserit esse suam.

Hic loquitur super illa aborta specie Auaricie, que Ingratitudo dicta est, cuius condicionem non solum creator, set eciam cuncte creature abhominabilem detestantur.

    The vice lik unto the fend,
Which nevere yit was mannes frend,
And cleped is Unkindeschipe,
Of covine and of felaschipe
With Avarice he is withholde.
Him thenkth he scholde noght ben holde   4890
Unto the moder which him bar;
Of him mai nevere man be war,
He wol noght knowe the merite,
For that he wolde it noght aquite;
Which in this world is mochel used,
And fewe ben therof excused.
To telle of him is endeles,
Bot this I seie natheles,
Wher as this vice comth to londe,
Ther takth noman his thonk on honde;   4900
Thogh he with alle his myhtes serve,
He schal of him no thonk deserve.
He takth what eny man wol yive,
Bot whil he hath o day to live,
He wol nothing rewarde ayein;
He gruccheth forto yive o grein,
Wher he hath take a berne full
That makth a kinde herte dull,
To sette his trust in such frendschipe, **P. ii. 292**
Ther as he fint no kindeschipe;   4910
And forto speke wordes pleine,
Thus hiere I many a man compleigne,
That nou on daies thou schalt finde
At nede fewe frendes kinde;
What thou hast don for hem tofore,
It is foryete, as it were lore.
The bokes speken of this vice,
And telle hou god of his justice,

Latin Verses vii. 2 dicta que SBT   dictaque AJM, FW   dictique (dicti que) H₁E ... B₂   3 alonge AJ, F   a longe SB

LIBER QUINTUS

Be weie of kinde and ek nature   [INGRATITUDE.]
And every lifissh creature,   4920
The lawe also, who that it kan,
Thei dampnen an unkinde man.
  It is al on to seie unkinde
As thing which don is ayein kinde,
For it with kinde nevere stod
A man to yelden evel for good.
For who that wolde taken hede,
A beste is glad of a good dede,
And loveth thilke creature
After the lawe of his nature   4930
Which doth him ese. And forto se
Of this matiere Auctorite,
Fulofte time it hath befalle ;
Wherof a tale amonges alle,
Which is of olde ensamplerie,
I thenke forto specefie.

  To speke of an unkinde man,   [TALE OF ADRIAN
I finde hou whilom Adrian,   AND BARDUS.]
Of Rome which a gret lord was,   P. ii. 293
Upon a day as he per cas   4940
To wode in his huntinge wente,
It hapneth at a soudein wente,
After his chace as he poursuieth,
Thurgh happ, the which noman eschuieth,
He fell unwar into a pet,
Wher that it mihte noght be let.
The pet was dep and he fell lowe,
That of his men non myhte knowe
Wher he becam, for non was nyh,
Which of his fall the meschief syh.   4950
And thus al one ther he lay
Clepende and criende al the day
For socour and deliverance,

Hic dicit qualiter bestie in suis beneficiis hominem ingratum naturaliter precellunt. Et ponit exemplum de Adriano Rome Cenatore, qui in quadam Foresta venacionibus insistens, dum predam persequeretur, in Cisternam profundam nescia familia corruit : vbi superueniens quidam pauper nomine Bardus, immissa cordula, putans hominem extraxisse, primo Simeam extraxit, secundo Serpentem, tercio A-

---

4920 Dampnen þe vnkinde creature H₁ ... B₂ (Dampneth H₁B₂)
lifissh S, F   liuissh BT   liuynge AJM, Δ   liflich (livelich) WH₃
4921 who that it kan] þat it can AM   by þat I can H₁ ... B₂   4935
olde AJ, S, F   old C, B   4942 at] þat XECLB₂   þat at H₁R
4944 the *om.* H₁ ... B₂, BΔ

[TALE OF ADRIAN
AND BARDUS.]
drianum, qui pauperem despiciens aliquid ei pro benefacto reddere recusabat. Set tam Serpens quam Simea gratuita beneuolencia ipsum singulis donis sufficienter remunerarunt.

Til ayein Eve it fell per chance,
A while er it began to nyhte,
A povere man, which Bardus hihte,
Cam forth walkende with his asse,
And hadde gadred him a tasse
Of grene stickes and of dreie
To selle, who that wolde hem beie,   4960
As he which hadde no liflode,
Bot whanne he myhte such a lode
To toune with his Asse carie.
And as it fell him forto tarie
That ilke time nyh the pet,
And hath the trusse faste knet,
He herde a vois, which cride dimme,
And he his Ere to the brimme
Hath leid, and herde it was a man,   P. ii. 294
Which seide, 'Ha, help hier Adrian,   4970
And I wol yiven half mi good.'
   The povere man this understod,
As he that wolde gladly winne,
And to this lord which was withinne
He spak and seide, 'If I thee save,
What sikernesse schal I have
Of covenant, that afterward
Thou wolt me yive such reward
As thou behihtest nou tofore?'
   That other hath his othes swore   4980
Be hevene and be the goddes alle,
If that it myhte so befalle
That he out of the pet him broghte,
Of all the goodes whiche he oghte
He schal have evene halvendel.
   This Bardus seide he wolde wel;
And with this word his Asse anon
He let untrusse, and therupon
Doun goth the corde into the pet,
To which he hath at ende knet   4990

4959 *margin* ipsum] insuper ipsum AM   4981 the] þo B   *om.* T
4984 all S, F   alle AJ, B   4989 f. put: knvt AMC   pit: knit H₁XRLB₂, Ad, W

LIBER QUINTUS

A staf, wherby, he seide, he wolde
That Adrian him scholde holde.
Bot it was tho per chance falle,
Into that pet was also falle
An Ape, which at thilke throwe,
Whan that the corde cam doun lowe,
Al sodeinli therto he skipte
And it in bothe hise armes clipte.
And Bardus with his Asse anon
Him hath updrawe, and he is gon.
But whan he sih it was an Ape,
He wende al hadde ben a jape
Of faierie, and sore him dradde:
And Adrian eftsone gradde
For help, and cride and preide faste,
And he eftsone his corde caste;
Bot whan it cam unto the grounde,
A gret Serpent it hath bewounde,
The which Bardus anon up drouh.
And thanne him thoghte wel ynouh,
It was fantosme, bot yit he herde
The vois, and he therto ansuerde,
'What wiht art thou in goddes name?'
'I am,' quod Adrian, 'the same,
Whos good thou schalt have evene half.'
Quod Bardus, 'Thanne a goddes half
The thridde time assaie I schal':
And caste his corde forth withal
Into the pet, and whan it cam
To him, this lord of Rome it nam,
And therupon him hath adresced,
And with his hand fulofte blessed,
And thanne he bad to Bardus hale.
And he, which understod his tale,
Betwen him and his Asse al softe
Hath drawe and set him up alofte

[TALE OF ADRIAN AND BARDUS.]

P. ii. 295

5000

5010

5020

4994 þe pit (put &c.) H₁ ... B₂, Ad, W 5003 sore] for AM he W 5011 fantosme, bot yit] fantasme (fantome) þat BTΛ fantasme and ȝit L fantasie but he ȝit W 5021 him hath adresced] þo him haþ dresced H₁XRCLB₂ 5025 al softe] alofte B softe W

G 2

[TALE OF ADRIAN AND BARDUS.]

Withouten harm al esely.
He seith noght ones 'grant merci,'
Bot strauhte him forth to the cite, P. ii. 296
And let this povere Bardus be. 5030
And natheles this simple man
His covenant, so as he can,
Hath axed; and that other seide,
If so be that he him umbreide
Of oght that hath be speke or do,
It schal ben venged on him so,
That him were betre to be ded.
And he can tho non other red,
But on his asse ayein he caste
His trusse, and hieth homward faste: 5040
And whan that he cam hom to bedde,
He tolde his wif hou that he spedde.
Bot finaly to speke oght more
Unto this lord he dradde him sore,
So that a word ne dorste he sein:
And thus upon the morwe ayein,
In the manere as I recorde,
Forth with his Asse and with his corde
To gadre wode, as he dede er,
He goth; and whan that he cam ner 5050
Unto the place where he wolde,
He hath his Ape anon beholde,
Which hadde gadred al aboute
Of stickes hiere and there a route,
And leide hem redy to his hond,
Wherof he made his trosse and bond;
Fro dai to dai and in this wise
This Ape profreth his servise,
So that he hadde of wode ynouh. P. ii. 297
Upon a time and as he drouh 5060
Toward the wode, he sih besyde
The grete gastli Serpent glyde,
Til that sche cam in his presence,

5034 If it so be þat he vpbreyde (vmbreide) BT   5035 speke F
rest spoke   5045 o word H₁C, BT   one word Δ, W   5051 the
om. AM   5054 aroute F

LIBER QUINTUS

[TALE OF ADRIAN AND BARDUS.]

And in hir kinde a reverence
Sche hath him do, and forth withal
A Ston mor briht than a cristall
Out of hir mouth tofore his weie
Sche let doun falle, and wente aweie,
For that he schal noght ben adrad.
Tho was this povere Bardus glad,   5070
Thonkende god, and to the Ston
He goth and takth it up anon,
And hath gret wonder in his wit
Hou that the beste him hath aquit,
Wher that the mannes Sone hath failed,
For whom he hadde most travailed.
Bot al he putte in goddes hond,
And torneth hom, and what he fond
Unto his wif he hath it schewed;
And thei, that weren bothe lewed,   5080
Acorden that he scholde it selle.
And he no lengere wolde duelle,
Bot forth anon upon the tale
The Ston he profreth to the sale;
And riht as he himself it sette,
The jueler anon forth fette
The gold and made his paiement,
Therof was no delaiement.

  Thus whan this Ston was boght and sold, **P. ii. 298**
Homward with joie manyfold   5090
This Bardus goth; and whan he cam
Hom to his hous and that he nam
His gold out of his Purs, withinne
He fond his Ston also therinne,
Wherof for joie his herte pleide,
Unto his wif and thus he seide,
'Lo, hier my gold, lo, hier mi Ston!'
His wif hath wonder therupon,
And axeth him hou that mai be.
'Nou be mi trouthe I not,' quod he,   5100
'Bot I dar swere upon a bok,

5064 a *om.* H₁RCLB₂   5071 Thonkende] Touchynge
AH₁R (Tho*n*kinge *in ras.* C)

[TALE OF ADRIAN
AND BARDUS.]

That to my Marchant I it tok,
And he it hadde whan I wente:
So knowe I noght to what entente
It is nou hier, bot it be grace.
Forthi tomorwe in other place
I wole it fonde forto selle,
And if it wol noght with him duelle,
Bot crepe into mi purs ayein,
Than dar I saufly swere and sein,   5110
It is the vertu of the Ston.'
   The morwe cam, and he is gon
To seche aboute in other stede
His Ston to selle, and he so dede,
And lefte it with his chapman there.
Bot whan that he cam elleswhere,
In presence of his wif at hom,
Out of his Purs and that he nom
His gold, he fond his Ston withal: P. ii. 299
And thus it fell him overal,   5120
Where he it solde in sondri place,
Such was the fortune and the grace.
Bot so wel may nothing ben hidd,
That it nys ate laste kidd:
This fame goth aboute Rome
So ferforth, that the wordes come
To themperour Justinian;
And he let sende for the man,
And axede him hou that it was.
And Bardus tolde him al the cas,   5130
Hou that the worm and ek the beste,
Althogh thei maden no beheste,
His travail hadden wel aquit;
Bot he which hadde a mannes wit,
And made his covenant be mouthe
And swor therto al that he couthe
To parte and yiven half his good,

5102 That to] Vnto B   5105 bot it be grace] but it be bi grace
AM   but be goddis grace Δ   5111 the *om.* AM   5114 so he
dede AdBTΔ, W   5125 al aboute H₁XRCL   5128 þat man
H₁ ... B₂   5130 him *om.* BT   5131 ek (eek) AJC, BT eke F
5134 a mannes] mannes XE, B

Hath nou foryete hou that it stod,   [TALE OF ADRIAN
As he which wol no trouthe holde.   AND BARDUS.]
  This Emperour al that he tolde   5140
Hath herd, and thilke unkindenesse
He seide he wolde himself redresse.
And thus in court of juggement
This Adrian was thanne assent,
And the querele in audience
Declared was in the presence
Of themperour and many mo;
Wherof was mochel speche tho
And gret wondringe among the press. **P. ii. 300**
Bot ate laste natheles   5150
For the partie which hath pleigned
The lawe hath diemed and ordeigned
Be hem that were avised wel,
That he schal have the halvendel
Thurghout of Adrianes good.
And thus of thilke unkinde blod
Stant the memoire into this day,
Wherof that every wysman may
Ensamplen him, and take in mynde
What schame it is to ben unkinde;   5160   [INGRATITUDE.]
Ayein the which reson debateth,
And every creature it hateth.
  Forthi, mi Sone, in thin office   Confessor.
I rede fle that ilke vice.
For riht as the Cronique seith
Of Adrian, hou he his feith
Foryat for worldes covoitise,
Fulofte in such a maner wise
Of lovers nou a man mai se
Full manye that unkinde be: 5170
For wel behote and evele laste
That is here lif; for ate laste,
Whan that thei have here wille do,
Here love is after sone ago.
What seist thou, Sone, to this cas?

5145 And in þe AM   And tho the H₁   5157 the] in AM ... B₂
5158 eny AM   5159 hem AMGRLB₂

Amans.

Mi fader, I wol seie Helas,
That evere such a man was bore,
Which whan he hath his trouthe suore
And hath of love what he wolde,   P. ii. 301
That he at eny time scholde   5180
Evere after in his herte finde
To falsen and to ben unkinde.
Bot, fader, as touchende of me,
I mai noght stonde in that degre;
For I tok nevere of love why,
That I ne mai wel go therby
And do my profit elles where,
For eny sped I finde there.
I dar wel thenken al aboute,
Bot I ne dar noght speke it oute;   5190
And if I dorste, I wolde pleigne,
That sche for whom I soffre peine
And love hir evere aliche hote,
That nouther yive ne behote
In rewardinge of mi servise
It list hire in no maner wise.
I wol noght say that sche is kinde,
And forto sai sche is unkinde,
That dar I noght; bot god above,
Which demeth every herte of love,   5200
He wot that on myn oghne side
Schal non unkindeschipe abide:
If it schal with mi ladi duelle,
Therof dar I nomore telle.
Nou, goode fader, as it is,
Tell me what thenketh you of this.

Confessor.

Mi Sone, of that unkindeschipe,
The which toward thi ladischipe
Thou pleignest, for sche wol thee noght,   P. ii. 302
Thou art to blamen of that thoght.   5210
For it mai be that thi desir,
Thogh it brenne evere as doth the fyr,
Per cas to hire honour missit,

5180 eny *om.* AM   5199 bot] by (be) BT   for W   5204
Wherof AM ... B₂   5210 þy þought BT

LIBER QUINTUS

Or elles time com noght yit,　　　　　　　　[INGRATITUDE.]
Which standt upon thi destine :
Forthi, mi Sone, I rede thee,
Thenk wel, what evere the befalle ;
For noman hath his lustes alle.
Bot as thou toldest me before
That thou to love art noght forswore,　　5220
And hast don non unkindenesse,
Thou miht therof thi grace blesse :
And lef noght that continuance ;
For ther mai be no such grevance
To love, as is unkindeschipe.
Wherof to kepe thi worschipe,
So as these olde bokes tale,
I schal thee telle a redi tale :
Nou herkne and be wel war therby,
For I wol telle it openly.　　　　　　　　5230

  Mynos, as telleth the Poete,　　　　[TALE OF THESEUS
The which whilom was king of Crete,　　　　AND ARIADNE.]
A Sone hadde and Androchee
He hihte : and so befell that he　　　　　　Hic ponit exemplum
Unto Athenes forto lere　　　　　　　　　contra viros amori
Was send, and so he bar him there,　　　　ingratos. Et narrat
For that he was of hih lignage,　　　　　　qualiter Theseus Cad-
Such pride he tok in his corage,　　　　　mi filius, consilio suf-
That he foryeten hath the Scoles,　P. ii. 303　fultus Adriagne Regis
And in riote among the foles　　　　　5240　Mynos filie, in domo
He dede manye thinges wronge ;　　　　　que laborinthus dici-
And useth thilke lif so longe,　　　　　tur Minotaurum vicit :
Til ate laste of that he wroghte　　　　vnde Theseus Adri-
He fond the meschief which he soghte,　agne sponsalia certis-
Wherof it fell that he was slain.　　　sime promittens ipsam
His fader, which it herde sain,　　　　vna cum Fedra sorore
Was wroth, and al that evere he mihte,　sua a Creta secum na-
Of men of Armes he him dighte　　　　　uigio duxit. Set sta-
A strong pouer, and forth he wente　　　tim postea oblito gra-
　　　　　　　　　　　　　　　　　　　　titudinis beneficio A-
　　　　　　　　　　　　　　　　　　　　driagnam ipsum sal-
　　　　　　　　　　　　　　　　　　　　uantem in insula Chio
　　　　　　　　　　　　　　　　　　　　spretam post tergum
　　　　　　　　　　　　　　　　　　　　reliquit ; et Fedram
　　　　　　　　　　　　　　　　　　　　Athenis sibi sponsa-
　　　　　　　　　　　　　　　　　　　　tam ingratus corona-
　　　　　　　　　　　　　　　　　　　　uit.

 5215 standt S, F　　stant AC, B　　standeþ J　　thi] þe H₁ ... B₂
 5225 ffor loue H₁ ... B₂　　5236 bar AJC, BT　bare S, F　　5237 *margin*
suffultus] fultus BT　　5239 *margin* vincit H₁ ... B₂　　5242 vsed
AM ... B₂, W　　5248 dighte F　dihte AJ *and so also in* l. 5352

[TALE OF THESEUS AND ARIADNE.]

Unto Athenys, where he brente 5250
The pleine contre al aboute :
The Cites stode of him in doute,
As thei that no defence hadde
Ayein the pouer which he ladde.
 Egeüs, which was there king,
His conseil tok upon this thing,
For he was thanne in the Cite :
So that of pes into tretee
Betwen Mynos and Egeüs
Thei felle, and ben acorded thus ; 5260
That king Mynos fro yer to yeere
Receive schal, as thou schalt here,
Out of Athenys for truage
Of men that were of myhti Age
Persones nyne, of whiche he schal
His wille don in special
For vengance of his Sones deth.
Non other grace ther ne geth,
Bot forto take the juise ; P. ii. 304
And that was don in such a wise, 5270
Which stod upon a wonder cas.
For thilke time so it was,
Wherof that men yit rede and singe,
King Mynos hadde in his kepinge
A cruel Monstre, as seith the geste :
For he was half man and half beste,
And Minotaurus he was hote,
Which was begete in a riote
Upon Pasiphe, his oghne wif,
Whil he was oute upon the strif 5280
Of thilke grete Siege at Troie.
Bot sche, which lost hath alle joie,
Whan that sche syh this Monstre bore,
Bad men ordeigne anon therfore :
And fell that ilke time thus,
Ther was a Clerk, on Dedalus,
Which hadde ben of hire assent

5252 cite H1. . . B2, T 5277 And] Of B 5281 of Troie
XC, S . . . Δ, W 5282 lost hath] lost(e) H1 . . . B2 hath lost W

LIBER QUINTUS

Of that hir world was so miswent; [TALE OF THESEUS
And he made of his oghne wit, AND ARIADNE.]
Wherof the remembrance is yit, 5290
For Minotaure such an hous,
Which was so strange and merveilous,
That what man that withinne wente,
Ther was so many a sondri wente,
That he ne scholde noght come oute,
But gon amased al aboute.
And in this hous to loke and warde
Was Minotaurus put in warde,
That what lif that therinne cam, P. ii. 305
Or man or beste, he overcam 5300
And slow, and fedde him therupon;
And in this wise many on
Out of Athenys for truage
Devoured weren in that rage.
For every yeer thei schope hem so,
Thei of Athenys, er thei go
Toward that ilke wofull chance,
As it was set in ordinance,
Upon fortune here lot thei caste;
Til that Theseüs ate laste, 5310
Which was the kinges Sone there,
Amonges othre that ther were
In thilke yeer, as it befell,
The lot upon his chance fell.
He was a worthi kniht withalle;
And whan he sih this chance falle,
He ferde as thogh he tok non hiede,
Bot al that evere he mihte spiede,
With him and with his felaschipe
Forth into Crete he goth be Schipe; 5320
Wher that the king Mynos he soghte,
And profreth all that he him oghte
Upon the point of here acord.

5288 world] lord BT   5299 therinne] euer inne H₁ ... B₂
5302 many AC, B manye (manie) S, F monie J   5308 As] And
X ... B₂   5316 this] his L, BT   5321 the king] to king
E ... B₂ kynge (*om.* the) X

[TALE OF THESEUS AND ARIADNE.]

This sterne king, this cruel lord
Tok every day on of the Nyne,
And put him to the discipline
Of Minotaure, to be devoured;
Bot Theseüs was so favoured,
That he was kept til ate laste.   P. ii. 306
And in the meene while he caste   5330
What thing him were best to do:
And fell that Adriagne tho,
Which was the dowhter of Mynos,
And hadde herd the worthi los
Of Theseüs and of his myht,
And syh he was a lusti kniht,
Hire hole herte on him sche leide,
And he also of love hir preide,
So ferforth that thei were al on.
And sche ordeigneth thanne anon   5340
In what manere he scholde him save,
And schop so that sche dede him have
A clue of thred, of which withinne
Ferst ate dore he schal beginne
With him to take that on ende,
That whan he wolde ayeinward wende,
He mihte go the same weie.
And over this, so as I seie,
Of pich sche tok him a pelote,
The which he scholde into the throte   5350
Of Minotaure caste rihte:
Such wepne also for him sche dighte,
That he be reson mai noght faile
To make an ende of his bataile;
For sche him tawhte in sondri wise,
Til he was knowe of thilke emprise,
Hou he this beste schulde quelle.
And thus, schort tale forto telle,
So as this Maide him hadde tawht,   P. ii. 307

5326 put AJ, S, F   putte C, BT   5341 sche schold B, W   sche wolde T   5346 ayeinward] aȝein H₁ ... B₂   5349 tok (took) AJC, SB   toke F   5357 Hou he] How þat he AH₁RCLB₂   How þat M   5359 þe maide AM ... B₂

LIBER QUINTUS

Theseüs with this Monstre fawht, 5360 [TALE OF THESEUS
Smot of his hed, the which he nam, AND ARIADNE.]
And be the thred, so as he cam,
He goth ayein, til he were oute.
Tho was gret wonder al aboute:
Mynos the tribut hath relessed,
And so was al the werre cessed
Betwen Athene and hem of Crete.

   Bot now to speke of thilke suete,
Whos beaute was withoute wane,
This faire Maiden Adriane, 5370
Whan that sche sih Theseüs sound,
Was nevere yit upon the ground
A gladder wyht than sche was tho.
Theseüs duelte a dai or tuo
Wher that Mynos gret chiere him dede:
Theseüs in a prive stede
Hath with this Maiden spoke and rouned,
That sche to him was abandouned
In al that evere that sche couthe,
So that of thilke lusty youthe 5380
Al prively betwen hem tweie
The ferste flour he tok aweie.
For he so faire tho behihte
That evere, whil he live mihte,
He scholde hire take for his wif,
And as his oghne hertes lif
He scholde hire love and trouthe bere;
And sche, which mihte noght forbere,
So sore loveth him ayein, **P. ii. 308**
That what as evere he wolde sein 5390
With al hire herte sche believeth.
And thus his pourpos he achieveth,
So that assured of his trouthe
With him sche wente, and that was routhe.

   Fedra hire yonger Soster eke,
A lusti Maide, a sobre, a meke,
Fulfild of alle curtesie,

5364 So was B   gret *om.* AM.   wonder AC, BT   wondre
J, S, F   5372 þis ground S ... Δ   5387 wold(e) BT

[TALE OF THESEUS AND ARIADNE.]

For Sosterhode and compainie
Of love, which was hem betuene,
To sen hire Soster mad a queene,   5400
Hire fader lefte and forth sche wente
With him, which al his ferste entente
Foryat withinne a litel throwe,
So that it was al overthrowe,
Whan sche best wende it scholde stonde.
The Schip was blowe fro the londe,
Wherin that thei seilende were;
This Adriagne hath mochel fere
Of that the wynd so loude bleu,
As sche which of the See ne kneu,   5410
And preide forto reste a whyle.
And so fell that upon an yle,
Which Chyo hihte, thei ben drive,
Where he to hire his leve hath yive
That sche schal londe and take hire reste.
Bot that was nothing for the beste;
For whan sche was to londe broght,
Sche, which that time thoghte noght
Bot alle trouthe, and tok no kepe,   **P. ii. 309**
Hath leid hire softe forto slepe,   5420
As sche which longe hath ben forwacched;
Bot certes sche was evele macched
And fer from alle loves kinde;
For more than the beste unkinde
Theseüs, which no trouthe kepte,
Whil that this yonge ladi slepte,
Fulfild of his unkindeschipe
Hath al foryete the goodschipe
Which Adriane him hadde do,
And bad unto the Schipmen tho   5430
Hale up the seil and noght abyde,
And forth he goth the same tyde
Toward Athene, and hire alonde
He lefte, which lay nyh the stronde

5411 f. And so fell þat vpon an ile
Thei were wind driue wiþinne a while H₁ ... B₂
(driuen in a while L)   5427 his] alle B   5430 schipman H₁ ... B₂, W

LIBER QUINTUS

Slepende, til that sche awok.   [TALE OF THESEUS
Bot whan that sche cast up hire lok   AND ARIADNE.]
Toward the stronde and sih no wyht,
Hire herte was so sore aflyht,
That sche ne wiste what to thinke,
Bot drouh hire to the water brinke,   5440
Wher sche behield the See at large.
Sche sih no Schip, sche sih no barge
Als ferforth as sche mihte kenne:
'Ha lord,' sche seide, 'which a Senne,
As al the world schal after hiere,
Upon this woful womman hiere
This worthi kniht hath don and wroght!
I wende I hadde his love boght,
And so deserved ate nede,   P. ii. 310
Whan that he stod upon his drede,   5450
And ek the love he me behihte.
It is gret wonder hou he mihte
Towardes me nou ben unkinde,
And so to lete out of his mynde
Thing which he seide his oghne mouth.
Bot after this whan it is couth
And drawe into the worldes fame,
It schal ben hindringe of his name:
For wel he wot and so wot I,
He yaf his trouthe bodily,   5460
That he myn honour scholde kepe.'
And with that word sche gan to wepe,
And sorweth more than ynouh:
Hire faire tresces sche todrouh,
And with hirself tok such a strif,
That sche betwen the deth and lif
Swounende lay fulofte among.
And al was this on him along,
Which was to love unkinde so,
Wherof the wrong schal everemo   5470

5438 afriht (a fright &c.) A ... B₂ (*except* E), W   5449 it at
nede H₁XRCLB₂   5456 is] was H₁E ... B₂   5457 into] to
S ... Δ   5464 tresces AC   tresses BT   trescess J, S, F   5465
wiþ hir selue (self) took a strif H₁ ... B₂   wiþ hirself sche took such
a s. B   5466 betwen(e) deþ H₁ ... B₂   5467 lay] weepe (wep) BT

[TALE OF THESEUS AND ARIADNE.]

Stonde in Cronique of remembrance.
And ek it asketh a vengance
To ben unkinde in loves cas,
So as Theseüs thanne was,
Al thogh he were a noble kniht;
For he the lawe of loves riht
Forfeted hath in alle weie,
That Adriagne he putte aweie,
Which was a gret unkinde dede: P. ii. 311
And after this, so as I rede,   5480
Fedra, the which hir Soster is,
He tok in stede of hire, and this
Fel afterward to mochel teene.
For thilke vice of which I meene,
Unkindeschipe, where it falleth,
The trouthe of mannes herte it palleth,
That he can no good dede aquite:
So mai he stonde of no merite
Towardes god, and ek also
Men clepen him the worldes fo;   5490
For he nomore than the fend
Unto non other man is frend,
Bot al toward himself al one.
Forthi, mi Sone, in thi persone
This vice above alle othre fle.

    Mi fader, as ye techen me,
I thenke don in this matiere.
Bot over this nou wolde I hiere,
Wherof I schal me schryve more.

    Mi goode Sone, and for thi lore,   5500
After the reule of coveitise
I schal the proprete devise
Of every vice by and by.
Nou herkne and be wel ware therby.

[RAVINE.]

viii. *Viribus ex clara res tollit luce Rapina,*
     Floris et inuita virgine mella capit.

Hic tractat super illa specie cupida que

    In the lignage of Avarice,
Mi Sone, yit ther is a vice,

5480 after þat S ... Δ   5500 as for BT

LIBER QUINTUS

His rihte name it is Ravine,   P. ii. 312   [Ravine.]
Which hath a route of his covine.
Ravine among the maistres duelleth,
And with his servantz, as men telleth,   5510
Extorcion is nou withholde :
Ravine of othre mennes folde
Makth his larder and paieth noght ;
For wher as evere it mai be soght,
In his hous ther schal nothing lacke,
And that fulofte abyth the packe
Of povere men that duelle aboute.
Thus stant the comun poeple in doute,
Which can do non amendement ;
For whanne him faileth paiement,   5520
Ravine makth non other skile,
Bot takth be strengthe what he wile.

    So ben ther in the same wise
Lovers, as I thee schal devise,
That whan noght elles mai availe,
Anon with strengthe thei assaile
And gete of love the sesine,
Whan thei se time, be Ravine.

    Forthi, mi Sone, schrif thee hier,   *Confessor.*
If thou hast ben a Raviner   5530
Of love.

        Certes, fader, no :   *Amans.*
For I mi ladi love so,
That thogh I were as was Pompeie,
That al the world me wolde obeie,
Or elles such as Alisandre,
I wolde noght do such a sklaundre ;
It is no good man, which so doth.   P. ii. 313

    In good feith, Sone, thou seist soth :   *Confessor.*
For he that wole of pourveance
Be such a weie his luste avance,   5540

[Ravine.]
Rapina nuncupatur, cuius mater extorcio ipsam ad deseruiendum magnatum curiis specialius commendauit.

5507 it *om.* AM ... B₂ (*except* E)   5510 seruant H₁ ... B₂
5520 þei failen H₁ ... B₂   he faileth W   5522 what] al þat B
5524 thee schal] schal M ... B₂   schal þe Δ, W   5527 seline BT
5532 ladi love] loue desire H₁ ... B₂   5533 That] ffor BT
was *om.* H₁ ... B₂   5539 wolde H₁ ... B₂

CONFESSIO AMANTIS

[RAVINE.]

    He schal it after sore abie,
Bot if these olde ensamples lie.

Amans.

    Nou, goode fader, tell me on,
So as ye cunne manyon,
Touchende of love in this matiere.

Confessor.

    Nou list, mi Sone, and thou schalt hiere,
So as it hath befalle er this,
In loves cause hou that it is
A man to take be Ravine
The preie which is femeline.   5550

[TALE OF TEREUS.]

    Ther was a real noble king,
And riche of alle worldes thing,
Which of his propre enheritance
Athenes hadde in governance,

Hic ponit exemplum contra istos in amoris causa raptores. Et narrat qualiter Pandion Rex Athenarum duas filias, videlicet Progne et Philomenam, habuit. Progne autem Tereo Regi Tracie desponsata, contigit quod cum Tereus ad instanciam vxoris sue Philomenam de Athenis in Traciam sororie visitacionis causa secum quadam vice perduceret, in concupiscenciam Philomene tanta seueritate in itinere dilapsus est, quod ipse non solum sue violencia rapine virginitatem eius oppressit, set et ipsius linguam, ne factum detegeret, forpice mutulauit. Vnde in perpetue memorie Cronicam tanti raptoris austeritatem miro ordine dii postea vindicarunt.

And who so thenke therupon,
His name was king Pandion.
Tuo douhtres hadde he be his wif,
The whiche he lovede as his lif;
The ferste douhter Progne hihte,
And the secounde, as sche wel mihte,   5560
Was cleped faire Philomene,
To whom fell after mochel tene.
The fader of his pourveance
His doughter Progne wolde avance,
And yaf hire unto mariage
A worthi king of hih lignage,
A noble kniht eke of his hond,   P. ii. 314
So was he kid in every lond,
Of Trace he hihte Tereüs;
The clerk Ovide telleth thus.   5570
This Tereüs his wif hom ladde,
A lusti lif with hire he hadde;
Til it befell upon a tyde,
This Progne, as sche lay him besyde,
Bethoughte hir hou it mihte be
That sche hir Soster myhte se,

5546 lust AMCL listne Δ   5557 *margin* duas filias *om.* B
5559 *margin* Terco A ... B₂   5560 wel *om.* H₁E ... B   5561 *margin* cum *om.* A ... B₂   5563 *margin* sororis A ... B₂, B, W

And to hir lord hir will sche seide, [TALE OF TEREUS.]
With goodly wordes and him preide
That sche to hire mihte go:
And if it liked him noght so, 5580
That thanne he wolde himselve wende,
Or elles be som other sende,
Which mihte hire diere Soster griete,
And schape hou that thei mihten miete.
Hir lord anon to that he herde
Yaf his acord, and thus ansuerde:
'I wole,' he seide, 'for thi sake
The weie after thi Soster take
Miself, and bringe hire, if I may.'
And sche with that, there as he lay, 5590
Began him in hire armes clippe,
And kist him with hir softe lippe,
And seide, 'Sire, grant mercy.'
And he sone after was redy,
And tok his leve forto go;
In sori time dede he so.

  This Tereüs goth forth to Schipe P. ii. 315
With him and with his felaschipe;
Be See the rihte cours he nam,
Into the contre til he cam, 5600
Wher Philomene was duellinge,
And of hir Soster the tidinge
He tolde, and tho thei weren glade,
And mochel joie of him thei made.
The fader and the moder bothe
To leve here douhter weren lothe,
Bot if thei weren in presence;
And natheles at reverence
Of him, that wolde himself travaile,
Thei wolden noght he scholde faile 5610
Of that he preide, and yive hire leve:
And sche, that wolde noght beleve,

5590 sche lay XGB₂, S . . . Δ, W 5592 kist SB, F kyste
(kiste) AJ 5597 to] by (be) A . . . B₂ 5600 Vnto B
5610 noght om. AM 5611 Of þat þey preyde T And þat þei
preyde B

[TALE OF TEREUS.]

In alle haste made hire yare
Toward hir Soster forto fare,
With Tereüs and forth sche wente.
And he with al his hole entente,
Whan sche was fro hir frendes go,
Assoteth of hire love so,
His yhe myhte he noght withholde,
That he ne moste on hir beholde;   5620
And with the sihte he gan desire,
And sette his oghne herte on fyre;
And fyr, whan it to tow aprocheth,
To him anon the strengthe acrocheth,
Til with his hete it be devoured,
The tow ne mai noght be socoured.
And so that tirant raviner,   P. ii. 316
Whan that sche was in his pouer,
And he therto sawh time and place,
As he that lost hath alle grace,   5630
Foryat he was a wedded man,
And in a rage on hire he ran,
Riht as a wolf which takth his preie.
And sche began to crie and preie,
'O fader, o mi moder diere,
Nou help!' Bot thei ne mihte it hiere,
And sche was of to litel myht
Defense ayein so ruide a knyht
To make, whanne he was so wod
That he no reson understod,   5640
Bot hield hire under in such wise,
That sche ne myhte noght arise,
Bot lay oppressed and desesed,
As if a goshauk hadde sesed
A brid, which dorste noght for fere
Remue: and thus this tirant there
Beraft hire such thing as men sein
Mai neveremor be yolde ayein,
And that was the virginite:
Of such Ravine it was pite.   5650

5621 he *om.* BT   5622 a fyre XC, B   5627 that] þe BT
5633 which] that H₁, BT   *om.* M, W   5646 þi A   this] þe M

LIBER QUINTUS

[TALE OF TEREUS.]

    Bot whan sche to hirselven com,
    And of hir meschief hiede nom,
    And knew hou that sche was no maide,
    With wofull herte thus sche saide:
    'O thou of alle men the worste,
    Wher was ther evere man that dorste
    Do such a dede as thou hast do?   P. ii. 317
    That dai schal falle, I hope so,
    That I schal telle out al mi fille,
    And with mi speche I schal fulfille   5660
    The wyde world in brede and lengthe.
    That thou hast do to me be strengthe,
    If I among the poeple duelle,
    Unto the poeple I schal it telle;
    And if I be withinne wall
    Of Stones closed, thanne I schal
    Unto the Stones clepe and crie,
    And tellen hem thi felonie;
    And if I to the wodes wende,
    Ther schal I tellen tale and ende,   5670
    And crie it to the briddes oute,
    That thei schul hiere it al aboute.
    For I so loude it schal reherce,
    That my vois schal the hevene perce,
    That it schal soune in goddes Ere.
    Ha, false man, where is thi fere?
    O mor cruel than eny beste,
    Hou hast thou holden thi beheste
    Which thou unto my Soster madest?
    O thou, which alle love ungladest,   5680
    And art ensample of alle untrewe,
    Nou wolde god mi Soster knewe,
    Of thin untrouthe, hou that it stod!'
    And he than as a Lyon wod
    With hise unhappi handes stronge

5667 þo stones EC   5670 tale] al BT
5671 f.   And crie it to briddes al aboute
           How þou hast do to me þurghoute H₁ ... B₂
(to þe briddes R)   5678 How schalt AM ... B₂   Euel has W
5684 a om. A

[TALE OF TEREUS.]

 Hire cauhte be the tresses longe,
With whiche he bond ther bothe hire armes,   P. ii. 318
That was a fieble dede of armes,
And to the grounde anon hire caste,
And out he clippeth also faste   5690
Hire tunge with a peire scheres.
So what with blod and what with teres
Out of hire yhe and of hir mouth,
He made hire faire face uncouth:
Sche lay swounende unto the deth,
Ther was unethes eny breth;
Bot yit whan he hire tunge refte,
A litel part therof belefte,
Bot sche with al no word mai soune,
Bot chitre and as a brid jargoune.   5700
And natheles that wode hound
Hir bodi hent up fro the ground,
And sente hir there as be his wille
Sche scholde abyde in prison stille
For everemo: bot nou tak hiede
What after fell of this misdede.

 Whanne al this meschief was befalle,
This Tereüs, that foule him falle,
Unto his contre hom he tyh;
And whan he com his paleis nyh,   5710
His wif al redi there him kepte.
Whan he hir sih, anon he wepte,
And that he dede for deceite,
For sche began to axe him streite,
'Wher is mi Soster?' And he seide
That sche was ded; and Progne abreide,
As sche that was a wofull wif,   P. ii. 319
And stod betuen hire deth and lif,
Of that sche herde such tidinge:
Bot for sche sih hire lord wepinge,   5720
She wende noght bot alle trouthe,
And hadde wel the more routhe.
The Perles weren tho forsake
To hire, and blake clothes take;

5719 Of] And BT

LIBER QUINTUS

[TALE OF TEREUS.]

As sche that was gentil and kinde,
In worschipe of hir Sostres mynde
Sche made a riche enterement,
For sche fond non amendement
To syghen or to sobbe more :
So was ther guile under the gore.   5730
   Nou leve we this king and queene,
And torne ayein to Philomene,
As I began to tellen erst.
Whan sche cam into prison ferst,
It thoghte a kinges douhter strange
To maken so soudein a change
Fro welthe unto so grete a wo ;
And sche began to thenke tho,
Thogh sche be mouthe nothing preide,
Withinne hir herte thus sche seide :   5740
' O thou, almyhty Jupiter,
That hihe sist and lokest fer,
Thou soffrest many a wrong doinge,
And yit it is noght thi willinge.
To thee ther mai nothing ben hid,
Thou wost hou it is me betid :
I wolde I hadde noght be bore,   P. ii. 320
For thanne I hadde noght forlore
Mi speche and mi virginite.
Bot, goode lord, al is in thee,   5750
Whan thou therof wolt do vengance
And schape mi deliverance.'
And evere among this ladi wepte,
And thoghte that sche nevere kepte
To ben a worldes womman more,
And that sche wissheth everemore.
Bot ofte unto hir Soster diere
Hire herte spekth in this manere,
And seide, ' Ha, Soster, if ye knewe
Of myn astat, ye wolde rewe,   5760
I trowe, and my deliverance

5737 wele vnto E, B   welþe into MH₁C   grete A, S, F   gret
JC, B   5740 and þus C   5743 wrongful þing X . . . B₂
wonderfull thyng H₁   5748 hadde I S . . . ∆

[TALE OF TEREUS.]

Ye wolde schape, and do vengance
On him that is so fals a man:
And natheles, so as I can,
I wol you sende som tokninge,
Wherof ye schul have knowlechinge
Of thing I wot, that schal you lothe,
The which you toucheth and me bothe.'
And tho withinne a whyle als tyt
Sche waf a cloth of Selk al whyt 5770
With letres and ymagerie,
In which was al the felonie,
Which Tereüs to hire hath do;
And lappede it togedre tho
And sette hir signet therupon
And sende it unto Progne anon.
The messager which forth it bar, P. ii. 321
What it amonteth is noght war;
And natheles to Progne he goth
And prively takth hire the cloth, 5780
And wente ayein riht as he cam,
The court of him non hiede nam.
  Whan Progne of Philomene herde,
Sche wolde knowe hou that it ferde,
And opneth that the man hath broght,
And wot therby what hath be wroght
And what meschief ther is befalle.
In swoune tho sche gan doun falle,
And efte aros and gan to stonde,
And eft sche takth the cloth on honde, 5790
Behield the lettres and thymages;
Bot ate laste, 'Of suche oultrages,'
Sche seith, 'wepinge is noght the bote:'
And swerth, if that sche live mote,
It schal be venged otherwise.
And with that sche gan hire avise
Hou ferst sche mihte unto hire winne
Hir Soster, that noman withinne,
Bot only thei that were suore,

5765 wold(e) H₁ECB₂, W   5769 tyt (tit) AC, SB   tyd J, F
5773 hadde (had) do H₁ ... B₂   5774 lappeþ B

LIBER QUINTUS

    It scholde knowe, and schop therfore   5800 [TALE OF TEREUS.]
    That Tereüs nothing it wiste;
    And yit riht as hirselven liste,
    Hir Soster was delivered sone
    Out of prison, and be the mone
    To Progne sche was broght be nyhte.
      Whan ech of other hadde a sihte,
    In chambre, ther thei were al one,   **P. ii. 322**
    Thei maden many a pitous mone;
    Bot Progne most of sorwe made,
    Which sihe hir Soster pale and fade   5810
    And specheles and deshonoured,
    Of that sche hadde be defloured;
    And ek upon hir lord sche thoghte,
    Of that he so untreuly wroghte
    And hadde his espousaile broke.
    Sche makth a vou it schal be wroke,
    And with that word sche kneleth doun
    Wepinge in gret devocioun:
    Unto Cupide and to Venus
    Sche preide, and seide thanne thus: 5820
    'O ye, to whom nothing asterte
    Of love mai, for every herte
    Ye knowe, as ye that ben above
    The god and the goddesse of love;
    Ye witen wel that evere yit
    With al mi will and al my wit,
    Sith ferst ye schopen me to wedde,
    That I lay with mi lord abedde,
    I have be trewe in mi degre,
    And evere thoghte forto be,   5830
    And nevere love in other place,
    Bot al only the king of Trace,
    Which is mi lord and I his wif.
    Bot nou allas this wofull strif!
    That I him thus ayeinward finde
    The most untrewe and most unkinde

5802 riht *om.* H₁ ... B₂   5807 ther] wher H₁ ... B₂
5810 sihe AJ, S, F   sih C, B   5816 a vov (a vou) J, S, F
avow AC, B

[TALE OF TEREUS.]

That evere in ladi armes lay. P. ii. 323
And wel I wot that he ne may
Amende his wrong, it is so gret;
For he to lytel of me let, 5840
Whan he myn oughne Soster tok,
And me that am his wif forsok.'
　Lo, thus to Venus and Cupide
Sche preide, and furthermor sche cride
Unto Appollo the hiheste,
And seide, 'O myghti god of reste,
Thou do vengance of this debat.
Mi Soster and al hire astat
Thou wost, and hou sche hath forlore
Hir maidenhod, and I therfore 5850
In al the world schal bere a blame
Of that mi Soster hath a schame,
That Tereüs to hire I sente:
And wel thou wost that myn entente
Was al for worschipe and for goode.
O lord, that yifst the lives fode
To every wyht, I prei thee hiere
Thes wofull Sostres that ben hiere,
And let ous noght to the ben lothe;
We ben thin oghne wommen bothe.' 5860
　Thus pleigneth Progne and axeth wreche,
And thogh hire Soster lacke speche,
To him that alle thinges wot
Hire sorwe is noght the lasse hot:
Bot he that thanne had herd hem tuo,
Him oughte have sorwed everemo
For sorwe which was hem betuene. P. ii. 324
With signes pleigneth Philomene,
And Progne seith, 'It schal be wreke,
That al the world therof schal speke.' 5870
And Progne tho seknesse feigneth,
Wherof unto hir lord sche pleigneth,
And preith sche moste hire chambres kepe,
And as hir liketh wake and slepe.

5837 ladis (ladyes) H₁ ... B₂   5859 noght] neuer H₁ ... B₂
5873 chambre H₁XELB₂, AdBTΔ, W

LIBER QUINTUS

[Tale of Tereus.]

And he hire granteth to be so;
And thus togedre ben thei tuo,
That wolde him bot a litel good.
Nou herk hierafter hou it stod
Of wofull auntres that befelle:
Thes Sostres, that ben bothe felle,— 5880
And that was noght on hem along,
Bot onliche on the grete wrong
Which Tereüs hem hadde do,—
Thei schopen forto venge hem tho.

  This Tereüs be Progne his wif
A Sone hath, which as his lif
He loveth, and Ithis he hihte:
His moder wiste wel sche mihte
Do Tereüs no more grief
Than sle this child, which was so lief. 5890
Thus sche, that was, as who seith, mad
Of wo, which hath hir overlad,
Withoute insihte of moderhede
Foryat pite and loste drede,
And in hir chambre prively
This child withouten noise or cry
Sche slou, and hieu him al to pieces: **P. ii. 325**
And after with diverse spieces
The fleissh, whan it was so toheewe,
Sche takth, and makth therof a sewe, 5900
With which the fader at his mete
Was served, til he hadde him ete;
That he ne wiste hou that it stod,
Bot thus his oughne fleissh and blod
Himself devoureth ayein kinde,
As he that was tofore unkinde.
And thanne, er that he were arise,
For that he scholde ben agrise,
To schewen him the child was ded,
This Philomene tok the hed 5910
Betwen tuo disshes, and al wrothe

5878 herkne (herken) LB₂, BTΔ, W   5880 The AJMH₁XRLB₂
Tho EC   5889 To ... grieue H₁ ... B₂   5890 þat was so
lieue H₁ ... B₂

[TALE OF TEREUS.]

Tho comen forth the Sostres bothe,
And setten it upon the bord.
And Progne tho began the word,
And seide, 'O werste of alle wicke,
Of conscience whom no pricke
Mai stere, lo, what thou hast do!
Lo, hier ben nou we Sostres tuo;
O Raviner, lo hier thi preie,
With whom so falsliche on the weie   5920
Thou hast thi tirannye wroght.
Lo, nou it is somdel aboght,
And bet it schal, for of thi dede
The world schal evere singe and rede
In remembrance of thi defame:
For thou to love hast do such schame,
That it schal nevere be foryete.'   P. ii. 326
With that he sterte up fro the mete,
And schof the bord unto the flor,
And cauhte a swerd anon and suor   5930
That thei scholde of his handes dye.
And thei unto the goddes crie
Begunne with so loude a stevene,
That thei were herd unto the hevene;
And in a twinclinge of an yhe
The goddes, that the meschief syhe,
Here formes changen alle thre.
Echon of hem in his degre
Was torned into briddes kinde;
Diverseliche, as men mai finde,   5940
After thastat that thei were inne,
Here formes were set atwinne.
And as it telleth in the tale,
The ferst into a nyhtingale
Was schape, and that was Philomene,
Which in the wynter is noght sene,
For thanne ben the leves falle

5918 hier ben nou we] here be we now J   nowe we her be W
here ben we M   hier (here) ben now (*om.* we) H₁ ... B₂   5925 re-
menbrance F   5929 in to H₁ECLB₂, BTΔ, H₃   5936 Al sodeinly
þat men it syhe H₁ ... B₂   5944 þe nightingale XECLB₂

LIBER QUINTUS

And naked ben the buisshes alle.   [TALE OF TEREUS.]
For after that sche was a brid,
Hir will was evere to ben hid,   5950
And forto duelle in prive place,
That noman scholde sen hir face
For schame, which mai noght be lassed,
Of thing that was tofore passed,
Whan that sche loste hir maidenhiede:
For evere upon hir wommanhiede,
Thogh that the goddes wolde hire change,   P. ii. 327
Sche thenkth, and is the more strange,
And halt hir clos the wyntres day.
Bot whan the wynter goth away,   5960
And that Nature the goddesse
Wole of hir oughne fre largesse
With herbes and with floures bothe
The feldes and the medwes clothe,
And ek the wodes and the greves
Ben heled al with grene leves,
So that a brid hire hyde mai,
Betwen Averil and March and Maii,
Sche that the wynter hield hir clos,
For pure schame and noght aros,   5970
Whan that sche seth the bowes thikke,
And that ther is no bare sticke,
Bot al is hid with leves grene,
To wode comth this Philomene
And makth hir ferste yeres flyht;
Wher as sche singeth day and nyht,
And in hir song al openly
Sche makth hir pleignte and seith, 'O why,
O why ne were I yit a maide?'
For so these olde wise saide,   5980
Which understoden what sche mente,
Hire notes ben of such entente.

5958 Sche thenkth] Sche was H₁ . . . B₂   5962 larchesse F
5966 al] and AM . . . L *om.* B₂   5971 sih (sigh &c.)
E, AdBT, WH₃   saw Δ   (seþ S)   5974 þe Philomene H₁ . . . B₂
5977 openly] priuely H₁ . . . B₂   5979 O why] Why BT   5981
Which AJ, S, F   Whiche B

[TALE OF TEREUS.]

And ek thei seide hou in hir song
Sche makth gret joie and merthe among,
And seith, 'Ha, nou I am a brid,
Ha, nou mi face mai ben hid:
Thogh I have lost mi Maidenhede,   P. ii. 328
Schal noman se my chekes rede.'
Thus medleth sche with joie wo
And with hir sorwe merthe also,   5990
So that of loves maladie
Sche makth diverse melodie,
And seith love is a wofull blisse,
A wisdom which can noman wisse,
A lusti fievere, a wounde softe:
This note sche reherceth ofte
To hem whiche understonde hir tale.
Nou have I of this nyhtingale,
Which erst was cleped Philomene,
Told al that evere I wolde mene,   6000
Bothe of hir forme and of hir note,
Wherof men mai the storie note.

And of hir Soster Progne I finde,
Hou sche was torned out of kinde
Into a Swalwe swift of winge,
Which ek in wynter lith swounynge,
Ther as sche mai nothing be sene:
Bot whan the world is woxe grene
And comen is the Somertide,
Than fleth sche forth and ginth to chide,   6010
And chitreth out in hir langage
What falshod is in mariage,
And telleth in a maner speche
Of Tereüs the Spousebreche.
Sche wol noght in the wodes duelle,
For sche wolde openliche telle;
And ek for that sche was a spouse,   P. ii. 329
Among the folk sche comth to house,
To do thes wyves understonde

6008 world] woode B   word T   6011 chatreþ (chatereth)
AMH₁   chater (chateren) YXG ... B₂   6012 falshod A, S, F
falshode JC, B   6016 wol C, B   6019 to vnderstonde H₁E ... B₂

LIBER QUINTUS

The falshod of hire housebonde, 6020 [TALE OF TEREUS.]
That thei of hem be war also,
For ther ben manye untrewe of tho.
Thus ben the Sostres briddes bothe,
And ben toward the men so lothe,
That thei ne wole of pure schame
Unto no mannes hand be tame;
For evere it duelleth in here mynde
Of that thei founde a man unkinde,
And that was false Tereüs.
If such on be amonges ous 6030
I not, bot his condicion
Men sein in every region
Withinne toune and ek withoute
Nou regneth comunliche aboute.
And natheles in remembrance
I wol declare what vengance
The goddes hadden him ordeined,
Of that the Sostres hadden pleigned:
For anon after he was changed
And from his oghne kinde stranged, 6040
A lappewincke mad he was,
And thus he hoppeth on the gras,
And on his hed ther stant upriht
A creste in tokne he was a kniht;
And yit unto this dai men seith,
A lappewincke hath lore his feith
And is the brid falseste of alle.   P. ii. 330
   Bewar, mi Sone, er thee so falle; Confessor.
For if thou be of such covine,
To gete of love be Ravine 6050
Thi lust, it mai thee falle thus,
As it befell of Tereüs.
   Mi fader, goddes forebode! Amans.

6020 falshod A, F falshode J, SB falshede C hire] here (her) H₁ERL, AdΔ, FH₃ 6026 no *om*. AM, Ad þe X, W 6042 in H₁E ... B₂ 6044 he was] of a BT 6046 The l. A ... B₂, AdΔ, WH₃ 6048 Bewar F Be war AJC, SB 6052 to Tereus BT 6053 goddes forebode] nay god it forbede X ... B₂ nay god for bede H₁ (goddes forbode AJM, AdT, WH₃)

[TALE OF TEREUS.]

Me were levere be fortrode
With wilde hors and be todrawe,
Er I ayein love and his lawe
Dede eny thing or loude or stille,
Which were noght mi ladi wille.
Men sein that every love hath drede;
So folweth it that I hire drede,   6060
For I hire love, and who so dredeth,
To plese his love and serve him nedeth.
Thus mai ye knowen be this skile
That no Ravine don I wile
Ayein hir will be such a weie;
Bot while I live, I wol obeie
Abidinge on hire courtesie,
If eny merci wolde hir plie.
Forthi, mi fader, as of this
I wot noght I have don amis: 6070
Bot furthermore I you beseche,
Som other point that ye me teche,
And axeth forth, if ther be auht,
That I mai be the betre tauht.

[ROBBERY.]

ix. *Viuat vt ex spoliis grandi quamsepe tumultu,*
   Quo graditur populus, latro perurget iter.
Sic amor, ex casu poterit quo carpere predam, **P. ii. 331**
   Si locus est aptus, cetera nulla timet.

Whan Covoitise in povere astat
Stant with himself upon debat
Thurgh lacke of his misgovernance,
That he unto his sustienance
Ne can non other weie finde

Hic loquitur super illa Cupiditatis specie quam furtum vocant, cuius Ministri alicuius legis offensam non metuentes, tam in amoris causa quam aliter, suam quamsepe conscienciam offendunt.

To gete him good, thanne as the blinde,   6080
Which seth noght what schal after falle,
That ilke vice which men calle
Of Robberie, he takth on honde;
Wherof be water and be londe
Of thing which othre men beswinke

6054 be fortrede (for trede) H₁XECLB₂   to be trede R   6059
louer(e) AM ... B₂   6076 himseluen (himself) in d. H₁ ... B₂
6084 water AC, B   watre J, S, F

LIBER QUINTUS

He get him cloth and mete and drinke. [ROBBERY.]
Him reccheth noght what he beginne,
Thurgh thefte so that he mai winne:
Forthi to maken his pourchas
He lith awaitende on the pas,   6090
And what thing that he seth ther passe,
He takth his part, or more or lasse,
If it be worthi to be take.
He can the packes wel ransake,
So prively berth non aboute
His gold, that he ne fint it oute,
Or other juel, what it be;
He takth it as his proprete.
In wodes and in feldes eke
Thus Robberie goth to seke,   6100
Wher as he mai his pourpos finde.

 And riht so in the same kinde,
My goode Sone, as thou miht hiere, **P. ii. 332**
To speke of love in the matiere
And make a verrai resemblance,
Riht as a thief makth his chevance
And robbeth mennes good aboute
In wode and field, wher he goth oute,
So be ther of these lovers some,
In wylde stedes wher thei come   6110
And finden there a womman able,
And therto place covenable,
Withoute leve, er that thei fare,
Thei take a parte of that chaffare:
Yee, though sche were a Scheperdesse,
Yit wol the lord of wantounesse
Assaie, althogh sche be unmete,
For other mennes good is swete.
Bot therof wot nothing the wif
At hom, which loveth as hir lif   6120
Hir lord, and sitt alday wisshinge
After hir lordes hom comynge:
Bot whan that he comth hom at eve,

6101 pourchas S ... Δ   6103 as] or AMRCL   heere H₁   om. E
6110 wyldee F   wher] þer AM   6114 hir(e) chaffare H₁ ... B₂ þi ch. M

[ROBBERY.]

Anon he makth his wif beleve,
For sche noght elles scholde knowe:
He telth hire hou his hunte hath blowe,
And hou his houndes have wel runne,
And hou ther schon a merye Sunne,
And hou his haukes flowen wel;
Bot he wol telle her nevere a diel   6130
Hou he to love untrewe was,
Of that he robbede in the pas,
And tok his lust under the schawe   P. ii. 333
Ayein love and ayein his lawe.

Confessor.

Which thing, mi Sone, I thee forbede,
For it is an ungoodly dede.
For who that takth be Robberie
His love, he mai noght justefie
His cause, and so fulofte sithe
For ones that he hath be blithe   6140
He schal ben after sory thries.
Ensample of suche Robberies
I finde write, as thou schalt hiere,
Acordende unto this matiere.

[NEPTUNE AND CORNIX.]

Hic loquitur contra istos in amoris causa predones, qui cum in suam furtiue concupiscenciam aspirant, fortuna in contrarium operatur. Et narrat quod cum Neptunus quamdam virginem nomine Cornicem solam iuxta mare deambulantem opprimere suo furto voluisset, superueniens Pallas ipsam e manibus eius virginitate seruata gracius liberauit.

I rede hou whilom was a Maide,
The faireste, as Ovide saide,
Which was in hire time tho;
And sche was of the chambre also
Of Pallas, which is the goddesse
And wif to Marte, of whom prouesse   6150
Is yove to these worthi knihtes.
For he is of so grete mihtes,
That he governeth the bataille;
Withouten him may noght availe
The stronge hond, bot he it helpe;
Ther mai no knyht of armes yelpe,
Bot he feihte under his banere.
Bot nou to speke of mi matiere,
This faire, freisshe, lusti mai,
Al one as sche wente on a dai   6160
Upon the stronde forto pleie,

6151 þis AM þe H₁XGRB₂ þo EC   *margin* cum *om.* B

LIBER QUINTUS

[NEPTUNE AND CORNIX.]

Ther cam Neptunus in the weie,
Which hath the See in governance; P. ii. 334
And in his herte such plesance
He tok, whan he this Maide sih,
That al his herte aros on hih,
For he so sodeinliche unwar
Behield the beaute that sche bar.
And caste anon withinne his herte
That sche him schal no weie asterte, 6170
Bot if he take in avantage
Fro thilke maide som pilage,
Noght of the broches ne the Ringes,
Bot of some othre smale thinges
He thoghte parte, er that sche wente;
And hire in bothe hise armes hente,
And putte his hond toward the cofre,
Wher forto robbe he made a profre,
That lusti tresor forto stele,
Which passeth othre goodes fele 6180
And cleped is the maidenhede,
Which is the flour of wommanhede.
This Maiden, which Cornix be name
Was hote, dredende alle schame,
Sih that sche mihte noght debate,
And wel sche wiste he wolde algate
Fulfille his lust of Robberie,
Anon began to wepe and crie,
And seide, 'O Pallas, noble queene,
Scheu nou thi myht and let be sene, 6190
To kepe and save myn honour:
Help, that I lese noght mi flour,
Which nou under thi keie is loke.' P. ii. 335
That word was noght so sone spoke,
Whan Pallas schop recoverir
After the will and the desir
Of hire, which a Maiden was,
And sodeinliche upon this cas

6162 Neptimus AH₁R, BT, H₃   6167 so sod.] al sod. H₁ ... B₂
6178 Wherfor(e) to AB₂, Δ   Wherof to H₁   Where to BT, W
6190 and] ad F   lete it be AM

[Neptune and Cornix.]

    Out of hire wommanisshe kinde
Into a briddes like I finde
Sche was transformed forth withal,
So that Neptunus nothing stal
Of such thing as he wolde have stole.
With fetheres blake as eny cole
Out of hise armes in a throwe
Sche flih before his yhe a Crowe;
Which was to hire a more delit,
To kepe hire maidenhede whit
Under the wede of fethers blake,
In Perles whyte than forsake
That no lif mai restore ayein.
Bot thus Neptune his herte in vein
Hath upon Robberie sett;
The bridd is flowe and he was let,
The faire Maide him hath escaped,
Wherof for evere he was bejaped
And scorned of that he hath lore.

Confessor.

    Mi Sone, be thou war therfore
That thou no maidenhode stele,
Wherof men sen deseses fele
Aldai befalle in sondri wise;
So as I schal thee yit devise
An other tale therupon,
Which fell be olde daies gon.

[Tale of Calistona.]

Hic ponit exemplum contra istos in causa virginitatis lese predones. Et narrat quod cum Calistona Lichaontis mire pulcritudinis filia suam virginitatem Diane conseruandam castissima vouisset, et in Siluam que Tegea dicitur inter alias ibidem Nimphas moraturam se

    King Lichaon upon his wif
A dowhter hadde, a goodly lif,
A clene Maide of worthi fame,
Calistona whos rihte name
Was cleped, and of many a lord
Sche was besoght, bot hire acord
To love myhte noman winne,
As sche which hath no lust therinne;
Bot swor withinne hir herte and saide
That sche wolde evere ben a Maide.
Wherof to kepe hireself in pes,

6200

6210

6220

P. ii. 336

6230

6215 Maide] may H₁ ... B₂   him hath] is him S ... Δ   hath him W   6234 wol B

LIBER QUINTUS

With suche as Amadriades
Were cleped, wodemaydes, tho,
And with the Nimphes ek also
Upon the spring of freisshe welles
Sche schop to duelle and nagher elles.   6240
And thus cam this Calistona
Into the wode of Tegea,
Wher sche virginite behihte
Unto Diane, and therto plihte
Her trouthe upon the bowes grene,
To kepe hir maidenhode clene.
Which afterward upon a day
Was priveliche stole away;
For Jupiter thurgh his queintise
From hire it tok in such a wise,   6250
That sodeinliche forth withal
Hire wombe aros and sche toswal,
So that it mihte noght ben hidd.
And therupon it is betidd,
Diane, which it herde telle,
In prive place unto a welle
With Nimphes al a compainie
Was come, and in a ragerie
Sche seide that sche bathe wolde,
And bad that every maide scholde   6260
With hire al naked bathe also.
And tho began the prive wo,
Calistona wax red for schame;
Bot thei that knewe noght the game,
To whom no such thing was befalle,
Anon thei made hem naked alle,
As thei that nothing wolden hyde:
Bot sche withdrouh hire evere asyde,
And natheles into the flod,
Wher that Diane hirselve stod,   6270
Sche thoghte come unaperceived.
Bot therof sche was al deceived;
For whan sche cam a litel nyh,

[TALE OF CALISTONA.]
transtulisset, Iupiter virginis castitatem subtili furto surripiens, quendam filium, qui postea Archas nominatus est, ex ea genuit: vnde Iuno in Calistonam seuiens eius pulcritudinem in vrse turpissime deformitatem subito transfigurauit.

P. ii. 337

6239 *margin* quendam] quem B   6256 in to A ... B₂, W
6257 al a] alle AM   al þe (alle the) H₁E ... B₂   6267 byde AM

[TALE OF CALISTONA.]

And that Diane hire wombe syh,
Sche seide, 'Awey, thou foule beste,
For thin astat is noght honeste
This chaste water forto touche;
For thou hast take such a touche,
Which nevere mai ben hol ayein.'
And thus goth sche which was forlein   6280
With schame, and fro the Nimphes fledde,
Til whanne that nature hire spedde,
That of a Sone, which Archas
Was named, sche delivered was.
And tho Juno, which was the wif   P. ii. 338
Of Jupiter, wroth and hastif,
In pourpos forto do vengance
Cam forth upon this ilke chance,
And to Calistona sche spak,
And sette upon hir many a lak,   6290
And seide, 'Ha, nou thou art atake,
That thou thi werk myht noght forsake.
Ha, thou ungoodlich ypocrite,
Hou thou art gretly forto wyte!
Bot nou thou schalt ful sore abie
That ilke stelthe and micherie,
Which thou hast bothe take and do;
Wherof thi fader Lichao
Schal noght be glad, whan he it wot,
Of that his dowhter was so hot,   6300
That sche hath broke hire chaste avou.
Bot I thee schal chastise nou;
Thi grete beaute schal be torned,
Thurgh which that thou hast be mistorned,
Thi large frount, thin yhen greie,
I schal hem change in other weie,
And al the feture of thi face
In such a wise I schal deface,
That every man thee schal forbere.'
With that the liknesse of a bere   6310
Sche tok and was forschape anon.

6289 he AdBT   6293 vngoodlich JC, SB, F vngoodliche A
6296 of micherye B   6302 chastie EC   6304 that *om*. AM, Ad

LIBER QUINTUS

    Withinne a time and therupon   [TALE OF CALISTONA.]
Befell that with a bowe on honde,
To hunte and gamen forto fonde,
Into that wode goth to pleie   **P. ii. 339**
Hir Sone Archas, and in his weie
It hapneth that this bere cam.
And whan that sche good hiede nam,
Wher that he stod under the bowh,
Sche kneu him wel and to him drouh;   6320
For thogh sche hadde hire forme lore,
The love was noght lost therfore
Which kinde hath set under his lawe.
Whan sche under the wodesschawe
Hire child behield, sche was so glad,
That sche with bothe hire armes sprad,
As thogh sche were in wommanhiede,
Toward him cam, and tok non hiede
Of that he bar a bowe bent.
And he with that an Arwe hath hent   6330
And gan to teise it in his bowe,
As he that can non other knowe,
Bot that it was a beste wylde.
Bot Jupiter, which wolde schylde
The Moder and the Sone also,
Ordeineth for hem bothe so,
That thei for evere were save.
    Bot thus, mi Sone, thou myht have   Confessor.
Ensample, hou that it is to fle
To robbe the virginite   6340
Of a yong innocent aweie:
And overthis be other weie,
In olde bokes as I rede,
Such Robberie is forto drede,
And nameliche of thilke good   **P. ii. 340**
Which every womman that is good
Desireth forto kepe and holde,

6313 in honde X, AdBTΔ   6317 happeþ E, AdBTΔ   happed W
6318 he YEC, AdBT   6319 a bough H₁ ... B₂, Δ   6324
wodesschawe AJ, F   woode schawe C, BT   6336 so] tuo E, B
too W   6341 a weie F

[TALE OF CALISTONA.]

As whilom was þe daies olde.
For if thou se mi tale wel
Of that was tho, thou miht somdiel   6350
Of old ensample taken hiede,
Hou that the flour of maidenhiede
Was thilke time holde in pris.
And so it was, and so it is,
And so it schal for evere stonde :
And for thou schalt it understonde,
Nou herkne a tale next suiende,
Hou maidenhod is to commende.

[VIRGINITY.]

x. *Vt Rosa de spinis spineto preualet orta,*
Et lilii flores cespite plura valent,
Sic sibi virginitas carnis sponsalia vincit,
Eternos fetus que sine labe parit.

Of Rome among the gestes olde
I finde hou that Valerie tolde   6360
That what man tho was Emperour
Of Rome, he scholde don honour
To the virgine, and in the weie,
Wher he hire mette, he scholde obeie
In worschipe of virginite,
Which tho was of gret dignite.
Noght onliche of the wommen tho,
Bot of the chaste men also
It was commended overal :
And forto speke in special   6370
Touchende of men, ensample I finde, **P. ii. 341**
    Phyryns, which was of mannes kinde
Above alle othre the faireste
Of Rome and ek the comelieste,
That wel was hire which him mihte
Beholde and have of him a sihte.
Thus was he tempted ofte sore ;

Hic loquitur de virginitatis commendacione, vbi dicit quod nuper Imperatores ob tanti status dignitatem virginibus cedebant in via.

Hic loquitur, qualiter Phyrinus, iuuenum Rome pulcherrimus, ut illesam suam conseruaret virginitatem, ambos oculos eruens vultus sui decorem abhominabilem constituit.

6351 olde ensamples AdBT, W
Latin Verses x. om. here and ins. later S . . . Δ (ins. here Λ)
6361 That whilom was an emp. H₁E   That whilom þer was emp.
XRCLB₂   þat what man was þo emp. Δ   6363 and in] and
AMR   in LB₂   6364 *margin* sedebant H₁RCLB₂   6366 of]
a AdBT   6367 womman H₁ . . . B₂, W   6372 Phirus AM.

LIBER QUINTUS

Bot for he wolde be nomore   [VIRGINITY.]
Among the wommen so coveited,
The beaute of his face streited   6380
He hath, and threste out bothe hise yhen,
That alle wommen whiche him syhen
Thanne afterward, of him ne roghte :
And thus his maidehiede he boghte.
So mai I prove wel forthi,
Above alle othre under the Sky,
Who that the vertus wolde peise,
Virginite is forto preise,
Which, as thapocalips recordeth,
To Crist in hevene best acordeth.   6390
So mai it schewe wel therfore,
As I have told it hier tofore,
In hevene and ek in Erthe also
It is accept to bothe tuo *.

    And if I schal more over this
Declare what this vertu is,
I finde write upon this thing

---

* Out of his flessh a man to live
Gregoire hath this ensample yive,
And seith it schal rather be told   In carne preter
Lich to an Angel manyfold,   carnem viuere pocius
Than to the lif of mannes kinde.   P. ii. 342   vita angelica quam
Ther is no reson forto finde,   6400*   humana est.
Bot only thurgh the grace above,
In flessh withoute flesshly love
A man to live chaste hiere :
And natheles a man mai hiere
Of suche that have ben er this,
And yit ther ben ; bot for it is
A vertu which is sielde wonne,
Now I this matiere have begonne,

6378 be om. AM   6381 threste] put B   6382 him] it B
6387 f.   That maidenhode is forto preise
        Who þat þe vertus wolde peise S . . . ΔΛ
6390 margin Hii secuntur agnum quocunque ierit SΔ
6395*-6438* Only in SAdBTΔΛ   The text here follows S   6396* ff.
margin In carne—est om. B   6398* Lich BT   Liche S

[CHASTITY OF VALENTINIAN.]
Hic loquitur qualiter Valentinianus Imperator, cum ipse octogenarius plures prouincias Romano

Of Valentinian the king
And Emperour be thilke daies,
A worthi knyht at alle assaies, 6400
Hou he withoute Mariage
Was of an hundred wynter Age,

I thenke tellen overmore,
Which is, mi Sone, for thi lore, 6410*
If that the list to taken hiede.

x. *Vt Rosa de spinis spineto preualet orta,*
Et lilii flores cespite plura valent,
Sic sibi virginitas carnis sponsalia vincit,
Eternos fetus que sine labe parit.

Milicia est vita hominis super terram.

To trete upon the maidenhiede,
The bok seith that a mannes lif
Upon knyhthode in werre and strif
Is sett among hise enemys:
The frele fleissh, whos nature is
Ai redy forto sporne and falle,
The ferste foman is of alle;
For thilke werre is redi ai,
It werreth nyht, it werreth dai, 6420*
So that a man hath nevere reste.
For thi is thilke knyht the beste,
Thurgh myht and grace of goddes sonde
Which that bataille mai withstonde:
Wherof yit duelleth the memoire
Of hem that whilom the victoire
Of thilke dedly werre hadden;
The hih prouesse which thei ladden,
Wherof the Soule stod amended, P. ii. 343
Upon this erthe is yit commended. 6430*

Hic loquitur qualiter Valentinianus Imperator, cum ipse octogenarius plures prouincias Romano Imperio belliger sub-

An Emperour be olde dayes
Ther was, and he at alle assaies
A worthi knyht was of his hond,
Ther was non such in al the lond;

Latin Verses x. *inserted after* 6412* SAdBT *after* 6413* Δ
6413* book BT boke S   *margin* Milicia—terram BΛ   *om.* SΔ
6427* dedly BT dedely S   6429* stood BT stode S   6430*
is ȝit SΔ   it is AdBTΛ

LIBER QUINTUS

And hadde ben a worthi kniht [CHASTITY OF
Bothe of his lawe and of his myht. VALENTINIAN.]
Bot whan men wolde his dedes peise Imperio belliger sub-
And his knyhthode of Armes preise, iugasset, dixit se super
Of that he dede with his hondes, omnia magis gaudere
Whan he the kinges and the londes de eo, quod contra sue
To his subjeccion put under, carnis concupiscenci-
Of al that pris hath he no wonder, 6410 am victoriam obtinu-
For he it sette of non acompte, isset; nam et ipse virgo
And seide al that may noght amonte omnibus diebus vite
Ayeins o point which he hath nome, sue castissimus per-
That he his fleissh hath overcome : mansit.
He was a virgine, as he seide ; P. ii. 344
On that bataille his pris he leide. (6450*)
Lo nou, my Sone, avise thee. [VIRGINITY.]
    Yee, fader, al this wel mai be, Amans.
Bot if alle othre dede so,
The world of men were sone go : 6420
And in the lawe a man mai finde,
Hou god to man be weie of kinde
Hath set the world to multeplie ;
And who that wol him justefie,
It is ynouh to do the lawe.
And natheles youre goode sawe
Is good to kepe, who so may,
I wol noght therayein seie nay.
    Mi Sone, take it as I seie ; Confessor.
If maidenhod be take aweie 6430
Withoute lawes ordinance,

Bot yit for al his vasselage iugasset, dixit se super
He stod unwedded al his age, omnia magis gaudere
And in Cronique as it is told, de eo quod contra sue
He was an hundred wynter old. carnis concupiscenci-
Bot whan men wolde etc. (*as* 6405 ff.) ciam victoriam obtinu-
  isset; nam et ipse virgo
  omnibus diebus vite
  sue castissimus per-
  mansit.

6408 and] of AdBT   6409 put AJ, S, F   putte B   6418 My
fader H₁ . . . B₂, Ad   mai wel AMEC, S . . . ΔΛ   6429 take AJ,
F   tak SB
6436* stood BT   stode S   *margin* contra sue *om.* B
6439* *margin* castissime B

[VIRGINITY.]

It mai noght failen of vengance.
And if thou wolt the sothe wite,
Behold a tale which is write,
Hou that the King Agamenon,
Whan he the Cite of Lesbon
Hath wonne, a Maiden ther he fond,
Which was the faireste of the Lond
In thilke time that men wiste.
He tok of hire what him liste   6440
Of thing which was most precious,
Wherof that sche was dangerous.
This faire Maiden cleped is
Criseide, douhter of Crisis,
Which was that time in special   P. ii. 345
Of thilke temple principal,
Wher Phebus hadde his sacrifice,
So was it wel the more vice.
Agamenon was thanne in weie
To Troieward, and tok aweie   6450
This Maiden, which he with him ladde,
So grete a lust in hire he hadde.
Bot Phebus, which hath gret desdeign
Of that his Maiden was forlein,
Anon as he to Troie cam,
Vengance upon this dede he nam
And sende a comun pestilence.
Thei soghten thanne here evidence
And maden calculacion,
To knowe in what condicion   6460
This deth cam in so sodeinly;
And ate laste redyly
The cause and ek the man thei founde:
And forth withal the same stounde
Agamenon opposed was,
Which hath beknowen al the cas   (6500*)
Of the folie which he wroghte.

6444 Criseid(e) þe doughter AdBTΔ (Criseide dowhter S)
6452 grete AJ, S, F gret C, BT   6461 in] hem AXG ... B₂ hym
MH₁   6463 he founde RCLB₂ be f. E   6465 apposed
AM ... B₂ (*except* E)

LIBER QUINTUS

    And therupon mercy thei soghte   [VIRGINITY.]
Toward the god in sondri wise
With preiere and with sacrifise,   6470
The Maide and hom ayein thei sende,
And yive hire good ynouh to spende
For evere whil sche scholde live :
And thus the Senne was foryive
And al the pestilence cessed.   P. ii. 346
    Lo, what it is to ben encressed   Confessor.
Of love which is evele wonne.
It were betre noght begonne
Than take a thing withoute leve,
Which thou most after nedes leve,   6480
And yit have malgre forth withal.
Forthi to robben overal
In loves cause if thou beginne,
I not what ese thou schalt winne.
Mi Sone, be wel war of this,
For thus of Robberie it is.
    Mi fader, youre ensamplerie   Amans.
In loves cause of Robberie
I have it riht wel understonde.
Bot overthis, hou so it stonde,   6490
Yit wolde I wite of youre aprise
What thing is more of Covoitise.

xi. *Insidiando latens tempus rimatur et horam*   [STEALTH AND
    Fur, quibus occulto tempore furta parat.   MICHERY.]
Sic amor insidiis vacat, vt sub tegmine ludos
    Prendere furtiuos nocte fauente queat.

    With Covoitise yit I finde
A Servant of the same kinde,
Which Stelthe is hote, and Mecherie   Hic tractat super
With him is evere in compainie.   illa Cupiditatis specie,
                                                                                                                        que secretum latro-

---

6471 maide and] mayden (maide) H₁ . . . B₂, AdBT, W   6472
;af AM . . . B₂, T, W (gave)
    6486 f.   My fader so I wole I wis   Amans.
                But now [wiþ] ȝour ensamplerie H₁ . . . B₂
(wiþ *om. all except* E)
    Latin Verses xi. 1 ad horam E, B   2 tempora AdBT   3 insidii
H₁ . . . B₂

[STEALTH AND MICHERY.]

cinium dicitur, cuius natura custode rerum nesciente ea que cupit tam per diem quam per noctem absque strepitu clanculo furatur.

Of whom if I schal telle soth,
He stalketh as a Pocok doth,
And takth his preie so covert,
That noman wot it in apert. 6500
For whan he wot the lord from home, P. ii. 347
Than wol he stalke aboute and rome;
And what thing he fint in his weie,
Whan that he seth the men aweie,
He stelth it and goth forth withal,
That therof noman knowe schal.
And ek fulofte he goth a nyht
Withoute Mone or sterreliht,
And with his craft the dore unpiketh,
And takth therinne what him liketh: 6510
And if the dore be so schet,
That he be of his entre let,
He wole in ate wyndou crepe,
And whil the lord is faste aslepe,
He stelth what thing as him best list,
And goth his weie er it be wist. (6550*)
Fulofte also be lyhte of day
Yit wole he stele and make assay;
Under the cote his hond he put,
Til he the mannes Purs have cut, 6520
And rifleth that he fint therinne.
And thus he auntreth him to winne,
And berth an horn and noght ne bloweth,
For noman of his conseil knoweth;
What he mai gete of his Michinge,
It is al bile under the winge.
And as an hound that goth to folde
And hath ther taken what he wolde,
His mouth upon the gras he wypeth,
And so with feigned chiere him slypeth, 6530
That what as evere of schep he strangle, P. ii. 348
Ther is noman therof schal jangle,
As forto knowen who it dede;
Riht so doth Stelthe in every stede,

6499 *margin* custodire A ... B₂ 6501 at home H₁ ... B₂
6518 wold(e) H₁ ... B₂ 6533 As] And AdBT, H₃

Where as him list his preie take.
He can so wel his cause make
And so wel feigne and so wel glose,
That ther ne schal noman suppose,
Bot that he were an innocent,
And thus a mannes yhe he blent: 6540
So that this crafte I mai remene
Withouten help of eny mene.
   Ther be lovers of that degre,   [STEALTH OF LOVERS.]
Which al here lust in privete,
As who seith, geten al be Stelthe,
And ofte atteignen to gret welthe
As for the time that it lasteth.
For love awaiteth evere and casteth
Hou he mai stele and cacche his preie,
Whan he therto mai finde a weie: 6550
For be it nyht or be it day,
He takth his part, whan that he may,
And if he mai nomore do,
Yit wol he stele a cuss or tuo.
   Mi Sone, what seist thou therto?   Confessor.
Tell if thou dedest evere so.
   Mi fader, hou?
              Mi Sone, thus,—
If thou hast stolen eny cuss
Or other thing which therto longeth,
For noman suche thieves hongeth: 6560
Tell on forthi and sei the trouthe.   **P. ii. 349**
   Mi fader, nay, and that is routhe,   Confessio Amantis.
For be mi will I am a thief;
Bot sche that is to me most lief,
Yit dorste I nevere in privete
Noght ones take hire be the kne,   (6600*)
To stele of hire or this or that,
And if I dorste, I wot wel what:
And natheles, bot if I lie,
Be Stelthe ne be Robberie   6570
Of love, which fell in mi thoght,
To hire dede I nevere noght.

6547 And for AdBT, W

[STEALTH OF LOVERS.]

Bot as men sein, wher herte is failed,
Ther schal no castell ben assailed;
Bot thogh I hadde hertes ten,
And were als strong as alle men,
If I be noght myn oghne man
And dar noght usen that I can,
I mai miselve noght recovere.
Thogh I be nevere man so povere, 6580
I bere an herte and hire it is,
So that me faileth wit in this,
Hou that I scholde of myn acord
The servant lede ayein the lord:
For if mi fot wolde awher go,
Or that min hand wolde elles do,
Whan that myn herte is therayein,
The remenant is al in vein.
And thus me lacketh alle wele,
And yit ne dar I nothing stele 6590
Of thing which longeth unto love : P. ii. 350
And ek it is so hyh above,
I mai noght wel therto areche,
Bot if so be at time of speche,
Ful selde if thanne I stele may
A word or tuo and go my way.
Betwen hire hih astat and me
Comparison ther mai non be,
So that I fiele and wel I wot,
Al is to hevy and to hot 6600
To sette on hond withoute leve:
And thus I mot algate leve
To stele that I mai noght take,
And in this wise I mot forsake
To ben a thief ayein mi wille
Of thing which I mai noght fulfille.
For that Serpent which nevere slepte
The flees of gold so wel ne kepte
In Colchos, as the tale is told,
That mi ladi a thousendfold 6610
Nys betre yemed and bewaked,

6585 wolde AJ, SB   wold C, F   6597 hih A, F   hihe B   hye J

LIBER QUINTUS

[STEALTH OF LOVERS.]

Wher sche be clothed or be naked.
To kepe hir bodi nyht and day,
Sche hath a wardein redi ay,
Which is so wonderful a wyht,
That him ne mai no mannes myht   (6650*)
With swerd ne with no wepne daunte,
Ne with no sleihte of charme enchaunte,
Wherof he mihte be mad tame,
And Danger is his rihte name;   6620
Which under lock and under keie, ❡ P. ii. 351
That noman mai it stele aweie,
Hath al the Tresor underfonge
That unto love mai belonge.
The leste lokinge of hire yhe
Mai noght be stole, if he it syhe;
And who so gruccheth for so lyte,
He wolde sone sette a wyte
On him that wolde stele more.
And that me grieveth wonder sore,   6630
For this proverbe is evere newe,
That stronge lokes maken trewe
Of hem that wolden stele and pyke:
For so wel can ther noman slyke
Be him ne be non other mene,
To whom Danger wol yive or lene
Of that tresor he hath to kepe.
So thogh I wolde stalke and crepe,
And wayte on eve and ek on morwe,
Of Danger schal I nothing borwe,   6640
And stele I wot wel may I noght:
And thus I am riht wel bethoght,
Whil Danger stant in his office,
Of Stelthe, which ye clepe a vice,
I schal be gultif neveremo.
Therfore I wolde he were ago
So fer that I nevere of him herde,
Hou so that afterward it ferde:

6617 no *om.* H₁E ... B₂, H₃   6633 pile C   6634 skile C
6641 I wot wel may I] wel ne may I B   wel may I AdT   I wot wel I mai Δ

[STEALTH OF LOVERS.]

For thanne I mihte yit per cas
Of love make som pourchas   6650
Be Stelthe or be som other weie,   P. ii. 352
That nou fro me stant fer aweie.
  Bot, fader, as ye tolde above,
Hou Stelthe goth a nyht for love,
I mai noght wel that point forsake,
That ofte times I ne wake
On nyhtes, whan that othre slepe;
Bot hou, I prei you taketh kepe.
Whan I am loged in such wise
That I be nyhte mai arise,   6660
At som wyndowe and loken oute
And se the housinge al aboute,
So that I mai the chambre knowe
In which mi ladi, as I trowe,
Lyth in hir bed and slepeth softe,
Thanne is myn herte a thief fulofte: (6700*)
For there I stonde to beholde
The longe nyhtes that ben colde,
And thenke on hire that lyth there.
And thanne I wisshe that I were   6670
Als wys as was Nectanabus
Or elles as was Protheüs,
That couthen bothe of nigromaunce
In what liknesse, in what semblaunce,
Riht as hem liste, hemself transforme:
For if I were of such a forme,
I seie thanne I wolde fle
Into the chambre forto se
If eny grace wolde falle,
So that I mihte under the palle   6680
Som thing of love pyke and stele.   P. ii. 353
And thus I thenke thoghtes fele,
And thogh therof nothing be soth,
Yit ese as for a time it doth:
Bot ate laste whanne I finde
That I am falle into my mynde,

6653 tolde] me tolde AM   6659 such a wise MH₁E ... B₂, W
6667 to] and S ... Δ   6678 the] hire (hir) X ... B₂, B   here H₁

LIBER QUINTUS

And se that I have stonde longe [STEALTH OF LOVERS.]
And have no profit underfonge,
Than stalke I to mi bedd withinne.
And this is al that evere I winne 6690
Of love, whanne I walke on nyht:
Mi will is good, bot of mi myht
Me lacketh bothe and of mi grace;
For what so that mi thoght embrace,
Yit have I noght the betre ferd.
Mi fader, lo, nou have ye herd
What I be Stelthe of love have do,
And hou mi will hath be therto:
If I be worthi to penance
I put it on your ordinance. 6700
   Mi Sone, of Stelthe I the behiete, Confessor.
Thogh it be for a time swete,
At ende it doth bot litel good,
As be ensample hou that it stod
Whilom, I mai thee telle nou.
   I preie you, fader, sei me hou. Amans.
   Mi Sone, of him which goth be daie Confessor.
Be weie of Stelthe to assaie,
In loves cause and takth his preie,
Ovide seide as I schal seie, 6710
And in his Methamor he tolde **P. ii. 354**
A tale, which is good to holde.

   The Poete upon this matiere [TALE OF LEU-
Of Stelthe wrot in this manere. COTHOE.]
Venus, which hath this lawe in honde
Of thing which mai noght be withstonde, (6750*) Hic in amoris causa
As sche which the tresor to warde super isto Latrocinio
Of love hath withinne hir warde, quod de die contigit
Phebum to love hath so constreigned, ponit exemplum. Et
That he withoute reste is peined 6720 filia in cameris sub
With al his herte to coveite arta matris custodia

6694 who so AdBT þoght (þought) C, SB þoghte (þouhte) AJ, F
6697 ha doo AM kan do Δ 6700 put AJ, S, F putte B
it on] it in H₁ECL me in B₂ 6706 tel E, B 6715 his lawe
AMX...B₂ hire lawe H₁ þe lawe S...Δ 6717 *margin* de die]
die H₁...B₂ de nocte B 6719 Phebus H₁...B₂

[TALE OF LEU-
COTHOE.]

virgo preseruabatur, Phebus eius pulcritudinem concupiscens, in conclave domus clara luce subintrans, virginis pudiciciam matre nescia deflorauit: vnde ipsa inpregnata iratus pater filiam suam ad sepeliendum viuam effodit; ex cuius tumulo florem, quem Solsequium vocant, dicunt tunc consequenter primitus accreuisse.

A Maiden, which was warded streyte
Withinne chambre and kept so clos,
That selden was whan sche desclos
Goth with hir moder forto pleie.
Leuchotoe, so as men seie,
This Maiden hihte, and Orchamus
Hir fader was; and befell thus.
This doughter, that was kept so deere,
And hadde be fro yer to yeere   6730
Under hir moder discipline
A clene Maide and a Virgine,
Upon the whos nativite
Of comelihiede and of beaute
Nature hath set al that sche may,
That lich unto the fresshe Maii,
Which othre monthes of the yeer
Surmonteth, so withoute pier
Was of this Maiden the feture.
Wherof Phebus out of mesure   6740
Hire loveth, and on every syde   **P. ii. 355**
Awaiteth, if so mai betyde,
That he thurgh eny sleihte myhte
Hire lusti maidenhod unrihte,
The which were al his worldes welthe.
And thus lurkende upon his stelthe
In his await so longe he lai,
Til it befell upon a dai,
That he thurghout hir chambre wall
Cam in al sodeinliche, and stall   6750
That thing which was to him so lief.
Bot wo the while, he was a thief!
For Venus, which was enemie
Of thilke loves micherie,
Discovereth al the pleine cas
To Clymene, which thanne was

6728 *margin* matre nescia] matre H₁RCLB₂ matre nesciente X, B nesciente matre E   6731 *margin* quem *om.* AMH₁E ... B₂
6732 *margin* nunc H₁ ... B₂   6742 if *om.* AM   6746 thus *om.* AM   6751 which] þat A ... B₂ *om.* W   6756 How it befell and how it was H₁ ... B₂

LIBER QUINTUS

Toward Phebus his concubine.
And sche to lette the covine
Of thilke love, dedli wroth
To pleigne upon this Maide goth,   6760
And tolde hire fader hou it stod;
Wherof for sorwe welnyh wod
Unto hire moder thus he saide:
' Lo, what it is to kepe a Maide!
To Phebus dar I nothing speke,
Bot upon hire I schal be wreke,   (6800*)
So that these Maidens after this
Mow take ensample, what it is
To soffre her maidenhed be stole,
Wherof that sche the deth schal thole.'   6770
And bad with that do make a pet,   **P. ii. 356**
Wherinne he hath his douhter set,
As he that wol no pite have,
So that sche was al quik begrave
And deide anon in his presence.
Bot Phebus, for the reverence
Of that sche hadde be his love,
Hath wroght thurgh his pouer above,
That sche sprong up out of the molde
Into a flour was named golde,   6780
Which stant governed of the Sonne.
And thus whan love is evele wonne,
Fulofte it comth to repentaile.

 Mi fader, that is no mervaile,   Amans.
Whan that the conseil is bewreid.
Bot ofte time love hath pleid
And stole many a prive game,
Which nevere yit cam into blame,
Whan that the thinges weren hidde.
Bot in youre tale, as it betidde,   6790
Venus discoverede al the cas,
And ek also brod dai it was,
Whan Phebus such a Stelthe wroghte,

[TALE OF LEU-COTHOE.]

6766 it schal S... Δ   6768 Mow AC, S, F   Mowe J, B
6769 hir(e) AJM, WH₃   6771 do make J, SΔ, FH₃   to make AM, AdBT, W   go make H₁ ... B₂

[TALE OF LEU-
COTHOE.]

Wherof the Maide in blame he broghte,
That afterward sche was so lore.
Bot for ye seiden nou tofore
Hou stelthe of love goth be nyhte,
And doth hise thinges out of syhte,
Therof me liste also to hiere
A tale lich to the matiere, 6800
Wherof I myhte ensample take. P. ii. 357

Confessor.

  Mi goode Sone, and for thi sake,
So as it fell be daies olde,
And so as the Poete it tolde,
Upon the nyhtes micherie
Nou herkne a tale of Poesie.

[TALE OF HERCULES
AND FAUNUS.]

  The myhtieste of alle men
Whan Hercules with Eolen,
Which was the love of his corage,
Togedre upon a Pelrinage 6810
Towardes Rome scholden go,
It fell hem be the weie so,
That thei upon a dai a Cave
Withinne a roche founden have,
Which was real and glorious
And of Entaile curious, (6850*)
Be name and Thophis it was hote.
The Sonne schon tho wonder hote,
As it was in the Somer tyde;
This Hercules, which be his syde 6820
Hath Eolen his love there,
Whan thei at thilke cave were,
He seide it thoghte him for the beste
That sche hire for the hete reste
Al thilke day and thilke nyht;
And sche, that was a lusti wyht,
It liketh hire al that he seide:
And thus thei duelle there and pleide
The longe dai. And so befell,

Hic ponit exemplum super eodem quod de nocte contigit. Et narrat qualiter Hercules cum Eole in quadam spelunca nobili, Thophis dicta, sub monte Thymolo, vbi silua Bachi est, hospicio pernoctarunt. Et cum ipsi variis lectis seperatim iacentes dormierunt, contigit lectum Herculis vestimentis Eole lectumque Eole pelle leonis, qua Hercules induebatur, operiri. Super quo Faunus a silua descendens speluncam subintrauit, temptans si forte cum Eole sue concupiscencie voluptatem nesciente Hercule furari posset. Et cum ad lectum Herculis muliebri palpata veste ex casu peruenisset, putans Eolen fuisse, cubiculum nudo corpore ingre-

6795 he AdBT   6802 and om. B   6803 bifell AM, Ad, H₃
6811 Toward XRCLB₂   Towarde H₁   6816 margin sectis
ARCLB₂   6821 S has lost a leaf (ll. 6821–7000)   6824 margin
voluntatem AM

LIBER QUINTUS

This Cave was under the hell   6830 [TALE OF HERCULES
Of Tymolus, which was begrowe   P. ii. 358   AND FAUNUS.]
With vines, and at thilke throwe   ditur; quem senciens
Faunus with Saba the goddesse,   Hercules manibus
Be whom the large wildernesse   apprehensum ipsum
In thilke time stod governed,   ad terram ita fortiter
Weere in a place, as I am lerned,   allisit, ut impotens
Nyh by, which Bachus wode hihte.   sui corporis effectus
This Faunus tok a gret insihte   usque mane ibidem
Of Eolen, that was so nyh;   requieuit, vbi Saba
For whan that he hire beaute syh,   6840   cum Nimphis siluestri-
Out of his wit he was assoted,   bus superueniens ip-
And in his herte it hath so noted,   sum sic illusum deri-
That he forsok the Nimphes alle,   debat.
And seide he wolde, hou so it falle,
Assaie an other forto winne;
So that his hertes thoght withinne
He sette and caste hou that he myhte
Of love pyke awey be nyhte
That he be daie in other wise
To stele mihte noght suffise: 6850
And therupon his time he waiteth.
  Nou tak good hiede hou love afaiteth
Him which withal is overcome.
Faire Eolen, whan sche was come
With Hercules into the Cave,
Sche seide him that sche wolde have
Hise clothes of and hires bothe,
That ech of hem scholde other clothe.
And al was do riht as sche bad,
He hath hire in hise clothes clad   6860

6836 Weere F   Were AC, B   Wher(e) JG   6839 so *om.*
H₁XRCLB₂   him E   6846 herte H₁RCLB₂
For 6848-6851 X *has*—
    That he by daye in oþer stede
    ffor ouȝte þat he haþ prayde and bede
    To stele myȝte nouȝt suffise
    Beþouȝte him in a noþer wise
    And þer vpon his time awaiteþ
6856 him *om.* A . . . B₂   6857 hire AM, B   6858 That]
And AM . . . B₂

[TALE OF HERCULES AND FAUNUS.]

And caste on hire his gulion, P. ii. 359
Which of the Skyn of a Leoun
Was mad, as he upon the weie
It slouh, and overthis to pleie
Sche tok his grete Mace also
And knet it at hir gerdil tho. (6900*)
So was sche lich the man arraied,
And Hercules thanne hath assaied
To clothen him in hire array:
And thus thei jape forth the dai, 6870
Til that her Souper redy were.
And whan thei hadden souped there,
Thei schopen hem to gon to reste;
And as it thoghte hem for the beste,
Thei bede, as for that ilke nyht,
Tuo sondri beddes to be dyht,
For thei togedre ligge nolde,
Be cause that thei offre wolde
Upon the morwe here sacrifice.
The servantz deden here office 6880
And sondri beddes made anon,
Wherin that thei to reste gon
Ech be himself in sondri place.
Faire Eole hath set the Mace
Beside hire beddes hed above,
And with the clothes of hire love
Sche helede al hire bed aboute;
And he, which hadde of nothing doute,
Hire wympel wond aboute his cheke,
Hire kertell and hire mantel eke 6890
Abrod upon his bed he spredde. P. ii. 360
And thus thei slepen bothe abedde;
And what of travail, what of wyn,
The servantz lich to drunke Swyn
Begunne forto route faste.
 This Faunus, which his Stelthe caste,
Was thanne come to the Cave,
And fond thei weren alle save

6867 the man] to man H₁ . . . B₂ 6883 Ech AJC, B Eche F
 hemself B 6895 Beginne H₁ . . . B₂ (*except* C), AdBT

LIBER QUINTUS

Withoute noise, and in he wente.
The derke nyht his sihte blente,   6900
And yit it happeth him to go
Where Eolen abedde tho
Was leid al one for to slepe;
Bot for he wolde take kepe
Whos bed it was, he made assai,
And of the Leoun, where it lay,
The Cote he fond, and ek he fieleth
The Mace, and thanne his herte kieleth,
That there dorste he noght abyde,
Bot stalketh upon every side   6910
And soghte aboute with his hond,
That other bedd til that he fond,
Wher lai bewympled a visage.
Tho was he glad in his corage,
For he hir kertell fond also
And ek hir mantell bothe tuo   (6950*)
Bespred upon the bed alofte.
He made him naked thanne, and softe
Into the bedd unwar he crepte,
Wher Hercules that time slepte,   6920
And wende wel it were sche;   P. ii. 361
And thus in stede of Eole
Anon he profreth him to love.
But he, which felte a man above,
This Hercules, him threw to grounde
So sore, that thei have him founde
Liggende there upon the morwe;
And tho was noght a litel sorwe,
That Faunus of himselve made,
Bot elles thei were alle glade   6930
And lowhen him to scorne aboute:
Saba with Nimphis al a route
Cam doun to loke hou that he ferde,
And whan that thei the sothe herde,
He was bejaped overal.
    Mi Sone, be thou war withal   *Confessor.*

[TALE OF HERCULES AND FAUNUS.]

6925 þrew C, B   þrewe AJ, F   6932 a route J, B, F   arowte A
6933 it ferde AdBT

[TALE OF HERCULES AND FAUNUS.]

    To seche suche mecheries,
Bot if thou have the betre aspies,
In aunter if the so betyde
As Faunus dede thilke tyde,   6940
Wherof thou miht be schamed so.

Amans.

    Min holi fader, certes no.
Bot if I hadde riht good leve,
Such mecherie I thenke leve:
Mi feinte herte wol noght serve;
For malgre wolde I noght deserve
In thilke place wher I love.
Bot for ye tolden hier above
Of Covoitise and his pilage,
If ther be more of that lignage,   6950
Which toucheth to mi schrifte, I preie   P. ii. 362
That ye therof me wolde seie,
So that I mai the vice eschuie.

Confessor.

    Mi Sone, if I be order suie
The vices, as thei stonde arowe,
Of Covoitise thou schalt knowe
Ther is yit on, which is the laste;
In whom ther mai no vertu laste,
For he with god himself debateth,
Wherof that al the hevene him hateth.   6960

[SACRILEGE.]

xii. *Sacrilegus tantum furto loca sacra prophanat;*
   Vt sibi sunt agri, sic domus alma dei.
Nec locus est, in quo non temptat amans quod amatur,
   Et que posse nequit carpere, velle capit.

Hic tractat super vltima Cupiditatis specie, que Sacrilegium dicta est, cuius furtum ea que altissimo sanctificantur bona depredans ecclesie tantum spoliis insidiatur.

    The hihe god, which alle goode
Pourveied hath for mannes fode
Of clothes and of mete and drinke,
Bad Adam that he scholde swinke
To geten him his sustienance;
And ek he sette an ordinance   (7000*)
Upon the lawe of Moïses,
That though a man be haveles,
Yit schal he noght be thefte stele.
Bot nou adaies ther ben fele,   6970

6954 Mi *om.* AdBT   6955 on rowe H₁RCLB₂   6967 a lawe B

LIBER QUINTUS

That wol no labour undertake, [SACRILEGE.]
Bot what thei mai be Stelthe take
Thei holde it sikerliche wonne.
And thus the lawe is overronne,
Which god hath set, and namely
With hem that so untrewely
The goodes robbe of holi cherche.
The thefte which thei thanne werche P. ii. 363
Be name is cleped Sacrilegge,
Ayein the whom I thenke alegge.* 6980
Of his condicion to telle,
Which rifleth bothe bok and belle,
So forth with al the remenant

---

* Upon the pointz as we ben taught
Stant sacrilege, and elles nought.
  The firste point is for to seye,
Whan that a thief schal stele aweye
The holy thing from holy place.
  The secounde is, if he pourchace 7020*
By wey of thefte unholy thing,
Which he upon his knowleching
Fro holy place aweie took.
  The thridde point, as seith the book,
Is such as, wher as evere it be,
In woode, in feld or in Cite,
Schal no man stele by no wise
That halwed is to the servise
Of god which alle thinges wot.
But ther is nouther cold ne hot, 7030*
Which he for god or man wol spare,
So that the body may wel fare;
And that he may the world aschape,
The hevene him thenkth is but a jape:
And thus, the sothe for to telle,
He rifleth bothe book and belle,
So forth with al, etc. (*as* 6983 ff.)

7015*-7036* *Only in* AdBTΛ (*not* Δ) S *is here defective, but did not
contain the passage. Text follows* B   7015* f. taght : naght T   7025*
euere T euer B   7034* þenkeþ B thinkth T   7036* rifleth T ruyfleþ B

[SACRILEGE.]

To goddes hous appourtenant,
Wher that he scholde bidde his bede,
He doth his thefte in holi stede,
And takth what thing he fint therinne: P. ii. 364
For whan he seth that he mai winne,
He wondeth for no cursednesse,
That he ne brekth the holinesse 6990
And doth to god no reverence;
For he hath lost his conscience,
That though the Prest therfore curse,
He seith he fareth noght the wurse.

And forto speke it otherwise,
What man that lasseth the franchise (7050*)
And takth of holi cherche his preie,
I not what bedes he schal preie.
Whan he fro god, which hath yive al,
The Pourpartie in special, 7000
Which unto Crist himself is due,
Benymth, he mai noght wel eschue
The peine comende afterward;
For he hath mad his foreward
With Sacrilegge forto duelle,
Which hath his heritage in helle.
And if we rede of tholde lawe,
I finde write, in thilke dawe
Of Princes hou ther weren thre
Coupable sore in this degre. 7010
That on of hem was cleped thus,
The proude king Antiochus;
That other Nabuzardan hihte,
Which of his crualte behyhte
The temple to destruie and waste,
And so he dede in alle haste;
The thridde, which was after schamed, P. ii. 365
Was Nabugodonosor named,

6994 wurse A, F worse JC, B 7001 S *resumes* 7007 (7061*) *margin* SBΔΛ *have here* Hic tractat precipue de tribus sacrilegis, quorum vnus fuit Antiochus, alter Nabuzardan, tercius Nabugodonosor. (precipue *om.* Δ) 7008 lawe AdBT 7009 hou *om.* H₁ ... B₂ 7010 sore] alle H₁ ... B₂

LIBER QUINTUS 141

And he Jerusalem putte under, [Sacrilege.]
Of Sacrilegge and many a wonder 7020
There in the holi temple he wroghte,
Which Baltazar his heir aboghte,
Whan Mane, Techel, Phares write
Was on the wal, as thou miht wite,
So as the bible it hath declared.
Bot for al that it is noght spared
Yit nou aday, that men ne pile,
And maken argument and skile
To Sacrilegge as it belongeth,
For what man that ther after longeth, 7030
He takth non hiede what he doth.*
 And riht so, forto telle soth,
In loves cause if I schal trete,

---

* And if a man schal telle soth,
Of guile and of soubtilite
Is non so slyh in his degre
To feigne a thing for his beyete,
As is this vice of which I trete. 7090*
He can so priveliche pyke,
He can so wel hise wordes slyke
To putte awey suspecioun,
That in his excusacioun,
Ther schal noman defalte finde.
And thus fulofte men be blinde,
That stonden of his word deceived,
Er his queintise be perceived.
Bot natheles yit otherwhile, **P. ii. 366**
For al his sleyhte and al his guile, 7100*
Of that he wolde his werk forsake,
He is atteint and overtake;
Wherof thou schalt a tale rede,
In Rome as it befell in dede.

7022 (7076*) *margin* Nota de scriptura in pariete tempore Regis
Baltazar, que fuit mane, techel, phares SBΛ (scripta B) 7025 it *om.*
H₁ . . . B₂
 7086*–7210* *Only in* SAdBTΔΛ *Text here follows* S 7100*
sleyhte SΔ stelþe AdBT 7104* *line om.* BT

[SACRILEGE OF
LOVERS.]

Ther ben of suche smale and grete :
If thei no leisir fynden elles,
Thei wol noght wonden for the belles,

[TALE OF LUCIUS AND
THE STATUE.]

Hic loquitur de illis
qui laruata consciencia
Sacrilegium sibi licere
fingunt. Et narrat
quod, cum quidam
Lucius clericus famo-
sus et Imperatori no-
tus deum suum Apol-
linem in templo Rome
de anulo suo, pallio
et barba aurea spolias-
set, ipse tandem ap-
prehensus et coram
Imperatore accusatus
taliter se excusando
ait : 'Anulum a deo
recepi, quid ipse digi-
to protenso ex sua
largitate anulum hunc
graciose michi optu-
lit ; pallium ex lamine
aureo constructum
tuli, quia aurum max-
ime ponderosum et
frigidum naturaliter
consistit, vnde nec in
estate propter pondus
nec in yeme propter
frigus ad dei vestes
vtile fuit ; barbam ab
eo deposui, quia ip-
sum patri suo assimi-
lare volui, nam et
Apollo, qui ante ip-
sum in templo stetit,
absque barba iuuenis
apparuit. Et sic ea
que gessi non ex fur-
to set honestate pro-
cessisse manifeste de-
claraui.'

 Er Rome cam to the creance
Of Cristes feith, it fell per chance,
Cesar, which tho was Emperour,
Him liste forto don honour
Unto the temple Apollinis,
And made an ymage upon this, 7110*
The which was cleped Apollo.
Was non so riche in Rome tho ;
Of plate of gold a berd he hadde,
The which his brest al overspradde ;
Of gold also withoute faile
His mantell was of large entaile,
Beset with perrie al aboute,
Forthriht he strawhte his finger oute,
Upon the which he hadde a ryng,
To sen it was a riche thing, 7120*
A fin Carbuncle for the nones,
Most precious of alle Stones.
 And fell that time in Rome thus :
Ther was a clerk, on Lucius,
A Courteour, a famous man,
Of every witt somwhat he can,
Outake that him lacketh reule
His oghne astat to guide and reule ;
How so it stod of his spekinge, P. ii. 367
He was noght wys in his doinge. 7130*
Bot every riot ate laste
Mot nedes falle and mai noght laste :
After the meede of his decerte,
So fell this clerk into poverte
And wiste noght how forto ryse ;
Wherof in many a sondri wyse

7121* charboncle AdT charbocle B 7126* *margin* barbam
ab eo] barbam a deo BΛ (*margin om.* AdT) 7128* *margin*
volui] nolui BΛ 7129* *margin* qui ante—templo *om.* B
7132* *margin* set honestate] sed ex honestate BΛ

LIBER QUINTUS

Ne thogh thei sen the Prest at masse; [SACRILEGE OF
That wol thei leten overpasse. LOVERS.]
If that thei finde here love there,

He caste his wittes hier and ther, [TALE OF LUCIUS AND
He loketh nyh, he loketh fer, THE STATUE.]
Til on a time that he com
Into the temple, and hiede he nom 7140*
Wher that the god Apollo stod.
He sih the richesse and the good,
And thoghte he wolde be som weie
The tresor pyke and stele aweie;
And therupon so slyhly wroghte,
That his pourpos aboute he broghte,
And wente awey unaparceived.
Thus hath the man his god deceived,
His ryng, his mantell and his beerd,
As he which nothing was a feerd, 7150*
Al prively with him he bar:
And whan the wardeins weren war
Of that here god despuiled was,
Hem thoghte it was a wonder cas,
How that a man for eny wele
Durste in so holy place stele,
And namely so gret a thing.
This tale cam unto the king,
And was thurgh spoken overal: P. ii. 368
Bot forto knowe in special 7160*
What maner man hath do the dede,
Thei soghten help upon the nede
And maden calculacioun,
Wherof be demonstracioun
The man was founde with the good.
In juggement and whan he stood,
The king hath axed of him thus:
'Sey, thou unsely Lucius,
Whi hast thou don this sacrilegge?'

7140* he *om.* AdBTΛ   7148* the] he S   7150* a feerd
(a ferd) SB   aferd T   7156* Durste BT   Durst S   7157*
gret BT   grete S

[SACRILEGE OF LOVERS.]

Thei stonde and tellen in hire Ere, 7040
And axe of god non other grace, P. ii. 370
Whyl thei ben in that holi place;

[TALE OF LUCIUS AND THE STATUE.]

'Mi lord, if I the cause allegge,' 7170*
Quod he ayein, 'me thenketh this,
That I have do nothing amis.
Thre pointz ther ben whiche I have do,
Wherof the ferste point stant so,
That I the ryng have take aweie.
As unto that this wole I seie:
Whan I the god behield aboute,
I sih how he his hond strawhte oute
And profred me the ryng to yive;
And I, which wolde gladly live 7180*
Out of povert of his largesse,
It underfeng, so that I gesse,
As therof I am noght to wyte.
And overmore I wol me quite,
Of gold that I the mantell tok:
Gold in his kinde, as seith the bok,
Is hevy bothe and cold also;
And for that it was hevy so,
Me thoghte it was no garnement P. ii. 369
Unto the god convenient, 7190*
To clothen him the somer tide;
I thoghte upon that other side
How gold is cold, and such a cloth
Be resoun oghte to be loth
In wynter time for the chele.
And thus thenkende thoghtes fele,
As I myn yhe aboute caste,
His large beerd thanne ate laste
I syh, and thoghte anon therfore
How that his fader him before, 7200*
Which stod upon the same place,
Was beerdles with a yongly face:
And in such wise as ye have herd

7176* As vnto þat SΔ   Vnto þat AdTΛ   Vnto þat point B   7181*
of SΔ   þurgh BT   þoro Ad   7183* And . . . am I AdBTΛ

LIBER QUINTUS

> Bot er thei gon som avantage
> Ther wol thei have, and som pilage
> Of goodli word or of beheste,
> Or elles thei take ate leste
> Out of hir hand or ring or glove,
> So nyh the weder thei wol love,
> As who seith sche schal noght foryete,
> Nou I this tokne of hire have gete: 7050
> Thus halwe thei the hihe feste.
> Such thefte mai no cherche areste,
> For al is leveful that hem liketh,
> To whom that elles it misliketh.
> And ek riht in the selve kinde
> In grete Cites men mai finde
> This lusti folk, that make it gay,
> And waite upon the haliday:
> In cherches and in Menstres eke
> Thei gon the wommen forto seke, 7060
> And wher that such on goth aboute,
> Tofore the faireste of the route,
> Wher as thei sitten alle arewe,
> Ther wol he most his bodi schewe,
> His croket kembd and theron set
> A Nouche with a chapelet,
> Or elles on of grene leves,
> Which late com out of the greves,
> Al for he scholde seme freissh.
> And thus he loketh on the fleissh, 7070

[SACRILEGE OF LOVERS.]

> I tok awey the Sones berd,
> For that his fader hadde non,
> To make hem liche, and hier upon
> I axe forto ben excused.'
>   Lo thus, wher Sacrilege is used,
> A man can feigne his conscience;
> And riht upon such evidence 7210*
> In loves cause, &c. (*as* 7033 ff.)

[TALE OF LUCIUS AND THE STATUE.]

7048 love] houe G, AdBTΛ   7053 leueful AJ, S, F   leuful C   lieful B   7070 the fleissh] his fl. AdBTΛ
7204* took BT   toke S
* *
 *

[SACRILEGE OF LOVERS.]

Riht as an hauk which hath a sihte P. ii. 371
Upon the foul, ther he schal lihte; (7250*)
And as he were of faierie,
He scheweth him tofore here yhe
In holi place wher thei sitte,
Al forto make here hertes flitte.
His yhe nawher wole abyde,
Bot loke and prie on every syde
On hire and hire, as him best lyketh:
And otherwhile among he syketh; 7080
Thenkth on of hem, 'That was for me,'
And so ther thenken tuo or thre,
And yit he loveth non of alle,
Bot wher as evere his chance falle.
And natheles to seie a soth,
The cause why that he so doth
Is forto stele an herte or tuo,
Out of the cherche er that he go:
And as I seide it hier above,
Al is that Sacrilege of love; 7090
For wel mai be he stelth away
That he nevere after yelde may.
Tell me forthi, my Sone, anon,
Hast thou do Sacrilege, or non,
As I have said in this manere?

Confessio Amantis.

　　Mi fader, as of this matiere
I wole you tellen redely
What I have do; bot trewely
I mai excuse min entente,
That nevere I yit to cherche wente 7100
In such manere as ye me schryve, P. ii. 372
For no womman that is on lyve.
The cause why I have it laft
Mai be for I unto that craft
Am nothing able so to stele,
Thogh ther be wommen noght so fele.
Bot yit wol I noght seie this,
Whan I am ther mi ladi is,

7078 preie (prey) AMH₁　　7094 do] be CL　　7106 noght]
neuer (neer) A ... B₂

LIBER QUINTUS

In whom lith holly mi querele,
And sche to cherche or to chapele 7110
Wol go to matins or to messe,—
That time I waite wel and gesse,
To cherche I come and there I stonde,
And thogh I take a bok on honde,
Mi contienance is on the bok,
Bot toward hire is al my lok;
And if so falle that I preie
Unto mi god, and somwhat seie
Of Paternoster or of Crede,
Al is for that I wolde spede, 7120
So that mi bede in holi cherche
Ther mihte som miracle werche (7300*)
Mi ladi herte forto chaunge,
Which evere hath be to me so strange.
So that al mi devocion
And al mi contemplacion
With al min herte and mi corage
Is only set on hire ymage;
And evere I waite upon the tyde.
If sche loke eny thing asyde, 7130
That I me mai of hire avise, P. ii. 373
Anon I am with covoitise
So smite, that me were lief
To ben in holi cherche a thief;
Bot noght to stele a vestement,
For that is nothing mi talent,
Bot I wold stele, if that I mihte,
A glad word or a goodly syhte;
And evere mi service I profre,
And namly whan sche wol gon offre, 7140
For thanne I lede hire, if I may,
For somwhat wolde I stele away.
Whan I beclippe hire on the wast,
Yit ate leste I stele a tast,
And otherwhile 'grant mercy'
Sche seith, and so winne I therby

[SACRILEGE OF LOVERS.]

7119 or of] of a AM   7124 to me haþ be strange H₁ ... B₂, W
7131 on hire A ... B₂   on here H₁   7137 wold C, S, F   wolde AJ, B

[SACRILEGE OF LOVERS.]

A lusti touch, a good word eke,
Bot al the remenant to seke
Is fro mi pourpos wonder ferr.
So mai I seie, as I seide er, 7150
In holy cherche if that I wowe,
My conscience it wolde allowe,
Be so that up amendement
I mihte gete assignement
Wher forto spede in other place:
Such Sacrilege I holde a grace.
And thus, mi fader, soth to seie,
In cherche riht as in the weie,
If I mihte oght of love take,
Such hansell have I noght forsake. 7160
Bot finali I me confesse,
Ther is in me non holinesse,
Whil I hire se in eny stede;
And yit, for oght that evere I dede,
No Sacrilege of hire I tok,
Bot if it were of word or lok,
Or elles if that I hir fredde,
Whan I toward offringe hir ledde,
Take therof what I take may,
For elles bere I noght away: 7170
For thogh I wolde oght elles have,
Alle othre thinges ben so save (7350*)
And kept with such a privilege,
That I mai do no Sacrilege.
God wot mi wille natheles,
Thogh I mot nedes kepe pes
And malgre myn so let it passe,
Mi will therto is noght the lasse,
If I mihte other wise aweie.
Forthi, mi fader, I you preie, 7180
Tell what you thenketh therupon,
If I therof have gult or non.

7152 I wolde AdBTΛ   7160 I om. AMR   7163 eny] holi S...ΔΛ   7166 as it were H₁...B₂ ʒif I were J   7172 so] to AM   7177 so] sone H₁...B₂   7181 ʒe þenken AM ʒou þenken H₁XRCL   ye thingeth W

LIBER QUINTUS

    Thi will, mi Sone, is forto blame,   Confessor.
The remenant is bot a game,
That I have herd the telle as yit.
Bot tak this lore into thi wit,
That alle thing hath time and stede,
The cherche serveth for the bede,
The chambre is of an other speche.
Bot if thou wistest of the wreche,   7190
Hou Sacrilege it hath aboght,   **P. ii. 375**
Thou woldest betre ben bethoght;
And for thou schalt the more amende,
A tale I wole on the despende.

    To alle men, as who seith, knowe   [TALE OF PARIS AND
It is, and in the world thurgh blowe,   HELEN.]
Hou that of Troie Lamedon
To Hercules and to Jasoun,   Hic in amoris causa
Whan toward Colchos out of Grece   super istius vicii arti-
Be See sailende upon a piece   7200 culo ponit exemplum.
Of lond of Troie reste preide,—   Et narrat, pro eo quod
Bot he hem wrathfulli congeide :   Paris Priami Regis fi-
And for thei founde him so vilein,   lius Helenam Menelai
Whan thei come into Grece ayein,   vxorem in quadam
With pouer that thei gete myhte   Grecie insula a templo
Towardes Troie thei hem dyhte,   Veneris Sacrilegus ab-
And ther thei token such vengance,   duxit, illa Troie famo-
Wherof stant yit the remembrance;   sissima obsidio per
For thei destruide king and al,   vniuersi orbis climata
And leften bot the brente wal.   divulgata precipue
The Grecs of Troiens many slowe   causabatur. Ita quod
And prisoners thei toke ynowe,   huiusmodi Sacrileg-
Among the whiche ther was on,   ium non solum ad
The kinges doughter Lamedon,   ipsius regis Priami
Esiona, that faire thing,   omniumque suorum
Which unto Thelamon the king   interitum, set eciam
Be Hercules and be thassent   7210 ad perpetuam vrbis
Of al the hole parlement   desolacionem vindicte
                                                                      fomitem ministrabat.

7194 on þe I wol H₁...CB₂ on þe wol I L   7203 *margin* famossima F
7205 *margin* vniuersa BT   vniuersum A ... B₂   7206 *margin*
causabat A ... B₂   7208 the] in AM ... B₂   7215 that] þe H₁ ... B₂

[Tale of Paris and Helen.]

Was at his wille yove and granted.
And thus hath Grece Troie danted, 7220
And hom thei torne in such manere: P. ii. 376
Bot after this nou schalt thou hiere (7400*)
The cause why this tale I telle,
Upon the chances that befelle.
  King Lamedon, which deide thus,
He hadde a Sone, on Priamus,
Which was noght thilke time at hom:
Bot whan he herde of this, he com,
And fond hou the Cite was falle,
Which he began anon to walle 7230
And made ther a cite newe,
That thei whiche othre londes knewe
Tho seiden, that of lym and Ston
In al the world so fair was non.
And on that o side of the toun
The king let maken Ylioun,
That hihe Tour, that stronge place,
Which was adrad of no manace
Of quarel nor of non engin;
And thogh men wolde make a Myn, 7240
No mannes craft it mihte aproche,
For it was sett upon a roche.
The walles of the toun aboute,
Hem stod of al the world no doute,
And after the proporcion
Sex gates weren of the toun
Of such a forme, of such entaile,
That hem to se was gret mervaile:
The diches weren brode and depe,
A fewe men it mihte kepe 7250
From al the world, as semeth tho, P. ii. 377
Bot if the goddes weren fo.
Gret presse unto that cite drouh,
So that ther was of poeple ynouh,
Of Burgeis that therinne duellen;
Ther mai no mannes tunge tellen

7223 þe tale H₁ ... B₂   7236 maken] make an B

LIBER QUINTUS

Hou that cite was riche of good. [TALE OF PARIS AND HELEN.]
   Whan al was mad and al wel stod,
King Priamus tho him bethoghte
What thei of Grece whilom wroghte,   7260
And what was of her swerd devoured,
And hou his Soster deshonoured
With Thelamon awey was lad:
And so thenkende he wax unglad,
And sette anon a parlement,
To which the lordes were assent.
In many a wise ther was spoke,
Hou that thei mihten ben awroke,
Bot ate laste natheles
Thei seiden alle, 'Acord and pes.'   7270
To setten either part in reste
It thoghte hem thanne for the beste   (7450*)
With resonable amendement;
And thus was Anthenor forth sent
To axe Esionam ayein
And witen what thei wolden sein.
So passeth he the See be barge
To Grece forto seie his charge,
The which he seide redely
Unto the lordes by and by: 7280
Bot where he spak in Grece aboute,   **P. ii. 378**
He herde noght bot wordes stoute,
And nameliche of Thelamon;
The maiden wolde he noght forgon,
He seide, for no maner thing,
And bad him gon hom to his king,
For there gat he non amende
For oght he couthe do or sende.
   This Anthenor ayein goth hom
Unto his king, and whan he com,   7290
He tolde in Grece of that he herde,
And hou that Thelamon ansuerde,

7257 of good] and good JH₁, AdBTΛ   7264 þo þenkende he B
þus þenking he GC   he þenking he H₁XRLB₂   he þenking þus E
7271 euery AdBT   7274 Antenor F   7275 Esiona H₁ ... B₂, T
7277 be large Ad   by grace AM

[TALE OF PARIS AND
HELEN.]

And hou thei were at here above,
That thei wol nouther pes ne love,
Bot every man schal don his beste.
Bot for men sein that nyht hath reste,
The king bethoghte him al that nyht,
And erli, whan the dai was lyht,
He tok conseil of this matiere;
And thei acorde in this manere,   7300
That he withouten eny lette
A certein time scholde sette
Of Parlement to ben avised:
And in the wise it was devised,
Of parlement he sette a day,
And that was in the Monthe of Maii.
This Priamus hadde in his yhte
A wif, and Hecuba sche hyhte,
Be whom that time ek hadde he
Of Sones fyve, and douhtres thre   7310
Besiden hem, and thritty mo,   **P. ii. 379**
And weren knyhtes alle tho,
Bot noght upon his wif begete,
Bot elles where he myhte hem gete
Of wommen whiche he hadde knowe;
Such was the world at thilke throwe:
So that he was of children riche,
As therof was noman his liche.

    Of Parlement the dai was come,
Ther ben the lordes alle and some;   7320
Tho was pronounced and pourposed,
And al the cause hem was desclosed,   (7500*)
Hou Anthenor in Grece ferde.
Thei seten alle stille and herde,
And tho spak every man aboute:
Ther was alegged many a doute,
And many a proud word spoke also;
Bot for the moste part as tho

7297 that] þe S... Δ   7303 f. *two lines om.* AdBT   7311 hem]
tuo (too) H₁... B₂   7318 his] him H₁... B₂, B, W   7327 And
a proud word AMH₁XRCL   And proude wordes B₂   7328 as tho]
also AdBT

LIBER QUINTUS

Thei wisten noght what was the beste, [TALE OF PARIS AND
Or forto werre or forto reste. 7330 HELEN.]
Bot he that was withoute fere,
Hector, among the lordes there
His tale tolde in such a wise,
And seide, 'Lordes, ye ben wise,
Ye knowen this als wel as I,
Above all othre most worthi
Stant nou in Grece the manhode
Of worthinesse and of knihthode;
For who so wole it wel agrope,
To hem belongeth al Europe, 7340
Which is the thridde parti evene P. ii. 380
Of al the world under the hevene;
And we be bot of folk a fewe.
So were it reson forto schewe
The peril, er we falle thrinne:
Betre is to leve, than beginne
Thing which as mai noght ben achieved;
He is noght wys that fint him grieved,
And doth so that his grief be more;
For who that loketh al tofore 7350
And wol noght se what is behinde,
He mai fulofte hise harmes finde:
Wicke is to stryve and have the worse.
We have encheson forto corse,
This wot I wel, and forto hate
The Greks; bot er that we debate
With hem that ben of such a myht,
It is ful good that every wiht
Be of himself riht wel bethoght.
Bot as for me this seie I noght; 7360
For while that mi lif wol stonde,
If that ye taken werre on honde,
Falle it to beste or to the werste,
I schal miselven be the ferste
To grieven hem, what evere I may.

7336 all S, F alle AJ, B   7344 forto schewe] forto eschewe
(for teschewe &c.) H₁ . . . B₂   7363 or to werste JXERCL, H₂
falle it to werste H₁B₂

[TALE OF PARIS AND HELEN.]

I wol noght ones seie nay
To thing which that youre conseil demeth,
For unto me wel more it quemeth
The werre certes than the pes;
Bot this I seie natheles, 7370
As me belongeth forto seie. P. ii. 381
Nou schape ye the beste weie.' (7550*)
    Whan Hector hath seid his avis,
Next after him tho spak Paris,
Which was his brother, and alleide
What him best thoghte, and thus he seide:
'Strong thing it is to soffre wrong,
And suffre schame is more strong,
Bot we have suffred bothe tuo;
And for al that yit have we do 7380
What so we mihte to reforme
The pes, whan we in such a forme
Sente Anthenor, as ye wel knowe.
And thei here grete wordes blowe
Upon her wrongful dedes eke;
And who that wole himself noght meke
To pes, and list no reson take,
Men sein reson him wol forsake:
For in the multitude of men
Is noght the strengthe, for with ten 7390
It hath be sen in trew querele
Ayein an hundred false dele,
And had the betre of goddes grace.
This hath befalle in many place;
And if it like unto you alle,
I wole assaie, hou so it falle,
Oure enemis if I mai grieve;
For I have cawht a gret believe
Upon a point I wol declare.
    This ender day, as I gan fare 7400
To hunte unto the grete hert, P. ii. 382
Which was tofore myn houndes stert,

7382 This wrong and schame in bettre forme H₁ ... B₂ (The wrong X)   7388 wol (wil) him H₁ ... B₂, W   7391 trew F trewe AJC, SB   7400 ende er dai A

LIBER QUINTUS

And every man went on his syde [TALE OF PARIS AND HELEN.]
Him to poursuie, and I to ryde
Began the chace, and soth to seie,
Withinne a while out of mi weie
I rod, and nyste where I was.
And slep me cauhte, and on the gras
Beside a welle I lay me doun
To slepe, and in a visioun   7410
To me the god Mercurie cam;
Goddesses thre with him he nam,
Minerve, Venus and Juno,
And in his hond an Appel tho
He hield of gold with lettres write:
And this he dede me to wite,
Hou that thei putt hem upon me,
That to the faireste of hem thre
Of gold that Appel scholde I yive.
With ech of hem tho was I schrive,   7420
And echon faire me behihte;
Bot Venus seide, if that sche mihte   (7600*)
That Appel of mi yifte gete,
Sche wolde it neveremor foryete,
And seide hou that in Grece lond
Sche wolde bringe unto myn hond
Of al this Erthe the faireste;
So that me thoghte it for the beste,
To hire and yaf that Appel tho.
Thus hope I wel, if that I go,   7430
That sche for me wol so ordeine,   **P. ii. 383**
That thei matiere forto pleigne
Schul have, er that I come ayein.
Nou have ye herd that I wol sein:
Sey ye what stant in youre avis.'
And every man tho seide his,
And sundri causes thei recorde,
Bot ate laste thei acorde
That Paris schal to Grece wende,

7403 went AC, S, F   wente J, BT   7405 the] to AdBT
7410 a visioun MXGCLB₂, Δ, FWH₃ auisioun (avision etc.) AJH₁ER,
SAdBT   7417 putt A, S, F   putte JC, B   7419 that] þe AM

And thus the parlement tok ende. 7440
Cassandra, whan sche herde of this,
The which to Paris Soster is,
Anon sche gan to wepe and weile,
And seide, 'Allas, what mai ous eile?
Fortune with hire blinde whiel
Ne wol noght lete ous stonde wel:
For this I dar wel undertake,
That if Paris his weie take,
As it is seid that he schal do,
We ben for evere thanne undo.' 7450
This, which Cassandre thanne hihte,
In al the world as it berth sihte,
In bokes as men finde write,
Is that Sibille of whom ye wite,
That alle men yit clepen sage.
Whan that sche wiste of this viage,
Hou Paris schal to Grece fare,
No womman mihte worse fare
Ne sorwe more than sche dede;
And riht so in the same stede 7460
Ferde Helenus, which was hir brother, **P. ii. 384**
Of prophecie and such an other:
And al was holde bot a jape,
So that the pourpos which was schape,
Or were hem lief or were hem loth,
Was holde, and into Grece goth
This Paris with his retenance.
And as it fell upon his chance,
Of Grece he londeth in an yle,
And him was told the same whyle 7470
Of folk which he began to freyne,
Tho was in thyle queene Heleyne, (7650*)
And ek of contres there aboute
Of ladis many a lusti route,
With mochel worthi poeple also.
And why thei comen theder tho,
The cause stod in such a wise,—

7441 Cassandre H1 . . . B2   7464 the *om.* AM . . . B2
7470 þat same XRCLB2, T

LIBER QUINTUS

For worschipe and for sacrifise [TALE OF PARIS AND
That thei to Venus wolden make, HELEN.]
As thei tofore hadde undertake, 7480
Some of good will, some of beheste,
For thanne was hire hihe feste
Withinne a temple which was there.
  Whan Paris wiste what thei were,
Anon he schop his ordinance
To gon and don his obeissance
To Venus on hire holi day,
And dede upon his beste aray.
With gret richesse he him behongeth,
As it to such a lord belongeth, 7490
He was noght armed natheles,   **P. ii. 385**
Bot as it were in lond of pes,
And thus he goth forth out of Schipe
And takth with him his felaschipe:
In such manere as I you seie
Unto the temple he hield his weie.
  Tydinge, which goth overal
To grete and smale, forth withal
Com to the queenes Ere and tolde
Hou Paris com, and that he wolde 7500
Do sacrifise to Venus:
And whan sche herde telle thus,
She thoghte, hou that it evere be,
That sche wole him abyde and se.
  Forth comth Paris with glad visage
Into the temple on pelrinage,
Wher unto Venus the goddesse
He yifth and offreth gret richesse,
And preith hir that he preie wolde.
And thanne aside he gan beholde, 7510
And sih wher that this ladi stod;
And he forth in his freisshe mod
Goth ther sche was and made hir chiere,
As he wel couthe in his manere,
That of his wordes such plesance
Sche tok, that al hire aqueintance,

7504 wolde AdB   7510 on side H₁ ... B₂ (*except* E)

[Tale of Paris and Helen.]

Als ferforth as the herte lay,
He stal er that he wente away.
So goth he forth and tok his leve,
And thoghte, anon as it was eve, 7520
He wolde don his Sacrilegge, P. ii. 386
That many a man it scholde abegge. (7700*)
 Whan he to Schipe ayein was come,
To him he hath his conseil nome,
And al devised the matiere
In such a wise as thou schalt hiere.
Withinne nyht al prively
His men he warneth by and by,
That thei be redy armed sone
For certein thing which was to done: 7530
And thei anon ben redi alle,
And ech on other gan to calle,
And went hem out upon the stronde
And tok a pourpos ther alonde
Of what thing that thei wolden do,
Toward the temple and forth thei go.
So fell it, of devocion
Heleine in contemplacion
With many an other worthi wiht
Was in the temple and wok al nyht, 7540
To bidde and preie unto thymage
Of Venus, as was thanne usage;
So that Paris riht as him liste
Into the temple, er thei it wiste,
Com with his men al sodeinly,
And alle at ones sette ascry
In hem whiche in the temple were,
For tho was mochel poeple there;
Bot of defense was no bote,
So soffren thei that soffre mote. 7550
 Paris unto the queene wente, P. ii. 387
And hire in bothe hise armes hente
With him and with his felaschipe,
And forth thei bere hire unto Schipe.

7533 went A, SB, F wente JC 7535 that *om.* AM...B₂ 7541 unto]
to H₁...B₂ 7544 it *om.* H₁...B₂ 7554 in to AM...B₂, WH₃ to △

Up goth the Seil and forth thei wente,   [TALE OF PARIS AND
And such a wynd fortune hem sente,   HELEN.]
Til thei the havene of Troie cauhte;
Where out of Schipe anon thei strauhte
And gon hem forth toward the toun,
The which cam with processioun   7560
Ayein Paris to sen his preie.
And every man began to seie
To Paris and his felaschipe
Al that thei couthen of worschipe;
Was non so litel man in Troie,
That he ne made merthe and joie
Of that Paris hath wonne Heleine.
Bot al that merthe is sorwe and peine
To Helenus and to Cassaundre;
For thei it token schame and sklaundre   7570
And lost of al the comun grace,
That Paris out of holi place   (7750*)
Be Stelthe hath take a mannes wif,
Wherof that he schal lese his lif
And many a worthi man therto,
And al the Cite be fordo,
Which nevere schal be mad ayein.
And so it fell, riht as thei sein,
The Sacrilege which he wroghte
Was cause why the Gregois soughte   7580
Unto the toun and it beleie,   **P. ii. 388**
And wolden nevere parte aweie,
Til what be sleihte and what be strengthe
Thei hadde it wonne in brede and lengthe,
And brent and slayn that was withinne.
Now se, mi Sone, which a sinne
Is Sacrilege in holy stede:
Be war therfore and bidd thi bede,
And do nothing in holy cherche,
Bot that thou miht be reson werche.   7590
    And ek tak hiede of Achilles,
Whan he unto his love ches
Polixena, that was also
      7570 token] tolden S ... ∆

[SACRILEGE OF LOVERS.]

In holi temple of Appollo,
Which was the cause why he dyde
And al his lust was leyd asyde.
    And Troilus upon Criseide
Also his ferste love leide
In holi place, and hou it ferde,
As who seith, al the world it herde;   7600
Forsake he was for Diomede,
Such was of love his laste mede.

Confessor.

    Forthi, mi Sone, I wolde rede,
Be this ensample as thou myht rede,
Sech elles, wher thou wolt, thi grace,
And war the wel in holi place
What thou to love do or speke,
In aunter if it so be wreke
As thou hast herd me told before.

[DIVISIONS OF AVARICE.]

And tak good hiede also therfore   7610
Upon what forme, of Avarice   **P. ii. 389**
Mor than of eny other vice,
I have divided in parties
The branches, whiche of compainies
Thurghout the world in general
Ben nou the leders overal,
Of Covoitise and of Perjure,
Of fals brocage and of Usure,
Of Skarsnesse and Unkindeschipe,
Which nevere drouh to felaschipe,   7620
Of Robberie and privi Stelthe,
Which don is for the worldes welthe,   (7800*)
Of Ravine and of Sacrilegge,
Which makth the conscience agregge;
Althogh it mai richesse atteigne,
It floureth, bot it schal noght greine
Unto the fruit of rihtwisnesse.
Bot who that wolde do largesse
Upon the reule as it is yive,
So myhte a man in trouthe live   7630

7602 of lust (luste) H₁ ... B₂   7604 *line om.* B   7611 what] þe AdBT that W   7619 Skarnesse F   7621 and of M ... B₂, T   7630 to trouþe AMH₁XRCLB₂   by trouþe E

LIBER QUINTUS

    Toward his god, and ek also
Toward the world, for bothe tuo
Largesse awaiteth as belongeth,
To neither part that he ne wrongeth;
He kepth himself, he kepth his frendes,
So stant he sauf to bothe hise endes,
That he excedeth no mesure,
So wel he can himself mesure :
Wherof, mi Sone, thou schalt wite,
So as the Philosophre hath write.   7640

xiii. *Prodegus et parcus duo sunt extrema, que largus* **P. ii. 390**   [PRODIGALITY AND
    Est horum medius, plebis in ore bonus.   LARGESS.]

    Betwen the tuo extremites
Of vice stant the propretes   Nota hic de virtute
Of vertu, and to prove it so   Largitatis, que ad
Tak Avarice and tak also   oppositum Auaricie
The vice of Prodegalite ;   inter duo extrema,
Betwen hem Liberalite,   videlicet Parcimoni-
Which is the vertu of Largesse,   am et Prodegalitatem,
Stant and governeth his noblesse.   specialiter consistit.
For tho tuo vices in discord
Stonde evere, as I finde of record ;   7650
So that betwen here tuo debat
Largesse reuleth his astat.
For in such wise as Avarice,
As I tofore have told the vice,
Thurgh streit holdinge and thurgh skarsnesse
Stant in contraire to Largesse,
Riht so stant Prodegalite
Revers, bot noght in such degre.
For so as Avarice spareth,
And forto kepe his tresor careth,   7660
That other al his oghne and more
Ayein the wise mannes lore
Yifth and despendeth hiere and there,
So that him reccheth nevere where.
While he mai borwe, he wol despende,

7634 partie (party) þat he wrongeþ AM ... B₂
Latin Verses xiii. 1 extrema *que* C, B   extrema*que* J, F

                     M

[PRODIGALITY AND LARGESS.]

Til ate laste he seith, 'I wende';
Bot that is spoken al to late,
For thanne is poverte ate gate
And takth him evene be the slieve,   **P. ii. 391**
For erst wol he no wisdom lieve.   7670
And riht as Avarice is Sinne,
That wolde his tresor kepe and winne,   (7850*)
Riht so is Prodegalite:
Bot of Largesse in his degre,
Which evene stant betwen the tuo,
The hihe god and man also
The vertu ech of hem commendeth.
For he himselven ferst amendeth,
That overal his name spredeth,
And to alle othre, where it nedeth,   7680
He yifth his good in such a wise,
That he makth many a man arise,
Which elles scholde falle lowe.
Largesce mai noght ben unknowe;
For what lond that he regneth inne,
It mai noght faile forto winne
Thurgh his decerte love and grace,
Wher it schal faile in other place.
   And thus betwen tomoche and lyte
Largesce, which is noght to wyte,   7690
Halt evere forth the middel weie:
Bot who that torne wole aweie
Fro that to Prodegalite,
Anon he lest the proprete
Of vertu and goth to the vice;
For in such wise as Avarice
Lest for scarsnesse his goode name,
Riht so that other is to blame,
Which thurgh his wast mesure excedeth,   **P. ii. 392**
For noman wot what harm that bredeth.   7700
   Bot mochel joie ther betydeth,

7689 tomoche E, S, F   to moche AJ, BT   tuo (two) moche H₁ ... B₂ (*except* E)   the moche W   7694 lost AM ... B₂ (*except* E)   loseth W   leueth Δ   7700 it bredeþ A ... B₂
7701–7746 *Forty-six lines om.* S ... Δ (*ins.* Λ)

Wher that largesse an herte guydeth: [PRODIGALITY AND
For his mesure is so governed, LARGESS.]
That he to bothe partz is lerned,
To god and to the world also,
He doth reson to bothe tuo.
The povere folk of his almesse
Relieved ben in the destresse
Of thurst, of hunger and of cold;
The yifte of him was nevere sold, 7710
Bot frely yive, and natheles
The myhti god of his encress
Rewardeth him of double grace;
The hevene he doth him to pourchace
And yifth him ek the worldes good:
And thus the Cote for the hod
Largesse takth, and yit no Sinne
He doth, hou so that evere he winne.
 What man hath hors men yive him hors, Lucas. Omni ha-
And who non hath of him no fors, 7720 benti dabitur.
For he mai thanne on fote go;
The world hath evere stonde so.
Bot forto loken of the tweie,
A man to go the siker weie, Beacius est dare
Betre is to yive than to take: quam accipere.
With yifte a man mai frendes make,
Bot who that takth or gret or smal, **P. ii. 393**
He takth a charge forth withal,
And stant noght fre til it be quit.
So forto deme in mannes wit, 7730
It helpeth more a man to have
His oghne good, than forto crave
Of othre men and make him bounde,
Wher elles he mai stonde unbounde.
 Senec conseileth in this wise, Seneca. Si res tue
And seith, 'Bot if thi good suffise tibi non sufficiant, fac
Unto the liking of thi wille, vt rebus tuis sufficias.
Withdrawh thi lust and hold the stille,
And be to thi good sufficant.'

7725 *margin* Beacius—accipere *om.* A ... B₂
accipere] ac-pere F

[Prodigality and Largess.]

Apostolus. Ordinata caritas incipit a seipsa.

For that thing is appourtenant 7740
To trouthe and causeth to be fre
After the reule of charite,
Which ferst beginneth of himselve.
For if thou richest othre tuelve,
Wherof thou schalt thiself be povere,
I not what thonk thou miht recovere.
 Whil that a man hath good to yive,
With grete routes he mai live
And hath his frendes overal,
And everich of him telle schal. 7750
Therwhile he hath his fulle packe,
Thei seie, 'A good felawe is Jacke';
Bot whanne it faileth ate laste,
Anon his pris thei overcaste,
For thanne is ther non other lawe
Bot, 'Jacke was a good felawe.'
Whan thei him povere and nedy se, P. ii. 394
Thei lete him passe and farwel he;
Al that he wende of compainie
Is thanne torned to folie. 7760

[Prodigality of Lovers.]

 Bot nou to speke in other kinde
Of love, a man mai suche finde,
That wher thei come in every route
Thei caste and waste her love aboute,
Til al here time is overgon,
And thanne have thei love non:
For who that loveth overal,
It is no reson that he schal (7900*)
Of love have eny proprete.
Forthi, mi Sone, avise thee 7770
If thou of love hast be to large,
For such a man is noght to charge:
And if it so be that thou hast
Despended al thi time in wast
And set thi love in sondri place,
Though thou the substance of thi grace

7742 *margin* A plus A   Amplus H₁ERC   Amplius B₂   Ambrosius X
7751 The whil J, W   þat whil C   (Al þe while he hath his pak Δ)
7766 non] gon AM

LIBER QUINTUS

Lese ate laste, it is no wonder; [PRODIGALITY OF
For he that put himselven under, LOVERS.]
As who seith, comun overal,
He lest the love special 7780
Of eny on, if sche be wys;
For love schal noght bere his pris
Be reson, whanne it passeth on.
So have I sen ful many on,
That were of love wel at ese,
Whiche after felle in gret desese
Thurgh wast of love, that thei spente P. ii. 395
In sondri places wher thei wente.
   Riht so, mi Sone, I axe of thee Confessor.
If thou with Prodegalite 7790
Hast hier and ther thi love wasted.
   Mi fader, nay; bot I have tasted Amans.
In many a place as I have go,
And yit love I nevere on of tho,
Bot forto drive forth the dai.
For lieveth wel, myn herte is ay
Withoute mo for everemore
Al upon on, for I nomore
Desire bot hire love al one:
So make I many a prive mone, 7800
For wel I fiele I have despended
Mi longe love and noght amended
Mi sped, for oght I finde yit.
If this be wast to youre wit
Of love, and Prodegalite,
Nou, goode fader, demeth ye:
Bot of o thing I wol me schryve,
That I schal for no love thryve,
Bot if hirself me wol relieve.
   Mi Sone, that I mai wel lieve: 7810 Confessor.
And natheles me semeth so,
For oght that thou hast yit misdo
Of time which thou hast despended,
It mai with grace ben amended.

7784 sene (sen) many on H₁ ... B₂   7804 to] vnto E, B
7809 wol me AdBT, W   me wolde M

[PRODIGALITY OF LOVERS.]

For thing which mai be worth the cost
Per chaunce is nouther wast ne lost;
For what thing stant on aventure, **P. ii. 396**
That can no worldes creature (7950*)
Telle in certein hou it schal wende,
Til he therof mai sen an ende. 7820
So that I not as yit therfore
If thou, mi Sone, hast wonne or lore:
For ofte time, as it is sene,
Whan Somer hath lost al his grene
And is with Wynter wast and bare,
That him is left nothing to spare,
Al is recovered in a throwe;
The colde wyndes overblowe,
And stille be the scharpe schoures,
And soudeinliche ayein his floures 7830
The Somer hapneth and is riche:
And so per cas thi graces liche,
Mi Sone, thogh thou be nou povere
Of love, yit thou miht recovere.

Amans.

 Mi fader, certes grant merci:
Ye have me tawht so redeli,
That evere whil I live schal
The betre I mai be war withal
Of thing which ye have seid er this.
Bot overmore hou that it is, 7840
Toward mi schrifte as it belongeth,
To wite of othre pointz me longeth;
Wherof that ye me wolden teche
With al myn herte I you beseche.

Explicit Liber Quintus.

7817 in auenture AM... B₂, W 7819 Telle JC, SB Tell A, F
7823 tymes AdBTΔ 7829 stilled S... Δ 7840 euermore
H₁XRB₂, BΔ, W

LIBER SEXTUS

Incipit Liber Sextus

i. *Est gula que nostrum maculauit prima parentem* **P. iii. 1**
Ex vetito pomo, quo dolet omnis homo.
Hec agit vt corpus anime contraria spirat,
Quo caro fit crassa, spiritus atque macer.
Intus et exterius si que virtutis habentur,
Potibus ebrietas conuiciata ruit.
Mersa sopore, labris, que Bachus inebriat hospes,
Indignata Venus oscula raro premit.

[GLUTTONY.]

THE grete Senne original,
Which every man in general
Upon his berthe hath envenymed,
In Paradis it was mystymed:
Whan Adam of thilke Appel bot,
His swete morscel was to hot,
Which dedly made the mankinde.
And in the bokes as I finde,
This vice, which so out of rule
Hath sette ous alle, is cleped Gule;   10
Of which the branches ben so grete, **P. iii. 2**
That of hem alle I wol noght trete,
Bot only as touchende of tuo
I thenke speke and of no mo;
Wherof the ferste is Dronkeschipe,
Which berth the cuppe felaschipe.
Ful many a wonder doth this vice,
He can make of a wisman nyce,
And of a fool, that him schal seme
That he can al the lawe deme,   20
And yiven every juggement
Which longeth to the firmament
Bothe of the sterre and of the mone;

Hic in sexto libro tractare intendit de illo capitali vicio quod Gula dicitur, nec non et de eiusdem duabus solummodo speciebus, videlicet Ebrietate et Delicacia, ex quibus humane concupiscencie oblectamentum habundancius augmentatur.

[i. DRUNKENNESS.]

10 sette AJC, S, F   set BT   13 tuo] mo B

[DRUNKENNESS.]

And thus he makth a gret clerk sone
Of him that is a lewed man.
Ther is nothing which he ne can,
Whil he hath Dronkeschipe on honde,
He knowth the See, he knowth the stronde,
He is a noble man of armes,
And yit no strengthe is in his armes: 30
Ther he was strong ynouh tofore,
With Dronkeschipe it is forlore,
And al is changed his astat,
And wext anon so fieble and mat,
That he mai nouther go ne come,
Bot al togedre him is benome
The pouer bothe of hond and fot,
So that algate abide he mot.
And alle hise wittes he foryet,
The which is to him such a let,   40
That he wot nevere what he doth,   P. iii. 3
Ne which is fals, ne which is soth,
Ne which is dai, ne which is nyht,
And for the time he knowth no wyht,
That he ne wot so moche as this,
What maner thing himselven is,
Or he be man, or he be beste.
That holde I riht a sori feste,
Whan he that reson understod
So soudeinliche is woxe wod,   50
Or elles lich the dede man,
Which nouther go ne speke can.
Thus ofte he is to bedde broght,
Bot where he lith yit wot he noght,
Til he arise upon the morwe;
And thanne he seith, 'O, which a sorwe
It is a man be drinkeles!'
So that halfdrunke in such a res
With dreie mouth he sterte him uppe,
And seith, 'Nou *baillez ça* the cuppe.'   60

34 wext BT, F   wexit J   wexþ A   wexeþ C   44 As for AdBTΛ
57 a man be] for to be AdBT   a man to be JB₂, Δ   59 sterte AJ, S, F   stert C, BT

LIBER SEXTUS

That made him lese his wit at eve   [DRUNKENNESS.]
Is thanne a morwe al his beleve;
The cuppe is al that evere him pleseth,
And also that him most deseseth;
It is the cuppe whom he serveth,
Which alle cares fro him kerveth
And alle bales to him bringeth:
In joie he wepth, in sorwe he singeth,
For Dronkeschipe is so divers,
It may no whyle stonde in vers.   70
He drinkth the wyn, bot ate laste   P. iii. 4
The wyn drynkth him and bint him faste,
And leith him drunke be the wal,
As him which is his bonde thral
And al in his subjeccion.
  And lich to such condicion,   [LOVE-DRUNKEN-
As forto speke it other wise,   NESS.]
It falleth that the moste wise
Ben otherwhile of love adoted,
And so bewhaped and assoted,   80
Of drunke men that nevere yit
Was non, which half so loste his wit
Of drinke, as thei of such thing do
Which cleped is the jolif wo;
And waxen of here oghne thoght
So drunke, that thei knowe noght
What reson is, or more or lesse.
Such is the kinde of that sieknesse,
And that is noght for lacke of brain,
Bot love is of so gret a main,   90
That where he takth an herte on honde,
Ther mai nothing his miht withstonde:
The wise Salomon was nome,
And stronge Sampson overcome,
The knihtli David him ne mihte
Rescoue, that he with the sihte
Of Bersabee ne was bestad,
Virgile also was overlad,

66 care H₁ ... B₂   69 ffro F   79 doted AdBT   86 þei ne
knowe AM ... B₂ (*except* GE) þei knewe J

[LOVE-DRUNKEN-NESS.]

And Aristotle was put under.
Forthi, mi Sone, it is no wonder
If thou be drunke of love among,
Which is above alle othre strong:
And if so is that thou so be,
Tell me thi Schrifte in privite;
It is no schame of such a thew
A yong man to be dronkelew.
Of such Phisique I can a part,
And as me semeth be that art,
Thou scholdest be Phisonomie
Be schapen to that maladie
Of lovedrunke, and that is routhe.

100

P. iii. 5

110

Confessio Amantis.

Ha, holi fader, al is trouthe
That ye me telle: I am beknowe
That I with love am so bethrowe,
And al myn herte is so thurgh sunke,
That I am verraliche drunke,
And yit I mai bothe speke and go.
Bot I am overcome so,
And torned fro miself so clene,
That ofte I wot noght what I mene;
So that excusen I ne mai
Min herte, fro the ferste day
That I cam to mi ladi kiththe,
I was yit sobre nevere siththe.
Wher I hire se or se hire noght,
With musinge of min oghne thoght,
Of love, which min herte assaileth,
So drunke I am, that mi wit faileth
And al mi brain is overtorned,
And mi manere so mistorned,
That I foryete al that I can
And stonde lich a mased man;
That ofte, whanne I scholde pleie,
It makth me drawe out of the weie
In soulein place be miselve,
As doth a labourer to delve,
Which can no gentil mannes chere;

120

130

P. iii. 6

101 If] Of ERCB₂ Thouȝe X

LIBER SEXTUS

Or elles as a lewed Frere,   [LOVE-DRUNKEN-
Whan he is put to his penance,   NESS.]
Riht so lese I mi contienance.   140
And if it nedes so betyde,
That I in compainie abyde,
Wher as I moste daunce and singe
The hovedance and carolinge,
Or forto go the newefot,
I mai noght wel heve up mi fot,
If that sche be noght in the weie;
For thanne is al mi merthe aweie,
And waxe anon of thoght so full,
Wherof mi limes ben so dull,   150
I mai unethes gon the pas.
For thus it is and evere was,
Whanne I on suche thoghtes muse,
The lust and merthe that men use,
Whan I se noght mi ladi byme,
Al is foryete for the time
So ferforth that mi wittes changen
And alle lustes fro me strangen,
That thei seie alle trewely,
And swere, that it am noght I.   160
For as the man which ofte drinketh,   P. iii. 7
With win that in his stomac sinketh
Wext drunke and witles for a throwe,
Riht so mi lust is overthrowe,
And of myn oghne thoght so mat
I wexe, that to myn astat
Ther is no lime wol me serve,
Bot as a drunke man I swerve,
And suffre such a Passion,
That men have gret compassion,   170
And everich be himself merveilleth
What thing it is that me so eilleth.
Such is the manere of mi wo
Which time that I am hire fro,

145 newefot S, F *the rest* newe foot (fot)   151 a pas H₁ ... B₂
152 euer(e) it was AdBT   160 I am H₁XERC   162 With]
The AM ... B₂   172 so *om.* H₁ ... B₂

[LOVE-DRUNKEN-
NESS.]

Til eft ayein that I hire se.
Bot thanne it were a nycete
To telle you hou that I fare:
For whanne I mai upon hire stare,
Hire wommanhede, hire gentilesse,
Myn herte is full of such gladnesse, 180
That overpasseth so mi wit,
That I wot nevere where it sit,
Bot am so drunken of that sihte,
Me thenkth that for the time I mihte
Riht sterte thurgh the hole wall;
And thanne I mai wel, if I schal,
Bothe singe and daunce and lepe aboute,
And holde forth the lusti route.
Bot natheles it falleth so
Fulofte, that I fro hire go 190
Ne mai, bot as it were a stake, P. iii. 8
I stonde avisement to take
And loke upon hire faire face;
That for the while out of the place
For al the world ne myhte I wende.
Such lust comth thanne into mi mende,
So that withoute mete or drinke,
Of lusti thoughtes whiche I thinke
Me thenkth I mihte stonden evere;
And so it were to me levere 200
Than such a sihte forto leve,
If that sche wolde yif me leve
To have so mochel of mi wille.
And thus thenkende I stonde stille
Withoute blenchinge of myn yhe,
Riht as me thoghte that I syhe
Of Paradis the moste joie:
And so therwhile I me rejoie,
Into myn herte a gret desir,
The which is hotere than the fyr, 210
Al soudeinliche upon me renneth,
That al mi thoght withinne brenneth,

197 or] and AMX ... B₂, Δ   202 ȝif A, F   ȝiue J, B
ffor wel is me þat I haue leue H₁ ... B₂ (I *om.* C)   209 Vnto AdBT

And am so ferforth overcome,
That I not where I am become;
So that among the hetes stronge
In stede of drinke I underfonge
A thoght so swete in mi corage,
That nevere Pyment ne vernage
Was half so swete forto drinke.
For as I wolde, thanne I thinke   220
As thogh I were at myn above,
For so thurgh drunke I am of love,
That al that mi sotye demeth
Is soth, as thanne it to me semeth.
And whyle I mai tho thoghtes kepe,
Me thenkth as thogh I were aslepe
And that I were in goddes barm;
Bot whanne I se myn oghne harm,
And that I soudeinliche awake
Out of my thought, and hiede take   230
Hou that the sothe stant in dede,
Thanne is mi sekernesse in drede
And joie torned into wo,
So that the hete is al ago
Of such sotie as I was inne.
And thanne ayeinward I beginne
To take of love a newe thorst,
The which me grieveth altherworst,
For thanne comth the blanche fievere,
With chele and makth me so to chievere, 240
And so it coldeth at myn herte,
That wonder is hou I asterte,
In such a point that I ne deie:
For certes ther was nevere keie
Ne frosen ys upon the wal
More inly cold than I am al.
And thus soffre I the hote chele,
Which passeth othre peines fele;
In cold I brenne and frese in hete:
And thanne I drinke a biter swete   250

[LOVE-DRUNKEN-
NESS.]

P. iii. 9

215 þo hetes ST   þo hertes B   235 I *om.* AM   241 at]
al (alle) H₁E, SAdTΔ   242 hou] þat AM

[LOVE-DRUNKEN-
NESS.]

With dreie lippe and yhen wete. P. iii. 10
Lo, thus I tempre mi diete,
And take a drauhte of such reles,
That al mi wit is herteles,
And al myn herte, ther it sit,
Is, as who seith, withoute wit;
So that to prove it be reson
In makinge of comparison
Ther mai no difference be
Betwen a drunke man and me. 260
Bot al the worste of everychon
Is evere that I thurste in on;
The more that myn herte drinketh,
The more I may; so that me thinketh,
My thurst schal nevere ben aqueint.
God schilde that I be noght dreint
Of such a superfluite:
For wel I fiele in mi degre
That al mi wit is overcast,
Wherof I am the more agast, 270
That in defaulte of ladischipe
Per chance in such a drunkeschipe
I mai be ded er I be war.
For certes, fader, this I dar
Beknowe and in mi schrifte telle:
Bot I a drauhte have of that welle,
In which mi deth is and mi lif,
Mi joie is torned into strif,
That sobre schal I nevere worthe,
Bot as a drunke man forworthe; 280
So that in londe where I fare P. iii. 11
The lust is lore of mi welfare,
As he that mai no bote finde.
Bot this me thenkth a wonder kinde,
As I am drunke of that I drinke,
So am I ek for falte of drinke;
Of which I finde no reles:
Bot if I myhte natheles

262 þruste M, Δ trust(e) AdBT, W   281 wher þat AMG, H₃
285 *line om.* B

LIBER SEXTUS

Of such a drinke as I coveite,   [LOVE-DRUNKEN-
So as me liste, have o receite,   290   NESS.]
I scholde assobre and fare wel.
Bot so fortune upon hire whiel
On hih me deigneth noght to sette,
For everemore I finde a lette:
The boteler is noght mi frend,
Which hath the keie be the bend;
I mai wel wisshe and that is wast,
For wel I wot, so freissh a tast,
Bot if mi grace be the more,
I schal assaie neveremore.   300
Thus am I drunke of that I se,
For tastinge is defended me,
And I can noght miselven stanche:
So that, mi fader, of this branche
I am gultif, to telle trouthe.
    Mi Sone, that me thenketh routhe;   Confessor.
For lovedrunke is the meschief
Above alle othre the most chief,
If he no lusti thoght assaie,
Which mai his sori thurst allaie: 310
As for the time yit it lisseth   **P. iii. 12**
To him which other joie misseth.
Forthi, mi Sone, aboven alle
Thenk wel, hou so it the befalle,
And kep thi wittes that thou hast,
And let hem noght be drunke in wast:
Bot natheles ther is no wyht
That mai withstonde loves miht.
Bot why the cause is, as I finde,
Of that ther is diverse kinde   320
Of lovedrunke, why men pleigneth
After the court which al ordeigneth,
I wol the tellen the manere;
Nou lest, mi Sone, and thou schalt hiere.
    For the fortune of every chance
After the goddes pourveance
To man it groweth from above,   Hic narrat secun-
    297 wel *om.* AM ... B₂   dum Poetam, qualiter

CONFESSIO AMANTIS

[JUPITER'S TWO TUNS.]
in suo celario Iupiter duo dolea habet, quorum primum liquoris dulcissimi, secundum amarissimi plenum consistit, ita quod ille cui fatata est prosperitas de dulci potabit, alter vero, cui aduersabitur, poculum gustabit amarum.

So that the sped of every love
Is schape there, er it befalle.
For Jupiter aboven alle,　　　　　　　　　　330
Which is of goddes soverein,
Hath in his celier, as men sein,
Tuo tonnes fulle of love drinke,
That maken many an herte sinke
And many an herte also to flete,
Or of the soure or of the swete.
That on is full of such piment,
Which passeth all entendement
Of mannes witt, if he it taste,
And makth a jolif herte in haste :　　　　　340
That other biter as the galle,　　　　　P. iii. 13
Which makth a mannes herte palle,
Whos drunkeschipe is a sieknesse
Thurgh fielinge of the biternesse.
Cupide is boteler of bothe,
Which to the lieve and to the lothe
Yifth of the swete and of the soure,
That some lawhe, and some loure.
Bot for so moche as he blind is,
Fulofte time he goth amis　　　　　　　　　350
And takth the badde for the goode,
Which hindreth many a mannes fode
Withoute cause, and forthreth eke.
So be ther some of love seke,
Whiche oghte of reson to ben hole,
And some comen to the dole
In happ and as hemselve leste
Drinke undeserved of the beste.
And thus this blinde Boteler
Yifth of the trouble in stede of cler　　　　360
And ek the cler in stede of trouble :
Lo, hou he can the hertes trouble,
And makth men drunke al upon chaunce

329 be falle JH₁ERB₂, BT　　339 caste AdBT, H₃　　354 of þe seke AM ... B₂　　357 In iape AM　　358 vnserued AM, W　　363 drinke al H₁X, AdBT　drunken (*om.* al) E　all (*om.* drunke) B₂ dronke and W

LIBER SEXTUS

Withoute lawe of governance.　　　　　[JUPITER'S TWO
If he drawe of the swete tonne,　　　　　　TUNS.]
Thanne is the sorwe al overronne
Of lovedrunke, and schalt noght greven
So to be drunken every even,
For al is thanne bot a game.
Bot whanne it is noght of the same,　　370
And he the biter tonne draweth,　　P. iii. 14
Such drunkeschipe an herte gnaweth
And fiebleth al a mannes thoght,
That betre him were have drunke noght
And al his bred have eten dreie;
For thanne he lest his lusti weie
With drunkeschipe, and wot noght whider
To go, the weies ben so slider,
In which he mai per cas so falle,
That he schal breke his wittes alle.　　380
And in this wise men be drunke
After the drink that thei have drunke:
Bot alle drinken noght alike,
For som schal singe and som schal syke,
So that it me nothing merveilleth,
Mi Sone, of love that thee eilleth;
For wel I knowe be thi tale,
That thou hast drunken of the duale,
Which biter is, til god the sende
Such grace that thou miht amende.　　390
　Bot, Sone, thou schalt bidde and preie　　[PRAYER. BACCHUS
In such a wise as I schal seie,　　　　　　IN THE DESERT.]
That thou the lusti welle atteigne
Thi wofull thurstes to restreigne
Of love, and taste the swetnesse;
As Bachus dede in his distresse,
Whan bodiliche thurst him hente
In strange londes where he wente.
This Bachus Sone of Jupiter　　　　　　Nota hic qualiter
　　　　　　　　　　　　　　　　　potus aliquando sici-

367 Of louedrunke and schalt FK　Of louedrunke and schal J,
SAdBT, W　Of louedrinke and schal AM ... B₂, Δ　Of loue drunken
and shal H₃　376 lest J, B, F　lesþ A　leeseþ C　379 which A, B, F
whiche J　382 that *om.* AdBT　387 I wel AJM　I wol(e) H₁ ... B₂

[PRAYER. BACCHUS IN THE DESERT.]
enti precibus adquiritur. Et narrat in exemplum quod, cum Bachus de quodam bello ab oriente repatrians in quibusdam Lubie partibus alicuius generis potum non inuenit, fusis ad Iouem precibus, apparuit ei Aries, qui terram pede percussit, statimque fons emanauit; et sic potum petenti peticio preualuit.

Was hote, and as he wente fer 400
Be his fadres assignement P. iii. 15
To make a werre in Orient,
And gret pouer with him he ladde,
So that the heiere hond he hadde
And victoire of his enemys,
And torneth homward with his pris,
In such a contre which was dreie
A meschief fell upon the weie.
As he rod with his compainie
Nyh to the strondes of Lubie, 410
Ther myhte thei no drinke finde
Of water nor of other kinde,
So that himself and al his host
Were of defalte of drinke almost
Distruid, and thanne Bachus preide
To Jupiter, and thus he seide:
'O hihe fader, that sest al,
To whom is reson that I schal
Beseche and preie in every nede,
Behold, mi fader, and tak hiede 420
This wofull thurst that we ben inne
To staunche, and grante ous forto winne,
And sauf unto the contre fare,
Wher that oure lusti loves are
Waitende upon oure hom cominge.'
And with the vois of his preiynge,
Which herd was to the goddes hihe,
He syh anon tofore his yhe
A wether, which the ground hath sporned;
And wher he hath it overtorned, 430
Ther sprang a welle freissh and cler, P. iii. 16
Wherof his oghne boteler
After the lustes of his wille
Was every man to drinke his fille.
And for this ilke grete grace
Bachus upon the same place

408 the] þei F   409 *margin* concussit A . . . B₂   414 for defaute H₁ . . . C, Δ, H₃   in defaute B₂, W   421 wofull] foule AdBT   434 Was] ȝaf H₁ . . . B₂

LIBER SEXTUS

A riche temple let arere,   [PRAYER. BACCHUS
Which evere scholde stonde there   IN THE DESERT.]
To thursti men in remembrance.
  Forthi, mi Sone, after this chance   440   Confessor.
It sit thee wel to taken hiede
So forto preie upon thi nede,
As Bachus preide for the welle;
And thenk, as thou hast herd me telle,
Hou grace he gradde and grace he hadde.
He was no fol that ferst so radde,
For selden get a domb man lond:
Tak that proverbe, and understond
That wordes ben of vertu grete.
Forthi to speke thou ne lete,   450
And axe and prei erli and late
Thi thurst to quenche, and thenk algate,
The boteler which berth the keie
Is blind, as thou hast herd me seie;
And if it mihte so betyde,
That he upon the blinde side
Per cas the swete tonne arauhte,
Than schalt thou have a lusti drauhte
And waxe of lovedrunke sobre.
And thus I rede thou assobre   460
Thin herte in hope of such a grace;   P. iii. 17
For drunkeschipe in every place,
To whether side that it torne,
Doth harm and makth a man to sporne
And ofte falle in such a wise,
Wher he per cas mai noght arise.
  And forto loke in evidence   [LOVE-DRUNKENNESS.
Upon the sothe experience,   TRISTRAM.]
So as it hath befalle er this,   Hic de amoris ebri-
                                              etate ponit exemplum,
In every mannes mouth it is   470 qualiter Tristrans ob
Hou Tristram was of love drunke   potum, quem Brang-
With Bele Ysolde, whan thei drunke   weyne in naui ei por-
The drink which Brangwein hem betok, rexit, de amore Bele
                                           Isolde inebriatus ex-
Er that king Marc his Eem hire tok   titit.

442 þe nede AM . . . B2   463 i (I) torne AM   469 So
þat AdBT, W   470 *margin* ad potum H₁ . . . B2

[LOVE-DRUNKENNESS.
TRISTRAM.]

To wyve, as it was after knowe.
And ek, mi Sone, if thou wolt knowe,
As it hath fallen overmore
In loves cause, and what is more
Of drunkeschipe forto drede,
As it whilom befell in dede, 480
Wherof thou miht the betre eschuie
Of drunke men that thou ne suie
The compaignie in no manere,
A gret ensample thou schalt hiere.

[MARRIAGE OF PIRI-
THOUS.]

Hic de periculis ebri-
etatis causa in amore
contingentibus narrat
quod, cum Pirothous
illam pulcherimam
Ypotaciam in vxorem
duceret, quosdam qui
Centauri vocabantur
inter alios vicinos ad
nupcias inuitauit; qui
vino imbuti, noue nupte
formositatem aspici-
entes, duplici ebrietate
insanierunt, ita quod
ipsi subito salientes
a mensa Ipotaciam a
Pirothoo marito suo in
impetu rapuerunt.

This finde I write in Poesie
Of thilke faire Ipotacie,
Of whos beaute ther as sche was
Spak every man,—and fell per cas,
That Pirotoüs so him spedde,
That he to wyve hire scholde wedde, 490
Wherof that he gret joie made. P. iii. 18
And for he wolde his love glade,
Ayein the day of mariage
Be mouthe bothe and be message
Hise frendes to the feste he preide,
With gret worschipe and, as men seide,
He hath this yonge ladi spoused.
And whan that thei were alle housed,
And set and served ate mete,
Ther was no wyn which mai be gete, 500
That ther ne was plente ynouh:
Bot Bachus thilke tonne drouh,
Wherof be weie of drunkeschipe
The greteste of the felaschipe
Were oute of reson overtake;
And Venus, which hath also take
The cause most in special,
Hath yove hem drinke forth withal
Of thilke cuppe which exciteth
The lust wherinne a man deliteth: 510

488 *margin* contige*n*tibus F 495 feste AJ, B fest C, F
497 *margin in om.* H₁ ... B₂, BΔ, W 500 be gete] begete
(bigete) AX, SAdTΔ 508 ȝoue B, F ȝeue A ȝiue J, C

And thus be double weie drunke,
Of lust that ilke fyri funke
Hath mad hem, as who seith, halfwode,
That thei no reson understode,
Ne to non other thing thei syhen,
Bot hire, which tofore here yhen
Was wedded thilke same day,
That freisshe wif, that lusti May,
On hire it was al that thei thoghten.
And so ferforth here lustes soghten,   520
That thei the whiche named were   P. iii. 19
Centauri, ate feste there
Of on assent, of on acord
This yonge wif malgre hire lord
In such a rage awei forth ladden,
As thei whiche non insihte hadden
Bot only to her drunke fare,
Which many a man hath mad misfare
In love als wel as other weie.
Wherof, if I schal more seie   530
Upon the nature of the vice,
Of custume and of excercice
The mannes grace hou it fordoth,
A tale, which was whilom soth,
Of fooles that so drunken were,
I schal reherce unto thine Ere.

[MARRIAGE OF PIRITHOUS.]

    I rede in a Cronique thus
Of Galba and of Vitellus,
The whiche of Spaigne bothe were
The greteste of alle othre there,   540
And bothe of o condicion
After the disposicion
Of glotonie and drunkeschipe.
That was a sori felaschipe :
For this thou miht wel understonde,
That man mai wel noght longe stonde
Which is wyndrunke of comun us ;

[GALBA AND VITELLIUS.]

Hic loquitur specialiter contra vicium illorum, qui nimia potacione quasi ex consuetudine ebriosi efficiuntur. Et narrat exemplum de Galba et Vitello, qui potentes in Hispania principes fuerunt, set ipsi cotidiane ebrietatis potibus assueti, tanta vicinis intulerunt enor-

---

513 halfwode S, F   half wode (woode) AJ, B   519 On] Of B
531 þis vice A ... B₂, S ... Δ   543 and of H₁ ... B₂, W

[GALBA AND VITEL-
LIUS.]

mia, quod tandem toto conclamante populo pena sentencie capitalis in eos iudicialiter diffinita est : qui priusquam morerentur, vt penam mortis alleuiarent, spontanea vini ebrietate sopiti, quasi porci semimortui gladio interierunt.

For he hath lore the vertus,
Wherof reson him scholde clothe;
And that was seene upon hem bothe. 550
Men sein ther is non evidence, P. iii. 20
Wherof to knowe a difference
Betwen the drunken and the wode,
For thei be nevere nouther goode;
For wher that wyn doth wit aweie,
Wisdom hath lost the rihte weie,
That he no maner vice dredeth;
Nomore than a blind man thredeth
His nedle be the Sonnes lyht,
Nomore is reson thanne of myht, 560
Whan he with drunkeschipe is blent.
And in this point thei weren schent,
This Galba bothe and ek Vitelle,
Upon the cause as I schal telle,
Wherof good is to taken hiede.
For thei tuo thurgh her drunkenhiede
Of witles excitacioun
Oppressede al the nacion
Of Spaigne; for of fool usance,
Which don was of continuance 570
Of hem, whiche alday drunken were,
Ther was no wif ne maiden there,
What so thei were, or faire or foule,
Whom thei ne token to defoule,
Wherof the lond was often wo :
And ek in othre thinges mo
Thei wroghten many a sondri wrong.
Bot hou so that the dai be long,
The derke nyht comth ate laste :
God wolde noght thei scholden laste, 580
And schop the lawe in such a wise, P. iii. 21
That thei thurgh dom to the juise
Be dampned forto be forlore.

550 *margin* que tandem AM   coclamante F   554 neuere AJ, T   neuer C, SB, F   556 *margin* perierunt A ... B₂
559 Sonne H₁E, B, W (sonne bright)   569 of fool] a fool AM ... C   a foul B₂   of foul Ad   of foli Δ

LIBER SEXTUS

Bot thei, that hadden ben tofore   [GALBA AND VITEL-
Enclin to alle drunkenesse,—   LIUS.]
Here ende thanne bar witnesse;
For thei in hope to assuage
The peine of deth, upon the rage
That thei the lasse scholden fiele,
Of wyn let fille full a Miele,   590
And dronken til so was befalle
That thei her strengthes losten alle
Withouten wit of eny brain;
And thus thei ben halfdede slain,
That hem ne grieveth bot a lyte.
    Mi Sone, if thou be forto wyte   Confessor.
In eny point which I have seid,
Wherof thi wittes ben unteid,
I rede clepe hem hom ayein.
    I schal do, fader, as ye sein,   600   Amans.
Als ferforth as I mai suffise:
Bot wel I wot that in no wise
The drunkeschipe of love aweie
I mai remue be no weie,
It stant noght upon my fortune.
Bot if you liste to comune
Of the seconde Glotonie,
Which cleped is Delicacie,
Wherof ye spieken hier tofore,
Beseche I wolde you therfore.   610
    Mi Sone, as of that ilke vice,   P. iii. 22   Confessor.
Which of alle othre is the Norrice,
And stant upon the retenue
Of Venus, so as it is due,
The proprete hou that it fareth
The bok hierafter nou declareth.

   ii. *Delicie cum diuiciis sunt iura potentum,*   [DELICACY.]
      In quibus orta Venus excitat ora gule.
    Non sunt delicie tales, que corpora pascunt,
      Ex quibus impletus gaudia venter agit,

590 fille ful] fulfille (ful fille) H₁XRCB₂   fulle M   fille W   599
I rede þe H₁ERCB₂, Ad   I rede ȝou X   (I rede þe M *corr.*)

[DELICACY.]

Quin completus amor maiori munere gaudet,
Cum data deliciis mens in amante satur.

Hic tractat super illa
specie Gule que Delicacia
nuncupatur, cuius
mollicies voluptuose
carni in personis
precipue potentibus
queque complacencia
corporaliter ministrat.

  Of this chapitre in which we trete
There is yit on of such diete,
To which no povere mai atteigne ;
For al is Past of paindemeine   620
And sondri wyn and sondri drinke,
Wherof that he wole ete and drinke :
Hise cokes ben for him affaited,
So that his body is awaited,
That him schal lacke no delit,
Als ferforth as his appetit
Sufficeth to the metes hote.
Wherof this lusti vice is hote
Of Gule the Delicacie,
Which al the hole progenie   630
Of lusti folk hath undertake
To feede, whil that he mai take
Richesses wherof to be founde :
Of Abstinence he wot no bounde,
To what profit it scholde serve.
And yit phisique of his conserve
Makth many a restauracioun   P. iii. 23
Unto his recreacioun,
Which wolde be to Venus lief.
Thus for the point of his relief   640
The coc which schal his mete arraie,
Bot he the betre his mouth assaie,
His lordes thonk schal ofte lese,
Er he be served to the chese :
For ther mai lacke noght so lyte,
That he ne fint anon a wyte ;
For bot his lust be fully served,
Ther hath no wiht his thonk deserved.
And yit for mannes sustenance,
To kepe and holde in governance,   650

Latin Verses ii. 6 fatur H₁ ... B₂, B
620 is Past of] his past of AJ   is past(e) as BT   his past is Ad
621 *margin* molliciis A ... B₂   623 *margin* quoque AMH₁XB₂, W
633 Richesse AMH₁, H₃   Riches W   647 For bot] But if AdBT

To him that wole his hele gete [DELICACY.]
Is non so good as comun mete:
For who that loketh on the bokes,
It seith, confeccion of cokes,
A man him scholde wel avise
Hou he it toke and in what wise.
For who that useth that he knoweth,
Ful selden seknesse on him groweth,
And who that useth metes strange,
Though his nature empeire and change   660
It is no wonder, lieve Sone,
Whan that he doth ayein his wone;
For in Phisique this I finde,   Philosophus. Con-
Usage is the seconde kinde.   suetudo est altera na-
                                        tura.
And riht so changeth his astat P. iii. 24 [LOVE-DELICACY.]
He that of love is delicat:
For though he hadde to his hond
The beste wif of al the lond,
Or the faireste love of alle,
Yit wolde his herte on othre falle   670
And thenke hem mor delicious
Than he hath in his oghne hous:
Men sein it is nou ofte so;
Avise hem wel, thei that so do.
And forto speke in other weie,
Fulofte time I have herd seie,
That he which hath no love achieved,
Him thenkth that he is noght relieved,
Thogh that his ladi make him chiere,
So as sche mai in good manere   680
Hir honour and hir name save,
Bot he the surplus mihte have.
Nothing withstondende hire astat,
Of love more delicat
He set hire chiere at no delit,

653 who that] who so AM ... B₂   664 Vsance A ... B₂
665-964 *ins. after* 1146 SAdBTΔΛ   *These copies proceed here with l.* 965
         Vsage is þe seconde kinde
         In loue als wel as oþer weie, &c.
  673 nou *om.* AM   681 His honour AM

[LOVE-DELICACY.]

Bot he have al his appetit.
 Mi Sone, if it be with thee so,
Tell me.

Confessio Amantis.
   Myn holi fader, no:
For delicat in such a wise
Of love, as ye to me devise,   690
Ne was I nevere yit gultif;
For if I hadde such a wif
As ye speke of, what scholde I more?
For thanne I wolde neveremore
For lust of eny wommanhiede   P. iii. 25
Myn herte upon non other fiede:
And if I dede, it were a wast.
Bot al withoute such repast
Of lust, as ye me tolde above,
Of wif, or yit of other love,   700
I faste, and mai no fode gete;
So that for lacke of deinte mete,
Of which an herte mai be fedd,
I go fastende to my bedd.
Bot myhte I geten, as ye tolde,
So mochel that mi ladi wolde
Me fede with hir glad semblant,
Though me lacke al the remenant,
Yit scholde I somdel ben abeched
And for the time wel refreched.   710
Bot certes, fader, sche ne doth;
For in good feith, to telle soth,
I trowe, thogh I scholde sterve,
Sche wolde noght hire yhe swerve,
Min herte with o goodly lok
To fede, and thus for such a cok
I mai go fastinge everemo:
Bot if so is that eny wo
Mai fede a mannes herte wel,
Therof I have at every meel   720
Of plente more than ynowh;
Bot that is of himself so towh,

686 But if BT 715 a goodly JH₁RCB₂, AdBT, H₃ a gladly W
one goodly Δ

LIBER SEXTUS

Mi stomac mai it noght defie. [LOVE-DELICACY.]
Lo, such is the delicacie
Of love, which myn herte fedeth; P. iii. 26
Thus have I lacke of that me nedeth.
 Bot for al this yit natheles
I seie noght I am gylteles,
That I somdel am delicat:
For elles were I fulli mat, 730
Bot if that I som lusti stounde
Of confort and of ese founde,
To take of love som repast;
For thogh I with the fulle tast
The lust of love mai noght fiele,
Min hunger otherwise I kiele
Of smale lustes whiche I pike,
And for a time yit thei like;
If that ye wisten what I mene.
 Nou, goode Sone, schrif thee clene 740   Confessor.
Of suche deyntes as ben goode,
Wherof thou takst thin hertes fode.
 Mi fader, I you schal reherce,   Confessio Amantis.
Hou that mi fodes ben diverse,
So as thei fallen in degre.
O fiedinge is of that I se,
An other is of that I here,
The thridde, as I schal tellen here,
It groweth of min oghne thoght:
And elles scholde I live noght; 750
For whom that failleth fode of herte,
He mai noght wel the deth asterte.
 Of sihte is al mi ferste fode,
Thurgh which myn yhe of alle goode   Nota qualiter visus in
Hath that to him is acordant, P. iii. 27 amore se continet deli-
A lusti fode sufficant.   catus.
Whan that I go toward the place
Wher I schal se my ladi face,
Min yhe, which is loth to faste,
Beginth to hungre anon so faste, 760

734 ful paast AM   746 Of fieding(e) AM, AdΛ, H₃   If feding(e)
H₁ . . . B₂ (*not* G)   Tho fedyng W   751 of herte] and herte AJM

[LOVE-DELICACY.]

That him thenkth of on houre thre,
Til I ther come and he hire se:
And thanne after his appetit
He takth a fode of such delit,
That him non other deynte nedeth.
Of sondri sihtes he him fedeth:
He seth hire face of such colour,
That freisshere is than eny flour,
He seth hire front is large and plein
Withoute fronce of eny grein,   770
He seth hire yhen lich an hevene,
He seth hire nase strauht and evene,
He seth hire rode upon the cheke,
He seth hire rede lippes eke,
Hire chyn acordeth to the face,
Al that he seth is full of grace,
He seth hire necke round and clene,
Therinne mai no bon be sene,
He seth hire handes faire and whyte;
For al this thing without wyte   780
He mai se naked ate leste,
So is it wel the more feste
And wel the mor Delicacie
Unto the fiedinge of myn yhe.
He seth hire schapthe forth withal,   **P. iii. 28**
Hire bodi round, hire middel smal,
So wel begon with good array,
Which passeth al the lust of Maii,
Whan he is most with softe schoures
Ful clothed in his lusti floures.   790
With suche sihtes by and by
Min yhe is fed; bot finaly,
Whan he the port and the manere
Seth of hire wommanysshe chere,
Than hath he such delice on honde,
Him thenkth he mihte stille stonde,
And that he hath ful sufficance
Of liflode and of sustienance

762 he hire] to hir(e) AdBT   784 myn] his AM ... B₂
785 schapþe S, F   *the rest* schape (schappe &c.)

As to his part for everemo.   [LOVE-DELICACY.]
And if it thoghte alle othre so,   800
Fro thenne wolde he nevere wende,
Bot there unto the worldes ende
He wolde abyde, if that he mihte,
And fieden him upon the syhte.
For thogh I mihte stonden ay
Into the time of domesday
And loke upon hire evere in on,
Yit whanne I scholde fro hire gon,
Min yhe wolde, as thogh he faste,
Ben hungerstorven al so faste,   810
Til efte ayein that he hire syhe.
Such is the nature of myn yhe:
Ther is no lust so deintefull,
Of which a man schal noght be full,
Of that the stomac underfongeth,   P. iii. 29
Bot evere in on myn yhe longeth:
For loke hou that a goshauk tireth,
Riht so doth he, whan that he pireth
And toteth on hire wommanhiede;
For he mai nevere fulli fiede   820
His lust, bot evere aliche sore
Him hungreth, so that he the more
Desireth to be fed algate:
And thus myn yhe is mad the gate,
Thurgh which the deyntes of my thoght
Of lust ben to myn herte broght.
  Riht as myn yhe with his lok
Is to myn herte a lusti coc
Of loves fode delicat,
Riht so myn Ere in his astat,   830   Qualiter auris in
Wher as myn yhe mai noght serve,   amore delectatur.
Can wel myn hertes thonk deserve
And fieden him fro day to day
With suche deyntes as he may.
For thus it is, that overal,
Wher as I come in special,
I mai hiere of mi ladi pris;
    827 *Paragraph at l.* 830 *in MSS.*

[Love-Delicacy.]

I hiere on seith that sche is wys,
An other seith that sche is good,
And som men sein, of worthi blod   840
That sche is come, and is also
So fair, that nawher is non so;
And som men preise hire goodli chiere :
Thus every thing that I mai hiere,
Which souneth to mi ladi goode,   P. iii. 30
Is to myn Ere a lusti foode.
And ek min Ere hath over this
A deynte feste, whan so is
That I mai hiere hirselve speke;
For thanne anon mi faste I breke   850
On suche wordes as sche seith,
That full of trouthe and full of feith
Thei ben, and of so good desport,
That to myn Ere gret confort
Thei don, as thei that ben delices.
For al the metes and the spices,
That eny Lombard couthe make,
Ne be so lusti forto take
Ne so ferforth restauratif,
I seie as for myn oghne lif,   860
As ben the wordes of hire mouth :
For as the wyndes of the South
Ben most of alle debonaire,
So whan hir list to speke faire,
The vertu of hire goodly speche
Is verraily myn hertes leche.
And if it so befalle among,
That sche carole upon a song,
Whan I it hiere I am so fedd,
That I am fro miself so ledd,   870
As thogh I were in paradis;
For certes, as to myn avis,
Whan I here of hir vois the stevene,
Me thenkth it is a blisse of hevene.
And ek in other wise also   P. iii. 31

838 seith] seie MC, AdΔ, W (say)   841 is also] seiþ also
AdBT   856 and all(e) þe spices M ... B₂, W

LIBER SEXTUS

Fulofte time it falleth so,   [LOVE-DELICACY.]
Min Ere with a good pitance
Is fedd of redinge of romance
Of Ydoine and of Amadas,
That whilom weren in mi cas,   880
And eke of othre many a score,
That loveden longe er I was bore.
For whan I of here loves rede,
Min Ere with the tale I fede;
And with the lust of here histoire
Somtime I drawe into memoire
Hou sorwe mai noght evere laste;
And so comth hope in ate laste,
Whan I non other fode knowe.
And that endureth bot a throwe,   890
Riht as it were a cherie feste;
Bot forto compten ate leste,
As for the while yit it eseth
And somdel of myn herte appeseth:
For what thing to myn Ere spreedeth,
Which is plesant, somdel it feedeth
With wordes suche as he mai gete
Mi lust, in stede of other mete.
    Lo thus, mi fader, as I seie,   *Amans.*
Of lust the which myn yhe hath seie,   900
And ek of that myn Ere hath herd,
Fulofte I have the betre ferd.
And tho tuo bringen in the thridde,
The which hath in myn herte amidde
His place take, to arraie   P. iii. 32
The lusti fode, which assaie
I mot; and nameliche on nyhtes,
Whan that me lacketh alle sihtes,
And that myn heringe is aweie,
Thanne is he redy in the weie   910
Mi reresouper forto make,
Of which myn hertes fode I take.
    This lusti cokes name is hote

892 for tacompten B   899 as I þe seye B   906 fode] þoughtes B   *om.* AdT   flode B₂

[LOVE-DELICACY.]
Qualiter cogitatus impressiones leticie ymaginatiuas cordibus inserit amantum.

  Thoght, which hath evere hise pottes hote
Of love buillende on the fyr
With fantasie and with desir,
Of whiche er this fulofte he fedde
Min herte, whanne I was abedde;
And thanne he set upon my bord
Bothe every syhte and every word   920
Of lust, which I have herd or sein.
Bot yit is noght mi feste al plein,
Bot al of woldes and of wisshes,
Therof have I my fulle disshes,
Bot as of fielinge and of tast,
Yit mihte I nevere have o repast.
And thus, as I have seid aforn,
I licke hony on the thorn,
And as who seith, upon the bridel
I chiewe, so that al is ydel   930
As in effect the fode I have.
Bot as a man that wolde him save,
Whan he is sek, be medicine,
Riht so of love the famine
I fonde in al that evere I mai   P. iii. 33
To fiede and dryve forth the day,
Til I mai have the grete feste,
Which al myn hunger myhte areste.
  Lo suche ben mi lustes thre;
Of that I thenke and hiere and se   940
I take of love my fiedinge
Withoute tastinge or fielinge:
And as the Plover doth of Eir
I live, and am in good espeir
That for no such delicacie
I trowe I do no glotonie.
And natheles to youre avis,
Min holi fader, that be wis,
I recomande myn astat
Of that I have be delicat.   950

Confessor.
  Mi Sone, I understonde wel

927 toforn AdBT   928 on] of EB₂, AdBT   946 I do]
to do AM

LIBER SEXTUS

That thou hast told hier everydel,   [LOVE-DELICACY.]
And as me thenketh be thi tale,
It ben delices wonder smale,
Wherof thou takst thi loves fode.
Bot, Sone, if that thou understode
What is to ben delicious,
Thou woldest noght be curious
Upon the lust of thin astat
To ben to sore delicat,   960
Wherof that thou reson excede :
For in the bokes thou myht rede,
If mannes wisdom schal be suied,
It oghte wel to ben eschuied
In love als wel as other weie;   P. iii. 34
For, as these holi bokes seie,   [DELICACY.
The bodely delices alle   Delicie corporis mili-
In every point, hou so thei falle,   tant aduersus animam.
Unto the Soule don grievance.
And forto take in remembrance,   970
A tale acordant unto this,
Which of gret understondinge is
To mannes soule resonable,
I thenke telle, and is no fable.

Of Cristes word, who wole it rede,   [DIVES AND LAZARUS.]
Hou that this vice is forto drede
In thevangile it telleth plein,   Hic ponit exemplum
Which mot algate be certein,   contra istos delicatos.
For Crist himself it berth witnesse.   Et narrat de diuite et
And thogh the clerk and the clergesse   Lazaro, quorum gestus
In latin tunge it rede and singe,   980 in euangelio Lucas
Yit for the more knoulechinge   euidencius describit.
Of trouthe, which is good to wite,
I schal declare as it is write
In Engleissh, for thus it began.
   Crist seith : 'Ther was a riche man,
A mihti lord of gret astat,
And he was ek so delicat

After 964 Als wel be reson as be kinde etc. (1149 ff.) SAdBTΛΛ
973 To] In AM . . . B₂   979 *margin* gesta B   988 eek he was C, Δ

DIVES AND LAZARUS.]

Of his clothing, that everyday
Of pourpre and bisse he made him gay, 990
And eet and drank therto his fille
After the lustes of his wille,
As he which al stod in delice
And tok non hiede of thilke vice.
And as it scholde so betyde, P. iii. 35
A povere lazre upon a tyde
Cam to the gate and axed mete:
Bot there mihte he nothing gete
His dedly hunger forto stanche;
For he, which hadde his fulle panche 1000
Of alle lustes ate bord,
Ne deigneth noght to speke a word,
Onliche a Crumme forto yive,
Wherof the povere myhte live
Upon the yifte of his almesse.
Thus lai this povere in gret destresse
Acold and hungred ate gate,
Fro which he mihte go no gate,
So was he wofulli besein.
And as these holi bokes sein, 1010
The houndes comen fro the halle,
Wher that this sike man was falle,
And as he lay ther forto die,
The woundes of his maladie
Thei licken forto don him ese.
Bot he was full of such desese,
That he mai noght the deth eschape;
Bot as it was that time schape,
The Soule fro the bodi passeth,
And he whom nothing overpasseth, 1020
The hihe god, up to the hevene
Him tok, wher he hath set him evene
In Habrahammes barm on hyh,
Wher he the hevene joie syh

993 As] And AdBT   stood al H1... B2, Ad, W   998 he] be
AMXRB2   1004 þis p. S... Δ   1006 þe p. S... Δ   1008
ffor AdBT   1010 these] þe AM... B2, H3   1023 Habrahammes
J, F   rest Abrahames (Abrahams &c.): so 1039, 1046, 1073

And hadde al that he have wolde. P. iii. 36 [Dives and Lazarus.]
And fell, as it befalle scholde,
This riche man the same throwe
With soudein deth was overthrowe,
And forth withouten eny wente
Into the helle straght he wente; 1030
The fend into the fyr him drouh,
Wher that he hadde peine ynouh
Of flamme which that evere brenneth.
And as his yhe aboute renneth,
Toward the hevene he cast his lok,
Wher that he syh and hiede tok
Hou Lazar set was in his Se
Als ferr as evere he mihte se
With Habraham; and thanne he preide
Unto the Patriarch and seide: 1040
"Send Lazar doun fro thilke Sete,
And do that he his finger wete
In water, so that he mai droppe
Upon my tunge, forto stoppe
The grete hete in which I brenne."
Bot Habraham answerde thenne
And seide to him in this wise:
"Mi Sone, thou thee miht avise
And take into thi remembrance,
Hou Lazar hadde gret penance, 1050
Whyl he was in that other lif,
Bot thou in al thi lust jolif
The bodily delices soghtest:
Forthi, so as thou thanne wroghtest,
Nou schalt thou take thi reward P. iii. 37
Of dedly peine hierafterward
In helle, which schal evere laste;
And this Lazar nou ate laste
The worldes peine is overronne,
In hevene and hath his lif begonne 1060
Of joie, which is endeles.

1027 the] þis H₁ ... B₂   1030 Vnto þe helle BT   In to helle JRB₂, Δ, W   1048 *margin* Salomon.   Qui obturat aures suas ad clamorem pauperum, ipse clamabit et non exaudietur SBTΔ

[DIVES AND LAZARUS.]

  Bot that thou preidest natheles,
That I schal Lazar to the sende
With water on his finger ende,
Thin hote tunge forto kiele,
Thou schalt no suche graces fiele;
For to that foule place of Sinne,
For evere in which thou schalt ben inne,
Comth non out of this place thider,
Ne non of you mai comen hider; 1070
Thus be yee parted nou atuo."
  The riche ayeinward cride tho:
"O Habraham, sithe it so is,
That Lazar mai noght do me this
Which I have axed in this place,
I wolde preie an other grace.
For I have yit of brethren fyve,
That with mi fader ben alyve
Togedre duellende in on hous;
To whom, as thou art gracious, 1080
I preie that thou woldest sende
Lazar, so that he mihte wende
To warne hem hou the world is went,
That afterward thei be noght schent
Of suche peines as I drye. P. iii. 38
Lo, this I preie and this I crie,
Now I may noght miself amende."
  The Patriarch anon suiende
To his preiere ansuerde nay;
And seide him hou that everyday 1090
His brethren mihten knowe and hiere
Of Moïses on Erthe hiere
And of prophetes othre mo,
What hem was best. And he seith no;
Bot if ther mihte a man aryse
Fro deth to lyve in such a wise,
To tellen hem hou that it were,
He seide hou thanne of pure fere
Thei scholden wel be war therby.

  1085 I drye] þey drye B 1089 his] þis (this) H₁, AdBTΔ (his S)
  1098 hou *om.* S... Δ

LIBER SEXTUS

Quod Habraham: "Nay sikerly;   1100 [DIVES AND LAZARUS.]
For if thei nou wol noght obeie
To suche as techen hem the weie,
And alday preche and alday telle
Hou that it stant of hevene and helle,
Thei wol noght thanne taken hiede,
Thogh it befelle so in dede
That eny ded man were arered,
To ben of him no betre lered
Than of an other man alyve."'
  If thou, mi Sone, canst descryve   1110   Confessor.
This tale, as Crist himself it tolde,
Thou schalt have cause to beholde,
To se so gret an evidence,
Wherof the sothe experience
Hath schewed openliche at ye,   P. iii. 39
That bodili delicacie
Of him which yeveth non almesse
Schal after falle in gret destresse.
And that was sene upon the riche :
For he ne wolde unto his liche   1120
A Crumme yiven of his bred,
Thanne afterward, whan he was ded,
A drope of water him was werned.
Thus mai a mannes wit be lerned
Of hem that so delices taken ;
Whan thei with deth ben overtaken,
That erst was swete is thanne sour.
Bot he that is a governour
Of worldes good, if he be wys,
Withinne his herte he set no pris   1130
Of al the world, and yit he useth
The good, that he nothing refuseth,
As he which lord is of the thinges.
The Nouches and the riche ringes,
The cloth of gold and the Perrie
He takth, and yit delicacie

1100 Habraham JX, F *rest* Abraham 110   5 wold(e) M, B, W
1107 Than eny AH₁   Themeny M (*p. m.*)   1109 of lyue X ... B₂,
Ad, H₃   on liue Δ   1112 be holde JH₁RB₂

[DIVES AND LAZARUS.]

 He leveth, thogh he were al this.
The beste mete that ther is
He ett, and drinkth the beste drinke;
Bot hou that evere he ete or drinke,   1140
Delicacie he put aweie,
As he which goth the rihte weie
Noght only forto fiede and clothe
His bodi, bot his soule bothe.
Bot thei that taken otherwise   P. iii. 40
Here lustes, ben none of the wise;
And that whilom was schewed eke,
If thou these olde bokes seke,
Als wel be reson as be kinde,
Of olde ensample as men mai finde.   1150

[DELICACY OF NERO.]

Hic loquitur de delicacia Neronis, qui corporalibus deliciis magis adherens spiritalia gaudia minus obtinuit.

 What man that wolde him wel avise,
Delicacie is to despise,
Whan kinde acordeth noght withal;
Wherof ensample in special
Of Nero whilom mai be told,
Which ayein kinde manyfold
Hise lustes tok, til ate laste
That god him wolde al overcaste;
Of whom the Cronique is so plein,
Me list nomore of him to sein.   1160
And natheles for glotonie
Of bodili Delicacie,
To knowe his stomak hou it ferde,
Of that noman tofore herde,
Which he withinne himself bethoghte,
A wonder soubtil thing he wroghte.
 Thre men upon eleccioun

After 1146 SAdBTΔΛ *have the following six lines (omitting the two* 1147 f.), *and then insert the passage* 665-964. *The text here is that of* S:—

  Bot now a dai a man mai se
  The world so full of vanite,
  That noman takþ of reson hiede
  Or forto cloþe or forto fiede,
  Bot al is sett vnto þe vice
  To newe and changen his delice.
  And riht so etc. (*as* 665 ff.)

1151 That man X ... B2 (*not* G), W   1155 *margin* minus *om.* B

LIBER SEXTUS

[DELICACY OF NERO.]

Of age and of complexioun
Lich to himself be alle weie
He tok towardes him to pleie, 1170
And ete and drinke als wel as he.
Therof was no diversite;
For every day whan that thei eete,
Tofore his oghne bord thei seete,
And of such mete as he was served,
Althogh thei hadde it noght deserved,
Thei token service of the same. P. iii. 41
Bot afterward al thilke game
Was into wofull ernest torned;
For whan thei weren thus sojorned, 1180
Withinne a time at after mete
Nero, which hadde noght foryete
The lustes of his frele astat,
As he which al was delicat,
To knowe thilke experience,
The men let come in his presence:
And to that on the same tyde,
A courser that he scholde ryde
Into the feld, anon he bad;
Wherof this man was wonder glad, 1190
And goth to prike and prance aboute.
That other, whil that he was oute,
He leide upon his bedd to slepe:
The thridde, which he wolde kepe
Withinne his chambre, faire and softe
He goth now doun nou up fulofte,
Walkende a pass, that he ne slepte,
Til he which on the courser lepte
Was come fro the field ayein.
Nero thanne, as the bokes sein, 1200
These men doth taken alle thre
And slouh hem, for he wolde se
The whos stomak was best defied:
And whanne he hath the sothe tryed,
He fond that he which goth the pass
Defyed best of alle was,

  1186 let C, BT lete AJ, S, F

CONFESSIO AMANTIS

[DELICACY OF NERO.]

Which afterward he usede ay.   P. iii. 42
   And thus what thing unto his pay
Was most plesant, he lefte non:
With every lust he was begon,   1210
Wherof the bodi myhte glade,
For he non abstinence made;
Bot most above alle erthli thinges
Of wommen unto the likinges
Nero sette al his hole herte,
For that lust scholde him noght asterte.
Whan that the thurst of love him cawhte,
Wher that him list he tok a drauhte,
He spareth nouther wif ne maide,
That such an other, as men saide,   1220
In al this world was nevere yit.
He was so drunke in al his wit
Thurgh sondri lustes whiche he tok,
That evere, whil ther is a bok,
Of Nero men schul rede and singe
Unto the worldes knowlechinge,
Mi goode Sone, as thou hast herd.

[LOVE-DELICACY.]

For evere yit it hath so ferd,
Delicacie in loves cas
Withoute reson is and was;   1230
For wher that love his herte set,
Him thenkth it myhte be no bet;
And thogh it be noght fulli mete,
The lust of love is evere swete.

Confessor.

   Lo, thus togedre of felaschipe
Delicacie and drunkeschipe,
Wherof reson stant out of herre,   P. iii. 43
Have mad full many a wisman erre
In loves cause most of alle:
For thanne hou so that evere it falle,   1240
Wit can no reson understonde,
Bot let the governance stonde
To Will, which thanne wext so wylde,
That he can noght himselve schylde

1209 non] anon EC, AdBT   1230 it is AM...B₂   1233 Al þough B
As þough AdT   Thogh W

LIBER SEXTUS

Fro no peril, bot out of feere [LOVE-DELICACY.]
The weie he secheth hiere and there,
Him recheth noght upon what syde:
For oftetime he goth beside,
And doth such thing withoute drede,
Wherof him oghte wel to drede. 1250
Bot whan that love assoteth sore,
It passeth alle mennes lore;
What lust it is that he ordeigneth,
Ther is no mannes miht restreigneth,
And of the godd takth he non hiede:
Bot laweles withoute drede,
His pourpos for he wolde achieve
Ayeins the pointz of the believe,
He tempteth hevene and erthe and helle,
Hierafterward as I schal telle. 1260

iii. *Dum stimulatur amor, quicquid iubet orta voluptas,*   [SORCERY AND
    Audet et aggreditur, nulla timenda timens.   WITCHCRAFT.]
Omne quod astra queunt herbarum siue potestas,
    Seu vigor inferni, singula temptat amans.
Quod nequit ipse deo mediante parare sinistrum,
    Demonis hoc magica credulus arte parat.
Sic sibi non curat ad opus que recia tendit,
    Dummodo nudatam prendere possit auem.

Who dar do thing which love ne dar? **P. iii. 44**
To love is every lawe unwar,
Bot to the lawes of his heste   Hic tractat qualiter
The fissch, the foul, the man, the beste   Ebrietas et Delicacia
Of al the worldes kinde louteth.   omnis pudicicie con-
     trarium instigantes
For love is he which nothing douteth;   inter alia ad carnalis
In mannes herte where he sit,   concupiscencie pro-
He compteth noght toward his wit   mocionem Sortilegio
The wo nomore than the wele,   magicam requirunt.
No mor the hete than the chele, 1270
No mor the wete than the dreie,
No mor to live than to deie,

1245 no] þe B₂, AdBT þat M   1254 is] as A...B₂   1257 wol(e)
AH₁...B₂   1267 he] it G, B   *margin* Sortilegio SBTΔΛ Sacrilegio
AX...B₂, FH₃ sacrilegis H₁ sacri legis M   (*Latin om.* J,
Ad, W)

CONFESSIO AMANTIS

[SORCERY AND WITCHCRAFT.]

So that tofore ne behinde
He seth nothing, bot as the blinde
Withoute insyhte of his corage
He doth merveilles in his rage.
To what thing that he wole him drawe,
Ther is no god, ther is no lawe,
Of whom that he takth eny hiede;
Bot as Baiard the blinde stede,   1280
Til he falle in the dich amidde,
He goth ther noman wole him bidde;
He stant so ferforth out of reule,
Ther is no wit that mai him reule.
And thus to telle of him in soth,
Ful many a wonder thing he doth,
That were betre to be laft,
Among the whiche is wicchecraft,
That som men clepen Sorcerie,   1290
Which forto winne his druerie
With many a circumstance he useth,   **P. iii. 45**
Ther is no point which he refuseth.

Nota de Auctorum necnon et de librorum tam naturalis quam execrabilis magice nominibus.

 The craft which that Saturnus fond,
To make prickes in the Sond,
That Geomance cleped is,
Fulofte he useth it amis;
And of the flod his Ydromance,
And of the fyr the Piromance,
With questions echon of tho
He tempteth ofte, and ek also   1300
Aëremance in juggement
To love he bringth of his assent:
For these craftes, as I finde,
A man mai do be weie of kinde,
Be so it be to good entente.
Bot he goth al an other wente;
For rathere er he scholde faile,
With Nigromance he wole assaile
To make his incantacioun
With hot subfumigacioun.   1310

1289 som men] somme (some &c.) A ... B₂   1293 *margin*
et de] et BT   1294 pikkes AdBTΛ

Thilke art which Spatula is hote, [SORCERY AND WITCHCRAFT.]
And used is of comun rote
Among Paiens, with that craft ek
Of which is Auctor Thosz the Grek,
He worcheth on and on be rowe:
Razel is noght to him unknowe,
Ne Salomones Candarie,
His Ydeac, his Eutonye;
The figure and the bok withal
Of Balamuz, and of Ghenbal 1320
The Seal, and therupon thymage   P. iii. 46
Of Thebith, for his avantage
He takth, and somwhat of Gibiere,
Which helplich is to this matiere.
Babilla with hire Sones sevene,
Which hath renonced to the hevene,
With Cernes bothe square and rounde,
He traceth ofte upon the grounde,
Makende his invocacioun;
And for full enformacioun 1330
The Scole which Honorius
Wrot, he poursuieth: and lo, thus
Magique he useth forto winne
His love, and spareth for no Sinne.
And over that of his Sotie,
Riht as he secheth Sorcerie
Of hem that ben Magiciens,
Riht so of the Naturiens
Upon the Sterres from above
His weie he secheth unto love, 1340
Als fer as he hem understondeth.
In many a sondry wise he fondeth:
He makth ymage, he makth sculpture,
He makth writinge, he makth figure,
He makth his calculacions,
He makth his demonstracions;
His houres of Astronomie,
He kepeth as for that partie

1312 of] to AM   1317 Ne] The B   1319 and] of B
1320 Chenbal B2, SΔ   Geubal AM   Glenball H3   Thenballe W

[SORCERY AND WITCHCRAFT.]

Which longeth to thinspeccion
Of love and his affeccion; 1350
He wolde into the helle seche P. iii. 47
The devel himselve to beseche,
If that he wiste forto spede,
To gete of love his lusti mede:
Wher that he hath his herte set,
He bede nevere fare bet
Ne wite of other hevene more.

Confessor.

    Mi Sone, if thou of such a lore
Hast ben er this, I red thee leve.

Amans.

    Min holi fader, be youre leve 1360
Of al that ye have spoken hiere
Which toucheth unto this matiere,
To telle soth riht as I wene,
I wot noght o word what ye mene.
I wol noght seie, if that I couthe,
That I nolde in mi lusti youthe
Benethe in helle and ek above
To winne with mi ladi love
Don al that evere that I mihte;
For therof have I non insihte 1370
Wher afterward that I become,
To that I wonne and overcome
Hire love, which I most coveite.

Confessor.

    Mi Sone, that goth wonder streite:
For this I mai wel telle soth,
Ther is noman the which so doth,
For al the craft that he can caste,
That he nabeith it ate laste.
For often he that wol beguile
Is guiled with the same guile, 1380
And thus the guilour is beguiled; P. iii. 48
As I finde in a bok compiled
To this matiere an old histoire,
The which comth nou to mi memoire,
And is of gret essamplerie
Ayein the vice of Sorcerie,
Wherof non ende mai be good.

1359 red S, F   rede AJC, B

LIBER SEXTUS

Bot hou whilom therof it stod,
A tale which is good to knowe
To thee, mi Sone, I schal beknowe. 1390

 Among hem whiche at Troie were,
Uluxes ate Siege there
Was on be name in special;
Of whom yit the memorial
Abit, for whyl ther is a mouth,
For evere his name schal be couth.
He was a worthi knyht and king
And clerk knowende of every thing;
He was a gret rethorien,
He was a gret magicien; 1400
Of Tullius the rethorique,
Of king Zorastes the magique,
Of Tholome thastronomie,
Of Plato the Philosophie,
Of Daniel the slepi dremes,
Of Neptune ek the water stremes,
Of Salomon and the proverbes,
Of Macer al the strengthe of herbes,
And the Phisique of Ypocras,
And lich unto Pictagoras 1410
Of Surgerie he knew the cures. **P. iii. 49**
Bot somwhat of his aventures,
Which schal to mi matiere acorde,
To thee, mi Sone, I wol recorde.
 This king, of which thou hast herd sein,
Fro Troie as he goth hom ayein
Be Schipe, he fond the See divers,
With many a wyndi storm revers.
Bot he thurgh wisdom that he schapeth
Ful many a gret peril ascapeth, 1420
Of whiche I thenke tellen on,
Hou that malgre the nedle and ston
Wynddrive he was al soudeinly
Upon the strondes of Cilly,

[TALE OF
ULYSSES AND
TELEGONUS.]

Nota contra istos ob amoris causam sortilegos; vbi narrat in exemplum quod, cum Vluxes a subuersionis Troie repatriare nauigio voluisset, ipsum in Insula Cilly, vbi illa expertissima maga nomine Circes regnauit, contigit applicuisse; quem vt in sui amoris concupiscenciam exardesceret, Circes omnibus suis incantacionibus vincere conabatur. Vluxes tamen magica potencior ipsam in amore subegit, ex qua filium nomine Thelogonum genuit, qui postea patrem suum interfecit: et sic contra fidei naturam genitus contra generacionis naturam patricidium operatus est.

1388 whilom how þerof AMX . . . B₂   hou somtyme þ. J
whilome therof how H₁   1391 whiche SB   which AJC, F
1419 which B

[TALE OF
ULYSSES AND
TELEGONUS.]

Wher that he moste abyde a whyle.
Tuo queenes weren in that yle
Calipsa named and Circes;
And whan they herde hou Uluxes
Is londed ther upon the ryve,
For him thei senden als so blive. 1430
With him suche as he wolde he nam
And to the court to hem he cam.
Thes queenes were as tuo goddesses
Of Art magique Sorceresses,
That what lord comth to that rivage,
Thei make him love in such a rage
And upon hem assote so,
That thei wol have, er that he go,
Al that he hath of worldes good.
Uluxes wel this understod, 1440
Thei couthe moche, he couthe more; **P. iii. 50**
Thei schape and caste ayein him sore
And wroghte many a soutil wyle,
Bot yit thei mihte him noght beguile.
Bot of the men of his navie
Thei tuo forschope a gret partie,
Mai non of hem withstonde here hestes;
Som part thei schopen into bestes,
Som part thei schopen into foules,
To beres, tigres, Apes, oules, 1450
Or elles be som other weie;
Ther myhte hem nothing desobeie,
Such craft thei hadde above kinde.
Bot that Art couthe thei noght finde,
Of which Uluxes was deceived,
That he ne hath hem alle weyved,
And broght hem into such a rote,
That upon him thei bothe assote;
And thurgh the science of his art
He tok of hem so wel his part, 1460
That he begat Circes with childe.
He kepte him sobre and made hem wilde,

1432 of hem AdBT   1437 And] That AM ... B2 (*not* G)
1442 schopę S ... Δ   1444 And ȝit AM ... B2

He sette himselve so above, [TALE OF
That with here good and with here love, ULYSSES AND
Who that therof be lief or loth, TELEGONUS.]
Al quit into his Schip he goth.
Circes toswolle bothe sides
He lefte, and waiteth on the tydes,
And straght thurghout the salte fom
He takth his cours and comth him hom, 1470
Where as he fond Penolope; P. iii. 51
A betre wif ther mai non be,
And yit ther ben ynowhe of goode.
Bot who hir goodschipe understode
Fro ferst that sche wifhode tok,
Hou many loves sche forsok
And hou sche bar hire al aboute,
Ther whiles that hire lord was oute,
He mihte make a gret avant
Amonges al the remenant 1480
That sche was on of al the beste.
Wel myhte he sette his herte in reste,
This king, whan he hir fond in hele;
For as he couthe in wisdom dele,
So couthe sche in wommanhiede:
And whan sche syh withoute drede
Hire lord upon his oghne ground,
That he was come sauf and sound,
In al this world ne mihte be
A gladdere womman than was sche. 1490
    The fame, which mai noght ben hidd,
Thurghout the lond is sone kidd,
Here king is come hom ayein:
Ther mai noman the fulle sein,
Hou that thei weren alle glade,
So mochel joie of him thei made.
The presens every day be newed,
He was with yiftes al besnewed;
The poeple was of him so glad,
That thogh non other man hem bad, 1500

1479 a *om.* AJMXGERCL   1481 was *om.* AdBT   1489 þe
world AM ... B₂

[TALE OF
ULYSSES AND
TELEGONUS.]

Taillage upon hemself thei sette, P. iii. 52
And as it were of pure dette
Thei yeve here goodes to the king:
This was a glad hom welcomyng.
Thus hath Uluxes what he wolde,
His wif was such as sche be scholde,
His poeple was to him sougit,
Him lacketh nothing of delit.
 Bot fortune is of such a sleyhte,
That whan a man is most on heyhte,   1510
Sche makth him rathest forto falle:
Ther wot noman what schal befalle,

Oracius. Omnia
sunt hominum tenui
pendencia filo.

The happes over mannes hed
Ben honged with a tendre thred.
That proved was on Uluxes;
For whan he was most in his pes,
Fortune gan to make him werre
And sette his welthe al out of herre.
Upon a dai as he was merie,
As thogh ther mihte him nothing derie,   1520
Whan nyht was come, he goth to bedde,
With slep and bothe his yhen fedde.
And while he slepte, he mette a swevene:
Him thoghte he syh a stature evene,
Which brihtere than the sonne schon;
A man it semeth was it non,
Bot yit it was as in figure
Most lich to mannyssh creature,
Bot as of beaute hevenelich
It was most to an Angel lich: 1530
And thus betwen angel and man   P. iii. 53
Beholden it this king began,
And such a lust tok of the sihte,
That fain he wolde, if that he mihte,
The forme of that figure embrace;
And goth him forth toward the place,
Wher he sih that ymage tho,

1510 on] of AMG, H₃ *in* Δ   2513 *margin* Omina T, F   1516 in
pes AdBTΔ (in his pes S)   1518 al *om.* AdBT   1520 ther]
he AM   1524 statue A ... B₂, B   1536 þat place BT

LIBER SEXTUS

And takth it in his Armes tuo,   [TALE OF ULYSSES
And it embraceth him ayein   AND TELEGONUS.]
And to the king thus gan it sein: 1540
'Uluxes, understond wel this,
The tokne of oure aqueintance is
Hierafterward to mochel tene:
The love that is ous betuene,
Of that we nou such joie make,
That on of ous the deth schal take,
Whan time comth of destine;
It may non other wise be.'
Uluxes tho began to preie
That this figure wolde him seie   1550
What wyht he is that seith him so.
This wyht upon a spere tho
A pensel which was wel begon,
Embrouded, scheweth him anon:
Thre fisshes alle of o colour
In manere as it were a tour
Upon the pensel were wroght.
Uluxes kneu this tokne noght,
And preith to wite in som partie
What thing it myhte signefie,   1560
'A signe it is,' the wyht ansuerde,   **P. iii. 54**
'Of an Empire:' and forth he ferde
Al sodeinly, whan he that seide.
  Uluxes out of slep abreide,
And that was riht ayein the day,
That lengere slepen he ne may.
Men sein, a man hath knowleching   Bernardus. Plures
Save of himself of alle thing;   plura sciunt et seipsos
His oghne chance noman knoweth,   nesciunt.
Bot as fortune it on him throweth: 1570
Was nevere yit so wys a clerk,
Which mihte knowe al goddes werk,
Ne the secret which god hath set
Ayein a man mai noght be let.
Uluxes, thogh that he be wys,

1567 seiþ SBT   *margin* Multi multa sciunt AH₁XGECLB₂
Latin om. JMR, AdB, W
   * *
    *   P

[TALE OF ULYSSES
AND TELEGONUS.]

With al his wit in his avis,
The mor that he his swevene acompteth,
The lasse he wot what it amonteth:
For al his calculacion,
He seth no demonstracion   1580
Al pleinly forto knowe an ende;
Bot natheles hou so it wende,
He dradde him of his oghne Sone.
That makth him wel the more astone,
And schop therfore anon withal,
So that withinne castel wall
Thelamachum his Sone he schette,
And upon him strong warde he sette.
The sothe furthere he ne knew,
Til that fortune him overthreu;   1590
Bot natheles for sikernesse,   P. iii. 55
Wher that he mihte wite and gesse
A place strengest in his lond,
Ther let he make of lym and sond
A strengthe where he wolde duelle;
Was nevere man yit herde telle
Of such an other as it was.
And forto strengthe him in that cas,
Of al his lond the sekereste
Of servantz and the worthieste,   1600
To kepen him withinne warde,
He sette his bodi forto warde;
And made such an ordinance,
For love ne for aqueintance,
That were it erly, were it late,
Thei scholde lete in ate gate
No maner man, what so betydde,
Bot if so were himself it bidde.
   Bot al that myhte him noght availe,
For whom fortune wole assaile,   1610
Ther mai be non such resistence,
Which mihte make a man defence;

1581 As S ... Δ   1598 þe cas JM, Δ   þa cas A   1602
He] His F   He charged hem þei scholde harde H₁ ... B₂ (*but*
warde E)

LIBER SEXTUS

Al that schal be mot falle algate.   [TALE OF ULYSSES
This Circes, which I spak of late,   AND TELEGONUS.]
On whom Uluxes hath begete
A child, thogh he it have foryete,
Whan time com, as it was wone,
Sche was delivered of a Sone,
Which cleped is Thelogonus.
This child, whan he was bore thus,   1620
Aboute his moder to ful age,   P. iii. 56
That he can reson and langage,
In good astat was drawe forth :
And whan he was so mochel worth
To stonden in a mannes stede,
Circes his moder hath him bede
That he schal to his fader go,
And tolde him al togedre tho
What man he was that him begat.
And whan Thelogonus of that   1630
Was war and hath ful knowleching
Hou that his fader was a king,
He preith his moder faire this,
To go wher that his fader is ;
And sche him granteth that he schal,
And made him redi forth withal.
It was that time such usance,
That every man the conoiscance
Of his contre bar in his hond,
Whan he wente into strange lond ;   1640
And thus was every man therfore
Wel knowe, wher that he was bore :
For espiaile and mistrowinges
They dede thanne suche thinges,
That every man mai other knowe.
So it befell that ilke throwe
Thelogonus as in this cas ;
Of his contre the signe was
Thre fisshes, whiche he scholde bere
Upon the penon of a spere :   1650

1631 hath] had (hadde) AM ... B₂, W   1645 mihte (might)
S ... Δ

[TALE OF ULYSSES
AND TELEGONUS.]

And whan that he was thus arraied   P. iii. 57
And hath his harneis al assaied,
That he was redy everydel,
His moder bad him farewel,
And seide him that he scholde swithe
His fader griete a thousand sithe.
   Thelogonus his moder kiste
And tok his leve, and wher he wiste
His fader was, the weie nam,
Til he unto Nachaie cam,   1660
Which of that lond the chief Cite
Was cleped, and ther axeth he
Wher was the king and hou he ferde.
And whan that he the sothe herde,
Wher that the king Uluxes was,
Al one upon his hors gret pas
He rod him forth, and in his hond
He bar the signal of his lond
With fisshes thre, as I have told;
And thus he wente unto that hold,   1670
Wher that his oghne fader duelleth.
The cause why he comth he telleth
Unto the kepers of the gate,
And wolde have comen in therate,
Bot schortli thei him seide nay:
And he als faire as evere he may
Besoghte and tolde hem ofte this,
Hou that the king his fader is;
Bot they with proude wordes grete
Begunne to manace and threte,   1680
Bot he go fro the gate faste,   P. iii. 58
Thei wolde him take and sette faste.
Fro wordes unto strokes thus
Thei felle, and so Thelogonus
Was sore hurt and welnyh ded;
Bot with his scharpe speres hed
He makth defence, hou so it falle,
And wan the gate upon hem alle,
And hath slain of the beste fyve;

1669 Which A   1680 and to þrete JH₁CB₂, Δ, WK

And thei ascriden als so blyve 1690 [TALE OF ULYSSES
Thurghout the castell al aboute.   AND TELEGONUS.]
  On every syde men come oute,
Wherof the kinges herte afflihte,
And he with al the haste he mihte
A spere cauhte and out he goth,
As he that was nyh wod for wroth.
He sih the gates ful of blod,
Thelogonus and wher he stod
He sih also, bot he ne knew
What man it was, and to him threw 1700
His Spere, and he sterte out asyde.
Bot destine, which schal betide,
Befell that ilke time so,
Thelogonus knew nothing tho
What man it was that to him caste,
And while his oghne spere laste,
With al the signe therupon
He caste unto the king anon,
And smot him with a dedly wounde.
Uluxes fell anon to grounde; 1710
Tho every man, 'The king! the king!' P. iii. 59
Began to crie, and of this thing
Thelogonus, which sih the cas,
On knes he fell and seide, 'Helas!
I have min oghne fader slain:
Nou wolde I deie wonder fain,
Nou sle me who that evere wile,
For certes it is riht good skile.'
He crith, he wepth, he seith therfore,
'Helas, that evere was I bore, 1720
That this unhappi destine
So wofulli comth in be me!'
This king, which yit hath lif ynouh,
His herte ayein to him he drouh,
And to that vois an Ere he leide

  1691 al *om.* AM   1695 out] forþ H₁, AdBT   1696 nyh] right AdBT   for wroth] and wroþ AM ... B₂ (*except* C), W wroþ T for worþ J   1700 and] but AdBT   1716 I wolde AMX ... B₂ 1718 good skile] and skile S ... ΔΛ

[TALE OF ULYSSES AND TELEGONUS.]

And understod al that he seide,
And gan to speke, and seide on hih,
'Bring me this man.' And whan he sih
Thelogonus, his thoght he sette
Upon the swevene which he mette, 1730
And axeth that he myhte se
His spere, on which the fisshes thre
He sih upon a pensel wroght.
Tho wiste he wel it faileth noght,
And badd him that he telle scholde
Fro whenne he cam and what he wolde.

Thelogonus in sorghe and wo
So as he mihte tolde tho
Unto Uluxes al the cas,
Hou that Circes his moder was, 1740
And so forth seide him everydel,   **P. iii. 60**
Hou that his moder gret him wel,
And in what wise sche him sente.
Tho wiste Uluxes what it mente,
And tok him in hise Armes softe,
And al bledende he kest him ofte,
And seide, 'Sone, whil I live,
This infortune I thee foryive.'
After his other Sone in haste
He sende, and he began him haste 1750
And cam unto his fader tyt.
Bot whan he sih him in such plit,
He wolde have ronne upon that other
Anon, and slain his oghne brother,
Ne hadde be that Uluxes
Betwen hem made acord and pes,
And to his heir Thelamachus
He bad that he Thelogonus
With al his pouer scholde kepe,
Til he were of his woundes depe 1760
Al hol, and thanne he scholde him yive
Lond wher upon he mihte live.
Thelamachus, whan he this herde,

1733 þe pensel G, B   1735 badd S   bad A, B   bed J   badde F
1746 kest J, SB, F   keste T   kiste AC

LIBER SEXTUS

Unto his fader he ansuerde
And seide he wolde don his wille.
So duelle thei togedre stille,
These brethren, and the fader sterveth.
Lo, wherof Sorcerie serveth.
Thurgh Sorcerie his lust he wan,
Thurgh Sorcerie his wo began,   1770
Thurgh Sorcerie his love he ches,   P. iii. 61
Thurgh Sorcerie his lif he les ;
The child was gete in Sorcerie,
The which dede al this felonie :
Thing which was ayein kynde wroght
Unkindeliche it was aboght ;
The child his oghne fader slowh,
That was unkindeschipe ynowh.
Forthi tak hiede hou that it is,
So forto winne love amis,   1780
Which endeth al his joie in wo :
For of this Art I finde also,
That hath be do for loves sake,
Wherof thou miht ensample take,
A gret Cronique imperial,
Which evere into memorial
Among the men, hou so it wende,
Schal duelle to the worldes ende.

[TALE OF ULYSSES AND TELEGONUS.]

The hihe creatour of thinges,
Which is the king of alle kinges,   1790
Ful many a wonder worldes chance
Let slyden under his suffrance ;
Ther wot noman the cause why,
Bot he the which is almyhty.
And that was proved whilom thus,
Whan that the king Nectanabus,
Which hadde Egipte forto lede,—
Bot for he sih tofor the dede
Thurgh magique of his Sorcerie,
Wherof he couthe a gret partie,   1800

[TALE OF NECTANABUS.]

Hic narrat exemplum super eodem, qualiter Nectanabus ab Egipto in Macedoniam fugitiuus, Olimpiadem Philippi Regis ibidem tunc absentis vxorem arte magica decipiens, cum ipsa concubuit, magnumque ex ea Alexandrum sortilegus genuit : qui natus, postea cum ad erudiendum sub custodia Nectanabi com-

1786 into] in A ... B₂ vnto W   1787 it so AM   1793 *margin*
de Egipto BT   1794 *margin* fugiturus BT

[TALE OF NECTANABUS.]

mendatus fuisset, ipsum Nectanabum patrem suum ab altitudine cuiusdam turris in fossam profundam proiciens interfecit. Et sic sortilegus ex suo sortilegio infortunii sortem sortitus est.

Hise enemys to him comende,   P. iii. 62
Fro whom he mihte him noght defende,
Out of his oghne lond he fledde;
And in the wise as he him dredde
It fell, for al his wicchecraft,
So that Egipte him was beraft,
And he desguised fledde aweie
Be schipe, and hield the rihte weie
To Macedoine, wher that he
Aryveth ate chief Cite.   1810
Thre yomen of his chambre there
Al only forto serve him were,
The whiche he trusteth wonder wel,
For thei were trewe as eny stiel;
And hapneth that thei with him ladde
Part of the beste good he hadde.
Thei take logginge in the toun
After the disposicion
Wher as him thoghte best to duelle:
He axeth thanne and herde telle   1820
Hou that the king was oute go
Upon a werre he hadde tho;
But in that Cite thanne was
The queene, which Olimpias
Was hote, and with sollempnete
The feste of hir nativite,
As it befell, was thanne holde;
And for hire list to be beholde
And preised of the poeple aboute,
Sche schop hir forto riden oute   1830
At after mete al openly.   P. iii. 63
Anon were alle men redy,
And that was in the monthe of Maii,
This lusti queene in good arrai
Was set upon a Mule whyt:
To sen it was a gret delit
The joie that the cite made;
With freisshe thinges and with glade

1806 *margin* ex] pro BT   1815 thei] he B   1817 toke (took &c.) A ... B2   1828 to beholde (be holde) H1, AdTB

LIBER SEXTUS

The noble toun was al behonged,
And every wiht was sore alonged 1840
To se this lusti ladi ryde.
Ther was gret merthe on alle syde;
Wher as sche passeth be the strete,
Ther was ful many a tymber bete
And many a maide carolende:
And thus thurghout the toun pleiende
This queene unto a pleine rod,
Wher that sche hoved and abod
To se diverse game pleie,
The lusti folk jouste and tourneie; 1850
And so forth every other man,
Which pleie couthe, his pley began,
To plese with this noble queene.
  Nectanabus cam to the grene
Amonges othre and drouh him nyh.
Bot whan that he this ladi sih
And of hir beaute hiede tok,
He couthe noght withdrawe his lok
To se noght elles in the field,
Bot stod and only hire behield. 1860
Of his clothinge and of his gere P. iii. 64
He was unlich alle othre there,
So that it hapneth ate laste,
The queene on him hire yhe caste,
And knew that he was strange anon:
Bot he behield hire evere in on
Withoute blenchinge of his chere.
Sche tok good hiede of his manere,
And wondreth why he dede so,
And bad men scholde for him go. 1870
He cam and dede hire reverence,
And sche him axeth in cilence
Fro whenne he cam and what he wolde.
And he with sobre wordes tolde,
And seith, 'Ma dame, a clerk I am,
To you and in message I cam,
The which I mai noght tellen hiere;

[TALE OF NECTANABUS.]

1847 þe pleine AdBT   1875 And] He AdBT

[TALE OF
NECTANABUS.]

Bot if it liketh you to hiere,
It mot be seid al prively,
Wher non schall be bot ye and I.'   1880
Thus for the time he tok his leve.
The dai goth forth til it was eve,
That every man mot lete his werk;
And sche thoghte evere upon this clerk,
What thing it is he wolde mene:
And in this wise abod the queene,
And passeth over thilke nyht,
Til it was on the morwe liht.
Sche sende for him, and he com,
With him his Astellabre he nom,   1890
Which was of fin gold precious   P. iii. 65
With pointz and cercles merveilous;
And ek the hevenely figures
Wroght in a bok ful of peintures
He tok this ladi forto schewe,
And tolde of ech of hem be rewe
The cours and the condicion.
And sche with gret affeccion
Sat stille and herde what he wolde:
And thus whan he sih time, he tolde,   1900
And feigneth with hise wordes wise
A tale, and seith in such a wise:
  'Ma dame, bot a while ago,
Wher I was in Egipte tho,
And radde in scole of this science,
It fell into mi conscience
That I unto the temple wente,
And ther with al myn hole entente
As I mi sacrifice dede,
On of the goddes hath me bede   1910
That I you warne prively,
So that ye make you redy,
And that ye be nothing agast;
For he such love hath to you cast,
That ye schul ben his oghne diere,

1879 al] so S ... Δ   1883 leue R, AdBT

LIBER SEXTUS

And he schal be your beddefiere, [TALE OF
Til ye conceive and be with childe.' NECTANABUS.]
And with that word sche wax al mylde,
And somdel red becam for schame,
And axeth him that goddes name, 1920
Which so wol don hire compainie. P. iii. 66
And he seide, 'Amos of Lubie.'
And sche seith, 'That mai I noght lieve,
Bot if I sihe a betre prieve.'
'Ma dame,' quod Nectanabus,
'In tokne that it schal be thus,
This nyht for enformacion
Ye schul have an avision:
That Amos schal to you appiere,
To schewe and teche in what manere 1930
The thing schal afterward befalle.
Ye oghten wel aboven alle
To make joie of such a lord;
For whan ye ben of on acord,
He schal a Sone of you begete,
Which with his swerd schal winne and gete
The wyde world in lengthe and brede;
Alle erthli kinges schull him drede,
And in such wise, I you behote,
The god of erthe he schal be hote.' 1940
'If this be soth,' tho quod the queene,
'This nyht, thou seist, it schal be sene.
And if it falle into mi grace,
Of god Amos that I pourchace
To take of him so gret worschipe,
I wol do thee such ladischipe,
Wherof thou schalt for everemo
Be riche.' And he hir thonketh tho,
And tok his leve and forth he wente.
Sche wiste litel what he mente, 1950
For it was guile and Sorcerie, P. iii. 67
Al that sche tok for Prophecie.
    Nectanabus thurghout the day,

1931 thing] king B   1939 such AJC, B   suche S, F

[TALE OF
NECTANABUS.]

Whan he cam hom wher as he lay,
His chambre be himselve tok,
And overtorneth many a bok,
And thurgh the craft of Artemage
Of wex he forgeth an ymage.
He loketh his equacions
And ek the constellacions, 1960
He loketh the conjunccions,
He loketh the recepcions,
His signe, his houre, his ascendent,
And drawth fortune of his assent:
The name of queene Olimpias
In thilke ymage write was
Amiddes in the front above.
And thus to winne his lust of love
Nectanabus this werk hath diht;
And whan it cam withinne nyht, 1970
That every wyht is falle aslepe,
He thoghte he wolde his time kepe,
As he which hath his houre apointed.
And thanne ferst he hath enoignted
With sondri herbes that figure,
And therupon he gan conjure,
So that thurgh his enchantement
This ladi, which was innocent
And wiste nothing of this guile,
Mette, as sche slepte thilke while, 1980
Hou fro the hevene cam a lyht, **P. iii. 68**
Which al hir chambre made lyht;
And as sche loketh to and fro,
Sche sih, hir thoghte, a dragoun tho,
Whos scherdes schynen as the Sonne,
And hath his softe pas begonne
With al the chiere that he may
Toward the bedd ther as sche lay,
Til he cam to the beddes side.
And sche lai stille and nothing cride, 1990
For he dede alle his thinges faire
And was courteis and debonaire:

1954 wher þat A ... B2 (*except* E) ther as W

LIBER SEXTUS

 And as he stod hire fasteby,   [TALE OF
His forme he changeth sodeinly,   NECTANABUS.]
And the figure of man he nom,
To hire and into bedde he com,
And such thing there of love he wroghte,
Wherof, so as hire thanne thoghte,
Thurgh likinge of this god Amos
With childe anon hire wombe aros,   2000
And sche was wonder glad withal.
Nectanabus, which causeth al
Of this metrede the substance,
Whan he sih time, his nigromance
He stinte and nothing more seide
Of his carecte, and sche abreide
Out of hir slep, and lieveth wel
That it is soth thanne everydel
Of that this clerk hire hadde told,
And was the gladdere manyfold   2010
In hope of such a glad metrede, P. iii. 69
Which after schal befalle in dede.
 Sche longeth sore after the dai,
That sche hir swevene telle mai
To this guilour in privete,
Which kneu it als so wel as sche:
And natheles on morwe sone
Sche lefte alle other thing to done,
And for him sende, and al the cas
Sche tolde him pleinly as it was,   2020
And seide hou thanne wel sche wiste
That sche his wordes mihte triste,
For sche fond hire Avisioun
Riht after the condicion
Which he hire hadde told tofore;
And preide him hertely therfore
That he hire holde covenant
So forth of al the remenant,
That sche may thurgh his ordinance
Toward the god do such plesance,   2030

1993 fasteby J, F faste by AC, SB 1996 he *om.* AdBT 2016
als (as) wel XCLB2, Δ (?), WK 2030 Towardes (Toward) god AdBT

[TALE OF
NECTANABUS.]

That sche wakende myhte him kepe
In such wise as sche mette aslepe.
And he, that couthe of guile ynouh,
Whan he this herde, of joie he louh,
And seith, 'Ma dame, it schal be do.
Bot this I warne you therto:
This nyht, whan that he comth to pleie,
That ther be no lif in the weie
Bot I, that schal at his likinge
Ordeine so for his cominge,   2040
That ye ne schull noght of him faile. P. iii. 70
For this, ma dame, I you consaile,
That ye it kepe so prive,
That no wiht elles bot we thre
Have knowlechinge hou that it is;
For elles mihte it fare amis,
If ye dede oght that scholde him grieve.'
And thus he makth hire to believe,
And feigneth under guile feith:
Bot natheles al that he seith   2050
Sche troweth; and ayein the nyht
Sche hath withinne hire chambre dyht,
Wher as this guilour faste by
Upon this god schal prively
Awaite, as he makth hire to wene:
And thus this noble gentil queene,
Whan sche most trusteth, was deceived.

   The nyht com, and the chambre is weyved,
Nectanabus hath take his place,
And whan he sih the time and space,   2060
Thurgh the deceipte of his magique
He putte him out of mannes like,
And of a dragoun tok the forme,
As he which wolde him al conforme
To that sche sih in swevene er this;

2041 ȝe schol (schul) not of him AdΔ   ye ne shalle of
him H₁   I ne schal of him AM   2046 mihte AJ, S
miht F   might C, B   2055 and he makþ BT   and makeþ
Ad   2061 the om. AM . . . B₂, Δ   2062 putte AC, B
put J, F

LIBER SEXTUS

And thus to chambre come he is.   [TALE OF
The queene lay abedde and sih,   NECTANABUS.]
And hopeth evere, as he com nyh,
That he god of Lubye were,
So hath sche wel the lasse fere.   2070
Bot for he wolde hire more assure,   P. iii. 71
Yit eft he changeth his figure,
And of a wether the liknesse
He tok, in signe of his noblesse
With large hornes for the nones :
Of fin gold and of riche stones
A corone on his hed he bar,
And soudeinly, er sche was war,
As he which alle guile can,
His forme he torneth into man,   2080
And cam to bedde, and sche lai stille,
Wher as sche soffreth al his wille,
As sche which wende noght misdo.
Bot natheles it hapneth so,
Althogh sche were in part deceived,
Yit for al that sche hath conceived
The worthieste of alle kiththe,
Which evere was tofore or siththe
Of conqueste and chivalerie;
So that thurgh guile and Sorcerie   2090
Ther was that noble knyht begunne,
Which al the world hath after wunne.
Thus fell the thing which falle scholde,
Nectanabus hath that he wolde ;
With guile he hath his love sped,
With guile he cam into the bed,
With guile he goth him out ayein :
He was a schrewed chamberlein,
So to beguile a worthi queene,
And that on him was after seene.   2100
Bot natheles the thing is do ;   P. iii. 72
This false god was sone go,

2071 wolde AJ, SB wold F   2083 noght misdo *om.* B
2089 and of cheualerie (chiualrie &c.) AM ... B₂, AdΔ, W   2091
that] þe AM

[TALE OF
NECTANABUS.]

With his deceipte and hield him clos,
Til morwe cam, that he aros.
  And tho, whan time and leisir was,
The queene tolde him al the cas,
As sche that guile non supposeth;
And of tuo pointz sche him opposeth.
On was, if that this god nomore
Wol come ayein, and overmore,   2110
Hou sche schal stonden in acord
With king Philippe hire oghne lord,
Whan he comth hom and seth hire grone.
'Ma dame,' he seith, 'let me alone:
As for the god I undertake
That whan it liketh you to take
His compaignie at eny throwe,
If I a day tofore it knowe,
He schal be with you on the nyht;
And he is wel of such a myht   2120
To kepe you from alle blame.
Forthi conforte you, ma dame,
Ther schal non other cause be.'
Thus tok he leve and forth goth he,
And tho began he forto muse
Hou he the queene mihte excuse
Toward the king of that is falle;
And fond a craft amonges alle,
Thurgh which he hath a See foul daunted,
With his magique and so enchaunted,   2130
That he flyh forth, whan it was nyht, **P. iii. 73**
Unto the kinges tente riht,
Wher that he lay amidde his host:
And whanne he was aslepe most,
With that the See foul to him broghte
And othre charmes, whiche he wroghte
At hom withinne his chambre stille,
The king he torneth at his wille,
And makth him forto dreme and se
The dragoun and the privete   2140
Which was betuen him and the queene.

2136 Anoþer charme H₁ ... B₂   2141 hem B, K

LIBER SEXTUS

And over that he made him wene
In swevene, hou that the god Amos,
Whan he up fro the queene aros,
Tok forth a ring, wherinne a ston
Was set, and grave therupon
A Sonne, in which, whan he cam nyh,
A leoun with a swerd he sih;
And with that priente, as he tho mette,
Upon the queenes wombe he sette 2150
A Seal, and goth him forth his weie.
With that the swevene wente aweie,
And tho began the king awake
And sigheth for his wyves sake,
Wher as he lay withinne his tente,
And hath gret wonder what it mente.
  With that he hasteth him to ryse
Anon, and sende after the wise,
Among the whiche ther was on,
A clerc, his name is Amphion: 2160
Whan he the kinges swevene herde,
What it betokneth he answerde,
And seith, 'So siker as the lif,
A god hath leie be thi wif,
And gete a Sone, which schal winne
The world and al that is withinne.
As leon is the king of bestes,
So schal the world obeie his hestes,
Which with his swerd schal al be wonne,
Als ferr as schyneth eny Sonne.' 2170
  The king was doubtif of this dom;
Bot natheles, whan that he com
Ayein into his oghne lond,
His wif with childe gret he fond.
He mihte noght himselve stiere,
That he ne made hire hevy chiere;
Bot he which couthe of alle sorwe,
Nectanabus, upon the morwe
Thurgh the deceipte and nigromance

2145 þer inne AdBT   2149 tho] so AdBT   2155 Wher þat AM ... B₂   2156 what] þat AM

[TALE OF
NECTANABUS.]

Tok of a dragoun the semblance, 2180
And wher the king sat in his halle,
Com in rampende among hem alle
With such a noise and such a rore,
That thei agast were also sore
As thogh thei scholde deie anon.
And natheles he grieveth non,
Bot goth toward the deyss on hih;
And whan he cam the queene nyh,
He stinte his noise, and in his wise
To hire he profreth his servise, 2190
And leith his hed upon hire barm; P. iii. 75
And sche with goodly chiere hire arm
Aboute his necke ayeinward leide,
And thus the queene with him pleide
In sihte of alle men aboute.
And ate laste he gan to loute
And obeissance unto hire make,
As he that wolde his leve take;
And sodeinly his lothly forme
Into an Egle he gan transforme, 2200
And flyh and sette him on a raile;
Wherof the king hath gret mervaile,
For there he pruneth him and piketh,
As doth an hauk whan him wel liketh,
And after that himself he schok,
Wherof that al the halle quok,
As it a terremote were;
Thei seiden alle, god was there:
In such a res and forth he flyh.
 The king, which al this wonder syh, 2210
Whan he cam to his chambre alone,
Unto the queene he made his mone
And of foryivenesse hir preide;
For thanne he knew wel, as he seide,
Sche was with childe with a godd.
Thus was the king withoute rodd
Chastised, and the queene excused
Of that sche hadde ben accused.

2212 he *om.* B

LIBER SEXTUS

[TALE OF NECTANABUS.]

And for the gretere evidence,
Yit after that in the presence 2220
Of king Philipp and othre mo, P. iii. 76
Whan thei ride in the fieldes tho,
A Phesant cam before here yhe,
The which anon as thei hire syhe,
Fleende let an ey doun falle,
And it tobrak tofore hem alle :
And as thei token therof kepe,
Thei syhe out of the schelle crepe
A litel Serpent on the ground,
Which rampeth al aboute round, 2230
And in ayein it wolde have wonne,
Bot for the brennynge of the Sonne
It mihte noght, and so it deide.
And therupon the clerkes seide,
'As the Serpent, whan it was oute,
Went enviroun the schelle aboute
And mihte noght torne in ayein,
So schal it fallen in certein :
This child the world schal environe,
And above alle the corone 2240
Him schal befalle, and in yong Age
He schal desire in his corage,
Whan al the world is in his hond,
To torn ayein into the lond
Wher he was bore, and in his weie
Homward he schal with puison deie.'
  The king, which al this sih and herde,
Fro that dai forth, hou so it ferde,
His jalousie hath al foryete.
Bot he which hath the child begete, 2250
Nectanabus, in privete P. iii. 77
The time of his nativite
Upon the constellacioun
Awaiteth, and relacion
Makth to the queene hou sche schal do,

2226 bifore (biforn &c.) M ... B₂ afore (aforn) Δ, W 2231 he wolde AdBT 2244 vnto AdBT 2247 sih (sigh, seyh) A, SB sihe F sye J 2255 schal] had H₁, AdBT

[TALE OF
NECTANABUS.]

And every houre apointeth so,
That no mynut therof was lore.
So that in due time is bore
This child, and forth with therupon
Ther felle wondres many on   2260
Of terremote universiel :
The Sonne tok colour of stiel
And loste his lyht, the wyndes blewe,
And manye strengthes overthrewe ;
The See his propre kinde changeth,
And al the world his forme strangeth ;
The thonder with his fyri levene
So cruel was upon the hevene,
That every erthli creature
Tho thoghte his lif in aventure.   2270
The tempeste ate laste cesseth,
The child is kept, his age encresseth,
And Alisandre his name is hote,
To whom Calistre and Aristote
To techen him Philosophie
Entenden, and Astronomie,
With othre thinges whiche he couthe
Also, to teche him in his youthe
Nectanabus tok upon honde.
   Bot every man mai understonde,   2280
Of Sorcerie hou that it wende,   **P. iii. 78**
It wole himselve prove at ende,
And namely forto beguile
A lady, which withoute guile
Supposeth trouthe al that sche hiereth :
Bot often he that evele stiereth
His Schip is dreynt therinne amidde ;
And in this cas riht so betidde.
Nectanabus upon a nyht,
Whan it was fair and sterre lyht,   2290
This yonge lord ladde up on hih
Above a tour, wher as he sih
The sterres suche as he acompteth,
And seith what ech of hem amonteth,

2257 no *om.* B

LIBER SEXTUS

As thogh he knewe of alle thing; [TALE OF NECTANABUS.]
Bot yit hath he no knowleching
What schal unto himself befalle.
Whan he hath told his wordes alle,
This yonge lord thanne him opposeth,
And axeth if that he supposeth   2300
What deth he schal himselve deie.
He seith, 'Or fortune is aweie
And every sterre hath lost his wone,
Or elles of myn oghne Sone
I schal be slain, I mai noght fle.'
Thoghte Alisandre in privete,
'Hierof this olde dotard lieth':
And er that other oght aspieth,
Al sodeinliche his olde bones
He schof over the wal at ones,   2310
And seith him, 'Ly doun there apart: P. iii. 79
Wherof nou serveth al thin art?
Thou knewe alle othre mennes chance
And of thiself hast ignorance:
That thou hast seid amonges alle
Of thi persone, is noght befalle.'
  Nectanabus, which hath his deth,
Yit while him lasteth lif and breth,
To Alisandre he spak and seide
That he with wrong blame on him leide;   2320
Fro point to point and al the cas
He tolde, hou he his Sone was.
Tho he, which sory was ynowh,
Out of the dich his fader drouh,
And tolde his moder hou it ferde
In conseil; and whan sche it herde
And kneu the toknes whiche he tolde,
Sche nyste what sche seie scholde,
Bot stod abayssht as for the while
Of his magique and al the guile.   2330
Sche thoghte hou that sche was deceived,

2299 apposeþ AMGB₂, W   2301 schold(e) SAdBT   2303 hast F   2314 of H₁GEC, S ... Δ, W   if AJMXRLB₂, FK
2331 that om. AM ... B₂, WK

[TALE OF
NECTANABUS.]

That sche hath of a man conceived,
And wende a god it hadde be.
Bot natheles in such degre,
So as sche mihte hire honour save,
Sche schop the body was begrave.
And thus Nectanabus aboghte
The Sorcerie which he wroghte:
Thogh he upon the creatures
Thurgh his carectes and figures 2340
The maistrie and the pouer hadde, P. iii. 80
His creatour to noght him ladde,
Ayein whos lawe his craft he useth,
Whan he for lust his god refuseth,
And tok him to the dieules craft.
Lo, what profit him is belaft:
That thing thurgh which he wende have stonde,
Ferst him exilede out of londe
Which was his oghne, and from a king
Made him to ben an underling; 2350
And siththen to deceive a queene,
That torneth him to mochel teene;
Thurgh lust of love he gat him hate,
That ende couthe he noght abate.
His olde sleyhtes whiche he caste,
Yonge Alisaundre hem overcaste,
His fader, which him misbegat,
He slouh, a gret mishap was that;
Bot for o mis an other mys
Was yolde, and so fulofte it is; 2360
Nectanabus his craft miswente,
So it misfell him er he wente.
I not what helpeth that clergie
Which makth a man to do folie,
And nameliche of nigromance,
Which stant upon the mescreance.

[ZOROASTER.]
Nota qualiter Rex
Zorastes, statim cum
ab vtero matris sue

And forto se more evidence,
Zorastes, which thexperience
Of Art magique ferst forth drouh,

2345 dieules S, F   dieueles A   deueles J, B   2355 caste]
caughte B   2357 S has lost a leaf 2357-vii. 88.

LIBER SEXTUS

Anon as he was bore, he louh, 2370
Which tokne was of wo suinge : P. iii. 81
For of his oghne controvinge
He fond magique and tauhte it forth ;
Bot al that was him litel worth,
For of Surrie a worthi king
Him slou, and that was his endyng.
Bot yit thurgh him this craft is used,
And he thurgh al the world accused,
For it schal nevere wel achieve
That stant noght riht with the believe : 2380
Bot lich to wolle is evele sponne,
Who lest himself hath litel wonne,
An ende proveth every thing.
Saül, which was of Juys king,
Up peine of deth forbad this art,
And yit he tok therof his part.
The Phitonesse in Samarie
Yaf him conseil be Sorcerie,
Which after fell to mochel sorwe,
For he was slain upon the morwe. 2390
   To conne moche thing it helpeth,
Bot of to mochel noman yelpeth :
So forto loke on every side,
Magique mai noght wel betyde.
Forthi, my Sone, I wolde rede
That thou of these ensamples drede,
That for no lust of erthli love
Thou seche so to come above,
Wherof as in the worldes wonder
Thou schalt for evere be put under. 2400
   Mi goode fader, grant mercy, P. iii. 82
For evere I schal be war therby :
Of love what me so befalle,
Such Sorcerie aboven alle
Fro this dai forth I schal eschuie,

[ZOROASTER.]
nasceretur, gaudio magno risit ; in quo prenosticum doloris subsequentis signum figurabatur : nam et ipse detestabilis magice primus fuit inuentor, quem postea Rex Surrie dira morte trucidauit, et sic opus operarium consumpsit.

[SAUL AND THE WITCH.]
Nota de Saule et Phitonissa.

Confessor.

[MAGIC TO BE ESCHEWED.]

Amans.

2376 that *om.* AM   2383 An ende BT, F   And ende AJMERL, Ad, K   And þende CL   And the ende H₁   And sende X   The ende B₂, W   At ende Δ   2385 *margin* Nota de Saule et Ph. *om.* AM, Δ
2403 so me A ... B₂, AdΔ   euer me W

That so ne wol I noght poursuie
Mi lust of love forto seche.
Bot this I wolde you beseche,
Beside that me stant of love,
As I you herde speke above   2410
Hou Alisandre was betawht
To Aristotle, and so wel tawht
Of al that to a king belongeth,
Wherof min herte sore longeth
To wite what it wolde mene.
For be reson I wolde wene
That if I herde of thinges strange,
Yit for a time it scholde change
Mi peine, and lisse me somdiel.

Confessor.   Mi goode Sone, thou seist wel.   2420
For wisdom, hou that evere it stonde,
To him that can it understonde
Doth gret profit in sondri wise;
Bot touchende of so hih aprise,
Which is noght unto Venus knowe,
I mai it noght miselve knowe,
Which of hir court am al forthdrawe
And can nothing bot of hir lawe.
Bot natheles to knowe more
Als wel as thou me longeth sore;   2430
And for it helpeth to comune,   **P. iii. 83**
Al ben thei noght to me comune,
The scoles of Philosophie,
Yit thenke I forto specefie,
In boke as it is comprehended,
Wherof thou mihtest ben amended.
For thogh I be noght al cunnynge
Upon the forme of this wrytynge,
Som part therof yit have I herd,
In this matiere hou it hath ferd.   2440

Explicit Liber Sextus.

2417 But B   2433 Philophie F   2435 bokes AdBT, W

LIBER SEPTIMUS

Incipit Liber Septimus. P. iii. 84

i. *Omnibus in causis sapiens doctrina salutem*
Consequitur, nec habet quis nisi doctus opem.
Naturam superat doctrina, viro quod et ortus
Ingenii docilis non dedit, ipsa dabit.
Non ita discretus hominum per climata regnat,
Quin, magis vt sapiat, indiget ipse scole.

[THE EDUCATION OF ALEXANDER.]

I GENIUS the prest of love,
Mi Sone, as thou hast preid above
That I the Scole schal declare
Of Aristotle and ek the fare
Of Alisandre, hou he was tauht,
I am somdel therof destrauht;
For it is noght to the matiere
Of love, why we sitten hiere
To schryve, so as Venus bad.
Bot natheles, for it is glad, • 10
So as thou seist, for thin aprise
To hiere of suche thinges wise,
Wherof thou myht the time lisse,
So as I can, I schal the wisse:
For wisdom is at every throwe   P. iii. 85
Above alle other thing to knowe
In loves cause and elleswhere.
Forthi, my Sone, unto thin Ere,
Though it be noght in the registre
Of Venus, yit of that Calistre   20
And Aristotle whylom write
To Alisandre, thou schalt wite.
Bot for the lores ben diverse,

Quia omnis doctrina bona humano regimini salutem confert, in hoc septimo libro ad instanciam Amantis languidi intendit Genius illam ex qua Philosophi et Astrologi philosophie doctrinam Regem Alexandrum imbuerunt, secundum aliquid declarare. Diuidit enim philosophiam in tres partes, quarum prima Theorica, secunda Rethorica, tercia Practica nuncupata est, de quarum condicionibus subsequenter per singula tractabit.

13 þi time AdBTΔ, K (þe tymes lasse C)   15 drowe AM

[THREE PARTS OF PHILOSOPHY.]

 I thenke ferst to the reherce
The nature of Philosophie,
Which Aristotle of his clergie,
Wys and expert in the sciences,
Declareth thilke intelligences,
As of thre pointz in principal.
 Wherof the ferste in special   30
Is Theorique, which is grounded
On him which al the world hath founded,
Which comprehendeth al the lore.
 And forto loken overmore,
Next of sciences the seconde
Is Rethorique, whos faconde
Above alle othre is eloquent:
To telle a tale in juggement
So wel can noman speke as he.
 The laste science of the thre   40
It is Practique, whos office
The vertu tryeth fro the vice,
And techeth upon goode thewes
To fle the compaignie of schrewes,
Which stant in disposicion   P. iii. 86
Of mannes free eleccion.
Practique enformeth ek the reule,
Hou that a worthi king schal reule
His Realme bothe in werre and pes.
 Lo, thus danz Aristotiles   50
These thre sciences hath divided
And the nature also decided,
Wherof that ech of hem schal serve.
 The ferste, which is the conserve
And kepere of the remnant,
As that which is most sufficant
And chief of the Philosophie,
If I therof schal specefie
So as the Philosophre tolde,
Nou herkne, and kep that thou it holde.   60

25 matier AdBT   28 Declared AdBT   29 thre] þe H₁,
AdBT, W   56 And þat AM ... B₂

LIBER SEPTIMUS   235

ii. *Prima creatorem dat scire sciencia summum :* [i. THEORIC.]
Qui caput agnoscit, sufficit illud ei.
Plura viros quandoque iuuat nescire, set illud
Quod videt expediens, sobrius ille sapit.

Of Theorique principal
The Philosophre in special
The propretees hath determined,
As thilke which is enlumined   Hic tractat de pri-
Of wisdom and of hih prudence   ma parte Philosophie,
                                 que Theorica dicitur,
Above alle othre in his science: cuius natura triplici
                                 dotata est sciencia,
And stant departed upon thre,   scilicet Theologia, Phi-
The ferste of which in his degre sica et Mathematica :
                                 set primo illam partem
Is cleped in Philosophie   Theologie declarabit.
The science of Theologie,   70
That other named is Phisique,   **P. iii.** 87
The thridde is seid Mathematique.
Theologie is that science   [THEOLOGY.]
Which unto man yifth evidence
Of thing which is noght bodely,
Wherof men knowe redely
The hihe almyhti Trinite,
Which is o god in unite
Withouten ende and beginnynge
And creatour of alle thinge,   80
Of hevene, of erthe and ek of helle.
Wherof, as olde bokes telle,
The Philosophre in his resoun
Wrot upon this conclusioun,
And of his wrytinge in a clause
He clepeth god the ferste cause,
Which of himself is thilke good,
Withoute whom nothing is good,
Of which that every creature
Hath his beinge and his nature.   90
After the beinge of the thinges   Nota quod triplex
Ther ben thre formes of beinges : dicitur essencia : Pri-
                                  ma temporanea, que
Thing which began and ende schal, incipit et desinit, Se-

Latin Verses ii. 2 capit AdBT, W
87 is thilke] þis ilke H₁ ... B₂   89 S *resumes*   92 thre]
þe AMH₁XRLB₂

[THEOLOGY.]
cunda perpetua, que incipit et non desinit, Tercia sempiterna, que nec incipit nec desinit.

That thing is cleped temporal;
Ther is also be other weie
Thing which began and schal noght deie,
As Soules, that ben spiritiel,
Here beinge is perpetuel:
Bot ther is on above the Sonne,
Whos time nevere was begonne, 100
And endeles schal evere be; P. iii. 88
That is the god, whos mageste
Alle othre thinges schal governe,
And his beinge is sempiterne.
The god, to whom that al honour
Belongeth, he is creatour,
And othre ben hise creatures:
The god commandeth the natures
That thei to him obeien alle;
Withouten him, what so befalle, 110
Her myht is non, and he mai al:
The god was evere and evere schal,
And thei begonne of his assent;
The times alle be present
To god, to hem and alle unknowe,
Bot what him liketh that thei knowe:
Thus bothe an angel and a man,
The whiche of al that god began
Be chief, obeien goddes myht,
And he stant endeles upriht. 120
To this science ben prive
The clerkes of divinite,
The whiche unto the poeple prechen
The feith of holi cherche and techen,
Which in som cas upon believe
Stant more than thei conne prieve
Be weie of Argument sensible:
Bot natheles it is credible,
And doth a man gret meede have,
To him that thenkth himself to save. 130
Theologie in such a wise P. iii. 89

108 The god] And he B The T He Ad 109 That] And AdBT
119 By chief AM ... C, W þe cheef L

LIBER SEPTIMUS

Of hih science and hih aprise
Above alle othre stant unlike,
And is the ferste of Theorique.
 Phisique is after the secounde,   [PHYSICS.]
Thurgh which the Philosophre hath founde   Nota de secunda
To techen sondri knowlechinges   parte Theorice, que
                     Phisica dicitur.
Upon the bodiliche thinges.
Of man, of beste, of herbe, of ston,
Of fissch, of foughl, of everychon   140
That ben of bodely substance,
The nature and the circumstance
Thurgh this science it is ful soght,
Which vaileth and which vaileth noght.
 The thridde point of Theorique,   [MATHEMATICS.]
Which cleped is Mathematique,   Nota de tercia parte
Devided is in sondri wise   Theorice, que Mathe-
And stant upon diverse aprise.   matica dicitur, cuius
                     condicio quatuor in
The ferste of whiche is Arsmetique,   se continet intelligen-
And the secounde is seid Musique,   150 cias, scilicet Arsmeti-
The thridde is ek Geometrie,   cam, Musicam, Ge-
                     ometriam et Astro-
Also the ferthe Astronomie.   nomiam: set primo
 Of Arsmetique the matiere   de Artismetice natura
Is that of which a man mai liere   dicere intendit.
What Algorisme in nombre amonteth,
Whan that the wise man acompteth
After the formel proprete
Of Algorismes Abece:
Be which multiplicacioun
Is mad and diminucioun   160
Of sommes be thexperience   P. iii. 90
Of this Art and of this science.
 The seconde of Mathematique,   Nota de Musica, que
Which is the science of Musique,   secunda pars Artis
That techeth upon Armonie   Mathematice dicitur.
A man to make melodie
Be vois and soun of instrument
Thurgh notes of acordement,
The whiche men pronounce alofte,
Nou scharpe notes and nou softe,   170

    161 experience M ... B₂, Δ

[MATHEMATICS.]

Nou hihe notes and nou lowe,
As be the gamme a man mai knowe,
Which techeth the prolacion
Of note and the condicion.

Nota de tercia specie Artis Mathematice, quam Geometriam vocant.

    Mathematique of his science
Hath yit the thridde intelligence
Full of wisdom and of clergie
And cleped is Geometrie,
Thurgh which a man hath thilke sleyhte,
Of lengthe, of brede, of depthe, of heyhte   180
To knowe the proporcion
Be verrai calculacion
Of this science: and in this wise
These olde Philosophres wise,
Of al this worldes erthe round,
Hou large, hou thikke was the ground,
Controeveden thexperience;
The cercle and the circumference
Of every thing unto the hevene
Thei setten point and mesure evene.   190
    Mathematique above therthe   P. iii. 91
Of hyh science hath yit the ferthe,
Which spekth upon Astronomie
And techeth of the sterres hihe,
Beginnynge upward fro the mone.
Bot ferst, as it was forto done,
This Aristotle in other thing
Unto this worthi yonge king
The kinde of every element
Which stant under the firmament,   200
Hou it is mad and in what wise,
Fro point to point he gan devise.

[CREATION OF THE FOUR ELEMENTS.]

iii. *Quatuor omnipotens elementa creauit origo,*
    Quatuor et venti partibus ora dabat.
  Nostraque quadruplici complexio sorte creatur,
    Corpore sicque suo stat variatus homo.

    Tofore the creacion
Of eny worldes stacion,

177 *margin* vocat A ... B₂ (*except* E)   190 The F

Of hevene, of erthe, or eke of helle,
So as these olde bokes telle,
As soun tofore the song is set
And yit thei ben togedre knet,
Riht so the hihe pourveance
Tho hadde under his ordinance 210
A gret substance, a gret matiere,
Of which he wolde in his manere
These othre thinges make and forme.
For yit withouten eny forme
Was that matiere universal,
Which hihte Ylem in special.
Of Ylem, as I am enformed, **P. iii. 92**
These elementz ben mad and formed,
Of Ylem elementz they hote
After the Scole of Aristote, 220
Of whiche if more I schal reherce,
Foure elementz ther ben diverse.

   The ferste of hem men erthe calle,
Which is the lowest of hem alle,
And in his forme is schape round,
Substancial, strong, sadd and sound,
As that which mad is sufficant
To bere up al the remenant.
For as the point in a compas
Stant evene amiddes, riht so was 230
This erthe set and schal abyde,
That it may swerve to no side,
And hath his centre after the lawe
Of kinde, and to that centre drawe
Desireth every worldes thing,
If ther ne were no lettyng.

   Above therthe kepth his bounde
The water, which is the secounde
Of elementz, and al withoute
It environeth therthe aboute. 240
Bot as it scheweth, noght forthi
This soubtil water myhtely,

[CREATION OF THE FOUR ELEMENTS.]
Hic interim tractat de creacione quatuor Elementorum, scilicet terre, aque, aeris et ignis, necnon et de eorum naturis, nam et singulis proprietates singule attribuuntur.

Nota de Terra, quod est primum elementum.

Philosophus. Vnumquodque naturaliter appetit suum centrum.

Nota de Aqua, quod est secundum elementum.

207 *margin* interim *om.* BΔ &c.) ne AMH₁XGEL þerþe (*om.* ne) C 236 ther ne] þerþe (the erthe erþe ne R *line om.* W

CONFESSIO AMANTIS

[CREATION OF THE FOUR ELEMENTS.]

Thogh it be of himselve softe,
The strengthe of therthe perceth ofte;
For riht as veines ben of blod
In man, riht so the water flod
Therthe of his cours makth ful of veines,   P. iii. 93
Als wel the helles as the pleines.
And that a man may sen at ÿe,
For wher the hulles ben most hyhe,   250
Ther mai men welle stremes finde:
So proveth it be weie of kinde
The water heyher than the lond.

Nota de Aere, quod est tercium elementum.

And over this nou understond,
Air is the thridde of elementz,
Of whos kinde his aspirementz
Takth every lifissh creature,
The which schal upon erthe endure:
For as the fissh, if it be dreie,
Mot in defaute of water deie,   260
Riht so withouten Air on lyve
No man ne beste myhte thryve,
The which is mad of fleissh and bon;
There is outake of alle non.

Nota qualiter Aer in tribus Periferiis diuiditur.

This Air in Periferies thre
Divided is of such degre,
Benethe is on and on amidde,
To whiche above is set the thridde:
And upon the divisions
There ben diverse impressions   270
Of moist and ek of drye also,
Whiche of the Sonne bothe tuo
Ben drawe and haled upon hy,
And maken cloudes in the Sky,
As schewed is at mannes sihte;
Wherof be day and ek be nyhte
After the times of the yer   P. iii. 94
Among ous upon Erthe her
In sondri wise thinges falle.

De prima Aeris Periferia.

The ferste Periferie of alle   280

257 lyfliche AM   liueliche W   lif iche H₁   fissche Δ
262 Nomans, F   269 the *om.* AM   275 And B

LIBER SEPTIMUS

Engendreth Myst and overmore [CREATION OF THE
The dewes and the Frostes hore, FOUR ELEMENTS.]
After thilke intersticion
In which thei take impression.
    Fro the seconde, as bokes sein,   De secunda Aeris
The moiste dropes of the reyn Periferia.
Descenden into Middilerthe,
And tempreth it to sed and Erthe,
And doth to springe grass and flour.
And ofte also the grete schour   290
Out of such place it mai be take,
That it the forme schal forsake
Of reyn, and into snow be torned;
And ek it mai be so sojorned
In sondri places up alofte,
That into hail it torneth ofte.
    The thridde of thair after the lawe   De tercia Aeris
Thurgh such matiere as up is drawe Periferia.
Of dreie thing, as it is ofte,
Among the cloudes upon lofte,   300
And is so clos, it may noght oute,—
Thanne is it chased sore aboute,
Til it to fyr and leyt be falle,
And thanne it brekth the cloudes alle,
The whiche of so gret noyse craken,
That thei the feerful thonder maken.
The thonderstrok smit er it leyte,   P. iii. 95
And yit men sen the fyr and leyte,
The thonderstrok er that men hiere:
So mai it wel be proeved hiere   310
In thing which schewed is fro feer,
A mannes yhe is there nerr
Thanne is the soun to mannes Ere.
And natheles it is gret feere
Bothe of the strok and of the fyr,
Of which is no recoverir
In place wher that thei descende,
Bot if god wolde his grace sende.

298 is vpdrawe (vp drawe) C, AdBT, W   300 vpon alofte AM
vp alofte T, Δ   303 befalle H₁EC, SAdB, W

[CREATION OF THE
FOUR ELEMENTS.]

Nota hic qualiter Ignes, quos noctanter in Aere discurrere videmus, secundum varias apparencie formas varia gestant nomina: quorum primus Assub, secundus Capra saliens, tercius Eges et quartus Daali in libris Philosophorum nuncupatus est.

 And forto speken over this,
In this partie of thair it is   320
That men fulofte sen be nyhte
The fyr in sondri forme alyhte.
Somtime the fyrdrake it semeth,
And so the lewed poeple it demeth;
Somtime it semeth as it were
A Sterre, which that glydeth there:
Bot it is nouther of the tuo,
The Philosophre telleth so,
And seith that of impressions
Thurgh diverse exalacions   330
Upon the cause and the matiere
Men sen diverse forme appiere
Of fyr, the which hath sondri name.
 Assub, he seith, is thilke same,
The which in sondry place is founde,
Whanne it is falle doun to grounde,
So as the fyr it hath aneled,   P. iii. 96
Lich unto slym which is congeled.
 Of exalacion I finde
Fyr kinled of the fame kinde,   340
Bot it is of an other forme;
Wherof, if that I schal conforme
The figure unto that it is,
These olde clerkes tellen this,
That it is lik a Got skippende,
And for that it is such semende,
It hatte Capra saliens.
 And ek these Astronomiens
An other fyr also, be nyhte
Which scheweth him to mannes syhte,   350
Thei clepen Eges, the which brenneth
Lik to the corrant fyr that renneth
Upon a corde, as thou hast sein,

319 *margin* hic *om.* A . . . B₂, B, W (Nota hic *om.* Δ)   323 fyry drake E, BT   330 exaltaciouns AM   336 falle doun to gr.] doun (downe) to þe gr. (*om.* falle) AM . . . B₂ falle doun to þe grounde J, T, W (thre grounde T)   339 exaltacioun AMH₁

LIBER SEPTIMUS

Whan it with poudre is so besein 　　　[CREATION OF THE
Of Sulphre and othre thinges mo. 　　　FOUR ELEMENTS.]
　Ther is an other fyr also,
Which semeth to a mannes yhe
Be nyhtes time as thogh ther flyhe
A dragon brennende in the Sky,
And that is cleped proprely　　　　　360
Daaly, wherof men sein fulofte,
'Lo, wher the fyri drake alofte
Fleth up in thair!' and so thei demen.
Bot why the fyres suche semen
Of sondri formes to beholde,
The wise Philosophre tolde,
So as tofore it hath ben herd.　　P. iii. 97
　Lo thus, my Sone, hou it hath ferd :　　Confessor.
Of Air the due proprete
In sondri wise thou myht se,　　　　370
And hou under the firmament
It is ek the thridde element,
Which environeth bothe tuo,
The water and the lond also.
　And forto tellen overthis　　　　　　Nota de Igne, quod
Of elementz which the ferthe is,　　　est quartum elemen-
That is the fyr in his degre,　　　　　tum.
Which environeth thother thre
And is withoute moist al drye.
Bot lest nou what seith the clergie;　　380
For upon hem that I have seid
The creatour hath set and leid
The kinde and the complexion
Of alle mennes nacion.
Foure elementz sondri ther be,
Lich unto whiche of that degre
Among the men ther ben also
Complexions foure and nomo,
Wherof the Philosophre treteth,
That he nothing behinde leteth,　　　390
And seith hou that thei ben diverse,

361 Daily H₁　Baaly CL　　365 forme AdBT　　368 hou it
om. Ad T　it B　　374 sond(e) AMXGERCB₂

R 2

So as I schal to thee reherse.

[THE FOUR COM-
PLEXIONS OF MAN.]

    He which natureth every kinde,
The myhti god, so as I finde,
Of man, which is his creature,
Hath so devided the nature,
That non til other wel acordeth: P. iii. 98
And be the cause it so discordeth,
The lif which fieleth the seknesse
Mai stonde upon no sekernesse.   400

Nota hic qualiter secundum naturam quatuor elementorum quatuor in humano corpore complexiones, scilicet Malencolia, Fleuma, Sanguis et Colera, naturaliter constituuntur: vnde primo de Malencolia dicendum est.

    Of therthe, which is cold and drye,
The kinde of man Malencolie
Is cleped, and that is the ferste,
The most ungoodlich and the werste;
For unto loves werk on nyht
Him lacketh bothe will and myht:
No wonder is, in lusty place
Of love though he lese grace.
What man hath that complexion,
Full of ymaginacion   410
Of dredes and of wrathful thoghtes,
He fret himselven al to noghtes.

De complexione Fleumatis.

    The water, which is moyste and cold,
Makth fleume, which is manyfold
Foryetel, slou and wery sone
Of every thing which is to done:
He is of kinde sufficant
To holde love his covenant,
Bot that him lacketh appetit,
Which longeth unto such delit.   420

De complexione Sanguinis.

    What man that takth his kinde of thair,
He schal be lyht, he schal be fair,
For his complexion is blood.
Of alle ther is non so good,
For he hath bothe will and myht
To plese and paie love his riht:
Wher as he hath love undertake,   P. iii. 99
Wrong is if that he be forsake.

De complexione Colere.

    The fyr of his condicion

393 The CL   Be AdT   429 fyr] ferst B   firþ Ad

LIBER SEPTIMUS

Appropreth the complexion 430 [THE FOUR COM-
Which in a man is Colre hote,   PLEXIONS OF MAN.]
Whos propretes ben dreie and hote:
It makth a man ben enginous
And swift of fote and ek irous;
Of contek and folhastifnesse
He hath a riht gret besinesse,
To thenke of love and litel may:
Though he behote wel a day,
On nyht whan that he wole assaie,
He may ful evele his dette paie. 440
    After the kinde of thelement, Nota qualiter qua-
Thus stant a mannes kinde went, tuor complexiones
As touchende his complexion, quatuor in homine
Upon sondri division habitaciones diuisim
Of dreie, of moiste, of chele, of hete, possident.
And ech of hem his oghne sete
Appropred hath withinne a man.
And ferst to telle as I began,
    The Splen is to Malencolie Splen domus est
Assigned for herbergerie: 450 Malencolie.
    The moiste fleume with his cold Pulmo domus Fleu-
Hath in the lunges for his hold matis.
Ordeined him a propre stede,
To duelle ther as he is bede:
    To the Sanguin complexion Epar domus San-
Nature of hire inspeccion guinis.
A propre hous hath in the livere P. iii. 100
For his duellinge mad delivere:
    The dreie Colre with his hete Fel domus Colere.
Be weie of kinde his propre sete 460
Hath in the galle, wher he duelleth,
So as the Philosophre telleth.
    Nou over this is forto wite, Nota de Stomacho,
As it is in Phisique write qui vna cum aliis cordi
Of livere, of lunge, of galle, of splen, specialius deseruit.

438 be hote AJMH₁XL, AdTΔ, K   445 chele] cold(e) AM ... B₂
449 *margin* est *om.* B   451 þe cold AdBT   *margin* domus
J, S, B, F domus est ACB₂ &c.   456 his AdBT hyȝe X   464
margin cordi *om.* AM ... B₂

[THE FOUR COM-
PLEXIONS OF MAN.]

Thei alle unto the herte ben
Servantz, and ech in his office
Entendeth to don him service,
As he which is chief lord above.
The livere makth him forto love, 470
The lunge yifth him weie of speche,
The galle serveth to do wreche,
The Splen doth him to lawhe and pleie,
Whan al unclennesse is aweie:
Lo, thus hath ech of hem his dede.
And to sustienen hem and fede
In time of recreacion,
Nature hath in creacion
The Stomach for a comun Coc
Ordeined, so as seith the boc. 480
The Stomach coc is for the halle,
And builleth mete for hem alle,
To make hem myghty forto serve
The herte, that he schal noght sterve:
For as a king in his Empire
Above alle othre is lord and Sire,
So is the herte principal, P. iii. 101
To whom reson in special
Is yove as for the governance.

[THE SOUL OF MAN.]

And thus nature his pourveance 490
Hath mad for man to liven hiere;
Bot god, which hath the Soule diere,
Hath formed it in other wise.
That can noman pleinli devise;
Bot as the clerkes ous enforme,
That lich to god it hath a forme,
Thurgh which figure and which liknesse
The Soule hath many an hyh noblesse
Appropred to his oghne kinde.
Bot ofte hir wittes be mad blinde 500
Al onliche of this ilke point,
That hir abydinge is conjoint

469 chief *om.* H₁ ... B₂ (is chief *om.* R) 478 increacioun AM ... B₂, W 480 Ordeineþ AH₁ ... B₂ Ordeyne M 483 forto] to AM 492 hath] þat AM ... B₂

LIBER SEPTIMUS

Forth with the bodi forto duelle: [THE SOUL OF MAN.]
That on desireth toward helle,
That other upward to the hevene;
So schul thei nevere stonde in evene,
Bot if the fleissh be overcome
And that the Soule have holi nome
The governance, and that is selde,
Whil that the fleissh him mai bewelde. 510
Al erthli thing which god began
Was only mad to serve man;
Bot he the Soule al only made
Himselven forto serve and glade.
Alle othre bestes that men finde
Thei serve unto here oghne kinde,
Bot to reson the Soule serveth; P. iii. 102
Wherof the man his thonk deserveth
And get him with hise werkes goode
The perdurable lyves foode. 520

Of what matiere it schal be told, [THE DIVISION OF THE EARTH.]
A tale lyketh manyfold
The betre, if it be spoke plein: Hic loquitur vlte-
Thus thinke I forto torne ayein rius de diuisione Terre
And telle plenerly therfore que post diluuium
Of therthe, wherof nou tofore tribus filiis Noe in tres
I spak, and of the water eke, partes, scilicet Asiam,
So as these olde clerkes spieke, Affricam et Europam
And sette proprely the bounde diuidebatur.
After the forme of Mappemounde, 530
Thurgh which the ground be pourparties
Departed is in thre parties,
That is Asie, Aufrique, Europe,
The whiche under the hevene cope,
Als ferr as streccheth eny ground,
Begripeth al this Erthe round.
Bot after that the hihe wrieche
The water weies let out seche

508 haþ AMH₁, AdBTΔ, WK   510 fleissh(e) may H₁XRCLB₂
fleissh may him E   521 be told JGC, B   betold (bitold) A, S, F
525 priuely AJM   pleinly B₂   528 bookes B

[THE DIVISION OF THE EARTH.]

And overgo the helles hye,
Which every kinde made dye 540
That upon Middelerthe stod,
Outake Noë and his blod,
His Sones and his doughtres thre,
Thei were sauf and so was he ;—
Here names who that rede rihte,
Sem, Cam, Japhet the brethren hihte ;—
And whanne thilke almyhty hond   P. iii. 103
Withdrouh the water fro the lond,
And al the rage was aweie,
And Erthe was the mannes weie, 550
The Sones thre, of whiche I tolde,
Riht after that hemselve wolde,
This world departe thei begonne.

De Asia.

Asie, which lay to the Sonne
Upon the Marche of orient,
Was graunted be comun assent
To Sem, which was the Sone eldeste ;
For that partie was the beste
And double as moche as othre tuo.
And was that time bounded so ; 560
Wher as the flod which men Nil calleth
Departeth fro his cours and falleth
Into the See Alexandrine,
Ther takth Asie ferst seisine
Toward the West, and over this
Of Canahim wher the flod is
Into the grete See rennende,
Fro that into the worldes ende
Estward, Asie it is algates,
Til that men come unto the gates 570
Of Paradis, and there ho.
And schortly for to speke it so,
Of Orient in general
Withinne his bounde Asie hath al.

De Aufrica et Europa.

And thanne upon that other syde

541 Middelerþe (middelerþe) J, S, F myddel erþe AC, B 546 Cam AJ, F Cham C, SB 552 himselue AJM 575 *margin* Aufrica AJC, F Affrica SB

LIBER SEPTIMUS

Westward, as it fell thilke tyde, [THE DIVISION OF
The brother which was hote Cham   P. iii. 104   THE EARTH.]
Upon his part Aufrique nam.
Japhet Europe tho tok he,
Thus parten thei the world on thre.   580
Bot yit ther ben of londes fele
In occident as for the chele,
In orient as for the hete,
Which of the poeple be forlete
As lond desert that is unable,
For it mai noght ben habitable.

  The water eke hath sondri bounde,   Nota de mari quod
After the lond wher it is founde,   magnum Occeanum dicitur.
And takth his name of thilke londes
Wher that it renneth on the strondes: 590
Bot thilke See which hath no wane
Is cleped the gret Occeane,
Out of the which arise and come
The hyhe flodes alle and some;
Is non so litel welle spring,
Which ther ne takth his beginnyng,
And lich a man that haleth breth
Be weie of kinde, so it geth
Out of the See and in ayein,
The water, as the bokes sein.   600

  Of Elementz the propretes   Nota hic secundum
Hou that they stonden be degres,   philosophum de quinto
As I have told, nou myht thou hiere,   Elemento, quod omnia
Mi goode Sone, al the matiere   sub celo creata infra
Of Erthe, of water, Air and fyr.   suum ambitum continet, cui nomen Orbis
And for thou saist that thi desir   specialiter appropriatum est.
Is forto witen overmore   P. iii. 105
The forme of Aristotles lore,
He seith in his entendement,
That yit ther is an Element   610
Above the foure, and is the fifte,
Set of the hihe goddes yifte,
The which that Orbis cleped is.

578 Vnto S ... Δ   584 Which AJC, F   Whiche SB   597 haleth] lakkeþ AdBTΛ

[THE DIVISION OF THE EARTH.]

And therupon he telleth this,
That as the schelle hol and sound
Encloseth al aboute round
What thing withinne an Ey belongeth,
Riht so this Orbis underfongeth
These elementz alle everychon,
Which I have spoke of on and on. 620
   Bot overthis nou tak good hiede,
Mi Sone, for I wol procede
To speke upon Mathematique,
Which grounded is on Theorique.
The science of Astronomie
I thinke forto specefie,
Withoute which, to telle plein,
Alle othre science is in vein
Toward the scole of erthli thinges :
For as an Egle with his winges 630
Fleth above alle that men finde,
So doth this science in his kinde.

[ASTRONOMY.]

iv. *Lege planetarum magis inferiora reguntur,*
   Ista set interdum regula fallit opus.
   Vir mediante deo sapiens dominabitur astris,
   Fata nec immerito quid nouitatis agunt.

Hic loquitur de Artis Mathematice quarta specie, que Astronomia nuncupata est, cui eciam Astrologia socia connumeratur : set primo de septem planetis, que inter astra potenciores existunt, incipiendo a luna seorsum tractare intendit.

   Benethe upon this Erthe hiere P. iii. 106
Of alle thinges the matiere,
As tellen ous thei that ben lerned,
Of thing above it stant governed,
That is to sein of the Planetes.
The cheles bothe and ek the hetes,
The chances of the world also,
That we fortune clepen so, 640
Among the mennes nacion
Al is thurgh constellacion,
Wherof that som man hath the wele,
And som man hath deseses fele
In love als wel as othre thinges ;

620 Which AJ, S, F Whiche B   621 good JC, SB goode A, F
628 Alle oþre AJ, S, F   Alle (Al) oþer EC, B
Latin Verses iv. 4 quod H₁ ... B₂, B quis T

LIBER SEPTIMUS 251

The stat of realmes and of kinges   [ASTRONOMY.]
In time of pes, in time of werre
It is conceived of the Sterre:
And thus seith the naturien
Which is an Astronomien.   650
Bot the divin seith otherwise,
That if men weren goode and wise
And plesant unto the godhede,
Thei scholden noght the sterres drede;
For o man, if him wel befalle,
Is more worth than ben thei alle
Towardes him that weldeth al.
Bot yit the lawe original,
Which he hath set in the natures,
Mot worchen in the creatures,   660
That therof mai be non obstacle,
Bot if it stonde upon miracle
Thurgh preiere of som holy man.   P. iii. 107
And forthi, so as I began
To speke upon Astronomie,
As it is write in the clergie,
To telle hou the planetes fare,
Som part I thenke to declare,
Mi Sone, unto thin Audience.
    Astronomie is the science   670
Of wisdom and of hih connynge,
Which makth a man have knowlechinge
Of Sterres in the firmament,
Figure, cercle and moevement
Of ech of hem in sondri place,
And what betwen hem is of space,
Hou so thei moeve or stonde faste,
Al this it telleth to the laste.
    Assembled with Astronomie
Is ek that ilke Astrologie,   680
The which in juggementz acompteth
Theffect, what every sterre amonteth,
And hou thei causen many a wonder
To tho climatz that stonde hem under.

672 knowechinge F   684 tho] þe JXGL, AdBTΔ, K (þo S)

[PLANETS AND SIGNS.]

And forto telle it more plein,
These olde philosophres sein
That Orbis, which I spak of err,
Is that which we fro therthe a ferr
Beholde, and firmament it calle, 690
In which the sterres stonden alle,
Among the whiche in special
Planetes sefne principal
Ther ben, that mannes sihte demeth, **P. iii. 108**
Bot thorizonte, as to ous semeth.
And also ther ben signes tuelve,
Whiche have her cercles be hemselve
Compassed in the zodiaque,
In which thei have here places take.
And as thei stonden in degre,
Here cercles more or lasse be, 700
Mad after the proporcion
Of therthe, whos condicion
Is set to be the foundement
To sustiene up the firmament.
And be this skile a man mai knowe,
The more that thei stonden lowe,
The more ben the cercles lasse;
That causeth why that some passe
Here due cours tofore an other.
Bot nou, mi lieve dere brother, 710
As thou desirest forto wite
What I finde in the bokes write,
To telle of the planetes sevene,
Hou that thei stonde upon the hevene
And in what point that thei ben inne,
Tak hiede, for I wol beginne,
So as the Philosophre tauhte
To Alisandre and it betauhte,
Wherof that he was fulli tawht
Of wisdom, which was him betawht. 720
Benethe alle othre stant the Mone,

685 *Paragr. in* MSS *at* 686 694 Bot þorizonte FWK Be (By) þorizonte SAdBTΔΛ But (Bot) zorizonte AMYXGERCB₂ Bot þorughout (þurgh out &c.) JH₁L 717 it tawhte (taughte) A . . . B₂

LIBER SEPTIMUS

The which hath with the See to done: [THE PLANETS.]
Of flodes hihe and ebbes lowe   P. iii. 109   Nota hic de prima
Upon his change it schal be knowe;   planeta, que aliis inferior Luna dicitur.
And every fissh which hath a schelle
Mot in his governance duelle,
To wexe and wane in his degre,
As be the Mone a man mai se;
And al that stant upon the grounde
Of his moisture it mot be founde.   730
Alle othre sterres, as men finde,
Be schynende of here oghne kinde
Outake only the monelyht,
Which is noght of himselve bright,
Bot as he takth it of the Sonne.
And yit he hath noght al fulwonne
His lyht, that he nys somdiel derk;
Bot what the lette is of that werk
In Almageste it telleth this:
The Mones cercle so lowe is,   740
Wherof the Sonne out of his stage
Ne seth him noght with full visage,
For he is with the ground beschaded,
So that the Mone is somdiel faded
And may noght fully schyne cler.
Bot what man under his pouer
Is bore, he schal his places change
And seche manye londes strange:
And as of this condicion
The Mones disposicion   750
Upon the lond of Alemaigne
Is set, and ek upon Bretaigne,
Which nou is cleped Engelond;   P. iii. 110
For thei travaile in every lond.

    Of the Planetes the secounde   De secunda planeta,
Above the Mone hath take his bounde,   que Mercurius dicitur.
Mercurie, and his nature is this,
That under him who that bore is,
In boke he schal be studious
And in wrytinge curious,   760

724 schal beknowe S∆, FK   736 fulwonne FK   *rest* ful wonne

[THE PLANETS.]

 And slouh and lustles to travaile
In thing which elles myhte availe:
He loveth ese, he loveth reste,
So is he noght the worthieste;
Bot yit with somdiel besinesse
His herte is set upon richesse.
And as in this condicion,
Theffect and disposicion
Of this Planete and of his chance
Is most in Burgoigne and in France.   770

De tercia planeta, que Venus dicitur.

 Next to Mercurie, as wol befalle,
Stant that Planete which men calle
Venus, whos constellacion
Governeth al the nacion
Of lovers, wher thei spiede or non,
Of whiche I trowe thou be on:
Bot whiderward thin happes wende,
Schal this planete schewe at ende,
As it hath do to many mo,
To some wel, to some wo.   780
And natheles of this Planete
The moste part is softe and swete;
For who that therof takth his berthe, **P. iii. 111**
He schal desire joie and merthe,
Gentil, courteis and debonaire,
To speke his wordes softe and faire,
Such schal he be be weie of kinde,
And overal wher he may finde
Plesance of love, his herte boweth
With al his myht and there he woweth.   790
He is so ferforth Amourous,
He not what thing is vicious
Touchende love, for that lawe
Ther mai no maner man withdrawe,
The which venerien is bore
Be weie of kinde, and therefore
Venus of love the goddesse
Is cleped: bot of wantounesse

769 and *om.* AMH₁XGR   798 wantounesse JC, B, F
wantonnesse S   wantonesse T

LIBER SEPTIMUS

The climat of hir lecherie
Is most commun in Lombardie. 800

  Next unto this Planete of love
The brighte Sonne stant above,
Which is the hindrere of the nyht
And forthrere of the daies lyht,
As he which is the worldes ÿe,
Thurgh whom the lusti compaignie
Of foules be the morwe singe,
The freisshe floures sprede and springe,
The hihe tre the ground beschadeth,
And every mannes herte gladeth. 810
And for it is the hed Planete,
Hou that he sitteth in his sete,
Of what richesse, of what nobleie, **P. iii. 112**
These bokes telle, and thus thei seie.

  Of gold glistrende Spoke and whiel
The Sonne his carte hath faire and wiel,
In which he sitt, and is coroned
With brighte stones environed;
Of whiche if that I speke schal,
Ther be tofore in special 820
Set in the front of his corone
Thre Stones, whiche no persone
Hath upon Erthe, and the ferste is
Be name cleped Licuchis;
That othre tuo be cleped thus,
Astrices and Ceramius.
In his corone also behinde,
Be olde bokes as I finde,
Ther ben of worthi Stones thre
Set ech of hem in his degre: 830
Wherof a Cristall is that on,
Which that corone is set upon;
The seconde is an Adamant;
The thridde is noble and avenant,
Which cleped is Ydriades.
And over this yit natheles
Upon the sydes of the werk,

[THE PLANETS.]

Nota de Sole, qui medio planetarum residens Astrorum principatum obtinet.

Nota de curru Solis necnon et de vario eiusdem apparatu.

[THE PLANETS.]

After the wrytinge of the clerk,
Ther sitten fyve Stones mo:
The smaragdine is on of tho, 840
Jaspis and Elitropius
And Dendides and Jacinctus.
Lo, thus the corone is beset, P. iii. 113
Wherof it schyneth wel the bet;
And in such wise his liht to sprede
Sit with his Diademe on hede
The Sonne schynende in his carte.
And forto lede him swithe and smarte
After the bryhte daies lawe,
Ther ben ordeined forto drawe 850
Foure hors his Char and him withal,
Wherof the names telle I schal:
Eritheüs the ferste is hote,
The which is red and schyneth hote,
The seconde Acteos the bryhte,
Lampes the thridde coursier hihte,
And Philogeüs is the ferthe,
That bringen lyht unto this erthe,
And gon so swift upon the hevene,
In foure and twenty houres evene 860
The carte with the bryhte Sonne
Thei drawe, so that overronne
Thei have under the cercles hihe
Al Middelerthe in such an hye.
And thus the Sonne is overal
The chief Planete imperial,
Above him and benethe him thre:
And thus betwen hem regneth he,
As he that hath the middel place
Among the Sevene, and of his face 870
Be glade alle erthly creatures,
And taken after the natures
Here ese and recreacion. P. iii. 114
And in his constellacion
Who that is bore in special,
Of good will and of liberal
He schal be founde in alle place,

And also stonde in mochel grace [THE PLANETS.]
Toward the lordes forto serve
And gret profit and thonk deserve. 880
And over that it causeth yit
A man to be soubtil of wit
To worche in gold, and to be wys
In every thing which is of pris.
Bot forto speken in what cost
Of al this erthe he regneth most
As for wisdom, it is in Grece,
Wher is apropred thilke spiece.
 Mars the Planete bataillous   Nota de quinta
Next to the Sonne glorious   890 planeta, que Mars
Above stant, and doth mervailes   dicitur.
Upon the fortune of batailes.
The conquerours be daies olde
Were unto this planete holde :
Bot who that his nativite
Hath take upon the proprete
Of Martes disposicioun
Be weie of constellacioun,
He schal be fiers and folhastif
And desirous of werre and strif. 900
Bot forto telle redely
In what climat most comunly
That this planete hath his effect,   P. iii. 115
Seid is that he hath his aspect
Upon the holi lond so cast,
That there is no pes stedefast.
 Above Mars upon the hevene,   Nota de sexta pla-
The sexte Planete of the sevene,   neta, que Iupiter di-
Stant Jupiter the delicat,   citur.
Which causeth pes and no debat.   910
For he is cleped that Planete
Which of his kinde softe and swete
Attempreth al that to him longeth ;
And whom this planete underfongeth
To stonde upon his regiment,
He schal be meke and pacient
   911 that] þe AMH₁G, AdBT, W
    S

[The Planets.]

And fortunat to Marchandie
And lusti to delicacie
In every thing which he schal do.
This Jupiter is cause also 920
Of the science of lyhte werkes,
And in this wise tellen clerkes
He is the Planete of delices.
Bot in Egipte of his offices
He regneth most in special:
For ther be lustes overal
Of al that to this lif befalleth;
For ther no stormy weder falleth,
Which myhte grieve man or beste,
And ek the lond is so honeste 930
That it is plentevous and plein,
Ther is non ydel ground in vein;
And upon such felicite P. iii. 116
Stant Jupiter in his degre.

De septima planeta, que reliquis celsior Saturnus dictus est.

The heyeste and aboven alle
Stant that planete which men calle
Saturnus, whos complexion
Is cold, and his condicion
Causeth malice and crualte
To him the whos nativite 940
Is set under his governance.
For alle hise werkes ben grevance
And enemy to mannes hele,
In what degre that he schal dele.
His climat is in Orient,
Wher that he is most violent.

Of the Planetes by and by,
Hou that thei stonde upon the Sky,
Fro point to point as thou myht hiere,
Was Alisandre mad to liere. 950
Bot overthis touchende his lore,
Of thing that thei him tawhte more
Upon the scoles of clergie
Now herkne the Philosophie.

933 vpon] whan AM 935 f. *margin* De septima—dictus est
om. B 936 þe AM ... B₂, AdΔ

LIBER SEPTIMUS

He which departeth dai fro nyht,
That on derk and that other lyht,
Of sevene daies made a weke,
A Monthe of foure wekes eke
He hath ordeigned in his lawe,
Of Monthes tuelve and ek forthdrawe   960
He hath also the longe yeer.
And as he sette of his pouer
Acordant to the daies sevene   P. iii. 117
Planetes Sevene upon the hevene,
As thou tofore hast herd devise,
To speke riht in such a wise,
To every Monthe be himselve
Upon the hevene of Signes tuelve
He hath after his Ordinal
Assigned on in special,   970
Wherof, so as I schal rehersen,
The tydes of the yer diversen.
Bot pleinly forto make it knowe
Hou that the Signes sitte arowe,
Ech after other be degre
In substance and in proprete
The zodiaque comprehendeth
Withinne his cercle, as it appendeth.
  The ferste of whiche natheles
Be name is cleped Aries,   980
Which lich a wether of stature
Resembled is in his figure.
And as it seith in Almageste,
Of Sterres tuelve upon this beste
Ben set, wherof in his degre
The wombe hath tuo, the heved hath thre,
The Tail hath sevene, and in this wise,
As thou myht hiere me divise,
Stant Aries, which hot and drye
Is of himself, and in partie   990

[THE SIGNS.]
Postquam dictum est de vii. Planetis, quibus singuli septimane dies singulariter attitulantur, dicendum est iam de xii. Signis, per que xii. Menses Anni variis temporibus effectus varios assequntur.

Nota hic de primo Signo, quod Aries dicitur, cui Mensis Marcii specialiter appropriatus est.
Quo deus in primo produxit adesse creata.

---

956 bryht (bright) S ... Δ   962 *margin* assequitur H₁E ... B₂ asseruntur X   978 as it] and it E, AdBT   it XL   979-982 *Four lines om.* B JM, AdT)   983 *margin* adesse H₁XGECR, SBΔ, W   (*Lat. om.* 984 þe beste AM ... B₂   his brest W

[THE SIGNS.]

He is the receipte and the hous P. iii. 118
Of myhty Mars the bataillous.
And overmore ek, as I finde,
The creatour of alle kinde
Upon this Signe ferst began
The world, whan that he made man.
And of this constellacioun
The verray operacioun
Availeth, if a man therinne
The pourpos of his werk beginne; 1000
For thanne he hath of proprete
Good sped and gret felicite.

The tuelve Monthes of the yeer
Attitled under the pouer
Of these tuelve Signes stonde;
Wherof that thou schalt understonde
This Aries on of the tuelve
Hath March attitled for himselve,
Whan every bridd schal chese his make,
And every neddre and every Snake 1010
And every Reptil which mai moeve,
His myht assaieth forto proeve,
To crepen out ayein the Sonne,
Whan Ver his Seson hath begonne.

Secundum Signum
dicitur Taurus, cuius
Mensis est Aprilis.
Quo prius occultas
inuenit herba vias.

Taurus the seconde after this
Of Signes, which figured is
Unto a Bole, is dreie and cold;
And as it is in bokes told,
He is the hous appourtienant P. iii. 119
To Venus, somdiel descordant. 1020
This Bole is ek with sterres set,
Thurgh whiche he hath hise hornes knet
Unto the tail of Aries,
So is he noght ther sterreles.
Upon his brest ek eyhtetiene
He hath, and ek, as it is sene,
Upon his tail stonde othre tuo.

1007 out of AdBT and of W 1017 is *om*. AdBT 1019
hous of AM 1027 tuo] moo (mo) AM ... B₂

LIBER SEPTIMUS

His Monthe assigned ek also [THE SIGNS.]
Is Averil, which of his schoures
Ministreth weie unto the floures. 1030

   The thridde signe is Gemini, — Tercium Signum
Which is figured redely — dicitur Gemini, cuius Mensis Maiius est.
Lich to tuo twinnes of mankinde, — Quo volucrum cantus gaudet de floribus ortis.
That naked stonde; and as I finde,
Thei be with Sterres wel bego :
The heved hath part of thilke tuo
That schyne upon the boles tail,
So be thei bothe of o parail;
But on the wombe of Gemini
Ben fyve sterres noght forthi, 1040
And ek upon the feet be tweie,
So as these olde bokes seie,
That wise Tholomeüs wrot.
His propre Monthe wel I wot
Assigned is the lusti Maii,
Whanne every brid upon his lay
Among the griene leves singeth, P. iii. 120
And love of his pointure stingeth
After the lawes of nature
The youthe of every creature. 1050

   Cancer after the reule and space — Quartum Signum Cancer dicitur, cuius Mensis Iunius est.
Of Signes halt the ferthe place. — Quo falcat pratis pabula tonsor equis.
Like to the crabbe he hath semblance,
And hath unto his retienance
Sextiene sterres, wherof ten,
So as these olde wise men
Descrive, he berth on him tofore,
And in the middel tuo be bore,
And foure he hath upon his ende.
Thus goth he sterred in his kende, 1060
And of himself is moiste and cold,
And is the propre hous and hold
Which appartieneth to the Mone,

1033 of o kynde H₁ERCB₂ of kynde XL   1044 Hise F
1058 be bore] bifore (before) AdBT

[THE SIGNS.]

And doth what longeth him to done.
The Monthe of Juin unto this Signe
Thou schalt after the reule assigne.

Quintum signum Leo dicitur, cuius Mensis Iulius est. Quo magis ad terras expandit Lucifer ignes.

 The fifte Signe is Leo hote,
Whos kinde is schape dreie and hote,
In whom the Sonne hath herbergage.
And the semblance of his ymage   1070
Is a leoun, which in baillie
Of sterres hath his pourpartie:
The foure, which as Cancer hath
Upon his ende, Leo tath
Upon his heved, and thanne nest   P. iii. 121
He hath ek foure upon his brest,
And on upon his tail behinde,
In olde bokes as we finde.
His propre Monthe is Juyl be name,
In which men pleien many a game.   1080

Sextum Signum Virgo dicitur, cuius Mensis Augustus est. Quo vacuata prius pubes replet horrea messis.

 After Leo Virgo the nexte
Of Signes cleped is the sexte,
Wherof the figure is a Maide;
And as the Philosophre saide,
Sche is the welthe and the risinge,
The lust, the joie and the likinge
Unto Mercurie: and soth to seie
Sche is with sterres wel beseie,
Wherof Leo hath lent hire on,
Which sit on hih hir heved upon,   1090
Hire wombe hath fyve, hir feet also
Have other fyve: and overmo
Touchende as of complexion,
Be kindly disposicion
Of dreie and cold this Maiden is.
And forto tellen over this
Hir Monthe, thou schalt understonde,
Whan every feld hath corn in honde
And many a man his bak hath plied,

1079 Monthe *om.* B   1095 cold *om.* AdBT   1100 Augst applied T, F   August applied A ... B₂ (*except* E), SAdΔ, WK   August plyed E, B

LIBER SEPTIMUS

Unto this Signe is Augst applied.   1100   [THE SIGNS.]

   After Virgo to reknen evene
Libra sit in the nombre of sevene,
Which hath figure and resemblance   P. iii. 122
Unto a man which a balance
Berth in his hond as forto weie:
In boke and as it mai be seie,
Diverse sterres to him longeth,
Wherof on hevede he underfongeth
Ferst thre, and ek his wombe hath tuo,
And doun benethe eighte othre mo.   1110
This Signe is hot and moiste bothe,
The whiche thinges be noght lothe
Unto Venus, so that alofte
Sche resteth in his hous fulofte,
And ek Saturnus often hyed
Is in this Signe and magnefied.
His propre Monthe is seid Septembre,
Which yifth men cause to remembre,
If eny Sor be left behinde
Of thing which grieve mai to kinde.   1120

   Among the Signes upon heighte
The Signe which is nombred eighte
Is Scorpio, which as feloun
Figured is a Scorpioun.
Bot for al that yit natheles
Is Scorpio noght sterreles;
For Libra granteth him his ende
Of eighte sterres, wher he wende,
The whiche upon his heved assised
He berth, and ek ther ben divised   1130
Upon his wombe sterres thre,   P. iii. 123
And eighte upon his tail hath he.
Which of his kinde is moiste and cold
And unbehovely manyfold;
He harmeth Venus and empeireth,
Bot Mars unto his hous repeireth,
Bot war whan thei togedre duellen.

Septimum Signum Libra dicitur, cuius Mensis Septembris est.
Vinea quo Bachum pressa liquore colit.

Octauum Signum Scorpio dicitur, cuius Mensis October est.
Floribus exclusis yemis qui ianitor extat.

1116 this] þe AMH₁XGRLB₂

[THE SIGNS.]

    His propre Monthe is, as men tellen,
Octobre, which bringth the kalende
Of wynter, that comth next suiende. 1140

Nonum signum Sagittarius dicitur, cuius Mensis Nouember est. Quo mustum bibulo linquit sua nomina vino.

    The nynthe Signe in nombre also,
Which folweth after Scorpio,
Is cleped Sagittarius,
The whos figure is marked thus,
A Monstre with a bowe on honde:
On whom that sondri sterres stonde,
Thilke eighte of whiche I spak tofore,
The whiche upon the tail ben bore
Of Scorpio, the heved al faire
Bespreden of the Sagittaire; 1150
And eighte of othre stonden evene
Upon his wombe, and othre sevene
Ther stonde upon his tail behinde.
And he is hot and dreie of kinde:
To Jupiter his hous is fre,
Bot to Mercurie in his degre,
For thei ben noght of on assent,
He worcheth gret empeirement.
This Signe hath of his proprete   **P. iii. 124**
A Monthe, which of duete 1160
After the sesoun that befalleth
The Plowed Oxe in wynter stalleth;
And fyr into the halle he bringeth,
And thilke drinke of which men singeth,
He torneth must into the wyn;
Thanne is the larder of the swyn;
That is Novembre which I meene,
Whan that the lef hath lost his greene.

Decimum Signum Capricornus dicitur, cuius Mensis December est. Ipse diem Nano noctemque Gigante figurat.

    The tenthe Signe dreie and cold,
The which is Capricornus told, 1170
Unto a Got hath resemblance:
For whos love and whos aqueintance
Withinne hise houses to sojorne
It liketh wel unto Satorne,
Bot to the Mone it liketh noght,

1148 To...bore AMX...L   To...lore B₂   1163 he] it A...B₂

LIBER SEPTIMUS

For no profit is there wroght.　　　　　　　　[THE SIGNS.]
This Signe as of his proprete
Upon his heved hath sterres thre,
And ek upon his wombe tuo,
And tweie upon his tail also.　　　1180
Decembre after the yeeres forme,
So as the bokes ous enforme,
With daies schorte and nyhtes longe
This ilke Signe hath underfonge.

Of tho that sitte upon the hevene　　　Vndecimum Signum
Of Signes in the nombre ellevene　　　Aquarius dicitur, cuius
　　　　　　　　　　　　　　　　　　　Mensis Ianuarius est.
Aquarius hath take his place,　　P. iii. 125　Quo Ianus vultum
And stant wel in Satornes grace,　　　duplum conuertit in
　　　　　　　　　　　　　　　　　　　annum.
Which duelleth in his herbergage,
Bot to the Sonne he doth oultrage.　　1190
This Signe is verraily resembled
Lich to a man which halt assembled
In eyther hand a water spoute,
Wherof the stremes rennen oute.
He is of kinde moiste and hot,
And he that of the sterres wot
Seith that he hath of sterres tuo
Upon his heved, and ben of tho
That Capricorn hath on his ende;
And as the bokes maken mende,　　1200
That Tholomeüs made himselve,
He hath ek on his wombe tuelve,
And tweie upon his ende stonde.
Thou schalt also this understonde,
The frosti colde Janever,
Whan comen is the newe yeer,
That Janus with his double face
In his chaiere hath take his place
And loketh upon bothe sides,
Somdiel toward the wynter tydes,　　1210
Somdiel toward the yeer suiende,
That is the Monthe belongende
Unto this Signe, and of his dole

　　　　1181 f. formes ... enformes AdBT

[THE SIGNS.]

Duodecimum Signum Piscis dicitur, cuius Mensis Februarius est.
Quo pluuie torrens riparum concitat ampnes.

He yifth the ferste Primerole.
　The tuelfthe, which is last of alle
Of Signes, Piscis men it calle,
The which, as telleth the scripture,
Berth of tuo fisshes the figure.
So is he cold and moiste of kinde,
And ek with sterres, as I finde, 1220
Beset in sondri wise, as thus:
Tuo of his ende Aquarius
Hath lent unto his heved, and tuo
This Signe hath of his oghne also
Upon his wombe, and over this
Upon his ende also ther is
A nombre of twenty sterres bryghte,
Which is to sen a wonder sighte.
Toward this Signe into his hous
Comth Jupiter the glorious, 1230
And Venus ek with him acordeth
To duellen, as the bok recordeth.
The Monthe unto this Signe ordeined
Is Februer, which is bereined,
And with londflodes in his rage
At Fordes letteth the passage.

　Nou hast thou herd the proprete
Of Signes, bot in his degre
Albumazar yit over this
Seith, so as therthe parted is 1240
In foure, riht so ben divised
The Signes tuelve and stonde assised,
That ech of hem for his partie
Hath his climat to justefie.
Wherof the ferste regiment
Toward the part of Orient
From Antioche and that contre
Governed is of Signes thre,
That is Cancer, Virgo, Leo:
And toward Occident also 1250
From Armenie, as I am lerned,

1223 unto] and to B　　1229 his signe AdBT

LIBER SEPTIMUS

Of Capricorn it stant governed,   [THE SIGNS.]
Of Pisces and Aquarius:
And after hem I finde thus,
Southward from Alisandre forth
Tho Signes whiche most ben worth
In governance of that doaire,
Libra thei ben and Sagittaire
With Scorpio, which is conjoint
With hem to stonde upon that point: 1260
Constantinople the Cite,
So as the bokes tellen me,
The laste of this division
Stant untoward Septemtrion,
Wher as be weie of pourveance
Hath Aries the governance
Forth with Taurus and Gemini.
Thus ben the Signes propreli
Divided, as it is reherced,
Wherof the londes ben diversed.   1270
     Lo thus, mi Sone, as thou myht hiere,   Confessor.
Was Alisandre mad to liere
Of hem that weren for his lore.
But nou to loken overmore,
Of othre sterres hou thei fare   P. iii. 128
I thenke hierafter to declare,
So as king Alisandre in youthe
Of him that suche thinges couthe
Enformed was tofore his yhe
Be nyhte upon the sterres hihe.   1280

     Upon sondri creacion   [THE FIFTEEN STARS.]
Stant sondri operacion,
Som worcheth this, som worcheth that;   Hic tractat super
The fyr is hot in his astat   doctrina Nectanabi,
                                 dum ipse iuuenem
And brenneth what he mai atteigne,   Alexandrum instruxit,
The water mai the fyr restreigne,   de illis precipue xv.
                                    stellis vna cum earum
The which is cold and moist also.   lapidibus et herbis,
Of other thing it farth riht so   que ad artis magice

1260 þe point AM ... B₂   1261 Constantyn noble þe cite
H₁XERCL   Constantyne þe noble cite B₂   1266 Aries haþ H₁ ... B₂
1280 hihe] sihe (seye) BT   1287 moist AJ, S, F   moiste B

[THE FIFTEEN STARS.]
naturalis operacionem specialius conueniunt.

Upon this erthe among ous here;
And forto speke in this manere, 1290
Upon the hevene, as men mai finde,
The sterres ben of sondri kinde
And worchen manye sondri thinges
To ous, that ben here underlinges.
Among the whiche forth withal
Nectanabus in special,
Which was an Astronomien
And ek a gret Magicien,
And undertake hath thilke emprise
To Alisandre in his aprise 1300
As of Magique naturel
To knowe, enformeth him somdel
Of certein sterres what thei mene;
Of whiche, he seith, ther ben fiftene,
And sondrily to everich on P. iii. 129
A gras belongeth and a Ston,
Wherof men worchen many a wonder
To sette thing bothe up and under.

Prima stella vocatur Aldeboran, cuius lapis Carbunculus et herba Anabulla est.

To telle riht as he began,
The ferste sterre Aldeboran, 1310
The cliereste and the moste of alle,
Be rihte name men it calle;
Which lich is of condicion
To Mars, and of complexion
To Venus, and hath therupon
Carbunculum his propre Ston:
His herbe is Anabulla named,
Which is of gret vertu proclamed.

Secunda stella vocatur Clota seu Pliades, cuius lapis Cristallum et herba Feniculus est.

The seconde is noght vertules;
Clota or elles Pliades 1320
It hatte, and of the mones kinde
He is, and also this I finde,
He takth of Mars complexion:
And lich to such condicion
His Ston appropred is Cristall,
And ek his herbe in special
The vertuous Fenele it is.

1321 Is hette AM it hatteth Δ monþes BT mannes W

LIBER SEPTIMUS

The thridde, which comth after this,
Is hote Algol the clere rede,
Which of Satorne, as I may rede,
His kinde takth, and ek of Jove
Complexion to his behove.
His propre Ston is Dyamant,
Which is to him most acordant;
His herbe, which is him betake,   P. iii. 130
Is hote Eleborum the blake.
So as it falleth upon lot,
The ferthe sterre is Alhaiot,
Which in the wise as I seide er
Of Satorne and of Jupiter
Hath take his kinde; and therupon
The Saphir is his propre Ston,
Marrubium his herbe also,
The whiche acorden bothe tuo.
And Canis maior in his like
The fifte sterre is of Magique,
The whos kinde is venerien,
As seith this Astronomien.
His propre Ston is seid Berille,
Bot forto worche and to fulfille
Thing which to this science falleth,
Ther is an herbe which men calleth
Saveine, and that behoveth nede
To him that wole his pourpos spede.
The sexte suiende after this
Be name Canis minor is;
The which sterre is Mercurial
Be weie of kinde, and forth withal,
As it is writen in the carte,
Complexion he takth of Marte.
His Ston and herbe, as seith the Scole,
Ben Achates and Primerole.
The sefnthe sterre in special
Of this science is Arial,
Which sondri nature underfongeth.   P. iii. 131

[THE FIFTEEN STARS.]

Tercia stella vocatur Algol, cuius lapis Dyamans et herba Eleborum nigrum est.

Quarta stella vocatur Alhaiot, cuius lapis Saphirus et herba Marrubium est.

Quinta stella vocatur Canis maior, cuius lapis Berillus et herba Savina est.

Sexta stella vocatur Canis minor, cuius lapis Achates et herba Primula est.

Septima stella vocatur Arial, cuius lapis Gorgonza et herba Celidonia est.

1346 *margin* Berillis A ... B₂, W   1361 as þe scole (*om.* seith)
AMH₁XRLB₂ after þis scole E   (as seiþ þe scole JGC)

CONFESSIO AMANTIS

[THE FIFTEEN STARS.]

The Ston which propre unto him longeth,
Gorgonza proprely it hihte:
His herbe also, which he schal rihte
Upon the worchinge as I mene,
Is Celidoine freissh and grene. 1370

Octaua stella vocatur Ala Corui, cuius lapis Honochinus et herba Lapacia est.

Sterre Ala Corvi upon heihte
Hath take his place in nombre of eighte,
Which of his kinde mot parforne
The will of Marte and of Satorne:
To whom Lapacia the grete
Is herbe, bot of no beyete;
His Ston is Honochinus hote,
Thurgh which men worchen gret riote.

Nona stella vocatur Alaezel, cuius lapis Smaragdus et herba Salgea est.

The nynthe sterre faire and wel
Be name is hote Alaezel, 1380
Which takth his propre kinde thus
Bothe of Mercurie and of Venus.
His Ston is the grene Amyraude,
To whom is yoven many a laude:
Salge is his herbe appourtenant
Aboven al the remenant.

Decima stella vocatur Almareth, cuius lapis Iaspis et herba Plantago est.

The tenthe sterre is Almareth,
Which upon lif and upon deth
Thurgh kinde of Jupiter and Mart
He doth what longeth to his part. 1390
His Ston is Jaspe, and of Planteine
He hath his herbe sovereine.

Vndecima stella vocatur Venenas, cuius lapis Adamans et herba Cicorea est.

The sterre ellefthe is Venenas,
The whos nature is as it was
Take of Venus and of the Mone,   P. iii. 132
In thing which he hath forto done.
Of Adamant is that perrie
In which he worcheth his maistrie;
Thilke herbe also which him befalleth,
Cicorea the bok it calleth. 1400

Duodecima stella vocatur Alpheta, cuius

Alpheta in the nombre sit,
And is the twelfthe sterre yit;

1372 *margin* Honochinus *om.* AM 1383 grene] grete B, W 1393 ellef þe JC, S, F elleþe A elleueþe B 1400 him calleþ R, AdBT

LIBER SEPTIMUS

Of Scorpio which is governed,
And takth his kinde, as I am lerned;
And hath his vertu in the Ston
Which cleped is Topazion:
His herbe propre is Rosmarine,
Which schapen is for his covine.
  Of these sterres, whiche I mene,
Cor Scorpionis is thritiene;
The whos nature Mart and Jove
Have yoven unto his behove.
His herbe is Aristologie,
Which folweth his Astronomie:
The Ston which that this sterre alloweth,
Is Sardis, which unto him boweth.
  The sterre which stant next the laste,
Nature on him this name caste
And clepeth him Botercadent;
Which of his kinde obedient
Is to Mercurie and to Venus.
His Ston is seid Crisolitus,
His herbe is cleped Satureie,
So as these olde bokes seie.
  Bot nou the laste sterre of alle
The tail of Scorpio men calle,
Which to Mercurie and to Satorne
Be weie of kinde mot retorne
After the preparacion
Of due constellacion.
The Calcedoine unto him longeth,
Which for his Ston he underfongeth;
Of Majorane his herbe is grounded.
Thus have I seid hou thei be founded,
Of every sterre in special,
Which hath his herbe and Ston withal,
As Hermes in his bokes olde
Witnesse berth of that I tolde.

[THE FIFTEEN STARS.]
lapis Topazion et herba Rosa marina est.

1410 Terciadecima stella vocatur Cor Scorpionis, cuius lapis Sardis et herba Aristologia est.

1420 Quartadecima stella vocatur Botercadent, cuius lapis Crisolitus et herba Satureia est.

P. iii. 133 Quintadecima stella vocatur Cauda Scorpionis, cuius lapis Calcedonia et herba Maiorana est.

1430

1404 *margin* Topaxion H₁ ... B₂ 1406 Topaxion (topaxione)
H₁ ... CB₂ to paxione L 1412 *margin* Astrologia
(astrologia) A ... B₂, BΔ, H₃ 1413 Astrologie (astrologie)
MH₁E, BΔ, H₃

[AUTHORS OF THE SCIENCE OF ASTRONOMY.]
Nota hic de Auctoribus illis, qui ad Astronomie scienciam pre ceteris studiosius intendentes libros super hoc distinctis nominibus composuerunt.

  The science of Astronomie,
Which principal is of clergie   1440
To dieme betwen wo and wel
In thinges that be naturel,
Thei hadde a gret travail on honde
That made it ferst ben understonde;
And thei also whiche overmore
Here studie sette upon this lore,
Thei weren gracious and wys
And worthi forto bere a pris.
And whom it liketh forto wite
Of hem that this science write,   1450
On of the ferste which it wrot
After Noë, it was Nembrot,
To his disciple Ychonithon
And made a bok forth therupon
The which Megaster cleped was.   P. iii. 134
An other Auctor in this cas
Is Arachel, the which men note;
His bok is Abbategnyh hote.
Danz Tholome is noght the leste,
Which makth the bok of Almageste;   1460
And Alfraganus doth the same,
Whos bok is Chatemuz be name.
Gebuz and Alpetragus eke
Of Planisperie, which men seke,
The bokes made: and over this
Ful many a worthi clerc ther is,
That writen upon this clergie
The bokes of Altemetrie,
Planemetrie and ek also,
Whiche as belongen bothe tuo,   1470
So as thei ben naturiens,
Unto these Astronomiens.
Men sein that Habraham was on;
Bot whether that he wrot or non,
That finde I noght; and Moïses
Ek was an other: bot Hermes

1445 which AJ, S, F   whiche B   1464 palmestrie H₁ ... B₂
1473 Habraham JX, F   *rest* Abraham

LIBER SEPTIMUS

Above alle othre in this science [AUTHORS OF THE
He hadde a gret experience;   SCIENCE OF ASTRO-
Thurgh him was many a sterre assised,   NOMY.]
Whos bokes yit ben auctorized. 1480
I mai noght knowen alle tho
That writen in the time tho
Of this science; bot I finde,
Of jugement be weie of kinde
That in o point thei alle acorden : P. iii. 135
Of sterres whiche thei recorden
That men mai sen upon the hevene,
Ther ben a thousend sterres evene
And tuo and twenty, to the syhte
Whiche aren of hemself so bryhte, 1490
That men mai dieme what thei be,
The nature and the proprete.

Nou hast thou herd, in which a wise
These noble Philosophres wise
Enformeden this yonge king,
And made him have a knowleching
Of thing which ferst to the partie
Belongeth of Philosophie,
Which Theorique cleped is,
As thou tofore hast herd er this. 1500
Bot nou to speke of the secounde,
Which Aristotle hath also founde,
And techeth hou to speke faire,
Which is a thing full necessaire
To contrepeise the balance,
Wher lacketh other sufficance.

v. *Compositi pulcra sermonis verba placere* [ii. RHETORIC.]
   Principio poterunt, veraque fine placent.
   Herba, lapis, sermo, tria sunt virtute repleta,
   Vis tamen ex verbi pondere plura facit.

Above alle erthli creatures
The hihe makere of natures

1477 this] his AdBT   1490 aren] been (ben) A . . . B₂, W
1493 such a wise MH₁CL, T, H₃
Latin Verses v. 1 sermones H₁ . . . B₂, B   4 pulcra AdBT
* *   T
  *

[RHETORIC.]

Hic tractat de secunda parte Philosophie, cuius nomen Rethorica facundos efficit. Loquitur eciam de eiusdem duabus speciebus, scilicet Grammatica et Logica, quarum doctrina Rethor sua verba perornat.

    The word to man hath yove alone,
So that the speche of his persone,   1510
Or forto lese or forto winne,   **P. iii. 136**
The hertes thoght which is withinne
Mai schewe, what it wolde mene;
And that is noghwhere elles sene
Of kinde with non other beste.
So scholde he be the more honeste,
To whom god yaf so gret a yifte,
And loke wel that he ne schifte
Hise wordes to no wicked us;
For word the techer of vertus   1520
Is cleped in Philosophie.
Wherof touchende this partie,
Is Rethorique the science
Appropred to the reverence
Of wordes that ben resonable:
And for this art schal be vailable
With goodli wordes forto like,
It hath Gramaire, it hath Logiqe,
That serven bothe unto the speche.
Gramaire ferste hath forto teche   1530
To speke upon congruite:
Logique hath eke in his degre
Betwen the trouthe and the falshode
The pleine wordes forto schode,
So that nothing schal go beside,
That he the riht ne schal decide,
Wherof full many a gret debat
Reformed is to good astat,
And pes sustiened up alofte
With esy wordes and with softe,   1540
Wher strengthe scholde lete it falle.   **P. iii. 137**
The Philosophre amonges alle
Forthi commendeth this science,
Which hath the reule of eloquence.
    In Ston and gras vertu ther is,
Bot yit the bokes tellen this,

1530 ferste A, S, F   ferst (first) JC, B   1545 in gras H₁CLB₂, **W**

LIBER SEPTIMUS

    That word above alle erthli thinges   [RHETORIC.]
Is vertuous in his doinges,
Wher so it be to evele or goode.
For if the wordes semen goode   1550
And ben wel spoke at mannes Ere,
Whan that ther is no trouthe there,
Thei don fulofte gret deceipte;
For whan the word to the conceipte
Descordeth in so double a wise,
Such Rethorique is to despise
In every place, and forto drede.
For of Uluxes thus I rede,
As in the bok of Troie is founde,
His eloquence and his facounde   1560
Of goodly wordes whiche he tolde,
Hath mad that Anthenor him solde
The toun, which he with tresoun wan.
Word hath beguiled many a man;
With word the wilde beste is daunted,
With word the Serpent is enchaunted,
Of word among the men of Armes
Ben woundes heeled with the charmes,
Wher lacketh other medicine;
Word hath under his discipline   1570
Of Sorcerie the karectes.   P. iii. 138
The wordes ben of sondri sectes,
Of evele and eke of goode also;
The wordes maken frend of fo,
And fo of frend, and pes of werre,
And werre of pes, and out of herre
The word this worldes cause entriketh,
And reconsileth whan him liketh.
The word under the coupe of hevene
Set every thing or odde or evene;   1580
With word the hihe god is plesed,
With word the wordes ben appesed,
The softe word the loude stilleth;
Wher lacketh good, the word fulfilleth,
To make amendes for the wrong;

¹⁵⁷⁴ and fo A ... B₂, AdT   ¹⁵⁷⁷ þe worldes A ... B₂, BΔ

[RHETORIC.]

Whan wordes medlen with the song,
It doth plesance wel the more.
  Bot forto loke upon the lore
Hou Tullius his Rethorique

Nota de Eloquencia Iulii in causa Cateline contra Cillenum et alios tunc vrbis Rome Conciues.

Componeth, ther a man mai pike   1590
Hou that he schal hise wordes sette,
Hou he schal lose, hou he schal knette,
And in what wise he schal pronounce
His tale plein withoute frounce.
Wherof ensample if thou wolt seche,
Tak hiede and red whilom the speche
Of Julius and Cithero,
Which consul was of Rome tho,
Of Catoun eke and of Cillene,
Behold the wordes hem betwene,   1600
Whan the tresoun of Cateline   P. iii.* 139
Descoevered was, and the covine
Of hem that were of his assent
Was knowe and spoke in parlement,
And axed hou and in what wise
Men scholde don hem to juise.
Cillenus ferst his tale tolde,
To trouthe and as he was beholde,
The comun profit forto save,
He seide hou tresoun scholde have   1610
A cruel deth; and thus thei spieke,
The Consul bothe and Catoun eke,
And seiden that for such a wrong
Ther mai no peine be to strong.
Bot Julius with wordes wise
His tale tolde al otherwise,
As he which wolde her deth respite,
And fondeth hou he mihte excite
The jugges thurgh his eloquence
Fro deth to torne the sentence   1620
And sette here hertes to pite.
Nou tolden thei, nou tolde he;

1588 þis lore A ... B₂   1589 his] þe AdBT   1596 Tak
(Taak) AC, SB   Take J, F   1597 and of AMR   1618 he]
men A   me M   1619 iugge AdBT

LIBER SEPTIMUS

Thei spieken plein after the lawe,   [RHETORIC.]
Bot he the wordes of his sawe
Coloureth in an other weie
Spekende, and thus betwen the tweie,
To trete upon this juggement,
Made ech of hem his Argument.
Wherof the tales forto hiere,
Ther mai a man the Scole liere   1630
Of Rethoriqes eloquences,   P. iii. 140
Which is the secounde of sciences
Touchende to Philosophie;
Wherof a man schal justifie
Hise wordes in disputeisoun,
And knette upon conclusioun
His Argument in such a forme,
Which mai the pleine trouthe enforme
And the soubtil cautele abate,
Which every trewman schal debate.   1640

vi. *Practica quemque statum pars tercia Philosophie*   [iii. PRACTIC.]
   Ad regimen recte ducit in orbe vie:
 Set quanto maior Rex est, tanto magis ipsum
 Hec scola concernit, qua sua regna regat.

   The ferste, which is Theorique,
And the secounde Rethorique,
Sciences of Philosophie,   Hic tractat de tercia
I have hem told as in partie,   parte Philosophie, que
So as the Philosophre it tolde   species sunt tres, scili-
To Alisandre: and nou I wolde   cet Etica, Ichonomia et
Telle of the thridde what it is,   Policia, quarum doc-
The which Practique cleped is.   in suo regimine ad
   Practique stant upon thre thinges   honoris magnificen-
Toward the governance of kinges;   1650 ciam per singula diri-
Wherof the ferst Etique is named,   gitur.
The whos science stant proclamed
To teche of vertu thilke reule,

1640 trewman AC, S, F trewe man B
  Latin Verses vi. 4 Hec FKH₃Magd Ex A... B₂, S... ΔΛ, W
regit BTΛ gerit Ad
  1651 ferst AJ, S, F ferste (firste) C, B

[PRACTIC.]

Hou that a king himself schal reule
Of his moral condicion
With worthi disposicion
Of good livinge in his persone,   P. iii. 141
Which is the chief of his corone.
It makth a king also to lerne
Hou he his bodi schal governe,   1660
Hou he schal wake, hou he schal slepe,
Hou that he schal his hele kepe
In mete, in drinke, in clothinge eke:
Ther is no wisdom forto seke
As for the reule of his persone,
The which that this science al one
Ne techeth as be weie of kinde,
That ther is nothing left behinde.
   That other point which to Practique
Belongeth is Iconomique,   1670
Which techeth thilke honestete
Thurgh which a king in his degre
His wif and child schal reule and guie,
So forth with al the companie
Which in his houshold schal abyde,
And his astat on every syde
In such manere forto lede,
That he his houshold ne mislede.
   Practique hath yit the thridde aprise,
Which techeth hou and in what wise   1680
Thurgh hih pourveied ordinance
A king schal sette in governance
His Realme, and that is Policie,
Which longeth unto Regalie
In time of werre, in time of pes,
To worschipe and to good encress
Of clerk, of kniht and of Marchant, P. iii. 142
And so forth of the remenant
Of al the comun poeple aboute,
Withinne Burgh and ek withoute,   1690

1666 that *om.* AM . . . B₂   1670 Belongeþ to Icon. AM . . . B₂
1671 honeste M . . . B₂ (*except* C), SΔ, WH₃   1681 hih] his B
1688 of] al AdBT   1690 eek C, B   eke (eeke) A, F

LIBER SEPTIMUS

Of hem that ben Artificiers,   [PRACTIC.]
Whiche usen craftes and mestiers,
Whos Art is cleped Mechanique.
And though thei ben noght alle like,
Yit natheles, hou so it falle,
O lawe mot governe hem alle,
Or that thei lese or that thei winne,
After thastat that thei ben inne.
  Lo, thus this worthi yonge king   [FIVE POINTS OF POLICY.]
Was fulli tauht of every thing,   1700
Which mihte yive entendement
Of good reule and good regiment
To such a worthi Prince as he.
Bot of verray necessite
The Philosophre him hath betake
Fyf pointz, whiche he hath undertake
To kepe and holde in observance,
As for the worthi governance
Which longeth to his Regalie,
After the reule of Policie.   1710

vii. *Moribus ornatus regit hic qui regna moderna,*   [THE FIRST POINT OF POLICY. TRUTH.]
   Cercius expectat ceptra futura poli.
  Et quia veridica virtus supereminet omnes,
   Regis ab ore boni fabula nulla sonat.

  To every man behoveth lore,
Bot to noman belongeth more
Than to a king, which hath to lede   **P. iii. 143**
The poeple; for of his kinghede   Hic secundum Poli-
He mai hem bothe save and spille.   ciam tractare intendit
And for it stant upon his wille,   precipue super quin-
It sit him wel to ben avised,   que regularum Articu-
And the vertus whiche are assissed   lis, que ad Principis
Unto a kinges Regiment,   Regimen obseruande
To take in his entendement: specialius existunt,
Wherof to tellen, as thei stonde,   quarum prima veritas
Hierafterward nou woll I fonde.   nuncupatur. Perquam
                                      1720 veridicus fit sermo
                                        Regis ad omnes.

1695 hou *om.* AM   1698 þe staat (state) AMB₂, W   þe estate R
1711 behoveth] bilongeþ X, AdBT   1718 are] been (ben) A . . .
B₂   *margin* existat AM . . . B₂

[TRUTH.]

Among the vertus on is chief,
And that is trouthe, which is lief
To god and ek to man also.
And for it hath ben evere so,
Tawhte Aristotle, as he wel couthe,
To Alisandre, hou in his youthe
He scholde of trouthe thilke grace
With al his hole herte embrace, 1730
So that his word be trewe and plein,
Toward the world and so certein
That in him be no double speche:
For if men scholde trouthe seche
And founde it noght withinne a king,
It were an unsittende thing.
The word is tokne of that withinne,
Ther schal a worthi king beginne
To kepe his tunge and to be trewe,
So schal his pris ben evere newe. 1740
Avise him every man tofore,
And be wel war, er he be swore,
For afterward it is to late, P. iii. 144
If that he wole his word debate.
For as a king in special
Above all othre is principal
Of his pouer, so scholde he be
Most vertuous in his degre;
And that mai wel be signefied
Be his corone and specified. 1750

Nota super hiis que in corona Regis designantur.

The gold betokneth excellence,
That men schull don him reverence
As to here liege soverein.
The Stones, as the bokes sein,
Commended ben in treble wise:
Ferst thei ben harde, and thilke assisse
Betokneth in a king Constance,
So that ther schal no variance
Be founde in his condicion;
And also be descripcion 1760

1744 wolde B   1749 be wel A . . . B₂ (*except* H₁ welbe)
1751 *margin* Nota—designantur *om.* R, B, H₃

LIBER SEPTIMUS

The vertu which is in the stones   [TRUTH.]
A verrai Signe is for the nones
Of that a king schal ben honeste
And holde trewly his beheste
Of thing which longeth to kinghede:
The bryhte colour, as I rede,
Which in the stones is schynende,
Is in figure betoknende
The Cronique of this worldes fame,
Which stant upon his goode name.   1770
The cercle which is round aboute
Is tokne of al the lond withoute,
Which stant under his Gerarchie,   P. iii. 145
That he it schal wel kepe and guye.
  And for that trouthe, hou so it falle,
Is the vertu soverein of alle,
That longeth unto regiment,
A tale, which is evident
Of trouthe in comendacioun,
Toward thin enformacion,   1780
Mi Sone, hierafter thou schalt hiere
Of a Cronique in this matiere.

  As the Cronique it doth reherce,   [KING, WINE, WOMAN
A Soldan whilom was of Perce,   AND TRUTH.]
Which Daires hihte, and Ytaspis
His fader was; and soth it is
That thurgh wisdom and hih prudence
Mor than for eny reverence
Of his lignage as be descente
The regne of thilke empire he hente: 1790
And as he was himselve wys,
The wisemen he hield in pris
And soghte hem oute on every side,
That toward him thei scholde abide.
Among the whiche thre ther were
That most service unto him bere,

[KING, WINE, WOMAN AND TRUTH.]
Hic narrat, qualiter Darius filius Ytaspis Soldanus Percie a tribus suis Cubiculariis, quorum nomina Arpaghes, Manachaz et Zorobabel dicta sunt, nomine questionis singillatim interrogauit, vtrum Rex aut mulier aut vinum maioris fortitudinis vim obtineret: ipsis vero varia opinione respondentibus, Zorobabel vltimus asseruit quod mulier sui amo-

1769 his worldes H1... B2   1770 goode *om.* AM   1789 as]
and A... B2   1791 And for he AM... B2   1792 wisemen
S, F   wise men AJC, B   1793 on] in AM... C   of L   1795
margin asserit B

[KING, WINE, WOMAN AND TRUTH.]

ris complacencia tam Regis quam vini potenciam excellit. Addidit insuper pro finali conclusione dicens, quod veritas super omnia vincit. Cuius responsio ceteris laudabilior acceptabatur.

As thei which in his chambre lyhen
And al his conseil herde and syhen.
Here names ben of strange note,
Arpaghes was the ferste hote,   1800
And Manachaz was the secounde,
Zorobabel, as it is founde
In the Cronique, was the thridde.   P. iii. 146
This Soldan, what so him betidde,
To hem he triste most of alle,
Wherof the cas is so befalle:
This lord, which hath conceiptes depe,
Upon a nyht whan he hath slepe,
As he which hath his wit desposed,
Touchende a point hem hath opposed.   1810
   The kinges question was this;
Of thinges thre which strengest is,
The wyn, the womman or the king:
And that thei scholde upon this thing
Of here ansuere avised be,
He yaf hem fulli daies thre,
And hath behote hem be his feith
That who the beste reson seith,
He schal resceive a worthi mede.
   Upon this thing thei token hiede   1820
And stoden in desputeison,
That be diverse opinion
Of Argumentz that thei have holde
Arpaghes ferst his tale tolde,
And seide hou that the strengthe of kinges
Is myhtiest of alle thinges.
For king hath pouer over man,
And man is he which reson can,
As he which is of his nature
The moste noble creature   1830
Of alle tho that god hath wroght:
And be that skile it semeth noght,
He seith, that eny erthly thing   P. iii. 147

1797 which A, F   whiche B   1800 Arpaphes AMH₁XCLB₂
Araphes R   1805 he triste] þat trist(e) AM   he trusteth Δ
1815 anssuere F

LIBER SEPTIMUS

[KING, WINE, WOMAN
AND TRUTH.]

Mai be so myhty as a king.
A king mai spille, a king mai save,
A king mai make of lord a knave
And of a knave a lord also:
The pouer of a king stant so,
That he the lawes overpasseth;
What he wol make lasse, he lasseth,   1840
What he wol make more, he moreth;
And as the gentil faucon soreth,
He fleth, that noman him reclameth;
Bot he al one alle othre tameth,
And stant himself of lawe fre.
Lo, thus a kinges myht, seith he,
So as his reson can argue,
Is strengest and of most value.
    Bot Manachaz seide otherwise,
That wyn is of the more emprise;   1850
And that he scheweth be this weie.
The wyn fulofte takth aweie
The reson fro the mannes herte;
The wyn can make a krepel sterte,
And a delivere man unwelde;
It makth a blind man to behelde,
And a bryht yhed seme derk;
It makth a lewed man a clerk,
And fro the clerkes the clergie
It takth aweie, and couardie   1860
It torneth into hardiesse;
Of Avarice it makth largesse.
The wyn makth ek the goode blod,   **P. iii. 148**
In which the Soule which is good
Hath chosen hire a resting place,
Whil that the lif hir wole embrace.
And be this skile Manachas
Ansuered hath upon this cas,
And seith that wyn be weie of kinde
Is thing which mai the hertes binde   1870
Well more than the regalie.
    Zorobabel for his partie

1836 of lord] a lord E, AdBT, W   1842 þe S, FW   a AC, B

[KING, WINE, WOMAN AND TRUTH.]

Seide, as him thoghte for the beste,
That wommen ben the myhtieste.
The king and the vinour also
Of wommen comen bothe tuo;
And ek he seide hou that manhede
Thurgh strengthe unto the wommanhede
Of love, wher he wole or non,
Obeie schal; and therupon,   1880
To schewe of wommen the maistrie,
A tale which he syh with yhe
As for ensample he tolde this,—
    Hou Apemen, of Besazis

Nota hic de vigore amoris, qui inter Cirum Regem Persarum et Apemen Besazis filiam ipsius Regis Concubinam spectante tota Curia experiebatur.

Which dowhter was, in the paleis
Sittende upon his hihe deis,
Whan he was hotest in his ire
Toward the grete of his empire,
Cirus the king tirant sche tok,
And only with hire goodly lok   1890
Sche made him debonaire and meke,
And be the chyn and be the cheke
Sche luggeth him riht as hir liste,   **P. iii. 149**
That nou sche japeth, nou sche kiste,
And doth with him what evere hir liketh;
Whan that sche loureth, thanne he siketh,
And whan sche gladeth, he is glad:
And thus this king was overlad
With hire which his lemman was.
Among the men is no solas,   1900
If that ther be no womman there;
For bot if that the wommen were,
This worldes joie were aweie:
Thurgh hem men finden out the weie
To knihthode and to worldes fame;
Thei make a man to drede schame,
And honour forto be desired:
Thurgh the beaute of hem is fyred
The Dart of which Cupide throweth,
Wherof the jolif peine groweth,   1910

    1882 I sih AdBT   1883 And for AM   1884 of Besaxis H₁XRCB₂   and Besaxis L   1902 þe womman J, BT

LIBER SEPTIMUS

Which al the world hath under fote.   [KING, WINE, WOMAN
A womman is the mannes bote,   AND TRUTH.]
His lif, his deth, his wo, his wel;
And this thing mai be schewed wel,
Hou that wommen ben goode and kinde,
For in ensample this I finde.
    Whan that the duk Ametus lay   [TALE OF ALCESTIS.]
Sek in his bedd, that every day   Nota de fidelitate
Men waiten whan he scholde deie,   Coniugis, qualiter Al-
                                                  cesta vxor Ameti, vt
Alceste his wif goth forto preie,   1920 maritum suum viuifi-
As sche which wolde thonk deserve,   caret, seipsam morti
                                                  spontanee subegit.
With Sacrifice unto Minerve,
To wite ansuere of the goddesse   P. iii. 150
Hou that hir lord of his seknesse,
Wherof he was so wo besein,
Recovere myhte his hele ayein.
Lo, thus sche cride and thus sche preide,
Til ate laste a vois hir seide,
That if sche wolde for his sake
The maladie soffre and take,   1930
And deie hirself, he scholde live.
Of this ansuere Alceste hath yive
Unto Minerve gret thonkinge,
So that hir deth and his livinge
Sche ches with al hire hole entente,
And thus acorded hom sche wente.
Into the chambre and whan sche cam,
Hire housebonde anon sche nam
In bothe hire Armes and him kiste,
And spak unto him what hire liste;   1940
And therupon withinne a throwe
This goode wif was overthrowe
And deide, and he was hool in haste.
So mai a man be reson taste,
Hou next after the god above
The trouthe of wommen and the love,
In whom that alle grace is founde,
Is myhtiest upon this grounde
And most behovely manyfold.

1932 Of] And M, AdBT   1942 The A . . . B₂

[KING, WINE, WOMAN AND TRUTH.]

Lo, thus Zorobabel hath told 1950
The tale of his opinion :
Bot for final conclusion
What strengest is of erthli thinges, P. iii. 151
The wyn, the wommen or the kinges,
He seith that trouthe above hem alle
Is myhtiest, hou evere it falle.
The trouthe, hou so it evere come,
Mai for nothing ben overcome ;
It mai wel soffre for a throwe,
Bot ate laste it schal be knowe. 1960
The proverbe is, who that is trewe,
Him schal his while nevere rewe :
For hou so that the cause wende,
The trouthe is schameles ate ende,
Bot what thing that is troutheles,
It mai noght wel be schameles,
And schame hindreth every wyht :
So proveth it, ther is no myht
Withoute trouthe in no degre.
And thus for trouthe of his decre 1970
Zorobabel was most commended,
Wherof the question was ended,
And he resceived hath his mede
For trouthe, which to mannes nede
Is most behoveliche overal.
Forthi was trouthe in special
The ferste point in observance
Betake unto the governance
Of Alisandre, as it is seid :
For therupon the ground is leid 1980
Of every kinges regiment,
As thing which most convenient
Is forto sette a king in evene P. iii. 152
Bothe in this world and ek in hevene.

[THE SECOND POINT OF POLICY. LIBERALITY.]

viii. *Absit Auaricia, ne tangat regia corda,*
Eius enim spoliis excoriatur humus.

1978 the *om*. J, AdBT   1980 therupon] vpon AM
Latin Verses viii. 2 Eius FKH₃Magd   *rest* Cuius

LIBER SEPTIMUS

Fama colit largum volitans per secula Regem,
Dona tamen licitis sunt moderanda modis.

[LIBERALITY.]

Next after trouthe the secounde,
In Policie as it is founde,
Which serveth to the worldes fame
In worschipe of a kinges name,
Largesse it is, whos privilegge
Ther mai non Avarice abregge.
The worldes good was ferst comune,
Bot afterward upon fortune
Was thilke comun profit cessed :
For whan the poeple stod encresced
And the lignages woxen grete,
Anon for singulier beyete
Drouh every man to his partie ;
Wherof cam in the ferste envie
With gret debat and werres stronge,
And laste among the men so longe,
Til noman wiste who was who,
Ne which was frend ne which was fo.
Til ate laste in every lond
Withinne hemself the poeple fond
That it was good to make a king,
Which mihte appesen al this thing
And yive riht to the lignages
In partinge of here heritages
And ek of al here other good ;
And thus above hem alle stod
The king upon his Regalie,
As he which hath to justifie
The worldes good fro covoitise.
So sit it wel in alle wise
A king betwen the more and lesse
To sette his herte upon largesse
Toward himself and ek also
Toward his poeple ; and if noght so,
That is to sein, if that he be

1990

2000

P. iii. 153
2010

Hic tractat de regie maiestatis secunda Policia, quam Aristotiles largitatem vocat : cuius virtute non solum propulsata Auaricia Regis nomen magnificum extollitur, set et sui subditi omni diuiciarum habundancia iocundiores efficiuntur.

1992 *margin* subditi omni] sub dicionum (subdicionum) A ... B₂, B
2015 bitwene (betwen) more AM ... B₂, Δ, WH₃

[LIBERALITY.]

Toward himselven large and fre 2020
And of his poeple take and pile,
Largesse be no weie of skile
It mai be seid, bot Avarice,
Which in a king is a gret vice.
A king behoveth ek to fle
The vice of Prodegalite,
That he mesure in his expence
So kepe, that of indigence
He mai be sauf: for who that nedeth,
In al his werk the worse he spedeth. 2030

Nota super hoc quod Aristotiles Alexandrum exemplificauit de exaccionibus Regis Chaldeorum.

As Aristotle upon Chaldee
Ensample of gret Auctorite
Unto king Alisandre tauhte
Of thilke folk that were unsauhte
Toward here king for his pilage:
Wherof he bad, in his corage
That he unto thre pointz entende,
Wher that he wolde his good despende.
Ferst scholde he loke, hou that it stod, P. iii. 154
That al were of his oghne good 2040
The yiftes whiche he wolde yive;
So myhte he wel the betre live:
And ek he moste taken hiede
If ther be cause of eny nede,
Which oghte forto be defended,
Er that his goodes be despended:
He mot ek, as it is befalle,
Amonges othre thinges alle
Se the decertes of his men;
And after that thei ben of ken 2050
And of astat and of·merite,
He schal hem largeliche aquite,
Or for the werre, or for the pes,
That non honour falle in descres,
Which mihte torne into defame,
Bot that he kepe his goode name,
So that he be noght holde unkinde.
For in Cronique a tale I finde,

2021 and pile] no pile AM   2043 Paragr. here J, SB, F &c.

LIBER SEPTIMUS

Which spekth somdiel of this matiere,
Hierafterward as thou schalt hiere. 2060

In Rome, to poursuie his riht, [TALE OF JULIUS AND
Ther was a worthi povere kniht, THE POOR KNIGHT.]
Which cam al one forto sein Hic secundum ges-
His cause, when the court was plein, ta Iulii exemplum
Wher Julius was in presence. ponit, qualiter Rex
And for him lacketh of despence, suorum militum, quos
Ther was with him non advocat probos agnouerit, in-
To make ple for his astat. digenciam largitatis
Bot thogh him lacke forto plede, P. iii. 155 sue beneficiis releuare
Him lacketh nothing of manhede; 2070 tenetur.
He wiste wel his pours was povere,
Bot yit he thoghte his riht recovere,
And openly poverte alleide,
To themperour and thus he seide:
'O Julius, lord of the lawe,
Behold, mi conseil is withdrawe
For lacke of gold: do thin office
After the lawes of justice:
Help that I hadde conseil hiere
Upon the trouthe of mi matiere.' 2080
And Julius with that anon
Assigned him a worthi on,
Bot he himself no word ne spak.
This kniht was wroth and fond a lak
In themperour, and seide thus:
'O thou unkinde Julius,
Whan thou in thi bataille were
Up in Aufrique, and I was there,
Mi myht for thi rescousse I dede
And putte noman in my stede, 2090
Thou wost what woundes ther I hadde:
Bot hier I finde thee so badde,
That thee ne liste speke o word
Thin oghne mouth, nor of thin hord

2067 *margin* reuelare AM *om.* C 2077 do] to H₁ ... B₂, AdBT
2078 lawe AM ... B₂, AdBT 2093 list (luste) to H₁EB₂,
AdBT

* * U
*

[TALE OF JULIUS AND THE POOR KNIGHT.]

To yive a florin me to helpe.
Hou scholde I thanne me beyelpe
Fro this dai forth of thi largesse,
Whan such a gret unkindenesse
Is founde in such a lord as thou?' P. iii. 156
    This Julius knew wel ynou 2100
That al was soth which he him tolde;
And for he wolde noght ben holde
Unkinde, he tok his cause on honde,
And as it were of goddes sonde,
He yaf him good ynouh to spende
For evere into his lives ende.
And thus scholde every worthi king
Take of his knihtes knowleching,
Whan that he syh thei hadden nede,
For every service axeth mede: 2110
Bot othre, whiche have noght deserved
Thurgh vertu, bot of japes served,
A king schal noght deserve grace,
Thogh he be large in such a place.

[ANTIGONUS AND CINICHUS.]

Hic ponit exemplum de Rege Antigono, qualiter dona regia secundum maius et minus equa discrecione moderanda sunt.

    It sit wel every king to have
Discrecion, whan men him crave,
So that he mai his yifte wite:
Wherof I finde a tale write,
Hou Cinichus a povere kniht
A Somme which was over myht 2120
Preide of his king Antigonus.
The king ansuerde to him thus,
And seide hou such a yifte passeth
His povere astat: and thanne he lasseth,
And axeth bot a litel peny,
If that the king wol yive him eny.
The king ansuerde, it was to smal
For him, which was a lord real;
To yive a man so litel thing P. iii. 157
It were unworschipe in a king. 2130
    Be this ensample a king mai lere

2106 vnto H₁ ... B₂, AdBT   2122 king *om.* AM   2128 which] þat AM ... B₂

LIBER SEPTIMUS

That forto yive is in manere : [DISCRETION IN
For if a king his tresor lasseth GIVING.]
Withoute honour and thonkles passeth,
Whan he himself wol so beguile,
I not who schal compleigne his while,
Ne who be rihte him schal relieve.
Bot natheles this I believe,
To helpe with his oghne lond
Behoveth every man his hond 2140
To sette upon necessite ;
And ek his kinges realte Nota hic quod Re-
Mot every liege man conforte, gius status a suis
With good and bodi to supporte, fidelibus omni fauore
  supportandus est.
Whan thei se cause resonable :
For who that is noght entendable
To holde upriht his kinges name,
Him oghte forto be to blame.
  Of Policie and overmore [PRODIGALITY OF
To speke in this matiere more, 2150 KINGS.]
So as the Philosophre tolde, Nota hic secundum
A king after the reule is holde Aristotilem, qualiter
To modifie and to adresce Principum Prodegali-
Hise yiftes upon such largesce tas paupertatem in-
  ducit communem.
That he mesure noght excede : Seneca. Sic aliis
For if a king falle into nede, benefacito, vt tibi non
It causeth ofte sondri thinges noceas.
Whiche are ungoodly to the kinges.
What man wol noght himself mesure, **P. iii. 158**
Men sen fulofte that mesure 2160
Him hath forsake : and so doth he
That useth Prodegalite,
Which is the moder of poverte,
Wherof the londes ben deserte ;
And namely whan thilke vice
Aboute a king stant in office
And hath withholde of his partie
The covoitouse flaterie,

2140 Bilongeþ AdBT   2150 *margin* Nota—Aristotilem *om.* BΔ
secundum Aristotilem *om.* S   2155 *margin* Seneca] Salomon B
2158 been (ben) A . . . B₂

Which many a worthi king deceiveth,
Er he the fallas aperceiveth   2170
Of hem that serven to the glose.
For thei that cunnen plese and glose,
Ben, as men tellen, the norrices
Unto the fostringe of the vices,
Wherof fulofte natheles
A king is blamed gulteles.

  A Philosophre, as thou schalt hiere,
Spak to a king of this matiere,
And seide him wel hou that flatours
Coupable were of thre errours.   2180
On was toward the goddes hihe,
That weren wrothe of that thei sihe
The meschief which befalle scholde
Of that the false flatour tolde.
Toward the king an other was,
Whan thei be sleihte and be fallas
Of feigned wordes make him wene
That blak is whyt and blew is grene
Touchende of his condicion :   P. iii. 159
For whanne he doth extorcion   2190
With manye an other vice mo,
Men schal noght finden on of tho
To grouche or speke therayein,
Bot holden up his oil and sein
That al is wel, what evere he doth ;
And thus of fals thei maken soth,
So that here kinges yhe is blent
And wot not hou the world is went.
The thridde errour is harm comune,
With which the poeple mot commune   2200
Of wronges that thei bringen inne :
And thus thei worchen treble sinne,
That ben flatours aboute a king.
Ther myhte be no worse thing
Aboute a kinges regalie,
Thanne is the vice of flaterie.

[Margin notes:]

[FLATTERERS.]
Nota qualiter in principum curiis adulatores triplici grauitate offendunt.

Primo contra deum.

Secundo contra Principem.

Tercio contra populum.

2198 not A, F noght S nought J, B 2199 *margin* Tercio contra populum *om.* B, W

LIBER SEPTIMUS

And natheles it hath ben used,
That it was nevere yit refused
As forto speke in court real;
For there it is most special,   2210
And mai noght longe be forbore.
Bot whan this vice of hem is bore,
That scholden the vertus forthbringe,
And trouthe is torned to lesinge,
It is, as who seith, ayein kinde,
Wherof an old ensample I finde.

Among these othre tales wise   [TALE OF DIOGENES
Of Philosophres, in this wise   AND ARISTIPPUS.]
I rede, how whilom tuo ther were,   P. iii. 160
And to the Scole forto lere   2220
Unto Athenes fro Cartage
Here frendes, whan thei were of Age,
Hem sende; and ther thei stoden longe,
Til thei such lore have underfonge,
That in here time thei surmonte
Alle othre men, that to acompte
Of hem was tho the grete fame.
The ferste of hem his rihte name
Was Diogenes thanne hote,
In whom was founde no riote: 2230
His felaw Arisippus hyhte,
Which mochel couthe and mochel myhte.
Bot ate laste, soth to sein,
Thei bothe tornen hom ayein
Unto Cartage and scole lete.
This Diogenes no beyete

Margin: Hic contra vanitates adulantum loquitur, et narrat quod cum Arisippus de Cartagine Philosophus scole studium relinquens sui Principis obsequio in magnis adulacionibus pre ceteris carior assistebat, accidit vt ipse quodam die Diogenem Philosophum nuper socium suum, virum tam moribus quam sciencia probatissimum, herbas ad olera sua collectas lauantem ex casu ad ripam inuenit : cui ait. 'O Diogenes, vere si tu sicut et ego Principi tuo placere scires, huiusmodi herbas aut colligere aut lauare tibi minime indigeret.' Cui alter respondit,

2219 ff. *margin* Hic contra—deberes] Hic loquitur super eodem, et narrat quod, cum Diogenes et Arisippus philosophi a scolis Athenarum ad Carthaginem, vnde orti fuerant, reuertissent, Arisippus curie principis sui familiaris adhesit, Diogenes vero in quodam mansiunculo suo studio vacans permansit. Et contigit quod, cum ipse quodam die ad finem orti (ortus S) sui super ripam herbas quas elegerat (eligerat S) ad olera lauasset, superuenit ex casu Arisippus, dixitque ei, 'O Diogenes, certe si Principi tuo placere scires, tu ad olera tua lauanda non indigeres.' Cui ille respondit, 'O Arisippe, certe si tu olera tua lauare scires, te in blandiciis et adulacionibus principi tuo seruire non oporteret.' SBΔΛ (*Lat. om.* AdT)

[TALE OF DIOGENES AND ARISTIPPUS.]
'O Arisippe, certe et si tu sicut et ego olera tua colligere et lauare scires, principem tuum ob inanis glorie cupiditatem blandiri nullatenus deberes.'

Of worldes good or lasse or more
Ne soghte for his longe lore,
Bot tok him only forto duelle
At hom; and as the bokes telle,　2240
His hous was nyh to the rivere
Besyde a bregge, as thou schalt hiere.
Ther duelleth he to take his reste,
So as it thoghte him for the beste,
To studie in his Philosophie,
As he which wolde so defie
The worldes pompe on every syde.
　Bot Arisippe his bok aside
Hath leid, and to the court he wente, P. iii. 161
Wher many a wyle and many a wente　2250
With flaterie and wordes softe
He caste, and hath compassed ofte
Hou he his Prince myhte plese;
And in this wise he gat him ese
Of vein honour and worldes good.
The londes reule upon him stod,
The king of him was wonder glad,
And al was do, what thing he bad,
Bothe in the court and ek withoute.
With flaterie he broghte aboute　2260
His pourpos of the worldes werk,
Which was ayein the stat of clerk,
So that Philosophie he lefte
And to richesse himself uplefte:
Lo, thus hadde Arisippe his wille.
　Bot Diogenes duelte stille
At home and loked on his bok:
He soghte noght the worldes crok
For vein honour ne for richesse,
Bot all his hertes besinesse　2270
He sette to be vertuous;
And thus withinne his oghne hous
He liveth to the sufficance
Of his havinge. And fell per chance,

2243 and takþ B　　2251 and] and wiþ AM, Δ　　2262 þastat B

LIBER SEPTIMUS

This Diogene upon a day,   [Tale of Diogenes
And that was in the Monthe of May,   and Aristippus.]
Whan that these herbes ben holsome,
He walketh forto gadre some
In his gardin, of whiche his joutes   P. iii. 162
He thoghte have, and thus aboutes   2280
Whanne he hath gadred what him liketh,
He satte him thanne doun and pyketh,
And wyssh his herbes in the flod
Upon the which his gardin stod,
Nyh to the bregge, as I tolde er.
And hapneth, whil he sitteth ther,
Cam Arisippes be the strete
With manye hors and routes grete,
And straght unto the bregge he rod,
Wher that he hoved and abod;   2290
For as he caste his yhe nyh,
His felaw Diogene he syh,
And what he dede he syh also,
Wherof he seide to him so:
  'O Diogene, god thee spede.
It were certes litel nede
To sitte there and wortes pyke,
If thou thi Prince couthest lyke,
So as I can in my degre.'
  'O Arisippe,' ayein quod he,   2300
'If that thou couthist, so as I,
Thi wortes pyke, trewely
It were als litel nede or lasse,
That thou so worldly wolt compasse
With flaterie forto serve,
Wherof thou thenkest to deserve
Thi princes thonk, and to pourchace
Hou thou myht stonden in his grace,
For getinge of a litel good.   P. iii. 163
If thou wolt take into thi mod   2310
Reson, thou myht be reson deeme
That so thi prince forto queeme

2282 satte S, F   sate W   sat J, AdBT   sitte (sit) AMH₁XGC
sette (set) ERLB₂, Δ, H₃   2294 so] þo GLB₂, AdBT, W

[FLATTERY.]

Is noght to reson acordant,
Bot it is gretly descordant
Unto the Scoles of Athene.'
Lo, thus ansuerde Diogene
Ayein the clerkes flaterie.
    Bot yit men sen thessamplerie
Of Arisippe is wel received,
And thilke of Diogene is weyved.   2320
Office in court and gold in cofre
Is nou, men sein, the philosophre
Which hath the worschipe in the halle;
Bot flaterie passeth alle
In chambre, whom the court avanceth;
For upon thilke lot it chanceth
To be beloved nou aday.
* I not if it be ye or nay,
Bot as the comun vois it telleth;
Bot wher that flaterie duelleth   2330
In eny lond under the Sonne,
Ther is ful many a thing begonne

---

* I not if it be ye or nay.
    How Dante the poete answerde

[EXAMPLE OF DANTE.]

Nota exemplum cuiusdam poete de Ytalia, qui Dante vocabatur.

To a flatour, the tale I herde.   2330*
Upon a strif bitwen hem tuo
He seide him, 'Ther ben many mo
Of thy servantes than of myne.
For the poete of his covyne
Hath non that wol him clothe and fede,
But a flatour may reule and lede
A king with al his lond aboute.'   P. iii. 164
So stant the wise man in doute
Of hem that to folie drawe:
For such is now the newe lawe,   2340*
And as the comune vois it telleth,
Wher now that flaterie duelleth
In every lond etc. (*as* 2331 ff.)

2318 sein B   sayne W   2329 Bot] And AdBTΛ   2330 Bot wher] And wher AM ... B₂   Wher now AdBTΛ   2331 euery AdBT
2329*–2340* *only in* AdBTΛ (*not* SΔ)   2332* seid T   sayd B

LIBER SEPTIMUS

Which were betre to be left ; [FLATTERY.]
That hath be schewed nou and eft.
Bot if a Prince wolde him reule
Of the Romeins after the reule,
In thilke time as it was used,
This vice scholde be refused,
Wherof the Princes ben assoted.
Bot wher the pleine trouthe is noted, 2340
Ther may a Prince wel conceive,
That he schal noght himself deceive,
Of that he hiereth wordes pleine ;
For him thar noght be reson pleigne,
That warned is er him be wo.
And that was fully proeved tho,
Whan Rome was the worldes chief,
The Sothseiere tho was lief,
Which wolde noght the trouthe spare,
Bot with hise wordes pleine and bare 2350
To Themperour hise sothes tolde,
As in Cronique is yit withholde,
Hierafterward as thou schalt hiere
Acordende unto this matiere.

To se this olde ensamplerie, P. iii. 165 [THE ROMAN TRI-
That whilom was no flaterie UMPH.]
Toward the Princes wel I finde ; Hic narrat super
Wherof so as it comth to mynde, eodem, qualiter nuper
Mi Sone, a tale unto thin Ere, Romanorum Impera-
 tor, cum ipse trium-
Whil that the worthi princes were 2360 phator in hostes a
At Rome, I thenke forto tellen. bello Rome rediret,
For whan the chances so befellen tres sibi laudes in sig-
 num sui triumphi
 precipue debebantur :

2335 him wolde S . . . Δ, W   2337 as *om.* AM . . . B2 (*except* C)
2352 is yit] it is C, AdBT   2357 ff. *margin* Hic narrat—aduersabitur]
Hic eciam contra vicium adulacionis ponit exemplum : et narrat
quod, cum nuper Romanorum imperator contra suos hostes victoriam
optinuisset, et cum palma triumphi (triumphe S) in vrbem redire
debuisset, ne ipsum inanis glorie altitudo superextolleret, licitum fuit
pro illo die quod vnusquisque peiora que sue condicionis agnosceret
in aures suas apercius exclamaret, vt sic gaudium cum dolore com-
pesceret, et adulantum voces, sique fuerant, pro minimo computaret.
SBΔΛ (*Lat. om.* AdT)

[THE ROMAN TRI-
UMPH.]
primo quatuor equi
albissimi currum in
quo sedebat veherent,
secundo tunica Iovis
pro tunc indueretur,
tercio sui captiui pro-
pe currum ad vtrum-
que latus cathenati de-
ambularent. Set ne
tanti honoris adulacio
eius animum in su-
perbiam extolleret,
quidam scurra lingu-
osus iuxta ipsum in
curru sedebat, qui
quasi continuatis vo-
cibus improperando
ei dixit, 'Notheos,'
hoc est nosce teipsum,
'quia si hodie fortuna
tibi prospera fuerit,
cras forte versa rota
mutabilis aduersabi-
tur.'

That eny Emperour as tho
Victoire hadde upon his fo,
And so forth cam to Rome ayein,
Of treble honour he was certein,
Wherof that he was magnefied.
The ferste, as it is specefied,
Was, whan he cam at thilke tyde, 2370
The Charr in which he scholde ryde
Foure whyte Stiedes scholden drawe;
Of Jupiter be thilke lawe
The Cote he scholde were also;
Hise prisoners ek scholden go
Endlong the Charr on eyther hond,
And alle the nobles of the lond
Tofore and after with him come
Ridende and broghten him to Rome,
In thonk of his chivalerie
And for non other flaterie. 2380
And that was schewed forth withal;
Wher he sat in his Charr real,
Beside him was a Ribald set,
Which hadde hise wordes so beset,
To themperour in al his gloire P. iii. 166
He seide, 'Tak into memoire,
For al this pompe and al this pride
Let no justice gon aside, (2400*)
Bot know thiself, what so befalle.
For men sen ofte time falle 2390
Thing which men wende siker stonde:
Thogh thou victoire have nou on honde,
Fortune mai noght stonde alway;
The whiel per chance an other day
Mai torne, and thou myht overthrowe;
Ther lasteth nothing bot a throwe.'
    With these wordes and with mo
This Ribald, which sat with him tho,
To Themperour his tale tolde:

2363 eny *om.* AM   2376 of loond A   2377 *margin* fortunata
A . . . B₂   2378 *margin* fuerit] fuit B₂   sint H₁ . . . L   2379
margin forte *om.* AM   tokne S . . . Δ   2384 word(e) AMXLB₂

LIBER SEPTIMUS

And overmor what evere he wolde, 2400
Or were it evel or were it good,
So pleinly as the trouthe stod,
He spareth noght, bot spekth it oute;
And so myhte every man aboute
The day of that solempnete
His tale telle als wel as he
To Themperour al openly.
And al was this the cause why;
That whil he stod in that noblesse,
He scholde his vanite represse 2410
With suche wordes as he herde.
 Lo nou, hou thilke time it ferde   [THE EMPEROR AND
Toward so hih a worthi lord: HIS MASONS.]
For this I finde ek of record,   Hic eciam contra
Which the Cronique hath auctorized. P. iii. 167 adulacionem scribit
                                       quod primo die quo
What Emperour was entronized,   nuper Imperator in-
The ferste day of his corone,   tronizatus extitit, la-
                                       tomi sui ab ipso con-
Wher he was in his real Throne   stanter peterent, de
And hield his feste in the paleis   quali lapide sue se-
                                       pulture tumulum fa-
Sittende upon his hihe deis   2420 bricarent; vt sic futu-
With al the lust that mai be gete,   ram mortem com-
                                       memorans vanitates
Whan he was gladdest at his mete,   huius seculi transito-
And every menstral hadde pleid,   rias facilius reprime-
And every Disour hadde seid   ret.
What most was plesant to his Ere,
Than ate laste comen there
Hise Macons, for thei scholden crave
Wher that he wolde be begrave,
And of what Ston his sepulture
Thei scholden make, and what sculpture 2430
He wolde ordeine therupon.
 Tho was ther flaterie non

2409 that] his B   2412 it om. J, AdBT   2414 ff. margin
Hic eciam—reprimeret] Hic ponit exemplum super eodem; et narrat
quod eodem die quo imperator intronizatus in palacio suo regio ad
conuiuium in maiori leticia sedisset, ministri sui sculptores coram
ipso procederent alta voce dicentes, 'O imperator, dic nobis cuius
forme et vbi tumbam sculpture tue faciemus,' vt sic morte remorsus
huius vite blandicias obtemperaret. SBΔΛ but procederant SBΛ (Lat.
om. AdT)   2424 Disour] Gestour AM ... B₂   2428 be om. AM

The worthi princes to bejape;
The thing was other wise schape
With good conseil; and otherwise
Thei were hemselven thanne wise,
And understoden wel and knewen.
Whan suche softe wyndes blewen
Of flaterie into here Ere,
Thei setten noght here hertes there;   2440
Bot whan thei herden wordes feigned,
The pleine trouthe it hath desdeigned
Of hem that weren so discrete.
So tok the flatour no beyete
Of him that was his prince tho :   P. iii. 168
And forto proven it is so,
A tale which befell in dede
In a Cronique of Rome I rede.

[CAESAR'S ANSWER.]

Hic inter alia gesta Cesaris narrat vnum exemplum precipue contra illos qui, cum in aspectu principis aliis sapienciores apparere vellent, quandoque tamen simulate sapiencie talia committunt, per que ceteris stulciores in fine comprobantur.

Cesar upon his real throne
Wher that he sat in his persone   2450
And was hyest in al his pris,
A man, which wolde make him wys,
Fell doun knelende in his presence,
And dede him such a reverence,
As thogh the hihe god it were :
Men hadden gret mervaille there
Of the worschipe which he dede.
This man aros fro thilke stede,
And forth with al the same tyde
He goth him up and be his side   2460
He set him doun as pier and pier,
And seide, 'If thou that sittest hier
Art god, which alle thinges myht,
Thanne have I do worschipe ariht
As to the god; and other wise,
If thou be noght of thilke assisse,
Bot art a man such as am I,
Than mai I sitte faste by,

2434 thing] king B2, AdBT   2444 Tho took AdB   Sto cok T
2460 be *om.* AM   2461 as] and A   2464 do worschipe]
worschiped AdBT

For we be bothen of o kinde.' [CAESAR'S ANSWER.]
   Cesar ansuerde and seide, 'O blinde,   2470
Thou art a fol, it is wel sene
Upon thiself: for if thou wene
I be a god, thou dost amys
To sitte wher thou sest god is;
And if I be a man, also   P. iii. 169
Thou hast a gret folie do,
Whan thou to such on as schal deie
The worschipe of thi god aweie
Hast yoven so unworthely.
Thus mai I prove redely,   2480
Thou art noght wys.' And thei that herde
Hou wysly that the king ansuerde,
It was to hem a newe lore;
Wherof thei dradden him the more,
And broghten nothing to his Ere,
Bot if it trouthe and reson were.
So be ther manye, in such a wise
That feignen wordes to be wise,   (2500*)
And al is verray flaterie
To him which can it wel aspie.   2490
   The kinde flatour can noght love [FLATTERERS OF A KING.]
Bot forto bringe himself above;
For hou that evere his maister fare,   Nota, qualiter isti circa Principem adulatores pocius a Curia expelli, quam ad regie maiestatis munera acceptari, Policia suadente deberent.
So that himself stonde out of care,
Him reccheth noght: and thus fulofte
Deceived ben with wordes softe
The kinges that ben innocent.
Wherof as for chastiement
The wise Philosophre seide,
What king that so his tresor leide   2500
Upon such folk, he hath the lesse,
And yit ne doth he no largesse,
Bot harmeth with his oghne hond
Himself and ek his oghne lond,
And that be many a sondri weie.   P. iii. 170
Wherof if that a man schal seie,
As forto speke in general,

2469 boþe (both) AM ... B₂, AdBΔ, W   2486 if om. AM, Δ

[FLATTERERS OF A KING.]

Wher such thing falleth overal
That eny king himself misreule,
The Philosophre upon his reule   2510
In special a cause sette,
Which is and evere hath be the lette
In governance aboute a king
Upon the meschief of the thing,
And that, he seith, is Flaterie.
Wherof tofore as in partie
What vice it is I have declared;
For who that hath his wit bewared
Upon a flatour to believe,
Whan that he weneth best achieve   2520
His goode world, it is most fro.
And forto proeven it is so
Ensamples ther ben manyon,
Of whiche if thou wolt knowen on,
It is behovely forto hiere
What whilom fell in this matiere.

[AHAB AND MICAIAH.]

Hic loquitur vlterius de consilio adulantum, quorum fabulis principis aures organizate veritatis auditum capere nequiunt. Et narrat exemplum de Rege Achab, qui pro eo quod ipse prophecias fidelis Michee recusauit blandiciisque adulantis Zedechie adhesit, Rex Sirie Benedab in campo bellator ipsum diuino iudicio deuictum interfecit.

   Among the kinges in the bible
I finde a tale, and is credible,
Of him that whilom Achab hihte,
Which hadde al Irahel to rihte;   2530
Bot who that couthe glose softe
And flatre, suche he sette alofte
In gret astat and made hem riche;
Bot thei that spieken wordes liche
To trouthe and wolde it noght forbere,   P. iii. 171
For hem was non astat to bere,
The court of suche tok non hiede.
Til ate laste upon a nede,
That Benedab king of Surie
Of Irahel a gret partie,   2540
Which Ramoth Galaath was hote,
Hath sesed; and of that riote
He tok conseil in sondri wise,
Bot noght of hem that weren wise.

2530 Irahel (Irael) J, S, FK   *rest* Israel   2536 *margin* adulatis A . . . B₂   2540 Irahel (Irael) AJ, S, FK   *rest* Israel

LIBER SEPTIMUS

[AHAB AND MICAIAH.]

And natheles upon this cas
To strengthen him, for Josaphas,
Which thanne was king of Judee,
He sende forto come, as he
Which thurgh frendschipe and alliance
Was next to him of aqueintance;   2550
For Joram Sone of Josaphath
Achabbes dowhter wedded hath,
Which hihte faire Godelie.
And thus cam into Samarie
King Josaphat, and he fond there
The king Achab: and whan thei were
Togedre spekende of this thing,
This Josaphat seith to the king,
Hou that he wolde gladly hiere
Som trew prophete in this matiere,   2560
That he his conseil myhte yive
To what point that it schal be drive.
 And in that time so befell,
Ther was such on in Irahel,
Which sette him al to flaterie,   P. iii. 172
And he was cleped Sedechie;
And after him Achab hath sent:
And he at his comandement
Tofore him cam, and be a sleyhte
He hath upon his heved on heyhte   2570
Tuo large hornes set of bras,
As he which al a flatour was,
And goth rampende as a leoun
And caste hise hornes up and doun,
And bad men ben of good espeir,
For as the hornes percen their,
He seith, withoute resistence,
So wiste he wel of his science
That Benedab is desconfit.
Whan Sedechie upon this plit   2580
Hath told this tale to his lord,
Anon ther were of his acord
Prophetes false manye mo

2546 fro BT   2560 trew S, F   trewe AC, B   2562 I schal AM

[AHAB AND MICAIAH.]

To bere up oil, and alle tho
Affermen that which he hath told,
Wherof the king Achab was bold
And yaf hem yiftes al aboute.
But Josaphat was in gret doute, (2600*)
And hield fantosme al that he herde,
Preiende Achab, hou so it ferde, 2590
If ther were eny other man,
The which of prophecie can,
To hiere him speke er that thei gon.
Quod Achab thanne, 'Ther is on,
A brothell, which Micheas hihte; P. iii. 173
Bot he ne comth noght in my sihte,
For he hath longe in prison lein.
Him liketh nevere yit to sein
A goodly word to mi plesance;
And natheles at thin instance 2600
He schal come oute, and thanne he may
Seie as he seide many day;
For yit he seide nevere wel.'
Tho Josaphat began somdel
To gladen him in hope of trouthe,
And bad withouten eny slouthe
That men him scholden fette anon.
And thei that weren for him gon,
Whan that thei comen wher he was,
Thei tolden unto Micheas 2610
The manere hou that Sedechie
Declared hath his prophecie;
And therupon thei preie him faire
That he wol seie no contraire,
Wherof the king mai be desplesed,
For so schal every man ben esed,
And he mai helpe himselve also.
  Micheas upon trouthe tho
His herte sette, and to hem seith,
Al that belongeth to his feith 2620
And of non other feigned thing,

2594 Ther is on] is þer non B   is þer on T   2598 liked S ... Δ, W
2609 þer S ... Δ   2619 him AMX ... B2, K

LIBER SEPTIMUS

That wol he telle unto his king, [AHAB AND MICAIAH.]
Als fer as god hath yove him grace.
Thus cam this prophete into place
Wher he the kinges wille herde; P. iii. 174
And he therto anon ansuerde,
And seide unto him in this wise :
' Mi liege lord, for mi servise,
Which trewe hath stonden evere yit,
Thou hast me with prisone aquit; 2630
Bot for al that I schal noght glose
Of trouthe als fer as I suppose;
And as touchende of this bataille,
Thou schalt noght of the sothe faile.
For if it like thee to hiere,
As I am tauht in that matiere,
Thou miht it understonde sone;
Bot what is afterward to done
Avise thee, for this I sih.
I was tofor the throne on hih, 2640
Wher al the world me thoghte stod,
And there I herde and understod
The vois of god with wordes cliere
Axende, and seide in this manere :
"In what thing mai I best beguile
The king Achab?" And for a while
Upon this point thei spieken faste.
Tho seide a spirit ate laste,
"I undertake this emprise."
And god him axeth in what wise. 2650
"I schal," quod he, "deceive and lye
With flaterende prophecie
In suche mouthes as he lieveth."
And he which alle thing achieveth
Bad him go forth and don riht so. P. iii. 175
And over this I sih also
The noble peple of Irahel
Dispers as Schep upon an hell,

2622 his] þe H₁, S... Δ   2633 this]]i S... Δ   2637 miht
(might) JC, B   mihte A, S, F   2641 S *has lost two leaves* (ll. 2641–
3004)   2657 Irahel (Irael) J, FK   *rest* Israel

[AHAB AND MICAIAH.]

Withoute a kepere unarraied:
And as thei wente aboute astraied, 2660
I herde a vois unto hem sein,
"Goth hom into your hous ayein,
Til I for you have betre ordeigned."'
  Quod Sedechie, 'Thou hast feigned
This tale in angringe of the king.'
And in a wraththe upon this thing
He smot Michee upon the cheke;
The king him hath rebuked eke,
And every man upon him cride:
Thus was he schent on every side, 2670
Ayein and into prison lad,
For so the king himselve bad.
The trouthe myhte noght ben herd;
Bot afterward as it hath ferd,
The dede proveth his entente:
Achab to the bataille wente,
Wher Benedab for al his Scheld
Him slouh, so that upon the feld
His poeple goth aboute astray.
Bot god, which alle thinges may, 2680
So doth that thei no meschief have;
Here king was ded and thei ben save,
And hom ayein in goddes pes
Thei wente, and al was founde les
That Sedechie hath seid tofore.   P. iii. 176
  So sit it wel a king therfore
To loven hem that trouthe mene;
For ate laste it wol be sene   (2700*)
That flaterie is nothing worth.
  Bot nou to mi matiere forth, 2690
As forto speken overmore
After the Philosophres lore,
The thridde point of Policie
I thenke forto specifie.

[THE THIRD POINT OF POLICY. JUSTICE.]

ix. *Propter transgressos leges statuuntur in orbe,*
    Ut viuant iusti Regis honore viri.

2689 flatering AdBT   2691 euermore JM, B   forthermore W

LIBER SEPTIMUS

Lex sine iusticia populum sub principis vmbra
Deuiat, vt rectum nemo videbit iter.

[JUSTICE.]

What is a lond wher men ben none?
What ben the men whiche are al one
Withoute a kinges governance?
What is a king in his ligance,
Wher that ther is no lawe in londe?
What is to take lawe on honde,
Bot if the jugges weren trewe?
These olde worldes with the newe
Who that wol take in evidence,
Ther mai he se thexperience,
What thing it is to kepe lawe,
Thurgh which the wronges ben withdrawe
And rihtwisnesse stant commended,
Wherof the regnes ben amended.
For wher the lawe mai comune
The lordes forth with the commune,
Ech hath his propre duete;
And ek the kinges realte
Of bothe his worschipe underfongeth,
To his astat as it belongeth,
Which of his hihe worthinesse
Hath to governe rihtwisnesse,
As he which schal the lawe guide.
And natheles upon som side
His pouer stant above the lawe,
To yive bothe and to withdrawe
The forfet of a mannes lif;
But thinges whiche are excessif
Ayein the lawe, he schal noght do
For love ne for hate also.
   The myhtes of a king ben grete,
Bot yit a worthi king schal lete
Of wrong to don, al that he myhte;
For he which schal the poeple ryhte,
It sit wel to his regalie
That he himself ferst justefie

2700

2710

P. iii. 177

2720

2730

Hic tractat de tercia Principum regiminis Policia, que Iusticia nominata est, cuius condicio legibus incorrupta vnicuique quod suum est equo pondere distribuit.

Imperatoriam maiestatem non solum armis, set eciam legibus oportet esse armatam.

2698 *margin* regiminis] Regis AM, BT, FW   legis H₁ . . . B₂ siue regis Δ (*Lat. om.* J, Ad, K)   2710 lorde AH₁ lordeþ M

[JUSTICE.]

Towardes god in his degre :
For his astat is elles fre
Toward alle othre in his persone,
Save only to the god al one,
Which wol himself a king chastise,
Wher that non other mai suffise.
So were it good to taken hiede
That ferst a king his oghne dede
Betwen the vertu and the vice
Redresce, and thanne of his justice   2740
So sette in evene the balance   P. iii. 178
Towardes othre in governance,
That to the povere and to the riche
Hise lawes myhten stonde liche,
He schal excepte no persone.
Bot for he mai noght al him one
In sondri places do justice,
He schal of his real office
With wys consideracion
Ordeigne his deputacion   2750
Of suche jugges as ben lerned,
So that his poeple be governed
Be hem that trewe ben and wise.
For if the lawe of covoitise
Be set upon a jugges hond,
Wo is the poeple of thilke lond,
For wrong mai noght himselven hyde :
Bot elles on that other side,
If lawe stonde with the riht,
The poeple is glad and stant upriht.   2760
Wher as the lawe is resonable,
The comun poeple stant menable,
And if the lawe torne amis,
The poeple also mistorned is.
And in ensample of this matiere
Of Maximin a man mai hiere,
Of Rome which was Emperour,

[JUSTICE OF MAXIMIN.]
Nota hic de iusticia
Maximini Imperatoris,

2747 do] to AM   2750 disputacioun AM ... B₂   2762 menable
AXG, FW   moeuable (moueable &c.) H₁E, AdBT, K   meuable (?)
JMRCLB₂, Δ

That whanne he made a governour
Be weie of substitucion
Of Province or of region, 2770
He wolde ferst enquere his name, P. iii. 179
And let it openly proclame
What man he were, or evel or good.
And upon that his name stod
Enclin to vertu or to vice,
So wolde he sette him in office,
Or elles putte him al aweie.
Thus hield the lawe his rihte weie,
Which fond no let of covoitise:
The world stod than upon the wise, 2780
As be ensample thou myht rede;
And hold it in thi mynde, I rede.

[JUSTICE OF MAXIMIN.]
qui cum alicuius prouincie custodem sibi substituere volebat, primo de sui nominis fama proclamacione facta ipsius condicionem diligencius inuestigabat.

In a Cronique I finde thus,
Hou that Gayus Fabricius,
Which whilom was Consul of Rome,
Be whom the lawes yede and come,
Whan the Sampnites to him broghte
A somme of gold, and him besoghte (2800*)
To don hem favour in the lawe,
Toward the gold he gan him drawe, 2790
Wherof in alle mennes lok
A part up in his hond he tok,
Which to his mouth in alle haste
He putte, it forto smelle and taste,
And to his yhe and to his Ere,
Bot he ne fond no confort there:
And thanne he gan it to despise,
And tolde unto hem in this wise:
'I not what is with gold to thryve,
Whan non of all my wittes fyve 2800
Fynt savour ne delit therinne. P. iii. 180
So is it bot a nyce Sinne
Of gold to ben to covoitous;
Bot he is riche and glorious,

[GAIUS FABRICIUS.]

Hic ponit exemplum de iudicibus incorruptis. Et narrat qualiter Gayus Fabricius nuper Rome Consul aurum a Sampnitibus sibi oblatum renuit, dicens quod nobilius est aurum possidentes dominio subiugare, quam ex auri cupiditate dominii libertatem amittere.

2775 Enclynd (Enclined) H₁ ... B₂, W   2792 in to his
AM ... B₂   2794 putte AC, B   put F

[GAIUS FABRICIUS.]

Which hath in his subjeccion
Tho men whiche in possession
Ben riche of gold, and be this skile;
For he mai aldai whan he wile,
Or be hem lieve or be hem lothe,
Justice don upon hem bothe.' 2810
Lo, thus he seide, and with that word
He threw tofore hem on the bord
The gold out of his hond anon,
And seide hem that he wolde non:
So that he kepte his liberte
To do justice and equite,
Withoute lucre of such richesse.

Ther be nou fewe of suche, I gesse;
For it was thilke times used,
That every jugge was refused 2820
Which was noght frend to comun riht;
Bot thei that wolden stonde upriht
For trouthe only to do justice
Preferred were in thilke office
To deme and jugge commun lawe:
Which nou, men sein, is al withdrawe.
To sette a lawe and kepe it noght
Ther is no comun profit soght;
Bot above alle natheles
The lawe, which is mad for pes, 2830
Is good to kepe for the beste, **P. iii. 181**
For that set alle men in reste.

[THE EMPEROR CONRAD.]

Hic narrat de iusticia nuper Conradi Imperatoris, cuius tempore alicuius reuerencia persone, aliqua seu precum interuencione quacunque vel auri redempcione, legum Statuta commutari seu redimi nullatenus potuerunt.

The rihtful Emperour Conrade
To kepe pes such lawe made,
That non withinne the cite
In destorbance of unite
Dorste ones moeven a matiere.
For in his time, as thou myht hiere,
What point that was for lawe set
It scholde for no gold be let, 2840
To what persone that it were.

2806 whiche AJ, B   which C, F   2814 non] anon MCB₂ (*p. m.*)
gon E   2840 good AdBT

LIBER SEPTIMUS

And this broghte in the comun fere,
Why every man the lawe dradde,
For ther was non which favour hadde.

So as these olde bokes sein,
I finde write hou a Romein,
Which Consul was of the Pretoire,
Whos name was Carmidotoire,
He sette a lawe for the pes,
That non, bot he be wepneles, 2850
Schal come into the conseil hous,
And elles as malicious
He schal ben of the lawe ded.
To that statut and to that red
Acorden alle it schal be so,
For certein cause which was tho:
Nou lest what fell therafter sone.
This Consul hadde forto done,
And was into the feldes ride;
And thei him hadden longe abide, 2860
That lordes of the conseil were, P. iii. 182
And for him sende, and he cam there
With swerd begert, and hath foryete,
Til he was in the conseil sete.
Was non of hem that made speche,
Til he himself it wolde seche,
And fond out the defalte himselve;
And thanne he seide unto the tuelve,
Whiche of the Senat weren wise,
'I have deserved the juise, 2870
In haste that it were do.'
And thei him seiden alle no;
For wel thei wiste it was no vice,
Whan he ne thoghte no malice,
Bot onliche of a litel slouthe:
And thus thei leften as for routhe

[THE CONSUL CAR-
MIDOTIRUS.]

Nota exemplum de
constancia iudicis; vbi
narrat de Carmidotiro
Rome nuper Consule,
qui cum sui statuti le-
gem nescius offendis-
set, Romanique super
hoc penam sibi remit-
tere voluissent, ipse
propria manu, vbi nul-
lus alius in ipsum vin-
dex fuit, sui criminis
vindictam executus
est.

2850 f.   That euery man be wepenles
          That come in to &c. H₁ ... B₂
2857 lest] heer (here) AM ... B₂   2858 Thus AM   2863
igerd (I gerde &c.) AM ... B₂

To do justice upon his gilt,
For that he scholde noght be spilt.
And whanne he sih the maner hou
Thei wolde him save, he made avou   2880
With manfull herte, and thus he seide,
That Rome scholde nevere abreide
His heires, whan he were of dawe,
That here Ancestre brak the lawe.
Forthi, er that thei weren war,
Forth with the same swerd he bar
The statut of his lawe he kepte,
So that al Rome his deth bewepte.   (2900*)

   In other place also I rede,
Wher that a jugge his oghne dede   2890
Ne wol noght venge of lawe broke,   **P. iii. 183**
The king it hath himselven wroke.
The grete king which Cambises
Was hote, a jugge laweles
He fond, and into remembrance
He dede upon him such vengance:
Out of his skyn he was beflain
Al quyk, and in that wise slain,
So that his skyn was schape al meete,
And nayled on the same seete   2900
Wher that his Sone scholde sitte.
Avise him, if he wolde flitte
The lawe for the coveitise,
Ther sih he redi his juise.
   Thus in defalte of other jugge
The king mot otherwhile jugge,
To holden up the rihte lawe.
And forto speke of tholde dawe,
To take ensample of that was tho,
I finde a tale write also,   2910
Hou that a worthi prince is holde
The lawes of his lond to holde,
Ferst for the hihe goddes sake,
And ek for that him is betake

[EXAMPLE OF CAMBYSES.]

Nota quod falsi iudices mortis pena puniendi sunt. Narrat enim qualiter Cambises Rex Persarum quendam iudicem corruptum excoriari viuum fecit, eiusque pelle cathedram iudicialem operiri constituit: ita quod filius suus super patris pellem postea pro tribunali cessurus iudicii equitatem euidencius memoraretur.

2887 he *om.* B   2900 vpon H₁ ... B₂   (2889-2916 *om.* R)

LIBER SEPTIMUS

The poeple forto guide and lede,
Which is the charge of his kinghede.

In a Cronique I rede thus
Of the rihtful Ligurgius,
Which of Athenis Prince was,
Hou he the lawe in every cas, 2920
Wherof he scholde his poeple reule, P. iii. 184
Hath set upon so good a reule,
In al this world that cite non
Of lawe was so wel begon
Forth with the trouthe of governance.
Ther was among hem no distance,
Bot every man hath his encress;
Ther was withoute werre pes,
Withoute envie love stod;
Richesse upon the comun good 2930
And noght upon the singuler
Ordeigned was, and the pouer
Of hem that weren in astat
Was sauf: wherof upon debat
Ther stod nothing, so that in reste
Mihte every man his herte reste.
And whan this noble rihtful king
Sih hou it ferde of al this thing,
Wherof the poeple stod in ese,
He, which for evere wolde plese 2940
The hihe god, whos thonk he soghte,
A wonder thing thanne him bethoghte,
And schop if that it myhte be,
Hou that his lawe in the cite
Mihte afterward for evere laste.
And therupon his wit he caste
What thing him were best to feigne,
That he his pourpos myhte atteigne.
A Parlement and thus he sette,
His wisdom wher that he besette 2950
In audience of grete and smale, P. iii. 185

[LYCURGUS AND HIS LAWS.]

Hic ponit exemplum de Principibus illis, qui non solum legem statuentes illam conseruant, set vt commune bonum adaugeant, propriam facultatem diminuunt. Et narrat quod, cum Ligurgius Athenarum princeps subditos suos in omni prosperitatis habundancia divites et vnanimes congruis legibus stare fecisset, volens ad vtilitatem rei publice leges illas firmius obseruari, peregre proficisci se finxit; set prius iuramentum solempne a legiis suis sub hac forma exegit, quod ipsi vsque in reditum suum leges suas nullatenus infringerent: quibus iuratis peregrinacionem suam in exilium absque reditu pro perpetuo delegauit.

2920 *margin* qui *om.* BT   2926 *margin* subditos suos *om.* A ... B2
2938 *margin* delegatur BT   2951 and *om.* A (*p. m.*)

[LYCURGUS AND HIS LAWS.]

And in this wise he tolde his tale:
'God wot, and so ye witen alle,
Hierafterward hou so it falle,
Yit into now my will hath be
To do justice and equite
In forthringe of comun profit;
Such hath ben evere my delit.
Bot of o thing I am beknowe,
The which mi will is that ye knowe: 2960
The lawe which I tok on honde,
Was altogedre of goddes sonde
And nothing of myn oghne wit;
So mot it nede endure yit,
And schal do lengere, if ye wile.
For I wol telle you the skile;
The god Mercurius and no man
He hath me tawht al that I can
Of suche lawes as I made,
Wherof that ye ben alle glade; 2970
It was the god and nothing I,
Which dede al this, and nou forthi
He hath comanded of his grace
That I schal come into a place
Which is forein out in an yle,
Wher I mot tarie for a while,
With him to speke, as he hath bede.
For as he seith, in thilke stede
He schal me suche thinges telle,
That evere, whyl the world schal duelle, 2980
Athenis schal the betre fare.   **P. iii. 186**
Bot ferst, er that I thider fare,
For that I wolde that mi lawe
Amonges you ne be withdrawe
Ther whyles that I schal ben oute,
Forthi to setten out of doute
Bothe you and me, this wol I preie,
That ye me wolde assure and seie   (3000*)
With such an oth as I wol take,

2967 no man JC, B noman A, F   2977 as] and AdBT
2989 ȝe wol AdBT   I wold Δ

LIBER SEPTIMUS

That ech of you schal undertake   2990 [LYCURGUS AND HIS
Mi lawes forto kepe and holde.'   LAWS.]
Thei seiden alle that thei wolde,
And therupon thei swore here oth,
That fro the time that he goth,
Til he to hem be come ayein,
Thei scholde hise lawes wel and plein
In every point kepe and fulfille.
  Thus hath Ligurgius his wille,
And tok his leve and forth he wente.
Bot lest nou wel to what entente   3000
Of rihtwisnesse he dede so :
For after that he was ago,
He schop him nevere to be founde ;
So that Athenis, which was bounde,
Nevere after scholde be relessed,
Ne thilke goode lawe cessed,
Which was for comun profit set.
And in this wise he hath it knet ;
He, which the comun profit soghte,
The king, his oghne astat ne roghte ;   3010
To do profit to the comune,   **P. iii. 187**
He tok of exil the fortune,
And lefte of Prince thilke office
Only for love and for justice,
Thurgh which he thoghte, if that he myhte,
For evere after his deth to rihte
The cite which was him betake.
Wherof men oghte ensample take
The goode lawes to avance
With hem which under governance   3020
The lawes have forto kepe ;
For who that wolde take kepe
Of hem that ferst the lawes founde,
Als fer as lasteth eny bounde
Of lond, here names yit ben knowe :
And if it like thee to knowe

2993 swere H₁ . . . B₂, Ad, WK   3000 lest] heer (here)
AM . . . B₂   3003 schop (schoop) AJC, B schope F   3005
S *resumes*   3020 which AC, S, F   whiche B

[THE FIRST LAW-GIVERS.]

Hic ad eorum laudem, qui iusticie causa leges primo statuerunt, aliquorum nomina specialius commemorat.

Some of here names hou thei stonde,
Nou herkne and thou schalt understonde.
Of every bienfet the merite
The god himself it wol aquite; 3030
And ek fulofte it falleth so,
The world it wole aquite also,
Bot that mai noght ben evene liche:
The god he yifth the heveneriche,
The world yifth only bot a name,
Which stant upon the goode fame
Of hem that don the goode dede.
And in this wise double mede
Resceiven thei that don wel hiere;
Wherof if that thee list to hiere 3040
After the fame as it is blowe, P. iii. 188
Ther myht thou wel the sothe knowe,
Hou thilke honeste besinesse
Of hem that ferst for rihtwisnesse
Among the men the lawes made,
Mai nevere upon this erthe fade.
For evere, whil ther is a tunge,
Here name schal be rad and sunge
And holde in the Cronique write;
So that the men it scholden wite, 3050
To speke good, as thei wel oghten,
Of hem that ferst the lawes soghten
In forthringe of the worldes pes.
Unto thebreus was Moïses
The ferste, and to thegipciens
Mercurius, and to Troiens
Ferst was Neuma Pompilius,
To Athenes Ligurgius
Yaf ferst the lawe, and to Gregois
Foroneüs hath thilke vois, 3060
And Romulus to the Romeins.
For suche men that ben vileins
The lawe in such a wise ordeigneth,
That what man to the lawe pleigneth,

3040 to *om.* A . . . CB₂ 3060 hadde AdBT 3063 such JC, SB suche A, F

Be so the jugge stonde upriht,   [KINGS MUST KEEP
He schal be served of his riht.   THE LAWS.]
And so ferforth it is befalle
That lawe is come among ous alle :
God lieve it mote wel ben holde,
As every king therto is holde ;   3070
For thing which is of kinges set,   **P. iii. 189**
With kinges oghte it noght be let.
What king of lawe takth no kepe,
Be lawe he mai no regne kepe.
Do lawe awey, what is a king?
Wher is the riht of eny thing,
If that ther be no lawe in londe?
This oghte a king wel understonde,
As he which is to lawe swore,
That if the lawe be forbore   3080
Withouten execucioun,
It makth a lond torne up so doun,
Which is unto the king a sclandre.
Forthi unto king Alisandre
The wise Philosophre bad,
That he himselve ferst be lad
Of lawe, and forth thanne overal
So do justice in general,   (3100*)
That al the wyde lond aboute
The justice of his lawe doute,   3090
And thanne schal he stonde in reste.
For therto lawe is on the beste
Above alle other erthly thing,
To make a liege drede his king.
Bot hou a king schal gete him love
Toward the hihe god above,
And ek among the men in èrthe,
This nexte point, which is the ferthe
Of Aristotles lore, it techeth :
Wherof who that the Scole secheth,   3100
What Policie that it is   **P. iii. 190**
The bok reherceth after this.

3086 he lad AM, Δ   he bad B₂   3088 To do H₁ . . . B₂

[THE FOURTH POINT OF POLICY. PITY.]

x. *Nil racionis habens vbi velle tirannica regna*
Stringit, amor populi transiet exul ibi.
Set Pietas, regnum que conseruabit in euum,
Non tantum populo, set placet illa deo.

Hic tractat de quarta Principum regiminis Policia, que Pietas dicta est; per quam Principes erga populum misericordes effecti misericordiam altissimi gracius consequuntur.

  It nedeth noght that I delate
The pris which preised is algate,
And hath ben evere and evere schal,
Wherof to speke in special,
It is the vertu of Pite,
Thurgh which the hihe mageste
Was stered, whan his Sone alyhte,
And in pite the world to rihte   3110
Tok of the Maide fleissh and blod.
Pite was cause of thilke good,
Wherof that we ben alle save:
Wel oghte a man Pite to have
And the vertu to sette in pris,
Whan he himself which is al wys
Hath schewed why it schal be preised.
Pite may noght be conterpeised
Of tirannie with no peis;
For Pite makth a king courteis   3120
Bothe in his word and in his dede.

Nota.

  It sit wel every liege drede
His king and to his heste obeie,
And riht so be the same weie
It sit a king to be pitous
Toward his poeple and gracious
Upon the reule of governance,   P. iii. 191
So that he worche no vengance,
Which mai be cleped crualte.
Justice which doth equite   3130
Is dredfull, for he noman spareth;
Bot in the lond wher Pite fareth
The king mai nevere faile of love,
For Pite thurgh the grace above,
So as the Philosophre affermeth,

Latin Verses x. 2 vbi H₁ ... B₂
3110 *margin* graciosius H₁ ... B₂, W   3122 *margin* Nota F
om. AC, B   3135 Philosophre] holy book BTΛ

LIBER SEPTIMUS

His regne in good astat confermeth.* [Pity.]
Thus seide whilom Constantin : Constantinus Imperator ait: 'Vere se
'What Emperour that is enclin dominum esse com-

*Thapostle James in this wise
Seith, what man scholde do juise, 3150*
And hath not pite forth with al,
The doom of him which demeth al
He may himself fulsore drede,
That him schal lakke upon the nede
To fynde pite, whan he wolde :
For who that pite wol biholde,—
It is a poynt of Cristes lore.
And for to loken overmore,
It is bihovely, as we fynde,
To resoun and to lawe of kynde. 3160*
 Cassodre in his apprise telleth, Cassodorus. Vbi regnat pietas, consolidatur regnum.
'The regne is sauf, wher pite duelleth.'
And Tullius his tale avoweth, Tullius. Qui pietate vincitur scutum victorie merito gestabit.
And seith, 'What king to pite boweth
And with pite stant overcome,
He hath that schield of grace nome,
Which to the kinges yifth victoire.' P. iii. 192
Of Alisandre in his histoire Valerius narrat quod cum rex Alexander in ira sua quendam militem morti condempnasset, et ille appellauit, dixit rex, 'In terra nullus maior me est : ad quem ergo appellas ?' Respondit miles, 'Non a maiestate tua, set a sentencia ire tue tantum ad pietatem tuam appello.' Et sic rex pietate motus ipsum in misericordiam benignissime suscepit.
I rede how he a worthi knight
Of sodein wraththe and nought of right 3170*
Forjugged hath, and he appeleth.
And with that word the king quereleth,
And seith, 'Non is above me.'
'That wot I wel my lord,' quoth he ;
'Fro thy lordschipe appele I nought,
But fro thy wraththe in al my thought
To thy pitee stant myn appeel.
The king, which understod him wel,
Of pure pite yaf him grace.
And eek I rede in other place, 3180*
Thus seide whilom etc. (*as* 3137 ff.)

3137-3162 *Placed after* 3360* *in* SΔ
3149*-3180* *Only in* BTΛ (Ad *defective*). *Text follows* B   3150*
scholde] þat scholde T   3163* þis tale T

[PITY.]
probat, qui seruum
pietatis se facit.'

Troianus ait, quod
ipse subditos suos so-
lite pietatis fauore ma-
gis quam austeritatis
rigore regere, eorum-
que benevolenciam
pocius quam timorem
penes se attractare
proponebat.

To Pite forto be servant,
Of al the worldes remenant   3140
He is worthi to ben a lord.'
In olde bokes of record
This finde I write of essamplaire:
Troian the worthi debonaire,
Be whom that Rome stod governed,
Upon a time as he was lerned   (3190*)
Of that he was to familier,
He seide unto that conseiller,
That forto ben an Emperour
His will was noght for vein honour,   3150
Ne yit for reddour of justice;
Bot if he myhte in his office
Hise lordes and his poeple plese,   **P. iii. 193**
Him thoghte it were a grettere ese
With love here hertes to him drawe,
Than with the drede of eny lawe.   (3200*)
For whan a thing is do for doute,
Fulofte it comth the worse aboute;
Bot wher a king is Pietous,
He is the more gracious,   3160
That mochel thrift him schal betyde,
Which elles scholde torne aside.*

[TALE OF CODRUS.]

Of Pite forto speke plein,   **P. iii. 198,** l. 17
Which is with mercy wel besein,

[TALE OF THE JEW
AND THE PAGAN.]

Hic in pietatis ex-
emplum prout Aris-
totiles Regi Alexan-
dro nuper rettulit, de-
clarans scribit qualiter
Iudeus pedester cum
quodam pagano asi-
num equitante per de-

*To do pite support and grace,
The Philosophre upon a place
In his writinge of daies olde
A tale of gret essample tolde   3210*
Unto the king of Macedoine:
How betwen Kaire and Babeloine,
Whan comen is the somer heete,
It hapneth tuo men forto meete,

3142 ff. *margin* Troianus—proponebat *om.* BT   3143 This A, F
Thus B   3148 conseilleir F   3159 pitous (petous) JH₁LB₂, Δ, W
piteous R   piteuous X
3207*-3360* *Only in* SAdBTΔΛ (Ad *defective to* l. 3269*).   *Text
follows* S   3212* betwene S

LIBER SEPTIMUS

Fulofte he wole himselve peine
To kepe an other fro the peine:
For Charite the moder is
Of Pite, which nothing amis
Can soffre, if he it mai amende.

As thei scholde entren in a pas,
Wher that the wyldernesse was.
And as they wenten forth spekende
Under the large wodes ende,
That o man axeth of that other:
'What man art thou, mi lieve brother? 3220*
Which is thi creance and thi feith?'
'I am paien,' that other seith,
'And be the lawe which I use
I schal noght in mi feith refuse
To loven alle men aliche, P. iii. 194
The povere bothe and ek the riche:
Whan thei ben glade I schal be glad,
And sori whan thei ben bestad;
So schal I live in unite
With every man in his degre.
For riht as to miself I wolde, 3230*
Riht so toward alle othre I scholde
Be gracious and debonaire.
Thus have I told thee softe and faire
Mi feith, mi lawe, and mi creance;
And if thee list for aqueintance,
Now tell what maner man thou art.'
And he ansuerde upon his part:
'I am a Jew, and be mi lawe
I schal to noman be felawe 3240*
To kepe him trowthe in word ne dede,
Bot if he be withoute drede
A verrai Jew riht as am I:
For elles I mai trewely

[TALE OF CODRUS.]
Nota hic de Principis pietate erga populum, vbi narrat quod, cum Codrus Rex Athenarum contra Dorences bellum gerere de-

[TALE OF THE JEW AND THE PAGAN.]
sertum itinerando ipsum de secta et fide sua strictius interrogauit. Qui respondens ait: 'Paganus sum et fides mea hec est, vt omnes vno animo diligam et penes vnumquemque tempore necessitatis pietatem pro posse meo excerceam.' Cui Iudeus: 'Permitte me ergo, qui lassatus itinere deficio, aliquantulum equitare, et tu respectu pietatis ob meam recreacionem pedibus pro tempore incedas.' Et ita factum est, vnde postea paganus infra breue lassatus asino suo restitui a Iudeo postulauit. At ille ait: 'Nequaquam: quia fides mea est, vt illi qui sectam meam non credit, nocumentum absque pietate prouocare debeo.' Et hiis dictis asellum veloci passu coegit. et paganum a dorso illusum reliquit. Quod videns paganus in terram dolens corruit, extensisque in celum manibus summam iusticiam inuocabat. Postque a terra exurgens, cum paulisper deambulasset, respexit in quamdam vallem Iu-

3220* art] arþ S 3222* margin pietatem om. B 3223* marg. excerciam S 3228* marg. pro tempore om. BT 3231* marg. asinum sibi restitui BTΛ 3232* I om. BT 3234* marg. nocumentum S nocumenta B 3242* And T 3244* marg. quadam valle BT

[TALE OF CODRUS.]

beret, consulto prius Appolline responsum accepit, quod vnum de duobus, videlicet aut seipsum in prelio interfici et populum suum saluari, aut populum interfici et se saluum fieri, eligere

[TALE OF THE JEW AND THE PAGAN.

deum a leone in mortis articulo prostratum; et sic asinum suum cum gaudio resumens, pietatem magis quam austeritatem laudabilem decreuit.

It sit to every man livende 3170
To be Pitous, bot non so wel
As to a king, which on the whiel (3370*)
Fortune hath set aboven alle:
For in a king, if so befalle
That his Pite be ferme and stable,
To al the lond it is vailable

Bereve him bothe lif and good.'
The paien herde and understod,
And thoghte it was a wonder lawe.
And thus upon here sondri sawe
Talkende bothe forth thei wente.
  The dai was hoot, the sonne brente, 3250*
The paien rod upon an asse,
And of his catell more and lasse
With him a riche trusse he ladde.
The Jew, which al untrowthe hadde,
And wente upon his feet beside, P. iii. 195
Bethoghte him how he mihte ride;
And with his wordes slihe and wise
Unto the paien in this wise
He seide: 'O, now it schal be seene
What thing it is thou woldest meene: 3260*
For if thi lawe be certein
As thou hast told, I dar wel sein,
Thou wolt beholde mi destresse,
Which am so full of werinesse,
That I ne mai unethe go,
And let me ride a Myle or tuo,
So that I mai mi bodi ese.'
The paien wolde him noght desplese
Of that he spak, bot in pite
It list him forto knowe and se 3270*
The pleignte which that other made;
And for he wolde his herte glade,
He lihte and made him nothing strange.

3174 if it so AM 3176 *margin* se] seipsum BT, H₃ eligere *om.* BT
3251* *margin after* decreuit B *adds* et cum omni sui cordis intimo deo gracias egit   3256* Boþoghte S   3265* vnneþes T

LIBER SEPTIMUS 323

Only thurgh grace of his persone ;   P. iii. 199   [TALE OF CODRUS.]
For the Pite of him al one
Mai al the large realme save.
So sit it wel a king to have   3180
Pite ; for this Valeire tolde,
And seide hou that be daies olde   (3380*)
Codrus, which was in his degre

oporteret. Super quo Rex pietate motus plebisque sue magis quam proprii corporis salutem affectans, mortem sibi preelegit ; et sic bellum aggrediens pro vita multorum solus interiit.

Thus was ther made a newe change,   [TALE OF THE JEW
The paien goth, the Jew alofte   AND THE PAGAN.]
Was sett upon his asse softe:
So gon thei forth carpende faste
Of this and that, til ate laste
The paien mihte go nomore,
And preide unto the Jew therfore   3280*
To suffre him ride a litel while.
The Jew, which thoghte him to beguile,
Anon rod forth the grete pas,
And to the paien in this cas
He seide, 'Thou hast do thi riht,   P. iii. 196
Of that thou haddest me behiht
To do socour upon mi nede ;
And that acordeth to the dede,
As thou art to the lawe holde.
And in such wise as I thee tolde,   3290*
I thenke also for mi partie
Upon the lawe of Juerie
To worche and do mi duete.
Thin asse schal go forth with me
With al thi good, which I have sesed ;
And that I wot thou art desesed,
I am riht glad and noght mispaid.'
And whanne he hath these wordes said,
In alle haste he rod aweie.
    This paien wot non other weie,   3300*
Bot on the ground he kneleth evene,
His handes up unto the hevene,
And seide, 'O hihe sothfastnesse,

3278* On þis on þat AdBTΛ   3283* rod] goþ T   3292* Iuerie AdT   Iewerie B   Iurie S

[TALE OF CODRUS.]

King of Athenis the cite,
A werre he hadde ayein Dorrence:
And forto take his evidence
What schal befalle of the bataille,
He thoghte he wolde him ferst consaille
With Appollo, in whom he triste;
Thurgh whos ansuere this he wiste,   3190

[TALE OF THE JEW AND THE PAGAN.]

That lovest alle rihtwisnesse,
Unto thi dom, lord, I appele;
Behold and deme mi querele,
With humble herte I thee beseche;
The mercy bothe and ek the wreche
I sette al in thi juggement.'
And thus upon his marrement   3310*
This paien hath made his preiere:
And than he ros with drery chiere,
And goth him forth, and in his gate
He caste his yhe aboute algate,
The Jew if that he mihte se.   P. iii. 197
Bot for a time it mai noght be;
Til ate laste ayein the nyht,
So as god wolde, he wente ariht,
As he which hield the hihe weie,
And thanne he sih in a valleie   3320*
Wher that the Jew liggende was,
Al blodi ded upon the gras,
Which strangled was of a leoun.
And as he lokede up and doun,
He fond his asse faste by
Forth with his harneis redely
Al hol and sound, as he it lefte,
Whan that the Jew it him berefte:
Wherof he thonketh god knelende.
      Lo, thus a man mai knowe at ende,   3330*
How the pitous pite deserveth.
For what man that to pite serveth,

3186 his *om*. AM   an W
3305* dom (doom) AdBT   dome S   3311* made SAdBΔΛ
mad T   3312* whan B   3327* hol BT   hole SAd

LIBER SEPTIMUS

Of tuo pointz that he myhte chese,   [TALE OF CODRUS.]
Or that he wolde his body lese   (3390*)
And in bataille himselve deie,
Or elles the seconde weie,
To sen his poeple desconfit.
Bot he, which Pite hath parfit
Upon the point of his believe,

As Aristotle it berth witnesse,   [TALE OF THE JEW AND THE PAGAN.]
God schal hise foomen so represse,
That thei schul ay stonde under foote.
Pite, men sein, is thilke roote
Wherof the vertus springen alle :
What infortune that befalle
In eny lond, lacke of pite
Is cause of thilke adversite ;   3340*
And that aldai mai schewe at yhe,
Who that the world discretly syhe.
Good is that every man therfore
Take hiede of that is seid tofore ;
For of this tale and othre ynowhe   P. iii. 198
These noble princes whilom drowhe
Here evidence and here aprise,
As men mai finde in many a wise,
Who that these olde bokes rede :
And thogh thei ben in erthe dede,   3350*
Here goode name may noght deie
For Pite, which thei wolde obeie,
To do the dedes of mercy.
And who this tale redily
Remembre, as Aristotle it tolde,
He mai the will of god beholde
Upon the point as it was ended,
Wherof that pite stod commended,
Which is to charite felawe,
As thei that kepen bothe o lawe.   3360*

3339* lond AdBT   londe S   3342* discretely S   3348* many wise AdB   After 3360* ins. 3137–3162 SΔ   rest proceed with 3163 ff.

[Tale of Codrus.]

The poeple thoghte to relieve,
And ches himselve to be ded.
Wher is nou such an other hed,   3200
Which wolde for the lemes dye?
And natheles in som partie   (3400*)
It oghte a kinges herte stere,
That he hise liege men forbere.
And ek toward hise enemis
Fulofte he may deserve pris,
To take of Pite remembrance,   P. iii. 200
Wher that he myhte do vengance:
For whanne a king hath the victoire,
And thanne he drawe into memoire   3210
To do Pite in stede of wreche,
He mai noght faile of thilke speche
Wherof arist the worldes fame,
To yive a Prince a worthi name.

[Pompeius and the King of Armenia.]

Hic ponit exemplum de victoriosi Principis pietate erga aduersarios suos. Et narrat quod, cum Pompeius Romanorum Imperator Regem Armenie aduersarium suum in bello victum cepisset, captumque vinculis alligatum Rome tenuisset, tirannidis iracundie stimulos postponens, pietatis mansuetudinem operatus est. Dixit enim quod nobilius est Regem facere quam deponere: super quo dictum Regem absque vlla redempcione non solum a vinculis absoluit, set ad sui regni culmen gratuita voluntate coronatum restituit.

  I rede hou whilom that Pompeie,
To whom that Rome moste obeie,
A werre hadde in jeupartie
Ayein the king of Ermenie,
Which of long time him hadde grieved.
Bot ate laste it was achieved   3220
That he this king desconfit hadde,
And forth with him to Rome ladde
As Prisoner, wher many a day
In sori plit and povere he lay,
The corone of his heved deposed,
Withinne walles faste enclosed;
And with ful gret humilite
He soffreth his adversite.
Pompeie sih his pacience
And tok pite with conscience,   3230
So that upon his hihe deis
Tofore al Rome in his Paleis,
As he that wolde upon him rewe,
Let yive him his corone newe

3198 thoghte to relieve] of his byleeue AM   3218 in Ermonie AM
3225 on his heed B   3233 *margin* restuit F

LIBER SEPTIMUS

And his astat al full and plein [POMPEIUS AND THE
Restoreth of his regne ayein, KING OF ARMENIA.]
And seide it was more goodly thing P. iii. 201
To make than undon a king,
To him which pouer hadde of bothe.
Thus thei, that weren longe wrothe, 3240
Acorden hem to final pes;
And yit justice natheles
Was kept and in nothing offended;
Wherof Pompeie was comended.
Ther mai no king himself excuse,
Bot if justice he kepe and use,
Which for teschuie crualte
He mot attempre with Pite.
  Of crualte the felonie [CRUELTY.]
Engendred is of tirannie, 3250
Ayein the whos condicion
God is himself the champion, (3450*)
Whos strengthe mai noman withstonde.
For evere yit it hath so stonde,
That god a tirant overladde;
Bot wher Pite the regne ladde,
Ther mihte no fortune laste
Which was grevous, bot ate laste
The god himself it hath redresced.
Pite is thilke vertu blessed 3260
Which nevere let his Maister falle;
Bot crualte, thogh it so falle
That it mai regne for a throwe,
God wole it schal ben overthrowe:
Wherof ensamples ben ynowhe
Of hem that thilke merel drowhe.
  Of crualte I rede thus: P. iii. 202 [CRUELTY OF
Whan the tirant Leoncius LEONTIUS.]
Was to thempire of Rome arrived, Hic loquitur contra
Fro which he hath with strengthe prived 3270 illos, qui tirannica
The pietous Justinian, potestate principatum
  obtinentes in iniquita-

3235 and ful AM . . . B2   3244 was] is ȝit S . . . Δ   3270
with] þe XGERL   by H1   no B2   3271 pitous (petows) MH1XLB2,
Δ, WH3   piteuous AdT   *margin* in *om.* H1 . . . B2, BTΔ

[CRUELTY OF
LEONTIUS.]

tis sue malicia gloriantur. Et narrat exemplum, qualiter Leoncius tirannus pium Iustinianum non solum a solio imperatorie maiestatis fraudulenter expulit, set vt ipse inhabilis ad regnum in aspectu plebis efficeretur, naso et labris abscisis, ipsum tirannice mutulauit. Deus tamen, qui super omnia pius est, Tiberio superueniente vna cum adiutorio Terbellis Bulgarie Regis, Iustinianum interfecto Leoncio ad imperium restitui misericorditer procurauit.

As he which was a cruel man,
His nase of and his lippes bothe
He kutte, for he wolde him lothe
Unto the poeple and make unable.
Bot he which is al merciable,
The hihe god, ordeigneth so,
That he withinne a time also,
Whan he was strengest in his ire,
Was schoven out of his empire.   3280
Tiberius the pouer hadde,
And Rome after his will he ladde,
And for Leonce in such a wise
Ordeigneth, that he tok juise
Of nase and lippes bothe tuo,
For that he dede an other so,
Which more worthi was than he.
  Lo, which a fall hath crualte,
And Pite was set up ayein :
For after that the bokes sein,   3290
Therbellis king of Bulgarie
With helpe of his chivalerie
Justinian hath unprisoned
And to thempire ayein coroned.

[CRUELTY OF
SICULUS.]

Hic loquitur vlterius de crudelitate Siculi tiranni, necnon et de Berillo eiusdem Consiliario, qui ad tormentum populi quendam taurum eneum tirannica coniectura fabricari constituit; in quo tamen ipse prior, proprio crimine illud exigente, vsque ad sui interitus expiracionem iudicialiter torquebatur.

  In a Cronique I finde also
Of Siculus, which was ek so
A cruel king lich the tempeste,   P. iii. 203
The whom no Pite myhte areste,—
He was the ferste, as bokes seie,
Upon the See which fond Galeie   3300
And let hem make for the werre,—
As he which al was out of herre   (3500*)
Fro Pite and misericorde ;
For therto couthe he noght acorde,
Bot whom he myhte slen, he slouh,
And therof was he glad ynouh.

3274 *margin* in exemplum S ... Δ   3276 al is SAdBT   is Δ
3279 of his ire Δ   in his A   in hie M   *margin* in *om.* BT
3298 To whom AM ... B₂, Ad   Inne whom W   hom Δ
margin tiranni *om.* A ... B₂

LIBER SEPTIMUS

He hadde of conseil manyon, [CRUELTY OF
Among the whiche ther was on, SICULUS.]
Be name which Berillus hihte;
And he bethoghte him hou he myhte 3310
Unto the tirant do likinge,
And of his oghne ymaginynge
Let forge and make a Bole of bras,
And on the side cast ther was
A Dore, wher a man mai inne,
Whan he his peine schal beginne
Thurgh fyr, which that men putten under.
And al this dede he for a wonder,
That whanne a man for peine cride,
The Bole of bras, which gapeth wyde, 3320
It scholde seme as thogh it were
A belwinge in a mannes Ere,
And noght the criinge of a man.
Bot he which alle sleihtes can,
The devel, that lith in helle fast,
Him that this caste hath overcast,
That for a trespas which he dede P. iii. 204
He was putt in the same stede,
And was himself the ferste of alle
Which was into that peine falle 3330
That he for othre men ordeigneth;
Ther was noman which him compleigneth.
   Of tirannie and crualte
Be this ensample a king mai se,
Himself and ek his conseil bothe,
Hou thei ben to mankinde lothe
And to the god abhominable.
Ensamples that ben concordable
I finde of othre Princes mo,
As thou schalt hiere, of time go. 3340
   The grete tirant Dionys,
Which mannes lif sette of no pris,

3326 this caste] it cast B   is cast Ad, H₃   þis made A ... B₂
3330 vnto AdBT to ∆   3332 which] þat AM ... B₂   3338
couenable AM ... R   coueable L   couable B₂ (C *defect.*)   3340 ago
(a go) H₁E, B∆, WH₃   3342 of] at A ... B₂ *om.* W

[DIONYSIUS AND HIS HORSES.]

Nota hic de Dionisio tiranno, qui mire crudelitatis seueritate eciam hospites suos ad deuorandum equis suis tribuit: cui Hercules tandem superueniens victum impium in impietate sua pari morte conclusit.

[LICHAON.]

Nota hic de consimili Lichaontis tirannia, qui carnes hominum hominibus in suo hospicio ad vescendum dedit; cuius formam condicioni similem Iupiter coequans ipsum in lupum transformauit.

Unto his hors fulofte he yaf
The men in stede of corn and chaf,
So that the hors of thilke stod
Devoureden the mennes blod;
Til fortune ate laste cam,
That Hercules him overcam,
And he riht in the same wise
Of this tirant tok the juise: 3350
As he til othre men hath do,
The same deth he deide also, (3550*)
That no Pite him hath socoured,
Til he was of hise hors devoured.

Of Lichaon also I finde
Hou he ayein the lawe of kinde
Hise hostes slouh, and into mete P. iii. 205
He made her bodies to ben ete
With othre men withinne his hous.
Bot Jupiter the glorious, 3360
Which was commoeved of this thing,
Vengance upon this cruel king
So tok, that he fro mannes forme
Into a wolf him let transforme:
And thus the crualte was kidd,
Which of long time he hadde hidd;
A wolf he was thanne openly,
The whos nature prively
He hadde in his condicion.

And unto this conclusioun, 3370
That tirannie is to despise,
I finde ensample in sondri wise,
And nameliche of hem fulofte,
The whom fortune hath set alofte
Upon the werres forto winne.
Bot hou so that the wrong beginne
Of tirannie, it mai noght laste,
Bot such as thei don ate laste
To othre men, such on hem falleth;
For ayein suche Pite calleth 3380

3362 *margin* Iupiter *om.* BT

Vengance to the god above.
For who that hath no tender love
In savinge of a mannes lif,
He schal be founde so gultif,
That whanne he wolde mercy crave
In time of nede, he schal non have.
   Of the natures this I finde,   **P. iii. 206**
The fierce Leon in his kinde,
Which goth rampende after his preie,
If he a man finde in his weie,   3390
He wole him slen, if he withstonde.
Bot if the man coude understonde
To falle anon before his face
In signe of mercy and of grace,
The Leon schal of his nature
Restreigne his ire in such mesure,
As thogh it were a beste tamed,
And torne awey halfvinge aschamed,
That he the man schal nothing grieve.
Hou scholde than a Prince achieve   3400
The worldes grace, if that he wolde
Destruie a man whanne he is yolde   (3600*)
And stant upon his mercy al?
Bot forto speke in special,
Ther have be suche and yit ther be
Tirantz, whos hertes no pite
Mai to no point of mercy plie,
That thei upon her tirannie
Ne gladen hem the men to sle;
And as the rages of the See   3410
Ben unpitous in the tempeste,
Riht so mai no Pite areste
Of crualte the gret oultrage,
Which the tirant in his corage
Engendred hath: wherof I finde
A tale, which comth nou to mynde.

   I rede in olde bokes thus: **P. iii. 207**

[NOBLENESS OF THE LION.]
Nota qualiter Leo hominibus stratis parcit.

3387 nature þis AdBT   natures þus AM ... B₂   3397 i tamed AM ... B₂   3412 areste] haue reste AM

[SPERTACHUS AND
THAMARIS.]
Hic loquitur precipue contra tirannos illos qui, cum in bello vincere possunt, humani sanguinis effusione saturari nequiunt. Et narrat in exemplum de quodam Persarum Rege, cuius nomen Spertachus erat, qui pre ceteris tunc in Oriente bellicosus et victoriosus, quoscunque gladio vincere poterat, absque pietate interfici constituit. Set tandem sub manu Thamaris Marsegetarum Regine in bello captus, quod a diu quesivit, seueritatem pro seueritate finaliter inuenit. Nam et ipsa quoddam vas de sanguine Persarum plenum ante se afferri decreuit, in quo caput tiranni vsque ad mortem mergens dixit: ' O tirannorum crudelissime, semper esuriens sanguinem sitisti: ecce iam ad saturitatem sanguinem bibe.'

Ther was a Duk, which Spertachus
Men clepe, and was a werreiour,
A cruel man, a conquerour 3420
With strong pouer the which he ladde.
For this condicion he hadde,
That where him hapneth the victoire,
His lust and al his moste gloire
Was forto sle and noght to save:
Of rancoun wolde he no good have
For savinge of a mannes lif,
Bot al goth to the swerd and knyf,
So lief him was the mannes blod.
And natheles yit thus it stod, 3430
So as fortune aboute wente,
He fell riht heir as be descente
To Perse, and was coroned king.
And whan the worschipe of this thing
Was falle, and he was king of Perse,
If that thei weren ferst diverse,
The tirannies whiche he wroghte,
A thousendfold welmore he soghte
Thanne afterward to do malice.
The god vengance ayein the vice 3440
Hath schape: for upon a tyde,
Whan he was heihest in his Pride,
In his rancour and in his hete
Ayein the queene of Marsagete,
Which Thameris that time hihte,
He made werre al that he myhte:
And sche, which wolde hir lond defende, P. iii. 208
Hir oghne Sone ayein him sende,
Which the defence hath undertake.
Bot he desconfit was and take; 3450
And whan this king him hadde in honde,
He wol no mercy understonde, (3650*)
Bot dede him slen in his presence.

3420 *margin* precipue *om.* A ... B₂   3423 hapned XERCB₂
papned L   3429 to mannes b. AM ... B₂   3432 as he by sente A
as by sente M   alle by dissent W   3436 *margin* offerre A ... B₂
(offerri G, W)   3440 Til god S ... Δ   3448 His AM

LIBER SEPTIMUS

[SPERTACHUS AND THAMARIS.]

The tidinge of this violence
Whan it cam to the moder Ere,
Sche sende anon ay wydewhere
To suche frendes as sche hadde,
A gret pouer til that sche ladde.
In sondri wise and tho sche caste
Hou sche this king mai overcaste; 3460
And ate laste acorded was,
That in the danger of a pass,
Thurgh which this tirant scholde passe,
Sche schop his pouer to compasse
With strengthe of men be such a weie
That he schal noght eschape aweie.
And whan sche hadde thus ordeigned,
Sche hath hir oghne bodi feigned,
For feere as thogh sche wolde flee
Out of hir lond: and whan that he 3470
Hath herd hou that this ladi fledde,
So faste after the chace he spedde,
That he was founde out of array.
For it betidde upon a day,
Into the pas whanne he was falle,
Thembuisschementz tobrieken alle
And him beclipte on every side,   P. iii. 209
That fle ne myhte he noght aside:
So that ther weren dede and take
Tuo hundred thousend for his sake, 3480
That weren with him of his host.
And thus was leid the grete bost
Of him and of his tirannie:
It halp no mercy forto crie
To him which whilom dede non;
For he unto the queene anon
Was broght, and whan that sche him sih,
This word sche spak and seide on hih:
'O man, which out of mannes kinde

3454 dydinge AM   3464 hir(e) power H₁, BTΔ, W   ouerpasse AM   3465 With] By AM ... B₂   3476 tobrieken S, F tobreken (to breken) AJC, B   3483 of *om.* AM   3484 no] not (noght) AM ... B₂ (*except* E)

[SPERTACHUS AND
THAMARIS.]

Reson of man hast left behinde 3490
And lived worse than a beste,
Whom Pite myhte noght areste,
The mannes blod to schede and spille
Thou haddest nevere yit thi fille.
Bot nou the laste time is come,
That thi malice is overcome:
As thou til othre men hast do,
Nou schal be do to thee riht so.'
Tho bad this ladi that men scholde
A vessel bringe, in which sche wolde 3500
Se the vengance of his juise,
Which sche began anon devise; (3700*)
And tok the Princes whiche he ladde,
Be whom his chief conseil he hadde,
And whil hem lasteth eny breth,
Sche made hem blede to the deth
Into the vessel wher it stod: P. iii. 210
And whan it was fulfild of blod,
Sche caste this tirant therinne,
And seide him, 'Lo, thus myht thou wynne 3510
The lustes of thin appetit.
In blod was whilom thi delit,
Nou schalt thou drinken al thi fille.'
 And thus onliche of goddes wille,
He which that wolde himselve strange
To Pite, fond mercy so strange,
That he withoute grace is lore.
So may it schewe wel therfore
That crualte hath no good ende;
Bot Pite, hou so that it wende, 3520
Makth that the god is merciable,
If ther be cause resonable
Why that a king schal be pitous.
Bot elles, if he be doubtous
To slen in cause of rihtwisnesse,
It mai be said no Pitousnesse,
Bot it is Pusillamite,

3505 f. him ... him AdBT, W   3510 him *om.* AM ... B₂, Δ
3523 Why] Wiþ AdBT

Which every Prince scholde flee. [MERCY MUST BE
For if Pite mesure excede, WITHOUT WEAKNESS.]
Kinghode may noght wel procede 3530
To do justice upon the riht :
For it belongeth to a knyht
Als gladly forto fihte as reste,
To sette his liege poeple in reste,
Whan that the werre upon hem falleth ;
For thanne he mote, as it befalleth,
Of his knyhthode as a Leon P. iii. 211
Be to the poeple a champioun
Withouten eny Pite feigned.
For if manhode be restreigned, 3540
Or be it pes or be it werre,
Justice goth al out of herre,
So that knyhthode is set behinde.
Of Aristotles lore I finde,
A king schal make good visage,
That noman knowe of his corage
Bot al honour and worthinesse :
For if a king schal upon gesse
Withoute verrai cause drede,
He mai be lich to that I rede; 3550
And thogh that it be lich a fable,
Thensample is good and resonable. (3750*)

   As it be olde daies fell, [THE MOUNTAIN AND
I rede whilom that an hell THE MOUSE.]
Up in the londes of Archade
A wonder dredful noise made ; Hic loquitur secun-
For so it fell that ilke day, dum Philosophum,
This hell on his childinge lay, dicens quod sicut non
And whan the throwes on him come, decet Principes tiran-
His noise lich the day of dome 3560 nica impetuositate
Was ferfull in a mannes thoght esse crudeles, ita nec
Of thing which that thei sihe noght, decet timorosa pusil-
Bot wel thei herden al aboute lanimitate esse vecor-
The noise, of which thei were in doute, des.

3530 Knighthode R, B, W   3551 þogh it be lich to a fable A
þoght it be lich a fable M   3556 And wonder dredful noise it made
AdBT

[The Mountain and the Mouse.]

As thei that wenden to be lore
Of thing which thanne was unbore.
The nerr this hell was upon chance P. iii. 212
To taken his deliverance,
The more unbuxomliche he cride; 3570
And every man was fledd aside,
For drede and lefte his oghne hous:
And ate laste it was a Mous,
The which was bore and to norrice
Betake; and tho thei hield hem nyce,
For thei withoute cause dradde.
 Thus if a king his herte ladde
With every thing that he schal hiere,
Fulofte he scholde change his chiere
And upon fantasie drede,
Whan that ther is no cause of drede. 3580

Nota hic secundum Oracium de magnanimo Yacide et pusillanime Thersite.

 Orace to his Prince tolde,
That him were levere that he wolde
Upon knihthode Achillem suie
In time of werre, thanne eschuie,
So as Tersites dede at Troie.
Achilles al his hole joie
Sette upon Armes forto fihte;
Tersites soghte al that he myhte
Unarmed forto stonde in reste:
Bot of the tuo it was the beste 3590
That Achilles upon the nede
Hath do, wherof his knyhtlihiede
Is yit comended overal.

Salomon. Tempus belli, tempus pacis.

 King Salomon in special
Seith, as ther is a time of pes,
So is a time natheles
Of werre, in which a Prince algate P. iii. 213
Schal for the comun riht debate
And for his oghne worschipe eke.
Bot it behoveth noght to seke 3600

3574 hield (heeld) **A, S, F**   heelde (helde) C, B   helden J
3575 causa F   3589 and reste AM ... B₂   3592 wher of þat his knighthede H₁ ... B₂   wher of his knyhthede AM, AdΔ, H₃ (knythlihiede F)

LIBER SEPTIMUS

Only the werre for worschipe,
Bot to the riht of his lordschipe, (3800*) [There is a time for War.]
Which he is holde to defende,
Mote every worthi Prince entende.
Betwen the simplesce of Pite
And the folhaste of crualte, Nota qualiter inter duo extrema consistit virtus.
Wher stant the verray hardiesce,
Ther mote a king his herte adresce,
Whanne it is time to forsake,
And whan time is also to take 3610
The dedly werres upon honde,
That he schal for no drede wonde,
If rihtwisnesse be withal.
For god is myhty overal
To forthren every mannes trowthe,
Bot it be thurgh his oghne slowthe;
And namely the kinges nede
It mai noght faile forto spede,
For he stant one for hem alle;
So mote it wel the betre falle 3620
And wel the more god favoureth,
Whan he the comun riht socoureth.
And forto se the sothe in dede,
Behold the bible and thou myht rede
Of grete ensamples manyon,
Wherof that I wol tellen on.

Upon a time as it befell, P. iii. 214 [Story of Gideon.]
Ayein Judee and Irahel
Whan sondri kinges come were
In pourpos to destruie there 3630 Hic dicit quod Princeps iusticie causa bellum nullo modo timere debet. Et narrat qualiter dux Gedeon cum solis tricentis viris quinque Reges, scilicet Madianitarum, Amalechitarum, Amonitarum, Amoreorum et
The poeple which god kepte tho,—
And stod in thilke daies so,
That Gedeon, which scholde lede
The goddes folk, tok him to rede,
And sende in al the lond aboute,
Til he assembled hath a route
With thritti thousend of defence,

3607 hardinesse R, AdBTΔ, W   3615 forþere (forþre, forþer)
AM ... B₂ (forþe X)   3628 Irahel (Irael) J, S, F   *rest* Israel
* *
*
Z

[STORY OF GIDEON.]
Iebuseorum, cum eorum excercitu, qui ad lxxxx^{ta} Milia numeratus est, gracia cooperante diuina, victoriose in fugam conuertit.

    To fihte and make resistence
Ayein the whiche hem wolde assaille:
And natheles that o bataille   3640
Of thre that weren enemys
Was double mor than was al his;
Wherof that Gedeon him dradde,
That he so litel poeple hadde.
Bot he which alle thing mai helpe,
Wher that ther lacketh mannes helpe,
To Gedeon his Angel sente,
And bad, er that he forther wente,
Al openly that he do crie
That every man in his partie   3650
Which wolde after his oghne wille
In his delice abide stille   (3850*)
At hom in eny maner wise,
For pourchas or for covoitise,
For lust of love or lacke of herte,
He scholde noght aboute sterte,
Bot holde him stille at hom in pes: **P. iii. 215**
Wherof upon the morwe he les
Wel twenty thousend men and mo,
The whiche after the cri ben go.   3660
Thus was with him bot only left
The thridde part, and yit god eft
His Angel sende and seide this
To Gedeon: 'If it so is
That I thin help schal undertake,
Thou schalt yit lasse poeple take,
Be whom mi will is that thou spede.
Forthi tomorwe tak good hiede,
Unto the flod whan ye be come,
What man that hath the water nome   3670
Up in his hond and lapeth so,
To thi part ches out alle tho;
And him which wery is to swinke,
Upon his wombe and lith to drinke,

3639 hem L, S ... Δ   he A ... CB₂, Λ, FWKMagd
3641 thre] these W   3652 delit(e) H₁ ... B₂, W   3672 out *om.* AdBT

LIBER SEPTIMUS

Forsak and put hem alle aweie. [STORY OF GIDEON.]
For I am myhti alle weie,
Wher as me list myn help to schewe
In goode men, thogh thei ben fewe.'
  This Gedeon awaiteth wel,
Upon the morwe and everydel,   3680
As god him bad, riht so he dede.
And thus ther leften in that stede
With him thre hundred and nomo,
The remenant was al ago:
Wherof that Gedeon merveileth,
And therupon with god conseileth,
Pleignende as ferforth as he dar.   P. iii. 216
And god, which wolde he were war
That he schal spede upon his riht,
Hath bede him go the same nyht   3690
And take a man with him, to hiere
What schal be spoke in his matere
Among the hethen enemis;
So mai he be the more wys,
What afterward him schal befalle.
  This Gedeon amonges alle
Phara, to whom he triste most,
Be nyhte tok toward thilke host,
Which logged was in a valleie,
To hiere what thei wolden seie;   3700
Upon his fot and as he ferde,
Tuo Sarazins spekende he herde.   (3900*)
Quod on, 'Ared mi swevene ariht,
Which I mette in mi slep to nyht.
  Me thoghte I sih a barli cake,
Which fro the Hull his weie hath take,
And cam rollende doun at ones;
And as it were for the nones,
Forth in his cours so as it ran,
The kinges tente of Madian,   3710

3677 my lust AM   3683 nomo JC, S, F   no mo(o) A, B
3688 which] þat AM ... B₂   3689 scholde AdBT   3692 his]
þis AM ... B₂, AdBTΔ, Magd   3701 he ferde] aferde AM
3704 slep] sweuen(e) AM ... L (slep G)

[STORY OF GIDEON.]

Of Amalech, of Amoreie,
Of Amon and of Jebuseie,
And many an other tente mo
With gret noise, as me thoghte tho,
It threw to grounde and overcaste,
And al this host so sore agaste
That I awok for pure drede.'
'This swevene can I wel arede,'
Quod thother Sarazin anon:
'The barli cake is Gedeon, 3720
Which fro the hell doun sodeinly
Schal come and sette such ascry
Upon the kinges and ous bothe,
That it schal to ous alle lothe:
For in such drede he schal ous bringe,
That if we hadden flyht of wynge,
The weie on fote in desespeir
We scholden leve and flen in their,
For ther schal nothing him withstonde.'
Whan Gedeon hath understonde 3730
This tale, he thonketh god of al,
And priveliche ayein he stal,
So that no lif him hath perceived.
And thanne he hath fulli conceived
That he schal spede; and therupon
The nyht suiende he schop to gon
This multitude to assaile.
Nou schalt thou hiere a gret mervaile,
With what voisdie that he wroghte.
The litel poeple which he broghte, 3740
Was non of hem that he ne hath
A pot of erthe, in which he tath
A lyht brennende in a kressette,
And ech of hem ek a trompette
Bar in his other hond beside;
And thus upon the nyhtes tyde
Duk Gedeon, whan it was derk,
Ordeineth him unto his werk,

3716 his host E, B, Magd   3727 despeir AJMH₁RLB₂,
AdBTΔ, W   3728 schullen B   3748 his] þis H₁G, BΔ

LIBER SEPTIMUS

And parteth thanne his folk in thre, [STORY OF GIDEON.]
And chargeth hem that thei ne fle, 3750
And tawhte hem hou they scholde ascrie
Alle in o vois per compaignie, (3950*)
And what word ek thei scholden speke,
And hou thei scholde here pottes breke
Echon with other, whan thei herde
That he himselve ferst so ferde ;
For whan thei come into the stede,
He bad hem do riht as he dede.
   And thus stalkende forth a pas
This noble Duk, whan time was, 3760
His pot tobrak and loude ascride,
And tho thei breke on every side.
The trompe was noght forto seke ;
He blew, and so thei blewen eke
With such a noise among hem alle,
As thogh the hevene scholde falle.
The hull unto here vois ansuerde,
This host in the valleie it herde,
And sih hou that the hell alyhte ;
So what of hieringe and of sihte, 3770
Thei cawhten such a sodein feere,
That non of hem belefte there :
The tentes hole thei forsoke,
That thei non other good ne toke,
Bot only with here bodi bare
Thei fledde, as doth the wylde Hare.
And evere upon the hull thei blewe, **P. iii. 219**
Til that thei sihe time, and knewe
That thei be fled upon the rage ;
And whan thei wiste here avantage, 3780
Thei felle anon unto the chace.
   Thus myht thou sen hou goddes grace
Unto the goode men availeth ;
But elles ofte time it faileth
To suche as be noght wel disposed.
This tale nedeth noght be glosed,

3752 per] þe AdBT þair L   3763 forto] þo to AM   B₂
to W   3773 hole J, S, F   holly AC, B

[STORY OF GIDEON.]

For it is openliche schewed
That god to hem that ben wel thewed
Hath yove and granted the victoire:
So that thensample of this histoire 3790
Is good for every king to holde;
Ferst in himself that he beholde
If he be good of his livinge,
And that the folk which he schal bringe
Be good also, for thanne he may
Be glad of many a merie day,
In what as evere he hath to done.
For he which sit above the Mone
And alle thing mai spille and spede,
In every cause, in every nede 3800
His goode king so wel adresceth,
That alle his fomen he represseth, (4000*)
So that ther mai noman him dere;
And als so wel he can forbere,
And soffre a wickid king to falle
In hondes of his fomen alle.

[SAUL AND AGAG.]

Hic dicit quod vbi et quando causa et tempus requirunt, princeps illos sub potestate sua, quos iusticie aduersarios agnouerit, occidere de iure tenetur. Et narrat in exemplum qualiter, pro eo quod Saul Regem Agag in bello deuictum iuxta Samuelis consilium occidere noluit, ipse diuino iudicio non solum a regno Israel priuatus, set et heredes sui pro perpetuo exheredati sunt.

Nou forthermore if I schal sein P. iii. 220
Of my matiere, and torne ayein
To speke of justice and Pite
After the reule of realte, 3810
This mai a king wel understonde,
Knihthode mot ben take on honde,
Whan that it stant upon the nede:
He schal no rihtful cause drede,
Nomore of werre thanne of pes,
If he wol stonde blameles;
For such a cause a king mai have
That betre him is to sle than save,
Wherof thou myht ensample finde.
The hihe makere of mankinde 3820
Be Samuel to Saül bad,
That he schal nothing ben adrad
Ayein king Agag forto fihte;

3797 what þat AM ... B₂   3800 in] and AM ... RLB₂
3819 myht (might) AC, B   myhte (mihte) J, S, F

For this the godhede him behihte,   [SAUL AND AGAG.]
That Agag schal ben overcome:
And whan it is so ferforth come,
That Saül hath him desconfit,
The god bad make no respit,
That he ne scholde him slen anon.
Bot Saül let it overgon   3830
And dede noght the goddes heste:
For Agag made gret beheste
Of rancoun which he wolde yive,
King Saül soffreth him to live
And feigneth pite forth withal.
Bot he which seth and knoweth al,
The hihe god, of that he feigneth   P. iii. 221
To Samuel upon him pleigneth,
And sende him word, for that he lefte
Of Agag that he ne berefte   3840
The lif, he schal noght only dye
Himself, bot fro his regalie
He schal be put for everemo,
Noght he, bot ek his heir also,
That it schal nevere come ayein.

  Thus myht thou se the sothe plein,   [DAVID AND JOAB.]
That of tomoche and of tolyte   Hic narrat vlterius
Upon the Princes stant the wyte.   super eodem, qualiter
Bot evere it was a kinges riht   Dauid in extremis ius-
To do the dedes of a knyht;   ticie causa vt Ioab
For in the handes of a king   3850 occideretur absque vl-
The deth and lif is al o thing   (4050*)   la remissione filio suo
After the lawes of justice.   Salomoni iniunxit.
To slen it is a dedly vice,
Bot if a man the deth deserve;
And if a king the lif preserve
Of him which oghte forto dye,
He suieth noght thensamplerie
Which in the bible is evident:
Hou David in his testament,   3860
Whan he no lengere myhte live,
Unto his Sone in charge hath yive

    3854 flen (fle) S∆   3861 non F

[DAVID AND JOAB.]

That he Joab schal slen algate;
And whan David was gon his gate,
The yonge wise Salomon
His fader heste dede anon,
And slouh Joab in such a wise,   P. iii. 222
That thei that herden the juise
Evere after dradden him the more,
And god was ek wel paid therfore,   3870
That he so wolde his herte plye
The lawes forto justefie.
And yit he kepte forth withal
Pite, so as a Prince schal,
That he no tirannie wroghte;
He fond the wisdom which he soghte,
And was so rihtful natheles,
That al his lif he stod in pes,
That he no dedly werres hadde,
For every man his wisdom dradde.   3880
And as he was himselve wys,
Riht so the worthi men of pris
He hath of his conseil withholde;
For that is every Prince holde,
To make of suche his retenue
Whiche wise ben, and to remue
The foles: for ther is nothing
Which mai be betre aboute a king,
Than conseil, which is the substance
Of all a kinges governance.   3890

[SOLOMON'S WISDOM.]

Hic dicit quod populum sibi commissum bene regere super omnia Principi laudabilius est. Et narrat in exemplum qualiter, pro eo quod Salomon, vt populum bene regeret, ab altissimo sapienciam specialius postulauit, omnia bona pariter cum illa sibi

In Salomon a man mai see
What thing of most necessite
Unto a worthi king belongeth.
Whan he his kingdom underfongeth,
God bad him chese what he wolde,
And seide him that he have scholde
What he wolde axe, as of o thing.   P. iii. 223
And he, which was a newe king,
Forth therupon his bone preide
To god, and in this wise he seide: 3900
'O king, be whom that I schal regne,

LIBER SEPTIMUS

Yif me wisdom, that I my regne, (4100*) [SOLOMON'S WISDOM.]
Forth with thi poeple which I have, habundancius aduene-
To thin honour mai kepe and save.' runt.
Whan Salomon his bone hath taxed,
The god of that which he hath axed
Was riht wel paid, and granteth sone
Noght al only that he his bone
Schal have of that, bot of richesse,
Of hele, of pes, of hih noblesse, 3910
Forth with wisdom at his axinges,
Which stant above alle othre thinges.

  Bot what king wole his regne save,
Ferst him behoveth forto have   Hic dicit secundum
After the god and his believe   Salomonem, quod re-
Such conseil which is to believe,   gie maiestatis imperi-
    um ante omnia sano
Fulfild of trouthe and rihtwisnesse: consilio dirigendum
Bot above alle in his noblesse   est.
Betwen the reddour and pite
A king schal do such equite 3920
And sette the balance in evene,
So that the hihe god in hevene
And al the poeple of his nobleie
Loange unto his name seie.
For most above all erthli good,
Wher that a king himself is good
It helpeth, for in other weie   P. iii. 224
If so be that a king forsueie,
Fulofte er this it hath be sein,   Quicquid delirant
The comun poeple is overlein   reges, plectuntur A-
  3930 chiui.
And hath the kinges Senne aboght,
Al thogh the poeple agulte noght.
Of that the king his god misserveth,
The poeple takth that he descerveth
Hier in this world, bot elleswhere
I not hou it schal stonde there.
Forthi good is a king to triste
Ferst to himself, as he ne wiste
Non other help bot god alone;

3902 I my regne] I may regne C, W   I regne AdT   in my regne
H₁E   in me regne XRLB₂   3903 thi] þe AMC

So schal the reule of his persone 3940
Withinne himself thurgh providence
Ben of the betre conscience.
And forto finde ensample of this,
A tale I rede, and soth it is.

[THE COURTIERS AND THE FOOL.]

Hic de Lucio Imperatore exemplum ponit, qualiter Princeps sui nominis famam a secretis consiliariis sapienter inuestigare debet; et si quid in ea sinistrum inuenerit, prouisa discrecione ad dexteram conuertat.

In a Cronique it telleth thus:
The king of Rome Lucius
Withinne his chambre upon a nyht
The Steward of his hous, a knyht,
Forth with his Chamberlein also,
To conseil hadde bothe tuo, 3950
And stoden be the Chiminee
Togedre spekende alle thre. (4150*)
And happeth that the kinges fol
Sat be the fyr upon a stol,
As he that with his babil pleide,
Bot yit he herde al that thei seide,
And therof token thei non hiede. P. iii. 225
The king hem axeth what to rede
Of such matiere as cam to mouthe,
And thei him tolden as thei couthe. 3960
Whan al was spoke of that thei mente,
The king with al his hole entente
Thanne ate laste hem axeth this,
What king men tellen that he is:
Among the folk touchende his name,
Or be it pris, or be it blame,
Riht after that thei herden sein,
He bad hem forto telle it plein,
That thei no point of soth forbere,
Be thilke feith that thei him bere. 3970
    The Steward ferst upon this thing
Yaf his ansuere unto the king
And thoghte glose in this matiere,
And seide, als fer as he can hiere,
His name is good and honourable:
Thus was the Stieward favorable,
That he the trouthe plein ne tolde.
The king thanne axeth, as he scholde,

LIBER SEPTIMUS

The Chamberlein of his avis. [THE COURTIERS AND THE FOOL.]
    And he, that was soubtil and wys, 3980
And somdiel thoghte upon his feith,
Him tolde hou al the poeple seith
That if his conseil were trewe,
Thei wiste thanne wel and knewe
That of himself he scholde be
A worthi king in his degre:
And thus the conseil he accuseth   P. iii. 226
In partie, and the king excuseth.
    The fol, which herde of al the cas
That time, as goddes wille was, 3990
Sih that thei seiden noght ynowh,
And hem to skorne bothe lowh,
And to the king he seide tho:
'Sire king, if that it were so,
Of wisdom in thin oghne mod
That thou thiselven were good,
Thi conseil scholde noght be badde.'
The king therof merveille hadde,
Whan that a fol so wisly spak,
And of himself fond out the lack 4000
Withinne his oghne conscience:
And thus the foles evidence, (4200*)
Which was of goddes grace enspired,
Makth that good conseil was desired.
He putte awey the vicious
And tok to him the vertuous;
The wrongful lawes ben amended,
The londes good is wel despended,
The poeple was nomore oppressed,
And thus stod every thing redressed. 4010
For where a king is propre wys,
And hath suche as himselven is
Of his conseil, it mai noght faile
That every thing ne schal availe:
The vices thanne gon aweie,
And every vertu holt his weie;

3984 wel þanne AMH₁, AdΔ   wel than al W   3989 al of þis BT
of al þis Ad   al this W   3990 What tyme B   4004 that] þe AdBT

[THE COURTIERS AND THE FOOL.]

Wherof the hihe god is plesed, P. iii. 227
And al the londes folk is esed.
For if the comun poeple crie,
And thanne a king list noght to plie 4020
To hiere what the clamour wolde,
And otherwise thanne he scholde
Desdeigneth forto don hem grace,
It hath be sen in many place,
Ther hath befalle gret contraire;
And that I finde of ensamplaire.

[FOLLY OF REHOBOAM.]

Hic dicit quod Seniores magis experti ad Principis consilium admittendi pocius existunt. Et narrat qualiter, pro eo quod Roboas Salomonis filius et heres senium sermonibus renuncians dicta iuuenum preelegit, de xii. tribubus Israel a dominio suo x. penitus amisit, et sic cum duabus tantummodo illusus postea regnauit.

After the deth of Salomon,
Whan thilke wise king was gon,
And Roboas in his persone
Receive scholde the corone, 4030
The poeple upon a Parlement
Avised were of on assent,
And alle unto the king thei preiden,
With comun vois and thus thei seiden:
'Oure liege lord, we thee beseche
That thou receive oure humble speche
And grante ous that which reson wile,
Or of thi grace or of thi skile.
Thi fader, whil he was alyve
And myhte bothe grante and pryve, 4040
Upon the werkes whiche he hadde
The comun poeple streite ladde:
Whan he the temple made newe,
Thing which men nevere afore knewe
He broghte up thanne of his taillage,
And al was under the visage
Of werkes whiche he made tho. P. iii. 228
Bot nou it is befalle so,
That al is mad, riht as he seide,
And he was riche whan he deide; 4050
So that it is no maner nede,
If thou therof wolt taken hiede, (4250*)

4020 thanne] þat A ... B₂   4031 þe parlement AM   4037 which þat H₁ ... B₂, BT, W   þat Ad   4044 to fore (tofore) AM ... B₂, W

To pilen of the poeple more,   [FOLLY OF
Which long time hath be grieved sore.   REHOBOAM.]
And in this wise as we thee seie,
With tendre herte we thee preie
That thou relesse thilke dette,
Which upon ous thi fader sette.
And if thee like to don so,
We ben thi men for everemo,   4060
To gon and comen at thin heste.'
   The king, which herde this requeste,
Seith that he wole ben avised,
And hath therof a time assised;
And in the while as he him thoghte
Upon this thing, conseil he soghte.
And ferst the wise knyhtes olde,
To whom that he his tale tolde,
Conseilen him in this manere;   De consilio Senium.
That he with love and with glad chiere 4070
Foryive and grante al that is axed
Of that his fader hadde taxed;
For so he mai his regne achieve
With thing which schal him litel grieve.
   The king hem herde and overpasseth,
And with these othre his wit compasseth,
That yonge were and nothing wise. **P. iii. 229**
And thei these olde men despise,
And seiden: 'Sire, it schal be schame   De consilio iuue-
For evere unto thi worthi name,   4080 num.
If thou ne kepe noght the riht,
Whil thou art in thi yonge myht,
Which that thin olde fader gat.
Bot seie unto the poeple plat,
That whil thou livest in thi lond,
The leste finger of thin hond
It schal be strengere overal
Than was thi fadres bodi al.
And this also schal be thi tale,
If he hem smot with roddes smale,   4090
With Scorpions thou schalt hem smyte;

4081 þi (þy) right MH₁L, B∆   4091 him AM

[FOLLY OF
REHOBOAM.]

  And wher thi fader tok a lyte,
Thou thenkst to take mochel more.
Thus schalt thou make hem drede sore
The grete herte of thi corage,
So forto holde hem in servage.
  This yonge king him hath conformed
To don as he was last enformed,
Which was to him his undoinge :
For whan it cam to the spekinge,   4100
He hath the yonge conseil holde,
That he the same wordes tolde   *(4300*)
Of al the poeple in audience ;
And whan thei herden the sentence
Of his malice and the manace,
Anon tofore his oghne face
Thei have him oultreli refused   P. iii. 230
And with ful gret reproef accused.
So thei begunne forto rave,
That he was fain himself to save ;   4110
For as the wilde wode rage
Of wyndes makth the See salvage,
And that was calm bringth into wawe,
So for defalte of grace and lawe
This poeple is stered al at ones
And forth thei gon out of hise wones ;
So that of the lignages tuelve
Tuo tribes only be hemselve
With him abiden and nomo :
So were thei for everemo   4120
Of no retorn withoute espeir
Departed fro the rihtfull heir.
Al Irahel with comun vois
A king upon here oghne chois
Among hemself anon thei make,
And have here yonge lord forsake ;
A povere knyht Jeroboas
Thei toke, and lefte Roboas,

4092 a lyte S   alyte (alite) AJC, B, F   4093 þenkest take B
4115 is *om.* FWK   4123 Al Irahel (Irael) J, S, FK   Al Israhel
(Israel &c.) AM ... B₂, W   Of Israel G, AdBT

LIBER SEPTIMUS

Which rihtfull heir was be descente. [FOLLY OF REHOBOAM.]
  Lo, thus the yonge cause wente: 4130
For that the conseil was noght good,
The regne fro the rihtfull blod
Evere afterward divided was.
So mai it proven be this cas
That yong conseil, which is to warm,
Er men be war doth ofte harm.
Old age for the conseil serveth,   P. iii. 231
And lusti youthe his thonk deserveth
Upon the travail which he doth;
And bothe, forto seie a soth,   4140
Be sondri cause forto have,
If that he wole his regne save,
A king behoveth every day.
That on can and that other mai,
Be so the king hem bothe reule,
For elles al goth out of reule.

  And upon this matiere also [WISDOM IN A KING'S COUNCIL.]
A question betwen the tuo
Thus writen in a bok I fond;
Wher it be betre for the lond   4150
A king himselve to be wys,
And so to bere his oghne pris,   (4350*)
And that his consail be noght good,
Or other wise if it so stod,
*A king if he be vicious
And his conseil be vertuous.
It is ansuerd in such a wise,
That betre it is that thei be wise
Be whom that the conseil schal gon,
For thei be manye, and he is on;   4160
And rathere schal an one man
With fals conseil, for oght he can,
From his wisdom be mad to falle,
Thanne he al one scholde hem alle
Fro vices into vertu change,
For that is wel the more strange.

Nota questionem cuiusdam Philosophi, vtrum regno conueniencius foret principem cum malo consilio optare sapientem, quam cum sano consilio ipsum eligere insipientem.

4160 is on] but oon (on &c.) AM ... B₂   4161 oonly (only) AM ... B₂

[MERCY AND JUSTICE.]

Forthi the lond mai wel be glad,
Whos king with good conseil is lad,
Which set him unto rihtwisnesse,
So that his hihe worthinesse 4170
Betwen the reddour and Pite
Doth mercy forth with equite.
A king is holden overal
To Pite, bot in special
To hem wher he is most beholde;
Thei scholde his Pite most beholde
That ben the Lieges of his lond,
For thei ben evere under his hond
After the goddes ordinaunce
To stonde upon his governance. 4180

Of themperour Anthonius
I finde hou that he seide thus,
That levere him were forto save
Oon of his lieges than to have
Of enemis a thousand dede.
And this he lernede, as I rede,
Of Cipio, which hadde be
Consul of Rome. And thus to se
Diverse ensamples hou thei stonde,
A king which hath the charge on honde 4190
The comun poeple to governe,
If that he wole, he mai wel lerne.
Is non so good to the plesance
Of god, as is good governance;
And every governance is due
To Pite: thus I mai argue
That Pite is the foundement
Of every kinges regiment,
If it be medled with justice.
Thei tuo remuen alle vice, 4200
And ben of vertu most vailable
To make a kinges regne stable. (4400*)
 Lo, thus the foure pointz tofore,
In governance as thei ben bore,

Nota adhuc precipue de principis erga suos subditos debita pietate. Legitur enim qualiter Anthonius a Cipione exemplificatus dixit, quod mallet vnum de populo sibi commisso virum saluare, quam centum ex hostibus alienigenis in bello perdere.

P. iii. 232

P. iii. 233

4174 bot] and AM...B₂   4183 How him were leuere AdBT
4185 an hondred AM...B₂   4186 þus AdBT, W   4194 good] god F

LIBER SEPTIMUS

Of trouthe ferst and of largesse,
Of Pite forth with rihtwisnesse,
I have hem told ; and over this
The fifte point, so as it is
Set of the reule of Policie,
Wherof a king schal modefie 4210
The fleisschly lustes of nature,
Nou thenk I telle of such mesure,
That bothe kinde schal be served
And ek the lawe of god observed.

xi. *Corporis et mentis regem decet omnis honestas,*   [THE FIFTH POINT OF
Nominis vt famam nulla libido ruat.   POLICY. CHASTITY.]
Omne quod est hominis effeminat illa voluptas,
Sit nisi magnanimi cordis, vt obstet ei.

The Madle is mad for the femele,
Bot where as on desireth fele,
That nedeth noght be weie of kinde :
For whan a man mai redy finde   Hic tractat secun-
His oghne wif, what scholde he seche   dum Aristotelem de
                                        quinta principum re-
In strange places to beseche 4220 giminis Policia, que
To borwe an other mannes plouh,   Castitatem concernit,
                                    cuius honestas impu-
Whan he hath geere good ynouh   dicicie motus obtem-
Affaited at his oghne heste, P. iii. 234 perans tam corporis
                                           quam anime mundi-
And is to him wel more honeste   ciam specialius pre-
Than other thing which is unknowe ? seruat.
Forthi scholde every good man knowe
And thenke, hou that in mariage
His trouthe plight lith in morgage,
Which if he breke, it is falshode,
And that descordeth to manhode, 4230
And namely toward the grete,
Wherof the bokes alle trete ;
So as the Philosophre techeth
To Alisandre, and him betecheth
The lore hou that he schal mesure
His bodi, so that no mesure
Of fleisshly lust he scholde excede.

4208 ferste (first &c.) AM ... B₂ fist Ad   4212] enk C, S, F
þenke AJ, B   4222 good] at home S ... Δ
* *
 *   A a

[THE FIFTH POINT OF POLICY. CHASTITY.]

And thus forth if I schal procede,
The fifte point, as I seide er,
Is chastete, which sielde wher 4240
Comth nou adaies into place;
And natheles, bot it be grace
Above alle othre in special,
Is non that chaste mai ben all.
Bot yit a kinges hihe astat,
Which of his ordre as a prelat
Schal ben enoignt and seintefied,
He mot be more magnefied
For dignete of his corone,
Than scholde an other low persone, 4250
Which is noght of so hih emprise.
Therfore a Prince him scholde avise, (4450*)
Er that he felle in such riote, P. iii. 235
And namely that he nassote
To change for the wommanhede
The worthinesse of his manhede.

Nota de doctrina Aristotilis, qualiter Princeps, vt animi sui iocunditatem prouocet, mulieres formosas crebro aspicere debet. Caueat tamen, ne mens voluptuosa torpescens ex carnis fragilitate in vicium dilabatur.

Of Aristotle I have wel rad,
Hou he to Alisandre bad,
That forto gladen his corage
He schal beholde the visage 4260
Of wommen, whan that thei ben faire.
Bot yit he set an essamplaire,
His bodi so to guide and reule,
That he ne passe noght the reule,
Wherof that he himself beguile.
For in the womman is no guile
Of that a man himself bewhapeth;
Whan he his oghne wit bejapeth,
I can the wommen wel excuse:
Bot what man wole upon hem muse 4270
After the fool impression
Of his ymaginacioun,
Withinne himself the fyr he bloweth,
Wherof the womman nothing knoweth,

4239 firste (ferst &c.) H₁ ... B₂, W fist(e) M, Ad 4245 hihe (hye) AJC, S, F hih B 4262 set A, S, F sette C, B 4266 wommen AM ... B₂, W 4269 womman J, AdBT, W

LIBER SEPTIMUS

So mai sche nothing be to wyte.　　　[THE FIFTH POINT OF
For if a man himself excite　　　　　　POLICY. CHASTITY.]
To drenche, and wol it noght forbere,
The water schal no blame bere.
What mai the gold, thogh men coveite?
If that a man wol love streite,　　　　4280
The womman hath him nothing bounde;
If he his oghne herte wounde,
Sche mai noght lette the folie;　　P. iii. 236
And thogh so felle of compainie
That he myht eny thing pourchace,
Yit makth a man the ferste chace,
The womman fleth and he poursuieth:
So that be weie of skile it suieth,
The man is cause, hou so befalle,
That he fulofte sithe is falle　　　　4290
Wher that he mai noght wel aryse.
And natheles ful manye wise
Befoled have hemself er this,
As nou adaies yit it is
Among the men and evere was,
The stronge is fieblest in this cas.
It sit a man be weie of kinde
To love, bot it is noght kinde
A man for love his wit to lese:
For if the Monthe of Juil schal frese　　4300
And that Decembre schal ben hot,
The yeer mistorneth, wel I wot.　　　(4500*)
To sen a man fro his astat
Thurgh his sotie effeminat,
And leve that a man schal do,
It is as Hose above the Scho,
To man which oghte noght ben used.
Bot yit the world hath ofte accused
Ful grete Princes of this dede,
Hou thei for love hemself mislede,　　4310
Wherof manhode stod behinde,
Of olde ensamples as I finde.

4277 it om. AdBTΔ (ins. S)　　4312 I] men S... Δ

[EVIL EXAMPLE OF SARDANAPALUS.]

Hic ponit exemplum qualiter, pro eo quod Sardana Pallus Assiriorum Princeps muliebri oblectamento effeminatus sue concupiscencie torporem quasi ex consuetudine adhibebat, a Barbaro Rege Medorum super hoc insidiante in sui feruoris maiori voluptate subitis mutacionibus extinctus est.

These olde gestes tellen thus,   P. iii. 237
That whilom Sardana Pallus,
Which hield al hol in his empire
The grete kingdom of Assire,
Was thurgh the slouthe of his corage
Falle into thilke fyri rage
Of love, which the men assoteth,
Wherof himself he so rioteth,   4320
And wax so ferforth womannyssh,
That ayein kinde, as if a fissh
Abide wolde upon the lond,
In wommen such a lust he fond,
That he duelte evere in chambre stille,
And only wroghte after the wille
Of wommen, so as he was bede,
That selden whanne in other stede
If that he wolde wenden oute,
To sen hou that it stod aboute.   4330
Bot ther he keste and there he pleide,
Thei tawhten him a Las to breide,
And weve a Pours, and to enfile
A Perle: and fell that ilke while,
On Barbarus the Prince of Mede
Sih hou this king in wommanhede
Was falle fro chivalerie,
And gat him help and compaignie,
And wroghte so, that ate laste
This king out of his regne he caste,   4340
Which was undon for everemo:
And yit men speken of him so,
That it is schame forto hiere.   P. iii. 238
  Forthi to love is in manere.
King David hadde many a love,
Bot natheles alwey above
Knyhthode he kepte in such a wise,
That for no fleisshli covoitise

[DAVID.]

Nota qualiter Dauid amans mulieres propter hoc probitatem Armorum non minus excercuit.

4314 Sardanapallus E, Δ, W   4316 *marg.* Sardanapallus ER, Δ, W
4317 *marg.* mulieri A . . . B₂ (*except* E)   4321 waxþ (waxeþ, wexeþ)
A . . . B₂, Δ, W   4322 *marg.* voluptati H₁ . . . B₂   4331 þer as . . .
þer as AM   4336 how þat þe king AMLB₂   how þe k. H₁ . . . C

LIBER SEPTIMUS 357

Of lust to ligge in ladi armes   [DAVID.]
He lefte noght the lust of armes.   4350
For where a Prince hise lustes suieth,
That he the werre noght poursuieth,   (4550*)
Whan it is time to ben armed,
His contre stant fulofte harmed,
Whan thenemis ben woxe bolde,
That thei defence non beholde.
Ful many a lond hath so be lore,
As men mai rede of time afore
Of hem that so here eses soghten,
Which after thei full diere aboghten.   4360

To mochel ese is nothing worth,   [CYRUS AND THE
For that set every vice forth   LYDIANS.]
And every vertu put abak,   Hic loquitur quali-
Wherof priss torneth into lak,   ter regnum lasciuie
As in Cronique I mai reherse: voluptatibus deditum
                                        de facili vincitur. Et
Which telleth hou the king of Perse,   ponit exemplum de
That Cirus hihte, a werre hadde   Ciro Rege Persarum,
Ayein a poeple which he dradde,   qui cum Liddos mire
                                        probitatis strenuissi-
Of a contre which Liddos hihte;   mos sibique in bello
Bot yit for oght that he do mihte   aduersantes nullo mo-
                                4370 do vincere potuit,
As in bataille upon the werre,   cum ipsis tandem pa-
He hadde of hem alwey the werre.   cis tractatum dissimi-
                                       lans concordiam fina-
                                        lem stabiliri finxit. Su-
And whan he sih and wiste it wel,   P. iii. 239 per quo Liddi postea
That he be strengthe wan no del,   per aliquod tempus
                                        armis insoliti sub pa-
Thanne ate laste he caste a wyle   cis torpore voluptati-
This worthi poeple to beguile,   bus intendebant: quod
And tok with hem a feigned pes,   Cirus percipiens in
                                        eos armatus subito
Which scholde lasten endeles,   irruit, ipsosque inde-
                                        fencibiles vincens sub
So as he seide in wordes wise,   imperio tributarios
Bot he thoghte al in other wise.   4380 subiugauit.
For it betidd upon the cas,
Whan that this poeple in reste was,
Thei token eses manyfold;
And worldes ese, as it is told,

4357 many JC, SB   manye A, F   4362 that] it AM ... B₂
4365 *margin* viuatur AM   vincit W   4367 *margin* mirum H₁ ... B₂
4372 *marg.* stabilire A ... B₂   4375 *marg.* tempore B₂, BT   4378
marg. indefenbiles F   4381 betidd S, F   betidde AC, B   be tid J

[CYRUS AND THE LYDIANS.]

Be weie of kinde is the norrice
Of every lust which toucheth vice.
Thus whan thei were in lustes falle,
The werres ben foryeten alle;
Was non which wolde the worschipe
Of Armes, bot in idelschipe   4390
Thei putten besinesse aweie
And token hem to daunce and pleie;
Bot most above alle othre thinges
Thei token hem to the likinges
Of fleysshly lust, that chastete
Received was in no degre,
Bot every man doth what him liste.
And whan the king of Perse it wiste,
That thei unto folie entenden,
With his pouer, whan thei lest wenden,   4400
Mor sodeinly than doth the thunder
He cam, for evere and put hem under. (4600*)
And thus hath lecherie lore   P. iii. 240
The lond, which hadde be tofore
The beste of hem that were tho.

[THE COUNSEL OF BALAAM.]

And in the bible I finde also
A tale lich unto this thing,
Hou Amalech the paien king,
Whan that he myhte be no weie
Defende his lond and putte aweie   4410
The worthi poeple of Irael,
This Sarazin, as it befell,
Thurgh the conseil of Balaam
A route of faire wommen nam,
That lusti were and yonge of Age,
And bad hem gon to the lignage
Of these Hebreus: and forth thei wente
With yhen greye and browes bente
And wel arraied everych on;
And whan thei come were anon   4420

Nota hic qualiter fata bellica luxus infortunat. Et narrat quod cum Rex Amalech Hebreis sibi insultantibus resistere nequiit, consilio Balaam mulieres regni sui pulcherrimas in castra Hebreorum misit; qui ab ipsis contaminati graciam statim amiserunt. Et sic ab Amalech deuicti in magna multitudine gladio ceciderunt.

4395 fleyssly F   4402 put AJ, S, F   putte C, B   4408 *margin* hic *om.* BT   4411 Irael (Irahel) J, S, FK   *rest* Israel   4415 of ʒong age B   4415 ff. *margin* contaminati—ceciderunt] contaminati sunt (*om.* graciam—ceciderunt) BT

Among thebreus, was non insihte,   [THE COUNSEL OF
Bot cacche who that cacche myhte,   BALAAM.]
And ech of hem hise lustes soghte,
Whiche after thei full diere boghte.
For grace anon began to faile,
That whan thei comen to bataille
Thanne afterward, in sori plit
Thei were take and disconfit,
So that withinne a litel throwe
The myht of hem was overthrowe,   4430
That whilom were wont to stonde.
Til Phinees the cause on honde
Hath take, this vengance laste,   P. iii. 241
Bot thanne it cessede ate laste,
For god was paid of that he dede:
For wher he fond upon a stede
A couple which misferde so,
Thurghout he smot hem bothe tuo,
And let hem ligge in mennes yhe;
Wherof alle othre whiche hem sihe   4440
Ensamplede hem upon the dede,
And preiden unto the godhiede
Here olde Sennes to amende:
And he, which wolde his mercy sende,
Restorede hem to newe grace.
   Thus mai it schewe in sondri place,
Of chastete hou the clennesse
Acordeth to the worthinesse
Of men of Armes overal;
Bot most of alle in special   4450
This vertu to a king belongeth,
For upon his fortune it hongeth   (4650*)
Of that his lond schal spede or spille.
Forthi bot if a king his wille
Fro lustes of his fleissh restreigne,
Ayein himself he makth a treigne,
Into the which if that he slyde,
Him were betre go besyde.
For every man mai understonde,

4424 aboughte MH₁GE, AdBΔ   4435 god *om.* A

  Hou for a time that it stonde,   4460
It is a sori lust to lyke,
Whos ende makth a man to syke
And torneth joies into sorwe.
The brihte Sonne be the morwe
Beschyneth noght the derke nyht,
The lusti youthe of mannes myht,
In Age bot it stonde wel,
Mistorneth al the laste whiel.

[EVIL EXAMPLE OF SOLOMON.]

Hic loquitur qualiter Principum irregulata voluptas eos a semita recta multociens deuiare compellit. Et narrat exemplum de Salomone, qui ex sue carnis concupiscencia victus mulierum blandimentis in sui scandalum deos alienos colere presumebat.

  That every worthi Prince is holde
Withinne himself himself beholde,   4470
To se the stat of his persone,
And thenke hou ther be joies none
Upon this Erthe mad to laste,
And hou the fleissh schal ate laste
The lustes of this lif forsake,
Him oghte a gret ensample take
Of Salomon, whos appetit
Was holy set upon delit,
To take of wommen the plesance :
So that upon his ignorance   4480
The wyde world merveileth yit,
That he, which alle mennes wit
In thilke time hath overpassed,
With fleisshly lustes was so tassed,
That he which ladde under the lawe
The poeple of god, himself withdrawe
He hath fro god in such a wise,
That he worschipe and sacrifise
For sondri love in sondri stede
Unto the false goddes dede.   4490
This was the wise ecclesiaste,
The fame of whom schal evere laste,
That he the myhti god forsok,
Ayein the lawe whanne he tok
Hise wyves and hise concubines
Of hem that weren Sarazines,
For whiche he dede ydolatrie.

4471 þastat (þe astate) AdBT   4492 of which B *om.* Ad

LIBER SEPTIMUS 361

For this I rede of his sotie: [Evil Example of
  Sche of Sidoyne so him ladde, Solomon.]
That he knelende hise armes spradde 4500 De filia Regis Ci-
To Astrathen with gret humblesse, donie.
Which of hire lond was the goddesse: (4700*)
  And sche that was a Moabite De filia Regis Moab.
So ferforth made him to delite
Thurgh lust, which al his wit devoureth,
That he Chamos hire god honoureth.
  An other Amonyte also De filia Regis A-
With love him hath assoted so, mon.
Hire god Moloch that with encense
He sacreth, and doth reverence 4510
In such a wise as sche him bad.
Thus was the wiseste overlad
With blinde lustes whiche he soghte;
Bot he it afterward aboghte.
  For Achias Selonites, [Division of his
Which was prophete, er his decess, Kingdom.]
Whil he was in hise lustes alle,   Nota hic qualiter
Betokneth what schal after falle. Achias propheta, in
For on a day, whan that he mette signum quod regnum
Jeroboam the knyht, he grette 4520 post mortem Salomo-
And bad him that he scholde abyde, nis ob eius peccatum
To hiere what him schal betyde. a suo herede diminu-
And forth withal Achias caste P. iii. 244 eretur, pallium suum
His mantell of, and also faste in xii. partes scidit,
He kut it into pieces twelve, vnde x. partes Ieroboe
Wherof tuo partz toward himselve filio Nabal, qui regnat-
He kepte, and al the remenant, urus postea successit,
As god hath set his covenant, precepto dei tribuit.
He tok unto Jeroboas,
Of Nabal which the Sone was 4530
And of the kinges court a knyht:
And seide him, 'Such is goddes myht,
As thou hast sen departed hiere
Mi mantell, riht in such manere
After the deth of Salomon
God hath ordeigned therupon,

4525 kut (kutt) AJC, S, F   cutte B   4526 toward] vnto AdBT

CONFESSIO AMANTIS

[DIVISION OF HIS KINGDOM.]

This regne thanne he schal divide:
Which time thou schalt ek abide,
And upon that division
The regne as in proporcion 4540
As thou hast of mi mantell take,
Thou schalt receive, I undertake.
And thus the Sone schal abie
The lustes and the lecherie
Of him which nou his fader is.'
 So forto taken hiede of this,
It sit a king wel to be chaste,
For elles he mai lihtly waste
Himself and ek his regne bothe,
And that oghte every king to lothe. 4550
O, which a Senne violent,
Wherof so wys a king was schent, (4750*)
That the vengance in his persone   **P. iii. 245**
Was noght ynouh to take al one,
Bot afterward, whan he was passed,
It hath his heritage lassed,
As I more openli tofore
The tale tolde. And thus therfore

Aristotiles. O Alexander, super omnia consulo, conserua tibi calorem naturalem.

The Philosophre upon this thing
Writ and conseileth to a king, 4560
That he the surfet of luxure
Schal tempre and reule of such mesure,
Which be to kinde sufficant
And ek to reson acordant,
So that the lustes ignorance
Be cause of no misgovernance,
Thurgh which that he be overthrowe,
As he that wol no reson knowe.
For bot a mannes wit be swerved,
Whan kinde is dueliche served, 4570
It oghte of reson to suffise;
For if it falle him otherwise,
He mai tho lustes sore drede.

4557 f. As more ... is told AdB   As more ... tolde T   4559
margin Aristotiles *om.* B   4572 fille H₁ ... B₂   fulle AM
4573 tho] þe H₁ ... B₂, AdΔ, W

LIBER SEPTIMUS

    For of Anthonie thus I rede,   [ANTONIUS.]
Which of Severus was the Sone,   De voluptuoso An-
That he his lif of comun wone   tonio.
Yaf holy unto thilke vice,
And ofte time he was so nyce,
Wherof nature hire hath compleigned
Unto the god, which hath desdeigned   4580
The werkes whiche Antonie wroghte
Of lust, whiche he ful sore aboghte :
For god his forfet hath so wroke   P. iii. 246
That in Cronique it is yit spoke.
Bot forto take remembrance
Of special misgovernance
Thurgh covoitise and injustice
Forth with the remenant of vice,
And nameliche of lecherie,
I finde write a gret partie   4590
Withinne a tale, as thou schalt hiere,
Which is thensample of this matiere.

    So as these olde gestes sein,   [TARQUIN AND HIS
The proude tirannyssh Romein   SON ARUNS.]
Tarquinus, which was thanne king   Hic loquitur de Tar-
And wroghte many a wrongful thing,   quino nuper Rome Im-
Of Sones hadde manyon,   peratore, necnon et de
Among the whiche Arrons was on,   eiusdem filio nomine
Lich to his fader of maneres ;   Arrons, qui omni vici-
                                                 orum varietate repleti
So that withinne a fewe yeres   tam in homines quam
With tresoun and with tirannie   4600   in mulieres innumera
                                                  scelera perpetrarunt :
Thei wonne of lond a gret partie,   set specialiter super
                                    (4800*)   hiis que contra Gabi-
And token hiede of no justice,   nos fraudulenter ope-
Which due was to here office   rati sunt tractare in-
Upon the reule of governance ;   tendit.
Bot al that evere was plesance
Unto the fleisshes lust thei toke.
And fell so, that thei undertoke
A werre, which was noght achieved,

4574 Anthonie AJ, F   Antonie S   antoigne B   4581 Antonie S
Anthonie A   Antoine J, B, F   4595 *margin* nuper Rome] rome
nuper BT   nup*er* A   *om.* M

[TARQUIN AND HIS SON ARUNS.]

Bot ofte time it hadde hem grieved, 4610
Ayein a folk which thanne hihte
The Gabiens: and al be nyhte
This Arrons, whan he was at hom
In Rome, a prive place he nom
Withinne a chambre, and bet himselve
And made him woundes ten or tuelve
Upon the bak, as it was sene;
And so forth with hise hurtes grene
In al the haste that he may
He rod, and cam that other day 4620
Unto Gabie the Cite,
And in he wente: and whan that he
Was knowe, anon the gates schette,
The lordes alle upon him sette
With drawe swerdes upon honde.
This Arrons wolde hem noght withstonde,
Bot seide, 'I am hier at your wille,
Als lief it is that ye me spille,
As if myn oghne fader dede.'
And forthwith in the same stede 4630
He preide hem that thei wolde se,
And schewede hem in what degre
His fader and hise brethren bothe,
Whiche, as he seide, weren wrothe,
Him hadde beten and reviled,
For evere and out of Rome exiled.
And thus he made hem to believe,
And seide, if that he myhte achieve
His pourpos, it schal wel be yolde,
Be so that thei him helpe wolde. 4640
Whan that the lordes hadde sein
Hou wofully he was besein,
Thei token Pite of his grief;
Bot yit it was hem wonder lief
That Rome him hadde exiled so.
These Gabiens be conseil tho
Upon the goddes made him swere,

4610 he hadde AM... B2   4611 a] þe LB2, Δ   om. AM, T   4628 ye me] I me AdBT   4641 Whan þe lordes AM   4646 The B2, AdBT

LIBER SEPTIMUS

That he to hem schal trouthe bere
And strengthen hem with al his myht;
And thei also him have behiht 4650
To helpen him in his querele.
Thei schopen thanne for his hele (4850*)
That he was bathed and enoignt,
Til that he was in lusti point;
And what he wolde thanne he hadde,
That he al hol the cite ladde
Riht as he wolde himself divise.
And thanne he thoghte him in what wise
He myhte his tirannie schewe;
And to his conseil tok a schrewe, 4660
Whom to his fader forth he sente
In his message, and he tho wente,
And preide his fader forto seie
Be his avis, and finde a weie,
Hou they the cite myhten winne,
Whil that he stod so wel therinne.
And whan the messager was come
To Rome, and hath in conseil nome
The king, it fell per chance so
That thei were in a gardin tho, 4670
This messager forth with the king.
And whanne he hadde told the thing
In what manere that it stod, P. iii. 249
And that Tarquinus understod
Be the message hou that it ferde,
Anon he tok in honde a yerde,
And in the gardin as thei gon,
The lilie croppes on and on,
Wher that thei weren sprongen oute,
He smot of, as thei stode aboute, 4680
And seide unto the messager:
'Lo, this thing, which I do nou hier,
Schal ben in stede of thin ansuere;
And in this wise as I me bere,
Thou schalt unto mi Sone telle.'
And he no lengere wolde duelle,

_{4662 þo he AdBT}

[Tarquin and his son Aruns.]

[TARQUIN AND HIS
SON ARUNS.]

Bot tok his leve and goth withal
Unto his lord, and told him al,
Hou that his fader hadde do.
Whan Arrons herde him telle so, 4690
Anon he wiste what it mente,
And therto sette al his entente,
Til he thurgh fraude and tricherie
The Princes hefdes of Gabie
Hath smiten of, and al was wonne:
His fader cam tofore the Sonne
Into the toun with the Romeins,
And tok and slowh the citezeins
Withoute reson or pite,
That he ne spareth no degre. 4700
And for the sped of this conqueste
He let do make a riche feste (4900*)
With a sollempne Sacrifise P. iii. 250
In Phebus temple; and in this wise
Whan the Romeins assembled were,
In presence of hem alle there,
Upon thalter whan al was diht
And that the fyres were alyht,
From under thalter sodeinly
An hidous Serpent openly 4710
Cam out and hath devoured al
The Sacrifice, and ek withal
The fyres queynt, and forth anon,
So as he cam, so is he gon
Into the depe ground ayein.
And every man began to sein,
'Ha lord, what mai this signefie?'
And therupon thei preie and crie
To Phebus, that thei mihten knowe
The cause: and he the same throwe 4720
With gastly vois, that alle it herde,
The Romeins in this wise ansuerde,
And seide hou for the wikkidnesse
Of Pride and of unrihtwisnesse,
That Tarquin and his Sone hath do,

4688 told C, SB, F   tolde A

LIBER SEPTIMUS

The Sacrifice is wasted so,   [Tarquin and his
Which myhte noght ben acceptable   son Aruns.]
Upon such Senne abhominable.
And over that yit he hem wisseth,
And seith that which of hem ferst kisseth   4730
His moder, he schal take wrieche
Upon the wrong : and of that speche
Thei ben withinne here hertes glade,   P. iii. 251
Thogh thei outward no semblant made.
Ther was a knyht which Brutus hihte,
And he with al the haste he myhte
To grounde fell and therthe kiste,
Bot non of hem the cause wiste,
Bot wenden that he hadde sporned
Per chance, and so was overtorned.   4740
Bot Brutus al an other mente ;
For he knew wel in his entente
Hou therthe of every mannes kinde
Is Moder : bot thei weren blinde,
And sihen noght so fer as he.
Bot whan thei leften the Cite
And comen hom to Rome ayein,
Thanne every man which was Romein
And moder hath, to hire he bende
And keste, and ech of hem thus wende   4750
To be the ferste upon the chance,
Of Tarquin forto do vengance,   (4950*)
So as thei herden Phebus sein.

Bot every time hath his certein,   [The Rape of
So moste it nedes thanne abide,   Lucrece.]
Til afterward upon a tyde
Tarquinus made unskilfully   Hic narrat quod.
A werre, which was fasteby   cum Tarquinus in ob-
Ayein a toun with walles stronge   sidione Ciuitatis Ar-
Which Ardea was cleped longe,   4760 intentus fuit, Arrons
And caste a Siege theraboute,   filius eius Romam se-
That ther mai noman passen oute.   Collatini hospitatus
                                              est ; vbi de nocte illam

4737 ground F   therthe] þer he AdBT   þere (þer) H₁YXGERC, Λ
4746 the] þat S . . . Δ   4754 *Paragraph in MSS. at* 4757

[THE RAPE OF LUCRECE.]

castissimam dominam Lucreciam ymaginata fraude vi oppressit: vnde illa pre dolore mortua, ipse cum Tarquino patre suo tota conclamante Roma in perpetuum exilium delegati sunt.

So it befell upon a nyht,   P. iii. 252
Arrons, which hadde his souper diht,
A part of the chivalerie
With him to soupe in compaignie
Hath bede: and whan thei comen were
And seten at the souper there,
Among here othre wordes glade
Arrons a gret spekinge made,   4770
Who hadde tho the beste wif
Of Rome: and ther began a strif,
For Arrons seith he hath the beste.
So jangle thei withoute reste,
Til ate laste on Collatin,
A worthi knyht, and was cousin
To Arrons, seide him in this wise:
'It is,' quod he, 'of non emprise
To speke a word, bot of the dede,
Therof it is to taken hiede.   4780
Anon forthi this same tyde
Lep on thin hors and let ous ryde:
So mai we knowe bothe tuo
Unwarli what oure wyves do,
And that schal be a trewe assay.'
This Arrons seith noght ones nay:
On horse bak anon thei lepte
In such manere, and nothing slepte,
Ridende forth til that thei come
Al prively withinne Rome;   4790
In strange place and doun thei lihte,
And take a chambre, and out of sihte
Thei be desguised for a throwe,   P. iii. 253
So that no lif hem scholde knowe.
And to the paleis ferst thei soghte,
To se what thing this ladi wroghte
Of which Arrons made his avant:
And thei hire sihe of glad semblant,
Al full of merthes and of bordes;
Bot among alle hire othre wordes   4800

4772 ther] þus B   4780 Wher of (Wherof) AdBT, K   4795 the *om.* A   4796 þis ladyes B   þeis ladis Ad   þise lady (s *erased*) T

LIBER SEPTIMUS

[THE RAPE OF LUCRECE.]

Sche spak noght of hire housebonde.
And whan thei hadde al understonde (5000*)
Of thilke place what hem liste,
Thei gon hem forth, that non it wiste,
Beside thilke gate of bras,
Collacea which cleped was,
Wher Collatin hath his duellinge.
Ther founden thei at hom sittinge
Lucrece his wif, al environed
With wommen, whiche are abandoned 4810
To werche, and sche wroghte ek withal,
And bad hem haste, and seith, 'It schal
Be for mi housebondes were,
Which with his swerd and with his spere
Lith at the Siege in gret desese.
And if it scholde him noght displese,
Nou wolde god I hadde him hiere;
For certes til that I mai hiere
Som good tidinge of his astat,
Min herte is evere upon debat. 4820
For so as alle men witnesse,
He is of such an hardiesse,
That he can noght himselve spare, P. iii. 254
And that is al my moste care,
Whan thei the walles schulle assaile.
Bot if mi wisshes myhte availe,
I wolde it were a groundles pet,
Be so the Siege were unknet,
And I myn housebonde sihe.'
With that the water in hire yhe 4830
Aros, that sche ne myhte it stoppe,
And as men sen the dew bedroppe
The leves and the floures eke,
Riht so upon hire whyte cheke
The wofull salte teres felle.
Whan Collatin hath herd hire telle
The menynge of hire trewe herte,

4803 him AXGCR 4810 were X, AdBT 4812 seide B
4814 swerd] schield (shelde) H1, B 4825 schulde (scholde) M,
AdBT 4832 dewe droppe AM, W
** B b

[THE RAPE OF LUCRECE.]

Anon with that to hire he sterte,
And seide, 'Lo, mi goode diere,
Nou is he come to you hiere,   4840
That ye most loven, as ye sein.'
And sche with goodly chiere ayein
Beclipte him in hire armes smale,
And the colour, which erst was pale,
To Beaute thanne was restored,
So that it myhte noght be mored.
    The kinges Sone, which was nyh,
And of this lady herde and syh
The thinges as thei ben befalle,
The resoun of hise wittes alle   4850
Hath lost; for love upon his part
Cam thanne, and of his fyri dart   (5050*)
With such a wounde him hath thurghsmite, **P. iii. 255**
That he mot nedes fiele and wite
Of thilke blinde maladie,
To which no cure of Surgerie
Can helpe. Bot yit natheles
At thilke time he hield his pes,
That he no contienance made,
Bot openly with wordes glade,   4860
So as he couthe in his manere,
He spak and made frendly chiere,
Til it was time forto go.
And Collatin with him also
His leve tok, so that be nyhte
With al the haste that thei myhte
Thei riden to the Siege ayein.
Bot Arrons was so wo besein
With thoghtes whiche upon him runne,
That he al be the brode Sunne   4870
To bedde goth, noght forto reste,
Bot forto thenke upon the beste
And the faireste forth withal,
That evere he syh or evere schal,
So as him thoghte in his corage,
Where he pourtreieth hire ymage:
Ferst the fetures of hir face,

LIBER SEPTIMUS

[THE RAPE OF LUCRECE.]

In which nature hadde alle grace
Of wommanly beaute beset,
So that it myhte noght be bet;   4880
And hou hir yelwe her was tresced
And hire atir so wel adresced,
And hou sche spak, and hou sche wroghte,   P. iii. 256
And hou sche wepte, al this he thoghte,
That he foryeten hath no del,
Bot al it liketh him so wel,
That in the word nor in the dede
Hire lacketh noght of wommanhiede.
And thus this tirannysshe knyht
Was soupled, bot noght half ariht,   4890
For he non other hiede tok,
Bot that he myhte be som crok,
Althogh it were ayein hire wille,
The lustes of his fleissh fulfille;
Which love was noght resonable,
For where honour is remuable,
It oghte wel to ben avised.
Bot he, which hath his lust assised
With melled love and tirannie,
Hath founde upon his tricherie   4900
A weie which he thenkth to holde,
And seith, 'Fortune unto the bolde   (5100*) Audaces fortuna iuuat.
Is favorable forto helpe.'
And thus withinne himself to yelpe,
As he which was a wylde man,
Upon his treson he began:
And up he sterte, and forth he wente
On horsebak, bot his entente
Ther knew no wiht, and thus he nam
The nexte weie, til he cam   4910
Unto Collacea the gate
Of Rome, and it was somdiel late,
Riht evene upon the Sonne set,   P. iii. 257
As he which hadde schape his net
Hire innocence to betrappe.

4880 let GEC, AdBT   4881 hir *om.* B   her (e) H₁XR   4886 liked SAdBT   4887 in the dede] in dede AMXLB₂   4914 And he AdBT

[THE RAPE OF LUCRECE.]

And as it scholde tho mishappe,
Als priveliche as evere he myhte
He rod, and of his hors alyhte
Tofore Collatines In,
And al frendliche he goth him in, 4920
As he that was cousin of house.
And sche, which is the goode spouse,
Lucrece, whan that sche him sih,
With goodli chiere drowh him nyh,
As sche which al honour supposeth,
And him, so as sche dar, opposeth
Hou it stod of hire housebonde.
And he tho dede hire understonde
With tales feigned in his wise,
Riht as he wolde himself devise, 4930
Wherof he myhte hire herte glade,
That sche the betre chiere made,
Whan sche the glade wordes herde,
Hou that hire housebonde ferde.
And thus the trouthe was deceived
With slih tresoun, which was received
To hire which mente alle goode ;
For as the festes thanne stode,
His Souper was ryht wel arraied.
Bot yit he hath no word assaied 4940
To speke of love in no degre ;
Bot with covert soubtilite
His frendly speches he affaiteth, **P. iii. 258**
And as the Tigre his time awaiteth
In hope forto cacche his preie.
Whan that the bordes were aweie
And thei have souped in the halle,
He seith that slep is on him falle,
And preith he moste go to bedde ;
And sche with alle haste spedde, 4950
So as hire thoghte it was to done,
That every thing was redi sone. (5150*)
Sche broghte him to his chambre tho

4918 he lighte AdBT   4920 he *om.* AdBT   4929 þis wise AdBT   4940 he *om.* AM   4944 the *om.* AM a H₁

And tok hire leve, and forth is go
Into hire oghne chambre by,
As sche that wende certeinly
Have had a frend, and hadde a fo,
Wherof fell after mochel wo.
This tirant, thogh he lyhc softe,
Out of his bed aros fulofte, 4960
And goth aboute, and leide his Ere
To herkne, til that alle were
To bedde gon and slepten faste.
And thanne upon himself he caste
A mantell, and his swerd al naked
He tok in honde; and sche unwaked
Abedde lay, but what sche mette,
God wot; for he the Dore unschette
So prively that non it herde,
The softe pas and forth he ferde 4970
Unto the bed wher that sche slepte,
Al sodeinliche and in he crepte,
And hire in bothe his Armes tok. **P. iii. 259**
With that this worthi wif awok,
Which thurgh tendresce of wommanhiede
Hire vois hath lost for pure drede,
That o word speke sche ne dar:
And ek he bad hir to be war,
For if sche made noise or cry,
He seide, his swerd lay faste by 4980
To slen hire and hire folk aboute.
And thus he broghte hire herte in doute,
That lich a Lomb whanne it is sesed
In wolves mouth, so was desesed
Lucrece, which he naked fond:
Wherof sche swounede in his hond,
And, as who seith, lay ded oppressed.
And he, which al him hadde adresced
To lust, tok thanne what him liste,
And goth his wey, that non it wiste, 4990
Into his oghne chambre ayein,
And clepede up his chamberlein,

4971 In to AdBT

[THE RAPE OF LUCRECE.]

[THE RAPE OF LUCRECE.]

And made him redi forto ryde.
And thus this lecherouse pride
To horse lepte and forth he rod;
And sche, which in hire bed abod,
Whan that sche wiste he was agon,
Sche clepede after liht anon
And up aros long er the day,
And caste awey hire freissh aray,   5000
As sche which hath the world forsake,
And tok upon the clothes blake: (5200*)
And evere upon continuinge,   **P. iii. 260**
Riht as men sen a welle springe,
With yhen fulle of wofull teres,
Hire her hangende aboute hire Eres,
Sche wepte, and noman wiste why.
Bot yit among full pitously
Sche preide that thei nolden drecche
Hire housebonde forto fecche   5010
Forth with hire fader ek also.
   Thus be thei comen bothe tuo,
And Brutus cam with Collatin,
Which to Lucrece was cousin,
And in thei wenten alle thre
To chambre, wher thei myhten se
The wofulleste upon this Molde,
Which wepte as sche to water scholde.
The chambre Dore anon was stoke,
Er thei have oght unto hire spoke;   5020
Thei sihe hire clothes al desguised,
And hou sche hath hirself despised,
Hire her hangende unkemd aboute,
Bot natheles sche gan to loute
And knele unto hire housebonde;
And he, which fain wolde understonde
The cause why sche ferde so,
With softe wordes axeth tho,
'What mai you be, mi goode swete?'
And sche, which thoghte hirself unmete   5030
And the lest worth of wommen alle,
Hire wofull chiere let doun falle

LIBER SEPTIMUS

[THE RAPE OF LUCRECE.]

For schame and couthe unnethes loke. **P. iii. 261**
And thei therof good hiede toke,
And preiden hire in alle weie
That sche ne spare forto seie
Unto hir frendes what hire eileth,
Why sche so sore hirself beweileth,
And what the sothe wolde mene.
And sche, which hath hire sorwes grene,   5040
Hire wo to telle thanne assaieth,
Bot tendre schame hire word delaieth,
That sondri times as sche minte
To speke, upon the point sche stinte.
And thei hire bidden evere in on
To telle forth, and therupon,
Whan that sche sih sche moste nede,
Hire tale betwen schame and drede
Sche tolde, noght withoute peine.
And he, which wolde hire wo restreigne,   5050
Hire housebonde, a sory man,
Conforteth hire al that he can,   (5250*)
And swor, and ek hire fader bothe,
That thei with hire be noght wrothe
Of that is don ayein hire wille;
And preiden hire to be stille,
For thei to hire have al foryive.
Bot sche, which thoghte noght to live,
Of hem wol no foryivenesse,
And seide, of thilke wickednesse   5060
Which was unto hire bodi wroght,
Al were it so sche myhte it noght,
Nevere afterward the world ne schal **P. iii. 262**
Reproeven hire; and forth withal,
Er eny man therof be war,
A naked swerd, the which sche bar
Withinne hire Mantel priveli,
Betwen hire hondes sodeinly
Sche tok, and thurgh hire herte it throng,
And fell to grounde, and evere among,   5070
Whan that sche fell, so as sche myhte,

5043 f. minte ... stinte J, SB, F   mente ... stente AEC

[THE RAPE OF LUCRECE.]

 Hire clothes with hire hand sche rihte,
That noman dounward fro the kne
Scholde eny thing of hire se:
Thus lay this wif honestely,
Althogh she deide wofully.
 Tho was no sorwe forto seke:
Hire housebonde, hire fader eke
Aswoune upon the bodi felle;
Ther mai no mannes tunge telle   5080
In which anguisshe that thei were.
Bot Brutus, which was with hem there,
Toward himself his herte kepte,
And to Lucrece anon he lepte,
The blodi swerd and pulleth oute,
And swor the goddes al aboute
That he therof schal do vengance.
And sche tho made a contienance,
Hire dedlich yhe and ate laste
In thonkinge as it were up caste,   5090
And so behield him in the wise,
Whil sche to loke mai suffise.
And Brutus with a manlich herte   P. iii. 263
Hire housebonde hath mad up sterte
Forth with hire fader ek also
In alle haste, and seide hem tho
That thei anon withoute lette
A Beere for the body fette;
Lucrece and therupon bledende
He leide, and so forth out criende   5100
He goth into the Market place
Of Rome: and in a litel space   (5300*)
Thurgh cry the cite was assembled,
And every mannes herte is trembled,
Whan thei the sothe herde of the cas.
And therupon the conseil was
Take of the grete and of the smale,
And Brutus tolde hem al the tale;
And thus cam into remembrance

   5101 vnto X ... B2   5104 mannes herte trembled H1 ... B2, W
manne herte trembled AM

LIBER SEPTIMUS

Of Senne the continuance, 5110 [THE RAPE OF
Which Arrons hadde do tofore, LUCRECE.]
And ek, long time er he was bore,
Of that his fadre hadde do
The wrong cam into place tho;
So that the comun clamour tolde
The newe schame of Sennes olde.
And al the toun began to crie,
'Awey, awey the tirannie
Of lecherie and covoitise!'
And ate laste in such a wise 5120
The fader in the same while
Forth with his Sone thei exile,
And taken betre governance. P. iii. 264
Bot yit an other remembrance
That rihtwisnesse and lecherie
Acorden noght in compaignie
With him that hath the lawe on honde,
That mai a man wel understonde,
As be a tale thou shalt wite,
Of olde ensample as it is write. 5130

At Rome whan that Apius, [TALE OF VIRGINIA.]
Whos other name is Claudius,
Was governour of the cite, Hic ponit exemplum
Ther fell a wonder thing to se super eodem, qualiter
Touchende a gentil Maide, as thus, Liuius Virginius dux
Whom Livius Virginius excercitus Romano-
Begeten hadde upon his wif: rum vnicam filiam pul-
Men seiden that so fair a lif cherimam habens cum
As sche was noght in al the toun. quodam nobili viro
This fame, which goth up and doun, 5140 nomine Ilicio, vt ip-
To Claudius cam in his Ere, sam in vxorem duce-
Wherof his thoght anon was there, ret, finaliter concorda-
Which al his herte hath set afyre, uit. Set interim Ap-
That he began the flour desire ius Claudius tunc Im-
Which longeth unto maydenhede, perator virginis formo-
 sitatem, vt eam vio-
 laret, concupiscens,
 occasiones quibus ma-
 trimonium impedire,
 ipsamque ad sui vsum
 apprehendere posset,

5113 fadre S, F   fader AJC, B   5130 olde ensample C, F   old
(oold) ensample AJ, B   olde ensamples SΔ   5133 *margin* super
eodem *om.* B   5135 and þus FWKMagd   5140 *margin* tunc
om. BT

[TALE OF VIRGINIA.] subdola conspiracione fieri coniectauit. Et cum propositum sui desiderii productis falsis testibus in iudicio Imperator habere debuisset, pater tunc ibidem presens extracto gladio filie sue pectus mortali vulnere per medium transfodit, dicens: 'Malo michi de filia mea virginem habere mortuam, quam in suis candalum meretricem reseruare viuentem.'

And sende, if that he myhte spede
The blinde lustes of his wille.
Bot that thing mai he noght fulfille,
For sche stod upon Mariage ;
A worthi kniht of gret lignage, 5150
Ilicius which thanne hihte,
Acorded in hire fader sihte (5350*)
Was, that he scholde his douhter wedde. **P. iii. 265**
Bot er the cause fully spedde,
Hire fader, which in Romanie
The ledinge of chivalerie
In governance hath undertake,
Upon a werre which was take
Goth out with al the strengthe he hadde
Of men of Armes whiche he ladde: 5160
So was the mariage left,
And stod upon acord til eft.
  The king, which herde telle of this,
Hou that this Maide ordeigned is
To Mariage, thoghte an other.
And hadde thilke time a brother,
Which Marchus Claudius was hote,
And was a man of such riote
Riht as the king himselve was:
Thei tuo togedre upon this cas 5170
In conseil founden out this weie,
That Marchus Claudius schal seie
Hou sche be weie of covenant
To his service appourtenant
Was hol, and to non other man ;
And therupon he seith he can
In every point witnesse take,
So that sche schal it noght forsake.
Whan that thei hadden schape so,
After the lawe which was tho, 5180
Whil that hir fader was absent,
Sche was somouned and assent
To come in presence of the king **P. iii. 266**

5161 þis Mariage SBTΔ   5171 þe weie GB₂, S . . . Δ   5182 somou*n*ed (*or* som*m*oned) AJ, F   somoned C, SB

LIBER SEPTIMUS

And stonde in ansuere of this thing. [TALE OF VIRGINIA.]
Hire frendes wisten alle wel
That it was falshed everydel,
And comen to the king and seiden,
Upon the comun lawe and preiden,
So as this noble worthi knyht
Hir fader for the comun riht 5190
In thilke time, as was befalle,
Lai for the profit of hem alle
Upon the wylde feldes armed,
That he ne scholde noght ben harmed
Ne schamed, whil that he were oute;
And thus thei preiden al aboute.
For al the clamour that he herde,
The king upon his lust ansuerde,
And yaf hem only daies tuo
Of respit; for he wende tho, 5200
That in so schorte a time appiere
Hire fader mihte in no manere. (5400*)
Bot as therof he was deceived;
For Livius hadde al conceived
The pourpos of the king tofore,
So that to Rome ayein therfore
In alle haste he cam ridende,
And lefte upon the field liggende
His host, til that he come ayein.
And thus this worthi capitein 5210
Appiereth redi at his day,
Wher al that evere reson may
Be lawe in audience he doth, **P. iii. 267**
So that his dowhter upon soth
Of that Marchus hire hadde accused
He hath tofore the court excused.
　The king, which sih his pourpos faile,
And that no sleihte mihte availe,
Encombred of his lustes blinde
The lawe torneth out of kinde, 5220

5184 stood (stode) H₁ ... B₂   stante W   5201 schorte J, S, F
schort AC, B   5206 And þoughte to be þer þerfore H₁ ... B₂
5220 torned AM ... B₂

[TALE OF VIRGINIA.]

And half in wraththe as thogh it were,
In presence of hem alle there
Deceived of concupiscence
Yaf for his brother the sentence,
And bad him that he scholde sese
This Maide and make him wel at ese;
Bot al withinne his oghne entente
He wiste hou that the cause wente,
Of that his brother hath the wyte
He was himselven forto wyte.   5230
Bot thus this maiden hadde wrong,
Which was upon the king along,
Bot ayein him was non Appel,
And that the fader wiste wel:
Wherof upon the tirannie,
That for the lust of Lecherie
His douhter scholde be deceived,
And that Ilicius was weyved
Untrewly fro the Mariage,
Riht as a Leon in his rage,   5240
Which of no drede set acompte
And not what pite scholde amounte,
A naked swerd he pulleth oute,   P. iii. 268
The which amonges al the route
He threste thurgh his dowhter side,
And al alowd this word he cride:
'Lo, take hire ther, thou wrongfull king,
For me is levere upon this thing
To be the fader of a Maide,
Thogh sche be ded, than if men saide   5250
That in hir lif sche were schamed
And I therof were evele named.'   (5450*)
 Tho bad the king men scholde areste
His bodi, bot of thilke heste,
Lich to the chaced wylde bor,
The houndes whan he fieleth sor,
Tothroweth and goth forth his weie,
In such a wise forto seie

5239 fro] for J, AdBT   5247 take (taake) AC, S, F   tak J, B
5251 aschamed ALM, Δ

LIBER SEPTIMUS

This worthi kniht with swerd on honde [TALE OF VIRGINIA.]
His weie made, and thei him wonde, 5260
That non of hem his strokes kepte ;
And thus upon his hors he lepte,
And with his swerd droppende of blod,
The which withinne his douhter stod,
He cam ther as the pouer was
Of Rome, and tolde hem al the cas,
And seide hem that thei myhten liere
Upon the wrong of his matiere,
That betre it were to redresce
At hom the grete unrihtwisnesse, 5270
Than forto werre in strange place
And lese at hom here oghne grace.
For thus stant every mannes lif   P. iii. 269
In jeupartie for his wif
Or for his dowhter, if thei be
Passende an other of beaute.
  Of this merveile which thei sihe
So apparant tofore here yhe,
Of that the king him hath misbore,
Here othes thei have alle swore 5280
That thei wol stonde be the riht.
And thus of on acord upriht
To Rome at ones hom ayein
Thei torne, and schortly forto sein,
This tirannye cam to mouthe,
And every man seith what he couthe,
So that the prive tricherie,
Which set was upon lecherie,
Cam openly to mannes Ere ;
And that broghte in the comun feere, 5290
That every man the peril dradde
Of him that so hem overladde.
Forthi, er that it worse falle,
Thurgh comun conseil of hem alle

5263 Al with... of blood T Al wiþ ... al blod B Wiþ ... al
blode Ad   5267 seide AJ, SB seid F   5268 þis AMB₂
5275 And for AdBT Or of W   5279 haþ him AM, W   5293
ffor þey B

[Tale of Virginia.]

Thei have here wrongfull king deposed,
And hem in whom it was supposed
The conseil stod of his ledinge
Be lawe unto the dom thei bringe,
Wher thei receiven the penance
That longeth to such governance. 5300
And thus thunchaste was chastised,
Wherof thei myhte ben avised (5500*)
That scholden afterward governe, P. iii. 270
And be this evidence lerne,
Hou it is good a king eschuie
The lust of vice and vertu suie.

[Tobias and Sara.]

Hic inter alia castitatis regimen concernencia loquitur quomodo Matrimonium, cuius status Sacramentum, quasi continenciam equiperans, eciam honeste delectacionis regimine moderari debet. Et narrat in exemplum, qualiter pro eo quod illi vii.^tem viri, qui Sarre Raguelis filie magis propter concupiscenciam quam propter matrimonium voluptuose nupserunt, vnus post alium omnes prima nocte a demone Asmodeo singillatim iugulati interierunt.

To make an ende in this partie,
Which toucheth to the Policie
Of Chastite in special,
As for conclusion final 5310
That every lust is to eschue
Be gret ensample I mai argue:
Hou in Rages a toun of Mede
Ther was a Mayde, and as I rede,
Sarra sche hihte, and Raguel
Hir fader was; and so befell,
Of bodi bothe and of visage
Was non so fair of the lignage,
To seche among hem alle, as sche;
Wherof the riche of the cite, 5320
Of lusti folk that couden love,
Assoted were upon hire love,
And asken hire forto wedde.
On was which ate laste spedde,
Bot that was more for likinge,
To have his lust, than for weddinge,
As he withinne his herte caste,
Which him repenteth ate laste.
For so it fell the ferste nyht,
That whanne he was to bedde dyht, 5330
As he which nothing god besecheth
Bot al only hise lustes secheth,

5327 withinne] which in AdBT

LIBER SEPTIMUS

Abedde er he was fully warm P. iii. 271 [TOBIAS AND SARA.]
And wolde have take hire in his Arm,
Asmod, which was a fend of helle,
And serveth, as the bokes telle,
To tempte a man of such a wise,
Was redy there, and thilke emprise,
Which he hath set upon delit,
He vengeth thanne in such a plit, 5340
That he his necke hath writhe atuo.
This yonge wif was sory tho,
Which wiste nothing what it mente;
And natheles yit thus it wente
Noght only of this ferste man,
Bot after, riht as he began,
Sexe othre of hire housebondes
Asmod hath take into hise bondes,
So that thei alle abedde deiden,
Whan thei her hand toward hir leiden, 5350
Noght for the lawe of Mariage,
Bot for that ilke fyri rage (5550*)
In which that thei the lawe excede:
For who that wolde taken hiede
What after fell in this matiere,
Ther mihte he wel the sothe hiere.
Whan sche was wedded to Thobie,
And Raphael in compainie
Hath tawht him hou to ben honeste,
Asmod wan noght at thilke feste, 5360
And yit Thobie his wille hadde;
For he his lust so goodly ladde,
That bothe lawe and kinde is served, P. iii. 272
Wherof he hath himself preserved,
That he fell noght in the sentence.
O which an open evidence
Of this ensample a man mai se,
That whan likinge in the degre

5336 serued B 5337 in such CRB₂ 5341 wriþe AJC, SB
wriþ F 5345 of] for AdBT 5348 hise bondes J, S, FK
his hondes H₁ . . . B₂, AdTBΔ, WMagd hondes (*om.* his) AM
5366 Of which AdBT, W O such H₁

[CHASTITY.]

Of Mariage mai forsueie,
Wel oghte him thanne in other weie 5370
Of lust to be the betre avised.
For god the lawes hath assissed
Als wel to reson as to kinde,
Bot he the bestes wolde binde
Only to lawes of nature,
Bot to the mannes creature
God yaf him reson forth withal,
Wherof that he nature schal
Upon the causes modefie,

Nota.
That he schal do no lecherie, 5380
And yit he schal hise lustes have.
So ben the lawes bothe save
And every thing put out of sclandre;
As whilom to king Alisandre
The wise Philosophre tawhte,
Whan he his ferste lore cawhte,
Noght only upon chastete,
Bot upon alle honestete;
Wherof a king himself mai taste,
Hou trewe, hou large, hou joust, hou chaste 5390
Him oghte of reson forto be,
Forth with the vertu of Pite,
Thurgh which he mai gret thonk deserve **P. iii. 273**
Toward his godd, that he preserve
Him and his poeple in alle welthe
Of pes, richesse, honour and helthe
Hier in this world and elles eke.

Confessor.
Mi Sone, as we tofore spieke
In schrifte, so as thou me seidest,
And for thin ese, as thou me preidest, 5400
Thi love throghes forto lisse,
That I thee wolde telle and wisse (5600*)
The forme of Aristotles lore,
I have it seid, and somdiel more
Of othre ensamples, to assaie
If I thi peines myhte allaie

5379 cause AdBT   5380 *marg.* Nota A, F   *om.* C, B   5383 put AJ, SB   pit F   5388 honeste H₁ ... B₂, Δ, WK   5392 the *om.* AM

LIBER SEPTIMUS

    Thurgh eny thing that I can seie.   [CHASTITY.]
      Do wey, mi fader, I you preie :   Amans.
Of that ye have unto me told
I thonke you a thousendfold.   5410
The tales sounen in myn Ere,
Bot yit myn herte is elleswhere,
I mai miselve noght restreigne,
That I nam evere in loves peine :
Such lore couthe I nevere gete,
Which myhte make me foryete
O point, bot if so were I slepte,
That I my tydes ay ne kepte
To thenke of love and of his lawe ;
That herte can I noght withdrawe.   5420
Forthi, my goode fader diere,
Lef al and speke of my matiere
Touchende of love, as we begonne :   P. iii. 274
If that ther be oght overronne
Or oght foryete or left behinde
Which falleth unto loves kinde,
Wherof it nedeth to be schrive,
Nou axeth, so that whil I live
I myhte amende that is mys.
      Mi goode diere Sone, yis.   5430   Confessor
Thi schrifte forto make plein,
Ther is yit more forto sein
Of love which is unavised.
Bot for thou schalt be wel avised
Unto thi schrifte as it belongeth,
A point which upon love hongeth
And is the laste of alle tho,
I wol thee telle, and thanne ho.

       Explicit Liber Septimus.

5407 which I AdBT   5411 sounen F   5417 S *has lost two
leaves* (5417—viii. 336)   5422 al *om.* H₁ . . . B₂, AdBT   5426 in
to (into) AMB₂

Incipit Liber Octavus.

[LECHERY.]   i. *Que fauet ad vicium vetus hec modo regula confert,* **P. iii. 275**
Nec nouus econtra qui docet ordo placet.
Cecus amor dudum nondum sua lumina cepit,
Quo Venus impositum deuia fallit iter.

Postquam ad instanciam Amantis confessi Confessor Genius super hiis que Aristotiles Regem Alexandrum edocuit, vna cum aliarum Cronicarum exemplis seriose tractauit, iam vltimo in isto octauo volumine ad confessionem in amoris causa regrediens tractare proponit super hoc, quod nonnulli primordia nature ad libitum voluptuose consequentes, nullo humane racionis arbitrio seu ecclesie legum imposicione a suis excessibus debite refrenantur. Vnde quatenus amorem concernit Amantis conscienciam pro finali sue confessionis materia Genius rimari conatur.

THE myhti god, which unbegunne
Stant of himself and hath begunne
Alle othre thinges at his wille,
The hevene him liste to fulfille
Of alle joie, where as he
Sit inthronized in his See,
And hath hise Angles him to serve,
Suche as him liketh to preserve,
So that thei mowe noght forsueie:
Bot Lucifer he putte aweie,   10
With al the route apostazied
Of hem that ben to him allied,
Whiche out of hevene into the helle
From Angles into fendes felle;
Wher that ther is no joie of lyht,
Bot more derk than eny nyht
The peine schal ben endeles;   **P. iii. 276**
And yit of fyres natheles
Ther is plente, bot thei ben blake,
Wherof no syhte mai be take.   20
  Thus whan the thinges ben befalle,
That Luciferes court was falle
Wher dedly Pride hem hath conveied,
Anon forthwith it was pourveied
Thurgh him which alle thinges may;

13 the *om.* AM ... B₂, AdBTΔΛ, W

He made Adam the sexte day
In Paradis, and to his make
Him liketh Eve also to make,
And bad hem cresce and multiplie.   30
For of the mannes Progenie,
Which of the womman schal be bore,
The nombre of Angles which was lore,
Whan thei out fro the blisse felle,
He thoghte to restore, and felle
In hevene thilke holy place
Which stod tho voide upon his grace.
Bot as it is wel wiste and knowe,
Adam and Eve bot a throwe,
So as it scholde of hem betyde,
In Paradis at thilke tyde   40
Ne duelten, and the cause why,
Write in the bok of Genesi,
As who seith, alle men have herd,
Hou Raphael the fyri swerd
In honde tok and drof hem oute,
To gete here lyves fode aboute
Upon this wofull Erthe hiere.   P. iii. 277
Metodre seith to this matiere,
As he be revelacion
It hadde upon avision,   50
Hou that Adam and Eve also
Virgines comen bothe tuo
Into the world and were aschamed,
Til that nature hem hath reclamed
To love, and tauht hem thilke lore,
That ferst thei keste, and overmore
Thei don that is to kinde due,
Wherof thei hadden fair issue.
A Sone was the ferste of alle,
And Chain be name thei him calle;   60
Abel was after the secounde,
And in the geste as it is founde,
Nature so the cause ladde,

[THE ORIGIN OF MANKIND.]

37 wiste AJ, F   wist C, B   48 his A   60 Cham AJ
Chaym (Caym) H₁ ... B₂, AdBT, W

[LAWS OF MARRIAGE.]

Tuo douhtres ek Dame Eve hadde,
The ferste cleped Calmana
Was, and that other Delbora.
Thus was mankinde to beginne;
Forthi that time it was no Sinne
The Soster forto take hire brother,
Whan that ther was of chois non other: 70
To Chain was Calmana betake,
And Delboram hath Abel take,
In whom was gete natheles
Of worldes folk the ferste encres.
Men sein that nede hath no lawe,
And so it was be thilke dawe
And laste into the Secounde Age, P. iii. 278
Til that the grete water rage,
Of Noë which was seid the flod,
The world, which thanne in Senne stod, 80
Hath dreint, outake lyves Eyhte.
Tho was mankinde of litel weyhte;
Sem, Cham, Japhet, of these thre,
That ben the Sones of Noë,
The world of mannes nacion
Into multiplicacion
Was tho restored newe ayein
So ferforth, as the bokes sein,
That of hem thre and here issue
Ther was so large a retenue, 90
Of naciouns seventy and tuo;
In sondri place ech on of tho
The wyde world have enhabited.
Bot as nature hem hath excited,
Thei token thanne litel hiede,
The brother of the Sosterhiede
To wedde wyves, til it cam
Into the time of Habraham.
Whan the thridde Age was begunne,
The nede tho was overrunne, 100

71 Cham AJM   Chaym (Caym) H₁ ... B₂, AdBT, W   72 Delbora
H₁ ... B₂ (Debora E), Δ, W   77 into A, FW   vnto CLB₂, B   79
the *om.* A   98 Habraham J, FK   *rest* Abraham   100 was þo AML

For ther was poeple ynouh in londe : [LAWS OF MARRIAGE.]
Thanne ate ferste it cam to honde,
That Sosterhode of mariage
Was torned into cousinage,
So that after the rihte lyne
The Cousin weddeth the cousine.
For Habraham, er that he deide,   P. iii. 279
This charge upon his servant leide,
To him and in this wise spak,
That he his Sone Isaäc   110
Do wedde for no worldes good,
Bot only to his oghne blod :
Wherof this Servant, as he bad,
Whan he was ded, his Sone hath lad
To Bathuel, wher he Rebecke
Hath wedded with the whyte necke;
For sche, he wiste wel and syh,
Was to the child cousine nyh.

 And thus as Habraham hath tawht,
Whan Isaäc was god betawht,   120
His Sone Jacob dede also,
And of Laban the dowhtres tuo,
Which was his Em, he tok to wyve,
And gat upon hem in his lyve,
Of hire ferst which hihte Lie,
Sex Sones of his Progenie,
And of Rachel tuo Sones eke :
The remenant was forto seke,
That is to sein of foure mo,
Wherof he gat on Bala tuo,   130
And of Zelpha he hadde ek tweie.
And these tuelve, as I thee seie,
Thurgh providence of god himselve
Ben seid the Patriarkes tuelve ;
Of whom, as afterward befell,
The tribes tuelve of Irahel
Engendred were, and ben the same   P. iii. 280
That of Hebreus tho hadden name,
Which of Sibrede in alliance

136 tribus MH₁CB₂, TΔ, W Irahel (Irael) J, FK *rest* Israel

[LAWS OF MARRIAGE.]

For evere kepten thilke usance 140
Most comunly, til Crist was bore.
Bot afterward it was forbore
Amonges ous that ben baptized;
For of the lawe canonized
The Pope hath bede to the men,
That non schal wedden of his ken
Ne the seconde ne the thridde.
Bot thogh that holy cherche it bidde,
So to restreigne Mariage,
Ther ben yit upon loves Rage 150
Full manye of suche nou aday
That taken wher thei take may.
For love, which is unbesein
Of alle reson, as men sein,
Thurgh sotie and thurgh nycete,
Of his voluptuosite
He spareth no condicion
Of ken ne yit religion,
Bot as a cock among the Hennes,
Or as a Stalon in the Fennes, 160
Which goth amonges al the Stod,
Riht so can he nomore good,
Bot takth what thing comth next to honde.

Confessor.
    Mi Sone, thou schalt understonde,
That such delit is forto blame.
Forthi if thou hast be the same
To love in eny such manere, P. iii. 281
Tell forth therof and schrif thee hiere.

Amans.
    Mi fader, nay, god wot the sothe,
Mi feire is noght of such a bothe, 170
So wylde a man yit was I nevere,
That of mi ken or lief or levere
Me liste love in such a wise:
And ek I not for what emprise
I scholde assote upon a Nonne,
For thogh I hadde hir love wonne,
It myhte into no pris amonte,

145 bode H₁ ... B₂, AdBT   148 it *om.* GC, BΔ   170 in such AdBTΔ   177 I myhte AM

LIBER OCTAVUS

So therof sette I non acompte.   [LAWS OF MARRIAGE.]
Ye mai wel axe of this and that,
Bot sothli forto telle plat,   180
In al this world ther is bot on
The which myn herte hath overgon ;
I am toward alle othre fre.

  Full wel, mi Sone, nou I see
Thi word stant evere upon o place,   Confessor.
Bot yit therof thou hast a grace,
That thou thee myht so wel excuse
Of love such as som men use,
So as I spak of now tofore.
For al such time of love is lore,   190
And lich unto the bitterswete ;
For thogh it thenke a man ferst swete,
He schal wel fielen ate laste
That it is sour and may noght laste.
For as a morsell envenimed,
So hath such love his lust mistimed,
And grete ensamples manyon   P. iii. 282
A man mai finde therupon.

  At Rome ferst if we beginne,   [EXAMPLES OF INCEST.
Ther schal I finde hou of this sinne   200 CALIGULA.]
An Emperour was forto blame,
Gayus Caligula be name,
Which of his oghne Sostres thre
Berefte the virginite :
And whanne he hadde hem so forlein,
As he the which was al vilein,
He dede hem out of londe exile.
Bot afterward withinne a while
God hath beraft him in his ire
His lif and ek his large empire :   210
And thus for likinge of a throwe
For evere his lust was overthrowe.
  Of this sotie also I finde,

*Hic loquitur contra illos, quos Venus sui desiderii feruore inflammans ita incestuosos efficit, vt neque propriis Sororibus parcunt. Et narrat exemplum, qualiter pro eo quod Gayus Caligula tres sorores suas virgines coitu illicito opressit, deus tanti sceleris peccatum impune non ferens, ipsum non solum ab imperio set a vita iusticia vindice priuauit.
Narrat eciam aliud*

---

185 The AM, W   188 such AJ, B   suche F   205 so
om. AdBT   210 *margin* impune *om.* BT, W   inpunitu*m* E
212 *margin* priuauit] preliauit H1 . . . B2

[AMMON.]

exemplum super eodem, qualiter Amon filius Dauid fatui amoris concupiscencia preuentus, sororem suam Thamar a sue virginitatis pudicicia inuitam deflorauit, propter quod et ipse a fratre suo Absolon postea interfectus, peccatum sue mortis precio inuitus redemit.

[LOT AND HIS DAUGHTERS.]

Hic narrat, qualiter Loth duas filias suas ipsis consencientibus carnali copula cognouit, duosque ex eis filios, scilicet Moab et Amon, progenuit, quorum postea generacio praua et exasperans contra populum dei in terra saltim promissionis vario grauamine quam sepius insultabat.

Confessor.

Amon his Soster ayein kinde,
Which hihte Thamar, he forlay;
Bot he that lust an other day
Aboghte, whan that Absolon
His oghne brother therupon,
Of that he hadde his Soster schent,
Tok of that Senne vengement   220
And slowh him with his oghne hond:
And thus thunkinde unkinde fond.

And forto se more of this thing,
The bible makth a knowleching,
Wherof thou miht take evidence
Upon the sothe experience.
Whan Lothes wif was overgon   P. iii. 283
And schape into the salte Ston,
As it is spoke into this day,
Be bothe hise dowhtres thanne he lay,   230
With childe and made hem bothe grete,
Til that nature hem wolde lete,
And so the cause aboute ladde
That ech of hem a Sone hadde,
Moab the ferste, and the seconde
Amon, of whiche, as it is founde,
Cam afterward to gret encres
Tuo nacions: and natheles,
For that the stockes were ungoode,
The branches mihten noght be goode;   240
For of the false Moabites
Forth with the strengthe of Amonites,
Of that thei weren ferst misgete,
The poeple of god was ofte upsete
In Irahel and in Judee,
As in the bible a man mai se.
Lo thus, my Sone, as I thee seie,
Thou miht thiselve be beseie
Of that thou hast of othre herd:

228 vnto MCL, BT   231 and made] he made AM...B2, AdTB   237 gret AC, B   grete F   239 not (nought) goode AM...B2, AdBT   245 Irahel *as in* l. 136

LIBER OCTAVUS

For evere yit it hath so ferd, 250 [INCEST.]
Of loves lust if so befalle
That it in other place falle
Than it is of the lawe set,
He which his love hath so beset
Mote afterward repente him sore.
And every man is othres lore;
Of that befell in time er this   P. iii. 284
The present time which now is
May ben enformed hou it stod,
And take that him thenketh good, 260
And leve that which is noght so.
Bot forto loke of time go,
Hou lust of love excedeth lawe,
It oghte forto be withdrawe;
For every man it scholde drede,
And nameliche in his Sibrede,
Which torneth ofte to vengance:
Wherof a tale in remembrance,
Which is a long process to hiere,
I thenke forto tellen hiere. 270

ii. *Omnibus est communis amor, set et immoderatos*   [APOLLONIUS OF
    Qui facit excessus, non reputatur amans.   TYRE.]
    Sors tamen vnde Venus attractat corda, videre
    Que racionis erunt, non racione sinit.

Of a Cronique in daies gon,   Hic loquitur adhuc
The which is cleped Pantheon,   contra incestuosos a-
In loves cause I rede thus,   mantum coitus. Et
Hou that the grete Antiochus,   narrat mirabile exem-
Of whom that Antioche tok   plum de magno Rege
His ferste name, as seith the bok,   Antiocho, qui vxore
Was coupled to a noble queene,   mortua propriam fili-
And hadde a dowhter hem betwene: am violauit: et quia
Bot such fortune cam to honde,   filie Matrimonium pe-
That deth, which no king mai withstonde, 280   nes alios impedire vo-
Bot every lif it mote obeie,   luit, tale ab eo exiit
This worthi queene tok aweie.   edictum, quod si quis
                                                         eam in vxorem pete-
                                                         ret, nisi ipse prius quod-
                                                         dam problema ques-
                                                         tionis, quam ipse Rex
                                                         proposuerat, veraciter

257 And þat AdBT   262 ago AM … B2, AdBTΔ   280 *margin*
ipse prius FK, *om*. A … B2, BT   (*Lat. om.* AdΔ, W)

[APOLLONIUS OF TYRE.]
solueret, capitali sentencia puniretur. Super quo veniens tandem discretus iuuenis princeps Tyri Appolinus questionem soluit; nec tamen filiam habere potuit, set Rex indignatus ipsum propter hoc in mortis odium recollegit. Vnde Appolinus a facie Regis fugiens, quamplura, prout inferius intitulantur, propter amorem pericla passus est.

The king, which made mochel mone, **P. iii. 285**
Tho stod, as who seith, al him one
Withoute wif, bot natheles
His doghter, which was piereles
Of beaute, duelte aboute him stille.
Bot whanne a man hath welthe at wille,
The fleissh is frele and falleth ofte,
And that this maide tendre and softe, 290
Which in hire fadres chambres duelte,
Withinne a time wiste and felte:
For likinge and concupiscence
Withoute insihte of conscience
The fader so with lustes blente,
That he caste al his hole entente
His oghne doghter forto spille.
This king hath leisir at his wille
With strengthe, and whanne he time sih,
This yonge maiden he forlih: 300
And sche was tendre and full of drede,
Sche couthe noght hir Maidenhede
Defende, and thus sche hath forlore
The flour which sche hath longe bore.
It helpeth noght althogh sche wepe,
For thei that scholde hir bodi kepe
Of wommen were absent as thanne;
And thus this maiden goth to manne,
The wylde fader thus devoureth
His oghne fleissh, which non socoureth, 310
And that was cause of mochel care.
Bot after this unkinde fare
Out of the chambre goth the king, **P. iii. 286**
And sche lay stille, and of this thing,
Withinne hirself such sorghe made,
Ther was no wiht that mihte hir glade,
For feere of thilke horrible vice.
With that cam inne the Norrice
Which fro childhode hire hadde kept,

291 chambre (chamber) MH₁XEC, AdBTΔ, WK   293 and] of AM ... B₂, AdBT   298 The king H₁ ... B₂, AdBT   310 which *om.* B

And axeth if sche hadde slept, 320 [APOLLONIUS OF
And why hire chiere was unglad. TYRE.]
Bot sche, which hath ben overlad
Of that sche myhte noght be wreke,
For schame couthe unethes speke;
And natheles mercy sche preide
With wepende yhe and thus sche seide:
'Helas, mi Soster, waileway,
That evere I sih this ilke day!
Thing which mi bodi ferst begat
Into this world, onliche that 330
Mi worldes worschipe hath bereft.'
With that sche swouneth now and eft,
And evere wissheth after deth,
So that welnyh hire lacketh breth.
That other, which hire wordes herde,
In confortinge of hire ansuerde,
To lette hire fadres fol desir
Sche wiste no recoverir :
Whan thing is do, ther is no bote,
So suffren thei that suffre mote; 340
Ther was non other which it wiste.
Thus hath this king al that him liste
Of his likinge and his plesance, P. iii. 287
And laste in such continuance,
And such delit he tok therinne,
Him thoghte that it was no Sinne;
And sche dorste him nothing withseie.
 Bot fame, which goth every weie,
To sondry regnes al aboute
The grete beaute telleth oute 350
Of such a maide of hih parage:
So that for love of mariage
The worthi Princes come and sende,
As thei the whiche al honour wende,
And knewe nothing hou it stod.
The fader, whanne he understod,
That thei his dowhter thus besoghte,

337 S *resumes* 354 the *om.* AdBT, W 355 how þat
H₁ ... B₂, AdB

[APOLLONIUS OF TYRE.]

With al his wit he caste and thoghte
Hou that he myhte finde a lette;
And such a Statut thanne he sette,   360
And in this wise his lawe he taxeth,
That what man that his doghter axeth,
Bot if he couthe his question
Assoile upon suggestion
Of certein thinges that befelle,
The whiche he wolde unto him telle,
He scholde in certein lese his hed.
And thus ther weren manye ded,
Here hevedes stondende on the gate,
Till ate laste longe and late,   370
For lacke of ansuere in the wise,
The remenant that weren wise
Eschuieden to make assay.   P. iii. 288

De aduentu Appolini in Antiochiam, vbi ipse filiam Regis Antiochi in vxorem postulauit.

   Til it befell upon a day
Appolinus the Prince of Tyr,
Which hath to love a gret desir,
As he which in his hihe mod
Was likende of his hote blod,
A yong, a freissh, a lusti knyht,
As he lai musende on a nyht   380
Of the tidinges whiche he herde,
He thoghte assaie hou that it ferde.
He was with worthi compainie
Arraied, and with good navie
To schipe he goth, the wynd him dryveth,
And seileth, til that he arryveth:
Sauf in the port of Antioche
He londeth, and goth to aproche
The kinges Court and his presence.
Of every naturel science,   390
Which eny clerk him couthe teche,
He couthe ynowh, and in his speche
Of wordes he was eloquent;
And whanne he sih the king present,
He preith he moste his dowhter have.

358 soghte (soughte) A ... CB₂, SAdTB (In al wise he him be þowt Δ)   362 that *om.* BTΔ, W   371 þis wise EB₂, BΔ

LIBER OCTAVUS

The king ayein began to crave,   [APOLLONIUS OF
And tolde him the condicion,   TYRE.]
Hou ferst unto his question
He mote ansuere and faile noght,
Or with his heved it schal be boght :   400
And he him axeth what it was.
   The king declareth him the cas   *Questio Regis An-*
With sturne lok and sturdi chiere,   P. iii. 289 *tiochi.*
To him and seide in this manere :
'With felonie I am upbore,   *Scelere vehor, ma-*
I ete and have it noght forbore   *terna carne vescor,*
Mi modres fleissh, whos housebonde   *quero patrem meum,*
Mi fader forto seche I fonde,   *oris mee filium.*
Which is the Sone ek of my wif.
Hierof I am inquisitif ;   410
And who that can mi tale save,
Al quyt he schal my doghter have ;
Of his ansuere and if he faile,
He schal be ded withoute faile.
Forthi my Sone,' quod the king,
'Be wel avised of this thing,
Which hath thi lif in jeupartie.'
   Appolinus for his partie,   *Responsio Appol-*
Whan he this question hath herd,   *lini.*
Unto the king he hath ansuerd   420
And hath rehersed on and on
The pointz, and seide therupon :
'The question which thou hast spoke,
If thou wolt that it be unloke,
It toucheth al the privete
Betwen thin oghne child and thee,
And stant al hol upon you tuo.'
   The king was wonder sory tho,   *Indignacio Antiochi*
And thoghte, if that he seide it oute,   *super responsione Ap-*
Than were he schamed al aboute.   430 *polini.*
With slihe wordes and with felle
He seith, 'Mi Sone, I schal thee telle,

---

403 sturne F   sterne A, SB   lok] word B   416 of of F
419 this] ϸat AdBT   the B₂   428 *margin* Indignacio—Appolini
om. SΔ (*as also the marginal notes following down to* l. 1020)

CONFESSIO AMANTIS

[APOLLONIUS OF TYRE.]

Though that thou be of litel wit, P. iii. 290
It is no gret merveile as yit,
Thin age mai it noght suffise:
Bot loke wel thou noght despise
Thin oghne lif, for of my grace
Of thretty daies fulle a space
I grante thee, to ben avised.'

De recessu Appollini ab Antiochia.

And thus with leve and time assised 440
This yonge Prince forth he wente,
And understod wel what it mente,
Withinne his herte as he was lered,
That forto maken him afered
The king his time hath so deslaied.
Wherof he dradde and was esmaied,
Of treson that he deie scholde,
For he the king his sothe tolde;
And sodeinly the nyhtes tyde,
That more wolde he noght abide, 450
Al prively his barge he hente
And hom ayein to Tyr he wente:
And in his oghne wit he seide
For drede, if he the king bewreide,
He knew so wel the kinges herte,
That deth ne scholde he noght asterte,
The king him wolde so poursuie.
Bot he, that wolde his deth eschuie,
And knew al this tofor the hond,
Forsake he thoghte his oghne lond, 460
That there wolde he noght abyde;
For wel he knew that on som syde
This tirant of his felonie P. iii. 291
Be som manere of tricherie
To grieve his bodi wol noght leve.

De fuga Appolini per mare a Regno suo.

Forthi withoute take leve,
Als priveliche as evere he myhte,
He goth him to the See be nyhte
In Schipes that be whete laden:

443 his *om.* B   446 esmaied JEC, S, FK   amaied (amayed) AMH₁XGRLB₂, AdBT   dismaied Δ, W   462 tyde AMX, W
467 *margin* mare *om.* F   as evere he] as he H₁ ... B₂, Ad   as þey BT
469 In] Her(e) AdBTΛ   be] ben wiþ AdBTΔΛ, W

LIBER OCTAVUS

Here takel redy tho thei maden 470 [APOLLONIUS OF TYRE.]
And hale up Seil and forth thei fare.
Bot forto tellen of the care
That thei of Tyr begonne tho,
Whan that thei wiste he was ago,
It is a Pite forto hiere.
They losten lust, they losten chiere,
Thei toke upon hem such penaunce,
Ther was no song, ther was no daunce,
Bot every merthe and melodie
To hem was thanne a maladie; 480
For unlust of that aventure
Ther was noman which tok tonsure,
In doelful clothes thei hem clothe,
The bathes and the Stwes bothe
Thei schetten in be every weie;
There was no lif which leste pleie
Ne take of eny joie kepe,
Bot for here liege lord to wepe;
And every wyht seide as he couthe,
'Helas, the lusti flour of youthe, 490
Our Prince, oure heved, our governour,
Thurgh whom we stoden in honour,
Withoute the comun assent P. iii. 292
Thus sodeinliche is fro ous went!'
Such was the clamour of hem alle.
  Bot se we now what is befalle   Nota qualiter Thaliartus Miles, vt Appolinum veneno intoxicaret, ab Antiocho in Tyrum missus, ipso ibidem non inuento
Upon the ferste tale plein,
And torne we therto ayein.
Antiochus the grete Sire,
Which full of rancour and of ire 500 Antiochiam rediit.
His herte berth, so as ye herde,
Of that this Prince of Tyr ansuerde,
He hadde a feloun bacheler,
Which was his prive consailer,
And Taliart be name he hihte:

---

471 hale up] haleþ AM ... B2, AdBTΛ   483 deelful (deleful)
AML, W   deedful (dedful) H1 ... CB2, AdTΛ   dedly B   492
stonden B2, AdBTΔ, WK   496 *margin* Nota *om.* A ... B2, BT
(*Lat. om.* SAdΔ)   505 Taliart F   Thaliart AJ, SB

[APOLLONIUS OF
TYRE.]

The king a strong puison him dihte
Withinne a buiste and gold therto,
In alle haste and bad him go
Strawht unto Tyr, and for no cost
Ne spare he, til he hadde lost 510
The Prince which he wolde spille.
And whan the king hath seid his wille,
This Taliart in a Galeie
With alle haste he tok his weie :
The wynd was good, he saileth blyve,
Til he tok lond upon the ryve
Of Tyr, and forth with al anon
Into the Burgh he gan to gon,
And tok his In and bod a throwe.
Bot for he wolde noght be knowe, 520
Desguised thanne he goth him oute ;
He sih the wepinge al aboute,
And axeth what the cause was, P. iii. 293
And thei him tolden al the cas,
How sodeinli the Prince is go.
And whan he sih that it was so,
And that his labour was in vein,
Anon he torneth hom ayein,
And to the king, whan he cam nyh,
He tolde of that he herde and syh, 530
Hou that the Prince of Tyr is fled,
So was he come ayein unsped.
The king was sori for a while,
Bot whan he sih that with no wyle
He myhte achieve his crualte,
He stinte his wraththe and let him be.
    Bot over this now forto telle
Of aventures that befelle
Unto this Prince of whom I tolde,
He hath his rihte cours forth holde 540
Be Ston and nedle, til he cam
To Tharse, and there his lond he nam.
A Burgeis riche of gold and fee

Qualiter Appolinus in portu Tharsis applicuit, vbi in hospicio cuiusdam magni viri nomine Strangulionis hospitatus est.

507 box AM . . . B₂, AdBT   510 spare he FK *rest* spare
513 Taliart J, F   Thaliart A, SB   535 He] His F   539 which B

LIBER OCTAVUS

Was thilke time in that cite, [APOLLONIUS OF
Which cleped was Strangulio, TYRE.]
His wif was Dionise also:
This yonge Prince, as seith the bok,
With hem his herbergage tok;
And it befell that Cite so
Before time and thanne also, 550
Thurgh strong famyne which hem ladde
Was non that eny whete hadde.
Appolinus, whan that he herde   P. iii. 294
The meschief, hou the cite ferde,
Al freliche of his oghne yifte
His whete, among hem forto schifte,
The which be Schipe he hadde broght,
He yaf, and tok of hem riht noght.
Bot sithen ferst this world began,
Was nevere yit to such a man 560
Mor joie mad than thei him made:
For thei were alle of him so glade,
That thei for evere in remembrance
Made a figure in resemblance
Of him, and in the comun place
Thei sette him up, so that his face
Mihte every maner man beholde,
So as the cite was beholde;
It was of latoun overgilt:
Thus hath he noght his yifte spilt. 570
  Upon a time with his route   Qualiter Hellicanus
This lord to pleie goth him oute,   civis Tyri Tharsim ve-
And in his weie of Tyr he mette   niens Appolinum de
A man, the which on knees him grette, insidiis Antiochi pre-
And Hellican be name he hihte,   muniuit.
Which preide his lord to have insihte
Upon himself, and seide him thus,
Hou that the grete Antiochus

548 him H₁, AdBT   553 whan (when) AJC, B   whanne S, F
565 the *om.* AMH₁XRL, Ad   a B   566 him FWK   it ACLB₂, B
568 So as] So þat AM . . . B₂ (So as G)   571 a route AM . . .
B₂, AdBT   573 *margin* prenunciauit B preminuit M   574
the which on knees] which on his knees E, B which on knees
H₁XRLB₂, AdTΔ

[APOLLONIUS OF TYRE.]

Qualiter Appolinus portum Tharsis relinquens, cum ipse per mare nauigio securiorem quesiuit, superueniente tempestate nauis cum omnibus preter ipsum solum in eadem contentis iuxta Pentapolim periclitabatur.

Awaiteth if he mihte him spille.
That other thoghte and hield him stille, 580
And thonked him of his warnynge,
And bad him telle no tidinge,
Whan he to Tyr cam hom ayein,
That he in Tharse him hadde sein.

 Fortune hath evere be muable
And mai no while stonde stable:
For now it hiheth, now it loweth,
Now stant upriht, now overthroweth,
Now full of blisse and now of bale,
As in the tellinge of mi tale 590
Hierafterward a man mai liere,
Which is gret routhe forto hiere.
This lord, which wolde don his beste,
Withinne himself hath litel reste,
And thoghte he wolde his place change
And seche a contre more strange.
Of Tharsiens his leve anon
He tok, and is to Schipe gon:
His cours he nam with Seil updrawe,
Where as fortune doth the lawe, 600
And scheweth, as I schal reherse,
How sche was to this lord diverse,
The which upon the See sche ferketh.
The wynd aros, the weder derketh,
It blew and made such tempeste,
Non ancher mai the schip areste,
Which hath tobroken al his gere;
The Schipmen stode in such a feere,
Was non that myhte himself bestere,
Bot evere awaite upon the lere, 610
Whan that thei scholde drenche at ones.
Ther was ynowh withinne wones
Of wepinge and of sorghe tho;
This yonge king makth mochel wo
So forto se the Schip travaile:
Bot al that myhte him noght availe;

P. iii. 295

P. iii. 296

582 no] for no H₁E . . . B₂   590 As in telling(e) AM, AdT
ffor as in telling(e) H₁ . . . B₂   598 ygon B

LIBER OCTAVUS

The mast tobrak, the Seil torof,   [Apollonius of
The Schip upon the wawes drof,   Tyre.]
Til that thei sihe a londes cooste.
Tho made avou the leste and moste,   620
Be so thei myhten come alonde;
Bot he which hath the See on honde,
Neptunus, wolde noght acorde,
Bot altobroke cable and corde,
Er thei to londe myhte aproche,
The Schip toclef upon a roche,
And al goth doun into the depe.
Bot he that alle thing mai kepe
Unto this lord was merciable,
And broghte him sauf upon a table,   630
Which to the lond him hath upbore;
The remenant was al forlore,
Wherof he made mochel mone.

   Thus was this yonge lord him one,   Qualiter Appolinus
Al naked in a povere plit: nudus super litus iac-
His colour, which whilom was whyt,   tabatur, vbi quidam pis-
Was thanne of water fade and pale,   cator ipsum suo collo-
And ek he was so sore acale   bio vestiens ad vrbem
                                                  Pentapolim direxit.
That he wiste of himself no bote,
It halp him nothing forto mote   640
To gete ayein that he hath lore.
Bot sche which hath his deth forbore,
Fortune, thogh sche wol noght yelpe, **P**. iii. 297
Al sodeinly hath sent him helpe,
Whanne him thoghte alle grace aweie;
Ther cam a Fisshere in the weie,
And sih a man ther naked stonde,
And whan that he hath understonde
The cause, he hath of him gret routhe,
And onliche of his povere trouthe   650
Of suche clothes as he hadde
With gret Pite this lord he cladde.

620 avou (avow) A, B, F   a vow (a vou) J, S, K   624 altobroke
A, S, F   al tobroke C, B   al to broke J   633 Therof (Ther of)
A ... B₂, AdBT   Wherefore W   635 a *om.* AMR   636 was
whilom AM ... B₂, AdBT   was som tyme J

[APOLLONIUS OF TYRE.]

And he him thonketh as he scholde,
And seith him that it schal be yolde,
If evere he gete his stat ayein,
And preide that he wolde him sein
If nyh were eny toun for him.
He seide, 'Yee, Pentapolim,
Wher bothe king and queene duellen.'
Whanne he this tale herde tellen, 660
He gladeth him and gan beseche
That he the weie him wolde teche:
And he him taghte; and forth he wente
And preide god with good entente
To sende him joie after his sorwe.

Qualiter Appolino Pentapolim adueniente ludus Gignasii per vrbem publice proclamatus est.

It was noght passed yit Midmorwe,
Whan thiderward his weie he nam,
Wher sone upon the Non he cam.
He eet such as he myhte gete,
And forth anon, whan he hadde ete, 670
He goth to se the toun aboute,
And cam ther as he fond a route
Of yonge lusti men withalle; P. iii. 298
And as it scholde tho befalle,
That day was set of such assisse,
That thei scholde in the londes guise,
As he herde of the poeple seie,
Here comun game thanne pleie;
And crid was that thei scholden come
Unto the gamen alle and some 680
Of hem that ben delivere and wyhte,
To do such maistrie as thei myhte.
Thei made hem naked as thei scholde,
For so that ilke game wolde,
As it was tho custume and us,
Amonges hem was no refus:
The flour of al the toun was there
And of the court also ther were,
And that was in a large place

667 Than (Thanne) AM ... B2, AdBT afterward B 677 As
was herd AdBT 680 game MH1, AdBTΔ, W gamis X 685
As] And AM ... B2, AdBT tho] þe H1 ... B2, AdBT, WK om. Δ

LIBER OCTAVUS

Riht evene afore the kinges face,   690
Which Artestrathes thanne hihte.
The pley was pleid riht in his sihte,
And who most worthi was of dede
Receive he scholde a certein mede
And in the cite bere a pris.
  Appolinus, which war and wys
Of every game couthe an ende,
He thoghte assaie, hou so it wende,
And fell among hem into game:
And there he wan him such a name,   700
So as the king himself acompteth
That he alle othre men surmonteth,
And bar the pris above hem alle.   P. iii. 299
The king bad that into his halle
At Souper time he schal be broght;
And he cam thanne and lefte it noght,
Withoute compaignie al one:
Was non so semlich of persone,
Of visage and of limes bothe,
If that he hadde what to clothe.   710
At Soupertime natheles
The king amiddes al the pres
Let clepe him up among hem alle,
And bad his Mareschall of halle
To setten him in such degre
That he upon him myhte se.
The king was sone set and served,
And he, which hath his pris deserved
After the kinges oghne word,
Was mad beginne a Middel bord,   720
That bothe king and queene him sihe.
He sat and caste aboute his yhe
And sih the lordes in astat,
And with himself wax in debat
Thenkende what he hadde lore,

[APOLLONIUS OF TYRE.]   690

Qualiter Appolinus ludum gignasii vincens in aulam Regis ad cenam honorifice receptus est.

---

697 *margin* aula A ... B2, BT   705 schulde (scholde) AdBT, W   714 his Mareschal of h. J, S, FK   his Marchal of his h. AM ... CB2, BT   his marschal of the h. Δ, W   þe Marchal of his h. Ad   (ll. 704-714 *om.* L)   718 hadde B

[APOLLONIUS OF
 TYRE.]

*Qualiter Appolinus
in cena recumbens
nichil comedit, set doloroso vultu, submisso
capite, ingemiscebat;
qui tandem a filia
Regis confortatus cytharam plectens cunctis audientibus citharisando vltramodum
complacuit.*

And such a sorwe he tok therfore,
That he sat evere stille and thoghte,
As he which of no mete roghte.
The king behield his hevynesse,   730
And of his grete gentillesse
His doghter, which was fair and good
And ate bord before him stod,
As it was thilke time usage,   **P. iii. 300**
He bad to gon on his message
And fonde forto make him glad.
And sche dede as hire fader bad,
And goth to him the softe pas
And axeth whenne and what he was,
And preith he scholde his thoghtes leve.
He seith, 'Ma Dame, be your leve   740
Mi name is hote Appolinus,
And of mi richesse it is thus,
Upon the See I have it lore.
The contre wher as I was bore,
Wher that my lond is and mi rente,
I lefte at Tyr, whan that I wente:
The worschipe of this worldes aghte,
Unto the god ther I betaghte.'
And thus togedre as thei tuo speeke,
The teres runne be his cheeke.   750
The king, which therof tok good kepe,
Hath gret Pite to sen him wepe,
And for his doghter sende ayein,
And preide hir faire and gan to sein
That sche no lengere wolde drecche,
Bot that sche wolde anon forth fecche
Hire harpe and don al that sche can
To glade with that sory man.
And sche to don hir fader heste   760
Hir harpe fette, and in the feste
Upon a Chaier which thei fette
Hirself next to this man sche sette:

---

732 *margin* maxime ingemiscebat A . . . B₂, BT (*Latin om.* SAdΔ)
747 of þis worldes aghte J, SΔ, FWK   þer of (þerof) which I aughte
AM . . . B₂, AdBT   748 I þer(e) H₁ . . . B₂, AdBT

LIBER OCTAVUS

With harpe bothe and ek with mouthe **P. iii. 301** [APOLLONIUS OF TYRE.]
To him sche dede al that sche couthe
To make him chiere, and evere he siketh,
And sche him axeth hou him liketh.
'Ma dame, certes wel,' he seide,
'Bot if ye the mesure pleide
Which, if you list, I schal you liere,
It were a glad thing forto hiere.' 770
'Ha, lieve sire,' tho quod sche,
'Now tak the harpe and let me se
Of what mesure that ye mene.'
Tho preith the king, tho preith the queene,
Forth with the lordes alle arewe,
That he som merthe wolde schewe;
He takth the Harpe and in his wise
He tempreth, and of such assise
Singende he harpeth forth withal,
That as a vois celestial 780
Hem thoghte it souneth in here Ere,
As thogh that he an Angel were.
Thei gladen of his melodie,
Bot most of all the compainie
The kinges doghter, which it herde,
And thoghte ek hou that he ansuerde,
Whan that he was of hire opposed,
Withinne hir herte hath wel supposed
That he is of gret gentilesse.
Hise dedes ben therof witnesse 790
Forth with the wisdom of his lore;
It nedeth noght to seche more,
He myhte noght have such manere, **P. iii. 302**
Of gentil blod bot if he were.
Whanne he hath harped al his fille,
The kinges heste to fulfille,
Awey goth dissh, awey goth cuppe,
Doun goth the bord, the cloth was uppe,
Thei risen and gon out of halle.

772 taakþ (takeþ) AM   782 he] it AM...B₂, AdBT   786 hou that] of þat AH₁...B₂, AdBT þat M howe W   787 he was] it was H₁...B₂, AdBT

[APOLLONIUS OF
TYRE.]
Qualiter Appolinus
cum Rege pro filia
sua erudienda reten-
tus est.

> The king his chamberlein let calle, 800
> And bad that he be alle weie
> A chambre for this man pourveie,
> Which nyh his oghne chambre be.
> 'It schal be do, mi lord,' quod he.
> Appolinus of whom I mene
> Tho tok his leve of king and queene
> And of the worthi Maide also,
> Which preide unto hir fader tho,
> That sche myhte of that yonge man
> Of tho sciences whiche he can 810
> His lore have; and in this wise
> The king hir granteth his aprise,
> So that himself therto assente.
> Thus was acorded er thei wente,
> That he with al that evere he may
> This yonge faire freisshe May
> Of that he couthe scholde enforme;
> And full assented in this forme
> Thei token leve as for that nyht.

Qualiter filia Regis
Appolinum ornato ap-
paratu vestiri fecit, et
ipse ad puelle doctri-
nam in quampluribus
familiariter intende-
bat: vnde placata
puella in amorem
Appolini exardescens
infirmabatur.

> And whanne it was amorwe lyht, 820
> Unto this yonge man of Tyr
> Of clothes and of good atir
> With gold and Selver to despende   P. iii. 303
> This worthi yonge lady sende:
> And thus sche made him wel at ese,
> And he with al that he can plese
> Hire serveth wel and faire ayein.
> He tawhte hir til sche was certein
> Of Harpe, of Citole and of Rote,
> With many a tun and many a note 830
> Upon Musique, upon mesure,
> And of hire Harpe the temprure
> He tawhte hire ek, as he wel couthe.
> Bot as men sein that frele is youthe,
> With leisir and continuance
> This Mayde fell upon a chance,

809 that] þe H₁ ... B₂, AdBT   817 he scholde AdB   827
Hire] He AdBT   829 of Citole] citole B   and citole K   830 tun]
time X, B

That love hath mad him a querele [APOLLONIUS OF
Ayein hire youthe freissh and frele, TYRE.]
That malgre wher sche wole or noght,
Sche mot with al hire hertes thoght   840
To love and to his lawe obeie;
And that sche schal ful sore abeie.
For sche wot nevere what it is,
Bot evere among sche fieleth this:
Thenkende upon this man of Tyr,
Hire herte is hot as eny fyr,
And otherwhile it is acale;
Now is sche red, nou is sche pale
Riht after the condicion
Of hire ymaginacion;   850
Bot evere among hire thoghtes alle,
Sche thoghte, what so mai befalle,
Or that sche lawhe, or that sche wepe, **P. iii. 304**
Sche wolde hire goode name kepe
For feere of wommansshe schame.
Bot what in ernest and in game,
Sche stant for love in such a plit,
That sche hath lost al appetit
Of mete, of drinke, of nyhtes reste,
As sche that not what is the beste;   860
Bot forto thenken al hir fille
Sche hield hire ofte times stille
Withinne hir chambre, and goth noght oute:
The king was of hire lif in doute,
Which wiste nothing what it mente.

   Bot fell a time, as he out wente   Qualiter tres filii
To walke, of Princes Sones thre   Principum filiam Re-
Ther come and felle to his kne;   gis singillatim in vx-
                                            orem suis supplicacio-
And ech of hem in sondri wise   nibus postularunt.
Besoghte and profreth his servise,   870
So that he myhte his doghter have.
The king, which wolde his honour save,

839 wolde AdBT   845 Touching(e) AM ... B₂, AdBTΛ
852 may so AMR   856 and in game] what in game ME, B and
what in game CLB₂, AdT   859 and drinke MCL, BT of drinkyng W
860 that *om.* AMH₁   872 hir(e) honour AJH₁ ... L, AdBT

[APOLLONIUS OF
TYRE.]

Seith sche is siek, and of that speche
Tho was no time to beseche;
Bot ech of hem do make a bille
He bad, and wryte his oghne wille,
His name, his fader and his good;
And whan sche wiste hou that it stod,
And hadde here billes oversein,
Thei scholden have ansuere ayein. 880
Of this conseil thei weren glad,
And writen as the king hem bad,
And every man his oghne bok P. iii. 305
Into the kinges hond betok,
And he it to his dowhter sende,
And preide hir forto make an ende
And wryte ayein hire oghne hond,
Riht as sche in hire herte fond.

Qualiter filia Regis
omnibus aliis relictis
Appolinum in maritum
preelegit.

The billes weren wel received,
Bot sche hath alle here loves weyved, 890
And thoghte tho was time and space
To put hire in hir fader grace,
And wrot ayein and thus sche saide:
'The schame which is in a Maide
With speche dar noght ben unloke,
Bot in writinge it mai be spoke;
So wryte I to you, fader, thus:
Bot if I have Appolinus,
Of al this world, what so betyde,
I wol non other man abide. 900
And certes if I of him faile,
I wot riht wel withoute faile
Ye schull for me be dowhterles.'
This lettre cam, and ther was press
Tofore the king, ther as he stod;
And whan that he it understod,
He yaf hem ansuer by and by,
Bot that was do so prively,
That non of othres conseil wiste.
Thei toke her leve, and wher hem liste 910
Thei wente forth upon here weie.

875 to make AdBT 892 put AJ, S, F putte C, B

LIBER OCTAVUS

The king ne wolde noght bewreie
The conseil for no maner hihe,   P. iii. 306
Bot soffreth til he time sihe:
And whan that he to chambre is come,
He hath unto his conseil nome
This man of Tyr, and let him se
The lettre and al the privete,
The which his dowhter to him sente:
And he his kne to grounde bente   920
And thonketh him and hire also,
And er thei wenten thanne atuo,
With good herte and with good corage
Of full Love and full mariage
The king and he ben hol acorded.
And after, whanne it was recorded
Unto the dowhter hou it stod,
The yifte of al this worldes good
Ne scholde have mad hir half so blythe:
And forth withal the king als swithe,   930
For he wol have hire good assent,
Hath for the queene hir moder sent.
The queene is come, and whan sche herde
Of this matiere hou that it ferde,
Sche syh debat, sche syh desese,
Bot if sche wolde hir dowhter plese,
And is therto assented full.
Which is a dede wonderfull,
For noman knew the sothe cas
Bot he himself, what man he was;   940
And natheles, so as hem thoghte,
Hise dedes to the sothe wroghte
That he was come of gentil blod: P. iii. 307
Him lacketh noght bot worldes good,
And as therof is no despeir,
For sche schal ben hire fader heir,
And he was able to governe.
Thus wol thei noght the love werne
Of him and hire in none wise,

[APOLLONIUS OF TYRE.]
Qualiter Rex et Regina in maritagium filie sue cum Appolino consencierunt.

928 þe worldes A...B₂, AdT   946 fadres (faders) AM ... B₂
(except E), AdΔ

[APOLLONIUS OF TYRE.]

Qualiter Appolinus filie Regis nupsit, et prima nocte cum ea concubiens ipsam impregnauit.

Bot ther acorded thei divise 950
The day and time of Mariage.
Wher love is lord of the corage,
Him thenketh longe er that he spede;
Bot ate laste unto the dede
The time is come, and in her wise
With gret offrende and sacrifise
Thei wedde and make a riche feste,
And every thing which was honeste
Withinnen house and ek withoute
It was so don, that al aboute 960
Of gret worschipe, of gret noblesse
Ther cride many a man largesse
Unto the lordes hihe and loude;
The knyhtes that ben yonge and proude,
Thei jouste ferst and after daunce.
The day is go, the nyhtes chaunce
Hath derked al the bryhte Sonne;
This lord, which hath his love wonne,
Is go to bedde with his wif,
Wher as thei ladde a lusti lif, 970
And that was after somdel sene,
For as thei pleiden hem betwene,
Thei gete a child betwen hem tuo, P. iii. 308
To whom fell after mochel wo.

Qualiter Ambaciatores a Tyro in quadam naui Pentapolim venientes mortem Regis Antiochi Appolino nunciarunt.

Now have I told of the spousailes.
Bot forto speke of the mervailes
Whiche afterward to hem befelle,
It is a wonder forto telle.
It fell adai thei riden oute,
The king and queene and al the route, 980
To pleien hem upon the stronde,
Wher as thei sen toward the londe
A Schip sailende of gret array.
To knowe what it mene may,

950 *Paragraph here* F   ther] al (alle) AM . . . B₂, AdBT
958 which was] þat was W   was Ad   was riht AM . . . B₂, BT
961 and gret AMH₁E . . . B₂, BT   and of gret X   962 many man
AH₁EC, AdBT   many men X   970 lede B   975 spousales FK
979 adai (aday) J, F   a dai (a day) AC, SB

LIBER OCTAVUS

Til it be come thei abide; [APOLLONIUS OF
Than sen thei stonde on every side,   TYRE.]
Endlong the schipes bord to schewe,
Of Penonceals a riche rewe.
Thei axen when the schip is come:
Fro Tyr, anon ansuerde some,   990
And over this thei seiden more
The cause why thei comen fore
Was forto seche and forto finde
Appolinus, which was of kinde
Her liege lord: and he appiereth,
And of the tale which he hiereth
He was riht glad; for thei him tolde,
That for vengance, as god it wolde,
Antiochus, as men mai wite,
With thondre and lyhthnynge is forsmite; 1000
His doghter hath the same chaunce,
So be thei bothe in o balance.
'Forthi, oure liege lord, we seie   P. iii. 309
In name of al the lond, and preie,
That left al other thing to done,
It like you to come sone
And se youre oghne liege men
With othre that ben of youre ken,
That live in longinge and desir
Til ye be come ayein to Tyr.'   1010
This tale after the king it hadde
Pentapolim al overspradde,
Ther was no joie forto seche;
For every man it hadde in speche
And seiden alle of on acord,
'A worthi king schal ben oure lord:
That thoghte ous ferst an hevinesse
Is schape ous now to gret gladnesse.'
Thus goth the tidinge overal.
    Bot nede he mot, that nede schal: 1020 Qualiter Appolino
Appolinus his leve tok,   cum vxore sua impreg-
To god and al the lond betok   nata a Pentapoli ver-
                                               sus Tyrum nauiganti-

---

994 was FWK is A ... B₂, S ... Δ   1000 forto smyte AM
1009 liuen in AH₁ ... B₂, AdBTΔ

[APOLLONIUS OF TYRE.]

bus, contigit vxorem, mortis articulo angustiatam, in naui filiam, que postea Thaisis vocabatur, parere.

With al the poeple long and brod,
That he no lenger there abod.
The king and queene sorwe made,
Bot yit somdiel thei weren glade
Of such thing as thei herden tho:
And thus betwen the wel and wo
To schip he goth, his wif with childe,
The which was evere meke and mylde   1030
And wolde noght departe him fro,
Such love was betwen hem tuo.
Lichorida for hire office   P. iii. 310
Was take, which was a Norrice,
To wende with this yonge wif,
To whom was schape a woful lif.
Withinne a time, as it betidde,
Whan thei were in the See amidde,
Out of the North they sihe a cloude;
The storm aros, the wyndes loude   1040
Thei blewen many a dredful blast,
The welkne was al overcast,
The derke nyht the Sonne hath under,
Ther was a gret tempeste of thunder:
The Mone and ek the Sterres bothe
In blake cloudes thei hem clothe,
Wherof here brihte lok thei hyde.
This yonge ladi wepte and cride,
To whom no confort myhte availe;
Of childe sche began travaile,   1050
Wher sche lay in a Caban clos:
Hire woful lord fro hire aros,
And that was longe er eny morwe,
So that in anguisse and in sorwe
Sche was delivered al be nyhte
And ded in every mannes syhte;
Bot natheles for al this wo
A maide child was bore tho.

Qualiter Appolinus vxoris sue mortem planxit.

Appolinus whan he this knew,
For sorwe a swoune he overthrew,   1060

1024 lengerr F   1047 here (her) AC, SB   hire J, F   1056 deide AdBT   1060 a swoune JC, SB, F   aswoune A

That noman wiste in him no lif.
And whanne he wok, he seide, 'Ha, wif,
Mi lust, mi joie, my desir,
Mi welthe and my recoverir,
Why schal I live, and thou schalt dye?
Ha, thou fortune, I thee deffie,
Nou hast thou do to me thi werste.
Ha, herte, why ne wolt thou berste,
That forth with hire I myhte passe?
Mi peines weren wel the lasse.'   1070
In such wepinge and in such cry
His dede wif, which lay him by,
A thousand sithes he hire kiste;
Was nevere man that sih ne wiste
A sorwe unto his sorwe lich;
For evere among upon the lich
He fell swounende, as he that soghte
His oghne deth, which he besoghte
Unto the goddes alle above
With many a pitous word of love;   1080
Bot suche wordes as tho were
Yit herde nevere mannes Ere,
Bot only thilke whiche he seide.
The Maister Schipman cam and preide
With othre suche as be therinne,
And sein that he mai nothing winne
Ayein the deth, bot thei him rede,
He be wel war and tak hiede,
The See be weie of his nature
Receive mai no creature   1090
Withinne himself as forto holde,
The which is ded: forthi thei wolde,
As thei conseilen al aboute,
The dede body casten oute.
For betre it is, thei seiden alle,
That it of hire so befalle,
Than if thei scholden alle spille.

1063 and my desir AdBT, W and desir J   1069 it myhte
FWK   1076 For evere] Was euer(e) AH₁ ... B₂, AdBT Was
neuere M

[APOLLONIUS OF TYRE.]

P. iii. 311

P. iii. 312

[APOLLONIUS OF TYRE.]

Qualiter suadentibus nautis corpus vxoris sue mortue in quadam Cista plumbo et ferro obtusa que circumligata Appolinus cum magno thesauro vna cum quadam littera sub eius capite scripta recludi et in mare proici fecit.

The king, which understod here wille
And knew here conseil that was trewe,
Began ayein his sorwe newe 1100
With pitous herte, and thus to seie:
'It is al reson that ye preie.
I am,' quod he, 'bot on al one,
So wolde I noght for mi persone
Ther felle such adversite.
Bot whan it mai no betre be,
Doth thanne thus upon my word,
Let make a cofre strong of bord,
That it be ferm with led and pich.'
Anon was mad a cofre sich, 1110
Al redy broght unto his hond;
And whanne he sih and redy fond
This cofre mad and wel enclowed,
The dede bodi was besowed
In cloth of gold and leid therinne.
And for he wolde unto hire winne
Upon som cooste a Sepulture,
Under hire heved in aventure
Of gold he leide Sommes grete
And of jeueals a strong beyete 1120
Forth with a lettre, and seide thus:

Copia littere Appolini capiti vxoris sue supposite.

'I, king of Tyr Appollinus,
Do alle maner men to wite, **P. iii. 313**
That hiere and se this lettre write,
That helpeles withoute red
Hier lith a kinges doghter ded:
And who that happeth hir to finde,
For charite tak in his mynde,
And do so that sche be begrave
With this tresor, which he schal have.' 1130
Thus whan the lettre was full spoke,
Thei haue anon the cofre stoke,

1098 *Latin here and at* 1122, 1141, 1151, 1324, 1373, 1424 *om.* S∆ (*up to* 2029 *om.* ∆) 1102 *margin* obtusa q*ue* C, B obtusaq*ue* A, F 1106 *marg.* in mari A... B₂, BT 1107 þis AdBT 1110 sich (siche, swiche) AJMRB₂, B∆, W such (suche) H₁XECL, SAdT, FK 1120 of jeueals a] of Ieweles (Iewels) AM... B₂, AdBT of the Ieweles a W 1128 tak AJ, S, F take C, B 1131 whan (when) AJ, SB whan*n*e F

LIBER OCTAVUS

And bounden it with yren faste,
That it may with the wawes laste,
And stoppen it be such a weie,
That it schal be withinne dreie,
So that no water myhte it grieve.
And thus in hope and good believe
Of that the corps schal wel aryve,
Thei caste it over bord als blyve. 1140
    The Schip forth on the wawes wente;
The prince hath changed his entente,
And seith he wol noght come at Tyr
As thanne, bot al his desir
Is ferst to seilen unto Tharse.
The wyndy Storm began to skarse,
The Sonne arist, the weder cliereth,
The Schipman which behinde stiereth,
Whan that he sih the wyndes saghte,
Towardes Tharse his cours he straghte. 1150
    Bot now to mi matiere ayein,
To telle as olde bokes sein,
This dede corps of which ye knowe **P. iii. 314**
With wynd and water was forthrowe
Now hier, now ther, til ate laste
At Ephesim the See upcaste
The cofre and al that was therinne.
Of gret merveile now beginne
Mai hiere who that sitteth stille;
That god wol save mai noght spille. 1160
Riht as the corps was throwe alonde,
Ther cam walkende upon the stronde
A worthi clerc, a Surgien,
And ek a gret Phisicien,
Of al that lond the wisest on,
Which hihte Maister Cerymon;
Ther were of his disciples some.
This Maister to the Cofre is come,
He peiseth ther was somwhat in,
And bad hem bere it to his In, 1170

[APOLLONIUS OF TYRE.]

Qualiter Appolinus, vxoris sue corpore in mare proiecto, Tyrum relinquens cursum suum versus Tharsim nauigio dolens arripuit.

Qualiter corpus predicte defuncte super litus apud Ephesim quidam medicus nomine Cerymon cum aliquibus suis discipulis inuenit; quod in hospicium suum portans et extra cistam ponens, spiraculo vite in ea adhuc inuento, ipsam plene sanitati restituit.

1142 This prince AJM, SΔ   1156 *margin* suum *om*. A . . . B₂,
BT   1168 the] þis BΔ, W

[APOLLONIUS OF TYRE.]

And goth himselve forth withal.
Al that schal falle, falle schal;
They comen hom and tarie noght;
This Cofre is into chambre broght,
Which that thei finde faste stoke,
Bot thei with craft it have unloke.
Thei loken in, where as thei founde
A bodi ded, which was bewounde
In cloth of gold, as I seide er,
The tresor ek thei founden ther   1180
Forth with the lettre, which thei rede.
And tho thei token betre hiede;
Unsowed was the bodi sone,   P. iii. 315
And he, which knew what is to done,
This noble clerk, with alle haste
Began the veines forto taste,
And sih hire Age was of youthe,
And with the craftes whiche he couthe
He soghte and fond a signe of lif.
With that this worthi kinges wif   1190
Honestely thei token oute,
And maden fyres al aboute;
Thei leide hire on a couche softe,
And with a scheete warmed ofte
Hire colde brest began to hete,
Hire herte also to flacke and bete.
This Maister hath hire every joignt
With certein oile and balsme enoignt,
And putte a liquour in hire mouth,
Which is to fewe clerkes couth,   1200
So that sche coevereth ate laste:
And ferst hire yhen up sche caste,
And whan sche more of strengthe cawhte,
Hire Armes bothe forth sche strawhte,
Hield up hire hond and pitously
Sche spak and seide, 'Ha, wher am I?
Where is my lord, what world is this?'

1178 was iwounde (I wounde &c.) AM ... L   was I bounde B2   lay ywounde AdBT   1184 which ... is] þat ... was AM ... B2, AdBT   1206 Ha *om*. MXR, AdBT, W

LIBER OCTAVUS

As sche that wot noght hou it is. [Apollonius of
Bot Cerymon the worthi leche Tyre.]
Ansuerde anon upon hire speche 1210
And seith, 'Ma dame, yee ben hiere,
Where yee be sauf, as yee schal hiere
Hierafterward; forthi as nou P. iii. 316
Mi conseil is, conforteth you:
For trusteth wel withoute faile,
Ther is nothing which schal you faile,
That oghte of reson to be do.'
Thus passen thei a day or tuo;
Thei speke of noght as for an ende,
Til sche began somdiel amende, 1220
And wiste hireselven what sche mente.
 Tho forto knowe hire hol entente,   Qualiter vxor Ap-
This Maister axeth al the cas, polini sanata domum
Hou sche cam there and what sche was. religionis peciit, vbi
'Hou I cam hiere wot I noght,' sacro velamine muni-
Quod sche, 'bot wel I am bethoght ta castam omni tem-
Of othre thinges al aboute': pore se vouit.
Fro point to point and tolde him oute
Als ferforthli as sche it wiste.
And he hire tolde hou in a kiste 1230
The See hire threw upon the lond,
And what tresor with hire he fond,
Which was al redy at hire wille,
As he that schop him to fulfille
With al his myht what thing he scholde.
Sche thonketh him that he so wolde,
And al hire herte sche discloseth,
And seith him wel that sche supposeth
Hire lord be dreint, hir child also;
So sih sche noght bot alle wo. 1240
Wherof as to the world nomore
Ne wol sche torne, and preith therfore
That in som temple of the Cite, P. iii. 317
To kepe and holde hir chastete,
Sche mihte among the wommen duelle.

1222 hol (hool) C, B, F hole AB₂ 1224 *margin* sacro] facto BT
1240 sih] seiþ AML

CONFESSIO AMANTIS

[APOLLONIUS OF TYRE.]

Whan he this tale hir herde telle,
He was riht glad, and made hire knowen
That he a dowhter of his owen
Hath, which he wol unto hir yive
To serve, whil thei bothe live, 1250
In stede of that which sche hath lost;
Al only at his oghne cost
Sche schal be rendred forth with hire.
She seith, 'Grant mercy, lieve sire,
God quite it you, ther I ne may.'
And thus thei drive forth the day,
Til time com that sche was hol;
And tho thei take her conseil hol,
To schape upon good ordinance
And make a worthi pourveance 1260
Ayein the day whan thei be veiled.
And thus, whan that thei be conseiled,
In blake clothes thei hem clothe,
This lady and the dowhter bothe,
And yolde hem to religion.
The feste and the profession
After the reule of that degre
Was mad with gret solempnete,
Where as Diane is seintefied;
Thus stant this lady justefied 1270
In ordre wher sche thenkth to duelle.

Bot now ayeinward forto telle
In what plit that hire lord stod inne: **P. iii. 318**
He seileth, til that he may winne
The havene of Tharse, as I seide er;
And whanne he was aryved ther,
And it was thurgh the Cite knowe,
Men myhte se withinne a throwe,
As who seith, al the toun at ones,
That come ayein him for the nones, 1280
To yiven him the reverence,
So glad thei were of his presence:

Qualiter Appolinus Tharsim nauigans, filiam suam Thaisim Strangulioni et Dionisie vxori sue educandam commendauit; et deinde Tyrum adiit, vbi cum inestimabili gaudio a suis receptus est.

1252 *line om.* B   1253 schal] haþ AdBT   1258 took(e) LB₂
AdBT, W   1260 made AH₁ ... B₂, AdBT   1274 seiled AdBT
1277 And FW   Tho ACLB₂, B

LIBER OCTAVUS

And thogh he were in his corage [Apollonius of Tyre.]
Desesed, yit with glad visage
He made hem chiere, and to his In,
Wher he whilom sojourned in,
He goth him straght and was resceived.
And whan the presse of poeple is weived,
He takth his hoste unto him tho,
And seith, 'Mi frend Strangulio, 1290
Lo, thus and thus it is befalle,
And thou thiself art on of alle,
Forth with thi wif, whiche I most triste.
Forthi, if it you bothe liste,
My doghter Thaise be youre leve
I thenke schal with you beleve
As for a time; and thus I preie,
That sche be kept be alle weie,
And whan sche hath of age more,
That sche be set to bokes lore. 1300
And this avou to god I make,
That I schal nevere for hir sake
Mi berd for no likinge schave, P. iii. 319
Til it befalle that I have
In covenable time of age
Beset hire unto mariage.'
Thus thei acorde, and al is wel,
And forto resten him somdel,
As for a while he ther sojorneth,
And thanne he takth his leve and torneth 1310
To Schipe, and goth him hom to Tyr,
Wher every man with gret desir
Awaiteth upon his comynge.
Bot whan the Schip com in seilinge,
And thei perceiven it is he,
Was nevere yit in no cite
Such joie mad as thei tho made;
His herte also began to glade
Of that he sih the poeple glad.
Lo, thus fortune his hap hath lad; 1320

1293 whiche A, S, F   which JC, B   1315 And parceiuen þat it B
1319 þe FW   his ACLB2, B

[APOLLONIUS OF TYRE.]

Qualiter Thaysis vna cum Philotenna Strangulionis et Dionisie filia omnis sciencie et honestatis doctrina imbuta est: set Thaisis Philotennam precellens in odium mortale per inuidiam a Dionisia recollecta est.

In sondri wise he was travailed,
Bot hou so evere he be assailed,
His latere ende schal be good.
    And forto speke hou that it stod
Of Thaise his doghter, wher sche duelleth,
In Tharse, as the Cronique telleth,
Sche was wel kept, sche was wel loked,
Sche was wel tawht, sche was wel boked,
So wel sche spedde hir in hire youthe
That sche of every wisdom couthe,   1330
That forto seche in every lond
So wys an other noman fond,
Ne so wel tawht at mannes yhe.   P. iii. 320
Bot wo worthe evere fals envie!
For it befell that time so,
A dowhter hath Strangulio,
The which was cleped Philotenne:
Bot fame, which wole evere renne,
Cam al day to hir moder Ere,
And seith, wher evere hir doghter were   1340
With Thayse set in eny place,
The comun vois, the comun grace
Was al upon that other Maide,
And of hir doghter noman saide.
Who wroth but Dionise thanne?
Hire thoghte a thousend yer til whanne
Sche myhte ben of Thaise wreke
Of that sche herde folk so speke.
And fell that ilke same tyde,
That ded was trewe Lychoride,   1350
Which hadde be servant to Thaise,
So that sche was the worse at aise,
For sche hath thanne no servise
Bot only thurgh this Dionise,
Which was hire dedlich Anemie
Thurgh pure treson and envie.
Sche, that of alle sorwe can,
Tho spak unto hire bondeman,
Which cleped was Theophilus,

1334 worþe J, F worþ AC, SB

LIBER OCTAVUS

And made him swere in conseil thus, 1360 [APOLLONIUS OF
That he such time as sche him sette   TYRE.]
Schal come Thaise forto fette,
And lede hire oute of alle sihte, P. iii. 321
Wher as noman hire helpe myhte,
Upon the Stronde nyh the See,
And there he schal this maiden sle.
This cherles herte is in a traunce,
As he which drad him of vengance
Whan time comth an other day;
Bot yit dorste he noght seie nay, 1370
Bot swor and seide he schal fulfille
Hire hestes at hire oghne wille.

  The treson and the time is schape,
So fell it that this cherles knape
Hath lad this maiden ther he wolde
Upon the Stronde, and what sche scholde
Sche was adrad ; and he out breide
A rusti swerd and to hir seide,
'Thou schalt be ded.' 'Helas!' quod sche,
'Why schal I so?' 'Lo thus,' quod he, 1380
'Mi ladi Dionise hath bede,
Thou schalt be moerdred in this stede.'
This Maiden tho for feere schryhte,
And for the love of god almyhte
Sche preith that for a litel stounde
Sche myhte knele upon the grounde,
Toward the hevene forto crave,
Hire wofull Soule if sche mai save :
And with this noise and with this cry,
Out of a barge faste by, 1390
Which hidd was ther on Scomerfare,
Men sterten out and weren ware
Of this feloun, and he to go, P. iii. 322
And sche began to crie tho,

Qualiter Dionisia Thaysim, vt occideretur, Theophilo seruo suo tradidit, qui cum noctanter longius ab vrbe ipsam prope litus maris interficere proposuerat, Pirate ibidem prope latitantes Thaisim de manu Carnificis eripuerunt, ipsamque vsque Ciuitatem Mitelenam ducentes, cuidam Leonino scortorum ibidem magistro vendiderunt.

1364 wher þat AM ... B₂, AdBT, W   1371 swer(e) E ... B₂, K
sware X   1373 *margin* occideret A ... B₂, BT   1374 cherlissh
(cherlische &c.) H₁ ... B₂, AdBT, K   1375 wher(e) H₁ ... B₂,
AdBTΔ, W   1378 *margin* Pirate ibidem prope] Pirate ibidem
A ... B₂ ibidem BT   1383 *margin* reddiderunt AM   1388
þat sche AM ... B₂, AdBT   1389 and þis cry A

[APOLLONIUS OF TYRE.]

'Ha, mercy, help for goddes sake!
Into the barge thei hire take,
As thieves scholde, and forth thei wente.
Upon the See the wynd hem hente,
And malgre wher thei wolde or non,
Tofor the weder forth thei gon,   1400
Ther halp no Seil, ther halp non Ore,
Forstormed and forblowen sore
In gret peril so forth thei dryve,
Til ate laste thei aryve
At Mitelene the Cite.
In havene sauf and whan thei be,
The Maister Schipman made him boun,
And goth him out into the toun,
And profreth Thaise forto selle.
On Leonin it herde telle,   1410
Which Maister of the bordel was,
And bad him gon a redy pas
To fetten hire, and forth he wente,
And Thaise out of his barge he hente,
And to this bordeller hir solde.
And he, that be hire body wolde
Take avantage, let do crye,
That what man wolde his lecherie
Attempte upon hire maidenhede,
Lei doun the gold and he schal spede.   1420
And thus whan he hath crid it oute
In syhte of al the poeple aboute,
He ladde hire to the bordel tho.   P. iii. 323

Qualiter Leoninus Thaisim ad lupanar destinauit, vbi dei gracia preuenta ipsius virginitatem nullus violare potuit.

　　No wonder is thogh sche be wo:
Clos in a chambre be hireselve,
Ech after other ten or tuelve
Of yonge men to hire in wente;
Bot such a grace god hire sente,
That for the sorwe which sche made
Was non of hem which pouer hade   1430

1399 thei] sche B   1413 fecchen (fechen) AM...B2, AdB sechen T
1415 hir] he AM...B2, AdBT1   1416 And þat he by (be) H1...B2
And þat by AM   1423 *Paragraph here in* MSS.   1424 No
wonder þough sche were wo B   No wonder þogh sche be wo Ad

LIBER OCTAVUS

To don hire eny vileinie. [APOLLONIUS OF
This Leonin let evere aspie, TYRE.]
And waiteth after gret beyete;
Bot al for noght, sche was forlete,
That mo men wolde ther noght come.
Whan he therof hath hiede nome,
And knew that sche was yit a maide,
Unto his oghne man he saide,
That he with strengthe ayein hire leve
Tho scholde hir maidenhod bereve. 1440
This man goth in, bot so it ferde,
Whan he hire wofull pleintes herde
And he therof hath take kepe,
Him liste betre forto wepe
Than don oght elles to the game.
And thus sche kepte hirself fro schame,
And kneleth doun to therthe and preide
Unto this man, and thus sche seide:
'If so be that thi maister wolde
That I his gold encresce scholde, 1450
It mai noght falle be this weic:
Bot soffre me to go mi weie
Out of this hous wher I am inne, P. iii. 324
And I schal make him forto winne
In som place elles of the toun,
Be so it be religioun,
Wher that honeste wommen duelle.
And thus thou myht thi maister telle,
That whanne I have a chambre there,
Let him do crie ay wyde where, 1460
What lord that hath his doghter diere,
And is in will that sche schal liere
Of such a Scole that is trewe,
I schal hire teche of thinges newe,
Which as non other womman can
In al this lond.' And tho this man

1435 nomen wolde þer noght come K   nomen wolden þeer (þer)
come AM   no man (noman) wolde þer(e) come H1...B2,AdBT   mo men
wolde ther none come W   1447 kneled BTΔ   1450 good BT
1456 be of rel. AM ... B2, BT   1465 Which þat AM ... B2, BT

[APOLLONIUS OF TYRE.]

Hire tale hath herd, he goth ayein,
And tolde unto his maister plein
That sche hath seid; and therupon,
Whan than he sih beyete non   1470
At the bordel be cause of hire,
He bad his man to gon and spire
A place wher sche myhte abyde,
That he mai winne upon som side
Be that sche can: bot ate leste
Thus was sche sauf fro this tempeste.

Qualiter Thaisis a lupanari virgo liberata, inter sacras mulieres hospicium habens, sciencias quibus edocta fuit nobiles regni puellas ibidem edocebat.

He hath hire fro the bordel take,
Bot that was noght for goddes sake,
Bot for the lucre, as sche him tolde.
Now comen tho that comen wolde   1480
Of wommen in her lusty youthe,
To hiere and se what thing sche couthe:
Sche can the wisdom of a clerk,   P. iii. 325
Sche can of every lusti werk
Which to a gentil womman longeth,
And some of hem sche underfongeth
To the Citole and to the Harpe,
And whom it liketh forto carpe
Proverbes and demandes slyhe,
An other such thei nevere syhe,   1490
Which that science so wel tawhte:
Wherof sche grete yiftes cawhte,
That sche to Leonin hath wonne;
And thus hire name is so begonne
Of sondri thinges that she techeth,
That al the lond unto hir secheth
Of yonge wommen forto liere.

Qualiter Theophilus ad Dionisiam mane rediens affirmauit se Thaisim occidisse; super quo Dionisia vna cum Strangulione marito suo dolorem in publico confingentes, exequias et sepulturam honorifice quan-

Nou lete we this maiden hiere,
And speke of Dionise ayein
And of Theophile the vilein,   1500
Of whiche I spak of nou tofore.
Whan Thaise scholde have be forlore,
This false cherl to his lady
Whan he cam hom, al prively

1476 fro] of AM . . . B₂, BT   1484 eny AM . . . B₂, B
1500 Theophile AJC, T, F   Theophil B   1503 *margin* confingentes F

LIBER OCTAVUS

He seith, 'Ma Dame, slain I have
This maide Thaise, and is begrave
In prive place, as ye me biede.
Forthi, ma dame, taketh hiede
And kep conseil, hou so it stonde.'
This fend, which this hath understonde, 1510
Was glad, and weneth it be soth:
Now herkne, hierafter hou sche doth.
Sche wepth, sche sorweth, sche compleigneth, P. iii. 326
And of sieknesse which sche feigneth
Sche seith that Taise sodeinly
Be nyhte is ded, 'as sche and I
Togedre lyhen nyh my lord.'
Sche was a womman of record,
And al is lieved that sche seith;
And forto yive a more feith, 1520
Hire housebonde and ek sche bothe
In blake clothes thei hem clothe,
And made a gret enterrement;
And for the poeple schal be blent,
Of Thaise as for the remembrance,
After the real olde usance
A tumbe of latoun noble and riche
With an ymage unto hir liche
Liggende above therupon
Thei made and sette it up anon. 1530
Hire Epitaffe of good assisse
Was write aboute, and in this wise
It spak: 'O yee that this beholde,
Lo, hier lith sche, the which was holde
The faireste and the flour of alle,
Whos name Thaïsis men calle.
The king of Tyr Appolinus
Hire fader was: now lith sche thus.
Fourtiene yer sche was of Age,
Whan deth hir tok to his viage.' 1540
  Thus was this false treson hidd,

[APOLLONIUS OF TYRE.]
tum ad extra subdola
coniectacione fieri
constituerunt.

Qualiter Appolinus
in regno suo apud

1505 ich haue AM   1509 kepeþ BT   1512 Now se her
after B   Now hiere after T   1513 sorweth] crieþ BT   1523
make BT   om. W   1534 the om. AM, Δ, W

[APOLLONIUS OF TYRE.]
Tyrum existens parliamentum fieri constituit.

Which afterward was wyde kidd,
As be the tale a man schal hiere.
Bot forto clare mi matiere,
To Tyr I thenke torne ayein,
And telle as the Croniqes sein.
Whan that the king was comen hom,
And hath left in the salte fom
His wif, which he mai noght foryete,
For he som confort wolde gete, 1550
He let somoune a parlement,
To which the lordes were asent;
And of the time he hath ben oute,
He seth the thinges al aboute,
And told hem ek hou he hath fare,
Whil he was out of londe fare;
And preide hem alle to abyde,
For he wolde at the same tyde
Do schape for his wyves mynde,
As he that wol noght ben unkinde. 1560
Solempne was that ilke office,
And riche was the sacrifice,
The feste reali was holde:
And therto was he wel beholde;
For such a wif as he hadde on
In thilke daies was ther non.

Qualiter Appolinus post parliamentum Tharsim pro Thaise filia sua querenda adiit, qua ibidem non inventa abinde navigio recessit.

Whan this was do, thanne he him thoghte
Upon his doghter, and besoghte
Suche of his lordes as he wolde,
That thei with him to Tharse scholde, 1570
To fette his doghter Taise there:
And thei anon al redy were,
To schip they gon and forth thei wente,
Til thei the havene of Tharse hente.
They londe and faile of that thei seche
Be coverture and sleyhte of speche:
This false man Strangulio,
And Dionise his wif also,
That he the betre trowe myhte,

1544 forto clare] to declare AM ... B2, BT   1555 told A, B, F
tolde C

LIBER OCTAVUS

Thei ladden him to have a sihte 1580 [APOLLONIUS OF
Wher that hir tombe was arraied. TYRE.]
The lasse yit he was mispaied,
And natheles, so as he dorste,
He curseth and seith al the worste
Unto fortune, as to the blinde,
Which can no seker weie finde;
For sche him neweth evere among,
And medleth sorwe with his song.
Bot sithe it mai no betre be,
  He thonketh god and forth goth he 1590 Qualiter Nauis Ap-
Seilende toward Tyr ayein. polini ventis agitata
Bot sodeinly the wynd and reyn portum vrbis Mitelene
Begonne upon the See debate, in die quo festa Nep-
So that he soffre mot algate tuni celebrare con-
The lawe which Neptune ordeigneth; sueuerunt applicuit;
Wherof fulofte time he pleigneth, set ipse pre dolore
And hield him wel the more esmaied Thaysis filie sue, quam
Of that he hath tofore assaied. mortuam reputabat, in
So that for pure sorwe and care, fundo nauis obscuro
Of that he seth his world so fare, 1600 iacens lumen videre
The reste he lefte of his Caban, noluit.
That for the conseil of noman
Ayein therinne he nolde come,   **P. iii. 329**
Bot hath benethe his place nome,
Wher he wepende al one lay,
Ther as he sih no lyht of day.
And thus tofor the wynd thei dryve,
Til longe and late thei aryve
With gret distresce, as it was sene,
Upon this toun of Mitelene, 1610
Which was a noble cite tho.
And hapneth thilke time so,
The lordes bothe and the comune
The hihe festes of Neptune
Upon the stronde at the rivage,
As it was custumme and usage,
Sollempneliche thei besihe.

1590 *Paragraph here* FWK, *at* 1595 *in most other copies* 1593
margin celebrari A . . . B₂, BT, W

[APOLLONIUS OF TYRE.]

Qualiter Athenagoras vrbis Mitelene Princeps, nauim Appollini inuestigans, ipsum sic contristatum nichilque respondentem consolari satagebat.

Whan thei this strange vessel syhe
Come in, and hath his Seil avaled,
The toun therof hath spoke and taled.   1620
The lord which of the cite was,
Whos name is Athenagoras,
Was there, and seide he wolde se
What Schip it is, and who thei be
That ben therinne : and after sone,
Whan that he sih it was to done,
His barge was for him arraied,
And he goth forth and hath assaied.
He fond the Schip of gret Array,
Bot what thing it amonte may,   1630
He seth thei maden hevy chiere,
Bot wel him thenkth be the manere
That thei be worthi men of blod,   P. iii. 330
And axeth of hem hou it stod;
And thei him tellen al the cas,
Hou that here lord fordrive was,
And what a sorwe that he made,
Of which ther mai noman him glade.
He preith that he here lord mai se,
Bot thei him tolde it mai noght be,   1640
For he lith in so derk a place,
That ther may no wiht sen his face :
Bot for al that, thogh hem be loth,
He fond the ladre and doun he goth,
And to him spak, bot non ansuere
Ayein of him ne mihte he bere
For oght that he can don or sein;
And thus he goth him up ayein.

Tho was ther spoke in many wise
Amonges hem that weren wise,   1650
Now this, now that, bot ate laste

Qualiter precepto Principis, vt Appolinum consolaretur, Thaisis cum cithara

The wisdom of the toun this caste,
That yonge Taise were asent.
For if ther be amendement

1621 þat cite H₁XELB₂, BT   1633 be] were B   1637 which a s. AM... B₂, AdBT   1641 so] þe AM   1646 here LB₂, Δ, W   1649 Paragraph here ALB₂, BT   at 1652 J, SAd, FW   Tho] Thus A... B₂

LIBER OCTAVUS

To glade with this woful king, [APOLLONIUS OF TYRE.]
Sche can so moche of every thing,
That sche schal gladen him anon. sua ad ipsum in obscuro nauis, vbi jacebat, producta est.
A Messager for hire is gon,
And sche cam with hire Harpe on honde,
And seide hem that sche wolde fonde 1660
Be alle weies that sche can,
To glade with this sory man.
Bot what he was sche wiste noght, P. iii. 331
Bot al the Schip hire hath besoght
That sche hire wit on him despende,
In aunter if he myhte amende,
And sein it schal be wel aquit.
Whan sche hath understonden it,
Sche goth hir doun, ther as he lay,
Wher that sche harpeth many a lay 1670
And lich an Angel sang withal;
Bot he nomore than the wal
Tok hiede of eny thing he herde.
And whan sche sih that he so ferde,
Sche falleth with him into wordes,
And telleth him of sondri bordes,
And axeth him demandes strange,
Wherof sche made his herte change,
And to hire speche his Ere he leide
And hath merveile of that sche seide. 1680
For in proverbe and in probleme
Sche spak, and bad he scholde deme
In many soubtil question :
Bot he for no suggestioun
Which toward him sche couthe stere,
He wolde noght o word ansuere,
Bot as a madd man ate laste
His heved wepende awey he caste,
And half in wraththe he bad hire go.
Bot yit sche wolde noght do so, 1690
And in the derke forth sche goth,
Til sche him toucheth, and he wroth,

1661 all(e) þe weies AM ... B₂, AdBT   1683 many F   many
a ALB₂, B, W   1687 madd man S   madd mad man F

[APOLLONIUS OF TYRE.]

And after hire with his hond P. iii. 332
He smot: and thus whan sche him fond
Desesed, courtaisly sche saide,
'Avoi, mi lord, I am a Maide;
And if ye wiste what I am,
And out of what lignage I cam,
Ye wolde noght be so salvage.'
With that he sobreth his corage 1700
And put awey his hevy chiere.

Qualiter, sicut deus destinauit, pater filiam inuentam recognouit.

Bot of hem tuo a man mai liere
What is to be so sibb of blod:
Non wiste of other hou it stod,
And yit the fader ate laste
His herte upon this maide caste,
That he hire loveth kindely,
And yit he wiste nevere why.
Bot al was knowe er that thei wente;
For god, which wot here hol entente, 1710
Here hertes bothe anon descloseth.
This king unto this maide opposeth,
And axeth ferst what was hire name,
And wher sche lerned al this game,
And of what ken that sche was come.
And sche, that hath hise wordes nome,
Ansuerth and seith, 'My name is Thaise,
That was som time wel at aise:
In Tharse I was forthdrawe and fed,
Ther lerned I, til I was sped, 1720
Of that I can. Mi fader eke
I not wher that I scholde him seke;
He was a king, men tolde me: P. iii. 333
Mi Moder dreint was in the See.'
Fro point to point al sche him tolde,
That sche hath longe in herte holde,
And nevere dorste make hir mone
Bot only to this lord al one,
To whom hire herte can noght hele,
Torne it to wo, torne it to wele, 1730

1710 hol B, F hole AB₂ 1713 was FW is ALB₂, B 1715 that *om.* AM, W

LIBER OCTAVUS

Torne it to good, torne it to harm. [APOLLONIUS OF
And he tho toke hire in his arm, TYRE.]
Bot such a joie as he tho made
Was nevere sen; thus be thei glade,
That sory hadden be toforn.
Fro this day forth fortune hath sworn
To sette him upward on the whiel;
So goth the world, now wo, now wel:
This king hath founde newe grace,
So that out of his derke place   1740
He goth him up into the liht,
And with him cam that swete wiht,
His doghter Thaise, and forth anon
Thei bothe into the Caban gon
Which was ordeigned for the king,
And ther he dede of al his thing,
And was arraied realy.

    And out he cam al openly, Qualiter Athena-
Wher Athenagoras he fond, goras Appolinum de
                        naui in hospicium ho-
The which was lord of al the lond: 1750 norifice recollegit, et
He preith the king to come and se Thaisim, patre con-
His castell bothe and his cite, senciente, in vxorem
                        duxit.
And thus thei gon forth alle in fiere, **P. iii. 334**
This king, this lord, this maiden diere.
This lord tho made hem riche feste
With every thing which was honeste,
To plese with this worthi king,
Ther lacketh him no maner thing:
Bot yit for al his noble array
Wifles he was into that day,   1760
As he that yit was of yong Age;
So fell ther into his corage
The lusti wo, the glade peine
Of love, which noman restreigne
Yit nevere myhte as nou tofore.
This lord thenkth al his world forlore,
Bot if the king wol don him grace;

1732 toke J, S, F   tok (took) AEC, B   1750 þat lond AJM,
SΔ   1754 maiden] doughter B   1756 which was þo h. AM
1761 of yong] ȝong of E, B
**   F f

[APOLLONIUS OF TYRE.]

He waiteth time, he waiteth place,
Him thoghte his herte wol tobreke,
Til he mai to this maide speke   1770
And to hir fader ek also
For mariage: and it fell so,
That al was do riht as he thoghte,
His pourpos to an ende he broghte,
Sche weddeth him as for hire lord;
Thus be thei alle of on acord.
　Whan al was do riht as thei wolde,
The king unto his Sone tolde
Of Tharse thilke traiterie,
And seide hou in his compaignie   1780
His doghter and himselven eke
Schull go vengance forto seke.
The Schipes were redy sone,   P. iii. 335
And whan thei sihe it was to done,
Withoute lette of eny wente
With Seil updrawe forth thei wente
Towardes Tharse upon the tyde.
Bot he that wot what schal betide,
The hihe god, which wolde him kepe,
Whan that this king was faste aslepe,   1790
Be nyhtes time he hath him bede
To seile into an other stede:
To Ephesim he bad him drawe,
And as it was that time lawe,
He schal do there his sacrifise;
And ek he bad in alle wise
That in the temple amonges alle
His fortune, as it is befalle,
Touchende his doghter and his wif
He schal beknowe upon his lif.   1800
The king of this Avisioun
Hath gret ymaginacioun,
What thing it signefie may;
And natheles, whan it was day,
He bad caste Ancher and abod;
And whil that he on Ancher rod,

Qualiter Appolinus vna cum filia et eius marito nauim ingredientes a Mitelena vsque Tharsim cursum proposuerunt. Set Appolinus in sompnis ammonitus versus Ephesim, vt ibidem in templo Diane sacrificaret, vela per mare diuertit.

1790 þe king JC　　1792 vnto H₁ ... B₂, AdB, W

LIBER OCTAVUS

The wynd, which was tofore strange,   [APOLLONIUS OF
Upon the point began to change,   TYRE.]
And torneth thider as it scholde.
Tho knew he wel that god it wolde,   1810
And bad the Maister make him yare,
Tofor the wynd for he wol fare
To Ephesim, and so he dede.   **P. iii. 336**
And whanne he cam unto the stede
Where as he scholde londe, he londeth
With al the haste he may, and fondeth
To schapen him be such a wise,
That he may be the morwe arise
And don after the mandement
Of him which hath him thider sent.   1820
And in the wise that he thoghte,
Upon the morwe so he wroghte;
His doghter and his Sone he nom,
And forth unto the temple he com
With a gret route in compaignie,
Hise yiftes forto sacrifie.
The citezeins tho herden seie
Of such a king that cam to preie
Unto Diane the godesse,
And left al other besinesse,   1830
Thei comen thider forto se
The king and the solempnete.

  With worthi knyhtes environed   Qualiter Appolinus
The king himself hath abandoned   Ephesim in templo
Into the temple in good entente.   Diane sacrificans, vxo-
The dore is up, and he in wente,   rem suam ibidem vela-
Wher as with gret devocioun   tam inuenit; qua se-
Of holi contemplacioun   cum assumpta in Na-
Withinne his herte he made his schrifte; uim, versus Tyrum re-
And after that a riche yifte   1840   gressus est.
He offreth with gret reverence,
And there in open Audience
Of hem that stoden thanne aboute,   **P. iii. 337**
He tolde hem and declareth oute

1836 he in F in he A ... B2, S ... Δ, WK 1842 euidence AdBT
1843 thanne aboute] al (alle) aboute AM ... B2, AdT þer aboute B

[APOLLONIUS OF TYRE.]

His hap, such as him is befalle,
Ther was nothing foryete of alle.
His wif, as it was goddes grace,
Which was professed in the place,
As sche that was Abbesse there,
Unto his tale hath leid hire Ere: 1850
Sche knew the vois and the visage,
For pure joie as in a rage
Sche strawhte unto him al at ones,
And fell aswoune upon the stones,
Wherof the temple flor was paved.
Sche was anon with water laved,
Til sche cam to hirself ayein,
And thanne sche began to sein:
'Ha, blessed be the hihe sonde,
That I mai se myn housebonde,   1860
That whilom he and I were on!'
The king with that knew hire anon,
And tok hire in his Arm and kiste;
And al the toun thus sone it wiste.
Tho was ther joie manyfold,
For every man this tale hath told
As for miracle, and were glade,
Bot nevere man such joie made
As doth the king, which hath his wif.
And whan men herde hou that hir lif   1870
Was saved, and be whom it was,
Thei wondren alle of such a cas:
Thurgh al the Lond aros the speche   **P. iii. 338**
Of Maister Cerymon the leche
And of the cure which he dede.
The king himself tho hath him bede,
And ek this queene forth with him,
That he the toun of Ephesim
Wol leve and go wher as thei be,
For nevere man of his degre   1880
Hath do to hem so mochel good;
And he his profit understod,

1854 aswowe AM   aswowen B   1861 That] Which AM ... B₂, AdBT   1877 þe queene AM ... B₂, AdBT

LIBER OCTAVUS

And granteth with hem forto wende. [APOLLONIUS OF
And thus thei maden there an ende, TYRE.]
And token leve and gon to Schipe
With al the hole felaschipe.
  This king, which nou hath his desir,   Qualiter Appolinus
Seith he wol holde his cours to Tyr.   vna cum vxore et filia
                                                      sua Thyrum applicuit.
Thei hadden wynd at wille tho,
With topseilcole and forth they go,   1890
And striken nevere, til thei come
To Tyr, where as thei havene nome,
And londen hem with mochel blisse.
Tho was ther many a mowth to kisse,
Echon welcometh other hom,
Bot whan the queen to londe com,
And Thaise hir doghter be hir side,
The joie which was thilke tyde
Ther mai no mannes tunge telle :
Thei seiden alle, ' Hier comth the welle   1900
Of alle wommannysshe grace.'
The king hath take his real place,
The queene is into chambre go :   P. iii. 339
Ther was gret feste arraied tho ;
Whan time was, thei gon to mete,
Alle olde sorwes ben foryete,
And gladen hem with joies newe :
The descoloured pale hewe
Is now become a rody cheke,
Ther was no merthe forto seke,   1910
Bot every man hath that he wolde.
  The king, as he wel couthe and scholde,   Qualiter Appolinus
Makth to his poeple riht good chiere ;   Athenagoram cum
And after sone, as thou schalt hiere,   Thaise vxore sua su-
A parlement he hath sommoned,   per Tyrum coronari
Wher he his doghter hath coroned   fecit.
Forth with the lord of Mitelene,
That on is king, that other queene :
And thus the fadres ordinance

1890 topseil(e) cole H1 ... B2, AdBTΔ, W   1892 havene]
haue C, AdBT, W þe hauen B2   1911 what he w. X ... B2, AdBT
1912 ff. *margin* Qualiter—fecit *om.* BΔ

[APOLLONIUS OF
TYRE.]

This lond hath set in governance, 1920
And seide thanne he wolde wende
To Tharse, forto make an ende
Of that his doghter was betraied.
Therof were alle men wel paied,
And seide hou it was forto done :
The Schipes weren redi sone,
And strong pouer with him he tok ;
Up to the Sky he caste his lok,
And syh the wynd was covenable.

Thei hale up Ancher with the cable, 1930
The Seil on hih, the Stiere in honde,
And seilen, til thei come alonde
At Tharse nyh to the cite ; P. iii. 340
And whan thei wisten it was he,
The toun hath don him reverence.
He telleth hem the violence,
Which the tretour Strangulio
And Dionise him hadde do
Touchende his dowhter, as yee herde ;
And whan thei wiste hou that it ferde, 1940
As he which pes and love soghte,
Unto the toun this he besoghte,
To don him riht in juggement.
Anon thei were bothe asent
With strengthe of men, and comen sone,
And as hem thoghte it was to done,
Atteint thei were be the lawe
And diemed forto honge and drawe,
And brent and with the wynd toblowe,
That al the world it myhte knowe : 1950
And upon this condicion
The dom in execucion
Was put anon withoute faile.
And every man hath gret mervaile,

Qualiter Appolinus a Tyro per mare versus Tharsim iter arripiens vindictam contra Strangulionem et Dionisiam vxorem suam pro iniuria, quam ipsi Thaisi filie sue intulerunt, iudicialiter assecutus est.

1920 lord B   1921 thanne] þat AM ... B₂, AdBT   1924 Wher of (Wherof) H₁ ... B₂, AdBT, W   1927 And FW A ACLB₂, B   1928 Up to] Vpon AM ... B₂, AdBT   1931 on honde AM ... B₂, AdBT, W   1939 he herde AM, W   1940 wiste(n) how it AM ... B₂, AdBT, W

Which herde tellen of this chance,
And thonketh goddes pourveance,
Which doth mercy forth with justice.
Slain is the moerdrer and moerdrice
Thurgh verray trowthe of rihtwisnesse,
And thurgh mercy sauf is simplesse   1960
Of hire whom mercy preserveth;
Thus hath he wel that wel deserveth.
 Whan al this thing is don and ended, P. iii. 341
This king, which loved was and frended,
A lettre hath, which cam to him
Be Schipe fro Pentapolim,
Be which the lond hath to him write,
That he wolde understonde and wite
Hou in good mynde and in good pes
Ded is the king Artestrates,   1970
Wherof thei alle of on acord
Him preiden, as here liege lord,
That he the lettre wel conceive
And come his regne to receive,
Which god hath yove him and fortune;
And thus besoghte the commune
Forth with the grete lordes alle.
This king sih how it was befalle,
Fro Tharse and in prosperite
He tok his leve of that Cite   1980
And goth him into Schipe ayein:
The wynd was good, the See was plein,
Hem nedeth noght a Riff to slake,
Til thei Pentapolim have take.
The lond, which herde of that tidinge,
Was wonder glad of his cominge;
He resteth him a day or tuo
And tok his conseil to him tho,
And sette a time of Parlement,
Wher al the lond of on assent   1990
Forth with his wif hath him corouned,

[Apollonius of Tyre.]

Qualiter Artestrate Pentapolim Rege mortuo, ipsi de regno Epistolas super hoc Appolino direxerunt: vnde Appolinus vna cum vxore sua ibidem aduenientes ad decus imperii cum magno gaudio coronati sunt.

1967 In which AM ... B₂, AdBT
H₁EL, W wol(e) resceyue AdBT
was falle L
1973 wil (wol) conceyue
1978 is befalle AdB, W

[APOLLONIUS OF TYRE.]

Wher alle goode him was fuisouned.
Lo, what it is to be wel grounded : P. iii. 342
For he hath ferst his love founded
Honesteliche as forto wedde,
Honesteliche his love he spedde
And hadde children with his wif,
And as him liste he ladde his lif;
And in ensample his lif was write,
That alle lovers myhten wite   2000
How ate laste it schal be sene
Of love what thei wolden mene.
For se now on that other side,
Antiochus with al his Pride,
Which sette his love unkindely,
His ende he hadde al sodeinly,
Set ayein kinde upon vengance,
And for his lust hath his penance.

Confessor ad Amantem.

Lo thus, mi Sone, myht thou liere
What is to love in good manere,   2010
And what to love in other wise :
The mede arist of the servise ;
Fortune, thogh sche be noght stable,
Yit at som time is favorable
To hem that ben of love trewe.
Bot certes it is forto rewe
To se love ayein kinde falle,
For that makth sore a man to falle,
As thou myht of tofore rede.
Forthi, my Sone, I wolde rede   2020
To lete al other love aweie,
Bot if it be thurgh such a weie
As love and reson wolde acorde. P. iii. 343
For elles, if that thou descorde,
And take lust as doth a beste,
Thi love mai noght ben honeste;
For be no skile that I finde

1992 was him AM, Δ, W   1999 his lif was write A ... B2,
S ... Δ   as it is write FWK   2006 he hadde al] he hadde J,
SΔ (had)   hadde (had) AM ... B2, AdBT   2009 *margin* Confessor
ad Amantem *om.* JEC, AdBT   Confessor B2, Δ, W

LIBER OCTAVUS

Such lust is noght of loves kinde.
  Mi fader, hou so that it stonde,
Youre tale is herd and understonde,
As thing which worthi is to hiere,
Of gret ensample and gret matiere,
Wherof, my fader, god you quyte.
Bot in this point miself aquite
I mai riht wel, that nevere yit
I was assoted in my wit,
Bot only in that worthi place
Wher alle lust and alle grace
Is set, if that danger ne were.
Bot that is al my moste fere:
I not what ye fortune acompte,
Bot what thing danger mai amonte
I wot wel, for I have assaied;
For whan myn herte is best arraied
And I have al my wit thurghsoght
Of love to beseche hire oght,
For al that evere I skile may,
I am concluded with a nay:
That o sillable hath overthrowe
A thousend wordes on a rowe
Of suche as I best speke can;
Thus am I bot a lewed man.
Bot, fader, for ye ben a clerk
Of love, and this matiere is derk,
And I can evere leng the lasse,
Bot yit I mai noght let it passe,
Youre hole conseil I beseche,
That ye me be som weie teche
What is my beste, as for an ende.
  Mi Sone, unto the trouthe wende
Now wol I for the love of thee,
And lete alle othre truffles be.

  The more that the nede is hyh,
The more it nedeth to be slyh

[THE LOVER RE-
QUIRES COUNSEL.]
*Confessio Amantis,
vnde pro finali con-
clusione consilium
Confessoris impetrat.*

P. iii. 344

2030

2040

2050

2060

2047 skile] sike AdBT   2056 let S, F lete AJ, B   2062
truffles AJC, S, F trifles (triffles) L, B travailes W

[THE CONFESSOR REPLIES.]

Hic super Amoris causa finita confessione, Confessor Genius Amanti ea que sibi salubrius expediunt, asno consilio finaliter iniungit.

To him which hath the nede on honde.
I have wel herd and understonde,
Mi Sone, al that thou hast me seid,
And ek of that thou hast me preid,
Nou at this time that I schal
As for conclusioun final   2070
Conseile upon thi nede sette:
So thenke I finaly to knette
This cause, where it is tobroke,
And make an ende of that is spoke.
For I behihte thee that yifte
Ferst whan thou come under my schrifte,
That thogh I toward Venus were,
Yit spak I suche wordes there,
That for the Presthod which I have,
Min ordre and min astat to save,   2080
I seide I wolde of myn office
To vertu more than to vice
Encline, and teche thee mi lore.   P. iii. 345
Forthi to speken overmore
Of love, which thee mai availe,
Tak love where it mai noght faile:
For as of this which thou art inne,
Be that thou seist it is a Sinne,
And Sinne mai no pris deserve,
Withoute pris and who schal serve,   2090
I not what profit myhte availe.
Thus folweth it, if thou travaile,
Wher thou no profit hast ne pris,
Thou art toward thiself unwis:
And sett thou myhtest lust atteigne,
Of every lust thende is a peine,
And every peine is good to fle;
So it is wonder thing to se,
Why such a thing schal be desired.

2071 Conseile J, S, F   Conseil (Counsail) AC, B   2073 Thi (þy) cause A ... B2, S ... Δ   where] þer B   2086 noght faile] auaile AM ... B2, AdBT   (line om. R)   2095 sett] siþe (siþ, seþþe &c.) JH1ERLB2, AdBT, W   sertein if Δ   2098 it is H1, FK   is it AJMX ... B2, S ... Δ, W

LIBER OCTAVUS

 The more that a Stock is fyred,   2100 [THE CONFESSOR
The rathere into Aisshe it torneth;   REPLIES.]
The fot which in the weie sporneth
Fulofte his heved hath overthrowe;
Thus love is blind and can noght knowe
Wher that he goth, til he be falle:
Forthi, bot if it so befalle
With good conseil that he be lad,
Him oghte forto ben adrad.
For conseil passeth alle thing
To him which thenkth to ben a king;   2110
And every man for his partie
A kingdom hath to justefie,
That is to sein his oghne dom.   P. iii. 346
If he misreule that kingdom,
He lest himself, and that is more
Than if he loste Schip and Ore
And al the worldes good withal:
For what man that in special
Hath noght himself, he hath noght elles,
Nomor the perles than the schelles;   2120
Al is to him of o value:
Thogh he hadde at his retenue
The wyde world riht as he wolde,
Whan he his herte hath noght withholde
Toward himself, al is in vein.
And thus, my Sone, I wolde sein,
As I seide er, that thou aryse,
Er that thou falle in such a wise
That thou ne myht thiself rekevere;
For love, which that blind was evere,   2130
Makth alle his servantz blinde also.
My Sone, and if thou have be so,
Yit is it time to withdrawe,
And set thin herte under that lawe,
The which of reson is governed
And noght of will. And to be lerned,
Ensamples thou hast many on

2104 This BT   Thi Ad   And W   2106 so be befalle F
2134 set AJ, S, F   sette CLB₂, B

[The Confessor
replies.]

Of now and ek of time gon,
That every lust is bot a while;
And who that wole himself beguile, 2140
He may the rathere be deceived.
Mi Sone, now thou hast conceived
Somwhat of that I wolde mene; P. iii. 347
Hierafterward it schal be sene
If that thou lieve upon mi lore;
For I can do to thee nomore
Bot teche thee the rihte weie:
Now ches if thou wolt live or deie.

[The Controversy.]

Hic loquitur de con-
trouersia, que inter
Confessorem et Aman-
tem in fine confessio-
nis versabatur.

Mi fader, so as I have herd
Your tale, bot it were ansuerd, 2150
I were mochel forto blame.
Mi wo to you is bot a game,
That fielen noght of that I fiele;
The fielinge of a mannes Hiele
Mai noght be likned to the Herte:
I mai noght, thogh I wolde, asterte,
And ye be fre from al the peine
Of love, wherof I me pleigne.
It is riht esi to comaunde;
The hert which fre goth on the launde 2160
Not of an Oxe what him eileth;
It falleth ofte a man merveileth
Of that he seth an other fare,
Bot if he knewe himself the fare,
And felt it as it is in soth,
He scholde don riht as he doth,
Or elles werse in his degre:
For wel I wot, and so do ye,
That love hath evere yit ben used,
So mot I nedes ben excused. 2170
Bot, fader, if ye wolde thus
Unto Cupide and to Venus
Be frendlich toward mi querele, P. iii. 348
So that myn herte were in hele

2138 agon (a goon) H₁RCB₂, AdBT, W   2153 That feelen noght
of þat (*om*. I fiele) A   That feelen noght . be likned to þe herte M

Of love which is in mi briest, [THE CONTROVERSY.]
I wot wel thanne a betre Prest
Was nevere mad to my behove.
Bot al the whiles that I hove
In noncertein betwen the tuo,
And not if I to wel or wo   2180
Schal torne, that is al my drede,
So that I not what is to rede.
Bot for final conclusion
I thenke a Supplicacion
With pleine wordes and expresse
Wryte unto Venus the goddesse,
The which I preie you to bere
And bringe ayein a good ansuere.
Tho was betwen mi Prest and me
Debat and gret perplexete :   2190
Mi resoun understod him wel,
And knew it was soth everydel
That he hath seid, bot noght forthi
Mi will hath nothing set therby.
For techinge of so wis a port
Is unto love of no desport;
Yit myhte nevere man beholde
Reson, wher love was withholde,
Thei be noght of o governance.
And thus we fellen in distance,   2200
Mi Prest and I, bot I spak faire,
And thurgh mi wordes debonaire
Thanne ate laste we acorden,   **P. iii. 349**
So that he seith he wol recorden
To speke and stonde upon mi syde
To Venus bothe and to Cupide ;
And bad me wryte what I wolde,
And seith me trewly that he scholde
Mi lettre bere unto the queene.
And I sat doun upon the grene   2210

2178 while AM . . . B₂, AdBT, W   2179 no certein AdBT
the] þo AM   2180 if] wher AM . . . B₂, AdBT   2195 techinge
J, SΔ, FWK   touchynge (touching) AM . . . B₂, AdBTΛ   2203
þei (Jey)·acorden AdBT

[THE SUPPLICATION.]

Fulfilt of loves fantasie,
And with the teres of myn ÿe
In stede of enke I gan to wryte
The wordes whiche I wolde endite
Unto Cupide and to Venus,
And in mi lettre I seide thus.

Hic tractat formam cuiusdam Supplicacionis, quam ex parte Amantis per manus Genii Sacerdotis sui Venus sibi porrectam acceptabat.

THE wofull peine of loves maladie,
Ayein the which mai no phisique availe,
Min herte hath so bewhaped with sotie,
That wher so that I reste or I travaile, 2220
I finde it evere redy to assaile
Mi resoun, which that can him noght defende:
Thus seche I help, wherof I mihte amende.

Ferst to Nature if that I me compleigne,
Ther finde I hou that every creature
Som time ayer hath love in his demeine,
So that the litel wrenne in his mesure
Hath yit of kinde a love under his cure;
And I bot on desire, of which I misse:
And thus, bot I, hath every kinde his blisse. 2230

The resoun of my wit it overpasseth, P. iii. 350
Of that Nature techeth me the weie
To love, and yit no certein sche compasseth
Hou I schal spede, and thus betwen the tweie
I stonde, and not if I schal live or deie.
For thogh reson ayein my will debate,
I mai noght fle, that I ne love algate.

Upon miself is thilke tale come,
Hou whilom Pan, which is the god of kinde,
With love wrastlede and was overcome: 2240
For evere I wrastle and evere I am behinde,
That I no strengthe in al min herte finde,
Wherof that I mai stonden eny throwe;
So fer mi wit with love is overthrowe.

2214 wol(e) AdBT   2220 or I trauaile J, S, F *the rest* or trauaile   2228 a love] of loue AM . . . B₂, BT (Haþ love of kinde ȝit Ad)   2240 was] is AdBT

LIBER OCTAVUS

Whom nedeth help, he mot his helpe crave, [THE SUPPLICATION.]
Or helpeles he schal his nede spille:
Pleinly thurghsoght my wittes alle I have,
Bot non of hem can helpe after mi wille;
And als so wel I mihte sitte stille, 2250
As preie unto mi lady eny helpe:
Thus wot I noght wherof miself to helpe.

Unto the grete Jove and if I bidde,
To do me grace of thilke swete tunne,
Which under keie in his celier amidde
Lith couched, that fortune is overrunne,
Bot of the bitter cuppe I have begunne,
I not hou ofte, and thus finde I no game;
For evere I axe and evere it is the same.

I se the world stonde evere upon eschange, P. iii. 351
Nou wyndes loude, and nou the weder softe; 2260
I mai sen ek the grete mone change,
And thing which nou is lowe is eft alofte;
The dredfull werres into pes fulofte
Thei torne; and evere is Danger in o place,
Which wol noght change his will to do me grace.

Bot upon this the grete clerc Ovide,
Of love whan he makth his remembrance,
He seith ther is the blinde god Cupide,
The which hath love under his governance,
And in his hond with many a fyri lance 2270
He woundeth ofte, ther he wol noght hele;
And that somdiel is cause of mi querele.

Ovide ek seith that love to parforne
Stant in the hond of Venus the goddesse,
Bot whan sche takth hir conseil with Satorne,
Ther is no grace, and in that time, I gesse,
Began mi love, of which myn hevynesse
Is now and evere schal, bot if I spede:
So wot I noght miself what is to rede.

2247 þurghout BT   2251 ȝelpe AdBTΛ   2257 I fynde
BTΔ   2270 his *om.* B   2271 wher AdBT

[The Supplication.]

Forthi to you, Cupide and Venus bothe, 2280
With al myn hertes obeissance I preie,
If ye were ate ferste time wrothe,
Whan I began to love, as I you seie,
Nou stynt, and do thilke infortune aweie,
So that Danger, which stant of retenue
With my ladi, his place mai remue.

O thou Cupide, god of loves lawe, P. iii. 352
That with thi Dart brennende hast set afyre
Min herte, do that wounde be withdrawe,
Or yif me Salve such as I desire : 2290
For Service in thi Court withouten hyre
To me, which evere yit have kept thin heste,
Mai nevere be to loves lawe honeste.

O thou, gentile Venus, loves queene,
Withoute gult thou dost on me thi wreche ;
Thou wost my peine is evere aliche grene
For love, and yit I mai it noght areche :
This wold I for my laste word beseche,
That thou mi love aquite as I deserve,
Or elles do me pleinly forto sterve. 2300

[Venus replies to the Supplication.]

Hic loquitur qualiter Venus, accepta Amantis Supplicacione, indilate ad singula respondit.

Whanne I this Supplicacioun
With good deliberacioun,
In such a wise as ye nou wite,
Hadde after min entente write
Unto Cupide and to Venus,
This Prest which hihte Genius
It tok on honde to presente,
On my message and forth he wente
To Venus, forto wite hire wille.
And I bod in the place stille, 2310
And was there bot a litel while,
Noght full the montance of a Mile,
Whan I behield and sodeinly
I sih wher Venus stod me by.
So as I myhte, under a tre P. iii. 353

2284 þis infortune AdBT þilke fortune B₂, Δ that ilke infortune W
2294 gentile AJ, S, F gentil C, B 2298 wold J, S, F wolde AC, B

LIBER OCTAVUS

To grounde I fell upon mi kne,
And preide hire forto do me grace :   [VENUS REPLIES TO THE SUPPLICATION.]
Sche caste hire chiere upon mi face,
And as it were halvinge a game
Sche axeth me what is mi name.   2320
'Ma dame,' I seide, ' John Gower.'
'Now John,' quod sche, 'in my pouer
Thou most as of thi love stonde ;
For I thi bille have understonde,
In which to Cupide and to me
Somdiel thou hast compleigned thee,
And somdiel to Nature also.
Bot that schal stonde among you tuo,
For therof have I noght to done ;
For Nature is under the Mone   2330
Maistresse of every lives kinde,
Bot if so be that sche mai finde
Som holy man that wol withdrawe
His kindly lust ayein hir lawe ;
Bot sielde whanne it falleth so,
For fewe men ther ben of tho,
Bot of these othre ynowe be,
Whiche of here oghne nycete
Ayein Nature and hire office
Deliten hem in sondri vice,   2340
Wherof that sche fulofte hath pleigned,
And ek my Court it hath desdeigned
And evere schal ; for it receiveth
Non such that kinde so deceiveth.
For al onliche of gentil love   P. iii. 354
Mi court stant alle courtz above
And takth noght into retenue
Bot thing which is to kinde due,
For elles it schal be refused.
Wherof I holde thee excused,   2350
For it is manye daies gon,

2319 agame AJMRL, AdT in game Δ in grame W 2320 is] was A ... B2, SBTΔ 2332 if] it AMXE ... B2, B 2334 Hire B 2342 disteigned AH1XRLB2 distreigned M restreigned E
* *
 *   G g

[VENUS REPLIES TO
THE SUPPLICATION.]

That thou amonges hem were on
Which of my court hast ben withholde;
So that the more I am beholde
Of thi desese to commune,
And to remue that fortune,
Which manye daies hath the grieved.
Bot if my conseil mai be lieved,
Thou schalt ben esed er thou go
Of thilke unsely jolif wo,   2360
Wherof thou seist thin herte is fyred:
Bot as of that thou hast desired
After the sentence of thi bille,
Thou most therof don at my wille,
And I therof me wole avise.
For be thou hol, it schal suffise:
Mi medicine is noght to sieke
For thee and for suche olde sieke,
Noght al per chance as ye it wolden,
Bot so as ye be reson scholden,   2370
Acordant unto loves kinde.
For in the plit which I thee finde,
So as mi court it hath awarded,
Thou schalt be duely rewarded;
And if thou woldest more crave,   P. iii. 355
It is no riht that thou it have.'

iii. *Qui cupit id quod habere nequit, sua tempora perdit,*
    Est vbi non posse, velle salute caret.
Non estatis opus gelidis hirsuta capillis,
    Cum calor abcessit, equiperabit hiems;
Sicut habet Mayus non dat natura Decembri,
    Nec poterit compar floribus esse lutum;
Sic neque decrepita senium iuuenile voluptas
    Floret in obsequium, quod Venus ipsa petit.
Conueniens igitur foret, vt quos cana senectus
    Attigit, vlterius corpora casta colant.   (10)

2367 f. *Two lines om.* S ... Δ (*ins.* Λ)   2368 The which is holsom to þe seke H₁ ... B₂
2369 f.   Noght al as þou desire woldest
         Bot so as þou be resoun scholdest S ... Δ
2371-2376 *Six lines om.* S ... Δ
Latin Verses iii. 8 obsequium] obsessum X ... L   obessum B₂

LIBER OCTAVUS

Venus, which stant withoute lawe
In noncertein, bot as men drawe
Of Rageman upon the chance,
Sche leith no peis in the balance,   2380
Bot as hir lyketh forto weie;
The trewe man fulofte aweie
Sche put, which hath hir grace bede,
And set an untrewe in his stede.
Lo, thus blindly the world sche diemeth
In loves cause, as tome siemeth:
I not what othre men wol sein,
Bot I algate am so besein,
And stonde as on amonges alle
Which am out of hir grace falle: 2390
It nedeth take no witnesse,
For sche which seid is the goddesse,
To whether part of love it wende,
Hath sett me for a final ende
The point wherto that I schal holde.
For whan sche hath me wel beholde,
Halvynge of scorn, sche seide thus: **P. iii. 356**
'Thou wost wel that I am Venus,
Which al only my lustes seche;
And wel I wot, thogh thou beseche   2400
Mi love, lustes ben ther none,
Whiche I mai take in thi persone;
For loves lust and lockes hore
In chambre acorden neveremore,
And thogh thou feigne a yong corage,
It scheweth wel be the visage
That olde grisel is no fole:
There ben fulmanye yeres stole
With thee and with suche othre mo,
That outward feignen youthe so   2410

[VENUS REPLIES TO THE SUPPLICATION.]

Hic in exemplum contra quoscunque viros inveteratos amoris concupiscenciam affectantes loquitur Venus, huiusque Amantis Confessi supplicacionem quasi deridens, ipsum pro eo quod senex et debilis est, multis exhortacionibus insufficientem redarguit.

2379 ff. *margin* Hic in exemplum—redarguit] Hic narrat qualiter indignata Venus, amantis languidi infirmitatem inspiciens, ne quid amplius in curia sua attemptare presumat, ipsum insufficientem tanquam pro medicina pluribus exemplis exhortabatur S ... ΔΛ   2386 tome S, F   to me AJC, B   2387 wolde H₁ ... B₂, AdBT
2403 Mi loues AM, Λ   My loue AdBT (Ad *ends with this line*)
2409 with *om.* AM ... B₂, BT

[VENUS REPLIES TO THE SUPPLICATION.]

And ben withinne of pore assay.
Min herte wolde and I ne may
Is noght beloved nou adayes;
Er thou make eny suche assaies
To love, and faile upon the fet,
Betre is to make a beau retret;
For thogh thou myhtest love atteigne,
Yit were it bot an ydel peine,
Whan that thou art noght sufficant
To holde love his covenant. 2420
Forthi tak hom thin herte ayein,
That thou travaile noght in vein,
Wherof my Court may be deceived.
I wot and have it wel conceived,
Hou that thi will is good ynowh;
Bot mor behoveth to the plowh,
Wherof the lacketh, as I trowe:
So sitte it wel that thou beknowe
Thi fieble astat, er thou beginne
Thing wher thou miht non ende winne. 2430
What bargain scholde a man assaie,
Whan that him lacketh forto paie?
Mi Sone, if thou be wel bethoght,
This toucheth thee; foryet it noght:
The thing is torned into was;
That which was whilom grene gras,
Is welked hey at time now.
Forthi mi conseil is that thou
Remembre wel hou thou art old.'

[THE COMPANIES OF LOVERS.]

Qualiter super derisoria Veneris exhortacione contristatus Amans, quasi mortuus in terram corruit, vbi, vt sibi videbatur, Cupi-

Whan Venus hath hir tale told, 2440
And I bethoght was al aboute,
Tho wiste I wel withoute doute,
That ther was no recoverir;
And as a man the blase of fyr
With water quencheth, so ferd I;

2428 sitte AJC, F   sit B   2433 if þat þou wel beþought (beþought) X . . . B2, BTΛ   if that thou wel the be thouht H1   2436 The which AM . . . B2, BTΛ   (þat whilom was þe grene gras Δ)   2437 as time now AM . . . B2, BTΛ   2441 Than I AM, BΛ   Whan I H1 . . . B2, T   2442 And wist(e) wel AM . . . B2, BTΛ   2445 ferd AJ, S, F   ferde C, B

LIBER OCTAVUS

A cold me cawhte sodeinly,   [THE COMPANIES OF
For sorwe that myn herte made   LOVERS.]
Mi dedly face pale and fade   dinem cum innumera
Becam, and swoune I fell to grounde.   multitudine   nuper
And as I lay the same stounde,   2450   Amantum variis tur-
Ne fully quik ne fully ded,   mis assistencium con-
Me thoghte I sih tofor myn hed   spiciebat.
Cupide with his bowe bent,
And lich unto a Parlement,
Which were ordeigned for the nones,
With him cam al the world at ones
Of gentil folk that whilom were   P. iii. 358
Lovers, I sih hem alle there
Forth with Cupide in sondri routes.
Min yhe and as I caste aboutes,   2460
To knowe among hem who was who,
   I sih wher lusty Youthe tho,
As he which was a Capitein,
Tofore alle othre upon the plein
Stod with his route wel begon,
Here hevedes kempt, and therupon
Garlandes noght of o colour,
Some of the lef, some of the flour,
And some of grete Perles were;
The newe guise of Beawme there,   2470
With sondri thinges wel devised,
I sih, wherof thei ben queintised.
It was al lust that thei with ferde,
Ther was no song that I ne herde,
Which unto love was touchende;
Of Pan and al that was likende
As in Pipinge of melodie
Was herd in thilke compaignie
So lowde, that on every side
It thoghte as al the hevene cride   2480
In such acord and such a soun
Of bombard and of clarion
With Cornemuse and Schallemele,

2446 And cold AM   2462 *line om.* B   2476 *margin* Pan
id est deus nature A ... B₂

[THE COMPANIES OF LOVERS.]

    That it was half a mannes hele
So glad a noise forto hiere.
And as me thoghte, in this manere
Al freissh I syh hem springe and dance, P. iii. 359
And do to love her entendance
After the lust of youthes heste.
Ther was ynowh of joie and feste,   2490
For evere among thei laghe and pleie,
And putten care out of the weie,
That he with hem ne sat ne stod.
And overthis I understod,
So as myn Ere it myhte areche,
The moste matiere of her speche
Was al of knyhthod and of Armes,
And what it is to ligge in armes
With love, whanne it is achieved.
    Ther was Tristram, which was believed   2500
With bele Ysolde, and Lancelot
Stod with Gunnore, and Galahot
With his ladi, and as me thoghte,
I syh wher Jason with him broghte
His love, which that Creusa hihte,
And Hercules, which mochel myhte,
Was ther berende his grete Mace,
And most of alle in thilke place
He peyneth him to make chiere
With Eolen, which was him diere.   2510
    Theseüs, thogh he were untrewe
To love, as alle wommen knewe,
Yit was he there natheles
With Phedra, whom to love he ches :
Of Grece ek ther was Thelamon,
Which fro the king Lamenedon
At Troie his doghter refte aweie,   P. iii. 360
Eseonen, as for his preie,
Which take was whan Jason cam
Fro Colchos, and the Cite nam   2520
In vengance of the ferste hate ;
That made hem after to debate,

De nominibus illorum nuper Amantum, qui tunc Amanti spasmato, aliqui iuuenes, aliqui senes, apparuerunt. Senes autem precipue tam erga deum quam deam amoris pro sanitate Amantis recuperanda multiplicatis precibus misericorditer instabant.

2497 It was AM ... B₂, BT

LIBER OCTAVUS

Whan Priamus the newe toun   [THE COMPANIES OF
Hath mad. And in avisioun   LOVERS.]
   Me thoghte that I sih also
Ector forth with his brethren tuo ;
Himself stod with Pantaselee,
And next to him I myhte se,
Wher Paris stod with faire Eleine,
Which was his joie sovereine ;   2530
And Troilus stod with Criseide,
Bot evere among, althogh he pleide,
Be semblant he was hevy chiered,
For Diomede, as him was liered,
Cleymeth to ben his parconner.
And thus full many a bacheler,
A thousend mo than I can sein,
With Yowthe I sih ther wel besein
Forth with here loves glade and blithe.
   And some I sih whiche ofte sithe   2540
Compleignen hem in other wise ;
Among the whiche I syh Narcise
And Piramus, that sory were.
The worthy Grek also was there,
Achilles, which for love deide :
Agamenon ek, as men seide,
And Menelay the king also   P. iii. 361
I syh, with many an other mo,
Which hadden be fortuned sore
In loves cause.   And overmore   2550
Of wommen in the same cas,
With hem I sih wher Dido was,
Forsake which was with Enee ;
And Phillis ek I myhte see,
Whom Demephon deceived hadde ;
And Adriagne hir sorwe ladde,
For Theseüs hir Soster tok
And hire unkindely forsok.
I sih ther ek among the press
Compleignende upon Hercules   2560

2543 Priamus AM, B, W

[THE COMPANIES OF LOVERS.]

His ferste love Deyanire,
Which sette him afterward afyre:
Medea was there ek and pleigneth
Upon Jason, for that he feigneth,
Withoute cause and tok a newe;
Sche seide, 'Fy on alle untrewe!'
I sih there ek Deÿdamie,
Which hadde lost the compaignie
Of Achilles, whan Diomede
To Troie him fette upon the nede.   2570
 Among these othre upon the grene
I syh also the wofull queene
Cleopatras, which in a Cave
With Serpentz hath hirself begrave
Alquik, and so sche was totore,
For sorwe of that sche hadde lore
Antonye, which hir love hath be: P. iii. 362
And forth with hire I sih Tisbee,
Which on the scharpe swerdes point
For love deide in sory point;   2580
And as myn Ere it myhte knowe,
She seide, 'Wo worthe alle slowe!'
The pleignte of Progne and Philomene
Ther herde I what it wolde mene,
How Tereüs of his untrouthe
Undede hem bothe, and that was routhe;
And next to hem I sih Canace,
Which for Machaire hir fader grace
Hath lost, and deide in wofull plit.
And as I sih in my spirit,   2590
Me thoghte amonges othre thus
The doghter of king Priamus,
Polixena, whom Pirrus slowh,
Was there and made sorwe ynowh,
As sche which deide gulteles
For love, and yit was loveles.
 And forto take the desport,
I sih there some of other port,   2598

2573 graue BT   2575 Alquik F   Al quik AJ, SB, K
þere F   þer (þer) AJC, B

LIBER OCTAVUS

And that was Circes and Calipse,   [THE COMPANIES OF
That cowthen do the Mone eclipse,   2600   LOVERS.]
Of men and change the liknesses,
Of Artmagique Sorceresses;
Thei hielde in honde manyon,
To love wher thei wolde or non.
  Bot above alle that ther were
Of wommen I sih foure there,
Whos name I herde most comended : **P. iii. 363**
Be hem the Court stod al amended;
For wher thei comen in presence,
Men deden hem the reverence,   2610
As thogh they hadden be goddesses,
Of al this world or Emperesses.
And as me thoghte, an Ere I leide,
And herde hou that these othre seide,
'Lo, these ben the foure wyves,
Whos feith was proeved in her lyves:
For in essample of alle goode
With Mariage so thei stode,
That fame, which no gret thing hydeth,
Yit in Cronique of hem abydeth.'   2620
  Penolope that on was hote,
Whom many a knyht hath loved hote,
Whil that hire lord Ulixes lay
Full many a yer and many a day
Upon the grete Siege of Troie:
Bot sche, which hath no worldes joie
Bot only of hire housebonde,
Whil that hir lord was out of londe,
So wel hath kept hir wommanhiede,
That al the world therof tok hiede,   2630
And nameliche of hem in Grece.
  That other womman was Lucrece,
Wif to the Romain Collatin;
And sche constreigned of Tarquin
To thing which was ayein hir wille,
Sche wolde noght hirselven stille,
Bot deide only for drede of schame **P. iii. 364**

2623 Vluxes BT

[THE COMPANIES OF LOVERS.]

In keping of hire goode name,
As sche which was on of the beste.
    The thridde wif was hote Alceste,   2640
Which whanne Ametus scholde dye
Upon his grete maladye,
Sche preide unto the goddes so,
That sche receyveth al the wo
And deide hirself to yive him lif:
Lo, if this were a noble wif.
    The ferthe wif which I ther sih,
I herde of hem that were nyh
Hou sche was cleped Alcione,
Which to Seyix hir lord al one   2650
And to nomo hir body kepte;
And whan sche sih him dreynt, sche lepte
Into the wawes where he swam,
And there a Sefoul sche becam,
And with hire wenges him bespradde
For love which to him sche hadde.
    Lo, these foure were tho
Whiche I sih, as me thoghte tho,
Among the grete compaignie
Which Love hadde forto guye: 2660
Bot Youthe, which in special
Of Loves Court was Mareschal,
So besy was upon his lay,
That he non hiede where I lay
Hath take. And thanne, as I beheld,
    Me thoghte I sih upon the field,
Where Elde cam a softe pas   P. iii. 365
Toward Venus, ther as sche was.
With him gret compaignie he ladde,
Bot noght so manye as Youthe hadde: 2670
The moste part were of gret Age,
And that was sene in the visage,

2646 Lo, if] See wher AM ... B2, BT   2650 Which Ceix (*om.* to) B   Which to seke X   Which for to se W   2653 wawe A ... B2, S ... Δ   2656 which] þat AM ... B2, BT   2664 he lay X, BT (*line om.* Δ *p. m.*)   2670 manye] fele AM ... B2, BT   2672 here visage AM ... B2, BT

LIBER OCTAVUS

And noght forthi, so as thei myhte,   [THE COMPANIES OF
Thei made hem yongly to the sihte: LOVERS.]
Bot yit herde I no pipe there
To make noise in mannes Ere,
Bot the Musette I myhte knowe,
For olde men which souneth lowe,
With Harpe and Lute and with Citole.
The hovedance and the Carole,   2680
In such a wise as love hath bede,
A softe pas thei dance and trede;
And with the wommen otherwhile
With sobre chier among thei smyle,
For laghtre was ther non on hyh.
And natheles full wel I syh
That thei the more queinte it made
For love, in whom thei weren glade.

   And there me thoghte I myhte se
The king David with Bersabee,   2690
And Salomon was noght withoute;
Passende an hundred on a route
Of wyves and of Concubines,
Juesses bothe and Sarazines,
To him I sih alle entendant:
I not if he was sufficant,
Bot natheles for al his wit   P. iii. 366
He was attached with that writ
Which love with his hond enseleth,
Fro whom non erthly man appeleth.   2700
And overthis, as for a wonder,
With his leon which he put under,
With Dalida Sampson I knew,
Whos love his strengthe al overthrew.

   I syh there Aristotle also,
Whom that the queene of Grece so
Hath bridled, that in thilke time

2675 pipes AM ... B2, BT   piper Δ   2676 noise] merþe
AM ... B2, BT   2678 sowned AM ... B2, BT   2694 Iuesses
eek AM   Iues boþe (Iewes both) KW   Iewes (Iues &c.) eek H1 ... B2,
BT   2696 wher he was AM   wher(e) he were X ... B2, BT
if he were H1, W   2701 no wonder B   2702 put AJ, F
putte C, B   2706 so] also E, BT   þo Δ

[The Companies of Lovers.]

Sche made him such a Silogime,
That he foryat al his logique;
Ther was non art of his Practique, 2710
Thurgh which it mihte ben excluded
That he ne was fully concluded
To love, and dede his obeissance.
And ek Virgile of aqueintance
I sih, wher he the Maiden preide,
Which was the doghter, as men seide,
Of themperour whilom of Rome;
Sortes and Plato with him come,
So dede Ovide the Poete.
I thoghte thanne how love is swete, 2720
Which hath so wise men reclamed,
And was miself the lasse aschamed,
Or forto lese or forto winne
In the meschief that I was inne:
And thus I lay in hope of grace.
   And whan thei comen to the place
Wher Venus stod and I was falle, P. iii. 367
These olde men with o vois alle
To Venus preiden for my sake.
And sche, that myhte noght forsake 2730
So gret a clamour as was there,
Let Pite come into hire Ere;
And forth withal unto Cupide
Sche preith that he upon his side
Me wolde thurgh his grace sende
Som confort, that I myhte amende,
Upon the cas which is befalle.
And thus for me thei preiden alle
Of hem that weren olde aboute,
And ek some of the yonge route, 2740
Of gentilesse and pure trouthe
I herde hem telle it was gret routhe,
That I withouten help so ferde.
And thus me thoghte I lay and herde.

   Cupido, which may hurte and hele
In loves cause, as for myn hele

Upon the point which him was preid
Cam with Venus, wher I was leid
Swounende upon the grene gras.
And, as me thoghte, anon ther was   2750
On every side so gret presse,
That every lif began to presse,
I wot noght wel hou many score,
Suche as I spak of now tofore,
Lovers, that comen to beholde,
Bot most of hem that weren olde :
Thei stoden there at thilke tyde,   P. iii. 368
To se what ende schal betyde
Upon the cure of my sotie.
Tho myhte I hiere gret partie   2760
Spekende, and ech his oghne avis
Hath told, on that, an other this :
Bot among alle this I herde,
Thei weren wo that I so ferde,
And seiden that for no riote
An old man scholde noght assote;
For as thei tolden redely,
Ther is in him no cause why,
Bot if he wolde himself benyce ;
So were he wel the more nyce.   2770
And thus desputen some of tho,
And some seiden nothing so,
Bot that the wylde loves rage
In mannes lif forberth non Age ;
Whil ther is oyle forto fyre,
The lampe is lyhtly set afyre,
And is fulhard er it be queynt,
Bot only if it be som seint,
Which god preserveth of his grace.
And thus me thoghte, in sondri place   2780
Of hem that walken up and doun
Ther was diverse opinioun :
And for a while so it laste,
Til that Cupide to the laste,

[CUPID AND THE LOVER.]

Hic tractat qualiter Cupido Amantis senectute confracti viscera perscrutans, ignita sue concupiscencie tela ab eo penitus extraxit, quem Venus postea absque calore percipiens, vacuum reliquit : et sic tandem prouisa Senectus, racionem inuocans, hominem interiorem per prius amore infatuatum mentis sanitati plenius restaurauit.

Nota.

2769 benyce J, S, FK   be nyce (by nice &c.) AM ... B2, BTΔ, W
2775 margin Nota LB2, F   Nota bene C   om. A ... R, SBTΔ, WK

[THE FIERY DART WITHDRAWN.]

Forth with his moder full avised,
Hath determined and devised
Unto what point he wol descende.   P. iii. 369
And al this time I was liggende
Upon the ground tofore his yhen,
And thei that my desese syhen   2790
Supposen noght I scholde live;
Bot he, which wolde thanne yive
His grace, so as it mai be,
This blinde god which mai noght se,
Hath groped til that he me fond;
And as he pitte forth his hond
Upon my body, wher I lay,
Me thoghte a fyri Lancegay,
Which whilom thurgh myn herte he caste,
He pulleth oute, and also faste   2800
As this was do, Cupide nam
His weie, I not where he becam,
And so dede al the remenant
Which unto him was entendant,
Of hem that in Avision
I hadde a revelacion,
So as I tolde now tofore.

[THE HEALING OF LOVE.]

    Bot Venus wente noght therfore,
Ne Genius, whiche thilke time
Abiden bothe faste byme.   2810
And sche which mai the hertes bynde
In loves cause and ek unbinde,
Er I out of mi trance aros,
Venus, which hield a boiste clos,
And wolde noght I scholde deie,
Tok out mor cold than eny keie
An oignement, and in such point   P. iii. 370
Sche hath my wounded herte enoignt,
My temples and my Reins also.
And forth withal sche tok me tho   2820
A wonder Mirour forto holde,

2796 pitte F   putte AJC, SB   2809 whiche S, F   which AJC, B   2819 *margin* Nota contra senes voluptuosos, quorum calor refrigescente natura extinctus est SBTΔ (*om.* Λ)

LIBER OCTAVUS

In which sche bad me to beholde   [THE HEALING OF
And taken hiede of that I syhe ;   LOVE.]
Wherinne anon myn hertes yhe
I caste, and sih my colour fade,
Myn yhen dymme and al unglade,
Mi chiekes thinne, and al my face
With Elde I myhte se deface,
So riveled and so wo besein,
That ther was nothing full ne plein,   2830
I syh also myn heres hore.
Mi will was tho to se nomore
Outwith, for ther was no plesance ;
And thanne into my remembrance
I drowh myn olde daies passed,
And as reson it hath compassed,
I made a liknesse of miselve   Quod status hominis
Unto the sondri Monthes twelve,   Mensibus anni equi-
Wherof the yeer in his astat   peratur.
Is mad, and stant upon debat,   2840
That lich til other non acordeth.
For who the times wel recordeth,
And thanne at Marche if he beginne,
Whan that the lusti yeer comth inne,
Til Augst be passed and Septembre,
The myhty youthe he may remembre
In which the yeer hath his deduit   P. iii. 371
Of gras, of lef, of flour, of fruit,
Of corn and of the wyny grape.
And afterward the time is schape   2850
To frost, to Snow, to Wind, to Rein,
Til eft that Mars be come ayein :
The Wynter wol no Somer knowe,
The grene lef is overthrowe,
The clothed erthe is thanne bare,
Despuiled is the Somerfare,

2833 Outwiþ SΔ, FWK   Out wiþ AJM, TΛ   Therwiþ (Ther wiþ)
H1 . . . B2   On which B   2837 *margin* equiperatur A   equipatur
C, BT, F   2848 of flour of lef AM . . . CB2   and floure of leef L
2850 þis time H1 . . . B2   2856 Somerfare S, F   somer fare
AJC, B

[The Healing of Love.]

That erst was hete is thanne chele.
 And thus thenkende thoghtes fele,
I was out of mi swoune affraied,
Wherof I sih my wittes straied,   2860
And gan to clepe hem hom ayein.
And whan Resoun it herde sein
That loves rage was aweie,
He cam to me the rihte weie,
And hath remued the sotie
Of thilke unwise fantasie,
Wherof that I was wont to pleigne,
So that of thilke fyri peine
I was mad sobre and hol ynowh.
 Venus behield me than and lowh,   2870
And axeth, as it were in game,
What love was. And I for schame
Ne wiste what I scholde ansuere;
And natheles I gan to swere
That be my trouthe I knew him noght;
So ferr it was out of mi thoght,
Riht as it hadde nevere be.   P. iii. 372
'Mi goode Sone,' tho quod sche,
'Now at this time I lieve it wel,
So goth the fortune of my whiel;   2880
Forthi mi conseil is thou leve.'
 'Ma dame,' I seide, 'be your leve,
Ye witen wel, and so wot I,
That I am unbehovely
Your Court fro this day forth to serve:
And for I may no thonk deserve,
And also for I am refused,
I preie you to ben excused.
And natheles as for the laste,
Whil that my wittes with me laste,   2890
Touchende mi confession
I axe an absolucion
Of Genius, er that I go.'

  2860 straied] frayed AM ... B₂   2885 forth] for EC, BTΛ
 2889 for to laste BT

LIBER OCTAVUS

The Prest anon was redy tho,   [THE ABSOLUTION.]
And seide, 'Sone, as of thi schrifte
Thou hast ful pardoun and foryifte;
Foryet it thou, and so wol I.'
   'Min holi fader, grant mercy,'   Amans.
Quod I to him, and to the queene
I fell on knes upon the grene,   2900
And tok my leve forto wende.
Bot sche, that wolde make an ende,   [LEAVE-TAKING OF
As therto which I was most able,   VENUS.]
A Peire of Bedes blak as Sable
Sche tok and heng my necke aboute;
Upon the gaudes al withoute
Was write of gold, *Por reposer*.   **P. iii. 373**
'Lo,' thus sche seide, 'John Gower,
Now thou art ate laste cast,
This have I for thin ese cast,   2910
That thou nomore of love sieche.
Bot my will is that thou besieche
And preie hierafter for the pes,
And that thou make a plein reles
To love, which takth litel hiede
Of olde men upon the nede,
Whan that the lustes ben aweie:
Forthi to thee nys bot o weie,
In which let reson be thi guide;
For he may sone himself misguide,   2920
That seth noght the peril tofore.
Mi Sone, be wel war therfore,
And kep the sentence of my lore
And tarie thou mi Court nomore,
Bot go ther vertu moral duelleth,
Wher ben thi bokes, as men telleth,
Whiche of long time thou hast write.
For this I do thee wel to wite,
If thou thin hele wolt pourchace,
Thou miht noght make suite and chace,   2930

2899 the *om*. AM   2907 pur AM ... B2, B, W   pour H1, T
2925 moral vertu AM ... B2, W   vertu morar S   2926 Wher
ben þe M, TΛ   Ther ben þe B
  * *
   *   H h

[LEAVE-TAKING OF VENUS.]

Wher that the game is nought pernable;
It were a thing unresonable,
A man to be so overseie.
Forthi tak hiede of that I seie;
For in the lawe of my comune
We be noght schape to comune,
Thiself and I, nevere after this.   P. iii. 374
Now have y seid al that ther is
Of love as for thi final ende:
*Adieu, for y mot fro the wende.'   2940
And with that word al sodeinly,   P. iii. 375

[LEAVE-TAKING OF VENUS.]

*Adieu, for I mot fro the wende.
And gret wel Chaucer whan ye mete,   2941*
As mi disciple and mi poete:
For in the floures of his youthe
In sondri wise, as he wel couthe,
Of Ditees and of songes glade,
The whiche he for mi sake made,
The lond fulfild is overal:
Wherof to him in special
Above alle othre I am most holde.
For thi now in hise daies olde   2950*
Thow schalt him telle this message,
That he upon his latere age,
To sette an ende of alle his werk,
As he which is myn owne clerk,
Do make his testament of love,
As thou hast do thi schrifte above,
So that mi Court it mai recorde.'
'Madame, I can me wel acorde,'
Quod I, 'to telle as ye me bidde.'
And with that word it so betidde,   2960*

2931 pernable J, SΔ, FK   parnable W   prouable (prouable)
AM...B2, BTΛ   2938 *Here begins a new hand in* F *and* ll. 2938-
2966 *are over an erasure.*
   2941* ff. *This conclusion is in first recension copies only,* A ... B2 &c.
But ll. 2941*-2961* *also in* Λ.   *All variations from* A *are noted.*
2949* moost A   2953* eende A   al J   2960* world
AMX   betidde (bitidde) JH1ECB2   by tydde (be tidde) AMRL

LIBER OCTAVUS

Enclosid in a sterred sky,   [LEAVE-TAKING OF
Venus, which is the qweene of love,   VENUS.]
Was take in to hire place above,
More wiste y nought wher sche becam.   **P. iii. 376**
And thus my leve of hire y nam,
And forth with al the same tide
Hire prest, which wolde nought abide,
Or be me lief or be me loth,   **P. iii. 377**
Out of my sighte forth he goth,   2950
And y was left with outen helpe.
So wiste I nought wher of to yelpe,
Bot only that y hadde lore
My time, and was sori ther fore.
And thus bewhapid in my thought,   **P. iii. 378**
Whan al was turnyd in to nought,
I stod amasid for a while,
And in my self y gan to smyle
Thenkende uppon the bedis blake,
And how they weren me betake,   2960
For that y schulde bidde and preie.
And whanne y sigh non othre weie
Bot only that y was refusid,
Unto the lif which y hadde usid
I thoughte nevere torne ayein:
And in this wise, soth to seyn,
Homward a softe pas y wente,
Wher that with al myn hol entente

Out of my sihte al sodeynly,   [LEAVE-TAKING OF
Enclosed in a sterred sky,   VENUS.]
Up to the hevene Venus straghte,
And I my rihte weie cawhte,
Hom fro the wode and forth I wente,
Wher as with al myn hole entente,

2942 serred S   2945 wiste ST   wist B, F   2946 hire
(hir) BTΔ, WK   here S, F   2968 hol B, F   hole S
   2961* sihte (sighte) JR   syht (sight) AMH₁ECLB₂   2963* f.
straghte : cawhte AM   strauhte : cauhte J   straght(e) : caght(e) RL
straughte : caughte EC   2964* righte (rihte) JEC   riht (right)
AMH₁R   2965* Hoom AM   and *om*. C   2966* hole J   hoole AM

Uppon the point that y am schryve
I thenke bidde whil y live.   2970

[THE AUTHOR PRAYS
FOR THE STATE OF
ENGLAND.]

iv. *Parce precor, Criste, populus quo gaudeat iste;*
   Anglia ne triste subeat, rex summe, resiste.
   Corrige quosque status, fragiles absolue reatus;
   Vnde deo gratus vigeat locus iste beatus.

Hic in anno quarto-
decimo Regis Ricardi
orat pro statu regni,
quod a diu diuisum
nimia aduersitate peri-
clitabatur.

He which withinne daies sevene
This large world forth with the hevene
Of his eternal providence
Hath mad, and thilke intelligence
In mannys soule resonable
Hath schape to be perdurable,
Wherof the man of his feture
Above alle erthli creature
Aftir the soule is immortal,

Thus with mi bedes upon honde,
For hem that trewe love fonde
I thenke bidde whil I lyve
Upon the poynt which I am schryve.   2970*

[THE AUTHOR PRAYS
FOR THE KING.]

iv.* *Ad laudem Cristi, quem tu, virgo, peperisti,*
    Sit laus Ricardi, quem sceptra colunt leopardi.
    Ad sua precepta compleui carmina cepta,
    Que Bruti nata legat Anglia perpetuata.

Hic in fine libri
honorificos que virtu-
osos illustrissimi Prin-
cipis domini sui Regis
Anglie Ricardi secun-
di mores, sicut dig-
num est, laude com-
mendabili describens,
pro eiusdem status
salubri conseruacione

He which withinne dayes sevene
This large world forth with the hevene
Of his eternal providence
Hath mad, and thilke intelligence
In mannes soule resonable
Enspired to himself semblable,
Wherof the man of his feture
Above alle erthly creature
After the soule is immortal,

2970 lieue F   2971 The J, B   2973 ff. *margin* Hic in anno
—periclitabatur SΔ, FK   *om.* BTΛ, W
2967* f. hoonde : foonde AM
Latin Verses iv.* 3 ceptra AM
2974* madJ   maadA   2978* erþlyC   eerþliAM   erþelyJH₁ERLB₂

LIBER OCTAVUS 469

    To thilke lord in special,   2980 [THE AUTHOR PRAYS
As he which is of alle thinges   P. iii. 379   FOR THE STATE OF
The creatour, and of the kynges   ENGLAND.]
Hath the fortunes uppon honde,
His grace and mercy forto fonde
Uppon my bare knes y preie,
That he this lond in siker weie
Wol sette uppon good governance.
For if men takyn remembrance
What is to live in unite,
Ther ys no staat in his degree   2990
That noughte to desire pes,
With outen which, it is no les,
To seche and loke in to the laste,
Ther may no worldes joye laste.

    Ferst forto loke the Clergie,   [EVIL OF DIVISION
Hem oughte wel to justefie   IN THE LAND.]
Thing which belongith to here cure,
As forto praie and to procure
Oure pes toward the hevene above,
And ek to sette reste and love   3000

    To thilke lord in special,   2980* [THE AUTHOR PRAYS
As he which is of alle thinges   FOR THE KING.]
The creatour, and of the kinges   cunctipotentem deuo-
Hath the fortunes upon honde,   cius exorat.
His grace and mercy forto fonde
Upon mi bare knees I preye,
That he my worthi king conveye,
Richard by name the Secounde,
In whom hath evere yit be founde
Justice medled with pite,
Largesce forth with charite.   2990*
In his persone it mai be schewed
What is a king to be wel thewed,
Touchinge of pite namely :

2987 Wol] Wel S   2989 liue BTΔ, W   lieue S, FK   2994
wordles F
2983* f. hoonde : foonde AM   2987* be J   2988* byfounde A
by founde M

[EVIL OF DIVISION IN THE LAND.]

Among ous on this erthe hiere.
For if they wroughte in this manere
Aftir the reule of charite,
I hope that men schuldyn se
This lond amende.
     And ovyr this,
To seche and loke how that it is
Touchende of the chevalerie,
Which forto loke, in som partie
Is worthi forto be comendid,
And in som part to ben amendid,   3010
That of here large retenue   P. iii. 380
The lond is ful of maintenue,
Which causith that the comune right
In fewe contrees stant upright.
Extorcioun, contekt, ravine
Withholde ben of that covyne,
Aldai men hierin gret compleignte
Of the desease, of the constreignte,
Wher of the poeple is sore oppressid:

[THE KING COMMENDED.]

For he yit nevere unpitously
Ayein the liges of his lond,
For no defaute which he fond,
Thurgh cruelte vengaunce soghte;
And thogh the worldes chaunce in broghte
Of infortune gret debat,
Yit was he not infortunat: 3000*
For he which the fortune ladde,
The hihe god, him overspradde
Of his Justice, and kepte him so,
That his astat stood evere mo
Sauf, as it oghte wel to be;
Lich to the Sonne in his degree,
Which with the clowdes up alofte

3005 f. *Paragraph begins* And ouer þis S   To seche FWK   *No Paragraph* BT   3006 how þat is B   howe it is W   3013 comune (com*m*une) SBT, F   comyn W   3015 contekt FK contect SBT   Contek W   contek and Magd   contel and Δ
2995* f. loond : foond A   2998* inbroughte JH₁   3003* kepte ECB₂   kept AJMH₁RL   3005* bee A

LIBER OCTAVUS

God graunte it mote be redressid.   3020   [EVIL OF DIVISION
For of knyghthode thordre wolde   IN THE LAND.]
That thei defende and kepe scholde
The comun right and the fraunchise
Of holy cherche in alle wise,
So that no wikke man it dere,
And ther fore servith scheld and spere:
Bot for it goth now other weie,
Oure grace goth the more aweie.

And forto lokyn ovyrmore,
Wher of the poeple pleigneth sore,   3030
Toward the lawis of oure lond,
Men sein that trouthe hath broke his bond
And with brocage is goon aweie,
So that no man can se the weie
Wher forto fynde rightwisnesse.

And if men sechin sikernesse
Uppon the lucre of marchandie,
Compassement and tricherie
Of singuler profit to wynne,
Men seyn, is cause of mochil synne,   3040
And namely of divisioun,   **P. iii. 381**
Which many a noble worthi toun

Is derked and bischadewed ofte,   [THE KING
But hou so that it trowble in their,   COMMENDED.]
The Sonne is evere briht and feir,   3010*
Withinne himself and noght empeired:
Althogh the weder be despeired,
The hed planete is not to wite.
Mi worthi prince, of whom I write,
Thus stant he with himselve clier,
And doth what lith in his power
Not only hier at hom to seke

3023 comun B, F   comune ST   3026 þer fore (þerfore) FK
þerof (þer of) SBTΔ, W   3037 machandie F   merchandie S
3008* bischadewed (byshadewed) AMH₁E   by schadewed (by
schadowed) RCLB₂   beschaded J   3009* Bot JH₁   3011*
Wiþin AM   3013* hed (hede) JM   heed A   heued H₁E ... B₂
3015* f. clier: power J   cleer: poweer A   3016* dooþ AM
3017* only hier at hom to seke J   oonly heer athoom to seeke A

CONFESSIO AMANTIS

[EVIL OF DIVISION IN THE LAND.]

Fro welthe and fro prosperite
Hath brought to gret adversite.
So were it good to ben al on,
For mechil grace ther uppon
Unto the Citees schulde falle,
Which myghte availle to ous alle,
If these astatz amendid were,
So that the vertus stodyn there   3050
And that the vices were aweie:
Me thenkth y dorste thanne seie,
This londis grace schulde arise.

[THE DUTY OF A KING.]

Bot yit to loke in othre wise,
Ther is a stat, as ye schul hiere,
Above alle othre on erthe hiere,
Which hath the lond in his balance:
To him belongith the leiance
Of Clerk, of knyght, of man of lawe;
Undir his hond al is forth drawe   3060
The marchant and the laborer;
So stant it al in his power
Or forto spille or forto save.
Bot though that he such power have,
And that his myghtes ben so large,
He hath hem nought withouten charge,
To which that every kyng ys swore:
So were it good that he ther fore

[THE KING COMMENDED.]

Love and acord, but outward eke,
As he that save his poeple wolde.
So ben we alle wel beholde   3020*
To do service and obeyssaunce
To him, which of his heyh suffraunce
Hath many a gret debat appesed,

3046 mechil F   mekull W   mochil SBT   3054 oþre wise S, F
oþer w. BTΔ, WK   3060 is al B   3063 forto ... forto S
for to ... forto F   for to ... for to BT   3066 wiþouten F
wiþoute SBT
  3018* acord JER   acorde AC   eeke AEC   3020* been AMC
by holde AM   3022* hihe H₁RLB₂ hie J   3023* a gret
(agret) JCL   a grete (agrete) AMH₁ &c.

LIBER OCTAVUS

First un to rightwisnesse entende,   [THE DUTY OF
Wherof that he hym self amende   3070   A KING.]
Toward his god and leve vice,   **P. iii. 382**
Which is the chief of his office;
And aftir al the remenant
He schal uppon his covenant
Governe and lede in such a wise,
So that ther be no tirandise,
Wherof that he his poeple grieve,
Or ellis may he nought achieve
That longith to his regalie.
For if a kyng wol justifie   3080
His lond and hem that beth withynne,
First at hym self he mot begynne,
To kepe and reule his owne astat,
That in hym self be no debat
Toward his god: for othre wise
Ther may non erthly kyng suffise
Of his kyngdom the folk to lede,
Bot he the kyng of hevene drede.
For what kyng sett hym uppon pride
And takth his lust on every side   3090
And wil nought go the righte weie,
Though god his grace caste aweie
No wondir is, for ate laste
He schal wel wite it mai nought laste,
The pompe which he secheth here.

To make his lige men ben esed;   [THE KING
Wherfore that his Croniqe schal   COMMENDED.]
For evere be memorial
To the loenge of that he doth.
For this wot every man in soth,
What king that so desireth pes,
He takth the weie which Crist ches: 3030*
And who that Cristes weies sueth,

3081 beþ F   ben (be) SBTΔ, WK   3085 oþre wise F oþrewise S
oþerwise BT   othir wyse W   3094 nouȝt F noght S nought B
not T, W
3024* been A   3027* f. dooþ: sooþ AMR   3029* f. pees: chees AMR

[THE BOOK COMPLETED.]

Hic in fine recapit-

[THE KING COMMENDED.]

[THE AUTHOR PRESENTS HIS BOOK TO THE KING.]

Bot what kyng that with humble chere
Aftir the lawe of god eschuieth
The vices, and the vertus suieth,
His grace schal be suffisant
To governe al the remenant   3100
Which longith to his duite;   P. iii. 383
So that in his prosperite
The poeple schal nought ben oppressid,
Wherof his name schal be blessid,
For evere and be memorial.
  And now to speke as in final,
Touchende that y undirtok
In englesch forto make a book

It proveth wel that he eschueth
The vices and is vertuous,
Wherof he mot be gracious
Toward his god and acceptable.
And so to make his regne stable,
With al the wil that I mai yive
I preie and schal whil that I live,
As I which in subjeccioun
Stonde under the proteccioun,   3040*
And mai miselven not bewelde,
What for seknesse and what for elde,
Which I receyve of goddes grace.
But thogh me lacke to purchace
Mi kinges thonk as by decerte,
Yit the Simplesce of mi poverte
Unto the love of my ligance
Desireth forto do plesance:
And for this cause in myn entente
This povere bok heer I presente   3050*
Unto his hihe worthinesse,
Write of my simple besinesse,

3098 vertu B
3033* f. vertuows: graciows AM   3036* And for to CB₂   maake
A   3040* Stoonde AM   the] his J   3041* by welde AMH₁
3042* sekenesse AMH₁R   3045* be J   3050* bok J   book AC
3052* besinesse (besynesse) JH₁RL   bisinesse A   busynesse C

LIBER OCTAVUS

Which stant betwene ernest and game,
I have it maad as thilke same   3110
Which axe forto ben excusid,
And that my bok be nought refusid
Of lered men, whan thei it se,
For lak of curiosite :
For thilke scole of eloquence
Belongith nought to my science,
Uppon the forme of rethoriqe
My wordis forto peinte and pike,
As Tullius som tyme wrot.
Bot this y knowe and this y wot,   3120
That y have do my trewe peyne
With rude wordis and with pleyne,
In al that evere y couthe and myghte,
This bok to write as y behighte,
So as siknesse it soffre wolde ;
And also for my daies olde,

[THE BOOK COMPLETED.]

ulat super hoc quod in principio libri primi promisit se in amoris causa specialius tractaturum. Concludit enim quod omnis amoris delectacio extra caritatem nichil est. Qui autem manet in caritate, in deo manet.

So as seknesse it suffre wolde.
And in such wise as I ferst tolde,
Whan I this bok began to make,
In som partie it mai be take
As for to lawhe and forto pleye ;
And forto loke in other weye,
It mai be wisdom to the wise :
So that somdel for good aprise   3060*
And eek somdel for lust and game
I have it mad, as thilke same
Which axe forto ben excused,
That I no Rethoriqe have used
Upon the forme of eloquence,
For that is not of mi science ;
But I have do my trewe peyne
With rude wordes and with pleyne

[THE AUTHOR PRESENTS HIS BOOK TO THE KING.]

3113 whan*n*e F
3053* seeknesse (seknesse) JC   seekenesse (sekenesse &c.) AMH₁R
3055* book by gan to maake A   3056* by taake A   3058* looke A   ooþer AM   3060* f. somdeel A   3061* of game J
3062* as AJM   for H₁XRCLB₂   3063* been A

CONFESSIO AMANTIS

[THE BOOK COMPLETED.]

That y am feble and impotent,
I wot nought how the world ys went.
So preye y to my lordis alle
Now in myn age, how so befalle,   3130
That y mot stonden in here grace : P. iii. 384
For though me lacke to purchace
Here worthi thonk as by decerte,
Yit the symplesse of my poverte
Desireth forto do plesance
To hem undir whos governance
I hope siker to abide.

[FAREWELL TO EARTHLY LOVE.]

But now uppon my laste tide
That y this book have maad and write,
My muse doth me forto wite,   3140
And seith it schal be for my beste
Fro this day forth to take reste,
That y nomore of love make,

[FAREWELL TO EARTHLY LOVE.]

To speke of thing which I have told.
But now that I am feble and old,   3070*
And to the worschipe of mi king
In love above alle other thing
That I this bok have mad and write,
Mi Muse doth me forto wite
That it is to me for the beste
Fro this day forth to take reste,
That I nomore of love make.
But he which hath of love his make
It sit him wel to singe and daunce,
And do to love his entendance   3080*
In songes bothe and in seyinges
After the lust of his pleyinges,
For he hath that he wolde have :
But where a man schal love crave
And faile, it stant al otherwise.

3131 mot ST, W   mote B, F
3069* f. toold : oold A   3070* Bot J   3072* ooþer A
3073* book A &c.   3074* dooþ AM   3076* taake A   3077* nomoore of loue maake A   3078* Bot J   maake A   3079* sit J
sitte AMRCLB2   3084* Bot J   3085* alooþerwise A

LIBER OCTAVUS

Which many an herte hath overtake,
And ovyrturnyd as the blynde
Fro reson in to lawe of kynde ;
Wher as the wisdom goth aweie
And can nought se the ryhte weie
How to governe his oghne estat,
Bot everydai stant in debat   3150
Withinne him self, and can nought leve.
And thus forthy my final leve
I take now for evere more,
Withoute makynge any more,
Of love and of his dedly hele,
Which no phisicien can hele.
For his nature is so divers,
That it hath evere som travers
Or of to moche or of to lite,
That pleinly mai noman delite,   3160
Bot if him faile or that or this.   **P. iii. 385**
Bot thilke love which that is
Withinne a mannes herte affermed,
And stant of charite confermed,

[FAREWELL TO EARTHLY LOVE.]

In his proverbe seith the wise,
Whan game is best, is best to leve :
And thus forthi my fynal leve,
With oute makyng eny more,
I take now for evere more   3090*
Of love and of his dedly hele,
Which no phisicien can hele.
For his nature is so divers,
That it hath evere som travers
Or of to moche or of to lite,
That fully mai noman delyte,
But if him lacke or that or this.
But thilke love which that is
Withinne a mannes herte affermed,

[FAREWELL TO EARTHLY LOVE.]

3147 *Hand in* F *changes again*   3150 euerydai F   euery day SBT   3160 noman F   no man SBT
3087* Whan game is beste A   3089* f. moore : moore A
3091* f. heele : heele AM   3097* f. Bot J

[HEAVENLY LOVE.]

 Such love is goodly forto have,
Such love mai the bodi save,
Such love mai the soule amende,
The hyhe god such love ous sende
Forthwith the remenant of grace;
So that above in thilke place   3170
Wher resteth love and alle pes,
Oure joie mai ben endeles.

Explicit iste liber, qui transeat, obsecro liber
Vt sine liuore vigeat lectoris in ore.
Qui sedet in scannis celi det vt ista Iohannis
Perpetuis annis stet pagina grata Britannis.
Derbeie Comiti, recolunt quem laude periti,
Vade liber purus, sub eo requiesce futurus.

[HEAVENLY LOVE.]

And stant of charite confermed,   3100*
That love is of no repentaile;
For it ne berth no contretaile,
Which mai the conscience charge,
But it is rather of descharge,
And meedful heer and overal.
Forthi this love in special
Is good for every man to holde,
And who that resoun wol beholde,
Al other lust is good to daunte:
Which thing the hihe god us graunte   3110*
Forth with the remenant of grace
So that of hevene in thilke place
Wher resteth love and alle pes,
Oure joye mai ben endeles.

3169 fforþwiþ F   fforþ wiþ SBT
EXPLICIT 5 f. *Last two lines om.* AJCL   6 sub eo q*ue* recumbe S
3104* Bot J   3106* love *om.* AM   3107* hoolde A   3108*
wol byholde (biholde) ARCL   wil biholde B₂   wel be holde J   wel
byholde M   3110* ous J   3113* pees AMC   3114* been
endelees AM   *At the end* Amen MXERCLB₂

LIBER OCTAVUS

Epistola super huius opusculi sui complementum
Iohanni Gower a quodam philosopho transmissa.

Quam cinxere freta, Gower, tua carmina leta
Per loca discreta canit Anglia laude repleta.
Carminis Athleta, satirus, tibi, siue Poeta,
Sit laus completa quo gloria stat sine meta.

Quia vnusquisque, prout a deo accepit, aliis impartiri
tenetur, Iohannes Gower super hiis que deus sibi sen-
sualiter donauit villicacionis sue racionem, dum tempus
instat, secundum aliquid alleuiare cupiens, inter labores
5 et ocia ad aliorum noticiam tres libros doctrine causa
forma subsequenti propterea composuit.

Primus liber Gallico sermone editus in decem diuiditur
partes, et tractans de viciis et virtutibus, necnon et de
variis huius seculi gradibus, viam qua peccator trans-
10 gressus ad sui creatoris agnicionem redire debet, recto
tramite docere conatur. Titulusque libelli istius Speculum
Meditantis nuncupatus est.

Secundus enim liber sermone latino metrice compositus
tractat de variis infortuniis tempore Regis Ricardi Secundi
15 in Anglia contingentibus. Vnde non solum regni proceres

EPISTOLA huius operis sui AJECL huius operis vel opusculi sui
XRB₂ huius opusculi Δ
QUIA VNUSQUISQUE *ins.* AJXERCLB₂, BTΛ, F *om.* SΔ, Magd
(MH₁G, Ad, WKH₃ *defective at the end*)
1 Qvuia F   2 sensualiter] intellectualiter A ... B₂   3 dum
tempus instat *om.* BTΛ   4 ff. inter labores—composuit] tres precipue
libros per ipsum dum vixit doctrine causa compositos ad aliorum
noticiam in lucem seriose produxit. BTΛ
8 f. necnon—gradibus *om.* BTΛ   9 ff. viam—conatur] viam pre-
cipue qua peccator in penitendo Cristi misericordiam assequi poterit,
tota mentis deuocione finaliter contemplatur BTΛ   11 Titulusque]
titulus AX ... B₂   Speculum hominis A ... B₂   Speculum
mediantis B
13 ff. Secundus enim liber, sermone latino versibus exametri
et pentametri compositus, tractat super illo mirabili euentu qui
in Anglia (anglica J) tempore domini Regis Ricardi secundi
anno regni sui quarto contigit, quando seruiles rustici impetuose
contra nobiles et ingenuos regni insurrexerunt. Innocenciam tamen

et communes tormenta passi sunt, set et ipse crudelissimus
rex suis ex demeritis ab alto corruens in foueam quam
fecit finaliter proiectus est. Nomenque voluminis huius
Vox Clamantis intitulatur.

Tercius iste liber qui ob reuerenciam strenuissimi domini 20
sui domini Henrici de Lancastria, tunc Derbeie Comitis,
Anglico sermone conficitur, secundum Danielis prophecii-
am super huius mundi regnorum mutacione a tempore
regis Nabugodonosor vsque nunc tempora distinguit.
Tractat eciam secundum Aristotilem super hiis quibus 25
rex Alexander tam in sui regimen quam aliter eius dis-
ciplina edoctus fuit. Principalis tamen huius operis ma-
teria super amorem et infatuatas amantum passiones
fundamentum habet. Nomenque sibi appropriatum Con-
fessio Amantis specialiter sortitus est. 30

dicti domini Regis tunc minoris etatis causa inde excusabilem pro-
nuncians, culpas aliunde, ex quibus et non a fortuna talia inter
homines contingunt enormia, euidencius declarat. Titulusque volu-
minis huius, cuius ordo Septem continet paginas, Vox clamantis
nominatur A . . . B₂

Secundus liber versibus exametri et pentametri sermone latino
componitur, tractat de variis infortuniis tempore regis Ricardi
secundi in Anglia multipliciter contingentibus, vbi pro statu regni
compositor deuocius exorat. Nomenque voluminis huius, quod in
septem diuiditur partes, Vox clamantis intitulatur BTΛ

20 ff. Tercius iste liber (liber iste J) Anglico sermone in octo partes
diuisus, qui ad instanciam serenissimi Principis dicti domini Regis
Anglie Ricardi secundi conficitur A . . . B₂   Tercius iste
liber qui in octo partes diuisus ob reuerenciam stren. dom. sui dom.
Henrici de Lanc. &c. BT   24 vsque in nunc T distingui B
25 Nectanabum et Aristotilem A . . . B₂   26 regimine X . . . B₂
26 f. eius disciplina—materia *om.* AX . . . B₂   eorum disciplina &c. J
27 operis] libri J   28 ff. super amorem et amantum condiciones
fundamentum habet : vbi variarum Cronicarum historiarumque sen-
tencie, necnon Poetarum Philosophorumque scripture ad exemplum
distinccius inseruntur. Nomenque presentis opusculi Confessio
Amantis specialiter intitulatur. A . . . B₂ (*but all except* J *have* finem
for sentencie).   30 specialiter *om.* Λ

TO
KING HENRY THE FOURTH
IN PRAISE OF PEACE

Electus Cristi, pie Rex Henrice, fuisti,
Qui bene venisti cum propria regna petisti;
Tu mala vicisti que bonis bona restituisti,
Et populo tristi noua gaudia contribuisti.
Est michi spes lata quod adhuc per te renouata
Succedent fata veteri probitate beata,
Est tibi nam grata gracia sponte data.

O WORTHI noble kyng, Henry the ferthe,
In whom the glade fortune is befalle
The poeple to governe uppon this erthe,
God hath the chose in comfort of ous alle:
The worschipe of this lond, which was doun falle,
Now stant upriht thurgh grace of thi goodnesse,
Which every man is holde forto blesse.

The highe god of his justice allone
The right which longeth to thi regalie
Declared hath to stonde in thi persone, 10
And more than god may no man justefie.
Thi title is knowe uppon thin ancestrie,
The londes folk hath ek thy riht affermed;
So stant thi regne of god and man confermed.

The text is that of the MS. at Trentham Hall (T). *Variations marked* Th *are those of the copy in Chaucer's Works, ed.* 1532, ff. 375 v°—377.
 No title in T Iohan Gower vnto the worthy and noble kynge Henry the fourth Th
 Latin Verses placed at the end of the poem Th
 1 O Noble worthy kyng Th 3 uppon this] here vpon Th
 4 chosen Th 8 highe Th high T

*_** I i

TO KING HENRY THE FOURTH

Ther is no man mai seie in other wise,
That god himself ne hath thi riht declared,
Whereof the lond is boun to thi servise,
Which for defalte of help hath longe cared:
Bot now ther is no mannes herte spared
To love and serve and wirche thi plesance,   20
And al is this thurgh godes pourveiance.

In alle thing which is of god begonne
Ther folwith grace, if it be wel governed:
Thus tellen thei whiche olde bookes conne,
Whereof, my lord, y wot wel thow art lerned.
Axe of thi god, so schalt thou noght be werned
Of no reqweste which is resonable;
For god unto the goode is favorable.

Kyng Salomon, which hadde at his axinge
Of god what thing him was levest to crave,   30
He ches wisdom unto the governynge
Of goddis folk, the whiche he wolde save:
And as he ches it fel him forto have;
For thurgh his wit, whil that his regne laste,
He gat him pees and reste unto the laste.

Bot Alisaundre, as telleth his histoire,
Unto the god besoghte in other weie,
Of all the world to winne the victoire,
So that undir his swerd it myht obeie.
In werre he hadde al that he wolde preie,   40
The myghti god behight him that beheste,
The world he wan, and had it of conqweste.

Bot thogh it fel at thilke time so,
That Alisandre his axinge hath achieved,
This sinful world was al paiene tho,
Was non which hath the hihe god believed:
No wondir was thogh thilke world was grieved,
Thogh a tiraunt his pourpos myhte winne;
Al was vengance and infortune of sinne.

16 thi] the Th   17 bounde Th   21 this is Th   goddes
purueyaunce Th   godespourveiance T   30 to *om*. Th   31 the
om. Th   35 unto the] in to his Th   36 his storie Th   42 he
om. Th   45 paynem Th

IN PRAISE OF PEACE

Bot now the feith of Crist is come a place   50
Among the princes in this erthe hiere,
It sit hem wel to do pite and grace;
Bot yit it mot be tempred in manere:
For as thei finden cause in the matiere
Uppon the point, what aftirward betide,
The lawe of riht schal noght be leid aside.

So mai a kyng of werre the viage
Ordeigne and take, as he therto is holde,
To cleime and axe his rightful heritage
In alle places wher it is withholde: 60
Bot other wise if god himsilve wolde
Afferme love and pes betwen the kynges,
Pes is the beste above alle erthely thinges.

Good is teschue werre, and natheles
A kyng may make werre uppon his right,
For of bataile the final ende is pees.
Thus stant the lawe, that a worthi knyght
Uppon his trouthe may go to the fight;
Bot if so were that he myghte chese,
Betre is the pees, of which may no man lese.   70

⟨Sustene⟩ pes oghte every man alyve,
First for to sette his liege lord in reste,
And ek these othre men that thei ne stryve;
For so this world mai stonden ate beste.
What kyng that wolde be the worthieste,
The more he myghte oure dedly werre cesse,
The more he schulde his worthinesse encresse.

Pes is the chief of al the worldes welthe,
And to the heven it ledeth ek the weie;
Pes is of soule and lif the mannes helthe,   80
Of pestilence and doth the werre aweie.
Mi liege lord, tak hiede of that y seie,
If werre may be left, tak pes on honde,
Which may noght be withoute goddis sonde.

---

54 as *om.* Th   63 erthly Th   71 S . ҃ . . . pes (*erasure after* S) T   To stere peace Th   eueriche on lyue Th   74 lande may stande Th

With pes stant every creature in reste;
Withoute pes ther may no lif be glad:
Above alle othre good pes is the beste,
Pes hath himself whan werre is al bestad,
The pes is sauf, the werre is evere adrad:
Pes is of alle charite the keie,   90
Which hath the lif and soule forto weie.

My liege lord, if that the list to seche
The sothe essamples that the werre hath wroght,
Thow schalt wiel hiere of wisemennes speche
That dedly werre turneth into noght.
For if these olde bokes be wel soght,
Ther myght thou se what thing the werre hath do,
Bothe of conqueste and conquerour also.

For vein honour or for the worldes good
Thei that whilom the stronge werres made,   100
Wher be thei now? Bethenk wel in thi mod.
The day is goon, the nyght is derk and fade,
Her crualte, which mad hem thanne glade,
Thei sorwen now, and yit have noght the more;
The blod is schad, which no man mai restore.

The werre is modir of the wronges alle;
It sleth the prest in holi chirche at masse,
Forlith the maide and doth hire flour to falle.
The werre makth the grete Citee lasse,
And doth the lawe his reules overpasse.   110
There is no thing wherof meschef mai growe
Which is noght caused of the werre, y trowe.

The werre bringth in poverte at hise hieles,
Wherof the comon poeple is sore grieved;
The werre hath set his cart on thilke whieles
Wher that fortune mai noght be believed.
For whan men wene best to have achieved,
Ful ofte it is al newe to beginne:
The werre hath no thing siker, thogh he winne.

89 euer TTh   90 al TTh   93 that] what Th   96 ysought Th   108 here T   her Th

IN PRAISE OF PEACE

Forthi, my worthi prince, in Cristes halve,　120
As for a part whos feith thou hast to guide,
Ley to this olde sor a newe salve,
And do the werre awei, what so betide:
Pourchace pes, and set it be thi side,
And suffre noght thi poeple be devoured,
So schal thi name evere after stonde honoured.

If eny man be now or evere was
Ayein the pes thi preve counseillour,
Let god ben of thi counseil in this cas,
And put awei the cruel werreiour.　130
For god, which is of man the creatour,
He wolde noght men slowe his creature
Withoute cause of dedly forfeture.

Wher nedeth most, behoveth most to loke.
Mi lord, how so thi werres ben withoute,
Of time passed who that hiede toke,
Good were at hom to se riht wel aboute;
For everemor the werste is forto doute:
Bot if thou myghtest parfit pes atteigne,
Ther schulde be no cause forto pleigne.　140

Aboute a kyng good counseil is to preise
Above alle othre thinges most vailable;
Bot yit a kyng withinne himself schal peise,
And se the thinges that ben resonable,
And ther uppon he schal his wittes stable
Among the men to sette pes in evene,
For love of him which is the kyng of hevene.

Ha, wel is him that schedde nevere blod,
Bot if it were in cause of rihtwisnesse:
For if a kyng the peril undirstod,　150
What is to sle the poeple, thanne y gesse,
The dedly werres and the hevynesse,
Wherof the pes distourbid is ful ofte
Schulde at som time cesse and wexe softe.

121 hast be gyde Th　122 Ley Th　Leie T　124 sette TTh　126 euer TTh　127 euer TTh　129 Lete T　Lette Th　130 put Th　putte T　148 neuer TTh

O kyng fulfild of grace and of knyghthode,
Remembre uppon this point for Cristes sake,
If pes be profred unto thi manhode,
Thin honour sauf, let it noght be forsake.
Though thou the werres darst wel undirtake,
Aftir reson yit tempre thi corage, 160
For lich to pes ther is non avantage.

My worthi lord, thenk wel, how so befalle,
Of thilke lore, as holi bokes sein,
Crist is the heved and we ben membres alle,
Als wel the subgit as the sovereign:
So sit it wel that charite be plein,
Which unto god himselve most acordeth,
So as the lore of Cristes word recordeth.

In tholde lawe, er Crist himself was bore,
Among the ten comandementz y rede 170
How that manslaghtre schulde be forbore;
Such was the will that time of the godhede:
And aftirward, whanne Crist tok his manhede,
Pes was the ferste thing he let do crie
Ayein the worldes rancour and envie.

And er Crist wente out of this erthe hiere,
And stigh to hevene, he made his testament,
Wher he beqwath to his disciples there
And yaf his pes, which is the foundement
Of charite, withouten whos assent 180
The worldes pes mai nevere wel be tried,
Ne love kept, ne lawe justefied.

The Jewes with the paiens hadden werre,
Bot thei among hemself stode evere in pes:
Whi schulde thanne oure pes stonde out of herre,
Which Crist hath chose unto his oghne encres?
For Crist is more than was Moïses,
And Crist hath set the parfit of the lawe,
The which scholde in no wise be withdrawe.

 155 and knighthode Th 162 þenke T thynke Th 165 the subgit] be subiecte Th 173 But afterwarde Th 175 Ayenst Th 177 stighed Th 181 neuer TTh 183 paynyms Th 185 erre Th

IN PRAISE OF PEACE

To yive ous pes was cause whi Crist dide; 190
Withoute pes may no thing stonde availed:
Bot now a man mai sen on everi side
How Cristes feith is every dai assailed,
With the Paiens destruid, and so batailed
That for defalte of help and of defence
Unethe hath Crist his dewe reverence.

The righte feith to kepe of holy chirche
The firste point is named of knyghthode,
And everi man is holde forto wirche
Uppon the point which stant to his manhode. 200
Bot now, helas, the fame is sprad so broode,
That everi worthi man this thing compleigneth,
And yit ther is no man which help ordeigneth.

The worldes cause is waited overal,
Ther ben the werres redi to the fulle;
Bot Cristes oghne cause in special,
Ther ben the swerdes and the speres dulle;
And with the sentence of the popes bulle,
As forto do the folk paien obeie,
The chirche is turned al an other weie. 210

It is to wondre above a mannys wit
Withoute werre how Cristes feith was wonne,
And we that ben uppon this erthe yit
Ne kepe it noght, as it was first begonne.
To every creature undir the sonne
Crist bad himself how that we schulden preche,
And to the folk his evangile teche.

More light it is to kepe than to make;
Bot that we founden mad tofore the hond
We kepe noght, bot lete it lightly slake. 220
The pes of Crist hath altobroke his bond,
We reste ourselve and soeffrin every lond
To slen ech other as thing undefendid:
So stant the werre, and pes is noght amendid.

194 paynems Th   200 which] þat Th   202 worthi *om.* Th
203 is there Th   which] that Th   209 payne Th   211
a] any Th   216 how *om.* Th   219 the *om.* Th

Bot thogh the heved of holy chirche above
Ne do noght al his hole businesse
Among the men to sette pes and love,
These kynges oughten of here rightwisnesse
Here oghne cause among hemself redresse:
Thogh Petres schip as now hath lost his stiere,   230
It lith in hem that barge forto stiere.

If holy cherche after the duete
Of Cristes word ne be noght al avysed
To make pes, acord and unite
Among the kinges that ben now devised,
Yit natheles the lawe stant assised
Of mannys wit to be so resonable,
Withoute that to stonde hemselve stable.

Of holy chirche we ben children alle,
And every child is holden forto bowe   240
Unto the modir, how that evere it falle,
Or elles he mot reson desalowe:
And for that cause a knyght schal ferst avowe
The right of holi chirche to defende,
That no man schal the previlege offende.

Thus were it good to setten al in evene
The worldes princes and the prelatz bothe,
For love of him which is the king of hevene:
And if men scholde algate wexe wrothe,
The Sarazins, whiche unto Crist be lothe,   250
Let men ben armed ayein hem to fighte;
So mai the knyht his dede of armes righte.

Uppon thre pointz stant Cristes pes oppressed:
Ferst holy cherche is in hirsilf divided,
Which oughte of reson first to be redresced;
Bot yit so highe a cause is noght decided.
And thus, whan humble pacience is prided,
The remenant, which that thei schulden reule,
No wondir is though it stonde out of reule.

227 men] people Th   238 him selfe Th   241 euer TTh
251 ayenst Th   254 is *om.* Th   hersilf T   her selfe Th

IN PRAISE OF PEACE

Of that the heved is siek, the limes aken: 260
These regnes that to Cristes pes belongen
For worldes good these dedly werres maken,
Whiche helpeles as in balance hongen.
The heved above hem hath noght undirfongen
To sette pes, bot every man sleeth other,
And in this wise hath charite no brother.

The two defaltes bringen in the thridde,
Of mescreantz, that sen how we debate,
Betwen the two thei fallen in amidde,
Wher now aldai thei finde an open gate. 270
Lo, thus the dedly werre stant algate;
Bot evere y hope of King Henries grace
That he it is which schal the pes embrace.

My worthi noble prince and kyng enoignt,
Whom god hath of his grace so preserved,
Behold and se the world uppon this point,
As for thi part that Cristes pes be served:
So schal thin highe mede be deserved
To him which al schal qwiten ate laste,
For this lif hiere mai no while laste. 280

See Alisandre, Ector and Julius,
See Machabeu, David and Josue,
See Charlemeine, Godefroi, Arthus,
Fulfild of werre and of mortalite.
Here fame abit, bot al is vanite;
For deth, which hath the werres under fote,
Hath mad an ende of which ther is no bote.

So mai a man the sothe wite and knowe,
That pes is good for every king to have:
The fortune of the werre is evere unknowe, 290
Bot wher pes is, ther ben the marches save.
That now is up, to morwe is under grave;
The mighti god hath alle grace in honde,
With outen him pes mai nought longe stonde.

263 helpples T   helplesse Th   269 Betwene TTh   276
Beholde TTh   283 Godfray and Arthus Th   288 mai]
many Th   291 ben] is Th   294 pes] men Th

Of the Tenetz to winne or lese a chace,
Mai no lif wite er that the bal be ronne:
Al stant in god, what thing men schal pourchace,
Thende is in him er that it be begonne.
Men sein the wolle, whanne it is wel sponne,
Doth that the cloth is strong and profitable,   300
And elles it mai nevere be durable.

The worldes chaunces uppon aventure
Ben evere sett, bot thilke chaunce of pes
Is so behoveli to the creature,
That it above alle othre is piereles:
Bot it mai noght be gete natheles
Among the men to lasten eny while,
Bot wher the herte is plein withoute guyle.

The pes is as it were a sacrement
Tofore the god, and schal with wordes pleine   310
Withouten eny double entendement
Be treted, for the trouthe can noght feine:
Bot if the men withinne hemself be veine,
The substance of the pes may noght be trewe,
Bot every dai it chaungeth uppon newe.

Bot who that is of charite parfit,
He voideth alle sleightes ferr aweie,
And sett his word uppon the same plit,
Wher that his herte hath founde a siker weie:
And thus whan conscience is trewly weie,   320
And that the pes be handlid with the wise,
It schal abide and stonde in alle wise.

Thapostle seith, ther mai no lif be good
Which is noght grounded uppon charite,
For charite ne schedde nevere blod,
So hath the werre as ther no proprite:
For thilke vertu which is seid pite
With charite so ferforth is aqweinted,
That in hire may no fals semblant be peinted.

295 Off (*for* Of) T   301 neuer TTh   305 That is aboue
al other peerles Th   306 begete Th   321 the pes] these Th
329 here T   her Th

IN PRAISE OF PEACE

   Cassodre, whos writinge is auctorized,   330
Seith, wher that pite reigneth, ther is grace,
Thurgh which the pes hath al his welthe assised,
So that of werre he dredeth no manace.
Wher pite dwelleth, in the same place
Ther mai no dedly cruelte sojorne,
Wherof that merci schulde his weie torne.

To se what pite forth with mercy doth,
The croniqe is at Rome in thilke empire
Of Constantin, which is a tale soth ;
Whan him was levere his oghne deth desire   340
Than do the yonge children to martire,
Of crualte he lafte the querele,
Pite he wroghte and pite was his hele.

For thilke mannes pite which he dede
God was pitous and mad him hol at al ;
Silvestre cam, and in the same stede
Yaf him baptisme first in special,
Which dide awai the sinne original,
And al his lepre it hath so purified,
That his pite for evere is magnified.   350

Pite was cause whi this emperour
Was hol in bodi and in soule bothe,
And Rome also was set in thilke honour
Of Cristes feith, so that the lieve of lothe,
Whiche hadden be with Crist tofore wrothe,
Resceived weren unto Cristes lore :
Thus schal pite be preised evermore.

   My worthi liege lord, Henri be name,
Which Engelond hast to governe and righte,
Men oghten wel thi pite to proclame,   360
Which openliche in al the worldes sighte
Is schewed with the help of god almighte,
To yive ous pes, which longe hath be debated,
Wherof thi pris shal nevere ben abated.

331 ther *om*. Th   336 wei T   way Th   345 made Th
350 euer TTh   356 were TTh

TO KING HENRY THE FOURTH

My lord, in whom hath evere yit be founde
Pite withoute spot of violence,
Kep thilke pes alwei withinne bounde,
Which god hath planted in thi conscience:
So schal the cronique of thi pacience
Among the seintz be take into memoire   370
To the loenge of perdurable gloire.

And to thin erthli pris, so as y can,
Which everi man is holde to commende,
I, Gower, which am al thi liege man,
This lettre unto thin excellence y sende,
As y which evere unto my lives ende
Wol praie for the stat of thi persone
In worschipe of thi sceptre and of thi throne.

Noght only to my king of pes y write,
Bot to these othre princes cristene alle,   380
That ech of hem his oghne herte endite,
And see the werre er more meschief falle:
Sette ek the rightful Pope uppon his stalle,
Kep charite and draugh pite to honde,
Maintene lawe, and so the pes schal stonde.

Explicit carmen de pacis commendacione, quod ad laudem et memoriam serenissimi principis domini Regis Henrici quarti suus humilis orator Iohannes Gower composuit. Et nunc sequitur epistola in qua idem Ioannes pro statu et salute dicti domini sui apud altissimum deuocius exorat.

    Rex celi deus et dominus, qui tempora solus
       Condidit, et solus condita cuncta regit;
    Qui rerum causas ex se produxit et vnum
       In se principium rebus inesse dedit;
    Qui dedit vt stabili motu consisteret orbis

365 euer TTh   371 loenge] legende Th   378 and thy throne Th   382 mor T
Explicit 3 suis Th   4 Et nunc—exorat *om.* Th
Instead of the Latin lines that follow Th *has here the lines* 'Electus Cristi—sponte data,' *which in* T *stand at the beginning, and after these without a break,* 'Henrici quarti—futura deus,' *twelve lines which are written at the end of the Trentham MS.*

Fixus ineternum mobilitate sua;
Quique potens verbi produxit ad esse creata,
　Quique sue mentis lege ligauit ea;
Ipse caput regum, reges quo rectificantur,
　Te que tuum regnum, rex pie, queso, regat.　10
Grata superueniens te misit gracia nobis,
　Quo sine labe salus nulla perante fuit.
Sic tuus aduentus noua gaudia sponte reduxit,
　Quo prius in luctu lacrima maior erat:
Nos tua milicies pauidos releuauit ab ymo,
　Quos prius oppressit ponderis omne malum:
Ex probitate tua, quo mors latitabat in vmbra,
　Vita resurexit clara que regna regit:
Sic tua sors sortem mediante deo renouatam
　Sanat et emendat, que prius egra fuit.　20
O pie rex, Cristum per te laudamus, et ipsum
　Qui tibi nos tribuit terra reuiua colit.
Sancta sit illa dies qua tu tibi regna petisti,
　Sanctus et ille deus qui tibi regna dedit.
Qui tibi prima tulit, confirmet regna futura,
　Quo poteris magno magnus honore frui.
Sit tibi progenies ita multiplicata per euum,
　Quod genus inde pium repleat omne solum.
Quicquid in orbe boni fuerit, tibi summus ab alto
　Donet, vt in terris rex in honore regas:　30
Omne quod est turpe vacuum discedat, et omne
　Est quod honorificum det deus esse tuum.
Consilium nullum, pie rex, te tangat iniquum,
　In quibus occultum scit deus esse dolum.
Absit auaricia, ne tangat regia corda,
　Nec queat in terra proditor esse tua.
Sic tua processus habeat fortuna perhennes,
　Quo recolant laudes secula cuncta tuas:
Nuper vt Augusti fuerant preconia Rome,
　Concinat in gestis Anglia leta tuis.　40
O tibi, rex, euo detur, fortissime, nostro
　Semper honorata sceptra tenere manu:
Stes ita magnanimus quod, vbi tua regna gubernas,
　Terreat has partes hostica nulla manus:

　　10 Teque T　　39 augusti T

TO KING HENRY THE FOURTH

Augeat imperium tibi Cristus et augeat annos,
   Protegat et nostras aucta corona fores :
Sit tibi pax finis, domito domineris in orbe,
   Cunctaque sint humeris inferiora tuis.
Sic honor et virtus, laus, gloria, pax que potestas
   Te que tuum regnum magnificare queant.   50
Cordis amore boni, pie rex, mea vota paraui ;
   Corpore cum nequii, seruio mente tibi :
Ergo tue laudi que tuo genuflexus honori
   Verba loco doni pauper habenda tuli.
Est tamen ista mei, pie rex, sentencia verbi,
   Fine tui regni sint tibi regna poli.

   48 Cuncta que T   49 paxque T   50 Teque T   53 laudique T

NOTES

LIB. V. (continued)

1980. F has a stop after 'Avarice,' but see note on l. 3966.

1982 ff. The meaning seems to be that they make no distinction of day or night when there is work of this kind to be done.

2004. *overhippeth*, i.e. leaps over or omits something, so that he has not all that he desires. The word is used in *Piers Plowman*, xv. 379, of omitting passages in the services of the Church.

2015 ff. Cp. *Mirour de l'Omme*, 6253 ff.,

> 'Sicomme le Luce en l'eaue gloute
> Du piscon la menuse toute,
> Qu'il presde luy verra noer,
> Ensi ly riches,' &c.

2031 ff. The tale of Virgil's Mirror is from the French prose *Roman des Sept Sages*, as published by Le Roux de Lincy. It might easily be shown that Gower did not follow either the French metrical version or the Latin *Historia Septem Sapientum*. The English metrical version published by Weber is from a source similar to that of Gower's story, but it differs in some points. Gower seems to be responsible for the introduction of Carthage and Hannibal.

2099. *slepende a nyht*, i.e. while they slept.

2101. Cp. Prol. 182.

2115. *he his oghne body*, i.e. 'he himself.'

2150 f. This point is omitted in the English metrical version.

2157 f. The English metrical version is very similar, 'We schulle the ymage so undersette, That we ne schal hit nothing lette.'

2168. That is, the timber having been set up.

2198 ff. This about Hannibal is introduced here as if taken from a different source, 'For this I finde,' &c.

2238 f. Cp. *Mirour*, 10651, 'Plus que gaigners son augst attent.'

2273 ff. The tale of the Two Coffers is essentially the same story as that which we have in Boccaccio *Decam.* x. i, and essentially different from that which is told in *Vit. Barlaam et Josaphat*, cap. vi, as a sequel to the story of the Trump of Death. The story which we have here and in Boccaccio is not at all connected with the idea of choosing by the outward appearance. The coffers are exactly alike, and the very point of the situation lies in the fact that the choice is a purely fortuitous one. The object was to show that they who complained were persons who had fortune against them, and that this was the cause of their having failed of reward, and not any neglect on the part of the king. I cannot say what the source was for Gower; certainly not Boccaccio, whose story is altogether different in its details.

2391 ff. With this story may be compared that in the *Gesta Romanorum*, 109, where by a choice between three pasties, one containing money, a decision is come to as to whether it is God's will that a certain sum shall be restored to its owner, who is a miser.

2476. *tall*, i.e. comely, elegant.

2481. Cp. Chaucer, *Cant. Tales*, D 259.

2507. *His thonkes*, 'of his own good will': cp. Chaucer, *Cant. Tales*, A 1626, &c.

2543 ff. See *Hist. Alexandri Magni de Preliis*, f 1, ed. Argent. 1489.

2547 ff. *Rom. de Troie*, 23283 ff.

2563. Cp. ii. 2025.

2587. 'If men shall estimate her value.' The reading of the text is also that of S.

2643 ff. This story is to be found in the *Roman des Sept Sages*. Gower follows the same French prose version as before, 2031 ff.

2677. *it stod*. In this kind of expression the verb is usually subjunctive, as Prol. 481, i. 991, iv. 182, &c.

2752. *a weie*. This is also the reading of S.

2815 f. A rather more violent displacement than usual of the conjunction, 'And fled away with all the haste,' &c. Cp. l. 3947.

2835. *hele* seems here to mean 'profit,' in a worldly sense.

2872. According to the *New Engl. Dict.* this is the same as the Dutch 'heepe,' 'heep,' meaning a pruning-hook. 'As there is no cognate word in O. E., its appearance in Gower, and this apparently in a proverbial phrase, is not easy to account for.' In any case the phrase here seems equivalent to 'by hook or by crook.'

2937. F has punctuation after 'dai,' but this is clearly a case of the inverted order of the conjunction: cp. note on Prol. 155, and below on l. 3966.

2961 ff. The story is probably taken from Statius, *Achill.* i. 197 ff., where however it is told at much greater length. For Gower's acquaintance with the *Achilleis*, cp. iv. 1968 ff.

3002 ff. Cp. *Achill.* i. 338 ff.

3004 f. That is, howsoever his behaviour might be watched.

3082. *Protheüs*. According to Statius, *Achill.* i. 494 ff., Protesilaus rebuked Calchas for not having discovered Achilles, upon which Calchas revealed the truth. Perhaps the mention of Protesilaus suggested to Gower the idea of Proteus, of whom he had heard as one who could change his form at will, see l. 6672, and perhaps as having prophesied the birth and greatness of Achilles (Ovid, *Metam.* xi. 221 ff.).

3119. *topseilcole*, see note on viii. 1890.

3138 f. Cp. *Achill.* i. 812 ff.

3247 ff. The first part of the story of Jason and Medea (ll. 3247-3926) is taken from Benoît (*Rom. de Troie*, 703-2062), and not from Guido, as may be easily shown by comparison of the texts. For example, Guido tells all the conditions of the enterprise, about the fire-breathing bulls, the serpent's teeth and so on, at the beginning of the story, whereas Benoît more dramatically introduces them into the instructions given to Jason by Medea (*Rom. de Troie*, 1337-1374, 1691-1748), and in this he is followed by Gower (3505-3540). Guido says nothing about the sleeplessness of the serpent (*Rom. de Troie*, 1357 f., *Conf. Am.* v. 3514), nor about repeating the charm 'contre orient' (*Rom. de Troie*, 1700), nor does he mention the thanksgiving which Jason is to offer up to the gods after his victory and before he takes the fleece (*Rom. de Troie*, 1735 f., *Conf. Am.* v. 3626 ff.). The sleep of Jason after leaving Medea is omitted by Guido (*Rom. de Troie*, 1755 ff., *Conf. Am.* v. 3665 ff.), and also the bath which he took after his adventure (*Rom. de Troie*, 1999, *Conf. Am.* v. 3801). There is no need to multiply instances, which will be observed by every careful reader. We have seen on other occasions that Gower prefers Benoît to Guido, and not without excellent reasons. Guido indeed makes this story even more prosaic than usual, and combines it with matter-of-fact discussions about the magic powers of Medea and the virtues of the various stones which she used.

Gower, however, does not follow Benoît in a slavish manner. He omits or alters the details of the story very happily at times, and he adds much of his own. Thus he omits all mention of the evil motives of Peleus (or Pelias), and makes the proposal to seek the golden fleece come from Jason; he passes over the story of the dispute with Laomedon, which was necessary to the *Roman de Troie*, but not to the story of Jason taken separately; he adds the discourse of Jason with Oëtes on his arrival; he omits the details about Medea's hair and eyes, her arms and her chin (*Rom. de Troie*, 1254 ff.), and dwells rather upon the feelings which the two lovers had for one another at first sight (3376 ff.). When they are together at night, it is Medea, according to our author, and not Jason, who suggests that it is time to rise and to speak of what has to be done (3547 ff.); and Gower adds the scene of parting (3634-3659), the description of Jason's return over the sea and of Medea's feelings meanwhile upon her tower, and the sending of the maid to inquire how he did. Finally, he much improves the story by making the flight take place at once, instead of prolonging Jason's stay for a month.

Chaucer, who tells the story in a rather perfunctory manner, follows Guido (*Leg. of Good Women*, 1396 ff.).

3291. *And schop anon*, &c. This might be understood of Peleus,

K k

who, according to the original story, gave orders for the building of the ship; but better perhaps of Jason, 'And schop' for 'And he schop,' cp. l. 4590 and vi. 1636.

3376. *herd spoke*: cp. 4485, 'I have herd seid.'

3388. That is, 'they took heed each of other.' For the plural verb cp. 3439.

3416. That is, 'he took St. John as his pledge' of a good issue, 'he committed himself to the care of St. John.' The expression was often used in connexion with setting out on a journey: cp. Chaucer, *Compl. of Mars*, 9.

3422. Cp. iv. 3273, vi. 2104. The expression in vi. 1621 f., 'to ful age, That he can reson and langage,' that is, 'till he is of full age and knows reason,' &c., is much of the same kind.

3488. *dede him helpe*. We must take this second 'helpe' as a substantive, otherwise the rhyme would not be good. The rule is that words identical in form can only be combined in rhyme when they have some difference of meaning.

3509. *to thyle*. The idea was that the golden fleece was guarded in a small island adjacent to the larger 'isle of Colchos.' See *Rom. de Troie*, 1791 ff.,

'Ilec li covient à passer,
Ou voille ou non, un bras de mer;
Mès estreiz est, ne dure mie
Gaires plus de lieue et demie.
De l'altre part est li isliax,
Non mie granz, mès molt est biax.'

3533. *dethes wounde*, 'deadly wound': cp. iii. 2657, 'And smot him with a dethes wounde,' and also the genitives 'lyves' for 'living' and 'worldes' for 'worldly,' i. 1771, iv. 382, &c.

3573. *hold*, i. e. let him hold: cp. viii. 1128, 1420.

3579 ff. According to Benoît Medea gave him first the magic figure, 'une figure Fete par art et par conjure' (cp. 3580), then the ointment and the ring, and after that a writing, the words of which he was to repeat three times when he came to the place. Gower changes the order of things, and combines the writing with the 'hevenely figure,' describing it as written over with names which he is to repeat in the manner mentioned.

3632. *That thanne he were*, &c., that is, she prayed that he would soon be gone.

3654. 'It shall not be owing to any sloth of mine if I do not,' &c.

3665 ff.   'Dedanz son lit s'est tost cochiez
Endormi sei en eslepas;
Car tot esteit de veiller las:
Et quant il ot dormi grant piece,
Tant qu'il estoit ja halte tierce,
Levez s'est,' &c. *Rom. de Troie*, 1756 ff.

'undren hih' is in the French 'halte tierce.'

3681. *recorde*, 'take note of.'

3688. The reading of X here, 'And forth with all his wey he fongeth,' is also that of GOAd₂.

3707. *scherded*: perhaps the word is suggested by Benoît's expression, 'Les escherdes hérice' (*Rom. de Troie*, 1905).

3711. A literal translation of *Rom. de Troie*, 1906, 'Feu et venin gitot ensenble.' With the lines that follow cp. *Rom. de Troie*, 1911 ff.

3731 ff. The picturesque elements here are perhaps partly suggested by *Rom. de Troie*, 1869 ff.

3747. *That he ne were*, expressing a wish: cp. iv. 3414, 'Helas, that I nere of this lif,' equivalent to 'why ne were I,' l. 5979.

3781 f. 'leyhe' seems to be modified in form for the sake of the rhyme, the usual form in Gower being 'lawhe.'

3786. *naght*, in rhyme for 'noght': cp. 'awht,' ' auht,' i. 2770, v. 6073.

3789. So Ovid, *Metam.* vii. 144 ff.,

> 'Tu quoque victorem complecti, barbara, velles,
> Obstitit incepto pudor,' &c.,

but it is also in Benoît, *Rom. de Troie*, 1991 f.

3793 ff. The sending of the maid, with the pretty touch in l. 3800, is an addition by Gower.

3890. Cp. i. 1516.

3904. *this was conseil*, 'this was a secret': cp. iii. 778, vi. 2326; so Chaucer, *Cant. Tales*, C 819, 'Shal it be conseil?' cp. D 966, E 2431.

3927 ff. Benoît tells no more of Jason's life after his return to Greece, saying that Dares relates no more, and he does not wish to tell stories that may not be true, 'N'en velt fere acreire mençonge.' From this point then Gower follows Ovid, *Metam.* vii. 159–293, and it must be understood that the illustrative quotations in the notes are from this passage.

3947. 'And prayed her that by the magic art which she knew,' &c. For the order of words cp. 2815 f.

3957 f. Ovid makes it full moon, l. 180, but afterwards, l. 188, says 'Sidera sola micant.'

3962 ff. 'Egreditur tectis vestes induta recinctas,
> Nuda pedem, nudos humeris infusa capillos,
> Fertque vagos mediae per muta silentia noctis
> Incomitata gradus.' *Metam.* vii. 182 ff.

The comparison to the adder in l. 3967 is Gower's own.

3966. F has a stop after 'specheles,' there being a natural tendency even in the best copies to treat 'and' or 'for' as the beginning of a new clause: so (to take examples from the fifth book only) v. 231, 410, 444, 2318, 2937, 5096, in all which places F has apparently wrong punctuation in connexion with this kind of inverted order.

3971 ff. 'Ter se convertit, ter sumptis flumine crinem
> Irroravit aquis, ternis ululatibus ora
> Solvit': 189 f.

3981. The punctuation is that of F, but perhaps we ought rather to read,

> 'Sche preide and ek hield up hir hond,
> To Echates and gan to crie.'

3986. *help.* For this use of the imperat. sing. (with 'helpeth' just above) see Introduction, p. cxviii.

3994. 'Sublimis rapitur, subiectaque Thessala Tempe
Despicit, et Creteis regionibus applicat angues:' 222 f.

Gower very naturally understood this to mean that Medea visited Crete, and hence the confusion of geography. He could not be expected to know that Othrys and Olympus were mountains of Thessaly, and hence that the 'Creteis' or 'cretis' of his manuscript was probably a corruption.

4000 f. 'et placitas partim radice revellit,
Partim succidit curvamine falcis ahenae.' 226 f.

4005. *Eridian,* i.e. Apidanus.

4006. 'Necnon Peneus, necnon Spercheïdes undae
Contribuere aliquid.' 230 f.

4011. *the rede See.* Perhaps Gower read 'rubrum mare' for 'refluum mare' in *Metam.* vii. 258.

4031 ff. 'statuitque aras e caespite binas,
Dexteriore Hecates, at laeva parte Iuventae.' 240 f.

4039. 'verbenis, silvaque incinxit agresti,' 242. Gower took 'silva agrestis' as the name of a herb and ingeniously translated it into 'fieldwode.'

4052 f. 'Umbrarumque rogat rapta cum coniuge regem,' 249. Our author is able to supply the names correctly.

4064–4114. This picturesque passage is for the most part original.

4127 ff. 'Nec defuit illic Squamea Cinyphii tenuis membrana chelydri,' 272. Gower understood this to mean 'the scales of Cinyphius (or Cimphius) and the skin of Chelidrus.'

4134. 'novem cornicis saecula passae,' 274.

4137. Ovid speaks of the entrails of a werwolf, 'Ambigui prosecta lupi,' &c.

4156. For omission of relative cp. l. 4205 and note on i. 10.

4175 ff. The story here is only summarized by Ovid, *Metam.* vii. 394–401. Gower of course knew it from other sources.

4219. 'intrat Palladias arces,' *Metam.* vii. 398. This means Athens, but it is misunderstood by Gower.

4251. *Philen,* i.e. Nephele. Hyginus tells this story much as it is told here (except that it was the mother of the children who provided the ram), but he gives the name in its Latin form, as 'Nebula.' Note the mistake as to this name in the margin, appearing in all MSS. except SΔΛ.

4299 ff. Note the confused construction of the sentence: cp. note on i. 98.

4391. The metaphor of hunting is still kept up: the gain which they pursue is started like a hare and driven into the net.

4399. *Outward*, that is, when he gives things out, cp. 'withinne' below.

4452. *I were a goddeshalf.* This seems to mean, 'I should be content,' that is, I should be ready to say 'In God's name let it be so.' For the expression cp. l. 5016, 'Thanne a goddes half The thridde time assaie I schal.' In the *New Engl. Dict.* ('half') it is said to be used 'to add emphasis to a petition, command, or expression of consent or resignation': cp. Chaucer, *Book of the Duchess*, 370, 757.

4455. *I biede nevere ... Bot*, 'I demand only.' In this expression 'biede' and 'bidde' have been confused, as often. Thus we have 'I bidde nevere a betre taxe,' i. 1556, 'That I ne bede nevere awake,' iv. 2905, in the latter of which 'bede' may be either pret. subj. of 'bidde,' or pres. ind. equivalent to 'biede,' and vi. 1356, 'He bede nevere fare bet' where 'bede' is apparently pret. subj. of bidde; while in the English *Rom. of the Rose*, 791, we have 'Ne bode I nevere thennes go,' in which 'bode' must be pret. subj. of 'biede.'

4465. *lete*: see note on i. 3365.

4549 ff. Cp. i. 42 ff.

4557 f. 'No law may control him either by severity or by mildness.' For the use of 'compaignie' in the sense of 'friendliness' cp. i. 1478, and below, l. 7759.

4583 ff. Ovid, *Metam.* iii. 362 ff., but the circumstances are somewhat modified to suit Gower's purpose. According to Ovid Echo's fault was that she talked too much and diverted Juno's attention, and her punishment was that her speech was confined to a mere repetition of what she heard. Here the crime is rather that she cunningly concealed in her speech what she ought to have told, and the punishment is that she is obliged to tell everything that comes to her ears.

4590. 'And through such brocage he was untrue,' &c. For the omission of the pronoun see note on i. 1895.

4623. *maken it so queinte*, 'be so cunning': cp. iv. 2314, where however 'queinte' has a different meaning.

4642. *hire mouth ascape*, i. e. escape being repeated by her mouth.

4661. The aspiration of 'hem,' so as to prevent elision, is very unusual: cp. Introduction, p. cxxv.

4668 ff. 'I shall arrange in their due order those branches of Avarice on which no wealth is well bestowed,' that is, those which make no return for what is bestowed upon them, viz. Usury and Ingratitude.

4708. *of som reprise*, i. e. 'of some cost,' cp. i. 3414,

'Which most is worth, and no reprise
It takth ayein,'

that is, it costs nothing.

4724. *with ydel hand,* 'with empty hand,' that is, without a lure. This seems to be the original meaning of the adjective: see *New Eng. Dict.* 'idle.'

4731. *the gold Octovien.* The treasures of Octovien (or Octavian) were proverbial: cp. *Rom. de Troie,* 1684 f.,

'Unques Oteviens de Rome
Ne pot conquerre tel aveir,'

and again 28594,

'Se li tresors Octoviens
Fust lor, si lor donassent il.'

The expression here seems to be in imitation of the French form without preposition, as in the latter of the above quotations.

The French *Roman d'Othevien,* found in the Bodleian MS. Hatton 100, and reproduced in two English versions, has nothing to do with the treasures of Octovien, for which see William of Malmesbury, *Gesta Regum,* ii. § 169 f. The treasures were supposed to be buried at Rome or elsewhere, and several persons, especially the Pope Silvester (Gerbert), were said to have seen them, but not to have been permitted to carry them away. They appear also in the *Roman des Sept Sages.*

4748. *eschu of.* The adjective is used by Chaucer with 'to' (or 'for to') and infin., *Cant. Tales,* E 1812, I 971. We may note the spelling here with reference to Chaucer's rhyme in the former passage.

4763. 'It may not by any means be avoided that,' &c.

4774. *as to tho pars,* 'as regards those matters': 'pars' is the French plural form, cp. *Mirour,* 7386, where apparently 'pars' means 'duties.'

4787. Cp. l. 7716, where the saying has a different application. The proverb is here used of those who are, as we say, penny wise and pound foolish. In the other passage it is applied to the opposite case of gaining the coat for the hood.

4808 ff. This story is founded on the so-called *Comedia Babionis,* one of those Latin elegiac poems in a quasi-dramatic form which were popular in the fourteenth century. Others of the same class are *Geta* and *Pamphilus.* In the original, Viöla is Babio's step-daughter, with whom he is in love, and who is taken in marriage against his will by Croceus. The serving-man is Fodius, not Spodius, and most of the piece is concerned with an intrigue between him and the wife of Babio. See Wright's *Early Mysteries,* p. 65.

4899. *comth to londe,* 'appears': cp. l. 18.

4921. *who that it kan,* that is, as any one who knows it will witness: cp. l. 4927, 'For, as any one who observes may know, a beast is,' &c.

4937 ff. This story, which is of Eastern origin, is told near the end of the *Speculum Stultorum* (i.e. *Burnellus*), with which Gower was acquainted, as we know from the *Vox Clamantis.* The names there are Bernardus and Dryānus, and the animals are three, a serpent, an ape, and a lion. A similar tale is told by Matthew Paris, under the year 1195, as related by King Richard I in order to recommend liberality in the cause of Christendom. In this the rich man is Vitalis, a Venetian, and the poor man's name is not given. The animals in the pit are a lion and a serpent. Vitalis thanks his deliverer, and appoints a time for him to come to his palace in Venice and receive the promised reward of half his goods; but when he comes, he is refused with contumely. The magic qualities of the gem which the serpent brings are not mentioned in the story of Vitalis.

5010 f. So in the *Speculum Stultorum*, 'Tunc ita Bernardus, Sathanae phantasmate lusum Se reputans, dixit,' &c.

5022. *blessed*, i.e. crossed himself. This ceremony plays a considerable part in the story of Vitalis, for by it he is preserved from the wild beasts while in the pit.

5025. *Betwen him and his Asse*, that is, he and his ass together: cp. l. 5381. The expression is imitated from the French, cp. *Roman de Troie*, 5837.

5093. There is a stop after 'Purs,' no doubt rightly, in F. On the other hand the stop after 'wif' in l. 5096 must be wrong.

5123 f. Cp. 4597 ff.

5215. *standt*. For this spelling cp. 'bidt,' iv. 1162.

5231 ff. The outline of this story might have been got from Ovid and from Hyginus, *Fab.* 40-43, but several points of detail suggest a different source. These are, for example, the idea that the son of Minos went to Athens to study philosophy, the statement of the number of persons sent as a tribute to Minos, the incident of the ball of pitch given by Ariadne to Theseus to be used against the Minotaur, and the name of the island where Ariadne was deserted. In the first and third of these Gower agrees with Chaucer, *Legend of Good Women*, 1894 ff., but his story is apparently quite independent, so that in regard to these matters we must assume a common source: cp. L. Bech in *Anglia*, v. 337 ff.

as telleth the Poete. The authority referred to here must be Ovid (cp. i. 386, ii. 121, v. 6713, 6804, &c.). He slightly mentions the death of Androgeus, *Metam.* vii. 458, and relates the war of Minos against Megara at some length (*Metam.* viii. 1 ff), very briefly summarising the remainder of the story. Chaucer follows Ovid more fully here, telling the story of Nisus, to which Gower does not think it necessary to refer.

5248. *dighte*. This is the form of spelling here in S as well as F: so also in l. 5352.

5264 f. Hyginus says seven persons each year: Chaucer seems to conceive it as one every third year. The usual account is seven youths and seven maidens either every year or once in nine years.

5302. *many on*. Perhaps we should read 'manye on' with S and F, as vii. 2191, 'manye an other.'

5319. This expression occurs also in ll. 5598 and 7553.

5360. *fawht*. Elsewhere this verb has preterite 'foghte,' as iii. 2651, iv. 2095, but the strong form 'faught' is used by Chaucer, e. g. *Cant. Tales*, B 3519, and this in fact is the originally correct form.

5413. *Chyo.* Ovid says 'Dia,' that is Naxos.

5507. *His rihte name*: cp. *Mirour,* 409, 'par son droit noun Je l'oi nommer Temptacioun,' 4243, 'Si ot a noun par droit nommant,' &c. and other similar expressions.

5510. *as men telleth*: cp. l. 6045, 'men seith.'

5511. According to the margin Extortion is the *mother* of Ravine.

5550. *femeline,* used repeatedly both as adjective and as substantive in the *Mirour de l'Omme.*

5551 ff. The tale of Tereus is from Ovid, *Metam.* vi. 424-674, in some parts abbreviated and in others expanded, with good judgement usually in both cases, so that this is one of Gower's best-told tales. He omits the long account given by Ovid of the way in which Pandion was persuaded to allow Philomela to accompany Tereus (*Metam.* vi. 447-510), the incidents of the rescue of Philomela from her imprisonment, which no doubt he felt would be unintelligible to his readers (587-600), and many of the more shocking details connected with the death of Itys and the feast upon his flesh. On the other hand he has added the prayer and reflections of Philomene in her prison (ll. 5734-5768), the prayers of the two sisters (5817-5860), the words of Progne to Tereus (5915-5927), and especially the reflections on the nightingale and the swallow at the end of the story (5943-6029). This latter part is quite characteristic of our author, and as usual it is prettily conceived.

Chaucer, who tells the story in the *Legend of Good Women,* 2228-2393, was weary of it even from the beginning (2257 f.), and omits the conclusion altogether, either as too shocking or as not suiting with his design. So far as he goes, however, he follows Ovid more closely than Gower.

5555. See note on Prol. 460.

5598. So also ll. 5319, 7553.

5623. Ovid's comparison is to fire catching dry straw and leaves, *Metam.* vi. 456 f.

5643 ff. Ovid compares her state after the deed was done to that of a lamb hurt by a wolf and still trembling, or a dove which has escaped wounded from a bird of prey (527-530). Here, on the other hand, the idea is of being held fast, so that she cannot move or escape; while Chaucer, using the same similes as Ovid, applies the comparison less appropriately to her fear of the violence yet to come.

5651. Cp. *Metam.* vi. 531, 'Mox ubi mens rediit.'

5663 ff.   'si copia detur,
 In populos veniam; si silvis clausa tenebor,
 Implebo silvas, et conscia saxa movebo.' *Metam.* vi. 545 ff.

5670. I suspect the combination 'tale and ende' may have arisen from some phrase as 'to sette tale on ende' (or 'an ende'), meaning to begin a speech: see *New Engl. Dict.* under 'ende.'

5676. *where is thi fere?* that is, 'where is thy fear of the gods?'

We must not take 'fere' in the sense of 'companion' or 'equal,' because in that case it could not properly rhyme with 'Ere.'

5690 f.   'comprensam forcipe linguam
     Abstulit ense fero.' *Metam.* vi. 556 f.

Gower must be commended for omitting the tasteless lines which follow in Ovid about the severed tongue, and still more the shocking statement, which even Ovid accompanies with 'vix ausim credere,' of 561 f.

5709. *tyh*, preterite of 'ten,' from OE. '*tēon*,' meaning 'draw,' and hence 'come.'

5724. The punctuation follows F, 'To hire' meaning 'in her case,' cp. l. 4182, vii. 4937. It would suit the sense better perhaps to set the comma after 'forsake,' and to take 'To hire' with what follows: cp. note on l. 3966, where it is shown that the punctuation of F is often wrong in such cases as this.

5726. *hir Sostres mynde*, 'her sister's memory.'

5730. *guile under the gore*, that is, deceit concealed, as it were, under a cloak: cp. l. 6680. The expression 'under gore' is common enough, meaning the same as 'under wede,' and this alliterative form looks like a proverbial expression.

5734-5768. All this is original.

5737. *so grete a wo*: cp. l. 6452, and see Introduction, p. cx.

5778. 'nec scit quid tradat in illis,' *Metam.* vi. 580.

5793. 'Non est lacrimis hic, inquit, agendum, Sed ferro,' *Metam.* vi. 611.

5802 ff. According to Ovid this was done under cover of a Bacchic festival (587 ff.).

5816-5860. This is all original.

5840. *to lytel of me let*: see note on l. 1004.

5891 ff. Gower does well in omitting the circumstances of this which Ovid gives (619-646), and in partially covering the horror of it by the excuse of madness, but there is one touch which ought to have been brought in, 'Ah, quam Es similis patri!' (621).

5910 ff. Ovid says that Philomela threw the gory head into the father's face, and that Tereus endeavoured to vomit up that which he had eaten. Our author has shown good taste in not following him.

5915 ff. This speech is not in Ovid.

5943-6029. Nearly all this is Gower's own. Ovid only says, 'Quarum petit altera silvas: Altera tecta subit' (668 f.). We have already observed upon our author's tendency to make additions of this symbolical kind to the stories which he takes from Ovid: see note on i. 2355.

6020. The reading 'here' is given both by S and F, but 'hire' ('hir'), supported by AJMXGCB₂, BT, W, seems to be required by the sense. She informs them of the falseness of her husband, that they also may learn to beware of them, that is of husbands. The combination of 'here' with the singular 'housebonde,' meaning 'their husbands,' would be very harsh.

6041 ff. 'Ille dolore suo, poenaeque cupidine velox,
Vertitur in volucrem, cui stant in vertice cristae,
Prominet immodicum pro longa cuspide rostrum.
Nomen Epops volucri, facies armata videtur.'
Metam. vi. 671 ff.

The lapwing is identified with the hoopoe because of its crest. In the *Traitié*, xii, where this story is shortly told, Tereus is changed into a 'hupe,'

'Dont dieus lui ad en hupe transformée,
En signe qu'il fuist fals et avoltier,'

while at the same time in the *Mirour*, 8869 ff., the 'hupe' is represented as the bird which tries to deceive those who search for its nest, a description which obviously belongs to the lapwing.

6047. Cp. Chaucer, *Parl. of Foules*, 347, 'The false lapwyng ful of trecherye.'

6053. *goddes forebode*: cp. Chaucer, *Leg. of Good Women*, 10,

'But goddes forbode but men schulde leve,'

where the second form of text has

'But god forbede but men shulde leve.'

We must take 'forebode' as a substantive.

6073. *auht*: modified to suit the rhyme: so 'awht,' i. 2770, and 'naght,' l. 3786, rhyming with 'straght.' The regular forms for Gower are 'oght,' 'noght.'

6145 ff. This is from Ovid, *Metam.* ii. 569-588. Gower has judiciously kept it apart from the story of Coronis and the raven, told by him in the second book, with which it is combined in rather a confusing manner by Ovid. The story is somewhat expanded by Gower.

6150. *wif to Marte*: cp. 1214 f.

6169. *And caste*: cp. l. 4590, and see note on i. 1895.

6197. 'mota est pro virgine virgo, Auxiliumque tulit,' *Metam.* ii. 579 f., but Ovid says nothing of any special prayer to Pallas for help, nor does he represent that Cornix was before in attendance upon that goddess.

6207 ff. This is original and characteristic of our author.

6225 ff. This story is from Ovid, *Metam.* ii. 409-507, but Gower evidently knew it from other sources also, for the name Calistona (or Callisto) is not given by Ovid, who calls her 'virgo Nonacrina' and 'Parrhasis.' Hyginus tells it in various forms, *Fab.* 177 and *Poet. Astr.* ii. 2.

6255. According to Ovid, Diana was quite ignorant of the fact, though the nymphs suspected it.

6258. *in a ragerie*, that is 'in sport': cp. Chaucer, *Cant. Tales*,

E 1847, and the use of the verb 'rage,' e.g. i. 1764 and *Cant. Tales*, A 257, 3273, 3958.

6275 ff. 'I procul hinc, dixit, nec sacros pollue fontes,' *Metam.* ii. 464.

6281. F has a stop after 'schame.'

6291 ff. This address is mostly original : cp. *Metam.* ii. 471 ff.

6334 ff. 'Arcuit omnipotens, pariterque ipsosque nefasque
 Sustulit, et celeri raptos per inania vento
 Imposuit caelo vicinaque sidera fecit.'
Metam. ii. 505 ff.

Latin Verses, x. The idea expressed is that though examples of virginity can only be produced through marriage, yet virginity is nobler than marriage, as the flower of a rose is nobler than the stock from which it springs. Marriage, in fact, replenishes the earth, but virginity heaven: cp. *Trait.* ii.

6359 ff. Cp. *Mirour*, 17119 ff., where the saying is attributed to Jerome, who says in fact that precedence was given in the streets to the Vestal Virgins by the highest magistrates, and even by victors riding in the triumphal car (*adv. Jovin.* ii. 41).

6372 ff. Cp. *Mirour*, 18301 ff. The anecdote is taken from Valerius Maximus, *Mem.* iv. 5, but the name in the original is 'Spurina,' and he does not thrust out his eyes, but merely destroys the beauty of his face. In the *Mirour* it is 'Coupa ses membres.'

6385 ff. 'So may I prove that, if a man will weigh the virtues, he will find that virginity is to be praised above all others.' The sentence is disordered for the sake of the rhymes: cp. ii. 709 ff.

6389. The quotation from the Apocalypse is given in the margin of S∆ and in *Mirour*, 17053 ff. The reference is to Rev. xiv. 4.

6398 ff. This also appears in *Mirour*, 17089 ff., and *Traitié*, xvi. It may have been taken from the *Epistola Valerii ad Rufinum*.

6402. The margin makes him 'octogenarius,' and so it is also in the *Mirour* and *Traitié*, as well as in the *Epistola Valerii*.

6435 ff. This shows more knowledge than could have been got from the *Roman de Troie*. The story is told by Hyginus, *Fab.* 121, but not exactly as we have it here. This 'Criseide douhter of Crisis' should be distinguished from the Criseide daughter of Calchas (Briseïda in the *Roman de Troie*), who is associated with Troilus, if it is worth while making distinctions where so much confusion prevails.

6442. *dangerous*, that is, 'grudging' or 'reluctant': cp. Chaucer, *Cant. Tales*, D 1090, and see note on i. 2443.

6452. *So grete a lust*: cp. l. 5737 and Introduction, p. cx.

6498. *as a Pocok doth*. It is difficult to see the appropriateness of the comparison, for to 'stalke' is to go cautiously or secretly, and that is evidently the meaning here, so that any idea of display is out of the question. The peacock was supposed to be ashamed of its

---

6395* ff. Cp. *Mirour*, 17067 and note.

ugly feet, cp. *Mirour*, 23459, and in the *Secretum Secretorum* we actually have the expression 'humilis et obediens ut pavo,' translated by Lydgate (or Burgh) 'Meeke as a pecock.' Albertus Magnus says, 'Cum aspicitur ad solem, decorem ostentat, et alio tempore occultat quantum poterit' (*De Animalibus*, 23). There seems to have been a notion that it was liable to have its pride humbled and to slink away ashamed.

6526. *bile under the winge*, that is, concealed, as a bird's head under its wing: apparently proverbial.

6541. *I mai remene ... mene*. This is apparently the reading of the MSS. The meaning of 'remene' is properly to bring back. It is used earlier, i. 279, with reference to the application of the teaching about vices generally to the case of love, and here it seems to have much the same sense. 'So that I may apply what has been said about this craft directly' ('Withouten help of eny mene') to the case of lovers, they being very evidently offenders in this way.

6581. *hire it is*: but in l. 4470, 'It schal ben hires.'

6608 ff. For the construction see note on i. 718.

6620. *Danger*: see note on i. 2443.

6634. *slyke*: cp. l. 7092*, 'He can so wel hise wordes slyke.' The word means properly to smoothe, hence to flatter: cp. the modern 'sleek.'

6635. *Be him*, &c., i.e. by his own resources or by the help of any other.

6636. *To whom*: see note on i. 771.

6654. *a nyht*, i.e. by night, also written 'anyht,' ii. 2857.

6672. *Protheüs*, that is Proteus: cp. note on l. 3082.

6674. *in what liknesse*, 'into any form whatsoever.'

6680. *under the palle*, 'in secret,' like 'under the gore,' l. 5730.

6713 ff. From Ovid, *Metam.* iv. 192-255, but with several changes. In the original story the Sun-god came to Leucothoe by night and in the form of her mother. Clytie (not Clymene) discovered the fact (without the aid of Venus) and told it to the father; and it was an incense plant which grew from the place where Leucothoe was buried.

6757. For the expression cp. iii. 2555, 'Achastus, which with Venus was Hire priest.'

6779. This change into a flower which follows the sun is suggested by *Metam.* iv. 266 ff., where we are told that Clytie was changed into a heliotrope. Here it is a sun-flower apparently.

6807 ff. From Ovid, *Fasti*, ii. 305-358. The 'mistress' of whom Ovid speaks is Omphale, but Gower supposed it to be Iole. He gets 'Thophis' as the name of the cave from a misunderstanding of l. 317, and apparently he read 'Saba' for 'Lyda' in l. 356, out of which he has got his idea of a goddess Saba with attendant nymphs. This feature, though based on a mistake, is a decided improvement of the story, which is told by Gower in a spirited and humorous manner.

6848 ff. The reading of X in this passage is also that of GOAd₂.

6899. The punctuation is that of F.

6932. *al a route*: so iv. 2145, cp. l. 6257, 'al a compainie.'

7013. Cp. *Mirour*, 7181 ff.

7048. This is a nautical metaphor, 'so near the wind will they steer.' The verb 'love' is the modern 'luff,' meaning to bring a ship's head towards the wind. The substantive 'lof' (genit. 'loves') means in ME. a rudder or some similar contrivance for turning the ship, and 'love' here seems to mean simply to steer. The rhyme with 'glove' makes 'love' from 'lufian' out of the question, even if it gave a satisfactory sense.

7140. *gon offre*. The ceremony of 'offering' after mass was one which involved a good deal of etiquette as regards precedence and so on, cp. Chaucer, *Cant. Tales*, A 449 ff., and ladies apparently were led up to the altar on these occasions by their cavaliers.

7179. 'If I might manage in any other way,' like the expression '(I cannot) away with,' &c.

7195 ff. The story comes no doubt from Benoît, *Rom. de Troie*, 2851-4916, where it is told at much greater length. Guido does not differ much as regards the incidents related by Gower, but by comparing the two texts in some particular places we can tell without much difficulty which was Gower's source. For example, in the speech of Hector Benoît has,

'Veez Europe que il ont,
La tierce partie del mont,
Où sont li meillor chevalier.'   3791 ff.,

while Guido says, 'Nostis enim ... totam Affricam et Europam hodie Grecis esse subiectam, quanta Greci multitudine militum sunt suffulti,' &c. See below, 7340 ff.

The story is told by Gower with good judgement, and he freely omits unnecessary details, as those of the mission of Antenor to Greece. The debate in Priam's parliament is shortened, and the speeches of Hector and Paris much improved.

7197 ff. Cp. 3303 ff.

7202. The sentence is broken off and resumed in a different form: see note on i. 98.

7015* ff. Cp. *Mirour*, 7156 ff.

7033*. *And that*, i. e. 'And provided that.'

7092*. See note on l. 6634.

7105* ff. The tale is told also in the *Mirour de l'Omme*, 7093-7128. It is to be found in the *Gesta Romanorum* (which however is not Gower's source), and in various other places. Cicero tells what is practically the same story of Dionysius of Syracuse (*De Nat. Deorum*, iii. 34), but the acts of sacrilege were committed by him in various places. The golden mantle was taken from the statue of Zeus at Olympia, and the beard from that of Aesculapius at Epidaurus, the justification in this latter case being that Apollo, the father of Aesculapius, was always represented without a beard. Those who repeated the anecdote in the Middle Ages naturally missed this point. We may note that Dyonis is the name given in the *Mirour*.

7213 ff. Cp. *Rom. de Troie*, 2779 ff.

7235 ff. *Rom. de Troie*, 3029 ff. Gower has judiciously cut short the architectural details.

7275. *Esionam* : see note on l. 6719.

7307. *in his yhte*, 'in his possession.' For the substance of these lines cp. *Rom. de Troie*, 2915–2950.

7372. *schape ye*, imperative, for *schapeth*; so 'Sey ye' in l. 7435.

7377. *Strong thing*, i.e. a hard thing to bear. This is apparently a translation of the French 'fort,' which was very commonly used in the sense of 'difficult': see the examples in Godefroy's Dictionary, e. g. 'forte chose est de çou croire,' 'fors choses est a toi guerroier ancontre moi.'

7390 ff. 'Ten men have been seen to deal with a hundred and to have had the better.'

7400. *Rom. de Troie*, 3842, 'L'autrier ès kalendes de Mai,' &c. The word 'ender' is an adjective meaning 'former,' originally perhaps an adverb. It is used only in the expressions 'ender day' and 'ender night.' The combination 'enderday' occurs in i. 98.

7420. *Rom. de Troie*, 3889 f.,

'Cascune conseilla à mei
Privéement et en segrei,' &c.

7451 ff. For Cassandra as the Sibyl cp. Godfrey of Viterbo, *Pantheon*, p. 214 (ed. 1584).

7497 f. 'Molt est isnele Renommée,
Savoir fist tost par la contrée,' &c.

Rom. de Troie, 4299 ff.

7555 ff. The further incidents of the embarkation and of the voyage home, *Rom. de Troie*, 4505–4832, are omitted.

7576 f. Cp. *Rom. de Troie*, 4867 ff.

7591 ff. This incident is related in the *Rom. de Troie*, 17457 ff. The occasion was an anniversary celebration at the tomb of Hector, and though the temple of Apollo is not actually named here by Benoît, it has been previously described at large as Hector's burial place.

7597 ff. The scene in Chaucer's *Troilus*, i. 155 ff., is well known. He took it from Boccaccio.

7612. In the treatment of Avarice Gower has departed entirely from the plan of fivefold division which he follows in the first three books, as throughout in the *Mirour*. In the sixth book he deliberately declines to deal with more than two of the branches of Gule (vi. 12 f.), and the treatment of Lechery is also irregular.

7651. *here tuo debat*, i. e. the strife of those two.

7716. *the Cote for the hod*: that is, he gets a return larger than the amount that he gave; a different form of the expression from that which we have in l. 4787.

7719. *hors*: probably plural in both cases.

7724. 'If a man will go by the safe way.'

7736 ff. This saying is not really quoted from Seneca, but from Caecilius Balbus, *Nug. Phil.* xi. It must have been in Chaucer's mind when he wrote 'Suffice unto thy good, though it be smal,' that is, 'Adapt thy life to thy worldly fortune.'

7830 f. I take this to mean, 'And suddenly to meet his flowers the summer appears and is rich.' For the meaning of 'hapneth' see the examples in the *New English Dictionary*.

7838. *be war*: written as one word in F and afterwards divided by a stroke.

LIB. VI.

Latin Verses. i. 6. *ruit* seems to be transitive, 'casts down.'

i. 7. Rather involved in order: 'on the lips which Bacchus intoxicates and which are plunged in sleep.'

4. *mystymed*, 'unhappily produced.' In other places, as i. 220, iii. 2458, the word seems to mean to order or arrange wrongly. The OE. 'mistīmian' means to happen amiss.

7. *dedly*, 'mortal,' i. e. subject to death.

34. *wext*, 'he waxeth': for the omission of the pronoun see note on i. 1895 and cp. ll. 149, 213, 367, below.

57. For the form of expression cp. i. 380, ii. 2437, and below, l. 106.

59. *sterte* is for 'stert,' pres. tense.

70. *in vers*, that is 'in order.' The word 'vers' is given in Godefroy's Dictionary with the sense 'state,' 'situation'; e.g. *Rom. de la Rose*, 9523 ff.,

'Malement est changies li vers,
Or li vient li gieus si divers,
Qu'el ne puet ne n'ose joer.'

71 f. Cp. *Mirour*, 8246 f.

84. *the jolif wo*: cp. i. 88, vii. 1910, and *Balades*, xii. 4, 'Si porte ades le jolif mal sanz cure.'

105. *of such a thew*, 'by such a habit' (i.e. of love), to be taken with 'dronkelew.'

144. *hovedance*, 'court dance': see *New Eng. Dictionary*.

145. *the newefot*: written thus as one word in S and F: it must be regarded as the name of some dance.

160. *it am noght I*: cp. Chaucer, *Leg. of G. Women*, 314, 'sir, hit am I,' *Cant. Tales*, A 1736, &c.

188. *holde forth the lusti route*: perhaps simply, 'continue to be with the merry company.' See 'forth' in the Glossary.

218. *vernage*: the same wine that is called 'gernache' or 'garnache' in the *Mirour de l'Omme*, 'vernaccia' in Italian, but whether a wine of Italy or Greece seems uncertain.

221. *at myn above*: see note on iv. 914.

239. *the blanche fievere*: cp. Chaucer, *Troilus*, i. 916, with Skeat's note.

249. Cp. Chaucer, *Troilus*, i. 420, 'For hete of cold, for cold of hete, I dye.'

253. *of such reles*: this seems to men 'of such strength,' and 'relais' perhaps has a somewhat similar sense in *Mirour*, 3021,

> 'C'est droit qu'il sente le relais
> De la tempeste et de l'orage.'

As in the modern 'relay,' the idea of ceasing or of relaxation may be accompanied by the notion of fresh vigour taking the place of exhaustion, and so the word may stand simply for strength or freshness.

If this explanation is not admissible, we must suppose that 'reles' means here the power of relaxing or dissolving.

285 f. Cp. *Rom. de la Rose*, 4326 f.,

> 'C'est la soif qui tous jors est ivre,
> Yvrece qui de soif s'enyvre.'

290. *liste* : perhaps pret. subjunctive ; so l. 606, and 'leste,' 357.

296. *be the bend*, i.e. 'by the band,' at his girdle.

311 f. 'This for the time alleviates the pain for him who has no other joy.' 'As for the time yit' means simply 'for the time,' cp. ll. 738, 893.

321. For 'men' with singular verb cp. ii. 659, v. 5510, 6045, vii. 1352, and Chaucer, *Cant. Tales*, A 149, &c.

330 ff. Cp. viii. 2252 ff. and *Traitié*, xv. 2. The poet referred to in the margin is perhaps Homer, who is quoted in the *Rom. de la Rose* as authority for an arrangement somewhat similar to that described here :

> 'Jupiter en toute saison
> A sor le suel de sa maison,
> Ce dit Omers, deus plains tonneaus ;
> Si n'est viex hons ne garçonneaus,
> N'il n'est dame ne damoisele,
> Soit vielle ou jone, laide ou bele,
> Qui vie en ce monde reçoive,
> Qui de ces deus tonneaus ne boive.
> C'est une taverne planière,
> Dont Fortune la tavernière
> Trait aluine et piment en coupes' &c. 6836 ff. (ed. Méon).

Gower has applied the idea especially to the subject of love, and has made Cupid the butler instead of Fortune. The basis in Homer is *Il.* xxiv. 527 ff.,

> δοιοὶ γάρ τε πίθοι κατακείαται ἐν Διὸς οὔδει, κ.τ.λ.

360. *trouble* is properly an adjective, cp. v. 4160. The corrupt reading 'chere' for 'cler' has hitherto obscured the sense.

399 ff. This story of Bacchus is told by Hyginus, *Poet. Astr.* ii, under the heading 'Aries.'

437. *a riche temple*. This was the temple of Jupiter Ammon.

439. 'To remind thirsty men' of the power of prayer.

485 ff. The story is from Ovid, *Metam.* xii. 210 ff.

502 f. *thilke tonne drouh, wherof*, &c., 'drew such wine for them

that by it,' &c. See note on i. 771 and cp. ll. 618 and 1249 of this book.

537. I do not know what authority is referred to.

598. *unteid*, 'set free,' so 'wandering abroad.'

609. The name of this second branch of Gluttony has not been mentioned before.

632 f. 'so long as he has wealth by which he may be provided with the means.' For the use of 'founde' cp. v. 2690 and Chaucer, *Cant. Tales*, C 537, 'How gret labour and cost is thee to fynde!' (addressing the belly).

640. *for the point of his relief*, 'in order to please him,' so below 'he is noght relieved,' l. 678.

656. *toke*, subjunctive, 'how he should take it.'

662. After this line a couplet is inserted by Pauli from the Harleian MS. 7184 (H₃),

> 'To take metes and drinkes newe,
> For it shulde alwey eschewe.'

The lines are nonsense and have no metre. They come originally from K, the copyist of which apparently inserted them out of his own head, to fill up a space left by the accidental omission of two lines (645 f.) a little above in the same column. He was making his book correspond column for column with the copy, and therefore discovered his mistake when he reached the bottom, but did not care to draw attention to it by inserting what he had omitted.

663. 'Physique' is apparently meant for the Physics of Aristotle, and something very like this maxim is to be found there, but the quotation, 'Consuetudo est altera natura,' is actually taken from the *Secretum Secretorum* (ed. 1520, f. 21).

664. The transposition after this line of the passage ll. 665-964, which occurs in MSS. of the second recension, is not accidental, as we see by the arrangements made afterwards for fitting in the passage (l. 1146). The object apparently was to lay down the principle 'Delicie corporis militant aduersus animam,' illustrated by the parable of Dives and Lazarus, before proceeding to the discussion of 'Delicacie' in the case of love, and this is perhaps the more logical arrangement; but the alteration, as it is made, involves breaking off the discussion here of the ill effects of change, and resuming it after an interval of nearly two hundred lines.

674. *Avise hem wel*, i. e. 'let them take good heed.'

683. 'Without regard to her honour': cp. *Balades*, xxii. 4, 'Salvant toutdis l'estat de vostre honour.'

709. *abeched*, from the French 'abechier,' to feed, used properly of feeding young birds. The word 'refreched' is conformed to it in spelling.

728. The reading of Pauli, 'I say I am nought gilteles,' just reverses the sense. Berthelette has the text right here.

738. *for a time yit*: cp. 311, 'As for the time yit,' and 893, 'As for the while yit.'

770. 'Without wrinkle of any kind,' cp. *Mirour*, 10164, 'Car moult furont de noble grein'; or perhaps 'Without the smallest wrinkle,' 'grein' being taken to stand for the smallest quantity of a thing: cp. ii. 3310.

778. Cp. Chaucer, *Book of the Duchess*, 939 ff.

785. *schapthe*. For this form, which is given by S and F, cp. the word 'sseppe,' meaning 'creature' or 'form,' which occurs repeatedly in the *Ayenbite of Inwyt*.

800. 'And if it seemed so to all others.' The person spoken of throughout this passage as 'he,' 'him,' is the eye of the lover. This seems to itself to have sufficient sustenance by merely gazing on the beloved object, and if it seemed so to all others also, that is, to the other senses, the eye would never cease to feed upon the sight: but they, having other needs, compel it to turn away.

809. *as thogh he faste*: the verb seems to be pret. subjunctive, as 'syhe' down below.

817. *tireth*. This expresses the action of a falcon pulling at its prey: cp. Chaucer, *Troilus*, i. 787, 'Whos stomak foules tiren everemo.' The word is used in the same sense also in the *Mirour*, 7731.

845. *mi ladi goode*, 'my lady's goodness.'

857. Lombard cooks were celebrated, and there was a kind of pastry called 'pain lumbard,' *Mirour*, 7809.

879. The romance of Ydoine and Amadas is one of those mentioned at the beginning of the *Cursor Mundi*. It has been published in the 'Collection des poètes français du moyen âge' (ed. Hippeau, 1863). Amadas is the type of the lover who remains faithful through every kind of trial.

891. *a cherie feste*: cp. Prol. 454. It is an expression used for pleasures that last but a short time: cp. Audelay's Poems (Percy Soc. xiv) p. 22,

'Hit fallus and fadys forth so doth a chere fayre'

(speaking of the glory of this world).

893. Cp. 311, 738.

897. *he*, i.e. my ear.

908. *me lacketh*: the singular form is due perhaps to the use of the verb impersonally in many cases.

961. *excede*, subjunctive, 'so as to go beyond reason.'

986 ff. This story furnishes a favourable example of our author's style and versification. It is told simply and clearly, and the verse is not only smooth and easy, but carefully preserved from monotony by the breaking of the couplet very frequently at the pauses: see 986, 998, 1006, 1010, 1016, &c.

995. We have remarked already upon Gower's fatalism, iii. 1348, &c. Here we may refer also to ll. 1026, 1613, 1702, for further indications of the same tendency.

1059. *is overronne*, that is, 'has passed beyond.'

1110. *descryve*, apparently 'understand,' 'discern,' perhaps by that confusion with 'descry' which is noted in the *New Engl. Dictionary*.

1149 f. These two lines are omitted without authority by Pauli.

1176. That is, though they had rendered no services for which they ought to be so distinguished.

1180. *sojorned*: the word is used in French especially of a horse kept in stable at rack and manger and refreshed for work: see *Mirour*, Glossary.

1216. 'So that that pleasure should not escape him.'

1245. *out of feere*, 'without fear.'

1262. *unwar*, here 'unknown': cp. Chaucer, *Cant. Tales*, B 427, 'The unwar wo or harm that comth behinde.'

1295. Originally geomancy seems to have been performed, as suggested in this passage, by marks made in sand or earth, then by casual dots on paper: see the quotations under 'geomancy' in the *New Engl. Dictionary*. Gower here mentions the four recognized kinds of divination, by the elements of earth, water, fire, and air.

1306 ff. It is practically certain that Gower was acquainted with the treatise ascribed to Albertus Magnus, called *Speculum Astronomiae* or *De libris licitis et illicitis* (*Alberti Magni Opera*, v. 655 ff.), since he seems to follow it to a great extent not only here, but also in his list of early astronomers (vii. 1449 ff.). There are however some things here which he must have had from other sources; for there is no mention in the above-mentioned treatise of 'Spatula,' 'Babilla,' 'Cernes,' 'Honorius.'

1312. *comun rote*, that is, apparently, 'common custom.' The word 'rote' is used also below, l. 1457, where it appears to mean 'condition.' It must be the same as that which appears in the phrase 'by rote,' and it is difficult to believe that it can be the French 'route,' as is usually said. The rhyme here and in l. 1457, as well as those in Chaucer (with 'cote,' 'note'), show that the 'o' had an open sound, and this would be almost impossible from French 'ou.' The expression 'par routine' or 'par rotine' is given by Cotgrave as equivalent to the English 'by rote,' but I am not aware of any use of such an expression in French as early as the fourteenth century. Many of the examples of the phrase 'by rote' seem to have to do with singing or church services (cp. Chaucer, *Cant. Tales*, B 1712, *Piers Plowmans Crede*, 379), and Du Cange gives a quotation in which 'rotae' seems to mean 'chants' or 'hymns' ('rota,' 6). From such a sense as this the idea of a regular order of service, and thence of 'custom,' 'habit,' might without much difficulty arise.

1314 ff. The following passage from the *Spec. Astronomiae*, cap. 10, gives most of the names and terms which occur in these lines: 'Ex libris vero Toz Graeci est liber de stationibus ad cultum Veneris, qui sic incipit: *Commemoratio historiarum* . . . Ex libris autem Salomonis est liber de quatuor anulis, quem intitulat nominibus quatuor discipulorum suorum, qui sic incipit: *De arte eutonica et ideica*, &c. Et liber de nouem candariis ... Et alius paruus de sigillis ad dæmoniacos, qui sic incipit: *Caput sigilli gendal et tanchil.*

1316. *Razel.* 'Est autem unus liber magnus Razielis, qui dicitur liber institutionum,' &c. In MS. Ashmole 1730 there is a letter to Dr. Richard Napier from his nephew at Oxford, speaking of a book of Solomon in the University Library called *Cephar Raziel*, that is, he explains, 'Angelus magnus secreti Creatoris,' of which he proposes to make a copy, having obtained means of entering the library at forbidden hours. Again, in MS. Ashmole 1790 there is a description of this book.

1320. 'cui adiungitur liber Beleni de horarum opere,' *Spec. Astron.* p. 661. The seal of Ghenbal is the 'sigillum gendal,' mentioned in the former citation.

1321 f. *thymage Of Thebith.* Thebith (or Thebit) stands for Thabet son of Corah, a distinguished Arabian mathematician, to whom were attributed certain works on astrology and magic that were current in Latin. Thus we find *Thebit de imaginibus* very commonly in MSS., and a *Liber Thebit ben Corat de tribus imaginibus magicis* was printed in 1559 at Frankfort. In this latter book the author says, 'Exercentur quoque hae imagines in amore vel odio, si fuerit actor earum prouidus et sapiens in motibus coeli ad hoc utilibus.' Thebith is mentioned several times in the *Spec. Astronomiae*, e. g. p. 662, 'Super istis imaginibus reperitur unus liber Thebith eben Chorath,' &c. We must take 'therupon' in l. 1321 to mean 'moreover,' for it is not to be supposed that the image of Thebith was upon the seal of Ghenbal.

1338. The 'Naturiens' are those who pursue the methods of astrology, as opposed to those who practise necromancy ('nigromance') or black magic.

1356. *He bede nevere*: see note on v. 4455.

1359. *red*, originally written 'rede' in F, but the final letter was afterwards erased. See Introduction, p. cxiv.

1371 f. The rhyme requires that 'become,' 'overcome' shall either be both present or both preterite (subjunctive), and 'wonne' seems to decide the matter for preterite. The only difficulty is 'have I' for 'hadde I' in l. 1370, the latter being required also by the sense (for the reference is to the former time of youth), but not given by the MSS. 'So that I wonne' means 'Provided that I won.'

1391 ff. This story is from the *Roman de Troie*, 28571-28666, 29629-30092. Guido does not differ as to the main points, but there are several details given by Gower from Benoît which are not found in Guido. In particular the ensign carried by Telegonus is mentioned by Guido only in telling of the dream of Ulysses. Some of the passages which tend to show that Benoît was our author's authority are noted below.

1408. *al the strengthe of herbes*: a poem *De Viribus Herbarum* passed in the Middle Ages under the name of Macer.

1422. The mention of 'nedle and ston' in this connexion is a rather daring anachronism, for which of course Gower is responsible.

1424. *Cilly.* Benoît says 'les isles d'Oloi,' and Guido 'in Eolidem insulam,' but Sicily has been mentioned shortly before.

1438 f. Cp. *Rom. de Troie*, 28594 ff. Guido does not mention it.

1441. 'S'el sot des arz, il en sot plus,' *Rom. de Troie*, 28641.

1445 ff. Benoît says nothing of this, but the story of the adventures of Ulysses was to some extent matter of common knowledge in the Middle Ages. Gower may have had it from Ovid, *Metam.* xiv. 277 ff. Guido says in a general way that Circe was in the habit of transforming those who resisted her power into beasts.

1457. *into such a rote*, that is, 'into such a habit' (or 'condition'): see note on l. 1312.

1467. *toswolle bothe sides*, 'with both her sides swollen': cp. *Rom. de Troie*, 28660 f.,

> 'Et si li lesse les costez
> Toz pleins, ço quit, de vif enfant.'

1474. *understode*: subj., see note on Prol. 460.

1481. *on of al the beste*, see note on iv. 2606.

1513 f. *margin.* This quotation is not from Horace, but from Ovid, *Pont.* iv. 3. 35. Cp. *Mirour*, 10948, where the same quotation occurs and is attributed as here to 'Orace.'

1524. The form 'stature' is required by the metre here, and is given by the best MSS. of the second and third recensions. In Prol. 891, where 'statue' occurs, it is reduced to a monosyllable by elision, and so it is in Chaucer, *Cant. Tales*, A 975, 1955. The forms 'statura,' 'stature,' are found with this sense in the Latin and French of the time.

1541 ff.
> 'Et si me disoit : Hulixes
> Saiches, ceste conjuncions,
> Cist voloir, ceste asembloisons,
> Que de moi et de toi desirres,
> Ce sunt dolors et mortex ires.'
>
> *Rom. de Troie*, 29670 ff.

The prediction, however, that one of the two would have his death by reason of their meeting comes later, 29699, whereas Guido combines the materials here much in the same way as Gower.

1552 ff. This idea of a pennon embroidered with a device is Gower's own conception, constructed from the not very clear or satisfactory account of the matter given by his authority here and later, 29819 ff. The fact is that Benoît did not understand the expression used in the Latin book (the so-called 'Dictys Cretensis') which he was here following, the passage being probably corrupt in his copy, and consequently failed to make it intelligible to his readers. The original statement (made with reference to the ensign carried afterwards by Telegonus) is, 'Ithacam venit gerens manibus quoddam hastile, cui summitas marinae turturis osse armabatur, scilicet insigne insulae eius in qua genitus erat.' The meaning apparently is that his spearhead was made of a sea-turtle's shell. Benoît, in recounting the vision, says that the figure which appeared bore upon the steel head of his lance a crown worked of the bone of a sea-fish,

> 'Portoit une coronne ovrée
> D'os de poisson de mer salée.' 29687 f.

Then afterwards, in telling of the departure of Telegonus to seek his father, he says that, to show of what country he was, he bore on the top of his lance the sign of a sea-fish worked like a tower,

> 'En semblance de tor ovrée.' 29822.

Guido apparently was not able to make much of this, and after saying, in the account of the dream, that at the top of the lance there appeared 'quedam turricula tota ex piscibus artificiose composita' (Bodl. MS. Laud 645, with variants 'craticula,' MS. Add. 365, 'curricula,' printed editions), he subsequently omitted mention of the recognisance.

1561 f. *A signe it is ... Of an Empire.* Benoît has,

> 'Que c'iert d'ampire conoissance
> Et si aperte demostrance
> Que por ce seroient devis,' &c. 29695 ff.,

which may perhaps mean, 'that it was the cognisance of a kingdom and a sign that they should be divided.' In Guido, however, it is 'hoc est signum impie disiunccionis' (MS. Laud 645 and printed text), or 'hoc est signum impii et disiunccionis' (MS. Add. 365).

1567 f. Cp. 2296 ff.

1603 ff. For the order of the clauses here cp. ii. 709, iv. 3520 ff.

1622 ff. *That,* for 'Til that'; cp. iv. 3273, v. 3422.

1636. 'And he made himself ready forthwith.' For the omission of the pronoun even where the subject is changed cp. v. 3291, 4590.

1637 ff. Cp. *Rom. de Troie,* 29824 ff. Guido says nothing about it.

1643. That is, 'to avoid espial and wrong suspicions.'

1656. *Rom. de Troie,* 29801 f.,

> 'A Hulyxes, qui fut ses druz,
> Mande par lui v. c. saluz.'

Guido says nothing about this.

1660. *Nachaie,* a mistake for 'Acaie,'

> 'Tant qu'il vint droit en Acaie';

and this again seems to be from 'Ithaca.'

1685. *and welnyh ded*: cp. *Rom. de Troie,* 29906 f. Guido says only 'et ab illis est grauiter vulneratus.'

1689. Gower has judiciously reduced the number from fifteen (*Rom. de Troie,* 29902).

1696. *for wroth,* that is, 'by reason that he was wroth': see note on iv. 1330. We can hardly take 'wroth' as a substantive.

1701. 'Se il ne fust un poi guenchiz,' *Rom. de Troie*, 29939.

1707. *With al the signe*, 'together with the signe,' like the French 'ove tout'; cp. *Mirour* 4 (note).

1745 f. *Rom. de Troie*, 30022 ff. Guido omits this.

1769 ff. For this repetition cp. 2095 ff.

1785. The 'Cronique imperial' is evidently the story itself, and not any particular book in which it is to be found.

1789 ff. The authority which is mainly followed by our author for this story is the Anglo-Norman *Roman de toute Chevalerie*, by Eustace (or Thomas) of Kent. The beginning of this, including all that we have to do with here, has been printed by M. Paul Meyer in his book on the Alexander romances, 'Bibliothèque française du moyen âge' vol. iv. pp. 195-216. Gower was acquainted, however, also with the Latin *Historia Alexandri de Preliis*, and has made use of this in certain places, as (1) in the account of Philip's vision (2129-2170) where he probably found the French unintelligible, and (2) in the story of the death of Nectanabus (2289 ff.), of which the Latin authority certainly gives the more satisfactory account.

The following are some of the points in which Gower agrees with the *Roman de toute Chevalerie* against the two Latin versions of the story, viz. the *Historia de Preliis* and the *Res Gestae Alexandri* of Valerius: (1) the celebration by Olympias of the festival of her nativity, when she rides out on a white mule and is first seen by Nectanabus, ll. 1823-1880; (2) the omission of the sealing of the queen's womb by Nectanabus, this being introduced only in Philip's vision; (3) the question of the queen as to how she shall procure further interviews with the god, and the answer of Nectanabus, ll. 2109 ff.; (4) the circumstances connected with the egg from which the serpent was hatched, ll. 2219 ff. The English metrical Romance of Alexander, printed by Weber, is also taken from the *Roman de toute Chevalerie*, and consequently the details of it are for the most part the same as those in Gower. It is certain, however, that Gower does not follow this. It would be quite contrary to his practice to follow an English authority, and apart from this there are many small matters here in which he agrees with the French as against the English, e.g. the name Nectanabus, which is Neptanabus in the English (Anectanabus in the *Hist. de Preliis*), the mention of the *nativity* of Olympias as the occasion of her festival, 'Grant feste tint la dame de sa nativité,' the use of the word 'artemage,' l. 1957, the incident of the dragon being changed into an eagle, l. 2200; and such points of correspondence as may seem to suggest a connexion between the two English writers, as in ll. 1844 f., 2231 f., are also to be found in the French. The English alliterative Romance of Alexander follows the *Hist. de Preliis*, and consequently it agrees with Gower in the two passages which have been referred to above.

1798. The sentence is broken off and finished in a different manner. See note on i. 98, and cp. vii. 3632.

1811. *Thre yomen*, &c. This is an addition by Gower. According to the original story Nectanabus was alone, and this would evidently be the better for his purpose.

1828. *list.* This may be present tense, 'it pleases.' Loss of the final *e* in the preterite would hardly occur except before a vowel : see Introduction, p. cxv. The French original lays stress here on the extravagant desire that women have to display themselves.

1831. *At after,* i. e. 'After,' used especially of meals, cp. l. 1181, and Chaucer, *Cant. Tales,* B 1445, F 918 'at after diner,' E 1921 'At after mete,' F 302, 1219 'At after soper,' for which references, as for many others elsewhere, I am indebted to Prof. Skeat's very useful Glossary.

1844 f. The French has

'E tymbres e tabours ont e leur corns corné,' 130,

and later

'Plus de mil damoisels ount le jur karolé, 140.

The English version of the second line,

'There was maidenes carolying,'

comes very near to Gower.

1924. *Bot if I sihe,* 'unless I should see,' pret. subj.

1943 ff. This promise is not in the French.

1959 ff. The astrological terms in these lines are due to Gower. The original says that Nectanabus laid the image in a bed with candles lighted round it, bathed it in the juice of certain herbs, and said his charms over it.

1997. *such thing . . . Wherof*: cp. ll. 502, 2398.

2005 f. 'Nectanabus idunc ses karectes fina.'

2062. *putte him.* We should rather read 'put him' with S and F : see Introduction, p. cxvi. The French romance here grotesquely represents Nectanabus as making up a disguise for himself with a ram's head and a dragon's tail, which he joins together with wax, 'e puis dedens se mist.' The Latin *Hist. de Preliis* says simply that he changed himself into a dragon.

2074 ff. The French has,

'Une pel de moton ouvec les cornes prist,
Une coroune d'or sur les cornes assist.'

The punctuation after 'tok' is that of F, but I suspect that 'in signe of his noblesse' belongs really in sense to 2076 f., and refers rather to the crown than to the horns, in which case we ought to set a full stop after 'bar.'

2113. *seth hire grone,* that is, in child-bed.

2128 ff. The French romance, following Valerius in the main, gives a rather confused account of Philip's dream. Gower has turned from it to the *Historia de Preliis.*

2160. *Amphion.* The name apparently is got from 'Antifon,' which occurs below in connexion with the incident of the pheasant's egg.

2182. *rampende.* The French has 'mult fierement rampant.'

2199 ff. The transformation into an eagle is found in Valerius and the French romance, and not in the *Hist. de Preliis.* It may be noted, however, that the picturesque description which we have here of the eagle pruning himself and then shaking his feathers, so that the hall was moved as by an earthquake, is Gower's own.

2219 ff. The Latin accounts say that a bird, according to Valerius a hen, came and laid an egg in Philip's lap as he sat in his hall. The *Rom. de toute Chevalerie* makes the incident take place out in the fields, and the bird, as here, is a pheasant. The expression used, ' Un oef laissat chaïr sur les curs Phelippun,' seems to mean that the egg was laid in Philip's lap. There is nothing about the heat of the sun in the Latin versions.

2250 ff. These lines refer to the precautions taken by Nectanabus to secure that the child shall be born precisely at the right astrological moment: cp. *Rom. de toute Chevalerie,* 401–425. Gower has chosen to omit the details.

2274. *Calistre,* i. e. Callisthenes, who was reputed to be the author of the history of Alexander which Valerius translated.

2299 ff. The question of Alexander and the answer of Nectanabus is given as here in the *Hist. de Preliis.* In Valerius and the French romance Alexander throws Nectanabus down merely in order to surprise him, and the suggestion that Nectanabus knew that he should die by the hands of his son is not made till afterwards.

2368. *Zorastes.* The statement here about the laughter of Zoroaster at his birth is ultimately derived from Pliny, *Hist. Nat.* vii. 15. It is repeated by Augustine, with the addition 'nec ei boni aliquid monstrosus risus ille portendit. Nam magicarum artium fuisse perhibetur inventor; quae quidem illi nec ad praesentis vitae vanam felicitatem contra suos inimicos prodesse potuerunt; a Nino quippe rege Assyriorum, cum esset ipse Bactrianorum, bello superatus est' (*De Civ. Dei,* xxi. 14).

2381. 'Like wool which is ill spun': cp. i. 10.

2387. *Phitonesse,* cp. iv. 1937.

2411. *betawht To Aristotle,* 'delivered over to Aristotle': 'betawht' is the past partic. of 'beteche,' which occurs afterwards, vii. 4234, and in Chaucer, *Cant. Tales,* B 2114, 'Now such a rym the devel I beteche.'

2418. *Yit for a time*: to be taken as one phrase; cp. 'for a while yit,' &c., ll. 311, 738, 893.

LIB. VII.

The account given in the earlier part of this book of the parts of Philosophy, that is, of the objects of human knowledge, represents in its essentials the Aristotelian system. The division into 'Theorique,'

'Rethorique,' and 'Practique' is in effect the same as Aristotle's classification of knowledge as Theoretical, Poetical, and Practical, and the further division of 'Theorique' into Theology, Physics, and Mathematics, and of 'Practique' into Ethics, Economics, and Politics, is that which is made by Aristotle. The statement of Pauli and others that this part of Gower's work is 'very likely borrowed' from the *Secretum Secretorum* is absolutely unfounded. This treatise is not in any sense an exposition of the Aristotelian philosophy, indeed it is largely made up of rules for diet and regimen with medical prescriptions. Gower is indebted to it only in a slight degree, and principally in two places, vii. 2014–2057, the discussion of Liberality in a king, and 3207*–3360*, the tale of the Jew and the Pagan.

The most important authority, however, for the earlier part of the seventh book has hitherto been overlooked. It is the *Trésor* of Brunetto Latini. This book is very largely based upon Aristotle, with whose works Latini was exceptionally well acquainted, and it is from this that Gower takes his classification of the sciences, though in regard to the place of Rhetoric he does not quite agree with Latini, who brings it in under the head of ' Politique,' making Logic the third main branch of philosophy. Gower takes from the *Trésor* also many of his physical and geographical statements and his reference to the debate on the conspiracy of Catiline. On the other hand his astronomy is for the most part independent of the *Trésor*, and so also is his method of dealing with the principles of Government, under the five points of Policy. Brunetto Latini does not treat of politics generally so much as of the practical rules to be observed by the Podestà of an Italian republic. It may be observed that Gower has drawn on the *Trésor* also in the sketch of general history given in the Prologue (ll. 727–820). I refer to pages of the edition of Chabaille, 1863.

26 ff. 'As to which Aristotle ... declares the "intelligences" under three heads especially.' The meaning of 'intelligences' here and in l. 176, and of 'intelligencias' in the margin, l. 149, seems to be nearly the same as 'sciences,' that is to say, divisions or provinces of knowledge.

155. *Algorisme.* This stands properly for the decimal system of numeration, but the use of the word in the plural, l. 158, shows that Gower did not use it in this sense only. The association of the word 'Algorismes' below with the letters *a, b, c* ('Abece') seems to suggest some kind of algebraical expression, but this is perhaps due to a misunderstanding by Gower of the word ' abaque ' (or ' abake ') in the *Trésor*, p. 6: ' Et de ce sont li enseignement de l'abaque et de l'augorisme.'

183 ff. 'Ce est la science par laquele li vii sage s'esforcierent par soutillece de geometrie de trover la grandeur dou ciel et de la terre, et la hautesce entre l'un et l'autre.' *Trésor*, pp. 6, 7.

207 ff. Cp. *Trésor*, p. 15, 'Cele matiere de quoi ces choses furent formées les desvance de naissance, non mie de tens, autressi comme li

sons est devant le chant, ... et neporquant andui sont ensemble.'
Cp. pp. 104, 105.

216. *Ylem*, this is 'hyle' (Gr. ὕλη), the Aristotelian term for matter. For what follows cp. *Trésor*, p. 105.

245. This comparison of the movement of water within the earth to the circulation of blood in the veins, is taken from the *Trésor*, p. 115: 'autressi comme li sangs de l'ome qui s'espant par ses vaines, si que il encherche tout le cors amont et aval.'

256 ff. Cp. *Trésor*, p. 117.

265 ff. This which follows about the Air seems to be partly independent of the *Trésor*, and the word 'periferie' is not there used. Aristotle divides the atmosphere into two regions only, that of ἀτμίς or moist vapour, corresponding to the first and second periferies here, and that of exhalation (ἀναθυμίασις) or fiery vapour, corresponding to the third, *Meteor*. i. 3.

283 f. 'According to the condition under which they take their form.' I suppose the word 'intersticion' to be taken from 'interstitium,' as used with a technical sense in astrology. Albumasar, for example, says, 'Quicquid in hoc mundo nascitur et occidit ex quatuor elementis est compositum, tribus interstitiis educatum, scilicet principio, medio et fine, quae tria in illa quatuor ducta duodecim producunt.' This is the cause, he says, why there are twelve signs of the zodiac, 'Praesunt siquidem haec signa quatuor elementis eorumque tribus interstitiis.' He then explains that the first 'interstitium' of each element is that condition of it which is favourable to production, growth and vigour, the second that which is stationary, and the third that which tends to decay and corruption, so that the word is almost equivalent to condition or quality. (Vincent of Beauvais, *Spec. Nat.* xv. 36.)

302. Cp. *Trésor*, p. 119, 'mais li fors deboutemenz dou vent la destraint et chace si roidement que ele fent et passe les nues et fait toner et espartir.'

307 ff. Cp. *Trésor*, p. 120.

323 ff. *Trésor*, p. 120, 'dont aucunes gens cuident que ce soit li dragons ou que ce soit une estele qui chiet.' What follows about 'exhalations' is not from the *Trésor*.

334. *Assub*. This word is used in Latin translations of Aristotle as an equivalent of 'stella cadens.'

339. *exalacion*. This stands for fiery vapour only, originally a translation of Aristotle's ἀναθυμίασις.

351 ff. The names 'Eges' and 'Daaly' (l. 361), must be taken originally from Aristotle's expression δαλοὶ καὶ αἶγες, which he says are names given by some people to various forms of fire in the sky, *Meteor*. i. 4. Our author simply repeated the terms after his authorities and without understanding them. In fact, 'Eges' stands for the same as the 'Capra saliens' of the preceding lines.

389. The idea of the four complexions of man, corresponding to the

four elements, is not due to Aristotle, but we find it in the *Trésor*. The application to matters of love in ll. 393-440 is presumably Gower's own.

405 f. Aristotle says on the contrary, οἱ μελαγχολικοὶ οἱ πλεῖστοι λάγνοι εἰσίν, *Probl.* 30.

437. *To thenke*. For this use of 'may' with the gerund cp. ii. 510, 'I myhte noght To soffre.'

510. 'While the flesh has power to act,' that is during the life of the body.

521 ff. For the geography which follows cp. *Trésor*, pp. 151-153.

534. *the hevene cope*: cp. l. 1579, 'under the coupe of hevene,' where the spelling suggests the Latin 'cupa,' rather than 'capa,' as the origin of the word in this common phrase. The quality of the 'o' in Europe is perhaps doubtful.

536. *Begripeth*: used here as plural, cp. l. 1107: 'calleth' in l. 561 with 'men' (indef.) as the subject is not a case of the same kind.

545. *who that rede*: subj., cp. Prol. 460.

559. That is, presumably, double as much as either of the other two: cp. *Trésor*, p. 152, 'car Asie tient bien l'une moitié de toute la terre.'

566. *Canahim*: a mistake for 'Tanaim' (or 'Tanain'), see *Trésor*, p. 152, where the extent of Asia is said to be from the mouths of the Nile and the 'Tanain' (i.e. the Don) as far as the Ocean and the terrestrial Paradise.

593 ff. Cp. *Trésor*, p. 115.

597. Latini says that this is the explanation given by some people of the tides, but he adds that the astronomers do not agree with them (*Trésor*, p. 172).

611. Aristotle does in fact make of αἰθήρ a fifth element, of which the heaven and the heavenly bodies consist, but Gower takes this account of it and the name Orbis from the *Trésor*, p. 110, where also we find the comparison to the shell of an egg.

652 ff. 'Sapiens dominabitur astris,' an opinion which is developed in the *Vox Clamantis*, ii. 217 ff.

694. *Bot thorizonte*, 'beyond the horizon': so perhaps in the first text of v. 3306, 'But of his lond' stood for 'Out of his lond.' However, this use of 'but' is not clearly established in Southern ME. and perhaps the reading of the second recension, 'Be thorizonte,' may be right. As regards sense, one is much the same as the other: neither is very intelligible, unless 'thorizonte' means the ecliptic.

699. *thei*, that is the planets, not the signs.

725 ff. Cp. *Trésor*, p. 141.

831. *is that on*, i.e. 'is one,' or 'is the first.'

853. The sun's horses are named by Fulgentius, *Mythol.* ii, in the same order as we have here, 'Erythreus, Actæon, Lampos, Philogeus.' They are said there to represent four divisions of the day, Erythreus, for example, having his name from the red light of morning, and Philogeus from the inclination of the sun towards the earth at evening. Ovid gives a different set of names.

944. 'In whatever degree he shall exercise his powers.'

978. *as it appendeth,* 'as it is fitting,' lit. 'as it belongs' : cp. 'appent,' *Mir.* 1535.

979. *natheles.* This word is frequently used by Gower with no sense of opposition, meaning 'moreover' or something similar : cp. i. 21, vii. 3877, &c.

983. It may be observed that (in spite of this reference and that in l. 1043) our author's statements about the number and arrangement of stars in the constellations of the zodiac do not at all correspond with those in the Almagest.

983 (margin). *produxit ad esse,* 'brought forth into existence': the infinitive is often used as a substantive in Gower's Latin : e.g. Prol. *Lat. Verses,* iv. 4, v. 6.

989. *hot and drye.* According to the astrologers, Aries, Leo, and Sagittarius preside over the element of fire, and are hot and dry by nature ; Taurus, Virgo, Capricornus over that of earth, being dry and cold ; Gemini, Libra, Aquarius preside over air, and are hot and moist; while Cancer, Scorpio, and Pisces are moist and cold, having dominion over water (Albumasar, cited by Vincent of Beauvais, *Spec. Nat.* xv. 36).

991 f. Aries and Scorpio are the 'houses' or 'mansions' of Mars, Taurus and Libra of Venus, Gemini and Virgo of Mercury, Cancer of the Moon, Leo of the Sun, Sagittarius and Pisces of Jupiter, Capricornus and Aquarius of Saturn.

1021. *somdiel descordant*: the hot and moist Libra is more in accordance with her nature : see 1111 ff.

1036 f. This statement and the others like it below, 1073, 1089, 1127, 1147, 1198, 1222, may be taken to indicate that the division of the signs was very uncertain in our author's mind. It may be observed that the usual representation of Taurus in star-maps is with his head, not his tail, towards Gemini.

1085. *the risinge* : that is to say, Virgo is the 'exaltation' of Mercury, as well as one of his houses.

1100. For the sense of 'applied' cp. v. 913.

1115 f. Libra is the exaltation of Saturn.

1135. That is to say, Scorpio is the 'fall' of Venus, being the sign opposite to one of her houses, namely Taurus.

1155 f. Sagittarius is a house of Jupiter, and it is opposite to Gemini, which is one of the houses of Mercury.

1162. *The Plowed Oxe,* i.e. the ox that has ploughed the land.

1166. Then the swine are killed and the larder, or bacon-tub, comes into use.

1175. Capricorn is the 'fall' of the Moon, being opposite to her house, Cancer, as the next sign Aquarius is that of the Sun, see l. 1190.

1216. 'Piscis' is the reading of the MSS. here in text and margin, but 'Pisces' in l. 1253.

1229 ff. That is, Pisces is a house of Jupiter and the exaltation of Venus.

1239 ff. The reference is apparently to the *Introductorium* of Albumasar, but the printed editions of this give an abbreviated text which does not help us here. A fuller translation of the original may be found in manuscript, e.g. MS. Digby 194, where something more or less corresponding to this may be found on f. 55, but the Arabic names of places make it difficult to follow.

1281 ff. This account of the fifteen stars with their herbs and stones is taken by Gower from a treatise called 'Liber Hermetis de xv stellis et de xv lapidibus et de xv herbis, xv figuris,' &c., which may be found in several manuscripts, e. g. MSS. Ashmole 341 (f. 123) and 1471 (f. 120 v°): cp. l. 1437, where Hermes is mentioned as the authority. Some information as to the names of the stars here mentioned may be found in Ideler's *Untersuchungen über den Ursprung und die Bedeutung der Sternnamen*, 1809.

1292 ff. 'Et scias quod stelle fixe habent fortunia et infortunia quemadmodum et planete' (*Lib. Herm.*).

1317. 'anabulla seu titimallum.'

1329. *Algol*, or Caput Algol, the Arabic 'Ras el-ghûl' (devil's head), in Perseus.

1338. *Alhaiot*, probably for 'Alhaioc,' that is Capella, from the Arabic 'El-'aijûk.'

1343. 'prassium seu marrubium.'

1345. *Canis maior*, 'Alhabor,' i. e. Sirius.

1356. *Canis minor*, 'Algomeiza,' i. e. Procyon.

1362. *Primerole*: in the *Liber Hermetis* we have here 'solsecium, quam elitropiam vocant.'

1364. *Arial*, apparently 'Cor Leonis,' i. e. Regulus.

1367. *Gorgonza*: 'gregonza' in MS. Ash. 341.

1375. 'lappacium maius.'

1378. *gret riote*: 'color huius niger est, faciens hominem iratum, animosum et audacem et mala cogitantem et maledicentem .... et faciens fugere demones et congregare.'

1379 ff. 'Nona stella dicitur Atimet Alaazel, ... et est ex natura Veneris et Mercurii, et dicitur stella pulchritudinis et racionis,' &c. The name 'Atimet Alaazel' is from the Arabic 'El-simâk el-a'zal,' that is the star which we call Spica.

1385. *Salge*, Lat. 'saluia.'

1387. 'Decima vero stella Atimet Alrameth, et dicitur saltator, et est ex natura Martis et Iouis.' This is the Arabic 'El-simâk el-râmih,' which we call Arcturus.

1393. *Venenas*: 'Vndecima stella dicitur Benenais et est postrema de ii stellis que sunt in cauda urse maioris.' In Arabic 'Banat Na'sh.'

1401. *Alpheta*, 'Elfetah,' from the Arabic 'El-fak'ah' (the beggar's dish), meaning the constellation which we call the Northern Crown. Here the name stands for the principal star of that constellation, Gemma.

1419. *Botercadent*. The Latin says 'Vultur cadens,' that is perhaps

Vega; but 'Botercadent' would probably be a different star, namely that called in Arabic 'Batn-Kaitos' or Whale's belly.

1426. *Tail of Scorpio*: in the Latin 'Cauda Capricorni.'

1449 ff. These names of the chief authors of the science of astronomy seem to be partly taken from the treatise called *Speculum Astronomiae* or *De libris licitis et illicitis*, cap. ii. (*Alberti Magni Opera*, v. 657): cp. note on vi. 1311 ff. The passage is as follows, under the heading 'De libris astronomicis antiquorum': 'Ex libris ergo qui post libros geometricos et arithmeticos inueniuntur apud nos scripti super his, primus tempore compositionis est liber quem edidit Nembroth gigas ad Iohathonem discipulum suum, qui sic incipit: *Sphaera caeli* &c., in quo est parum proficui et falsitates nonnullae, sed nihil est ibi contra fidem quod sciam. Sed quod de hac scientia vtilius inuenitur, est liber Ptolemaei Pheludensis, qui dicitur Graece Megasti, Arabice Almagesti, ... quod tamen in eo diligentiae causa dictum est prolixe, commode restringitur ab Azarchele Hispano, qui dictus est Albategni in libro suo. ... Voluitque Alpetragius corrigere principia et suppositiones Ptolemaei,' &c.

It would seem that, either owing to corruption of his text or to misunderstanding, our author separated the name 'Megasti' from its connexion with Ptolemy and the Almagest, and made of it a book called 'Megaster,' which he attributes to Nembrot.

1461. Alfraganus was author of a book called in Latin *Rudimenta Astronomica*.

1576 f. *out of herre ... entriketh*, that is, 'involves (this world) in perplexity, so that it is disordered.'

1579. *coupe of hevene*, see note on l. 534.

1595 ff. The discussion in the Roman Senate on the fate of the accomplices of Catiline is here taken as a model of rhetorical treatment. The idea is a happy one, but it is borrowed from the *Trésor*, where Latini, after laying down the rules of rhetoric, illustrates them (pp. 505-517) by a report and analysis of the speeches in this debate, as they are given by Sallust. The 'Cillenus' mentioned below is D. Junius Silanus, who as consul-designate gave his opinion first. It is tolerably evident in this passage, as it is obvious in iv. 2647 ff., that Gower did not identify Tullius with Cicero, though Latini actually says, 'Marcus Tullius Cicero, cils meismes qui enseigne l'art de rectorique, estoit adonques consule de Rome.'

1615 ff. Cp. *Trésor*, p. 509, 'mais Jules Cesar, qui autre chose pensoit, se torna as covertures et as moz dorez, porce que sa matiere estoit contraire,' &c.

1623. *after the lawe*. It may be observed as a matter of fact that the law was on the side of Caesar, and that this was his chief argument against the death penalty.

1706. *Fyf pointz*. The *Secretum Secretorum* recommends to rulers the virtues of Liberality, Wisdom, Chastity, Mercy, Truth, and afterwards of Justice, but there is no very systematic arrangement there, nor in general does the treatment of the subject, except partly as regards Liberality, resemble Gower's. It has been already observed that the treatment of Politics in the *Trésor* is altogether different from that which we have here.

1783 ff. This story comes originally from 3 Esdras, ch. iii, iv. The names, however, of Arpaghes and Manachaz are not found in the text of that book, and the story of Alcestis, which Zorobabel tells, is of course a later addition, made no doubt by our author.

1809. 'Having his mind so disposed.'

1856. *behelde*, an archaic form, used here for the rhyme.

1884 ff. 3 Esdr. iv. 29, 'Videbam tamen Apemen filiam Bezacis, mirifici concubinam regis, sedentem iuxta regem ad dexteram,' &c.

1961 f. 'He that is true shall never rue,' or some such jingle. Cp. Shaksp. *K. John*, v. 7,   'Nought shall make us rue,
If England to herself do rest but true.'

2000. *laste*, pret. 'lasted': cp. Prol. 672, iv. 2315.

2017 ff. This seems to be suggested by a passage in the *Secretum Secretorum*. 'Reges sunt quattuor. Rex largus subditis et largus sibi, Rex auarus subditis et auarus sibi, Rex auarus sibi et largus subditis, Rex largus sibi et auarus subditis.' This last is pronounced to be the worst, as the first is the best.

2031 ff. This refers to a passage in the *Secretum Secretorum* (ed. 1520, f. 8), which runs thus in the printed edition: 'Que fuit causa destructionis regni calculorum: vnde quia superfluitas expensarum superat redditus ciuitatum, et sic deficientibus redditibus et expensis reges extenderunt manus suas ad res et redditus aliorum. Subditi ergo propter iniuriam clamauerunt ad deum excelsum gloriosum, qui immittens ventum calidum afflixit eos vehementer, et insurrexit populus contra eos et nomina eorum penitus de terra deleuerunt.'

This is obviously corrupt, and it is evident that 'calculorum' stands for a proper name, which Gower read 'Caldeorum,' as it is in MS. Laud 708. Other Bodleian MSS. to which I have referred give 'Saldeorum' (Bodley 181), 'cangulorum' (Add. C. 12), 'singulorum' (Laud 645), 'Anglorum' (Digby 170). 'Nonne' is the reading of the MSS. for 'vnde,' and it seems that 'Que fuit' &c. is also a question.

2039. So in the *Secretum Secretorum* (shortly before the passage quoted above), 'Debes igitur dona dare iuxta posse tuum cum mensura, hominibus indigentibus atque dignis.'

2050. *of ken*, here apparently 'of quality.'

2061 ff. The basis of this story is to be found in Seneca, *De Beneficiis*, v. 24, 'Causam dicebat apud divum Iulium ex veteranis quidam,' &c., but there is no question there of an advocate; the veteran simply gains his case by recalling his personal services. The story appears in a form more like that of Gower in the *Gesta Romanorum*, 87 (ed. Oesterley), but the name Julius is not there mentioned, only 'Quidam imperator.' It may be observed also in general, that though many stories are common to the *Gesta Romanorum* and the *Confessio Amantis*, there is no instance in which Gower can be proved to have used the *Gesta Romanorum* as his authority. Indeed the tales are there so meagrely and badly told for the most part, that there would be little temptation to turn to it if any other book were available.

Such references as 'dicitur in gestis Romanorum' are not to this book but to Roman History.

Hoccleve tells this story much as we have it here, in his *Regement of Princes*, 3270 ff., e. g.

> 'Han ye forgote how scharp it with yow ferde,
> Whan ye were in the werres of Asie?
> Maffeith, your lif stood there in jupartie;
> And advocat ne sente I non to yow,
> But myself put in prees and for yow faght,' &c.

2115 ff. This anecdote is perhaps taken from the *Trésor*, where it occurs more appropriately as an example of hypocritical excuses for not giving, 'Li Maistres dit: Après te garde de malicieus engin de escondire, si comme fist le rois Antigonus, qui dist à un menestrier qui li demandoit un besant, que il demandoit plus que à lui n'aferoit; et quant il li demanda un denier, il dist que rois ne devoit pas si povrement doner. Ci ot malicieus escondit; car il li pooit bien doner un besant, porce que il estoit rois, ou un denier, porce que il estoit menestrel. Mais Alixandres le fist mieulx; car quant il dona une cité à un home, cil li dist que il estoit de trop bas afaire à avoir cité; Alixandres li respondit : Je ne pren pas garde quel chose tu dois avoir, mais quel chose je doi doner' (p. 412). This may serve as a rather favourable example of Latini's style.

2132. *is in manere*: cp. l. 4344. It seems to mean that the virtue of giving depends on the measure with which it is done : cp. *Praise of Peace*, 53.

2139. *To helpe with* : cp. i. 452, 2172, ii. 283, &c.

2194. *holden up his oil*: cp. l. 2584, 'To bere up oil.' The only other instance which I can quote of this expression is from Trevisa's translation of the *Polychronicon* (Rolls' Series, vol. iii. p. 447, a reference which I owe to Dr. Murray), 'There Alisaundre gan to boste ... and a greet deel of hem that were at the feste hilde up the kynges oyl.' (In the Latin, 'magna convivantium parte assentiente.') In all these cases it is used of flatterers, and 'oil' seems to stand in this phrase for 'pride' or 'vainglory.' I am disposed to think it is simply the French 'oil,' meaning 'eye,' and getting its present sense from such Biblical expressions as 'oculi sublimium deprimentur,' 'oculos superborum humiliabis,' 'oculos sublimes, linguam mendacem'; but I can quote no examples of this meaning in French.

2217 ff. This story is based originally on an anecdote told by Valerius Maximus: 'Idem Syracusis, cum holera ei lavanti Aristippus dixisset, Si Dionysium adulari velles, ista non esses, Immo, inquit, si tu ista esse velles, non adularere Dionysium' (*Mem.* iv. 3). It has been repeated often in a short form.

2268. *the worldes crok*, that is, the crooked way of the world. See the quotations in the *New Engl. Dictionary* under 'crook,' 12.

2279. *joutes* : see Godefroy's Dictionary, where an instance is quoted of the use of this word in a French version of this very story.

2302. F punctuates after 'pyke,' and no doubt rightly so. The word 'trewely' corresponds to the Latin 'certe' in the margin above.

2355 ff. The Roman Triumph as here related was a commonplace of preachers and moralists, cp. Bromyard, *Summa Praedicantium*, T. v. 36, 'Triumphus enim secundum Isidorum dicitur a tribus : quia triumphator Romanus cum victoria versus civitatem veniens tres honores habere debuit,' &c. So l. 2366, ' Of treble honour he was certein.' It is also in the *Gesta Romanorum*, 30 (ed. Oesterley), but from neither of these could Gower have got his ' Notheos ' (for Γνῶθι σεαυτόν).

2416 ff. This custom is spoken of in Hoccleve's *Regement of Princes* with a marginal reference to the *Vita Iohannis Eleemosynarii*, where it is in fact mentioned (Migne, *Patrol.* vol. 73, p. 354).

2527 ff. From 1 Kings xxii. It will be seen that the story is told rather freely as regards order of events, as if from memory.

2531 (margin). *organizate*, used in a musical sense.

2553. *Godelie* : the person meant is Athaliah.

2584. *bere up oil* : see note on l. 2194.

2660. *astraied*. See *New Engl. Dict.* under 'astray,' *verb* and *adv*.

2698 (margin). No manuscript here gives the reading 'regiminis,' so far as I know ; but it is required by the sense, and the reading 'regis' might easily arise from the abbreviation of 'regiminis,' as we find it in some MSS. at l. 3106 (margin). Note that S is defective here, and J, Ad, K omit the Latin margin. Δ attempts an emendation.

2726 f. *lete Of wrong to don*, i. e. 'abstain from doing wrong.'

2765 ff. From Godfrey of Viterbo (in *Monum. Germ. Hist.* xxii. p. 169), ' Quando voluit rectores dare provinciis . . . nomina eorum examinabat in populo, dicens : Si quis habet crimen contra eos, dicat et probet,' &c. This passage is not contained in the earlier redactions of the *Pantheon*, and consequently we may conclude that Gower's copy was one which contained the later additions : cp. notes on 4181 ff. and viii. 271 ff.

2771. *his name*, that is, his reputation : cp. 2774.

2780. *stod . . . upon*, 'rested upon,' 'was guided by.'

2783 ff. The saying by which this story is characterized, ' malle locupletibus imperare quam ipsum fieri locupletem,' is more properly attributed to Mʼ. Curius Dentatus (Valerius Maximus, *Mem.* iv. 3. 5) : but Fabricius also rejected gifts sent him by the Samnites.

2810. *bothe* : apparently both the men and their possessions.

2833 ff. This is probably Conrad II, of whom Godfrey of Viterbo says 'nulli violatori pacis parcebat.'

2845 ff. Originally taken from Valerius Maximus, who tells it, however, with reference to Charondas, the supposed legislator of Thurii (*Mem.* vi. 5).

2864. *sete*: apparently a strong past participle formed from 'sette' by confusion with 'sitte': cp. 'upsete' rhyming with 'misgete,' viii. 244.

2883. *of dawe*: equivalent to 'of this lif,' iv. 3414.

2889 ff. This is a story which we find very often repeated (originally from Herodotus), e. g. Valerius Maximus, *Mem.* vi. 3, *Gesta Romanorum*, 29 (without mention of Cambyses by name), Hoccleve's *Regement of Princes*, &c. In Δ we find added to the marginal Latin,

'vnde versus,
Sede sedens ista iudex inflexibilis sta,
Sit tibi lucerna lux, lex, pellisque paterna,
Qua resides natus pro patre sponte datus.
A manibus reuoces munus, ab aure preces.'

It would seem that the last line should stand as the second.

2902. *Avise him*, 'Let him consider.'

flitte, 'turn aside,' cp. iv. 214; but also intransitive, v. 7076.

2917 ff. Another often repeated story. The *Gesta Romanorum* has it (169) with a reference to Trogus Pompeius (that is Justin, *Epit.* iii. 3). Gower makes the city Athens instead of Sparta (cp. 3089), and the god Mercury instead of Apollo.

3054 ff. This list of legislators is from the *Trésor*, p. 24, but the text which our author used seems to have been corrupt. The passage runs thus in the printed edition: 'Moyses fu li premiers qui bailla la loi as Hebreus; et li rois Foroneus fu li premiers qui la bailla as Grezois; Mercures as Egypciens, et Solon à cels de Athenes; Ligurgus as Troyens; Numa Pompilius, qui regna après Romulus en Rome, et puis ses filz, bailla et fist lois as Romains premierement,' &c. If we suppose 'Solon' to have been omitted in the MS., the passage might read (with changes of punctuation) nearly as we have it in Gower.

3092. *on the beste Above alle other*: cp. iv. 2606, &c.

3137 ff. Cp. *Mirour de l'Omme*, 13921, and see also ii. 3204 ff. (margin).

3144. *Troian*: so given in all MSS. for 'Traian.' So also in the *Mirour*, 22168, and in Godfrey of Viterbo, *Spec. Reg.* ii. 14 (*Mon. Germ. Hist.* xxii. p. 74).

3181 ff. Valerius Maximus, *Mem.* v. 6: but he does not mention the Dorians as the enemy against whom Codrus fought. However, the story was a common one: cp. *Gesta Romanorum*, 41.

3201. *lemes*: cp. Chaucer, *Cant. Tales*, A 3886.

3149* f. The reference is to the Epistle of St. James ii. 13, 'Iudicium enim sine misericordia illi qui non fecit misericordiam.'

3157*. That is, 'Blessed are the merciful, for they shall obtain mercy.'

3161* f. Cp. *Mirour de l'Omme*, 13918 ff., where the same is quoted.

3163* ff. Quoted also in the *Mirour*, 13925 ff., and there also attributed to Tullius, but I cannot give the reference.

3210. *drawe*: the change to subjunctive marks this sentence as really conditional.

3215 ff. Valerius Maximus, *Mem.* v. 1. 9.

3217. *in jeupartie*, i. e. equally balanced, the result uncertain.

3267 ff. Justinian II is described by Gibbon as a cruel tyrant, whose deposition by Leontius was fully deserved, and who, when restored by the help of Terbelis, took a ferocious vengeance on his opponents: 'during the six years of his new reign, he considered the axe, the cord, and the rack as the only instruments of royalty.' Nothing apparently could be less appropriate than the epithet 'pietous,' which Gower bestows upon him.

3295 ff. This again was a very common story: cp. *Gesta Romanorum*, 48 (ed. Oesterley). Hoccleve tells it with a reference to Orosius, *Regement of Princes*, 3004 ff. Gower probably had it from Godfrey of Viterbo, *Pantheon*, p. 181 (ed. 1584), where Berillus is given for Perillus, as in our text. He takes 'Phalaris Siculus' as the tyrant's name, and shortens it to Siculus.

3302. I take the preceding three lines as a parenthesis, and this as following l. 3298.

3341. 'Dionys' is a mistake for Diomede, or rather Diomedes is confused with the tyrant Dionysius.

3355 ff. Cp. Ovid, *Metam.* i. 221 ff.

3359. *With othre men*, i. e. 'by other men': cp. viii. 2553.

3387 ff. This characteristic of the lion is mentioned by Brunetto Latini, *Trésor*, p. 224.

3417 ff. This story is told much as it appears in Justin, *Epit.* i. 8, and Orosius, *Hist.* ii. 7, but the name Spertachus (Spartachus) is apparently from Peter Comestor (Migne, *Patrol.* vol. 198, p. 1471), who gives this as the name of Cyrus in his boyhood. The same

---

3207* ff. The tale of the Jew and the Pagan is from the *Secretum Secretorum*, where it is told as a warning against trusting those who are not of our faith. The differences are mainly as follows. No names of places are mentioned in the original; the 'pagan' is called 'magus orientalis,' and he rides a mule: the Jew is without provisions, and the Magian feeds him as well as allowing him to ride: the Jew is found not dead but thrown from the mule, with a broken leg and other injuries—there is no mention of a lion except in the entreaties of the Magian, 'noli me derelinquere in deserto, ne forte interficiar a leonibus.' The Magian is about to leave him to die, but the Jew pleads that he has acted only in accordance with his own law, and again appeals to the Magian to show him the mercy which his religion enjoins. Finally the Magian carries him away and delivers him safely to his own people. Probably our author thought that this form of the story unduly sacrificed justice to mercy, and therefore he killed his Jew outright.

3342* ff. Note the subjunctive after 'who (that)' here and in ll. 3349, 3355: see note on Prol. 460.

authority may have supplied the name 'Marsagete,' for the histories named above call Thamyris only 'queen of the Scythians'; but Comestor omits the details of the story.

3418. The name 'Spertachus' is given in full by F in the Latin summary, l. 3426 (margin). In the English text the first syllable is abbreviated in most copies, but A has 'Spartachus' and H₃ 'Spertachus.'

3539. *Pite feigned*: cp. l. 3835.

3581. The reference should be to Juvenal, *Sat.* viii. 269 ff.,

'Malo pater tibi sit Thersites, dummodo tu sis
Aeacidae similis, Vulcaniaque arma capessas,
Quam te Thersitae similem genuisset Achilles.'

Gower has here taken the point out of the quotation to a great extent, but it occurs in the *Mirour*, 23371 ff., in its proper form, though with the same false reference.

3627 ff. From the Book of Judges, ch. vii.

3632. For the anacoluthon cp. iv. 3201, vi. 1798, and note on i. 98.

3639. The reading of the second recension, 'hem,' seems clearly to be right here: 'against those who would assail them.'

3640 ff. The meaning apparently is that each single division of the three which the enemy had was twice as large as Gideon's whole army. The original text says nothing of the kind.

3752. *per compaignie*, 'together.'

3820 ff. 1 Samuel xv.

3860 ff. 1 Kings ii.

3877. *natheles*, 'moreover': cp. 4242 and note on Prol. 39.

3884. *that*, for ' to that ': cp. Prol. 122.

3891 ff. 1 Kings iii.

4011. *propre*, i.e. 'in himself.'

4027 ff. 1 Kings xii.

4144. *can ... mai*, used in their original senses, the one implying knowledge and the other active power.

4181 ff. The person meant is Antoninus Pius, of whom his biographer Capitolinus says that he loved peace 'eousque ut Scipionis sententiam frequentarit, qua ille dicebat, malle se unum civem servare quam mille hostes occidere' (*Hist. August.* ed. 1620, p. 20). Godfrey of Viterbo, in the text given by Waitz (*Mon. Germ. Hist.* xxii. pp. 75, 163), regularly calls him Antonius, and probably Gower had the saying from this source. It is one of the later additions to the *Pantheon*: cp. note on 2765 ff.

4195. *is due To Pite*. This seems to mean 'is bound by duty' to show mercy.

4228. *His trouthe plight*, 'the engagement of his faith.' Here we have the word 'plight' from OE. 'pliht,' to be distinguished from 'plit.'

4242. *natheles*: cp. l. 3877.

4245. *hihe*: note the definite form after the possessive genitive, as after a possessive pronoun.

4284. 'And even if it should chance that he obtained any friendliness from her.' For the use of 'compainie' cp. v. 4558.

4335. *Barbarus*: more properly Arbaces, but 'Barbatus' in the *Pantheon* (p. 165, ed. 1584).

4361 ff. Cp. Justin, *Epit.* i. 7, where however the expedient is said to have been used (as related by Herodotus) after Cyrus had put down a revolt.

4406 ff. Numbers xxv.

4408. *Amalech*: Balak is meant.

4464 ff. This means apparently that the later time of life will be as a dark night which is not illuminated by any sunshine of dawn; but it is not very clearly expressed.

4469 ff. 1 Kings xi.

4515. That is, 'Ahijah the Shilonite,' called 'Ahias Silonites' in the Latin version.

4559 ff. (margin). The quotation is from the *Secretum Secretorum*: 'O summe rex, studeas modis omnibus custodire et retinere calorem naturalem' (ed. 1520, f. 25 v°).

4574 f. Caracalla, son of Severus, is here meant. His name was Aurelius Antoninus, and he is called Aurelius Antonius in the *Pantheon* (*Mon. Germ. Hist.* xxii. p. 166). Caracalla is called by Orosius 'omnibus hominibus libidine intemperantior, qui etiam novercam suam Iuliam uxorem duxerit' (*Hist.* vii. 18), and this character of him is repeated in the *Pantheon*.

4593 ff. This story is from Ovid, *Fasti*, ii. 687-720. Gower's rendering of it is remarkable for ease and simplicity of style: see especially ll. 4667-4685, 4701-4717.

4598. Neither Aruns nor Sextus is mentioned by name in Ovid, who speaks only of 'Tarquinius iuvenis.' Gower gives to Aruns the place of Sextus throughout this and the following story.

4623. *schette*, intransitive, equivalent to 'were shut': cp. iii. 1453.

4701 ff. The sacrifice at which this portent occurred is here brought into connexion with the capture of Gabii, a construction which is not unnaturally suggested by Ovid's abrupt transition, l. 711.

4718 ff. 'Consulitur Phoebus. Sors est ita reddita: Matri
  Qui dederit princeps oscula, victor erit.' *Fasti*, ii. 713 f.

Ovid means that a message was sent to Delphi; but our author understands it differently.

4739 f. 'Creditus offenso procubuisse pede' (720).

4754 ff. This again is from Ovid, where it occurs as a continuation of the last story, *Fasti*, 721-852. Chaucer, who tells this story in the *Legend of G. Women*, 1680 ff., also follows Ovid, and more closely than Gower, e.g. 1761 ff., 1805 ff., 1830 f.

4757. *unskilfully*, that is, 'unjustly,' without due 'skile' or reason.

4778 ff. 'Non opus est verbis, credite rebus, ait' (734).

4805 f. This is derived from a misunderstanding of *Fasti*, ii. 785,

'Accipit aerata iuvenem Collatia porta.'

Cp. l. 4911 below. Both Chaucer and Gower make the tragedy occur at Rome, though Chaucer professes to have Livy before him.

4902. 'audentes forsve deusve iuvat.'

4937. *To hire*: cp. v. 5724. It means here much the same as 'by her.'

5062. *sche myhte it noght*, 'sche could not help it.'

5088 ff. 'Illa iacens ad verba oculos sine lumine mouit,
Visaque concussa dicta probare coma.' *Fasti*, ii. 845 f.

5093 ff. This latter part is added from other sources, perhaps from Livy.

5131 ff. Chaucer tells the story of Virginia as the Tale of the Doctor of Physic, professing to follow Livy, but actually taking his materials chiefly from the *Roman de la Rose*, 5613 ff., from which he transcribes also the reference to 'Titus Livius.' His story differs from that of Livy in many respects, and the changes are not at all for the better. For example, Chaucer does not mention the absence of Virginius in the camp, and he makes him kill his daughter at home and carry her head to Appius. Gower follows Livy, or some account drawn from Livy, without material alteration. It may be observed that Chaucer (following the *Rom. de la Rose*) uses the name 'Apius' alone for the judge, and 'Claudius' for the dependent, while Gower names them more correctly 'Apius Claudius' and 'Marchus Claudius.' On the subject generally reference may be made to Rumbaur's dissertation, *Geschichte von Appius und Virginia in der engl. Litteratur*, Breslau, 1890.

5136. *Livius Virginius*, a mistake for 'Lucius Virginius.'

5151. *Ilicius*, that is, Icilius.

5209. *til that he come*, 'till he should come,' the verb being pret. subjunctive.

5254 ff. The sentence is irregular in construction, but intelligible and vigorous : 'but as to that command, like the hunted wild boar, who when he feels the hounds hard upon him, throws them off on both sides and goes his way, so (we may say) this knight,' &c. The simile is due to Gower.

5261. *kepte*, 'waited for.'

5307 ff. From the Book of Tobit, ch. vi–viii. The moral of the story is given by vi. 17, where Raphael says to Tobias, 'Hi namque qui coniugium ita suscipiunt, ut Deum a se et a sua mente excludant, et suae libidini ita vacent sicut equus et mulus, quibus non est intellectus, habet potestatem daemonium super eos.' This, however, is absent from the English version (which follows the LXX), as are also the precepts which follow, about nights to be spent in prayer by the newly married couple. The same is the case with the five precepts given to Sara by her parents, which are mentioned in the *Mirour*, 17701 ff.

5390. This line, written in F as follows,

'Hov trewe · hou large · hou ioust · hov chaste,'

is enough to show that *v* and *u* are used indifferently in this kind of position : cp. movþe : couþe, 5285 f.

5408. *Do wey*, 'Have done': see *New English Dictionary*, 'do,' 52.

LIB. VIII.

We may suppose that our author had some embarrassment as regards the subject of his eighth book. It should properly have dealt with the seventh Deadly Sin and its various branches, that is, as the *Mirour de l' Omme* gives them, 'Fornicacioun,' 'Stupre,' 'Avolterie,' 'Incest,' 'Foldelit.' Nearly all of these subjects, however, have already been treated of more or less fully, either in the fifth book, where branches of Avarice are spoken of with reference to the case of love, or in the seventh, under the head of Chastity as a point of Policy. Even the author's commendation of Virginity, which might well have been reserved for this place, and which would have been rather less incongruous at the end than in the middle of the shrift, has already been set forth in the fifth book. There remained only Incest, and of this unpromising subject he has made the best he could, first tracing out the gradual development of the moral (or rather the ecclesiastical) law with regard to it, and then making it an excuse for the Tale of Apollonius (or Appolinus) of Tyre, which extends over the larger half of the book. The last thousand lines or so are occupied with the conclusion of the whole poem.

36. *upon his grace*, that is, free for him to bestow on whom he would.

44. Raphael is not named in Genesis.

48. *Metodre*, that is, Methodius, in whose *Revelationes* it is written, 'Sciendum namque est, exeuntes Adam et Evam de Paradiso virgines fuisse,' so that 'Into the world' in l. 53 must mean from Paradise into the outer world.

62 ff. This is not found in Genesis, only 'genuitque filios et filias,' but Methodius says that the sisters of Cain and Abel were Calmana and Debora.

110. For the hiatus cp. *Mirour*, 12241,

'De Isaäk auci je lis.'

158. *ne yit religion*. The seduction of one who was a professed member of a religious order was usually accounted to be incest: cp. *Mirour*, 9085 ff. and l. 175 below.

170. 'I keep no such booth (or stall) at the fair,' that is, 'I do no such trade.'

244. *upsete*: see Introduction, p. cxix, and cp. vii. 2864.

271 ff. Gower tells us here that he finds the story in the *Pantheon*. That is true, no doubt: it is told there in the peculiar kind of verse with which Godfrey of Viterbo diversified his chronicle, and a most useful text of this particular story, showing the differences of three redactions, is given by S. Singer in his *Apollonius von Tyrus*, Halle, 1895, pp. 153–177. There is ample evidence that Gower was acquainted with the *Pantheon*, but it is not the case that he followed it in this story, as has been too readily assumed. Godfrey tells the

tale in a much abbreviated form, and Gower unquestionably followed mainly the Latin prose narrative which was commonly current, though he thought the *Pantheon*, as a grave historical authority, more fit to be cited. The very first sentence, with its reference, 'as seith the bok,' is enough to indicate this, but a few more points may be mentioned here in which the story of the *Pantheon* differs from Gower and from the prose *Historia Apollonii Tyrii*. (1) Godfrey of Viterbo does not say what was the problem proposed by Antiochus, nor does he mention the period of thirty days. (2) He gives no details of the flight of Apollonius or of the mourning of his people, and he does not mention the incident of Taliart (or Thaliarchus). (3) The name Pentapolim is not introduced. (4) There is no mention in the *Pantheon* of the wooing of the daughter of Archistrates by three princes (or nobles) or of the bills which they wrote. (5) There is no mention of the nurse Lichorida being taken with Apollonius and his wife on shipboard, of the master of the ship insisting that the corpse should be thrown into the sea, or of the name of the physician, Cerimon. (6) The *Pantheon* says nothing of the vow of Apollonius in ll. 1301-1306. (7) The name Theophilus is not given. (8) There is no mention of the tomb of Thaise (or Tharsia) being shown to Apollonius. (9) In the *Pantheon* the punishment of Strangulio and Dionysia precedes the visit to Ephesus, and there is no mention of the dream which caused Apollonius to sail to Ephesus.

There are indeed some points in which Gower agrees with the *Pantheon* against the *Historia*, for example in making the princess ask for Apollonius as her teacher on the very night of the banquet instead of the next morning, and in representing that Apollonius went to his kingdom after leaving his daughter at Tharsis (cp. E. Klebs, *Die Erzählung von Apollonius aus Tyrus*, Berlin, 1899). Perhaps however the most marked correspondence is where Gower makes the wife of Apollonius 'Abbesse' of Diana's temple (l. 1849), which is evidently from Godfrey's line, 'Sic apud Ephesios velut abbatissa moratur': cp. also l. 1194 'warmed ofte.' These are both among the later additions to the *Pantheon*, and apparently were overlooked by Singer and Klebs when they pronounced that Gower probably knew only the earlier redaction: cp. notes on vii. 2765, 4181.

The Latin prose narrative has been printed in *Welseri Opera*, ed. 1682, pp. 681-704, and also in the Teubner series (ed. Riese, 1871, 1893). It is a translation from a Greek original, as is sufficiently indicated by the Greek words that occur in it, and by the Greek customs which it refers to or presupposes. Gower agrees with it pretty closely, but the story is not improved in his hands. It loses, of course, the Greek characteristics of which we have spoken, and several of the incidents are related by Gower in a less effective manner than in the original. For example, in the scene near the beginning between Antiochus and Apollonius, the king asks, 'Nosti nuptiarum conditionem?' and the young man replies, 'Novi et ad portam vidi,' to which there is nothing corresponding in Gower.

Again, at a later stage of the story, when the three young nobles send in their proposals to the daughter of Archistrates, the original story makes her reply in a note which declares that she will marry only 'the ship-wrecked man.' The king innocently inquires of the three young men which of them has suffered shipwreck, and finally hands the note to Apollonius to see if he can make anything of it. This is much better managed than by Gower. On the other hand our author has done well in dispensing with the rudeness and boastfulness of Apollonius on the occasion when the king's daughter plays the harp at the feast, and also in modifying the scenes at the brothel and excluding Athenagoras from taking part in them. The quotations given in the following notes are made from the Bodleian MS. Laud 247, a good copy of the twelfth century, which has a form of text more nearly corresponding to that which Gower used than that of any of the printed editions, and by means of which we can account for the names Thaise and Philotenne.

It can hardly be necessary to observe that the play of *Pericles, Prince of Tyre*, had another source besides Gower, and especially as regards its fourth and fifth acts. Marina is waylaid while going to visit the tomb of her old nurse, as in the original story, the scene of the pirates agrees more nearly with the original than with Gower, Lysimachus plays a part very like that which Gower took away from Athenagoras, and the scene between Cleon and Dionyza (iv. 4) seems to be suggested by the original. The story was current in English prose, as is well known.

386. *And seileth*: cp. v. 3291 and note.

395. *he moste*, 'that he might,' 'ut sibi liceret,' a common use of the word in older English (see examples in Bosworth and Toller's Dictionary).

405 ff. (margin). The riddle as given in the Laud MS. is, 'Scelere uehor. Materna carne uescor. Quero patrem meum matris mee uirum uxoris mee filiam, nec inuenio.' Most copies have 'fratrem meum' for 'patrem meum,' but Gower agrees with the Laud MS. I do not attempt a solution of it beyond that of Apollonius, which is, 'Quod dixisti scelere uehor, non es mentitus, ad te ipsum respice. Et quod dixisti materna carne uescor, filiam tuam intuere.'

484. *the Stwes*. For the spelling cp. 'Jwes,' v. 1713, 1808.

536. This is by no means in accordance with the original. Antiochus exclaims on hearing of the flight of Apollonius, 'Fugere modo quidem potest, effugere autem quandoque me minime poterit,' and at once issues an edict, 'Quicunque mihi Apollonium contemptorem regni mei uiuum adduxerit, quinquaginta talenta auri a me dabuntur ei: qui uero caput eius mihi optulerit, talentorum c. receptor erit' (f. 205 v⁰), and he causes search to be made after him both by land and sea. The change made by Gower is not a happy one, for it takes away the motive for the flight from Tarsus, where Apollonius heard of this proscription.

542 ff. In the original Apollonius meets 'Hellanicus' at once on landing, and is informed by him of the proscription. He makes an offer to Strangulio to sell his wheat at cost price to the citizens, if they will conceal his presence among them. The money which he receives as the price of the wheat is expended by him in public benefits to the state, and the citizens set up a statue of him standing in a two-horse chariot (biga), his right hand holding forth corn and his left foot resting upon a bushel measure.

603. *ferketh*, 'conveys,' from OE. 'fercian': cp. Anglo-Saxon Chron. 1009, Hī fercodon ꝥa scipo eft to Lundenne' (quoted in Bosworth and Toller's Dictionary).

624. 'But with cable and cord broken asunder... the ship' &c., past participle absolute, as ii. 791, viii. 1830.

640. *forto mote To gete ayein.* Apparently this means 'to wish to get again,' a meaning derived from the phrase 'so mot I,' &c., expressing a wish. The infinitive is very unusual. For the gerund with 'to' which follows it cp. ii. 510, vii. 437, where we have this construction with 'mai,' 'mihte.'

679. The account in the original story is here considerably different. Gower did not understand the Greek customs. 'Et dum cogitaret unde uite peteret auxilium, uidit puerum nudum per plateam currentem, oleo unctum, precinctum sabana, ferentem ludos iuueniles ad gymnasium pertinentes, maxima uoce dicentem: Audite ciues, audite peregrini, liberi et ingenui, gymnasium patet. Apollonius hoc audito exuens se tribunario ingreditur lauacrum, utitur liquore palladio; et dum exercentes singulos intueretur, parem sibi querit et non inuenit. Subito Arcestrates rex totius illius regionis cum turba famulorum ingressus est: dumque cum suis ad pile lusum exerceretur, uolente deo miscuit se Apollonius regi, et dum currenti sustulit pilam, subtili uelocitate percussam ludenti regi remisit' &c. (f. 207 v⁰).

The story proceeds to say that the king, pleased with the skill of Apollonius in the game of ball, accepted his services at the bath, and was rubbed down by him in a very pleasing manner. The result was an invitation to supper.

Gower agrees here with the *Pantheon* in making the king a spectator only.

691. *Artestrathes.* The name is Arcestrates in the Laud MS.

706. *lefte it noght*, 'did not neglect it.'

720 f. 'Ingressus Apollonius in triclinium, contra regem adsignato loco discubuit.' Gower apparently sets him at the head of the second table. For 'beginne' cp. *Cant. Tales*, Prol. 52, with Skeat's note.

767 ff. In the original all applaud the performance of the king's daughter except Apollonius, who being asked by the king why he alone kept silence, replied, 'Bone rex, si permittis, dicam quod sentio: filia enim tua in artem musicam incidit, nam non didicit. Denique iube mihi tradi liram, et scies quod nescit' (f. 208 v⁰). Gower has toned this down to courtesy.

782. 'ita stetit ut omnes discumbentes una cum rege non Apollonium sed Apollinem estimarent.'

866 ff. In the original this incident takes place when the king is in company with Apollonius. The king replies that his daughter has fallen ill from too much study, but he bids them each write his name and the sum of money which he is prepared to offer as dowry, and he sends the bills at once to the princess by the hand of Apollonius. She reads them, and then asks whether he is not sorry that she is going to be married. He says, 'Immo gratulor,' and she replies, 'Si amares, doleres.' Then she writes a note, saying that she wishes to have 'the shipwrecked man' as her husband, adding 'Si miraris, pater, quod pudica uirgo tam inprudenter scripserim, scitote quia quod pudore indicare non potui, per ceram mandaui, que ruborem non habet.' The king having read the note asks the young men which of them has been shipwrecked. One claims the distinction, but is promptly exposed by his companions, and the king hands the note to Apollonius, saying that he can make nothing of it. Apollonius reads and blushes, and the king asks, 'Inuenisti naufragum?' To which he replies discreetly, 'Bone rex, si permittis, inueni.' The king at last understood, and dismissed the three young men, promising to send for them when they were wanted.

901 ff. 'cui si me non tradideris, amittis filiam tuam,' but this is afterwards, in a personal interview.

930 ff. There is no mention of the queen in the original. The king calls his friends together and announces the marriage. The description of the wedding, &c., ll. 952-974, is due to Gower.

1003 ff. In the original story it is here announced to Apollonius that he has been elected king in succession to Antiochus; but this was regarded by our author as an unnecessary complication.

1037 ff. The details of the description are due to our author.

1054 ff. So far as the original can be understood, it seems to say that the birth of the child was brought about by the storm and that the appearance of death in the mother took place afterwards, owing to a coagulation of the blood caused by the return of fair weather.

1059-1083. This is all Gower, except 1076 f.

1089 ff. Apparently the meaning is that the sea will necessarily cast a dead body up on the shore, and therefore they must throw it out of the ship, otherwise the ship itself will be cast ashore with it. The Latin says only, 'nauis mortuum non suffert: iube ergo corpus in pelago mitti' (f. 211 v°).

1101. The punctuation is that of F.

1128. *tak in his mynde*, 'let him take thought': cp. v. 3573, and l. 1420 below.

1165. *the wisest*: cp. Introduction, p. cxi.

1184 ff. In the original it is not Cerimon himself, but a young disciple of his, who discovers the signs of life and takes measures for restoring her. She has already been laid upon the pyre, and he by carefully lighting the four corners of it (cp. l. 1192) succeeds in liquefying the coagulated blood. Then he takes her in and warms her with wool steeped in hot oil.

1195. 'began' is singular, and the verbs 'hete,' 'flacke,' 'bete' are used intransitively: 'to flacke' means to flutter.

1219. 'In short, they speak of nothing': 'as for an ende' seems to mean the same as 'for end' or 'for an end' in later English: cp. *New English Dictionary*, 'end.'

1248. This daughter is apparently an invention of Gower's, who perhaps misread the original, 'adhibitis amicis filiam sibi adoptauit,' that is, he adopted her as his daughter.

1285. *his In*, 'his lodging,' in this case the house of Strangulio. Note the distinction made here by the capital letter between the substantive and the adverb: see Introduction, p. clix.

1293. *whiche*: note the plural, referring to Strangulio and his wife.

1295. The name here in the original is 'Tharsia,' given to her by her father's suggestion from the name of the city, Tharsus, where she was left; but the Laud MS. afterwards regularly calls her Thasia.

1311 ff. This is not in accordance with the Latin prose story. He is there represented as telling Strangulio that he does not care, now that he has lost his wife, either to accept the offered kingdom or to return to his father-in-law, but intends to lead the life of a merchant. Here the expression is 'ignotas et longinquas petens Egypti regiones.' On the other hand the *Pantheon* makes him proceed to his kingdom, apparently Antioch.

1337. *Philotenne*: the name in the Laud MS. is 'Philothemia,' but it is not distinguishable in writing from Philothenna. There is much variation as to this name in other copies.

1349 ff. Much is made in the original story of the death of this nurse and of the revelation which she made to Tharsia of her real parentage. Up to this time she had supposed herself to be the daughter of Strangulio. The nurse suspected some evil, and advised Tharsia, if her supposed parents dealt ill with her, to go and take hold of the statue of her father in the market-place and appeal to the citizens for help. After her death Tharsia visited her tomb by the sea-shore every day, 'et ibi manes parentum suorum inuocabat.' Here Theophilus lay in wait for her by order of Dionysiades.

1374. *cherles*. This is the reading of the best copies of each recension: cp. 'lyves' for 'livissh' i.e. living, 'worldes' for 'worldly,' 'dethes' for 'dedly,' iii. 2657, iv. 382, &c.

1376. *what sche scholde*, that is, what should become of her.

1391. *Scomerfare*. The first part of this word must be the French 'escumerie,' meaning piracy: see Du Cange under 'escumator,' e.g. 'des compaignons du pays de Bretaigne, qui étaient venuz d'Escumerie.'

1393. *and he to go*, that is, 'and he proceeded to go,' a kind of historic infinitive: cp. Chaucer, *Troilus*, ii. 1108, 'And she to laughe,'

Leg. of Good Women, 653 'And al his folk to go.' (In *Piers Plowman*, A. Prol. 33, 'And somme murthes to make,' quoted by Mätzner, it is more probable that 'to make' is dependent on 'chosen.') In addition to these instances we have the repeated use of 'to ga' in Barbour's *Bruce*, e. g. viii. 251, ix. 263, which is much more probably to be explained in this way than as a compound verb. Cp. Skeat's *Chaucer*, vol. vi. p. 403, with C. Stoffel's note on *Troilus*, ii. 1108, which is there quoted.

1410. The Laud MS. has 'leno leoninus nomine,' but many copies give no name.

1420. *Lei doun*, ' let him lay down ' : cp. l. 1128.

1423. There is an interesting touch in the original here which would not be intelligible to Gower. When Tharsia is led into the house, the character of which she does not know, she is bidden to do reverence to a statue of Priapus which stands in the entrance hall. She asks her master whether hĕ is a native of Lampsacus, and he explains to her that his interest in this matter is not local but professional.

1424 ff. There is much in the original about the visit of Athenagoras and of other persons, who are successively so far overcome by the tears and entreaties of Tarsia, as not only to spare her but to give her large sums of money, while at the same time they make a jest both of themselves and of one another for doing so.

1451 f. The rhyme is saved from being an identical one by the adverbial use of 'weie' in the second line, 'mi weie' being equivalent to 'aweie.'

1513. In the original she is reproached by her husband for the deed, and this is the case in the play of *Pericles* also.

1518. *of record*, 'of good repute.'

1534 f. Cp. *Pericles*, iv. 4, 'The fairest, sweetest, best lies here,' but the rest of the epitaph compares unfavourably with Gower's.

1567 ff. Here we have a curious lapse on the part of our author. He represents that the king had no sooner held his parliament and celebrated the sacrifice in memory of his wife, than he began to prepare for his voyage to Tharsis. The story requires however that at least fourteen years should elapse, and this, according to the original narrative, has been spent by Apollonius in travelling about as a merchant, a matter of which Gower says nothing. Probably the *Pantheon*, which is not very clear on the matter, is responsible for the oversight.

1587. ' For she is continually changing with regard to him.'

1617. *besihe*, 'attended to.' The use of this verb was not very common in Gower's time except in the participle ' beseie,' ' besein.' The verb means (1) look, see, (2) look to, attend to, (3) provide, arrange: hence the participle is quite naturally used in the sense of 'furnished,' 'provided,' and we have 'unbesein of,' l. 153, for 'unprovided with.' It is usually explained by reference to its first sense, as having regard necessarily to appearance. 'Appearing in respect of dress, &c.,' 'Appearing as to accomplishments, furnished' (so *New English Dictionary*), but it is more natural to take these meanings of the participle as from senses (2) (3) of the verb. It is doubtful whether even the phrase 'well besein' used of personal appearance means anything but 'well furnished.'

1636. *fordrive*, 'driven about' by storms, actually and metaphorically.

1670 ff. Her song is given in the original; it is rather pretty, but very much corrupted in the manuscripts. It begins thus,

'Per sordes gradior, sed sordis conscia non sum,
Ut rosa in spinis nescit mucrone perire,' &c.

1681 ff. Several of her riddles are given in the original story and he succeeds in answering them all at once. One is this,

'Longa feror uelox formose filia silue,
Innumeris pariter comitum stipata cateruis:
Curro uias multas, uestigia nulla relinquens.'

The answer is 'Nauis.'

She finally falls on his neck and embraces him, upon which he kicks her severely. She begins to lament, and incidentally lets him know her story. The suggestion contained in ll. 1702 ff., of the mysterious influence of kinship, is Gower's own, and we find the same idea in the tale of Constance, ii. 1381 f.,

'This child he loveth kindely,
And yit he wot no cause why.'

1830. 'And all other business having been left': cp. ii. 791.

1890. *With topseilcole*: cp. v. 3119,

'Bot evene topseilcole it blew.'

The word 'topseilcole' (written as one word in the best copies of each recension) does not seem to occur except in these two passages. It is evidently a technical term of the sea, and in both these passages it is used in connexion with a favourable wind. Morley quotes from Godefroy a use of the word 'cole' in French in a nautical sense, 'Se mistrent en barges et alerent aux salandres, et en prisrent les xvii, et l'une eschapa, qui estoit a la cole.' Unfortunately, however, it is uncertain what this means. The vessels in question were in port when they were attacked, and therefore 'a la cole' might reasonably mean with sails (or topsails) set, and so ready to start. A topsail breeze would be one which was fairly strong, but not too strong to allow of sailing under topsails, and this is rather the idea suggested by the two passages in Gower.

It should be noted that in F and in some other MSS. there is a stop after the word 'topseilcole.'

1948. *forto honge and drawe*: the verbs are transitive, 'that men should hang and draw them' (i.e. pluck out their bowels).

1983. This must mean apparently 'They had no need to take in a reef.' The use of 'slake' with this meaning does not seem quite appropriate, but a sail or part of a sail is slackened in a certain sense when it is taken in, seeing that it is no longer subject to the pressure of the wind.

2055. *leng the lasse* : cp. iii. 71, 'the leng the ferre.' This form of the comparative is usual in such phrases, as Chaucer, *Cant. Tales*, A 3872, 'That ilke fruit is ever leng the wers,' and perhaps also E 687, F 404, *Compl. unto Pite*, 95, where the MSS. gives 'lenger.' The form 'leng' is the original comparative adverb of 'long.'

2077. *toward Venus* : cp. v. 6757. Here it means 'on the side of Venus.'

2095. *sett*, imperative, like 'set case,' i.e. 'suppose that.' The reading 'sith' is certainly wrong.

2113. *his oghne dom.* The word 'dom' is used here in special reference to 'kingdom' in the line above. 'Every man has a royal rule to exercise, that is the rule over himself.'

2124 f. 'When he has not kept possession for himself of his own heart.'

2165. *And felt it* : we have here the elision-apocope in the case of a preterite subjunctive.

2194. *hath nothing set therby*, ' accounted it as nothing.'

2198. *withholde*, 'kept' (in service).

2212 f. Cp. iii. 298, *Vox Clam.* ii. 1.

2217 ff. This 'Supplication' is a finished and successful composition in its way, and it may make us desire that our author had written more of the same kind. The poem *In Praise of Peace*, which is written in the same metre and stanza, is too much on a political subject to give scope for poetical fancy. The nearest parallel in style is to be found in some of the author's French Balades.

2245. *Whom nedeth help*, 'He to whom help is needful' : cp. Prol. 800, i. 2446.

2253 ff. Cp. vi. 330 ff.

2259 ff. Cp. *Balades*, xx.

2265. *Danger* : see note on i. 2443.

2288. Cp. i. 143 ff.

2312. *a Mile* : cp. iv. 689. It means apparently the time that it takes to go a mile : cp. Chaucer, *Astrol.* i. 16, 'five of these degres maken a milewey and thre mileweie maken an houre.'

2319. *a game*, for 'agame' : cp. Chaucer, *Troilus*, iii. 636, 648. More usually 'in game,' as l. 2871.

2341. *fulofte hath pleigned* : as for example in the *Planctus Naturae* of Alanus de Insulis.

2365. 'And I will consider the matter' : practically equivalent to a refusal of the petition, as in the form 'Le Roy s'avisera.'

2367. *is noght to sieke*, ' is not wanting' : cp. i. 924, ii. 44, &c.

2378. 'In no security, but as men draw the chances of Ragman.'

To understand this it is necessary to refer to compositions such as we find in the Bodleian MSS., Fairfax 16, and Bodley 638, under the name of 'Ragman (or Ragmans) Rolle.' The particular specimen contained in these MSS. begins thus:

> 'My ladyes and my maistresses echone,
> Lyke hit unto your humble wommanhede,
> Resave in gre of my sympill persone
> This rolle, which withouten any drede
> Kynge Ragman me bad [me] sowe in brede,
> And cristyned yt the merour of your chaunce.
> Drawith a strynge and that shal streight yow lede
> Unto the verry path of your governaunce.'

After two more stanzas about the uncertainty of Fortune and the chances of drawing well or ill, there follows a disconnected series of twenty-two more, each giving a description of the personal appearance and character of a woman, in some cases complimentary and in others very much the reverse, usually in the form of an address to the lady herself, e. g.

> 'A smal conceyt may ryght enogh suffyse
> Of your beaute discripcion for to make;
> For at on word ther kan no wyght devyse
> Oon that therof hath lasse, I undertake,' &c.

Apparently these stanzas are to be drawn for and then read out in order as they come, for the game ends with the last,

> 'And sythen ye be so jocunde and so good,
> And in the rolle last as in wrytynge,
> I rede that this game ende in your hood.'

Evidently the same kind of game might be played by men with a view to their mistresses. It is much the same thing as the 'Chaunces of the Dyse,' where each stanza is connected with a certain throw made with three dice: cp. note on iv. 2792. The name 'Ragman Rolle' seems to be due to the disconnected character of the composition.

2407. *olde grisel*: cp. *Chaucer*, *To Scogan*, 35 : 'grisel' means grey horse.

2415. *upon the fet*, that is, when the time comes for action. The rhyme with 'retret' shows that this is not the plural of 'fot': moreover, that is elsewhere regularly spelt 'feet' by Gower.

2428. *sitte* for 'sit': cp. Introduction, p. cxiv.

2435. *torned into was*: the verb used as a substantive, cp. vi. 923.

2450 ff. The situation here has some resemblance to that in the Prologue of the *Legend of Good Women*, where the author has a vision of the god of Love coming to him in a meadow, as he lies worshipping the daisy, accompanied by queen Alcestis, and followed first by the nineteen ladies of the Legend, and then by a vast multitude of other women who had been true in love. The differences, however, are considerable. Here we have Venus and Cupid, the latter armed with a bow and blind (whereas Chaucer gives him two fiery darts and his eyesight), with two companies of lovers, both men and women, marshalled by Youth and Eld as leaders; and the colloquy with the poet has for its result to dismiss him with wounds healed from Love's service, as one who has earned his discharge, while in the case of Chaucer it is a question of imposing penance for transgressions in the past and of enlisting him for the future as the servant of Love. The conception of the god of Love appearing with a company of true lovers in attendance may be regarded as the common property of the poets of the time, and so also was the controversy between the flower and the leaf (l. 2468), which Chaucer introduces as a thing familiar already to his readers. If our author had any particular model before him, it may quite as well have been the description in Froissart's *Paradys d'Amours* (ed. Scheler, i. 29 f.) :

> ' Lors regardai en une lande,
> Si vi une compagne grande
> De dames et de damoiselles
> Friches et jolies et belles,
> Et grant foison de damoiseaus
> Jolis et amoureus et beaus.
> . . . . .
> "Dame," di je, "puis je sçavoir
> Qui sont ceuls que puis là veoir?"
> "Oïl," dit ma dame de pris;
> " Troïllus y est et Paris,
> Qui furent fil au roi Priant,
> Et cesti que tu vois riant,
> C'est Laiscelos tout pour certain," ' &c.

and she proceeds to enumerate the rest, including Tristram and Yseult, Percival, Galehaus, Meliador and Gawain, Helen, Hero, Polyxena, and Medea with Jason.

I do not doubt that Gower may have seen the *Legend of Good Women*, but it was not much his practice to borrow from contemporary poets of his own country, however free he might make with the literature of former times or of foreign lands.

2461. *who was who* : cp. vii. 2001.

2468. Cp. Chaucer, *Leg. of G. Women*, 72, 188, &c.

2470. *the newe guise of Beawme*, that is, the new fashions of dress, &c., introduced from Bohemia by the marriage of Richard II in 1382.

2500 f. *which was believed With bele Ysolde*, ' who was accepted as a lover by Belle Isolde.' Apparently ' believed ' is here used in the primary sense of the verb, from which we have 'lief.' For the use of ' with ' cp. l. 2553. We may note here that the spelling 'believe' is regular in Gower, 'ie' representing ' ẹ̄.'

2502. *Galahot*, i.e. Galahalt, called by Mallory 'the haut prince.'

2504 ff. It may be noted that several of the lovers in the company of Youth are impenitent in their former faithlessness, as Jason, Hercules and Theseus, while Medea, Deianira and Ariadne are left to complain by themselves. Troilus has recovered Cressida, if only for a time. It is hard to say why Pyramus failed of Thisbe's company, unless indeed she were unable to pardon his lateness (cp. 2582).

2515 ff. Cp. v. 7213 ff.

2553. *with Enee*: cp. vii. 3359 and l. 2501.

2573 ff. It is likely enough that this idea of Cleopatra's death may have been a reminiscence of the *Legend of Good Women*, 696 ff. Chaucer apparently got it from some such account as that quoted by Vincent of Beauvais from Hugh of Fleury, 'in mausoleum odoribus refertum iuxta suum se collocavit Antonium. Deinde admotis sibi serpentibus morte sopita est.' From this to the idea of a grave full of serpents would not be a difficult step.

2582. *Wo worthe*: cp. l. 1334.

2663. I take 'lay' to mean 'law,' i.e. the arrangement of his company.

2687. Cp. iv. 2314.

2705 ff. An allusion to some such story as we have in the 'Lay d'Aristote' (Méon et Barbazan, iii. p. 96).

2713. The punctuation follows F.

2714 ff. This refers to the well-known story of Virgil and the daughter of the Emperor, who left him suspended in a box from her window.

2718. *Sortes.* It is impossible that this can be for 'Socrates,' with whose name Gower was quite well acquainted. Perhaps it stands for the well-known 'Sortes Sanctorum' (Virgilianae, &c.), personified here as a magician, and even figuring, in company with Virgil and the rest, as an elderly lover.

2799. Cp. i. 143 ff.

2823. *syhe*, subj., 'should see.'

2828. *deface*: apparently intransitive, 'suffer defacement': cp. iv. 2844.

2833. *Outwith*, 'outwardly': so 'inwith' often for 'within,' 'inwardly.' Dr. Murray refers me to *Orm.* i. 165, 'utenn wiþþ,' and Hampole, *Prick of Conscience*, 6669, 'outwith.' The best MSS. have a stop after 'Outwith.'

2904. *A Peire of Bedes*: the usual expression for a rosary: cp. *Cant. Tales*, Prol. 158 f.,

> 'Of smal coral aboute hire arm she bar
> A peire of bedes gauded al with grene.'

2926 f. That is the *Speculum Hominis* and the *Vox Clamantis*.

2931. *pernable.* The best MSS. have this, and it is obviously suitable to the sense: 'Do not pursue when the game cannot be caught.' From 'prendre' Gower uses 'pernons,' 'pernetz,' &c., in the *Mirour*.

2938. At this point begins a new hand in F, and for the rest of this leaf (f. 184) the text is written over an erasure (ll. 2938-2966). A note is written opposite l. 2938 for the guidance of the scribe, 'now haue &c.' It may be noted that l. 2940 has a coloured inital A as for the beginning of a paragraph, and this apparently belongs to the original writing, whereas in the first recension MSS. the paragraph begins at l. 2941. The next leaf (f. 185) is a substituted one, and the text is written still in the same hand.

The orthography of the new hand, in which ll. 2938-3146 are written, differs in some respects from the standard spelling which we have in the rest of the manuscript. The chief points of difference are as follows:

(1) *-id* (*-yd*) termination almost always in the past participle, as *enclosid, turnyd, bewhapid, blessid* (but *sterred*), *iþ* frequently in the 3rd pers. sing. of verbs, *belongiþ, seruiþ, causiþ* (but *secheþ, suieþ*), and *-in* (*-yn*) in 3rd pers. pl., as *takyn, sechin, hierin, schuldyn* (also *to lokyn*). (2) *-is* (*-ys*) in the genit. sing. and in the plural of substantives, as *londis, mannys, bedis, lawis, wordis* (but *þinges, myghtes*). (3) *-ir* (*-yr*) termination, as *aftir, ouyr, wondir* (but *siker*). (4) *y* for *i* (*I*) in many cases, especially as the pronoun of the first person (once *I*), also *ys* (sometimes), *hym, wiþynne*. (5) *gh* for *h* in such words as *sigh, sighte, myghte, knyghthode*. (6) *ou* for *o* in *nought, brought, þoughte*, &c. (7) consonants doubled in *vppon* and vowels in *maad* (also *mad*), *book, goon*. (8) separation of words, as *in to, un to, hym self, per fore, per vpon, wher of, wiþ outen*.

It may be observed that something of the same tendency is observable at this point in the Stafford MS., but the differences appear in a much less marked manner, and chiefly in the terminations *-id, -iþ, -is, -ir*. S does not give *y* for *I*, *ys* for *is*, nor *myghte, sigh, nought, oughte, vppon, per fore*, &c.

2974 (margin). *orat pro statu regni.* This marks exactly the stage reached in the second of the three versions which we have of Gower's account of his own works (p. 480,) 'vbi pro statu regni compositor deuocius exorat.' The first completely excuses and the third utterly condemns the king, but the second makes no mention of him either

---

2955 *. *his testament of love.* There is no reason to suppose that this is a reference to any particular work which Gower may have known that Chaucer had in hand. It may be a general suggestion that Chaucer should before his death compose some further work on love, which should serve as his last testimony (or last will and testament) on the subject, as the shrift of the present poem was our author's leave-taking. To assume that the poem referred to must be the *Legend of Good Women*, and to argue from this that the *Confessio Amantis* was written before the *Legend* was given to the public, would be very rash. It is not likely that Usk's *Testament of Love* was known to Gower when he wrote this.

for praise or blame, and that is the line taken in this form of the epilogue.

3012. *maintenue*, that is, 'maintenance' of quarrels by the lords on behalf of their followers: cp. *Mirour*, 23732 ff., where the same subject is dealt with.

3081. *beth*: see Introd. p. cxiv: but it is the reading of F only.

3114. *curiosite*, 'artful workmanship': cp. Chaucer, *Compleinte of Venus*, 81.

3147. Here, at the beginning of f. 186, the hand in F changes again and the rest of the manuscript, including the *Traitié*, the Latin poems and the author's account of his books, is written in the hand which we have in the first leaf of the Prologue.

EXPLICIT, 5 f. The following copies of the first recension contain these last two lines, XERB₂Cath. Of the rest MH₁YGODAr.Ash. are imperfect at the end, N₂ omits the Explicit altogether, and I have no note as regards this point about Ad₂P₁Q. Of the seven which I note as having the 'Explicit' in four lines only, three are of the revised and four of the unrevised group. All copies of the second and third recensions have the last two lines, except of course those that are imperfect here.

QUAM CINXERE FRETA, &c. The 'philosopher' who was the author of this epistle is no doubt responsible also for the lines 'Eneidos, Bucolis,' &c. (printed in the Roxb. ed. of the *Vox Clamantis*, p. 427), in which our author is compared to Virgil, the chief difference being that whereas Virgil had achieved fame in one language only, Gower had distinguished himself in three. The writer in that case also is 'quidam philosophus' (not 'quidam Philippus,' as he is called in the printed

---

2991*. This quality of mercy, for which Richard is especially praised, seems to have been precisely the point in which he was afterwards most found wanting by our author, so that he finally earns the title of 'crudelissimus rex.' Matters had not gone so far as this when the second form of epilogue was substituted, in which these praises were simply omitted. Gower was then (in the fourteenth year of the reign) in a state of suspended judgement, expressed by the 'orat pro statu regni' of 2974 (margin). The subsequent events, and especially the treatment of the duke of Gloucester and his friends, finally decided his opinions and his allegiance, as we may see in the *Cronica Tripertita*.

3054* ff. See Prol. 83* ff.

3102*. *no contretaile*, 'no retribution' afterwards: cp. *Traitié*, vii. 3, 'De son mesfait porta le contretaille.'

3104*. That is, it tends rather to set us free from evil consequences than to bring them upon us.

copy), and I suspect that he was the 'philosophical Strode' who is coupled with Gower in the dedication of *Troilus*.

3. 'tibi' belongs to the next line, 'siue satirus Poeta' being taken together.

QUIA VNUSQUISQUE, &c. The form here given is found in no manuscript of the *Confessio Amantis* except F and H₂ (copied from F), though some other third recension copies, as W and K, may probably have contained it. We have it, however, also in two manuscripts of the *Vox Clamantis*, the All Souls copy and that in the Hunterian Library at Glasgow.

It should be noted that whereas the first recension manuscripts regularly contain the Latin account of the author's three books in immediate connexion with the *Confessio Amantis*, in the second recension it is made to follow the *Traitié*, and SΔ, which do not contain the *Traitié*, omit this also, while in F it comes later still, following the Latin *Carmen de multiplici viciorum pestilencia*. Thus the form which we have in F must be regarded as later than the accompanying text of the *Confessio Amantis*, from which it is separated in the MS. both by position and handwriting, and the words 'ab alto corruens in foueam quam fecit finaliter proiectus est' seem to indicate that it was written after the deposition of Richard II.

11 f. 'Speculum hominis' in all copies of the first recension. 'Speculum meditantis' over an erasure in the Glasgow MS. of the *Vox Clamantis*.

25 ff. Note the omission here (of nine words which are necessary to the sense) in every first recension copy except J. Similarly below all except J have 'finem' for 'sentencie,' obviously from a mistaken reading of a contraction ('fie'). These must be original errors, only removed by later revision, the first no doubt due to dropping a line.

IN PRAISE OF PEACE.

The text of this poem is taken from the manuscript at Trentham Hall belonging to the Duke of Sutherland, which contains also the *Cinkante Balades*. Of this book a full description has been given in the Introduction to Gower's French Works, pp. lxxix ff. The present poem is the first piece in the book (ff. 5-10 v°), and is written in the same hand as the *Balades* and *Traitié*, a hand which resembles that which appears in ff. 184, 185 of the Fairfax MS., though I should hesitate to say positively that it is the same. Evidently, however, the manuscript is contemporary with the author, and it gives us an excellent text of the poem. The date of its composition is doubtless the first year of king Henry IV, for the manuscript which contains it ends with some Latin lines (added in a different hand), in which the author

NOTES 551

speaks of himself as having become blind in the first year of king Henry IV and having entirely ceased to write in consequence of this.

As a composition it is not without some merit. The style is dignified, and the author handles his verse in a craftsmanlike manner, combining a straightforward simplicity of language with a smooth flow of metre and a well-balanced stanza, the verse being preserved from monotony by variety of pause and caesura. Some stanzas are really impressive, as those which begin with ll. 99, 127, 148. The divisions of the poem, indicated in the MS. by larger coloured initials, have hitherto escaped the notice of editors.

The poem was printed first in the collected edition of *Chaucer's Works*, 1532, commonly called Thynne's edition (ff. 375 v°–378), and reprinted from this in the succeeding folio editions of Chaucer (e.g. 1561, f. 330 v°, 1598, f. 330 v°, 1602, f. 314). There was no attempt made in any of these to ascribe its authorship to Chaucer, Gower's name being always given as the author. It has been published also by J. Wright in his *Political Poems and Songs* (Rolls' Series), the text being taken from the Trentham MS., and it has been included by Prof. Skeat in his interesting collection of poems which have been printed with Chaucer's works (*Chaucerian and other Pieces*, pp. 205–216).

Thynne followed a manuscript which gave a fair text, but one much inferior to that of the Trentham copy, both in material correctness and in spelling, e. g.

> 'Kyng Salomon whiche had at his askyng
> Of god | what thyng him was leuest craue
> He chase wysedom vnto gouernyng
> Of goddes folke | the whiche he wolde saue
> And as he chase it fyl him for to haue
> For through his wytte while y^t his reigne last
> He gate him peace and rest in to his last'

All the material variations of Thynne are given in the critical notes, but not his differences of spelling. Wright's text is not to be trusted as a reproduction of the Trentham MS. He made several serious mistakes in copying from or collating it, and he has a good many trifling inaccuracies of spelling. The following are his worst errors:

l. 3 *om.* this 16 the *for* thi 71 To stere peace (*following Thynne*) 108 *om.* doth tofalle *for* to falle 136 than *for* that 173 But aftirwards 202 *om.* worthi 211 any *for* a 246 [good] *seeming to imply that it is not in the MS.* 263 Which heliples 278 reserved *for* deserved 289 man *for* king 292 [up] 306 begete *for* be gete 356 Resteined *for* Resceived 363 deleated *for* debated 382 sese *for* see. In addition to these rather gross blunders, he has about a hundred smaller deviations from the manuscript which he professes to follow, as, for example, 7 for to *for* forto (*and so afterwards*) 16 him self *for* himself (*and so afterwards*)

19 But   27 reqwest *for* reqweste   39 might *for* myht   56 shal *for* schal   83 lefte *for* left   84 not *for* noght   90 charitie *for* charite   98 Both *for* Bothe   102 gone *for* goon   nygth *for* nyght   110 dothe   112 I   120 Crists   155 fulfilled   172 wille   194 destruied   219 made   254 Ffirst   chirche   her silf   260 sick   280 life   287 made an end   319 found   355 Which   382 meschiefe   and a good many more. He also omits in a very misleading manner the last lines of the rubric which follows the poem, 'Et nunc sequitur epistola' &c., as well as the 'epistle' itself, 'Rex celi deus'; and he makes it appear that the lines 'Henrici quarti' &c. follow at once, whereas they are at the end of the MS. and in a different hand.

I think it worth while to specify these instances because Wright's edition has been accepted by Prof. Skeat as an accurate reproduction of a manuscript which is not generally accessible, and if no notice were taken here of the readings given by Wright, it would still remain in doubt whether he or I represented the text more correctly. Especially in the cases where Wright has bracketed a word as not occurring in the manuscript, it might be supposed that his positive testimony was to be preferred.

Prof. Skeat has based his text on Thynne, making such alterations of spelling as seemed to him suitable, and giving the variants of Wright's edition as those of the Trentham MS. Misled by Wright, he has accepted in his text the readings 'reserved' in l. 278, and 'cese' in l. 382.

The text given by the Trentham MS. is apparently quite free from material error, except as regards the word erased in l. 71, and the points of spelling which require correction are very few in number. The orthography is not quite in accordance with the standard spelling of the Fairfax and Stafford MSS., and in some respects resembles that of the third hand of F, on which we have commented in the note on *Confessio Amantis*, viii. 2938. Here however there is only a slight tendency to use *i* for *e* in weak terminations. We have *distourbid* 153, *vndefendid*: *amendid* 223 f., *handlid* 321, *soeffrin* 222, *folwiþ* 23, *goddis* 32, 84, *mannys* 237, but elsewhere almost always the usual forms, as *affermed*, *cared*, *gouerned*, *aken*, *ledeþ*, *londes*, *mannes*. On the other hand the -*ir* termination is used almost regularly, as *vndir*, *wondir*, *aftir*, *modir* (but *vnder* 286), and there is a tendency also to substitute *i* for *e* in other places also, as *first*, *chirche* (also *ferst*, *cherche*), *wirche*, *dide* (348), *propriete*, but *here* for *hire* 108, 329, cp. 254. For *I* (pers. pronoun) we have regularly *y*; *gh* usually for *h* in such words as *right*, *myghti*, *knyght*, *light*, *highe*, *stigh*, but also *riht*, *rihtwisnesse*, *knyht*; *vppon* for *vpon*, *schulde* but also *scholde*. In addition to these points we may note the dropping of -*e* several times in *euer*, *neuer*, which hardly ever occurs in the Fairfax MS., and also in *heuen* 79, but we have also *euere*, *neuere*, *heuene*. The -*e* of the weak preterite form is dropped before a vowel in *myht* 39, *behight* 41,

NOTES 553

had 42, *mad* 103, 345 : *-e* is inserted in some imperatives, as *Leie* 122, *sette* 124, *Lete* 129, *putte* 130, *þenke* 162, *Beholde* 276 (but *let* 158, *Kep* 367, 384, *draugh* 384). As regards the use of *þ* and *ȝ* the Trentham MS. agrees with F.

There is no title in the manuscript, and Prof. Skeat calls the poem 'The Praise of Peace,' a title suggested by Mr. E. W. B. Nicholson. I have adopted a modification of this, 'To King Henry the Fourth in Praise of Peace,' expressing also the substance of that given by Thynne.

8 ff. The threefold claim of Henry IV is given in this stanza, as in Chaucer's well-known Envoy, but the 'conquest' is here represented as a divine sanction.

50. *a place*, 'into place': cp. *Conf. Amantis*, v. 735, 'Hou suche goddes come aplace.'

53. *in manere*, 'in due measure': cp. *Conf. Amantis*, vii. 2132, 4344.

55. *what aftirward betide*, ' whatever may happen afterwards.'

71. The first word of the line is erased in the manuscript, only the initial S being left, with a space for five or six letters after it. The word which is suggested in the text is perhaps as likely as any other: for the form of it cp. 'Maintene,' l. 385. Thynne's reading, 'To stere peace,' looks like a lame attempt on the part of a copyist to fill the gap.

78 ff. *Conf. Amantis*, iii. 2265 ff.

89. I write regularly 'evere' 'nevere' in accordance with Gower's practice: so 126, 127, 148, 241, 301, 350, 365.

90. *alle charite*. The MS. has 'al charite,' but the metre and the grammatical usage both require ' alle,' as in l. 293 and elsewhere.

94. *wisemennes*: cp. 'wisemen,' *Conf. Amantis*, vii. 1792.

106 ff. Cp. *Conf. Amantis*, iii. 2273 ff.

113. *Conf. Amantis*, iii. 2294 f.

115. Cp. *Conf. Amantis*, Prol. 444.

121. 'Whose faith thou hast partly to guide.'

122. I correct the imperative form 'Leie,' and also 'sette' 124, 'Lete' 129, 'putte' 130, 'thenke' 162, 'Beholde' 276, as contrary to Gower's practice and in several cases disturbing the metre.

150. Strictly speaking, we ought to have the subjunctive, 'undirstode,' but the rhyme will not allow.

155. So Prol. 88 f.,

> 'The hyhe god him hath proclamed
> Ful of knyhthode and alle grace.'

157 f. 'Peace with honour' was a favourite thought of Gower's, 'pax et honor' in the *Vox Clamantis*, vii. 1415.

174. ' on earth peace, goodwill towards men.'

177 ff. ' Peace I leave with you, my peace I give unto you.'

204. *waited*, 'attended to.'

235. *devised*, 'divided': cp. *Conf. Amantis*, ii. 3264.

236 ff. 'nevertheless the law stands so reasonably established by man's wit, that they can stand firm without that' (i.e. without the help of the Church).

266. Cp. Prol. 795, 'The comun ryht hath no felawe,' that is, none to take its part.

278 f. *deserved To him*. The reading is right. It means 'earned by service rendered to him': cp. *Conf. Amantis*, iv. 3577, 'Thogh I no deth to the deserve.'

281 ff. For the nine worthies see Caxton's Preface to Mallory's *Morte d'Arthur*.

295 f. The question of winning a 'chase' at tennis is not one which is decided at once by the stroke that is made, but depends on later developments.

330 f. Cp. *Conf. Amantis*, vii. 3161*.

337 ff. *Conf. Amantis*, ii. 3187 ff.

345. *at al*, 'altogether.'

354. *the lieve of lothe*, 'they who were now loved but had before been hated' (by God).

356. I read 'weren' for the metre. However the case may be with Chaucer, there is no instance elsewhere in Gower of elision prevented by caesura. The cases that have been quoted are all founded on misreadings.

365 f. Cp. *Conf. Amant's*, viii. 2988*.

379. *of pes*, 'with regard to peace.'

382. *see the werre*, that is, 'look to the war': cp. ll. 137, 144, 281 ff. The reading 'sese' was invented by Wright.

REX CELI DEUS, &c. This piece is to a great extent an adaptation of the original version of *Vox Clamantis*, vi. cap. 18, as it stands in the Digby MS. The first eight lines are identically the same. Then follows in the *Vox Clamantis*,

'Ipse meum iuuenem conseruet supplico Regem,' &c.

Of the remainder, as we have it here, ll. 25 f., 31–33, 36–39, 41 f., 45–48 correspond with slight variations to lines in the *Vox Clamantis* version, but the arrangement of them is different.

10. *Te que tuum regnum*, 'Thee and thy kingdom,' a quite common position of 'que' in Gower's Latin. So below, ll. 49, 50, 53, and often elsewhere.

35. So also *Conf. Amantis*, vii. *after* l. 1984.

GLOSSARY

AND

INDEX OF PROPER NAMES

The general resemblance between Gower and Chaucer in the matter of language makes a comparison of their English vocabularies almost a matter of course. Chaucer's word-list is naturally much more extensive than Gower's, not only on account of the superior genius of the writer, but also because of the greater extent and variety of his work, Gower's English work being less than half of Chaucer's in amount, and consisting of verse only, while nearly a fourth part of Chaucer's is prose. We find, however, that Gower has more than six hundred words which are not used by Chaucer. Most of these are comparatively new formations from French or Latin, but there is also among them a fair sprinkling of old-established English words, some of which no doubt were falling into disuse. Such words are, for example: adryh, aghte, anele, arecche, areche, arere v., beʒete, bysne, eldemoder, enderday, ferke, forʒifte, forlie, forworþe, frede, ʒeme, gladschipe, goodschipe, grede (gradde), griþ, heveneriche, kingesriche, lere (= loss), lich (= corpse), metrede, miele, mone (3), mull, orf, orped, rowe v. (= dawn), sawht, skiere, spire v., spousebreche, þarmes, tome s., tote, tyh (*pret.*), tyt *adv.*, wow, yhte.

Of the rest the following (among others) are words for which no authority earlier than Gower is cited in the *New English Dictionary* (A—I): those for which Gower is the sole authority are printed in italics.

abeche, *ablaste*, abord, abroche *adv.*, accidence, *agrope*, altemetrie, *apostasied*, apparantie, approbacion, artificier, aspirement, assignement, *assobre*, assote v., astraied, attempte v., *attitled*, avant *adv.*, *avantance*, babe, baldemoine, balke v., baske, bass *adj.* ('base'), bedawe, bederke, befole ('befool'), belwinge, *bethrowe*, *bewympled*, bienvenue, bombard, brothell, *brygantaille*, calculacion, *caliphe*, carte (= writing), chacable, chace (at tennis), chance v., chevance, circumference, client, *coise*, cokard, cokerie ('cookery'), compense, conclave, concordable, congelacion, congruite, contempt, contourbe, courbe s. and *adj.*, decas, deificacion, delaiement, delate (= dilate), depos s., *desclos adj.*, desclose v., desobeie, desobeissance, dispers, distillacion, *doubtif*, drunkeschipe, *duistre*, effeminat *adj.*, eloquent, enbrouderie ('embroidery'), enclin, encluyed, encourtined, enfile, enheritance, *ensamplerie*, entendable, entendance, entendant, epitaphe, esmaie, espier, espleit ('exploit'), exalacion, excessif, excitacioun, *excusement*, expectant, faie *adj.*, fieverous, fixacioun, flacke, folhaste, folhastif, forcacche, forge s., *forstormed*, forsueie, forthrere (= further), froise, gaignage, gamme, genitals, godward, gule, hepe (= hook), heraldie, hovedance, injustice, interruption, intersticion, inthronize.

Of these nearly half are used in the English of the present day.

GLOSSARY AND INDEX OF PROPER NAMES

For the remainder of the alphabet I content myself with calling attention to the following, without venturing on any statement about their earlier use:
justificacion, liberal, liberalite, lien (= bond), lugge, mathematique, matrone, mechanique, mecherie, menable, mineral, moevement, multitude, oblivion, obstinacie, occupacion, original, passible, perjurie, philliberd (= filbert), piereles, pilage, pleintif *adj.*, pointure, porte (= porthole), preparacion, presage, preserve, proclame, prophetesse, providence, purefie, raile *s.*, recepcion, recreacion, relacion, renounce, reptil, resemblance, restauratif, revelen, riff (= reef of a sail), sale, salvage, scharnebud, scisme, sculpture, seintefie, solucion, specifie, sprantlen, spume, stacion, studious, substitucion, supplante, supporte, temprure, tenetz (= tennis), terremote, tonsure, transpose, trompette.

In matters of vocabulary my obligations are first and principally to the *New English Dictionary*, then to Prof. Skeat's Chaucer Glossary, to Stratmann's *Middle Engl. Dictionary* (ed. Bradley), and to Halliwell's *Dictionary of Archaisms*. With reference especially to Gower I may mention the dissertation by G. Tiete (Breslau, 1889).

The following Glossary is meant to include all the words used in Gower's English Works, with their various forms of spelling and (where necessary) of inflexion, accompanied with such references as are required for verification of the forms given and for illustration of the different uses and meanings of the words. As a rule, when a word occurs more than once, at least two references are given, but this statement does not apply to inflexional forms. If a word presents any difficulty or is used in a variety of meanings, the number of references is proportionally increased. A complete set of references is given for proper names.

The *Confessio Amantis* is referred to by P., i, ii, iii, &c., P. standing for the Prologue, and the Roman numerals for the successive books. PP. stands for the poem *In Praise of Peace*. Word-forms which are not found in the Fairfax MS., or only in the latter part of it, which is written by a different hand, are sometimes enclosed in parentheses. These are also used occasionally to indicate variation of spelling: thus **dissencioun** (-on) means that the word is spelt either with '-oun' or '-on' termination, **wher**(e) indicates that 'wher' and 'where' are alternative forms. In all cases where 'y' is used to represent '3,' that fact is indicated by '(3)' placed after the word when it occurs in its place, as **beyete**(3)

The grammatical abbreviations are, *s.* substantive, *a.* adjective, *v.* verb, *v. a.* verb active, *v. n.* verb neuter, *v. a. n.* verb active and neuter, 3 *s. pres.* 3rd person singular present tense, *pret.* past tense, *pp.* past participle, *def.* definite form of adjective, &c.

In many cases an explanation is given of the meaning of words for the convenience of readers, but no discussion as to their meaning or origin is admitted in the Glossary.

A.

a, *interj.* iv. 3622, *see* ha.
a, an, *indef. art.* P. 18, 350, (=one) ii. 1169, 1261.
a (=Fr. à), *in* a dieu, a fin, *see* adieu, afyn.
a, *in* a day, a doun, a ferr, a game, a goddeshalf, a morwe, a nyht, a place, a swoune, *see* dai, doun, ferr, &c.
Aaron, P. 437, ii. 3047.
abaissht, abayssht, *pp.* iv. 1330, vi. 2329.
abak, *adv.* iii. 481, vii. 4363, back.
abandone, abandoune, *v. a.* P. 766, ii. 1596, 2772, v. 5378, viii. 1834, let go, give up, devote.
abate, *v. a.* ii. 3171, vi. 2354, vii. 1639; *v. n.* tabate, ii. 809.

Abbategnyh, vii. 1458.
abbesse, *s.* viii. 1849.
abbot, *s.* ii. 3056.
abece, vii. 158, a, b, c.
abeche, *v. a.* vi. 709, feed.
abedde, *adv.* P. 602, i. 1781, 2599.
abegge, *v. a.* iii. 1828, v. 7522, pay for: *cp.* abye.
abeie, *see* abye.
Abel, viii. 61, 72.
abesse, *v. a.* i. 2063, abase.
abhominable, *a.* ii. 3107, vii. 3337.
abide, abyde(n), *v. n.* i. 859, 1535, 1599, 2909, 3201, ii. 1501, PP. 285, wait, remain; *v. a.* ii. 2594, 2626, iii. 1616, viii. 900, wait for, endure: 3 *s. pres.* abit, abitt, iii. 201, 1658, *pret.* abod, i. 151,

GLOSSARY AND INDEX OF PROPER NAMES 557

imperat. abyd, iv. 1777, *pp.* abide, vii. 2860.
abie, *see* abye.
ablaste, *v. a. pret.* v. 3712, blew upon.
able, *a.* ii. 98, 3258, iv. 267, 2561.
Abner, ii. 3087.
abord, *adv.* ii. 1138, alongside (of a ship).
aboute, *adv.* P. 367, i. 403, ii. 1227, abouten, i. 2529, aboutes, vii. 2280, viii. 2460, round, round about; come aboute, bringe a., i. 2629, ii. 1531, 2282, iv. 61, 259 : *prep.* iv. 1356.
above, *adv.* P. 891, i. 467, 1610, 1860, 2491, iv. 1595, aloft, at advantage, before this; hier above, i. 1377 ; from above, i. 3278 : *prep.* i. 810, aboven, P. 971, i. 2833 : *as subst.* iv. 914, v. 2542, 7293, vi. 221, advantage.
abregge, *v. a.* vii. 1990, cut short.
abreid, *s.* iv. 588, start.
abreide, *v. a.* vii. 2882, upbraid.
abreide, *v. n. pret.* i. 155, 2851, ii. 3241, started.
abroche, *adv.* v. 1677, abroach.
abrod, *adv.* iv. 3102, v. 6891, abroad.
absence, *s.* ii. 1321, 1647.
absent, *a.* iv. 1797, vii. 5181.
Absolon, ii. 3093, viii. 217.
absolucioun (-on), *s.* ii. 1317, iii. 596, viii. 2892.
abstinence, *s.* P. 327, vi. 634.
abydinge, *s.* vii. 502.
abye, abie, *v. a.* ii. 3022, iii. 221, v. 5541, abeie, iii. 306, 3 *s. pres.* abyth, v. 5516, abeith, vi. 1378, *pret.* aboghte, ii. 2153, viii. 217, *pp.* aboght, i. 381, 2614; pay for : *cp.* abegge.
acale, *adv.* viii. 638, 847, acold.
accept, *a.* v. 6394, acceptable.
acceptable, *a.* vii. 4727, viii. 3035*.
accidence, *s.* ii. 3210, v. 763, *see notes.*
accidie, *s.* iv. 539, sloth.
accioun, *s.* ii. 388.
acompte, accord, *see* acompte, acord.
accuse, *v. a.* P. 487, iii. 2377.
accusement, *s.* ii. 1703.
Achab, vii. 2529 ff., *genit.* Achabbes, vii. 2552.
Achaie, v. 1907.
Achastus, iii. 2555.
achates, vii. 1362, agate.
Achelons, iv. 2068.
Acheron, v. 1110.
Achias, vii. 4515 ff.
achieve, *v. a.* P. 92, i. 103, 700, 1257, ii. 1311, v. 1276, finish, attain to ; to ben achieved (=to succeed), ii. 2360, *cp.* ii. 3091 : *v. n.* ii. 372, v. 2043, succeed.
Achilles, ii. 2454, iii. 2642 ff., iv. 1694, 1800, 1970 ff., 2161, v. 2963 ff., 7591, viii. 2545, 2569, *acc.* Achillem, vii. 3583.
Achilo, iii. 2566.
Achitofell, ii. 3090.
Acis, ii. 131 ff.
acold, *adv.* iv. 247, vi. 1007.
acompte, *s.* ii. 1715, iv. 292, 1653, accompte, iv. 1062, 2243.
acompte, *v. a.* iii. 1104, 2281, v. 2014 ; *v. n.* vii. 2226, tacompte, i. 650.
acord, *s.* P. 1034, i. 849, 1789, accord, P. 85, iv. 2069; in acord, i. 1115 ; of thin acord, &c., i. 849, ii. 2536; in on acord, i. 2250.
acordable, *a.* v. 2930, in accord.
acordant, *a.* i. 455, 2436, iv. 1244 : *adv.* iv. 498, v. 142, viii. 2371.
acorde, *v. n.* P. 358, 878, i. 388, ii. 105 ; thei ben acorded, ii. 630, thus acorded (*pp. absol.*), i. 826 ; *refl.* i. 3386, vii. 3241 : 2 *s. pret.* acordest, iii. 2058, *pres. part.* acordende, ii. 1612, iii. 603: agree.
acordement, *s.* vii. 168.
acquite, *see* aquite.
acroche, *v. a.* iii. 1047, v. 5624, take hold of, gain.
acte, *s.* P. 405.
Acteon, i. 336 ff.
Acteos, vii. 855.
adaies, *adv.* iii. 828, at this time; now adaies, nou adayes, &c., P. 171, iv. 1228, *cp.* ' on daies nou,' iv. 1731 : *see also* aday.
Adam, i. 3304, iv. 2224, v. 1707 ff., 6964, vi. 5, viii. 26 ff.
adamant, *s.* vii. 833, 1397.
aday, *adv.* v. 2463, now (nou) aday, i. 655, iv. 2616, viii. 151, *cp.* a day, vii. 438, now a day, ii. 444 : *cp.* adaies.
addre, *see* eddre.
adieu, viii. 2940, a dieu, ii. 2739, v. 3662.
adoted, *pp.* vi. 79, infatuated.
adoun, *adv.* i. 3280, a doun, iv. 2710, v. 385.
adrad, *a.* i. 157, 2748, ii. 479, 3489.
adresce, *v. a.* i. 1722, 2725, v. 1480, (*refl.*) v. 5021, adresse, iii. 2336, arrange, prepare.
Adriagne, Adriane, v. 5332 ff., viii. 2556.
Adrian (1), P. 745.
Adrian (2), v. 4938 ff., *genit.* Adrianes, v. 5155.

adryh, *adv.* iv. 1330, aside.
adverse, *a.* iv. 3403.
adverse, *v. a.* ii. 1792, oppose.
adversite, *s.* v. 2232, vii. 3340*.
advocat, *s.* vii. 2067.
aeremance, *s.* vi. 1301, divination by air.
afaite, *see* **affaite**.
afer, *adv.* v. 318, *see* **ferr**.
afered, *a.* i. 2124, iv. 600, a feerd, v. 7150*.
affaite, *v. a.* ii. 464, 2851, iv. 3337, afaite, iv. 1157, v. 6852, *pp.* affaited, i. 1259, 1671, afaited, v. 2000: prepare, train.
affeccioun (-on), *s.* i. 2858, vi. 1350, thaffeccioun, P. 366, inclination.
afferme, *v. a.* P. 189, ii. 2928, iv. 3421, v. 783, confirm, establish; *v. n.* v. 857, 2596, declare, affirm.
affiche, *v. a.* v. 2520.
affile, *v. a.* i. 678, iii. 516, iv. 3332, sharpen, prepare.
afflyhte, afflihte, aflihte, *v. n. pret.* i. 2185, ii. 766, iv. 1438, 1556, was disturbed (with grief, joy or fear), was afflicted; *v. a.* iii. 1422, *pp.* **affliht, aflyht**, ii. 1518, v. 5438.
affraie, *v. a., pp.* affraied, iii. 57, iv. 3400, viii. 2859, startle, frighten.
affray, *s.* iv. 3068, fright.
afire, *adv. see* **afyre**.
afore, *prep.* iii. 2547, v. 822; *adv.* i. 973, aforn, vi. 927.
afote, *adv.* iv. 2095.
after, *prep.* P. 11, 54, 637, i. 809, iv. 1327, v. 1605, (aftir, viii. 2979 ff.), after, according to: at after mete, &c., vi. 1181, 1831: after that, after, (= according as) P. 544, 708, ii. 1586, iii. 1074: *adv.* P. 634, i. 999, (aftir, viii. 3073), ther after, v. 7030.
aftercast, *s.* iv. 904, late throw (of the dice).
afterward, *adv.* P. 74, i. 757, iv. 865, (aftirward, PP. 55).
afyn, *adv.* v. 2349, a fin, iv. 60, finally.
afyre, ii. 149, 2292, v. 1485, afire, i. 1662.
Agag, vii. 3823 ff.
Agamenon, ii. 2452, iii. 1892 ff., 2186, v. 3101, 6435 ff., viii. 2546.
agaste, *v. a. pret.* vii. 3716, *pp.* agast, iii. 420, iv. 2760, terrified.
agayn, again, *adv.* v. 3790, 4413, back: *cp.* ayein.
age, *s.* i. 488, 779, 2229, iii. 1237, iv. 604, v. 901, of age, iii. 1943, v. 1259.
aghte, *s.* viii. 747, possession.

ago, *adv.* iv. 943, *cp.* **agon, ago**, *pp.*
agon, *pp.* P. 875, ii. 1218, 2696, ago, P. 31, iv. 2918, 2960, gone, past.
agregge, *v. n.* v. 7624, grow heavy.
agrise, *v. a.* iii. 2160, *pp.* agrise, P. 598, v. 5908, terrify.
agrope, *v. a.* and *n.* ii. 1356, 2814, v. 2858, examine, discover.
agulte, *v. n.* vii. 3932, do wrong.
ai, *see* **ay**.
air, *see* **eir** (1).
aise, *see* **ese**.
aisshe, *s.* viii. 2101, ashes.
ake, *v. n.* PP. 260, ache.
akiele, *v. n.* iv. 2671, grow cool.
al, all, alle, *a., sing.* al the, al this, al his, &c., P. 95, 104, 135, &c., all his, i. 2291, all the, viii. 784, the Cite all, ii. 3473; alle grace, alle thing, alle untrowthe, alle haste, alle wise, &c., P. 89, 433, i. 301, 747, 925 f., ii. 624, 1259, *but* al honour, i. 879, al untrowthe, ii. 1684, al Erthe, i. 2825, al Envie, ii. 168; *pl.* all my, al the, all these, &c., iii. 123, iv. 2377, 3165, v. 2685, &c., alle, P. 146, i. 992, 1481, 1930, 2877, alle othre, P. 734, i. 666, al othre, iv. 1532: *as subst.* al, i. 2247, ii. 704, 1027, *pl.* alle, P. 826, i. 1443, upon alle, P. 125, ii. 117, on all occasions, for al that, iv. 1348, 2278, cp. vii. 2677, at al, PP. 345, altogether.
adv. al, P. 13, i. 640, 856, 1068, 1145, ii. 966, &c., all, ii. 608, v. 1935, *with a.* al lene, iv. 1344, al one, i. 351, 666, 1526, ii. 2410, &c., (*cp.* alone), al him one, i. 3144, al only, ii. 133, iv. 2083, all thogh, iv. 269, al be it so, iv. 2393, 2920, al were there, iii. 2557, al nere it, v. 997.
Ala Corvi, vii. 1371.
Alaezel, vii. 1380.
alarge, *adv.* iii. 2139.
Albe, ii. 1855.
Albert, P. 780.
Albinus, i. 2460.
Albumazar, vii. 1239.
Alceone, Alceoun, iv. 2929 ff., 3121 ff., **Alcione**, viii. 2649.
Alceste, vii. 1920 ff., viii. 2640.
alconomie, *s.* iv. 2459, 2578, alchemy.
aldai, alday, *adv.* P. 15, 310, i. 2753, iii. 1178, al dai, ii. 1899.
Aldeboran, vii. 1310.
ale, *s.* iii. 433, 1626.
alegge, *see* **allegge**.

GLOSSARY AND INDEX OF PROPER NAMES 559

Alemaine, *s.* P. 804, Alemaigne, vii. 751.
Alemans, *pl.* P. 810, thalemans, P. 821.
Alexandrine, *a.* vii. 563, of Alexandria.
Alfraganus, vii. 1461.
alfulli, *adv.* ii. 501.
algate, *adv.* P. 646, 894, i. 1296, ii. 2637, algates, i. 300, iii. 690, in any case, assuredly.
Algol, vii. 1329.
algorisme, *s.* vii. 155, 158.
Alhaiot, vii. 1338.
alheil, *interj.* iii. 1261.
aliche, alyche, *adv.* P. 932, i. 1298, ii. 3253, iii. 68, iv. 2392, 3330, alich, iv. 2253, alike, vi. 383.
alihte, *v. n.*, *see* alyhte.
Alisandre, Alisaundre, P. 693, ii. 1841, 2415, iii. 1227, 2366, 2440, v. 1454, 1571,2545,5535,vi.2273 ff., vii. 5, 22, &c., 3168*, 4234 ff., 5384, PP. 36, 44, 281.
Alisandre, vii. 1255, Alexandria.
alite, alitel, *see* lite, litel.
allaie, *v. a.* vi. 310, vii. 5406, alleviate.
allas, *interj.* v. 3910: *cp.* helas.
Allee, ii. 722, 1228 ff.
allegge, alegge, *v. a.* v. 7326, *pret.* alleide, i. 1453, iii. 2155, iv. 1920, vii. 2073; *v. n.* v. 6980: allege.
allewey, *adv.*, *see* alway.
alliance, *s.* ii. 1184, vii. 2549, viii. 139.
allied, *a.* viii. 12.
allowe, alowe, *v. a.* P. 154, i. 1283, 1590, ii. 539, iii. 1552, iv. 2282, v. 564, approve, accept.
allyhte, *v. a.* v. 4520, lighten.
Almageste, vii. 739, 983, 1460.
Almareth, vii. 1387.
Almeene, ii. 2466.
almesse, *s.* P. 226, 742, i. 2935, ii. 1471, iii. 2233, alms, good deed.
Almeüs, iii. 2564.
almost, *adv.* vi. 414.
almyhte, almihte, *a.* ii. 906, viii. 1384, (almighte, PP. 362).
almyhti, almyhty, *a.* P. 585, v. 1737, 5741.
alofte, *adv.* P. 921, i. 885, 2563, iii. 152, vii. 169, on high, aloud.
alonde, *adv.* ii. 2212, v. 3747.
alone, *a.* or *adv.* i. 839, 1523, (allone, PP. 8); al one, *see* al.
along, *adv.* iv. 2817, along on me, on miself along, on mi will along, &c., iv. 624, 952, 2818, v. 2327, 5881 f., long on, v. 2329.

alonge, *v. n.* v. 3282, *pp.* alonged, vi. 1840, desire.
alowd, aloud, *adv.* ii. 843, 1512, v. 3848.
Alpetragus, vii. 1463.
Alpheta, vii. 1401.
Alphonse, i. 3393.
alquik, *a.* viii. 2575, alive.
als, *adv.* P. 565, 1064, als faste (at once), i. 414, ii. 1267, als so faste, &c., i. 1041, ii. 132, v. 2288: *cp.* also, as.
also, *adv.* P. 4, &c., ek also, i. 3305, &c., also wel, i. 1316: *cp.* als.
altemetrie, *s.* vii. 1468.
alter, *s.* v. 4034, aulter, v. 4079, (thalter, vii. 4707).
alther best, altherbest, *adv.* i. 1921, iv. 571, alther werst, i. 326.
althermest, *adv.* i. 3102, v. 2897.
althertrewest, *a.* ii. 499.
altherworst, *adv.* vi. 238.
althogh, *conj.* P. 157, &c., all thogh, iv. 269.
alto, *adv.* i. 2415.
altobreke, *v. a., pp.* altobroke, viii. 624, PP. 221, break asunder.
altogedre, *adv.* vii. 2962, *cp.* togedre.
alway, alwey, alwei, *adv.* P. 832, i. 1840, iii. 1459, allewey, iv. 2587.
alyhte (1), alihte, *v. n. inf.* ii. 423, iii. 182, iv. 3002, *pret.* i. 2227, iii. 2659, *pp.* alyht, v. 1782, come down, alight.
alyhte (2), *v. a., pret.* alyhte, v. 1670, *pp.* alyht, vii. 4708, light, give light to; *v. n.* vii. 3769, be lighted up.
alyve, *a.* or *adv.* i. 2164, ii. 645, iv. 2169.
am, art, &c., *see* be.
Amadas, vi. 879.
Amadriades, *pl.* v. 6236.
amaied, *pp.* i. 2030, a-maying.
Amalech, (1) vii. 3711.
Amalech, (2) vii. 4408, (*for* Balach).
amased, *pp.* iv. 579, 697, v. 5296, (amasid, viii. 2957).
Amazoine, iv. 2166.
amblaunt, (*pres. p.*) *a.* ii. 1506, amblende, iv. 1309, ambling.
amende, *s.* v. 7287, *pl.* amendes, v. 688, vii. 1585.
amende, *v. a.* P. 183, 254, *imperat.* a-mende thee, i. 2934, god thamende, i. 568, *pp.* amended, i. 1003, viii. 2608, (amendid, viii. 3010); *v. n.* i. 2431, 3350, viii. 1666.
amendement, *s.* P. 83, iii. 2514, iv. 1768.
Ametus, vii. 1917, viii. 2641.

amiddes, *prep. or adv.*, the wode a-
middes, &c., i. 112, 2819, amiddes in,
iii. 2074, iv. 1349, amiddes of, iv. 2871,
amidde, iv. 1673, 3498, viii. 1038,
amidd, *prep.* i. 361.
amirall, *s.* ii. 1090.
amis, amys, *adv.* P. 48, i. 1970, iii. 17,
vii. 2473.
amoeved, *pp.* iii. 497, iv. 861, moved.
Amon son of Lot), viii. 236.
Amon (king), iv. 1509.
Amon (nation), vii. 3712.
Amon (son of David), viii. 214.
among, *prep.* P. 5, i. 669, amonges, P.
40, i. 1372, among, during: among,
adv. iv. 1209, v. 5984, evere among, i.
2333, ii. 1079, &c., alwei among, iii.
1459, meanwhile, at times.
Amonites, *see* Amonyte.
amonte, amounte, *v. n.* i. 3111, iv. 291,
1654, v. 1917, 2581, avail, mean.
Amonyte, vii. 4507, *pl.* Amonites, viii. 242.
Amoreie, vii. 3711.
amorous, amerous, *a.* i. 1414, iii. 745,
iv. 921, v. 58, amourous, v. 1409, vii.
791.
amorwe, *adv.* ii. 2657, iv. 3194, amorwe
day, v. 2116, *cp.* viii. 820, a morwe, ii.
781, 890.
Amos, vi. 1922 ff., (Jupiter) Ammon.
Amphion, vi. 2160.
Amphioras, iii. 2563.
Amphitrion, ii. 2459 ff.
Amphrisos, v. 4005.
amyraude, *s.* vii. 1383, emerald.
an, *see* a.
an, *for* 'on,' v. 496.
anabulla, vii. 1317, (a herb).
ancestre, *s.* v. 1823, vii. 2884.
ancestrie, *s.* PP. 12.
ancher, anker, ii. 1136, viii. 606, 1805 f.,
anchor.
Anchises, iv. 79, v. 1400.
and, P. 2, 12, 155, &c.
Andragene, v. 1398.
Andrew, v. 1907.
Androchee, v. 5233.
anele, *v. a.* vii. 337, melt.
anemie, *see* enemie.
angel, *s.* P. 950, ii. 298, vi. 1530, *pl.*
anglis, iii. 2256, angles, viii. 7 ff.
anger, *s.* iii. 77 ff., angre, iii. 379, *pl.*
angres, iii. 380.
angreliche, *adv.* iii. 380.
angri, *a.* iii. 30, 378.
angringe, *s.* vii. 2665.

anguisshe, anguisse, *s.* vii. 5081, viii. 1054.
animalis, *Lat. a.* iv. 2542.
anker, *see* ancher.
annuied, *pp.* iv. 1346.
anon, *adv.* P. 160, 626, i. 1130, anon
ryht, P. 1022, anon forth, i. 3353, anon
as, i. 471, 1262, iv. 2758.
another, P. 968: *see* other.
ansuere, answere, *v. n.* i. 290, 1461,
1658, 3 *s. pres.* answerth, i. 1951, *pp.
pl.* ansuerde, i. 3246.
ansuere, answere, *s.* i. 1510, 1823, iii.
2407, ansuer, viii. 907.
Anthenor, i. 1095, 1124, v. 1835 ff., 7274
ff., vii. 1562.
Anthonie, Antonie, vii. 4574 ff., (Cara-
calla).
Anthonius, vii. 4181, Antoninus.
Anticrist, v. 1807.
Antigonus, vii. 2121.
Antioche, vii. 1247, viii. 275, 387.
Antiochus, v. 7012, viii. 274 ff., 2004.
Antonye, viii. 2577, Marcus Antonius.
Anubus, i. 836 ff.
any, *see* eny.
anyht, *adv.* ii. 2857, *cp.* a nyht.
apart, *adv.* vi. 2311.
ape, v. 4995 ff., vi. 1450.
Apemen, vii. 1884.
aperceive, *v. a.* i. 960, ii. 983, 2138,
perceive.
apert, *a.* iv. 3205, open: in apert, ii.
686, openly.
Apis, v. 1560 ff.
Apius, vii. 5131.
aplace, *adv.* i. 1888, v. 735, a place, i.
2377, iv. 2481, into place.
apointe, appointe, *v. a.* ii. 791, iv. 273,
1692, v. 708, 4115, vi. 1973, *refl.* ii. 3204,
to ben apointed, i. 2160; fix, resolve,
appoint.
Apollo, &c., *see* Appollo.
aportenant, *see* appourtenant.
apostazied, *a.* viii. 11, rebellious.
apostles, *s. pl.* iii. 2499, v. 1797, *sing.*
thapostel, P. 434, 881.
appaie, apaie, *v. a.* i. 3429, ii. 594, 1433,
v. 146, *pp.* appaied, ii. 1433, please,
satisfy.
appalle, *v. n.* iv. 3160, grow faint.
apparant, *a.* ii. 1320, 1552, vii. 5278.
apparant, *a.* ii. 1711, heir apparent.
apparantie, *s.* i. 636, appearance.
apparence, *see* thapparence.
appartiene, *v. n.* vii. 1063.
appel, *s.* (1) v. 7414, vi. 5, apple.

GLOSSARY AND INDEX OF PROPER NAMES 561

appel, *s.* (2), *see* appell.
appele, *v. n.* vii. 3171*, 3305*, viii. 2700, appeal.
appeled, *pp.* iii. 1601, accused.
appell, appel, *s.* ii. 3418, vii. 5233, apeel, vii. 3177*, appeal.
appende, *v. n.* vii. 978, belong.
appese(n), *v. a.* P. 191, i. 1351, iii. 133, vii. 2006.
appetit, *s.* iv. 3013, 3544, v. 257.
appiere, *v. n.* i. 838, 1198, ii. 3337.
applied, *pp.* i. 577, iv. 2607, v. 913, assigned.
appointe, *see* apointe.
Appolinus, viii. 375 ff.
Appollo, v. 918, 1072, 5845, 7594, vii. 3189, Apollo, v. 7111* ff., Apollinis (*genit.*), v. 7109*.
appourtenant, *a.* ii. 2508, iv. 64, 3131, v. 1496, appourtienant, vii. 1019, aportenant, v. 4318.
apprise, aprise, *s.* i. 81, 293, iii. 2764, iv. 2332, viii. 812, teaching.
approbacion, *s.* iv. 2519.
appropre, *v. a.* vii. 430, *pp.* appropred, iv. 3223, vii. 499.
aproche, *v. n.* ii. 40, v. 5623; *v. a.* iii. 96, viii. 388, naproche, iv. 1135.
apropriacioun, *s.* ii. 2396.
Aquarius, vii. 1187 ff., 1253.
aqueint, *pp.* vi. 265, quenched.
aqueintance, *s.* i. 2400, ii. 1178, iv. 85.
aqueinte, *v. refl. and n.* ii. 3506, iv. 2313, *pp.* aqueinted, iv. 2137, (aqweinted, PP. 328).
aquite, aquyte, acquite, *v. a.* i. 1594, 2772, iii. 2578, iv. 967, v. 2385, set free, acquit; i. 1054, remit; iv. 195, satisfy; iii. 2671, vii. 3030, requite; *pp.* aquit, iii. 2460, iv. 967, acquited, i. 1054.
ar, *adv.* ii. 2141, iv. 1422; *cp.* er.
Arabe, *s.* iv. 2627, Arabic (language).
Arachel, vii. 1457.
arai, araied, *see* arrai, arraied.
arawhte, *pret. of* arecche (OE. areccan), v. 1826, explain.
Araxarathen, iv. 3675.
Arcenne, Arcennus, ii. 1332 ff., 1534.
arcennicum, *s.* iv. 2483.
Archade, iii. 2317, v. 1007, vii. 3555.
Archas, v. 6283.
Ardea, vii. 4760 ff.
areche, (OE. arǣcan), *v. a.* i. 3207, ii. 666, v. 387, *pret.* arauhte, vi. 457, attain, reach to: *v. n.* i. 3024, iii. 2247, reach up, extend.

arede, *v. a. n.* P. 601, v. 928, vii. 3703, *pret.* aradde, P. 626, i. 2854: explain, give explanation.
arere, *adv.* iii. 1082, behind.
arere, *v. a.* iv. 1938, vi. 437, 1107, raise up.
areste, *v. a.* i. 1644, ii. 162, 2745, iii. 609, delay, keep in check, arrest.
arewe, *see* arowe.
argue, *v. n.* vii. 1847, 4196.
argument, *s.* iv. 1798, v. 7028, *pl.* argumentz, vii. 1823.
argumenten, *v. n.* P. 370.
Arial, vii. 1364.
Aries, vii. 980 ff., 1266.
ariht, *adv.* i. 2847, ii. 724, iv. 2993.
Arion, P. 1054.
arise, aryse, *v. n.* P. 1041, i. 1909, iii. 2503, 3 *s. pres.* arist, P. 504, 545, ii. 474, *pret.* aros, i. 2957, *pp.* arist, ii. 228, arise, v. 5907; *v. a.* (?) v. 1745.
Arisippus, Arisippe, Arisippes, vii. 2231 ff.
Aristarchus, iv. 2640.
ariste, *s.* iii. 1224, iv. 1285, rising.
aristologie, *s.* vii. 1413, birthwort.
Aristotle, Aristote, Aristotiles, vi. 99, 2274, 2412, vii. 4 ff., 50 ff., 3333* ff., 3544, 4257, 5403, viii. 2705.
arivaile, arryvaile, *s.* ii. 1032, iv. 94, 1927.
arive, *see* aryve.
arm, *s.* ii. 2486, iv. 1141, *pl.* armes, P. 607, i. 912, ii. 2481.
arme, *v. a.* v. 3181, *pp.* armed, i. 1171, 1998, iv. 1701, v. 3686.
Armene, v. 1397.
Armenye, Armenie, iv. 1245, vii. 1251, Ermenie, vii. 3218.
armes, *s. pl.* P. 213, i. 1413, 2528, v. 3627 (feat of arms), men of armes, ii. 2998, iv. 1625.
(sal) armoniak, iv. 2480.
armonie, *s.* vii. 165.
arowe, arewe, *adv.* i. 255, ii. 2038, v. 6955.
Arpaghes, vii. 1800 ff.
arrai, array, arai, aray, *s.* i. 901, 2512, 2705, iv. 1393, v. 1312, 7488.
arraie, araie, *v. a.* i. 1748, 2029, ii. 1836, vi. 641, array, prepare; arraied of (provided with), ii. 2556.
arrive, arryve, *see* aryve.
Arrons, iv. 4598 ff.
arryvaile, *see* arivaile.
arsmetique, *s.* vii. 149, arithmetic.
art, *s.* iv. 933, 2607.
artemage, *s.* vi. 1957, magic art.
Artestrathes, Artestrates, viii. 691, 1970.

Arthus, PP. 283.
artificier, *s.* vii. 1691.
artmagique, *s.* viii. 2602.
arwe, *s.* ii. 2236, v. 1266, arrow.
aryse, *see* arise.
aryve, arive, arryve, arrive, *v. a.* ii. 717, 1905, bring to land; *v. n.* iii. 1043, iv. 81, 1917, vii. 3269, come to land, come.
as, P. 50, 60, 233, i. 847, ii. 2205, (=as if) i. 666, 1358, ii. 1047, **as it were**, i. 1800, **as who seith**, P. 43, i. 1381 &c., **as he which** &c., P. 186, 1020, i. 369, **as him which**, iii. 1276, **as of** (as regards), P. 492, i. 557, 1969, iii. 1479, **as to**, P. 199, i. 300, iii. 2283, **as forto**, P. 31, i. 107, 2379, **as tho**, ii. 213, iv. 375, **as in** (=in), i. 1707, 1940, **as be** (=be), i. 1334, **as me thenketh** (=me thenketh), iv. 1649, als . . . as, P. 1064: *cp.* als.
ascape, *v. a.* i. 1552, 2882 (aschape, v. 7033*), eschape, vi. 1017; *v. n.* i. 517, ii. 1982, iv. 2107, eschape, vii. 3466.
ascendent, *s.* vi. 1963.
aschamed, *a.* i. 979, iv. 1885.
ascrie, *v. n.* vi. 1690, vii. 3751, raise a cry.
ascry, *s.* v. 7546, vii. 3722.
asende, *v. a., pret.* asente, i. 2138, *pp.* asent, i. 1493, 1743, **assent**, i. 3222, sent for.
aside, *adv.* P. 879, i. 1536, 2534, ii. 1426, iv. 2512, asyde, v. 4512, **gon aside**, vii. 2388 (go wrong).
Asie, vii. 533, 554 ff.
aske, askinge, *see* axe, axinge.
aslepe, *adv.* i. 1180, ii. 825, **rocke aslepe**, ii. 1081, **broght aslepe**, iv. 3347.
Asmod, vii. 5335 ff.
aspect, *s.* i. 3009, vii. 904.
aspidis, *s.* i. 463.
aspie, *s.* i. 1172, ii. 1830, iii. 2087, v. 1997, **upon aspie**, iv. 1473: spy, watch.
aspie, *v. a.* i. 312, ii. 305, *pp.* aspyd, iv. 1858; *v. n.* ii. 100, 515, v. 675, *pret.* aspide, ii. 135.
aspirement, *s.* vii. 256, breathing.
assaie, *v. a.* i. 1080, 1758, 3028, iii. 647, 1066; *v. n.* i. 3430, v. 2680: try, attempt, experience.
assaile, assaille, *v. a.* i. 1999, iii. 154, 1904, **the feld a.**, ii. 1838, 2620; *v. n.* P. 727, v. 5526, vi. 1308: attack, attempt.

assay, assai, *s.* i. 690, 791, ii. 3261, iii. 717, v. 273, 4156, trial, proof; **at alle assaies**, P. 172, ii. 2447, v. 4883, in every way.
asse, *s.* i. 2248, iv. 2009, vii. 3251*.
assemble, *v. n.* ii. 2621, iv. 1953, engage in battle, iii. 189, associate (together); *v. a.* ii. 1765, iii. 368, v. 686, 1772, gather together, join.
assent, *s.* i. 1125, 3380, **thassent**, ii. 1479, **of on assent**, i. 1494, **of his a.**, i. 1744, **to hire a.**, i. 2623.
assente, *v. n.* ii. 2816, iii. 1976, iv. 3488, **thei ben assented**, ii. 2539, *cp.* viii. 818.
asseure, *see* assure.
assigne, *v. a.* i. 234, ii. 1337, iv. 271.
assignement, *s.* v. 7154, vi. 401.
Assire, v. 1541, vii. 4316.
assise, assisse, *v. a.* P. 66, i. 1468, 3050, ii. 636, iii. 1866, iv. 280, place, appoint, arrange.
assisse, assise, *s.* v. 788, 1986, 2878, viii. 778, **thassise**, P. 148, order, condition, manner.
assobre, *v. n.* vi. 291, grow sober; *v. a.* vi. 460, sober.
assoile, *v. a.* iii. 2570, viii. 364; *v. n. pret.* assoilede, iii. 2556: absolve, solve (a question).
assote, *v. n.* i. 508, 781, 2596, ii. 2269, behave foolishly, dote; *v. a.* iv. 697, v. 6841, vii. 4319, make foolish, besot.
assuage, *v. n.* i. 1438, iii. 1614; *v. a.* ii. 3208, vi. 587.
Assub, vii. 334.
assure, asseure, *v. a.* ii. 902, 2013, 2467, iii. 1773, 2202, iv. 3526, assure, satisfy, betroth, pledge.
astat, estat, *s.* P. 105, i. 599, 2764, iv. 229, viii. 3149, **thastat**, i. 2100, **thestat**, P. 202, estatz (*pl.*), v. 1849.
astellabre, *s.* vi. 1890, astrolabe.
asterte, *v. a.* i. 658, 722, 1934, 3381, iii. 163, 240, 566, escape from, elude; *v. n.* iv. 724, 1304, v. 808, 5821, escape, be avoided, v. 707, come to pass.
astone, *v. n.* vi. 1584, be at a loss.
astoned, *a.* P. 277.
astraied, *pp.* v. 145, vii. 2660, astray.
Astrathen, vii. 4501.
astray, *adv.* vii. 2679.
Astrices, vii. 826.
astrologie, *s.* vii. 680.
astronomie, *s.* iv. 3246, vi. 1347*.
astronomien, *s.* v. 3083, vii. 348.

GLOSSARY AND INDEX OF PROPER NAMES 563

aswoune, *adv.* ii. 1347, 3237, iv. 3632, a swoune, viii. 1060.
asyde, *see* aside.
at, *prep.* P. 34, (= to) ii. 2648, iv. 914, (= by) v. 611 : ate, ii. 59, ate laste, P. 369, 702, ate dees, i. 54, ate feste, i. 2501.
atake, *pp.* v. 6291, overtaken.
Athemas (1), iii. 1764, 1807.
Athemas (2), v. 4249.
Athenagoras, viii. 1622, 1749.
Athene, Athenes, Athenys, Athenis, iii. 1984, 2131, v. 5235, 5250 ff., 5554, vii. 2221, 2315, 2919 ff., 3058, 3184.
Athlans, i. 424, Atlas.
atir, *see* atyr.
Atropos, iv. 2756.
attache, *v. a.* viii. 2698, arrest.
atteigne(n), *v. a.* i. 754, 1621, ii. 184, 2553, *pret.* atteinte, v. 3698 ; *v. n.* i. 2690, iv. 949, *pp.* atteignt, v. 2224.
atteint, *pp.* iii. 2213, v. 7102*, viii. 1947, convicted.
attempre(n), *v. a.* i. 1354, iii. 236, 1857, iv. 2554.
attempte, *v. a.* viii. 1419, try.
attitled, *pp.* v. 882, 1312, 1331, vii. 1004.
atwinne, *adv.* iii. 2750, v. 5942.
atwo, atuo, *adv.* iv. 431, v. 73.
atyr, atir, *s.* i. 1753, 1758, v. 4118, preparation, attire.
auctor, *see* auctour.
auctorite, *s.* i. 800, iv. 2628, autorite, ii. 2925.
auctorize, *v. a.* vii. 2415, vouch for ; *pp.* auctorized, vii. 1480, PP. 330, held in repute.
auctour, auctor, *s.* iv. 2412, v. 947, vi. 1314, vii. 1456.
audience, *s.* P. 452, i. 2556, 3330, viii. 1842.
auditour, *s.* v. 1919.
Aufrique, v. 1195, vii. 533, 578, 2088.
Augst, vii. 1100, viii. 2845, August.
augurre, *s.* iv. 2404, augur.
auht, *see* oght.
aulter, *see* alter.
aunter, *s.*, in aunter if, P. 480, i. 189, ii. 480, in aunter forto, iii. 992, per aunter, v. 3351, *pl.* auntres, v. 5879 ; venture, adventure.
auntre, *v. n.* iv. 339, *refl.* v. 6522, venture.
Aurora, iv. 3190.
autorite, *see* auctorite.
availe, *v. n.* P. 270, 1074, i. 1082, 3114, (avayle, P. 77*, availle, viii. 3048); *v. a.* ii. 91, 265, v. 229, *pp.* availed, PP. 191.

avale, *v. n.* ii. 2353, v. 387, descend ; *v. a.* iii. 505, viii. 1619, lower.
avance, *v. a.* i. 2652, ii. 16, 2589, iv. 2116, v. 3006, avaunce, iv. 2780.
avancement, *s.* v. 2279.
avant, *adv.* iii. 1082, in front.
avant, *s.* i. 2427, ii. 2952, boast.
avantage, *s.* i. 1575, 2711, ii. 3158, iv. 2358, thavantages, v. 1978.
avantance, *s.* i. 2399, boasting.
avantarie, *s.* i. 2407, avanterie, i. 2438, boasting.
avante, *see* avaunte.
avarice, P. 315, v. 8, 21 &c.
avaunte, avante, *v. refl.* i. 2389, 2567, 2655, 2961, boast (oneself).
avenant, *a.* vii. 834, comely.
aventure, *s.* P. 212, 619, i. 1416, ii. 260, 3297, iii. 2016, peril, chance, case ; put (sette) in aventure, i. 3212, iv. 322, per (par) aventure, i. 1521, 2350, iv. 1101.
aventurous, *a.* i. 1523.
Averil, v. 5968, vii. 1029.
averous, *a.* v. 61, 4676, thaverous, v. 57, avaricious.
Avicen, iv. 2610.
Avinoun, *see* Avynoun.
avis, *s.* i. 501, iii. 1804, iv. 1333, v. 1202, avys, i. 1471, opinion, advice.
avise, *v. a.* i. 1736; *v. n.* iii. 1067, observe ; *refl.* P. 520, i. 436, 748, 2680, ii. 525, 790, viii. 2365, consider, beware ; be avised, P. 65, i. 996, 1543, avised with, ii. 635, (avysed, PP. 233).
avisement, *s.* i. 3121, iii. 751, up avisement, iv. 1002.
avisioun (-on), *s.* i. 845, ii. 3479, vi. 1928.
avoi, *interj.* viii. 1696.
avou, *s.* i. 964, iii. 1014, iv. 1511, 1549, 3133, promise.
avouterie, *s.* v. 873, 1045, 1164, adultery.
avowe, *v. a.* i. 717, iv. 3438, v. 124, vii. 3163*, PP. 243, declare, justify, vow.
Avynoun, Avinoun, P. 331, ii. 3001.
await, *s.* iii. 955, 1016, v. 666, watch, ambush : *cp.* wait.
awaite, awayte, *v. a.* i. 1260, 1672, ii. 463, iii. 1368, iv. 263, 808, v. 3004, watch for, attend to ; *v. n.* i. 907, ii. 2332, 2869, iv. 2119, v. 207, watch, wait.
awake, *v. a.* i. 887, 1782, 2087, iv. 3228, v. 424, wake, keep awake ; *v. n.* ii. 2896, iv. 2905, *pret.* awok, i. 121, ii. 843, v. 5435, vii. 3717.
awarde, *v. a.* viii. 2373.

aweie, *adv.* P. 132, 849, i. 1110 &c., aweye, i. 53, awey, P. 1069, i. 1323, 2472, awei, iii. 1711, iv. 1277, away, awai, ii. 1466, iii. 547, iv. 1186, v. 4024; schal nevere aweie, iv. 2394, myhte noght aweie, could not avail, i. 1110, *cp.* iii. 349, v. 7179.
aweiward, *adv.* i. 141.
awher, *adv.* ii. 393, v. 6585.
awhile (= a while), i. 1842, 2810.
awht, *see* oght.
awroke, *pp.* v. 7268, avenged.
awry, *adv.* ii. 442.
axe, aske, *v. a.* P. 268, 960, i. 170, 694, 1461, 2149, v. 5472, *imperat.* axe, i. 3344; *v. n.* i. 160, 881, 1875, ii. 1232, iii. 2747: ask, ask for, demand.
axeltre, *s.* iii. 1209.
axinge, *s.* i. 1480, ii. 339, iv. 2128, *pl.* axinges, i. 3295, vii. 3911, askinge, iv. 3494.
ay, *adv.* ii. 395, 3125, iv. 286, ai, v. 6419*.
ayein (3), *prep.* P. 679, 713, i. 1137, 1141, 1284, 2340, ii. 1438, ayeins, v. 6413, against, contrary to, opposite, to meet; ayein the day, i. 930, toward morning, *cp.* v. 4954, ayein the dai, i. 2511, with a view to the day.
ayein, ayeyn (3), *adv.* P. 185, i. 861, 1057, 2090, iii. 1243, iv. 1137, again, back, in reply: *cp.* agayn.
ayeincomynge (3), *s.* iv. 102.
ayeinward (3), *adv.* i. 1792, ii. 132.
ayer (3), *adv.* viii. 2226, in the year.

B

babe, *s.* ii. 3238, iii. 320.
Babel, P. 1019.
babil, *s.* vii. 3955, bauble.
Babilla, vi. 1325.
Babiloine, Babiloyne, P. 665, 675, 681, i. 2955, iii. 2452, Babeloine, vii. 3212*.
Babio, v. 4808 ff., 4851.
bacbite, *v. a.* ii. 411.
bacbitinge, bakbitinge, *s.* ii. 451, 558, 1605, 1609.
bacheler, *s.* i. 2594, 3373, ii. 125, 2658, iii. 1343, bachilier, ii. 2658.
Bachus, v. 141, 166 ff., 1051, 1469, 3138, 6837 (*genit.*), vi. 396 ff., 502.
back, bak, *s.* P. 400, i. 2069, ii. 393, 1651, iv. 1344.

badde, *a.* i. 1246, ii. 513, iii. 1562, iv. 1350, *as subst.* vi. 351.
bagge, *s.* v. 83, 129, 4701.
Baiard, vi. 1280.
baillez ça, vi. 60.
baillie, *s.* P. 220, i. 783, ii. 1870, v. 1012, vii. 1071, charge, property.
bait, *s.* iii. 956.
bak, bakbitinge, *see* back, bacbitinge.
bake, *v. a. pp.,* v. 2408.
bal, *s.* PP. 296.
Bala, viii. 130.
Balaam, vii. 4413.
balade, *s.* i. 2709, 2727.
Balamuz, vi. 1320.
balance, *s.* P. 541, i. 3, 42, ii. 1418, 3244, iii. 559, 2506, scales, danger.
baldemoine, *s.* i. 1704, gentian.
bale, *s.* iii. 1496, vi. 67, viii. 589.
balke, *v. n.* iii. 515, *see note.*
balsme, *s.* viii. 1198.
Baltazar, P. 685, v. 7022.
banere, *s.* ii. 1835, iv. 3220, baner, v. 492.
Bangor, ii. 905.
banke, *s.* P. 508, ii. 144, 720, *pl.* banckes, iv. 2726.
banne, *v. a.* iv. 877; *v. n.* iv. 2834, curse.
baptesme, *s.* ii. 609, 899, 3470, v. 1779, (baptisme, PP. 347).
baptized, *pp.* viii. 143.
Barbarie, ii. 599, 612, 1172, 1181.
Barbarus, vii. 4335.
Bardus, v. 4956 ff.
bare, *a.* P. 936, i. 935.
bareigne, *a.* iii. 2319, v. 824.
bargain, *s.* v. 2876, 4414, viii. 2431.
barge, *s.* P. 45*, 234, ii. 1902.
barli, *as a.* vii. 3705 ff., of barley.
barm, *s.* iii. 302, vi. 227, bosom.
barnage, *s.* ii. 2982, baronage.
baronie, *s.* P. 104.
baske, *v. refl.* iii. 315, bathe.
(**baskle,** *v. refl.* iii. 315, *v. l.*)
bass, *a.* i. 1678, low.
bataile, *s.* P. 214, i. 1081, iii. 2650, bataile, v. 3429.
bataille, *v. n.* iii. 1903; *v. a.* bataile, PP. 194.
bataillous, *a.* v. 1211, vii. 889, warlike.
bath, *s.* i. 1747, *pl.* bathes, v. 3801, viii. 484.
bathe, *v. n.* i. 364, iii. 312; *v. a.* ii. 3206.
Bathuel, viii. 115.
be, ben, *v.* P. 44, 65, 78, 147, 1 *s. pres.* am, P. 52, 2 *s. art,* i. 154, 3 *s.* is,

GLOSSARY AND INDEX OF PROPER NAMES 565

P. 4 (ys, viii. 2990), we ben, P. 3, be we, i. 2212, 3 *pl. pres.* be(n), P. 78 &c., (beth, viii. 3081), are(n), vii. 1490, 1718, ar, iv. 1375, *pret.* was, P. 3, 2 *s.* were thou, iv. 600, *pl.* were(n), P. 37, 45, weere, v. 6836, wer, ii. 2147, *subj.* were, i. 1662, 2545, 3335, iv. 343, weere, iv. 1324, wer, v. 2555, *pp.* be(n), P. 582; be so (that), i. 187, 1458, ii. 1177, be he . . . be he, ii. 254.

be, *prep.* P. 36, i. 175, 761, 794 &c., be name, i. 806, be nyhte, i. 823, be me (in my case), i. 1963, be cause that, ii. 2771, (by, v. 7021*) : *cp.* by.

beau, *a.*, beau retret, viii. 2416.

beaute, *s.* i. 771, 1837, ii. 123.

Beawme, viii. 2470, Bohemia.

beblede, *v. a. pp.* bebled, ii. 700, iii. 1406, stain with blood.

beclippe, *v. a.* i. 1790, ii. 2550, iv. 2783, v. 2003, *pp.* beclipt, i. 912, embrace, contain.

become, *v. n.* P. 303, 3 *s. pret.* becom, i. 932, 2967, becam, ii. 1189, v. 4949, 3 *pl.* become, P. 738.

bedawe, *v. n.* v. 1982, dawn.

bedd, bed, *s.* i. 876, ii. 828, 856, to bedde, i. 1780, ii. 822, goth to bedde to, i. 2604, beddes side, ii. 833.

beddefere, *s.* v. 3056, beddefiere, vi. 1916, bedfellow.

beddeshed, *s.* iii. 445.

bede, *s.* P. 273, i. 667, ii. 1472, iii. 2148, iv. 3484, bedes, iv. 717, (bedis, viii. 2959), peire of bedes, viii. 2904: prayer, command, bead.

bederke, *v. a.* i. 1169.

bedroppe, *v. a.* vii. 4832, cover with drops.

beerdles, *a.* v. 7202*.

beere, *s.* vii. 5098, bier.

befalle, *v. n.* P. 26, 501, i. 55, 1397, vii. 655, *pret.* befell, P. 702, i. 67, (bifel, P. 35*), 3 *s. pres. subj.* befalle, P. 69*, i. 1397, 3 *s. pret. subj.* befelle, iv. 2773.

beflain, *v. a. pp.* vii. 2897, flayed.

befole, *v. a.* P. 200, vii. 4293.

before, *prep.* i. 2054, ii. 1048, befor, ii. 573; *adv.* i. 1228, ii. 569, before tyme, P. 848, beforn, P. 843.

befrose, *pp.* ii. 1820.

begert, *pp.* vii. 2863.

begete, *v. a.*, *pret.* begat, v. 900, beyat (3), v. 1396, *pp.* begete(n), iv. 3249, v. 3194, 7313, vii. 5137.

begge, *v. a.* v. 1785*, buy: *cp.* beie.

beggere, begger, *s.* i. 2249, iv. 2249, v. 2414, *pl.* beggers, v. 2395.

beginne, *v. a. n.* P. 266, 659, 835, i. 2331, begynne, P. 404, 3 *s. pres.* beginth, vi. 760, *pret. s.* began, P. 667, 973, i. 13, *pl.* begunne, iii. 742, 1128, begonne, iv. 1045, *pp.* begonne, P. 688, iii. 1260, begunne, i. 1138; beginne of, i. 2550, 2562, began to, i. 1446; I am to beginne, ii. 512, *cp.* iii. 1320, iv. 956.

beginnyng(e), *s.* vii. 79, 596.

bego, *v. a.*, *pp.* bego(n), i. 3252, iv. 556, 606, work upon, furnish ; *pp. with adv.* iii. 1157, vi. 1553, wel begon of, ii. 1323, wel b. with, iv. 1313, *cp.* v. 2335, wo bego(n), iv. 3394, v. 4348.

begrave, *v. a.* i. 2348, *pp.* begrave, ii. 887, 2649, iv. 2171, bury; *pp.* begrave, i. 2541, engraved.

begripe, *v. a.* vii. 536, encompass.

begrowe, *pp.* v. 6831, grown over.

beguile, *v. a.* i. 677, 705, ii. 651, iii. 2180, deceive, betray.

behelde, see beholde.

beheste, *s.* P. 81*, i. 1100, 1270, PP. 41, promise, assurance.

behete, behiete, behihte, see behote.

behinde, behynden, *prep.* ii. 2069, ii. 483: *adv.* i. 227, ii. 282, behynde, v. 2706.

beholde(n), *v. a.* P. 35, 840, i. 199, &c. (biholde, vii. 3156*), behelde, vii. 1856, 3 *s. pres.* beholt, i. 2700, ii. 2434, 3 *s. pret.* behield, i. 414, v. 5441, beheld, ii. 1833, *pl.* behielde, iv. 3090, *pret. subj.* behelde, iv. 574, *pl.* behielden, P. 360, *imperat.* behold, P. 551, ii. 771.

beholde, *pp.* v. 94, vii. 4175, bound.

behonge, *v. a.* v. 7489, vi. 1839.

behote, *v. a. n. inf.* iv. 1824, 1 *s. pres.* behote, i. 1233, 2678, behete, behiete, iv. 638, 3144, 3470, v. 6701, 3 *s.* behet, i. 1954, 3 *pl.* behote, ii. 1664, *pret.* behihte, i. 1565, iii. 1014, iv. 1555, v. 1476, 4979, behyhte, v. 7014, (behighte, behight, viii. 3124, PP. 41), *pp.* behyht, behiht, i. 1694, vii. 3286*; promise, assure, pronounce, dedicate.

behove, *s.* P. 358, ii. 1674, vii. 1332, advantage.

behove, *v. n.* iii. 640, 1114, vii. 1711, 2025, viii. 2426, behoveth nede, vii. 1353: be needful, help, ought.

behovely (-li), *a.* i. 2393, iii. 1330, v. 1757, PP. 304, (bihovely, vii. 3159*), be-

GLOSSARY AND INDEX OF PROPER NAMES

hovelich(e), v. 4012, vii. 1975 ; profitable, helpful.
beie, v. a. ii. 3061, iii. 639, 3 s. pres. beith, v. 4396, pret. boghte, ii. 2397, 2736, iii. 380, pp. boght, iii. 894, 2066, buy, pay for, avenge ; cp. begge.
beinge, s. vii. 90 ff.
bejape, v. a. i. 2363, ii. 2489, iv. 900, v. 3207, 6216, deceive, mock.
beknowe(n), v. a. n. i. 593, 1376, ii. 275, vi. 1390, pp. beknowe(n), P. 1039, i. 550, v. 6466, imperat. beknow, ii. 883, make known, confess : I am beknowe, i. 550, 1940, I am beknowe ... this, ii. 236, cp. v. 2855.
Bel, v. 1556 f.
Bele Ysolde, vi. 472, viii. 2501.
beleve, v. n. P. 10, i. 1516, ii. 2524, iv. 2816, pret. belefte, v. 5698, remain : is beleft, was beleft, ii. 2569, 3458, is belaft, vi. 2346.
(belie), v. a., 3 pl. pret. beleie, v. 7581, pp. belein, i. 1993, iii. 1757, 2046, iv. 2147, besiege.
believe, v. a. n. P. 284, i. 580, 1215, 2012, ii. 629, 2136, iii. 2222, viii. 2500, beleve, v. 6124 ; believe, believe in, trust.
believe, bilieve, s. P. 91, i. 699, 894, 1216, ii. 3396, iii. 967, beleve, vi. 62, pl. believes, v. 748, 951 ; belief, faith, religion.
belle, s. i. 1949, 2391, ii. 1728, iv. 346.
beloke(n), pp. ii. 3393, iv. 3667, shut up.
belonge, v. n. P. 67, 259, i. 691, 2345, 2904, iv. 2293, 3307, (3 s. pres. belongith, viii. 2997 ff.), belong, be fitting.
beloved, a. P. 38, i. 1920, v. 4365.
Belus, v. 1546, 1556.
belwe, v. n. iv. 2113, bellow.
belwinge, s. vii. 3322, bellowing.
Belzebub, v. 1557.
bemene, v. a. i. 1540, iii. 1983.
bench, s. v. 4383.
bend, s. vi. 296, band.
bende, v. a. n., pret. bende, ii. 2235, vii. 4749, pp. bent, iii. 449, viii. 2453.
bene, s. v. 4408, bean.
Benedab, vii. 2539 ff.
benedicite, interj. i. 205.
benefice, s. P. 316, pl. benefices, ii. 2338.
beneicoun, s. iii. 939.
benethe, adv. P. 931, i. 2527 ; prep. vii. 721.
benigne, a. iii. 215.

bente, a. pl. vii. 4418, arched.
benyce, v. refl. viii. 2769, befool (oneself).
benyme, v. a., 2, 3 s. pres. benymst, benymth, iii. 1309, v. 7002, pp. benome, vi. 36, take away.
beqwath, v. a. pret. PP. 178.
berd, beerd, s. i. 2045, v. 7113*, 7149*, viii. 1303, beard.
bere, s. ii. 160, vi. 1450, bear.
bere, v. a. P. 294, 492, i. 850, 3 s. pres. berth, i. 467, iii. 1784, pret. s. bar, P. 908, i. 434, pl. bere, beere, i. 2795, iv. 1323, 1376, vii. 1796, pret. subj. beere, iv. 2749, pp. bore, i. 773, 2788, ii. 933, 2635, boren, ii. 976, ybore, ii. 499; bar (berth) on hond, iii. 664, iv. 32, v. 546, berth an hond, v. 496.
bereined, pp. i. 2915, vii. 1234.
Berenger, P. 780.
bereve, v. a. P. 411, vii. 3245*, pret. berefte, P. 744, vii. 3840, beraft, v. 5647, pp. beraft, viii. 209.
beried, pp. iii. 293.
berille, vii. 1349.
Berillus, vii. 3309.
berke, v. n. ii. 1796, 3 s. pret. bark, ii. 1861.
berne, s. ii. 86, v. 4907, barn.
Bersabee, vi. 97, viii. 2690.
berste, v. n. viii. 1068.
berthe, s. iv. 2231, v. 827.
besant, s. v. 1930.
Besazis, vii. 1884.
beschade, v. a. iv. 3207, vii. 743, 809 ; cp. bischadewe.
beschrewe, v. a. i. 1036, iii. 810, curse.
beschrewed, a. i. 640, iii. 480, evil-disposed.
beschyne, v. a. vii. 4465, shine upon.
(be-se), v. a., pret. pl. besihe, viii. 1617, look after, prepare : pp. besein, beseie, P. 559, i. 358, 2360, iv. 1384, wo besein, ii. 262, besein of, iii. 1844, besein to, iv. 180, provided, equipped, prepared.
beseche, v. a. n. i. 589, 1339, 1985, 2174, 2259 &c., besieche, viii. 2912, beseke, ii. 960, v. 916, 1355 ; pret. besoghte(n), i. 1808, 2640, ii. 108, 1212, 1483, v. 1459, besoughte, v. 3440, besoughten (pl.), P. 198, pp. besoght, v. 6230, imperat. besech, i. 2937.
beseke, see beseche.
beseme, v. a. i. 2013, ii. 2935, iv. 745.
besette, v. a. i. 3237, iv. 1482, pp. beset, i. 2538, 2736, ii. 3252, iv. 1567, v. 555, besett, iv. 496, set, employ, bestow.

GLOSSARY AND INDEX OF PROPER NAMES 567

besi, besy, *a.* ii. 1764, iv. 235, 509, 953.
beside, besyde, *prep.* i. 2305, iii. 294, 530, vii. 2242, besiden, v. 7311, beside, contrary to: *adv.* P. 446, 801, ii. 60, 1993, by the side, aside, as well: faile and go beside, iv. 2862, *cp.* v. 2428, vi. 1248, vii. 4458.
besien, *v. refl.* iv. 1183, 1230.
besiliche, *adv.* i. 373, iv. 57, 1235, besily, iv. 2185.
besinesse, *s.* i. 1130, ii. 460, 1074, iv. 513, viii. 3052*, besynesse, P. 49*, bisinesse, P. 63, (businesse, PP. 226).
besischipe, *s.* iv. 1119.
besnewed, *pp.* i. 2044, vi. 1498.
besowed, *pp.* viii. 1114, sewn up.
besprede, *v. a.* vii. 1150, *pret.* bespradde, viii. 2655, *pp.* bespred, v. 6917.
best, *a.* i. 1525, the beste, i. 768, *pl.* iii. 500; *as subst.* for the beste, to the beste, i. 997, 1748, 2488, thi beste, i. 1603: *adv.* best, P. 337, ii. 2676.
bestad, *pp.* i. 1049, 2584, ii. 69, 922, 1149, iii. 77, vii. 3228*, situated, engaged, troubled.
bestaile, *s.* v. 331, 1022, cattle.
beste, *s.* P. 909, i. 976, 2828, beast.
bestere, *v. refl.* ii. 3196, viii. 609.
bestial, *a.* i. 2913.
bestly, *a.* i. 3025.
bestowe, *v. a.* iv. 2472.
beswike, *v. a.* i. 498, 760, deceive.
beswinke, *v. a.* v. 6085, *pp.* beswunke, i. 2646, labour for.
besyde, *see* beside.
bet, *a.* v. 4715: *adv.* i. 1976, 2514, iii. 349, 2239; for bet for wers, iv. 673: *cp.* betre.
betake, *v. a.* iv. 1431, 3 *s. pres.* betakth, iii. 1978, *pret.* betok, iv. 3327, *imperat.* betaketh, ii. 1036, *pp.* betake(n), P. 309, i. 80, vii. 1335, viii. 2960; give, deliver, commend: betaken (*pp.*), v. 743, taken.
bete, *v. a. n.* P. 428, i. 1155, ii. 2356, *pret.* bet, iii. 997, vii. 4615, *pp.* bete(n), iii. 974, v. 1960, vii. 4635, beat.
beteche, *v. a.* vii. 4234, *pret.* betawhte, betauhte, betaghte, iii. 1940, v. 3575, viii. 748, *pp.* betawht, vi. 2411, viii. 120, deliver.
bethenke, *v. a. n.* PP. 101, *pret.* bethoghte, vi. 1165, *pp.* bethoght, iv. 142, think of, remember; *refl.* he him bethoghte, i. 798, *cp.* i. 2116, bethoughte hire, v. 3423; I am bethoght, i. 1267,

this I am bethoght, iii. 1250, bethoght, ii. 2906.
Bethincia, v. 1141.
bethrowe, *pp.* vi. 114.
betide, betyde, *v. n.* i. 149, 2265, iv. 1024, 1779, 3 *s. pres.* betitt, ii. 1997, *pret.* betidde, betydde, ii. 2463, vi. 1607, betidd, vii. 4381, *pp.* betid, P. 182, v. 2101, betidd, iii. 473, v. 6254, happen, come to pass.
betokne, *v. a.* P. 594, 628, i. 2888, ii. 731, vii. 1757 ff.; *v. n.* ii. 1804, vii. 4518.
betraie, *v. a.* i. 1079, ii. 1181, viii. 1923.
betrappe, *v. a.* iii. 1358, vii. 4915.
betre, bettre, *a.* P. 352, i. 1556, 2424, iv. 37; *subst.* the betre, v. 7393: *adv.* P. 543, i. 720, the betre, i. 1543: *cp.* bet.
betwen, betuen, *prep.* P. 18, i. 2164, ii. 411, 653, v. 5025, 5718, hem betwene (betuene), P. 790, 1000, v. 3062: *adv.* betwene, ii. 942.
betyde, *see* betide.
bewake, *v. a.* v. 3498, 6611, watch, watch through.
bewar, *v. imperat.* (= be war), ii. 571, iii. 1496, 1738, v. 6048.
beware, *v. a.* P. 394, ii. 3066, 3359, iii. 2219, vii. 2518, spend, employ.
beweile, *v. refl.* i. 972, iv. 2958.
bewelde, *v. refl.* iii. 990, vii. 510, viii. 3041*, have power over (oneself).
bewepe, *v. a.* iv. 1565, vii. 2888.
bewhape, *v. a.* vi. 80, vii. 4267, viii. 2219, (*pp.* bewhapid, viii. 2955), bewilder, amaze.
bewounde, *v. a. pp.* v. 5008, viii. 1178.
bewreie, *v. a.* ii. 1530, v. 701, 2940, viii. 454, *pp.* bewreid, v. 6785, reveal, expose.
bewympled, *pp.* v. 6913.
beyelpe (3), *v. refl.* vii. 2096, boast (oneself).
beyende (3), *prep.* i. 424.
beyete (3), *s.* P. 304, 784, i. 1194, 2684, ii. 2355, iv. 1709, gain, property, possession.
bible, *s.* P. 354, i. 2788, iv. 1960, 2655, v. 7025, vii. 2527, 3624, viii. 224.
bidde, *v. a. n.* P. 458, i. 884, 934, 1556, bidde his bede, v. 6985, 3 *s. pres.* bit, i. 1310, iv. 1161, bidt, iv. 1162, 2802, *pret.* bad, P. 45*, i. 157, 1535, 2902, ii. 1140, badd, vi. 1735, *pl.* bede, i. 2048, iii. 750, biede, viii. 1507, *pret. subj.* bede, iv. 2905, vi. 1356, *imperat.* bidd, iv.

1434, v. 7588, *pp.* **bede,** i. 813, 841, iii. 1557, **beden,** i. 2520; bid, command, invite, ask for, pray: *cp.* **biede,** *with which* **bidde** *has been confused.*
biddinge, *s.* i. 2552.
bide, *v. n., pret.* **bod,** viii. 519, 2310, stay.
biede, *v. a.* v. 4455, *pp.* **bode,** P. 244, i. 2865, command, demand: *cp.* **bidde.**
bienfait, *s.* iii. 758, **bienfet,** vii. 3029.
bienvenue, *s.* ii. 1503.
bile, *s.* iv. 2710, 3108, v. 6526.
bilieve, *see* **believe,** *s.*
bille, *s.* viii. 875, 889, 2324, writing.
bime, *see* **byme.**
binde, bynde, *v. a. n.* i. 1623, v. 3606, viii. 2811, 3 *s. p.* **bint,** vi. 72, *pret. s.* **bond,** v. 853, 5056, *pl.* **bounden,** v. 151, *pp.* **bounde(n),** i. 2538, ii. 540, iii. 2095.
bischadewe, *v. a.* viii. 3008*.
bisinesse, *see* **besinesse.**
bisschop, bisshop, ii. 904, 936.
bisschopriches, *s. pl.* P. 208.
bisse, *s.* vi. 990, fine linen.
bite, *v. n.* iii. 119, *pret.* **bot,** vi. 5.
Biten, v. 1402.
biter, *a.* vi. 250, *def.* **biter,** vi. 371, **bitter,** viii. 2256; the **bitre** (*as subst.*), i. 1708.
biternesse, *s.* vi. 344.
bitterswete, *s.* viii. 191: *cp.* vi. 250.
blad, bladd, *s.* iii. 252, iv. 927.
blak, *a.* iv. 1343, v. 4045, **blake,** *def.* i. 1167, *voc.* iv. 2842, *pl.* iv. 2494.
blame, *s.* i. 630, 1017, 2074, 3056; *as a.* i. 2405.
blame(n), *v. a.* P. 60*, i. 3053, **to blame(n),** P. 538, i. 3054, v. 5210.
blameles, *a.* vii. 3816.
blaminge, *s.* v. 1455.
blanche, *a.* (*fem.*) vi. 239.
blase, *v. n.* ii. 2949.
blase, *s.* v. 3510, 4089, viii. 2444.
blast, *s.* i. 1069, 2411, iii. 419.
bleche, *a.* v. 2477, wan.
blede, *v. n.* ii. 840, vi. 1746.
blenchinge, *s.* vi. 205, 1867.
blende, *v. a.*, 3 *s. pres.* **blent,** v. 2492, *pret.* **blente,** v. 3467, *pp.* **blent,** i. 1126, v. 2165, blind, conceal.
blesse, *v. a.* i. 3418, v. 1238, (*pp.*) **blessid,** viii. 3104); *v. n.* i. 620, v. 5022, cross oneself.
blessed, *a.* vii. 3260.
blessinge, *s.* ii. 3317, v. 1281.
blew, *a. as subst.* iv. 1317, vii. 2188, blue.

blind, blynd, *a.* i. 47, ii. 355, 759, v. 980, **blinde,** P. 139, *def.* i. 621, 2490, ii. 1822, *pl.* i. 228, 927, iii. 1465, v. 2959; the **blinde** (**blynde**) *as subst.* P. 536, i. 2952, v. 536, *cp.* vii. 2470: blind, deceitful.
blindly, *adv.* viii. 2385.
blisse, *s.* i. 1771, v. 544, viii. 33.
blithe, blythe, *a.* ii. 18, 657, v. 6140, viii. 929.
blockes, *s. pl.* iii. 1033.
blod, *s.* i. 2235, 3170, vi. 840, vii. 4132, blood, vii. 423.
blodi, *a.* P. 757, iii. 1400, **blody,** ii. 861.
blowe, *v. a. n.* P. 923, i. 1065, 2133, 2411, ii. 1122, 2134, v. 1818, *pret.* **blew, bleu,** i. 2143, iii. 1025, v. 5409, **blewh,** ii. 2892, *pl.* **blewe,** vi. 2263, *pp.* **blowe,** i. 2298, iv. 735, vii. 3041.
blowinge, *s.* iv. 2484.
blythe, *see* **blithe.**
blyve, blive, *adv.* iii. 1044, viii. 515, quickly; **als** (as) **blyve,** iv. 1854, v. 3318, *cp.* vi. 1430: forthwith.
boc, *see* **bok.**
bode, *v. a.* i. 3282, proclaim.
bodi, body, *s.* P. 474, 995, ii. 977, *pl.* **bodies,** iv. 1320, 2463.
bodili, bodily, bodely, *a.* ii. 3256, v. 193, 1775, **bodiliche,** ii. 3344, vi. 397: *adv.* **bodily,** ii. 2969 (= in person), iii. 767, **bodely,** iv. 975.
boiste, *see* **buiste.**
bok, *s.* P. 18, ii. 868 (book, viii. 3108), **boc,** vii. 480, **in boke,** iv. 978, *pl.* **bokes,** P. 2, i. 2458.
boke, *v.* P. 51*, iv. 2664, viii. 1328, record, write books, teach with books.
bold, *a.* ii. 1690, iii. 1846, iv. 2192, *pl.* **bolde,** vii. 4355.
bole, *s.* iv. 2112, vii. 1017, 3313, bull.
bombard, *s.* viii. 2482, (a musical instrument).
bon, *s.* i. 1531, ii. 2291, iii. 463, *pl.* **bones,** ii. 2302, vi. 2309.
bond, *s.* ii. 2112, iv. 894, *pl.* **bondes,** P. 502, ii. 3027, iv. 2105.
bonde, *a.* vi. 74, bond (slave).
bondeman, *s.* viii. 1358.
bone, *s.* ii. 768, 1430, vii. 3899, petition, boon.
Boneface, Bonefas, ii. 2940, 2950 ff.
bor, *s.* vii. 5255, boar.
bord, *s.* i. 2111, ii. 689, iv. 400, viii. 720, *pl.* **bordes,** i. 2529, ii. 1426, iv. 3018, board, table; iv. 1741, side (of a ship), **schipes bord,** v. 3922, viii. 987, **over bord,** viii. 1140.

GLOSSARY AND INDEX OF PROPER NAMES 569

borde, *s.* iii. 741, *pl.* bordes, vii. 4799, viii. 1676, jest.
bordel, *s.* v. 1054, viii. 1411 ff., brothel.
bordeller, *s.* viii. 1415.
borwe, *v. a. n.* iv. 10, v. 6640, 7665.
borwe, *s.*, to borwe, iv. 774, 960, v. 3416.
bost, *s.* iii. 2083, v. 2142, vii. 3482, boast.
bot, *s.* P. 44*, i. 1960, ii. 1108, be bote, P. 40*, to bote, v. 3731 ; boat.
bot, *prep.* vii. 694, beyond : *conj.* P. 12, 56, 73 &c., but, P. 63* f., 168, bot (= only), P. 454, i. 675, (= unless) P. 144, i. 1543, ii. 374, v. 473, ne . . . bot, i. 264, noght . . . bot, ii. 1587, bot if, P. 345, i. 441, 1546, bote (except), ii. 2392, (but) v. 2015.
bote, *s.* i. 28, 2232, ii. 2051, iv. 133, do bote, ii. 2274, iii. 2272 : remedy, help.
boteler, *s.* i. 2593, vi. 295 ff.
Botercadent, vii. 1419.
bothe, *s.* viii. 170, booth.
bothe, *a. pl.* P. 159, i. 317, bothe tuo, P. 1068, i. 851, bothen, i. 1829, vii. 2469, oure herte bothe, iii. 1473, bothe also, iii. 1471 ; *as adv.* i. 1106, iv. 1874.
botme, *s.* i. 1961, bottom.
bouele, *s.* v. 4137.
boun, *a.* viii. 1407, PP. 17, ready.
bounde, *s.* iv. 2506, vi. 634.
bounde, *v. a.* ii. 1754, vii. 560.
bounte, *s.* v. 2595, goodness.
bowe, *s.* i. 1967, ii. 151, 2234, 2956, iv. 2983, bow.
bowe, *v. n.* P. 153, i. 718, 1238, 1248, 1284, ii. 3225, iv. 1130, bow, bend, turn aside, submit.
bowh, *s.* iv. 856, 1331, *pl.* bowes, i. 2824, 2902, bough.
Bragmans, *pl.* v. 1453.
braie, *v. n.* i. 3027.
brain, *s.* i. 2568, iv. 107, brayn, v. 1463.
branche, *s.* P. 346, iv. 3688, v. 1965, braunche, i. 2311.
Branchus, i. 1428, 1456.
Brangwein, vi. 473.
bras, *s.* P. 610, i. 1087, iv. 236, 2472.
breche, *s.* v. 332.
bred, *s.* ii. 1856, iii. 446.
brede, *s.* iii. 1963, v. 5661, breadth.
brede, *v. a.* i. 542, iii. 1322, v. 7700.
breide, *v. a.* vii. 4332, braid.
breide, *v. a., pret.* iii. 1429, viii. 1377, drew.
bregge, *s.* v. 2205, vii. 2242, bridge.
breke, *v. a.* P. 148, i. 1303, 1334, 1512 ; *v. n.* i. 1248, 1700, ii. 3008 : *pret.* brak,

ii. 3008, iv. 847, v. 1710, *pp.* broke, P. 653, ii. 3394.
brenne, *v. a. n.* P. 329, i. 323, ii. 5, 23, iv. 820, 3 *s. pret.* brende, ii. 2302, v. 1100, brente, v. 1667, 3 *pl.* brenden, i. 1184, *pp.* brent, i. 2006, *def.* brente, v. 7210, burn.
brennynge, *s.* vi. 2232.
brere, *s.* P. 409, 413, briar.
brest, *s.* P. 607, i. 662, 1327, iii. 2011, v. 1384, briest, viii. 2175, breast, heart.
Bretaigne, vii. 752.
breth, *s.* i. 119, 2127, ii. 530, iii. 289, iv. 2758.
brewe, *v. a.* ii. 246, iii. 1626.
Brexeïda, ii. 2455.
brid, *s.* i. 101, 2703, bridd, i. 2088, *pl.* briddes, i. 111, 1728.
bridel, *s.* i. 1697, ii. 3009, iii. 1629, iv. 1203, brydel, iv. 1434.
bridlen, *v. a.* i. 2037, viii. 2707.
briht, bryht, bright, *a.* v. 3110, vii. 734, *def.* bryhte, v. 3169, brighte, v. 2783, *pl.* brihte, iv. 988, bryghte, iii. 1039.
brihte, bryhte, *adv.* v. 36, 3732, bryht, vii. 1857, *compar.* bryhtere, brihtere, iv. 1322*, vi. 1525.
brimme, *s.* v. 4968.
bringe, *v. a.* P. 348, i. 1318, 1447, 3 *s. pres.* bringth, P. 1082, *pret.* broghte, P. 760, ii. 1246, iv. 2951, broughte, v. 3934, *pp.* broght, P. 623, i. 788, brought, iii. 604, *imperat.* bring, vi. 1728 ; bringen forth, iv. 3119, forth broghte, ii. 1246, broght aboute, iv. 2352.
bringere, *s.* v. 345.
brinke, *s.* i. 2310, 2980, iii. 1408.
brocage, *s.* v. 341, 4426, 4590, viii. 3033.
broche, *s.* v. 6173, brooch.
brocour, *s.* v. 4387 ff., 4573.
brod, brood, *s.* ii. 383, v. 4375, brood.
brod, *a.* iv. 3164, v. 6792, *pl.* brode, i. 1729, 1749, v. 1266, broad : *adv.* v. 1086, (broode, PP. 201).
brond, v. 1485, 4089.
brothell, *s.* vii. 2595, worthless fellow.
brother, *s.* P. 1050, i. 2071, PP. 266, *genit.* i. 2139, ii. 1197, iv. 2944, *pl.* brethren, v. 799, vi. 1077.
browe, *s.* i. 1589, 1678, vii. 4418.
brustle, *v. n.* iv. 2732.
Brut, P. 38*.
brutel, *s.* P. 877, brittle.
Brutus, vii. 4735 ff.
bryd, *s.* i. 1788, bride.
brygantaille, *s.* P. 213, irregular troops.

bryht, *see* briht.
buck, *s.* iv. 1300, 1978.
buille, buile, *v. n.* iii. 431, v. 1487, 4121, *pres. p.* buillende, v. 2221.
buissh, *s.* i. 359, 2984, ii. 2356, bussh, i. 2044.
buisshelles, *s. pl.* v. 2204.
buisshement, *s.* iii. 2089.
buiste, boiste, *s.* v. 3594, viii. 507, 2814, box.
Bulgarie, vii. 3291.
bulle, *s.* ii. 2825, 2978, PP. 208, (pope's) bull.
burel, *a.* P. 52, simple.
burgeis, *s.* v. 7255, viii. 543, citizen.
burgh, *s.* P. 794, v. 3125, vii. 1690.
Burgoigne, vii. 770.
burned, *a.* i. 2540, v. 3110, 4339, polished.
buxom, *a.* P. 153, v. 2807, obedient.
buxomly, *adv.* iii. 546, v. 3030.
buxomnesse, *s.* i. 1355.
by, *adv.* i. 1802, iv. 1172, v. 4517, vii. 4955, bi, iv. 397, by and by (in order), iii. 557, v. 5503, 7280, faste by, v. 298: *cp.* be, *prep.*
byme, bime (=by me), ii. 2016, iii. 892 (against me), 2702 (for me), iv. 1182, 1423 (to me), 3369, v. 4484.
bysne, *a.* ii. 771, blind.

C

ça, vi. 60.
caban, *s.* viii. 1051, 1601.
cable, *s.* i. 1068, v. 443, viii. 624.
cacche, *v. a.* iv. 3283, *pret.* cawhte, ii. 1349, 1441, iii. 1461, cauhte, v. 3924, *pp.* cawht, i. 1654, 2277, caght, ii. 1746; *v. n.* ii. 3192.
cadence, *s.* iv. 2414.
Cadme, Cadmus, i. 339, iv. 2401, v. 4273.
cage, *s.* iv. 1191.
caitif, *s.* i. 161, v. 2801.
cake, *s.* vii. 3705 ff.
Calcas, i. 1085.
calcedoine, *s.* vii. 1431.
calcinacion, *s.* iv. 2518.
calculacion (-oun), *s.* v. 3085, 6459, 7163*.
Caldee (country), P. 666, 717, v. 750, 781, 1592, Chaldee, vii. 2031; Caldee (language), iv. 2627.
Caldeus, *pl.* v. 787.
caldron, caldroun, *s.* v. 4117, 4141.

Caleph, v. 1687.
Calidoyne, iv. 2047.
Caligula, viii. 202.
caliphe, *s.* (1), ii. 2549, caliph.
caliphe, *s.* (2), v. 3915, (a kind of vessel).
Calipsa, Calipse, vi. 1427, viii. 2599.
Calistona, v. 6228 ff.
Calistre, vi. 2274, vii. 20.
calle, *v. a. n.* P. 126, i. 2459, 3146, ii. 937, iii. 1436.
calm, *a.* vii. 4113.
Calmana, viii. 65, 71.
Calvus, P. 775.
Cam, *see* Cham.
Cambises, P. 680, vii. 2893.
camelion, *s.* i. 2698.
camused, *a.* v. 2479, flat-nosed.
can, *see* conne.
Canace, iii. 147 ff., viii. 2587.
Canahim, vii. 566.
Cancer, vii. 1051 ff., 1249, in Cancro, iv. 3242.
Candace, v. 1571, 1575, 2543.
Candalus, vi. 1574.
candarie, vi. 1317.
canele, *s.* i. 1704, cinnamon.
Canis maior, vii. 1345.
Canis minor, vii. 1356.
canonized, *pp.* ii. 2821, viii. 144, installed, appointed by canon.
Capadoce, ii. 1332.
Capaneüs, i. 1980.
capitein, capitain, *s.* i. 1428, iii. 2421, vii. 5210, *fem.* capiteine, v. 1972.
capoun, *s.* v. 2408.
Capra saliens, vii. 347.
Capricorn, Capricornus, iv. 3222, vii. 1170, 1199, 1252.
carbuncle, *s.* i. 466, v. 7121*, carbunculum, vii. 1316.
cardinal, *s.* ii. 636, 2811, 2832.
care, *s.* i. 2516, iii. 1794, *pl.* cares, iii. 299.
care, *v. n.* ii. 226, iv. 1774, PP. 18, feel trouble, be distressed.
carecte, *s.* i. 470, v. 3588, vi. 2006, karecte, vii. 1571, charm, conjuration.
carie, *v. a.* ii. 2648, iv. 3292, v. 1197.
Carmente, vii. 2637.
Carmidotoire, vii. 2848.
carole, *s.* i. 2730, v. 3146, karole, iv. 251, carolles, *pl.* i. 2708.
carole, *v. n.* iv. 2779, vi. 868, 1845.
carolinge, *s.* iv. 1530, vi. 144.
carpe, *v. n.* vii. 3277*, converse; *v. a.* viii. 1488, utter.
Cartage, iv. 81, v. 2048 ff., vii. 2221, 2235.

GLOSSARY AND INDEX OF PROPER NAMES 571

carte, *s.* (1) P. 444, ii. 1974, iv. 987, 3233, vii. 816 ff., (cart, PP. 115), the carte weie, iii. 2074; car, chariot.
carte, *s.* (2) vii. 1359, writing.
cas, *s.* P. 438, 746, i. 646, 2600, per cas, iv. 39, 1239, in cas that, iv. 1917.
Cassandra, Cassandre, Cassaundre, v. 7441, 7451, 7569.
Cassodre, vii. 3161*, PP. 330.
cast, *s.* ii. 2374.
caste, *v. a.* i. 40, 1322, 1 *s. pres.* caste, i. 1965, cast, iv. 560, 3 *s.* cast, i. 663, casteth, iii. 80, *pret.* caste, i. 122, 1575, 2159, cast, i. 152, *imperat. s.* cast, i. 438, *pl.* casteth, i. 3160, *pp.* cast, ii. 1666, viii. 2909, throw, defeat, conjecture, plan, calculate.
castell, castel, *s.* i. 1423, ii. 719, iv. 741.
cat, *s.* iii. 1643, iv. 1108.
catel, *s.* y. 25, catell, vii. 3252*, goods.
Cateline, vii. 1601.
Catoun, vii. 1599, 1612.
cause, *s.* P. 16, 190, 905, i. 3437, whos cause, i. 1040 (for the sake of which), be this c., i. 1053, be c. that, ii. 343, 2771, for c. of, ii. 3285, be c. of, iii. 1433, v. 1158; be cause (*as conj.*), iii. 2319.
cause, *v. a.* P. 348, i. 1987, ii. 3078, iv. 2845 (3 *s. pres.* causith, viii. 3013).
cautele, *s.* vii. 1639, trick.
cave, *s.* iv. 2991, v. 1573, 6813, viii. 2573.
cedre, *s.* i. 359.
ceinte, *s.* iv. 857, girdle.
Ceïx, iv. 2928, Seyix, viii. 2650.
celee, *a.* ii. 1953, secret (*i. e.* apt to keep secrets).
celestial, *a.* viii. 780.
Celestin, ii. 2824.
celidoine, vii. 1370.
celier, *s.* vi. 332, viii. 2254, cellar.
Celion, ii. 3350.
celles, *s. pl.* v. 1463.
cendal, *s.* i. 1787.
Centaurus, iv. 1971 ff., 1988, *pl.* Centauri, vi. 522.
centre, *s.* vii. 233.
Cephalus, iv. 3189, 3253 ff.
Ceramius, vii. 826.
cercle, *s.* iv. 3237, v. 4093.
Cereres, v. 1233, 1278, 1489, Ceres, v. 1237, 4288.
cernes, vi. 1327.
certefie, *v. a.* ii. 963.

certein, *a.* i. 237, 1459, iv. 2919 (true), viii. 828, certain, iv. 2506, a certein man, i. 2130, iv. 435, certein thinges, viii. 365; *as subst.* in certein, i. 3215, ii. 1738, v. 7819, in certain, ii. 498.
certein, certain, *s.* P. 140, v. 200, vii. 4754, certainty, fixed point.
certeinete, *s.* i. 48.
certeinly, *adv.* ii. 1111, iv. 180, certeinliche, iv. 942.
certes, *adv.* i. 128, 1295, iv. 1726.
Cerymon, viii. 1166 ff., 1874.
Cesar, P. 714, v. 7107*, vii. 2449, 2470.
cesse, *v. n.* P. 1035, ii. 2903, v. 1852; *v. a.* iv. 230, v. 5366, PP. 76 : come to an end, retire; bring to an end.
chacable, *a.* v. 1269.
chace, *s.* i. 345, 2296, ii. 2634, iv. 1989, (at tennis) PP. 295.
chaced, *see* chase.
chaf, *s.* P. 844, ii. 85, 2127, iv. 1710.
chaffare, *s.* v. 4522, 6114, merchandise.
chaiere, *s.* P. 307, v. 2214, vii. 1208, chaier, viii. 762.
Chain, viii. 60, 71.
Chaldee, *see* Caldee.
chalk, *s.* P. 416, ii. 2346.
Cham, Cam, iv. 2396, vii. 546, 577, viii. 83.
chamberere, *s.* iii. 826, iv. 1193.
chamberlein, *s.* ii. 726, 1232, iv. 2705.
chambre, *s.* i. 954, 1737, 2572, 2983.
Chamos, vii. 4506.
(champartie, iii. 1173, *v. l.*)
champion (-oun), *s.* vii. 3252, 3538.
chance, chaunce, *s.* P. 70, i. 1583, 1670, ii. 207, iii. 2720, iv. 722, 2792, *pl.* chances, vii. 2362, per (par) chance, ii. 1644, iii. 2604.
chance, *v. n.* vii. 2326.
chancellerie, *s.* v. 1921.
change, *s.* vii. 3274*.
change, *v. a.* P. 119, 208, i. 2696, iv. 1444, chaunge, v. 7123; *v. n.* P. 32, 628, i. 3030, chaunge, PP. 315.
chapelet, *s.* v. 7066.
chapelle, chapele, *s.* iv. 1137, v. 7110.
chapitre, *s.* v. 1959, vi. 617.
chapman, *s.* v. 5115, *pl.* chapmen, ii. 3059.
chapmanhod(e), *s.* ii. 3067, iv. 2447.
char, charr, *s.* i. 2029 ff., iv. 1000, 1205, vii. 851, *genit.* chares, iv. 1208, carriage, car.
charge, *s.* P. 301, i. 2822, ii. 1691, 2114,

iii. 173, iv. 1495, v. 826; **no charge** (no matter), ii. 1068, **yaf in charge,** iv. 1052.
charge, *v. a.* i. 1223, ii. 1030, v. 7772, viii. 3103*, command, burden, trust; iv. 2242, blame.
charge, *s.* viii. 3066, duty.
charite, *s.* P. 110, i. 2049, 3371, **Charite,** ii. 3173, vii. 3167, *pl.* **charitees,** i. 3360.
charitous, *a.* ii. 3329.
charke, *v. n.* iv. 2996, creak.
Charlemeine, P. 748, PP. 283, **Charles,** P. 752.
charme, *s.* v. 3580, 4067.
charr, *see* **char.**
chartre, *s.* i. 3357.
chase, *v. a.* vii. 302, *pp.* **chaced,** vii. 5255.
chaste, *a.* P. 228, i. 847, vii. 4244.
chastellein, *s.* ii. 725.
chastete, *s.* vii. 4240, 5387, **chastite,** P. 472.
chastie, *v. a.* i. 2117, 2900, ii. 38, punish, correct.
chastiement, *s.* vii. 2498.
chastise, *v. a.* iv. 1242, vi. 2217.
chastisinge, *s.* iv. 1276.
chastite, *see* **chastete.**
Chatemuz, vii. 1462.
Chaucer, viii. 2941*.
chaunce, *see* **chance.**
cheke, *s.* i. 1680, iv. 185, 385, **chieke,** v. 2471, viii. 2827, cheek.
chele, *s.* iii. 121, v. 7195*, vii. 638, chill.
Chelidre, v. 4129.
chenes, *s. pl.* v. 151, 681, chains.
chep, *s.*, **good chep,** v. 1241.
cherche, *s.* P. 225, 246, &c., iii. 2275, (**chirche,** PP. 107, 239), *genit.* **the cherche keie,** P. 212, v. 1868, *pl.* **cherches,** ii. 3477.
chere, *see* **chiere.**
cherie, *see* **chirie.**
cherl, *s.* iii. 1252, v. 148, viii. 1367, **cherles knape,** viii. 1374.
chese, *s.* P. 416, ii. 2346, iii. 502, vi. 644.
chese, *v. a. n.* i. 1196, 1311, 1819, *pret. s.* **ches,** i. 3281, ii. 2457, *pl.* **chose,** P. 805, *imperat.* **ches,** i. 1829, *pp.* **chose(n),** i. 101, 2088, iv. 2091.
cheste, *s.* P. 215, iii. 417 ff., v. 541, contention (in words).
chevance, *s.* v. 4424, 6106, profit.
chide, chyde, *v. n.* iii. 492, 534, 553, *pp.* **chidd,** iii. 474, 552.

chidinge, *s.* iii. 443, 565.
chief, *a.* ii. 2501, vi. 308, *def. pl.* **chief,** v. 1112.
chief, *s.* P. 149, iii. 2265, chief thing; ii. 1778, iv. 4, leader.
chieke, *see* **cheke.**
chiere, chere, *s.* P. 155, i. 141, 341, 619, 1384, 3172, ii. 991, iii. 1081, iv. 1408, **chier,** viii. 2684, face, looks, welcome: **frendly chiere,** i. 2423, **hevy c.,** i. 2871, 3148, **feigned c.,** i. 724, *cp.* ii. 2061, **tok c. on honde,** i. 1767, **make c.,** P. 155, ii. 2181, iv. 747, 1194, **withoute lyves chiere** (*i. e.* lifeless), v. 1501.
chiered, *a.*, **hevy chiered,** viii. 2533.
chievere, *v. n.* vi. 240, shiver.
chiewe, *v. n.* iii. 1629, vi. 930.
child, *s.* ii. 3206, 3258, **chyld,** iv. 1842, 1982, **with childe,** i. 916, ii. 919, **of childe,** v. 1255, *pl.* **children,** i. 2163, ii. 3219.
childhode, *s.* ii. 793, viii. 319.
childinge, *s.* i. 805, iv. 461, v. 829, childbirth.
childly, *a.* v. 3020.
chiminee, *s.* vii. 3951, fire-place.
chin, chyn, *s.* i. 1682, vi. 775, vii. 1892, **unto the chinne,** ii. 3450, v. 372.
chinche, v. 4814, miser.
chippes, *s. pl.* i. 1918.
chirie, cherie, *s.*, **chirie feire,** P. 454, **cherie feste,** vi. 891.
Chiro, iv. 1971 ff.
chitre, *v. v.* 5700, 6011, twitter.
chivalerie, *s.* P. 723, i. 784, 2462, ii. 1826, iv. 1520, (**chevalerie,** viii. 3007), cavalry, army, prowess.
chivalerous, *a.* i. 1414, ii. 2517, v. 653.
chois, *s.* i. 1827, ii. 3391, viii. 70.
chyme, *v. n.* iv. 347.
Chymerie, iv. 2987.
Chyo, v. 5413.
Cicorea, vii. 1400.
cilence, *see* **silence.**
Cillene, Cillenus, vii. 1599, 1607, Silanus.
Cillenus, v. 143, Silenus.
Cilly, vi. 1424.
Cimpheius, v. 4127.
Cinichus, vii. 2119.
Cipio, vii. 4187.
Circes, vi. 1427, 1461 ff., viii. 2599.
circumference, *s.* vii. 188.
circumstance, *s.* ii. 619, iii. 2745, v. 4293.

GLOSSARY AND INDEX OF PROPER NAMES 573

Cirophanes, v. 1525, 1529.
Cirus, P. 679, vii. 1889, 4367.
cit, s. P. 836, city.
cite, citee, s. P. 106, 665, ii. 1344, iii. 459.
citezein, s. P. 842, i. 1007, ii. 680, *fem.* citezeine, i. 1006.
Cithero, iv. 2648, vii. 1597.
citole, viii. 829, 1487, 2679.
Civile, ii. 83, the civil law.
Cizile, i. 1841, v. 967, 972, 1279, Sicily.
Cladyns, iv. 2407.
clamour, s. P. 514, v. 2394, viii. 2731.
claper, s. iv. 347.
clappe, v. i. 2391, v. 4640.
clare, v. a. viii. 1544, declare.
clarion, s. viii. 2482.
Claudius (Apius), vii. 5132 ff.
Claudius (Marchus), vii. 5167 ff.
clause, s. vii. 85.
clawe, v. n. iv. 2725.
(cle), s., *pl.* cles, i. 2994, iv. 1109, claws.
cleime, *see* cleyme.
Clemenee, iv. 985, Clymene, v. 6756.
clene, a. ii. 3447 : *adv.* i. 587, ii. 1413, vi. 119, cleene, iii. 2762.
clennesse, s. iv. 2558, vii. 4447.
clense, v. a. ii. 3463.
Cleopatras, viii. 2573.
clepe, v. a. n. P. 126, 436, i. 744, ii. 849, 3049, v. 1790, *pret.* clepede, iv. 842, v. 951, cleped, i. 1535.
cler, *see* clier.
clergesse, s. vi. 980, clergy: *cp. Mirour*, 5546.
clergie, s. P. 281, 955, ii. 3351, iv. 236, learning, clergy.
clergoun, s. ii. 2850.
clerk, clerc, s. P. 52, i. 2274, iv. 234, *pl.* clerkes, P. 194, i. 1856.
cleve, v. n. ii. 577, 2293; v. a., *pp.* cleft, v. 4085.
cleym, s. ii. 2706.
cleyme(n), v. a. ii. 1025, iii. 1973, cleime, PP. 59 ; v. n. ii. 2380, claim.
client, s. iii. 160.
clier, cler, a. P. 925, ii. 1888, vi. 431, *def.* clere, vii. 1329, *pl.* cliere, ii. 195, vii. 2643 ; *as subst.* vi. 360 f. : *superl.* the cliereste, vii. 1311 : *adv.* cler, vii. 745.
cliere, v. n. viii. 1147, become clear.
climat, s. P. 137, vii. 799, *pl.* climatz, vii. 684.
Climestre, iii. 1909 ff.
clippe (1), v. a. v. 5591, *pret.* clipte, v. 4998, embrace.

clippe (2), v. a. v. 5690, cut.
clos, a. ii. 684 (*def.*), 1346, iv. 2755, in clos, i. 1730: *adv.* ii. 469, 3197, iii. 769, iv. 1331.
close, v. a. i. 1275, iv. 2655, 3371, v. 340.
closet, s. i. 897.
Clota, vii. 1320.
cloth, s. i. 2111, 2997, iii. 1534, 2431, 2436, v. 283, 2759, *pl.* clothes, iii. 695, iv. 1536.
clothe(n), v. a. P. 466, i. 612, ii. 1377, *pret.* cladde, viii. 652, *pp.* clothed, ii. 302, 2271, &c., clad, iv. 27, 1306 ; *refl.* iii. 966 ; v. n. P. 317, iv. 2236 : clothe ; be clothed.
clothing(e), s. v. 214, vi. 989.
Cloto, iv. 2762.
cloude, s. iv. 3063, 3211, v. 1668, viii. 1039, (*pl.* clowdes, viii. 3007*).
clowdy, cloudy, a. P. 925, iv. 2843.
clue, s. v. 5343.
clymbe, v. n. ii. 241, 1630, iv. 2726.
Clymene, *see* Clemenee.
coc, cock, *see* cok.
Cochitum, v. 1110.
Codrus, vii. 3183.
coevere (1), *see* covere.
coevere (2), v. n. viii. 1201, recover.
coffre, cofre, cophre, s. P. 314, ii. 2257, v. 33, 2079.
coign, v. 335, coin.
coigne, v. a. iv. 2448, coin.
coise, s. i. 1734.
cok (1), cock, s. iv. 3003, v. 4099, viii. 159, cock.
cok (2), coc, s. v. 4072, vi. 641, 716, *pl.* cokes, vi. 623, cook.
cokard, s. v. 2803, fool.
cokerie, s. iv. 2433.
cokkel, cockel, v. 1881, 1884.
colblak, a. iii. 808.
Colchos, v. 3265 ff., 4244, 4354, 6609, 7199, viii. 2520.
cold, a. ii. 1966, *def.* colde, iv. 422, vii. 1205, *pl.* colde, iii. 299, iv. 405.
cold, s. P. 977, i. 2421, iv. 1090.
colde, v. n. vi. 241, grow cold.
cole, s. v. 6204, coal.
Collacea, vii. 4806, 4911.
collacioun, s. ii. 2328, iv. 1144, conference, contrivance.
Collatin, vii. 4775 ff., viii. 2633.
colour, s. i. 606, 692, 1113, 2701, ii. 1874, iii. 2394, iv. 2981, colour, kind, pretence.
coloure, v. a. vii. 1625.

colre, *s.* vii. 431, 459, choler.
comande, *v. a. n.* i. 1275, 3240, iii. 2064, 2288, comaunde, P. 30*, iv. 2794.
comandement, commandement, *s.* P. 84, i. 2790, ii. 3200.
comandinge, comandynge, P. 54*, i. 1335.
combes, *s. pl.* i. 1749.
come(n), *v. n.* P. 11, 419, i. 902, &c., 2 *s. pres.* comst, v. 3448, 3 *s. pres.* cometh, P. 853, comth, i. 193, *pret.* 1, 3 *sing.* com, P. 1017, ii. 2073, cam, P. 236, i. 1185, 2 *s.* come, viii. 2076, *pl.* come(n), i. 835, 2048, iv. 1307, *imperat.* com, i. 197, 1617, *pp.* come(n), P. 703, 731, iv. 1283.
comelihiede, comlihied, *s.* v. 2598, 6734.
comely, *a.* ii. 441, *superl. def.* comelieste, v. 3048.
comendacioun, *s.* vii. 1779.
comende, commende, *v. a.* P. 493, i. 3361, iii. 2264, iv. 1794, v. 6358, 7677, (*pp.* comendid, viii. 3009).
cominge, *s.* ii. 800, iv. 819, 1529, comynge, i. 1599, ii. 1336, iv. 2961.
comlihied, *see* comelihiede.
commandement, *see* comandement.
commende, *see* comende.
commoeved, *pp.* vii. 3361, moved.
commun, commune, *see* comun, &c.
compaignie, *s.* P. 288, i. 735, 1478, 1780, ii. 306, v. 4558, compainie, v. 2081, 7759, companie, vii. 1674, company, friendliness: per compaignie, vii. 3752, together.
comparisoun (-on), *s.* P. 916, i. 2283, v. 6598.
compas, *s.* ii. 2341, contrivance, vii. 229, circle.
compasse, *v. a. n.* P. 58*, i. 5, 518, 1893, ii. 409, 806, vii. 3464, 4076, surround, contrive, achieve.
compassement, *s.* ii. 2323, iii. 889.
compassioun (-on), *s.* iii. 2722, vi. 170.
compense, *v. a.* iii. 2554, v. 4505.
compiled, *pp.* vi. 1382.
compleigne, *v. a.* i. 114, ii. 188, 1301, iv. 1586; *refl.* v. 1903, viii. 2541; *v. n.* i. 965, 1380, ii. 264: mourn for, mourn, murmur, complain.
compleignte, *s.* P. 516, i. 1345.
compleignynge, *s.* iii. 1425.
complexioun (-on), *s.* P. 975, i. 1498, ii. 3256, v. 2647, vii. 383 ff.
compone, *v. a.* iv. 2643, vii. 1590.
composicioun, *s.* P. 814, agreement.

comprehende, *v. a. pp.* v. 1735, vi. 2435, vii. 33, contain, include.
compte, *v. a.* i. 1567, vi. 1268.
comun, commun, *a.* P. 124, 377, 1082, i. 2695, v. 1117, 2235, comune, vi. 2432, vii. 1991, (comon, PP. 114).
comune, *s.* P. 499, i. 651, ii. 1844, comun, P. 1066 f., v. 3759, common people, commonalty.
comune, commune, *v. a.* i. 70, 775, iv. 754, v. 984, vii. 2709; *v. n.* i. 652, vi. 606, 2431, vii. 2200: join, communicate, share; associate, converse, share.
comunliche, *adv.* i. 803, ii. 3058, comunly, i. 1352, ii. 367.
comynge, *see* cominge.
conceite, conceipte, *s.* P. 113, ii. 2311, vii. 1554, 1807.
conceive, *v. a. n.* i. 830, ii. 2902, iv. 2561, v. 458.
concele, *v.* v. 4635.
conclave, *s.* ii. 2812.
conclude, *v. n.* i. 250, iv. 2316; *v. a.* ii. 777, viii. 2048, 2712.
conclusioun (-on), *s.* P. 575, i. 249, 3085, iii. 1816.
concordable, *a.* ii. 2799, iii. 2438, suitable.
concubine, *s.* v. 6757, vii. 4495, viii. 2693.
concupiscence, *s.* vii. 5223, viii. 293.
condicioun (-on), *s.* P. 805, 1029, i. 846, 1373, 2284, ii. 314, 1318, 3271, iv. 1784, v. 386, 4380, condition, state of things, disposition.
conduit, *s.*, sauf conduit, v. 994.
confeccion, *s.* vi. 654.
conferme(n), *v. a.* P. 811, ii. 388, viii. 3164.
confesse, *v. refl. and n.* i. 1393, 1952, ii. 219, 738, 1734.
confessioun, confession, *s.* i. 202, 1374, v. 4379, viii. 2891.
confirmacion, *s.* ii. 2938.
conforme, *v. a.* ii. 608, iv. 216, 3110.
confort, *s.* ii. 261, 1562, iv. 800, 2568, (comfort, PP. 4).
conforte, *v. a.* i. 916, 1001, ii. 1065, vii. 2143; *refl.* v. 3653, viii. 1214.
confortinge, *s.* viii. 336.
confounde, *v. a.* P. 290, i. 3093, iv. 300.
confusioun, *s.* P. 852, i. 3086.
congeie, *v. a.* v. 3306, 7202, dismiss.
congelacion, *s.* iv. 2514.
congele, *v. a.* vii. 338.

GLOSSARY AND INDEX OF PROPER NAMES 575

congruite, *s.* iv. 2646, vii. 1531.
conjoint, *a.* vii. 502, 1259, joined.
conjunccion, *s.* vi. 1961.
conjure, *s.* v. 3580.
conjure, *v. n.* vi. 1976.
conne, konne, kunne, *v.* ii. 1215, v. 928, 2909, 1, 3 *s. pres.* can, kan, ii. 3496, iv. 2334, vii. 4144, 2 *s.* canst, v. 4623, *pl.* cunne, kunne, iv. 2390, v. 5544, *subj.* conne, i. 264, *pret.* cowthe, couthe, ii. 1214, iv. 374, vi. 1441, 2 *s.* couthest, couthist, vii. 2298, 2301; cowthe him thonk, ii. 1007; know: 1, 3 *s. pres.* can, P. 60, i. 28, *pl.* conne, i. 506, 1505, ii. 2116, iii. 2297, cunnen, vii. 2172, *pret.* cowthe, couthe, P. 1073, i. 30, 536, cowde, coude, iv. 1255, 1540, know how to, be able to.
connynge, *s.* vii. 671.
conoiscance, *s.* vi. 1638.
conquere, *v. n.* iii. 1649.
conquerour, *s.* iii. 1286, vii. 893.
conqueste, *s.* P. 709, v. 3413, (conqweste, PP. 42).
Conrade, vii. 2833.
consaile, *see* conseile.
consailer, *see* conseilour.
conscience, *s.* P. 297, i. 595, 1236, 2429, ii. 2390, 2844, iii. 11, 1504, iv. 792, v. 1847, feeling, conscience, sense of guilt.
conseil, consail, P. 146, 156, i. 609, 888, 1018, 1097, 1395, ii. 687, 1891, 3415, v. 3904 (secret), vii. 2076 (advocate); in conseil (secretly), vi. 2326, hold conseil (be silent), vii. 778, prive conseil, ii. 1917, conseil hous, vii. 2851, conseile, viii. 2071, (counseil, PP. 129).
conseile, consaile, consaille, *v. a. n.* i. 1123, 2950, ii. 1457, 1685, 2708, iii. 1163, iv. 3430, 3464 (ask advice); *refl.* iii. 2727, vii. 3188.
conseilour, conseiller, consailer, *s.* iii. 1538, v. 2861, vii. 3148, (counseillour, PP. 128).
consente, *v. n.* iv. 2797.
conserve, *s.* vi. 636, vii. 54, conserve, preserver.
consideracion, *s.* vii. 2749.
consistoire, *s.* ii. 2908.
conspire, *v. n.* i. 1206, ii. 2170, 2834, ii. 2945; *v. a.* i. 1173, 1504, ii. 2329: conspire; agree upon, contrive.
conspirement, *s.* ii. 1704.
Constance, ii. 597 ff., Constantine, ii. 706.

constance, *s.* vii. 1757, steadfastness.
Constantin (1), Constantinus, P. 743, ii. 3188, 3339, 3449, vii. 3137, PP. 339, Constantine the Great.
Constantin (2), ii. 590, Tiberius Constantinus.
Constantin (3), P. 740, Constantine V.
Constantinople, vii. 1261.
constellacion (-oun), *s.* P. 532, i. 393, 1506, iv. 3247, v. 755, vi. 2253.
constreigne, *v. a.* iii. 347, iv. 486, 3529.
constreignte, *s.* viii. 3018.
consul, ii. 1775, vii. 1598, 2785.
contek, *s.* iii. 1093 ff., 2735, (contekt, viii. 3015).
contemplacion (-oun), *s.* v. 7126, viii. 1838.
contempt, *s.* ii. 1722.
contenance, contienance, contenaunce, *s.* i. 698, ii. 1419, iii. 2404, iv. 380, 1180, 3155, v. 476, 694, continance, ii. 3116; bearing, expression, self-control.
conterpeise, *see* contrepeise.
continence, *s.* P. 472.
continuance, *s.* iv. 187, 368, v. 1565.
continue, *v. n.* iv. 508.
continuinge, *s.* vii. 5003.
contourbed, *pp.* i. 222.
contraire, *a.* i. 2356, iv. 1803; in contraire, i. 631, 3416, iii. 2400; *as subst.* the contraire, P. 554, 979.
contraire, *s.* vii. 4025, trouble.
contrariende, *pres. part.* P. 555.
contre, *s.* P. 729, ii. 1453, iii. 1312, *pl.* contres, iii. 1843, (contrees, viii. 3014).
contrefet, *a.* i. 832, 1127, feigned, false.
contrefete, *v. a.* ii. 2476, *pp.* contrefet, ii. 982.
contrepeise, conterpeise, *v. a.* vii. 1505, 3118.
contretaile, *s.* viii. 3102*.
contrevaille, contrevaile, *v. a.* P. 728, ii. 3313.
contricioun, *s.* i. 214.
controeve, *v. n.* iv. 936, 2454, contrive (to); *v. a., pret. pl.* controeveden, vii. 187, *pp.* controved, ii. 1708, devise.
controvinge, *s.* vi. 2372.
conveie, *v. a.* ii. 1125, iv. 203, viii. 2986*.
convenient, *a.* v. 7190*, vii. 1982, fitting.
converten, *v. a.* ii. 601, 639, iv. 1676, (*pp.* convert, v. 1906*).
cope, *s.* iv. 1315, 2979, vii. 534, coupe, vii. 1579, cloak, covering, vault.
coper, *s.* iv. 2473.
coppe, *see* cuppe.

576 GLOSSARY AND INDEX OF PROPER NAMES

Cor Scorpionis, vii. 1410.
corage, *s.* P. 111, 448, i. 780, 833, ii. 1338, iv. 391, heart, spirit, disposition.
corde, *s.* iv. 2431, 3592, v. 4989.
corn, *s.* P. 844, iv. 2376, *pl.* cornes, iv. 2442, v. 1244.
cornemuse, *s.* viii. 2483, bagpipe.
Cornide, iii. 785, 801.
Cornix, v. 6183.
coronal, *s.* iv. 1326.
corone, *s.* P. 33*, i. 2461, iv. 1323.
corone, coroune, *v. a.* P. 765, ii. 1595, iii. 2171.
corps, *s.* iv. 2499, 3657, cors, iii. 2075, *pl.* corps, v. 2207, body.
corrant, *a.* vii. 352, running.
corrupcioun, *s.* P. 986.
corrupt, *a.* P. 922, ii. 1732, v. 765.
cors, *see* corps.
corse, *see* curse.
cortaisly, *see* courtaisly.
Corvus, iii. 796.
cost, *s.* (1), i. 3105, ii. 363, 2347, cost.
cost, *s.* (2), *see* coste.
costage, *s.* i. 3104.
coste, *v. n.* i. 3273.
coste, cooste, *s.* i. 499, viii. 619, cost, vii. 885, coast, country.
costeiant, *a.* ii. 2551, bordering.
costne, *v. n.* i. 3313, cost.
cote, *s.* i. 2999, ii. 2270, iv. 1355, v. 7716, coat.
cotidian, *a.* v. 464.
couard, *a.* iv. 611; *subst.* iv. 2301.
couardie, *s.* iv. 1934, vii. 1860.
couche, *s.* iv. 3015, v. 160, viii. 1193.
couche, *v. n.* i. 1261; *v. a.* iv. 2710, *pp.* couched, viii. 2255.
coude, *see* conne.
coupable, *a.* P. 582, ii. 275, iii. 1120, iv. 1503.
coupe, *see* cope.
couple, *s.* vii. 4437.
coupled, *v. a. pp.* v. 657, viii. 277.
courbe, *s.* v. 956, hump.
courbe, *a.* i. 1687, bent.
cours, *s.* i. 509, 2637, iii. 1031, iv. 1270.
courser, *s.* vi. 1188, coursier, vii. 856.
court, *s.* P. 219, i. 1410.
courtaisly, cortaisly, *adv.* i. 2108, viii. 1695.
courteis, curteis, *a.* iv. 2300, v. 155, vi. 1992.
courteour, *s.* i. 1410, v. 7125*.
courtesie, curtesie, *s.* ii. 1214, v. 169, 5397.

courtins, *s. pl.* i. 1787, curtains.
cousin, *s.* P. 778, vii. 4776, viii. 106, *fem.* cousine, ii. 1201, viii. 106.
cousinage, *s.* i. 1437, v. 4672, viii. 104.
Couste, ii. 1163, 1401 ff., Custe, ii. 1219.
couth, *a. see* cowth.
couthe, *v. see* conne.
coveite, *v. a. n.* ii. 238, v. 262, 6379.
coveitise, *s.* P. 263, iii. 2308, v. 223, covoitise, v. 1976 ff., vii. 2013, covetousness.
coveitous, *a.* ii. 317, *def.* covoitouse, vii. 2168, *pl.* coveitouse, v. 4800, the coveitous (*subst.*), ii. 335.
covenable, *a.* v. 2675, 6112, suitable.
covenant, *s.* i. 686, 948.
covere, coevere, *v. a.* i. 432, iv. 2092.
covert, *a.* ii. 2033, vii. 4942, *pl.* coverte, iv. 1606; in covert, iv. 3206, v. 1666; *adv.* v. 6499.
coverture, *s.* i. 645, ii. 1939, iv. 1102.
covine, *s.* i. 29, 819, ii. 676, 683, 1895, 2115, iii. 2267, (covyne, vii. 2335*, viii. 3016), company, agreement, device, conspiracy.
covined, *pp.* i. 1102, agreed.
covoitise, covoitous, *see* coveitise, &c.
cow, *s.* iv. 3323 ff.
cowde, *see* conne.
cowth, couth, *a.* ii. 432, iii. 2109, iv. 2543, v. 389, *pl.* cowthe, i. 2862, known.
cowthe, *v. see* conne.
crabbe, *s.* vii. 1053.
craft, *s.* i. 1136, 1749, ii. 1849, iv. 925, craftes, iv. 1048, 2667.
crafteliche, *adv.* i. 1755.
crafti, *a.* i. 1091, skilful.
crake, *v. n.* vii. 305, burst.
Crassus, v. 2069.
crave, *v. a.* i. 1362, 3343, ii. 329, iii. 1306, iv. 3290, v. 189; *v. n.* iv. 54, vii. 2427: ask for, ask.
creacion, *s.* v. 933, vii. 203.
creance, *s.* ii. 754, iii. 2505, v. 783.
creatour, *s.* ii. 3436, v. 778.
creature, *s.* P. 911, i. 1529, v. 779.
crede, *s.* iii. 478, v. 2912, 7119.
credence, *s.* i. 533, 707, ii. 867, iv. 2921, v. 743, belief, faith.
credible, *a.* P. 574, vii. 128, 2528.
Creon, v. 4195.
crepe, *v. n.* v. 1893*, 5109, *pret.* crepte, i. 908, *pp.* crope, ii. 1141.
(Fa) crere, ii. 2122 ff.
cresce, *v. n.* viii. 29, increase.
creste, *s.* v. 6044.

Cresus, iv. 1325 (*genit.*), v. 4730.
Crete, iii. 1939, 1968, v. 845, 981, 1169, 1222, 3994, 4018, 5232 ff.
Creusa, v. 2540, 4196, 4203, viii. 2505.
cri, cry, *s.* i. 375, 2188, iii. 545, 1055, iv. 3600.
crie(n), *v. a. n.* i. 955, 1369, iii. 222, iv. 3066, vii. 3649, crye, viii. 1417, 3 *s. pres.* crith, i. 2338, iv. 3619, *pret.* cride, i. 2326, 3167, *pp.* cryd, iv. 1857, crid, viii. 679, cry, lament, pray for, proclaim.
criinge, *s.* vii. 3323.
Crise, i. 1085, Crisis, v. 6444.
Criseide (1), v. 7597, viii. 2531, Criseïda, ii. 2456.
Criseide (2), v. 6444.
crisolitus, vii. 1422.
Crist, *genit.* Cristes, P. 165, 237 ff., 749 ff., 1032, i. 664, ii. 587 ff., 1597, 2503, 3354, 3466, iii. 1121, 2288, 2494 ff., 2547, iv. 1662 ff., v. 747, 1752 ff., 6390, 7001, 7106*, vi. 975 ff., vii. 3157*, viii. 141, 3030* f., PP. 50, 120, 156 ff.
cristall, *s.* iv. 1322*, v. 5066, vii. 1325.
cristendom, *s.* ii. 746, 3454, Christianity.
cristene, *s. pl.* P. 898, Christians: *a.* PP. 380; *superl.* the cristeneste, ii. 1598.
cristne, *v. a.* ii. 908, 3474.
Croceus, v. 4835, 4860.
crois, *s.* ii. 770, 3392, v. 1722.
crok, *s.* v. 2872, vii. 2268, 4892, crook, crookedness, device.
croke, *v. a.* v. 522, bend.
croked, *a.* iii. 440.
croket, *s.* v. 7065, curl.
cronique, croniqe, P. 101, i. 759, 1994, 3059, *pl.* croniqes, iv. 2395.
crop, *s.* P. 118, *pl.* croppes, vii. 4678, top.
Cropheon, iii. 2022.
crossen, *v. a.* i. 1165, set (sails).
crouche, *s.* ii. 390, cross.
crowe, *v. a.* iv. 3003, announce by crowing.
crowe, *s.* iv. 3001, v. 6206.
crualte, *s.* P. 49, iii. 235, 2149, (cruelte, viii. 2997*).
cruel, *a.* iii. 15, 2000, iv. 1509.
crumme, *s.* vi. 1003.
cry, *see* cri.
cunne, *see* conne.
cunnynge, *a.* vi. 2437, skilled.
Cupide, i. 124, ii. 39, iii. 169, 1351, 1463, 1695, iv. 488, 496, 1242, 1265, 1275, 1471, 1684, 1692, 3558, v. 1405, 1419, 1485, 4802, 4827, 5819, 5843, vi. 345, viii. 2172 ff., 2453 ff., Cupido, ii. 2470, iii. 907, iv. 1733, viii. 2745.
cuppe, coppe, *s.* P. 343, i. 2474, ii. 699, iv. 399, v. 285.
cure, *s.* P. 211, i. 132, 1507, 3211, ii. 1083, 3054, iv. 1744, v. 1492, 1915, 2655, charge (of parish, &c.), care, help, remedy.
cured, *a.* P. 211, with spiritual charge.
curiosite, *s.* viii. 3114, artful skill.
curious, *a.* i. 1524, iv. 922, v. 6816, vii. 760, careful, inquisitive.
curse, *v. n.* i. 1369, iv. 2834; *v. a.* v. 557, corse, v. 7354.
cursednesse, *s.* v. 6989, curse.
cursinge, *s.* P. 274, ii. 2979.
curteis, *see* courteis.
curtesie, *see* courtesie.
cuss, *s.* v. 6558, kiss.
custummance, *s.* v. 1117.
custumme, custume, *s.* vi. 532, viii. 685, 1616.
custummer, *s.* ii. 1928.
Cusy, ii. 3092.
cutte, *see* kutte.

D

Daaly, vii. 361.
Dace, v. 884.
dai, day, *s.* P. 59, 163, i. 812, 1991, al dai, ii. 1899, to day, iv. 2216, fro dai to dai, v. 1586, be daie, iii. 148, v. 1265, have good day, iv. 2814, now a day, ii. 444, *cp.* aday, *genit.* daies, i. 1470, 1812, *pl.* daies, P. 36, i. 761, 2273, on daies nou, iv. 1731, nou on d., v. 4913, *cp.* adaies: *see also* dawe.
Daires, *genit.* v. 1063.
Daires, *see* Darius.
dale, *s.* i. 356, iv. 1583.
Dalida, viii. 2703.
dame, *s.* i. 2551, ii. 749, ma dame, i. 168, iv. 1374.
damoiselle, *s.* v. 1352.
dampnacion, *s.* v. 1360.
dampne, *v. a.* i. 1032, ii. 880, v. 4922, condemn.
dance, *see* daunce.
danger, *see* daunger.
dangerous, *a.* v. 6442, reluctant.

GLOSSARY AND INDEX OF PROPER NAMES

Daniel, P. 590 ff., 1039, i. 2859 ff., vi. 1405.
dansinge, s. iv. 1530.
Dante, vii. 2329*.
dante, see daunte.
Danubie, ii. 1819.
danz, s. i. 3395, vii. 50, 1459, (used as a title).
Daphne, iii. 1686 ff.
dar, v. n. 1 s. pres. i. 1222, 2765, 2 s. darst, iv. 617, 3 pl. dar, iv. 345, 350, pres. subj. dore, iv. 2825, pret. dorste, i. 3157, iii. 196, iv. 3485, dorst, ii. 1633, pret. subj. durste, iii. 486, 1622, 2 s. durstest, iv. 40 : dare.
Darius, P. 691, Daires, vii. 1785.
dart, s. i. 144, iii. 1700, iv. 1994, pl. dartes, iv. 1274.
daunce, v. n. iv. 2779, vi. 143, dance, viii. 2487, 2682.
daunger, dånger, s. i. 2443, ii. 1110, iii. 1537 ff., iv. 1149, 1641, 2813, 2903, 3589, v. 1389, 6620 ff., viii. 2264 : see note on i. 2443.
daunsinge, s. v. 3143.
daunte, v. a. i. 469, 2390, 2962, iii. 177, iv. 2072, dante, v. 7220, tame, conquer.
David, ii. 3088, vi. 95, vii. 3860 ff., 4345, viii. 2690, PP. 282.
dawe, s. i. 2125, of dawe, vii. 2883 (dead), pl. dawes, i. 2794, iv. 3318 : cp. dai.
de (Langharet), ii. 2995.
debat, s. P. 106, 567, i. 2920, ii. 1907, strife, dispute.
debate, v. n. P. 928, i. 2453, iii. 2731 ; v. a. P. 998, vii. 1640, 1744 : contend ; contend for, contend against.
debonaire, a. P. 553, i. 231, iii. 601, v. 176, vi. 863.
decas, s. P. 837, destruction.
deceipte, s. P. 541, i. 676, 753, iii. 184, deceite, P. 114.
deceivable, a. ii. 1698, deceived ; ii. 2202, 3018, deceitful.
deceivant, a. i. 1214, iv. 2076 ; as subst. ii. 1875.
deceive, v. a. i. 417, 751, viii. 2344 : v. n. i. 1207.
Decembre, vii. 1181, 4301.
decerte, s. i. 614, 1354, 3277, iii. 2293, iv. 1605, pl. decertes, vii. 2049, service, merit.
decerve, see deserve.
decess, s. v. 3253, vii. 4516.
decide, v. a. P. 334, vii. 52, PP. 256.

declaracion, s. iv. 2228.
declare, v. n. i. 3436, iv. 312, v. 1380 ; v. a. i. 73, v. 7399.
ded, a. i. 982, 3115, ii. 1855, def. dede, ii. 840, 2647, iv. 2890, the dede, (as subst.), i. 1445, pl. dede, P. 9, i. 1037, iv. 1959, dead, killed.
Dedalion, iv. 2933.
Dedalus, iv. 1039, v. 5286.
dede, s. P. 228, i. 634, 1851, in dede, i. 2933, iii. 329.
dedly, dedli, a. P. 904, i. 577, ii. 2571, iii. 274, iv. 2163, vi. 7, dedlich (def.), vii. 5089, viii. 1355 ; adv. iii. 1579, v. 6759.
deduit, s. viii. 2847, delight.
dee, s. v. 2437, pl. dees, i. 54, iv. 1095, 1778, 2792, die, pl. dice.
def, a. iv. 585.
deface, see desface.
defalte, s. P. 502, i. 1510, ii. 1856, iv. 1253, in mi defalte, in thi d., iv. 3482, 3588, defaulte, v. 537, vi. 271, defaute, vii. 260, failure, want, fault.
defame, s. v. 5925, vii. 2055.
defence, defense, s. P. 218, 388, ii. 1806, iv. 1026, v. 1710, 5638, prohibition, protection.
defende, v. a. P. 421, i. 567, ii. 3411, iii. 2263, 2769, iv. 1672, 2338, protect, forbid.
defie (1), defye, v. a. n. i. 1043, iii. 503, vi. 723, 1203 ff., dissolve, digest.
defie (2), deffie, v. a. iv. 2848, vii. 2246, viii. 1066, defy.
defloure, v. a. v. 5812.
defoule, v. a. i. 977, 2835, iii. 2534, v. 2197, vi. 574 ; v. n. iii. 586, pollute, destroy, outrage.
degre, degree, s. P. 50, 798, 930, i. 751, 1256, 2234, ii. 1224, v. 1688, condition, state, manner ; be degrees (degres), i. 258, iv. 2490, in gradation.
Deianire, Deianyre, ii. 2154 ff., iv. 2048 ff., Deyanire, viii. 2561.
Deïdamie, v. 3046 ff., Deÿdamie, viii. 2567.
deie, see dye.
deificacion, s. v. 934, 1173.
deifie, v. a. v. 776, 1148, 1494.
deigne, v. n. vi. 293, 1002 ; impers. i. 2099, iv. 3564.
deinte, see deynte.
deintefull, a. vi. 813.
del, see diel.
delaie, deslaie, v. a. 1434, iv. 1755, 3399, vii. 5042, viii. 445 ; v. n. ii. 1020.

GLOSSARY AND INDEX OF PROPER NAMES 579

delaiement, *s.* iv. 226, v. 5088.
delate, *v. a.* vii. 3103, set forth.
delay, *s.* ii. 824, 3418.
Delbora (1), iv. 2437.
Delbora (2), viii. 66, *acc.* Delboram, viii. 72.
dele, *v. n.* i. 1225, 2762, ii. 3202, iii. 69, iv. 333, have to do, deal, consult.
deliberacioun, *s.* viii. 2302.
delicacie, *s.* P. 325, iv. 2434, vi. 608 ff.
delicat, *a.* vi. 666 ff., vii. 909.
delice, *s.* vi. 795, *pl.* delices, i. 2673, iv. 1671, v. 876, delight.
delicious, *a.* vi. 671, 957, delightful, delicate.
delit, *s.* i. 442, iv. 384, 3014, v. 187 ff., pleasure, charm.
delitable, *a.* v. 2676.
delite, *v. n. and refl.* i. 2688, iv. 3357, vi. 510, (delyte, viii. 3096*).
deliverance, *s.* i. 1584, v. 1657.
delivere, *a.* vii. 1855, viii. 681, active; *adv.* vii. 458, readily.
delivere, *v. a.* v. 3549, *pp.* delivered (of childbirth), ii. 935, iii. 202, iv. 459.
Delos, v. 1256.
Delphos, v. 1071.
delve, *v. a. n.* P. 352, i. 3256, v. 2159, dig, dig for.
demande, *s.* i. 3071, ii. 2973, iv. 2793, viii. 1489.
deme, dieme, *v. a.* P. 537, i. 1892, 2014, iii. 2101, iv. 1770; *v. n.* iii. 340, 750, 1216, v. 5152, deeme, vii. 2311 : judge of, think good, condemn; decide, be judge.
demeine, *s.* viii. 2226, *pl.* demeynes, v. 1332, possession.
demene, *v. a.* ii. 1101, deal with.
Demephon, iii. 1764, 1807, iv. 731 ff 2555.
Demetrius, ii. 1619 ff.
demeynes, *see* demeine.
demonstracioun (-on), *s.* v. 7164*, vi. 1346.
dendides, vii. 842, (name of a stone).
dep, *a.* v. 4947, depe, (*def.*) iv. 1715, (*pl.*) i. 3069 : *subst.* the depe, ii. 1035.
departe(n), *v. a.* P. 468, 643, i. 2935, iv. 1317, v. 602, 1689, divide, distribute; *v. n.* P. 169, ii. 2645, iii. 2750, iv. 2833, be separated, depart.
departinge, *s.* ii. 320.
depe, *adv.* i. 1679 ; *comp.* deppere, ii. 2070.

depos, *s.* ii. 1757, *see note.*
depose, *v. a.* ii. 1017, 2750, vii. 3225, depose, put down.
depthe, *s.* vii. 180.
deputacion, *s.* vii. 2750.
dere, *v. a.* i. 1997, 2766, vii. 3803, derie, vi. 1520, injure.
dere, *a. see* diere.
derie, *see* dere.
derk, *a.* P. 941, iii. 984, *def.* derke, ii. 1892, iv. 815, 2843, *voc.* i. 956, *pl.* derke, i. 634 : *as subst.* the derke, v. 1893, viii. 1691.
derke, *v. n.* viii. 604, grow dark; *v. a.* viii. 967, 3008*, darken.
derne, *a.* i. 1932, secret.
derthe, *s.* v. 4284.
desallowe, *v. a.* i. 1237, desalowe, PP. 242.
descencion, *s.* iv. 2515.
descende, *v. n.* v. 4579, viii. 2787.
descente, *s.* vii. 1789, 3432.
descerve, *see* deserve.
descharge, *s.* viii. 3104*.
descharge, *v. a.* P. 302, set free.
desclos, disclos, *a.* iii. 192, 770, made known : *adv.* v. 6724, openly.
desclose, *v. a.* i. 3401, iii. 435, v. 4030, disclose, viii. 1237.
descoevere, discoevere, discovere, *v. a.* i. 2630, ii. 2054, 2384, iii. 778, 794.
descoloured, *a.* viii. 1908.
desconfit, *v. a. pp.* iii. 2467, vii. 2579, 3827, disconfit, vii. 4428, defeated.
descord, discord, *s.* P. 121, 1046, iii. 1162, iv. 1734.
descordable, *a.* v. 2929, out of accord.
descordant, *a.* vii. 1020, 2314.
descorde, discorde, *v. n.* ii. 1893, v. 2926, vii. 398, viii. 2024.
descres, *s.* vii. 2054.
descripcion, *s.* vii. 1760.
descrive, *v. a.* i. 1690, iii. 468, iv. 2406, descryve, vi. 1110.
desdeign, *s.* i. 2058, 2359, ii. 1714, iv. 2332, v. 6453.
desdeigne, *v. a.* i. 1243, v. 4804, viii. 2342.
desert, *a.* vii. 585, *pl.* deserte, vii. 2164.
desert, *s.* iv. 2056, v. 1665.
deserve, *v. a. n.* P. 71*, 708, i. 170, 738, 1119, 2132, ii. 1279, 3268, iv. 3577, PP. 278, decerve, v. 4575, descerve, vii. 3934, earn, deserve.
desese, *s.* P. 178, 1007, i. 2881, ii. 50,

P p 2

disese, iv. 1475, (desease, viii. 3018), trouble.
desese, *v. a.* ii. 3010, vi. 64, *pp.* desesed, i. 1352, ii. 248, iv. 209.
desespeir, *s.* iv. 3687, vii. 3727, despeir, viii. 945.
desesperance, *s.* iv. 3499.
desface, deface, *v. a.* iv. 1322, v. 6308; *v. n.* iv. 2844, viii. 2828.
desguise, *v. a.* P. 364, i. 2702 ff., iv. 3333.
deshonoured, *pp.* v. 5811, 7262.
desir, *s.* i. 599, 684, iv. 2567, v. 965.
desire, *v. a.* P. 221, i. 1205, 1481, ii. 1423; *v. n.* P. 292, 682, i. 3289, ii. 2160, iv. 122.
desirous, *a.* i. 1413, ii. 2518.
deslaie, *see* delaie.
desobeie, *v. a. n.* i. 1315, iii. 1762.
desobeissance, *s.* i. 1307.
desobeissant, *a.* i. 1392, ii. 2507.
desolat, *a.* ii. 2651.
despeire, *v. n. and refl.* ii. 3347, iv. 3506, 3541.
despeired, *a.* ii. 1846, iii. 74, 1144, viii. 3012*, in despair, hopelessly bad.
despence, *s.* v. 4838, vii. 2066.
despende, *v. a.* P. 73, i. 1004, 1904, 3018, ii. 1126, iii. 877, *pret.* despente, v. 1054.
despense, *v. a.* iii. 2553.
despise, *v. a.* i. 1356, 1978, iii. 564, iv. 2870, scorn, hate.
despit, *s.* i. 990, 2580, insult.
desplaie, *v. a.* ii. 1835, displaie, v. 492.
desplese, *v. a.* i. 1387, iii. 528, displese, vii. 4816.
desport, *s.* iv. 1188, 3100, v. 1425.
desporte, *v. a. and refl.* i. 1002, 2294.
despose, *v. a.* vii. 1809.
despreise, *v. a.* i. 2119.
despuile, *v. a.* i. 2206, 2906, viii. 2856, strip.
desputeisoun (-on), *s.* i. 1440, vii. 1821, disputeisoun, vii. 1635.
desputen, *v. n.* ii. 310, iv. 812; *v. a.* iv. 619.
destance, distance, *s.* iii. 611, 2695, vii. 2926, difference.
desteigne, *v. a.* i. 696, 966, ii. 2245, iv. 838, stain, disfigure.
destine, *s.* i. 1835, iv. 1915.
destourbance, *s.* ii. 642, 1951, destorbance, iii. 2465, vii. 2836.
destourbe, destorbe, *v. a.* i. 221, 1688, iii. 373, (*pp.* distourbid, PP. 153.)
destrauht, *see* distraght.

destresse, *s.* iii. 1605, iv. 462, v. 828, distresse, distresce, ii. 3266, viii. 1609.
destruccioun, destruccion, *s.* i. 1105, iii. 973, iv. 1067.
destruie, *v. a.* i. 2836, iii. 1520, *pret.* destruide, v. 2212, *pp.* destruid, i. 3185, ii. 3355, iv. 225, 976, v. 1070.
determine, *v. n.* ii. 3204, viii. 2786; *v. a.* vii. 63.
deth, *s.* P. 704, i. 1054, *genit.* dethes (deadly), iii. 2657, v. 3533, to dethe, i. 1448, ii. 1292, fro dethe, ii. 3399, fro deth, i. 1593, ii. 1525.
detraccioun, *s.* ii. 387, 534.
dette, *s.* iii. 2214, iv. 2588, v. 1552.
devel, iii. 663, vi. 1352, *genit.* develes, ii. 3148, *cp.* dieules.
devide, *see* divide.
devise, *v. a.* P. 464, i. 1544, 2178, ii. 1390, iii. 1208, divise, P. 822, vii. 988, 1130, tell, contrive; devise himself, i. 1817, decide.
devocioun (-on), *s.* i. 213, 801, ii. 3433.
devolte, *a.* i. 636, devoute, i. 669.
devoure, *v. a.* P. 314, i. 654, 1189, ii. 1842, iii. 327.
dew, *s.* vii. 4832, *pl.* dewes, vii. 282.
deynte, deinte, *a.* P. 475, vi. 702.
deynte, *s.* v. 3838, vi. 741.
deyss, deis, *s.* vi. 2187, vii. 1886, high table, seat of state.
diademe, *s.* P. 765, ii. 2936.
Diana, Diane, i. 363, iv. 3238, v. 1250 ff., 6244 ff., viii. 1269, 1829.
dich, *s.* v. 7249, vi. 1281, 2324.
Dido, iv. 87, 141, viii. 2552.
diel, del, *s.* P. 137, v. 212, portion; no del, no diel, P. 418, i. 2434, nothing: *as adv.* nevere a diel, P. 878, not at all.
dieme, *see* deme.
diere, dere, *a.* i. 162, 3147, ii. 250, v. 1241 (of price): *adv.* i. 381, iii. 880, iv. 2133, deere, v. 6729.
diere, *s.* vi. 1915.
diete, *s.* i. 1707, vi. 252.
(a) dieu, ii. 2739.
dieules, *s. genit.* vi. 2345 : *cp.* devel.
difference, *s.* P. 451, v. 744.
differred, *v. a. pp.* ii. 3074, put aside.
dignite, dignete, *s.* P. 210, iii. 2170, vii. 4249, *pl.* dignitees, ii. 2338.
dihte, *v. a.* i. 1131, *pret.* dihte, v. 1200, 1364, 4252, dighte, v. 5248, *pp.* diht, ii. 2774, iv. 130, dyht, ii. 822, v. 554, prepare, set in order.
dike, *v. n.* P. 352.

GLOSSARY AND INDEX OF PROPER NAMES 581

diligence, *s.* iv. 1075, 1792, 2584.
diligent, *a.* iv. 1126.
diminucioun, vii. 160.
dimme, *adv.* v. 4967, faintly (of voice): *cp.* dymme, *a.*
Dindimus (1), iv. 2641.
Dindimus (2), v. 1453.
Diogenes, Diogene, iii. 1203 ff., vii. 2229 ff.
Diomedes, Diomede, ii. 2458, v. 3099, 7601, viii. 2534, 2569.
Dionise, viii. 546, 1345 ff.
Dionys, vii. 3341.
disciple, *s.* vii. 1453, viii. 1167, 2942*.
discipline, *s.* i. 942, iv. 294, v. 5326.
disclos, disclose, *see* desclos, &c.
disconfit, *see* desconfit.
discord, *see* descord.
discovere, discoevere, *see* descoevere.
discrecioun (-on), *s.* v. 264, vii. 2116.
discresce, *v. n.* v. 1851.
discrete, *a.* (*pl.*), vii. 2443.
discretly, *adv.* vii. 3342*.
disme, *s.* P. 269, tithe.
disour, *s.* vii. 2424.
dispers, *a.* v. 1497, 1729, vii. 2658.
displaie, *see* desplaie.
displese, *see* desplese.
disposed, *a.* i. 1253, 3785.
disposicioun (-on), *s.* P. 943, i. 1497, ii. 3255, iv. 2740.
disputeisoun, *see* desputeisoun.
dissencioun (-on), *s.* P. 781, iii. 595, 740, v. 3307.
dissevere, *v. a.* ii. 2229, iii. 1573; *v. n.* iv. 2838.
dissh, *s.* ii. 699, v. 3853, disch, v. 285.
dissimilacion, *s.* i. 957.
distance, *see* destance.
distempre, *v. a.* iii. 58, 1858.
distillacion, *s.* iv. 2513.
distille, *v. a.* P. 62*.
distraght, destrauht, *pp.* ii. 1745, iii. 7, vii. 6.
distreigne, *v. a.* ii. 1302, torment.
distresse, *see* destresse.
ditee, *s.* viii. 2945*.
diverse, *v. n.* P. 677, vii. 972, change; *pp.* diversed, P. 29, vii. 1270, changed, made different.
diverse, *a.* P. 365, i. 426, 2463, ii. 2547, iii. 2101, vii. 3436, divers, iii. 2290, vi. 69, different, perverse, evil.
diverseliche, *adv.* v. 218, 5940.
diversite, diversete, *s.* P. 988, v. 490, 1373.

divide, *v. a.* P. 127, 706, devide, vii. 147; *v. n.* P. 880, v. 1661.
divin, *s.* v. 142, divinity, vii. 651, theologian.
divin, *a.*, divine, (*def. or fem.*), ii. 3243, dyvyn, v. 1058.
divine, *v. a.* i. 2861.
divinite, *s.* vii. 122.
divise, *see* devise.
divised, *pp.* ii. 3264, vii. 1241, (devised, PP. 235), divided.
divisioun (-on), *s.* P. 576, 967, ii. 1743, vii. 4539.
do, don, *v. a.* (*n.*) P. 63, 271, (doo, doon, P. 28*, 49*), to (forto) done, P. 141, 483, i. 691, 995, 3 *s. pres.* doth, P. 286, 761, i. 1913, *pret.* dede, P. 226, i. 561, 2579, ii. 2283, iii. 924, 1049, (dide, PP. 348), *imperat. s.* do, i. 2936, *pl.* doth, i. 127, *pp.* do, don, P. 857, i. 2599, ii. 770, 1234: doth restore, P. 761, doth ous forto wite, P. 286, let do make, ii. 1286, hath do slain, ii. 1799, *cp.* iv. 816, doth to seme, i. 614, do that ther be, iv. 2520, on dede, ii. 2283, dede upon, iv. 2979, v. 3556, do aweie, iv. 71, do wey, vii. 5408: do, cause, make, put.
do, doo, *s.* iv. 1300, 1978, doe.
doaire, *s.* vii. 1257, province.
doelful, *a.* viii. 483.
doinge, *s.* v. 4631, 5743.
dole, *s.* iv. 252, vi. 356, vii. 1213, distribution.
dom, *s.* i. 1050, 1647, ii. 1732, vi. 2171, viii. 2113, (doom, vii. 3152*), judgement, dominion: day of dome, vii. 3560.
domb, *see* doumb.
domesdai (-day), *s.* v. 1905, vi. 806.
Domilde, ii. 947.
dominus, i. 215.
Donat, iv. 2641.
dore, *s.* P. 1083, ii. 2130, iv. 903.
Dorrence, vii. 3185.
Dorus, v. 1337.
dotard, *s.* vi. 2307.
double, *a.* P. 130, i. 635 (deceitful), ii. 341, 3343; *as subst.* ii. 333.
double, *v. a.* ii. 349.
doubte, *see* doute.
doubtif, *a.* vi. 2171.
doubtous, *a.* vii. 3524.
doumb, domb, *a.* iv. 345, 585, vi. 447.
doun, *s.* v. 3021, down.
doun, down, *adv.* P. 570, i. 1155, up so doun, ii. 1744, iii. 80, a doun, iv. 2710.

dounes, *s. pl.* iv. 1583, hills.
dounward, *adv.* vii. 5073.
doute, *v. a.* i. 404, v. 3602, doubte, i. 2892; *v. n.* iv. 62 : fear.
doute, *s.* P. 562, i. 2222, 3124, v. 181, doubte, iv. 1022, stant no d., ii. 2124, iv. 2118, *cp.* iii. 2536.
dowhter, douhter, *s.* i. 1841, iv. 1535, doghter, ii. 638, doughter, ii. 663, *genit.* dowhter, i. 3208, ii. 1469, dowhtres, i. 3231, iii. 218, *pl.* dowhtres, douhtres, i. 391, v. 7310, doghtres, v. 3049.
dowhterles, *a.* viii. 903.
dragon, dragoun, *s.* v. 3718, 3989, vi. 1984.
drake, *s.* vii. 362, dragon.
drawe, *v. a. n.* P. 69, i. 1745, ii. 519, iii. 946, viii. 1948, 3 *s. pres.* drawth, P. 1002, draweth, i. 2336, 3 *s. pret.* drowh, drouh, P. 792, i. 819, ii. 1580, 2695, iii. 2084, iv. 35, v. 4046, drogh, iv. 3192, *pl.* drowe(n), drowhe, i. 1041, 1136, iii. 1040, iv. 2026, vii. 3346*, *imperat.* draugh, PP. 384, *pp.* drawe, v. 5457, vii. 4625.
drawhte, drauhte, *s.* iii. 2057, v. 4167, vi. 253, draught.
drecche, *v. a.* i. 621, 2097, iv. 2896, dreche, iv. 1185 ; *v. n.* iv. 102, vii. 5009, viii. 755 : deceive, torment, while away, debase ; delay.
drecchinge, *s.* iv. 3476, tormenting.
drecchinge, *a.* v. 3975.
drede, *v. a. refl. and n.* P. 500, i. 2245, iii. 180, 1321, *pret.* dradde, i. 1668, v. 2814, 5003, drad, viii. 1368, dredde, v. 3355, *imperat.* dred, i. 2246.
drede, *s.* P. 1082, i. 1987, *pl.* dredes, vii. 411, withoute drede, ii. 2388, v. 68 (doubtless).
dredful(1), *a.* i. 435, 2133, iv. 3382, vii. 3131, terrible ; ii. 2622, timorous.
dreie, *a.* i. 2042, ii. 2224, v. 1664, drie, drye. v. 4143, vii. 379, dry : *cp.* drye.
dreie, *v. a.* iii. 695.
dreint, dreynte, *see* drenche.
drem, *s.* P. 599, ii. 3376, iv. 2729, *pl.* dremes, iv. 3575.
dreme, *v. n.* iii. 51, iv. 2722, 3285.
drenche, *v. a. n.* vii. 4277, *pret.* dreynte, iv. 1030, 3061, *pp.* dreint, dreynt, ii. 1122, 1826, v. 1342, 1870, 4352, *def.* dreinte, iv. 3093 : drown.
drery, *a.* vii. 3312*.
Driades, v. 1333.

drink, drinke, *s.* ii. 3099, iii. 2611, iv. 1719, *pl.* drinkes, v. 1472.
drinke(n), *v. a. n.* P. 318, i. 1390, 2309, vii. 3513, drynke, iii. 1402, 3 *s. pres.* drinkth, i. 1708, drynkth, vi. 72, drinketh, v. 253, *pret.* drank, iii. 895, dronk, ii. 1008, *pl.* drunke, i. 2645, vi. 472, dronken, vi. 591, *imperat.* drink, i. 2551, *pp.* drunke(n), vi. 374, 388.
drinkeles, *a.* vi. 57, without drink.
drive, *see* dryve.
dronkelew, *a.* vi. 106, drunken.
drope, *s.* v. 4147, 4752.
droppe, *v.* vi. 1043, vii. 5263.
druerie, *s.* iv. 2713, vi. 1290, courtship.
drunke(n), *a.* P. 343, ii. 1010, v. 145, vi. 73 ff.
drunkenesse, *s.* vi. 585.
drunkenhiede, *s.* vi. 566.
drunkeschipe, dronkeschipe, *s.* v. 150, vi. 15.
drye, dryhe, *v. a.* iv. 2836, 3474, vi. 1085, endure.
drye, dreie, *s.* P. 977, vii. 271, 445.
dryve, *v. a. n.* ii. 712, 718, 1906, iv. 1853, drive, ii. 729, dryve forth, spend (time), P. 374, ii. 1309, iv. 3390, *pret.* drof, iii. 1048, iv. 1020, *pp.* drive, P. 578, iv. 1027.
duale, *s.* vi. 388, narcotic draught.
duc, duck, *see* duk.
due, *a.* P. 457, ii. 2928, iv. 510, 3247, vii. 4195 (dewe, PP. 196), owing, fitting, bound (?).
dueliche, duely, *adv.* vii. 4570, viii. 2374.
duelle(n), dwelle, P. 2, 142, 818, i. 147, ii. 1265, iii. 1338, vii. 2980, *pret.* duelte, i. 2488, v. 2084, remain, dwell.
duellinge, *s.* iv. 1979, vii. 458.
duete, *s.* P. 258, iv. 3204, (duite, viii. 3101).
duistre, *s.* i. 1027, guide.
duk, duc, duck, *s.* i. 782 ff., 2644, iii. 1987, iv. 1525, vii. 1917, 3747, *genit.* dukes, i. 2639, duckes, iv. 477, duke, leader.
dull, *a.* v. 1948, vi. 150, *pl.* dulle, iv. 947, PP. 207.
dulle, *v. a.* P. 14.
durable, *a.* PP. 301.
duresce, *s.* P. 411.
dwelle, *see* duelle.
dwyne, *v. n.* iv. 3440, pine away.
dyamant, vii. 1333.
dyche, *v. a.* i. 3256 : *cp.* dike.

GLOSSARY AND INDEX OF PROPER NAMES 583

dyches, *s. pl.* v. 19.
dye, die, deie, *v. n.* P. 978, 990, i. 127, 1333, 1972, ii. 701, 1858, iv. 3065, *pret.* deide, ii. 692, 1161, v. 1079, deiede, iv. 1593, dyde, P. 705, dide, PP. 190, *pres. part.* deyinge, i. 1710.
dyht, *see* dihte.
dymme, *a. pl.* viii. 2826 : *cp.* dimme.
Dyon, v. 1049.

E

ease, *see* ese.
ebbe, *v. n.* P. 933.
ebbes, *s. pl.* vii. 723.
Eccho, v. 4618, 4644.
ecclesiaste, vii. 4491.
ech, *pron.* P. 375, i. 817, iv. 500, eche, P. 516, i. 2061, ech other, i. 2489.
Echates, v. 3981, 4035.
echedaies, *s. genit.* v. 512.
echon, *pron.* P. 1049, i. 1854, iv. 2094.
eclipse, *v. n.* P. 919, v. 769, viii. 2600.
Ector, *see* Hector.
eddre, *s.* iv. 2109, addre, v. 3967, thaddre, v. 3528.
Edwyn, ii. 1319.
eem, *see* em.
eere, *see* ere.
effect, *s.* iii. 2395, vi. 931, theffect, iv. 1759.
effeminat, *a.* vii. 4304.
eft, efte, *adv.* i. 160, 963, ii. 2570, iv. 2111, 2858, v. 5789 f., vii. 2334, after, again.
eftsone, *adv.* ii. 1305, iv. 806, eftsones, iv. 2830.
Eges, vii. 351.
Egeüs, iii. 2561, v. 5255, 5259.
eggetol, *s.* v. 3708.
Egiona, iii. 2173, 2185.
Egipcienes, &c. *see* thegipcienes.
Egipte, ii. 2549, 2628, v. 789, 814 ff., 1592, 1653, vi. 1797 ff., vii. 924.
Egistus, Egiste, iii. 1906 ff., 2029 ff.
egle, *s.* vi. 2200, vii. 630, eagle.
eighte, *num.* vii. 1110 ff., eyhte, viii. 81.
eile, eyle, eille, *v. n.* i. 971, ii. 1348, iii. 2296, v. 7444, vi. 172, *impers.* vi. 386, ail.
eir (1), air, *s.* P. 921, vi. 943, vii. 255 ff., their, thair, vii. 1215, v. 3993 : air.
eir (2), *s. see* heir.
either, *pron. a.* ii. 630, v. 1662, eyther, vii. 1193.

ek, eke, *adv.* P. 154, 913, i. 865, ii. 2931, ek also, ii. 1233, (eek, P. 57*, vii. 3180*).
ekinge, *s.* iv. 622.
Elda, ii. 726 ff.
elde, *s.* v. 4183, viii. 2828, (person) viii. 2667.
eldemoder, *s.* iv. 2251.
eldeste, *a. superl. def.* v. 3047, vii. 557.
eleborum, vii. 1336.
eleccioun (-on), P. 365, 435, vi. 1167, vii. 46.
Eleine, *see* Heleine.
element, *s.* vii. 372, *pl.* elementz, v. 773, vii. 218 ff., thelementz, v. 759.
elitropius, *s.* vii. 841, (name of a stone).
elixir, elixer, *s.* iv. 2522, 2577.
ellefthe, *a.* vii. 1393, eleventh.
elles, *adv.* P. 290, 477, i. 1574, 2344, ii. 3382, (ellis, viii. 3078), elles where, ii. 1979, iii. 2079.
elleswhere, *adv.* P. 9, iv. 164, *see* elles.
ellevene, *num.* vii. 1186.
eloquence, *s.* iii. 440, iv. 2651, *pl.* eloquences, vii. 1631.
eloquent, *a.* vii. 37, viii. 393.
em, *s.* i. 1517, v. 3289, eem, vi. 474, *genit.* emes, i. 1489, uncle.
embatailled, *pp.* ii. 1837, 2619.
embrace, enbrace, *v. a.* P. 90, i. 1286, ii. 2082, iv. 58, 409, v. 24, embraseth, iii. 1483, take in hand, embrace, obtain ; i. 431, put on the arm.
embrouded, enbrouded, *pp.* iv. 1319, vi. 1554, embroudred, i. 2511.
embuisshed, *pp.* ii. 3007.
embuisschement, *see* thembuisschementz.
Emilius, ii. 1776.
empeire, *v. a.* P. 453, iii. 1143, iv. 3505 ; *v. n.* P. 833, ii. 367, 3068 : damage, make worse ; become worse.
empeirement, *s.* v. 2161, vii. 1158, harm.
emperesse, *s.* viii. 2612.
emperour, *s.* P. 726, iii. 2393, themperour, i. 762, *genit.* emperoures, ii. 1219.
empire, *s.* P. 681, 721, i. 2793, ii. 2709, thempire, P. 767.
emprise, *s.* P. 1018, i. 2066, ii. 2358, iii. 1017, iv. 1898, v. 905, vii. 1850, 4251, 4778, viii. 174, boldness, valour, worth, object.
emty, *a.* i. 1681.
enbrouded, *see* embrouded.
enbrouderie, *s.* iv. 1175.

encence, encense, s. v. 1568, vii. 4509.
enchantement, s. i. 477, iv. 765.
enchanting, s. iv. 648.
enchaunte, v. a. i. 470, ii. 481, 2492, iii. 178.
encheson, s. i. 2440, 2747, v. 7354, occasion.
enclin, a. ii. 3177, vi. 585.
encline, v. a. iv. 3565; v. n. v. 1637, viii. 2083 : enclined, pp. ii. 271.
enclose, v. a. iii. 1333, v. 21, 4029, (pp. enclosid, viii. 2942.)
encluyed, pp. iv. 1345, enclowed, viii. 1113, hurt with a nail, nailed.
encombre, v. a. ii. 1770, vii. 5219, endanger, harass.
encourtine, v. a. i. 877, curtain.
encresce, encresse, v. a. n. P. 1036, i. 672, ii. 3428, iv. 782, v. 6476, vi. 2272.
encress, s. i. 3342, ii. 1666, v. 3, 7712, encres, viii. 74, increase, advancement.
ende, P. 162, 556, i. 1067, 1616, ii. 2753, iii. 1380, v. 5670, viii. 697, 1219, thende, P. 883.
ende, v. a. n. P. 74, i. 2110, iv. 2900, v. 194, vi. 1781.
endeles, i. 2717, iii. 2466 ; adv. P. 662, ii. 3429.
enderday, s. i. 98, ender day, v. 7400.
endite, v. a. n. P. 22, ii. 412, 2046, iii. 270, PP. 381, compose, accuse, examine.
enditour, s. iv. 2411.
endlong, prep. ii. 689, iii. 1031 ; adv. iii. 1209: along.
endure, v. a. n. i. 131, ii. 259, iv. 2105.
endyng, s. vi. 2376.
Eneas, Enee, i. 1095, 1124, iv. 78 ff., 2183, v. 1400, viii. 2553.
enemie, s. fem., v. 6753, anemie, viii. 1355.
enemy, s. iii. 12, 1532, iv. 2186, pl. enemys, enemis, iv. 1953, v. 7397.
enfile, v. a. vii. 4333, thread.
enformacion (-oun), s. i. 2270, ii. 2783, v. 593.
enforme, v. a. n. i. 276, 1340, 1974, 3229, ii. 2121, 2499, iv. 923, relate, instruct, enform.
Engelond, P. 24, ii. 1581, vii. 753, PP. 359.
engendre, v. a. n. P. 987, ii. 2841, 3176.
engin, engyn, s. ii. 1956, iv. 2438, 2637, v. 2156, disposition, ingenuity, device.
engine, v. a. i. 878, 1101, ii. 2116, deceive, entrap.
enginous, a. vii. 433, quick-witted.

englissh, s. P. 23, iii. 21, Engleissh, vi. 985, (englesch, viii. 3108).
englue, v. a. iii. 1553, iv. 3363, fasten, ensnare.
enhabite, v. a. iii. 1335, viii. 93.
enheritance, s. v. 5553.
enke, s. iii. 298, 1070, viii. 2213, ink.
enlumined, pp. vii. 64.
enoignte, v. a. v. 3601, pp. enoynt, v. 3599, enoignt, vii. 4247, enoignted, vi. 1974.
enquere, v. a. ii. 488, vii. 2771.
ensamplaire, see essamplaire.
ensample, s. P. 196, i. 1405, iv. 2339, (essample, PP. 93).
ensample(n), v. a. P. 47 ; refl. iv. 3684, v. 5159, vii. 4441 ; essampled, P. 7.
ensamplerie, s. P. 496, v. 4935, essamplerie, vi. 1385.
ensele, v. a. viii. 2699, seal.
enspire, v. a. iv. 2200, vii. 4003, viii. 2976*.
entaile, s. i. 1088, 1252, iv. 374, v. 1499, 2442, entaille, iv. 2990, form, fashion, sculpture.
entame, v. a. i. 709, wound; v. 3482, begin.
entencion, s. iv. 2270, 2516.
entendable, a. vii. 2146.
entendance, s. viii. 2488, service.
entendant, a. ii. 1623, v. 1352, viii. 2695.
entende, v. n. P. 253, 376, ii. 3412, iii. 2347, iv. 1735, pay attention, undertake.
entendement, s. i. 3122, ii. 584, iv. 1767, vii. 609, 1701, understanding, meaning, instruction.
entente, s. P. 668, 1023, i. 60, 825, 1121, 1770, ii. 1002, 2669, meaning, purpose, thought.
enterdit, s. ii. 2979, 3013.
entermette, v. refl. ii. 66, interfere.
enterrement, s. v. 5727, viii. 1523.
entre, s. i. 1144, ii. 2131, 3033.
entrecomune, v. n. ii. 3249.
entren, v. n. vii. 3215*.
entrike, v. a. iii. 2340, iv. 3042, 3298, vii. 1577, ensnare, entangle.
entronize, v. a. vii. 2416, intronize, ii. 2822, inthronized, viii. 6.
envenime, envenyme, v. a. ii. 2237, iii. 2457, vi. 3, envenom, poison.
envie, s. P. 347, i. 3083, 3441, ii. 10 ff., (envye, P. 58*).
envie, v. a. ii. 2828, 3104.
envious, a. ii. 223, 318, thenvious, ii. 1728 ; as subst. ii. 345.

GLOSSARY AND INDEX OF PROPER NAMES 585

environe, *v. a.* vi. 2239, vii. 240, encompass.
enviroun, *adv.* ii. 1474, vi. 2236.
eny, *pron.* P. 387, i. 2419, &c., any, i. 14, *pl.* eny, v. 2039, enye, v. 921: eny thing *as adv.* ii. 2057.
Eolen, Eole, ii. 2263 ff., v. 6808 ff., 6884 ff., viii. 2510.
Eolus, iii. 143, iv. 735, v. 968, *pl.* Eoli, v. 978.
Ephesim, viii. 1156, 1793 ff.
Ephiloquorus, iv. 2409.
epitaphe, *s.* iv. 3359, 3670, epitaffe, viii. 1531.
Epius, i. 1091.
equacion, *s.* vi. 1959.
equite, *s.* ii. 3327, vii. 2816.
er, *adv.* ii. 1995, vii. 2285, err, vii. 687, ar, ii. 2141, iv. 1422: *prep.* er this, P. 513, i. 610, er dai, v. 2182, or this, i. 1944: er, *conj.* P. 503, i. 911, 1122, (er that), iv. 2068.
ere, *s.* P. 236, i. 2181, &c., eere, P. 10, ear.
ere, eere, *v. a. n.* i. 3257, v. 819, plough.
Ericon, v. 1401.
Eridian, v. 4005.
eringe, *s.* v. 1228, ploughing.
Eriphile, iii. 2565.
Eritheüs, vii. 853.
erl, *s.* i. 3376.
erldom, *s.* i. 3354.
erli, erly, *a.* vi. 1605: *adv.* i. 2176, iv. 1829, erliche, v. 2313.
Ermenie, *see* Armenye.
ernest, *s.*, ernest and game, &c., P. 462, ii. 528, iii. 549, iv. 50, viii. 856.
erre, *v. n.* P. 355, ii. 2963, v. 1893.
errour, *s.* P. 511, v. 812, 1620.
erst, *adv.* iii. 376, iv. 805, v. 1778.
erthe, P. 40, 614, i. 2796, 3251, therthe, i. 3265, earth, clay.
erthly, erthli, *a.* P. 201, i. 2889, iv. 1322, ertheli, erthely, iii. 2520, PP. 63.
eschange, *s.* P. 207, i. 2330, viii. 2259.
eschape, *see* ascape.
eschete, *s.* i. 3354.
eschu, *a.* v. 4748, shy.
eschuie, *v. a. n.* i. 945, 1212, 2255, 2667, ii. 3250, iii. 1674, teschuie, vii. 3247, eschue, P. 458, v. 7002, avoid, escape.
Esculapius, v. 1059 ff.
Esdras, iv. 2407.
ese, *s.* i. 3052, ii. 49, 3122, iv. 1814, v. 3629, aise, viii. 1352, 1718, *pl.* eses, vii. 4359, eases, iv. 1089.

ese, *v. a. n.* ii. 247, 3183, vi. 893, vii. 2616.
esely, *adv.* v. 5027, gently.
Esiona, v. 7215, *acc.* Esionam, Eseonen, v. 7275, viii. 2518.
esmaie, *v. refl.* v. 3348; *pp.* esmaied, iii. 58, iv. 1372.
Eson, v. 3255, 3931 ff.
espeir, *s.* ii. 1551, 3147, iii. 2707, hope.
espiaile, *s.* vi. 1643.
espleit, *s.* v. 3924, success.
esposaile, *s.* iv. 1498, espousaile, v. 5815.
essamplaire, ensamplaire, *s.* iv. 887, vii. 3143, 4026.
essampled, essamplerie, *see* ensample, &c.
essoine, *s.* i. 1778, excuse.
estat, *see* astat.
estre, *s.* ii. 3370, abode.
estrete, *s.* i. 1344, extraction, origin.
estward, *adv.* ii. 1088, vii. 569.
esy, esi, *a.* vii. 1540, viii. 2159.
ete, *v. a. n.* P. 318, i. 2844, v. 2405, 3 *s. pres.* ett, vi. 1139, *pret.* eet, i. 2977, ii. 3029, v. 851, *pl.* eete, vi. 1173, *pp.* ete(n), iii. 1401, v. 5902.
eternal, *a.* viii. 2973.
eterne, *a.* P. 586.
eth, *a.* i. 544, easy.
Ethiope, iv. 649.
Ethna, P. 329, ii. 20, 163, 2837, v. 1289.
etique, *s.* vii. 1651, ethics.
Eurice, ii. 2267.
Europe, v. 7340, vii. 533, 579.
eutonye, vi. 1318.
evangile, *s.* PP. 217.
Eve, iv. 2225, viii. 28 ff.
eve(n), *s.* i. 858, ii. 2888, vi. 368, even liht, iv. 2804.
evel, *a.* iii. 1272, *def.* evele, v. 2331: *adv.* evele, iv. 3266, v. 146, evel mouthed, v. 519.
evel, *s.* v. 4926, evele, vii. 1549.
evene, *a. as subst.*, in evene, i. 2, iv. 3294, v. 1702, hir evene, v. 3386: *adv.* i. 2819, ii. 175, 3401, v. 75, evene liche, iii. 2397, vii. 3033.
evenynge, *see* thevenynge.
evere, *adv.* P. 38, 335, i. 1641, for evere, ii. 1581, evere in on, i. 1795.
everich, *pron.* vi. 171, each one.
everich, *a. see* every.
evermore, everemore, *adv.* i. 1330, ii. 442, evermor, everemor, P. 980, i. 34, v. 671, PP. 138, everemo, i. 1381, iv.

3590, evermo, i. 1852, (evere mo, viii. 3004*), for everemo, i. 1161, vii. 3843.
every, *pron. a.* P. 28, i. 1202, (everi, PP. 199), everich (everych) on, ii. 2020, vii. 1305, 4419; *cp.* everychon.
everychon, everichon, *pron.* i. 246, 2103, iv. 714, 1311; *cp.* every.
everydel, everydiel, *s.* P. 641, iii. 836, 929; *adv.* P. 828, ii. 1253.
evidence, *s.* P. 332, i. 1074, 1160, iv. 3054, in evidence, i. 1857, ii. 2678, *pl.* evidences, iv. 2665.
evident, *a.* vii. 3859.
exalacion, *s.* vii. 330.
examinacioun, *s.* ii. 313.
examine, *v. a.* iv. 293.
excede, *v. a.* i. 541, iv. 3525, v. 247.
excellence, *s.* PP. 375.
excepte, *v. a.* vii. 2745, accept.
excercise, *s.* vi. 532.
excess, *s.* v. 4457.
excessif, *a.* vii. 2722.
excitacioun, *s.* vi. 567.
excite, *v. a.* vi. 509, vii. 4276.
exclude, *v. a.* viii. 2711.
excusable, *a.* i. 1029.
excusacioun, *s.* iv. 330, v. 7094*.
excuse(n), *v. a.* P. 488, 522, i. 733, 2102, 2723, vi. 121, (*pp.* excusid, viii. 3111), excuse, give as excuse.
excusement, *s.* i. 1022.
excusinge, *s.* i. 1929.
execucioun (-on), *s.* vii. 3081, viii. 1952.
execut, *pp.* ii. 1742.
exil, *s.* v. 1221, vii. 3012.
exile, *v. a.* P. 280, i. 1055, ii. 1845, iii. 2179, v. 862.
expectant, *a.* ii. 1712.
expence, *s.* vii. 2027.
experience, *s.* i. 217, 1073, v. 321, thexperience, P. 331.
expert, *a.* vii. 27.
exponde, *v. a.* P. 663, 823, 873, expounde, i. 2867.
exposicioun (-on), *s.* i. 2932, iv. 2739.
expresse, *a.* v. 3220, viii. 2185.
expressly, *adv.* iii. 2331.
extorcion (-oun), *s.* v. 5511, vii. 2190, viii. 3015.
extremite, *s.* iv. 2489, v. 7641, thextremetes, iv. 2565.
ey, *s.* i. 2545, vi. 2225, vii. 617, egg.
eyhte, *see* eighte.
eyhtetiene, *num.* i. 1803, vii. 1025.
eyther, *see* either.

F

Fa crere, ii. 2122 ff.
fable, *s.* P. 864, ii. 2800, v. 1270.
Fabricius, vii. 2784.
face, *s.* P. 130, i. 966, i. 3327.
facounde, faconde, *s.* v. 3126, vii. 36, eloquence.
fade, *a.* ii. 403, iii. 310, viii. 637, PP. 102 : *adv.* i. 2043.
fade, *v. n.* ii. 2738, iv. 3454, vii. 3046 ; faded, *pp.* iv. 3208, vii. 744.
fader, *s.* i. 216, &c., fadre, ii. 2519, iii. 1946, *genit.* fader, i. 2557, 3334, ii. 1483, 1625, &c., fadres, iii. 263, vi. 401.
faderhode, *s.* iv. 527.
faie, faye, *a.* i. 2317, ii. 1019, iv. 1321, v. 3769; *as subst.* v. 4105.
faierie, *s.* ii. 964, 1593, v. 5003, 7073.
faile, *v. n.* P. 650, i. 896, 1968, iv. 934, 1722, faille, iii. 2184, vi. 751, failen of, i. 1059.
faile, *s.* P. 1032, i. 3113, ii. 2534.
fain, *a.* i. 2759, iii. 1666 : *adv.* fain wolde, i. 1433, ii. 1415, fayn, ii. 491, v. 3789.
fair, *a.* i. 362, 779, 1100, 1899, (feir, viii. 3010*), *pl.* faire, i. 353 ; *comp.* fairer, fairere, ii. 1247, v. 4810 ; *superl. def.* i. 767, 1804.
faire, *adv.* P. 600, i. 1131, 3415.
faiterie, *s.* i. 179, false pretence.
faitour, *s.* i. 174, 689.
fal, fall, *s.* P. 336, ii. 227, v. 4950.
fallas, *s.* i. 645, iv. 2509, vii. 2186.
falle(n), *v. n.* P. 372, 528, 972, i. 39, 683, v. 3054, 3 *s. pres.* falth, P. 545, i. 24, falleth, v. 5485, *pret.* fel, fell, P. 619, 692, i. 761, ii. 2160, *pl.* felle(n), P. 782, i. 2083, *subj.* felle, i. 3151, vii. 4253.
fals, *a.* i. 3063, *def.* fals, P. 739, i. 680, ii. 404, false, i. 1107, ii. 824, *voc.* false, iii. 1252, *pl.* false, i. 871, *as subst.* v. 7392 ; *superl.* falseste, v. 6047 : *adv.*, false tunged, ii. 1750.
false(n), *v. a. n.* ii. 2150, v. 5182, violate, break faith.
falshed, falshede, falshiede, *s.* i. 1009, ii. 857, 1692, v. 927, 2956, falshod(e), ii. 1755, v. 6012, vii. 1533.
falsly, *adv.* ii. 1280, 2765, falsliche, v. 5920.
falssemblant, *s.* ii. 1876 ff.
falswitnesse, *s.* v. 2863 ff.
falte, *s.* vi. 286, want.
fame, *s.* P. 100, i. 1415, 2412, iii. 1019.
familier, *a.* vii. 3147.

GLOSSARY AND INDEX OF PROPER NAMES 587

famine, famyne, s. iii. 2268, v. 4284, viii. 551.
famous, a. iii. 2373, v. 7125*.
fantasie, s. ii. 1408, iii. 126, v. 441, pl. fantasies, ii. 2898.
fantosme, s. v. 5011, vii. 2589.
fare, v. n. P. 646, i. 110, 1976, ii. 2040, 2 s. pres. farst, iv. 626, 3 s. pres. farth, iii. 1079, vii. 1288, fareth, iv. 244, pret. ferde, i. 97, 910, ii. 111, ferd, viii. 2445, pp. ferd, i. 445, fare(n), iii. 2692, v. 3797, viii. 1555 f., imperat. fare (wel), iii. 305, iv. 1378, (cp. farewel), pres. p. (wel) farende, v. 3381.
fare, s. i. 2291, iv. 440, v. 1379, 1611, 1987, doing, condition, business.
farewel, v. 4218, vi. 1654, farwel, v. 7758.
fast, a. iv. 903.
faste, adv. P. 370, i. 473, 984, 2302, fast, vii. 3325 : als faste, i. 414, 474, quickly; fast aslepe, ii. 2870; faste, ii. 1089, close, faste by, i. 897, ii. 756, iv. 666, cp. fasteby.
faste, s. vi. 850.
faste, v. n. i. 660, ii. 244, iv. 814.
fasteby, adv. vi. 1993, vii. 4758 ; cp. faste, adv.
fastnen, v. n. v. 3598.
fat, a. P. 474, v. 1947, pl. fatte, iv. 1310.
fate, s. v. 1159.
faucon, s. iii. 2430, vii. 1842.
Faunus, v. 6833 ff.
favorable, a. ii. 1697, iv. 443, vii. 3976, partial, favourable.
favour, s. vii. 2789, 2844.
favoure, v. n. iv. 2254 ; v. a. v. 5328.
faye, see faie.
Februer, vii. 1234.
fecche, v. a. vii. 5010 : cp. fette.
fede, v. a. and refl. P. 466, i. 2823, fiede, v. 2009, feede, vi. 632, pret. fedde, i. 2830, 5301, pp. fedd, fed, ii. 244, v. 1719, vi. 792.
Fedra, v. 5395, 5481, Phedra, viii. 2514.
fee, s. viii. 543, property ; pl. fees, i. 53, iv. 1096, wages.
feer, see ferr.
feere, feerful, see fere, ferful.
feigne, v. a. n. P. 416, i. 166, 595, 1103, 2197, ii. 654, v. 928 (refl.), (feyne, P. 60*, feine, PP. 312), pp. feigned, i. 797, 1084, v. 3051 (disguised), vii. 3539.
feihte(n), v. n. P. 1020, i. 1427, ii. 2177, iv. 1674, feighte, iv. 2081, 2111, fihte, fyhte, P. 215, iii. 1648, iv. 1508, v. 1475, (fighte, PP. 251), pret. foghte, iii. 2651, iv. 2095, fawht, v. 5360.
feint, a. i. 1217, v. 4351, def. feinte, v. 6945, pl. feinte, iv. 118, false, sluggish, faint.
feintise, s. i. 175, feigning.
feir, see fair.
feire, s. P. 454, i. 301, ii. 3067, v. 565, fair.
feith, s. P. 237, i. 707, 2216; in good feith, i. 727, iv. 665; make his feith (give his assurance), v. 2897, 2924.
felaschipe, s. P. 1015, i. 1163, ii. 326, iv. 1958, felaschip, ii. 1217.
felawe, s. P. 795, i. 1244, 3042, ii. 2031, 2366, felaw, ii. 333, vii. 2292, felawh, ii. 1965, fela, ii. 318, v. 2420, fellow, sharer, equal.
feld, s. P. 838, i. 2469, ii. 1838, 2593, v. 5964, field, iv. 1832, 2091, 2377, v. 3745, field, battle.
fele, a. pl. iii. 828, v. 208; as subst. iv. 1069, v. 6970, many.
felicite, s. i. 206, vii. 933.
fell, a. i. 68, iii. 2655, pl. felle, v. 2744, cruel.
fell, s. v. 3816, 4243, skin.
felle (1), see fille.
felle (2), v. a. i. 2903, ii. 2298, fell.
felonie, s. ii. 215, 884, iii. 336, iv. 3580.
feloun, a. vii. 1123, viii. 1393.
felt, felte, see fiele.
felthe, s. ii. 422, filth.
femele, a. as subst. iv. 1301, vii. 4215.
femeline, a. v. 5550.
Feminee, iv. 2140, v. 2548.
fend, s. ii. 705, v. 1582, 4885, vii. 5335, fiend.
fenele, s. vii. 1327, fennel.
fennes, s. pl. viii. 160, fens.
fer, a. see ferr.
fer, s. see fyr.
ferde, ferd, see fare.
fere, s. (1), P. 57*, i. 462, 1439, 2205, ii. 46, iii. 1524, v. 5676, feere, ii. 696, iii. 1396, fear.
fere, s. (2), see fiere.
fere, feere, v. a. ii. 578, fear; refl. feere, iii. 454, be afraid.
ferforth, adv. P. 29*, i. 2690, ii. 1596, iv. 2139.
ferforthli, adv. ii. 77, viii. 1229.
ferful(l), feerful, a. iv. 360, v. 1860, vii. 306, 3561.
ferke, v. a. viii. 603, convey.
ferme, ferm, a. vii. 3175, viii. 1109.
ferr, fer, feer, a. P. 261, i. 2378, iii. 68,

v. 1507, vii. 311, def. ferre, iii. 1901, far, distant: adv. P. 565, i. 1042, 1313, iii. 878, iv. 831, 931, feer, i. 570; compar. ferre, iii. 71 : a ferr, i. 2335, iii. 1039, afer, v. 318.
ferst, a., def. ferste, i. 580, ii. 1307, 1676, (firste, v. 7017*, PP. 198), ferst, iii. 27, ate ferste, P. 522, iv. 895 : adv. P. 198, i. 998, ferste, iv. 2601, vii. 1530, (first, viii. 3082).
ferthe, a., def. ii. 1875, iv. 2482, PP. 1, fourth.
ferthest, adv. iv. 13.
fest, s. ii. 468, fist.
feste, s. i. 2499, iv. 1483, v. 1018.
fet, s. viii. 2415, deed, feat.
fethere, s. iv. 107, pl. fetheres, fethers, iv. 1049, v. 6204, 6209.
fethrebed, s. iv. 3020.
fette(n), v. a. i. 2548, iv. 646, viii. 1413, pret. fette, v. 2779, pp. fet, fett, i. 2549, ii. 2686, iv. 1851, fetch, get.
feture, s. iv. 380, v. 2598, viii. 2977, pl. fetures, vii. 4877, feature, make.
fewe, a. pl. P. 22, i. 1424, as subst. iv. 2614; a fewe, ii. 1507, iv. 1286.
fieble, a. P. 887, iii. 269, iv. 1392, (feble, viii. 3127), sup. fieblest, vii. 4296; as subst. P. 615.
fieble, v. a. vi. 373.
fieblesce, s. ii. 2272.
fiede, see fede.
fiedinge, s. vi. 746, 941.
field, see feld.
fieldwode, s. v. 4039, see note.
fiele, v. a. n. iii. 3015, iii. 2730, v. 1043, pret. felte, i. 2497, felt, viii. 2165, pp. felt, i. 210, feel, think.
fielinge, s. P. 951, vi. 344.
fierce, see fiers.
fiere, ii. 349, companion ; in fiere, in fere, i. 993, ii. 710, viii. 1753, together.
fiers, a. vii. 899, pl. fierce, v. 3517.
fievere, s. v. 464 ff., 5995.
fieverous, a. v. 589.
fifte, a. def. ii. 2320, vii. 611.
fiftene, num. vii. 1304.
fight, s. PP. 68.
figure, s. P. 620, i. 1530, iv. 2563, pl. figures, P. 918.
figure, v. a. vii. 1016, 1032, shape, figure.
fihte, fyhte, see feihte.
fille, felle, s. iii. 2609, v. 255, 1680, fill.
fille, felle, v. a. ii. 3448, v. 2205, vi. 590, viii. 34, fill.

fin, a. P. 606, vi. 1891, pl. fine, v. 1548, fyne, iv. 2554.
a fin, iv. 60, at last : cp. afyn.
final, a. P. 982, i. 1647, iii. 1816, (fynal, viii. 3088*), in final, viii. 3106.
finali, finaly, adv. i. 1956, ii. 1050, iii. 75, v. 595.
finde, fynde, v. a. P. 94, 572, iii. 2056, 3 s. pres. fint, fynt, ii. 394, 2129, iv. 3403, pret. fond, i. 113, 2337, v. 2690, vii. 3300, pl. founde(n), P. 812, i. 1109, pp. founde(n), i. 2299, v. 6814, vi. 633 ; find, invent, provide.
finger, s. iv. 653, v. 7118*, finger ende, vi. 1064, pl. fingres, iv. 1177.
fire, v. see fyre.
firmament, s. P. 959, iv. 1032.
firy, see fyri.
fissh, fissch, s. vi. 1264, pl. fisshes, i. 491, ii. 3456, iii. 957.
fisshere, s. iii. 956, viii. 646.
five, see fyve.
fixacion (-oun), s. iv. 2520, 2574.
flacke, v. n. viii. 1196, flutter.
flamme, s. P. 345, v. 3508.
flaterende, pres. p. as a. vii. 2652.
flaterie, s. vii. 2168 ff., 2515 ff.
flatour, s. vii. 2179 ff., 2330*.
fle, flen (1), v. a. n. P. 203, i. 1223, 1701, iii. 600, iv. 1990, flee, ii. 3161, vii. 3528, pret. fledde, i. 2636, ii. 152, pp. fledd, vii. 3570 ; escape, flee, avoid.
fle (2), v. n. iv. 1050, vi. 2225, 3 s. pres. fleth, i. 1727, ii. 151, iii. 2430, fleith, i. 2673, pret. flyh, flih, iii. 2108, v. 6206, subj. flyhe, vii. 358, pp. flowe(n), v. 3750, 6129 ; fly.
fle (3), v. a. v. 4692, flay.
flees, s. v. 46, 3272.
Flegeton, v. 1109.
fleisschly, fleisshly (-li), fleysshly, a. vii. 4211, 4237, 4348, 4395, flesshly, v. 6402*.
fleissh, s. i. 2235, v. 1940, fleisch, i. 1531, flessh, v. 6395* ff.
flete, s. ii. 1134, iii. 1036, fleet.
flete, v. n. iii. 1628, vi. 335, flietende, iv. 3083, float.
fleume, s. vii. 414, 451.
fihte, see flyhte.
flint, s. v. 4692.
flitte, v. a. n. v. 7076, vii. 2902, flitt, iv. 214, move, turn aside.
flock, s. P. 391, 421.
flod, s. i. 364, ii. 719, v. 1605, viii. 79, pl. flodes, P. 1013.

GLOSSARY AND INDEX OF PROPER NAMES 589

flor, *s.* iv. 2785, v. 4148, viii. 1855, floor, ground.
Florent, i. 1411 ff.
florin, *s.* v. 335, 2410, vii. 2095.
flour, *s.* i. 3261, v. 278, *pl.* floures, P. 937, viii. 2943*.
floure, *v. n.* v. 4144, 7626.
flowe, *v. n.* P. 39*, 933, ii. 1881.
flyh, *see* fle (2).
flyhte, flihte, *s.* iv. 1055, 2342, flyht, iv. 1058, v. 5975.
fo, *s.* ii. 3354, iii. 284, iv. 3408; *as a.* v. 7252.
fode, *s.* i. 2975, ii. 87, v. 325, foode, vi. 846.
fol, *a.* i. 442, 2269, fool, vi. 569, vii. 4271, foolish.
fol, *s.* i. 2214, ii. 3248, iv. 3347, vii. 3953 ff., foll, i. 1967, fool, vi. 19, *pl.* foles, iv. 625, v. 322, fooles, vi. 535; fool.
folde, *s.* P. 390, 439, ii. 3055, fold: v. 2784, embrace.
fole, *s.* viii. 2407, foal.
folhaste, *s.* iii. 1430 ff., 2735, folhast, iii. 1096.
folhastif, *a.* iii. 1635, 1795, vii. 899.
folhastifnesse, *s.* vii. 435.
folie, *s.* i. 520, 2357, iii. 141.
folk, *s.* P. 467, i. 2033, ii. 1770, iii. 185.
folwe, *v. a. n.* P. 443, i. 261, 3 *s. pres.* folweth, ii. 3503, folwith, iv. 671, PP. 23.
fom, *s.* iv. 1666, v. 4008, vi. 1469.
foman, *s.* v. 6418*, *pl.* fomen, i. 2877, iv. 1523, foomen, vii. 3334*.
fonde, *v. a. n.* P. 62, 80*, i. 3198, ii. 929, iv. 3109, v. 1421, attempt, try.
fonge, *v. a.* ii. 2558, iii. 1111, iv. 2294, take.
for, *prep.* P. 16, i. 844, 1683, ii. 1856, iv. 1090 f., for al that &c., i. 192, 1055, iii. 334, vii. 2677: *cp.* fore.
for, *conj.* P. 12, 40, i. 598, 1012, 1466, for that, P. 22, i. 1784, since, because, in order that.
forbere, *v. a.* i. 244, 1602, 3119, 3163, ii. 538, 1768, iii. 138, 411, 754, 2321, iv. 1496, 2344, v. 6309; *v. n.* i. 1279, iii. 754, v. 563: leave out, spare, prevent, forbear, avoid.
forbiede, *v. a. n.* v. 394, god forbiede &c., ii. 3064, iii. 1121, god forbede, iii. 477, *pret.* forbad, v. 1636, *pp.* forbede, i. 3408, iii. 2253.
forblowe(n), *pp.* ii. 25, viii. 1402, blown about.
forboght, *pp.* ii. 1573, bought off.
forcacche, *v. a.* P. 409, drive out.
forcast, *pp.* v. 1193, cast away.
forde, *s.* ii. 2166, vii. 1236, ford.

fordo, *v. a.* P. 326, i. 2415, ii. 3172, *pp.* fordo, v. 7576, destroy.
fordrive, *v. a. pp.* viii. 1636, driven about.
fore, *adv.*, come fore, travaile fore, &c., iv. 1723, v. 3345, viii. 992.
forebode, *s.* v. 6053, prohibition.
forein, *a.* iii. 5, v. 973, vii. 2975, far removed.
forest, *s.* i. 351, 1528, 2292, iii. 324.
forestempne, *s.* iii. 994, man at the prow (?).
foretokne, *s.* i. 2812.
foreward, *s.* iii. 507, v. 7004, engagement.
forfare, *pp.* i. 109, worn out (with travel).
forfet, *s.* iii. 1798, vii. 2721, 4583, transgression, forfeit.
forfete, *v. a.* v. 5477.
forfeture, forsfaiture, iii. 1500, v. 780, 1764, 4214, offence, punishment.
forge, *s.* i. 1088, v. 963, workmanship, forge.
forge, *v. a.* i. 1087, iv. 237, vi. 1958.
forgnawe, *pp.* iii. 1406, gnawed to pieces.
forgon, *v. a.* v. 7284, go without.
forjugge, *v. a.* vii. 3171*, condemn.
forlete, *v. a. pp.* vii. 584, viii. 1434, abandoned, left alone.
forlie, *v. a.*, 3 *s. pres.* forlith, PP. 108, *pret.* forlai, forlay, iii. 2031, v. 802, viii. 215, forlih, viii. 300, *pp.* forlein, forlain, iii. 198, 2276, v. 3189; lie with, violate.
forlore, *v. a. pp.* i. 2947, ii. 1242, v. 2825, forlorn, v. 1882, lost.
forme, *s.* P. 53*, 871, i. 576, 1339, 2670, ii. 2473, iv. 2211, v. 1872, *pl.* formes, iv. 2501.
forme, *v. a.* ii. 1012, 3245.
formel, *a.* vii. 157.
Foroneüs, vii. 3060.
fors, *s.*, no fors, v. 7720, no matter.
forsake, *v. a.* P. 166, i. 1012, iii. 680, iv. 1592, 3 *s. pres.* forsakth, ii. 2450, forsok, iii. 2031, *pl.* forsoke(n), P. 809, i. 611, *imperat.* forsak, vii. 3675, *pp.* forsake, i. 210, 3128, ii. 157; deny, give up, avoid, desert.
forschape, *v. a.* iv. 2108, *pret.* forschop, i. 370, 1846, *pl.* forschope, vi. 1446, *pp.* forschape, i. 416, iii. 377, transform.
forsfaiture, *see* forfeture.
forsfet, *pp.* ii. 1039.
forslowthen, *v. a.* iv. 2319, v. 1887, neglect by sloth.

GLOSSARY AND INDEX OF PROPER NAMES

forsmite, *pp.* viii. 1000, smitten (to death).
forstormed, *pp.* ii. 25, viii. 1402, driven by storms.
forsueie, *v. n.* i. 1028, vii. 3928, 5369, go wrong.
forswere, *v. a.* v. 2870, *pp.* **forswore**, ii. 875, v. 3229.
forth, *adv.* (of place) i. 826, iv. 799, vii. 4362, (of time) P. 818, i. 949, v. 1724, **forth therupon**, i. 2503, **forth after**, iii. 2103, **forth over**, i. 3431, **forth riht**, ii. 1270 ; **forth** (=continually), P. 931, **axeth forth** (go on asking) i. 2668, **dryve forth**, P. 374, spend (time): *as prep.* **forth with**, P. 680, i. 680, 2936, ii. 927, 1479, iii. 310, **forthwith**, ii. 699, 1034, together with, with; **forth withal**, ii. 791.
forth, *s.* i. 3314, course.
forthbringe, *v. a.* vii. 2213, *pp.* **forthbroght**, v. 1257.
forthdrawe, *v. a.* v. 330, *pp.* **forthdrawe**, ii. 1395, 2697, iv. 471, 1569, 1616, (forth drawe, viii. 3060), draw out, bring forth, bring up, breed.
forthdrawere, *s.* iv. 3381, breeder.
forthdrawinge, *s.* v. 1021, breeding.
forthenke, *v. a.* iii. 2614; *impers.* iii. 139, 630, *pret.* **forthoghte**, ii. 796, 2398: repent; it repents (me), it is displeasing.
forther(e), *adv. see* **furthere**.
forthermor(e), *see* **furthermor(e)**.
forthest, *a.* ii. 1199, ii. 3150: *cp.* **furthere**.
forthferde, *v. n. pret.* i. 98, went forth.
forthgon, *v. n.* iv. 1850.
forthi, *adv.* P. 5, i. 1638, (forthy, viii. 3152, **for thi**, viii. 2950*), therefore: **noght forthi**, i. 1901, ii. 398, nevertheless.
forthren, *v. a.* ii. 2045, vi. 353.
forthrere, *s.* vii. 804.
forthriht, *adv.* v. 7118*, straight.
forthringe, *s.* ii. 661, 2048, vii. 2957, furtherance.
forthrowe, *pp.* viii. 1154, thrown about.
forthwith, *adv.* ii. 359, 1204, v. 643, at once, moreover : *prep. see* **forth**.
forto, P. 31, 208, i. 804, &c., **for to**, P. 209, 339.
fortrede, *v. a.*, *pp.* **fortrode**, v. 6054, tread to death.
fortunat, *a.* vii. 917.
fortune, *s.* P. 70, i. 1670, 2625, ii. 1477.
fortune, *v. a.* P. 584, i. 1859, iii. 2365, iv. 188, viii. 2549, bring about, deal with, regulate, make fortunate.
forwacched, *pp.* v. 5421, wearied with want of sleep.
forwakid, *pp.* iv. 404, wearied with want of sleep.
forwept, *pp.* iv. 404, worn out with weeping.
forwhy and, *conj.* ii. 2025, v. 2563, provided that.
forworthe, *v. n.* vi. 280, perish.
foryete (3), *v. a.* i. 224, iv. 576, 3 *s. pres.* **foryet**, iv. 544, *pret.* **foryat**, iv. 654, *imperat.* **foryet**, viii. 2434, *pp.* **foryete**(n), P. 311, i. 2015, v. 5239 ; *v. n.* i. 3426.
foryetel (3), *a.* vii. 415, forgetful.
foryetelnesse (3), *s.* iv. 541, 629.
foryifte (3), *s.* viii. 2896, forgiveness.
foryive (3), *v. a. n.* i. 2384, iii. 898, iv. 3427, vii. 4071, *pp.* **foryive**, i. 2253, 3334, **foryove**, i. 2136, forgive, give.
foryivenesse (3), *s.* iv. 3491, vi. 2213.
fostre, *v. a.* P. 326, ii. 437.
fostringe, *s.* vii. 2174.
fot, *s.* P. 357, i. 2053, 2539, **under fote**, P. 117, iii. 1167, **under foote**, vii. 3335*, **on fote**, v. 1664, **at his fot**, iii. 233, *pl.* **feet**, P. 612, i. 2300 ; **fot hot**, iv. 3350.
foul, **foughl**, *s. see* **fowhl**.
foul, *a.* i. 1532, *def.* **foule**, i. 1734, iii. 2252, *pl.* iii. 431, vi. 573 ; *compar.* **foulere**, i. 1759 ; *sup.* **the fouleste**, i. 1718.
foule, *adv.* v. 5708.
founde, *v. a.* P. 289, 824, ii. 3476, viii. 1994, 3 *pl. pret.* **foundeden**, v. 904.
foundement, *s.* vii. 703, 4197.
foundour, *s.* v. 1002.
foure, *num.* ii. 1037, iv. 2464, vii. 2371, **fowre**, iv. 2477.
fourtenyht, *s.* iv. 1418.
fourtiene, *num.* i. 3134, viii. 1539.
fourty, *num.* iv. 1563.
fowhl, **foughl**, **foul**, *s.* iii. 2605, v. 7072, vii. 140, *pl.* **fowhles**, **foules**, iii. 2601, iv. 1298, v. 1025.
fox, *s.* ii. 3033, *pl.* **foxes**, iv. 1836.
France, P. 747, ii. 2966, 3011 ff., vii. 770.
franchise, *s.* P. 761, ii. 3483, iii. 2699, (**fraunchise**, viii. 3023), freedom, privilege, liberality.
franchised, *pp.* ii. 3263, privileged.
fraternite, *s.* v. 1775.

fraude, *s.* ii. 2151, 3046, iii. 1068.
fre, *a.* i. 752, 1930, ii. 2112, iii. 2236, v. 4728 (liberal): *adv.* ii. 3253.
frede, *v. a.* iv. 3511, *pret.* fredde, v. 7167, feel.
Frederik, v. 2392.
freissh, freyssh, *a.* i. 779, iv. 1362, *def.* freisshe, fresshe, i. 3353, iii. 1390, v. 6736, freissh, vii. 5000, *pl.* freisshe, freysshe, i. 353, 2355; *comp.* freisshere, vi. 768.
freissh, *adv.* viii. 2487.
frele, *a.* i. 773, viii. 289, 834, frail.
frely, *adv.* v. 2847, freliche, v. 4769.
frend, *s.* iii. 274, vii. 1574 f., *pl.* frendes, i. 992, 2147.
frended, *pp.* viii. 1964.
frendliche, *adv.* vii. 4920.
frendlihede (-hiede), *s.* iii. 946, v. 4755.
frendly, frendlich, *a.* i. 2423, v. 4833, viii. 2173.
frendschipe, *s.* ii. 2179, 2461, frenschipe, iii. 1060.
frenesie, *s.* iii. 210, v. 848.
Frensche, *a. def.* P. 770; *subst. pl.* Frensche, ii. 2993.
frere, *s.* vi. 138, friar.
frese, *v. n.* iv. 613, 1092, vi. 249.
fressh, *see* freissh, *a.*
frete, *v. a.*, 3 *s. pres.* fret, vii. 412, consume.
frette, *s.* v. 3015, ornament.
freyne, *v. a.* v. 7471, question.
friday, *s.* v. 81.
Frigelond, Frige, v. 147, 272.
Frigidilles, iv. 2408.
Frixus, v. 4254 ff.
fro, *prep.* P. 169, i. 395, 2895, mi ladi fro, iv. 558, *cp.* v. 3639, from, v. 6250: *adv.* P. 569, i. 457, 1791, iv. 2877.
froise, *s.* iv. 2732, pancake.
fronce, *see* frounce.
front, frount, *s.* i. 1685, iv. 1349, v. 6305, forehead.
frosen, (*pp.*) *a.* vi. 245.
frost, *s.* vii. 282, viii. 2851.
frosti, *a.* vii. 1205.
frounce, fronce, *s.* ii. 392, vi. 770, vii. 1594, wrinkle, obstruction.
frounce (up), *v. a.* i. 1589, wrinkle.
froward, *prep.* P. 863, away from.
fruit, *s.* i. 2822, v. 278, fruyt, v. 374.
fuisoune, *v. a.* viii. 1992, supply in abundance.
fulfille, *v. a.* i. 856, 1290, v. 256, *pret.* fulfelde, v. 1246, *pp.* fulfild, i. 895, ii. 909, fulfilt, viii. 2211; *v. n.* vii. 1584: fill, perform; suffice.
fulgrowe, *a.* i. 2818.
fulhard, *a.* viii. 2777.
full, *a.* P. 399, 558, ful, P. 89, ii. 598, *def.* fulle, iv. 3705, full, i. 1629, *pl.* fulle, v. 822, 2204.
full, ful, *adv.* P. 451, 787, i. 1171, 1178, ii. 607.
fulle, *s.* ii. 2826, iv. 948, 2896.
fully, fulli, *adv.* i. 1292, 2047, 2769, fulliche, i. 1757, ii. 1326, fullich, iii. 2661.
fulmanye, *a.* viii. 2408, very many.
fulofte, *adv.* P. 507, &c., fullofte, i. 662, fulofte tyme, i. 1382, *cp.* iii. 41, ful ofte, P. 463, full ofte, ii. 2330.
fulsore, *adv.* vii. 3153*.
fulwoful, *a.* i. 3000.
fulwonne, *v. a. pp.* vii. 736, fully won.
funke, *s.* vi. 512, spark.
furgh, *s.* iv. 1846, v. 3527, furrow, (furlong).
furlong, *s.* v. 1991.
furred, *a.* i. 627.
further(e), *adv.* i. 105, 2447, ii. 78, iii. 81, forther(e), ii. 1191, iii. 2747, vii. 3648.
furthermor(e), forthermor, *adv.* ii. 626, 1164, iii. 942, iv. 2858, forthere mor, iii. 885.
fy, *interj.* i. 616, iv. 610.
fyf, *see* fyve.
fyhte, *see* feihte.
fynde, *see* finde.
fyne, *v. a.* iv. 2456, refine.
fyne, *a. see* fin.
fyr, *s.* P. 344, ii. 164, on fyre, iii. 16, be the fyr, iv. 2724, fer, iii. 694, *pl.* fyres, iii. 1039.
fyrdrake, *s.* vii. 323, fiery dragon.
fyre, *s.* ii. 150, bolt (of a crossbow).
fyre, fire, *v. a.* P. 222, i. 1174, ii. 2946, iv. 2088, viii. 2775, set on fire.
fyri, firy, *a.* i. 144, 2002, iv. 1020, 1274.
fyve, five, *num.* i. 296, 545, 2163, fyf, vii. 1706.

G

gabbe, *v. n.* ii. 1937, lie.
Gabie, vii. 4621 ff.
Gabiens, *pl.* vii. 4612 ff.
gadre, *v. a.* v. 1287, 3999; *pres. part.* gaderende, *v. n.* iii. 858.
gaignage, *s.* iii. 2347, harvest.
Galahot, viii. 2502.
Galathe(e), ii. 108 ff.

Galba, vi. 538, 563.
galeie, *s.* ii. 2543, v. 3915, vii. 3300, viii. 513.
galle, *s.* iii. 703, v. 1481, vi. 341, vii. 461 ff.
galled, *pp.* iv. 1344.
game, *s.* P. 462, i. 1542, ii. 269, iii. 44, viii. 678, 2931, 3087*, **gamen**, i. 347, v. 6314, viii. 680, **diverse game**, vi. 1849, **in game**, ii. 528, iii. 549, **on pure g.**, iii. 733, **a game**, viii. 2319.
gamme, *s.* vii. 172, scale (of music).
gan, *see* ginne.
gape, *v. n.* vii. 3320.
gardin, *s.* i. 3144, vii. 2279.
garlandes, *s. pl.* viii. 2467.
garnement, *s.* i. 2510, v. 7189*.
gaspe, *v. n.* v. 3975, 4064.
gastly (-li), *a.* v. 2745, 5062, vii. 4721, fearful.
gate, *s.* P. 439, i. 299, 2134, iv. 1001, v. 3329 f., vii. 3313*, **gate tre**, iv. 3593; gate, way.
gaudes, *s. pl.* viii. 2906.
gay, *a.* i. 2704, v. 3106.
Gayus Caligula, viii. 202.
Gayus Fabricius, vii. 2784.
geant, *s.* ii. 155, 2167, iv. 2075, *pl.* **geantz**, v. 1091.
Geber, iv. 2608.
Gebuz, vii. 1463.
Gedeon, vii. 3633 ff.
Gelboë, iv. 1952.
Gemini, vii. 1031 ff., 1267.
generacion, *s.* iv. 2227.
general, *a.* P. 384, ii. 2804, 3084, v. 1700, **in general**, P. 431, i. 1502.
Genesi, v. 1602, viii. 42.
genitals, *s. pl.* v. 855.
Genius, i. 196, iv. 2771, vii. 1, viii. 2306, 2809, 2893.
gentil, *a.* P. 61*, i. 2665, ii. 1180, iv. 206, 2223, **gentile**, v. 2713, viii. 2294 : *s.* **the gentils**, iv. 2199, v. 1271.
gentilesse, -esce, *s.* i. 1436, 1721, iii. 2699, iv. 2202, **gentillesse**, viii. 730.
geomance, vi. 1295, divination by earth.
geometrie, *s.* vii. 151.
Geptes, *pl.* i. 2466.
gerarchie, *s.* vii. 1773, rule.
gerdil, *s.* v. 6866.
gere, *s.* i. 1996, v. 2984, 3663.
gert, *pp.* v. 3965.
gesse, *s.* i. 1889, vii. 3548, **al to gesses**, v. 840, **withoute gesses**, v. 1136.

gesse, *v. a. n.* P. 64, i. 896, iv. 282, 881, vi. 1592.
gest, *s., pl.* **gestes**, v. 493, guest.
geste, *s.* v. 5275, *pl.* **gestes**, v. 6359, vii. 4313, story.
Geta, Gete, ii. 2477 ff.
gete(n), *v. a.* (*n.*) P. 312, i. 628, 793, iv. 2124, **get**, (*inf.*) ii. 60, 3 *s. pres.* **get**, v. 6086, *pret.* **gat**, i. 3420, iv. 136, *pp.* **gete**, ii. 977, 1813, get, beget.
getinge, *s.* vii. 2309.
Ghenbal, vi. 1320.
gibet, s. iii. 2104.
Gibiere, vi. 1323.
gilt, *see* gult.
ginne, *v. n.*, 3 *s. pres.* **ginth**, v. 6010, *pret.* **gan**, i. 110, 114, 199, &c., *pl.* **gonnen**, v. 3764.
gknawe, *see* gnawe.
glad, *a.* P. 55*, i. 158, **gladd**, v. 495, *pl.* **glade**, P. 299, i. 1114; *compar.* **gladdere**, iv. 1543, **gladder**, v. 5373; *sup.* **gladdest**, vii. 2422.
glade(n), *v. a.* i. 2767, iv. 3199 ; *v. n.* i. 2738, ii. 2737, vi. 1211 ; *refl.* i. 2532, vii. 2605 : gladden ; rejoice.
gladly, *adv.* ii. 284, 2032.
gladnesse, *s.* i. 90, ii. 223, iv. 2784.
gladschipe, *s.* i. 3128, ii. 229, **gladschip**, iii. 72.
glas, *s.* ii. 1921, v. 2154, mirror.
glede, *s.* iii. 39, hot coal.
glistre, *v. n.* i. 1137, v. 3734, vii. 815.
Glodeside, i. 2575 ff.
gloire, *s.* P. 262, i. 2677, 2720.
glorious, *s.* v. 6815, vii. 890.
glose, *s.* i. 271, vii. 2171, comment, flattery.
glose, *v. a.* i. 1254, vii. 3786, explain, conceal ; *v. n.* v. 6537, vii. 2172, 2531, 3973, flatter, cajole.
glotonie, *s.* vi. 543, 1161.
glotoun, *s.* v. 1058, 1469.
glove, *s.* P. 357, iii. 2154, v. 7047.
glu, *s.* v. 3603.
glyde, *v. n.* v. 5062, vii. 326, *pret.* **glod**, v. 3967.
gnawe, gknawe, *v. a. n.* ii. 520, vi. 372, *pp.* **gnawe**, iii. 2014.
go, gon, *v. n.* P. 17, 697, i. 1444, 1514, iv. 1583, &c., *refl.* i. 1619, 2177 ; 3 *s. pres.* **goth**, P. 269, i. 933, 1619, **geth**, ii. 1804, 2616, iii. 2300, *imperat.* **go**, i. 1261, **go we**, i. 1769, **goth**, v. 2343, *pp.* **go, gon**, P. 132, i. 87, (**goon**, viii. 3033, PP. 102), **time go**, iv. 297, **go, gon** (=ago), i. 64, ii. 2096.

GLOSSARY AND INDEX OF PROPER NAMES 593

god, *s.* P. 27, 72, i. 836, godd, i. 921, 1903, *genit.* goddes, i. 855, godes, i. 2718, (goddis, PP. 32), *pl.* goddes, ii. 190.
goddesse, *s.* i. 125, iii. 753, v. 839, 1151, godesse, i. 235, 369, 805.
a goddeshalf, v. 4452 (*see note*), *cp.* v. 5016.
Godefroi, PP. 283.
Godelie, vii. 2553.
godespourveiance, *s.* PP. 21 (MS.).
godhede, godhiede, *s.* P. 192, 498, iii. 2523, v. 1102.
godward, i. 869.
gold, *s.* P. 205, i. 1101, 2537, iii. 1701.
golde, *a.* P. 631, v. 6780.
goldhord, *s.* v. 2118, hoard of gold.
goldring, *s.* ii. 2607, v. 2202.
gone, *v. n.* v. 4064, gape.
good, *a.* P. 4, 88*, 146, &c., *def.* goode, P. 459, i. 1257, good, i. 2764, *voc.* goode, i. 3147, *pl.* goode, P. 42, i. 2976; *as subst.* v. 3831.
good, *s.* P. 249, i. 1183, v. 4926, *pl.* goodes, i. 628, v. 4984, wealth, kindness.
goode, *s.* P. 237, i. 1150, 2773, iv. 2369, goodness, advantage.
goodlihiede, *s.* iv. 608.
goodly, goodli, *a.* i. 152, 2422, 3137, ii. 19, goodlych, ii. 2026 : *adv.* goodliche, ii. 787, goodli, goodly, iv. 152, vii. 5362.
goodnesse, *s.* P. 485.
goodschipe, *s.* iv. 2173, vi. 1474.
gore, *s.* v. 5730, cloak, cover.
Gorgones, i. 402.
gorgonza, vii. 1367 (name of a stone).
goshauk, *s.* iv. 2935, v. 5644.
gospell, gospel, *s.* P. 967, iii. 2492, v. 1794.
gost, *s.* iv. 574.
gostly, gostli, *a.* P. 420, ii. 2818, v. 1948, gostliche, v. 1855 : *adv.* gostli, v. 1874.
got, *s.* vii. 345, 1171, goat.
governance, *s.* P. 108, i. 3391, v. 971, governaunce, P. 187.
governe, *v. a. n.* P. 721, i. 43, 2009, viii. 947, *refl.* i. 2621.
governour, *s.* iii. 2729, v. 1016.
governynge, *s.* PP. 31.
Gower, viii. 2321, 2908, PP. 374.
grace, *s.* P. 89, i. 732, 859, 1684, 2158, ii. 2630, *pl.* graces, i. 51, grace, favour, pardon.
gracious, *a.* i. 137, ii. 562, 3080, v. 409, favourable, kind, favoured.
gradde, *v. n. pret.* iii. 1692, v. 5004 ; *v. a.* vi. 445 : cried out, cried out for.
gramaire, *s.* vii. 1528 ff.

grame, *s.* iii. 48, 734, trouble.
grant, graunt, *s.* i. 793, 1449, ii. 1505, v. 969, permission, gift.
grantdame, *s.* i. 1445.
grante(n), *v. a. n.* P. 92, i. 1828, 2597, graunte, ii. 1463, viii. 3110*.
grant merci (-y), i. 1832, 1902, ii. 2313, 3366, thanks.
grape, *s.* v. 1230, viii. 2849.
gras, *s.* i. 352, 2844, vii. 1306, grass, vii. 289, *pl.* grases, i. 2976, grass, herb.
grase, *v. n.* i. 2974.
grave, *s.* i. 1838, ii. 1525.
grave(n), *v. a. pp.* i. 555, iii. 2078, iv. 3672, engraved, buried.
gravel, *s.* v. 311.
Grece, P. 717, i. 1108, ii. 1644, iii. 1828, 2310, 2547, iv. 1872, v. 817, 1337, 1560, 1592, 3247, 3359, 3685, 3902, 3927, 4022, 4249, 7199 ff., vii. 887, viii. 2515, 2631, 2706.
Grecs, *see* Grek.
grede, *see* gradde.
gredi, *a.* v. 2006.
gredily, *adv.* v. 2240, griedili, v. 2017. (greede, *v. n.* v. 394*, desire.)
Gregeis, *a.* v. 3311 : *cp.* Gregois.
Gregoire, P. 284, 945, v. 1746 ff., 1901, 6396*.
Gregois, *s.* iv. 2401, Greek (language), *pl.* Gregois, Gregeis, i. 1117, 1162, iii. 970 ff., 1759, iv. 1819, 2147, v. 3074, 3753, 3778, 7580, vii. 3059, Greeks: *cp.* Grek.
greie, greye, *a. pl.* v. 2473, 6305, vii. 4418.
grein, *s.* P. 320, ii. 3310, v. 1885, vi. 770, grain, condition.
greine, *v. n.* v. 823, 7626, bear corn, ripen.
Grek, *s.* iv. 2627, Greek (language), vi. 1314, viii. 2544 ; *pl.* Greks, Grecs, P. 696, i. 1080, ii. 1807, iii. 1889 ff., 2677, iv. 1699, v. 1056 ff., 1304 ff., 3148, 7356, Grekes, v. 1365, 1455, 3355.
grene, *a.* P. 935, i. 113, 778, ii. 496, vii. 4618, 5040, greene, iv. 1491, 2309, green, fresh.
grene, *s.* i. 682, 2348, griene, iv. 3325, green field ; greene, vii. 1168, greenness.
gret, *a.* P. 226, iv. 1837, grete, iv. 453, v. 5737, *def.* grete, P. 748, ii. 588, *pl.* P. 78, i. 2683 ; *as subst.* i. 3365 ; *compar.* grettere, iv. 1459, gretere, vi. 2219 ; *sup.* greteste, ii. 599.
grete, *v.*, *see* griete.

gretli, gretly, *adv.* P. 164, ii. 2834, iii. 1321.
grevable, *a.* iv. 309, grievous.
grevance, *s.* i. 1308, 1500, ii. 1657, iii. 296, grievance, vi. 969, harm, grief.
greve, *s.* v. 4015, v. 5965, grove.
greven, *v., see* grieve.
grevous, *a.* v. 469, vii. 3258.
griedili, *see* gredily.
grief, *s.* ii. 210, iii. 2724.
griete, *v. a.* v. 5583, 3 *s. pres.* gret, vi. 1742, *pret.* grette, vii. 4520, *imperat.* griet, i. 2433, gret, viii. 2941*, greet.
grietinge, *s.* i. 2425.
grievance, *see* grevance.
grieve, greve(n), *v. a. n.* P. 283, i. 326, ii. 119, iii. 10, vi. 367; *impers.* .P 1086, i. 2011, ii. 54 : hurt, vex, do injury, be vexed.
grinde, *v. a.*, 3 *pl. pret.* grounde, iii. 3.
gripe, *s., genit.* gripes, i. 2545, griffin.
grisel, *s.* viii. 2407.
grith, iii. 1847, protection.
grom, *s.* ii. 3408, servant.
grone, *v. n.* iv. 3170, v. 539, vi. 2113.
grope, *v.* ii. 3015, v. 103, viii. 2795.
Grossteste, iv. 234.
groucche, *see* grucche.
ground, *s.* P. 1062, i. 473, ii. 3432, to grounde, i. 119, 2051, upon grounde, i. 2300, upon the ground, i. 2830, fro the grounde, v. 160, fro the ground, v. 5702, unto the grounde, v. 5007.
grounded, *pp.* ii. 1753, iv. 1966, vii. 1433, viii. 1993, based, composed, disposed.
groundles, *a.* vii. 4827, bottomless.
growe, *v. n.* P. 163, 511, ii. 46, iv. 3006, *pret. pl.* grewe, i. 2084, *pp.* growen, i. 553, iii. 152.
growinge, *s.* P. 952.
grucche, *v. n.* i. 1264, 1349, v. 545, 4852, groucche, vii. 2193, complain.
grucchinge, *s.* ii. 2222.
guide, *s.* P. 145, 391, ii. 1328.
guide, guyde, *v. a.* P. 128, ii. 1884, 7702, direct, carry on.
guie, guye, *v. a.* vii. 1673, 1774, viii. 2660.
guile, *s.* i. 890, ii. 479, (guyle, PP. 308).
guile, *v. a. n.* ii. 1915, v. 3204.
Guilliam de Langharet, ii. 2995.
guilour, *s.* vi. 1381, 2015.
guise, *s.* i. 2696, 2706, viii. 676, fashion.
gule, *s.* vi. 10, 629, gluttony.

gulion, *s.* v. 6861, tunic, garment.
gult, gilt, i. 1880, 3334, ii. 1935, iv. 886, 1223, guilt.
gulte, *v. n.* ii. 3294, be guilty.
gulteles, *a.* ii. 1702, 2153, iii. 870, gylteles, vi. 728.
gultif, gultyf, *a.* i. 558, 2448, ii. 873, guilty.
Gunnore, viii. 2502, Guinevere.
Gurmond, i. 2466, *genit.* Gurmondes, Gurmoundes, i. 2474 ff.
guye, *see* guie.
gylteles, *see* gulteles.

H

ha, *interj.* i. 1659, iii. 462, ha lord, i. 2207, Ha mercy, iii. 225, A godd, iv. 3622.
habit, *s.* iv. 2575.
habitable, *a.* vii. 586.
Habraham, *genit.* Habrahammes, v. 1628, 1650, vi. 1023 ff., vii. 1473, viii. 98 ff.
haft, *s.* iv. 926.
hail, *s.* vii. 296.
hale, *v. a. n.* ii. 2354, v. 5023, 5431, vii. 273.
half, halve, *s.* P. 133, 395, i. 1062, ii. 2787, iii. 1071, iv. 241, side, half; a goddes half, v. 5016, in God's name, *cp.* v. 4452, in Cristes halve, PP. 120, for Christ's sake : *adv.* half, ii. 1955, iv. 1857.
halfdede, *a. pl.* vi. 594.
halfdrunke, *a.* vi. 58.
halfwode, *a.* vi. 513, half mad.
haliday, *s.* v. 7058.
halle, *s.* i. 2113, 2201, iv. 1325.
hals, *s.* v. 2914, neck.
halsen, *v. a.* iv. 3074, explain (as an omen).
halten, *v. n.* iii. 917, v. 1348, *pret.* haltede, iv. 1345, go lame.
haltres, *s. pl.* iv. 1357 ff.
halve, *see* half.
halvendel, *s.* v. 2109, 4985, half.
halvinge, halvynge, *adv.* iv. 1885, viii. 2319, 2397, halfvinge, vii. 3398.
halwe, *v. a.* v. 7051, *pp.* halwed, v. 7028*.
hand, *see* hond.
handle, *v. a.* P. 65*, iii. 1956, (*pp.* handlid, PP. 321).
hange, honge, *v. n.* i. 1479, 1682, 2181,

GLOSSARY AND INDEX OF PROPER NAMES 595

iii. 1555, 2105, iv. 303, *pret. pl.* hyngen, iv. 1358; *v. a.* v. 6560, *pret.* hyng, iii. 2181, iv. 860, heng, ii. 3094, viii. 2905, *pl.* hinge, v. 1722, *pp.* honged, v. 2811, vi. 1514.
hansell, *s.* v. 7160.
Hanybal, v. 2054, 2198.
hapne, *v. impers.* ii. 2234, iii. 2652, iv. 734; *pers.* v. 7831: happen, appear.
happ, i. 1717, iii. 70, hap, i. 67, *pl.* happes, ii. 2547, v. 2249, fortune, chance.
happe, *v. n.* v. 2336, viii. 1127; *impers.* ii. 718, iii. 1357: *cp.* hapne.
happi, *a.* iv. 367.
hard, *a.* P. 640, i. 2330, iv. 3583, v. 452, *def.* harde, i. 2985, *pl.* harde, ii. 3027, iv. 2105; *superl.* hardest, P. 733.
harde, *adv.* i. 1050, ii. 1821.
hardi, hardy, *a.* ii. 2621, iii. 539, 2404, iv. 161.
hardiesce (-esse), *s.* iv. 2015, 2088, vii. 1861.
hardinesse, *s.* iv. 1966.
hardnesse, *s.* iv. 2495, 2557.
hare, *s.* P. 1061, iv. 2720, vii. 3776.
harm, *s.* P. 344, ii. 370, iii. 757, v. 716, *pl.* harmes, iv. 881, v. 3360.
harme, *v. a.* vii. 1135, 4354.
harneis, *s.* v. 3109, vi. 1652, vii. 3326*, suit of armour, trappings.
harpe, *s.* P. 1055, iv. 2418, viii. 758.
harpe, *v.* P. 1073, v. 922, viii. 1670.
haste, *s.* P. 650, i. 2201, ii. 1542.
haste(n), *v. n.* ii. 1541, iii. 1652, iv. 290; *refl.* i. 2302, ii. 1831; *v. a.* iii. 1656, 1723, v. 3342.
hastely, *adv.* v. 4044.
hastifesse, *s.* v. 1482.
hastihiede, *s.* v. 3532.
hastyf, hastif, *a.* iv. 1629, v. 6286.
hat, *s.* ii. 1872.
hate, *s.* P. 128, i. 1844, iii. 285.
hate(n), *v. a.* P. 927, 997, i. 2454, iii. 935.
hatte, *v. see* hote.
hauberk, *s.* v. 3170.
hauk, *s.* i. 2672, v. 4725, 6129.
haunte, *v. a.* i. 2656, ii. 482, v. 1956, practise.
have, *v.* P. 61, i. 3344, v. 2839, 2 *s. pres.* hast, i. 176, 3 *s.* hath, P. 88, 130, 3 *pl.* have, i. 1361, &c., han, i. 1021, *pret.* hadde(n), P. 227, &c., hade, iv. 650, viii. 1430, had, v. 5865, *pp.* had, P. 62, hadd, i. 129, v. 113.
haveles, *a.* v. 2506, 6968, destitute.
havene, *s.* iii. 1038, v. 7557, viii. 1275.
havinge, *s.* vii. 2274, possession.

he, *pron.* P. 69, him, P. 15, 88, hem (*pl. obl.*) P. 1, 155, 415, him (= himself), P. 676, i. 26, (hym, viii. 3089), hem (= themselves), i. 625.
hebenus, *s.* iv. 3017.
Hebreu, *s.* iv. 2398, 2653, Hebrew (language); Hebreus, vii. 4417, viii. 138, thebreus, vii. 3054.
Hector, iv. 2141, v. 2550, 7332, Ector, viii. 2526, PP. 281.
Hecuba, v. 7308.
hed, *s.* (1) P. 605, i. 2535, iii. 1212 (of a cask), iv. 236, heved, P. 152, i. 1536, hefd, i. 199, on hede, vii. 846, on hevede, vii. 1108, of hed, iv. 3439 (*see note*), *pl.* hefdes, vii. 4694, hevedes, viii. 369; head: *as a.* vii. 811, viii. 3013*, chief.
hed, *s.* (2) ii. 2066, condition (?).
heiere, *see* hih.
heihte, heyhte, *s.* i. 2820, vii. 180, on (upon) heihte, P. 1019, i. 467, 2673, upon heighte, iv. 2124, vii. 1121.
heil, *a.* i. 703, 2122, healthy, wholesome.
heir, *s.* i. 1429, ii. 1320, eir, iii. 2708, hair, ii. 2578, iv. 1252.
helas, *interj.* i. 974, 3183, iii. 1472: *cp.* allas.
hele, *s.* P. 278, 397, i. 1821, 2761, v. 2835, soule hele, P. 749, ii. 1313; health, salvation, profit.
hele, *v. a.* (1) P. 398, heele, vii. 1568, heal.
hele, *v. a.* (2), ii. 1955, iii. 779, 2756, v. 4033; *v. n.* ii. 2056: conceal, cover.
Heleine (1), Heleyne, v. 3073, 7472 ff., Eleine, viii. 2529, Helen (of Troy).
Heleine (2), ii. 3471, (mother of Constantine).
Heleine (3), ii. 1200, 1437.
Helenus, v. 7461, 7569.
hell, hel, *s.* i. 424, ii. 163, iv. 1980, 2991, vii. 3721, hull, P. 618, v. 1573, vii. 3706, *pl.* helles, iii. 1035, hulles, v. 3996, hill.
helle, *s.* P. 456, i. 3410, ii. 3135, v. 29, helle king, iv. 2851.
Hellen, v. 4257.
Hellican, viii. 575.
Helmege, i. 2592 ff.
helpe, help, *s.* P. 801, i. 2639, ii. 1329, 1516, iv. 986.
helpe(n), *v. a. n.* i. 25, 820, iv. 2291, *pret.* halp, i. 421, 1947, *imperat.* help, v. 4970.
helpeles, *a.* ii. 1394, viii. 1125, PP. 263.
helpinge, *s.* v. 4695.
helplich, *a.* iii. 503, vi. 1324.

helthe, *s.* P. 96, 1052, i. 2496, health, salvation.
hemself, *pl.* P. 302, 682, i. 1016, **hemselve(n),** P. 351, ii. 98, vii. 2436.
hen, *s.* v. 4101, *pl.* **hennes,** viii. 159.
hende, *a. as subst.* iv. 644, graceful creature.
Henri, P. 87, PP. 358, **Henry,** PP. 1, *genit.* **Henries,** PP. 272.
hente, *v. a.* iv. 2798, 2890, *pret.* **hente,** i. 144, ii. 1274, *pp.* **hent,** i. 3379, take, seize.
hep, *s.* iv. 3008, great quantity.
hepe, *s.* v. 2872, hook.
hepehalt, *a.* v. 957, lame.
her, *s.* i. 2181, v. 3964, *pl.* **heres,** i. 2999, hair.
her, *pron. see* **here.**
herald, *s.* i. 2403, *pl.* **heraldz,** i. 2526, iv. 1632.
heraldie, *s.* ii. 399, *see note.*
herbage, *see* **therbage.**
herbe, *s.* v. 3802, vi. 1408, vii. 1317 ff.
herber, *s.* iv. 833.
herbergage, *s.* ii. 1337, iv. 82, vii. 1069, lodging.
herbergour, *s.* ii. 1329.
Hercules, ii. 2154 ff., iv. 2057 ff., v. 1083, 1474, 3294, 3470, 3668, 3878, 6808 ff., 7198, 7217, vii. 3348, viii. 2506, 2560.
here, *v. see* **hiere.**
here, her, *pron. poss.* P. 51, 154, &c., their : **here tuo,** v. 7651, of them two.
Heredot, iv. 2413.
heresie, *s.* P. 350.
heringe, hieringe, *s.* i. 449, vi. 909, vii. 3770.
heritage, *s.* i. 2619, ii. 1025, *pl.* **heritages,** vii. 2008.
herke, *v. imperat.* ii. 1226, **herk,** v. 5878, listen.
herkne, *v. a. n.* i. 96, 329, 1596, 2780, ii. 1999, 2037, listen to, listen.
Hermes, iv. 2606, vii. 1437, 1476.
Hermyngeld, Hermyngheld, ii. 749 ff.
herre, *s.*, out of h., P. 962, ii. 2964, iii. 72, PP. 185, off the hinges, out of order.
hert, i. 371, 2299, iv. 1300, hart.
herte, *s.* P. 85, 382, *genit.* **herte,** i. 145, **hertes,** i. 774, *pl.* **hertes,** i. 2087, *but* oure herte, here herte, *sing.* iii. 1473, iv. 1377, tok to herte, v. 807.
herted, *a.* ii. 640.
herteles, *a.* iv. 349, vi. 254.
hertly, *a.* ii. 2734, v. 4177, **hertely,** vi. 2026.

herto, *adv.* ii. 2215.
Herupus, iv. 1246.
hervest, *s.* v. 2240.
heste, *s.* P. 910, i. 813, *pl.* **hestes,** i. 1335, command.
hete, *s.* i. 3353, ii. 2740, **heete,** vii. 3213*, *pl.* **hetes,** iv. 2521, heat.
hete, *v. n.* viii. 1195, grow hot.
hethen, *a.* ii. 1090, 3435, vii. 3693, **the hethen,** *pl. subst.* iv. 1659.
heve, *v. a.* v. 381, vi. 146, lift.
heved, *see* **hed.**
hevene, *s.* P. 141, (**heven,** PP. 79), *genit.* **hevene,** P. 66*, ii. 2058, iii. 2286.
hevenely, hevenly, *a.* P. 918, i. 834, 3136, v. 774, **hevenelich(e),** i. 2848, vi. 1529.
heveneriche, *s.* ii. 3150, vii. 3034.
heveneward, *adv.* v. 730.
hevy, *a.* i. 1384, 2871, v. 6600, **hevy chiered,** viii. 2533.
hevynesse, hevinesse, *s.* ii. 224, iv. 2936, viii. 729, PP. 152.
hewe, *v. a.* i. 2903, *pret.* **hiewh,** v. 4072, **hieu,** v. 5897, *imperat.* **hew,** i. 2834 ; *v. n.* i. 1917.
hewe, *s.* (1), i. 701, 2699, ii. 2738, iv. 2981, hue.
hewe, *s.* (2), ii. 404, fellow.
hewed, *a.* i. 2043.
hey, *s.* viii. 2437, hay.
heyher, heyhte, *see* **hih, heihte.**
hide, hyde, *v. a.* i. 1784, 2388, ii. 434, *pret.* **hedde,** ii. 2889, v. 1254, 1930, **hidde,** v. 1845, *imperat.* **hyd,** i. 166, **hyde,** iii. 1502, *pp.* **hid, hidd,** P. 181, i. 607, ii. 1874, **hedd,** iii. 1920, *pl.* **hidde,** v. 6789.
hider, hidir, *adv.* iv. 1788, vi. 1070.
hidous, *a.* vii. 4710.
hie, *v. n.* ii. 814, iii. 1288, v. 5040, **hye,** ii. 2233, v. 3995 (*refl.*), hasten: *cp.* **hye,** *s.*
hiede, *s.* P. 497, i. 1211, 2192, &c., **hede,** iii. 67, iv. 447, **heede,** ii. 74, heed.
hiele, *s.* P. 443, v. 2484, viii. 2154, heel.
hierafter, *adv.* i. 77, ii. 2326.
hierafterward, *adv.* P. 26, i. 1869.
hierde, *s.* P. 415, iii. 1820, keeper (of sheep, &c.).
hiere, *v. a. n.* P. 156, i. 532, 2760, **here,** P. 482, iv. 2795, (3 *pl. pres.* **hierin,** viii. 3017), *pret.* **herde,** P. 1063, i. 1008, **herd,** iii. 2082, *pp.* **herd,** P. 86*, i. 446, **herde,** v. 4231, *imperat.* **hier,** i. 197.
hiere, *adv.* P. 5, 1011, **hier,** i. 1587, **here,**

GLOSSARY AND INDEX OF PROPER NAMES 597

iv. 1292, her, vii. 278, (heer, viii. 3050*), hier tofore, v. 65, here above, iv. 2190, h. and there, iv. 2117, v. 689.
hieringe, *see* heringe.
hierof, *adv.* i. 850, 2448, iv. 1791.
hih, hyh, *a.* i. 1026, hihe, ii. 2425, (highe, PP. 256), *def.* hihe, hyhe, P. 88, 188, (highe, PP. 8), hih, iv. 2064, v. 6428*, (heyh, viii. 3022*), *pl.* hyhe, i. 1678 ; on hyh, on hih, P. 307, i. 2832, ii. 870, 2959, upon hy, vii. 273; the hihe See, iii. 1063, hyh midday, iv. 3273 ; *comp.* heiere, vi. 404, heyher, vii. 253; *sup.* the heyeste, vii. 935, hyest, vii. 2451, heihest, vii. 3442.
hihe, hyhe, *adv.* i. 1917, 2280, hye, iv. 1037.
hihe, *v. n.* viii. 587, go higher; *pp.* hyed, vii. 1115, exalted.
hihe, hye, *s.* iv. 227, vii. 864, viii. 913, haste.
hihte, *see* hote.
hilte, *s.* iii. 1445.
himself, himselve(n), *pron.* P. 157, 177, i. 326, 1133, 1897, v. 3592, viii. 2527, (himsilve, PP. 61), him self, P. 244, (hym self, viii. 3070 ff.).
hinde, hynde, *s.* P. 1059, iv. 1300, 1978.
hindre, *v. a.* ii. 283, 1572, iii. 891.
hindrere, *s.* iii. 1526, iv. 2866, vii. 803.
hindringe, *s.* i. 315, 2096, iii. 913, hindrynge, iv. 1876.
hire, hir, *pers. pron.* i. 181, 365 ff., 3188, iv. 766, her ; i. 364, 866, 1693, herself.
hire, hir, *poss. pron.* P. 130, i. 188, 1678 ff., her ; *disj.* hires, v. 4770, hire, v. 6581, hers.
hirself, hireself, *pron.* i. 972, 2601, ii. 1034, (hirsilf, PP. 254), sche hirself, iv. 3618, hirselve(n), hireselven, ii. 1142, iv. 860, v. 3737.
his, *poss. pron.* P. 71, 95, *pl.* hise, P. 190, i. 669, &c., his, P. 607, &c. ; *disj.* his, ii. 2445, of his, ii. 2525.
histoire, *s.* iv. 660, 2360, vi. 885.
hit, *see* it.
hit, *v. a.* 3 *s. pres.* iii. 450, hits.
ho, *interj.* iv. 1682, v. 2219, vii. 571, 5438, stop!
hod, *s.* i. 627, v. 4787, 7716, hood.
hol, *a.* P. 91, 722, hool, vii. 1943, *def.* hole, i. 981, 1828, hol, P. 668, whole: *adv.* i. 867, 2623, hole, vii. 3773.
hold, *s.* ii. 1689, 2745, iv. 3024, stronghold, prison.
holde(n), *v. a. n.* P. 389, 531, i. 1696, iii. 1824, 3 *s. pres.* holt, ii. 468, v. 507, halt, i. 1927, ii. 1903, hald, v. 1981, *pret. s.* hield, P. 723, i. 1730, hild, v. 1438, *pl.* hielden, i. 3238, hield, vii. 3574, *pret. subj.* hielde, v. 82, *imperat.* 2 *s.* hold, iii. 608, 3 *s.* holde, v. 1944, *pp.* holde(n), P. 102, 224, 363 : hold, stand firm, possess, consider.
holdinge, *s.* v. 7655.
hole *s.* (1), iii. 1371.
hole *s.* (2), v. 4451, whole.
holi, holy, *a.* P. 225, 267, iii. 2500, holi lond, vii. 905.
holi, holy, holly, *adv.* i. 943, iv. 91, 2737, v. 7109, wholly.
holinesse, *s.* i. 831, 1129, ii. 220.
holsome, *a.* (*pl.*) vii. 2277.
hom, *s.*, at hom, ii. 925, 1342, iii. 1207, at home, ii. 782, iii. 1140, iv. 1828, fro home, iii. 1905, iv. 167 : hom, *as adv.* i. 861, 953, home, ii. 814, iv. 227.
homage, *s.* ii. 2687, hommage, ii. 2968.
homicide, *s.* iii. 1093, 1589.
homward, *adv.* i. 938, iii. 981, 1021, 2451, iv. 219.
hond, *s.* P. 356, 768, hand, i. 2, 1807, in honde, P. 205, on (upon) honde, P. 61, 242, i. 1542, 2517, v. 3748, out of h., P. 808, iii. 326, to honde, i. 788, ii. 2614, bere on hond, iii. 664, iv. 32, v. 546, *cp.* v. 496, be the hond, i. 3225, tofor the hond, &c., i. 518, iv. 893, v. 4292, his oghne hond, iii. 2142, *cp.* iv. 2436 : *pl.* hondes, P. 190, &c., handes, i. 2994, v. 1505, his oghne hondes, i. 1427, iii. 2011, v. 2306.
honeste, *a.* P. 216, i. 868, 975, ii. 1283, vii. 930, honourable, good.
honestely, honesteliche, *adv.* i. 843, vii. 5075, viii. 1995 f., honourably.
honestete, *s.* vii. 1671, 5388.
honge, *see* hange.
honochinus, vii. 1377.
Honorius, vi. 1331.
honour, *s.* P. 221, i. 879, iv. 1865, thonour, i. 1719.
honourable, honorable, *a.* ii. 1460, 3017, iv. 2030.
honoure, *v. a.* P. 313, ii. 1841, 2986, v. 792.
hony, *s.* v. 4049, vi. 928.
hool, *see* hol.
hope, *s.* P. 71*, i. 893, 1654.
hope, *v. n.* P. 160, iii. 531.
hoppe, *v. n.* v. 6042.

hor, *a.* iii. 1801, *pl.* hore, i. 1685, 1750, hoary.
hord, *s.* vii. 2094, treasure.
Horestes, iii. 1958 ff.
horn, *s.* i. 374, *pl.* hornes, i. 343, 2298, iv. 2116.
horned, *a.* v. 4131.
horrible, *a.* i. 1045, iii. 235.
hors, *s.* i. 1087, 1724, *genit.* horse (side, heved), P. 1085, i. 1536, 2301, horse bak, ii. 3007, (*cp.* horsebak), horse haltres, iv. 1357, horse knave, iv. 1399, *dat.* on horse, ii. 1497, to horse, vii. 4995, *pl.* hors, i. 2036, iv. 996, v. 6055, vii. 3343 ff.
horsebak, *s.* vii. 4908.
horsmen, *s. pl.* ii. 1824.
hose, *s.* vii. 4306, stocking.
host, *s.* P. 754, ii. 1765, army.
hostage, *s.* ii. 632.
hoste, *s.* vii. 3357, viii. 1289, host, guest.
hot, *a.* i. 2004, ii. 10, v. 6600, hoot, vii. 3250*, *pl.* hote, i. 2977, iii. 22, fot hot, iv. 3350; *as* $ubst.$ P. 977 ; *comp.* hotere, vi. 210 ; *sup.* hotest, vii. 1887, the hoteste, *as subst.* i. 2492, ii. 415.
hote, *adv.* i. 2595, ii. 132, hot, iii. 526.
hote, *v. n.* (*a.*), v. 1327 (be called), 2865 (command), *pret.* hihte, hyhte, P. 679, i. 401, 765, hatte, ii. 975, v. 1082, vii. 347, *pp.* hote, i. 337, 782, 1234.
hou, how, *adv. and conj.* P. 41, i. 184, how that, P. 195, i. 799, how ... that, iv. 235, how so that, howso that, ii. 3482, iii. 1368, how evere that, how evere, how so evere, hou as evere (that), P. 425, 481, i. 991, iv. 182, 1691, how so, ii. 441, iii. 1364, how, hou (=how so), iv. 415, 1848.
houle, *v. n.* v. 4132.
hound, *s.* P. 1061, i. 343, ii. 84, iii. 2077.
houre, *s.* iii. 29, iv. 241, 277.
hous, *s.* iii. 88, 1208, to (into) house, iii. 444, 657, in house, v. 4799, of house, vii. 4921 ; hous (in astronomy), iv. 3223 ff., vii. 991 ff., *pl.* houses, vii. 1173.
house, *v. n.* P. 318 ; *v. a.* vi. 498.
housebonde, *s.* i. 857, v. 2818, vii. 4801, housbonde, v. 4627, *pl.* housebondes, vii. 5347.
houshold, *s.* ii. 438, 1895, vii. 1675.
housinge, *s.* v. 6662.
hove, *v. n.* i. 1538, ii. 3006, iii. 1233, vi. 1848, *imperat.* hove (out of), iii. 1307, stay.

hovedance, *s.* vi. 144, viii. 2680.
how, howso, *see* hou.
huge, *a.* ii. 2300.
huissher, *s.* ii. 2130.
hull, *see* hell.
hully, *a.* P. 651.
Humber, ii. 720.
humble, *a.* i. 674, 2183, vii. 4036.
humble, *v. a.* i. 2065.
humblesce, humblesse, *s.* i. 2256, vii. 4501.
humilite, *s.* P. 223, i. 2050.
hundred, *num.* iii. 29, iv. 3329, hundrid, iv. 2706.
Hungarie, i. 2022.
hunger, *s.* ii. 1856, 3028, v. 280.
hungerstorven, *pp.* vi. 810.
hungre, *v. n.* vi. 760, *impers.* vi. 822.
hungred, *a.* vi. 1007.
hungri, *a.* v. 1998.
hunte, *s.* v. 919, 6126, huntsman.
hunte, *v. n.* i. 348, 2294.
hunting(e), huntynge, *s.* i. 345, iv. 2429, v. 4941.
hurte, *v. a.* iii. 117, viii. 2745, *pp.* hurt, vi. 1685.
hurtes, *s. pl.* vii. 4618.
hy, *see* hih.
hyde, *s.* iv. 3454.
hyde, *v.*, *see* hide.
hye, *v. n.*, *see* hie.
hye, *s. see* hihe, *s.*
hyed, *see* hihe, *v.*
hyhte, *see* hote.
hyre, *s.* iii. 2024, viii. 2291.
hyre, *v. a.* ii. 391.

I

I, *pers. pron.* P. 17, &c., it am I, iv. 3622, *cp.* vi. 160, (y, viii. 2938 ff., PP. 25 ff.).
Iante, iv. 478 ff.
Icharus, iv. 1040 ff.
iconomique, *s.* vii. 1670, economics.
idelschipe, *see* ydelschipe.
idoles, *see* thidoles.
if, *conj.* P. 93, i. 2203, if that, P. 16, if (*interrog.*), ii. 14.
ignorance, *s.* v. 1891, vi. 2314, vii. 4480.
ile, *see* yle.
Ilicius, vii. 5151 ff.
ilke, *a.* P. 908, i. 919, 1338, same.
illusion, *s.* v. 1359.

GLOSSARY AND INDEX OF PROPER NAMES 599

immortal, *a.* viii. 2979.
imperial, *a.* vi. 1785, vii. 866.
impossible, *a.* v. 772, 4027, incapable, impossible.
impotent, *a.* viii. 3127.
impresse, *v. a.* ii. 2900, iii. 50, iv. 542.
impression, *s.* iv. 389, vii. 270.
improprelich(e), *adv.* P. 537, v. 51.
in, *s.* v. 2733, vii. 4919, lodging, abode.
in, *prep.* P. 5, 782, 805, iii. 2526, in, on, into: *adv.* P. 1082, i. 2037, viii. 1169: *cp.* inne, into.
incantacioun, *s.* vi. 1309.
incurable, *a.* iv. 3509.
inderly, *adv.* ii. 2010, inwardly.
indigence, *s.* vii. 2028.
indrowh, *v. a. pret.* ii. 3085.
infernal, *a.* v. 4052.
infortunat, *a.* viii. 3000*.
infortune, *s.* ii. 1843, iv. 769, *pl.* infortunes, ii. 3190.
injustice, *s.* vii. 4587.
inly, *adv.* i. 3324, ii. 1216, inwardly.
inne, *adv.* P. 1010, i. 303, 969, &c., wher inne, i. 2030, which . . . inne, ii. 565, iv. 1868.
innocence, *s.* i. 596, 852, vii. 4915.
innocent, *a. as subst.* ii. 465, v. 6341.
inobedience, *s.* i. 1234 ff.
inquisitif, *a.* ii. 1987, viii. 410.
insihte, *s.* iii. 181, iv. 2341, v. 660, 5893, 6838, viii. 576, insyhte, vi. 1275, perception, note, feeling, care.
inspeccion, *s.* vii. 456.
instance, *s.* vii. 2600.
instrument, *s.* vii. 167.
intelligence, *s.* vii. 28, 176, viii. 2974.
interpretacioun, *s.* i. 3070.
interrupcioun, *s.* P. 985.
intersticion, *s.* vii. 283, condition.
into, *prep.* P. 69, 580, i. 739, iii. 290, in to, P. 93, 691, viii. 2944, into, unto.
intronize, inthronize, *see* entronize.
invisible, *a.* v. 3574, 4028.
invocacioun, *s.* vi. 1329.
inward, *adv.* i. 634, iv. 2998.
Iphis (1), iv. 467 ff.
Iphis (2), iv. 3517.
ipocrisie, *see* ypocrisie.
Ipotacie, vi. 486.
Irahel, Irael, P. 551, vii. 2530 ff., 3628, 4123, 4411, viii. 136, 245, Israel.
ire, *s.* iii. 15, 2726, vii. 3279.
iren, yren, *s.* iv. 2425, 2470, viii. 1133, iron.
irous, *a.* vii. 434, wrathful.

Isaäc, viii. 110, 120.
Isirus, Isre, v. 798 ff.
Isis, *see* Ysis.
issue, *s.* iii. 2422, v. 2357, viii. 58.
it, *pron.* P. 8, &c., hit, P. 779.
Ithecus, iv. 3044.
Ithis, v. 5887.
iwiss, *see* ywiss.

J

jacinctus, *s.* vii. 842, jacinth.
Jacke, v. 7752 ff.
Jacob, viii. 121.
Jadahel, iv. 2427.
jalousie, *see* jelousie.
James, vii. 3149*.
Janever, vii. 1205, January.
jangle, *v. n.* ii. 398, 526, iii. 832, v. 6532, vii. 4774, talk, speak evil, dispute.
janglere, *s.* ii. 425, v. 519 ff., *pl.* janglers, iii. 887, talker, evil speaker.
janglerie, *s.* ii. 452, (evil) talk.
janglinge, *s.* P. 69*, iv. 1474.
Janus, vii. 1207.
jape, *s.* i. 2241, ii. 2933, iii. 378.
jape, *v. n.* v. 6870, vii. 1894.
Japhet, vii. 546, 579, viii. 83.
jargoun, *s.* v. 4103, note (as of a bird).
jargoune, *v. n.* v. 5700.
Jason, v. 3241, 3256 ff., 4360, viii. 2504, 2519, 2564, Jasoun, v. 7198.
jaspis, jaspe, *s.* vii. 841, 1391, jasper.
jaspre (stones), *pl.* iv. 3666.
Jebuseie, vii. 3712.
jelous, *a.* v. 627, *as subst.* the jelous, v. 534, 591.
jelousie, *s.* v. 442 ff., jalousie, v. 511, vi. 2249.
Jepte, iv. 1507.
Jeroboas, Jeroboam, vii. 4127, 4520 ff.
Jerom, iv. 2654.
Jerusalem, v. 7019.
jeueals, *see* juel.
jeupartie, *s.* i. 1477, 3237, iii. 1173, vii. 3217, 5274, division, contention, danger.
Jew, *s.* vii. 3239* ff., *pl.* Jewes, iv. 1505, v. 1731, Jwes, v. 1713, 1808, Juys, vi. 2384.
Jhesu, v. 1790.
Joab, ii. 3086, vii. 3863.
Joachim, ii. 3056.
Job, v. 2505.
John (St.), i. 656, v. 3416.

John (Gower), viii. 2321 f., 2908.
joie, joye, s. P. 38*, 1042, i. 1138, 1853,
 pl. joies, joyes, i. 2683, ii. 648.
joiefull, joiful(l), a. ii. 273, 934, 3384.
joignt, s. viii. 1197, joint.
joint, joynt, pp. ii. 2791, iv. 2464, joined.
jolif, a. i. 88, i. 2703, vi. 84, vii. 1910.
Jonathas, iv. 1945.
Joram, vii. 2551.
Josaphas, Josaphat(h), vii. 2546 ff.
Josephus, iv. 2410.
Josuë, v. 1687, PP. 282.
journe, iii. 1979.
joust, vii. 5390, just.
jouste, v. n. i. 2514, vi. 1850, viii. 965.
joustinge, s. i. 2509.
joutes, s. pl. vii. 2279, vegetables, (properly 'beet').
Jove, vii. 1331, 1411, viii. 2252.
Jubal, iv. 2418.
Judas, i. 657.
Judee, i. 2858, vii. 2547, 3628, viii. 245, Judeam, v. 1906.
juel, s. v. 1841, 6097, jeueals, (pl.) v. 2149, viii. 1120, jewel.
jueler, s. v. 5086.
Juerie, vii. 3292*.
Juesse, s. viii. 2694.
jugge, s. i. 1031, ii. 1697.
jugge, v. a. n. vii. 2825, 2906.
juggement, jugement, s. P. 518, 960, i. 1458, vii. 1484, pl. juggementz, vii. 681.
Juil, see Juyl.
Juin, vii. 1065.
juise, s. P. 1042, i. 1047, do juise, iii. 322, take the j., iii. 2008; judgement, punishment.
Julien (St.), iii. 34.
Julius, P. 714, vii. 1597, 1615, 2065 ff., PP. 281.
Juno, iii. 738 ff., 983, iv. 2966 ff., v. 871, 1146, 1172 ff., 1251, 1484, 4332, 4355, 4585 ff., 6285, 7413.
Jupiter, ii. 291, iii. 738 ff., 821, iv. 3318, v. 645, 852, 870 ff., 981, 1044, 1064, 1105, 1165, 1169 ff., 1245, 1404, 3485, 4588, 5741, 6249, 6286, vi. 330, 399, 416, vii. 2372, 3360; (the planet) iv. 2472, vii. 909, 920, 1155, 1230, 1340, 1389: genit. Jupiteres, v. 1119.
jus, s. v. 4120, juice.
justefle, justifie, v. a. i. 1250, v. 775, 4557, vii. 1244, 1634, set right, prove, rule.
justice, s. P. 102, i. 2451, do justice, i. 1010.
justificacion, s. ii. 296.

Justinian (1), v. 5127.
Justinian (2), vii. 3271 ff.
Jutorne, iii. 821.
Juvente, v. 4037.
Juyl, Juil, vii. 1079, 4300, July.
Juys, see Jew.

K

kacle, v. n. v. 4101, cackle.
Kaire, ii. 2558, 2648, iv. 1658, vii. 3212*.
kalende, s. vii. 1139, beginning.
kan, see conne.
karecte, see carecte.
Karle (Calvus), P. 775.
karole, see carole.
karpe, carpe, v. n. v. 921, vii. 3277*, speak, converse.
keie, s. P. 272, i. 2661, v. 1853, keye, P. 212.
kempde, v. a. pret. v. 3809, pp. kembd, kempt, v. 7065, viii. 2466, combed.
ken, kin, s. v. 2470, viii. 146 ff., dat. kinne, v. 4180, kin, quality.
kende, see kinde.
kenne, v. a. n. ii. 1331, iv. 831, v. 5443: cp. conne.
kepe, s. P. 179, i. 1179, kep, i. 156, v. 3672, care.
kepe(n), v. a. n. P. 150, 475, i. 746, ii. 803, 3 s. pres. kepeth, P. 321, kepth, v. 4691, pret. kepte, P. 596, i. 2052, v. 5754, vii. 5261, kept, ii. 181, imperat. kep, i. 1227, iii. 1498, PP. 367, pp. kept, P. 147: keep, hold, take care of, regard, wait for; take care, expect.
kepere, s. v. 4675, vii. 2659, pl. kepers, ii. 941.
keping(e), i. 2131, v. 1467, viii. 2638.
kerf, s. v. 757, carving.
kerse, s. iii. 588, 1652, cress.
kertell, s. v. 6915, pl. kertles, iv. 1315.
kerve, v. a. vi. 66, cut.
kesse, see kisse.
keye, see keie.
kid, kidd, pp. iii. 206, v. 2957, 5124, known.
kiele, v. n. v. 6908, grow cool; v. a. vi. 736, 1065, cool, allay.
kin, see ken.
kinde, kynde, s. P. 535, 733, i. 11, 31, 917, 1624, kende, v. 4637; lawe of kynde, i. 2231, kinde of man, v. 2: nature, manner, race.
kinde, a. iii. 2597, 2706, iv. 502, vii. 4298, kind, natural.

GLOSSARY AND INDEX OF PROPER NAMES 601

kindely, *adv.* ii. 1381, naturally.
kindeschipe, *s.* ii. 325, v. 4910.
kindly, *a.* ii. 2740, vii. 1094, natural.
king, kyng, *s.* P. 25, 186, 256, i. 1094, 2062, 2141.
kingdom, *s.* i. 2968, vii. 4316, viii. 2112, kyngdom, viii. 3087.
kingeshalve, *s.* ii. 1042, king's behalf.
kingesriche, *s.* v. 4202, kingdom.
kinghede (-hode), *s.* vii. 1714, 1765, 3530.
kinled, *pp.* vii. 340, kindled.
kisse, kesse, *v. a.* iii. 169, iv. 2824, *pret.* keste, P. 109, i. 2053, ii. 1522, kiste, i. 912, ii. 1441, kist, v. 3777, kest, vi. 1746, *pp.* kest, iv. 500.
kiste, *s.* v. 83, 2306, viii. 1230, chest.
kiththe, *s.* v. 4180, vi. 123, 2087, kith, knowledge.
knape, *s.* viii. 1374, knave.
Knaresburgh, ii. 943 ff., 1264 ff.
knave, *s.* iii. 1782, v. 114, 201, vii. 1836, servant; knave child, iv. 432, v. 4255, boy.
kne, *s.* P. 609, ii. 772, v. 6566, *pl.* knes, knees, i. 213, 3145, iii. 223.
knele, *v. n.* i. 935, 3027, iv. 1172.
knette, *v. a.* i. 1420, vii. 1592, *pret.* knette, iv. 858, knet, v. 6866, *pp.* knet, v. 4966, fasten together, bind, combine.
knif, knyf, *s.* ii. 830, iii. 1108, v. 4001.
kniht, knyhthode, &c., *see* knyht, &c.
knowe(n), *v. a. n.* P. 72, 140, i. 1579, *pret.* knew, i. 1009, 2341, kneu, v. 2665, 5410, kniew, iv. 1838, knewh, ii. 2891, 2 *s.* knewe, vi. 2313, *pl.* knewe(n), P. 106, ii. 3210, *pret. subj.* knewe, i. 1312, *imperat.* know, vii. 2389, *pp.* knowe, i. 1191, 2134; knowende of, iii. 864, vi. 1398, knowe of, v. 5356, acquainted (with).
knowleching(e), *s.* P. 860, i. 1483, ii. 1282, v. 2992, knouleching(e), iv. 3202, vi. 982, *pl.* knowlechinges, vii. 137.
konne, *see* conne.
knyf, *see* knif.
knyht, kniht, *s.* P. 707, i. 316, ii. 587, (knight, knyght, vii. 3169*, viii. 3059, PP. 243).
knyhthode, knihthode, *s.* P. 89, ii. 1640, 2513, knyhthod, knihthod, i. 1436, v. 2057, (knyghthode, viii. 3021, PP. 155), knighthood, valour.
knyhtlihiede, *s.* vii. 3592.
knyhtly (-li), knihtly (-li), *a.* ii. 727, 2625, v. 661, vi. 95.

krepel, *s.* vii. 1854, cripple.
kressette, *s.* vii. 3743, cup (for a light).
kutte, cutte, *v. a. pret.* ii. 831, iii. 823, kut, vii. 4525, *pp.* cut, v. 6520.
kynde, *see* kinde.
kyng, kyngdom, *see* king, kingdom.

L

Laar, iii. 819.
Laban, viii. 122.
laborious, *a.* iv. 2636.
labour, *s.* i. 3252, iii. 665, iv. 2396.
laboure, *v. n.* iv. 242, 1691; *v. a.* iv. 970.
labourer, *s.* iv. 2440, vi. 136, laborer, viii. 3061.
lacche, *v. a.* P. 410, ii. 109, seize.
lachesce, lachesse, *s.* iv. 4, 281.
Lachesis, iv. 2761.
lacke, lack, *s.* P. 393, i. 1988, iv. 335, 1070, v. 6077, want, fault: *cp.* lak.
lacke, *v. n.* P. 428, i. 1366, 2396, 3023, lakke, ii. 2392, *impers.* lacketh, viii. 2427 ff., *cp.* vi. 908, be wanting: *v. a.* ii. 530, iii. 2630, iv. 343, want.
laden, *pp.* viii. 469.
ladi, lady, *s.* i. 162, 317, *genit.* ladi, lady, i. 924, 1263, ii. 40, iv. 1437, *pl.* ladis, ladys, iv. 1307, v. 3139
ladischipe, *s.* i. 2577, iv. 1120, 1730, vi. 271, 1946, ladyship, honour.
ladiward, ii. 255, iii. 508.
Ladon, v. 1015.
ladre, *s.* viii. 1644, ladder.
laghtre, *s.* viii. 2685, laughter.
lak, *s.* i. 1691, ii. 394, iii. 561, iv. 128, v. 6290, fault.
lame, *a.* v. 2709.
Lamedon, v. 3303, 7197 ff., Lamenedon, viii. 2516.
lampe, *s.* iv. 258, viii. 2776.
Lampes, viii. 856.
Lancastre, P. 87.
lance, *s.* viii. 2270.
lancegay, *s.* viii. 2798.
Lancelot, iv. 2035, viii. 2501.
langage, *s.* P. 1023, iv. 315.
Langharet, ii. 2995.
lanterne, *s.* iv. 817.
Laodomie, iv. 1905.
lapacia, vii. 1375.
lape, *v. n.* vii. 3671, lap.
lapis, iv. 2535 ff.
lappe, *s.* iv. 303.

GLOSSARY AND INDEX OF PROPER NAMES

lappe, *v. a.* v. 4207, 5774, wrap.
lappewincke, *s.* v. 6041.
larder, *s.* v. 5513, vii. 1166.
large, *a.* P. 239, i. 876, 2821, wide, liberal; at large, P. 46*, ii. 994, iii. 174, iv. 829.
largely, *adv.* ii. 953, largeliche, vii. 2052.
largesse, largesce, *s.* P. 225, v. 409, 1958, 7633 ff., vii. 1989 ff., liberality, gift.
las, *s.* vii. 4332, lace.
lasse, *a. comp.* P. 20, 57*, 947, i. 476, ii. 2260, lesse, v. 2529; *as subst.* iii. 93, iv. 2240: *adv.* lasse, P. 629, i. 263, 1927, lesse, i. 1925, v. 4739: less.
lasse, *v. a.* P. 56, i. 1836, 2401; *v. n.* iv. 782: make less; grow less.
last, *a.* P. 642, vii. 1215, *def.* laste, P. 826: *as subst.* my laste, iii. 304, ate l., P. 369, i. 1820, to the l., P. 250, i. 983, viii. 2784, as for the l., viii. 2889.
laste, *adv.* iv. 3383, last, vii. 4098.
laste(n), *v. n.* P. 249, 662, iii. 289, v. 279, *pret.* laste, P. 672, iv. 2315, last, endure.
late, *a.* ii. 345, iv. 878, thoghte al to late til, ii. 1538; *comp.* latere, viii. 1323.
late, *adv.* i. 1645, iv. 1421, late; i. 1843, iii. 219, lately.
Latewar, iv. 252; *cp.* iv. 1421.
laththe, *s.* iii. 84.
Latin, *s.* ii. 3187, iv. 2638, 2656, Latin (language): the Latins, iv. 2634: *a.* latin, vi. 981.
Latona, v. 1249 ff.
latoun, *s.* ii. 1850, viii. 569, bronze.
laude, *s.* vii. 1384, praise.
launde, *s.* iv. 1290, viii. 2160.
lave, *v. a.* viii. 1856.
laverock, *s.* v. 4100.
Lavine, iv. 2187.
lawe, *s.* P. 102, i. 809, 2793, (*pl.* lawis, viii. 3031): *cp.* lay.
laweles, *a.* ii. 2962, vi. 1256.
lawhe, *v. n.* ii. 245, iv. 641, lawghe, v. 479, laghe, viii. 2491, leyhe, v. 3781, 3 *s. pret.* lowh, louh, i. 1766, ii. 3320, vi. 2034, low, P. 1071, 3 *pl. pret.* lowhen (to scorne), v. 696, 6931; laugh.
lay, *s.* (1), iv. 109, v. 1191, lake.
lay, *s.* (2), vii. 1046, viii. 1670, song.
lay, *s.* (3), ii. 3354, viii. 2663, law.
Lazar, vi. 1037 ff.
lazre, *s.* vi. 996, leper.

leche, *s.* ii. 3220, 3296, vi. 866, viii. 1209, physician, remedy.
lecherie, *s.* v. 1046, 1493, vii. 799.
lecherous, *a.* v. 1410, *def.* lecherouse, vii. 4994.
lechour, *s.* v. 872.
lecoun, *s.* iii. 1377, iv. 562.
led, *s.* iii. 1705, iv. 2471, viii. 1109.
lede(n), *v. a.* P. 793, i. 784, 2090, iii. 179, 341, iv. 987, *pret.* ladde, P. 712, 771, i. 763, iii. 332, v. 1247, ledde, iii. 2178, v. 677, *pp.* lad, i. 1050, ii. 759, ledd, vi. 870; lead, guide, manage, take.
ledere, *s.* v. 2055, *pl.* leders, v. 7616, leader.
ledinge, *s.* vii. 5156, 5297.
leese, *s.* P. 408, meadow.
lef, *s.* i. 2884, iv. 586, *pl.* leves, P. 935, i. 354, leaf.
left, *s.* iii. 301, left hand.
legges, *s. pl.* P. 611.
leiance, *s.* viii. 3058, allegiance.
leie, lein, *v. a.* i. 500, iv. 1747, v. 2889, 3 *s. pres.* leith, P. 382, i. 472, leyth, P. 276, 3 *pl.* leyn, P. 476, *pret.* leide, leyde, i. 1017, 2312, iv. 240, *pp.* leid, leyd, P. 48*, i. 892, v. 7596, laid, v. 4512, *imperat.* ley, lei, i. 3434, ii. 1926, viii. 1420; lay, set, apply.
leisir, leiser, *s.* iii. 1907, iv. 2799, v. 158, 3435, 7035, time, convenience, opportunity.
lemes, *see* lime, *s.*
lemman, *s.* vii. 1899.
lene, *a.* iv. 1344, lean.
lene, *v. a., pret.* lente, i. 423, *pp.* lent, v. 4128, lend.
leng, *adv. comp.* iii. 71, viii. 2055.
lengere, *adv. comp.* i. 1516, ii. 1434, 2602, lenger, i. 147.
lengthe, *s.* iii. 1963, iv. 3255.
Leo (emperor), P. 739.
Leo (sign of the zodiac), vii. 1067 ff., 1249.
Leoncius, Leonce, vii. 3268 ff.
leonesse, *s.* iv. 1976.
Leonin, viii. 1410 ff.
leoun, leon, *s.* P. 1059, i. 2248, ii. 3035, lyon, v. 5684.
lepard, *s.* iv. 1977.
lepe, *v. n.* iii. 916, vi. 187, *pret.* lepte, i. 2051, ii. 2301, *imperat.* lep, vii. 4782.
lepre, *s.* ii. 3192 ff., PP. 349, leprosy.
lere, liere, *v.* P. 868, i. 454, 2123, v. 2029, learn, teach.

GLOSSARY AND INDEX OF PROPER NAMES 603

lere, *s.* i. 1509, viii. 610, loss.
lered, *a.* viii. 3113, learned.
lerne, *v. a. n.* i. 44, 2010, ii. 1851, iii. 601, v. 3852, 6836, vii. 3146 : teach, inform, learn.
lerned, *a.* vii. 635, PP. 25.
les, *s.* v. 782, vii. 2684, falsehood.
Lesbon, v. 6436.
lese, *v. a. n.* P. 415, i. 1332, 1809, ii. 32, 3 *s. pres.* lest, ii. 256, iv. 1494, *pret.* les, vi. 1772, vii. 3658 ; lose.
lesinge, lesynge, *s.* i. 679, 2268, ii. 409, *pl.* lesinges, v. 946, lying.
lesse, *see* lasse.
lest, *v. imperat.* i. 827, 1876, listen.
lest, *v. see* list.
lest, *a.* i. 3249, *def.* leste, vii. 1459; ate leste, i. 277, 3259; least.
lest, *adv.* i. 1070, 2362, leste, i. 3296.
let, *s. see* lette.
lete, *v. a. n.* i. 6, 3366, ii. 2253, iii. 2664, iv. 643, 3 *s. pres.* let, P. 509, ii. 1906, leteth, vii. 390, 3 *s. pret.* let, P. 1020, i. 1011, ii. 2480, v. 5840, *imperat.* let, lett, i. 220, 1618, 2834, lete, vi. 450, *pp.* lete, P. 440, ii. 3228 (shed), iv. 454; let make, let do, &c., P. 1020, i. 1011, iv. 490, lete by, v. 1004 (valued), *cp.* v. 5840: leave, release, omit, let, cause.
Lethes, Lethen, iv. 3011, v. 1109.
lette, *v. a. n.* i. 38, 780, ii. 94, iii. 1873, 2213, iv. 795, 1481, *pret.* lette, ii. 2240, *pp.* let, P. 308, ii. 128, iii. 2044; hinder, delay, put off.
lette, *s.* ii. 93, 2129, iii. 2298, iv. 2000, let, v. 3900, vii. 2779, hindrance.
lettre, *s.* P. 209, i. 2423, ii. 3038, iv. 2401, letter, writing.
lettyng, *s.* vii. 236, hindrance.
Leuchotoe, v. 6726.
leve, *s.* i. 857, 1162, 1469, 1807, ii. 113, iv. 1160, token leve, i. 1162, *cp.* ii. 2780, iv. 1381 : leave.
leve(n), *v. a. n.* P. 404, i. 1311, 1558, 1808, 2693, 2940, iii. 1179, iv. 1159, viii. 2881, leeveth, iv. 3428, *pret.* lefte, P. 743, i. 1673, v. 2389, lafte, PP. 342, *pp.* laft, v. 4056, left, v. 4222, *imperat.* lef, ii. 571, v. 5223; leave, leave off, omit.
leve, *v. n.* P. 412, iv. 1382, *pret.* lefte(n), P. 695, vii. 3682, remain.
leveful, *see* lieffull.
levein, *s.* iii. 446, leaven.
levene, *s.* vi. 2267, flash (of lightning).
levere, *a. comp.* P. 37, ii. 6, hath (hadde) l., i. 1511, ii. 1582, iii. 479, were l., ii.

530, iii. 762, iv. 1657: *as subst.* ii. 2449, v. 546 : *adv.* iv. 1337 : dearer, rather : *cp.* lief, lievest.
levest, *see* lievest.
lewed, *a.* i. 274, ii. 3423, iii. 479, unlearned, ignorant.
leyhe, *see* lawhe.
leyt, leyte, *s.* vii. 303, 308, flame.
leyte, *v. n.* vii. 307, blaze.
liberal, *a.* vii. 876.
liberalite, *s.* v. 7646.
liberte, *s.* vii. 2815.
Libra, vii. 1102 ff., 1258.
libraire, *s.* P. 321.
lich, *s.* viii. 1076, corpse.
lich, liche, *a.* P. 113, 634, ii. 3245, iv. 3649, v. 1550, lych, v. 29 ; lik, i. 488, ii. 1794, v. 615 : *adv.* lich, P. 951, i. 2672, ii. 3033, 3456, lik, i. 1950.
Lichaon, Lichao, v. 6225, 6298, vii. 3355.
liche, *s.* i. 2277, 2791, iii. 2588, v. 7318, like, lyke, i. 2315, 2995, 3139, ii. 3037; likeness, match.
Lichomede, v. 2976 ff.
Lichorida, Lychoride, viii. 1033, 1350.
licke, *v. a.* vi. 928, 1015.
licuchis, vii. 824 (name of a stone).
Liddos, vii. 4369.
lie, *s. see* lye.
lie, lye, *v. n.* P. 124, i. 725, 1512, 2437, ii. 1603, iii. 1252, speak falsely.
Lie, viii. 125, Leah.
lie, *v. n.*, 3 *s. pres.* lith, lyth, P. 336, i. 161, 2429, 3 *s. pret.* lay, lai, P. 602, i. 1788, 2728, 3 *pl.* lihe, lyhen, ii. 1456, vii. 1797, leie(n), iv. 479, v. 974, 2 *s. pret. subj.* leye, iv. 2849, *imperat.* ly, vi. 2311, *pp.* leie, iv. 2914, lein, vii. 2597 ; lie, be situated : *cp.* ligge.
lief, *a.* ii. 209, vii. 4628, lief . . . loth, i. 1627, ii. 999, iv. 669, lieve . . . lothe, ii. 3229, iv. 778, *def. as subst.* lieve, iii. 1901, *pl.* ii. 3395, *voc.* lieve, iv. 1702, dear, pleasant : *cp.* levere, lievest.
lief, *s.* i. 1203, ii. 2449, 2486, loved one.
lieffull, *a.* iii. 2208, leveful, v. 7053, lawful.
liegance, ligeance, ligance, *s.* P. 25*, iii. 1822, v. 2673, vii. 2698, allegiance, rule.
liege, *a.* P. 27*, i. 2075, ii. 2762, iv. 201, (lige, viii. 3024), *pl.* here oghne liege, iii. 1760.
liege, *s.* iii. 1767, iv. 1904, vii. 3094, 4177, (lige, viii. 2995*), subject.
lien, *s.* iii. 242, bond.

lieutenant, s. i. 947, ii. 1319.
lieve, v. a. n. i. 44, 727, 1063, ii. 471, iii. 1315, believe, trust : **god lieve,** vii. 3069, God grant.
lievest, a. superl. ii. 329, iv. 1501, v. 186, **levest,** PP. 30 : adv. i. 1608 : cp. **lief.**
lif, s. P. 96, i. 36, 1477, ii. 1225, v. 2297, genit. **lyves, lives,** i. 1821, 2685, pl. **lyves,** iv. 2353, viii. 81 ; **to lyve,** ii. 1525, **on lyve,** v. 7102, **al my lyve,** iii. 886, **a lyves creature,** iv. 382 : life, person.
lifissh, a. v. 4920, vii. 257, living.
liflode, s. v. 4961, vi. 798, livelihood.
lifte, s. ii. 3488, sky.
ligance, see **liegance.**
Ligdus, iv. 451.
lige, see **liege.**
ligge, v. n. ii. 1138, iv. 2132, pres. part. **liggende,** i. 885, ii. 839, **ligende,** i. 2346.
lignage, s. i. 3335, ii. 2849, pl. **lignages,** v. 1600, vii. 4117, descent, tribe.
Ligurgius, iv. 738, vii. 2918 ff., 3058.
liht, s. see **lyht.**
liht, a. (1) see **lyht.**
liht, lyht, a. (2), i. 3078, iii. 518, (light, PP. 218), pl. **lyhte,** v. 831 ; comp. **lihtere,** v. 4692 : light, easy.
lihte, v. a. iv. 258, kindle.
lihte, v. n. v. 7072, 3 s. pres. **liht,** v. 1580, pret. **lihte,** i. 2310, vii. 3273*, alight.
lihtly (-li), lyhtly, adv. i. 1063, ii. 2085, iv. 538, viii. 2776, (**lightly,** PP. 220), **lihtliche,** i. 2650, easily.
lik, see **lich.**
like, lyke, s. see **liche.**
like, lyke, v. n. impers., i. 70, 652, 756, 950, iii. 634, iv. 1182, 2150, **lyketh,** v. 7079, vii. 522 ; pers. ii. 1377, viii. 378, **lyke,** P. 21, vii. 2298 ; **likende,** viii. 2476, **is to like,** iv. 2419 : please, be pleased, like.
liking(e), likynge, s. i. 496, 1709, iv. 1868, v. 649, 7737, pl. **likinges,** vi. 1214, pleasure.
likinge, a. iii. 186, v. 3840, pleasant.
liklihiede, s. v. 596, comparison.
likned, pp. ii. 2118, viii. 2155, compared.
liknesse, s. P. 908, i. 370, iv. 2109, viii. 2601.
lilie, s. as a. vii. 4678, of lilies.
lime, v. a. ii. 574, besmear (with birdlime).
lime, s. iv. 275, pl. **limes, lemes,** v. 1476, vii. 3201, limb.

linde, s. i. 2304, iv. 1341.
line, lyne, s. iv. 2623, v. 1082, 4054, viii. 105.
lippe, s. i. 1683, iii. 119, iv. 386.
liquour, s. viii. 1199.
lisse, v. a. iii. 1361, vi. 2419, vii. 5401, relieve ; v. n. vi. 311, give relief.
list, v. impers. i. 1403, 1822, iii. 1110, iv. 907, **lest,** i. 37, 1922, **lusteth,** v. 2577, pres. subj. **liste,** v. 505, pret. (ind. or subj.) **liste,** i. 932, 1984, **leste,** i. 720, vi. 357, **list,** iii. 2446, please : pers. i. 2741, iii. 1 (if thou lest), 111, iv. 3147, viii. 486, (**lust,** P. 85*), like, desire.
lite, see **lyte.**
litel, a. P. 957, i. 357, ii. 1151 : adv. i. 615, iv. 2617, **alitel,** iv. 1339.
lith, s. i. 1691, limb.
live(n), v. n. P. 171, i. 127, 189, 1710, ii. 1723, **lyve,** iv. 1930.
livere, s. vii. 457 ff., liver.
livinge, lyvynge, s. v. 1615, vii. 1657, 1934.
Livius (Virginius), vii. 5136, 5204.
lo, interj. P. 234, 918.
lock, s. iv. 2879, v. 6621, **lokes** (pl.), v. 6632, lock (of a door).
lockes, s. pl. i. 1685, viii. 2403, locks (of hair).
lode, s. v. 4962, load.
lodesman, s. iii. 996, helmsman.
loenge, loange, s. iv. 1548, vii. 3924, viii. 3027*, PP. 371, praise.
lofte, s. vii. 300, height.
logged, loged, pp. v. 2114, 6659, lodged.
logginge, s. vi. 1817.
logique (-qe), s. vii. 1528 ff., viii. 2709.
lok, s. i. 122, 2313, ii. 1350, look, gaze.
loke(n), v. n. P. 328, 449, i. 1686, 2811, 2992, ii. 3075, v. 624, (**lokyn,** viii. 3029), imperat. **lok,** i. 1225, **loke,** i. 1703, v. 1220, look, take care, keep watch ; v. a. P. 52*, ii. 733, vi. 1959 ff., examine, watch.
loke(n), v. a. pp. ii. 358, 1868, 1996, v. 33, shut up.
lokes, see **lock.**
lokinge, lokynge, s. i. 680, 1785, iii. 763, looking, sight.
lollardie, s. P. 349, v. 1807, 1819.
lomb, s. i. 604, vii. 4983.
Lombard, Lumbard, P. 207, 778, vi. 857, pl. **Lombardz, Lombars, Lombardes,** P. 772 ff., i. 2459, ii. 2101 ff.
Lombardie, P. 755, i. 2461, vii. 800.

GLOSSARY AND INDEX OF PROPER NAMES 605

lond, *s*. P. 123, 959 (*gen*. londis, viii. 3053), *pl*. londes, P. 501 ; to londe, i. 1170, ii. 1828, v. 18, 4899, into londe, i. 3288, of londe, i. 2240, in londe, iii. 1818, be londe, iv. 1627, out of londe, iii. 878, over londe, v. 923, fro the londe, ii. 179.

londe, *v. n.* ii. 2545, iv. 736, 1927.

londflodes, *s. pl.* vii. 1235.

lone, *s*. v. 4697, loan.

long, *a*. P. 55, i. 2870, *def*. longe, i. 171, ii. 817.

longe, *adv*. P. 62, i. 1645, iii. 1888, iv. 943, 1490, 1782, long, v. 1086, vii. 4999 ; *comp*. (no) longer, ii. 1038 : long on, *see* along.

longe, *v. n.* (1), ii. 1424, v. 7030, desire : *impers*. iii. 2760, v. 2526, 3688.

longe, *v. n.* (2), P. 80, i. 254, 1480, v. 972, vii. 1064, (3 *s. pres.* longith, viii. 3079), belong.

lope, *s*. iii. 916, leap.

lord, *s*. P. 86, i. 816, ha lord, v. 2397, *pl*. lordes, i. 2032, v. 7332, (lordis, viii. 3129).

lorde, *v. n.* ii. 3267, be lord.

lordschipe, *s*. i. 2959, ii. 1484.

lore, *s*. P. 19, 323, i. 1338, 2665, *pl*. lores, i. 2768, vii. 23, teaching, learning.

lore, *pp*. i. 974, 2008, iii. 188, lost : *cp*. lose.

lorer, *s*. iii. 1716, laurel.

loresman, *s*. v. 1005, teacher.

los, *s*. iii. 2144, v. 996, 5334, fame.

los, *a*., *def*. lose, i. 2660, loose.

lose, *v. a*. v. 697, vii. 1592, set free : *pret*. loste, P. 686, i. 3304, lost, ii. 2290, v. 3465, *pp*. lost, P. 44, i. 1742, lose : *cp*. lese.

lost, *s*. P. 762, i. 3106, ii. 2348, iv. 1485, loss.

lot, *s*. v. 5309, vii. 1337.

Loth, viii. 227.

loth, *a*. i. 2876, ii. 962, iv. 1186, *pl*. lothe, i. 2282, v. 4277, lief . . . loth, i. 1203, ii. 999, 2227, lieve . . . lothe, ii. 3229, iv. 778, v. 770, hem thoghte lothe, iv. 1041 : unwilling, unpleasing, hateful.

lothe, *v. a*. v. 4650, vii. 3274, hate, make hateful ; *v. n.* v. 5767, vii. 3724, be hateful.

lothly, *a*. i. 1530, v. 647, vi. 2199 ; *sup*. the lothlieste, i. 1676.

loude, *see* lowde.

lourde, *a*. v. 657, clumsy.

loure, *v. n.* i. 172, ii. 245, iii. 30, v. 479, frown.

loute, *v. n.* i. 720, 2333, iii. 127, iv. 1169, bow, yield (to) : *cp*. lute.

love, *s*. P. 75, i. 811, 1863, *genit*. loves, i. 689, ii. 188, iii. 131, love drinke, vi. 333 ; love, loved one.

love(n) (1), *v. a. n.* P. 389, 1050, i. 752, 1936, ii. 502.

love (2), *v. n.* v. 7048, (luff), steer.

loveday, *s*. P. 1047.

lovedrunke, *s*. vi. 111, 307, love drunkenness.

loveles, *a*. ii. 2961, v. 2505.

lovere, *s*. iv. 554, *pl*. lovers, i. 673, ii. 237.

low, lou, *a*. i. 2256, iv. 3521, lowe, iii. 606, vii. 740, *pl*. lowe, P. 924 ; *superl*. the lowest, vii. 224.

low, lowh, *v*., *see* lawhe.

lowde, loude, *a. pl*. i. 2808, ii. 309, iv. 3064 : *adv*. iii. 452, v. 5673.

lowe, *adv*. i. 718, 1066, iv. 1004 ; *sup*. lowest, i. 704.

lowe, *v. a. n.* iv. 1273, viii. 587, lower, go lower.

Lowis (emperor), P. 777.

Lowyz (king of France), ii. 2966.

Lubie, vi. 410, 1922, Lubye, vi. 2069.

luce, *s*. v. 2015, pike.

Lucie, ii. 905, Lucius.

Lucifer, i. 3299, v. 1701, viii. 10, *genit*. Luciferes, viii. 22.

Lucius (1), v. 7124* ff.

Lucius (2), vii. 3946.

lucre, *s*. i. 1706, iii. 2360, iv. 2590.

Lucrece, viii. 4809, 4985 ff., viii. 2632.

lugge, *v. a*. vii. 1893.

Lumbard, *see* Lombard.

lunge, *s*. vii. 452, 465.

lure, *s*. iv. 285.

lurke, *v. n.* v. 6746.

lust, *s*. P. 19, 230, i. 443, 754, ii. 1109, *pl*. lustes, i. 778, 1241, 2517, iv. 1318 ; pleasure, desire, charm.

lust, *v*. *see* list.

lusti, lusty, *a*. P. 937, i. 317, 1581, 2167, 2306, pleasant.

lustles, *a*. ii. 2024, iv. 3262, 3455.

lute, *s*. viii. 2679.

lute, *v. n.* i. 1933, lurk : *cp*. loute.

luxure, v. viii. 4561, lust.

lye, *v*. *see* lie.

lye, lie, *s*. P. 504, iii. 895, dregs.

lyht, liht, *s*. i. 633, 1168, ii. 836, iii. 920, be lyhte, v. 6517, *pl*. lyhtes, iv. 3221, light.

lyht, liht, *a*. (1) P. 941, i. 2176, vi. 1982, vii. 956, *pl*. lihte, iii. 783, bright.

lyht, *a.* (2), *see* liht.
lyhte, *adv.* v. 4076, brightly.
lyhthnynge, *s.* viii. 1000, lightning.
lyke, *see* liche.
lym, *s.* v. 7233, vi. 1594, lime, (mortar).
lyn, *s.* iv. 2437, v. 1203, flax.
lyne, *see* line.
lyon, *see* leoun.
lyte, *a.* ii. 429, v. 6627, *as subst.* a lyte, a lite, i. 264, 2687, ii. 2045, (*often in* MSS. alite, alyte, *as* i. 2687, ii. 2045, vii. 4092); to lite, iii. 581, *see* tolite.
lyvynge, *see* livinge.

M

ma dame, i. 168, iv. 1374.
macched, *pp.* v. 5422.
mace, *s.* v. 6865, viii. 2507.
Macedoyne, Macedoine, ii. 1616, iii. 2451, vi. 1809, vii. 3211*; *as a.* ii. 1840.
Macer, vi. 1408.
Machabeu, PP. 282.
Machaire, iii. 146 ff., viii. 2588.
macon, *s.* vii. 2427, mason.
madd, mad, *a.* i. 130, v. 496, 5891.
Madian, vii. 3710.
madle, *a. as subst.* iv. 1301, vii. 4215, male.
mageste, *see* majeste.
magicien, *s.* v. 3084, vi. 1337.
magique, *s.* iv. 2077, vi. 1402; *a.* v. 3947, vi. 1434.
magnefie, magnifie, *v. a.* P. 44, 886, i. 2998, ii. 2827, iv. 2608.
mai, *v. see* mowe.
maide(n), mayde(n), i. 2481, 2573 ff. 3327, v. 3476, a maide child, viii. 1058, *pl.* maidenes, iv. 255, maidens, iv. 1464, 1575: *cp.* may.
maidehiede, *s.* v. 6384.
maidenhod(e), maidenhiede (-hede), maydenhiede (-hede), *s.* iv. 1566, 1585, v. 3068, 6181, 6219, vii. 5145, maidenhed, v. 6769.
Maii, i. 100, 2026, vii. 1045, May, vii. 2276, *genit.* Maies, i. 2089, May.
maile, *s.* v. 3111.
main, *s.* vi. 90, strength.
maintenue, *s.* viii. 3012, maintenance.
maintiene, *v. a.* i. 3285, meintiene, iv. 3433, maintene, PP. 385.

maister, *s.* i. 35, 1260, ii. 1134, v. 56, *pl.* maistres, v. 434.
maistred, *v. a. pp.* iv. 3518.
maistrefull, *a.* iii. 212.
maistresse, *s.* i. 1825, iii. 170, viii. 2331.
maistrie, *s.* iii. 1566, 2768, vi. 2341, vii. 1398, *pl.* maistries, v. 2061, mastery, great deed.
majeste, mageste, *s.* ii. 1058, v. 1510, 1737.
majorane, *s.* vii. 1433.
make, *s.* (1), i. 101, 2088, iii. 2612, v. 4275, mate, match.
make, *s.* (2), v. 2296, fashion.
make(n), *v. a.* P. 23, 155, viii. 3143, 2, 3, *s. pres.* makst, makth, i. 774, iv. 2844, *pret.* made, P. 207, 816, ii. 858, 1265, mad, ii. 310, v. 3822, *pp.* mad, P. 347, i. 2427, (maad, viii. 3110), made (*pl.*), P. 300, maked, v. 680.
makere, *s.* ii. 916, vii. 1508.
makinge, makyng(e), *s.* v. 1022, 1203, viii. 3089*, 3154, making, composing (poetry).
maladie, maladye, *s.* i. 128, ii. 9, 3221, viii. 2642.
male, *s.* iv. 546, wallet.
Malebouche, ii. 389.
malencolie, *s.* P. 1069, iii. 27 ff., vii. 402.
malencolien, *a.* iii. 33, 241.
malencolious, *a.* iii. 87.
malengin, *s.* v. 344, evil device.
malgracious, *a.* v. 647.
malgre, *s.* v. 6481, 6946, ill-will: *adv.* i. 789, 1329, in spite of the will; malgre myn, iv. 59, m. hem, iv. 1233, *cp.* vi. 524.
malice, *s.* P. 62*, i. 605, vii. 939.
malicious, *a.* iii. 1634, vii. 2852.
man, *s.* P. 21, iii. 1249 ff., *genit.* mannes, P. 14, i. 2412, (mannys, viii. 2975), to manne, iii. 1967, viii. 308, *pl.* men, P. 12, 167, i. 768, *genit.* mennes, i. 1995; man, servant.
manace, *s.* i. 1598, iii. 1832.
manace, *v. a. n.* iii. 1525, 1533, vi. 1680.
Manachaz, Manachas, vii. 1801 ff.
mandement, *s.* viii. 1819, command.
Mane, v. 7023.
manere, *s.* P. 362, i. 793, iv. 1281, such a maner wise, &c., P. 83*, i. 1086, 1360, iii. 1072, *cp.* i. 1977, in manere, vii. 2132, 4344, PP. 53.
Manes, *pl.* v. 1363.
manfull, *a.* vii. 2881.
manhod(e), *s.* P. 260, ii. 1639, 2514, iii. 1964, manhiede, manhed(e), i. 1212,

3044, iv. 325, 2033; man's nature, manliness, race of men.
mankinde, s. ii. 3108, iv. 2443.
manlich, a. vii. 5093.
manna, s. v. 1673.
manneskinde, s. v. 4110.
mannyssh, a. vi. 1528.
manslawhte, s. iii. 2544, (manslaghtre, PP. 171).
mantel, mantell, s. v. 3557, 4201, 6890, vii. 4524, 5067.
many, mani, a. sing. P. 857, ii. 89, 447, iv. 1619, many a, P. 75, i. 1958, manye an, vii. 2191, many (manye) on, v. 5302, pl. manye, manie, P. 299, 672, i. 2530, iv. 1629, many, v. 2904, 4015, 5147; as subst. manye, i. 3238, v. 4001.
manyfold, adv. iii. 1702, 1952, iv. 125, be manyfold, v. 1778.
manyon, pron. i. 416, 655, 2441, pl. manion, ii. 1272: cp. many.
mappemounde, s. vii. 530.
marbre, s. iv. 3666 ff., v. 2035.
Marc, vi. 474.
March, v. 5968, vii. 1008, Marche, viii. 2843, Mars, viii. 2852, March.
marchandie, s. ii. 600, vii. 917.
marchant, s. v. 952, 2689, vii. 1687.
marche, s. P. 720, i. 1417, ii. 2521 ff., vii. 555, PP. 291, border, territory.
Marche, see March.
marche, v. n. iv. 2987, border.
Marchus Claudius, vii. 5167 ff.
mareschall, mareschal, s. viii. 714, 2662.
mariage, s. i. 1763, ii. 625, v. 1260.
Marie, i. 3278, v. 1782*.
maried, pp. v. 509.
marked, pp. vii. 1144.
market (place), s. v. 1535, vii. 5101.
marrement, s. vii. 3310*, trouble.
marrubium, vii. 1343, (name of a herb).
Mars (1), Mart, Marte, v. 651 ff., 883 ff., 1215, 1477, 3506, 6150; (the planet) iv. 2470, vii. 889 ff., 992, 1136, 1314, 1323, 1360, 1374, 1389, 1411.
Mars (2), see March.
Marsagete, vii. 3444.
martire, s. PP. 341.
mased, a. vi. 132.
Masphat, iv. 1533.
masse, see messe.
mast, s. i. 1068, viii. 617.
mat, a. iii. 114, vi. 34, 730, weak, dejected.
mathematique, vii. 72, 145 ff., 623.
matiere, s. P. 6, 984, iv. 565, v. 572, matter, cause.

matins, s. v. 7111.
matrimoine, s. i. 1777.
matrone, s. i. 1657.
may, v. see mowe.
may, s. iv. 30, v. 3438: cp. maide.
mayde, see maide.
Maximin, vii. 2766.
me, pron. P. 30*, i. 117, 567, me, myself.
mea culpa, i. 661.
mechanique, s. vii. 1693.
mecherie, see micherie.
mechil, see mochel.
mede, s. i. 795, 1554, ii. 2727, v. 4720, meede, v. 7133*, vii. 129.
Mede, vii. 4335, 5313.
Medee, Medea, iii. 2559, v. 2539, 3241, 3368 ff., 4361, viii. 2563.
medicine, s. i. 30, 167, ii. 3203, medicine, healing.
meditacioun, s. ii. 2876.
medle, v. a. i. 1709, 3014, pp. medled, P. 858, medlid, iv. 1475; v. n. vii. 1586: mingle.
Meduse, Medusa, i. 401 ff., 551.
medwe, s. v. 4151, 5964.
meedful, a. viii. 3105*.
meel, s. vi. 720, meal.
meene, see mene.
meete, see mete.
Megaster, vii. 1455.
meind, see meynd.
meintiene, see maintiene.
meke, mieke, a. v. 2472, 5396, vii. 916.
meke, v. refl. i. 866, v. 7386, submit.
meknesse, s. i. 126, ii. 1486.
melk, s. v. 4048.
melle, v. n. v. 2833, cp. medle.
melled, a. vii. 4899, mingled.
melodie, s. i. 494, v. 1030.
melte, v. n. iv. 1057, pret. malt, iv. 1065.
membre, s. P. 153, v. 1457, PP. 164.
memoire, s. P. 1002, i. 1775, ii. 1421.
memorial, s. iv. 532, 563, 2042, memory.
memorial, a. viii. 3026*, 3105, remembered.
men, indef. pron. sing. ii. 659, v. 5510, viii. 2926, people.
menable, a. i. 1067, ii. 1123, iii. 390, vii. 2762: see note on i. 1067.
menage, s. v. 4809.
Menander (1), iv. 109.
Menander (2), iv. 2409.
mencioun, s. ii. 428, iii. 739.
mende, see mynde.
mene, meene, v. a. n. i. 15, 280, 926, 1210, ii. 2465, iii. 2761, iv. 1859, pret.

mente, P. 667, 1024, minte, vii. 5043; mean, intend, speak.
mene, meene, *a.* v. 3895, 5330.
mene, *s.* v. 6542.
Menelay, iii. 2136, v. 3072, viii. 2547.
Menesteüs, iii. 2145.
meninge, *s.* ii. 1599, menynge, vii. 4837.
menstral, *s.* vii. 2423.
menstre, *s.* v. 7059, minster.
mercerie, *s.* ii. 3059.
merci, mercy, *s.* i. 1832, 1902, 1936, iii. 222, thanks, mercy.
merciable, *a.* iii. 1514, iv. 3426, vii. 3276, merciful.
Mercurial, *a.* vii. 1357.
Mercurie, Mercurius, i. 422 ff., iv. 2053, 3332 ff., v. 938, 1399, 1465, 7411, vii. 2967, 3056; (the planet) iv. 2474, vii. 757 ff., 1087, 1156, 1382, 1421, 1427.
merel, *s.* P. 430, vii. 3266, lot.
merie, merye, *a.* i. 2081, 2734, iv. 504, v. 6128 : *adv.* v. 3779.
merite, *s.* P. 301, v. 4893, merit, v. 1725.
meritoire, *a.* P. 465.
merthe, *s.* i. 2531, iv. 3149, *pl.* merthes, i. 102, vii. 4799.
merveile, merveille, *v. n.* ii. 774, 1347, iv. 1266, vi. 171, mervaile, i. 2226; *impers.* v. 4481, vi. 385.
merveile, merveille, *s.* i. 3234, iii. 1422, vii. 3998, merveilles (*pl.*), v. 309, iv. 2059, mervaile, mervaille, iv. 1480, vii. 2456.
merveiled, *a.* v. 2060, filled with wonder.
merveilous, *a.* iv. 2990, v. 5292.
meschief, *s.* P. 150, ii. 1029, iii. 2387, (meschef, PP. 111), mischief, iii. 137.
meschieved, *pp.* iv. 15.
mescreance, *s.* v. 1444, vi. 2366.
mescreantz, *s. pl.* PP. 268.
Mese, iii. 2645, iv. 3516.
message, *s.* i. 834, ii. 816, iii. 255, message, embassy.
messager, *s.* ii. 943, v. 1185, vii. 4681, messagier, i. 2505; *fem.* messagere, iv. 2972.
messe, masse, *s.* i. 660, iv. 1133, v. 7037, 7111.
mestier, *s.* vii. 1692, occupation.
mesure, *s.* P. 1056, 1080, i. 2402, iv. 3305, viii. 768.
mesure, *v. a.* iv. 3306, v. 7638.
metall, metal, *s.* P. 735, iv. 2449 ff.
Metamor, Methamor, i. 389, v. 6711.
mete, *s.* P. 475, i. 812, 2843, ii. 1363, iii. 183, meat.

mete, meete, miete, *v. a. n.* (1), i. 2599, ii. 457, iii. 52, iv. 2902, v. 5584, *pret.* mette, P. 42*, i. 85, *pp.* met, iv. 2094, meet.
mete, meete, *v. a. n.* (2), iii. 51, iv. 2901, *pret.* mette, iv. 2910, 3065, vi. 1980, dream.
mete, meete, *a. and adv.* ii. 458, vii. 2899, fit, fitly.
Methamor, *see* Metamor.
Metodre, viii. 48.
metre, *s.* iv. 2414.
metrede, *s.* vi. 2003, dream.
meynd, meind, *a.* P. 615, v. 2311, 4049, mingled.
mi, min, *see* my.
Micene, Micenes, iii. 2039, 2081.
Micheas, vii. 2595 ff., Michee, vii. 2667.
micherie, mecherie, *s.* v. 6296, 6495, 6754, 6944, thievishness.
michinge, *s.* v. 6525, thieving.
midday, *s.* iv. 3273.
middel, *a.* P. 17, v. 7691, viii. 720.
middel, *s.* iv. 1356, vi. 786, vii. 1058, waist, middle.
middelerthe, middilerthe, *s.* i. 3305, vii. 287.
Mide, Myde, v. 153 ff., 412.
midmorwe, *s.* viii. 666.
midnyht, *s.* ii. 2891.
mieke, *a. see* meke.
miele, *s.* vi. 590, bowl.
miete, *see* mete.
miht, mihte, *v. see* mowe.
miht, *s. see* myht.
milde, mylde, *a.* P. 1058, i. 915, ii. 1056, vi. 1918, viii. 1030.
mile, myle, *s.* ii. 1474, a ten mile, iv. 1707, thritty mile, v. 2036, (of time) iv. 689, viii. 2312.
milion, *s.* v. 2613.
minde, *see* mynde.
mine, *s. see* myn.
mineral, *s.* iv. 2559.
minerall, *a.* iv. 2552.
Minerve, *s.* i. 1120, 1147, v. 1189, 1460, 1831, 7413, vii. 1922, 1933.
ministre, *v. n.* i. 808; *v. a.* vii. 1030.
ministres, *s. pl.* i. 583.
Minotaurus, Minotaure, iv. 1043, v. 5277, 5291 ff.
minte, *see* mene.
minut, mynut, *s.* iv. 241, 642, vi. 2257.
mir, *see* myr.
miracle, *s.* iv. 522, 3661, vii. 662.
mirour, *s.* P. 496, iii. 1076, v. 2033, viii. 2821.
mirre, *s.* i. 1705.

GLOSSARY AND INDEX OF PROPER NAMES 609

mis, mys, *s.* i. 3311, vi. 2359, wrong.
mis, mys, *adv.* i. 2403, ii. 559, vii. 5429, amiss.
misbegat, *v. a. pret.* vi. 2357.
misbelieve, *s.* ii. 1569, v. 833, 1593.
misbelieved, (*pp.*) *a.* v. 739.
misbere, *v. refl.* vii. 5279, misbehave (oneself).
misbore, *pp.* ii. 971.
miscaste, *v. a.* iii. 110.
mischief, *see* meschief.
misconte, *v. n.* i. 3112.
misdede, *s.* iii. 1931, 2614.
misdespended, *v. a. pp.* i. 298.
misdo, *v. a. n.* i. 3443, *pret.* misdede, iii. 227, *pp.* misdo, i. 2385, ii. 3513.
miselve(n), miself, *pron.* i. 62, 192, 556, myselve, iv. 853, (my self, viii. 2958).
misericorde, *s.* iii. 2628, 2712, vii. 3303.
misfalle, *v. n., pret.* misfell, vi. 2362.
misfare, *v. n.* ii. 694, iv. 3387, *pret.* misferde, iv. 3602, vii. 4437, *pp.* misferd, ii. 2432, go wrong, transgress.
misgete, *v. a. pp.* viii. 243.
misgovernance, *s.* ii. 2965, v. 693.
misguide, *v. a.* viii. 2920.
mishandlinge, *s.* v. 1869.
mishap(p), *s.* iii. 814, vi. 2358.
mishappe, *v. n.* iv. 304, vii. 4916, fare ill, unfortunately happen.
mislede, *v. a.* vii. 1678, 4310.
misledere, *s.* ii. 3021.
mislike, *v. n.* v. 7054, be displeasing.
mislok, *s.* i. 334.
misloke, *v. n.* i. 418, sin in looking.
mislokynge, *s.* i. 445.
mispaie, *v. a.* iii. 648, *pp.* mispaid, mispaied, ii. 549, viii. 1582, displease.
mispeche, *s.* ii. 545.
mispeke, *v. a. n.* ii. 535, 548, 2008, iii. 562, speak amiss.
misreule, *v. a.* vii. 2508, viii. 2114.
misse, *v. n.* iii. 1362, viii. 2229, fail ; *v. a.* vi. 312, *pret.* miste, iv. 836, lose.
misserve, *v. a.* vii. 3933.
misseye, *v. n.* P. 480, say amiss.
missit, *v. n.* 3 *s. pres.* v. 5213, is unfitting.
mist, myst, *s.* v. 1866, vii. 281.
mistake, *v. a.* iv. 1001.
misteppe, *v. n.* v. 473, go wrong.
misthrowe, *v. a.* i. 549.
mistime, *v. a.* i. 220, iii. 2458, viii. 196, mystyme, vi. 4, disorder, bring about wrongly.
mistorne, *v. a. n.* P. 957, i. 427, v. 6304, vii. 4468.

mistriste, *v. n.* i. 3165.
mistrowinge, *s.* vi. 1643.
mistrust, *s.* ii. 53.
misuse, *v. a.* P. 521, v. 4538.
miswende, *v. a. n.* iii. 1548, *pret.* miswente, vi. 2361, *pp.* miswent, P. 517, i. 395, v. 5288.
Mitelene, viii. 1405, 1610, 1917.
mitre, *s.* ii. 2936.
mo, *a. pl.* i. 922, 1272, iv. 1357 : *cp.* nomo.
Moab, viii. 235.
Moabite, vii 4503, viii. 241.
moche, *a.* i. 224 ; *as subst.* to moche, iii. 581, *cp.* tomoche : for als moche, i. 272, *cp.* vi. 349.
mochel, *a.* P. 342, i. 1568, iii. 1619, (mochil, mechil, viii. 3040, 3046) ; *adv.* i. 1412, 1983, ii. 2251, iii. 908.
mod, *s.* ii. 2734, iv. 1280, PP. 101, mood, mind.
modefie, modifie, *v. a.* vii. 2153, 4210, 5379, limit.
moder, *s.* P. 852, ii. 644, vii. 4731, (modir, PP. 106, 241), *genit.* moder, iii. 313, 2175, *pl.* modres, ii. 3223.
moderhed(e), *s.* ii. 1073, v. 5893.
moerdre, *s.* ii. 3293, iii. 1883, murder.
moerdre, *v. a.* iii. 1935 ff., viii. 1382, murder.
moerdrer, *s.* viii. 1958.
moerdrice, *s.* iii. 2003, viii. 1958, murderess.
moeve(n), *v. a.* ii. 190, 1379 ; *v. n.* iii. 1273, vii. 677 : move.
moevement, *s.* vii. 674.
Moïses, P. 306, ii. 2254, v. 1656, 1682, 6967, vi. 1092, vii. 1475, 3054, PP. 187, Moïses, iv. 648.
moist(e), *s.* P. 977, vii. 271, 379, 445, moisture.
moiste, moyste, *a.* ii. 3123, vii. 413, 1061 ff., moist, vii. 1287.
moisture, *s.* vii. 730.
molde, *s.* i. 1607, ii. 1737, iv. 1844, vii. 5017, earth ; iv. 1112, fashion.
Moloch, viii. 4509.
moltoun, *s.* P. 1060, sheep.
monarchie, *s.* P. 673, i. 763.
mone, *s.* (1), i. 2180, 3143, ii. 703, iii. 556, moan, lament.
mone, *s.* (2), P. 142, 484, i. 1168, v. 1447, vii. 721 ff., moon.
mone, *s.* (3), i. 1634, companion.
moneie, monoie, *s.* iv. 2448, v. 11, 610, 1834, 4377, money.
monelyht, *s.* vii. 733.

* *
*

R r

monkes, *s. genit.* iv. 2732.
monstre, *s.* i. 404, v. 1091, 5275.
mont, *s.* ii. 3350, 3378, *pl.* montz, P. 755, iv. 1952.
montaine, montaigne, monteine, *s.* iii. 365, v. 1048, 1288, 1331.
montance, *s.* viii. 2312, amount.
monthe, *s.* i. 100, 2026, *pl.* monthes, iv. 2960, a monthe (tuo monthe) day, iv. 776, 2955.
mor (1), *s.* iv. 2786, moor.
mor (2), *see* more.
Moral, P. 945, (Gregory's) *Moralia.*
moral, *a.* iv. 2321, v. 1852, viii. 2925.
More, i. 1686, Moor.
more, *a.* P. 158, v. 5889; *as subst.* P. 20, 324, 762, mor, ii. 996, iv. 1650; *cp.* mo: *adv.* P. 640, i. 1263, iv. 122, mor, i. 1951, 2703, ii. 1736, the more, P. 55*, i. 2322, more yit (moreover), iv. 2446.
more, *v. a.* vii. 1614, vii. 1841, 4846, increase.
morgage, *s.* vii. 4228.
Morien, iv. 2609.
Moris, ii. 937, 975, 1365 ff.
Morpheüs, iv. 3039, 3057.
morscel, *s.* vi. 6, morsell, viii. 195.
mortalite, *s.* PP. 284.
mortiel, *a.* iii. 1532, 2027.
morwe, *s.* i. 2169, 2852, ii. 2713, iii. 2616, be the m., v. 3415, a morwe, ii. 781; *as a.* iv. 1829.
morwetyde, *s.* iii. 1221.
most, *a. superl.* i. 1194, 2074, *def.* moste, ii. 46, iii. 2678, iv. 959, greatest, chief: *adv.* most, P. 120, ii. 2336, v. 233, moste, i. 307, v. 3103.
mote, *v. n.* viii. 640, 1, 3 *s. pres.* mot, P. 650, i. 1296, 2102, mote, vii. 3536, 3604 ff., viii. 255, 2 *s.* most, ii. 206, *pl.* mote(n), P. 698, ii. 3225, iii. 1030, *pret.* moste, (*as pres.*) P. 525, 646, i. 261, 1333, 2700, v. 526, (*as pret.*) P. 729, i. 2309, *pres. subj.* (expressing a wish), mot, mote, P. 92, 340, i. 2878, 3347: must, may.
mote, *s.* ii. 576.
mounte, monte, *v. n.* i. 3065, iv. 1061.
mous, *s.* iii. 1643, vii. 3572.
mowe, *s.* iv. 900, v. 1926, grimace.
mowe, *v. n. inf.* iv. 38, mow, ii. 1670, 1, 3 *s. pres.* mai, may, P. 21, 249, i. 174, 689, 987, 1545, vii. 111, 4144, 2 *s.* miht, myht, i. 247, 710, 2242, ii. 2085, (myght, PP. 97), 2 *pl.* mow ye, iv. 2788, 3 *pl.* mow, v. 6768, *pret.* mihte, myhte, P. 203, 728, i. 1412, 2261, 2332, vii. 5062, (myghte, viii. 3048, PP. 76), miht, iii. 1356, myht, PP. 39, myhte ... to, ii. 510, *cp.* vii. 437, be able (to), have power, (may, might).
mowe, *v. a.* ii. 2375, reap.
mowth, mouth, *s.* i. 1275, ii. 431, to mowthe, to mouthe, be mowthe, i. 1642, 2433, ii. 485, vii. 5285, *pl.* mouthes, v. 3609, vii. 2653.
muable, *a.* P. 581, v. 444, viii. 585, changing, easily moved.
mue, *s.* iii. 1412, cage.
muk, *s.* v. 4855.
mule, *s.* ii. 1506, vi. 1835.
mull, *s.* v. 2310, rubbish.
multeplie, multiplie, *v. a. n.* iv. 2460, v. 133, 1651, 6423, viii. 29, increase.
multiplicacioun (-on), *s.* iv. 2573, vii. 159, viii. 86.
multitude, *s.* ii. 1810, v. 2201.
Mundus, i. 783.
murmur, *s.* i. 1345.
muse, *v. n.* i. 3091, iii. 75, 1219, vii. 4270, reflect, gaze.
Muse, *s.* viii. 3074*, 3140.
musette, *s.* viii. 2677, (a musical instrument).
musike, musiqe, musique, *s.* i. 497, iv. 2416, 3335, vii. 150.
musinge, *s.* vi. 126.
must, vii. 1165.
my, mi, myn, min, *poss. pron.* P. 63, 85, i. 2, 74 ff., *pl.* my, myn, min, i. 228, iii. 60, iv. 3219; *disj.* myn, i. 950, iii. 896, *pl.* myne, vii. 2333*: al myn one, i. 115, *see* one.
mydnyht, *a.* v. 3961.
myht, miht, *s.* P. 655, i. 2848, ii. 1155, vii. 2120, *pl.* mihtes, myhtes, i. 2917, iii. 1112, (myghtes, viii. 3065).
myht, myhte, *v.* mowe.
myhtely, *adv.* vii. 242.
myhti(-y), mihty, mihti, *a.* P. 378, i. 940, 2792, 3013, ii. 1639, (myghti, mighti, PP. 41, 293); *sup.* myhtiest, *def.* myhtieste, P. 736, i. 1098, vii. 1826.
mylde, *see* milde.
myle, *see* mile.
myn, *pron. see* my.
myn, *s.* v. 86, 2155, myne, mine, iv. 2455, 2553, mine.
mynde, minde, *s.* P. 93, i. 918, 1618, ii. 2226, v. 5726, viii. 1559, mende, iv. 643, 1961, vii. 1200, mind, memory, mention.
myne, *v. n.* v. 2121, mine.
myne, *s. see* myn.

GLOSSARY AND INDEX OF PROPER NAMES 611

Mynitor, v. 897.
Mynos, v. 5231 ff.
mynour, *s.* v. 2121, miner.
mynut, *see* **minut**.
myr, ii. 1974, iii. 1631, iv. 2723, **mir**, i. 683, mire.
mys, *see* **mis**.
mysbefalle, *v. impers.* i. 459.
mysdrawe, *pp.* P. 430, wrongly drawn.
myst, *see* **mist**.
mystyme, *see* **mistime**.
myswreynt, *pp.* v. 1869, wrongly twisted.
myte, *s.* v. 4412.

N

Nabal, vii. 4530.
nabeith (=ne abeith), vi. 1378.
Nabugodonosor, P. 595, i. 2786, v. 7018.
Nabuzardan, v. 7013.
Nachaie, vi. 1660.
nacion (-oun), *s.* i. 394, iv. 1451, viii. 85, 91, kind, race.
nagher(e), *adv.* ii. 1244, 1260, v. 6240, nowhere : *cp.* **nowher**.
naght, *see* **noght**.
Naiades, v. 1334.
naked, *a.* i. 363, 1781, iii. 248 &c., **nakid**, ii. 709, iii. 1429, iv. 403, *def.* **nakede**, iv. 421.
nam (=ne am), i. 743, 2751.
nam, *v. a. pret.* i. 1738, ii. 1438, iii. 1447, **nom**, P. 758, *pp.* **nome**, P. 982, i. 443, 901, 3264, took, taken : **thurgh nome**, v. 3635, penetrated.
name, *s.* P. 99, 294, i. 806, 2096, name, honour.
name, *v. a.* P. 87, i. 3394, iii. 1599, iv. 2477, *pret.* **namede**, iv. 468.
namely, *adv.* P. 144, iii. 63, 2633, **namly**, ii. 47, **nameliche**, i. 2370, v. 6345, **namliche**, iv. 1449, especially.
Namplus, iii. 1002 ff., *cp.* **Nauplus**.
naproche (=ne aproche), iv. 1135.
Narcizus, i. 2285, **Narcise**, viii. 2542.
nargh, *a.* i. 1685, narrow.
nase, *s.* i. 1678, iv. 2544, vii. 3273, nose.
nassote (=ne assote), vii. 4254.
natheles, P. 36, i. 21, 988, vii. 3877, nevertheless, moreover.
nativite, *s.* i. 392, iv. 2764.
nature, *s.* ii. 1376, iii. 175, 350 ff., viii. 2224 ff., *pl.* **natures**, vii. 108.
nature, *v. a.* vii. 393, fashion.

naturel, *a.* i. 1498, iii. 2581, iv. 2399, vii. 1301.
naturien, *s.* vi. 1338, vii. 649, 1471, follower of natural magic.
Nauplus, iv. 1816 ff., *cp.* **Namplus**.
navele, *s.* i. 489.
navie, *s.* i. 528, 1171, iv. 80, vi. 1445, **navye**, ii. 1128.
nawher(e), *see* **nowher**.
nay, *adv.* P. 373, i. 740, iii. 55.
nayled, *pp.* vii. 2900.
ne, *adv.* i. 733, iii. 936, iv. 2855, **ne . . . no**, P. 179, i. 159, 792, **ne . . . noght**, i. 166, iii. 570, **that . . . ne**, P. 990, i. 788, 2093, **ne . . . bot**, i. 264, **non . . . ne**, iv. 1400; **ne** (=nor), i. 25, 794, 1082, **ne . . . ne**, viii. 2451, **noght . . . ne noght ne**, i. 2722: **ne hadde he** (if he had not), iv. 2184, **ne hadde be that**, vi. 1755, **that I nere, that he ne were**, (O that I were, &c.), iv. 3414, v. 3747.
Neabole, v. 1435.
necessaire, *a.* vii. 1504.
necessite, *s.* P. 797, vii. 1704.
necgligence, negligence, *s.* iv. 889 ff.
necgligent, *a.* iv. 962, 1031.
necke, *s.* P. 605, i. 1687.
Nectanabus, v. 6671, vi. 1796 ff., vii. 1296.
neddre, *s.* vii. 1010, adder : *cp.* **eddre**.
nede, *s.* P. 227, i. 1988, 2239, **ned**, iv. 3449, *pl.* **nedes**, ii. 3414; **ate nede**, iii. 1772, **mot nede**, **nedes mot**, **moste nedes**,&c., P. 574, i. 1714, ii. 778, iii. 352.
nedeles, *a.* i. 3267, without need (of help).
nedeth, needeth, *v. n.* 3 *s. pres.* P. 800, i. 2446, iii. 1311, viii. 2245 ; *impers.* P. 33, i. 283, ii. 1897, 3364 : is necessary, (it) is needful.
nedle, *s.* vi. 559, **nedle and ston**, vi. 1422, viii. 541.
nedly, *adv.* iv. 1168.
nedy, *a.* v. 7757.
negligence, *see* **necgligence**.
neisshe, *see* **neysshe**.
Nembrot, Nembroth, P. 1018, v. 1547, vii. 1452.
Neptunus, Neptune, i. 1152, ii. 180, v. 983 ff., 1146, 6162 ff., vi. 1406, viii. 623, 1595, 1614.
nere (=ne were), iv. 3414.
Nereïdes, v. 1345.
Nero, vi. 1155 ff.
nerr, *a. and adv. comp.* i. 2323, iii. 1040, iv. 1705, vii. 312, **ner**, ii. 2286, v. 5050 ; *as prep.* iii. 694 : nearer.
Nessus, ii. 2168 ff.

nest, *s.* iv. 1669.
nest, *adv. see* next.
Nestor, iii. 1801 ff.
net, *s.* iii. 183, iv. 2428.
netherdes, *s. pl.* v. 1006, neatherds.
netle, *s.* ii. 401.
Neuma Pompilius, vii. 3057.
nevere, *adv.* P. 660, i. 1532, 2324.
neveremo, *adv.* iv. 2266, neveremor(e), v. 2813, 4474, nevermor, ii. 1304.
nevoeu, *s.* i. 1409, nephew.
newe, *a.* P. 349, 659, i. 2083, *as subst.* P. 1003, i. 1202; of newe, P. 6, uppon newe, PP. 315.
newe, *adv.* P. 163, i. 1665.
newe, *v. a.* P. 92*, i. 2700, vi. 1497, renew, produce; *v. n.* P. 59, viii. 1587, change.
newefongel, *a.* v. 4367.
newefot, *s.* vi. 145, (name of a dance).
next, *adv.* i. 256, 1230, 1964, nest, vii. 1075.
nexte, *a. def.* ii. 3149.
neyhe, *v. n.* v. 3782, draw near.
neysshe, neisshe, *a.* iv. 3681, v. 4693, soft.
nice, *see* nyce.
Nicolas, ii. 2809.
Nigargorus, v. 1521.
nigromaunce, *s.* v. 6673, vi. 1308.
niht, *see* nyht.
Nil, vii. 561.
nimphe, *s.* i. 365, 2317, *pl.* nimphes, i. 2343, v. 1182, 1328 ff., nimphis, v. 6932.
Ninus, v. 1541.
nis (= ne is), i. 618, 3382, nys, i. 443, ii. 2946.
no, *a.* P. 106, i. 152, no thing, iii. 1824: *cp.* non.
no, *adv.* i. 712, ii. 1931, iv. 2746, no lengere, v. 5082.
noble, *a.* P. 633, i. 3351; *sup.* noblest, i. 465.
nobleie, *s.* i. 2032, vii. 813.
nobles, *s. pl.* v. 3758, vii. 2376.
noblesce, noblesse, i. 2100, ii. 2820, v. 7648.
Noë, P. 1015, v. 1605, vii. 542, 1452, viii. 79, 84.
noght, *s.* P. 624, i. 2197, (nought, viii. 3078), at noght, i. 1567, 1896, for n., ii. 2696, al to n., iii. 580, as n. ne were, iv. 696, 1925, for n. he preide &c., ii. 1164, 2974, al to noghtes, vii. 412.
noght, *adv.* P. 124, 221, 270 &c., nought, P. 33, 70*, naght, v. 3786, not, vii. 2198, viii. 3017*.
noghwhere, *see* nowher.
noise, *s.* i. 375, 1733, noyse, ii. 3239.
noise, *v. a.* iv. 3004, disturb.

nolde (= ne wolde), vi. 1366, viii. 1603.
nom, *see* nam.
noman, P. 41, i. 21 &c., (no man, PP. 11).
nomaner, iii. 173.
nombre, *s.* vii. 155, number.
nombre, *v. a.* ii. 1769, vii. 1122.
nome, *see* nam.
nomo, *s. pl.* i. 1898, ii. 133, no mo, i. 1272.
nomore, nomor, *a.* ii. 1526, iv. 603: *subst.* i. 270, 1605, 3439; *cp.* nomo: *adv.* P. 1086, i. 1226, 2101.
non, *a.* P. 207, 901, i. 890, iv. 505, 1543, *pl.* none, P. 201, iv. 691, 1446, non, i. 1336, 1386; in none wise, v. 1637, viii. 949; *cp.* no: *pron.* P. 176, ii. 1828, no one: *adv.* i. 137, 1329, iii. 2443, not.
non, *s.* viii. 668, noon.
Nonarcigne, v. 1009.
noncertein, *s.* viii. 2179, 2378, uncertainty.
nones, i. 2538, ii. 1130, iv. 1353, 3009.
nonne, *s.* viii. 175, nun.
norrice, *s.* i. 618, ii. 1076, iii. 1936, iv. 1087, vii. 3573, nurse, nurture.
north, *s.* viii. 1039.
Northumberlond, ii. 717.
not (= ne wot), P. 254, i. 56, iii. 124, nost (= ne wost), iv. 1779, nyste (= ne wyste), i. 914, iii. 998.
not, *adv. see* noght.
note, *s.* (1), P. 1058, iv. 434, 699, *pl.* notes, i. 496, note (of music), mark.
note, *s.* (2), iv. 566, nut.
note, *v. a. n.* iv. 698, 2415, v. 1346, vii. 2340.
notefie, *v. a.* ii. 2825.
notetre, *s.* iv. 867, nut-tree.
nother, *see* nouther.
nothing, *s.* i. 909, ii. 1166 &c., no thing, iii. 1824: *adv.* P. 214, i. 3029 &c.
nouche, *s.* i. 2420, v. 7066, vi. 1134, brooch.
nought, *see* noght.
noughte (= ne oughte), viii. 2991.
nouther, nowther, *a.* iv. 2254; *as conj.* i. 271, 2470, ii. 1412, v. 2849, nother, iv. 1268: neither.
novellerie, *s.* v. 3955.
Novembre, vii. 1167.
now, nou, *adv.* P. 27 &c., now ... now, nou ... nou, P. 569 f., i. 90, as now, i. 546, tyme now, i. 2379, viii. 2437, on daies nou, iv. 1731 (*cp.* now adaies): *as subst.* P. 843, iv. 2772, v. 4501.

GLOSSARY AND INDEX OF PROPER NAMES 613

nowher, *adv.* ii. 31, noghwhere, vii. 1514, nawher(e), iv. 1044, v. 3269 : *cp.* naghere.
nowhider, *adv.* v. 520.
nowther, *see* nouther.
nyce, nice, *a.* i. 1224, 2016, 2276, ii. 1866, iv. 610, v. 1038, 2818 ; *as subst.* v. 4725 : foolish, fastidious, delicate.
nycete, *s.* v. 462, vi. 176, folly.
nygard, *s.* v. 4850.
nygardie, *s.* v. 4805.
nyh, *a.* P. 261 ; *adv.* P. 884, i. 1527 ; *prep.* i. 2322, ii. 1115 : *cp.* nerr.
nyht, niht, *s.* P. 939, i. 1167, ii. 2656, nyght, PP. 102, *gen.* nyhtes, i. 860, vii. 358 ; be nyhte, be nihte, i. 823, ii. 2681, iii. 148, iv. 420, be nyht, iii. 1541, iv. 3057, on nyht, i. 1811, a nyht, v. 2099, 6507, to nyht, i. 944.
nyhte, *v. n.* v. 4955, become night.
nyhtingale, *s.* i. 355, iv. 2872, v. 5944.
nyle (= ne, wyle), iii. 961.
nyne, *num.* iii. 1521, v. 4019.
nynthe, *a.* vii. 1141, 1379.
nys, *see* nis.
nyste, *see* not.

O

O, *interj.* i. 124, v. 5677.
o, *pron. a.* i. 1505, v. 2252, 2296, that o, P. 981, v. 2255, that o . . . that other, v. 2306 ff., *cp.* on *pron.*
obedience, *s.* i. 1301, 1858.
obedient, *a.* i. 1291, iv. 1125.
obeie, *v. a. n.* P. 729, i. 510, 1269, 1281, 2236, ii. 2612, v. 6364 ; *refl.* iii. 265 ; is obeied (to), ii. 1529: obey, submit, do obeisance.
obeissance, *s.* P. 107, i. 2606, viii. 2713 (obeyssaunce, viii. 3021*), obedience, homage.
obeissant, *a.* i. 2502, 2795, iv. 425, v. 1351, obedient.
oblivion, *s.* iv. 651.
observance, *s.* i. 881, 1869, 2605.
observe, *v. a.* P. 72*, iv. 3252, vii. 4214.
obstacle, *s.* ii. 1546, iv. 521.
obstinacie, *s.* iv. 3434.
obstinat, *a.* iv. 3442, v. 1704.
occeane, *s.* vii. 592.
occident, *s.* iv. 3235, vii. 582, thoccident, P. 720, the West.

occupacioun (-on), *s.* iv. 212, 1257, v. 197.
Octobre, vii. 1139.
Octovien, v. 4731.
odde, *a.* vii. 1580.
Oënes, iv. 2045.
Oëtes, v. 3321.
of, *prep.* P. 1, 3, 235, i. 825, 1212, 2237, 2737, ii. 2285, iv. 3414, v. 1998, of, from, by reason of, as regards, by : of that (= since), P. 333, i. 417, 1128, 2566 ; of tolde, speke of, &c., i. 2866, iv. 2466 : *adv.* i. 1745, 2471, off.
offence, *s.* i. 2072, iii. 104, 614, iv. 505.
offende, *v. n.* P. 422 ; *v. a.* vii. 3243, PP. 245.
office, *s.* P. 80, i. 2410, iii. 2004, 2218, thoffice, i. 242.
officer, officier, *s.* i. 647, 2506.
offre, *v. a.* i. 1122, 1159 ; *v. n.* iii. 1990.
offrende, *s.* i. 936, v. 1638, viii. 956, offringe, iii. 1995, v. 830.
ofherkne, *v. n.* ii. 2007.
ofte, *adv.* P. 14, i. 620, often, P. 502, ofte sithes (time), i. 118, ii. 2015, often times, v. 4777.
oftetime, *adv.* vi. 1248.
oghne, *a.* P. 86, i. 951 &c., oughne, i. 1948, v. 588, owen, viii. 1248, owne, viii. 2954*.
oght, *s.* P. 846, iv. 673, 1765, 3487, ought, i. 1287, ii. 1930, iv. 1745, auht, v. 6073 : *adv.* i. 549, ii. 274, awht, i. 2770.
oghth, *v. 3 s. pres.* iii. 2474, *pret.* oghte, i. 462, 2238, v. 4984, oughte, v. 2607, owhte, ii. 549, thou oghtest, iv. 1794 ; *impers.* ii. 2142, iii. 704, 1666 : ought, owe, own.
oignement, *s.* v. 3596, viii. 2817.
oil, *s.* vii. 2194, 2584 (*see note*).
oile, *s. see* oyle.
old, *a.* P. 1003, i. 1072, *def.* olde, i. 2693, 2696, *pl.* olde, P. 7, i. 3390, (*as subst.*) v. 3930 ; of (be) olde ensample, iii. 782, 1683, be olde tyde, v. 139 : *cp.* eldeste.
Olimpe, v. 3997.
Olimpias, vi. 1824, 1965.
olyve, *s.* v. 4142.
Omelie, v. 1901, Homilies.
on, *prep.* P. 28, 789, i. 350, 697, 1677, iv. 624, 1632 ; *adv.* i. 1273 : on, in.
on, *num.* P. 125, i. 194, 1274, 1793, one ; in on, P. 159, united ; in on, evere in on, P. 523, i. 1795, iii. 526, v. 375, in the same way, without ceasing ; on and

on, i. 194, vi. 1315, one by one : *pron.*
on, i. 2483, ii. 1217, 1247, iv. 605, 2050,
oon, ii. 1092, iv. 555, v. 519, on . . .
other, P. 649, 968, i. 1496, that on
. . . that other, i. 397, v. 2298, on the
ferste, &c., iv. 2606, vi. 1481, vii. 3092 :
cp. one.
onde, *s.* i. 979, v. 3975, emotion, breath.
one, *a.* i. 2179, vii. 3619, 4161, al one, P.
72, i. 351, al myn one, &c., i. 115, iv.
833, him one, viii. 634, single, alone.
ones, *adv.* i. 962, ii. 1490, at ones, i. 2202,
ii. 2301, iv. 2102.
only, onli, *adv.* P. 265, 719, i. 622, iv.
3202, onlyche, onlich(e), i. 740, 1948,
iii. 42.
onwrong (?), *adv.* P. 65*.
oon, *see* on, *pron.*
open, *a.* P. 34, 865, ii. 431, 776, in open,
i. 616, leie open, v. 974.
openly, *adv.* P. 330, i. 2187, openliche,
i. 1035, ii. 918.
operacioun (-on), *s.* vii. 998, 1282.
opinioun (-on), *s.* i. 1990, ii. 3214, iii.
2114, oppinion, P. 531, v. 1174.
opne, *v. a.* v. 3594, 5785.
oppose, *v. a.* i. 225, 880, 1276, 1601 ;
v. n. iii. 436, viii. 1712 ; question ; ask
questions.
opposit, *s.* iv. 3243.
oppresse, *v. a.* iii. 49, 2335, v. 889, 1806,
vi. 568, (*pp.* oppressid, viii. 3019).
or, *conj.* P. 215, or . . . or, P. 211, i. 740,
either . . . or, or (that) . . . or, iii. 1192,
iv. 1093, whether . . . or.
or, *prep. see* er.
Orace, vii. 3581, *cp.* vi. 1513 *marg.*
Orayn, v. 806.
Orbis, vii. 613, 618, 687.
Orchamus, v. 6727.
ordeine, ordeigne, *v. a.* P. 379, i. 828,
1754, 2126, 2504, 3319, iv. 3624, appoint,
arrange.
ordinal, *s.* vii. 969, arrangement.
ordinance, *s.* ii. 677, 1643, iii. 1787,
ordinaunce, iv. 3559, management,
order.
ordre, *s.* i. 243, 1026, v. 890, order, v.
6954, *pl.* ordres, i. 608.
ore, *s.* ii. 1904, v. 3688, viii. 1401, oar.
Oreades, v. 1330.
orf, *s.* P. 410, cattle.
orient, *s.* i. 2789, iv. 3236, vii. 555, thorient, P. 719.
original, *a.* v. 1767, vi. 1.
orped, *a.* i. 2590, iii. 2415, valiant.

Ortolan, iv. 2609.
Orus, v. 798.
oth, *s.* i. 985, 1487, iii. 55, 220, oath.
other, *a.* P. 264, other wise, P. 463, i.
1048, 1615, in othre wise, viii. 3054,
cp. otherwise, an other, i. 178, another, P. 968, an othre, i. 481, non
othre, viii. 2962, that other, P. 373,
i. 1783, ii. 1832 (the next), thother, ii.
1740, that othre, v. 3172, *pl.* othre, P.
255, i. 1728, iv. 1184, other, i. 116, iv.
1183, thother, vii. 371 : *as subst.* P.
1024, an other, i. 1500, iii. 179, vii.
4741, 5165, an othre, i. 1496, ii. 511,
ech . . . other, iv. 500, eche (echon) . . .
othre, i. 2061, 2082, *pl.* othre, P. 427,
i. 810, 2074 : *adv.* i. 1760, otherwise.
othergate, *adv.* P. 440, iv. 2790.
otherwhile, *adv.* i. 2335 f., 2515, ii. 456,
1080, sometimes, any time.
otherwise, *adv.* P. 240, i. 1938, of otherwise, ii. 2421 : *cp.* other.
Othes, P. 818.
Othrin, v. 3997.
oughne, *see* oghne.
ought, *see* oght.
oughte, *see* oghth.
oule, *s.* i. 1727, iii. 585, vi. 1450.
oultrage, *s.* P. 1080, ii. 2967, iii. 1775,
vii. 1190.
oultreli, *adv.* vii. 4107, utterly.
oure, *poss. pron.* P. 5, i. 2062, iii. 1473,
our, v. 1860.
ourselve, *pron.* PP. 222, cp. ousselve.
ous, *pers. pron.* P. 1, 5 &c., *refl.* P. 543,
(us, viii. 3110*), us.
ousselve, *pron.* P. 525, ousself, iii. 2302,
ourselves : *cp.* ourselve.
out, *see* oute.
outake(n), outtake, *pp.* P. 136, vii. 264 ;
as prep. i. 3077, iv. 3459, v. 215 :
excepted, except.
outbreide, *v. a. pret.* iii. 800, out breide,
viii. 1377, drew out.
outdrowh, outdrouh, *v. a. pret.* iii.
1661, v. 3719, drew out.
oute, out, *adv.* P. 689, i. 1418, ii. 1887,
3240, iv. 2351, viii. 1377, (*as exclamation*) v. 3910, out of, P. 131, i. 933, &c.
outher, *conj. see* owther.
outher, *indef. pron.* v. 2836.
outtake, *see* outake.
outward, *adv.* P. 447, ii. 2201, v. 1996,
4399, outwardly, out.
outwith, *a.* viii. 2833, outwardly.

GLOSSARY AND INDEX OF PROPER NAMES 615

over, *prep.* P. 755, **over this,** P. 328, (**ovyr this,** viii. 3005), **over that,** P. 1017, besides, *cp.* **overthis, overthat; over al,** iii. 1945, throughout.
overal, *adv.* P. 119, i. 1713, **overall,** iv. 2882, everywhere, throughout.
overblowe, *v. n.* v. 7828.
overcaste, *v. a.* P. 657, i. 1070, iii. 1010, 1136, 1354, v. 4603, viii. 1042, overthrow, upset, cover (with clouds).
overcome, *v. a.,* 3 *s. pres.* **overcomth,** iii. 619, *pret.* **overcom,** P. 757, **overcam,** v. 1093, *pp.* **overcome,** P. 704, i. 970, v. 3745.
overforth, *adv.* P. 635.
overgilt, *pp.* viii. 569, gilded over.
overglad, i. 2713, iv. 678.
overgladed, *pp.* iii. 106.
overgo, *v. n.,* 3 *s. pres.* **overgoth,** iii. 102, **overgeth,** iii. 1962, *pp.* **overgo(n),** i. 3325, iv. 664, pass away: *v. a.* iii. 576, 1488, viii. 182, 227, overcome.
overhaste, *v. a.* iii. 1675.
overhippe, *v. a.* v. 2004, leap over.
overladde, *v. a. pret.* iii. 2364, *pp.* **overlad,** iv. 582, v. 2749, overcame, overcome.
overlein, *pp.* vii. 3930, oppressed.
overlippe, *s.* v. 376, upper lip.
overmo, overmor(e), *adv.* i. 2386, 3361, ii. 378, iii. 918, (**ovyrmore,** viii. 3029), moreover.
overpasse, *v. a.* i. 517, 2402, ii. 2401, vii. 1839, 4075, pass over, pass by, avoid, surpass; *v. n.* P. 630, i. 6, 2922, iii. 94, iv. 1134, pass away.
overrede, *v. a., pret.* **overradde,** ii. 956, *pp.* **overrad,** iv. 207, read over.
overrenne, *v. a., pret.* **overran,** iii. 2445, *pp.* **overronne,** i. 2478, iv. 2188, v. 6974, vi. 1059, vii. 862, **overrunne,** viii. 100, overrun, conquer, pass, omit, transgress.
overscape, *v. a.* i. 2242, iii. 518, escape from.
overseie, *pp.* **oversein,** *v. a.* ii. 1011, viii. 879, looked over.
oversein, overseie, *a.* v. 3190, viii. 2933, careless, imprudent.
overset, *v. a. pp.* i. 1953, v. 2707.
oversit, *v. a.* 3 *s. pres.* iii. 618, *pret.* **oversat,** iv. 806, outstay.
overspradde, *v. a. pret.* v. 1653, 7114*, viii. 1012, 3002*.
overtake, *v. a.* v. 700, *pret.* **overtok,** ii. 303, *pp.* **overtake,** P. 135, ii. 2586,
iii. 2098, iv. 3415, overtake, convict, ruin.
overthat, *adv.* P. 839, iii. 277, moreover; *cp.* **over.**
overthis, *adv.* i. 448, 573, iv. 3698, moreover; *cp.* **over.**
overthrowe, *v. a.* P. 139, *pret.* **overthrew, overthreu,** vi. 1590, viii. 2704, *pl.* **overthrewe,** vi. 2264, turn over, overthrow; *v. n.* P. 969, i. 1886, 1962, ii. 252, *pret. subj.* **overthrewe,** iii. 1630, be overthrown.
overtorne, *v. a.* iv. 1280, vi. 129, 1956, (*pp.* **ovyrturnyd,** viii. 3145), turn over, overturn; *v. n.* P. 958.
overtrowe, *v. n.* i. 2369.
overwende, *v.* iii. 1131, v. 1668, overturn, come over.
overwroth, *a.* iii. 579.
Ovide, i. 333, 386, 2274, ii. 106, 2297, iii. 361, 381, 736, iv. 1211, 2669 ff., 3317, v. 140, 635, 878, 4229, 5570, 6146, 6710, viii. 2266 ff., 2719.
owen, see **oghne.**
owther, outher, *conj.* i. 2309, iii. 847, iv. 938, either.
oxe, *s.* i. 2843, ii. 86, v. 10, *pl.* **oxen,** v. 1023, **oxes,** iv. 1835.
oyle, oile, *s.* iv. 257, viii. 1198, 2775, oil.

P

Paceole, v. 299.
pacience, *s.* ii. 2819, iii. 12, 1098.
pacient, *a.* iii. 706.
packe, *s.* v. 5516, 6094.
Pafagoine, iv. 2148 ff.
page, *s.* iv. 1192, foot-boy.
paie, *v. a. n.* iv. 1848, 3269, v. 2679, 3 *s. p.* **paith,** v. 4522, **paieth,** v. 5513, *pret.* **payde,** P. 1755, *pp.* **paid, payd,** i. 2449, 3324, ii. 2217, iii. 934, **paied,** i. 2984, please, pay, satisfy.
paiement, *s.* v. 5087, 5520.
paien, *s.* vii. 3246* ff., *pl.* **paiens,** vi. 1313, PP. 183, pagan.
paiene, payene, *a.* v. 1137, 1943 **paien,** vii. 3222*, 4408, pagan.
paindemeine, *s.* vi. 620.
Palamades, iii. 1007, iv. 1817.
pale, *a.* i. 701, 982, ii. 1346.
paleis, *s.* P. 838, i. 2964, ii. 3231.
Palene, v. 1199.
Palladion v. 1833 ff.

Pallant, v. 1209.
Pallas, i. 420 ff., v. 1207 ff., 4219, 6149 ff.
palle, *v. a. n.* v. 5486, vi. 342, weaken, grow weak.
palle, *s.* v. 6680, covering.
Pan, v. 1007, viii. 2239, 2476.
panche, *s.* vi. 1000, belly.
Pandas, iv. 2410.
Pandion, v. 5556.
Pandulf, iv. 2408.
panne, *s.* i. 2472, iv. 2733.
Pantasilee, iv. 2139 ff., v. 2547, Pantaselee, viii. 2527.
Panthasas, iv. 3049.
Pantheon, viii. 272.
papacie, *s.* P. 364, ii. 2895.
papal, *a.* ii. 2925.
papat, *s.* ii. 2833, papacy.
paper, *s.* iv. 198.
Paphos, iv. 435.
Paphus, iv. 434.
pappes, *s. pl.* iii. 2010, 2073.
par, *prep. see* per.
paradis, *s.* P. 1005, i. 3303, iv. 682, v. 1707, vi. 207, paradys, i. 502.
parage, *s.* i. 3336, viii. 351, equal rank, rank.
parail, *s.* vii. 1038.
paramour, *s.* iv. 1269, 1470.
Parasie, v. 1011.
parconner, *s.* viii. 2535, partner.
pardoun, *s.* i. 2174, viii. 2896.
parfit, *a.* iii. 2496, v. 2032, *def.* parfit, iv. 2522, parfite, iv. 2624 ; *as subst.* the parfit, iv. 2363, v. 1723 : *adv.* v. 1714.
parfitly, parfitli, *adv.* ii. 755, iv. 2497, v. 2136, parfihtliche, v. 1732.
parforne, *v. a.* vii. 1373, viii. 2273, perform.
Paris, v. 7374 ff., viii. 2529.
park, *s.* i. 1566, iv. 1288.
parlement, *s.* ii. 1549, 2653, iii. 2130, v. 484.
part, *s.* P. 64, i. 321, 1376, ii. 174, 1447, *pl.* pars, v. 4774, partz, v. 7704.
parte, *v. a.* P. 170, 467, v. 73, divide, distribute : *v. n.* ii. 1578, v. 131, 3639, 6175, 7582, part (from, with), depart, share.
parti, *a.* iii. 983, variegated.
parti, *s.* ii. 1740, v. 7341, part, party.
partie, *s.* P. 43, 792, 956, ii. 230, part, party : stant partie, iii. 1160.
partinge, *s.* vii. 2008, division.
pas, pass, *s.* i. 1421, ii. 2205, v. 6090, pass, passage ; i. 2183, vi 1197, pace,

foot's pace, the grete pas, ii. 988, v. 3178, vii. 3283*, (the) softe pas, ii. 1509, vii. 4970.
Pasiphe, v. 5279.
passage, *s.* ii. 1885, 2194, 2209, 3036, iv. 1902, passage, passing away.
passe(n), *v. a.* i. 332, 651, 1849, 2175, iv. 1666, viii. 2692, pass, pass through, pass over, surpass ; *v. n.* P. 689, i. 142, 499, 1534, 2247, ii. 944, 2810, iv. 2239, v. 5954, vii. 4762, pass, happen, pass away.
passible, *a.* v. 771, liable to suffer.
passioun (-on), *s.* P. 915, iii. 2721, vi. 169.
past, *s.* iii. 447, vi. 620, paste, pastry.
paste, *s.* v. 2407, pasty.
pasture, *v. n.* i. 2915.
paternoster, *s.* v. 7119.
path, *s.* v. 1990.
patriarch, *s.* v. 1635, vi. 1040, *pl.* patriarkes, viii. 134.
patrimoine, *s.* P. 741.
Paul (Emilius), Paulus, ii. 1776 ff.
Pauline, i. 765 ff.
paved, *pp.* viii. 1855.
pay, *s.* vi. 1208, satisfaction.
payene, *see* paiene.
peine, *s.* P. 509, i. 1209, 1367, ii. 2586, (peyne, viii. 3121), *pl.* peines, i. 2900, punishment, pain : do mi peine, &c. ii. 507, v. 658, endeavour.
peine, peyne, *v. refl.* iv. 414, viii. 2509, suffer, take pains ; peined, *pp.* i. 2916, ii. 26, troubled.
peinte, *v. a.* i. 284, 1346, 2729, ii. 2854, iv. 2138, PP. 329, paint, embellish.
peinture, *s.* vi. 1894.
peire, *s.* v. 5691, p. of bedes, viii. 2904.
peis, *s.* vii. 3119, viii. 2380, weight.
peise, *v. a.* P. 540, i. 3377, iii. 2403 ; *v. n.* v. 232, viii. 1169 : weigh, feel by weight.
Pelage, ii. 1316.
Peleüs (1), iii. 2550.
Peleus (2), v. 3249 ff., 4187, Pelias.
pelote, *s.* v. 5349, ball.
pelrinage, *s.* i. 803, ii. 1315, iv. 1199.
penance, penaunce, *s.* P. 471, i. 1669, ii. 2316, viii. 477.
Peneie, v. 4006.
penne, *s.* iii. 271.
Penolope, iv. 152 ff., 1822, vi. 1471, viii. 2621.
penon, *s.* vi. 1650.
penonceal, *s.* viii. 988.
pensel, *s.* vi. 1553, 1733, pennon.
Pentapolim, viii. 658, 1966 ff.
peny, *s.* vii. 2125.

GLOSSARY AND INDEX OF PROPER NAMES 617

per, par, *prep.* P. 42*, i. 1521, 2049, 2225, ii. 1644, iii. 2604, iv. 39, 964, 1101, 1239, v. 3351.
peraunter, *adv.* ii. 563, perchance.
perce, *v. a.* iii. 451, iv. 2881, 3030, v. 1678, pierce.
Perce, *see* Perse.
perceive, *v. a.* i. 471, 899 ; *v. n.* v. 2086.
perdurable, *a.* vii. 520, viii. 2976, eternal.
perfeccioun, *s.* P. 436.
periferie, *s.* vii. 265 ff.
peril, *s.* P. 381, i. 1076, iii. 185.
perjurie, *s.* v. 3225, perjure, v. 7617.
perle, *s.* iv. 1313, v. 3015, vii. 4334.
perled, *a.* i. 2510.
pernable, *a.* viii. 2931.
Peronelle, i. 3396.
perpetuel, *a.* vii. 98.
perplexete, *s.* viii. 2190.
perrie, *s.* i. 2997, v. 7117*, vi. 1135, vii. 1397, precious stones, stone.
Perse (1), Perce, P. 678 ff., ii. 2548, 2629 ff., iii. 2312, vii. 1784, 3433 ff., 4366 ff., Persia.
Perse (2), *see* Perseüs (2).
Perse (3), ii. 1784 ff., (name of a dog).
Perseüs (1), i. 419.
Perseüs (2), Perse, ii. 1620, 1647 ff., (king of Macedon).
Persiens, *pl.* P. 697.
persone, *s.* P. 71, i. 840, ii. 1098, iv. 160.
pes, *s.* P. 109, i. 1103, iv. 2046, PP. 62, pees, P. 1061, PP. 35, peace, protection.
pese, *s.* v. 4409, pea.
pestilence, *s.* P. 279, ii. 1648, v. 1070.
pet, *s.* i. 2981, v. 4945 ff., pitt, i. 1908, *pl.* pettes, v. 1114, 4047, puttes, v. 4043, pit.
Peter, i. 656, ii. 3335, 3478, v. 1871, 1904, *genit.* Petres, P. 234, PP. 230.
Petornius, v. 1520.
Petro, i. 3395.
Phara, vii. 3697.
Pharao, v. 1654.
Phares, v. 7023.
Pharisee, P. 305.
Phebe, iv. 3254.
Phebus, iii. 783 ff., 1688 ff., iv. 979 ff., 3197, 3243 ff., v. 6447 ff., 6740 ff., vii. 4704 ff., Phebum (*acc.*), v. 6719.
Phedra, *see* Fedra.
phesant, *s.* vi. 2223.
Pheton, iv. 983 ff.
Philemenis, iv. 2151.
Philemon, iv. 2405.

Philen, v. 4251.
Philerem, v. 1163.
Philippe (1), Philipp, vi. 2112, 2221.
Philippe (2), ii. 1616.
philliberd, *s.* iv. 869, filbert.
Phillis, iv. 743, 866 ff., viii. 2554.
Philogeüs, vii. 857.
Philomene, v. 5561 ff., viii. 2583.
philosophie, *s.* iii. 1219, iv. 2399, vi. 1404.
philosophre, *s.* ii. 2674, iii. 1201, iv. 2453, philisophre, v. 2080.
Philotenne, viii. 1337.
Phinees, vii. 4432.
phisicien, *s.* viii. 1164, 3156.
phisique, *s.* ii. 3163, iv. 2420, 3304, vi. 663, 1409, vii. 71, 135 ; medicine, treatment, physical science.
phisonomie, *s.* vi. 109.
phitonesse, *s.* iv. 1937, vi. 2387.
Phocus, iii. 2551.
Phoieus, *s.* iii. 2023 ff.
Phorceüs, i. 390.
Phyryns, v. 6372.
pich, *s.* v. 2176, 5349, viii. 1109, pitch.
Pictagoras, vi. 1410.
pie, *s.* iv. 3001, v. 1998, magpie.
piece, *s.* v. 1338, al to pieces, iii. 465, 1048.
pier, *s.* i. 3337, iii. 1344, vii. 2461 ; *as a.* i. 3365 : peer, equal.
piereles, *a.* viii. 286, PP. 305.
pietous, *a.* vii. 3159, 3271, merciful.
pigne, *s.* v. 1010, pine.
pike, pyke, *v. a. n.* i. 698, 2568, iii. 500, iv. 2650, v. 6633, 6681, vii. 1590, 2282, pick, choose, assume.
pilage, *s.* v. 2071, 6172, vii. 2035, plunder, plundering.
pile(n), *v. a. n.* P. 401, iii. 2359, vii. 4053, plunder.
pilegrin, *s.* i. 2041, pilgrim.
Pileon, iv. 1980.
piler, *s.* iv. 2054, v. 1670, pillar.
pilour, *s.* iii. 2372, robber.
pilwe, *s.* i. 2986, iv. 3021, v. 540, pillow.
piment, *see* pyment.
pinacle, *s.* iv. 3662.
pipe, pype, *s.* iv. 3334, 3342, v. 1032, viii. 2675.
pipe, *v. n.* iv. 3343, v. 95, 1032.
pipinge, *s.* iv. 3345, viii. 2477.
Piramus, iii. 1376 ff., 1660, viii. 2543.
pire, *v. n.* vi. 818, peer.
piromance, *s.* vi. 1298, divination by fire.
Pirotoüs, vi. 489.
Pirrus, iv. 2161, v. 3195, viii. 2593.

Piscis, vii. 1216, **Pisces**, vii. 1253.
pitance, *s.* vi. 877, portion (of food).
pite, *s.* P. 320, i. 2203, ii. 3174, vii. 3107, ff., **pitee**, vii. 3177*, mercy, pity.
pitous, *a.* i. 122, 680, 979, vii. 3125.
pitously, *adv.* iii. 1663, iv. 3621, **pitousliche**, iv. 2810.
pitousnesse, *s.* vii. 3526.
pitt, *see* **pet**.
place, *s.* i. 136, 1314, 1513, a place, i. 2377, iv. 2451, *cp.* **aplace**.
planemetrie, *s.* vii. 1469.
planete, *s.* iii. 1216, iv. 2467, v. 753, vii. 637 ff.
planisperie, *s.* vii. 1464.
plante, *v. a.* PP. 368.
planteine, *s.* vii. 1391.
plat, *adv.* i. 472, 1495, ii. 2047, vii. 4084, flatly, plainly.
plate, *s.* v. 3111, 7113*.
Plato, vi. 1404, viii. 2718.
plaunte, *s.* ii. 2370.
plede, *v. n.* vii. 2069.
pledour, *s.* ii. 3416.
ple, plee, *s.* ii. 3416, vii. 2068, plea.
pleie, *v. n.* i. 54, 348, 1764, 1854, 2031, v. 6786, vii. 2423, **pleye**, P. 85*, viii. 3057*; *refl.* i. 364, iii. 151; *v. a.* iv. 904.
pleiefieres, *s. pl.* iv. 482.
pleigne, *v. n.* P. 183, 747, i. 999, ii. 446, 1650, **pleine**, iv. 3180, complain.
pleignte, pleinte, *s.* i. 3026, ii. 293, iii. 1983, iv. 117, complaint.
plein, *a.* (1), iv. 1539, vii. 931, *def.* **pleine**, i. 864, full.
plein, *a.* (2), P. 184, 408, i. 282, 736, vii. 2350, viii. 1982, *def.* **pleine**, v. 5251, *pl.* **pleyne**, viii. 3122, level, simple, plain, smooth.
plein, *adv.* i. 1490, 1656, ii. 1452, iv. 39, vii. 1594, fully, plainly.
pleine, plein, *s.* i. 113, 357, ii. 1498, v. 1287.
pleinly, pleinli, *adv.* P. 473, i. 127, ii. 1238, 2789, **pleinliche**, i. 211, fully, plainly.
pleinte, *see* **pleignte**.
pleintif, *a.* iv. 154.
plenerliche, *adv.* P. 527, i. 1278, **plenerly**, vii. 525, fully.
plente, *s.* P. 97, v. 2218.
plentivous, plentevous, *a.* v. 2147, vii. 931, abundant.
plesance, *s.* i. 882, 1499, 2617, ii. 1177.
plesant, *a.* i. 1503, v. 1295.

plese(n), *v. a.* P. 192, i. 1698, 3051, ii. 1450, v. 4761.
plesir, *s.* v. 501.
pley, *s.* P. 85*, vi. 1852, viii. 692.
pleye, *see* **pleie**.
pleyinge, *s.* viii. 3082*.
Pliades, vii. 1320.
plie, *v. a.* i. 578, 1249, ii. 3419, **plye**, vii. 3871, bend; *v. n.* i. 1779, iii. 871, iv. 3564, bend, submit; ii. 3146, strive.
plight, *s.* vii. 4228, engagement.
plihte, plyhte (1), *v. a.* iii. 1508, *pret.* **plihte, plyhte**, i. 822, ii. 1205, *pp.* **pliht**, iv. 757, engage.
plihte (2), *v. a. pret.*, to plihte, v. 850, tore in pieces.
plit, *s.* P. 57, 296, i. 989, 1663, 2579, ii. 692, v. 2031, **plyt**, ii. 2980, condition, state of things, manner.
plover, *s.* vi. 943.
plowh, plouh, *s.* i. 1566, 3257, iii. 514, v. 3720, **plogh**, iv. 2383, plough, ploughed land.
plowed, *a.* vii. 1162, of the plough.
plowman, *s.* ii. 3422.
Pluto, iv. 2851, v. 1104, 1146, 1290, 4052.
plye, *see* **plie**.
plyhte, *see* **plihte**.
pocock, *s.* v. 6498.
poeple, *s.* P. 107, i. 1193.
poesie, *s.* iv. 1038, 2668, v. 6806.
poete, *s.* i. 386, ii. 121, viii. 2719.
point, *s.* i. 73, 1229, iii. 308, viii. 2579 f., (**poynt**, vii. 3157*), *pl.* **pointz**, i. 288, vii. 1706; in the point as (as soon as), P. 268, in p. to, ii. 1016, in good p., ii. 2792, *cp.* vii. 4654, out of p., i. 1304: point, condition, manner.
pointure, *s.* vii. 1048, prick.
policed, *pp.* i. 2543, polished.
policie, *s.* iii. 459, vii. 1683, 1986, &c.
Poliphemus, Polipheme, ii. 107 ff.
Polixenen, iv. 1696, **Polixena**, v. 7593, viii. 2593.
pomel, iii. 307, 1443.
pompe, *s.* P. 304, i. 2685, ii. 1773.
Pompeie, v. 5533, vii. 3215 ff.
Pompilius, *see* **Neuma**.
Pontsorge, ii. 3003.
pope, *s.* P. 371, 745, ii. 635, 2809 ff., PP. 383.
popi, *s.* iv. 3007, poppy.
por reposer, viii. 2907.
porchace, *see* **pourchace**.
pore, *see* **povere**.
porpartie, *see* **pourpartie**.
porpos, *see* **pourpos**.

porsuite, *see* poursuite.
port, *s.* (1), i. 674, 3429, iv. 1187, v. 1426, viii. 2195, bearing, behaviour, kind.
port, *s.* (2), viii. 387, harbour.
porte, *s.* ii. 1114 ff., porthole.
porveaunce, *see* pourveance.
positif, *a.* P. 247, iii. 172.
possessioun (-on), *s.* P. 684, ii. 3480, v. 64, v. 1685.
pot, *s.* iii. 656, vii. 3742, *pl.* pottes, P. 614, vi. 914.
potestat, *s.* iv. 3522.
poudre, *see* pouldre.
pouer, P. 144, i. 2892, ii. 928, iii. 1779, (power, viii. 3062 ff.).
Poul, ii. 3335, 3478, v. 1910.
pouldre, poudre, *s.* P. 623, i. 2003, vii. 354, powder.
Poulins, iv. 2420.
pound, *s.* iv. 2591, v. 2719.
pourchace, pourchase, *v. a.* i. 816, iii. 1484, iv. 1996, purchace, P. 129, viii. 3132, porchace, v. 4684, procure, seek after; *v. n.* i. 2157, ii. 3504, v. 2001, vi. 1944, endeavour, make gain, succeed.
pourchas, *s.* v. 6089, gain.
poure, *v. a.* iii. 679, v. 2222, pour.
pourpartie, *s.* i. 406, v. 7000, porpartie, v. 1691, share.
pourpos, *s.* i. 642, 1178, porpos, v. 3363.
pourpose, *v. a. n.* ii. 2528, purpose, P. 53; *refl.* v. 1988.
pourpre, *s.* vi. 990, purple.
pours, purs, *s.* ii. 2683 ff., v. 5093 ff., purse.
poursuiant, *s.* ii. 2552, *pl.* poursuiantz, ii. 239, suitor.
poursuie, *v. a.* i. 946, iv. 2685, poursewe, iv. 3453, pursue, attain to; *v. n.* ii. 255, 2630, iii. 1673, vi. 2406, make pursuit, continue.
poursuite, porsuite, *s.* iv. 28, v. 4423.
pourtreie, *v. a.* vii. 4876.
pourtreture, *s.* iv. 2421, v. 757.
pourveance, *s.* P. 585, i. 1916, 2028, v. 926, 5539, porveaunce, porveance, P. 188, v. 2674, providence, foresight, provision.
pourveie, *v. a.* i. 843, iv. 204, *pp.* pourveid, v. 4021, pourveied, vii. 1681; *v. n.* ii. 1327; *impers.* viii. 24: provide, ordain.
pourveour, *s.* v. 1997, procurer.
povere, *a.* P. 227, i. 2098, 3010, pore, viii. 2411; *as subst.* P. 317, vi. 1004; *superl.* the povereste, iv. 2238.

poverte, *s.* P. 303, i. 1353, iv. 2219.
power, *see* pouer.
practique, *s.* iv. 2612, vii. 41, 1648 ff., method, moral science.
prance, *v. n.* vi. 1191.
preche(n), *v. a.* ii. 3433, iii. 2500, v. 3361 (admonish); *v. n.* P. 231, i. 1277.
prechinge, *s.* v. 1906.
prechour, *s.* ii. 3356.
precious, *a.* v. 1549, *pl.* preciouse, iv. 1354.
preferre, *v. a.* ii. 3073, 3254, iv. 1806, vii. 2824.
preie, *s.* iii. 1393, 2605, prey.
preie, *v. a. n.* P. 231, i. 804, 3195, iv. 369, praie, ii. 1933, viii. 2998, (preye, P. 31*, 66*), prai (1 *s. pres.*) i. 220, 3 *s. pres.* preith, P. 748, *pret.* preide, P. 600, i. 1549, ii. 1120, iv. 398, 1368, preyde, iv. 192, *pp.* preid, v. 4241, *imperat.* prei, i. 2937, vi. 451; pray to, pray for, pray.
preiere, *s.* i. 794, iii. 135, iv. 172, 3231, prayer.
preise, *v. a. n.* P. 539, i. 2120, ii. 394, v. 231.
preisinge, *s.* ii. 407.
preiynge, *s.* vi. 426.
prelacie, *s.* P. 287, v. 1902.
prelat, *s.* P. 294, vii. 4246, *pl.* prelatz, v. 1850, PP. 247.
prenostik, *s.* ii. 1793, presage.
preparacion, *s.* vii. 1429.
pres, press, presse, *s.* iv. 148, 2162, v. 4, 2440, 7253, viii. 904, 2751, crowd, eagerness: in presse, iv. 2849, down below (*cp.* Chaucer, *Troilus*, i. 559).
presage, *s.* ii. 1790.
presence, *s.* i. 1635, 2071, ii. 757, v. 1069.
present, *s.* v. 4204, in present, v. 3595, *pl.* presens, vi. 1497, gift.
present, *a.* P. 587, ii. 1368.
presente, *v. a.* v. 1911, viii. 2307; *refl.* v. 2093.
preserve, *v. a.* vii. 3856, viii. 1961.
press, presse, *s. see* pres.
presse, *v. a.* ii. 462, 1733; *v. n.* viii. 2752.
prest, priest, *s.* i. 193 ff., iii. 2275, 2556, *pl.* prestes, i. 810.
presthod(e), *s.* P. 259, viii. 2079.
presumpcioun, *s.* i. 1989.
pretoire, *s.* vii. 2847.
Priamus, iii. 975, 1890, v. 7226 ff., viii. 2523, 2592.

pricke, s. P. 396, i. 3311, iii. 116.
pride, s. P. 224, i. 581 &c.
pride, pryde, v. refl. i. 2372, ii. 1811; pp. prided, PP. 257.
prie, v. n. iv. 1176, v. 7078, pryhe, v. 470.
priente, s. i. 555, vi. 2149, print.
prieve, see prove, proeve.
prike, v. a. n. i. 2036, iv. 997, vi. 1191, spur, ride.
prime, s. v. 3880.
primerole, s. vii. 1214, 1362, primrose.
prince, s. P. 45, ii. 633, iii. 1005.
prinche, v. n. v. 4854.
principal, a. i. 307, 581, iv. 2489, v. 1115; as subst. iii. 1282, v. 1995, 6446, in principal, vii. 29.
prioresse, s. v. 891.
pris, s. P. 42, i. 848, 1900, 2525, 2755, 3304, 3329, vii. 3966, priss, vii. 4364, value, prize, fame, praise : sette pris of, i. 3068, iii. 1454, iv. 908, value, stonde in p., iv. 2632, v. 1708, cp. ii. 278, be valued, be praised.
prisoner, s. iii. 2375, v. 7212, vii. 2374.
prisoun (-on), s. ii. 1854, iv. 1042 ff., v. 5734, prisone, vii. 2630.
prive, pryve, v. a. vii. 3270, 4040, deprive.
prive, a. i. 815, 1738, ii. 2858, vii. 121, privi, v. 7621, (preve, PP. 128), in prive, ii. 686 ; secret.
prively (-li), adv. i. 898, 2069, v. 2143, privelich(e), ii. 1695, v. 1247.
privete, privite, s. i. 1660, ii. 1416, 1651, pl. privetes, i. 2806.
privilege, privilegge, P. 103, v. 7173, vii. 1989, (previlege, PP. 245).
probleme, s. i. 3071, viii. 1681.
procede, v. n. P. 405, 1025, iv. 1.
process, s. viii. 269.
processioun, s. i. 1140, v. 7560.
proclame, v. a. P. 88, ii. 3039, iv. 2478.
procurour, s. v. 2862.
prodegalite, s. v. 7645, vii. 2026.
proeve(n), prove(n), v. a. n. P. 556, 926, 948, i. 61, 758, 1851, iii. 2311, prieve, vii. 126, try, prove, appear.
professed, pp. v. 890, 1805, viii. 1848, bound by vow.
professioun (-on), s. ii. 2383, viii. 1266.
profit, s. P. 295, ii. 348, iii. 2468, v. 188.
profitable, a. ii. 2201, PP. 300.
profite, v. n. iv. 2298, 2572.
profre, v. a. n. and refl. iii. 1988, iv. 1130, 3 s. pres. proferth, i. 1693, profreth, i. 1772, v. 5322, 6923, offer.
profre, s. iii. 1989, v. 4745, offer.
progenie, s. ii. 592, iv. 2701.
Progne, v. 5559 ff., viii. 2583.
prolacioun (-on), s. ii. 2875, vii. 173, utterance.
prolificacion, iv. 3248, fruitfulness.
prologe, s. P. 66.
promission, s. v. 1686, promise.
Promotheüs, iv. 2422, v. 1523.
pronounce, v. a. ii. 391, v. 7321.
prophecie, s. P. 588, ii. 1857, iii. 764.
prophecie, v. a. v. 1167.
prophete, s. v. 1693, vi. 1093, vii. 2560.
prophetesse, s. ii. 1802.
proporcion, s. v. 2531, 7245.
propre, a. P. 258, 535, i. 3393, ii. 2365, iii. 2361, iv. 2543, proper, own, appropriate; adv. vii. 4011, for (his) own part.
proprely (-li), adv. i. 299, ii. 289, v. 1328, vii. 1268, properly, P. 947, propreliche, iv. 5.
proprete, s. P. 929, ii. 2377, iii. 2326, v. 1336, (proprite, PP. 326), pl. propretes, i. 257, iii. 1225, propretees, vii. 63.
Proserpine, Proserpina, iv. 2850, v. 1277, 4053.
prosperite, s. i. 2802, iv. 1213.
proteccioun, s. v. 2573, viii. 3040*.
Protheselai, iv. 1901.
Protheüs, v. 3082, 6672.
proud, a. P. 347, 712, v. 198, def. proude, P. 222, i. 1980; sup. proudest, i. 1996.
proudly, adv. i. 1912.
prouesse (-esce), P. 98, i. 1083, ii. 2589, iv. 2302.
prove, v. see proeve.
prove, s. ii. 1673, prieve, ii. 2022, vi. 1924, trial.
Provence, ii. 3004.
provende, s. P. 210, prebend.
proverbe, s. P. 786, v. 6631, vi. 448, vii. 1961.
providence, s. ii. 1322, iv. 863, vii. 3941.
province, s. vii. 2770.
provisour, s. v. 2905.
prudence, s. iv. 2652, v. 2289.
prune, v. refl. vi. 2203, trim (oneself).
Prus, iv. 1630.
pryhe, see prie.
pryve, see prive, v.
Pseudo, v. 1879.
Puile, v. 2064 ff., 2646.

GLOSSARY AND INDEX OF PROPER NAMES 621

puison, puyson, s. i. 2645, ii. 565, iii. 2457, vi. 2246, poison.
pulle, v. a. P. 400, ii. 1788, *imperat.* pull, iv. 723.
purchace, *see* pourchace.
pure, a. P. 742, i. 1721, 1987, iii. 2214; *sup.* the purest, P. 921; pure, mere, absolute.
pure, v. a. iv. 2555.
purefie, purifie, v. a. i. 1044, ii. 3460.
purgatoire, s. i. 1776, 2682.
purge, v. a. i. 1039.
purifie, *see* purefie.
purpose, *see* pourpose.
purs, *see* pours.
pusillamite, s. iv. 314, 707, vii. 3527.
put, s. *see* pet.
pute(n), v. a. *inf.* i. 462, ii. 1551, iii. 547, 2648, iv. 1641, putte, iv. 2288, put, i. 1578, 3213, ii. 93, i s. *pres.* put, i. 732, v. 2951, 3 s. put, i. 690, ii. 2493, 3 *pl. pres.* (*subj.*) putte, v. 608, *pret.* putte, P. 1069, i. 2797, pitte, viii. 2796, put, P. 683, 693, 718, i. 1013, 1807, puttt (*pl.*), v. 7417, *imperat. sing.* put, ii. 3154, *pl.* putteth, ii. 1033.
pyke, *see* pike.
pyl, s. ii. 390, pile (*as in the phrase* 'cross or pile').
Pymaleon, iv. 372.
pyment, piment, s. vi. 218, 337.
pyne, s. v. 4020, pain.

Q

quake, v. n., *pret.* quok, qwok, iii. 258, vi. 2206.
qualite, s. P. 954.
quant, *see* tant.
quarel, s. v. 7239, bolt.
queene, queen, quen, *see* qwene.
queint, queynte, *see* quenche.
queinte, qweinte, a. i. 283, 2730, ii. 2853, iv. 2314, v. 4623, viii. 2687, cunning, curious, gentle.
queintise, s. i. 906, ii. 2403, cunning.
queintise, v. a. viii. 2472, adorn.
quelle, v. a. v. 5357, kill.
queme, *see* qweme.
quenche, v. a. ii. 1627, vi. 452, *pret.* queynte, v. 3697, *pp.* queint, queynt, ii. 1556, 1748, v. 2223.
querele, s. P. 277, i. 134, 1822, ii. 16, v. 2066, querelle, ii. 2703, 2967, cause, quarrel, enterprise.
querele, v. n. vii. 3172*.
queste, s. v. 2878.
questioun (-on), s. i. 1013, 1460, 3098, iii. 2245, question, torture.
quik, quyk, qwik, a. v. 6774, vii. 2898, viii. 2451, *def.* qwike, ii. 2779, *pl. s.* qwike, ii. 3405, alive, living.
quikselver, s. iv. 2475.
quit, qwyt, a. i. 1664, ii. 691, iii. 1588, iv. 661, *pl.* quyte, iii. 2577, free, unpunished.
quite, quyte, v. a. i. 3347, iii. 1608, v. 7184*, viii. 1255, (qwiten, PP. 279), *pp.* quit, iii. 2194, v. 7729; pay for, requite, acquit.
quod, v. *pret.* i. 183, 1273, 1557, 3183, said.
qwed, qued, s. iii. 1534, v. 3568, bad thing, villain.
qweinte, *see* queinte.
qweme, queme, v. a. n. ii. 197, iii. 902, v. 4366, queeme, vii. 2312; *impers.* iv. 746, 966: please, be pleasing.
qwene, qweene, s. i. 139, 1914, 2601, queene, i. 132, queen, viii. 1896, qwen, quen, v. 2543 ff.
qwik, *see* quik.
qwok, *see* quake.
qwyt, *see* quit.

R

racches, s. *pl.* v. 4388, hounds (hunting by scent).
Rachel, viii. 127.
rage, s. P. 1079, i. 2620, 2945, ii. 910, 1275, *pl.* rages, vii. 3410.
rage, v. n. i. 1764, sport.
Rageman, s. viii. 2379, *see note.*
ragerie, s. v. 6258, sport.
Rages, vii. 5313.
ragged, a. v. 1509.
ragges, s. *pl.* i. 1723.
Raguel, vii. 5315.
raile, s. vi. 2201.
ramage, a. iii. 2430, wild.
Ramoth Galaath, vii. 2541.
rampe, v. n. vi. 2182, 2230, vii. 2573.
rancoun, s. v. 1755, vii. 3426.
rancour, iii. 2730, vii. 3443.
ransake, v. a. v. 6094.
rape, s. iii. 517, 1625, haste.

rape, *v. n.* iii. 1678, hasten.
Raphael, vii. 5358, viii. 44.
rase, *v. n.* v. 4090, run swiftly.
rased, *pp.* iv. 580, erased.
rasour, *as a.* ii. 830.
rathere, *adv. comp.* i. 2748, ii. 503, iv. 2195, 2756, **rather,** P. 88*, iv. 1619, sooner, rather; *superl.* **rathest,** i. 27, iii. 2121.
rave, *v. n.* iii. 91, vii. 4109, be mad, rage.
raven, *s.* iii. 812, 2077.
Ravenne, i. 2638.
ravine, *s.* iii. 2433, v. 5507 ff., rapine, robbery by violence.
raviner, *s.* v. 5530, 5627.
ravisht, *a.* iv. 683.
Razel, vi. 1316.
Rea, v. 849.
real, *a.* i. 2924, v. 5551, vii. 2449, viii. 1526, royal.
reali (-y), *adv.* viii. 1563, 1747, royally.
realme, *s.* vii. 49, 646.
realte, *s.* i. 2063, vii. 3810, royalty.
Rebecke, viii. 115.
rebell, ii. 1718, rebellious.
rebelle, *v. n.* v. 2065.
rebuke, *v. a.* v. 689, vii. 2668.
recche, *v. n.* ii. 2344, v. 4402, *pret.* rowhte, iv. 3547, roghte, v. 6383, have care; *v. a., pret.* roghte, vii. 3010, care for; *impers.* ii. 252, v. 4702, *pret.* roghte, ii. 2403, iii. 664, v. 938, be a care (to).
receite, receipte, *s.* vi. 290, vii. 991, receiving, receptacle.
receive, receyve, *v. a.* P. 178, i. 872, 1208, viii. 1974, **resceive,** vii. 1819, viii. 1287.
recepcion, *s.* vi. 1962.
reclame, *v. a.* v. 4724, vii. 1843, viii. 54, 2721, call back (as a hawk), summon.
reclus, *a.* ii. 2817.
recomande, *v. a.* P. 29*, vi. 949.
reconcile, *v. a.* P. 185, v. 1743*, **reconsile,** v. 1783, vii. 1578.
record, *s.* P. 122, i. 850, ii. 939, 1696, v. 3082, viii. 1518, **be (stonde) of r.,** i. 1116, 1632, 3363, iii. 2060.
recorde(n), *v. a. n.* P. 964, i. 481, ii. 106, 629, 892, iii. 1377, iv. 562, 1639, v. 3681, viii. 2204, remember, take note of, relate, repeat.
recovere, *v. a.* iii. 578, 1998, iv. 1485, v. 303, 6579; *v. n.* v. 2429, 4420: get back, make good, help; prosper.
recoverir, *s.* ii. 3159, v. 228, 6195, remedy, expedient.

recreacioun (-on), *s.* vi. 638, vii. 477.
red, *a.* iv. 386, *def.* rede, v. 1661, 4011, *pl.* rede, ii. 402; *as subst.* the rede, iv. 2571 : red.
red, *s.* i. 108, 1563, 2146, ii. 116, 2065, to rede, iii. 1771, vii. 3634; advice, counsel.
reddour, *s.* iii. 348, v. 4558, vii. 3151, harshness, strictness.
rede, *v. a. n.* P. 15, i. 2271, ii. 104, *pret.* radde, v. 3693, *pp.* rad, ii. 1045, iv. 571, *imperat.* red, vii. 1596, read : P. 16, i. 914, 1294, 1 *s. pres.* rede, i. 78, 1396, red, vi. 1359, *pret.* radde, iv. 1842, advise, decide.
rede, *v. n.* iv. 185, v. 5988, grow red.
redely (-li), redily, redyly, *adv.* P. 948, i. 1533, ii. 1221, v. 297, 366, 1601, 2239, 6462, 7836, easily, quickly, eagerly.
redi, redy, *a.* P. 424, i. 856, 2093, ii. 3444, iii. 83, v. 1036 : *adv.* iii. 449.
redinesse, *s.* iv. 2356.
redinge, *s.* vi. 878.
redresce, *v. a.* P. 486, i. 3417, ii. 2427, **redresse,** ii. 1801, (*pp.* **redressid,** viii. 3020) ; set right, reform.
redy, *see* redi.
reforme, *v. a.* i. 3035, ii. 3404, iv. 2945, vii. 1538, restore.
refreche, *v. a.* vi. 710.
refte, *v. a. pret.* v. 5697, viii. 2517.
refus, *s.* viii. 686, refused.
refuse, *v. a. n.* P. 74,* i. 1015, iii. 76, 1195, iv. 1238, 1750, (*pp.* **refusid,** viii. 2963), deny, refuse.
regalie, *s.* P. 103, i. 2959, ii. 1022, vii. 1684, royal estate, royalty.
regiment, *s.* ii. 1751, vii. 915, 1245, 1702, rule, government.
regioun, region, *s.* iv. 2939, v. 2599, 6032.
registre, *s.* vii. 19.
registred, *v. a. pp.* ii. 3031.
regne, *s.* P. 127, 579, ii. 2651.
regne(n), *v. n.* P. 32*, i. 2890, 3036, v. 3253, (**reigne,** PP. 331), reign.
reguard, *s.* iv. 3520.
reguerdoned, *v. a. pp.* iii. 2716.
reguerdoun, *s.* v. 2368.
reherce, reherse, *v. a.* i. 584, 1637, ii. 1682, iv. 3029, declare, repeat.
rein, reyn, *s.* iii. 692, vii. 286, viii. 1592, *pl.* reines, i. 2987, rain.
reinbowe, *s.* v. 1185.
reine, reyne, *v. n.* i. 2925, iii. 689 ; *v. a.* v. 1672 : rain.
reins, *s. pl.* viii. 2819, reins (of the body).

GLOSSARY AND INDEX OF PROPER NAMES 623

reisshe, reysshe, s. ii. 42, v. 4694, risshe, iv. 2853, rush.
rejoie, v. refl. vi. 208.
rekeninge, s. iii. 2283.
rekevere, v. refl. viii. 2129, recover : cp. recovere.
rekne(n), v. n. iii. 64, vii. 1101.
relacion, s. vi. 2254, report.
reles, s. i. 1188, iii. 848, vi. 253, deliverance, release, power (?).
relesse, v. a. ii. 2904, 3322, iv. 1572, vii. 3005.
relief, s. vi. 640, satisfaction.
relieve, v. a. i. 104, ii. 172, iii. 1316, 2636, v. 2135, 2628, vi. 678, raise up, assist, relieve, satisfy.
religioun (-on), s. i. 623, viii. 158, 1265, 1456.
remembrance, s. P. 69, i. 1060, 3392, ii. 1519, iii. 2558, remembraunce, iv. 449, memory, mention.
remembre, v. i. 2682, vii. 1118, have memory, remember.
remenant, s. P. 963, i. 1184, 3016, 3294.
remene, v. a. i. 279, v. 6541, (bring back), apply.
remission, s. v. 4445.
remuable, a. vii. 4896, unstable.
remue, v. a. i. 1327, iii. 1165 ; v. n. iii. 1411, v. 5646 ; move, remove.
Remus, v. 900.
rende, v. a., pret. rente, iii. 2072.
rendre, v. a. viii. 1253, deliver.
renegat, s. ii. 1093.
renes, s. pl. iv. 998, reins (for driving).
renne, v. n. P. 505, ii. 24, 401, 1972, pret. ran, ii. 2296, pl. ronne, i. 373, runne, vii. 4869, viii. 750, pp. runne, v. 6127.
renomed, a. i. 2653.
renomee, s. iv. 1250.
renoun, s. iii. 1886, iv. 2154.
renounce, v. a. ii. 2931.
rente, s. i. 1566, 3356, v. 1053.
repast, s. vi. 698, 926.
repeire, v. n. vii. 1136.
repentaile, s. v. 6783, viii. 3101*.
repentance, s. i. 2446, iii. 803, v. 296.
repente, v. a. n. i. 757, iii. 2184, v. 2837 ; refl. iii. 1814, viii. 255 ; impers. vii. 5328.
replie, v. n. v. 4644.
repos, s. v. 508.
reposer, viii. 2907.
represse, v. a. vii. 2410, 3334*.
reprise, s. i. 3308, 3414, v. 4708, retribution, cost.

reproef, s. P. 490, vii. 4108.
reproeve(n), v. a. iii. 498, 1274, iv. 862, reprove, v. 4619.
reptil, s. vii. 1011.
requeste, s. ii. 1491, reqweste, PP. 27.
reresouper, s. vi. 911, late supper.
rerewarde, s. ii. 1827, rear-guard.
res, s. iii. 1152, 1671, vi. 58, haste.
resceive, see receive.
rescoue, v. a. i. 667, vi. 96, rescowe, v. 2019, save, deliver.
rescousse, ii. 1700, iii. 2085, v. 2551, rescouss, iv. 2146, rescue.
resemblable, a. P. 950.
resemblance, s. ii. 1376, iv. 2424.
resemblant, a. iv. 2492.
resembled, v. a. pp. ii. 2839, v. 251, compared.
resigne, v. a. P. 776, ii. 2931.
resistence, s. P. 387, i. 2154.
resonable, a. P. 359, i. 1030, ii. 276, iii. 389.
resoun, reson, P. 151, 488, i. 775, 2675, ii. 2495, iii. 245, iv. 652.
respit, s. iv. 1563, vii. 3828, 5200.
respite, v. a. i. 1053, 1593, iii. 2672, save, i. 2213, vii. 1617, delay ; v. n. i. 1456, delay.
restauracioun, s. vi. 637.
restauratif, a. vi. 859.
reste, s. P. 110, i. 998, 1604, ii. 2509.
reste(n), v. n. ii. 1135, 1476, iv. 736, 1670 ; v. a. vii. 2936 ; refl. viii. 1308.
resting place, s. vii. 1865.
restore, v. a. P. 761, iii. 1827, 2480, vii. 4445.
restreigne, v. a. P. 510, i. 2660, ii. 889, 1168, restrain, keep back.
retenance, retienance, s. ii. 1576, v. 7467, vii. 1054, retinue.
retenue, s. i. 1328, ii. 3409, iii. 1166, 2421, service, retinue.
rethorien, v. vi. 1399.
rethorike, rethorique (-qe), s. iv. 2649, vi. 1401, vii. 36, 1523 ff., 1631.
retorn, s. vii. 4121.
retorne, v. n. vii. 1428.
retret, s. viii. 2416.
reule, s. P. 108, 803, i. 883, rewle, iii. 1169, rule, vi. 9.
reule(n), v. a. n. P. 252, 497, i. 17, 808, ii. 1322, rewle, iii. 2250.
revel, s. v. 3143.
revelacion, s. viii. 49, 2806.
revelen, v. n. iv. 2719, revel.

reverence, s. P. 298, i. 218, 3291, ii. 1358, 2843, v. 322.
revers, a. ii. 222, 2105, v. 7658, vi. 1418; *subst.* iii. 2289 : opposite, contrary.
reversed, *pp.* P. 30.
revile, v. a. v. 2806, vii. 4635, debase, abuse.
revolucion, s. iv. 1783.
reward, s. iii. 345, iv. 2024, v. 4978, regard, reward.
rewarde, v. a. v. 171, 4471, viii. 2374.
rewardinge, s. iii. 1596, v. 5195.
rewe, v. a. n. P. 164, 1004, iii. 1610, 1625, v. 5760, vii. 3233, repent, be sorry, have pity.
rewe, s. *see* **rowe.**
reyn, *see* **rein.**
reyne, *see* **reine.**
reyni, reyny, a. i. 692, iii. 988, iv. 2979, rainy.
ribald, s. vii. 2383 ff.
Richard, P. 25, viii. 2987*, *genit.* **Richardes,** P. 24*.
riche, a. P. 633, i. 814. 2537 ; *as subst.* vi. 1072 ; *sup.* richest, the richeste, i. 1098, v. 2612.
riche, s. i. 2278, domain.
riche, v. a. iv. 2265, v. 2398, 7744, enrich.
richeliche, *adv.* iv. 1371.
richesse, s. P. 97, ii. 737, iv. 514, 2208, *pl.* **richesses,** vi. 633.
ride, ryde(n), v. a. n. i. 350, 2035, ii. 945, 3194, iv. 1106, v. 7404, vi. 1188, *pret. sing.* rod, i. 348, ii. 1136, *pl.* riden, ii. 1272, v. 1293, *imperat.* ryd, i. 1562, *pp.* ride, vii. 2859 ; cam ride, &c., i. 350, iv. 1307 : ride, make expedition, lie at anchor.
riedes, s. *pl.* v. 1031, reeds.
rif, a. ii. 1618, rife, current.
riff, s. viii. 1983, reef (of a sail).
rifle, v. a. iii. 2384, v. 6521.
rigole, v. a. v. 1436, delight (wantonly).
riht, a., **rihte,** vii. 1312, *def.* rihte, ryhte, P. 232, i. 33, 1052, ii. 947, (righte, viii. 3091), riht, iii. 300: *adv.* riht, ryht, P. 682, 829, i. 639, 1862, 3362, ii. 1789, right, P. 50, rihte, v. 5351, vii. 545.
riht, ryht, s. P. 271, 795, right, P. 251, viii. 3023, **ryhte,** v. 898, be rihte, vii. 2137, at alle rihtes, v. 3530.
rihte, ryhte, v. a. ii. 589, iv. 821, v. 3058, vii. 2728, (righte, PP. 252), *pret.* rihte, vii. 5072, direct, arrange ; v. n. ii. 3071, go right.

rihtful, rihtfull, a. vii. 2833, 2918, 3814, 4122, (rightful, PP. 59, 383), just, true.
rihtwisnesse, ryhtwisnesse, s. P. 109, i. 2936, v. 1645, (rightwisnesse, viii. 3035), righteousness.
rime, s. iv. 2414, rhyme.
rime, v. a. v. 1370, put in rhyme.
rinde, rynde, s. i. 3261, v. 324, 4123, bark.
ring, s. i 2420, ii. 2614, ryng, v. 7119*.
ringe, v. a., *pp.* runge, ii. 1728, iii. 452.
riote, s. v. 1217, 5240, 5278, vii. 1378, riot, v. 7131*, riot, disorder.
riote, v. *refl.* vii. 4320.
ripe, a. i. 2822, ii. 2579.
rise, ryse, v. n. P. 544, v. 7135*, *pret.* ros, iv. 436, *pp.* rise, ii. 1427.
risinge, s. vii. 1085.
risshe, *see* **reisshe.**
rivage, s. vi. 1435, viii. 1615, landing place.
rivele, v. n. i. 1681, be wrinkled ; *pp.* riveled, viii. 2829.
rivere, s. i. 1043, ii. 2161, v. 1014.
ro, s. iv. 2786, roe.
robbe, v. a. n. v. 207, 993, 6107.
robberie, s. iii. 2212, v. 6083 ff., 6142.
Roboas, vii. 4029, 4128.
roche, s. i. 2305, iii. 1048, v. 6814, *pl.* rockes, iii. 1034, 1054, rock.
rocke, v. a. ii. 1081.
rockes, s. *pl. see* **roche.**
rodd, s. i. 2898, iv. 1276.
rode, s. (1), i. 1730, iv. 1629, journey, raid.
rode, s. (2), vi. 773, ruddy colour.
rode, s. (3), ii. 1161, rood.
Rodes, iv. 1630.
rodi, rody, a. iv. 385, v. 2471, viii. 1909, ruddy.
Rodopeie, iv. 734.
rof, s. ii. 2947, roof.
rolle, v. n. iii. 313, vii. 3707.
romance, s. vi. 878.
Romanie, ii. 2638, vii. 5155.
rome, a. n. v. 6502.
Rome, P. 715 ff., 845, i. 763 ff., ii. 588 ff., 1195 ff., 1315 ff., 1448 ff., 1638 ff., 2502 ff., 2803, 3039, 3189, 3476 ff., iii. 100, iv. 2647, v. 904, 1067, 1435, 2031 ff., 2196, 2393, 4939, 5020, 5125, 6359 ff., 6811, 7104* ff., vii. 1598, 2061, 2347, 2361 f., 2448, 2767, 2785, 2882 ff., 3145, 3216 ff., 3269 ff., 3946, 4188, 4636 ff., 5131 ff., viii. 199, 2717, PP. 353 ; **Rome lond,** P. 715, **Rome gate,** ii. 1537.

GLOSSARY AND INDEX OF PROPER NAMES 625

Romein, *a.* ii. 1406, 1829, 2565, iv. 2639;
subst. P. 768, i. 764, ii. 2554 ff., vii. 2846,
4594, Romain, viii. 2633, *pl.* Romeins,
P. 737, 841, ii. 679, 1774 ff., 2777, v.
1068 ff., 1307, 2199 ff., vii. 2336, 3061,
4697 ff.
Romelond, ii. 2544.
Romeward, ii. 1173, v. 2190.
Romulus, v. 900, vii. 3061.
rondeal, *s.* i. 2709, 2727.
ronne, *see* renne.
rooted, *a.* i. 1319.
rore, *v. n.* ii. 160, roar.
rore, *s.* vi. 2183.
rose, *s.* i. 603, ii. 402.
Rosemounde, i. 2481.
rosine, *s.* v. 2176, rosin.
Rosiphelee, iv. 1249.
rosmarine, *s.* vii. 1407.
rote, *s.* (1), P. 118, i. 145, 2838, iv. 134,
roote, vii. 3336*, root.
rote, *s.* (2), vi. 1312, 1457, custom, condition.
rote, *s.* (3), viii. 829, (a musical instrument).
rother, *s.* ii. 2494, rudder.
round, *a.* iv. 1147, vi. 777, *pl.* rounde, vi.
1327 : *adv.* i. 358, 2829, iv. 3005.
roune, *v. n.* ii. 45, 1944, iv. 407, v. 478 ;
v. a. v. 2460 : whisper.
rounge, *v. n.* ii. 520, nibble.
route, *s.* P. 793, i. 2734, ii. 2997, iii. 2389,
v. 1910, 5054, company, quantity: al
a route, iv. 2145, v. 6932.
route, *v. n.* iv. 2731, 3272, v. 6895, snore.
routhe, *see* rowthe.
rovere, *s.* iii. 2369.
rowe, *s.* ii. 1960, iv. 26, 2238, rewe, viii.
998, row, company ; be rowe, vi. 1315,
in order : *cp.* arowe, arewe.
rowe, *v. n.* (1), P. 40*, i. 1961, iv. 1781 ;
v. a. ii. 1905 : row.
rowe, *v. n.* (2), iii. 1057, dawn.
rowthe, routhe, *s.* i. 182, 1200, iii. 1597,
v. 5394, pity.
rucke, *v. n.* iv. 1669, crouch.
ruide, rude, *s.* ii. 173, iv. 946, v. 2571, viii.
3122.
ruine, *s.* P. 837, v. 1706.
rule, *see* reule.
runge, *see* ringe.
rust, *s.* iv. 2494, 2557.
rusti, *a.* viii. 1378.
ryde, *see* ride.
ryht, ryhtwisnesse, *see* riht, &c.
ryve, *s.* vi. 1429, viii. 516, shore.

* * *

S

Saba, v. 6833, 6932.
sable, *s.* viii. 2904.
sacre, *v. a.* vii. 4510, worship.
sacrement, *s.* PP. 309.
sacrifice, sacrifise, *s.* i. 1120, 1141, iii.
1995, iv. 2966.
sacrifie, *v. a. n.* i. 1128, iv. 1519, viii.
1826, sacrifice, offer.
sacrilegge, *s.* v. 6979 ff., sacrilege, v.
7016*, 7090.
sadd, *a.* vii. 226, firm.
sadel, *s.* iv. 1202, *pl.* sadles, iv. 1312.
sage, *a.* v. 7455.
saghte, *see* sawht.
Sagittarius, Sagittaire, vii. 1143, 1150,
1258.
sai, sain, saide, &c., *see* seie.
sail, *see* seil.
saintuaire, *s.* P. 322.
sake, *s.* P. 24, i. 209, 2474, ii. 585.
sal armoniak, *s.* iv. 2480.
Salamyne, iv. 3652.
sale, *s.* v. 5084.
salfly, *see* saufly.
salge, *s.* vii. 1385.
saliens, *see* Capra.
Salomon, iv. 2340, vi. 93, 1317, 1407, vii.
3594, 3865, 3891 ff., 4027, 4477 ff., viii.
2691, PP. 29.
salt, *s.* iv. 1837.
salte, *a.* iv. 1666, 3092, v. 1342, *pl.* v.
1347.
salue, *v. a.* ii. 1504, greet.
Salustes, Saluste, ii. 1199, 1220.
salvacion, *s.* ii. 3361, v. 1795.
salvage, *a.* iv. 2262, vii. 4112, wild.
salve, *s.* P. 134, 396, ii. 2788, viii. 2290,
cure.
salvely, *see* saufly.
Samarie, iv. 1938, vi. 2387, vii. 2554.
same, *a.* i. 1585 ; *as subst.* P. 461, i. 629,
3032.
same, *adv.* v. 3375, together.
Samele, v. 1044.
Sampnites, *pl.* vii. 2787.
Sampson, vi. 94, viii. 2703.
Samuel, iv. 1936 ff., vii. 3821 ff.
sanguin, *a.* vii. 455.
sanz, *prep.* iii. 1550, v. 508.
saphir, *s.* vii. 1342.
sapience, *s.* v. 1205.
Sarazin, *s.* iii. 2489, iv. 1679, vii. 3702 ff.,
4412, PP. 250; *fem.* Sarazine, ii. 705,
vii. 4496, viii. 2694.

S s

Sardana Pallus, vii. 4314, Sardanapalus.
sardis, vii. 1416, sard.
Sarra, vii. 5315.
Satiri, *pl.* v. 1327.
satureie, *s.* vii. 1423, savory.
Saturnus, Saturne, Satorne, iv. 2445, v. 845 ff., 1133 ff., 1221, 1388, vi. 1293; (the planet) iv. 2471, 3223, vii. 937, 1115, 1174, 1188, 1330, 1340, 1374, 1427, viii. 2275.
sauf, *a.* P. 104, ii. 181, iv. 917, sauf conduit, v. 994, saulf, P. 1016, *pl.* save, ii. 1157, iv. 1453, 2172, safe: *adv.* ii. 935, 2188, safely: *as prep.* i. 432, save, i. 1271, salve, v. 1359, save, except; save . . . that, iv. 3497.
saufly, saufli, *adv.* i. 1469, 3152, ii. 3309, v. 2159, saufliche, v. 3617, salvely, v. 2932, salfly, v. 2965, safely.
Saül, iv. 1935 ff., vi. 2384, vii. 3821 ff.
saundres, *s. pl.* ii. 1961.
save, *v. a.* P. 470, i. 941, 1300, iii. 927.
save, *prep., see* sauf.
saveine, *s.* vii. 1353.
savinge, *s.* v. 2794, vii. 3383.
savour, *s.* iv. 2495, v. 587.
sawe, *s.* ii. 588, 1396, iii. 431, iv. 2684, saying, speech.
sawht, *pp. a.* iii. 2742, reconciled, saghte (*pl.*), viii. 1149, at peace.
Saxon, ii. 723, Saxoun (language), ii. 1405.
say, *s.* ii. 2090, trial.
scales, *see* skales.
scars, *see* skars.
scarsly, *see* skarsly.
scarsnesse, *see* skarsnesse.
sceptre, *s.* ii. 589, PP. 378.
schake, *v. a., pp.* v. 570, *pret.* schok, vi. 2205.
schal, *v.* 1, 3 *s. pres.* P. 15, 93, i. 1711, iv. 377, 2823, 2 *s.* schalt, P. 589, *pl.* schulle(n), i. 2251, 2558, schul(l), i. 3197, 3246, v. 1914, schule, v. 3529, schol, P. 1034, *pret.* scholde(n), P. 43, 153, 275, 362, 421, &c., schold, ii. 578, schulde(n), P. 317, v. 5357, viii. 2961, (schuldyn, viii. 3004): shall, must, may.
schale, *s.* iv. 566, (nut) shell.
schallemele, *s.* viii. 2483, shawm.
schame, *s.* i. 274, 1668, ii. 3062, 3355, iv. 871.
schame, *v. a.* iii. 2200, v. 723.
schameles, *a.* vii. 1964, free from shame.

schanckes, *s. pl.* iv. 2725, legs.
schape(n), *v. a. n. and refl.* P. 387, i. 297, 820, 1514, 1551, 3342, *pret.* schop, P. 706, ii. 2855, iii. 1206, schope, v. 4278, *pl.* schope(n), i. 1105, 2627, *pp.* schape(n), i. 1195, 1509, 1544; shape, appoint, contrive, prepare, bring about.
schaply, *a.* ii. 3112.
schappe, *s.* i. 1736, shape.
schapthe, *s.* vi. 785, shape.
scharnebud, *s.* ii. 413, dung-beetle.
scharpe, *a.* P. 396, iii. 252, iv. 2417, vii. 170.
scharpnesse, *s.* P. 1084.
schave, *v. a.* viii. 1303.
schawe, *s.* iv. 1293, v. 6133, wood.
sche, *pron.* P. 853, i. 148, &c., scheo, i. 160.
schede(n), *v. a.* iii. 2243, vii. 3493, *pret.* schedde, PP. 148, *pp.* schad, iv. 1661, PP. 105.
schedinge, *s.* iii. 1105, 2534.
scheete, *s.* viii. 1194.
scheld, *see* schield.
schelle, *s.* vi. 2228, vii. 615, viii. 2120.
schenche, *v. a.* ii. 3098, pour out.
schent, *v. a. pp.* i. 1292, iii. 450, iv. 554, v. 728, harmed, ruined.
schep, schiep, *s.* P. 399, v. 3271, *pl.* P. 414, iv. 2894.
scheperdesse, *s.* v. 6115.
schepherde, *s.* P. 394, 1064, iii. 2257.
scherded, (*pp.*) *a.* v. 3707.
scherdes, *s. pl.* vi. 1985, scales.
schere, *v. a.* v. 4001, *pp.* schore, i. 1751, cut, crop.
scheres, *s. pl.* v. 5691.
scherte, *s.* i. 2171, ii. 2243, schortes (*pl.*), i. 2179.
schete, *v. n.*, 3 *s. pres.* schet, ii. 2957, *pret.* scho te, v. 4862, shoot.
schette, *v. a.* ii. 2130, *pret.* schette, vi. 1587, *pp.* schet, ii. 2807, iii. 2043; *v. n.* iii. 1453, vii. 4623: shut.
schewe(n), *v. a.* P. 112, i. 84, 1035, ii. 603, *imperat.* schew, scheu, i. 185, v. 6190, show; *v. n.* P. 46, 834, i. 626, ii. 1921, iii. 809, 857, appear, be evident.
schield, scheld, *s.* i. 421, 1998, 2470, ii. 2594.
schiep, *see* schep.
schifte, *v. a.* iii. 1310, v. 3166, 4668, vii. 1518, viii. 556, arrange, dispose of, turn.
schilde, schylde, *v. a.* P. 67*, ii. 714, iv. 2753, v. 6334, vi. 1244; *v. n.* 266: protect, defend.

GLOSSARY AND INDEX OF PROPER NAMES 627

schip, s. i. 1065, ii. 24, be schipe, P. 1016, iv. 731, to (into) schipe, i. 1164, ii. 1108, to schip, viii. 1573.
schipman, s. i. 500, iii. 991, viii. 1084.
schode, v. a. i. 1750, vii. 1534, divide.
schof, see schowve.
scholde, see schal.
schoo, scho, s. P. 356, vii. 4306, shoe.
schort, a. i. 1687, iv. 1709, schorte, vii. 5201, pl. schorte, ii. 903, iii. 874.
schortly, schortli, adv. i. 1690, v. 2603.
schote, s. ii. 2238, shot.
schour, s. vii. 290, pl. schoures, v. 4173, 7829, shoures, P. 938.
schovele, s. v. 16, shovel.
schowve, v. a. ii. 2340, pret. schof, ii. 174, iv. 108, pp. schoven, vii. 3280, push, thrust.
schreden, v. a. i. 2837, tear.
schrewe, s. iii. 798, 2220, v. 959, vii. 44, rascal, scoundrel.
schrewed, a. vi. 2098, villainous.
schrifte, s. i. 197, 818, v. 1385.
schrive(n), schryve, v. a. n. and refl. i. 208, 219, 546, iii. 1127, v. 7101, pret. schrof, iv. 519, imperat. scrif (thee), i. 587, 2718, pp. schrive(n), i. 190, 2383, iv. 1772, schryve, viii. 2969, confess, hear in confession, absolve.
schrunken, pp. i. 1683.
schryhte, v. n. pret. viii. 1383, shrieked.
schuldre, s. P. 607, i. 1687, ii. 2220, shoulder.
schydes, s. pl. iii. 1033, split pieces (of wood).
schylde, see schilde.
schyne, v. n. iii. 1308, iv. 980, pret. schon, iv. 3551.
science, s. iv. 974, 2413, pl. sciences, iv. 2666, vii. 27.
scisme, s. P. 348, schism.
sclaundre, sclandre, sklaundre, s. ii. 881, v. 712, 5536, 7570, vii. 3083.
sclaundre, v. a. ii. 864, slander.
scole, s. P. 199, i. 2665, ii. 436, iv. 3373, school.
scomerfare, s. viii. 1391, piracy.
score, s. ii. 500, iv. 1356, 2891.
scorn, s. viii. 2397, to scorne, to skorne, v. 696, 6931, vii. 3992.
scorne, v. a. v. 6217.
Scorpio, vii. 1123 ff., 1259, 1403, tail of Scorpio, vii. 1426.
scorpioun (-on), s. vii. 1124, 4091.
Scottes, pl. ii. 929.
scribe, s. P. 305.

scripture, P. 872, iv. 2626, writing.
scrivein, s. iii. 1070, writer.
sculpture, s. iv. 2422, vi. 1343.
se, sen, v. a. n. P. 28, 134, 610, i. 1132, (see, PP. 281 ff., 382), 2 s. pres. sest, ii. 1059, 3 s. seth, i. 2804, ii. 224, pret. sih, syh, P. 603, 617, i. 795, &c., sawh, i. 138, iii. 1604, sihe, v. 5810, (sigh, viii. 2962), 2 s. sihe, ii. 234, iii. 2629, pl. syhe(n), sihen, iii. 970, vii. 1798, 4745, pret. subj. syhe, sihe, i. 664, 904, imperat. seth, ii. 861, pres. part. seënde, ii. 1808, pp. sen, P. 342, sene, P. 789, 936, seene, iv. 1492, seie, ii. 967, v. 2374, sein, seyn, i. 2883, ii. 170, iii. 757.
seal, s. i. 1474, 1487, ii. 3217.
seche, v. a. n. P. 173, 899, i. 570, 1285, 2278, ii. 3219, iv. 3463, (3 pl. pres. sechin, viii. 3036), sieche, viii. 2911, seke, sieke, i. 1024, 3072, ii. 928, 1455, iv. 1604, pret. soghte(n), i. 425, 1144, ii. 2474, iv. 2163, soughte, P. 197, v. 3933, sowhte, iv. 3548, pp. soght, ii. 3128, sought, v. 4003, imperat. sech, v. 7605; al to seche, noght to s., &c., i. 924, ii. 44, 2276, iv. 2963.
secounde, a. ii. 2601, ii. 1, iv. 2479, v. 2127, seconde, i. 1233, v. 2129, following, second.
secre, a. ii. 2132, in secre, i. 617.
secret, s. vi. 1573.
secretaire, s. iv. 888, private counsellor.
secte, s. P. 349, v. 1643, vii. 1572, religion, kind.
seculers, s. pl. i. 648.
sed, s. iv. 3007, v. 4014, seed.
Sedechie, vii. 2566 ff.
see, se, s. (1) P. 306, v. 1944, vi. 1037, seat.
see, se, s. (2) P. 933, i. 486, ii. 145, 2531, iii. 86, sea : see foul, vi. 2129, cp. sefoul.
seewolf, s. v. 4138, shark.
sefne, see sevene.
sefnthe, a. vii. 1363.
sefoul, s. viii. 2654.
Segne, v. 1113.
seie (1), sein, sain, v. a. n. inf. P. 431, i. 281, 2760, (seye, seyn, P. 86ᵇ, viii. 2966), say, sai, i. 2750, v. 5198, 2 s. pres. seist, saist, i. 176, ii. 555, 3 s. seith, P. 43, &c., 3 pl. sein, sain, P. 12, 56, seie, P. 442, pret. seide, saide, i. 153, 768, 2740, 3218, sayde, v. 1756, seid, i. 3188, v. 4309, imperat. sey, sei, say, sai, i. 184, 1822, 2418, ii. 1871, iii. 932, seie,

vii. 4084, *pp.* seid, said, P. 335, i. 585, 1229, 3323, iii. 931, vii. 150; as who seith, P. 43, i. 2794: say, name.
seie (2), *see* se.
seil, *s.* i. 704, 1165, ii. 2152, iii. 1555, sail, v. 3313, 3923, sail.
seile(n), saile, *v. n.* i. 511, iv. 1741, v. 991, *pres. part.* sailende, seilende, ii. 1210, iv. 733, v. 5407, seilinge, i. 524.
sein, *pp. see* se.
seint, *a.* ii. 3335, *fem.* seinte, iv. 964.
seint, *s.* viii. 2778, *pl.* seintz, v. 1813.
seintefie, *v. a.* vii. 4247, viii. 1269.
seisine, *see* sesine.
sek, siek, *a.* i. 703, 1703, ii. 15, v. 586, viii. 873, sik, v. 616, *def.* sike, vi. 1012, *pl.* seke, P. 914; *as subst.* the sike, ii. 1202, *pl.* seke, ii. 3163, sieke, viii. 2368: sick, sick man.
seke, *see* seche.
seker, *see* siker.
sekerliche, *see* sikerliche.
sekernesse, *see* sikernesse.
seknesse, *s.* P. 61, i. 2571, v. 410, sieknesse, i. 185, 713, siknesse, ii. 3249, iii. 280, sickness.
selde(n), *adv.* P. 787, iii. 1636, iv. 61, sielde(n), iv. 1472, 2282, v. 4420; sielde whanne, iv. 2734, sielde wher, vii. 4240, selde if, v. 6595, selden whanne . . . if, vii. 4328 : seldom.
seli, *a.* iii. 658, simple.
selk, *s.* iv. 857, v. 5770, silk.
selle, *v. a.* ii. 3061, v. 243, *pret.* solde, iii. 2546, *pp.* sold, ii. 1662.
Selonites, vii. 4515.
selve, *a.* i. 200, ii. 51, 2064; *as subst.* that selve, i. 1247.
selver, *s.* P. 608, iv. 2460, viii. 823.
Sem, vii. 546, 557, viii. 83.
semblable, *a.* i. 646, iii. 2595, v. 1545.
semblance, semblaunce, *s.* ii. 3273, iv. 379, v. 1534, 6674.
semblant, *s.* P. 114, i. 1213, ii. 1912, vi. 707, appearance ; feigne semblant, ii. 187, 2015, 2196, make pretence.
seme(n), *v. n. and impers.* P. 559, i. 614, 903, sieme, i. 1891, viii. 2386, me (him, you) semeth, iii. 2344, iv. 965, 1774.
Semiramis, iii. 1332, v. 1432.
semly, semlich, *a.* i. 1899, viii. 708.
sempiterne, *a.* vii. 104.
senatour, *s.* ii. 1195, 1330.
sende, *v. a. n.* P. 86, 161, *pret.* sende, P. 1013, i. 851, 992, sente, i. 3095, ii. 613, v. 1072, *pp.* sent, P. 588, send, v. 5236.

Senec, ii. 3095, v. 7735.
senne, sinne, *s.* P. 457, 920, 1017, i. 2929, ii. 3063, iii. 2033, 2546, v. 1739 ff., (synne, viii. 3040), sin.
sensible, *a.* vii. 127.
sentence, *s.* i. 2153, ii. 2978, 3417, vii. 1620.
Septembre, vii. 1117, viii. 2845.
Septemtrion, vii. 1264.
sepulture, *s.* i. 2349, iii. 2015.
Serapis, v. 1564 ff.
serpent, *s.* i. 396, *pl.* serpentz, viii. 2574.
servage, *s.* ii. 2981, vii. 4096, servitude.
servant, *s.* i. 251, ii. 3300, *pl.* servantz, iii. 18, servantes, vii. 2333*.
serve(n), *v. a.* P. 707, i. 737, 860, 2521, ii. 35, 1297, iii. 502, iv. 531 ; *v. n.* i. 169, 1245, 2131, iii. 1291, iv. 1407, (3 *s. pres.* servith, viii. 3026).
servicable, *a.* v. 762.
service, servise, *s.* P. 78*, i. 176, ii. 2971, iv. 1036.
servitute, *s.* v. 1655.
sese, *v. a.* i. 1697, 2479, 3357, ii. 3009, iii. 2646, seize, take possession of, deliver as a possession.
sesine, seisine, *s.* v. 5527, vii. 564, possession.
sesoun (-on), *s.* iii. 693, vii. 1014, season.
set, *s.* vii. 4913, setting (of the sun).
sete, seete, *s.* v. 846, vi. 1041, vii. 2900, seat.
sette(n), *v. a. n.* P. 357, i. 2, 3 *s. pres.* set, i. 637, 1724, sett, viii. 3089, *pret.* sette, P. 41*, i. 201, ii. 2226, vii. 4624, set, ii. 2220, v. 3691, *imperat.* sett, viii. 2095, *pp.* set, sett, P. 116, 245, i. 1486, iii. 647, sette, vi. 10, sete, vii. 2864 ; sette . . . of, v. 2498, set . . . therby, viii. 2194; set, appoint, suppose, account, plant, make attack.
sevene, *num.* P. 804, i. 577, ii. 3207, sefne, i. 2916, vii. 692.
seventy, *num.* viii. 91.
Severus, vii. 4575.
sewe, *s.* v. 5900, seasoned dish.
sex, sexe, *num.* v. 7246, vii. 5347, viii. 126.
sexte, *a.* vii. 908, 1082.
sextenthe, *a.* P. 25.
sextiene, *num.* vii. 1055.
seyinge, *s.* viii. 3081*.
Seyix, *see* Ceïx.
shoures, *see* schoures.
sibb, *a.* viii. 1703, related.

GLOSSARY AND INDEX OF PROPER NAMES 629

Sibeles, Sibele, v. 1135 ff.
Sibille, v. 7454.
sibrede, *s.* viii. 139, 266, kindred.
sich, *see* such.
Siculus, vii. 3296.
side, syde, *s.* P. 28, 146, 392, 1085, i. 2381, 3424, iii. 1503, iv. 1308, 3227, (ride) on side, iv. 1311.
Sidoyne, vii. 4499.
sieche, *see* seche.
siege, *s.* i. 1082, iii. 1759.
sieged, *v. a. pp.* iii. 2046, besieged.
siek, sieknesse, *see* sek, seknesse.
sieke, *v. see* seche.
sielde(n), *see* selde(n).
sighe, syghen, *v. n.* iv. 3170, v. 3670, 5729, sigh.
sighte, *see* sihte.
signal, *s.* vi 1668, sign.
signe, *s.* i. 2544, iii. 2227; (of the zodiac) iv. 3222, v. 752, vii. 695, 968 ff.
signet, *s.* v. 5775.
signifie, signefie, *v. a.* P. 885, iii. 814, v. 914, vii. 4717.
sihte, syhte, *s.* i. 427, 437, 665, 1728, 2221, ii. 3072, sighte, vii. 1228, viii. 2950, sight.
sik, *see* sek.
sike, syke, *v. n* i. 697, 1726, 2996, 3140, ii. 1350, iv. 1150, sigh.
siker, seker, *a.* P. 568, ii. 2422, 3153, iv. 1003, v. 664, 2427; *superl.* sikerest, ii. 2469, the sekereste, vi. 1599; *adv.* i. 3048, 3339, iv. 911: sure, secure; surely.
sikerliche, sekerliche, *adv.* i. 1564, 2145, sikerly, iii. 1427, sikirly, iv. 2498, surely, assuredly.
sikernesse, sekernesse, *s.* i. 1890, iv. 937, v. 205, vi. 232, security.
siknesse, *see* seknesse.
silence, *s.* i. 1302, cilence, iv. 3206, vi. 1872.
sillable, *s.* viii. 2049.
silogime, *s.* viii. 2708.
Silvestre, P. 742, ii. 3351 ff., PP. 346.
Simon (Magus), P. 204, 241, 439 ff., ii. 3055.
simple, *a.* iv. 1187, v. 2589, viii. 3052*.
simplesce (-esse), *s.* P. 217, i. 832, 2099, (symplesce, P. 76*, symplesse, viii. 3134), simplicity, humility.
sinful(l), *a.* iii. 2569, PP. 45; *as subst.* iv. 3490.
singe, *v. n.* i. 111, ii. 3012, iii. 330, *pret.* song, P. 1057, ii. 1080, sang, i. 2732,
pl. songe, i. 2034, sunge, v. 1468, *pp.* sunge, ii. 1300.
singulier, singuler, *a.* vii. 1996, 2931, private.
sinke, *v. n.* i. 1309, v. 2938, sincke, iii. 1628, *pret.* sank, ii. 2070, *pp.* sunke, vi. 115.
sinne, *see* senne.
sire, *s.* P. 722, i. 2878, ii. 54, 2710, lord, sir.
Sirenes, *pl.* i. 484.
sithe, sythe, *s.* v. 3590, ofte sithe (sithes), fulofte sythe, &c. i. 118, 318, 1400, ii. 658, iii. 458, time, times.
siththe(n), *adv.* P. 832, i. 1842, vi. 2351; *conj.* siththe, sith, sithe(n), P. 973, i. 13, iii. 66, vi. 1073, sithen that, i. 2244: since.
sitte, *v. n.* P. 337, i. 2397, 2 *s. pres.* sist, v. 5742, sittest, vii. 2462, 3 *s.* sit, sitt, i. 1317, v. 6121, sitteth, iv. 2724, vii. 2286, *pret.* sat, i. 1675, iv. 653, satte, vii. 2282, *pl.* seten, i. 2524, ii. 2913, iii. 2163, siete(n), iii. 1809, v. 3339, seete, vi. 1174, sit, be seated: *impers.* (it) sit, i. 273, 745, 1211, iii. 1674, sitte, viii. 2428, suits, is fitting.
sive, *s.* iii. 433, sieve.
skales, scales, *s. pl.* ii. 3456, v. 4128.
skar, *s.* P. 507, crack.
skarcete, *s.* v. 4857, stinginess.
skars, scars, *a.* v. 4712, 4728, sparing.
skarse, *v. n.* viii. 1146, diminish.
skarsly, scarsly, *adv.* iv. 552, v. 4412.
skarsnesse, scarsnesse, *s.* v. 394, 4674 ff., 4740, stinginess.
skiere, *v.* (*refl.*) i 478, ii. 472, v. 1424, defend.
skile, *s.* P. 380, 402, i. 36, 1866, iii. 2165, skyle, iii. 2360, *pl.* skiles, ii. 2770, reason, reasoning: *as a.* iii. 397, reasonable.
skile, *v. n.* viii. 2047, reason.
skin, skyn, *s.* i. 1681, v. 2469, 6862.
skippe, *v. n.* iv. 2784, vii. 345, *pret.* skipte, iv. 2110, v. 4997.
sklaundre, *see* sclaundre.
skorne, *see* scorne.
skulke, *v. a.* iv. 2720.
skulle, *s.* i. 2544 ff.
sky, *s.* i. 2001, iii. 984, iv. 825, 1436, viii. 2942, *pl.* skyes, v. 3993, cloud, sky.
skyn, *see* skin.
slades, *s. pl.* iv. 2727.
slake, *v. a.* iv. 2812, viii. 1983, slacken, appease; *v. n.* PP. 220.

GLOSSARY AND INDEX OF PROPER NAMES

slawhte, s. iii. 2058, 2483, slaying.
sle(e), slen, v. a. n. i. 1439, 2590, iii. 261, 3 s. pres. sleth, ii. 2623, iii. 957, (sleeth, PP. 265), pret. slowh, slouh, slow, slou, i. 434, v. 3727, 4045, 5897, pl. slowhe, i. 377, v. 1722, slowen, i. 1181, subj. slowe, PP. 132, pp. slain, slayn, P. 685, i. 527, 1427, slawe, i. 514, ii. 770.
sleihte, sleyhte, s. i. 468, 688, 797, 1085, 1111, sleighte, iv. 2082, 2123, v. 2111, pl. sleyhtes, ii. 1873, skill, device, trickery.
slep, s. i. 155, 1782, a slepe, v. 2177, to slepe, ii. 3333, to slep, iv. 2819, Slep, Slepes hous, god of Slep, iv. 2973 ff.
slepe(n), v. n. P. 310, 476, i. 884, pret. slepte, P. 595, slep, v. 2762, pp. slepe, iv. 2914, v. 158.
slepi, a. iv. 2731, 2848, vi. 1405.
slider, a. vi. 378, slippery.
slieve, s. v. 2575, 7669.
slih, see slyh.
slipte, v. n. pret. iv. 2109.
slitte, s. P. 338, cleft, separation.
slombre, v. n. iv. 3032.
slow, slou, slowh, slouh, a. iv. 54, 245, 1281, v. 1949, vii. 415, 761, voc. slowe, iv. 843, pl. (as subst.) slowe, iv. 137, 356, 1082 ; superl. the sloweste, iv. 1082.
slowh, s. i. 2981, marsh.
slowthe, slouthe, s. P. 321, 342, iii. 2758, iv. 3 &c., sloth.
slowthe, v. a. iv. 19, lose by sloth ; v. n. iv. 1796, 3420, be slothful.
sluggardie, s. iv. 2714, 3177, slugardie, iv. 2752.
slyde(n), v. n. iv. 41, v. 4158, vi. 1792, vii. 4457.
slyh, slih, a. P. 262, v. 2303, vii. 4936, def. slyhe, ii. 2374, slyh, ii. 2341, pl. slyhe, slihe, ii. 2199, v. 3213, vii. 3257*; superl. def. slyheste, slyeste, i. 1442, ii. 2102 : cunning.
slyhli (-ly), adv. i. 2629, v. 677, 7145*.
slyke, v. a. v. 7092*, smoothe; v. n. v. 6634, flatter.
slym, s. vii. 338.
slype, v. refl. v. 6530, sneak along.
smal, a. iv. 463, 1147, def. smale, v. 1990, pl. smale, P. 81, i. 1679 ; as subst. pl. P. 426 : slender, small.
smale, adv. v. 4535.
smaragdine, s. vii. 840, emerald.
smarte, adv. vii. 848, quickly.
smelle, v. n. iv. 2546 ; v. a. vii. 2794.

smite, see smyte.
smith, s. v. 644, 962.
smok, s. i. 2171.
smoke, s. ii. 1556.
smyle, v. n. ii. 1404, iv. 388, v. 3012.
smyte, v. a. n. P. 424, iii. 910, 3 s. pres. smit, P. 1085, pret. sing. smot, i. 2003, 2342, ii. 874, iv. 3349, smette, ii. 2239, pp. smite(n), iii. 911, v. 334, vii. 4695.
snake, s. vii. 1010.
snoute, s. iii. 128, 1400, iv. 2749.
snow, s. vii. 293, viii. 2851, snow whyt, iii. 807.
so, adv. P. 8, 29, i. 1695, ii. 139; who so, P. 1002, how so, i. 1455, be so, so be, i. 187, 1652, up so doun, ii. 1744, iii. 80, iv. 561.
sobbe(n), v. n. iii. 303, v. 5729.
sobbinge, s. i. 2182.
sobre, a. P. 239, iii. 140, viii. 2684, 2869.
sobre, v. a. viii. 1700.
socour, s. iii. 2670, v. 4953.
socoure, v. a. i. 653, ii. 2882, iii. 328.
Socrates, iii. 640, 701.
sode, pp. v. 4281, boiled.
sodein, a. P. 619, i. 1069, ii. 688, iii. 335, soudein, v. 4942, sudden : adv. iii. 862.
sodeinliche, soudeinliche, adv. P. 503, i. 2963, v. 7830, vi. 211, sodeinly (-li), P. 1038, i. 911, iv. 573, soudeinly, vi. 1423, (sodeynly, viii. 2961*).
soffrance, suffrance, s. P. 773, iii. 1639, 1672, v. 4267, (suffraunce, viii. 3022*).
soffre, suffre, v. a. n. P. 698, 788, i. 1371, 2380, 2570, 2941, ii. 206, 3023, v. 7378, 3 s. pres. soffreth, soeffreth, suffreth, iii. 2431, iv. 1428, v. 574, (1 pl. soeffrin, PP. 222); suffer, allow, leave, permit.
softe, a. i. 619, 1220, 2564, soft, iii. 2734, pl. softe, i. 915, ii. 309; the softe pas, iii. 1386 ; gentle, quiet : adv. P. 476, i. 1725.
softly, adv. iv. 2885.
sojorne, sojourne, v. n. iv. 740, 3224, v. 1078, vii. 1173, viii. 1286, dwell, remain : pp. sojorned, vi. 1180, vii. 294, kept.
solas, s. vii. 1900, pleasure.
soldan, see souldan.
solein, soulein, a. iii. 1220, iv. 448, vi. 135, fem. soleine, v. 1971, alone, lonely, strange.
solempne, sollempne, a. v. 1317, vii. 4703, viii. 1561.

GLOSSARY AND INDEX OF PROPER NAMES 631

solempnite, sollempnite, s. i. 1157, iv. 3651, solempnete, sollempnete, iii. 2169, vi. 1825, vii. 2405, celebration, ceremony.
sollempneliche, adv. viii. 1617.
solucion, s. iv. 2515.
Solyns, Solins, iii. 2600, iv. 2410, Solinus.
som, a. P. 6, i. 1499, v. 2469 ff., som while, som time, iii. 2624, iv. 649, viii. 3119, som man, vii. 643 f.; pl. some, i. 1265, somme, P. 355, alle and some, v. 7320, som men, P. 529, iii. 2113 : as subst. som, vi. 384, pl. some, somme, P. 432, i. 2034 ff., ii. 1362, 2510, iii. 2112.
somdiel, somdel, a. P. 613, iii. 697, iv. 800; adv. P. 286, 612, i. 1003 : some, somewhat.
somer, s. iv. 1091, viii. 2853, somer dai, ii. 732, somer floures, P. 937 ; summer.
somerfare, s. viii. 2856, condition of summer.
somertide, s. v. 6009, somer tyde, v. 6819.
somme, s. iii. 2568, vii. 1261, viii. 1119, sum.
somoune, sommone, v. a. vii. 5182, viii. 1551, 1915, summon.
sompnolence, s. iv. 2703, 2770 ff.
somtime, adv. iv. 810 f., 1131, 2799, somtyme, iv. 3304, som time, som tyme, iv. 649, viii. 3119.
somwhat, pron. i. 1297, iii. 2332, iv. 2829; adv. P. 19.
somwho, pron. P. 345, some one.
sond, s. v. 4009, vi. 1294, sand
sonde, s. ii. 324, 1567, iii. 247, iv. 799, viii. 1859, sending, message, decree.
sondre, v. n., to sondre, iii. 986, part asunder.
sondri, sondry, P. 29, 501, i. 2530, ii. 1476, iii. 2210, v. 1458, sundri, v. 7437, separate, several, various.
sondrily, adv. vii. 1305.
sone, s. P. 740, i. 206 &c., to sone, v. 806 ; son.
sone, adv. i. 996, 1633, 2091, ii. 357, also sone, i. 3079 ; soon.
soned, see soune.
song, s. ii. 3012, iv. 3346, songe, i. 2745, pl. songes, i. 2739.
sonne, s. P. 919, iii. 1307, iv. 979, sonne lyht, v. 2790, sonnes l., vi. 559, sunne, ii. 3452, sun.
sopp, s. v. 3807.
sor, s. P. 134, ii. 22, 2789, sore, v. 2858, hurt, sore.

sorceresse, s. vi. 1434, viii. 2602.
sorcerie, s. iv. 2077, v. 940, vi. 1289, 1768 ff.
sore, adv. P. 598, i. 475, 2245, sor, vii. 5256.
sore, v. n. i. 2672, vii. 1842, soar.
sore, s., see sor.
sorgful(l), a. ii. 1303, iii. 1481, sorrowful.
sorgfully, sorwfulli, adv. i. 3173, ii. 69.
sorghe, see sorwe.
sori, sory, a. i. 989, 2182, ii. 2307, iii. 2203, iv. 1347, wretched, unhappy.
sort, s. i. 673, iv. 450, 3099, kind, lot.
Sortes, viii. 2718.
sorwe, s. i. 971, 1665, ii. 48, iv. 1212, sorghe, ii. 165, v. 513, sorrow.
sorwe, v. n. i. 1814, 3182, ii. 745 ; v. a. PP. 104.
soster, s. i. 399, 3155, iii. 165, iv. 1383, suster, iv. 1369, genit. sostres, v. 5726.
sosterhode, s. v. 4205, 5398, viii. 103, sosterhiede, viii. 96.
soth, a. P. 12, 534, i. 1955, def. sothe, iii. 1270, pl. sothe, PP. 93, in soth, iii. 1078.
soth, s. ii. 58, the sothe, P. 834, 850, i. 981, pl. sothes, vii. 2351, truth.
sothfastnesse, s. i. 2268, vii. 3303*.
sothly, sothli, adv. ii. 522, iv. 3496, v. 244, sothliche, ii. 2021, truly.
sothsawe, s. v. 2935, truth.
sothseiere, s. iii. 761, vii. 2348.
sotie, s. i. 539, 2320, iv. 1887, sotye, vi. 223, folly.
soubgit, a. P. 675, iv. 3523, v. 1726, sougit, vi. 1507; subst. soubgit, iii. 1277, v. 55, subgit, PP. 165 : subject.
soubtil, soutil, a. ii. 2125, iv. 2076, vi. 1443, soubtiel, v. 1026.
soubtilite, s. ii. 2378, 3046, soutilete, v. 2138.
souche, v. n. i. 314, ii. 1969, suspect.
soudein, see sodein.
soudeinliche, see sodeinliche.
sougit, see soubgit.
souke, v. n. ii. 3227, suck.
souldan, soldan, s. ii. 613 ff., 2548 ff., vii. 1784.
souldeour, s. iii. 2356, soldier.
soule, s. P. 453, genit. P. 749, ii. 1313.
soulein, see solein.
soulphre, see sulphre.
soun, s. i. 2217, iii. 453, iv. 346, sound.
sound, a. ii. 2223, v. 5371, vi. 1488, pl. sounde, v. 4164.

GLOSSARY AND INDEX OF PROPER NAMES

soune, v. n. i. 2807, ii. 2875, iii. 60; v. a. v. 5699, soned, (pp.), iv. 2644: sound.
soupe, v. n. i. 2114, v. 6872, vii. 4766, have supper.
souper, s. i. 2112, v. 3835, 6871, souper time, viii. 705.
soupertime, s. viii. 711.
souple, v. a. vii. 4890, (bend), influence.
sour, a. vi. 1127, viii. 194, the soure, vi. 336; adv. soure, ii. 246.
source, s. i. 148, iii. 611.
soure, v. a. iii. 447, make sour; v. n. i. 1190, turn sour.
south, s. vi. 862.
southward, adv. vii. 1255.
soutilete, see soubtilite.
soverein, sovereign, a. P. 186, i. 1609, iv. 1518, vii. 1776, fem. sovereine, ii. 3507, vii. 1392, viii. 2530: subst. i. 862, v. 1133, soverain, v. 1464.
sovereinete, s. i. 1847.
sowe, v. a. n. P. 320, v. 819, pret. siew, sieu, sew, iv. 1837, v. 1883, 3722, pp. sowe, ii. 2376.
sowinge, s. v. 1228.
sowke, s. ii. 1079, suck.
space, s. iv. 615, 679, v. 3439, 3843.
spade, s. v. 16.
Spaine, Spaigne, i. 3390, ii. 1088, vi. 539, 569.
spanne, s. i. 1112, span.
spare, v. a. ii. 693, 3360, iii. 2220, PP. 19; v. n. iii. 2217, iv. 439, to spare, v. 7826.
sparinge, s. v. 4785.
sparke, s. ii. 2946, iv. 2995.
spatula, s. vi. 1311.
specefie, see specifie.
speche, s. P. 174, i. 923, 1278, iv. 875, spieche, iv. 144.
specheles, a. i. 1293, v. 3966.
special, a., in special, P. 120, i. 1501.
specifie, specefie, v. a. n. P. 33, 866, i. 572, ii. 1407, iv. 2534.
sped, s. i. 107, 1379, ii. 115, iv. 3450, spied, i. 1956, iv. 301, success, advantage.
spede, spiede, v. n. i. 687, 796, 2654, iv. 2280, pret. spedde, iv. 2178, succeed, be advanced; v. a. and refl. ii. 103, 2232, iii. 2198, pret. spedde, ii. 624, v. 3866, pp. sped, i. 1557, vi. 2095, spedd, v. 1720, advance, help, hasten.
speke(n), v. n. P. 31, i. 10, 204, 1520, 3 s. pres. spekth, i. 656, pret. spak, i. 294, 818, pl. spieke(n), ii. 959, 1456, 2264, v. 622, vii. 1611, speeke, viii. 749, imperat. spek, iii. 850, pp. spoke, i. 537, 1178, speke, v. 5035.
spekere, s. v. 945, 1466.
spekinge, s. v. 7129*, pl. spekynges, i. 239.
spelle, v. a. iv. 570.
spellinge, s. v. 4067.
spende, v. a. iv. 2591, pret. spente, v. 7787.
Spercheïdos, v. 4006.
spere, s. i. 1998, ii. 3195.
Spertachus, vii. 3418.
spiece, s. vii. 888, pl. spieces, spices, i. 2977, 3446, iii. 466, v. 5898, vi. 856, kind, spice.
spille, v. a. i. 1192, 2850, vii. 3493, pret. spilde, ii. 948, spilte, iii. 1446, pp. spilt, ii. 3285, viii. 570, destroy, spill, waste; v. n. iii. 264, iv. 2586, perish, fail.
spinne, v. a. n. v. 1283, pp. sponne, vi. 2381, PP. 299.
spire, v. n. ii. 1146, 1999; v. a. viii. 1472: inquire, inquire for.
spirit, s. ii. 3137, iv. 2364, viii. 2590, pl. spiritz, iv. 2464.
spiral, spiritiel, a. ii. 2987, v. 1915; as subst. P. 855, ii. 3492.
splen, s. vii. 449 ff.
Spodius, v. 4817.
spoke, s. vii. 815.
spore, s. P. 1084, i. 2301, iii. 1235, spur.
sporne, v. a. iv. 2115, vi. 429, kick against; v. n. iv. 1279, vi. 464, vii. 4739, stumble.
spot, s. iv. 609, PP. 366.
spousaile, s. ii. 642, pl. spousailes, viii. 975.
spouse, s. iii. 658, v. 6017.
spouse, v. a. vi. 497.
spousebreche, s. iii. 2158, v. 6014, adultery.
spoute, s. vii. 1193.
sprantlende, v. n. pres. part. iv. 111.
spriede, sprede, spreede, v. a. n. i. 2824, ii. 504, vi. 895, 3 s. pres. sprat, ii. 417, spredeth, v. 7679, pret. spradde, ii. 684, iv. 1526, v. 1458, spredde, v. 6891, pp. sprad, iv. 3082, spred, v. 2316; spread.
spring, s. v. 6239, daies spring, iv. 2852.
springe(n), v. n. P. 347, i. 353, iii. 428, pret. sprong, i. 2306, iii. 1921, pl. spronge, i. 2085, sprungen, v. 1595, pp. sprongen, vii. 4679.
spume, s. v. 4122.
square, a. vi. 1327.

GLOSSARY AND INDEX OF PROPER NAMES 633

squier, s. ii. 254, pl. squiers, v. 2275.
stable (dore), s. iv. 903.
stable, a. iv. 268, 444, vii. 4202; adv. iv. 3671.
stable, v. a. PP. 145, set firmly.
stacion, s. vii. 204, place.
staf, s. P. 420, v. 536, 4991.¹
stage, s. P. 603, iv. 2977, vii. 741.
stake, s. ii. 3094, iv. 2431, vi. 191.
stalke, v. n. i. 910, ii. 828, v. 3861, 6498, go stealthily.
stalle, s. PP. 383, place.
stalle, v. a. vii. 1162.
stalon, s. viii. 160, stallion.
stanche, staunche, v. a. P. 345, i. 2312, 2838, 3308, vi. 303, 422, quench, satisfy, heal.
stare, v. n. iv. 1832, vi. 178.
stark, adv. iv. 3082.
stat, s. ii. 2992, iii. 1998, (staat, viii. 2990): cp. astat.
statue, s. P. 891.
stature, s. i. 2166, 3135, iv. 744, vii. 981, stature, form; vi. 1524, statue.
statut, s. ii. 1741, v. 4551, viii. 360.
stede, s. (1) P. 274, 1074, i. 842, iii. 923, iv. 3483, pl. stedes, iv. 718, v. 2087, place; in stede of, P. 128, 396, i. 1669, in the stede, ii. 2684, in hire stede, i. 2602, iii. 1558.
stede (2), see stiede.
stedefast, a. vii. 906.
stel; see stiel.
stele, v. a. n. iv. 3333, v. 207, 3873, pret. stal, stall, iv. 3351, v. 3900, 6750, pp. stole(n), iv. 902, v. 6558, steal.
Stellibon, i. 398.
stelthe, s. i. 644, v. 6296, 6495 ff.
stepmoder, s. i. 1844.
stere, v. a. ii. 447, iii. 137, iv. 337, 2085, 3124, v. 1854; v. n. v. 3064: stir, move.
steringe, s. ii. 3141, motive.
sterne, a. i. 2127, iii. 2444, iv. 2065, sturne, viii. 403.
sterre, s. iv. 1348, v. 879, 912, vii. 1303 ff.
sterred, a. vii. 1060, viii. 2942.
sterreles, a. vii. 1024, 1126.
sterreliht, s. v. 3958, 6508, sterre lyht, i. 1168.
sterte, v. n. iv. 336, vi. 59, vii. 3656, pret. sterte, ii. 850, iv. 2102, pp. stert, i. 372, start, rush, move.
sterve(n), v. n. i. 3263, ii. 36, iv. 797, pret. sing. starf, ii. 885, pp. storve(n), iii. 1509, v. 1999; die.

stevene, s. i. 493, 3025, iv. 847, voice, promise.
steward, see stieward.
steyne, v. ii. 1963, stain.
sticke, s. v. 4959, 5054, 5972.
stiede, stede, s. i. 2508, iv. 901, vi. 1280, steed.
stiel, s. P. 611, vi. 1814, stel, iv. 2425, steel.
stiere, s. i. 560, 2943, ii. 709, helm, guidance.
stiere, v. a. P. 234, 1088, i. 506, 1064, 2394; v. n. iii. 993.
stiereles, a. ii. 1393, without rudder.
stieresman, s. v. 3122.
stieward, steward, ii. 1091, 2760, v. 2669 ff., vii. 3948.
Stige, v. 1113, Styx.
stigh, see styh.
stike, v. n. iii. 1631, iv. 2723, stick.
stile, s. i. 8.
stille, a. i. 1289, iii. 932, 2738, iv. 3009, silent, quiet: adv. P. 478, i. 886, 952, 1794, 2617, iii. 1719, quietly, in silence, always.
stille, v. a. P. 61*, vii. 1583, viii. 2636, keep still, silence, satisfy.
Stinfalides, v. 1019.
stinge, v. a. vii. 1048.
stink, s. iv. 2557.
stinte(n), v. n. iii. 1612, iv. 3453, pret. stinte, ii. 1132, imperat. stynt, viii. 2284, cease; v. a. iv. 132, vi. 2005, make to cease.
stock, s. iii. 585, v. 1513, viii. 239, stok, iv. 2868.
stod, s. vii. 3345, viii. 161, stud.
stoke(n), v. a. pp. i. 538, iv. 584, vii. 5019, shut.
stol, s. vii. 3954, pl. stoles, P. 336, iv. 626, stool.
stomak, stomac, stomach, s. v. 1487, vi. 162, vii. 479.
stomble, v. n. iv. 621.
ston, s. P. 618, i. 1794, iv. 2523 ff., pl. stones, P. 953, i. 2537.
stonde, v. n. P. 84, i. 428, 1313, 3233, 3 s. pres. stant, P. 30, 118, 170, &c., standt, v. 5215, pres. subj. stonde, P. 481, i. 1458, stond, i. 3416, pret. stod, P. 95, 214, ii. 2513, (stood, viii. 3004*), pl. stode(n), P. 50, 233, 798, 3 s. pret. subj. stode, P. 41, iii. 1580, (3 pl. stodyn, viii. 3050), imperat. stond, iv. 3244, pp. stonde(n), i. 2930, vii. 2629; stand, remain, depend.

stoppe(n), *v. a.* i. 475, 522, v. 3516.
stor, *s.* ii. 2363, store.
storie, *s.* v. 6002.
stormes, *s. pl.* i. 2987, v. 3298.
stormy, *a.* P. 938, iii. 686.
storve, *see* **sterve**.
stounde, *s.* i. 1425, ii. 2, 877, iv. 3632, time, period.
stoute, *a.* (*pl.*), v. 3507, 7282.
straght, *adv.* P. 1044, ii. 1482, **strawht, strauht**, v. 3327, 3665.
straied, *pp.* viii. 2860.
strange, *a.* P. 604, i. 1416, 3029, ii. 2060.
strange, *v. a.* iv. 1489, v. 1890, 6040; *v. n.* v. 4103 : estrange, change ; grow strange.
strangle, *v. a.* v. 6531, vii. 3323*.
Strangulio, viii. 545, 1290 ff.
strauht, *a.* vi. 772, straight.
strauht, strawht, *adv. see* **straght**.
straw, *see* **stree**.
strecche, *v. a. and refl.* i. 1, 622, *pret.* **strawhte, strauhte**. ii. 1056, iii. 1407, v. 5029, **straghte**, i. 2820, viii. 1150, stretch, direct; *v.n. pret.* **strawhte, strauhte, straghte**, i. 2820, iii. 1939, v. 3338, 3923, reach, go.
stree, stre, *s.* iii. 85, 667, iv. 1716, **straw**, v. 2310, *pl.* **stres**, i. 2993, straw.
streit, *a.* v. 7655, close.
streite, streyte, *adv.* ii. 237, 1638, v. 261, vi. 1374, near, closely, strictly.
streite, *v. a.* v. 6380, diminish.
strem, *s.* P. 509, ii. 195, iv. 2730, stream.
strengere, strengest, *see* **strong**.
strengthe, *s.* P. 704, i. 787, ii. 2413, vi. 1595, strength, force, stronghold.
strengthe(n), *v. a.* ii. 1077, 3157, vi. 1598, vii. 2546, strengthen.
strete, *s.* i. 938, iii. 1338, street.
streyte, *see* **streite**.
strif, *s.* P. 248, 993, iii. 650.
strike, *v. a.* v. 3318; *v. n.* viii. 1891.
strok, *s.* P. 426, iv. 2099, v. 2565.
stronde, *s.* i. 1169, ii. 758, iv. 741, shore.
strong, *a.* P. 716, ii. 1740, v. 7377, *def.* **stronge**, P. 314, v. 2050, *pl.* i. 1155, ii. 48, iii. 1112, iv. 2103 ; *comp.* **strengere**, vii. 4087 ; *superl.* **strengest**, vi. 1593 : *as subst.* the **stronge**, P. 615, vii. 4296.
strowed, *v. a. pp.* iv. 3022, strewn.
stryve, *v. n.* iii. 26, 1651, PP. 73.
studie, *v. n.* P. 323, i. 3091, vii. 2245.
studie, *s.* iv. 2662, v. 3090.
studious, *a.* vii. 759.
sturdi, *a.* viii. 403, harsh.

sturne, *see* **sterne**.
stwes, *s. pl.* viii. 484, stews.
styh, *v. n.* 3 *s. pret.* ii. 3401, v. 3991, (stigh, PP. 177), ascended.
subfumigacioun, *s.* vi. 1310.
subgit, *see* **soubgit**.
subjeccioun (**-on**), *s.* P. 683, i. 2857, ii. 3272, v. 6409.
sublimacion, *s.* iv. 2517.
substance (**-aunce**), *s.* P. 199, iv. 2465, 2563, PP. 314.
substancial, *a.* vii. 226.
substitucion, *s.* vii. 2769.
such, *pron. a.* P. 8, i. 175, 1624, ii. 2241, iii. 2421, **swich**, v. 377, **swiche**, iv. 1429, **sich**, viii. 1110, *pl.* **suche**, i. 853, **swiche**, ii. 504 : *as subst.* **swich**, ii. 566, *pl.* **suche, swiche**, P. 233, 299, iv. 1236 : *as adv.* **such**, P. 735.
sucre, *s.* i. 1705, v. 2833, sugar.
suete, *see* **swete**.
sufficance, *s.* i. 4, 1915, v. 4819, ability, sufficiency.
sufficant, *a.* i. 1183, ii. 2700, iii. 1779, viii. 2696, (**suffisant**, viii. 3099), sufficient.
suffise, suffice, *v. n.* P. 324, i. 1399, iii. 321, iv. 790, 1129, v. 320, vii. 5092, suffice, be able, endure.
suffrance, suffre, *see* **soffrance**, &c.
suggestioun (**-on**), *s.* i. 1014, viii. 364, 1684.
suie, *v. a.* i. 2256, ii. 256, (**sue**, viii. 3031*) ; *v. n. pres. p.* **suiende**, ii. 1591, 3526, iv. 2482, **suinge**, vi. 2371 : follow.
suite, *s.* ii. 1378, iv. 27, 1306, v. 4385 f., viii. 2930 : fashion, livery ; pursuit.
sulphre, soulphre, sulphur, *s.* iv. 2481, v. 2176, vii. 355.
Sulpices, iv. 2407.
sundri, *see* **sondri**.
suore, suote, *see* **swere, swete**.
superfluite, *s.* v. 2217, vi. 267.
superiour, *a.* iii. 2447.
supplant (**-aunt**), *s.* ii. 2368, 2374.
supplantacioun (**-on**), *s.* ii. 2327, 2937.
supplantarie, *s.* ii. 2322.
supplante, supplaunte, *v. a.* ii. 2369, 2385 ff., *pret.* **supplantede**, ii. 2453.
supplicacion (**-oun**), *s.* viii. 2184, 2301.
supplantour, *s.* ii. 2437, 3024.
support, *s.* vii. 3207*.
supporte, *v. a.* vii. 2144.
suppose, *v. a. n.* i. 226, 879, 2196, ii. 1018, 1174, vi. 2300 ; *impers.* v. 22 : conjecture, think ; seem.
supposinges, *s. pl.* v. 3848, conjectures.
surfet, *s.* vii. 4561, excess.

GLOSSARY AND INDEX OF PROPER NAMES 635

surgerie, s. v. 1061, vi. 1411.
surgien, s. viii. 1163.
Suriale, i. 399.
Surie, see Surrie.
surmonte, v. a. ii. 1716, v. 6738, rise above, surpass.
surquiderie, s. i. 1877, 2358.
surquidous, a. i. 2257.
surplus, s. vi. 682, rest.
Surrie, vi. 2375, Surie, vii. 2539.
suspecion (-oun), v. 578, 7093*.
sustienance, sustenance, s. ii. 1851, iv. 2443, v. 122.
sustiene(n), v. a. vii. 476, 704, (sustene, PP. 71).
swalwe, s. v. 6005.
swan, s. iii. 797, iv. 105.
swelle, v. n. iii. 671, (pret. swal, i. 368*).
swerd, s. P. 242, i. 1189, iii. 3.
swere, v. a. n. i. 1462, 2765, pret. s. swor, i. 985, suor, v. 5930, pp. swore, i. 1227, 1513, ii. 2536, suore, v. 5178, sworn, v. 4306.
swere, s. iv. 859, neck.
swerve, v. n. P. 862, ii. 2406, iv. 1216; v. a. i. 366, iv. 1408, vii. 4569.
swete, v. n. iv. 1092, sweat.
swete, suete, a. P. 325, v. 1861, swote, suote, i. 113, iv. 1297, v. 3999; as subst. i. 1190, 1708, iv. 637, 3469, v. 668: sweet.
swetnesse, s. iv. 1671, vi. 395.
swevene, s. P. 596, i. 2815, iv. 3023, swefne, i. 2851, dream.
swich(e), see such.
swift, a. v. 6005, pl. swifte, i. 2300, iii. 2107; superl. swiftest, i. 705 : adv. swift, vii. 859.
swimme, v. n. iv. 3096, pret. swam, v. 4338, viii. 2653.
swinke, v. n. iv. 2440, v. 6964, labour.
swithe, adv. vi. 1655, vii. 848, viii. 930, swiftly.
swot, s. i. 1390, sweat.
swote, see swete.
swoune, adv. viii. 2449, in a swoon.
swoune, v. n. i. 983, ii. 846, iii. 233, v. 4351, 6006.
swoune, s. viii. 2859, in swoune, on swoune, v. 3647, 5788, a swoune, viii. 1060, cp. aswoune.
swyn, s. (pl.) v. 6894, vii. 1166.
syh, syhte, see se, sihte.
syke, see sike.
Synon, i. 1172.
sythe, see sithe.

T

tabate (=to abate), ii. 809.
table, s. iv. 3672, viii. 630, tablet, plank.
tacompte (=to accompte), i. 650, 2241.
tail, s. i. 475, vii. 987 ff.
taillage, s. vi. 1501, vii. 4045, taxation.
taille, s. v. 1923, tally.
take(n), v. a. P. 122, 497, i. 1011, iii. 1970, 3 s. pres. takth, P. 205, tath, v. 48, vii. 1074, (3 pl. takyn, viii. 2988), pret. tok, P. 229, i. 421, ii. 2243, 2 s. tok, i. 2421, pl. toke(n), P. 810, i. 1162, tok, v. 7534, pret. subj. toke, i. 383, imperat. tak, i. 447, 1317, take, v. 6429, pp. take(n), P. 130, i. 1107, take, give; v. n. P. 54, prevail; refl. and n. iii. 1063, iv. 2385, v. 1262, betake (oneself).
takel, s. iii. 989, viii. 470, tackle.
tale, s. P. 82, 573, i. 650, pl. tales, i. 1283, ii. 312, tale, reckoning, speech.
tale(n), v. n. P. 425, ii. 47, iv. 1178, v. 3772, speak.
talent, s. v. 7136, inclination.
Taliart, viii. 505, 513.
talke, v. n ii. 2093.
tall, a. v. 2476, comely.
Taltabius, iii. 1928.
tame, a. P. 1058, i. 3031, v. 1017.
tame, v. a. iv. 1886, v. 1024, vii. 1844.
tant ne quant, ii. 2430.
Tantaly, v. 365.
tapinage, s. v. 1810, skulking.
tarie, v. a. i. 452, iv. 1499, 3450, viii. 2924, vex, delay; v. n. i. 1645, ii. 825, iv. 8, delay.
tariinge, tariynge, s. iv. 35, 1184, v. 3633.
Tarquinus, Tarquin, vii. 4595 ff., viii. 2634.
Tartarie, s. iv. 1631.
tasse, s. v. 4400, 4958, collection, heap.
tasse, v. a. vii. 4484.
tast, s. i. 1191, v. 7144, taste, touch.
taste, v. a. n. i. 2546, v. 7792, vii. 1944, viii. 1186, taste, perceive, try.
tastinge, s. vi. 302, 942.
Taurus, vii. 1015, 1267.
taverne, s. ii. 3098.
taxe, s. i. 1556, engagement.
taxe, v. a. P. 267, i. 3108, ii. 334, vii. 3905, viii. 361, tax, appoint.

teche, *v. a. n.* P. 417, i. 229, 2260, *pret.* tawhte, tauhte, ii. 754, iii. 2543, v. 3583, tawht, iii. 176, taghte, P. 361, viii. 663, *pp.* tawht, tauht, i. 2253, v. 6074, taught, v. 7015*.
Techel, v. 7023.
techer, *s.* vii. 1520.
techyng, techinge, i. 1592, v. 611.
teene, tene, *s.* i. 3399, iii. 772, v. 5483, sorrow.
Tegea, v. 6242.
teide, *v. a. pret.* i. 2311, *pp.* teid, v. 52, tied.
teise, *v. a.* v. 6331, stretch.
telle(n), *v. a. n.* P. 82, 168, i. 66, 400, 3297, iii. 450, iv. 1693, 3 *s. pres.* telth, v. 6126, *pret.* tolde(n), P. 599, i. 2109, vii. 1622, told, i. 3187, ii. 884, *imperat.* tell, i. 164, 1254, *pp.* telleth, i. 1395; tell, say, speak, name.
tellinge, *s.* iii. 506.
tempeste, *s.* i. 2142, ii. 1907, iii. 2739, iv. 3063.
tempeste, *v. a.* v. 1184, disturb.
temple, *s.* i. 800, iii. 1993, v. 1313, the temple flor, viii. 1855.
temples, *s. pl.* viii. 2819, temples (of the head).
temporal, *a.* ii. 2988, vii. 94; *as subst.* P. 854, ii. 3491.
tempre, *v. a.* i. 23, ii. 3178, v. 3802, viii. 778, *pp. as adj.* tempred, iv. 2521; mingle, temper, restrain, tune.
temprure, *s.* P. 1055, viii. 832, harmony, tuning.
tempte, *v. a.* ii. 3139, iii. 711, vii. 5337.
Temse, P. 39*, Thames.
ten, *num.* P. 526, ii. 52, 2063, iv. 475.
tendre, *a.* i. 779, ii. 3175, iv. 1362, vi. 1514, tender, vii. 3382, tender, delicate.
tendre, *v. a.* i. 2172, soften; *v. n.* ii. 3289, grow tender.
tendresse (-esce), ii. 1073, 2165, vii. 4975, affection, care, softness.
tene, *see* teene.
tenetz, *s.* PP. 295, tennis.
tente, *s.* ii. 2635, iv. 2431.
tenthe, *a.* vii. 1169, 1387.
tere, *v. a.* iii. 2010, *pp.* tore, P. 413, i. 1154, tear.
teres, *s. pl.* i. 1680, vii. 4835, tears.
Tereüs, v. 5569 ff., viii. 2585.
terme, *s.* iii. 2411.

Termegis, iv. 2408.
termine, *v. a.* ii. 272, bring to a conclusion.
terremote, *s.* vi. 2207, 2261.
Tersites, vii. 3585.
teschuie (=to eschuie), vii. 3247, teschue, PP. 64.
testament, *s.* P. 245, vii. 3860, viii. 2955*, PP. 177.
tete, *s.* ii. 3227, teat.
text, *s.* i. 271.
thaddre (=the addre), v. 3528.
thaffeccioun (=the affeccioun), P. 366.
thair (=the air), v. 3993.
Thaise, Thayse, Taise, viii. 1295 ff., Thaïsis, viii. 1536.
thalemans (=the Alemans), P. 821.
thalter (the alter), vii. 4707.
Thamar, viii. 215.
thamende (=thee amende), i. 568.
Thameris, vii. 3445.
thank, *see* thonk.
thankworth, *a.* i. 2405.
thanne, than, *adv.* P. 48, i. 183, as thanne, iii. 2005, then; *conj.* P. 57, i. 973, 1927, than.
thapocalips (=the apocalips), v. 6389.
thapostel (=the apostel), P. 434, v. 1953, thapostle, vii. 3149*.
thapparence (=the apparence), iv. 3053.
thar, *impers.* ii. 2430, vii. 2344, it behoves; *pers.* tharst, iv. 1774, thar, iv. 3180, ought.
Tharbis, iv. 650 ff.
tharmes, *s. pl.* P. 608, intestines.
Tharse, viii. 542 ff.
Tharsiens, *pl.* viii. 597.
thassay (=the assay), v. 3239.
thassent (=the assent), ii. 1479.
thassise (=the assise), P. 148.
thastat (=the astat), i. 2100.
thastronomie (= the astronomie), vi. 1403.
that, *dem. pron. and a.* P. 122, 689, 725, that on ... that other, P. 649, i. 397, that Remus, that Diane, v. 899, 1249, that(=that which), P. 3, 21, i. 298, 603, &c.; *pl.* tho, P. 48, i. 299, 1273, that ilke tuo, i. 1271: *relat.* P. 1, 15, 39, 42: *conj.* P. 4, 8, 13, 20, i. 439, ii. 2640, if that, P. 16, whan that, P. 37, who that, what that, P. 13, 460, iii. 1879, that (=take care that), ii. 2872, that I ne hadde, &c. (a wish), iv. 1422, v. 3747.

GLOSSARY AND INDEX OF PROPER NAMES 637

thavantages (=the avantages), v. 1978.
thaverous (=the averous), v. 57.
the, *def. art.* P. 2, 72, 260, &c., the more, the betre, &c., P. 55*, i. 1543, 2322 f.
Thebes, i. 338, 1992.
Thebith, vi. 1322.
thebreus (= the Hebreus), vii. 3054, 4421.
theder, *see* thider.
theffect (=the effect), iv. 1759.
thefte, *s. v.* 944, 6088.
Theges, iv. 2403.
thegipcienes (=the Egipcienes), v. 811, 821, thegipciens, vii. 3055.
thei, they, *pron.* P. 159, 424, &c.
their (=the eir), iii. 1215, viii. 3009*.
Thelacuse, iv. 452.
Thelamacus, Thelamachus, iv. 1851, vi. 1757 ff., Thelamachum, vi. 1587.
Thelamon, v. 7216, viii. 2515.
Thelaphus, Telaphus, iii. 2642 ff.
thelement, thelementz (=the element, &c.), v. 759, vii. 441.
Thelogonus, vi. 1619 ff.
Thelcüs, ii. 1092.
thembuisschementz (=the embuisschementz), vii. 3476.
themperour (= the emperour), i. 762, ii. 1196.
thempire (= the empire), P. 767, i. 1482.
thencress (= the encress), v. 3941.
thende (= the ende), P. 883.
thenemis (= the enemis), vii. 4355.
thenke (1), *v. n.* P. 23, 77, 193, 1076, thinke, v. 213, vi. 198, 3 *s. pres.* thenkth, i. 2687, thenketh, i. 657, *pret.* thoghte, i. 811, 1571, 2106, (thoughte, viii. 2965), *imperat.* thenk, iii. 225, v. 5217, thenke, iii. 1083; *v. a.* ii. 2195, (*cp.* i. 657), iii. 559: think.
thenke (2), *impers.* 3 *s. pres.* thenkth, P. 260, i. 1700, thenketh, i. 569, thinketh, v. 254, *pret.* thoghte, P. 603, i. 346, 929, ii. 1374; seem.
thenne, fro thenne, *adv.* i. 2637, iv. 98, vi. 1046, thence.
thensample (= the ensample), vii. 3552.
thensamplerie (= the ensamplerie), vii. 3858.
thenvious (=the envious), ii. 1728.
theologie, *s.* vii. 70, 131.
Theophilus, Theophile, viii. 1359, 1500.
theorique, *s.* vii. 31, 134 ff., 624.
ther, there, *adv.* P. 46, 115, i. 725, iii.
60, 236, there, in that matter: *conj.* P. 389, i. 1317, 1732, iii. 311, 807, iv. 169, where, whereas; ther(e) as, i. 1282, ii. 114, ther while, iv. 760.
theraboute, *adv.* vii. 4761, about it.
therat, *adv.* i. 600, therate, iv. 1534, vi. 1674.
therayein (3), *adv.* i. 1018, iii. 357, against it.
therbage (=the herbage), *s.* iii. 1397.
Therbellis, vii. 3291.
therby, *adv.* i. 330, iii. 400, therbi, iv. 1462, ther by, iii. 768.
there, *see* ther.
therfore, P. 2, i. 1514, ii. 1454, therfor, ii. 534, therefore, vii. 796, (ther fore, viii. 2954 ff.).
therfro, *adv.* iii. 960, iv. 1216.
therinne, *adv.* i. 824, 2192, thrinne, iii. 315, v. 7345, ther inne, iv. 1658.
therof, *adv.* P. 120, i. 732, 1315.
theroute, *adv.* i. 2818, iii. 2472, therout, v. 4158, out there, out.
therthe (=the erthe), i. 3265, v. 825.
therto, *adv.* P. 1056, i. 421, 1291, 2055, ii. 1635, to it, moreover.
therupon, *adv.* P. 815, i. 841, 2697, vi. 1321, (ther uppon, viii. 3046).
therwhile, *adv.* iv. 1708, meanwhile; *conj.* P. 962, ii. 2716, therwhiles that, P. 673, v. 3474, ther while(s), ther whyles, iii. 1903, vi. 1478, vii. 2985, while.
these, *see* this.
Thesëus, v. 5310 ff, viii. 2511, 2557.
Thessaile, v. 4018.
thessamplerie (=the essamplerie), vii. 2318.
thestat (= the estat), P. 202.
Thetis, v. 2961 ff.
Theucer, iii. 2645 ff., iv. 3516.
thevangile (= the evangile), vi. 977.
thevenynge (= the evenynge), v. 3886.
thew, *s.* vi. 105, *pl.* thewes, vii. 43, habit, manner.
thewed, *a.*, wel thewed, i. 273, 639, vii. 3788, of good disposition.
thexperience (= the experience), P. 331, v. 764.
thextremetes (= the extremetes), iv. 2565.
thi, thin, *poss. pron.* i. 165, 449, iv. 3220; *disj.* thin, i. 949, thyne (*pl.*), i. 168.
thider, *adv.* ii. 707, 789, &c., theder, v. 7476.
thiderward, *adv.* iii. 1044, 1622.
thidoles (= the idoles), v. 1955.

thief, *s.* i. 319, iii. 2388, *pl.* thieves, v. 603.
thikke, *a.* v. 5971, vii. 186, thick.
thilke, *pron.* P. 16, i. 804, 2410, ii. 3056; as *subst.* i. 2548.
thing, *s.* P. 34, 686, i. 792, thyng, P. 930, *pl.* thinges, P. 255, i. 1265, &c., alle thinge, ii. 557, v. 1246, 3885, vii. 80, othre thing, i. 574.
thinke, *see* thenke.
thinne, *a.* i. 1787, viii. 2827, thin.
thinspeccion (= the inspeccion), vi. 1349.
this, *pron. and a.* P. 11, 27, 276, 481, iv. 1365, *pl.* these, P. 7, 900, &c., thes, ii. 475, 3319.
thiself, *pron.* i 1615, ii. 2441, iv. 267.
tho, *pron. see* that.
tho, *adv.* P. 3, 94 ff., i. 809, iv. 1358, then: *conj.* viii. 1466, when.
Thoas, v. 1831 ff.
Thobie, vii. 5357 ff.
thoccident (= the occident), P. 720.
thoffice (= the office), i. 242, v. 1921.
thogh, *conj.* P. 61, 402, &c., as thogh, P. 270, i. 2013, though, i. 1283, ii. 962, all thogh, iv. 269, *cp.* althogh.
thoght, *s.* i. 195, 1568, thought, ii. 66, *pl.* thoghtes, i. 721, thoughtes, vi. 198.
tholde (= the olde), v. 7007.
thole, *v. a.* v. 6770, suffer.
Tholome, Tholomeüs, vi. 1403, vii. 1043, 1201, 1459, Ptolemy (the astronomer).
Thomas (the apostle), v. 1909.
thombe, *s.* ii. 468.
thonder, thondre, thunder, *s.* i. 2002, iii. 455, vii. 4401, viii. 1000.
thonderstrok, *s.* vii. 307.
thondre, *v. n.* iii. 985.
thonk, *s.* P. 72*, i. 738, 816, 1119, 2650, thank, ii. 60, 2012, gratitude, thanks, reward: his thonkes, v. 2507, by his own will.
thonke, *v. a. n.* i. 961, 2664, 3346, ii. 773, 1517, thank, give thanks.
thonkinge, *s.* ii. 3317, vii. 1933.
thonkles, *a.* vii. 2134, without thanks.
thonour (= the honour), i. 1719, iv. 2142.
Thophis, v. 6817.
thordre (= the ordre), viii. 3021.
thorghsese, *v. a.* iv. 210, take hold of.
thorient (= the orient), P. 719.
thorizonte (= the orizonte), vii. 694.
thorn, *s.* i. 603, vi. 928, *pl.* thornes, P. 412.
thorst, *see* thurst.

Thosz, vi. 1314.
thother (= the other), ii. 1740, vii. 378 (*pl.*).
thou, thow, i. 124, 174, *obl.* the, thee, i. 436, 448, 1545.
though, thought, *see* thogh, thoght.
thousend, thousand, *num.* i. 1153, ii. 500, iii. 59, iv. 720, 3034.
thousendel, *s.* i. 728, iii. 468, thousandth part, thousand times.
thousendfold, iv. 3023, v. 2602, vii. 3438.
thral, *s.* v. 54, vi. 74.
thre, *num.* i. 406, 3097.
thred, *s.* i. 1419, v. 5343, thread.
threde, *v. a.* vi. 558.
threste, *v. a. pret.* iv. 135, v. 6381, thrust.
threte, *v. a.* iii. 2124, threaten.
thretty, *see* thritty.
thridde, *a.* i. 400, 1884; as *subst.* iv. 552.
thries, *adv.* ii. 2897, v. 3593, thrice.
thrift, *s.* vii. 3161, prosperity.
thrinne, *see* therinne.
thritiene, *num.* vii. 1410, thirteen.
thritty (-ti), *num.* v. 7311, vii. 3637, thretty, viii. 438, thirty.
throghes, *see* throwe, *s.* (2).
throne, *s.* vii. 2418, 2449, PP. 378.
throng, *v. a. pret.* vii. 5069, thrust.
throstle, *s.* i. 355.
throte, *s.* ii. 831, v. 1470, throat.
throwe, *s.* (1) P. 566, i. 117, 410, 2297, ii. 1587, time, short time.
throwe, *s.* (2) iii. 1130, iv. 97, *pl.* throwes, vii. 3559, throghes, vii. 5401, throe, pang.
throwe(n), *v. a.* iii. 788, iv. 1274, v. 3609, *pret.* threw, i. 145, *pp.* throwe(n), i. 27, ii. 243, 2158.
thryve, *v. n.* iv. 2345, 2592, vii. 262, 2799.
thunchaste (= the unchaste), vii. 5301.
thunder, *see* thonder.
thunkinde (= the unkinde), viii. 222.
thunsemlieste (= the unsemlieste), *a. superl.* i. 1625.
thurgh, *prep.* P. 49, i. 827, 2952, through, by reason of: *adv.* v. 3581, 3635, all over, thoroughly.
thurghknowe, *pp.* i. 2847, thoroughly known.
thurghout, *prep.* ii. 2748, 2873, through; *adv.* ii. 2245, v. 3655, thoroughly.
thurghseche, *v. a., pp.* thurghsoght, thorghsoght, i. 1895, iv. 636, viii. 2045, 2247; seek through, penetrate, resolve.
thurghsmite, *v. a. pp.* vii. 4853.
thurst, thorst, *s.* i. 2308, v. 377, vi. 237, *pl.* thurstes, vi. 394.
thurste, *v. n.* vi. 262; *impers.* v. 254, 384.

GLOSSARY AND INDEX OF PROPER NAMES 639

thursti, *a.* vi. 439.
thus, *adv.* P. 52, i. 761.
thyle (=the yle), v. 1071.
thymage, thymages (=the ymage, &c.), v. 5791, 7541.
thyne, *see* thi.
Tiberie Constantin, ii. 590.
Tiberius (1), i. 762.
Tiberius (2), vii. 3281.
Tibre, i. 1042, v. 2206.
tide, tyde, *s.* P. 27, i. 150, 860, 1731, 2715, ii. 1883, iii. 1024, v. 139, vii. 972, time, tide, season.
tidinge, tyding(e), *s.* i. 450, iii. 444, iv. 2962, v. 3322, *pl.* tidinges, tidynges, i. 2761, iv. 178.
tigre, *s.* iv. 1977, vi. 1450, vii. 4944.
til, *prep.* ii. 902, vii. 397, viii. 2841, to: *conj.* P. 597, i. 1333, til that, P. 677, iv. 2890, til whanne, iv. 1262, until.
tile, *v. a.* iv. 2441, v. 328, till.
tilinge, *s.* v. 1227, tilling.
tilthe, *s.* v. 1238, 1882, 4304, crop, cultivation.
timber, tymber, *s.* v. 2158, 2168.
timberwerk, *s.* v. 2179.
time, tyme, *s.* P. 5, 701, i. 839, 2379, 2846, ii. 805, iv. 615, 3401, v. 3641.
time, *v. a.* ii. 2238, aim.
tirannie, tirannye, *s.* P. 49, ii. 1721, v. 5921, tyrannyes, (*pl.*) v. 988, tirandie, tiraundie, P. 756, iii. 1117, (tirandise, viii. 3076).
tirannyssh, *a.* vii. 4594, tirannysshe, vii. 4889.
tirant, *a.* v. 5627, vii. 1889, (*subst.* tiraunt, PP. 48).
tire, *v. n.* vi. 817, pull.
Tiresias, iii. 363, 749.
Tisbee, iii. 1374 ff., 1663, viii. 2578.
title, *s.* PP. 12.
titled, *v. a. pp.* iv. 2468, assigned.
to, *prep.* P. 10, 67, i. 1554, ii. 158, v. 5724; with *gerund*, P. 33, 133, ii. 511, iv. 2373, viii. 1393, *cp.* forto:
 adv. (1) to . . . fro, P. 569, i. 1571, 2067; (2) P. 81, i. 1063, too; *cp.* tomoche, tolite.
to, *prefix, see* to plihte.
tobete, *v. a. pp.* iii. 122, beaten to pieces.
toblowe, *v. a. pp.* viii. 1949, blown about.
tobreide, *v. a. pret.* iv. 1535, rent.
tobreke, *v. a.* i. 1068, 1420, 2650, *pret.* tobrak, ii. 1825, *pp.* tobroke, P. 390, i. 1154, break in pieces; *v. n.* iv. 359, 3 *s. pres.* tobrekth, P. 505, *pret.* tobrak,

vi. 2226, *pl.* tobrieken, vii. 3476, break (in pieces), break forth.
toclef, *v. n. pret.* viii. 626, parted asunder.
todrawe, *v. a.*, 3 *pl. pret.* todrowhe, i. 378, *pp.* todrawe, i. 513, iii. 1405, tear asunder.
tofore, *prep.* P. 1, i. 2134, iii. 2052, &c., tofor, i. 518, iii. 2053, 2375, before, in presence of: *adv.* P. 822, i. 2948, ther tofore, i. 1153, hier t., i. 2787, now t., i. 1867, toforn, ii. 2128, before, formerly.
togedre, *adv.* P. 648, i. 1102, ii. 137, al togedre, P. 984.
tohewe, *v. a.* iv. 1547, toheewe, (*pp.*) v. 5899, hew in pieces.
tokne, *s.* P. 638, i. 873, 1174, 2211, iii. 804, that in tokne, P. 907.
tokne, *v. a.* P. 601, betoken.
tokninge, *s.* v. 5765.
tolyte, tolite, *s.* i. 19, iv. 2621, vii. 3847, to lite, iii. 581, too little.
tombe, *see* tumbe.
tome, *s.* ii. 2680, (leisure), opportunity.
tome (= to me), i. 294, ii. 3160, viii. 2386.
tomoche, *s.* i. 19, iv. 2621, v. 7689, to moche, iii. 591, too much.
tomorwe, *adv.* iii. 2399, iv. 9, vii. 3668.
tonge, *see* tunge.
tonne, *s.* P. 504, iii. 1210, v. 1677, vi. 333, tunne, viii. 2253.
tonsure, *s.* viii. 482.
too, *s.* v. 472, *pl.* ton, P. 876, toe.
toose, *v. a.* P. 400, shear.
Topazion, vii. 1406.
to plihte, *v. a. pret.* v. 850, pulled in pieces.
topseilcole, *s.* v. 3119, viii. 1890.
topulled, *v. a. pp.* i. 565, pulled asunder.
torche, *s.* iv. 3651, v. 3846.
tormente, *v. a.* ii. 2989, iv. 412.
torne, *v. a.* P. 273, i. 1537, 2267, 2408, (*pp.* turnyd, viii. 2956); *refl.* i. 1792, iv. 2112; *v. n.* P. 463, 591, i. 3265, v. 312, (turne, PP. 95): turn, return.
torneie, tourneie, *v. n.* i. 2515, vi. 1850, tourney.
tornement, *s.* i. 2509.
torninge, tornynge, *s.* P. 138, iii. 85.
torof, *v. n. pret.* viii. 617, was torn to pieces.
to sondre, *see* sondre.
tosprad, *pp.* v. 3964.
toswal, *v. n. pret.* v. 6252, *pp.* toswolle, vi. 1467.
tote, *v. n.* v. 470, vi. 819, spy, gaze.

toth, *s.* P. 325, *pl.* **teeth, teth**, ii. 411, v. 3523, tooth.
tothe (= to the), iv. 1875.
tothrowe, *v. a.* vii. 5257, throw aside.
totore, *pp.* P. 414, i. 1723, iv. 1355, torn in pieces.
touche, touch, *s.* v. 269, 315, 6278, 7147.
touche, *v. a.* P. 58, i. 313, ii. 2057, iv. 667, v. 275, touch, concern; **touchende**, i. 742, 3441, concerning: *v. n.* i. 241, ii. 527, iv. 3016, have concern, treat; **touchende of**, P. 481, i. 1232, (as) **touchinge of**, i. 2721, viii. 2993*, **touchende to**, i. 1338, 1971, concerning.
touchinge, *s.* iii. 84.
toun, *s.* P. 839, i. 802, iii. 454, 1380, to **toune**, ii. 1354, in toune, ii. 2103.
tour, *s.* P. 1019, ii. 3027, iv. 818, tower.
tourneie, *see* **torneie**.
tow, *s.* v. 5623.
toward, *prep.* i. 456, 638, 1136, 2103, 2284, 3032, ii. 1384, viii. 2077, **towardes**, P. 78, i. 747, iii. 1090, to, towards, with regard to, near: **toward Troie**, iii. 2643, on the way to T.
towh, *a.* vi. 722, tough.
Trace, v. 1198, 5569, 5832, Thrace.
trace, *v. a.* vi. 1328.
traiteresse, *s.* v. 4620.
traiterie, *s.* iii. 2211, viii. 1779, treason.
trance, traunce, *s.* i. 1800, iii. 1457, viii. 1367, 2813.
trance, *v.* iv. 2115, trample (?).
transforme, *v. a.* i. 2971, ii. 194, iv. 501.
translate, *v. a.* ii. 3044, 3 *pl. pret.* **translateden**, iv. 2660, change, translate.
transpose, *v. a.* iv. 2656, translate.
trapped, *v. a. pp.* i. 1133, v. 2708, furnished with trap-doors, entrapped.
traunce, *see* **trance**.
travail(1), *s.* ii. 1009, iv. 1105, 1604 ff., **travaile**, iv. 2663, labour.
travaile, *v. n.* P. 78*, i. 2658, ii. 266, 641, 2533, viii. 1050, labour, travail; *refl.* iii. 584, v. 110; labour, strive: *v. a.* ii. 3314, iv. 428, 1893, trouble, cause to labour, iii. 1205, travel about.
travers, *s.* viii. 3158, obstacle.
tre, tree, *s.* i. 1319, 2818, iv. 3593, *pl.* **tres, trees**, P. 935, ii. 2298.
treble, *a.* vii. 1755, 2366.
trede, *v.* viii. 2682.
tregetour, *s.* ii. 1873, juggler.
treigne, *s.* vii. 4456, snare.
treine, *s.* iv. 621, train (of a robe).
treis, *s.* i. 2963, three, (*or* one, two, three).

tremble, *v. n.* ii. 2622, iii. 190; *v. a.* vii. 5104.
tresced, *a.* vii. 4881.
tresces, tresses, *s. pl.* v. 5464, 5686.
treson, tresoun, *s.* i. 1659, ii. 1185, 2945, vii. 1563.
tresor, *s.* P. 316, i. 2633, v. 69, **tresour**, ii. 3305, treasure.
tresorer, *s.* ii. 3304.
tresorie, *s.* v. 134, 1922.
trespas, *s.* vii. 3327.
tresses, *see* **tresces**.
trete(n), *v. n.* P. 77, i. 7, 1099, ii. 3201, iii. 1831; *v. a.* ii. 1686: treat, deal, deal with.
tretee, *s.* v. 5258, treaty.
tretour, *s.* iii. 2096, viii. 1937, traitor.
trewe, trew, *a.* P. 184, i. 702, 1198, iii. 2228, 2346, v. 2877, 7391, true; *superl.* **the treweste**, ii. 1282.
trewes, *s. pl.* iv. 2708, truce.
trewly, trewli, treuly, i. 1650, iii. 66, iv. 921, v. 2536, 3454, **trewely**, ii. 2018, iv. 1649, **trewliche**, i. 1336, truly.
trewman, *s.* vii. 1640.
tribe, *s.* vii. 4118, viii. 136.
tribut, *s.* i. 2795, iv. 2159, v. 5365.
tricherie, *s.* i. 828, ii. 812, iv. 2078.
tricherous, *a.* ii. 3019.
Tricolonius, v. 1239.
trie, trye, *v. a.* ii. 3420, iv. 2456, v. 2895, vi. 1204, vii. 42, separate, purify, test.
trinite, *s.* i. 3276, vii. 77.
triste, *v. a. n.* i. 1947, ii. 492, 1160, **truste**, v. 2898, *pret.* **triste**, i. 1983, 2573, 2874, **troste**, i. 1739, **truste**, v. 3894; trust.
tristesce, *s.* iv. 3396, 3432.
Tristram, vi. 471, viii. 2500.
Triton, v. 1192.
Trocinie, iv. 2928.
Troian, vii. 3144, Trajan.
Troie, i. 1078 ff., ii. 2452, iii. 974 ff., 1757, 1885 ff., 2643, iv. 81, 147 ff., 772 ff., 1696, 1820 ff., 1903 ff., 2143, 2152, v. 1003. 1833, 2551, 3071, 3303, 5281, 6455, 7197 ff., vi. 1391, 1416, vii. 3585, viii. 2517, 2570, 2625; **newe Troye**, P. 37*, tale of (bok of) T., i. 483, iii. 971, v. 3245, vii. 1559.
Troiens, *pl.* v. 1839, 7211, vii. 3056.
Troieward, iv. 732, v. 6450.
Troilus, ii. 2457, iv. 2795, v. 7597, viii. 2531.
trompe, *s.* i. 2128, ii. 2866, vii. 3763.
trompen, *v. n.* i. 2139, sound a trumpet.
trompette, *s.* vii. 3744, trumpet.
trosse, *see* **trusse**.

GLOSSARY AND INDEX OF PROPER NAMES 641

trouble, *a.* v. 4160; *as subst.* vi. 360: turbid.
trouble, *v. a.* vi. 362; *v. n.* trowble, viii. 3009*.
trowe, *v. a.* P. 512, v. 580, 1925, believe; *v. n.* i. 1925, 2691, iii. 531, believe, think.
trowthe, trouthe, *s.* P. 154, 488, i. 746, 1559, 1588, iv. 2747, v. 4363, vi. 2285, vii. 1724 ff., trouthe plight, vii. 4228, *pl.* trowthes, i. 822: truth, assurance, loyalty.
truage, *s.* iv. 2175, v. 1553, 1726, tribute, subjection.
truandise, *s.* iv. 2767, laziness.
truantz, *s. pl.* iv. 342, idlers.
truffle, *s.* viii. 2062, trifle.
trusse, *v. a.* i. 2634, iv. 1398, pack.
trusse, trosse, *s.* v. 4966, v. 5056, vii. 3253*, bundle.
trust, *s.* P. 91, i. 3154, ii. 769, iii. 281, trist, iii. 2754, v. 2133.
truste, *see* triste.
Tubal, iv. 2425.
tuelfthe, *see* twelfthe.
tuelve, *see* twelve.
Tullius, iv. 2648, vi. 1401, vii. 1589, 3163*, viii. 3119.
tumbe, tombe, *s.* iv. 3665, viii. 1527, 1581, tomb.
tun, *s.* viii. 830, tune.
tunder, *s.* ii. 1274, tinder.
tunderstonde (= to understonde), ii. 815.
tunge, *s.* P. 61*, i. 678, ii. 1602, iv. 2639, tonge, iii. 1799, tongue, language.
(false) tunged, *a.* ii. 1751.
tunne, *see* tonne.
tuo, two, *num.* P. 336, i. 810, 2041, v. 188, bothe tuo, P. 1068, i. 851.
turne, *see* torne.
Turne, iv. 2186.
turves, *s. pl.* v. 4031.
tweie, *num.* P. 18, i. 1344, v. 3610, tweine, tueine, ii. 3472, v. 4040, two.
twelfthe, tuelfthe, *a.* vii. 1215, 1402.
twelve, tuelve, *num.* P. 158, 526, i. 1134, ii. 97.
twenty, *num.* iv. 1356, vii. 1227.
twinklinge, twinclinge, *s.* i. 3033, v. 5935.
twinne, *v. a.* iii. 423; *v. n.* ii. 2293: separate, be separated.
twinnes, *s. pl.* vii. 1033, twins.
two, *see* tuo.
twyes, *adv.* v. 4094, twice.
tyde, *s. see* tide.
tyde, *v. n.* v. 3755, happen.
tyding(e), *see* tidinge.

tye, *s.* v. 3559, case.
tyh, *v. n. pret.* v. 5709, came.
tymber (1), *see* timber.
tymber (2), vi. 1844, timbrel.
tyme, *see* time.
tymliche, *adv.* iv. 3163.
Tymolus, v. 6831.
Typhon, v. 798 ff.
Tyr, viii. 375 ff.
tyrannye, *see* tirannie.
tyt, *adv.* v. 5769, vi. 1751, quickly.

U

Uluxes, Ulixes, Ulixe, i. 516 ff., iv. 147, 1818 ff., v. 3099 ff., 3201, vi. 1392 ff., viii. 2623.
umbreide, *v. a.* v. 5034, reproach.
unable, *a.* vii. 585, 3275, useless, incapable.
unaffiled, *a.* i. 2287, untrained.
unansuerd, *a.* ii. 2706.
unaperceived, *a.* v. 6271, unaparceived, v. 7147*.
unaquit, *a.* ii. 3332, unrewarded.
unarme, *v. a.* v. 3803.
unarmed, *a.* vii. 3589.
unarraied, *a.* vii. 2659, in disorder.
unavanced, *a.* v. 2328.
unavised, *a. or adv.* i. 2701, iii. 1097, iv. 1241, unwise, unwisely.
unbegunne, *a.* viii. 1, without beginning.
unbehovely, *a.* vii. 1134, viii. 2884, unprofitable, unfit.
unbende, *v. a. pret.* i. 1967, unbent.
unbesein, *a.* viii. 153, devoid.
unbinde, *v. a.* viii. 2812, *pp.* unbounde, v. 159.
unbore, unborn, *a.* i. 3164, iv. 3221, v. 1748.
unbounde, *a.* v. 7734.
unbuxom, *a.* i. 1255, 1272, disobedient.
unbuxomly, unbuxomliche, *adv.* i. 1368, vii. 3569, rebelliously.
unbuxomnesse, *s.* i. 1394, disobedience.
unchaste, *see* thunchaste.
unclene, *a.* ii. 575, unclean.
unclennesse, *s.* vii. 474.
unclose, *v. a.* v. 2376, open.
unclothe, *v. refl.* v. 3494.
uncoupled, *v. a. pp.* i. 2298.
uncouth, *a.* v. 5694.
undefendid, *a.* PP. 223, not forbidden.
under, *prep.* P. 108, i. 27, 1104, undur,

* * T t

642 GLOSSARY AND INDEX OF PROPER NAMES

v. 1573, (undir, viii. 3060, PP. 39): adv. P. 76, i. 2237, ii. 418.
underfonge, v. a. P. 68, iv. 206, viii. 1486, pret. underfing, v. 7182*, pp.
underfonge, i. 63, ii. 1751, iv. 418, (undirfongen, PP. 264), receive, accept.
undergete, v. pp. ii. 1133, come under.
underling, s. vi. 2350, vii. 1294.
undernethe, prep. ii. 2933; adv. v. 3130.
undersette, v. a. v. 2157, support.
understonde, v.a.n. P. 206, 481, i. 46, pret. understod, i. 1798, (undirstod, PP. 150), pret. subj. understode, P. 460, i. 2774, imperat. understond, i. 1882, ii. 3132, pp. understonde, P. 34*.
understondinge, s. iii. 1950, vi. 972, understanding, significance.
undertake, v. a. n. i. 2020, 3232, iv. 1967, v. 2340, (undirtake, PP. 159), pret. undertok, v. 2130, (undirtok, viii. 3107), pl. undertoke, v. 2077, pp. undertake, P. 241, i. 1108, undertake, take in hand, declare.
undeserved, a. i. 51, vi. 358.
undo(n), v. a. n. i. 2855, iii. 690, pret. undede, v. 2380, imperat. undo, ii. 2483, pp. undo, ii. 1016, v. 7450.
undoinge, s. vii. 4099.
undren, s. v. 3669.
unenvied, a. P. 115.
unethes, adv. P. 846, i. 1221, unethe, iii. 2536, noght (ne) . . . unethes, iv. 570, 3478, unnethes, vii. 5033, hardly.
unevene, a. P. 803, v. 4547: adv. P. 170, iii. 14.
unfolde, v. a. iv. 686.
ungentilesce, s. iv. 845.
unglad, a. ii. 234, 3117, pl. unglade, ii. 3287.
unglade, v. a. v. 5680.
ungoode, a. pl. P. 489, viii. 239.
ungoodly, a. v. 6136, ungoodlich, v. 6293; superl. def. ungoodlieste, iii. 422.
unhapp, s. ii. 3085, iii. 1466, pl. unhappes, iv. 1024.
unhappely, adv. i. 376.
unhappi, a. ii. 2280, iii. 1390, v. 5685, unfortunate, ill-omened.
unholpe, a. v. 1862, unhelped.
unholy, a. v. 7021*.
unhorsed, v. a. pp. iii. 2658.
unite, s. P. 987, vii. 78, unity.
universiel, universal, a. vi. 2261, vii. 215.
unjoynted, v. a. pp. iv. 274.

unkemd, vii. 5023, uncombed.
unkendeli, a. ii. 3124, unnatural: cp. unkindeliche.
unkest, a. ii. 467, unkist, iv. 2712, unkissed.
unkinde, unkynde, a. i. 2565, iii. 374, 2055, iv. 849, thunkinde, viii. 222, unnatural, ungrateful.
unkinde, s. viii. 222.
unkindeliche, adv. iii. 375, 2066, unkindely, iii. 2065, viii. 2005, 2558, unnaturally, unkindly.
unkindenesse, s. v. 5141.
unkindeschipe, s. ii. 3103, v. 4699, 4887 ff.
unkist, see unkest.
unknet, v. a. pp. ii. 2372, v. 556, vii. 4828.
unknowe(n), a. P. 319, ii. 467, v. 1251, unknown; ii. 1105, v. 3148, not knowing.
unliche, unlich, unlike, a. v. 4415, vi. 1862, vii. 133, unequal, unlike, superior.
unliered, unlered, a. P. 233, iv. 611, untaught.
unloke, v. a. pp. P. 654, iii. 425, viii. 424, unlocked.
unlust, s. viii. 481, sorrow.
unlusti, a. ii. 1308, unhappy.
unmerciable, a. iii. 216, unmerciful.
unmete, unmeete, a. ii. 122, iii. 1100, iv. 3573, vii. 5030, unequalled, unworthy, far apart: adv. v. 2140, beyond comparison.
unmyhti, a. v. 1502, unable.
unmylde, a. i. 1242.
unpeysed, a. P. 64*, unweighed.
unpike, v. a. v. 6509, unfasten.
unpinned, pp. iii. 424, unconfined.
unpitous, a. vii. 3411.
unpitously, adv. viii. 2994*.
unplein, a. i. 1058, dishonest.
unpreised, a. ii. 2078.
unprisone, v. a. vii. 3293, free from prison.
unprofitable, a. ii. 3108.
unpurse, v. a. v. 558, take from the purse.
unresonable, a. v. 761, viii. 2932.
unriht, a. ii. 2773, iii. 1247, wrong.
unrihte, v. a. ii. 506, v. 6744, set wrong, undo.
unrihtwisnesse, s. vii. 4724, 5270.
unsauhte, a. (pl.), vii. 2034, out of accord.
unschette, v. n. iv. 2997, vii. 4968, open.

GLOSSARY AND INDEX OF PROPER NAMES 643

unsein, *a.* v. 3572, unseen.
unsely, *a.* i. 88, v. 459, viii. 2360, unhappy.
unsemlieste, *see* thunsemlieste.
unserved, *a.* iii. 2277.
unsittende, *a.* vii. 1736, unfitting.
unskilfully, *adv.* vii. 4757, unjustly.
unsofte, *a.* iii. 123.
unsowed, *v. a. pp.* viii. 1183.
unsped, *a.* viii. 532, without success.
unstable, *a.* P. 863, ii. 1226.
unstoken, *pp.* v. 34, opened.
untame, *a.* iii. 245, wild.
unteid, *a.* iii. 830, iv. 3462, vi. 598, unrestrained, wandering.
unthewed, *a.* i. 3040, wrongly disposed.
unthryve, *v. n.* v. 2508, be unprosperous.
until, *prep.* i. 2061, iv. 3058, unto.
unto, *prep.* P. 80, 152, i. 2162, iv. 684, &c., un to, P. 339, viii. 3069.
untome (= unto me), iii. 99.
untoward, *prep.* iv. 559, v. 2622, towards.
untreuly, untrewly, *adv.* v. 5814, vii. 5239, untrewely, v. 6976.
untrewe, *a.* P. 536, i. 1201.
untrist, untrust, *s.* v. 585, 717, mistrust.
untrowthe, untrouthe, *s.* i. 926, ii. 852, 2750, v. 5683.
untrusse, *v. a.* v. 4988, unload.
unwaked, *a.* vii. 4966, asleep.
unwar, *a.* ii. 1041, iv. 15, vi. 1262, *pl.* unware, P. 393, ignorant, careless, unknown.
unwarli, *adv.* vii. 4784.
unwedded, *a.* ii. 785, v. 6436*.
unwelde, *a.* iii. 989, vii. 1855, unmanageable, helpless.
unwerred, *a.* iii. 2317, free from war.
unwis, *see* unwys.
unworschipe, *s.* vii. 2130, dishonour.
unworthely, *adv.* vii. 2479.
unwys, *a.* ii. 208, iv. 3529, unwis, viii. 2094, *def.* unwise, iii. 1799, *pl.* unwise, v. 742.
up, *prep.* ii. 3469, iv. 1002, 1342, v. 160, upon : *adv.* P. 570, i. 339, 1184, v. 3530; *cp.* uppe : up so doun, ii. 1744, iii. 80, iv. 561.
upbere, *v. a., pp.* upbore, v. 1814, viii. 405, 631.
upcaste, *v. a. pret.* iv. 3032, viii. 1156, *pp.* upcast, i. 697.
updrawe, *v. a. pp.* ii. 794, v. 3313, viii. 599, brought up, drawn up.
uphield, *v. a. pret.* i. 985.

uplefte, *v. a. pret.* i. 1674, vii. 2264, uplifte, i. 198, lifted up; *v. n.* uplefte, P. 696, was raised.
upon, *prep.* P. 27, 61, 781, i. 968, 1000, 1197, 1599, 2673, ii. 2899, iii. 2425, iv. 236, 2080, 3101, (uppon, viii. 2959); *adv.* v. 3556, hier upon, v. 7206* : on, upon, into, with regard to, by reason of.
uppe, *adv.* P. 344, i. 2570, iv. 1831 : *cp.* up.
upriht, upryht, *a. and adv.* P. 147, 656, 1028, i. 746, ii. 253, vii. 5282.
uprihtes, upryhtes, *adv.* P. 940, i. 2918, iii. 2634.
upriste, *s.* i. 2198, rising.
upset, *v. a. pp.* v. 2316, set up, upsete, viii. 244, overthrown.
upward, *adv.* i. 663, v. 3978.
us, *s.* P. 359, i. 2695, v. 137, use, usage.
usage, *s.* v. 7542, vi. 664.
usance, *s.* i. 2027, vi. 569, custom.
use(n), *v. a.* P. 397, i. 342, 1373, 2101, v. 6578, (*pp.* usid, viii. 2964), use, practise; *v. n.* ii. 400, v. 38, be wont.
usure, *s.* v. 4384 ff.

V

vailable, *a.* vii. 1526, 3176, PP. 142, serviceable.
vailant, *a.* iv. 1633, valiant.
vaile, *v. n.* vii. 144, profit.
Valentinian, v. 6398.
Valerie, Valeire, v. 6360, vii. 3181.
valleie, *s.* v. 1013, vii. 3320*, valley.
value, *s.* ii. 3410, iii. 2765.
vanite, *s.* i. 451, 2784, v. 215, vii. 2410.
vanyssht, *v. n. pp.* v. 3959.
variance, *s.* P. 542, vii. 1758.
vasselage, *s.* v. 902, 6435*, prowess.
vecke, *s.* i. 1675, hag.
Vegecius, v. 885.
vegetabilis, iv. 2535.
veile, *v. a.* viii. 1261.
vein, *a.* ii. 1713, *def.* vein, P. 221, i. 599, *fem.* veine, P. 262, i. 2677, *pl.* veine, i. 2689; in vein, i. 1946, 2736, ii. 2253.
veines, veynes, *s. pl.* ii. 3123, iv. 3463, v. 4164, viii. 1186, veins.
veneison, *s.* iv. 1996, game (in hunting).
Venenas, vii. 1393.
venerie, *s.* v. 1262, hunting.

T t 2

venerien, *a.* vii. 795, 1347.
vengable, *a.* iv. 3510, apt to take vengeance.
vengance, *s.* i. 378, 1433, (**vengaunce,** viii. 2997*).
venge(n), *v. a. and refl.* i. 991, 2578, ii. 1285, iii. 1013, vii. 2891, avenge.
vengement, *s.* i. 1457, viii. 220, vengeance.
Venus, i. 124, 235 ff., 2491, iii. 1462, 2555, iv. 419, 824, 1262, 1467, 1787, 3558, 3658, v. 650, 859, 917, 1388 ff., 1493, 4827, 4861, 5819, 5843, 6715, 6753, 7413, 7479 ff., vi. 506, 614, 639, 2425, vii. 20, viii. 2172 ff.; (the planet) iv. 2473, 3245, vii. 773, 797, 1020, 1113, 1135, 1231, 1315, 1382, 1395, 1421.
venym, *s.* P. 858, ii. 2294, 3490.
Ver, vii. 1014.
Verconius, iv. 2433.
vernage, *s.* vi. 218, (a kind of wine).
verrai, verray, *a.* P. 978, i. 1450, 2451, ii. 3397, iv. 2275, **veray, verai,** iv. 2519, v. 1774, true.
verrailiche, verraily, *adv.* i. 904, vi. 116, 866.
vers, *s.* vi. 70, order.
vertu, *s.* P. 79, 360, iv. 2327, vii. 1545, virtue, power.
vertue, *v. refl.* iii. 2766, endeavour.
vertules, *a.* vii. 1319, without virtue.
vertuous, *a.* P. 39, ii. 7, iv. 2635, vii. 1327, 1548, virtuous, powerful.
verveyne, *s.* v. 4039.
Vesper, iv. 3209.
vessel(l), *s.* ii. 1133, 3445, vii. 3500.
Veste, v. 892.
vestement, *s.* v. 7135.
viage, *s.* ii. 2528, iv. 218, 1948, viii. 1540, journey.
vicair, *s.* ii. 2804.
vice, *s.* P. 79, i. 577, 647.
vicious, *a.* vii. 792.
victoire, *s.* P. 1001, i. 2476, iii. 2681.
vigile, *s.* iv. 3252.
vil, *a.* P. 887, i. 2098.
vilein, *a.* iii. 1182, v. 7203, *pl.* **vileins,** P. 738, worthless, cowardly: *subst.* iii. 1244, iv. 2300, vii. 3062, boor, commoner.
vilenie, vileinie, *s.* i. 2408, v. 170, viii. 1431, worthlessness, unworthy deed.
vines, *s. pl.* iv. 2441, v. 1229.
vinour, *s.* vii. 1875, vine-grower.
Viola, v. 4811, 4849.
violence, *s.* ii. 2977, iii. 24, iv. 607.
violent, *a.* vii. 946, 4551.
virelai, *s.* i. 2709, 2727.

Virgile, v. 2032, vi. 98, viii. 2714.
virgine, *s.* v. 1773 ff., 6363 ff., viii. 52.
virginite, *s.* v. 6243, 6340 ff., viii. 204.
Virginius, vii. 5136.
Virgo, vii. 1081 ff., 1249.
visage, *s.* P. 112, i. 1684, ii. 1789, iii. 1784, vii. 4046, face, appearance, pretext.
viser, *s.* i. 637, ii. 2081, mask.
visioun, *s.* v. 7410.
visite, *v. a.* ii. 917.
vitaile, *v. a.* ii. 711, 1031, victual.
Vitellus, Vitelle, vi. 538, 563.
voide, *a.* iv. 2098, v. 1914, viii. 36, empty, clear.
voide, voyde, *v. a.* i. 1890, ii. 2125, iv. 2084, PP. 317, empty, drive away.
vois, *s.* i. 495, 1828, v. 995, 1721, voice, rumour, vote.
voisdie, *s.* vii. 3739, cunning.
voluptuosite, *s.* viii. 156.
vou, *s.* v. 5816.
vouche, *v. a.* iii. 486, iv. 668, affirm.
vowe, *v. a.* i. 3021.
Vulcanus, v. 642 ff., 956.

W

wacche, *v. n.* ii. 110, watch.
wacche, wachche, *s.* iv. 2808, v. 2241, watch.
wade, *v. n.* ii. 2221, iii. 228.
waile, weile, *v. n.* i. 3025, v. 7443.
waileway, *interj.* viii. 327.
waisshe(n), *v. a. n. and refl.* v. 301, 1471, *pret. s.* **wissh,** v. 306, **wyssh,** v. 3806, vii. 2283, *pl.* **wisshen,** v. 3836, *pp.* **waisshen,** i. 2846; wash.
waite, wayten, *v. n.* ii. 110, 117, iii. 915, 2090, iv. 802, wait, keep watch; *v. a.* v. 7112, PP. 204, watch for, attend to.
wake(n), *v. n.* iii. 51, iv. 2709, 2837, 3314, *pret.* **wok,** i. 914, ii. 1349, wake, stay awake.
wakere, *s.* iv. 3162.
wakinge, *s.* iv. 3142.
wal, *see* **wall.**
Wales, ii. 904.
walke, *v. n.* i. 99, ii. 758, 2094, iii. 364.
wall, wal, *s.* P. 836, ii. 1089, 2893, *pl.* **walles,** i. 1155.
walle, *v. a.* v. 7230.
wane, *s.* v. 5369, vii. 591.
wanhope, *s.* iii. 281, iv. 3397, despair.
wantounesse, *s.* iv. 1277, v. 6116, vii. 798.

GLOSSARY AND INDEX OF PROPER NAMES 645

wantounly, *adv*. iv. 1017.
war, *a*. P. 508, i. 330, 1075, ii. 557, *pl*.
ware, viii. 1392, be war, ii. 1606, v. 7838, aware, careful.
war, *v.n. and refl. imperat*. war thee wel, iii. 968, v. 7606, war hem wel, iii. 1113, war, vii. 1137.
warant, *s*. i. 1695, ii. 1237, v. 1924, security, warrant.
warde, *s*. i. 332, iii. 1953, v. 5298, guard; *pl*. wardes, v. 1868, wards (of a key).
warde, *v. a. n*. i. 331, 536, iii. 1954, v. 5297, guard.
wardein, *s*. v. 6614, 7152*.
warie, *v. a*. v. 510, 3913, curse.
warisoun (-on), *s*. i. 671, 3349, property.
warm, *a*. iii. 314, iv. 422, vii. 4135, al warm, ii. 2485, v. 679.
warme, *v. a*. viii. 1194.
warne, *v. a*. i. 2506, ii. 1436, 2092, iv. 1432, warn, command, inform.
warnynge, *s*. viii. 581.
was, were, &c., *see* be.
was, *as subst*. viii. 2435.
wast, *a*. P. 839, v. 7816, desolate, wasted.
wast, *s*. (1), i. 1192, v. 356, 4656, waste.
wast, *s*. (2), v. 7143, waist.
waste, *v. a*. P. 649, i. 2836, 3310.
wastour, *s*. v. 1053.
water, *s*. i. 2194, ii. 2189, 3170, iv. 3009, vii. 238, water stronde, i. 1169, water Nimphes,v.1182,waterspoute,vii.1193.
watergates, *s. pl*. iii. 689, 987.
waterpot, *s*. iii. 673.
wawe, *s*. i. 2945, ii. 24, 728, iv. 3083.
waxe, wexe, *v. n*. P. 629, ii. 2260, iii. 56, iv. 345, 3 *s. pres*. wext, vi. 34, waxeth, P. 1078, 3 *s. pret*. wax, P. 914, ii. 1713, 3 *pl*. woxen, P. 914, vii. 1995, *pp*. woxe, v. 9, 6008.
way, *see* weie.
wayt, *s*. ii. 2447, 2999.
wayten, *see* waite.
we, *pron*. P. 2, i. 842, &c., *cp*. ous.
wedd, *s*. i. 1558, pledge; to wedde, i. 1588, ii. 2662, iv. 2876, as a pledge.
wedde(n), *v. a. n*. i. 1587, 1741, 2486, ii. 623, 664, 1305, v. 486, *pp*. weddid, iv. 650, wedded, i. 1761.
wedded, *a*. v. 4655, 5631.
weddinge, *s*. vii. 5326.
wede, *s*. ii. 1847, v. 6209, dress, cover.
weder, *s*. i. 2925, ii. 1888, iii. 1029, v. 7048, weather, wind.
weene, *s*. iv. 2595, expectation.
weene, *v. see* wene.

weer, *see* wer.
weie, *s*. P. 17, 232, i. 89, 818, 1002, 1712, 3440, (weye, viii. 3058*), wey, i. 1562, way, v. 6596; do wey, vii. 5408; mi weie, his weie (= away), viii. 1452, PP. 336: way, road, means.
weie, *v. a. n*. v. 4412, vii. 1105, PP. 91, *pp*. weie, PP. 320, weigh.
weile, *see* waile.
weke, *s*. i. 3110, vii. 957, week.
wel,*adv*.P.92,522,616,&c.,wiel,P.648,vii. 816. wel is, i. 1605, wel you be, ii. 1513, *cp*. iii. 840, wel the more, &c., P. 55*, ii. 3512,3523,welafourtenyht,iv.1418,als (also) wel ... as, i.1316, 2248 f., ii. 3408.
wel, wele, *s*. P. 547, i. 149, 2371, iii. 283, 780, iv. 1070, prosperity, happiness.
welcome, *a*. v. 3788.
welcome, *v. a*. v. 3373, viii. 1895.
welcominge, welcomyng, *s*. ii. 671, v. 3813, vi. 1504.
welde(n), *v. a*. ii. 2411, iv. 1828, v. 77, 1631, vii. 657, manage, rule.
welfare, *s*. ii. 225, iv. 3412.
welke, *v. n*. P. 934, wither; *pp*. welked, viii. 2437.
welkne, *s*. P. 928, iii. 985, viii. 1042.
welle, *s*. i. 148, 2306, 2343, iii. 1408, well, spring; welle stremes, vii. 251.
wellwillende, *a*. iv. 507, well disposed.
welmore, *adv*. i. 973, iii. 455, 797, much more.
welnyh, *adv*. P. 30, i. 983, vi. 1685.
welthe, P. 95, 787, i. 2495, ii. 1207, prosperity, wealth.
welwillinge, *s*. iii. 599, 2258, goodwill.
wenche, *s*. ii. 3097.
wende(n), *v. a*. v. 522, *pret*. wente, ii. 2248, *pp*. went, P. 246, iii. 878, v. 4450, vii. 442, turn; *v. n. and refl*. P. 591, i. 2090, 3 *s. pres*. went, i. 50, *pret*. wente, i. 143, 826, 1163, v. 3314, went, v. 7533, turn, go.
wene, weene, *v. n*. P. 337, 656, i.681,1603, 1897, ii. 2479, iv. 911, 2596, *pret*. wende, i. 2005, ii. 2289, think, expect, trust; *v. a*. i. 925, 1194, ii. 2018, *pret*. wende, i. 1187, expect, believe.
wenge, *see* wynge.
wente, *s*. iv. 168, v. 2726, vi. 1029, vii. 2250, turn, way, device.
wenynge, wenyng, i. 1946, 1958, 2267, expectation, thought.
wepe, *v. n*. i. 115, 955, 965, 2325, 3 *s. pres*. wepth, i. 2338, *pret*. wepte, i. 2180, 2325, weep.
wepinge, *s*. i. 2188, 3171, viii. 522.

wepne, *s.* ii. 1767, v. 338, weapon.
wepneles, *a.* vii. 2850, without arms.
wer, weer, *s.* P. 143, i. 1924, iii. 1148, doubt, difficulty.
werche, *see* worche(n).
were (1), *v. a.* P. 356, iv. 1429, *pp.* wered (oute), P. 870, wear ; *v. n.* were (oute), P. 368.
were (2), *v. a.* v. 3615, defend.
were, *s.* vii. 4813, wearing.
werinesse, *s.* vii. 3264*.
werk, *s.* P. 51, i. 1090, 2542, *pl.* werkes, P. 491, iii. 1274.
werke, *see* worche(n).
werkman, *s.* i. 1091.
werkmanschipe, *s.* i. 2541.
werne, *v. a.* i. 1931, ii. 85, iv. 2066, viii. 948 ; *v. n.* i. 2622, prevent, refuse.
werre, *s.* P. 129, i. 2463, 3288, war.
werre, *v. a.* iii. 2489, 2537, fight against, *pp.* werred, iv. 1805, be engaged in war ; *v. n.* iii. 2584, v. 6420*, make war.
werre, *see* werse.
werreiour, *s.* ii. 2516, iii. 2348, PP. 130.
werse, *a. comp.* P. 638, iii. 1563, worse, P. 57, iii. 2598 ; *as subst.* the werse, iii. 587, the worse, v. 7353, the werre, P. 176, iii. 1646, for bet, for wers, iv. 673 : *adv.* wurse, v. 6994, worse, vii. 5293.
werste, *a. sup.* i. 3057, worste, iii. 2102 ; *as subst.* the werste, P. 641, ii. 1675, v. 7363, *cp.* viii. 1067, the worste, ii. 443, v. 3278 : *adv.* werst, worst, i. 326, iv. 420, worste, i. 2360.
wery, *a.* iii. 1153, vii. 415, weary.
west, *s.* vii. 565.
westward, *adv.* vii. 576.
wet, *a.* i. 1680, *pl.* wete, v. 4087 ; *as subst.* the wete, vi. 1271.
wete, *v. a.* vi. 1042, *pret.* wette, v. 3973, wet.
wether, *s.* v. 4045, vi. 429, ram.
wetinge, *s.* iv. 1109, wetting.
weve, *v. a. n.* v. 1283, vii. 4333, *pret.* waf, v. 5770, weave.
wevinge, *s.* iv. 1175.
wex, *s.* iv. 1055, vi. 1958, wax.
wexe, *see* waxe.
wey, *see* weie.
weyhte, *s.* ii. 341, 1926, iii. 1572, weight, balance.
weyve, *v. a.* i. 479, 2894, ii. 610, 2930, iii. 1061, iv. 3692, vi. 1456, 2058, weive, iii. 1854, viii. 1288, put aside, refuse, leave, vacate ; *v. n.* iii. 3469, iii. 1768, 2509, turn aside, refuse, leave off.

whan, whanne, *conj.* P. 9, 343, i. 112, whan that, P. 37, 337, when, i. 1757, 2402.
what, *pron. and a.* P. 26, i. 881, (=whatever) P. 69*, i. 281, iii. 325, what man, iii. 2508, what womman, i. 1610, what . . . that, P. 68, 399, 997, what as (evere), P. 487, i. 1830, v. 351, what . . . what, iv. 701, v. 527, 7583, what . . . and, viii. 856, what time, iv. 1983.
what, *s.* i. 1676, iii. 1217, v. 4429, thing.
whel, *see* whiel.
whelp, *s.* i. 1259.
when, *see* whan, whenne.
whenne, when, *interr. adv.* iv. 578, viii. 738, 989, fro whenne, ii. 3135, v. 614, fro whenne that, ii. 1147, fro when, iv. 1336 ; *conj.* whenne as evere, i. 3375, whenne that, ii. 1583 : whence.
wher (1), where, *interr. adv.* P. 381, i. 126, 932 ; *conj.* P. 288, i. 35, wher that, P. 666, wher(e) as (evere), P. 893, i. 37, iii. 2339, iv. 2877 ; wher on, iv. 3001, elles where, ii. 1979, iii. 2079 : where.
wher (2), *interr. adv.,* wher . . . or, i. 57, 1811 ; *conj.,* wher . . . or, i. 789, iii. 1000, iv. 1516, wher so . . . or, iv. 641, v. 466, 3569, viii. 2220 : whether.
wherby, *rel. adv.* v. 4991.
wherinne, *rel. adv.* iv. 1835.
wherof, *rel. adv.* P. 47, i. 454, 829, 1203, iv. 1790, vii. 741, (whereof, PP. 17 ff., wher of, viii. 2952 ff.), wherof that, i. 541, 1266 ; of which, whence.
wherto, *rel. adv.* iii. 254.
wherupon, *rel. adv.* i. 12, v. 268, (wher upon, vi. 1762).
wherwith, *rel. adv.* v. 2618.
whete, *s.* iv. 1710, viii. 469.
whether, *a.* ii. 1725, iii. 1733, iv. 1741, which (of the two), which ever.
whether, *conj.,* whether that . . . or, i. 1332, iv. 1092 ; *cp.* wher (2).
whi, why, *interr. adv.* P. 32, 849, i. 2149, iv. 2023, why that, P. 557, whi ne were it (a wish), iv. 2855 ; for why, v. 4717.
which, *rel. pron. and a.* P. 52, 75, i. 193, 766, 2411, iii. 343 (that which), 2527, the which, P. 71, *pl.* whiche, P. 707, i. 404, ii. 604, which, P. 1016, which that, i. 94, which(e) as, i. 1653, ii. 2082 : *interr.* i. 827 ; *in exclamation,* iv. 1212, v. 388, 1186.
whider, *interr. adv.* iv. 578, 3446, whither.
whiderward, *interr. adv.* vii. 777.

GLOSSARY AND INDEX OF PROPER NAMES 647

whiel, whel, P. 138, 444, 561, i. 2490, ii. 241, 1822, iv. 1196, wheel.
whil, whyl, while, *conj.* P. 252, i. 762, ii. 1010, iii. 1577, iv. 1495, whil that, whyl that, i. 963, 3384.
while, whyle, *s.* P. 558, i. 706, 756, 1094, 1264, 1577, 2628, ii. 1846, 2324, 2862, v. 6752; al the while (*as conj.*), iii. 2530, the whyle, iv. 1565, (meanwhile): short time, time, leisure.
whiles, whyles, *see* therwhile.
whilom, P. 54, 886, i. 975, whylom, iv. 2347, formerly.
whippe, *s.* iii. 120.
who, *pron. indef.*, who that, P. 13, 550, i. 481, who so, P. 1002, who so that, v. 50, who as evere, iv. 1096, 1685, as who seith, P. 43, i. 1381, 2794: *interr.* P. 176, who was who, vii. 2001, viii. 2461: *relat.* whom, P. 85, the whom, ii. 162, whos, P. 444, the whos, iv. 3039, v. 1798: *cp.* which.
why, *see* whi.
whyt, whit, *a.* ii. 1506, iii. 797, iv. 1348, *def.* whyte, iv. 859, *pl.* whyte, i. 2045, iv. 1310: *as subst.* whyt, iv. 1317, the whyt, v. 3016, the whyte, iv. 2571.
wicchecraft, *s.* vi. 1288.
wicke, *a.* ii. 571, iii. 115, 462, 1651, v. 7353, wikke, viii. 3025, bad: *as subst.* v. 5915.
wicke, *s.* i. 3312, ii. 495, evil.
wicked, *a.* ii. 496, iii. 1626, wickid, iii. 649, vii. 3805, wikkid, P. 459.
wickedly, *adv.* i. 959.
wickednesse, wikkidnesse, *s.* vii. 4723, 5060.
wide, *see* wyde.
wiel, *see* wel.
wierde, *s.* iii. 1819, weerdes, (*pl.*) iv. 2765, destiny.
wif, *s.* i. 677, 765, 1573, *genit.* wyves, i. 2500, *dat.* to wyve, v. 2686, *pl.* wyves, ii. 1283, v. 6019, woman, wife.
wifhode, *s.* i. 974, v. 456, vi. 1475.
wifles, *a.* i. 1411, viii. 1760, without wife.
wihssinge, *s.* iii. 1174, wishing.
wiht, wyht, *s.* i. 28, 315, 745, 1548, wight, i. 3011, person, creature.
wikkid, wikkidnesse, *see* wicked, &c.
wilde, wylde, *a.* P. 68 *, 1057, i. 1241, ii. 161, 2295, iii. 325, 1638, a wylde fyr, v. 2178.
wildernesse, *s.* iv. 1975, v. 1263, wyldernesse, vii. 3216*.
wile, *see* wyle.
wilful, *a.* iii. 2449.

wille, will, *s.* P. 477, i. 190, 928, 1953, iii. 1161 ff., iv. 1828, (wil, P. 72 *, viii. 3037 *), will, pleasure, wilfulness.
willinge, *s.* v. 5744.
wind, *see* wynd.
winde, *v. a., pret.* wond, v. 6889.
winge, *see* wynge.
winke, wynke, *v. n.* i. 384, v. 1842, close the eye.
winne, *see* wynne.
winnynge, *s.* iii. 2284.
wirche, *see* worche(n).
wis, *see* wys.
wisdom, *s.* P. 13, i. 2267, viii. 1483.
wise, *s.* P. 463, i. 478, 747, 2018, 3027, wyse, P. 8, manner.
wisemen, *see* wysman.
wisly, *see* wysly.
wiss, *adv.*, als so wiss, v. 3487, als so wiss ... as, v. 4444, surely.
wisse(n), *v. a.* P. 232, iii. 1640, v. 1669, inform, guide.
wisshe, *v. n.* i. 115, 3164, iii. 1575, iv. 11, *pret.* wisshide, i. 120.
wisshes, *s. pl.* iii. 1507, iv. 1107, vii. 4826.
wist, *see* wite.
wit, witt, *s.* P. 14, i. 1309, 1907, iii. 609, 1163 ff., *pl.* wittes, P. 81, i. 296, mind, reason, wits, senses.
wite(n), *v. a. n.* P. 286, i. 2742, 2 *s. pres.* wost, ii. 3528, 3 *s.* wot, P. 27, ii. 226, woot, i. 1640, 3 *pl.* witen, i. 608, *pret.* wiste, P. 1024, i. 911, 931, ii. 36, wist, ii. 2010, *pp.* wist, P. 503, hadde I wist, i. 1888, ii. 473, iv. 305, wiste, viii. 37, *imperat.* wite, i. 2450, know: *cp.* not.
with, *prep. and adv.* P. 85, 132, i. 248, 514, ii. 283, viii. 2501, 2553, with that, i. 972, ii. 1528, forth with, *see* forth.
withal, *adv.* P. 545, i. 1225, withalle, i. 2307, ii. 1777, withall, ii. 3474, with al, i. 3421, therewith, moreover.
withdrawe, *v. a. and refl.* i. 2224, *pret.* withdrowh, withdrouh, i. 930, iii. 2673, v. 6268, *pp.* withdrawe, ii. 2582, iv. 2683, v. 2812, *imperat.* withdrawgh, withdrawh, iv. 3220, v. 7738; *v. n.* iv. 1924.
withholde, *v. a.* iv. 533, v. 3383, *pp.* withholde, P. 101, 263, i. 262, iii. 851, keep, retain (in service).
withinne, *prep.* P. 989, i. 1158, 2954, withinnen, viii. 959; *adv.* P. 836, i. 360, 875, (withynne, viii. 3081).
withoute, *prep.* P. 114, i. 119, withouten, P. 985, iii. 55, (with outen, with oute, viii. 2951, 3089 *), without: *adv.* withoute,

P. 794, i. 597, ii. 4, v. 2279, outside, outwardly, without.
withsein, withseie, v. a. iii. 978, 2166, 3 s. pres. withseith, ii. 2806, withseid, iii. 1838, oppose, say in opposition.
withset, v. a. pp. ii. 2335, hindered.
withstonde, v. a. i. 787, iv. 1993, pret. withstod, ii. 2973, pp. withstonde, i. 91; noght withstondende, v. 1611, cp. vi. 683.
witles, a. vi. 163, 567, senseless.
witnesse, s. P. 907, i. 714, 2559, ii. 1696, iii. 487, iv. 2040, evidence, witness.
witnesse, v. a. n. ii. 3095, v. 2864, vii. 4821, bear testimony (to).
wo, s. P. 547, iv. 3031, wo thee be, i. 1659, iii. 462, cp. i. 1076, iii. 802, wo worthe, viii. 1334, 2582, wo begon, i. 1762, wo the while, v. 6752.
wo, a. ii. 134, v. 3678, sorrowful.
wod, a. P. 1078, ii. 153, iii. 217, def. wode, iii. 244, iv. 3064, mad, wild.
wode, s. i. 110, 344, ii. 2296, (woode, v. 7026 *), genit. wodes, iv. 1308, wood.
wode, v. n. iii. 86, rage.
wodemayde, s. v. 6237, wood-maiden.
wodesschawe, s. v. 6324, wood.
woful(l), a. P. 255, i. 75, 1001, 1674; sup. the wofulleste, vii. 5017.
wofully, wofulli, adv. ii. 1149, 3224, vi. 1009.
wol, v. 1, 3 s. pres. P. 482, 750, 963, woll, P. 62, i. 838, 1266, wole, i. 2389, v. 4516, wile, i. 1865, nyle (=ne wyle), iii. 961, 2 s. wolt, i. 2254, wilt, i. 3333, pl. ye wole, i. 1831, ye woll, i. 66, 3274, wol ye, ii. 551, 3 pl. wol, i. 1363 f., iv. 1678, wole, v. 2107, 3 s. pres. subj. (?) wole, P. 368, iv. 1171, 1215, wile, P. 379, i. 35, pret. ind. and subj. wolde, P. 17, 151, 461, i. 162, 816, 3169, wold, v. 4217, 7137, wolde god, iv. 899, 1148, pp. wold, iv. 248; will, would (as auxil.): v. a. i. 3169, iv. 3475, desire.
woldes, as subst. pl. vi. 923.
wolf, s. P. 419, iv. 328, vii. 3364.
wolle, s. iv. 2435, v. 45, 1203, wulle, P. 399, iv. 2895, wool.
wollesak, s. i. 1692, sack of wool.
wombe, s. P. 609, iii. 190, iv. 2755, belly, womb.
womman, s. i. 681, ii. 56, pl. wommen, i. 488.
wommanhiede (-hede), s. i. 1719, iii. 1607, iv. 602, 2305, v. 533, woman's nature, womanliness.

wommanlich, wommanly, a. i. 2757, vii. 4879.
wommanysshe, wommannysshe, wommanisshe, a. i. 495, 913, iv. 1924, v. 6199, viii. 855, wommannysch, womannyssh, i. 1530, vii. 4321, womanly, effeminate.
wonde(n), v. n. iii. 1569, 2215, v. 7036, turn aside; v. a. vii. 5260, avoid.
wonder, s. P. 75, 243, i. 2798, wondre, iv. 1972, (wondir, viii. 3093, PP. 47), pl. wondres, v. 1570; no wonder thogh, &c., i. 1726, 2759.
wonder, a. i. 67, 411, 1328, wondrous: adv. P. 604, i. 368.
wonderfull, a. P. 557, v. 349.
wonderly (-li), adv. ii. 1544, iii. 1157, iv. 2980.
wondre, v. n. P. 175, ii. 775, 1508, iv. 3647.
wondringe, s. v. 5149.
wone, s. i. 2276, ii. 3260, iii. 149, v. 468, custom, habit.
wone, v. n. i. 920, ii. 1053, iii. 150, v. 467, dwell.
wones, s. pl. iv. 2217, v. 210, vii. 4116, viii. 612, possession.
wont, a. i. 2979, 3036, iv. 3105.
worche(n), v. a. n. i. 2615, ii. 215, 1850, iii. 357, 959, iv. 2595, v. 463, werche, P. 450, i. 626, v. 1800, (wirche, PP. 20, 199), werke, i. 633, v. 1894; pret. wroghte, P. 694, 1008, iii. 1117, (wroughte, viii. 3002), pp. wroght, i. 1061, 2613, work, do.
worchinge, s. ii. 3485, vii. 1369.
word, s. P. 113, 460, i. 746, ii. 1406, vii. 1509 ff., (pl. wordis, viii. 3118 ff.).
worde, v. n. iii. 742, dispute.
world, s. P. 10, 28, 383, 1081, i. 178, 1257, ii. 2972, iii. 626, iv. 2078, vii. 2521, 2702; worldes blisse, &c., i. 1771, 2683, iii. 2470, worldes deth, i. 2213, a worldes womman, v. 5755: world, fortune.
worldesriche, s. iii. 2587, v. 87.
worldly, a. P. 219; adv. vii. 2304.
worm, s. v. 3716, 5131, serpent.
worschipe, s. P. 785, i. 919, 1553, v. 188, 195, honour.
worschipe, v. a. P. 105, v. 1272, honour, worship.
worschipful, a. ii. 662.
worse, worst, see werse, werste.
wortes, s. pl. vii. 2297, herbs.
worth, s. P. 636, iv. 1327.
worth, a. P. 629, i. 1927, iii. 1652.
worthe, v. n. vi. 279, become, wo worthe, viii. 1334, 2582.

GLOSSARY AND INDEX OF PROPER NAMES 649

worthi, *a.* P. 45, i. 203, 316, 764, iv. 1335, v. 105; *as subst. pl.* v. 2058; *sup.* the worthieste, i. 1432, vi. 1600.
worthili (-ly), *adv.* ii. 604, 2649.
worthinesse, *s.* P. 50*, i. 1435, iv. 1156.
wounde, *s.* i. 1426, iii. 308, vii. 1568, wound.
wounde(n), *v. a.* iv. 2002, vii. 4282, *pp.* wounded, viii. 2818.
wow, *s.* iii. 1341, iv. 246, wall.
wowe, *v. n.* iv. 161, 2281, 2711, v. 2888, woo.
wower, *s.* ii. 52, wooer.
wrastle, *v. n.* viii. 2240 f.
wrathful, *a.* vii. 411.
wrathfulli, *adv.* v. 7202.
wraththe, *s.* i. 3325, iii. 83, 842, wrathe, iii. 21.
wraththe(n), *v. n. and refl.* iii. 385, 401, *pret.* wroth, viii. 1692, be angry.
wrecche, *s.* i. 2098, v. 4856, wretch.
wreche, *s.* P. 899, ii. 572, iii. 231, v. 388, wrieche, vii. 537, 4731, wreeche, iii. 2147, vengeance.
wreke, *v. a.* i. 1519, iii. 1109, iv. 3618, *pp.* wroke(n), ii. 536, 2174, iii. 860, wreke, ii. 186, v. 5869, avenge, satisfy.
wrenne, *s.* viii. 2227.
wrieche, *see* wreche.
wringe, *v. a.* iii. 1426, iv. 2673.
writ, *s.* ii. 3386, v. 1923, viii. 2698.
write, *see* wryte.
writere, *v.* iv. 2657.
writhe, *v. a. pp.* vii. 5341, twisted.
writinge, *see* wrytinge.
wroghte, wroght, *see* worchen.
wrong, *a.* ii. 2391, v. 5743, *def.* wrong, ii. 295, *pl.* wronge, iv. 3709.
wrong, *s.* P. 251, ii. 1739, iii. 2425, PP. 106, with wrong (= wrongly), vi. 2320.
wronge, *v. n.* ii. 3070, v. 7634, do wrong.
wrongful, wrongfull, *a.* ii. 2980, iii. 2343, 2354, v. 7385, vii. 5247.
wroth, *a.* i. 368, 1204, iii. 217, for wroth, vi. 1696, *pl.* wrothe, P. 920, iv. 1873.
wryte(n), *v. a. n.* P. 6, 21, i. 74, &c., (write, P. 56*, viii. 3014*), 3 *s. pres.* writ, P. 13, vii. 4560, *pret. s.* wrot, i. 1487, *pl.* write(n), P. 1, i. 1857, iv. 2525, *pret. subj.* write, P. 41, *pp.* write(n), P. 3, iv. 1662; write.
wrytinge, wrytynge, *s.* P. 38, ii. 3030, iv. 2924, vi. 2438, writynge, P. 53*, writinges (*pl.*), i. 8.
wulle, *see* wolle.

wurse, *see* werse.
wyde, wide, *a.* P. 100, i. 627, ii. 595; *adv.* vii. 3320, wydewhere, iii. 1019, viii. 1460.
wydewhere, *adv.* vii. 3456, far and wide: *see* wyde.
wyht, *see* wiht.
wyhte, *a. pl.* viii. 681, nimble.
wylde, *see* wilde.
wyle, *s.* i. 755, 2627, ii. 480, wiles, (*pl.*) i. 2588, cunning, wile.
wympel, wimpel, *s.* iii. 1396, 1419, v. 6889.
wyn, *s.* i. 2549, ii. 1008, *pl.* wynes, iv. 2442, wine.
wynd, *s.* P. 923, i. 2410, wind, viii. 2851.
wynddrive, *pp.* vi. 1423, driven by wind.
wyndi, wyndy, *a.* vi. 1418, viii. 1146.
wyndou, wyndowe, *s.* v. 6513, 6661.
wyndrunke, *a.* vi. 547, drunk with wine.
wynge, winge, *s.* ii. 417, v. 6005, 6526, *pl.* wynges, iii. 2107, iv. 111, wenges, viii. 2655.
wynke, *see* winke.
wynne, winne, *v. a. n.* P. 265, 403, i. 792, 823, 1809, *pret.* wan, P. 709, i. 3421, *pl.* wonne, iii. 2049, *pret. subj.* wonne, iv. 2782, *pp.* wonne, P. 687, i. 755, iv. 2184, vi. 2231, wunne, v. 2092, win, get, make, gain; *v. n.* winne (awey), v. 352, get (away).
wynter, *s.* i. 2355, 3253, *genit.* wyntres, v. 5959, *pl. with num.*, wynter, i. 1153, 1803, ii. 3207; *as a.* P. 938, i. 1167, ii. 1817, iii. 684.
wyny, *a.* viii. 2849.
wype, *v. a.* v. 6529.
wys, wis, *a.* P. 157, i. 1899, *def.* wyse, P. 65, i. 3396, *pl.* wise, P. 363, i. 2017, 2768, iv. 2367; *as subst. sing.* the wise, ii. 3248, *pl.* wyse, P. 7; *superl.* the wiseste (*as subst.*), P. 666, i. 1097: wise.
wyse, *s. see* wise.
wysly, wisly, *adv.* i. 536, ii. 2854, vii. 2482.
wysman, wisman, *s.* P. 68, i. 130, 1064, iii. 954, *pl.* wisemen, vii. 1792, *genit.* wisemennes, PP. 94.
wyte, *s.* ii. 430, iv. 2622, (wite, P. 59*), blame, censure.
wyte, *v. a.* ii. 1844, charge; to (for to) wyte, P. 530, i. 20, 263, 592, 1455, 2214, (to wite, viii. 3013*), to be blamed.
wyve, *v. n.* ii. 3112, iv. 256, take a wife.
wyve, wyves, *s. see* wif.

Y

yare (3), *a.* i. 1165, v. 3299, 5613, ready.
ybore, *see* bere.
Ychonithon, vii. 1453.
ydeac, vi. 1318.
ydel, *a.* i. 1986, iv. 1094, 2678, v. 4724, idle, useless, empty: *adv.* iv. 1152.
ydeliche, *adv.* iv. 1197, idly.
ydelnesse, *s.* iv. 1086, 1104.
ydelschipe, idelschipe, *s.* iv. 1729, 2329, vii. 4390.
Ydoine, vi. 879.
ydolatrie, *s.* v. 1587, vii. 4497.
Ydomeneux, iii. 1949.
ydriades, vii. 835, (name of a stone).
ydromance, *s.* vi. 1297, divination by water.
ydropesie, *s.* v. 250, dropsy.
ye (3), *pron.* P. 16, i. 182, 588, 1821, **yee**, vi. 1071, viii. 1533, *obl.* you, yow, i. 66, 173.
ye, yee (3), *adv.* P. 373, i. 550, 740, ii. 17, 1387, yea.
ÿe, *see* yhe.
yede (3), *v. n. pret.* ii. 856, vii. 2786, went.
yelde(n) (3), *v. a.* v. 4926, 7092, *pret. pl.* **yolde**, viii. 1265, *pp.* yolde, iv. 2125, v. 5648, vii. 4639, render, surrender, repay.
yelpe (3), *v. n.* iv. 3410, v. 6156; *refl.* i. 26, 1651: boast.
yelwe (3), *a.* vii. 4881.
yeme (3), *v. a.* v. 6611, take care of.
yer, yeer (3), *s.* P. 25, 779, *pl.* **yeres**, ii. 711, 1218, 2259, **yeeres**, iv. 481, yer, i. 2922, 3134; yer (yeer) to yere, yer to yeere, i. 342, ii. 239, v. 1242, yer be yere, ii. 20, yeeres dai, v. 1311: year.
yerd (3), *s.* iv. 870, courtyard.
yerde (3), *s.* iii. 369, v. 2363, vii. 4676, stick.
yeve (3), *see* yive(n).
yhe, ÿe, *s.* P. 34, 330, i. 305, 903, 2362, v. 2034, *pl.* **yhen**, i. 140, 774, eye, sight.
yhed, *a.*, bryht yhed, vii. 1857, bright eyed (man).
yhte, *s.* v. 7307, possession.
yifte (3), *s.* i. 794, 1100, ii. 330, gift; god I yive a yifte, iv. 1114, I vow to God, *cp.* iv. 1684.
yifteles (3), *a.* ii. 997.
yis (3), *adv.* ii. 235, 1251, iii. 416, 854, iii. 1269, yes (*not specially after a negative*).

yit (3), *adv.* P. 62, i. 1284, 2364, ii. 60, iii. 199, yet (3), P. 179, i. 576, 786; for the time yit, &c., vi. 311, 893: yet, as yet, moreover.
yive(n) (3), *v. a.* i. 964, 1648, ii. 1208, iv. 1114, **yeve**, P. 167, 2 *s. pres.* **yifst**, v. 5856, 3 *s.* **yifth**, P. 519, iv. 367, *pret.* **yaf**, P. 226, i. 817, *imperat.* **yif**, i. 135, 1972, *pp.* **yove(n)**, P. 332, i. 1125, iii. 1594, give.
yle, ile, *s.* i. 1578, iv. 435, v. 861, 1254, thyle, v. 1071, island.
ylem, *s.* vii. 216 ff., first substance.
Ylia, v. 894.
Ylioun, v. 7236.
ymage, *s.* P. 604, i. 804, v. 1499.
ymagerie, *s.* v. 5771.
ymaginacion (-oun), *s.* i. 958, 2269, 3069, ii. 2845.
ymaginynge, *s.* vii. 3312.
ynche, *s.* i. 1112, inch.
Ynde, iii. 2447, iv. 2056, v. 1049, 1910.
Yndien, *a.* v. 4732.
Yno, v. 4271 ff.
ynowh, *a.* i. 929, 1565, *pl.* **ynowhe, ynowe**, i. 1135, ii. 3226; *subst.* **ynogh, ynow**, v. 84, 2485: enough.
ynowh, ynouh, ynow, ynou, *adv.* ii. 3319, v. 2607, 5010, vii. 2100, sufficiently.
Yo, iv. 3319 ff.
yock (3), *s.* v. 108, yoke.
yoke(n) (3), *v. a.* iv. 1836, v. 3519, yoke.
yomen (3), *s. pl.* vi. 1811.
yong (3), *a.* i. 488, *def.* **yonge**, i. 790, iv. 503, *pl.* yonge, ii. 3219, iii. 1800; *as subst. pl.* i. 2086, v. 3930; *comp.* **yonger**, v. 5395; *sup.* the yongest, i. 3133.
yongly (3), *a.* v. 7202*, viii. 2674.
you, yow (3), *see* ye.
youre (3), *poss. pron.* i. 2768, iii. 596, 1087, **your**, iii. 627; *disj.* **youres**, i. 1852.
yowthe, youthe (3), *s.* i. 730, iii. 153, 793, iv. 1588, (person) viii. 2462 ff.
Ypocras, vi. 1409.
ypocrisie, ipocrisie, *s.* i. 585, 635, 1034, 1079, hypocrisy.
ypocrite, *s.* i. 591 ff.
Ypolitus, v. 967.
yren, *see* iren.
Yris, iv. 2972 ff.
ys, *s.* ii. 1824, vi. 245, ice.
Ysis, i. 806, v. 801, 816, **Isis**, iv. 460, **Ysis** temple, i. 842, 858.
Ysolde, vi. 472, viii. 2501.

INDEX TO THE NOTES

Ytaile, iv. 93, 2183, v. 887, 903, 1223.
Ytalie, ii. 591.
Ytaspis, vii. 1785.
yvor, *s.* iv. 383, ivory.
yvy (lef), *s.* iv. 586, ivy (leaf).
ywiss, *adv.* i. 1281, ii. 2394, iwiss, i. 1226, certainly.

Z

Zelpha, viii. 131.
Zenzis, iv. 2421.
zodiaque, *s.* vii. 697, 977.
Zorastes, vi. 1402, 2368.
Zorobabel, vii. 1802 ff.

INDEX TO THE NOTES

abaissht, iv. 1330.
abeche, vi. 709.
accidence, ii. 3210.
Achelons, iv. 2045.
adjective forms, P. 139, 221, 738, i. 636, 1006, 2677, ii. 2341, 3507, iv. 1320, 2624, vii. 4245.
aftercast, iv. 904.
a game, viii. 2319.
Alanus de Insulis, viii. 2341.
Albertus Magnus, v. 6498: see also *Speculum Astronomiae.*
Albumasar, vii. 283, 989, 1239.
alchemy, terms of, iv. 2462 ff.
Alexander, *Historia de Preliis,* v. 1453, 1571, 2543, vi. 1789 ff., Romance of, vi. 1789 ff., see also *Roman de toute Chevalerie.*
Alfraganus, vii. 1461.
algorisme, vii. 155.
Almagest, vii. 983, 1449.
' along on,' iv. 624.
amaied, i. 2030.
anacoluthon, i. 98, iii. 1593, vi. 1798, vii. 5254.
' and,' position of, P. 155, v. 2815.
Andreas Capellanus, iv. 1245.
Antoninus Pius, vii. 4181.
a place, a doun, &c., i. 2377.
Apollonius of Tyre, *Historia,* viii. 271-1681.
appende, vii. 978.
applied, i. 577.
archdeacon's court, P. 407.
arechen, v. 1826.
ariste, iv. 1285.
Aristotle, vi. 663, vii. 1, 265, 334 ff., 611.
article, use of, P. 72.
' as he which,' &c., i. 695, ii. 785.
' as to,' ' as forto,' i. 713.
asp, i. 463 (with *Addenda*).
assise, i. 3050.
assub, vii. 334.
asterte, iii. 626.

astraied, vii. 2660.
' at after,' vi. 1831.
Augustine, i. 463, iii. 2363, vi. 2368.
Avian's Fables as authority, ii. 291.
Avicen, iv. 2610.
' away,' v. 7179.
Ayenbite of Inwyt, vi. 785.

Babio (comedy), v. 4808.
baillie, P. 220.
balke, iii. 515.
Barbour's *Bruce,* viii. 1393.
Barlaam et Josaphat, i. 2021, v. 729 ff., 2273.
believe, viii. 2500.
Benoît de Sainte-More as authority, i. 483, 1077, iii. 973 ff., 1757, 1885 ff., 2639 ff., iv. 1693, 2135, v. 1831, 2547, 3247 ff., 6435, 7195 ff., 7591, vi. 1391 ff.
beseie, besein, viii. 1617.
beteche, vi. 2411.
' betwen hem two,' &c., ii. 653, v. 5025.
bewar, iii. 1496, v. 7838.
Bible as authority, P. 881, i. 2785, iv. 1505, 1935, 2325, 2342, v. 1930, 1952, vi. 986, vii. 1783 ff., 2527, 3149*, 3627, 3820, 3860, 3891, 4027, 4406, 4469, 5307.
bidde, biede, bede, v. 4455.
blanche fievere, vi. 239.
blesse, v. 5022.
Boccaccio, i. 389, 2316, ii. 2451, iii. 2555, v. 2273.
Boethius quoted, P. 567, false reference, ii. 261.
Bohemian fashions, viii. 2470.
Boniface VIII, legend of, ii. 2803.
bord, iv. 1741.
bot (=beyond), vii. 694.
Bromyard, *Summa Praedicantium,* ii. 83, vii. 2355.
Brunetto Latini as authority, P. 745 (*Addenda*), i. 463 (*Addenda*), vii. 1-725, 1595 ff., 2115, 3054, 3387.
brygantaille, P. 212.

652 INDEX TO THE NOTES

burel, P. 52.
Burley, *De Vita Philosophorum*, iii. 1201.
byme (= by me), i. 232.

Caecilius Balbus quoted as Seneca, v. 7736.
Callisthenes, vi. 2274.
'cam ride,' i. 350.
Canahim, vii. 566.
capital letters, use of, iii. 1158, iv. 1285, viii. 1285.
Capitolinus, vii. 4181.
Caracalla, vii. 4574.
Catiline, debate on the conspiracy, vii. 1595 ff.
'cause of,' P. 905.
champartie, iii. 1173.
'chase' at tennis, PP. 295.
Chaucer and Gower, i. 1407 ff., ii. 587 ff., 2451, iii. 143, 1331, iv. 104, 731, 2927, v. 3247, 5231, 5551 ff., vii. 4754, 5131, 7597, viii. 2450, 2573, 2955*.
Chaunces of the Dyse, iv. 2792.
cherry fair (or feast), P. 454, vi. 891.
cheste, iii. 417.
Cicero (Cithero), not identified with Tullius, iv. 2648, vii. 1595.
cit, P. 836.
Civile, ii. 83.
'coat for the hood,' v. 4787, 7716.
Colchos, Isle of, v. 3509.
Comestor, Petrus, iv. 647, vii. 3417.
'common voice,' P. 122.
conjunctions, position of, P. 155.
conscience, i. 595.
consecutive clauses, i. 492.
conseil, v. 3904.
contenance, i. 698.
contretaile, viii. 3102*.
'cope (coupe) of hevene,' vii. 534.
crok, vii. 2268.
'cross and pile,' ii. 390.
'curry favel,' i. *Lat. Verses*, x. 5.

Daaly, vii. 351.
'danger,' i. 2443.
Dante, ii. 3095, iv. 2200, 2208.
definite form of adjectives, P. 221, ii. 2341, vii. 4245, before proper names, P. 139.
demonstrative for definite article, P. 900, ii. 317.
depos, ii. 1757.
descryve, vi. 1110.
deserve, PP. 278.
digressions, v. 729.
Dindymus, Didymus, iv. 2641.

disorder of clauses, P. 34*, i. 2078, ii. 709, iv. 242, 3520.
'do wey,' vii. 5408.
dom, viii. 2113.
'doute,' 'hem stant no doute,' ii. 2124.
due, vii. 4195.

Eges, vii. 351.
elision before 'have,' i. 2398.
elision never prevented by caesura, PP. 356.
elision-apocope, P. 683, vi. 2062, viii. 2165.
Emaré, ii. 1300.
enbrace, i. 431.
entame, i. 709.
Epistola Valerii ad Rufinum, v. 6398.
erasures in Fairfax MS., i. 2713, ii. 594, iii. 2346, iv. 1245 (end), vi. 1359, viii. 2938.
errors of original copyists, i. 2410, ii. 833, 1020, 1778, 2537, iii. 1065, iv. 2973, v. 4251, vii. 2698 (margin).
eschu, v. 4748.
'-eth' termination of plural verb, vii. 536.
Etna, fire of, P. 329, ii. 20.
'evel' in the metre, v. 519.
'exaltation' of planets, vii. 1085 ff.
'excuse,' i. 733.
exponde, P. 823.

Fa crere, ii. 2122.
faie, i. 2317.
'fall' of planets, vii. 1135 ff.
fatalism of Gower, i. 1714, iii. 352, vi. 995.
fawht, *pret.*, v. 5360.
felawe, P. 795.
feminine forms of substantives, i. 1006, of adjectives, i. 636, 1006, 2677, ii. 3507.
ferke, viii. 603.
fet, viii. 2415.
fieldwode, v. 4039.
finde, vi. 632.
'for an ende,' viii. 1219.
'for pure abaissht,' 'for wroth,' &c., iv. 1330, vi. 1696.
fore, iv. 1723.
forebode, v. 6053.
'forwhy and,' ii. 2025.
French plural adjective, P. 738, fem. adj. i. 636, 1006, 2677, ii. 3507, iv. 2624.
Froissart, iv. 3438, viii. 2450.
Fulgentius as authority, v. 363, 1520, vii. 853.

Galahot, viii. 2505.
Garland, *see* Hortulanus.
Geber, iv. 2608.
genitive for adjective, v. 3533, viii. 1374.

INDEX TO THE NOTES 653

Genius, i. 196: cp. *Vox Clamantis*, iv. 587 ff.
'gentilesse,' iv. 2200.
geomancy, vi. 1295.
Gesta Romanorum, iii. 1201, v. 2391, 7105*, vii. 2061, 2355, 2889, 2917, 3295; not used by Gower, vii. 2061.
Geta of Vitalis Blesensis, ii.2459 (*Addenda*).
'goddeshalf,' v. 4452.
Godfrey of Viterbo as authority, i. 2459, iv. 647, 2396 ff., v. 1541 ff., vii. 2765, 2833, 3144, 3295, 4181, 4335, 4574, viii. 271, 679, 1311, 1567.
gold laid on the book, v. 558.
Gregory cited, P. 289, 945, v. 1756, 1900.
grein, vi. 770.
grisel, viii. 2407.
Grosteste, legend of, iv. 234.
Guido di Colonna (*or* delle Colonne), iii. 2639; also referred to, i. 483, 1077, iii. 973 ff., 1757, 1885 ff., v. 3247 ff., 7195, vi. 1391 ff.

'had' for 'hadde,' i. 2569.
'hadde I wist,' iv. 305.
Hampole referred to, viii. 2833.
hapne, v. 7830.
hed, ii. 2066.
'of hed,' iv. 3438.
Hegesippus as authority, i. 761, 940.
hepe, v. 2872.
heraldie, ii. 399.
Hermes (Trismegistus), iv. 2410, 2606, as authority, vii. 1281 ff.
'heved' in the metre, i. 1536.
hevenly, hevenely, v. 774.
'hire' in the metre, i. 367.
'his oghne (hondes, &c.),' i. 1427, ii. 3260.
Hoccleve, vii. 2061, 2416, 2889, 3295.
Homer, vi. 330.
homward, i. 938, iii. 2451.
Horace, false references to, vi. 1513, vii. 3581.
hors (*pl.*), iv. 1309.
horse side, &c., P. 1085.
horses of the sun, vii. 853.
Hortulanus, iv. 2533, 2609.
'houses' in astrology, vii. 991 ff.
Hugh of Fleury, viii. 2573.
Hyginus, ii. 2451, iii. 973, iv. 1815, v. 363, 4251, 5231 ff., 6435, vi. 399.

'-ie' termination, P. 299, 323, ii. 905.
'if,' interrogative, ii. 11.
imperative, 2nd pers. for 3rd, P. 550, viii. 1128, *sing. and plur.*, iv. 1432, v. 3986, 7372.
incest, iii. 172, viii. 158.

infinitive (Latin) as noun, P. *Lat. Verses*, iv. 4.
intelligences, vii. 26.
intersticion, vii. 283.
inverted order, i. 833, ii. 2642.

Jerome, iii. 641, v. 6359.
jeupartie, iii. 1173, vii. 3217.
Joachim (Abbot), ii. 3056.
John, 'Seint John to borwe,' v. 3416.
joutes, vii. 2279.
Justin, ii. 1613, vii. 2917, 3417.
Justinian II, vii. 3267.
Juvenal quoted, vii. 3581.

Kaire, ii. 2558.

Langharet, ii. 2995.
lapwing, v. 6041.
Latini, *see* Brunetto Latini.
Lay d'Aristote, viii. 2705.
Legenda Aurea, ii. 3187 ff.
'leng the lasse,' viii. 2055.
lere, i. 1509.
leste, *adv.* i. 3296.
lete, i. 3365, iv. 453.
'lete by,' 'let of,' v. 1004, 5840.
letters of request, P. 207.
Livy, vii. 5093, 5131.
loke, P. 52*.
Lombards, ii. 2098.
love (= luff), v. 7048.
Lydgate, i. 1129, 1917, 2443, iii. 143, iv. 869, 1330, 2533.

Macer, vi. 1408.
maintenue, viii. 3012.
Malebouche, ii. 389.
'in manere,' vii. 2132.
'many,' ii. 447.
Matthew Paris, v. 4937.
'men,' vi. 321.
menable, i. 1067.
merel, P. 430.
Methodius as authority, viii. 48, 62.
mi, min, iv. 3159.
microcosm, P. 947.
miht, mihte, iii. 1356.
mile, viii. 2312.
Mirour de l'Omme, P. 16, 54, 122, 204, 212, 323, 407, 430, 480, 823, 836, 900, 910, 945 ff., 1066, i. 10, 299, 463, 492, 636, 695, 709, 718, 1006, 1067, 1354, 1676, 2677, 2703, 3067, 3308, ii. 20, 83, 389, 401, 413, 2098, 2430, 3095, 3122, 3507, iii. 431, 585, 699, 2599, iv. 9, 60, 448, 893, 914, 1090, 1108, 1632, 2014, 2200, 2606, 2738, v. 29,

49, 249, 363, 370, 1879, 1900, 1919, 2015, 2238, 4774, 5507, 5550, 6041, 6359, 6372, 6389, 6395*, 6398, 6498, 7013, 7015*, 7105*, 7612, vi. 71, 218, 253, 770, 857, 1513, 1707, vii. 978, 3137, 3144, 3161* ff., 3581, 5307, viii. 110, 158, 2931, 3012.
mistime, iii. 2458, vi. 4.
Morien, iv. 2609.
moste, viii. 395.
mote, viii. 640.

'Namplus,' 'Nauplus,' iii. 1002.
natheles, i. 21, vii. 979.
'nedle and ston,' vi. 1422.
newe, P. 92*.
'Nonarcigne,' v. 1009.
Norwich, bishop of, P. 268.

Octovien, gold of, v. 4731.
'of hed,' iv. 3438.
'of this lif,' &c., iv. 3414.
'offering,' v. 7140.
oil, vii. 2194.
old, olde, iii. 782.
omission of pronoun subject, P. 676, i. 1895, vi. 34; of relative, i. 10; of negative, ii. 2423, iii. 78.
'on the ferste,' &c., iv. 2606.
'onwrong,' P. 65*.
oppose, i. 225.
'Orbis,' vii. 611.
order of words, P. 155, 905, i. 833, ii. 2642, of clauses, P. 34*, i. 2078, ii. 709.
Ormulum, viii. 2833.
Orosius, ii. 1613, vii. 3417, 4574.
orthography, P. 24*, 252, 550, 702, iv. 2123, v. 5215, 5248, vii. 3418, viii. 484, 2938, PP. (p. 552).
other, othre, i. 116.
outwith, viii. 2833.
overhippe, v. 2004.
Ovid as authority, P. 1055, i. 333, 389, 2275 ff., ii. 104, 2157, 2451, iii. 143 ff., 361, 736, 783, 818, 1331, 1685, iv. 77, 104, 147, 371, 451, 731 ff., 816, 979, 1035, 1901, 2045, 2927 ff., 3187, 3317, 3515 ff., v. 141 ff., 635, 1009, 3927 ff., 4583, 5231, 5551 ff., 6145 ff., 6225 ff., 6713 ff., 6807, vi. 485, 1445, 1513, vii. 3355, 4593 ff., 4754 ff.
'owl on stock,' iii. 585.

Pantheon, see Godfrey of Viterbo.
par, per, i. 2049.
paragraphs in the MSS., ii. 2451, v. 1323.
pars, v. 4774.
participle absolute, ii. 752, 791, 1723.

participle for infinitive, i. 3153, iv. 249, 816.
participle inflected as predicate, i. 3246.
Paulus Diaconus, i. 2459.
Paulus Langius, ii. 2803.
peace with France, P. 162.
'peace with honour,' PP. 157.
peacock, v. 6498.
'peire of bedes,' viii. 2904.
Pericles, Prince of Tyre, viii. 271, 1534.
pernable, viii. 2931.
Physics of Aristotle, vi. 663.
'pillars of Hercules,' iv. 2054.
pipe, v. 95.
plight, vii. 4228.
'poete,' i. e. Ovid, v. 5231.
'positive law,' P. 247, iii. 172.
pronoun subject omitted, P. 676, i. 1895, vi. 34.
Proteus, v. 3082.
provende, P. 210.
proverbs, P. 416, i. 1293, 1917, iii. 585, v. 4787, 6526.
Pseudo, i. 1879.
punctuation, P. 809, i. 320, 1102, 2548, 2939, ii. 762, 1001 f., 1173, 1950, iii. 1394, iv. 733, 1490, 1927, 3438 (end), 3542, v. 1636, 1980, 2937, 3966, 3981, 5093, 5724, 6281, vi. 2074, vii. 2302, viii. 1101, 2713.

queinte, iv. 2314.

Ragman, viii. 2378.
Razel, vi. 1316.
relative omitted, i. 10.
reles, vi. 253.
remene, v. 6541.
repetition of line, i. 2106, iii. 352.
reprise, i. 3308, v. 4708.
rhyme, ii. 2578, 2680, iv. 453, 979, 1723, v. 3488, 3786, 6073, vi. 709, viii. 1451, PP. 150.
Richard II, viii. 2991*.
riddles, viii. 405, 1681.
Rishanger's Chronicle, ii. 2803.
Robert of Geneva, P. 196.
Roman de la Rose, P. 945, i. 196, 213, 2443, ii. 389, iii. 1158, iv. 2200, 2421, 2901, vi. 330, vii. 5131.
Roman de toute Chevalerie as authority, vi. 1789 ff.
Roman des Sept Sages as authority, v. 2031, 2643.
Roman de Troie, see Benoît de Sainte-More.
'Romance of Alexander,' (English), vi. 1789 ff.
Romance of Ydoine and Amadas, vi. 879.
rote, vi. 1312.

INDEX TO THE NOTES

schapthe, vi. 785.
scomerfare, viii. 1391.
sea terms, iv. 1741, v. 7048.
Secretum Secretorum, iv. 2533, v. 6498, vi. 663, vii. 1, 1706, 2017, 2031 ff., 3207*, 4559.
see, PP. 382.
sein (= seen), i. 2883.
sende (*pret.*), P. 1013.
Seneca, vii. 2061, false references to, ii. 3095, v. 7736.
sete, vii. 2864.
sett, viii. 2095.
Silvester, legend of, ii. 3187.
Simon Magus, P. 204.
'slake a riff,' viii. 1983.
slyke, v. 6634.
sojorned, vi. 1180.
solein, iv. 448.
som, P. 529.
Sortes, viii. 2718.
soth, sothe, P. 850.
Speculum Astronomiae as authority, vi. 1306 ff., vii. 1449.
Speculum Stultorum, v. 4937 ff.
'Spertachus,' vii. 3417 ff.
stars, names of, vii. 1281, 1329 ff.
Statius as authority, i. 1980, iv. 1968, v. 2961 ff.
statue, P. 891.
stature, vi. 1524.
'stones' of alchemy, iv. 2533.
'strong thing,' v. 7377.
subjunctive in indirect speech, P. 41, i. 532, iii. 708; with 'who that,' &c., P. 460, iv. 1096, v. 2677.
'Supplication,' viii. 2217.
supposeth (*impers.*), v. 22.
symbolism of Gower, i. 2355, ii. 196, v. 5943.
syncope, P. 66*, 152, v. 519.
'Synon,' 'Symon,' i. 1172.

take, P. 54.
'tale and ende,' v. 5670.
Tantalus, punishment of, v. 363.
'testament of love,' viii. 2955*.
'that,' v. 899, 'that I arise,' &c., iv. 3273, v. 3422, 'that I ne hadde,' &c., iv. 1422, 'that ... ne betre (more, &c.),' i. 718, ii. 1423.
'the,' use of, P. 72, 116.
Thebith, vi. 1321.
thenken, thinken, i. 2684.
'ther,' i. 987.
Tiberius Constantinus, ii. 590.

tire, vi. 817.
'to,' use of, v. 5724, 'to loke,' &c., P. 133, 'to' after 'mai,' 'myhte,' 'mote,' ii. 510, vii. 437, viii. 640.
'he to go,' viii. 1393.
tome (=to me), i. 232.
tome (*subst.*), ii. 2680.
topseilcole, viii. 1890.
'toward,' v. 6757, viii. 2077.
Trésor, see Brunetto Latini.
Trevisa's *Polychronicon*, vii. 2194.
Trivet as authority, ii. 587.
'Troian,' vii. 3144.
Tullius, iv. 2648, vii. 1595.
tyh (*pret.*), v. 5709.

u and *v*, vii. 5390.
'under the gore,' &c., v. 5730, 6680.
unskilfully, vii. 4757.
unwar, vi. 1262.

Valerii Epistola ad Rufinum, v. 6398 f.
Valerius Maximus, ii. 1613, vii. 2217, 2783, 2845, 2889, 3181, 3215.
Valerius, *Res Gestae Alexandri*, vi. 1789 ff.
'vernage,' vi. 218.
vers, vi. 70.
Vincent of Beauvais, i. 761, ii. 1613, iii. 1201, vii. 283, 989, viii. 2573.
Virgil, legends of, v. 2031, viii. 2714.
Vita Iohannis Eleemosynarii, vii. 2416.
Vox Clamantis, P. 207, 247, 268, 305, 407, 945, 947, i. 718, v. 1879, 1900, 4937, viii. 2212, PP. 157 *and* p. 554.

Walsingham's Chronicle, iv. 3438.
'was,' viii. 2435.
Weddynge of Sir Gawene, i. 1407 ff.
weer, P. 143.
what (*subst.*), i. 1676.
'what' (= whatever), P. 69*.
'whi ne were it,' iv. 2855.
'whiche' in the metre, i. 2769.
'who that,' P. 13.
William of Malmesbury, v. 4731.
'Wit and Will,' iii. 1158.
'with,' use of, i. 452, v. 6757, vii. 3359.
'with al,' vi. 1707.
wool, iv. 2895.
world, P. 383, iii. 626.

ydel, v. 4724.
'yit' used redundantly, vi. 311, 2418.
Ylem, vii. 216.

Zoroaster, vi. 2368.

OXFORD
PRINTED AT THE CLARENDON PRESS
BY HORACE HART, M.A.
PRINTER TO THE UNIVERSITY

Sed sic dicit ad ostens multiplicet enarrare
hic loquit quasi ex que in hoc presenti libello quos
scripturus de mundi scripsit erroribus; non ex se
tantu; set ex plebis voce comuni concepit. Con-
fit tamen finalit; si signis mx se auspicabilem
att; prius qm nobis peiora succedant tempora;
aut ex humili corde auxiun penitus emouret.

Ad mundum mitto mea iacula dumq; sagitto
At ubi iustus erit nulla sagitta feriet
Sed male viuentes hos busquero transgredientes
Conscius ergo sibi se speculetur ibi

THE COMPLETE WORKS

OF

JOHN GOWER

*EDITED FROM THE MANUSCRIPTS
WITH INTRODUCTIONS, NOTES, AND GLOSSARIES*

BY

G. C. MACAULAY, M.A.

FORMERLY FELLOW OF TRINITY COLLEGE, CAMBRIDGE

✶✶✶✶

THE LATIN WORKS

De modicis igitur modicum dabo pauper, et inde
Malo valere parum quam valuisse nichil.

Oxford
AT THE CLARENDON PRESS
1902

OXFORD
PRINTED AT THE CLARENDON PRESS
BY HORACE HART, M.A.
PRINTER TO THE UNIVERSITY

CONTENTS

	PAGE
INTRODUCTION	vii
EPISTOLA	1
VOX CLAMANTIS	3
CRONICA TRIPERTITA	314
REX CELI DEUS ETC.	343
H. AQUILE PULLUS ETC.	344
O RECOLENDE ETC.	345
CARMEN SUPER MULTIPLICI VICIORUM PESTILENCIA	346
TRACTATUS DE LUCIS SCRUTINIO	355
ECCE PATET TENSUS ETC.	358
EST AMOR ETC.	359
QUIA VNUSQUISQUE ETC.	360
ENEIDOS BUCOLIS ETC.	361
O DEUS IMMENSE ETC.	362
LAST POEMS	365
NOTES	369
GLOSSARY	421
INDEX TO THE NOTES	428

INTRODUCTION

LIFE OF GOWER.

To write anything like a biography of Gower, with the materials that exist, is an impossibility. Almost the only authentic records of him, apart from his writings, are his marriage-licence, his will, and his tomb in St. Saviour's Church; and it was this last which furnished most of the material out of which the early accounts of the poet were composed. A succession of writers from Leland down to Todd contribute hardly anything except guesswork, and this is copied by each from his predecessors with little or no pretence of criticism. Some of them, as Berthelette and Stow, describe from their own observation the tomb with its effigy and inscriptions, as it actually was in their time, and these descriptions supply us with positive information of some value, but the rest is almost entirely worthless.

Gower's will was printed in Gough's *Sepulchral Monuments* (1796), and in 1828 Sir Harris Nicolas, roused by the uncritical spirit of Todd, published the article in the *Retrospective Review*[1] which has ever since been regarded as the one source of authentic information on the subject. It does not appear that Nicolas undertook any very extensive searching of records, indeed he seems to have practically confined his attention to the British Museum; for wherever he cites the Close Rolls or other documents now in the Record Office, it is either from the abstract of the Close Rolls given in MS. Harl. 1176 or as communicated to him by some other person: but he was able to produce several more or less interesting documents connected either with the poet or with somebody who bore the same name and belonged to the same family, and he placed the discussion for the first time upon a sound critical basis. Pauli simply recapitulated the results arrived at by Nicolas with some slight elucidations from the Close Rolls of

[1] 2nd Series, vol. ii. pp. 103–117.

6 Ric. II on a matter which had been already mentioned by Nicolas on the authority of Mr. Petrie. As the result of a further examination of the Close Rolls and other records I am able to place some of the transactions referred to in a clearer light, while at the same time I find myself obliged to cast serious doubt on the theory that all the documents in question relate to the poet. In short, the conclusions at which I arrive, so far as regards the records, are mostly of a negative character.

It may be taken as proved that the family to which John Gower the poet belonged was of Kent. Caxton indeed says of him that he was born in Wales, but this remark was probably suggested by the name of the 'land of Gower' in Wales, and is as little to be trusted as the further statement that his birth was in the reign of Richard II. There was a natural tendency in the sixteenth century to connect him with the well-known Gowers of Stitenham in Yorkshire, whence the present noble family of Gower derives its origin, and Leland says definitely that the poet was of Stitenham[1]. It is probable, however, that Leland had no very certain information; for when we examine his autograph manuscript, we find that he first wrote, following Caxton, 'ex Cambria, ut ego accepi, originem duxit,' and afterwards altered this to 'ex Stitenhamo, villa Eboracensis prouinciae, originem ducens.' It is probable that the credit of connexion with the poet had been claimed by the Yorkshire family, whose 'proud tradition,' as Todd says, 'has been and still is that he was of Stitenham,' and we find reason to think that they had identified him with a certain distinguished lawyer of their house. This family tradition appears in Leland's *Itinerarium*, vi. 13, 'The house of Gower the poete sumtyme chief iuge of the commune place' (i.e. Common Pleas) 'yet remaineth at Stitenham yn Yorkshire, and diuerse of them syns have been knights.' He adds that there are Gowers also in Richmondshire and Worcestershire ('Wicestreshire,' MS.). The statement that this supposed judge was identical with the poet is afterwards withdrawn; for on a later page Leland inserts a note, 'Mr. Ferrares told me that Gower the iuge could not be the man that write the booke yn Englisch, for he said that Gower the iuge was about Edward the secundes tyme.'[2]

[1] *Script. Brit.* i. 414.
[2] *Itin.* vi. 55. From Foss, *Tabulae Curiales,* it would seem that there was no judge named Gower in the 14th century.

All this seems to suggest that Leland had no very trustworthy evidence on the matter. He continued to assert, however, as we have seen, that the poet derived his origin from Stitenham, and to this he adds that he was brought up and practised as a lawyer, 'Coluit forum et patrias leges lucri causa[1].' It has not been noticed that the author's manuscript has here in the margin what is probably a reference to authority for this statement: we find there a note in a contemporary hand, 'Goverus seruiens ad legem 30 Ed. 3.' From this it is probable that Leland is relying on the Year-book of 30 Ed. III, where we find the name Gower, apparently as that of a serjeant-at-law who took part in the proceedings. It is not likely that Leland had any good reasons for identifying this Gower, who was in a fairly high position at the bar in the year 1356, with John Gower the poet, who died in 1408[2].

Leland's statements were copied by Bale and so became public property. They did not, however, long pass unchallenged. Thynne in his *Animadversions* acutely criticises the suggestion of Yorkshire origin, on the ground of the difference of arms:—'Bale hath much mistaken it, as he hath done infinite things in that book, being for the most part the collections of Leland. For in truth the arms of Sir John Gower being argent, on a cheveron azure three leopards' heads or, do prove that he came of a contrary house to the Gowers of Stytenham in Yorkshire, who bare barruly of argent and gules, a cross paty flory sable. Which difference of arms seemeth a difference of families, unless you can prove that being of one family they altered their arms upon some just occasion.' The arms to which Thynne refers as those of Gower the poet are those which are to be seen upon his tomb[3]; and the argument is undoubtedly sound. Thynne proceeds to criticise Speght's statement that Chaucer and Gower were both lawyers of the Inner Temple: 'You say, It seemeth that these learned men were of the Inner Temple, for that many years since Master Buckley did see a record in the same house, where Geffrey Chaucer

---

[1] *Script. Brit.* i. 414. This statement also appears as a later addition in the manuscript.

[2] 'Gower' appears in Tottil's publication of the Year-books (1585) both in 29 and 30 Ed. III, e.g. 29 Ed. III, Easter term, ff. 20, 27, 33, 46, and 30 Ed. III, Michaelmas term, ff. 16, 18, 20 v°. He appears usually as counsel, but on some occasions he speaks apparently as a judge. The Year-books of the succeeding years, 31–36 Ed. III, have not been published.

[3] These arms appear also in the Glasgow MS. of the *Vox Clamantis*.

was fined two shillings for beating a Franciscan Friar in Fleet Street. This is a hard collection to prove Gower of the Inner Temple, although he studied the law, for thus you frame your argument: Mr. Buckley found a record in the Temple that Chaucer was fined for beating the friar; ergo Gower and Chaucer were of the Temple.'

A 'hard collection' it may be, but no harder than many others that have been made by biographers, and Leland's 'vir equestris ordinis[1]' must certainly go the way of his other statements, being sufficiently refuted, as Stow remarks, by the 'Armiger' of Gower's epitaph. Leland in calling him a knight was probably misled by the gilt collar of SS upon his recumbent effigy, and Fuller afterwards, on the strength of the same decoration, fancifully revives the old theory that he was a judge, and is copied of course by succeeding writers[2]. On the whole it may be doubted whether there is anything but guesswork in the statements made by Leland about our author, except so far as they are derived from his writings or from his tomb.

That John Gower the poet was of a Kentish family is proved by definite and positive evidence. The presumption raised by the fact that his English writings certainly have some traces of the Kentish dialect, is confirmed, first by the identity of the arms upon his tomb with those of Sir Robert Gower, who had a tomb in Brabourne Church in Kent, and with reference to whom Weever, writing in 1631, says, 'From this family John Gower the poet was descended[3],' secondly, by the fact that in the year 1382 a manor which we know to have been eventually in the possession of the poet was granted to John Gower, who is expressly called 'Esquier de Kent,' and thirdly, by the names of the executors of the poet's will, who are of Kentish families. It may be added that several other persons of the name of Gower are mentioned in the records of the time in connexion with the county of Kent. Referring only to cases in which the Christian name also is the same as that of the poet, we may note a John Gower among those complained of by the Earl of Arundel in 1377, as having broken his closes at

[1] *Worthies*, ed. 1662, pt. 3, p. 207.
[2] e.g. Winstanley, Jacob, Cibber and others.
[3] *Ancient Funeral Monuments*, p. 270. This Sir Rob. Gower had property in Suffolk, as we shall see, but the fact that his tomb was at Brabourne shows that he resided in Kent. The arms which were upon his tomb are pictured (without colours) in MS. Harl. 3917, f. 77.

LIFE OF GOWER

High Rothing and elsewhere, fished in his fishery and assaulted his servants[1]; John Gower mentioned in connexion with the parishes of Throwley and Stalesfield, Kent, in 1381–2[2]; John Gower who was killed by Elias Taillour, apparently in 1385[3]; John Gower who was appointed with others in 1386 to receive and distribute the stores at Dover Castle[4]; none of whom can reasonably be identified with the poet. Therefore it cannot be truly said, as it is said by Pauli, that the surname Gower, or even the combination John Gower, is a very uncommon one in the records of the county of Kent[5].

Before proceeding further, it may be well to set forth in order certain business transactions recorded in the reign of Edward III, in which a certain John Gower was concerned, who is identified by Nicolas with the poet[6].

They are as follows :—

39 Ed. III (1365). An inquiry whether it will be to the prejudice of the king to put John Gower in possession of half the manor of Aldyngton in Kent, acquired by him without licence of the king from William de Septvans, and if so, 'ad quod damnum.' This half of Aldyngton is held of the king by the service of paying fourteen shillings a year to the Warden of Rochester Castle on St. Andrew's day[7].

[1] *Rot. Pat.* dated Nov. 27, 1377.   [2] *Rot. Claus.* 4 Ric. II. m. 15 d.
[3] *Rot. Pat.* dated Dec. 23, 1385.
[4] *Rot. Pat.* dated Aug. 12, Dec. 23, 1386.
[5] It may here be noted that the poet apparently pronounced his name 'Gowér,' in two syllables with accent on the second, as in the Dedication to the *Balades*, i. 3, 'Vostre Gower, q'est trestout vos soubgitz.' The final syllable bears the rhyme in two passages of the *Confessio Amantis* (viii. 2320, 2908), rhyming with the latter syllables of 'pouer' and 'reposer'. (The rhyme in viii. 2320, 'Gower : pouer,' is not a dissyllabic one, as is assumed in the *Dict. of Nat. Biogr.* and elsewhere, but of the final syllables only.) In the *Praise of Peace*, 373, 'I, Gower, which am al the liege man,' an almost literal translation of the French above quoted, the accent is thrown rather on the first syllable.

[6] See *Retrospective Review*, 2nd Series, vol. ii, pp. 103–117 (1828). Sir H. Nicolas cites the Close Rolls always at second hand and the *Inquisitiones Post Mortem* only from the Calendar. Hence the purport of the documents is sometimes incorrectly or insufficiently given by him. In the statement here following every document is cited from the original, and the inaccuracies of previous writers are corrected, but for the most part silently.

[7] *Inquis. Post Mortem*, &c. 39 Ed. III. 36 (2nd number). This is in fact an 'Inquisitio ad quod damnum.' The two classes of Inquisitions are given without distinction in the Calendar, and the fact leads to such statements as

Under date Feb. 15 of the same year it was reported that this would not be to the prejudice of the king, and accordingly on March 9 John Gower pays 53 shillings, which appears to be the annual value of the property, and is pardoned for the offence committed by acquiring it without licence [1].

39 Ed. III (June 23). William Sepvanus, son of William Sepvanus knight, grants to John Gower ten pounds rent from the manor of Wygebergh (Wigborough) in Essex and from other lands held by him in the county of Essex [2].

By another deed, acknowledged in Chancery on June 25 of the same year, the same William Sepvanus makes over to John Gower all his claims upon the manor of Aldyngton, and also a rent of 14s. 6d., with one cock, thirteen hens and 140 eggs from Maplecomb [3].

42 Ed. III (1368). Thomas Syward, pewterer and citizen of London, and Joanna his wife, daughter of Sir Robert Gower, grant to John Gower and his heirs the manor of Kentwell. Dated at Melford, Wednesday before the Nativity of St. John Baptist [4].

43 Ed. III. Fine between John Gower on the one hand, and John Spenythorn with Joan his wife on the other, by which they give up all right to the Manor of Kentwell, Suffolk, except £10 rent, John Gower paying 200 marks [5].

This was confirmed in the king's court, 3 Ric. II.

By documents of previous date [6] it may be shown that the manor of Kentwell had been held by Sir Rob. Gower, doubtless the same who is buried in Brabourne Church, who died apparently in 1349; that it was ultimately divided, with other property, between his heirs, two daughters named Katherine and Joanna, of whom one, Katherine, died in 1366. Her moiety was then combined with the other in the possession of her sister Joanna, '23 years old and upwards,' then married to William Neve of Wetyng, but apparently soon afterwards to Thomas Syward. As

---

that 'John Gower died seized of half the manor of Aldyngton, 39 Ed. III,' or 'John Gower died seized of the manor of Kentwell, 42 Ed. III.'

[1] *Rot. Orig.* 39 Ed. III. 27.   [2] *Rot. Claus.* 39 Ed. III. m. 21 d.
[3] *Rot. Claus.* 39 Ed. III. m. 21 d.
[4] *Harl. Charters*, 56 G. 42. See also *Rot. Orig.* 42 Ed. III. 33 and *Harl. Charters*, 56 G. 41.
[5] *Harl. Charters*, 50 I. 13.
[6] See *Rot. Orig.* 23 Ed. III. 22, 40 Ed. III. 10, 20, *Inquis. Post Mortem*, 40 Ed. III. 13, *Rot. Claus.* 40 Ed. III. m. 21.

to the transaction between John Gower and John Spenythorn with Joanna his wife, we must be content to remain rather in the dark. John Gower had in the year before acquired Kentwell in full possession for himself and his heirs, and he must in the mean time have alienated it, and now apparently acquired it again. It is hardly likely that the Joan who is here mentioned is the same as Joan daughter of Sir Robert Gower, who was married successively to William Neve and Thomas Syward. On the other hand it must be regarded as probable that the John Gower of this document is identical with the John Gower who acquired Kentwell from Thomas Syward and his wife in 1368. The confirmation in the king's court, 3 Ric. II, was perhaps by way of verifying the title before the grant of Kentwell by Sir J. Cobham to Sir T. Clopton, 4 Ric. II.

47 Ed. III (1373). John Gower grants his manor of Kentwell in Suffolk to Sir John Cobham and his heirs; a deed executed at Otford in Kent, Thurs. Sept. 29 [1].

48 Ed. III (1374). Payment of 12 marks by Sir J. Cobham on acquisition of Kentwell and half of Aldyngton from John Gower [2].

By this last document it seems pretty certain that the John Gower from whom Sir J. Cobham received Kentwell was the same person as the John Gower who acquired Aldyngton from William Septvans; and he is proved to be a relation of the poet, as well as of Sir Robert Gower, by the fact that the arms on the seal of John Gower, attached to the deed by which Kentwell was alienated, are apparently the same as those which were placed upon Sir Rob. Gower's tomb at Brabourne, and those which we see on the poet's tomb in Southwark [3]. These persons, then, belonged to the same family, so far as we can judge; but evidently it is not proved merely by this fact that the John Gower mentioned in the above document was identical with the poet. We have seen already that the name was not uncommon in Kent, and there are some further considerations which may lead us to

---

[1] *Harl. Charters*, 50 I. 14. The deed is given in full by Nicolas in the *Retrospective Review*.

[2] *Rot. Orig.* 48 Ed. III. 31.

[3] The tinctures are not indicated either upon the drawing of Sir R. Gower's coat of arms in MS. Harl. 3917 or on the seal, but the coat seems to be the same, three leopards' faces upon a chevron. The seal has a diaper pattern on the shield that bears the chevron, but this is probably only ornamental.

hesitate before we identify John Gower the poet with the John Gower who acquired land from William Septvans. This latter transaction in fact had another side, to which attention has not hitherto been called, though Sir H. Nicolas must have been to some extent aware of it, since he has given a reference to the Rolls of Parliament, where the affair is recorded.

It must be noted then in connexion with the deeds of 39 Ed. III, by which John Gower acquired Aldyngton from William Septvans, son of Sir William Septvans, that in the next year, 40 Ed. III, there is record of a commission issued to Sir J. Cobham and others to inquire into the circumstances of this alienation, it having been alleged that William Septvans was not yet of age, and that he had obtained release of his father's property from the king's hands by fraudulent misrepresentation. The commission, having sat at Canterbury on the Tuesday before St. George's day, 1366, reported that this was so, that William Septvans was in fact under twenty years old, and would not attain the age of twenty till the feast of St. Augustine the Doctor next to come (i. e. Aug. 28); that the alienations to John Gower and others had been improperly made by means of a fraudulent proof of age, and that his property ought to be reseized into the king's hands till he was of age. Moreover the report stated that John Gower had given 24 marks only for property worth £12 a year, with a wood of the value of £100, that after his enfeoffment the said John Gower was in the company of William Septvans at Canterbury and elsewhere, until Sept. 29, inducing him to part with land and other property to various persons[1].

The property remained in the king's hands till the year 1369, when an order was issued to the escheator of the county of Essex to put William Septvans in possession of his father's lands, which had been confiscated to the Crown, 'since two years and more have elapsed from the festival of St. Augustine, when he was twenty years old' (Westm. 21 Feb.)[2]. Presumably John Gower then entered into possession of the property which he had

---

[1] 'Et dicunt quod post predictum feoffamentum, factum predicto Iohanni Gower, dictus Willelmus filius Willelmi continue morabatur in comitiva Ricardi de Hurst et eiusdem Iohannis Gower apud Cantuar. et alibi usque ad festum Sancti Michaelis ultimo preteritum, et per totum tempus predictum idem Willelmus fil. Will. ibidem per ipsos deductus fuit et consiliatus ad alienationem de terris et tenementis suis faciendam.' *Rot. Parl.* ii. 292.

[2] *Rot. Claus.* 43 Ed. III. m. 30.

irregularly acquired in 1365, and possibly with this may be connected a payment by John Gower of £20 at Michaelmas in the year 1368 to Richard de Ravensere[1], who seems to have been keeper of the hanaper in Chancery.

It is impossible without further proof to assume that the villainous misleader of youth who is described to us in the report of the above commission, as encouraging a young man to defraud the Crown by means of perjury, in order that he may purchase his lands from him at a nominal price, can be identical with the grave moralist of the *Speculum Hominis* and the *Vox Clamantis*. Gower humbly confesses that he has been a great sinner, but he does not speak in the tone of a converted libertine: we cannot reconcile our idea of him with the proceedings of the disreputable character who for his own ends encouraged the young William Septvans in his dishonesty and extravagance. The two men apparently bore the same arms, and therefore they belonged to the same family, but beyond this we cannot go. It may be observed moreover that the picture suggested to Prof. Morley by the deed of 1373, executed at Otford, of the poet's residence in the pleasant valley of the Darent, which he describes at some length[2], must in any case be dismissed as baseless. Otford was a manor held by Sir John Cobham[3], and whether the John Gower of this deed be the poet or no, it is pretty clear that the deed in question was executed there principally for this reason, and not because it was the residence of John Gower.

Dismissing all the above records as of doubtful relevancy to our subject[4], we proceed to take note of some which seem actually to refer to the poet. Of these none are earlier than the reign of Richard II. They are as follows:

1 Ric. II. (May, 1378). A record that Geoffrey Chaucer has given general power of attorney to John Gower and Richard

---

[1] *Rot. Claus.* 42 Ed. III. m. 13 d.

[2] *English Writers*, vol. iv. pp. 150 ff.

[3] See *Calendar of Post Mortem Inquisitions*, vol. ii. pp. 300, 302.

[4] So also the deeds of 1 Ric. II releasing lands to Sir J. Frebody and John Gower (Hasted's *History of Kent*, iii. 425), and of 4 Ric. II in which Isabella daughter of Walter de Huntyngfeld gives up to John Gower and John Bowland all her rights in the parishes of Throwley and Stalesfield, Kent (*Rot. Claus.* 4 Ric. II. m. 15 d), and again another in which the same lady remits to John Gower all actions, plaints, &c., which may have arisen between them (*Rot. Claus.* 8 Ric. II. m. 5 d).

Forester, to be used during his absence abroad by licence of the king[1]. Considering that Chaucer and Gower are known to have been personally acquainted with one another, we may fairly suppose that this appointment relates to John Gower the poet[2].

6 Ric. II (Aug. 1382). Grant of the manors of Feltwell in Norfolk and Multon in Suffolk to John Gower, Esquire, of Kent, and to his heirs, by Guy de Rouclyf, clerk (Aug. 1), and release of warranty on the above (Aug. 3)[3].

6 Ric. II (Aug. 1382). Grant of the manors of Feltwell and Multon by John Gower to Thomas Blakelake, parson of St. Nicholas, Feltwell, and others, for his life, at a rent of £40, to be paid quarterly in the Abbey Church of Westminster[4]. This grant was repeated 7 Ric. II (Feb. 1384)[5].

The mention of Multon in the will of John Gower the poet makes it practically certain that the above documents have to do with him.

17 Ric. II (1393). Henry of Lancaster presented John Gower, Esquire, with a collar. This was mentioned by Nicolas as communicated to him by Mr. G. F. Beltz from a record in the Duchy of Lancaster Office. No further reference was given, and I have had some difficulty in finding the record. It is, however, among the accounts of the wardrobe of Henry of Lancaster for the year mentioned[6], and though not dated, it probably belongs to some time in the autumn of 1393, the neighbouring documents in the same bundle being dated October or November. It proves to be in fact an order, directed no doubt to William Loveney, clerk of the Wardrobe to the earl of Derby, for delivery of 26s. 8d. to one Richard Dancaster, for a collar, on account of another collar given by the earl of Derby to 'an Esquire John Gower'[7]. So elsewhere in the household accounts of the earl of Derby we find a charge of 56s. 8d. for a silver collar for John Payne, butler,

---

[1] *Rot. Franc.* 1 Ric. II. pt 2, m. 6.
[2] See also Sir N. Harris Nicolas, *Life of Chaucer*, pp. 27, 125.
[3] *Rot. Claus.* 6 Ric. II. m. 27 d, and 24 d.
[4] *Rot. Claus.* 6 Ric. II. pt. 1, m. 23 d.
[5] *Rot. Claus.* 7 Ric. II, m. 17 d.
[6] *Duchy of Lancaster, Miscellanea*, Bundle X, No. 43 (now in the Record Office).
[7] 'Liverez a Richard Dancastre pour un Coler a luy doné par monseigneur le Conte de Derby par cause d'une autre Coler doné par monditseigneur a un Esquier John Gower, vynt et sys soldz oyt deniers.'

'because my lord had given his collar to another esquire beyond sea'[1]. This particular collar given to John Gower was a comparatively cheap one, worth apparently only 26s. 8d., while the silver collar to be given to John Payne is valued at 56s. 8d., and a gold collar of SS for Henry himself costs no less than £26 8s. 11d. The fact that Gower wears a collar of SS on his tomb makes it probable enough that he is the esquire mentioned in this document. It will afterwards be seen that we cannot base any argument upon the fact that the collar upon the effigy is now gilt, and apparently was so also in Leland's time.

25 Jan. 1397-8. A licence from the bishop of Winchester for solemnizing the marriage between John Gower and Agnes Groundolf, both parishioners of St. Mary Magdalene, Southwark, without further publication of banns and in a place outside their parish church, that is to say, in the oratory of the said John Gower, within his lodging in the Priory of Saint Mary Overey in Southwark. Dated at Highclere, 25 Jan. 1397[2]. At this time then Gower was living in the Priory of St. Mary Overey, and no doubt he continued to do so until his death.

Finally, Aug. 15, 1408, the Will of John Gower, which was proved Oct. 24 of the same year[3]. His death therefore may be presumed to have taken place in October, 1408.

This will has been printed more than once, in Gough's *Sepulchral Monuments*, by Todd in his *Illustrations of Gower and Chaucer* and in the *Retrospective Review*.

The testator bequeathes his soul to the Creator, and his body to be buried in the church of the Canons of St. Mary Overes, in the place specially appointed for this purpose ('in loco ad hoc specialiter deputato'). To the Prior of the said church he bequeathes 40s., to the subprior 20s., to each Canon who is a priest 13s. 4d., and to each of the other Canons 6s. 8d., that they may all severally pray for him the more devoutly at his funeral. To the servants of the Priory 2s. or 1s. each according to their position; to the church of St. Mary Magdalene

---

[1] *Duchy of Lancaster, Household Accounts*, 17 Ric. II (July to Feb.).

[2] *Register of William of Wykeham*, ii. f. 299 b. The record was kindly verified for me by the Registrar of the diocese of Winchester. The expression used about the place is 'in Oratorio ipsius Iohannis Gower infra hospicium suum' (not 'cum' as previously printed) 'in Prioratu Beate Marie de Overee in Southwerke predicta situatum.' It should be noted that 'infra' in these documents means not 'below,' as translated by Prof. Morley, but 'within.' So also in Gower's will.

[3] Lambeth Library, *Register of Abp. Arundel*, ff. 256-7.

40*s*. for lights and ornaments, to the parish priest of that church 10*s*., 'vt oret et orari faciat pro me'; to the chief clerk of the same church 3*s*. and to the sub-clerk 2*s*. To the following four parish churches of Southwark, viz. St. Margaret's, St. George's, St. Olave's, and St. Mary Magdalene's near Bermondsey, 13*s*. 4*d*. each for ornaments and lights, and to each parish priest or rector in charge of those churches 6*s*. 8*d*., 'vt orent et orari pro me in suis parochiis faciant et procurent.' To the master of the hospital of St. Thomas in Southwark 40*s*., to each priest serving there 6*s*. 8*d*. for their prayers; to each sister professed in the said hospital 3*s*. 4*d*., to each attendant on the sick 20*d*., and to each sick person in the hospital 12*d*., and the same to the sisters (where there are sisters), nurses and patients in the hospitals of St. Anthony, Elsingspitell, Bedlem without Bishopsgate, and St. Mary-spitell near Westminster; to every house for lepers in the suburbs of London 10*s*., to be distributed amongst the lepers, for their prayers: to the Prior of Elsingspitell 40*s*., and to each Canon priest there 6*s*. 8*d*.

For the service of the altar in the chapel of St. John the Baptist, 'in qua corpus meum sepeliendum est,' two vestments of silk, one of blue and white baudkin and the other of white silk, also a large new missal and a new chalice, all which are to be kept for ever for the service of the said altar. Moreover to the Prior and Convent the testator leaves a large book, 'sumptibus meis nouiter compositum,' called *Martilogium*, on the understanding that the testator shall have a special mention of himself recorded in it every day ('sic quod in eodem specialem memoriam scriptam secundum eorum promissa cotidie habere debeo,' not 'debes,' as printed).

He leaves to his wife Agnes £100 of lawful money, also three cups, one 'cooperculum,' two salt-cellars and twelve spoons of silver, all the testator's beds and chests, with the furniture of hall, pantry and kitchen and all their vessels and utensils. One chalice and one vestment are left to the altar of the oratory belonging to his apartments ('pro altare quod est infra oratorium hospicii mei'). He desires also that his wife Agnes, if she survive him, shall have all rents due for his manors of Southwell in the county of Northampton (?) and of Multoun in the county of Suffolk, as he has more fully determined in certain other writings given under his seal.

The executors of this will are to be as follows:—Agnes his wife, Arnold Savage, knight, Roger, esquire, William Denne, Canon of the king's chapel, and John Burton, clerk. Dated in the Priory of St. Mary Overes in Southwark, on the feast of the Assumption of the Virgin, MCCCCVIII.

The will was proved, Oct. 24, 1408, at Lambeth before the Archbishop of Canterbury (because the testator had property in more than one diocese of the province of Canterbury), by Agnes the testator's wife, and administration of the property was granted to her on Nov. 7 of the same year.

It may be observed with reference to this will that the testator evidently stands already in the position of a considerable benefactor to the Priory of St. Mary Overey, in virtue of which position he has his apartments in the Priory and a place of honour assigned for his tomb in the church. He must also have established by previous arrangement the daily mass and the yearly obituary service which Berthelette speaks of as still celebrated in his time. It is evident that his benefactions were made chiefly in his life-time. There is some slight difficulty as regards the manors which are mentioned in the will. Multon in Suffolk we know already to have been in the poet's possession; but what is this 'Southwell'? Certainly not the well-known Southwell in Nottinghamshire, which cannot possibly have been in the possession of a private person, belonging, as it did, to the archiepiscopal see of York. Moreover, though 'in Comitatu Nott.' has been hitherto printed as the reading of the will, the manuscript has not this, but either 'Notth.' or 'North.,' more probably the latter. There were apparently other manors of Southwell or Suthwell in the county of Nottingham, and a manor of Suwell in Northamptonshire, but there seems to be no connexion with the name of Gower in the case of any of these. It is possible, but not very readily to be assumed, that the scribe who made the copy of the will in the register carelessly wrote 'Southwell in Com. North.' (or 'Com. Notth.') for 'Feltwell in Com. Norff.,' the name which is found coupled with Multon in the other records[1].

The one remaining record is the tomb in St. Saviour's church. This originally stood in the chapel of St. John the Baptist, on the north side of the church, but in 1832, the nave and north aisle being in ruins, the monument was removed to the south transept and restored at the expense of Earl Gower. After the restoration of the church this tomb was moved back to the north aisle in

[1] The remark of Nicolas about the omission of Kentwell from the will is hardly appropriate. Even if Gower the poet were identical with the John Gower who possessed Kentwell, this manor could not have been mentioned in his will, because it was disposed of absolutely to Sir J. Cobham in the year 1373. Hence there is no reason to conclude from this that there was other landed property besides that which is dealt with by the will.

INTRODUCTION

October 1894, and was placed on the supposed site of the chapel of St. John the Baptist, where it now stands [1].

In the course of nearly five centuries the tomb has undergone many changes, and the present colouring and inscription are not original. What we have now is a canopy of three arches over an altar tomb, on which lies an effigy of the poet, habited in a long dark-coloured gown, with a standing cape and buttoned down to his feet, wearing a gold collar of SS, fastened in front with a device of a chained swan between two portcullises. His head rests on a pile of three folio volumes marked with the names of his three principal works, *Vox Clamantis*, *Speculum Meditantis*, *Confessio Amantis*. He has a rather round face with high cheek-bones, a moustache and a slightly forked beard, hair long and curling upwards [2], and round his head a chaplet of four red roses at intervals upon a band [3], with the words 'merci ihf [4]' (repeated) in the intervals between the roses: the hands are put together and raised in prayer: at the feet there is a lion or mastiff lying. The upper ledge of the tomb has this inscription, 'Hic iacet I. Gower Arm. Angl. poeta celeberrimus ac huic sacro edificio benefac. insignis. Vixit temporibus Edw. III et Ric. II et Henr. IV.' In front of the tomb there are seven arched niches. Against the wall at the end of the recess, above the feet of the figure, a shield

---

[1] I am indebted for some of the facts to Canon Thompson of St. Saviour's, Southwark, who has been kind enough to answer several questions which I addressed to him.

[2] The features are quite different, it seems to me, from those represented in the Cotton and Glasgow MSS., and I think it more likely that the latter give us a true contemporary portrait. Gower certainly died in advanced age, yet the effigy on his tomb shows us a man in the flower of life. This then is either an ideal representation or must have been executed from rather distant memory, whereas the miniatures in the MSS., which closely resemble each other, were probably from life, and also preserve their original colouring. The miniatures in MSS. of the *Confessio Amantis*, which represent the Confession, show the penitent usually as a conventional young lover. The picture in the Fairfax MS. is too much damaged to give us much guidance, but it does not seem to be a portrait, in spite of the collar of SS added later. The miniature in MS. Bodley 902, however, represents an aged man, while that of the Cambridge MS. Mm. 2. 21 rather recalls the effigy on the tomb and may have been suggested by it.

[3] We may note that the effigy of Sir Robert Gower in brass above his tomb in Brabourne church is represented as having a similar chaplet round his helmet. See the drawing in MS. Harl. 3917, f. 77.

[4] So I read them. They are given by Gough and others as 'merci ihi.'

is suspended bearing arms, argent, on a chevron azure three leopards' faces or, crest a talbot (or lion) upon a chapeau. The wall behind the tomb under the canopy is at present blank; the original painting of female figures with scrolls has disappeared and has not been renewed, nor has the inscription 'Armigeri scutum,' &c., been replaced.

This tomb has attracted much attention, and descriptions of it exist from early times. Leland's account may be thus translated: 'He was honourably buried in London in the church of the Marian canons on the bank of the Thames, and his wife also is buried in the same place, but in a lower tomb. He has here an effigy adorned with a gold chain and a chaplet of ivy interspersed with roses, the first marking him as a knight and the second as a poet. The reason why he established his place of burial here, was, I believe, as follows. A large part of the suburb adjacent to London Bridge was burnt down in the year 1212[1], in the reign of King John. The monastery of the Marian canons was much damaged in this fire and was not fully restored till the first year of Richard II. At that time Gower, moved by the calamity, partly through his friends, who were numerous and powerful, and partly at his own expense, repaired the church and restored its ornaments, and the Marian canons even now acknowledge the liberality of Gower towards them, though not to such an extent as I declare it to have been. For this reason it was, in my judgement, that he left his body for burial to the canons of this house[2].' Berthelette in the Preface to his edition of the *Confessio Amantis*, 1532, gives an interesting account of the tomb: 'John Gower prepared for his bones a resting-place in the monastery of St. Mary Overes, where somewhat after the old fashion he lieth right sumptuously buried, with a garland on his head in token that he in his life days flourished freshly in literature and science. And the same moniment, in remembrance of him erected, is on the North side of the foresaid church, in the chapel of St. John, where he hath of his own foundation a mass daily sung: and moreover he hath an obit yearly done for him within the same church on the Friday after the feast of the blessed pope St. Gregory.

---

[1] Perhaps rather 1207 or 1208.
[2] *Script. Brit.* i. 415: so also *Ant. Coll.* iv. 79, where the three books are mentioned. The statement that the chaplet was partly of ivy must be a mistake, as is pointed out by Stow and others.

'Beside on the wall, whereas he lieth, there be painted three virgins with crowns on their heads, one of the which is written Charitie, and she holdeth this device in her hand,

> En toy qui es fitz de dieu le pere [1]
> Sauvé soit que gist souz cest piere.

'The second is written Mercye, which holdeth in her hand this device,

> O bone Jesu, fait ta mercy
> Al alme dont le corps gist icy [2].

'The third of them is written Pite, which holdeth in her hand this device following,

> Pur ta pité, Jesu, regarde,
> Et met cest alme in sauve garde.

'And thereby hangeth a table, wherein appeareth that who so ever prayeth for the soul of John Gower, he shall, so oft as he so doth, have a thousand and five hundred days of pardon.'

Stow, writing about 1598, says, 'This church was again newly rebuilt in the reign of Richard II and king Henry IV. John Gower, a learned gentleman and a famous poet, but no knight, as some have mistaken it, was then an especial benefactor to that work, and was there buried in the north side of the said church, in the chapel of St. John, where he founded a chantry. He lieth under a tomb of stone with his image also of stone being over him. The hair of his head brown, long to his shoulders but curling up, collar of esses of gold about his neck; under his head,' &c.[3] The tomb is then further described as by Berthelette, with addition of the epitaph in four Latin hexameters, 'Armigeri scutum,' &c. (see p. 367 of this volume).

In the *Annals of England* (date about 1600) he again describes the tomb, adding to his description of the painting of the three virgins the important note, 'All which is now washed out and the image defaced by cutting off the nose and striking off the hands [4],'

---

[1] Read rather 'En toy qu'es fitz de dieu le pere.'

[2] Read 'O bon Jesu, fai ta mercy' and in the second line 'dont le corps gist cy.'

[3] *Survey of London*, p. 450 (ed. 1633). In the margin there is the note, 'John Gower no knight, neither had he any garland of ivy and roses, but a chaplet of four roses only,' referring to Bale, who repeats Leland's description.

[4] p. 326 (ed. 1615). Stow does not say that the inscription 'Armigeri scutum,' &c., was defaced in his time.

from which it would appear that we cannot depend even upon the features of the effigy which now exists, as original.

The figures of the virgins were repainted in the course of the seventeenth century apparently, for in Hatton's *New View of London* (date 1708) they are described as appearing with 'ducal coronets[1].' In Rawlinson's *Natural History and Antiquities of Surrey* (published 1719) the effigy is spoken of as having a 'scarlet gown,' the older descriptions, e.g. Stow, giving it as 'an habit of purple damasked,' and it is said that there is upon the head 'a chaplet or diadem of gold about an inch broad, on which are set at equal distances four white quaterfoyles.'[2] The writer argues also that the chain should be of silver rather than of gold[3]. The arms are said to be 'supported by two angels,' and 'underneath is this inscription, "Hic iacet Iohannes Gower Armiger Anglorum poeta celeberrimus ac huic sacro Edificio Benefactor insignis temporibus Edw. III et Ric. II. Armigeri scutum,"' &c. The following remark is added: 'Our author Mr. John Aubrey gives us an inscription which he says he saw on a limb of this monument, something different from the foregoing, and therefore not unworthy a place here, viz.

> Johannes Gower, Princeps
> Poetarum Angliae, vixit
> temporibus Edwardi tertii
> et Richardi secundi.'

Later, in 1765, Tyler describes the gown as purple and the arms as pendent by the dexter corner. The figures of women have ducal coronets and scrolls of gold, and below them is the epitaph 'Armigeri scutum.' Under the statue the inscription 'Hic iacet,' &c.[4] The monument, as here described, is engraved in Gough's *Sepulchral Monuments* (date 1796), where there is a full description of it[5]. Blore, under whose direction the position of the monument was changed, says in 1826 that the inscription on the ledge of the tomb 'Hic iacet,' &c., was then entirely gone.

Dollman says that there was a fire which injured the nave of the church in the reign of Richard II, and that the windows of the

[1] vol. ii. p. 542.
[2] vol. v. pp. 202-4. The description is no doubt from Aubrey.
[3] On this subject the reader may be referred to Selden, *Titles of Honour*, p. 835 f. (ed. 1631).
[4] *Antiquities of St. Saviour's, Southwark*, 1765. [5] vol. ii. p. 24.

nave and aisles, which were finally removed in 1833, were of the time of Richard II and Henry IV[1]. It is certain, however, that the church remained long in an unfinished state during the period between 1207 (or 1212), the date of the early fire, and the latter part of the fourteenth century. Dollman observes that the remains which may have been contained in the tomb 'disappeared when the tomb was removed from the north aisle in 1832.'[2] From what has been said it will be perceived that the tomb has undergone a series of alterations and renovations which have to some extent at least destroyed its original character.

A word must be said finally about Prof. Morley's theory that Gower was in holy orders and held the living of Great Braxted in Essex from 1390-7. This is founded on the fact that the parson of Great Braxted for the period named was one John Gower, as Professor Morley learns from Newcourt's *Repertorium Parochiale*[3]. The original record referred to by Newcourt is to be found in the Registry of the diocese of London[4], and is to the effect that on February 23, 1390-1, the bishop of London admitted and instituted John Gower, clerk, to the parochial church of Great Braksted, vacant by the resignation of John Broun, the late rector, the said John Gower having been duly presented by the king, who at this time was patron of the living, the heir of the late earl of Pembroke being under his wardship. Then later, under date March 31, 1397, there is record of a new institution to the benefice, which is vacant by the resignation of John Gower, late rector[5].

Professor Morley thought that the expression 'John Gower, clerk' might indicate that the person referred to was in minor orders only, some of the rectors inducted being called 'priest' (while others have no title at all). He conceived that this John Gower held the rectory for six or seven years without being admitted to priest's orders at all, and that he then resigned on his marriage[6],

---

[1] *Priory Church of St. Mary Overie*, 1881.

[2] Canon Thompson writes to me, 'The old sexton used to show visitors a bone, which he said was taken from the tomb in 1832. I tried to have this buried in the tomb on the occasion of the last removal, but I was told it had disappeared.'

[3] vol. ii. p. 91.   [4] *Bp. Braybrooke's Register*, f. 84.

[5] *Braybrooke Register*, f. 151.

[6] The date of the resignation by John Gower of the rectory of Great Braxted is nearly a year earlier than the marriage of Gower the poet,

and he found confirmation of the theory that this was Gower the poet from the fact that Great Braxted is near to Wigborough, where, as we have seen, a person of this name, supposed by Professor Morley to be the poet, had some claim to rent. We have already seen reason to think that the John Gower who had a rent of £10 from Wigborough was not the poet, and in any case it is evident that the fact could have nothing to do with a presentation by the king five and twenty years afterwards to the rectory of Great Braxted. As to resignation with a view to marriage, it is very unlikely, if not altogether out of the question, that a clergyman who had held an important rectory for six or seven years should not only have been permitted to marry, but should have had his marriage celebrated in the Priory of St. Mary Overy and with the particular sanction of the bishop of Winchester. Add to this the fact that John Gower the poet was undoubtedly 'Esquire,' being called so not only on his tomb but also in the documents of 1382 and 1393, the latter belonging to the period when, according to this theory, he was holding the living of Great Braxted. On the whole, the 'minor orders' theory must be dismissed as entirely baseless, and the John Gower who was rector of Great Braxted must be set down as another of the rather numerous persons of this name who were to be found in Kent and Essex at this time. There is nothing in Gower's writings to suggest the idea that he was an ecclesiastic. He distinctly calls himself a layman in the *Mirour de l'Omme*, and the expression 'borel clerk' in the Prologue of the *Confessio Amantis* must be taken to mean the same thing. The language which in the *Vox Clamantis* he uses about rectors who fail to perform the duties of their office, makes it almost inconceivable that he should himself have held a rectory without qualifying himself for the performance of the service of the Church even by taking priest's orders. Evidently Professor Morley's idea of the poet as an Essex rector must go the way of his previous attempt to establish him as a country gentleman at Otford. It is probable that he passed a considerable part of his literary life in those lodgings within the Priory of St. Mary Overey which are mentioned in his marriage licence and in his will [1].

---

[1] I do not know on what authority Rendle states that 'His apartment seems to have been in what was afterwards known as Montague Close, between the church of St. Mary Overey and the river,' *Old Southwark*, p. 182.

To the information which we derive from records must be added that which is to be drawn from the poet's own writings. From the *Speculum Meditantis* we learn that in early life he composed love poems, which he calls 'fols ditz d' amour' (27340), and from two other passages (ll. 8794 and 17649) we may perhaps assume that he was already married at the time when this work was composed. In the former, speaking of those who tell tales to husbands about their wives' misconduct, he says in effect, 'I for my part declare ('Je di pour moi') that I wish to hear no such tales of my wife:' in the second he speaks of those wives who dislike servants and other persons simply because their husbands like them, and he adds, 'I do not say that mine does so' ('Ne di pas q' ensi fait la moie'). If the inference be correct, his union with Agnes Groundolf in his old age was a second marriage. We cannot come to any definite conclusion from this poem about any profession or occupation which he may have had besides literature. The statement of Leland that he practised as a lawyer seems rather improbable, in view of the way in which he here speaks of lawyers and their profession. Of all the secular estates that of the law seems to him to be the worst (24085 ff.), and he condemns both advocates and judges in a more unqualified manner than the members of any other calling. Especially the suggestion of a special tax to be levied on lawyers' gains (24337 ff.) is one that could hardly have come from one who was himself a lawyer [1].

Again the way in which he speaks of physicians (24301, 25621 ff.) seems almost equally to exclude him from the profession of medicine.

Of all the various ranks of society which he reviews, that of which he speaks with most respect is the estate of Merchants.

---

[1] At the same time I am disposed to attach some weight to the expression in *Mir.* 21774, where the author says that some may blame him for handling sacred subjects, because he is no 'clerk,'

'Ainz ai vestu la raye manche.'

This may possibly mean only to indicate the dress of a layman, but on the other hand it seems clear that some lawyers, perhaps especially the 'apprenticii ad legem,' were distinguished by stripes upon their sleeves; see for example the painting reproduced in Pulling's *Order of the Coif* (ed. 1897); and serjeants-at-law are referred to in *Piers Plowman*, A text, Pass. iii. 277, as wearing a 'ray robe with rich pelure.' We must admit, therefore, the possibility that Gower was bred to the law, though he may not have practised it for a living.

He takes pains to point out, both in this poem and in the *Vox Clamantis*, the utility of their occupation, and the justice of their claim to reasonably large profits on successful ventures in consideration of the risks they run (*Mirour*, 25177 ff.; *Vox Clam.* Lib. v. Cap. xi, *Heading*). He makes a special apology to the honest members of the class for exposing the abuses to which the occupation is liable, pleading that to blame the bad is in effect to praise the good (25213 ff., 25975 ff.), and he is more careful here than elsewhere to point out the fact that honest members of the class exist. He speaks of 'our City,' and has strong feelings about the interests of the city of London, and about the proceedings of a certain bad citizen who stirs up strife and aims at giving privileges in trade to strangers (*Mirour*, 26380 ff.; cp. *Vox Clamantis*, v. 835 ff.): moreover, the jealousy of Lombards which he expresses has every appearance of being a prejudice connected with rivalry in commerce (25429 ff.). He has a special enthusiasm about the wool-trade, as a national concern of the first importance, and he has very definite opinions about the abuses of the staple (25360 ff.). At the same time there is no definite evidence that Gower was a merchant, and his interest in trade and in the affairs of the city of London may well have arisen from his residence in or near the city and his personal acquaintance with merchants (cp. *Mir.* 25915 ff.). His references to the dearness of labour and the unreasonable demands of the labourer (24625 ff.) are what we might expect from a man who had property in land; but again we have no sufficient evidence that Gower was a land-owner in the ordinary sense of the word, for, though he acquired the manors of Feltwell and Multon, he did not reside upon either of them, but gave a lease of them at once.

He tells us that he is a man of simple tastes (26293 ff.), and we know from the whole tone of his writings that he is a just and upright man, who believes in the subordination of the various members of society to one another, and who will not allow himself to be ruled in his own household either by his wife or his servants. But, though a thorough believer in the principle of gradation in human society, he constantly emphasizes the equality of all men before God, and refuses absolutely to admit the accident of birth as constituting any claim to 'gentilesce.' The common descent of all from Adam is as conclusive on this point for him as it was for John Ball. Considering that his views on society are essentially the same as those of Wycliff, and considering also his strong opinions about the corruption of the Church and the misdeeds of the friars, it is curious to find how strongly he denounces the Lollards in his later writings.

He has a just abhorrence of war, and draws a very clear distinction between the debased chivalry of his own day and the true ideal of knighthood. Above all he has a deep sense of religion, and is very familiar with the Bible. He strongly believes in the moral government of the world by Providence, and he feels sure, as others of his age did also, that the final stage of corruption has almost come. Whatever others may do, he at least intends to repent of his sins and prepare himself to render a good account of his stewardship. In both his French and his Latin work he shows himself a fearless rebuker of evil, even in the highest places. The charge of time-serving timidity has been sufficiently dealt with in the Introduction to the English Works.

From the *Vox Clamantis* it is evident that the rising of the Peasants produced a very powerful, indeed almost an overwhelming, impression upon his mind. He describes the terror inspired by it among those of his social standing in the most impressive manner. The progress of his political development during the reign of Richard II is clearly seen in his Latin works, with their successive revisions. He began, it is evident, with full hope and confidence that the youthful king would be a worthy representative of his father the Black Prince, both in war and in peace. As time goes on, and the boy develops into an ill-regulated young man, under evil influences of various kinds, the poet begins to have doubts, and these gradually increase until they amount to certainty, and rebuke and denunciation take the place of the former favourable anticipations. In the latest version of the *Confessio Amantis*, which is, no doubt, contemporary with some of these changes in the text of the *Vox Clamantis*, we see the author's confidence transferred from the king to his cousin, not as yet regarded as a successor to the throne, but thought of as representing a fair ideal of chivalry and honesty. Finally, in the *Cronica Tripertita*, he accepts the fall of Richard as the fatal consequence of a course of evil government and treachery, and rejoices in the prospect of a new order of things under his predestined hero.

We see here the picture of one who is not devoted to a particular party, but looks to what he conceives as the common good, deeply impressed with the sense that things are out of joint, and hoping against hope that a saviour of society may arise, either in the person of the young king, or of his vigorous and chivalrous cousin. There is no sign of any liking for John of Gaunt or of any attachment to the Lancastrian party generally; but he is stirred to very genuine indignation at the unfair treatment of men whom he regards as honest patriots, such as Gloucester, the Arundels, and Cobham. He himself was evidently a most patriotic Englishman, loving his country and proud of its former greatness. For this we may refer especially to *Vox Clamantis*, vii. 1289 ff., but the same feeling is visible also in many other passages. He is a citizen of the world no doubt, but an Englishman first, and he cares intensely for the prosperity of his native land. Even when he writes in French it is for England's sake,

'O gentile Engleterre, a toi j'escrits.'

When he decides that the *Confessio Amantis* could no longer go forth with Richard as its patron, it is to England that he dedicates his poem, and for his country that he offers up the prayers which he can no longer utter with sincerity on behalf of the worthless king (*Conf. Am.* Prol. 24 and viii. 2987).

From the *Confessio Amantis* we learn the circumstances under which that work was undertaken, owing in part at least to a suggestion from the king himself, who, meeting Gower upon the river, made him come into his own barge and conversed with him familiarly on his literary projects, urging him apparently to the composition of a poem in English, and perhaps suggesting Love as the subject. We gather also that in the year 1390 the author considered himself already an old man, and that he had then suffered for some time from ill-health (Prol. 79*, viii. 3042*), and from the Epistle to Archbishop Arundel prefixed later to the *Vox Clamantis*, as well as from the Latin lines beginning 'Henrici Regis' (or 'Henrici quarti') we learn that he was blind during the last years of his life, probably from the year 1400. We may reasonably suppose that he was born about the year 1330, or possibly somewhat later. From the Latin statement about his books we learn, what is tolerably obvious from their tenour, that his chief aim in writing was edification, while at the same time we gather from the opening of the first book of the *Confessio Amantis* that he then despaired of effecting anything by direct admonition, and preferred finally to mingle amusement with instruction. The Latin lines at the end of this volume, beginning 'Dicunt scripture,' express a principle which he seems to have followed himself, namely that a man should give away money for good purposes during his own life, rather than leave such business to be attended to by his executors.

The literary side of his activity is sufficiently dealt with in the introductions to his several works, and there also it is noted what were the books with which he was acquainted. It is enough to say here that he was a man of fairly wide general reading, and thoroughly familiar with certain particular books, especially the Bible, all the works of Ovid, and the *Aurora* of Peter de Riga.

THE LATIN WORKS.

Of the works which are included in the present volume the *Vox Clamantis* is the most important. It is written in elegiac verse, more or less after the model of Ovid, and consists of 10,265 lines, arranged in seven books, of which the first, second and third have separate prologues, and each is divided into a series of chapters with prose headings. As to the date of composition, all that we can say is that the work in its present form is later than the Peasants' rising in the summer of 1381, and yet it was evidently composed while the memory of that event was fresh, and also before the young king had grown beyond boyhood. The advice to the king with regard to fidelity in marriage need not be taken to have special reference to the king's actual marriage at the end of the year 1382, but perhaps it is more natural to suppose that it was written after that event than before.

The general plan of the author is to describe the condition of society and of the various degrees of men, much as in the latter portion of the *Speculum Meditantis*. This, however, is made subordinate to the detailed account, given at the beginning, of the Peasants' rising, and that is in fact set down as the main subject of the work in the Latin account of it given by the author:

'Secundus enim liber sermone Latino versibus exametri et pentametri compositus tractat super illo mirabili euentu, qui in Anglia tempore domini Regis Ricardi secundi anno regni sui quarto contigit, quando seruiles rustici impetuose contra nobiles et ingenuos regni insurrexerunt. Innocenciam tamen dicti domini Regis tunc minoris etatis causa inde excusabilem pronuncians, culpas aliunde, ex quibus et non a fortuna talia inter homines contingunt enormia, euidencius declarat. Titulusque voluminis huius, cuius ordo septem continet paginas, Vox Clamantis nominatur.'

So the statement of contents ran in its earlier form. Afterwards the excuses made for the king on the ground of his youth were withdrawn, and in the final form of the statement the events of the *Cronica Tripertita* are brought into the reckoning, and the fall of Richard seems to be represented as a moral consequence of the earlier misfortunes of his reign.

Evidently what is quoted above is a very insufficient summary of the *Vox Clamantis*, which in fact deals with the Peasants' rising only in its first book; and notwithstanding the fact that this event so much overshadows the other subjects of the poem that the author in describing his work afterwards treated it as the only theme, there is some reason to question whether what we have is really the original form of the poem, and even to conclude that the work may have been originally composed altogether without this detailed narrative of the insurrection. For this idea there is some manuscript authority. It has not hitherto been noted that in one copy (MS. Laud 719) the *Vox Clamantis* appears with the omission of the whole of the first book after the Prologue and first chapter[1]. At the same time the text of this manuscript seems to be complete in itself, and the books are numbered in accordance with the omission, so that there are six books only, our second book being numbered as the first[2]. There is really something to be said for

---

[1] The Lincoln MS. has the same feature, but it is evidently copied from Laud 719.

[2] There seems also to have been an alternative numbering, which proceeded on the principle of making five books, beginning with the third, the second being treated as a general prologue to the whole poem. In connexion with this we may take the special invocation of divine assistance in the prologue of the third book, which ends with the couplet,

'His tibi libatis nouus intro nauta profundum,
Sacrum pneuma rogans vt mea vela regas.'

this arrangement, apart from the fact that it occurs in a single manuscript. The first book, with its detailed account of the Peasants' revolt, though in itself the most interesting part of the work, has certainly something of the character of an insertion. The plan of the remainder seems to be independent of it, though the date, June, 1381, which is found also in the Laud MS.,

'Contigit vt quarto Ricardi regis in anno,
Dum clamat mensem Iunius esse suum,'

was doubtless intended to suggest that portentous event as the occasion of the review of society which the work contains. The prologue of the second book, which introduces the teachings of the vision with an invocation of God's assistance, an apology for the deficiencies of the work, and an appeal to the goodwill of the reader, and concludes with a first announcement of the name of the succeeding poem, *Vox Clamantis*, would certainly be much more in place at the beginning of the whole work than here, after more than two thousand lines, and there is no difficulty in supposing that the author may have introduced his account of the Peasants' revolt as an afterthought. The chief reason for hesitating to accept the Laud MS. as representing an authentic form of the poem, lies in the fact that the text of this MS. is rather closely related to that of another copy, MS. Digby 138, which contains the first book in its usual place; and it is perhaps more likely that the original archetype of these two MSS. was one which included the first book, and that this was omitted for some reason by the scribe of the Laud MS., than that the copyist of the Digby MS. perceived the absence of this book and supplied it from some other quarter.

One other matter affecting our estimate of the style of the composition generally has perhaps been sufficiently illustrated in the Notes of this edition, that is to say, the extent to which the author borrows in the *Vox Clamantis* from other writers. It is sufficiently obvious to a casual reader that he has appropriated a good many lines from Ovid, though the extent of this schoolboy plagiarism is hardly to be realised without careful examination; but his very extensive obligations to other writers have not hitherto been pointed out. He repeatedly takes not lines or couplets only, but passages of eight, ten or even twenty lines from the *Aurora* of Peter Riga, from the poem of Alexander Neckam *De Vita Monachorum*, from the *Speculum Stultorum*, or from the *Pantheon*, so that in many places the composition is entirely made up of such borrowed matter variously arranged and combined. This is evidently a thing to be noted, because if the author, when describing (for example) the vices of monasteries, is found to be merely quoting from Alexander Neckam, we cannot attach much value to his account as a picture of the manners of his own time. His knowledge of Ovid seems to have been pretty complete, for he borrows from almost every section of his works with the air of one who knows perfectly well where to turn for what he wants; quite a large portion of Neckam's poem is appropriated without the smallest acknowledgement, and many long passages are taken from the *Aurora*, with only one slight mention of this source (iii. 1853). Most of the good Latin lines for which Gower has got credit with critics are plagiarisms of this kind, and if Professor Morley had realized to what extent the *Vox Clamantis* is a compilation, he would hardly have estimated the work so highly as he has done. The extracts from medieval authors are to some extent tolerable, because they are usually given in a connected and intelligible shape, but the perpetual borrowing of isolated lines or couplets from Ovid, often without regard to their appropriateness or their original meaning, often makes the style, of the first book especially, nearly as bad as it can be. I have taken the pains to point out a considerable number of plagiarisms, but it is certain that there must be many instances which have escaped my notice. In his later Latin verse the author is very much less dependent upon others, and the *Cronica Tripertita*, from the nature of the subject, is necessarily original.

Gower's own style of versification in Latin is somewhat less elegant than that of Alexander Neckam or Peter Riga, but it stands upon much the same level of correctness. If we take into account the fact that the Latin is not classical but medieval, and that certain licences of prosody were regularly admitted by medieval writers of Latin verse, we shall not find the performance very bad. Such licences are, for example, the lengthening of a short syllable at the caesura, the position of final short vowels before 'st,' 'sp,' 'sc' at the beginning of the succeeding word, and the use of polysyllabic words, or of two dissyllables, at the end of the hexameter, so that lines such as these are not to be taken as irregular:

> 'Omnis et inde gradus a presule sanctificatus;'
> 'Quo minor est culpa, si cadat inde rea;'

'Et quia preuisa sic vota facit, puto culpa;'
'Si bene conseruet ordinis ipse statum.'

In any case it is certain that Gower expressed himself in Latin with great facility and with tolerable correctness. He may have imitated the style of Ovid 'studiosius quam felicius,' as Leland observes, but the comparison with other Latin verse-writers of his time sets his performance in a fairly favourable light.

Vox Clamantis. Analysis.

Prologus Libri Primi.

From the records of the past we derive examples; and though credit be not commonly given to dreams, yet the writers of past time instruct us otherwise. Daniel and Joseph were taught by visions, and a man's guardian angel often warns him in his sleep. Hence, as it seems to me, my dreams should be recorded as signs of the times; and what my vision was and at what time it came, ye may learn from this book.

If ye desire to know the writer's name, add to *John* the beginning of *Godfrey*, the first letter of *Wales* and the word *ter* without its head. But give no praise to the author, for I write not with a view to fame. I shall write of strange things which my country has experienced, and as my matter is woful, so also shall be my song. My pen is wet with tears, and both my heart and my hand tremble; nor am I sufficient to write all the troubles that belong to the time. I ask for indulgence rather than praise: my will is good, though my powers fall short. I pray that while I sing of those true visions which disturb my heart with terror, he whose name I bear, to whom visions were revealed in Patmos, may control my work.

Liber Primus.

Cap. I. It was in the fourth year of king Richard, when the month was June: the moon had set and the morning-star had risen, when from the West a strange light sprang, the dawn came from the region of the setting sun and brought forth the day. The sun shone and all the earth was bright; Phebus went forth in his glorious car, attended by the four Seasons, Summer being nearest to him then and honoured by all creatures. The meadows were bright with flowers and the flocks sported in the fields, a perfect paradise of flowers and fruits was there, with the songs of multitudinous birds. Such was the day on which I wandered forth for my pleasure.

All things have an end, and at length that calm day had completed its appointed hours; evening came and I lay down to rest. The night came on, dark and gloomy as the day had been bright, and sleep did not visit my eyes. My hair stood on end, my flesh and my heart trembled, and my senses were disturbed like water. I reflected what the cause might be of my sudden terror, and my mind wandered by various paths. The night went on, yet no sleep came, and terror of a coming evil oppressed me. Thus I spent the hours of darkness, not knowing what was approaching, seeing the past and fearing for the future; but at length, towards dawn, sleep came upon my weary eyes, and I began to dream.

Cap. II. Methought I went out upon a Tuesday to gather flowers, and I saw people in bands going abroad over the fields. Suddenly the curse of God fell like lightning upon them, and they were changed into the forms of beasts, various bands into various forms.

One band was changed into asses rebellious against the halter and the burden, careering over the fields and demanding to be as horses; and these had also horns in the middle of their foreheads, which were stained with blood; they were swift as leopards in their leap, and had tails like that of a lion, yet the stolid asinine mind was in them still. I stood in terror and could advance no further.

Cap. III. With them came oxen, who refused any longer to be subject to the yoke and who would no longer eat straw. These too were in monstrous shape with feet like those of a bear and with the tails of dragons; they breathed forth fire and smoke like the bulls of Colchos. They devastated the fields and slew men: the plough, the rake and the mattock lay idle. 'Ah me!' I said, 'the cultivation of the fields will cease and famine will come upon us.'

Cap. IV. A third band I saw transformed into swine, furious and possessed by the devil. They followed one another, hog and hogling, boar and little pig, the sow and her companion, and there was no swine-herd to keep them away from the corn-fields. They wandered where they would, and the pig ravaged like a wolf.

One boar there was, whom Kent produced, such as the whole earth might not match. Flame came from his mouth and eyes, his tusks were like those of an elephant; foam mixed with human blood flowed over his flanks. He strikes down all those whom he meets and none can prevail against him: no place except heaven is safe from his rage. From the North comes another boar to meet him and to plan destruction.

These boars were greater and more furious than that of Tegea or that which Meleager hunted. They are not content with acorns for their food or water for their drink; they devour rich food in the city and drink good wine, so that they lie in drunkenness as dead. They despise the pig-stye and defile kings' palaces with their filth: their grunting is like the roaring of a lion.

Cap. V. A fourth band was turned into dogs, who are not content with the food from their master's table, but range in search of better, who do not hunt hares or stags, but bark at the heels of men. Here are Cut and Cur from their wretched kennels, the sheep-dog and the watch-dog, the baker's, the butcher's, and the miller's dog. The one-eyed is there and the three-legged dog limps behind barking. These cannot be soothed by stroking, but bare their teeth in anger against you. They tear all whom they meet, and the more they devour the less they are satisfied. Cerberus in hell hears their howl, and breaking away from his chains he joins himself to their company and becomes their leader. More savage were these than the hounds which tore Acteon or the beast which Diana sent to destroy the Athenians. All trembled before them.

CAP. VI. Another band took the form of foxes and cats. They ran about and searched every cavern and every hiding-place, and made their way into secret chambers. There was venom in their bite. The caves of the wood send forth the foxes, who rob by day without fear, and have a treaty of peace with the dogs. The cats leave the barns and cease to catch mice, and these do damage more than ever did the mice of Ekron.

CAP. VII. A sixth took the form of domestic fowls, but they claimed to be birds of prey. The cock had the beak and claws of a falcon, and the goose soared up to the heaven. Suddenly the cock becomes a carrion-crow and the goose a kite, and they prey upon the carcasses of men. The cock crows horribly and the hen follows him and moves him to evil. The goose which formerly frightened only children with its hissing, now terrifies grown men and threatens to tear them to pieces.

Owls join themselves to these and do by day the deeds of darkness, sharpening their feathers with iron, in order that they may slay men.

CAP. VIII. The dream continued, and I saw another band in the form of flies and of frogs. These were like those that plagued Egypt: the frogs came into houses and shed their poison everywhere; the flies pursued with their stings all those of gentle blood, and nothing could keep them out. Their prince Belzebub was the leader of the host. The heat of the summer produced them suddenly in swarms: the fly was more rapacious than the hawk and prouder than the peacock; he contended with the lark, the crane and the eagle in flight.

This was a day on which horses were overcome by asses, and lions by oxen, a day in which the dog was stronger than the bear and the cat than the leopard, a day in which the weak confounded the strong, a day in which slaves were raised on high and nobles brought to the ground, a day in which the terror of God's wrath came upon all, such a day as no chronicle records in time past. May such a day never come again in our age!

CAP. IX. When all this multitude was gathered together like the sand of the sea, one, a Jay skilled in speech, took the first place among them and addressed them thus: 'O wretched slaves, now comes the day in which the peasant shall drive out the lord; let honour, law and virtue perish, and let our court rule.' They listen and approve, and though they know not what 'our court' means, what he says has for them the force of law: if he says 'strike,' they strike, if he says 'kill,' they kill. Their sound was as the sound of the sea, and from terror I could scarcely move my feet. They strike a mutual compact and declare that all those of gentle blood who remain in the world shall be overthrown.

Then they advance all together; a dark cloud mingled with the furies of hell rains down evil into their hearts; the earth is wetted with the dew of the pit, so that no virtue can grow, but every vice increases. Satan is loose and among them, the princes of Erebus draw the world after them, and the more I gaze, the more I am terrified, not knowing what the end will be.

CAP. X. Furious rage there was, they were greedy for slaughter like hungry wolves. The seven races derived from Cain were added to them. The prophets spoke of them, Gog and Magog is their name, they neither fear man nor worship God. Moreover those companions of Ulysses, whom Circe transformed, are associated with them: some have the heads of men and others of brute beasts.

CAP. XI. There is Wat, Tom and Sim, Bet and Gib followed by Hick; Coll, Geff and Will, Grigge, Dawe, Hobbe and Lorkin, Hudd, Judd, Tebb and Jack, such are their names;[1] and Ball teaches them as a prophet, himself having been taught by the devil.

Some bray like asses, others bellow like bulls, they grunt, they bark, they howl, the geese cackle, the wasps buzz; the earth is terrified with their sound and trembles at the name of the Jay.

CAP. XII. They appoint heralds and leaders, and they order that all who do not favour them shall suffer death. They are armed with stakes and poles, old bows and arrows, rusty sickles, mattocks and forks; some have only clods and stones and branches of trees. They wet the earth with the blood of their betters.

CAP. XIII. These come in their fury to the city of new Troy, which

---

[1] Fuller's spirited translation of these lines is well known, but may here be quoted again:

'Tom comes thereat, when called by Wat, and Simm as forward we find,
Bet calls as quick to Gibb and to Hykk, that neither would tarry behind.
Gibb, a good whelp of that litter, doth help mad Coll more mischief to do,
And Will he does vow, the time is come now, he'll join in their company too.
Davie complains, whiles Grigg gets the gains, and Hobb with them does partake,
Lorkin aloud in the midst of the crowd conceiveth as deep is his stake.
Hudde doth spoil whom Judde doth foil, and Tebb lends his helping hand,
But Jack the mad patch men and houses does snatch, and kills all at his command.' *Church History*, Book iv. (p. 139).

opens its gates to them, and they surge in and invade the streets and houses. It was Thursday, the festival of Corpus Christi, when this fury attacked the city on all sides; they burnt the houses and slew the citizens. The Savoy burns, and the house of the Baptist falls to ruin in the flames. They rob and carry away the spoil, and that day is closed with drunkenness everywhere.

The next day, Friday, is yet worse; no wisdom or courage avails against them, they rage like a lioness robbed of her young. O, how degenerate is the city which allows this, how disgraceful that armed knights should give place to an unarmed mob! There is no Capaneus or Tydeus, no Ajax or Agamemnon, no Hector or Achilles, to make defence or attack. Ilion with its towers cannot keep men safe from the furies.

CAP. XIV. Helenus the chief priest, who kept the palladium of Troy, was slain in spite of his exhortations. These were deeds worthy rather of demons than of men. Piety and virtue perished and vice ran riot. They said 'Let his blood be upon our heads,' and slew him without pity: the curse of Christ shall fall upon them for this deed.

Simon had the same death as Thomas, but at the hands of greater numbers and for a different cause. Vengeance came for the death of Thomas; for Simon it daily threatens. It was midday when this blood was shed, the shepherd was slain by his flock, the father by his children. He died untimely; but though taken away from us, he lives in heaven. This is the foulest of all the deeds done: these men are worse than Cain, who only slew his brother. O cursed hand that struck the severed head! Wail for this, all ye old and young, the evils prophesied by Cassandra come down on this city. The king could not rescue Helenus, but he mourned for him in his heart.

CAP. XV. The chief citizens also perished, there was death and sorrow everywhere. If a son pleaded for his father, both were slain. No place of safety can be found by those of gentle condition; they flee to the forests in vain, and move vaguely hither and thither, neither city nor field affords them protection. Death is everywhere, and spares not even the women and the children. There is no remedy, and neither lamentation nor prayers are of any avail.

CAP. XVI. When I saw all this, horror seized me and I fled. I left my own house and wandered over the fields, I went from place to place in search of safety; the enemy pressed after me; I hid in caves of the woods, and was without hope at evening of what the morrow might bring. My dreams terrified me and my heart melted like wax in the fire. I lay hid during the day and trembled at every sound, the tears that I shed were my sole subsistence. I was alone and in terror of the wrath of God, my mind was sick and my body was wasted. Hardly ever did I meet a companion, and those friends whom I had trusted in prosperity failed me now. I dared scarcely speak a word, lest I should betray myself to an enemy.

Then, when I saw nothing but death about me, I desired to die, and yet I was unwilling to perish in so desolate a state. While I wept, lo, Wisdom came to me and bade me stop my tears, for grief would at some time cease. I stood amazed and in doubt; death was life to me and life was death, and wondrous visions passed before me.

CAP. XVII. I saw not far off a Ship, and I ran towards it and climbed up its side. In it were almost all those of gentle birth, crowded together and terrified, seeking refuge from the furies. I prayed that we might have a favourable voyage. The ship left the shore, but my hopes were vain: the sky grew dark and the winds lashed the waves into storm, the ship was driven before them amid thunder and rain. There was confusion among the sailors, and the captain in vain endeavoured to direct the ship's course.

CAP. XVIII. At length the storm so increased that all were in despair of safety. A huge monster of the sea, Scylla and Charybdis both in one, appeared as if to destroy the ship and all who were in it. We prayed to heaven for help.

(The Tower of London was like this ship, shaken by the storm, its walls giving way to the fury of the mob. In vain it offered hopes of safety; it was stained with foul parricide, and the den of the leopard was captured by assault.)

When I saw these things I was terrified in my sleep, and I prayed to God for help. 'Thou Creator and Redeemer of the human race, thou who didst save Paul from the sea, Peter from prison and Jonah from the whale's belly, hear my prayer, I entreat thee. Help me and grant that I may be cast up on a favourable shore!'

As I prayed, the monster struck the ship, and it was almost swallowed up by the fury of Scylla.

CAP. XIX. Yet our cries and tears were not unheard. When the storm raged most furiously, there was one William, a Mayor, who was moved to high deeds: he struck down that proud Jay, and with his death the storm abated, Scylla restored its prey, and the ship once more rode upright upon the water. The sailors regained their courage and hoisted a little sail, peace returned and the sky became clear. I then with all the rest gave thanks to Christ.

CAP. XX. Still my dream went on, and still I seemed to see that ship, which now with broken oars was drifting in search of a landing-place. It was driven to that port where all this evil raged; it had escaped Scylla, but it came to an Island more dangerous than Scylla. I landed, and asked one of those whom I met, 'What island is this, and why is there so great a concourse of people here?' He replied: 'This is called the Island of Brute, and the men who dwell here are of fair form but of savage condition. This people lays law and justice low by violence; strife and bloodshed reign here ever. Yet if they could love one another, no better people would there be from the rising to the setting of the sun.'

I was saddened and terrified by his answer, I knew not whether sea or land were more to be feared. The heavenly voice which I had heard before said to me, 'Lament not, but take heed to thyself. Thou hast come to a place where wars abound, but do thou seek peace within by God's assistance. Be cautious and silent; but when thou hast leisure, record these dreams of thine, for dreams often give a presage of the future.' The voice was heard no more, and at that moment the cock crew and I awoke from my sleep, scarce knowing whether what I had seen was within me or without.

Cap. XXI. Then I returned thanks to God for having preserved me upon the sea and from the jaws of Scylla. The rustic goes back to his labours, but in his heart there remains hatred of his lords; therefore let us be forewarned and provide against future evils. As for me, God has set me free from the danger, and for this I thank him; and I would that my country, preserved from destruction, might render due thanks to God. While the memory of these things is fresh in me, I will write that which I experienced in my sleep, that waking slumber which brought to me no mere vision but a dream of reality.

Prologus Libri Secundi.

Many things did I see and note, which my pen shall write, but first I invoke, not the Muses, but the true Spirit of God, and I will let down my nets in the name of Christ and for his glory. The style and the verses are poor, but the meaning is good. I will give that which my poor faculties can attain to; and may he be my helper who produced speech from the mouth of an ass. I prefer to do a little good than none.

The words which follow are not spoken from myself; they are gathered from various sources, as honey from various flowers or bright shells from various shores. The name of the book is *Vox Clamantis*, because it is the utterance of a fresh sorrow.

Liber Secundus.

Cap. I. Tears shall be the ink with which I write. All is vanity except the love of God, and man has cause for lamentation from his birth.

Yet if any people in the world could be happy, God granted this boon to us; we were blessed above all other nations. Now our former glory is extinguished and our prosperity is destroyed.

Why is our condition thus changed? Nothing on earth happens without a cause, yet all deny that they are the cause of this and find fault with Fortune, who turns all things upside down.

VOX CLAMANTIS. ANALYSIS. xli

CAP. II. O thou who art called Fortune, why dost thou thus depress those whom thou didst once exalt? Once our country was everywhere honoured, all desired to be at peace with it: now our glory has departed and enemies attack us from all quarters. Reply, Fortune, and say if thou art the cause of this change. I think not, for I believe in God and not in Fortune; yet I will describe thee, as men think that thou art.

CAP. III. Fortune, hear what men say of thee, that thou hast a double face, and goest by double paths, that nothing in thee is stable or secure. No gifts may keep thee faithful, thou art lighter than the dead leaves which fly before the wind: now thou art bright and fair, now dark and lowering; thy love is more treacherous than that of a harlot, the prosperity which thou givest is very near to disaster.

CAP. IV. Fortune gives no honey without gall, she changes like the sphere of the moon. Her wheel is ever turning, and no tears or prayers will move her. Citizen and husbandman, king and rustic, rich and poor, all are alike to her. Ah! why was so much power given to such a one as she is?

Thus men say, believing that Fortune can overthrow the decrees of God, but in fact she is nothing, fate is nothing, chance has nothing to do with the affairs of men. Each one makes for himself his own lot: if the will is good, good fortune follows, if evil, it makes the fortune bad. Virtue will lead you to the summit of the wheel, and vice will bring you and your fortune down to the bottom.

CAP. V. God has said that the man who obeys his commands shall prosper in wealth and peace: the very elements are subject to the righteous man. Joshua caused the sun to stand still, Gregory stayed the plague, Moses divided the sea, Elisha caused iron to swim, the three children were unhurt by the fire, the earth rose to give a seat to Hilarius. Wild animals, too, serve the just man, witness Daniel, Silvester, Moses and Jonah.

CAP. VI. Again, the elements war against sinners: so it was in the case of the plague caused by David's sin, in the case of the Sodomites, Korah, Dathan and Abiram, Lysias and others. The wicked man cannot enjoy good fortune, nor can the good man be deprived of it. It was guilt that caused the fall of Pharaoh and of Saul, the death of Ahab and of Eli with his sons. The Jews always conquered while they were obedient to God's law, and were overcome when they transgressed it.

CAP. VII. It is God Omnipotent, the Three in One, who governs all things here. As fire, heat and motion are three things combined in one, so the Father, Son and Holy Spirit are three persons but one Godhead.

CAP. VIII. Christ, the Son of the Father, became incarnate in man, and yet remained what he was before, being less than the Father and yet equal to him, perfect Man and perfect God. As the frailty of the first Adam brought evil upon us all, so the strength of the second Adam healed our wound and restored our fallen state.

CAP. IX. We must submit our mind to the faith, for man cannot understand the things of God, and we must not examine too closely the mystery which we cannot penetrate. This we know, that life is given to all through the name of Jesus Christ.

CAP. X. The heathen bows down to figures of wood and stone, asking help from that which his hands have made. Was not the world made for man and all things placed in subjection to him? How then can these idols be of any avail?

As for us, we use images differently, not giving to them the worship that belongs to God, but by them assisting devotion; especially the sign of the Cross is to be adored, by means of which we conquer the powers of evil. Great is the virtue of the Cross, by which Christ despoiled hell of its prey and ascended into heaven.

CAP. XI. God created the heaven and the earth, and all created things ought to serve him. As he creates all things, so also he rules them continually, and he gives his gifts according to men's merit. Whatever comes to pass in the world, whether it be good or evil, we are the cause of it.

Prologus Libri Tercii.

Since good and bad fortune are due to the merits and demerits of men, I shall examine the various conditions of men and find out where the fault lies. I shall utter not so much my own words as the common report of others, and it must be remembered that he who finds fault with the bad is in effect praising the good. May God assist me to carry out my task! My abilities are small, and I do not affect high themes, but I speak of the evils which the common voice of humanity bewails. Let no envy or calumny attack my work; and do thou, O Christ, grant that I may avoid falsehood and flattery. With this prayer I enter on my voyage.

Liber Tercius.

CAP. I. The order of the world is in three degrees,—Clergy, Knighthood and Peasantry. I shall deal first with the prelates of the Church, whose practice is very far removed from the example of Christ. Riches alone are valued by them, and the poor man is despised, whatever may be his merits.

CAP. II. Prelates of the Church are now hirelings, whose desire is to live in luxury and to indulge their appetites. Gluttony and lust everywhere prevail.

CAP. III. The prelates of the Church aim at earthly honours instead of heavenly: they desire rather to have the pre-eminence than to do good. Powerful men escape without rebuke for their sins, and penance is avoided by payment.

CAP. IV. As regards the 'positive law,' for breach of which dispensations are granted, I ask first whether Christ gives indulgence beforehand for sin, or prohibits that which is not sin. If these things are sins, how can I be free to commit them on consideration of a money payment; if not, why does the Church forbid them? This is merely a device for bringing in money to the clergy.

CAP. V. The poison of temporal possessions is still working in the Church. They no longer war on the pagan, but turn their swords against their own brother Christians.

CAP. VI. Christ left peace with his disciples, but in our time avarice and ambition cause prelates to take part in intestine strife, with swords in their hands and the cross as their ensign. It is not the part of a soldier to offer incense at the altar or of a priest to bear arms in war.

CAP. VII. The priest should fight with other than material arms. David was not permitted to build a house for the Lord, because he had been a shedder of blood; and those who are stained with the slaughter of their brethren cannot be the true servants of the altar. Brotherly love should prevail, and this is opposed to strife and self-seeking ambition.

CAP. VIII. Worldly men may make wars, but the clergy should not take part in them; their strength is in their words and prayers, and they have no need of material arms. Too great prosperity and wealth is the cause of these evils: they do not see what the end will be.

CAP. IX. The ring and the pastoral staff belong to the Pope, the sceptre to the Emperor; the one must not usurp the rights of the other. The Emperor should not claim spiritual power, nor the Pope temporal. Christ is a lover of peace and his ministers must not appeal to the sword, but must keep the command, 'Thou shalt not kill.' Let Christ himself lay claim to what is his. Pride is the root of all evil.

The apostles conquered by prayers and by patience; Peter had neither silver nor gold, but he healed the lame man; our clergy abound in wealth, but do no works of healing, either spiritual or bodily. O thou who art head of the Church, remember that forgiveness should be until seventy times seven, and that Peter was commanded by Christ to put up his sword.

CAP. X. The teaching and the writings of the clergy are in favour of peace and love, and when I wondered why they waged wars, one answered me in the person of the supreme pontiff and said: 'Rule on earth is given to us by divine decree and it pleases us to enjoy all the good things of this world. Our way is different from that of Christ and his apostles; we set up the cross as a sign of hatred and vengeance, we put to death those who will not acknowledge our rule; the pastoral staff is turned into a spear and the mitre into a helmet, we can slay with sword as well as with word, and whereas Peter cut off the ears, we cut off the head.'

CAP. XI. These claim the worship and honour which belong to God alone, and the goods which they unjustly seize are never restored. The shepherd preys like a wolf upon his own sheep.

CAP. XII. He who is promoted to dignity in the Church by simony is like the thief who enters not by the door into the sheepfold. The Church is a congregation of faithful men, and the clergy are no better than the laity, except so far as they lead better lives. Yet they lay burdens upon us which they will not bear themselves, and do not follow their own precepts. They bear the keys of heaven, but they neither enter themselves nor allow us to enter: they set no good example to their flocks.

CAP. XIII. A prelate should be a light to guide his people by example, and he should encourage them by his voice, and also reprove and restrain. The oil with which he is anointed is a type of the qualities that he ought to display.

CAP. XIV. At the Court of Rome nothing can be done without gifts: the poor man is everywhere rejected. The spirit of Antichrist is opposite to that of Christ, and there are many signs that he has already come.

CAP. XV. Our prelates aim at the mere outward show of sanctity and refuse to bear the burden of Christ. O God, in thy mercy restore them to the state which they have lost!

CAP. XVI. Rectors of parishes, too, err after the example of the prelates. They are luxurious in their lives, and many desert their spiritual cures, in order to frequent courts and great households, with a view to promotion.

CAP. XVII. Another gets leave from the bishop to leave his parish on the plea of study at the universities; but there he learns and teaches only lessons of unchastity. The Church, which is his true bride, is neglected, and harlots receive the tithe which belongs to God.

CAP. XVIII. A third rector resides in his parish, but spends his time in sports, keeps well-fed horses and dogs, while the poor are not relieved or the sick visited, makes his voice heard more in the fields and woods than in the church. He lays snares too for the women of his parish, and if their bodies be fair, he cares not how their souls are defiled.

CAP. XIX. Another neglects his cure of souls and makes money by buying and selling. He is liberal of his wealth to none but women; and if benefices were inherited by the children of those who hold them, the succession would seldom fail.

CAP. XX. The priests without benefices, who get their living by 'annuals,' are equally bad: the harlot and the tavern consume their gains. Let none admit these to his house, who desires to keep his wife chaste, any more than he would admit pigeons to his bed-chamber, if he wished to keep it clean.

CAP. XXI. These infect the laity by their bad example. The bishop ought not to ordain such men; and he who might prevent an evil and does not, is equally guilty with him who causes it.

CAP. XXII. The clergy deny the right of laymen to judge and punish them; yet the sins of the clergy deeply affect the laity. We are all brethren in Christ and we are bidden to rebuke our brethren, if they do wrong, and to cast them out of the Church, if they will not amend.

CAP. XXIII. Priests say that in committing fornication they do not sin more than other men who are guilty of this vice. But their sacred condition and their vow of chastity makes the evil worse in them than in a cobbler or a shepherd.

CAP. XXIV. If we consider the office of the priesthood, we shall find that the vestments and ornaments of priests are all symbolical of the virtues which they ought to possess.

CAP. XXV. The ceremonies of sacrifices under the old law were symbols of the virtues required in priests under the new, and as under the old dispensation the ministers of the altar ought to be without defect and deformity of body, so the priests of the new law should be spiritually free from blemish. Uzzah touched the ark with unclean hands and was punished with death: so he who comes polluted to the service of the altar is worthy of punishment.

CAP. XXVI. A man must be of mature age before he assumes the priesthood; for youth is apt to yield to the temptations of the flesh. The evil impulses cannot be wholly expelled, but they may be kept in check, as is symbolized by the tonsure of the priest. Let the priest avoid idleness, whence so many vices spring.

CAP. XXVII. The honour of priests is great, if they live worthily. They administer to us the sacraments during our lives, they give us burial when we are dead, they are the salt of the earth and the light of the world. So much the worse is it when they are ignorant and bad; the distinction between the good and the bad priest is like that between the dove and the raven sent out of the ark.

CAP. XXVIII. The young scholars who are being trained for the priesthood are in these days too often indolent and vicious. If they are so in youth, they will hardly be good in their later age.

CAP. XXIX. They are induced to undertake the priesthood by desire to escape from the control of the ordinary law, by dislike of labour, and by love of good living, seldom by the higher motive, which once prevailed, of contempt for worldly things and longing after the highest good. Thus, since the clergy is without the light of virtue, we laymen wander in the dark.

LIBER QUARTUS.

CAP. I. Men of Religious Orders are also of various conditions, some good and others bad. Let each bear his own burden of blame : I write only what common report tells me.

There are first those who hold temporal possessions, and some of these live in gluttony and luxury.

CAP. II. Those who leave the world should give up worldly things; but in these days the monk is known only by his garb. He indulges himself with the richest food and the choicest drink, he makes haste when the bell rings for a meal, but he rises very slowly and reluctantly for midnight prayer. The monks of old were different; they dwelt in caves and had no luxurious halls or kitchens, they were clothed in skins, fed on herbs and drank water, and abstained from fleshly lusts. These men truly renounced the world, but that blessed state has now perished.

CAP. III. The old monastic rule has given place to gluttony and drunkenness, and those who live so can hardly be chaste. Pride, anger and envy prevail among these men, in spite of the restrictions of their rule.

CAP. IV. There is no brotherly love among them, and the vow of individual poverty is also broken. They make money in various ways and spend it on their pleasures and in enriching their children, whom they call their nephews.

CAP. V. A monk wandering abroad from his cloister is like a fish out of water; nor are those much better who stay within the walls and allow their minds to dwell on worldly things.

CAP. VI. Some seek honour and dignity under the cover of the monastic profession, even though they be of poor and low birth.

CAP. VII. Patience, Chastity and the rest who were once brothers of religious orders, are now dead or departed, and their contrary vices have taken their places.

CAP. VIII. So also the regular Canons for the most part neglect their monastic rule and have only a show of sanctity.

CAP. IX. Monks who are untrue to their profession are of all men the most unhappy. They have no real enjoyment of this world and they lose also the joys of heaven.

CAP. X. Let all members of religious orders perform their vows and repent of their past sins, of their pride, luxury, avarice, ambition, gluttony, wrath, envy and strife.

CAP. XI. Above all let them avoid intercourse with women, who bring death to their souls. Let them labour and study; for idleness is the great incentive to evil.

CAP. XII. The monk who sets himself to observe his rule will live hardly and fast often, praying continually and doing penance for sin. He will submit himself humbly to his prior, and he will not grudge to perform duties that are irksome. The prior should be gentle with his younger brethren and not make the yoke too heavy for them.

CAP. XIII. As regards nuns, they too are under the rule of chastity; but as women are more frail by nature than men, they must not be so severely punished if they break it. They require meat often on Fridays for their stomachs' sake, and this is prepared for them by Genius the priest of Venus.

CAP. XIV. Where Genius is the confessor of a convent, the laws of the flesh prevail. The priest who visits nuns too often corrupts them, and the woman very easily yields to temptation. A wife may deceive her husband, but the bride of Christ cannot conceal her unfaithfulness from him: therefore she above all others should be chaste.

CAP. XV. True virginity is above all praise, and this surpasses every other condition, as a rose surpasses the thorns from which it springs. The best kind of virginity is that which is vowed to God.

CAP. XVI. Not all whom Christ chose were faithful, and everywhere bad and good are mingled together; but the fault of the bad is not a reason for condemning the good. So when I speak of the evil deeds of Friars, I condemn the bad only and absolve the good.

The number of mendicant friars is too great and their primitive rule has been forgotten. They pretend to be poor, but in fact they possess all things, and have power over the pope himself. Both life and death bring in gains to them.

CAP. XVII. They preach hypocritically against sin in public, but in private they encourage it by flattery and indulgence. They know that their gains depend upon the sins which their penitents commit. Friars do not often visit places where gain is not to be got. They have an outward appearance of poverty and sanctity, without the reality. I do not desire that they should be altogether suppressed, but that they should be kept under due discipline.

CAP. XVIII. Some friars aim at dignity as masters in the schools, and then they are exempted from their rule and obtain entry into great houses. The influence of the friar is everywhere felt, and often he supplies the place of the absent husband and is the father of his children. Bees, when they wound, lose their stings and are afterwards helpless: would it were so with the adulterous friar!

CAP. XIX. The order of friars is not necessary to the Church. Friars appropriate spiritual rights which belong to others; and though this may be by dispensation of the pope, yet we know that the pope does not grant such dispensations of his own motion, and he may be deceived. They ask for the cure of souls, but in fact they are demanding worldly wealth: not so did Francis make petition, but he left all and endured poverty.

CAP. XX. This multitude of friars is not necessary for the good of society. David says of them that they neither take part in the labours of men nor endure the rule of the law: they toil not, neither do they spin, and yet the world feeds them. It is vain for them to plead the merits of Francis, when they do not follow his example. All honour to those who do as he did.

CAP. XXI. They draw into their order not grown men but mere boys. Francis was not a boy when he assumed his work; but in these days mere children are enrolled, caught like birds in a snare: and as they are deceived themselves, so afterwards they deceive others.

CAP. XXII. The friar who transgresses the rule of his order is an apostate and a follower of the apostate fiend. He finds entrance everywhere, and everywhere he lays snares, encourages hatred, and fosters impurity. Under a veil of virtuous simplicity he conceals a treacherous heart. These are ministers of the Synagogue rather than of the Church, children of Hagar, not of Sara.

CAP. XXIII. They are dispersed over the world like the Jews, and everywhere they find ease and abundance. Their churches and their houses are built in the most costly style and adorned with the richest ornaments. No king has chambers more magnificent than theirs, and their buildings are a mark of their worldly pride. Unless their souls are fair within, this outward pomp of religion is of no avail.

CAP. XXIV. Friars differ from one another in the garb of their order, but all equally neglect their rule. Only the order founded by brother Burnel still maintains its former state. Two rules of this order I will set forth, which are almost everywhere received. The first is that what the flesh desires, that you may have; and the second that whatever the flesh shrinks from, that you should avoid. So the new order of Burnel is thought better than those of Benedict or Bernard.

Thus, if bad times come, I shall hold that the error of the Clergy is the cause. The body is nothing without the spirit: we have darkness instead of light, death instead of life, and the flock is scattered abroad without a shepherd.

LIBER QUINTUS.

CAP. I. I will speak in the second place of the order of Knighthood. This was established first to defend the Church, then for the good of the community, and thirdly to support the cause of the widow and orphan. If a knight performs these duties, he should have praise, but not if he makes war merely for the sake of glory.

If a knight overcomes his enemies, but is overcome by the love of a woman, he has no true glory, for he makes himself a slave instead of free.

CAP. II. If the knight would reflect on the variety and uncertainty of love, he would not allow himself so easily to be made captive.

CAP. III. But when he sees beauty in woman decked out with all its charms, he thinks it divine and marvellous, and he can offer no effectual resistance. Lovers are blind and are driven by every kind of unreasonable impulse. Women deceive men, and men also deceive and betray women.

Cap. IV. The knight has little need to fear bodily wounds, which may easily be healed; but love is not to be cured by physicians, and this deprives him both of reason and of honour.

Cap. V. Those who seek fame and worldly honours only, are hardly better than those who are conquered by women.

Cap. VI. The good woman is one whose praise is above all things. The bad is a subtle snare for the destruction of men. She paints her face and uses every art to deceive. The world is treacherous, but woman is more treacherous still.

Cap. VII. The good knight, who labours neither for gain nor for glory, and is not conquered by love, obtains the victory over the enemies of the Church and of his country, and gives us the blessing of peace.

Cap. VIII. The bad knight is the causer of many evils in the other orders of society. He deserves to have Leah, not Rachel, as his bride. Those who follow wars for the sake of the spoils are like vultures that prey upon the corpses of the dead. Alas, in these days gold is preferred to honour and the world to God.

Cap. IX. Another estate remains, that of the cultivators of the soil, who provide sustenance for the human race in accordance with the divine ordinance laid down for Adam. These at the present time are lazy and grasping, as well as few in number; one peasant now asks more wages than two did in past time, and one formerly did as much work as three do now. We know from recent experience what evil the peasant is capable of doing. God has ordained, however, that nothing is to be had without toil; therefore the peasant must labour, and if he will not, he must be compelled.

Cap. X. There are also the casual labourers, who go from one employment to another and always find fault with the food that they get from their masters. These are irrational like beasts, and they should be disciplined by fear of punishment.

Cap. XI. In cities there are chiefly two classes, the merchants and the craftsmen. The former sin by not regarding festivals and holy days.

Cap. XII. Usury and Fraud are two sisters, daughters of Avarice, to whom the dwellers in cities pay honour. Usury is forbidden of old, but by a gloss on the text it is now approved.

Cap. XIII. Fraud is worse, because it is common to all places. From the young apprentice to the master all practise it in selling.

Cap. XIV. Craftsmen, who make things, follow the laws of Fraud, and so do those who sell articles of food, as meat, fish, bread, beer, and so on.

CAP. XV. It is an ill bird that fouls its own nest, and it is shameful for a citizen to benefit strangers at the expense of his fellow-citizens. It is an evil thing when one of low condition is exalted to the highest place in the city. The evil man is a common scourge; but though he be mounted on high, he shall fall and perish.

CAP. XVI. The man whose tongue is unrestrained is as a pestilence among the people. The tongue causes strife and many evils; it breaks through every guard and devours like a flame. None can say how many evils the tongue of the talkative man brings about in the city: it causes discord and hatred instead of peace and love; and where peace and love are not, there God is not. The citizen who thus plagues his fellows should be put to death or banished: it is expedient that one should die, lest the whole people should perish.

Thou ruler of the city, labour to bring about harmony and peace, and above all deal prudently. Great consequences often follow from small things, and the fire which seems to be extinguished may blaze up again. Justice and peace, which formerly reigned, must be restored, so that the ruin which overtook Rome and Athens may be averted from our city.

Liber Sextus.

CAP. I. Besides the three degrees of society above described, there are those who are called ministers of the Law. Of these some labour for true law and justice, and these I praise; but most practise an art under the name of law which perverts justice. The advocate will plead the cause of any man who pays him, and compels his rich neighbours to give him gifts, for fear that evil should befall them. He has a thousand ways of making his gains; the great and powerful break through his snares, but the weak and defenceless are caught in them. Like the bat or the owl he loves darkness rather than light: yet sometimes the biter is bitten.

CAP. II. The advocate oppresses and plunders the poor, and rejoices in discord as a physician in disease. He contrives every device to enrich himself and his offspring; he joins house to house and field to field. But his heir dissipates that which he has gathered together, and a curse comes upon him at the last.

CAP. III. The land is ruined by the excessive number of lawyers. As a straight stick appears crooked when plunged in water, so does straightforward and simple law become distorted in the mind of the lawyer. As clouds conceal the sun, so do advocates obscure the clear light of the law. Conspiracy, they say, is unlawful, but they themselves conspire to protect one another, and the law has no power over these.

CAP. IV. They ascend by degrees from the rank of apprentice to that of serjeant and so to the office of judge. The administration of justice is disturbed chiefly by three things, gifts, favour, and fear. Those who make friends with the judge will hardly lose their case.

CAP. V. O ye who sell justice for gain, learn what end awaits you. The higher you rise, the greater will be your fall : the more wealth you gather, the greater will be your misery. O thou judge who seekest after wealth, why dost thou attend to all things else and neglect thyself? Thou wilt gain the world, but lose heaven. All worldly power comes to an end, and so, be sure, will thine.

CAP. VI. As regards the sheriffs, the bailiffs, and the jurymen at assizes, they are ready to accept bribes and pervert justice. As the toad cursed the harrow, so I curse these many masters, who are all unjust.

CAP. VII. Laws, nevertheless, there must be, to punish the transgressor ; and if there are laws there must also be judges. The worst of evils is when justice is not to be had, and this causes a land to be divided against itself. Much depends upon the ruler : for the sins of a bad king the people are punished as well as the king himself. The higher a man's place is, the worse is the effect of his evil-doing. A law is nothing without people, or people without a king, or a king without good counsel.

[1] Complaints are everywhere heard now of the injustice of the high court, and the limbs suffer 'because the head is diseased. The king is an undisciplined youth, who neglects all good habits, and chooses unworthy companions, by whose influence he is made worse. At the same time older men give way to him for gain and pervert the justice of the king's court. None can tell what the end will be : I can only mourn over these evils and offer my counsel to the youthful king.

CAP. VIII. Every subject is bound to serve his king, and the king to govern his people justly. Hence I shall endeavour to set forth a rule of conduct for the honour of my king.

First then, I say, govern thyself according to the law, and enforce on thyself the precepts that are fitting for others. A king is above all others ; he should endeavour to overcome and rise above himself. If thou art above the laws, live the more justly. Be gentle in thy acts, for thy wrath is death. Endeavour to practise virtue in thy youth and to avoid evil communications.

CAP. IX. Avoid false friends and those who stir up war for the sake of their own profit. Resist those who will tempt thee to evil, O king.

---

[1] In the first version, 'Complaints are heard now of the injustice of the high court : flatterers have power over it, and those who speak the truth are not permitted to come near to the king's side. The boy himself is blameless, but his councillors are in fault. If the king were of mature age, he would redress the balance of justice, but he is too young as yet to be held responsible for choice of advisers : it is not from the boy but from his elders that the evil springs which overruns the world.'

Take vengeance on wrong, and let justice be done without fear or favour.

CAP. X. Show mercy also, where mercy is fitting, and listen to the prayer of the poor and helpless. Let fit men of proper age and sufficient wisdom be appointed to administer justice.

CAP. XI. Be not exalted with vain glory, O king, or moved by sudden wrath to violence. Be liberal to those who need thy help, and give alms to the poor of that which God has given' thee. Avoid gluttony and sloth.

CAP. XII. Above all things, O king, flee from the enticements of fleshly lusts. Take example by the sin of David, and by that of the Hebrews who were tempted by the counsel of Balaam. One consort is sufficient for thee: be faithful to her.

CAP. XIII. O king, thou art the defender in arms of thy people. Remember the deeds of thy father, whose praise is sounded everywhere and whose prowess was above that of Hector. He was just and liberal; he made prey of foreign lands, but he protected his own. France and Spain both felt his might, and he broke through the ranks of his enemies like a lion. The land was at rest under that great prince: the nation was secure from its enemies. O king, endeavour to deserve the praise which thy father won. Peace is the best of all things, but it must sometimes give way to war.

CAP. XIV. A king must not prey upon his people; their love is his chief glory. He should remember that true nobility does not come from noble descent but from virtue. Study to know thyself and to love God.

CAP. XV. O young king, remember how Solomon in his youth asked for wisdom to rule well, rather than wealth or long life, and how God granted his prayer and added also the other blessings. Wisdom is above everything for a king, and this makes him acceptable to God.

CAP. XVI. Whatever thou hast, O king, comes from God. He has given thee beauty of body, and thou must see to it that there be virtue of the soul corresponding to this. Worship and fear God, for earthly kingdoms are as nothing compared with his.

CAP. XVII. Death makes all equal; rich and poor, king and subject, all go one way. Prepare thyself, therefore, for thy journey, and adorn thyself betimes with virtue. May God direct thee in the right way.

CAP. XVIII. [1] The king is honoured above all, so long as his acts

---

[1] In the first version as follows, 'O king of heaven, who didst create all things, I pray thee preserve my young king, and let him live long and see good days. O king, mayest thou ever hold thy sceptre with honour and triumph, as Augustus did at Rome. May he who gave thee the power confirm it to thee in the future.

For the glory of thy rule I have written these lines with humble heart. O flower of boyhood, according to thy worthiness I wish thee prosperity.'

are good, but if the king be avaricious and proud, the people is grieved. Not all that a king desires is expedient for him : he has a charge laid upon him and must maintain law and do justice.

O king, do away the evils of thy reign, restore the laws and banish crime : let thy people be subject to thee for love and not for fear.

CAP. XIX. All things change and die, the gems that were bright are now dimmed, the Church herself has lost her virtue, and the Synagogue becomes the spouse of Christ. The good men of old have passed away, and the bad of old live again. Noah, Japhet, Abraham, Isaac, Joseph, Moses, Aaron, Elijah, Micaiah, Elisha are gone; Nimrod, Ham, Belus, Ishmael, Abiram, Korah, Dathan, Zedekiah, and Gehazi survive. Peter is dead, but Tiberius lives; Paul is reconverted into Saul; the examples of Gregory, Martin, Tobit, and Job are neglected. Benedict is dead, but Julian lives : there is a new Arius, a new Jovinian, who spread their heresy.

CAP. XX. As the good men in the Church of God have passed away, so also the men who were famed for prowess in the world are gone, as Trajan, Justinian, Alexander, Constantine, Theodosius, Julius, Hannibal, while the bad still survive, as Nero, Dionysius, Tarquin, Leo, and Constantius. Solomon is dead and Rehoboam survives. The love of David and Jonathan is gone, but the hatred of Saul still lives; the counsel of Achitophel is followed and that of Hushai rejected ; Cato is banished and Pilate is made judge in his stead ; Mordecai is hanged and Haman is delivered ; Christ is crucified and Barabbas is let go free.

CAP. XXI. Temperance and chastity also have disappeared. Socrates and Diogenes are dead, Epicurus and Aristippus still live; Phirinus is dead and Agladius survives; Troilus and Medea are dead, while Jason and Criseida remain ; Penelope and Lucretia have passed away, Circe and Calipso still live. The laws of marriage are no longer kept in these days, chaste love is all but unknown, and adultery everywhere prevails. Women have no modesty, no chastity, and no patience : vice blooms and flourishes, while the flower of virtue is trodden under foot.

LIBER SEPTIMUS.

CAP. I. Now the golden head of Nebuchadnezzar's statue is gone, and the feet of iron and clay remain : the world is in its final stage of deterioration. There are principally two causes, lechery, which leads to sloth, and avarice, which is ever unsatisfied.

CAP. II. The avaricious are merciless to the poor, and their hard hearts are typified by the iron of the statue. He is wretched who is ever desiring more, not he who has little and is content.

CAP. III. The fragile clay signifies the frailty of our flesh, which shows itself in fornication and adultery. There is also hypocrisy everywhere, which conceals the foulness within by a fair show without. Yet it will not escape detection.

CAP. IV. Things that were good are now changed into the opposite forms, truth into falsehood, wisdom into folly, love into lust, learned into ignorant; servants are become masters and masters servants. Nothing pleases now but flattery. Courts do not keep their former honour: knights there are in plenty, but little valour. Weakness grows and strength is depressed, there is much talk but little action, the burdens of war without the advantages. Justice has departed and fraud has taken its place; even those of one family feel envy and hatred one against another. Friendship is treacherous and seeks gain like a harlot: hatred is everywhere common, but love is as the phenix. There is no faith anywhere, and the right hand cannot trust the left. All cry out against the world and say that it is growing worse and worse.

CAP. V. The world is indeed full of evil and impurity, and this life is a perpetual warfare, in which all that is good perishes and all that is evil prevails. Even the elements of the world change and pass away, and much more human things. No degree is exempted: the hearts of kings are disturbed by fear of change, and terrors prevail in spite of royal banquets and bodyguards.

CAP. VI. Man was created for the service of God, and the world was given for his use. He was made in the image of God, and he learnt gradually the purpose of his creation and to love his Creator.

CAP. VII. All things were put under his feet, and were made to minister to him. He ought therefore to remember whence he is and who gave him these things. Again, when by man's sin the race of man was corrupted, the Creator himself restored and redeemed it, taking the form of a servant. Man ought therefore to confess him as Lord and follow his precepts with a devout mind.

CAP. VIII. Man is a microcosm or lesser world, and according as he does ill or well, the greater world is good or bad. Man ought therefore to aim at high things, and not to submit himself to the rule of sin.

CAP. IX. When death comes, when the throat is dry and the face bloodless, when the eyes are fixed and the tongue silent, when the pulse beats no more and the feet can no longer move, what then will the proud man say? The body in which he prided himself is now food for worms, his strength is less than that of a fly, and his beauty is turned into loathing. His wealth and his pomp avail him no longer, the serpent is his attendant and the charnel-house is his bed-chamber.

CAP. X. The envious man, who once gnawed upon others, is now himself devoured: he who laughed at the misfortunes of others, laughs now no more; the heart that so much murmured now suffers putrefaction; the sting of envy can pierce no more.

CAP. XI. He who was full of anger, now cannot move his head;

he who uttered furious words, now cannot make a sound; he who terrified others by his threats, now does not scare away the worm which eats his heart.

CAP. XII. What can avarice do for him who has served her? He has no chest but his coffin, no land but the seven feet of earth in which he lies. He who preyed upon others, is himself the prey of death; he who closed his purse against the poor, is now himself in want.

CAP. XIII. The slothful man who was given to sleep, has now abundance of it, with the cold earth instead of his soft bed-coverings. He who seldom came to the church, now never leaves it, but his time for prayer is past.

CAP. XIV. Gluttony is no longer a pleasure; the body which delighted in choice food and drink is now full of vileness and horror, the abode of foul reptiles.

CAP. XV. The man who took pleasure in lechery, delights in it now no more. His members are preyed upon by the serpent, and he can no longer use his hands, his eyes, or his tongue in the service of lust. No longer can he commit incest or violate the honour of virginity.

CAP. XVI. Answer, thou sinful man, what will thy pride do for thee then, thy envy, thy anger, thy sloth, thy gluttony, thy lechery, or thy avarice? All the glory of this world perishes and passes away.

CAP. XVII. Everything passes away, wealth, honour, beauty, power, learning, and pleasure. Our flesh grows old as a garment and we perish. He is happy and a true king who rules himself, he is a slave (though called a king) who is subject to his own vices. Our life is so short and death comes so soon, that we ought all to prepare for our journey hence. Death comes when we least expect it, and takes away our wealth and strength, nor can any man redeem himself with gold, or move with gifts the Judge who judges all things justly.

CAP. XVIII. Death is common to all, but to the good it is a cause of joy, to the evil of sorrow. The good will pass by means of death to a place of perfect peace and perfect joy, such as cannot be described or imagined.

CAP. XIX. The evil-doer has a twofold death, the death of the body and the death of the soul. No words can tell the torment of that second death, which is eternal. How terrible will the Judgement be and how direful the sentence! Happy are they who shall escape such punishment.

CAP. XX. Let each man remember what his condition is, and let him repent in time, turning himself to the service of his Creator. Let him submit to punishment in this life, that he may escape that which is eternal: for it is the property of God to forgive and to have mercy.

CAP. XXI. Almost everyone, however, follows the lusts of his flesh and neglects the cause of his soul. The unrighteous have power everywhere, and all vices flourish.

CAP. XXII. The days are coming which Christ foretold, and the signs which he predicted are visible now. God's sentence is still delayed, in order that the sinner may have room for repentance. Hardly even a few just men are found to save the world from destruction.

CAP. XXIII. Each one of the various degrees of society has departed from its true virtue, and the deadly vices have rule over the whole. Prelates are worldly, priests unchaste, scholars lazy, monks envious and self-indulgent, knights are evil livers, merchants defraud, peasants are disobedient and proud. The enticements of the world have overcome them all.

CAP. XXIV. I love all the realms of Christendom, but most of all I love this land in which I was born. From other lands I stand apart and am not involved in their calamities; but this country of mine, which brought me up from childhood and in which I dwell, cannot suffer evil without affecting me: by its burdens I am weighed down; if it stands, I stand, if it falls, I fall. Therefore it is that I bewail its present divisions.

One thing above all things is needful, and that is justice, with which is associated peace. If in other lands the sins of the flesh prevail, yet there they are to some extent compensated; for there justice prevails and all are equal before the law. Among us, however, not only is there carnal vice, but justice is absent; so that a terrible vengeance is being prepared for us by God.

We, who have always been favoured by fortune, are now brought low; this land, which was once reputed so wealthy, is now poor both in virtue and in possessions; my country, which was so strong, is made feeble by unjust judgements; she who was so fertile, is now sown with salt; she who had Fame for her sister, is now infamous, all her praise is taken away and her glory is departed. Her lords are sunk in sloth, her clergy is dissolute, her cities full of discord, her laws oppressive and without justice, her people discontented.

O land barren of virtue, where is thy past fortune? omens appear which presage thy fate, and all point to thee as an example. It is not by fortune or by chance that this comes about, but by our sins; and the grace of God even now may be found by repentance. I pray that God may show us his mercy and accept our tears. We know that thou, O God, art alone to be worshipped, that thou art the ruler of all things, and not fortune. Show pity therefore, O God!

CAP. XXV. Such were the verses which came to me by inspiration in my sleep. It is not I who speak them, but the common voice of all. Let him who feels himself in fault amend his ways, and he who feels himself free from fault may pass untouched. I accuse no man; let each examine his own conscience.

The world is neither evil nor good: each man may make of it what he will by his own life. ¹ But this I say, that sin committed and not purged by repentance receives at length its due reward.

The conclusion of the *Vox Clamantis*, as altered from the first version, is doubtless intended as a fitting form of introduction for the *Cronica Tripertita*, which comes in as an appendix added in later years. It will be noted as regards the prose which forms a transition to this, that Gower has in the end brought himself to think that the misfortunes of the earlier part of Richard's reign were intended as a special warning to the youthful king, whom he formerly relieved from responsibility on account of his tender age, and that the tyranny of his later time sprang naturally out of his disregard of this preliminary chastisement. This change of view is also to be traced in the successive forms assumed by the paragraph relating to the *Vox Clamantis* in the author's account of his books ('Quia vnusquisque,' &c.).

Of the contents of the *Cronica Tripertita* it is unnecessary that more should be said than is contained in the Notes to this edition. Of the remaining pieces the *Carmen super multiplici Viciorum Pestilencia* is dated by the author as belonging to the twentieth year of Richard II. The *Tractatus de Lucis Scrutinio* is probably somewhat later, and the poem 'O deus immense,' &c., is said in one of the titles prefixed to have been composed near the end of Richard's reign. Besides these there is a group of Latin poems referring to the accession of Henry IV, 'Rex celi, deus,' &c. adapted from the *Vox Clamantis*, 'H. aquile pullus,' and 'O recolende, bone,' with several short occasional pieces belonging to the last years of the author's life. One of these has reference to his blindness and to the end of his activity as an author which was caused by it, and in connexion with this we have also the epistle to Archbishop Arundel prefixed to the All Souls MS. of the *Vox Clamantis* and other Latin poems, and apparently meant to accompany the presentation of this particular copy. To Arundel also is addressed the short piece referring to the comet of March 1402, and finally we have the lines in which allusion is made to the short-comings of executors. It is probable also that the four lines which afterwards appeared upon the poet's tomb, 'Armigeri scutum,' &c., and which are given by the Glasgow MS., were written by Gower himself.

¹ In the first version, 'I am myself the worst of sinners, but may God grant me relief by his Spirit.'

Some reference ought perhaps to be made in conclusion to the list of Gower's works given by Bale and copied by others, with a view to the question whether he was acquainted with any works of Gower which are not known to us. In his *Scriptorum Illustrium Catalogus*, p. 524 (ed. 1559) he says that Gower wrote

'*Speculum Meditantis*, Gallice, Lib. 10.
'*Confessionem Amantis*, Anglice, Lib. 8, "Eorum qui ante nos scripserunt."
'*Vocem Clamantis*, Latine, Lib. 7, "Scripture veteris capiunt exempla."
'*De compunctione cordis*, Lib. 1.
'*Chronicon Ricardi Secundi*, Lib. 3, "Opus humanum est inquirere."
'*Chronicon tripertitum*, Lib. 3, "Tolle caput mundi C. ter et sex."
'*Ad Henricum quartum*, Lib. 1, "Nobilis ac digne rex Henrice."
'*De eodem rege Henrico*, Lib. 1, "Rex celi deus et dominus."
'*De peste vitiorum*, Lib. 1, "Non excusatur qui verum non fateatur."
'*Scrutinium lucis*, Lib. 1, "Heu quia per crebras humus est."
'*De coniugii dignitate*, Lib. 1, "Qualiter creator omnium rerum Deus."
'*De regimine principum*, "O deus immense, sub quo dominatur."
'*Epigrammata quaedam*, Lib. 1, "Alta petens aquila volat alitque."
'*De amoris varietate*, Lib. 1, "Est amor in glosa pax bellica."
'*Carmina diuersa*, Lib. 1, et alia plura.'

In regard to this list it may be observed first that in the two cases where the beginning of the book or piece in question is not cited, we may safely assume that Bale had not seen it. This applies to the *Speculum Meditantis* and the supposed piece *De compunctione cordis*, of which I can give no account. It will be observed that he makes the short prose preface to the *Cronica Tripertita*, 'Opus humanum est inquirere' &c., into a separate work in three books. The other items are all recognizable, except '*Epigrammata quaedam*, Lib. 1, "Alta petens aquila volat alitque."' Here we may observe that the quotation is from *Vox Clamantis* vi. 985, 'Alta petens aquila volat alite celsius omni,' &c. (a passage taken from the *Aurora*); and on referring to Bale's unpublished papers[1] we find the description of this supposed book of epigrams in the following form, 'Ex suo libro et sanctifidensi chron. Epigrammata edidit, li. 1, "Alta petens aquila volat alite,"' whence we should gather that the book referred to was a collection of quotations. It is probable that Bale may have

---

[1] Communicated to me by Miss Bateson.

MANUSCRIPTS

seen in some Gower MS. a selection of sententious passages from the *Vox Clamantis* and other places, such as we actually have on one of the blank leaves of the Digby MS. (f. 160), beginning 'Vulturis est hominum natura cadauera velle,' again one of those allegories of bird nature which were borrowed by Gower from the *Aurora*.

It may be noted here that in the same passage of Bale's unpublished papers we have the following statement:

'De triplici opere hoc carmen est super eius tumbam editum,
  Quos viuens legi libros nunc offero regi,
  Cuius habent legi secula cuncta regi.'

Also the following is given as the epitaph of his wife,

'Quam bonitas, pietas, elemosina, casta voluntas,
Sobrietas que fides coluerunt, hic iacet Agnes.
Vxor amans, humilis Gower fuit illa Ioannis:
  Donet ei summus celica regna Deus.'

These statements seem to be given by Bale on the authority of Nicholas Brigham, to whom we owe the tomb of Chaucer in Westminster Abbey.

The Text and the Manuscripts.

Gower's principal Latin work, the *Vox Clamantis*, is found in ten manuscripts altogether. Of these four are evidently contemporary with the author and contain also the *Cronica Tripertita* and most of the other Latin poems printed in this volume. Some of these last are found also in other MSS. of the *Vox Clamantis*, some Latin pieces are contained in the Trentham MS. of the *Praise of Peace* and the *Cinkante Balades* (described in vol. i. p. lxxix), and the *Cronica Tripertita* occurs separately in the Bodleian MS. Hatton 92. Copies of the *Carmen de multiplici Viciorum Pestilencia* are contained in some MSS. of the *Confessio Amantis*, viz. TBΛP$_2$ of the second recension, and FH$_2$K of the third, and with regard to these the reader is referred to the account given of the manuscripts in the Introduction to the second volume of this edition.

Of the four manuscripts of the *Vox Clamantis* with other Latin poems, which have been referred to as contemporary with the author, one is at Oxford, in the library of All Souls College, one at Glasgow in the Hunterian Museum, and two in London. They are proved to be original copies, not only by the handwriting of the text, which in each case is distinctly of the fourteenth century, but also by the fact that they all have author's corrections written over erasure, and in several cases the same hand is recognizable throughout. The original text of the *Vox Clamantis* seems to be written in one and the same hand in the All Souls and Glasgow MSS. and this hand is also that of the lines supplied occasionally in the margin of the Harleian: the hand in which the text of the *Cronica Tripertita* is written in the All Souls MS. appears also in all the other three, and the same is the case with some of the correctors' hands, as will be seen in the detailed accounts which follow. Of the other manuscripts of the *Vox Clamantis* two, which are not themselves original copies, give the text in its first (unrevised) form, the rest are more or less in agreement with the revised text, but give it at second or third hand, with no alterations made over erasure.

S. ALL SOULS COLLEGE, OXF. 98. Contains, f. 1 v°, Epistle to Archbishop Arundel, ff. 2–116, *Vox Clamantis*, ff. 116–126 v°, *Cronica Tripertita*, ff. 126 v°–127 v°, 'Rex celi deus,' ' H. aquile pullus,' ' O recolende bone,' ff. 127 v°–131, *Carmen super multiplici Viciorum Pestilencia*, f. 131, *Tractatus de Lucis Scrutinio* (imperfect at the end owing to the loss of a leaf), ff. 132–135, *Traitié pour ensampler les Amantz marietz*, (imperfect at the beginning), f. 135 v°, ' Quia vnusquisque,' ff. 136, 137, 'Eneidos Bucolis,' 'O deus immense,' 'Quicquid homo scribat' (f. 137 v° blank). Parchment, ff. 137 as numbered (and in addition several blank at the beginning and end) measuring $12\frac{1}{2} \times 8\frac{1}{4}$ in. Well and regularly written in single column, the *Vox Clamantis* 48 lines on a page and the succeeding poems 52. The original first quire begins with f. 2, but before this a quire of four leaves (probably) was inserted, of which the first two are blank, the third is cut away, and the fourth has on its verso the Epistle to the Archbishop. The quire which ends with f. 116 has seven leaves only, and that ending with f. 137 six. After this several leaves have been inserted, which remain blank. The book has on f. 1 an ornamental initial S containing a miniature of Abp. Arundel in his robes and mitre, and there are large coloured and gilt capitals at the beginning of each book of the *Vox Clamantis*, and coloured initials of various sizes for chapters and paragraphs. Original oak binding.

Five leaves are lost (apart from blanks at the beginning and end), as follows.

After f. 2 one leaf containing chapter-headings of *Vox Clamantis* Lib. ii. cap. ii–Lib. iii. cap. xxii. After f. 5 two leaves, containing

MANUSCRIPTS

lxi

chapter-headings Lib. vii. cap. xix to the end, the lines 'Ad mundum mitto,' probably with a picture of the author, and *Vox Clamantis* Lib. i. Prologus, ll. 1-18. After f. 13 one leaf (*Vox Clamantis* i. 766-856). After f. 131 one leaf (*De Lucis Scrutinio* 93-103, probably some other short piece, and the French *Traitié*, to iii. 3).

This MS. was certainly written and corrected under the direction of the author, and remained for some time in his hands, receiving addition from time to time. From the *Epistola* at the beginning, which occurs here only and seems to relate to this volume in particular, we may gather that it was eventually presented to Abp. Arundel. It is possible that it passed from him to his successor Chichele, and so to the College of All Souls, where it now is, but there seems to be no definite evidence to confirm this suggestion.

The text of S in the *Vox Clamantis* agrees in the main as regards revised passages with that of the other original manuscripts C, H and G, but in some respects it is peculiar. In Lib. iii. cap. i. S has a rewritten version which differs from that of the other revised copies, and the same is the case with regard to the lines 'Quicquid homo scribat' (p. 365). There are also some places, as iv. 1072, 1197-1232, v. 450, where S retains the original text in company with TH_2 or even with H_2 alone. A few possibly right readings are peculiar to S, as in i. 1788, 2073, ii. 300, iii. 380 (margin), 1642, v. 325, vi. 555, while some others are common to S with G alone, some few small mistakes remain uncorrected, as in i. 106, 953, 1212, 1591, 1662, iii. 176, 989, 1214, 1541, 1695, iv. 273, 336 &c., and in some cases, where the headings of chapters have been rewritten, as vi. cap. xviii, xix, the original headings are left standing in the Table of Chapters at the beginning.

At least five hands are distinguishable, as follows:

(1) the original text of the *Vox Clamantis*.

(2) the original text of the succeeding poems, French and Latin, and the rewritten text or corrections on ff. 15 v⁰ (i. 1019), 90 v⁰ (vi. 545), 97 (vi. 1159), 115 v⁰ (vii. 1454 f., 1469 f.), 116 (last lines of *Vox Clamantis*).

(3) the original text and (probably) the corrections of the *Epistola*, f. j, and the corrections or rewritten text on ff. 36 v⁰ (iii. 2 ff.), 39 (iii. cap. iv. heading), 97 v⁰ (vi. 1189), 98 (vi. 1219 ff.), 115 r⁰ (vii. 1409 ff.), 116 (first lines of *Cron. Trip.*), 126 v⁰, 127 v⁰, and the text of 'Quicquid homo scribat.'

(4) marginal note on f. 40 v⁰, 'Nota de bello Cleri' &c. (iii. 375).

(5) marginal note on f. 66, 'Nota quod Genius' &c. (iv. 587).

In addition there are some marginal notes which are not quite contemporary, as those on ff. 51 v⁰, 52, 76 v⁰, 77 ('Contra rectores Oxon.' &c., 'Nota de muliere bona' &c.), and the heading of the last piece on f. 137 seems to have been rewritten over a hand different from any of the above, of which some words remain. A few corrections are in doubtful hands, as vi. 1208.

Of the above hands the first, very regularly written in a fourteenth century character, in brown ink, is probably the same as that of the *Vox Clamantis* in G, and the same scribe apparently wrote the lines which are supplied sometimes in the margin of H, having been dropped out of the text by the first copyist. The second (2) is also a very neat and regular hand, but of a somewhat later type. It appears in the French and Latin poems of MS.

Fairfax 3, as well as in the substituted leaf at the beginning of the *Confessio Amantis* in that manuscript. It is also used for the *Cronica Tripertita*, *Traitié* and other pieces in the Glasgow MS. (G), for the *Cron. Tripertita* and other Latin pieces in H, and for some of the rewritten passages of the *Vox Clamantis* in G, H, and C. The third (3) is a rather rough hand, found also occasionally in corrections of G and H. The fourth (4) is that in which the same marginal note is written also in C, H and G.

G. GLASGOW HUNTERIAN MUSEUM T. 2, 17. Contains, ff. 1-108, *Vox Clamantis* preceded by the Table of Chapters, ff. 109-119, *Cronica Tripertita*, ff. 119, 120, 'H. aquile pullus,' 'O recolende,' 'Quia vnusquisque,' 'Eneidos Bucolis,' ff. 120 v°-122, *Carmen super multiplici Viciorum Pestilencia*, ff. 123, 124, *Tractatus de Lucis Scrutinio*, f. 124 v°, *Traitié pour ensampler les Amantz marietz* followed by *Carmen de variis in amore passionibus*, f. 129, 'Orantibus pro anima,' with shield of arms and the lines 'Armigeri scutum,' and below this a bier with candle at head and foot, f. 129 v°, 'Epistola quam Iohannes Gower in laudem . . . Henrici quarti statim post coronacionem . . . deuote composuit,' f. 130 v°, 'O deus immense,' f. 131 v°, 'Henrici regis,' 'Vnanimes esse,' f. 132, 'Presul, ouile regis,' 'Cultor in ecclesia,' 'Dicunt scripture,' f. 132 v° blank.

Parchment, ff. 132 in quires of eight leaves (except the first, which has six) with catchwords, measuring $11\frac{3}{4} \times 7\frac{3}{4}$ in., 53 lines to the page in the *Vox Clamantis*, then 52 or 51, regularly and well written with passages erased and rewritten as in CH. On f. 6 v° is a painting like that in the Cotton MS. of a man in a brown hat, a blue coat with brown lining, and with three arrows in his belt, shooting an arrow at the globe (which has a threefold division corresponding to the three elements of air, earth, and water), with the lines 'Ad mundum mitto mea iacula' &c. There is a floreated page at the beginning of Lib. i. (after the Prologue) and illuminated initials with decoration at the beginning of the other books; large and small coloured capitals for chapters and paragraphs.

I have to thank Dr. Young the Librarian of the Hunterian Museum, for facilities given to me in using this MS. and for his kind help in collating and describing it.

The text of G has, as might be expected, a close affinity with that of S, but the peculiarities of S as regards revision in certain passages, e. g. iii. 1 ff., iv. 1197 ff., are not shared by this MS., which goes here with the other revised copies, C and H. In one place at least G has a further touch of revision, viz. in the heading of vi. cap. vii., where its reading is shared by D. In a good many instances, however, G stands with S (sometimes in company with D or L) in support of a probably true reading which is not given by other MSS., as i. 465, 468, 979, 1454, iv. 72, v. 789, vii. 684, 1342, or of an error, as i. 1525, 1870, iii. 1863, iv. 799. It may be noted that sometimes in G an erasure has been made without the correction being supplied.

The following are some of the hands that may be distinguished in this manuscript:

MANUSCRIPTS

(1) Text of the *Vox Clamantis*. This seems to be the same as S (1), H (2).

(2) Text of the *Cronica Tripertita* and succeeding pieces to f. 131 r°., passages rewritten over erasure in vi. 545 ff., 1159 ff. and in the conclusion of the *Vox Clamantis*. This is the same as S (2), C (3), H (3).

(3) Corrections in vi. cap. xix., vii. cap. iii. and xxiv, rewritten lines at the beginning and near the end of the *Cronica Tripertita*, text of the poem 'Henrici Regis' with its heading, f. 131. Perhaps the same as S (3).

(4) The marginal note at iii. 375 : the same as S (4), C (6), H (6).

(5) The text of ' Vnanimes esse' and the succeeding poems on ff. 131 v°, 132.

C. COTTON. TIB. A. iv, British Museum. Contains, ff. 2–152 v°, *Vox Clamantis*, ff. 153–167 r°, 'Explicit libellus' &c. and *Cronica Tripertita*, f. 167, ' Rex celi deus,' ' H. aquile pullus,' ' O recolende bone,' ff. 168–172, *Carmen super multiplici Viciorum Pestilencia*, ff. 172 v°–174, *Tractatus de Lucis Scrutinio*, ff. 174 v°, 175, ' Quia vnusquisque,' 'Eneidos Bucolis,' ' Orate pro anima,' ' O deus immense,' ff. 176, 177, ' Henrici regis,' ' Vnanimes esse,' ' Presul, ouile regis,' ' Cultor in ecclesia,' ' Dicunt scripture.' Ends on 177 r°. Parchment, ff. 178, that is, 176 leaves of original text, preceded by two blanks, on the second of which is Sir Robert Cotton's Table of Contents, ending ' Liber vt videtur ipsius autoris,' the first leaf of the text being now numbered f. 2. In quires of eight with catchwords, signed *a*, *b*, *c*, &c. from f. 10 (where the text of the *Vox Clamantis* begins) the first quire, containing the chapter-headings &c., written in a hand different from that of the main part of the text. Leaves measure about 10 × 6½ in. Written in single column, 38 lines to the page in the *Vox Clamantis*, 40 or more in the *Cronica Tripertita*. The MS. has been carefully corrected, and revised passages appear written over erasure as in SGH. Capitals coloured and gilded at the beginning of the books, coloured blue and red at the beginning of chapters and paragraphs. On f. 9, the last of the first quire, a picture like that in the Glasgow MS., of the author shooting at the world, as shown in the frontispiece of this volume.

On f. 2 is written ' Roberti Cotton liber ex dono doctissimi Patricii Youngi generosi.' The book suffered somewhat in the fire of 1731, but it has been carefully and skilfully repaired, and though the writing at the top of each page shows traces of the heat, no part of it is illegible. The effect produced is clearly visible on the page of which a facsimile is given.

The text of C is a very good one and unquestionably independent. In regard to spelling it may be observed that the copyist of the *Vox Clamantis* frequently gives 'u' for 'v' at the beginning of words, he writes 'sed' almost always for ' set,' and often ' ti' for ' ci' in words like ' etiam,' ' ratio,' ' patiens ' and even ' fatie' (ii. 57), but also ' eciam,' ' ambicio,' ' precium,' &c.

The following are the hands, so far as they can be distinguished:

(1) Text of the *Vox Clamantis*, a small and somewhat irregular but clear hand, of the fourteenth century.

(2) The eight leaves preceding this (containing the chapter-headings), and also ff. 96, 97 and part of 140. This hand has made corrections throughout, not revising the text, as the author might, but setting right the mistakes of the scribe.

The (3) following passages as rewritten over erasure: i. 1019 ff., vi. 545-554, and also the prose heading of the first part of the *Cronica Tripertita*. This is the 'second hand' of the Fairfax MS., the same as S (2), G (2), H (3).

(4) The passage rewritten over erasure in iii. 1 ff., also the heading of iii. cap. iv., corrections in iv. 1198 ff., and iv. 1221*-1232* rewritten over erasure. This is a neat round hand used also in the same places of the Harleian MS.

(5) The passage 'Rex puer,' &c., vi. 555-580, and vi. cap. xviii, with the heading of cap. xix., over erasure, a hand which resembles (3), but does not seem to be identical with it.

(6) The marginal note at iii. 375 and perhaps also iv. 587, and the marginal note at the end of the *Cronica Tripertita*; also f. 176 'Nota hic in fine—intendo,' and the lines 'Henrici regis,' &c. This is the same as S (4), G (4), H (6).

(7) Corrections in vi. 1208, 1210: the same as H (7), and the correction of vi. 1210 in S.

(8) Corrections in vi. 1219 ff., and vii. 187 ff.

(9) Text of *Cronica Tripertita* and the succeeding pieces to f. 168: a rather rough and irregular hand in faded ink.

(10) Marginal notes of *Cronica Tripertita* and text of *Carmen super multiplici* &c. from f. 169, 'Ad fidei dampnum' to the end of 'O deus immense,' f. 176.

(11) The four smaller poems at the end (possibly with the exception of 'Cultor in ecclesia'). The same as H (9).

(12) The lines at the beginning and near the end of the *Cronica Tripertita* (over erasure).

Some other corrections are doubtful, as the concluding lines of the *Vox Clamantis*.

H. HARLEIAN 6291, British Museum. Contains the same as C, except where deficient from loss of leaves, with the addition of a second copy of the last three poems. Parchment ff. 164, measuring 9 × 6 in., in quires of eight with catchwords, 37 lines to the page, regularly and neatly written. No decoration except coloured initials. Has lost probably two whole quires, 16 leaves, at the beginning, and begins with *Vox Clamantis*, i. 502. The first existing quire is lettered 'b,' and this is also the lettering of the third quire of the Cotton MS., the first, which has the Table of Chapters, not being counted in the lettering. In addition to these, one leaf is lost after f. 1 (containing *Vox Clamantis*, i. 571-644), two after f. 58 (iii. 1716-1854), one after f. 108 (vi. 951-1021), one after f. 133 (vii. 1399-1466). This last leaf formed part of a quire of 12, which followed f. 124, at the end of the *Vox Clamantis*. Of these the last three have been cut away, but only one leaf of text is lost, f. 134 continuing at 1467, and the concluding lines of the *Vox Clamantis* being here given in the hand which copied the *Cronica*

MANUSCRIPTS

Tripertita, &c. The last quire of that book, ff. 158–164 (one leaf lost at the end), has several blanks (162, 163, 164 v⁰).

In a good many instances passages of from two to six lines are omitted in the text and inserted in the margin, either across or at the bottom of the page, in a hand which seems not to be that of the text, though very similar, and is probably identical with S (1). This occurs on ff. 41, 74, 76, 78, &c.

The text of H is very correct, and in forms of spelling, &c. it closely resembles that of S. There is little punctuation at first, but more afterwards. In form of text it agrees nearly with C, but (1) the marginal note at iv. 587 is omitted, (2) as regards revision H parts company with C at vi. 1219, from which point H has the unrevised text in agreement with EDTH$_2$ except in the concluding lines of the *Vox Clamantis* on f. 134, which, as already remarked, are rewritten in a new hand.

The hands of H may be thus distinguished:

(1) Text of the *Vox Clamantis*, a good and regular fourteenth-century hand.

(2) Passages added in the margin, probably the same as S (1).

(3) Rewritten text of i. 1019 ff., vi. 545–580, vi. cap. xviii and heading of xix, last lines of *Vox Clamantis*, text of *Cronica Tripertita* and succeeding pieces to the end of 'O deus immense' f. 159 v⁰. This is the same as S (2), G (2), C (3).

(4) Rewritten text of iii. 1 ff., corrections of iv. 1212, 1214, and rewritten text of 1221*–1232*; also f. 160, 'Nota hic in fine' &c. to end of f. 161 r⁰. This is the same as C (4).

(5) Correction of the heading of iii. cap. iv, the same as S (3).

(6) Marginal note at iii. 375, the same as S (4), G (4), C (6).

(7) Corrections of vi. 1208, 1210, and of *Cronica Tripertita* i. 55 f. and some other places: the same as C (7).

(8) Rewritten passages at the beginning and near the end of the *Cronica Tripertita*, the same as C (12).

(9) Second copy of the last poems (on f. 164), the same hand as C (11).

E. At ECTON, near Northampton, in the possession of General Sotheby, who very kindly sent it to the Bodleian Library for my use. Contains *Vox Clamantis, Carmen super multiplici Viciorum Pestilencia, Tractatus de Lucis Scrutinio,* 'O deus immense,' 'Cultor in ecclesia,' 'Vnanimes esse,' 'Dicunt scripture.' Parchment, ff. 191, measuring about $9 \times 6\frac{1}{4}$ in., in quires of eight with catch-words, the last quire of seven leaves only (two blank). Neatly written in a good hand of the end of the fourteenth century, in single column, 32 lines to a page. On f. 10 a brightly coloured picture of an archer drawing a bow to shoot at the world, with the lines 'Ad mundum mitto,' &c., as in the Cotton and Glasgow MSS., but the figure and features are different, and evidently the picture has less claim to be considered an authentic portrait than those of the two MSS. above named. The headings of pages and chapters are in red, and there are coloured initials and other decorations throughout. The whole is written in one hand, and there are no corrections or erasures such as might indicate that the book had been in the hands of the author.

The manuscript seems to have been in the possession of the Sotheby family since 1702, when it was 'bought at Lord Burgley's sale for £1 2s. 0d.' No leaves are lost, but two are transposed at the end of the fourth and beginning of the fifth books.

The text is very fairly correct, and the MS. is closely related to C both in text and spelling (for which see i. Prol. 37 f., i. 21, 95, 447, 1706, 1776, 2017, ii. 174, 311 &c.), but not derived from it (see i. 41, 1626, 2094, iii. 1760 f., v. 785 f.). The passages which in C and the other original copies are rewritten over erasure, as iii. 1 ff., vi. 1161 ff., are usually given by E in the revised form, but the marginal notes at iii. 375 and iv. 587 are omitted. Occasionally too, where C has a correction, E gives the original reading in company with H, as iii. 840, v. 785 f., and especially in the passages vi. 1219 ff. and vii. 182 ff., where H no longer agrees with SCG in corrections, we find that E goes with H. In the final poems E shows some independence as regards marginal notes, e. g. in the last piece, where instead of 'Nota contra mortuorum executores,' we find the much more pointed, though doubtfully grammatical, remark, 'Nota quod bonum est vnicuique esse executor sui ipsius.' This is the only MS. except CHG which contains the short pieces at the end, and the omission from these of 'Presul, ouile regis' may be an indication that the MS. was written before 1402.

As regards the picture in this MS., the features of the archer are quite different from those represented in the Cotton MS. He has a prominent pointed nose and a light-coloured moustache and beard; the arrow, held between the fore-finger and the second and aimed upwards, covers the mouth. The dress consists of a grey fur cap with a hood under it of light crimson, covering also the upper part of the body : below this a blue surcoat with brown lining and wide sleeves thrown back so as to leave the arms bare : a red belt with buckle and pendant, and red hose. The globe is at a higher level and smaller in proportion than in the other pictures. Like them it is divided into three, the left hand upper division having a crescent moon and four stars : a red cross with a banner stands at the summit of the globe.

D. DIGBY 138, Bodleian Library, Oxford. Contains *Vox Clamantis* only, preceded by the Table of Chapter-headings. Parchment and paper, ff. 158 originally, with other leaves inserted at the beginning and end in the sixteenth century; about $10\frac{1}{2} \times 7\frac{1}{4}$ in., in quires of eight with catchwords; neat writing of the second quarter of the fifteenth century, about 37 lines to the page. No decoration except red and blue initials, numbering of chapters in red, &c. The rubricator has introduced some corrections here and there, but there are no passages rewritten over erasure. There is some transposition of leaves in the fourteenth quire, dating from before the rubricator's numbering of chapters. The name of a sixteenth-century owner, Roger Waller,

MANUSCRIPTS

occurs on f. 158 v⁰. and Kenelm Digby's device, 'Vindica te tibi, Kenelme Digby,' on f. 1.

The text of D is of a mixed character. Sometimes, in company with TH₂, it reproduces the original form of a passage, as i. 1029 ff., vi. cap. xviii and xix, vii. 189 f., 1409 ff., 1454 ff., 1479 ff. In other places, as iii. 1 ff., vi. 545, and elsewhere, the readings of D are those of the revised MSS. It is peculiar in the addition after vi. 522, where eight lines are introduced from the original text of the altered passage which follows at the end of the chapter. The text of D generally is much less correct than that of the older copies, and it is derived from a MS. which had lines missing here and there, as indicated by the 'deficit versus in copia,' which occurs sometimes in the margin. In the numbering of the chapters the Prologues of Libb. ii. and iii. are reckoned as cap. i. in each case. The corrections and notes of the rubricator are not always sound, and sometimes we find in the margin attempts to improve the author's metre, in a seventeenth-century hand, as 'Et qui pauca tenet' for 'Qui tenet et pauca' (ii. 70), 'Causa tamen credo' for 'Credo tamen causa' (ii. 84). Some of these late alterations have been admitted (strange to say) into Mr. Coxe's text (e. g. ii. 70).

The book is made up of parchment and paper in equal proportions, the outer and inner leaves of each quire being of parchment. Sixteen leaves of paper have been inserted at the beginning and twelve at the end of the book, easily distinguished by the water-mark and chain-lines from the paper originally used in the book itself. Most of these are blank, but some have writing, mostly in sixteenth-century hands. There are medical prescriptions and cooking recipes in English, selections of gnomic and other passages from the *Vox Clamantis*, among which are the lines 'Ad mundum mitto,' &c., which do not occur in the Digby text, four Latin lines on the merits of the papal court beginning 'Pauperibus sua dat gratis,' which when read backwards convey an opposite sense, the stanzas by Queen Elizabeth 'The dowte of future force (*corr*. foes) Exiles my presente ioye, And wytt me warnes to shonne suche snares As threten myne annoye' (eight four-line stanzas).

With regard to the connexion between D and L see below on the Laud MS.

L. LAUD 719, Bodleian Library, Oxford. Contains *Vox Clamantis* (without Table of Chapters and with omission of Lib. i. 165-2150), *Carmen*] *super multiplici Viciorum Pestilencia, Tractatus de Lucis Scrutinio, Carmen de variis in amore passionibus,* 'Lex docet auctorum,' 'Quis sit vel qualis,' 'H. aquile pullus,' and seven more Latin lines of obscure meaning ('Inter saxosum montem,' &c.), which are not found in other Gower MSS. Parchment and paper, ff. 170 (not including four original blank leaves at the beginning and several miscellaneous leaves at the end), in quires usually of fourteen leaves, but the first of twelve and the second of six, measuring about $8\frac{1}{2} \times 5\frac{3}{4}$ in., about 27 lines to the page, moderately well written with a good many contractions, in the same hand throughout with no corrections, of the second quarter of the fifteenth century. There is a roughly drawn picture of an archer aiming at the globe on f. 21, and the chapters have red initial letters. Original oak binding.

The names 'Thomas Eymis' and 'William Turner' occur as those of sixteenth-century owners. The note on the inside of the binding, 'Henry Beauchamp lyeing in St. John strete at the iii. Cuppes,' can hardly be taken to indicate ownership.

The most noticeable fact about the text of this MS. is one to which no attention has hitherto been called, viz. the omission of the whole history of the Peasants' Revolt. After Lib. i. cap. i. the whole of the remainder of the first book (nearly 2,000 lines) is omitted without any note of deficiency, and we pass on to the Prologue of Lib. ii, not so named here, but standing as the second chapter of Lib. i. (the chapters not being numbered however in this MS.). After what we commonly call the second book follows the heading of the Prologue of Lib. iii, but without any indication that a new book is begun. Lib. iv. is marked by the rubricator as 'liber iii^{us},' Lib. v. as 'liber iiii^{us},' and so on to the end, making six books instead of seven; but there are traces of another numbering, apparently by the scribe who wrote the text, according to which Lib. v. was reckoned as 'liber iii^{us},' Lib. iv. as 'liber iiii^{us}' and Lib. vii. as 'liber v^{us}.' It has been already observed that there is internal evidence to show that this arrangement in five (or six) books may have been the original form of the text of the *Vox Clamantis*. At the same time it must be noted that this form is given by no other MS. except the Lincoln book, which is certainly copied from L, and that the nature of the connexion between L and D seems to indicate that these two MSS. are ultimately derived from the same source. This connexion, established by a complete collation of the two MSS., extends apparently throughout the whole of the text of L. We have, for example, in both, i. Prol. 27, laudes, 58 Huius ergo, ii. 94 et ibi, 312 causat, 614 Ingenuitque, iii. 4 mundus, 296 ei, 407 amor (*for* maior), 536 Hec, 750 timidus, 758 curremus, 882 iuris, 1026 Nil, 1223 mundus, 1228 bona, 1491 egras, 1584 racio, 1655 Inde vola, 1777 ibi, 1868 timet, 1906 seruet, 2075, 2080 qui, iv. 52 vrbe, 99 tegit, and so on. The common source was not an immediate one, for words omitted by D with a blank or 'deficit' as iii. 641, vii. 487 are found in L, and the words 'nescit,' 'deus,' which are omitted with a blank left in L at iii. 1574 and vi. 349 are found in D. If we suppose a common source, we must assume either that the first book was found in it entire and deliberately omitted, with alteration of the numbering of the books, by the copyist of the MS. from which L is more immediately derived, or that it was not found, and that the copyist of the original of D supplied it from another source.

It should be noted that the MS. from which L is ultimately derived must have had alternative versions of some of the revised passages, for in vi. cap. xviii. and also vi. l. 1208 L gives both the revised and the unrevised form. As a rule in the matter of revision L agrees with D, but not in the corrections of vi. 1208-1226, where D has the uncorrected form and L the other. We may note especially the reading of L in vi. 1224.

The following are the Latin lines which occur on f. 170 after '[H.] Aquile pullus,' &c.

'Inter saxosum montem campumque nodosum
  Periit Anglica gens fraude sua propria.

MANUSCRIPTS   lxix

> Homo dicitur, Cristus, virgo, Sathan, non iniustus fragilisque,
> Est peccator homo simpliciterque notat.
> Vlcio, mandatum, cetus, tutela, potestas,
> Pars incarnatus, presencia, vis memorandi,
> Ista manus seruat infallax voce sub vna.'

The second of the parchment blanks at the beginning has a note in the original hand of the MS. on the marriage of the devil and the birth of his nine daughters, who were assigned to various classes of human society, Simony to the prelates, Hypocrisy to the religious orders, and so on. At the end of the book there are two leaves with theological and other notes in the same hand, and two cut for purposes of binding from leaves of an older MS. of Latin hymns, &c. with music.

L2. LINCOLN CATHEDRAL LIBRARY, A. 72, very obligingly placed at my disposal in the Bodleian by the Librarian, with authority from the Dean and Chapter. Contains the same as L, including the enigmatical lines above quoted. Paper, ff. 184, measuring about 8 × 6 in. neatly written in an early sixteenth-century hand, about 26 lines to the page. No coloured initials, but space left for them and on f. 21 for a picture corresponding to that on f. 21 of the Laud MS. Neither books nor chapters numbered. Marked in pencil as 'one of Dean Honywood's, No. 53.'

Certainly copied from L, giving a precisely similar form of text and agreeing almost always in the minutest details.

T. TRINITY COLLEGE, DUBLIN, D. 4, 6, kindly sent to the Bodleian for my use by the Librarian, with the authority of the Provost and Fellows. Contains *Vox Clamantis* without Table of Chapters, followed by the account of the author's books, 'Quia vnusquisque,' &c. Parchment, ff. 144 (two blank) in seventeen quires, usually of eight leaves, but the first and sixteenth of ten and the last of twelve; written in an early fifteenth-century hand, 36-39 lines to the page, no passages erased or rewritten. Coloured initials.

This, in agreement with the Hatfield book (H_2), gives the original form of all the passages which were revised or rewritten. It is apparently a careless copy of a good text, with many mistakes, some of which are corrected. The scribe either did not understand what he was writing or did not attend to the meaning, and a good many lines and couplets have been carelessly dropped out, as i. 873, 1360, 1749, 1800, ii. Prol. 24 f., ii. 561 f., iii. 281, 394 f., 943 f., 1154, 1767-1770, 1830, iv. 516 f., 684, v. 142-145, 528-530, vi. 829 f., vii. 688 f., 1099 f.

The blank leaf at the beginning, which is partly cut away, has in an early hand the lines

> 'In Kent alle car by gan, ibi pauci sunt sapientes,
> In a Route thise Rebaudis ran sua trepida arma gerentes,'

for which cp. Wright's *Political Poems*, Rolls Series, 14, vol. i. p. 225.

H2. HATFIELD HALL, in the possession of the Marquess of Salisbury, by whose kind permission I was allowed to examine it. Contains the *Vox Clamantis*, preceded by the Table of Chapters. Parchment, ff. 144 (not counting blanks), about $9\frac{1}{2} \times 6\frac{1}{4}$ in., in eighteen quires of eight with catchwords; neatly written in a hand of the first half of the fifteenth century, 40 lines to the page. There is a richly illuminated border round three sides of the page where the Prologue of the *Vox Clamantis* begins, and also on the next, at the beginning of the first book, and floreated decorations at the beginning of each succeeding book, with illuminated capitals throughout. The catchwords are sometimes ornamented with neat drawings.

The book has a certain additional interest derived from the fact that it belonged to the celebrated Lord Burleigh, and was evidently read by him with some interest, as is indicated by various notes.

This MS., of which the text is fairly correct, is written in one hand throughout, and with T it represents, so far as we can judge, the original form of the text in all the revised passages. In some few cases, as iv. 1073, v. 450, H2 seems to give the original reading, where T agrees with the revised MSS.

On the last leaf we find an interesting note about the decoration of the book and the parchment used, written small in red below the 'Explicit,' which I read as follows: '100 and li. 51 blew letteris, 4 co. smale letteris and more, gold letteris 8 : 18 quayers. price velom v s. vi d.' There are in fact about 150 of the larger blue initials with red lines round them, the smaller letters, of which I understand the account reckons 400 and more, being those at the beginning of paragraphs, blue and red alternately. The eight gold letters are those at the beginning of the first prologue and the seven books.

The following notes are in the hand of Lord Burleigh, as I am informed by Mr. R. T. Gunton : 'Vox Clamantis' on the first page, 'nomine Authoris' and 'Anno 4 Regis Ricardi' in the margin of the prologue to the first book, 'Thomas arch., Simon arch.,' opposite i. 1055 f., 'Amoris effectus' near the beginning of Lib. v, 'Laus Edw. princ. patris Ricardi 2' at Lib. vi. cap. xiii, and a few more.

C2. COTTON, TITUS, A, 13, British Museum. Contains on ff. 105–137 a part of the *Vox Clamantis*, beginning with the Prologue of Lib. i. and continuing to Lib. iii. l. 116, where it is left unfinished. Paper, leaves measuring $8\frac{1}{4} \times 6$ in. written in a current sixteenth-century hand with an irregular number of lines (about 38–70) to the page. Headed, 'De populari tumultu et rebellione. Anno quarto Ricardi secundi.'

Text copied from D, as is shown by minute agreement in almost every particular.

H3. HATTON 92, Bodleian Library, Oxford. This contains, among other things of a miscellaneous kind, Gower's *Cronica Tripertita*, followed by '[H.] aquile pullus,' 'O recolende,' and 'Rex celi deus,' altogether occupying 21½ leaves of parchment, measuring 7¾ × 5½ in. Neatly written in hands of the first half of the fifteenth century, about 28–30 lines to the page, the text in one hand and the margin in another.

Begins, 'Prologus. Opus humanum est—constituit.'

Then the seven lines, 'Ista tripertita—vincit amor,' followed by ' Explicit prologus.' After this,

'Incipit cronica iohannis Gower de tempore Regis Ricardi secundi vsque ad secundum annum Henrici quarti.

Incipit prohemium Cronice Iohannis Gower.

Postquam in quodam libello, qui vox clamantis dicitur, quem Iohannes Gower nuper versificatum composuit super hoc quod tempore Regis Ricardi secundi anno Regni sui quarto vulgaris in anglia populus contra ipsum Regem quasi ex virga dei notabiliter insurrexit manifestius tractatum existit, iam in hoc presenti Cronica, que tripertita est, super quibusdam aliis infortuniis,' &c.

Ends (after 'sint tibi regna poli'), 'Expliciunt carmina Iohannis Gower, que scripta sunt vsque nunc, quod est in anno domini Regis prenotati secundo, et quia confractus ego tam senectute quam aliis infirmitatibus vlterius scribere discrete non sufficio, Scribat qui veniet post me discrecior Alter, Amodo namque manus et mea penna silent. Hoc tamen infine verborum queso meorum, prospera quod statuat regna futura deus. Amen. Ihesus esto michi ihesus.'

This conclusion seems to be made up out of the piece beginning 'Henrici quarti' in the Trentham MS. (see p. 365 of this volume) combined with the prose heading of the corresponding lines as given by CHG. It may be observed here that the Trentham version of this piece is also given in MS. Cotton, Julius F. vii, f. 167, with the heading 'Epitaphium siue dictum Iohannis Gower Armigeri et per ipsum compositum.' It is followed by the lines 'Electus Cristi—sponte data,' which are the heading of the *Praise of Peace*.

FORMER EDITIONS. The *Vox Clamantis* was printed for the Roxburghe Club in the year 1850, edited by H. O. Coxe, Bodley's Librarian. In the same volume were included the *Cronica Tripertita*, the lines 'Quicquid homo scribat,' &c., the complimentary verses of the 'philosopher,' 'Eneidos Bucolis,' &c., and (in a note to the Introduction) the poem 'O deus immense,' &c. In T. Wright's *Political Poems*, Rolls Series, 14, vol. i. the following pieces were printed : *Carmen super multiplici Viciorum Pestilencia, De Lucis Scrutinio,* 'O deus immense,' &c., *Cronica Tripertita*. In the Roxburghe edition of Gower's *Cinkante Balades* (1818) were printed also the pieces 'Rex celi deus,' and 'Ecce patet tensus,' and the lines 'Henrici quarti,' a variation of 'Quicquid homo scribat,' &c. (see p. 365 of this edition). Finally the last poems 'Vnanimes esse,' 'Presul, ouile regis,' 'Cultor in ecclesia,' and

'Dicunt scripture' were printed by Karl Meyer in his dissertation *John Gower's Beziehungen zu Chaucer &c.* pp. 67, 68.

Of Coxe's edition I wish to speak with all due respect. It has served a very useful purpose, and it was perhaps on a level with the critical requirements of the time when it was published. At the same time it cannot be regarded as satisfactory. The editor tells us that his text is that of the All Souls MS. 'collated throughout word for word with a MS. preserved among the Digby MSS. in the Bodleian, and here and there with the Cotton MS. [Tib. A. iv.] sufficiently to show the superiority of the All Souls MS.' The inferior and late Digby MS. was thus uncritically placed on a level with those of first authority, and even preferred to the Cotton MS. It would require a great deal of very careful collation to convince an editor that the text of the All Souls MS. is superior in correctness to that of the Cotton MS., and it is doubtful whether after all he would come to any such conclusion. As regards correctness they stand in fact very nearly on the same level: each might set the other right in a few trifling points. It is not, however, from the Cotton MS. that the Roxburghe editor takes his corrections, when he thinks that any are needed. In such cases he silently adopts readings from the Digby MS., and in a much larger number of instances he gives the text of the All Souls MS. incorrectly, from insufficient care in copying or correcting. The most serious results of the undue appreciation of the Digby MS. are seen in those passages where S is defective, as in the Prologue of the first book, and in the well-known passage i. 783 ff., where the text of D is taken as the sole authority, and accordingly errors abound, which might have been avoided by reference to C or any other good copy[1]. The editor seems not to have been acquainted with the Harleian MS., and he makes no mention even of the second copy of the *Vox Clamantis* which he had in his own library, MS. Laud 719.

The same uncritical spirit which we have noted in this editor's choice of manuscripts for collation appears also in his manner of dealing with the revised passages. When he prints variations, it is only because he happens to find them in the Digby MS., and he makes only one definite statement about the differences of

---

[1] It is even the case in one instance (i. 846) that a blank is left in the line for a word omitted in D which might have been supplied by reference to any other MS. which contained the passage. So difficult was communication between Oxford and London in those days.

EDITIONS lxxiii

handwriting in his authority, which moreover is grossly incorrect. Not being acquainted with Dublin or the Hatfield MSS., he could not give the original text of such passages as *Vox Clamantis*, iii. 1–28 or vi. 545–80, but he might at least have indicated the lines which he found written over erasure, and in different hands from the original text, in the All Souls and Cotton MSS. Dr. Karl Meyer again, who afterwards paid some attention to the handwriting and called attention to Coxe's misstatement on the subject, was preoccupied with the theory that the revision took place altogether after the accession of Henry IV, and failed to note the evidence afforded by the differences of handwriting for the conclusion that the revision was a gradual one, made in accordance with the development of political events.

I think it well to indicate the chief differences of text between the Roxburghe edition of the *Vox Clamantis* and the present. The readings in the following list are those of the Roxburghe edition. In cases where the Roxburghe editor has followed the All Souls or Digby MS. that fact is noted by the letters S or D; but the variations are for the most part mere mistakes. It should be noted also that the sense is very often obscured in the Roxburghe edition by bad punctuation, and that the medieval spelling is usually not preserved.

Epistola 37 orgine   *Heading to Prol.* 3 somnum   *Prologus* 21 Godefri, des atque D   25 ascribens D   27 nil ut laudes D   32 Sicque D   36 sentiat D   37 Sæpeque sunt lachrymis de D   38 Humida fit lachrymis sæpeque penna meis D   44 favent D   49 confracto D   50 At   58 Hujus ergo D
  Heading to Lib. I. 1 *om.* eciam D   3 contingebant D   4 terræ illius D   7 etiam (*for* et) D   Lib. I. 12. quisque   26 celsitonantes   40 Fertilis occultam invenit SD   61 Horta   88 sorte   92 et (*for* ex) Cap. ii. *Heading* dicet   prima   199 geminatis   209 possint D   280 crabs   326 elephantinus   359 segistram   395 Culteque Curræ   396 Linquendo S   455 Thalia D   474 arces   479 nemora   551 pertenui   585 Hæc   603 Tormis   bruchiis   743 Cumque   763 alitrixque D   771 dominos superos nec D   784 Recteque D   789 Cebbe D   797 Sæpe   799 Quidem   803 Frendet perspumans D   811 earum D   817 sonitum quoque verberat   821 Congestat D   822 Obstrepuere   824 in (*for* a) D   827 stupefactus   835 eorum non fortificet   837 furorum D   846 conchos D   *om.* sibi D   855 roserat atra rubedo D   863 romphæa   873 gerunt   947 rapit (*for* stetit) D   953 igne S   1173 viris (*for* iuris)   1174 aut (*for* siue) 1241 et (*for* vt) S   1302 sibi tuta   1312 scit SD   1334 Cantus 1338 ipse   1361 internis D   1390 Reddidit   1425 mutantia 1431 fuit   1440 Poenis   1461 deprimere   1525 statim S 1531 subito D   1587 per longum   1654 in medio   1656 nimis 1662 patebit S   1695 rubens pingit gemmis   1792 dixi (*for* dedi)   1794 nichil

(for nil vel) 1855 coniuncta 1870 imbuet S 1910 tempore
1927 et (for vt) 1941 Claudit 1974 parat 1985 om. numen
2009 tunc 2017 inde 2118 ulla
    Lib. II. *Prol.* 10 ora 39 ore 40 fugam iste
    Lib. II. 9 obstat D 65 Desuper D 70 Et qui pauca tenet
84 Causa tamen credo 175 continuo 191 migratrix 205 Et
(for Atque) 253 cum 271 Jonah 303 jam (for tam) 352 ut
401 lecto 461 monent 545 morte (for monte) 570 prædicat
608 fæcundari 628 Dicit
    Lib. III. *Prol.* 9 sed et increpo 77 oro 90 potuit (for ponit)
    Lib. III. 4* exempla D mundus (for humus) D 18* ei D 27* poterint D
41 sensus 59 cum (for eum) 76 Dicunt 141 possit (for
poscit) 176 onus (for ouis) S 191 magnates 207 nimium (for
nummi) 209 luxuriatio D 225 expugnareque 333 capiunt 382 ad
(for in) 383 teli (for tali) 469 om. est *after* amor 535 Quem
(for Quam) 595 terram SD 701 Sublime 845 manu 891 Sic
(for Sicque) 933 vertatur 954 nostra 969 portamus nomen
971 nobis data D 976 renovare 989 sic (for sit) S 1214 et
1234 attulerat 1265 fallit S 1357 mundus habet 1376 et
(for vt) S 1454 om. est 1455 Est; (for Et) 1487 intendit
1538 ibi est 1541 Durius 1546 crebro 1695 sua (for si) S
1747 vovit SD 1759 et sutorem 1863 vulnere SD 1936 intrat
1960 de se 1962 Nam 2049 ese 2085 agunt
    Lib. IV. 26 callidis 67 vivens (for niueus) 72 esse (for ipse) S 259 Sæpe
(for Sepeque) 273 et (for vt) S 294 perdant 295 bona qui sibi D
336 non (for iam) S 435 quid tibi 451 Ac 453 cupiensque
531 at (for et) 565 ex (for hee) 567 Simplicitur 583 teneræ
588 præparat 593 ibi S 600 thalamus 610 claustra 662 patet SD
675 Credo 769 In terra 785 ut 799 putabat S 811 et (for ad) S
863 sed nec (for non set) 865 quem fur quasi 958 possit 1000 fratris
(for patris) 1038 Livorem 1081 adoptio S 1127 fallat
1214 vanis 1222* Usurpet ipsa
    Lib. V. 1 sic D 18 ei (for ita) D 101 cernis 104 atque
159 par est 178 fuit (for sitit) 217 senos (for seuos) 262 Carnis
281 si S 290 sonet 321 valet (for decet) 338 vanis 375 ille
420 Pretia (for Recia) 461 At 486 redemit (for redeunt) 501 non
(for nos) S 508 geret 668 Si 672 Maxime 745 foras
(for foris) 805 etenim (for eciam) S 928 est (for et) 936 semine
937 pacis (for piscis) 955 ubi (for sibi) S
    Lib. VI. 54 renuere 132 ipsa 133 locuples 212 ocius
(for cicius) 245 ibi (for sibi) 319 Sæpe (for Sepius) 405 in 'æque'
(for ineque) 411 descendat 476 quem 488 Cesset
530 populus, væ (for populus ve) 548 ipse D 646 ruat 679 legit S
746 Num 755 Nam (for Dum) 789 majus (for inanis) 816 Credo
971 Rex (for Pax) 1016 gemmes 1033 quid (for quod) 1041 Hæc
(for Hic) 1132 fide (for fine) 1156 minuat D 1171* detangere
(for te tangere) D 1172* hæc D 1182* foras D 1197 veteris
(for verteris) 1210* Subditus 1224 om. carnem 1225* decens
(for docens) D lega 1241 Hic (for Dic) 1251 defunctus D
1260 ab hoc 1281 est ille pius (for ille pius est) 1327 nunc moritur

EDITIONS lxxv

Lib. VII. 9 magnatum S 93 magnates D 96 nummis (*for* minimis)
109 Antea 149 sic sunt 185 Virtutem 290 Aucta (*for* Acta)
339 honorifica 350 credit S 409 servus cap. vi. *heading* l. 4
sinit (*for* sunt) 555 vultum 562 ff. Quid (*for* Quod) 601 quam
602 adesse (*for* ad esse) 635 Præceptum (*for* Preceptumque) 665 agnoscit
707 enim (*for* eum) cap. ix. *heading om.* postea 736 decus (*for*
pecus) 750 ille (*for* ipse) cap. xi. *heading* dicitur (*for* loquitur)
798 capit (*for* rapit) 828 etiam (*for* iam) 903 *om.* nil 918 est
(*for* et) S 977 benefecit D 1043 frigor 1129 qui non jussa
Dei servat 1178 eam 1278 opes S 1310 Vix (*for* Vis)
1369 digna 1454 hic (*for* hinc) 1474 bona 1479* ipsa

It will be seen that most of the above variants are due to mere oversight. It is surprising, however, that so many mistakes seriously affecting sense and metre should have escaped the correction of the editor.

In the matter of spelling the variation is considerable, but all that need be said is that the Roxburghe editor preferred the classical to the medieval forms. On the other hand it is to be regretted that no attempt is made by him to mark the paragraph divisions of the original. A minor inconvenience, which is felt by all readers who have to refer to the Roxburghe text, arises from the fact that the book-numbering is not set at the head of the page.

In the case of the *Cronica Tripertita* we have the text printed by Wright in the Rolls Series as well as that of the Roxburghe edition. The latter is from the All Souls MS., while the former professes to be based upon the Cotton MS., so that the two texts ought to be quite independent. As a matter of fact, however, several of the mistakes or misprints of the Roxburghe text are reproduced in the Rolls edition, which was printed probably from a copy of the Roxburghe text collated with the Cotton MS.

The following are the variations of the Roxburghe text from that of the present edition.

Introduction, margin 2 prosequi (*for* persequi).
I. 1 *om.* et per (*for* fer) 7 bene non 15 consilium sibi
71 fraudis 93 cum (*for* dum) 132 hos (*for* os) 161 *marg. om.*
qui S 173 ausam S 182 Sic (*for* Hic) 199 clientem 204 cepit
(*for* cessat) 209 Regem (*for* Legem) 219 Qui est (*for* est qui)
II. 9 sociatus (*for* associatus) 61 manu tentum 85 *marg.* quia
(*for* qui) 114 de pondere 156 sepulchrum 180 maledictum
220 Transulit 223 omne scelus 237 ipsum 266 Pontifice
271 malefecit 315 *marg.* derisu 330 *marg.* Consulat 333 adeo.
III. 109 prius S 131 viles S 177 conjunctus 188 sceleris
235 mane 239 nunc S 242 freta (*for* fata) 250 ponere 263 Exilia
285 *marg.* præter (*for* personaliter) 287 Nec 288 stanno 333 conquescat 341 auget 372 eo (*for* et) 422 *marg.* fidelissime
428 prius S

Of the above errors several, as we have said, are reproduced by Wright with no authority from his MS.[1], but otherwise his text is a tolerably correct representation of that given by the Cotton MS., and the same may be said with regard to the other poems *Carmen super multiplici Viciorum Pestilencia, De Lucis Scrutinio*[2], &c.

THE PRESENT EDITION. The text is in the main that of S, which is supplemented, where it is defective, by C. The Cotton MS. is also the leading authority for those pieces which are not contained in S, as the four last poems.

For the *Vox Clamantis* four manuscripts have been collated with S word for word throughout, viz. CHDL, and two more, viz. GE, have been collated generally and examined for every doubtful passage. TH₂ have been carefully examined and taken as authorities for the original text of some of the revised passages.

As regards the record of the results of these rather extensive collations, it may be stated generally that all material variations of C and H from the text of S have been recorded in the critical notes[3]. The readings of E, D and L have been printed regularly for those passages in which material variations of other MSS. are recorded, and in such cases, if they are not mentioned, it may be assumed that they agree with S; but otherwise they are mentioned only when they seem to deserve attention. The readings of G are recorded in a large number of instances, but they must not be assumed *ex silentio*, and those of T and H₂ are as a rule only given in passages where they have a different version of the text.

A trifling liberty has been taken with the text of the MSS. in regard to the position of the conjunction 'que' (and). This is

---

[1] e. g. i. 209 Regem   219 Qui est   ii. 9 sociatus   114 de pondere 266 Pontifice.

[2] A few errors may be noted in the poem *De Lucis Scrutinio*, viz. l. 15 manifestus   36 oculis   66 similatam   89 Ominis (*for* O nimis): also in 'O deus immense,' l. 28 se (*for* te)   104 sub (*for* sue).

[3] Trifling differences of spelling are as a rule not recorded. Examples of such variations are the following in C: i. 1 ut   11 uidet   23 choruschat   120 talamum   137 sydera   139 themone   141 &c. sed (*for* set)   196 &c. amodo   234 prohdolor   311 Immundos   586 Egiptus   1056 Symonis   1219 Ocupat   1295 suppremis   1505 loquturus   1514 Obstetit   1755 opprobrium   1832 littora   1947 litora   2094 patiens   ii. *Prol.* 11 etiam   ii. 57 fatie   261 Moise   494 synagoga   iii. 291 redditus, &c. Variation in the use of capital letters or in regard to the separation of 'que,' 've,' &c. from the words which they follow is usually not recorded. The spelling of H and G is almost identical with that of S.

frequently used by our author like 'et,' standing at the beginning of a clause or between the words which it combines, as

> 'Sic lecto vigilans meditabar plura, que mentem' Effudi,

or   'Cutte que Curre simul rapidi per deuia currunt,'

but it is also very often used in the correct classical manner. The MSS. make no distinction between these two uses, but sometimes join the conjunction to the preceding word and sometimes separate it, apparently in a quite arbitrary manner. For the sake of clearness the conjunction is separated in this edition regularly when the sense requires that it should be taken independently of the preceding word, and the variations of the manuscripts with regard to this are not recorded.

Again, some freedom has been used in the matter of capital letters, which have been supplied, where they were wanting, in the case of proper names and at the beginning of sentences.

The spelling is in every particular the same as that of the MS. The practice of altering the medieval orthography, which is fairly consistent and intelligible, so as to make it accord with classical or conventional usage, has little or nothing to be said for it, and conceals the evidence which the forms of spelling might give with regard to the prevalent pronunciation.

The principal differences in our text from the classical orthography are as follows:

e regularly for the diphthongs *ae, oe.*
i for *e* in *periunt, rediat, nequio,* &c. (but also *pereunt,* &c.).
y for *i* in *ymus, ymago,* &c.
i for *y,* e. g. *mirrha, ciclus, limpha.*
v for *u* or *v* regularly as initial letter of words, elsewhere *u.*
vowels doubled in *hii, hee, hiis* (monosyllables).
u for *uu* after *q,* e. g. *equs, iniqus, sequntur.*
initial *h* omitted in *ara* (hära), *edus* (haedus), *ortus, yemps,* &c.
initial *h* added in *habundat, heremus, Herebus,* &c.
ch for *h* in *michi, nichil.*
ch for *c* in *archa, archanum, inchola, choruscat,* &c. (but *Cristus,* when fully written, for 'Christus').
ci for *ti* regularly before a vowel e. g. *accio, alcius, cercius, distinccio, gracia, sentencia, vicium.*
c for *s* or *sc,* in *ancer, cerpo, ceptrum, rocidus, Cilla.*
s for *c* or *sc,* in *secus* (occasionally for 'caecus'), *sintilla,* &c.
single for double consonants in *apropriat, suplet, agredior, resurexit,* &c. (also *appropriat,* &c.).
ph for *f* in *scropha, nephas, nephandus, prophanus,* &c.

****   f

p inserted in *dampnum*, *sompnus*, &c.

set usually in the best MSS. for *sed* (conjunction), but in the Cotton MS. usually 'sed.'

It has been thought better to print the elegiac couplet without indentation for the pentameter, partly because that is the regular usage in the MSS. and must of course have been the practice of the author, but still more in order to mark more clearly the division into paragraphs, to which the author evidently attached some importance. Spaces of varying width are used to show the larger divisions. It is impossible that there should not be some errors in the printed text, but the editor can at least claim to have taken great pains to ensure correctness, and all the proof-sheets have been carefully compared with the text of the manuscripts.

For convenience of reference the lines are numbered as in the Roxburghe edition, though perhaps it would be more satisfactory to combine the prologues, as regards numbering, with the books to which they belong.

In regard to the Notes there are no doubt many deficiencies. The chief objects aimed at have been to explain difficulties of language, to illustrate the matter or the style by reference to the works of the author in French and in English, and to trace as far as possible the origin of those parts of his work which are borrowed. In addition to this, the historical record contained in the *Cronica Tripertita* has been carefully compared with the evidence given by others with regard to the events described, and possibly this part of the editor's work, being based entirely upon the original authorities, may be thought to have some small value as a contribution to the history of a singularly perplexing political situation.

EPISTOLA

Hanc Epistolam subscriptam corde deuoto misit senex et cecus Iohannes Gower Reuerendissimo in Cristo Patri ac domino suo precipuo, domino Thome de Arundell, Cantuariensi Archiepiscopo, tocius Anglie Primati et apostolice sedis legato. Cuius statum ad ecclesie sue regimen dirigat et feliciter conseruet filius virginis gloriose, dominus noster Ihesus Cristus, qui cum deo patre et spiritu sancto viuit et regnat deus per omnia secula seculorum. Amen.

Successor Thome, Thomas, humilem tibi do me,
Hunc et presentem librum tibi scribo sequentem:
Quod tibi presento scriptum[1] retinere memento,
Vt contempletur super hoc quo mens stimuletur.
Curia diuisa que Rome stat modo visa,
Dum se peruertit, in luctum gaudia vertit:
Et quia lex Cristi dolet isto tempore tristi,
Hoc ad plangendum librum tibi mitto legendum.
Set tu, diuine qui lumen habes medicine,
Gaudeat vt tristis, confer medicamen in istis: 10
Dummodo lux cessit, alibique fides tenebrescit,
Tu noster Phebus nostris da lumina rebus,
Et quod splendescas, virtute tuaque calescas,
Hoc magis ad lumen tibi scriptum dono volumen.
In speculo tali de pectore iudiciali
Si videas plane, puto non erit illud inane.
Cecus ego mere, nequio licet acta videre,
Te tamen in mente memorabor corde vidente.
Corpore defectus, quamuis michi curua senectus
Torquet, adhuc mentem studio sinit esse manentem,   20
Et sic cum Cristo persto studiosus in isto,
Quo mundi gesta tibi scribam iam manifesta.

This Epistle is found in the All Souls MS. *only.*
[1] *Words written over erasure in the* MS. *are printed in spaced type.*

Hinc, pater, exoro, scripturis dumque laboro,
Ad requiem mentis animam dispone studentis;
Semper speraui, que patrem te semper amaui,
Quo michi finalis tua gracia sit specialis.
Nunc quia diuisus meus est a corpore visus,
Lux tua que lucet anime vestigia ducet,
Corpus et egrotum, vetus et miserabile totum,
Ne conturbetur, te defensore iuuetur; 30
Et sic viuentem custos simul et morientem
Suscipe me cecum tua per suffragia tecum.
Lux tua morosa de stirpe micans generosa
Condita sub cinere non debet in orbe latere.
 Claret Arundella quasi Sol de luce nouella,
Que te produxit, que te prius vbere succit.
Es quia totus Mas vocitaris origine Thomas,
Vnde deo totus sis ab omni labe remotus;
Et sic prelatus nunc Cristi lege sacratus
Legem conseruas, qua te sine labe reseruas. 40
Stat modo secura tua lux, sine crimine pura,
Claraque lucescit, quod eam nil turpe repressit:
Anglia letetur, lumen quia tale meretur,
Quo bene viuentes tua sint exempla sequentes.
Per te succedet amor omnis, et ira recedet,
Subque tua cura sunt prospera cuncta futura:
Et quia sic creuit tua lux, terramque repleuit,
Det deus vt talis tibi lux sit perpetualis.
Hec Gower querit, qui tuus est et erit.

VOX CLAMANTIS

In huius opusculi principio intendit compositor describere qualiter seruiles rustici impetuose contra ingenuos et nobiles regni insurrexerunt. Et quia res huiusmodi velut monstrum detestabilis fuit et horribilis, fingit se per sompnium vidisse diuersas vulgi turmas in diuersas species bestiarum domesticarum transmutatas: dicit tamen quod ille bestie domestice, a sua deuiantes natura, crudelitates ferarum sibi presumpserunt. De causis vero, ex quibus inter homines talia contingunt enormia, tractat vlterius secundum distincciones libelli istius, qui in septem diuiditur partes, prout inferius locis suis euidencius apparebit.

Sequitur prologus.

Capitula libri Primi.

Cap^m. i. Hic declarat in primis sub cuius Regis imperio, in quibus eciam mense et anno, ista sibi accidencia, cuius tenor subsequitur, contingebat. Commendat insuper, secundum illud quod esse solebat, fertilitatem terre illius vbi ipse tunc fuerat, in qua, vt dicit, omnium quasi rerum delicie pariter conveniunt, et loquitur vlterius de amenitate temporis, necnon et de diei serenitate, que tunc tamen sompnium nimis horribile precedebant.

The MSS. *used for the* Vox Clamantis *are the following:*—
S (*All Souls College, Oxford,* 98), C (*Cotton, Tiberius,* A. iv), E (*Ecton Hall*), H (*Harleian* 6291), G (*Glasgow, Hunterian Museum,* T. 2. 17), D (*Bodleian Library, Digby* 138), L (*Bodleian Library, Laud* 719), T (*Trinity College, Dublin,* D. 4. 6), H$_2$ (*Hatfield Hall*), L$_2$ (*Lincoln Cathedral Library* A. 7. 2). *The text is based on* S.
Table of Contents not found in HLTL$_2$ (H *defective*)
3 veluD C   4 fingit SGD   narrat CE
Lib. I. i. 2 eciam *om.* D   7 tamen *om.* D

Cap^m. ii. Hic incipit sompnium, vbi quodam die Martis dicit se varias vulgi turmas vidisse, quarum primam in similitudinem asinorum mutari subito speculabatur.

Cap^m. iii. Hic dicit se per sompnium quandam vulgi turmam in boues vidisse mutatam.

Cap^m. iiii. Hic dicit se per sompnium quandam vulgi turmam in porcos vidisse mutatam.

Cap^m. v. Hic dicit se per sompnium quandam vulgi turmam in canes vidisse mutatam.

Cap^m. vi. Hic dicit se per sompnium quandam vulgi turmam in murelegos et vulpes vidisse mutatam: dicit murelegos vt seruos domesticos; dicit vulpes, quia fures ruptis vbique Gaiolis liberi tunc eos comitabantur.

Cap^m. vii. Hic dicit se per sompnium quandam vulgi turmam in aues domesticas vidisse mutatam, quibus dicit quod bubones quasi predones commixti associebantur.

Cap^m. viii. Hic dicit se per sompnium quandam vulgi turmam in muscas et ranas vidisse mutatam.

Cap^m. ix. Hic dicit se per sompnium vidisse quod, quando omnes predicte furie in vnum extiterant congregate, quidam Graculus auis, Anglice Gay, qui vulgariter vocatur Watte, presumpsit sibi statum regiminis aliorum, et in rei veritate ille Watte fuit dux eorum.

Cap^m. x. Hic dicit se per sompnium vidisse progenies Chaym maledictas vna cum multitudine seruorum nuper Regis Vluxis, quos Circes in bestias mutauit, furiis supradictis associari.

Cap^m. xi. Hic dicit secundum visionem sompnii qualiter audiuit nomina et eorum voces diuersas et horribiles. Dicit eciam de Iohanne Balle presbitero, qui eos ad omne scelus instigabat, et quasi propheta inter eos reputabatur.

Cap^m. xii. Hic dicit secundum visionem sompnii qualiter furie supradicte precones sibi et tribunos constituebant, et quomodo senes et iuuenes eorum fuerunt armati.

Cap^m. xiii. Hic dicit secundum visionem sompnii qualiter et quando dicte furie, instigante diabolo, Nouam Troiam, id est ciuitatem Londoniarum, ingresse sunt: nam sicut Troia nuper desolata extitit, ita ista Ciuitas protunc quasi omni consolatione destituta pre dolore penitus ignominiosa permansit.

vi. 4 comitabantur E   comitebantur SCG   committebantur D
vii. 3 associabantur E   ix. 3 Geay D   Iay E

CAPITULA LIBRI PRIMI

Cap^m. xiiii. Hic tractat secundum visionem sompnii quasi per figuram de morte Cantuariensis Archiepiscopi.

Cap^m. xv. Hic tractat vlterius secundum visionem sompnii de diuersa persecucione et occisione, quas in dicta Ciuitate quodammodo absque vlla pro tunc defensione furie supradicte, prodolor! faciebant, et qualiter huiusmodi fama vicinas perterruit ciuitates.

Cap^m. xvi. Hic plangit secundum visionem sompnii quasi in propria persona dolores eorum, qui in siluis et speluncis pre timore temporis illius latitando se munierunt.

Cap^m. xvii. Hic eciam secundum visionem sompnii describit quasi in persona propria angustias varias que contingebant hiis qui tunc pro securitate optinenda in Turrim Londoniarum se miserunt, et de ruptura eiusdem turris; figurat enim dictam turrim similem esse naui prope voraginem Cille periclitanti.

Cap^m. xviii. Hic dicit secundum visionem sompnii qualiter tanta superhabundauit tempestas quod de certo remedio absque manu diuina omnes in dicta naui hesitarunt, et deum super hoc precipue quilibet sexus ingenui deuocius exorabat.

Cap^m. xix. Hic dicit secundum visionem sompnii de quadam voce diuina in excelsis clamante, et quomodo deus placatus tandem precibus tempestates sedauit, et quomodo quasi in holocaustum pro delicto occisus fuit ille Graculus, id est Walterus, furiarum dictarum Capitaneus.

Cap^m. xx. Hic loquitur adhuc de naui visa in sompnis, id est de mente sua adhuc turbata, vt si ipse mentaliter sompniando, quasi per nauem variis ventis sine gubernaculo agitatam, omnes mundi partes pro pace mentis scrutanda inuestigasset, et tandem in partes Britannie Maioris, vbi raro pax est, dicit se applicuisse. Dicit eciam qualiter vox in sompnis sibi iniunxit quod ipse omnino scriberet ea que de mundo in illo scrutinio vidisset et audisset; et ita terminatur sompnium.

Cap^m. xxi. Hic reddit vigilans gracias deo, qui eum in sompnis a pelago liberauit.

Expliciunt Capitula libri primi.

Incipiunt Capitula libri Secundi.

Prologus. Hic dicit quod ipse iam vigilans, secundum vocem quam in sompnis acceperat, intendit scribere ea que de mundo vidit et audiuit, et vocat libellum istum Vox Clamantis, quia de voce et clamore quasi omnium conceptus est; vnde in huius operis auxilium spiritum sanctum inuocat.

Cap^m. i. Hic dicit, secundum quod de clamore communi audiuit, qualiter status et ordo mundi precipue in partibus istis multipliciter in peius variatur, et quomodo vnusquisque super hoc fortunam accusat.

Cap^m. ii. Hic corripit fortunam et sui euentus inconstanciam deplangit.

Cap^m. iii. Hic describit fortunam secundum aliquos, qui sortem fortune dicunt esse et casum.

Cap^m. iiii. Hic tractat vlterius de mutacione fortune secundum quod dicunt: concludit tamen in fine, quod neque sorte aut casu, set ex meritis vel demeritis, sunt ea que hominibus contingunt.

Cap^m. v. Hic dicit secundum scripturas et allegat, qualiter omnes creature homini iusto seruientes obediunt.

Cap^m. vi. Hic tractat secundum scripturas et allegat, qualiter omnes creature homini peccatori aduersantes inobediunt.

Cap^m. vii. Hic loquitur de deo summo Creatore, qui est trinus et vnus, in cuius scientia et disposicione omnia creata reguntur.

Cap^m. viii. Hic loquitur de filio dei incarnato domino nostro Ihesu Cristo, per quem de malo in bonum reformamur.

Cap^m. ix. Hic dicit quod quilibet debet firmiter credere, nec vltra quam decet argumenta fidei inuestigare.

Cap^m. x. Hic tractat quod in re sculptili vel conflatili non est confidendum, nec eciam talia adorari debent, set quod ex illis in ecclesia visis mens remorsa ad solum deum contemplandum cicius commoueatur.

Cap^m. xi. Hic dicit quod exquo solus deus omnia creauit, solus est a creaturis adorandus, et est eciam magne racionis vt ipse omnia gubernet, et secundum merita et demerita hominum solus in sua voluntate iudicet.

Expliciunt Capitula libri secundi.

iii. 2 et *om.* D   iiii. S *has lost a leaf* (Lib. II. iiii—Lib. III. xxii, luxurie).
Text follows C   v. *This heading om.* D

CAPITULA LIBRI TERCII

Incipiunt Capitula libri Tercii.

Prologus. Hic dicit quod, exquo non a fortuna set meritis et demeritis ea que nos in mundo prospera et aduersa vocamus digno dei iudicio hominibus contingunt, intendit consequenter scribere de statu hominum, qualiter se ad presens habent, secundum hoc quod per sompnium superius dictum vidit et audiuit.

Cap^m. i. Hic tractat qualiter status et ordo mundi in tribus consistit gradibus: sunt enim, vt dicit, Clerus, Milicies, et Agricultores, de quorum errore mundi infortunia nobis contingunt. Vnde pre aliis videndum est de errore Cleri, precipue in ordine prelatorum, qui potenciores aliis existunt; et primo dicet de illis qui Cristi scolam dogmatizant et eius contrarium operantur.

Cap^m. ii. Hic loquitur de prelatis illis, qui carnalia appetentes vltra modum delicate viuunt.

Cap^m. iii. Hic loquitur de prelatis illis, qui lucris terrenis inhiant, honore prelacie gaudent, et non vt prosint sed vt presint episcopatum desiderant.

Cap^m. iiii. Hic loquitur de legibus eorum positiuis, que quamuis ad cultum anime necessarie non sunt, infinitas tamen constituciones quasi cotidie ad eorum lucrum nobis grauiter imponunt.

Cap^m. v. Hic loquitur de prelatis illis, qui bona mundi temporalia possidentes spiritualia omittunt.

Cap^m. vi. Hic loquitur qualiter Cristus pacem suis discipulis dedit et reliquit: dicit tamen quod modo propter bona terrena guerras saltem contra Cristianos prelati legibus suis positiuis instituunt et prosequntur.

Cap^m. vii. Hic loquitur qualiter clerus in amore dei et proximi deberet pius et paciens existere, et non bellicosus.

Cap^m. viii. Hic tractat eciam qualiter non decet prelatos ex impaciencia contra populum Cristianum aliqualiter bella mouere; set tantum ex precibus absque impetu ire omnem deo adiuuante mundi deuincant maliciam.

Cap^m. ix. Hic tractat quod, sicut non decet dominos temporales usur-

---

iiii. Hic loqui*tur* quo*modo* diligentib*us* positiuis q*u*asi quotidie noua instituu*ntur* nobis pec*c*ata qu*ibus* tame*n* pr*i*us fiu*nt* p*r*elati p*r*opter lucr*um* dispensa*nt* *et* ea fieri liberi p*r*opter aur*um* p*er*mittu*nt* D   v. 1 illis *om.* D   vi. 1 loquitur *om.* D
2 dicit E   dicitur CGD   vii. 1 loquitur *om.* D   viii. 1 eciam *om.* D
2 aliqualiter *om.* D

pare sibi regimen in spiritualibus, ita nec decet cleri prelatos attemptare sibi guerras et huiusmodi temporalia, que mundi superbia et auaricia inducunt.

Cap^m. x. Hic querit quod, exquo prelati scribunt et docent ea que sunt pacis, quomodo in contrarium ea que sunt belli procurant et operantur. Ad quam tamen questionem ipse subsequenter respondet.

Cap^m. xi. Hic loquitur de prelatis illis, qui nomen sanctum sibi presumunt, apropriant tamen sibi terrena, nec aliis inde participando ex caritate subueniunt.

Cap^m. xii. Hic loquitur de Simonia prelatorum, et qualiter hii delicati, dicentes se esse ecclesiam, aliis grauiora imponunt, et multociens de censura horribili laicos pro modico impetuose torquent et infestant.

Cap^m. xiii. Hic loquitur qualiter prelatus non solum doctrina set etiam bonis actibus populo sibi commisso lucere deberet.

Cap^m. xiiii. Hic loquitur qualiter signa Anticristi in Curia Romana precipue ex auaricia secundum quosdam apparuerunt.

Cap^m. xv. Hic loquitur secundum commune dictum, qualiter honores et non onera prelacie plures affectant, quo magis in ecclesia cessant virtutes, et vicia multipliciter accrescunt.

Cap^m. xvi. Postquam dictum est de illis qui errant in statu prelacie, dicendum est de errore curatorum, qui sub prelatis constituti, parochiarum curas sub animarum suarum periculo admittentes, negligenter omittunt: et primo intendit dicere de curatis illis qui suas curas omittentes ad seruiendum magnatum curiis adherent.

Cap^m. xvii. Hic loquitur de rectoribus illis, qui ab episcopo licentiati se fingunt ire scolas, vt sub nomine virtutis vicia corporalia frequentent.

Cap^m. xviii. Hic loquitur de rectoribus illis, qui in curis residentes, curas tamen negligentes, venacionibus precipue et voluptatibus penitus intendunt.

Cap^m. xix. Hic loquitur de rectoribus in curis residentibus, qui tamen curas animarum omittentes, quasi seculi mercatores singula de die in diem temporalia ementes et vendentes, mundi huius diuicias adquirunt.

Cap^m. xx. Postquam dictum est de errore illorum qui in ecclesia beneficiati existunt, iam dicendum est de presbiteris stipendiariis;

xv. 1 qualiter] finaliter quod ED

CAPITULA LIBRI TERCII

de talibus saltem, qui non propter mundiciam et ordinis honestatem, set propter mundi ocia gradum presbiteratus appetunt et assumunt. Et primo dicit de illis qui pro diuinis celebrandis excessiue se vendunt.

Cap[m]. xxi. Hic loquitur de consueta presbiterorum voluptate, et qualiter hii stipendia plebis ex conuencione sumentes, indeuote pro mortuis orando non se debite ad suffragia mortuorum exonerant.

Cap[m]. xxii. Hic tractat causam, quare accidit quod laici, quasi iuris amici, luxurie presbiterorum consuetudinem abhorrentes, eam multociens castigantes grauiter affligunt.

Cap[m]. xxiii. Hic scribit contra hoc quod aliqui presbiteri dicunt, qualiter ipsi in carnis luxuriam committendo non grauius hominibus laicis deum offendunt.

Cap[m]. xxiiii. Hic describit qualiter omnia et singula que sacerdocii concernunt officium magne virtutis misteria designant. Et primo dicet de vestibus sacerdotalibus ex vtraque lege ob diuinam reuerenciam competenter dispositis.

Cap[m]. xxv. Hic loquitur qualiter sacrificia de veteri lege altari debita fuerunt in figura ad exemplum nunc noue legis presbiterorum: dicit vlterius qualiter eciam ex vtraque lege sacrificantes altari debent esse sine macula.

Cap[m]. xxvi. Hic loquitur quod etas sufficiens, priusquam gradum sacerdocii sibi assumat, in homine requiritur: loquitur eciam de suorum rasura pilorum, et dicit quod talia in signum mundicie et sanctitatis specialiter presbiteris conveniunt. Dicit vlterius quod presbiteri a bonis non debent esse operibus ociosi.

Cap[m]. xxvii. Hic loquitur de presbiterorum dignitate spirituali, et qualiter hii, si bene agant sua officia, plus aliis proficiunt; sin autem, de suis malis exemplis delinquendi magis ministrant occasiones.

Cap[m]. xxviii. Postquam dixit de errore illorum qui inter seculares sacerdocii ministerium sibi assumpserunt, intendit dicere secundum tempus nunc de errore scolarium, qui ecclesie plantule dicuntur.

Cap[m]. xxix. Hic querit causam, que scolarium animos ad ordinem presbiteratus suscipiendum inducit: tres enim causas precipue allegat; tractat eciam de quarta causa, que raro ad presens contingit.

Expliciunt Capitula libri tercii.

xxii. 2 S *resumes*   *After* Cap. xxvii *no space* CEGD

Incipiunt Capitula libri Quarti.

Cap^m. i. Exquo tractauit de errore Cleri, ad quem precipue nostrarum spectat regimen animarum, iam intendit tractare de errore virorum Religiosorum. Et primo dicet de Monachis et aliis bonorum temporalium possessionem optinentibus: ordinis vero illorum sanctitatem commendans, illos precipue qui contraria faciunt opera redarguit.

Cap^m. ii. Hic loquitur de Monachis illis, qui contra primi ordinis statuta abstinencie virtutem linquentes delicacias sibi corporales multipliciter assumunt.

Cap^m. iii. Hic loquitur qualiter modus et regula, qui a fundatoribus ordinis primitus fuerant constituti, iam nouiter a viciorum consuetudine in quampluribus subuertuntur.

Cap^m. iiii. Hic loquitur de Monachis illis, qui contra primitiua ordinis sui statuta mundi diuicias ad vsus malos, suo nesciente preposito, apropriare sibi clanculo presumunt.

Cap^m. v. Hic loquitur qualiter monachi extra claustrum vagare non debent.

Cap^m. vi. Hic loquitur de monachis illis, qui non pro diuino seruicio, set magis pro huius mundi honore et voluptate, habitum sibi religionis assumunt.

Cap^m. vii. Hic loquitur qualiter paciencia vna cum ceteris virtutibus a quibusdam claustris, viciis superuenientibus, se transtulerunt.

Cap^m. viii. Hic loquitur quod sicut monachi ita et errantes canonici a suis sunt excessibus culpandi.

Cap^m. ix. Hic loquitur qualiter religiosi male viuentes omnibus aliis infelicissimi existunt.

Cap^m. x. Hic loquitur qualiter vnusquisque qui religionis ingredi voluerit professionem, cuncta mundi vicia penitus abnegare et anime virtutes adquirere et obseruare tenetur.

Cap^m. xi. Hic loquitur qualiter religiosi consorcia mulierum specialiter euitare debent.

Cap^m. xii. Hic tractat quasi sub compendio super hiis que in religionis professione secundum fundatorum sancciones districcius obseruanda finaliter existunt.

Cap^m. xiii. Hic loquitur vlterius de mulieribus illis, que in habitu

---

iii. 1 qualiter modus] de modo D

CAPITULA LIBRI QUARTI

Moniali sub sacre religionis velo professionem suscipientes ordinis sui continenciam non obseruant.

Cap^m. xiiii. Hic loquitur qualiter ordinarii ex sua visitacione, qua mulieres religione velatas se dicunt corrigere, ipsas multociens efficiunt deteriores.

Cap^m. xv. Hic loquitur de castitatis commendacione, que maxime in religione mulieribus convenit professis.

Cap^m. xvi. Postquam tractauit de illis qui in religione possessoria sui ordinis professionem offendunt, dicendum est iam de illis qui errant in ordine fratrum mendicancium; et primo dicet de hiis qui sub ficte paupertatis vmbra terrena lucra conspirantes quasi tocius mundi dominium subiugarunt.

Cap^m. xvii. Hic loquitur de fratribus illis, qui per ypocrisim predicando populi peccata publice redarguentes, blandiciis tamen et voluptatibus clanculo deseruiunt.

Cap^m. xviii. Hic loquitur de fratribus illis, qui propter huius mundi famam, et quod ipsi eciam, quasi ab ordinis sui iugo exempti, ad confessiones audiendas digniores efficiantur, summas in studio scole cathedras affectant.

Cap^m. xix. Hic loquitur qualiter isti fratres inordinate viuentes ad ecclesie Cristi regimen non sunt aliqualiter necessarii.

Cap^m. xx. Hic loquitur qualiter isti fratres inordinate viuentes ad commune bonum vtiles aliqualiter non existunt.

Cap^m. xxi. Hic loquitur de fratribus illis, qui incautos pueros etatis discrecionem non habentes in sui ordinis professionem attractando colloquiis blandis multipliciter illaqueant.

Cap^m. xxii. Hic loquitur de Apostazia fratrum ordinis mendicancium, precipue de his qui sub ficta ypocrisis simplicitate quasi vniuersorum Curias magnatum subuertunt, et inestimabiles suis ficticiis sepissime causant errores.

Cap^m. xxiii. Hic loquitur qualiter isti fratres mendicantes mundum circuiendo amplioresque querendo delicias de loco in locum cum ocio se transferunt. Loquitur eciam de superfluis eorum edificiis, que quasi ab huius seculi potencioribus vltra modum delicate construuntur.

Cap^m. xxiiii. Hic loquitur qualiter, non solum in ordine fratrum mendicancium set eciam in singulis cleri gradibus, ea que

After Cap. xv *no space* CEGD   xix f. ad ecclesie—viuentes *om.* D   xx. 2 aqualiter S   xxiii. 1 circuiendo C   *circumeundo* D

virtutis esse solebant a viciis quasi generaliter subuertuntur. Dicit tamen quod secundum quasdam Burnelli constituciones istis precipue diebus modus et regula specialius obseruantur.

Expliciunt Capitula libri quarti.

Incipiunt Capitula libri Quinti.

Cap^m. i. Postquam dictum est de illis qui in statu Cleri regere spiritualia deberent, dicendum est iam de hiis qui in statu Milicie temporalia defendere et supportare tenentur. Et primo distinguit causas, ex quibus ordo Militaris cepit originem.

Cap^m. ii. Hic loquitur qualiter miles, qui in mulieris amorem exardescens ex concupiscencia armorum se implicat exercicio, vere laudis honorem ob hoc nullatenus meretur. Describit eciam infirmitates amoris illius, cuius passiones variis adinuicem motibus maxime contrariantur.

Cap^m. iii. Hic describit formam mulieris speciose, ex cuius concupiscencia illaqueata militum corda racionis iudicio sepissime destituuntur.

Cap^m. iiii. Hic loquitur quod, vbi in milite mulierum dominatur amoris voluptas, omnem in eo vere probitatis miliciam extinguit.

Cap^m. v. Hic loquitur de militibus illis, quorum vnus propter mulieris amorem, alter propter inanem mundi famam, armorum labores exercet; finis tamen vtriusque absque diuine laudis merito vacuus pertransit.

Cap^m. vi. Hic loquitur interim de commendacione mulieris bone, cuius condicionis virtus approbata omnes mundi delicias transcendit : loquitur eciam de muliere mala, cuius cautelis vix sapiens resistit.

Cap^m. vii. Hic loquitur qualiter milicia bene disposita omnibus aliis gradibus quibuscumque commune securitatis prestat emolumentum.

Cap^m. viii. Hic loquitur qualiter milicie improbitas alios gradus quoscumque sua ledit importunitate et offendit.

Cap^m. ix. Postquam dictum est de illis qui in statu militari rem publicam seruare debent illesam, dicendum est iam de istis qui ad cibos et potus pro generis humani sustentacione perquirendos agriculture labores subire tenentur.

After Cap. viii *no space* CEGD   ix. 1 rem bublicam S

Cap^m. x. Hic loquitur vlterius de diuersis vulgi laborariis, qui sub aliorum regimine conducti, variis debent pro bono communi operibus subiugari.

Cap^m. xi. Quia varias rerum proprietates vsui humano necessarias nulla de se prouincia sola parturit vniuersas, inter alios mundi coadiutores Ciuium Mercatores instituuntur, per quos singularum bona regionum alternatim communicantur, de quorum iam actibus scribere consequenter intendit. Et primo dicit quod in mutuo conciuium amore policia magis gaudet, quam omnium malorum radix auaricia ad presens, prodolor! extirpare presumpsit.

Cap^m. xii. Hic loquitur de duabus auaricie filiabus, scilicet vsura et fraude, que in ciuitate orientes ad ciuium negociaciones secretum prestant obsequium. Set primo dicet de condicione vsure, que vrbis potencioribus sua iura specialius ministrat.

Cap^m. xiii. Postquam dixit de potencia vsure, iam de fraudis subtilitate dicere intendit, que de communi consilio quasi omnibus et singulis in emendo et vendendo ea que sunt agenda procurat et subtiliter disponit.

Cap^m. xiiii. Hic loquitur vlterius quomodo fraus singula artificia necnon et vrbis victualia vbicumque sua subtili diposicione gubernat.

Cap^m. xv. Hic loquitur de Ciue illo maliuolo et impetuoso, qui Maioris ministerium sibi adoptans in conciues suam accendit maliciam, quo magis sanum ciuitatis regimen sua importunitate perturbat et extinguit.

Cap^m. xvi. Hic loquitur eciam de ciue illo, qui linguosus et Susurro inter conciues seminator discordiarum existit. Loquitur de variis eciam periculis occasione male lingue contingentibus.

Expliciunt Capitula libri quinti.

Incipiunt Capitula libri Sexti.

Cap^m. i. Exquo de errore in singulis temporalium gradibus existente tractatum est, iam quia vnumquemque sub legis iusticia gubernari oportet, tractare vlterius intendit de illis qui iuris ministri dicuntur, quamuis tamen ipsi omnem suis cautelis iusticiam confundunt, et propter mundi lucrum multipliciter

After Cap. x *no space* CEGD

eneruant. Set primo dicet de illis qui magis practicam cum fallaciis in iuris confusionem exercent.

Cap^m. ii. Hic loquitur de causidicis et aduocatis illis, qui vicinum populum depredantes, ex bonisque alienis ditati, largissimas sibi possessiones adquirunt : de quibus tamen, vt dicitur, vix gaudet tercius heres.

Cap^m. iii. Hic loquitur de causidicis et Aduocatis illis, qui quanto plures sunt in numero, tanto magis lucra sicientes patriam deuorant, et iuris colore subtilia plectentes, suis cautelis innocentem populum formidantem illaqueant.

Cap^m. iiii. Hic loquitur qualiter isti causidici et iuris Aduocati in sua gradatim ascendentes facultate, Iudicisque aspirantes officium, iudicialis solii tandem cacumen attingunt; vbi quasi in Cathedra pestelencie sedentes, maioris auaricie cecitate percussi, peioris quam antea condicionis existunt.

Cap^m. v. Hic loquitur quasi per epistolam Iudicibus illis directam, qui in caduca suarum diuiciarum multitudine sperantes deum adiutorem suum ponere nullatenus dignantur.

Cap^m. vi. Hic loquitur de errore Vicecomitum, Balliuorum, necnon et in assisis iuratorum, qui singuli auro conducti diuitum causas iniustas supportantes, pauperes absque iusticia calumpniantur et opprimunt.

Cap^m. vii. Hic loquitur quod sicut homines esse super terram necessario expedit, ita leges ad eorum regimen institui oportet, dummodo tamen legis custodes verum a falso discernentes vnicuique quod suum est equo pondere distribuant. De erroribus tamen et iniuriis modo contingentibus innocenciam Regis nostri, minoris etatis causa, quantum ad presens excusat.

Cap^m. viii. Hic loquitur quod, exquo omnes quicumque mundi status sub regie maiestatis iusticia moderantur, intendit ad presens excellentissimo iam Regi nostro quandam epistolam in eius honore editam scribere consequenter, ex qua ille rex noster, qui modo in sua puerili constituitur etate, cum vberiores postea sumpserit annos, gracia mediante diuina, in suis regalibus exercendis euidencius instruatur. Et primo dicit quod, quamuis regalis potencia quodammodo supra leges

---

i. 6 enaruant C   iii. 3 colore *om.* C   vii. 5 f. innocenciam—excusat
nearly erased G   *After* Cap. vii *no space* CEGD   viii. 3 f. in *and* honore
partly erased G

CAPITULA LIBRI SEXTI

extollatur, regiam tamen decet clemenciam, quod ipse bonis moribus inherendo, quasi liber sub iusticie legibus se et suos in aspectu Regis altissimi assidue gubernet.

Cap^m. ix. Hic loquitur qualiter rex sibi male consulentes caucius euitare, proditoresque regni sui penitus extinguere, suorum eciam condiciones ministrorum diligencius inuestigare, et quos extra iusticiam errantes inuenerit, debita pena corrigere debet et districcius castigare.

Cap^m. x. Hic dicit quod rex sano consilio adhereat, ecclesie iura supportet et erigat, equs in iudiciis et pietosus existat, suamque famam cunctis mundi opibus preponat.

Cap^m. xi. Hic loquitur qualiter regiam libertatem in viciorum nullatenus decet incidere seruitutem, set sicut coram populo alios excellit potencia, ita coram deo pre ceteris ampliori virtutum clarescat habundancia.

Cap^m. xii. Hic loquitur qualiter rex a sue carnis voluptate illicebra specialiter se debet abstinere, et sub sacre legis constitucione propter diuinam offensam sue coniugis tantum licito fruatur consorcio.

Cap^m. xiii. Hic loquitur et ponit magnifico iam Regi nostro Iuueni nuper serenissimi Principis patris sui exempla, dicens quod, vbi et quando necessitatis illud exigit facultas, rex contra suos hostes armorum probitates audacter exerceat, et quod ille nulla aduersitate sui vultus constanciam videntibus aliis amittat.

Cap^m. xiiii. Hic loquitur quod absque iusticie experta causa rex bellare non debet. Dicit insuper quod regie congruit dignitati, discreto tamen prouiso regimine, magis amore quam austeritatis rigore suos subditos tractare.

Cap^m. xv. Hic loquitur secundum Salomonis experienciam, quod ceteris virtutibus ad regni gubernaculum preualet sapiencia, que deo et hominibus regem magis reddit acceptabilem.

Cap^m. xvi. Hic loquitur qualiter celi deus, qui est rex regum et dominus dominancium, a regibus terre pura mente precipue colendus est et super omnia metuendus.

Cap^m. xvii. Hic loquitur qualiter rex in caritate dei et proximi viuens, contra superuenientem mortem, que nullo parcit regi, omni se debet diligencia prouidere.

Cap^m. xviii. Hic loquitur in fine istius epistole, vbi pro statu regis deuocius exorat, vt deus ipsius etatem iam floridam in omni

xii. 1 illecebra CED

Cap^m. xix. prosperitate conseruet, et ad laudem dei suique et sibi commisse plebis vtilitatem feliciter perducat in euum.

Cap^m. xix. Hic recapitulat quodammodo sub figuris et exemplis tam veteris quam noui testamenti, in quibus pretendit quod eorum loco qui in omni sanctitate legem dei et fidem Cristi primitus augmentantes ecclesiam colebant, et a diu mortui sunt, iam resurgunt alii precipue de clero, qui illam omnium viciorum multitudine suffocantes corrumpunt.

Cap^m. xx. Hic tractat vlterius quod, sicut virtuosis nuper in ecclesia existentibus succedunt viciosi, sic et mundi proceribus omnis milicie nuper de probitate famosis succedunt modo alii, qui neque diuine neque humane laudis digni efficiuntur.

Cap^m. xxi. Hic loquitur adhuc vlterius super eodem, qualiter loco eorum qui nuper casti fuerunt et constantes, surrexerunt modo alii, qui huius seculi vanitatem concupiscentes pudoris constanciam penitus amiserunt.

Expliciunt Capitula libri sexti.

Incipiunt Capitula libri Septimi.

Cap^m. i. Postquam de singulis gradibus, per quos tam in spiritualibus quam in temporalibus error quasi vbique diffunditur, tractatum hactenus existit, iam secundum quorundam opiniones tractare intendit de pedibus statue quam Nabugodonosor viderat in sompnis, quorum videlicet pedum quedam pars ferrea, quedam fictilis, in figura deterioracionis huius mundi extiterat, in quam nos ad presens tempus, quod est quodammodo in fine seculi, euidencius deuenimus. Et primo ferri significacionem declarabit.

Cap^m. ii. Hic loquitur contra istos auaros omni ferro in hoc saltem tempore duriores, quorum diuicie nisi participentur, nullius, vt dicit, possunt esse valoris.

Cap^m. iii. Hic loquitur de statue secunda parte pedum, que fictilis et fragilis erat, et de eiusdem partis significacione.

Cap^m. iiii. Hic loquitur adhuc vlterius de miseriis que in pedum statue diuersitate nouissimo iam tempore euenendis figurabantur:

xix. 4 adiu C   Lib. VII. i. 4 Nabugonosor C   8 significac*io*nem ferri D

dicit enim quod ea que nuper condicionis humane virtuosa fuerant, in suum modo contrarium singula diuertuntur.

Cap^m. v. Quia vnusquisque ad presens de mundi conqueritur fallaciis, intendit hic de statu et condicione mundi, necnon et de miseria condicionis humane, tractare consequenter.

Cap^m. vi. Hic loquitur de principio creacionis humane: declarat eciam qualiter mundus ad vsum hominis, et homo ad cultum dei creatus extitit; ita quod, si homo deum suum debite non colat, mundus que sua sunt homini debita officia vlterius reddere non teneatur.

Cap^m. vii. Hic loquitur quod, exquo creator omnium deus singulas huius mundi delicias vsui subdidit humano, dignum est quod, sicut homo deliciis secundum corpus fruitur, ita secundum spiritum deo creatori suo gratum obsequium cum graciarum accione toto corde rependat.

Cap^m. viii. Hic tractat qualiter homo dicitur minor mundus; ita quod secundum hoc quod homo bene vel male agit, mundus bonus vel malus per consequens existit.

Cap^m. ix. Hic loquitur qualiter homo, qui minor mundus dicitur, a mundo secundum corpus in mortem transibit; et sicut ipse corporis sui peccato huius mundi corrupcionis, dum viuit, causat euentum, ita in corpore mortuo postea putredinis subire corrupcionem cogetur. Et primo dicet de mortui corporis corrupcione secundum Superbiam.

Cap^m. x. Hic loquitur de corporis mortui corrupcione secundum Inuidiam.

Cap^m. xi. Hic loquitur de corporis mortui corrupcione secundum Iram.

Cap^m. xii. Hic loquitur de corporis mortui corrupcione secundum Auariciam.

Cap^m. xiii. Hic loquitur de corporis mortui corrupcione secundum Accidiam.

Cap^m. xiiii. Hic loquitur de corporis mortui corrupcione secundum Gulam.

Cap^m. xv. Hic loquitur de corporis mortui corrupcione secundum Luxuriam.

Cap^m. xvi. Exquo tractauit qualiter variis peccati deliciis humanum corpus in hoc mundo putredine consumitur, interrogat vlterius de homine peccatore, quomodo mundi voluptates

---

vi. 3 suum CEGD   sum S   vii. 4 gratum] congruum D   xvi. 3 mundi om. C

tam fallibiles in sui preiudicium ita ardenter sibi appetit
et conspirat.

Cap^m. xvii. Hic loquitur qualiter omnia et singula mundi huius sicut
vestimentum veterascunt, et quasi sompnifera in ictu oculi
clauduntur: loquitur eciam de mortis memoria et eiusdem
nominis significacione.

Cap^m. xviii. Hic loquitur quod, quamuis iustis et iniustis vnus sit natu-
raliter interitus, mors tamen iusti omnes exsoluens miserias
eius spiritum glorie reddit sempiterne.

Cap^m. xix. Hic loquitur de dupplici morte peccatoris, vna ex qua corpus
hic resoluitur, alia ex qua digno dei iudicio penis perpetuis
anima cruciatur.

Cap^m. xx. Postquam de gaudiis et penis que bonis et malis debentur
tractauit, consulit vlterius quod vnusquisque ad bonos mores
se conuertat, et de huis que negligenter omisit, absque despera-
cione contritus indulgenciam a deo confidenter imploret.

Cap^m. xxi. Hic loquitur quod sunt modo pauci, qui aut propter celi
affectum aut gehenne metum huius vite voluptatibus renun-
ciant; set quecunque caro concupiscit, omni postposita ra-
cione ardencius perficere conantur.

Cap^m. xxii. Hic loquitur de variis vindictis occasione peccati in hoc
seculo iam quasi cotidie contingentibus, que absque iustorum
virorum meritis et oracionibus nullatenus sedari poterunt.

Cap^m. xxiii. Hic loquitur sub compendio recapitulando finaliter de singu-
lis mundi gradibus, qui singillatim a debito deuiantes ordine
virtutes diminuendo extingunt, et ea que viciorum sunt aug-
mentando multipliciter exercent.

Cap^m. xxiiii. Iam in fine libri loquitur magis in speciali de patria illa in
qua ipse natus fuerat, vbi quasi plangendo conqueritur qualiter
honores et virtutes veteres a variis ibidem erroribus superue-
nientibus, vt dicitur, ad presens multipliciter eneruantur.

Cap^m. xxv. Hic loquitur qualiter ea que in hoc presenti libello quasi
sompniando de mundi scripsit erroribus, non ex se tantum,
set ex plebis voce communi concepit. Consulit tamen finali-
ter quod, siquis inde se culpabilem senciat, priusquam nobis
peiora succedant tempora, suam ex humili corde culpam peni-
tens emendet.

xvii. 3 eciam S   eciam in speciali CED   xviii. 1 quod quamuis] quo*modo* D
xix. 2 S *has lost two leaves* (resoluitur—Lib. I. i. 18).   *Text follows* C   xxiii. 4
excercent CE   xxiiii. 2 ipse] ille D   4 enaruantur C   xxv. 5 penitus CE,

AD MUNDUM MITTO MEA IACULA, DUMQUE SAGITTO ;
AT VBI IUSTUS ERIT, NULLA SAGITTA FERIT.
SED MALE VIUENTES HOS VULNERO TRANSGREDIENTES ;
CONSCIUS ERGO SIBI SE SPECULETUR IBI.

These four lines (with picture below) are found here in CEG. L *has them later,* Lib. III. cap. i.

Incipit Cronica que Vox Clamantis dicitur.

In huius opusculi principio intendit compositor describere qualiter seruiles rustici impetuose contra ingenuos et nobiles regni insurrexerunt. Et quia res huiusmodi velut monstrum detestabilis fuit et horribilis, narrat se per sompnium vidisse diuersas vulgi turmas in diuersas species bestiarum domesticarum transmutatas : dicit tamen quod ille bestie domestice, a sua deuiantes natura, crudelitates ferarum sibi presumpserunt. De causis vero, ex quibus inter homines talia contingunt enormia, tractat vlterius secundum distincciones libelli istius, qui in septem diuiditur partes, prout inferius locis suis euidencius apparebit.

Incipit prologus libri Primi.

Scripture veteris capiunt exempla futuri,
  Nam dabit experta res magis esse fidem.
Vox licet hoc teneat vulgaris, quod sibi nullum
  Sompnia propositum credulitatis habent,
Nos tamen econtra de tempore preteritorum
  Cercius instructos littera scripta facit.
Ex Daniele patet quid sompnia significarunt,
  Nec fuit in sompnis visio vana Ioseph :
Angelus immo bonus, qui custos interioris
  Est hominis, vigili semper amore fauet ;   10
Et licet exterius corpus sopor occupet, ille
  Visitat interius mentis et auget opem ;
Sepeque sompnifero monstrat prenostica visu,
  Quo magis in causis tempora noscat homo.
Hinc puto que vidi quod sompnia tempore noctis
  Signa rei certe commemoranda ferunt.
Visio qualis erat, quo tempore, cuius et anno
  Regis, in hiis scriptis singula scire potes.
    Scribentis nomen si queras, ecce loquela
  Sub tribus implicita versibus inde latet.   20

Title Incipit—dicitur CE   *om.* GDL   Prol. *Heading om.* L   4 narrat CE   fingit GD   5 bestiarum species GD   7 sumpserunt E

PROLOGUS LIBRI PRIMI

Primos sume pedes Godefridi desque Iohanni,
Principiumque sui Wallia iungat eis :
Ter caput amittens det cetera membra, que tali
Carmine compositi nominis ordo patet.
Tu tamen ad scribe laudem nil pone, sed illam
Concipe materiam quam tibi scripta dabunt.
Nam nichil vt lauder scribam, curamque futuri
Nominis vt queram non meus actus habet.
Quos mea terra dedit casus nouitatis adibo,
Nam pius est patrie facta referre labor.   30
Quod michi flere licet scribam lacrimabile tempus,
Sic quod in exemplum posteritatis eat.
Flebilis vt noster status est, ita flebile carmen,
Materie scripto conueniente sue.
Omne quod est huius operis lacrimabile, lector
Scriptum de lacrimis censeat esse meis :
Penna madet lacrimis hec me scribente profusis,
Dumque feror studiis, cor tremit atque manus.
Scribere cumque volo, michi pondere pressa laboris
Est manus, et vires subtrahit inde timor.   40
Qui magis inspiciet opus istud, tempus et instans,
Inueniet toto carmine dulce nichil.
Si vox in fragili michi pectore firmior esset,
Pluraque cum linguis pluribus ora forent,
Hec tamen ad presens mala, que sunt temporis huius,
Non michi possibile dicere cuncta foret.
Pectora sic mea sunt limo viciata malorum,
Quod carmen vena pauperiore fluet.
Poplice contracto restat grandis via Rome,
Et modico sensu grande libellus opus.   50
Sic veniam pro laude peto, mea namque voluntas
Est bona, sit quamuis sensus ad acta minor.
Adde recollectis seriem, mea musa, Latinis,

Nota de nomine Iohannis Gower.

21 Godefri des atque D   margin Nota de nomine Iohannis Gower CE   Nota nomen L   Nomen compilatoris est Iohannes Gower vt patet in his tribus versibus T   om. GD   25 adscribe EL   ascribens D   27 nil vt laudes D   nichil vt laudes L   32 Sicque DL   36 censeat C sensiat GEH₂   senceat T   senciat D(p. m.)L   37 Penna madet C (ras.) E   Sepeque sunt GDLTH₂   hec] de D   38 Text C (ras.)E Humida fit lacrimis sepeque penna meis GDLTH₂   44 fauent DH₂ 49 confracto DLH₂

Daque magistra tuo congrua verba libro.
Sompnia vera quidem, quorum sentencia cordis
Intima conturbat, plena timore canam :
Insula quem Pathmos suscepit in Apocalipsi,
Cuius ego nomen gesto, gubernet opus.

Hic declarat in primis sub cuius regis imperio, in quibus eciam mense et anno, ista sibi accidencia, cuius tenor subsequitur, contingebat. Commendat insuper, secundum illud quod esse solebat, fertilitatem illius terre vbi ipse tunc fuerat, in qua, vt dicit, omnium quasi rerum delicie pariter conueniunt. Et loquitur vlterius de amenitate temporis, necnon et de diei serenitate, que tunc tamen sompnium nimis horribile precedebant.

Incipit liber Primus.

Cap^m. i.
Contigit vt quarto Ricardi regis in anno,
Dum clamat mensem Iunius esse suum,
Luna polum linquens sub humo sua lumina condit,
Sponsus et Aurore Lucifer ortus erat ;
Surgit ab occasu noua lux, Aurora refulget
Orbis ab occidua parte, paritque diem ;
Luce diem reparat mirandaque lumina prebet,
Dum fuga dat noctem, luxque reuersa diem.
Clara repercusso radiabant lumina Phebo,
Et facies celi leta refulsit humo :   10
Splendida mane videt pulsis Aurora tenebris,
Quam spectans hilarem quisquis in orbe colit :
Purpureas splendore fores et plena rosarum
Atria glorificat de nouitate sua.
In curru Phebus claris rutilante smaragdis
Estuat in Cancro feruidus igne nouo.
Omnia fecundat, nutrit, fouet, auget, habundat,
Cunctaque viuificat, que mare, terra creat.
Que melius poterant ornant redolencia currum,

56 conturbat D   conturbant CEGLT   58 Huius ergo DL
Cap. i. *Heading* 1 eciam *om.* D   3 contingebant DL   4 terre illius D   5 omnium E   quod omnium CGDLT   7 nimis horribile *om.* L
Cap. i. 12 hilarem D   hillarem CEL   19 S *resumes here*

Gloria, lux renitens, splendor et omne decus.   20
Aureus axis erat, nec temo fit alter ab auro,
Splendet et in curuis aurea pompa rotis.
Per iuga gemmatus argenteus ordo choruscat,
Crisolitis radios prebuit vnde suos ;
Ignitique suum currum post terga vehentes
Aera discurrunt celsitonantis equi.
   Purpurea residens velatus veste refulsit,
Cuius in aspectu secula cuncta patent.
Ante suum solium gradiuntur quatuor anni
Tempora, que variis compta diebus erant: 30
Tunc tamen a dextris stetit alba propinquior estas
Serta gerens, et eam cuncta creata colunt.
Omnia tunc florent, tunc est noua temporis etas,
Ludit et in pratis luxuriando pecus.
Tunc fecundus ager, pecorum tunc hora creandi,
Tunc renouatque suos reptile quodque iocos ;
Prataque pubescunt variorum flore colorum,
Indocilique loquax gutture cantat auis ;
Queque diu latuit tunc se qua tollat in auras
Inuenit occultam fertilis herba viam ;   40
Tuncque pruinosos mollitur Lucifer agros,
Inque suos pullos concitat ales opus.
Tunc glacialis yemps canos hirsuta capillos
Deserit, et placidi redditus orbis erat:
Quicquid yemps operit gelido de frigore cedit,
Et periunt lapse sole tepente niues.
Arboribus redeunt detonse frigore frondes,
Regnat et estatis pompa per omne nemus :
Rore refudit humum, dat terre gramina, siluis
Frondes, arboribus pomaque grata satis :   50
Mille fuit variis florum renouata coronis,
Herbifer in cuius lege virescit ager.
Flos sua regna petit, florumque coloribus amplus
Ludit ager, que suus gaudia vultus habet.
Iam legit ingenua violas sibi compta puella
Rustica, quas nullo terra serente vehit.

   21 themo CE   40 *Text* CEGT ffertilis occultam inuenit herba viam SD ffertilis inuenit occulta*m* herba via*m* L   41 pruinosos om. E (*blank*)

Tot fuerant illuc quot habet natura colores,
Pictaque dissimili flore superbit humus:
O quia digestos volui numerare colores,
Nec potui, numero copia maior erat.   60
  Orta fragrant clausis sicut paradisus in ortis
Candida cum rubeis lilia mixta rosis:
Deforis in campis stat primula cincta ligustris,
Omnis et hec herba quam medicina probat:
Herbarum vires fuerant, que semine, succo,
Seu radice queunt ferre salutis opem:
Purpureum viridi genuit de cespite florem,
Quam natura suis legibus ornat, humus:
Balsama, pigmentum, cum nardo cassia, mirra
Cum gutta sedes hic statuere suas.   70
Purpuree viole, rosa rocida, candida semper
Lilia certabant hunc habitare locum.
Ille locus solus sibi vendicat omne quod aer,
Quod mare, quod tellus, nutrit habetque bonum:
Hic decus est orbis, flos mundi, gloria rerum,
Delicias omnes, quas petit vsus, habet;
Insitus arboribus, herbis plantatus, et omni
Munere prepollens, que sibi poscit homo.
  Est alter paradisus ibi, nam quicquid habere
Mens humana cupit, terra beata parit,   80
Fontibus irriguis fecundus, semine plenus,
Floribus insignis fructiferisque bonis;
Terraque cum rore dulces commixta vigores
Concipit, et varia gramina nata fouet.
Frondibus inde nemus vestitur, floribus ortus,
Graminibus campus, seminibusque solum;
Siluaque fronde suo renouatur, et omne virescit
Pratum, quod lutea sorde subegit yemps.
Mulcebant zephiri natos sine semine flores,
Et calor a superis lucidus ornat humum.   90
Tempus et in volucres cantum fundebat, et altis
Vocibus ex variis personat omne nemus:
Semper idem repetens cuculus de gutture plano
Clamat, et est testis temporis ipse noui:
Nuncius Aurore modulans volutabat Alauda

79 *No paragraph* CE   81 irriguis S irriguus CEGDL   95 uolitabat CE

Desuper, et summi cantat in aure dei;
Turtur et ex viridi congaudens tempore fidum
In maris obsequium cor vouet ipsa suum;
Amissamque sue suplet Philomena loquele
Naturam, que suis predicat acta notis: 100
Concinit et Progne de virginitate sororis
Lesa, dum tanti sunt in amore doli.
Milia mille sonant volucrum velut organa cantus,
Et totidem flores lata per arua fragrant:
Inter eos certant, ferat vtrum cantus ad aures
Aut odor ad nares de bonitate magis:
Lis tamen ipsa pia fuit et discordia concors,
Dum meriti parilis fulsit vterque status.
 Cum natura sue legis dulcedine siluas
Replet, et ex omni parte resultat auis;   110
Cum decus et florum vastos sic induit agros,
Ac herbosa coma florida prata colit;
Flat leuis in ramis resonans quam dulciter Eurus,
Dulcis et in ripa murmure plaudit aqua;
Omneque sic animal placido de tempore gaudet,
Piscis et ob solem fluminis alta petit;
Non fuit hoc viuens, cui non renouata voluptas
Temporis ex aura dulciter huius erat.
Talia cumque videns oculus letatur, et illa
In thalamum cordis ducit ad yma viri;   120
Auris et auditu cordis suspiria pulsat,
Quo Venus in iuuene poscit amoris opem.
Ecce dies talis fuit, in qua tempus amenum
Me dabat in lusum girouagare meum.
 Omnia finis habet: aderat sic vespere tandem
Cum solet occasus intitulare diem:
Illa quieta dies solitas compleuerat horas,
Dulcibus atque silent organa clausa notis:
Merserat in tenebris nox feruida lumina solis,
Et sopor ad lectum strinxerat ire virum: 130
Deficiente die tunc flexi corpus ad ymum,
Quo lassata solet membra fouere quies.

 100 sue... vocis D 101 Progne *om.* D 106 ad] aut S 113 quam] qui DH2 117 veniens D cui] cum DH2 voluptas *om.* D
124 girovagando D girouogare L

Tristia post leta, post Phebum nebula, morbi
Tempora post sana sepe venire solent:
Non ita clara dies fuerat transacta per ante,
Quin magis obscura noctis ymago venit.
Ecce tegunt nigre latitancia sidera nubes,
Aurea luna fugit, nox caret igne suo.
Flexerat obliquo plaustrum temone Boetes,
Nec via directa tunc fuit acta poli;   140
Infortunata set constellacio centrum
Dissoluens rabide tartara misit humo.

 Prima quies aberat, nec adhuc mea lumina mulcet
Sompnus, quem timide mentis origo fugat:
En coma sponte riget, tremit et caro, cordis et antrum
Soluitur, et sensus fertur ad instar aque;
Sic magis assidua iactatus mente reuolui,
Quid michi tam subiti causa timoris erat:
Sic lecto vigilans meditabar plura, que mentem
Effudi, variis corde vagante modis.   150
Tempus erat quo cuncta silent, quo mente sopita
In vaga nonnulla sompnia corda ruunt;
Set neque sompnus adhuc neque sompnia me laquearunt,
Dum pauor ex subito spondet adesse malum.
Noctis erat medium, grauis et palpebra querelas
Ponderat ex oculis, set mora tardat opem.
Sic vigil in curis consumpsi tempora noctis,
Nescius ex quali sorte propinquat opus:
Tempora preterita vidi, metuique futura;
Tandem sic oculos clauserat vmbra meos.   160
Sic, vbi decepte pars est michi maxima noctis
Acta, subit subito lumina fessa sopor:
Exiguam subii requiem, dum Lucifer ignem
Prouocat Aurore, sompnia tuncque fero.

Hic incipit sompnium, vbi quodam die Martis dicit se varias vulgi turmas vidisse, quarum primam in similitudinem asinorum mutari subito speculabatur.

Cap^m. ii. Dumque piger sompnus inmotos fixerat artus,
 Iam fuerat raptus spiritus ipse meus:

145 in antrum D 163 *om.* L 165-2150 *om.* L 165 Cumque DT

Vt flores legerem me campis ire putabam,
Quando suam propriam Mars colit ipse diem.
Nec michi longa via fuerat, dum proxima vidi
Innumerabilia monstra timenda nimis, 170
Diuersas plebis sortes vulgaris iniquas
Innumeris turmis ire per arua vagas :
Dumque mei turbas oculi sic intuerentur,
Miror et in tanta rusticitate magis,
Ecce dei subito malediccio fulsit in illos,
Et mutans formas fecerat esse feras.
Qui fuerant homines prius innate racionis,
Brutorum species irracionis habent :
Diuersas turmas diuersaque forma figurat,
Quamlibet et propria condicione notat. 180
Sompnia pondus habent, hinc est quod mira reuoluam,
Vnde magis vigilans sum timefactus adhuc.
 Elatos asinos subita nouitate rebelles
Vidi, nec frenis quis moderauit eos ;
Viscera namque sua repleta furore leonum
Extiterant predas in repetendo suas.
Perdidit officium capitis sine lege capistrum,
Dum saltant asini cuncta per arua vagi ;
Terruit en cunctos sua sternutacio ciues,
Dum geminant solita voce frequenter yha. 190
Sunt onagrique rudes asini violenter, et omnis
Que fuit vtilitas vtilitate caret.
Amplius ad villam saccos portare recusant,
Nec curuare sua pondere dorsa volunt ;
Set neque rurales curant in montibus herbas,
Ammodo set querunt deliciosa magis ;
A domibus alios expellunt, ius et equorum
Iniuste cupiunt appropriare sibi.
 Presumunt asini gemmatis ammodo fungi
Sellis, et comptas semper habere comas : 200
Vt vetus ipse suam curtam Burnellus inepte
Caudam longari de nouitate cupit,
Sic isti miseri noua tergaque longa requirunt,
Vt leo de cauda sint et Asellus idem.
Pelle leonina tectum se pinxit Asellus,
Et sua transcendit gloria vana modum :

Cauda suo capiti quia se conferre nequibat,
Contra naturam sorte requirit opem.
Attemptant igitur fatui, poterint vt aselli
Quod natura vetat amplificare sibi: 210
Quam sibi plantauit caudam qui contulit aures
Non curant, set eam vilius esse putant.
 Voluere plura solet animi meditacio stulta,
Que magis impediunt quam sua vota ferunt:
Omnes stulticia stultis innata dolores
Parturit, et finem prestat habere malum.
Magnos magna decent et paruos parua, set illi,
Qui sunt de minimis, grandia ferre volunt.
Mens oritur subito, diuturnos que parat actus,
Incipit et leuiter que sine fine grauant: 220
Sic asini fatui, quos fastus concitat, omni
Postposita lege condita iura negant.
Hos intemperies sic aeris inficiebat,
Quod transformati sunt quasi monstra michi:
Auribus in longis potui quos noscere dudum
In frontis medio cornua longa gerunt.
Ille biceps gladius non scindit forcius illis,
Vulneris atque noui fusa cruore madent.
Qui de natura pigri tardare solebant,
Precurrunt ceruis de leuitate magis. 230
Nonne leui saltu vincit Leopardus Asellum?
Tunc tamen ad saltum vicit Asellus eum.
Longior in cauda fuerat tunc vilis Asellus
Quam fuit insignis, prodolor! ipse leo.
Quicquid velle iubet asinorum legis habebat
Vires, et nouitas ius vetus omne fugat.
Vt stolidos tamen atque rudes hos mos asininus
Signabat, quod eis nil racionis erat:
Et quia sic fatuos vidi timui magis ipsos,
Nec dabat vlterius pes michi fidus iter. 240

Hic dicit se per sompnium secundam vulgi turmam in boues vidisse mutatam.

Cap^m. iii.   Cum quibus ecce boues veniunt quos cuspide nullus
  Pungere tunc ausit, immo timebat eos:

 209 possint D   231 Non leuiter D   232 vincit D

LIBER PRIMUS

Contra iura bouis bos spernit habere bubulcum,
Ammodo nec duci de nouitate sinit.
Cornutando furit hodie bos qui fuit heri
Per cornu leuiter ductus vt arua colat:
Qui fuerant domiti nuper, modo fronte minaci
Cornibus elatis debita iura negant:
Amplius ex aratro se dicunt nolle iugari,
Colla set erecta libera ferre volunt: 250
Ammodo non comedunt paleas neque stramina grossa,
Est vbi set granum de meliore petunt.
Sic transformatas formas natura reliquit,
Et monstris similes fecerat esse boues;
Vrsinosque pedes caudas similesque draconum
Gestant, quo pauidus omnis abhorret eos:
Sulphureas flammas emittunt oris ab antro,
Quas, vbi disperse sunt, aqua nulla fugat:
Sit lapis aut lignum, fuerit set quicquid ab estu
Tactum, comminuens ignea flamma vorat. 260
Hec armenta nequit aliquis defendere pastor,
Quin magis in dampnum ruris et vrbis agunt.

In Colchos thauri, quos vicit dextra Iasonis,
Non ita sulphureis ignibus ora fremunt,
Quin magis igne boues isti crepitancia tecta
Incendunt, que suis flatibus illa cremant.
Non Minos taurus, quem Neptunus dedit illi,
Sic nocuit campis, dum furibundus erat,
Quin magis arua boues isti vastant, et in vrbe
Horrida rite suo dampna furore parant. 270
Nessus et in tauri specimen mutatus et armis
Victus ab Eacide, dum sibi bella mouet,
Tam neque Centauri nec et ipse ferox Minotaurus
Hoc metuenda viris tempore bella dabant,
Quin magis ecce boues isti violenter aratra
Linquentes, hominum constituere necem.

Arma sui vacuos operis dispersa per agros
Linqunt, nec solitum ius sibi vomer habet;
Ecce iacent rastri, sic sarcula sicque ligones,
Buris, trabs, crapulus sunt neque restis eis; 280

259 Sic DH₂   263 thauri SH₂   tauri CEGDT   280 crapulus SCEGTH₂
ᶜapul*us* D

Nil iuga, nil torquis, nichil aut retinacula prosunt,
Nil sibi paxillus, temo vel ansa iuuant:
Vsus abest aratri, vacat et dentale relictum,
Nec sua tunc crates debita ferre sinunt:
Currus et auriga cessant, cessatque carecta,
Que nichil vlterius vtilitatis habent:
Agricoleque bonis iter vnum legibus absque
Restat, et indomiti sunt racionis idem.
Sic, vbicumque vides, campi cultore carentes,
Vastaque, que nemo vendicat, arua iacent: 290
Expectant frustra promissas horrea messes,
Annua si talis regula seruet agros.
Bos leo, bos pardus, bos vrsus, set bouis ipsum
Constat naturam non meminisse suam.
Sic ego pestiferos errare boues quia vidi
Indomitos sulco, mens mea mota fuit.
Prodolor! o! dixi, cessabit cultus agrorum,
Quo michi temporibus est metuenda fames.

Hic dicit se per sompnium terciam vulgi turmam in porcos vidisse transmutatam.

Cap^m. iiii. Sompnus adhuc creuit, et lassos occupat artus,
Auget et vlterius sompnia plura michi. 300
Cristatos porcos, furiosos, demone plenos,
Post ea percepi stare frequenter ibi:
Associata simul fuit horum concio multa,
Aera stercoribus inficiendo suis.
Porculus en porcum furiens et aperculus aprum
Consequitur, nec eos amplius artat ara.
Federa cum socio dat verres iuncta nefrendo,
Vt magis euertant congradiuntur humum;
Scropha que Sus sociam porcam sibi consociarunt,
Que magis vt noceant, plura maligna mouent. 310
Inmundos porcos sic vidi ledere mundum,
Vix quod erat mundus tutus vt obstet eis:
Non erat aque bladis hominum porcarius vllus,
Qui tunc de solito more fugauit eos;
Non erat in nares torques qui posset eorum

302 Postea CED

LIBER PRIMUS

Ponere, quin faciunt fossa timenda nimis;
Nullus et hirsuta nexus constringere colla
Tunc potuit, set eis omne licebat iter.
Deuia natura sic errat ab ordine, mores
Porcus quod porci non habet, immo lupi.   320
    Inter eos aper vnus erat quem Kancia duxit;
Terra sibi similem ducere nulla potest.
Emicat ex oculis, spirat quoque pectore flammas,
Cuius ab igne procul vix fuit vna domus:
Fulmen ab ore volat, vrbis afflatibus ardet,
Ac elephantinis dentibus arma parat:
Feruida cum rauco latos stridore per armos
Spuma, set humano sanguine mixta, fluit;
Stridentemque nouo spumam cum sanguine fundit,
Quem fera de iugulo plebis in arua ruit: 330
Que ferit ex capite fortissima subruit ipse,
Preualet insultus vincere nemo suos:
Erigit ad bellum se signifer horrida ceruix,
Inque furore suo tigridis instar habet;
Et sete rigidis similes hastilibus horrent,
Que magis inferni noxia signa gerunt.
Sicut onusta carecta fremit, seu frendet aquarum
Cursus, sicque suus murmura passus habet:
Hec fera crescentes segetes proculcat in herba,
Et cererem paleas triuerat inque leues.   340
Creuit aper quod eo maiores herbida monstro
Educat agrestes pascua nulla feras.
Non locus est tutus in quem fera tanta minatur,
Sit nisi celestis, quo mala ferre nequit.
Ira fere mota furias excedit abissi,
Cuius in aduentu patria tota fremit:
Ex aquilone tamen verres venit alter, et apro
Conuenit, vt pariter fossa parare queant.
    Tegia silua ferum talem non protulit aprum,
Quamuis in Archadia maximus ille fuit: 350
Non ita commouit in montibus Herculis iram,
Gentibus aut aliis obstitit ipse viis,
Quin magis hii porci, per sompnia quos ego vidi,

321 cancia EH₂   ffrancia D (*rubricator*)   325 vrbis S   urbes (vrbes)
CEGDT   349 Regia EDH₂

Dampna ferunt variis milia mille modis.
Non aper ille ferox, agitabat quem Meleager
In nemorum latebris, tam violentus erat,
Quin magis in porcis furit et violencius istis
Ira nocet, que suis dentibus arma parat.
Nil sedimen vel amurca placet, nichil atque segistrum
Confert, vt dictis sint alimenta feris ; 360
Non siliquas silue quercinas aut sibi glandes
Querunt, set rapiunt que meliora vident ;
Spisse nil feces, aqua nec communis eorum
Sufficit ad potum, set bona vina vorant.
Rustica natura, dum fert incognita vina,
Mortuus vt truncus ebrietate iacet :
Sic gula porcorum viguit, quod in vrbe quietos
Vix poterat proprios diues habere cibos.
Amplius hospicium porcorum non ara fertur,
Sordidus aut puluis lectus habendus eis : 370
Immo sua sorde calcarunt regia tecta,
Vrbis et in medio nobiliora petunt.
Nuper deformes modo transformantur, et illos
Qui fuerant porci forma superba colit :
Vt leo qui rugit fuerat grunnitus eorum,
Ad quorum sonitus concutit Eccho nemus.
Hii fuerant porci, maledictus spiritus in quos
Intrauit, sicut leccio sancta refert.

Hic dicit se per sompnium quartam vulgi turmam in canes vidisse mutatam.

Cap^m. v. Post vidique canes stantes quasi millia dena
Latrantes, que suis vocibus arua tremunt. 380
En dederat cantus lucis prenuncius ales,
Aera iam furiens verberat ira canum.
Mica set a mensa dominorum que cadit esca
Non fuit hiis canibus, ossa nec ulla placent ;
Faucibus immo suis meliora cibaria poscunt,
Ac vbi perueniunt singula crassa vorant.
Gentiles tamen ecce canes hiis associati
Non sunt, set viles quos scola nulla docet :

379 vidique] vidi D

LIBER PRIMUS

Hii neque venatu spaciantur, set neque gaudent
De cornu, nec eis quid nisi vile manet: 390
Non nemus vt leporem capiant transcurrere querunt,
Nec ceruos agitant de leuitate sua;
Set magis ad talos retro latrare virorum
Affectant, et eis tedia multa ferunt.
 Cutte que Curre simul rapidi per deuia currunt,
Linquentes miseras degenerando casas:
En pastoris adest canis, et qui nocte latrando
Atria conseruat, hii duo sepe grauant:
Omnis pistrine proprium pariterque coquine
Rupta cathena suum laxat abire canem: 400
Carnificum grandes vidique venire molosos,
Atque molendini nec manet ipse domi;
Nec stabulum veteres poterat retinere latrantes,
Quin veniunt sociis et sociantur eis.
Est ibi monoculus, set et ille tripes quasi furtim
Claudicat a retro, latrat et ipse comes:
Voce sua rauca tunc rinx ringendo fimumque
Deserit, atque loca spirat habere noua.
Hii sunt quos dorsa nullus planare valebit,
Tangere nec caudas, nec retinere caput; 410
Irati semper denudant nam tibi dentes,
Nec sua rusticitas quicquid amoris habet.
 Omnes conueniunt iuuenes que senes, et in vnum
Concurrunt, que sua morsibus ora parant:
Erectis caudis gradiuntur more superbo,
Est nichil hiis sanum quod lacerare queunt.
Aprini dentes deformant ora canina,
Est quorum morsus pestifer atque grauis:
Quanto plus escas sumunt minus hii saturantur,
Insaciata fames semper inheret eis. 420
Hii quibus in nocte solito fimus extitit hospes,
Mollibus in lectis sordida membra fouent.
Copia tanta fuit, quod eorum nullus habebat
Respectum proprii quomodocumque status.
O tunc si quis eos audisset, quomodo mundus
Vocibus attonitus hic et vbique fremit,
Dicere tunc posset similes quod eis vlulatus

396 Linquendo S

Auribus audiuit nullus ab ante status.
   Cumque canum strepitus Sathane descendit in aures,
Gaudet et infernus de nouitate soni, 430
Cerberus ecce canis baratri custosque gehenne
Prebuit auditum letus et inde furit;
Aque suo collo, quibus extitit ipse ligatus,
Ignea disrupit vincla furore suo;
Exiliensque statim centri penetrauit abissos,
Promptus et in terras accelerauit iter.
Sic socius sociis, sic par paribus sociatur,
Prefuit et canibus dux malus ipse malis;
Dux ita tartareus violens violencius omne
Vertit, et ex homine conficit ipse canem. 440
   Dumque canis rabidi sumpsit mutata figuram,
Ipsa dolens Hecuba non ita seua fuit,
Quin magis in canibus istis furit ira, que morsus
Figere quo poterant singula membra terunt.
Tale canes, Cadmi qui dilaniare nepotem
Acteon instabant, non coluere nephas.
Ille gigas Gereon ingens, Hispannia dudum
Quem genuit, capita trina canina gerens,
Non ita sanguineos dentes de morte virorum
Exacuit, nec ita pestifer ille fuit, 450
Quin magis humana strages madefacta cruore
Fertur ab hiis canibus de quibus ipse loquor.
Bestia pestifera, nuper quam misit Athenas,
Destruat vt ciues, mota Diana palam
Vrbis in exilium, neque talia bella parauit,
Nec sub ea tanti procubuere viri:
Nec Cephali canis ipse, feram qui prorsus ab vrbe
Depulit, in nullo robore talis erat,
Sicut erant isti, de quorum morsibus omnis
Ciuis et ingenuus contremuere magis. 460

Hic dicit se per sompnium quintam vulgi turmam in murelegos et vulpes vidisse mutatam: dicit murelegos, vt seruos domesticos; dicit vulpes, quia fures ruptis vbique Gaiolis liberi tunc eos comitabantur.

Cap^m. vi.   Taliter in sompnis cum me vidisse putassem,
   Visio discurrens en noua monstra dabat.

431 Iehenne C   447 hyspania CE

Vulpes, murelegos, numero sine post venientes
Vidi, qui canibus se tribuere pares.
Quod super est terram nichil aut quod subtus eisdem
Occultum latuit, set magis omne vident:
Discurrunt campis, scrutantur et inde cauernas,
Et nemus et pratum quid sit vbique petunt:
Vrbs neque castellum lapidum nec in ordine murus
Denegat introitum, quando venire volunt: 470
Hii penetrant cameras fortes, sine claueque cistas
Intrant, vt preda stet patefacta sua.
Dentibus ex ferro longis que ferocibus omnes
Corrodunt artes, quod nichil obstat eis.
Hoc tamen in morsu viuens quod virus eorum
Leserat, ad vitam non medicina iuuat:
Mortis habent morsum, nec scorpio plus grauat illis;
Quo veniunt tales, mors venit ipsa comes.
  En statuunt cani nemoris dimittere vulpes
Antra, que gentiles vrbis adire domos: 480
Que nocturna solent latitanter furta parari,
Illa dies clara tunc manifesta parat.
Ammodo quid sibi sunt nec ouis nec pauper ouile,
Nec sibi de predis pullus et agna placent,
Que tamen existunt maioris in vrbe valoris,
Hec rapiunt, nec eis lex aliqualis obest.
Qui suberat terra seruilis vulpis in aulas
Scandit, et hospicium liber vbique petit:
Qui prius extiterant canibus vulpes inimici,
Mutua concordes federa pacis habent: 490
Fit lupus, atque fere rapidus vestigia seruat,
Qui solet ante magis esse bidente pius.
  Hiis quoque murelegus sociatur, et horrea linquens
Nititur in vetitum rusticus ipse malum.
Ammodo murelegus desistit prendere mures,
Nec natura suum curat habere modum;
Qui solet a domibus expellere rite nociua,
Tunc nocet, et nocuas prouocat esse domos.
Non ita mordebant mures, qui nuper in vrbem
Accharon intrarunt, quo fuit archa dei,   500

465 super est S   superest CED   468 sit CEDH₂   sic SGT   479 caui (?) C   canis D

Illa nec hos rabies sic terruit Accharonitas,
Hoc neque vindicta tempore talis erat,
Quin furor ex istis que vidi lurida monstris,
Plus grauat et ciues terret vbique magis.

Hic dicit se per sompnium sextam vulgi turmam in aues domesticas vidisse mutatam, quibus dicit quod bubones, id est predones, commixti associebantur.

Cap^m. vii.   Res michi mira fuit, dum talia prospiciebam,
Et stupor in mente cordis ad yma ruit.
Non erat ex brutis animal quodcunque creatum,
Quod de seruili condicione fuit,
Quin genus in campis vidi de talibus omne,
Mixtaque sic pariter sunt metuenda magis.   510
Per iuga, per colles, per deuia queque locorum
Diruptis stabulis soluitur omne pecus:
Ex omni genere venit incola rusticitatis,
Maior et est subito quam seges orta solo.
Nunc huc nunc illuc trepidus dum lumina volui,
Aspiciendo suis singula monstra locis,
Affuit en auium mutata domestica turba,
Quorum ductores gallus et ancer erant.
Qui residere domi que fimum calcare solebant,
Presumunt aquile sumere iura sibi: 520
Falconis rostrum rapuit sibi gallus et vngues,
Ancer et ex alis sidera tacta cupit:
Et sic de bassis succumbunt alta, que cara
Vilibus ex causis exule lege cadunt:
Nam quo non poterant animalia figere gressus,
Vt predas capiant, hii super omne volant.
   Mutatos subito vidi variare colores
Anceris et galli, quos noua forma rapit:
Transformat corui noua penna nigredine gallum,
Ancer et in Miluum vertitur ecce statim.   530
Non tantum pennas sibi sumunt sic alienas,
Immo modos similes condicione pares:
Quos natura prius pascebat ad horrea granis

502 MS. Harl. 6291 (H) *begins here*
Cap. vii. *Heading* 2 idest HGD   3 associebantur SGH   associabantur CED   associantur T

LIBER PRIMUS

Contentos minimis, alterat error eos;
Nam magis vt comedant sibi grossa cadauera poscunt
Corporis humani, que sibi sola placent.
Qui patuere pii dudum cuicumque vocanti,
Spectabantque manus que tribuere cibos,
Hii magis ecce feri falconibus atque rapaces
Pretendunt predas vi rapuisse suas. 540
  Qui solet in nocte gallus cantare, quod omnes
Eius in auditu gaudia ferre solent,
Clamat vt infernus, superatque tonitrua vocis
Horrida terribilis eius ab ore sonus;
Multociensque suum fera Coppa pedisseca gallum
Prouocat ad varia que putat esse mala;
Quod nequit in factis ex dictis garrula suplet,
Ad commune nephas milleque sola mouet.
Ancer et ipse suam, cum qua se miscuit, aucam
Linquit, et in predam spirat vbique nouam: 550
Sibula per tenua nuper qui terruit ancer
Infantes tantum simplicitate sua,
Nunc nimis horribili sonitu perterret adultos,
Atque magis fortes dilacerare cupit.
  Nuper et hec volucrum bubones que solet ira
Spernere, cessat, et est tunc amor inter eos.
Esse dies licitos statuunt, quibus atra frequenter
Furtiuas dederat noctis ymago vias:
Conuolat vt socius auium de carcere bubo,
Liber et in campis associatur eis. 560
Hoc fuerat tempus, quo bubo per aera pennas
Colligat, vt predas tuta mouere potest:
Ista tamen turma pennata suas acuebat
Pennas cum ferro, quo moreretur homo.

Hic dicit se per sompnium septimam vulgi turmam in muscas et ranas vidisse mutatam.

Cap^m. viii. Sompnus continuus mea sompnia continuauit,
Et dabat vlterius plura videre noua.
Amplior vt rabies monstrorum multiplicetur,
Et quod iniqua magis sit manus aucta malis,
En venit omne genus muscarum, que lacerare
Morsibus et stimulis omne salubre vouent; 570

En redeunt vaspe que nuper Vaspasianum
Torquebant, varia dantque nouata mala.
Horrida muscarum furiens tunc copia tanta
Creuit, vt a stimulo vix latitauit homo :
Vt furit infernus, agitant hinc inde dolores,
Omnia prestimulant, omnia lesa dolent.
  Rana quidem musce plures sociata pervrget,
Hec volat ad facinus, saltat et illa sequens.
Verterat in ranas quos Latona turba colonum
Ecce redit, que nouo dampna furore parat.   580
Vlcio ranarum fuit horrida valde nouarum,
Omnibus in domibus non nocuere parum :
Omnia fercula, cuncta cibaria rana comedit,
Fudit et in variis dira venena locis.
Hee fuerant rane, sterilis quas nuper abhorret
Egiptus, que pari iam grauitate nocent :
Non erat in terra sapiens illesus ab istis,
Plangunt philosophi vulnera facta sibi.
Rana grauat, set musca magis, violencia cuius
Spergitur et cuncta torquet vbique loca.   590
O vindicta grauis, grauior qua nulla perante
Contigit, vnde viri plus doluere boni !
  Non fuit horridior Egipti musca nociua,
Nec magis ingenuos terruit ipsa viros,
Quin magis hee furie penetralia cuncta volantes
Scrutantur que viris dant nocumenta probis.
Nil seruile tamen ledunt, set ledere querunt
Quos magis ingenuus ornat in orbe status :
Sic similis similem, sic rustica rusticitatem
Turba iuuat, quod eis sint mala mixta malis.   600
Conueniunt musce, vaspe glomerantur in vnum,
Aera conturbant improbitate sua.
Toruus oester adest, ciniphesque, cynomia, bruchus,
Est quibus vt noceat ipsa locusta comes.
Vrbibus et villis volutant sine lege vagantes,
Obstabantque suis recia nulla viis :
A musca carnes tunc servans non fuit olla,
Vas ita nec clausum, quin noua rima patet,

576 prestimulant S   *per*stimulant CED   597 ludunt sed ludere D

LIBER PRIMUS

Muscarum veniens princeps excercitus huius
Belzebub accessit, heeque sequntur eum: 610
Ex vario genere muscarum tunc variatur
Pena, que diuersis dant nocumenta modis:
Hec ferit, illa rapit, hec mordet et altera pungit,
Hec saltat que sua de pugione nocet.
  Musca grauis pestis, qua nulla nociuior vnquam
Extitit, aut mundo plus violenta lues:
Tanta fuit rabies tantus feruorque diei,
Tutus vt in nullo quis valet esse loco.
Ex nimio musce subito feruore calescunt,
Quas prius oppressit cana pruina gelu: 620
Sic calor estatis subito feruore per agros
Spersit, yemps modica quas retinere solet.
O res mira nimis, vaga dumque locusta labores
Formice proprios vendicat esse suos!
O res mira nimis, cum musca rapacior omni
Niso de predis feruet vbique suis!
O res mira nimis, pennati quando superbe
Pauonis fastum sordida musca tulit!
O res mira nimis, cum sit velocior alis
Musca volans minimis, quam sit Alauda suis!   630
O res mira nimis, dum viribus atque volatu
Debilis attemptat vincere musca gruem!
O res mira nimis, aquilam dum musca supremam
Precellit, que suum spirat habere gradum!

  Hec erat illa dies, que muscas dente caninas
Misit, et ex viciis conviciauit humum:
Hec erat illa dies, qua vix fortuna iuuabat,
Vel loca que musca tangere nulla potest:
Hec erat illa dies, asino dextrarius in qua
Succubuit, que suo victus honore caret: 640
Hec erat illa dies, in qua fera corda leonum
Subduntur, que boum pressa vigore pauent:
Hec erat illa dies, qua porcus sordidus omnes
Sorde sua mundos commaculauit agros:
Hec erat illa dies, canis in qua forcior vrso

---

609 exercitus huius C   exercitus eius D   610 Beelzebub C   622 hyemps C

Fit, neque murelego pardus obesse potest:
Hec erat illa dies, mediis qua liber in aruis
Ad predas rapidus errat vbique lupus.
  Hec erat illa dies, fortem qua debilis, altum
Infimus, et magnum paruus vbique terit: 650
Hec erat illa dies, subito qua maxima quercus
A modico leuiter stramine vulsa cadit:
Hec erat illa dies, fragilis qua tegula vires
Marmoreas vicit viribus illa suis:
Ecce dies, in qua sua stramina stramen habebat,
Que nullo precio grana valere putant:
Hec erat illa dies, qua libertate dolente,
Gaudet rusticitas rusticitate sua:
Hec erat illa dies, seruos que duxit in altum,
Subdidit et proceres, nec sinit esse pares: 660
Hec erat illa dies, virtutum dira nouerca
Que fuit et cuncti mater in orbe mali:
Hec erat illa dies, qua preteriisse futuram
Est qui vir sapiens omnis in orbe cupit.
  Hec erat illa dies, manifestam numinis iram
Qua pro peccatis quisque venire timet:
Hec erat illa dies, que sola tremenda per orbem
Tanquam iudicii plena timoris erat:
Hec erat illa dies, de qua, si vera fatemur,
Cronica consimilem nulla per ante docet.   670
Heu quam terribilis! heu quam tristis vel amara!
Quam districta malis tunc fuit illa dies!
Vlcio celestis grauis et velox et aperta
Destruat hos per quos sic furit illa dies.
Tarda sit illa dies, nostro redeat nec in euo,
Absit et hec causa qua reditura foret:
Si prius est aliquid nobis hac luce petendum,
In loca ne redeat amplius ista rogo.

Hic dicit se per sompnium vidisse, quod, quando omnes predicte furie in vnum extiterant congregate, quidam Graculus

666 viuere quisque D

Cap. ix. *Heading.* 2 *After* Graculus H₂ *has* sibi statum regiminis presumpsit aliorum et in rei veritate ille Graculus fuit dux eorum, qui Graculus anglice vocatus est a gaye et secundum vulgare dictum appellatur Watte.

auis, anglice Gay, qui vulgariter vocatur Watte, presumpsit sibi statum regiminis aliorum, et in rei veritate ille Watte fuit dux eorum.

Cap^m. ix. Copia dum tanta monstrorum more ferarum
Extitit vnita, sicut arena maris,   680
Graculus vnus erat edoctus in arte loquendi,
Quem retinere domi nulla catasta potest.
Hic, licet indignus, cunctis cernentibus, alis
Expansis, primum clamat habere statum.
Prepositus baratri velut est demon legioni,
Sic malus in vulgo prefuit iste malo.
Vox fera, trux vultus, verissima mortis ymago,
Eius in effigiem tanta dedere notam.
Murmura compressit, tenuere silencia cuncti,
Eius vt auditus sit magis ore sonus: 690
Arboris in summum conscendit, et oris aperti
Voce suis paribus talia verba refert:
'O seruile genus miserorum, quos sibi mundus
Subdidit a longo tempore lege sua,
Iam venit ecce dies, qua rusticitas superabit,
Ingenuosque suis coget abire locis.
Desinat omnis honor, periat ius, nullaque virtus,
Que prius extiterat, duret in orbe magis.
Subdere que dudum lex nos de iure solebat,
Cesset, et vlterius curia nostra regat.'   700
Singula turba silet, notat et sibi verba loquentis,
Et placet edictum quicquid ab ore tulit:
Vocibus ambiguis deceptam prebuit aurem
Vulgus et in finem nulla futura videt.
Exaltatus enim cum sic de plebe fuisset,
Ad se confestim traxerat omne solum:
Nam sine consilio cum plebs sibi colla dedisset,
Conuocat hic populum iussaque verba dedit.
Vt solet ex magno fluctus languescere flatu,
Et velut a vento turbinis vnda tumet,   710
Vocis in excessu reliquos sic commouet omnes
Graculus, et mentes plebis ad arma trahit:
Stultaque pars populi que sit sua curia nescit,
Que tamen ipse iubet iura vigoris habent.

Cap. ix. *Heading* 3 Gay SH   Geay CT   a Geay D   Iay E

Dixerat ille, 'Feri,' ferit ille;—'Neca,' necat alter;—
'Solue nephas,' soluit, quis neque fata vetat.
Auribus extensis quemcumque vocat furor ille
Audit, et ad vocem concitus vrget iter:
Sic homo tunc multus suadente furore coactus
Sepe suam posuit mestus in igne manum.   720
Omnes, 'Fiat ita,' proclamant vocibus altis;
Est maris vt sonitus, sic fuit ille sonus.
Ex nimio strepitu concussus vocis eorum
Vix potui tremulos ammodo ferre pedes;
Attamen a longe prospexi qualiter ipsi
Complexis manibus mutua pacta ferunt.
Hoc etenim dicunt, quod quicquid perstat in orbe
Ingenui sexus rustica turba ruet.
  Hiis dictis pariter omnes gradiuntur in vnum,
Ductor et inferni ducit iniqus iter.   730
Nubes nigra venit furiis commixta gehenne,
Cordibus infusum que scelus omne pluit;
Roreque sic baratri fuerat tellus madefacta,
Crescere quod virtus ammodo nulla potest:
Omne tamen vicium, quod homo perfectus abhorret,
Crescit, et ex illo tempore corda replet.
Fecerat incursus tunc demon meridianus,
Inque dolente die torta sagitta volat:
Ipse solutus adest Sathanas omnisque caterua
Pauperis inferni preuaricata simul.   740
Perditur ecce pudor indocti cordis, et vltra
Criminis aut culpe nulla verenda timet:
Dumque duces Herebi sic vidi ducere mundum,
Celica nullius iura valoris erant.
Cum magis hos vidi, magis hos reor esse timendos,
Ignorans qualis finis habendus erit.

Hic dicit se per sompnium vidisse progenies Chaym maledictas vna cum multitudine seruorum nuper regis Vluxis, quos Circes in bestias mutauit, furiis supradictis associari.

Cap^m. x.   Estus erat nimius, rabies fera, turmaque magna,
        Dum furit infernus associatus humo.

725 alonge CE   730 iniquus CED   731 Iehenne C   733 Rore
quidem baratri D   Cap. x. *Heading* 2 Vlixis CED   747 turbaq*ue* CE

LIBER PRIMUS 43

Sicut arena maris, monstrorum concio feda
Vndique progrediens innumeranda fuit.   750
Demonis ex stirpe furiens fuit illa propago,
Horrida facta viris et violenta deo;
Contemptrix superum, seueque auidissima cedis,
Vt lupus est, ouium dum furit ipse fame.
Protinus irrupit vene peioris habundans
Omne nephas, que viros inficit aura probos.
   Septem progenies, quas ipse Chaÿm generauit,
Cum furiis socii connumerantur ibi.
Terribilis, fedus, celer ad scelus, ad bona tardus,
Quilibet arte sua deteriora parat.   760
Praua creatura spernit metuenda futura,
Omne quod imponunt sub paritate ferunt:
Semper amans crimen fuit hec, actrixque ruine,
Moreque carnificis aspera cede furit.
Narrat Ysaïas, Ysidorus, Apocalipsis,
Tangit et in titulis magna Sybilla suis:
Gog erat atque Magog dictum cognomen eorum,
Actibus in quorum stat magis omne scelus.
Quid sit rex vel lex furiis nescitur ab illis,
Regula nulla ligat ordo nec vllus eos: 770
Non homines metuunt, superos cultu nec adorant,
Sed quod habet mundus turpius illud agunt.
Carnibus humanis solet hec gens sordida vesci,
Taleque dat populo vita ferina forum:
Turpia sunt plura quibus vtitur atra figura,
Quo capit exemplum turba maligna malum.
Hec etenim rabies furiens connexa malignis
Conuenit hiis furiis, de quibus ante loquor:
Conueniunt eciam socii quos nuper Vluxis
Mutauit Circes, et sociantur eis: 780
Nunc facies hominum, nunc transformata ferarum
Gestabant capita, que racione carent.

Hic dicit secundum visionem sompnii qualiter audiuit nomina et eorum voces diuersas et horribiles. Dicit eciam de Iohanne

757 Caym HDT   766 S *has lost one leaf containing* ll. 766-856. *Text follows* C   sybilla C   sibilla EHD   771 dominos sup*er*os nec adorant D
779 Vluxis HT   Vlixis CE   Alixis D

Balle, qui eos ad omne scelus tunc instigabat, et quasi propheta inter eos reputabatur.

Cap^m. xi. Watte vocat, cui Thomme venit, neque Symme retardat,
Bette que Gibbe simul Hykke venire iubent:
Colle furit, quem Geffe iuuat, nocumenta parantes,
Cum quibus ad dampnum Wille coire vouet.
Grigge rapit, dum Dawe strepit, comes est quibus Hobbe,
Lorkyn et in medio non minor esse putat:
Hudde ferit, quos Iudde terit, dum Tebbe minatur,
Iakke domos que viros vellit et ense necat: 790
Hogge suam pompam vibrat, dum se putat omni
Maiorem Rege nobilitate fore:
Balle propheta docet, quem spiritus ante malignus
Edocuit, que sua tunc fuit alta scola.
Talia quam plures furias per nomina noui,
Que fuerant alia pauca recordor ego:
Sepius exclamant monstrorum vocibus altis,
Atque modis variis dant variare tonos.
Quidam sternutant asinorum more ferino,
Mugitus quidam personuere boum; 800
Quidam porcorum grunnitus horridiores
Emittunt, que suo murmure terra tremit:
Frendet aper spumans, magnos facit atque tumultus,
Et quiritat verres auget et ipse sonos;
Latratusque ferus vrbis compresserat auras,
Dumque canum discors vox furibunda volat.
Vulpis egens vlulat, lupus et versutus in altum
Conclamat, que suos conuocat ipse pares;
Nec minus in sonitu concussit garrulus ancer
Aures, que subito fossa dolore pauent: 810
Bombizant vaspe, sonus est horrendus eorum,
Nullus et examen dinumerare potest:
Conclamant pariter hirsuti more leonis,
Omneque fit peius quod fuit ante malum.
Ecce rudis clangor, sonus altus, fedaque rixa,
Vox ita terribilis non fuit vlla prius:

Cap. xi. *Heading* 3 tunc *om*. T
784 Betteque CEHG Recteque DT   hykke C hikke E hicke HGD
788 Lorkin HGD   789 Cebbe D   790 Iacke HGD   792 fore] sua E
795 quamplures HGD   811 eorum CEHGT earum D

Murmure saxa sonant, sonitum que reuerberat aer,
Responsumque soni vendicat Eccho sibi:
Inde fragore grauis strepitus loca proxima terret,
Quo timet euentum quisquis adire malum.   820
Contigerat plures infamia temporis huius,
Que velut ex monstris obstipuere magis.
Terruerat magnas nimio pre turbine gentes
Graculus, a cuius nomine terra tremit.
Rumor it et proceres sermonibus occupat omnes,
Consilium sapiens nec sapientis erat.
Casus inauditus stupefactas ponderat aures,
Et venit ad sensus durus ab aure pauor.
Attemptant medicare, sed inmedicabile dampnum,
Absque manu medici curaque cessat ibi.   830

Hic dicit secundum visionem sompnii qualiter furie supradicte precones sibi et tribunos constituebant, et quomodo senes et iuuenes eorum fuerunt armati.

Cap^m. xii.   Inter eos statuunt precones atque tribunos,
Et pro lege suum velle licere iubent.
Hoc sua iura ferunt preconis voce, quod omnis
Sit domus exusta que maledicit eis:
Qui scelus illorum non fortificat sceleratus,
Decapitatus erit, et domus igne perit.
Constituunt socios sceleris comitesque furoris,
Ex quorum manibus pendeat istud opus.
Hac quoque de causa vidi quam plurima dampna,
Dum preco fatui clamat in aure fori: 840
Rusticus intonuit, datus est celer ignis in edes,
Fitque repente sonus, plena fit igne domus.
  Hec sibi rusticitas furiens statuebat, vt omnis
Et vetus et iuuenis que valet arma ferat:
Hii palos veteres gestant, qui sunt veterani,
Aut contos cicius quam sibi desit onus.
Membra leuant baculis fessique senilibus annis,
Quos, velut est ouium, tussis eundo notat.
Rusticus hic veniens fert euersamque pharetram,

---

817 sonitum quo*que ve*rberat D   821 Congestat D   822 obstupuere C
824 in cuius DT   837 celeris C   furorum D   846 conchos D
sibi *om.* D (*marg. rubr.* Defici*t* in copia).

Hic fractos arcus, hic sine luce facem;   850
Quique colum baiulat non se reputauit inermem,
Debilis armatus sic furit ipse senex.
   Rusticitate tamen iuuenilis quos furit etas
Quicquid adest manibus asperiora gerunt;
Ascia, falx, fede quos roderat atra rubigo,
Gestantur, que suo cuspide colla secant.
Quem vagina tegit ensem vix dimidiata,
Gestat et ingenuos rusticus inde ferit:
Est ibi vanga loco gladii, baculus velut hasta
Vibratur, que simul prompta securis adest: 860
Arcus ibi multus fumo que etate retortus,
Et sine tunc pennis multa sagitta volat:
Tribula, furcula tunc quasi rumphea rite feruntur,
Fertur et vt gladius malleus ipse ferus.
Dixerat, 'Ista decent humeros gestamina nostros,'
Rusticus, et tali murmure transit iter.
Sic saltant iuuenes catulorum more per arua,
Et transire feras de leuitate putant.
Est ibi funda manu lapides quoque limpidiores,
Vnde dedit varias rusticus ipse minas.   870
Hii glebas, hii direptos et ab arbore ramos,
Est vbi nil aliud, de feritate ferunt:
Pars gerit et silices, ne desint tela furori,
Menteque mortifera dant fera bella sua:
Perfusam multo sapientum sanguine terram
Hoc genus insipiens inmaduisse ferunt.
Hii gradibusque suis iter arripuere gradatim,
Quo sibi non racio velle set ire iubet.

Hic dicit secundum visionem sompnii qualiter et quando dicte furie instigante diabolo, nouam Troiam, id est ciuitatem Londoniarum, ingresse sunt: nam sicut Troia nuper desolata extitit, ita ista ciuitas protunc quasi omni consolacione destituta pre dolore penitus ignominiosa permansit.

Cap^m. xiii.   A dextrisque nouam me tunc vidisse putabam
              Troiam, que vidue languida more fuit;   880

855 roderat CEHGTH₂ roserat D   rubedo D   857 S *resumes*
868 de S   se CEHD   872 ibi ED
Cap. xiii. *Heading*   2 idest HD   4 pro tunc CEH

LIBER PRIMUS 47

Que solet ex muris cingi patuit sine muro,
Nec potuit seras claudere porta suas.
Mille lupi mixtique lupis vrsi gradientes
A siluis statuunt vrbis adire domos:
Non erat in terris monstrosum quicquid abortum,
Seu genus, vnde furor ledere posset humum,
Quin venit et creuit, spersus velut imber ab austro,
Qualibet ex parte parsque furoris adest.
Tunc in aperta loca que monstra prius latuerunt
Accedunt, paribus suntque recepta suis: 890
Belua vasta, ferox, siluis que palustribus exit,
Qui tantum rabie non furit, immo fame;
Plus tamen ex rabie dispersam seuit in urbem,
Que stupet ignotum tale venire malum.
Agresti furia iurat siluestris, vt vno
Legibus excussis iura furore ruent:
Tantus adest numerus seruorum perdicionis,
Cingere quod murus vix valet vllus eos.
   Cum furor vrget opus, remanet moderacio nulla,
Set magis in vetitum quodlibet ipse ruit: 900
Sponte sua properant, nichil est prohibere volentes,
Sic valet inceptam tollere nemo viam;
Omnia traduntur, postes reserauimus hosti,
Et fit in infida prodicione fides.
Vt fremit acer equs, qui bellicus ere sonoro
Saltat, et ignorat proximiora mala,
Sic fera rusticitas incircumspecta malorum
Incipit, et finem non videt inde suum:
Victricem repetit dextre coniungere dextram
Concio seruilis, quam furor omnis habet. 910
Sic adeunt vrbem turbe violenter agrestes,
Et maris vt fluctus ingrediuntur eam.
O quam magna nimis res et spectabile mirum
Creuit in introitu de nouitate mali!
Aula palentina grandis mutatur in vrbe,
Omnis et in formam vertitur ipsa case;
Atque casas minimas subito mutauit in aulas
Sors, que iudiciis tunc fuit egra magis.
   Ecce Iouis festiua dies de Corpore Cristi,

882 poterat C   893 *om.* D (*marg.* deficit *versus* in copia)

Cum furor accinxit vrbis vtrumque latus: 920
Precedens alios Capitaneus excitat vnus
Rusticus, vt cuncti consequerentur eum.
Ipse viris multis prefultus conterit vrbem,
Ense necat ciues, concremat igne domos:
Non solus cecinit, set secum milia traxit,
Involuitque malo milia multa suo;
Colligit os rabiem seueque cupidine cedis
Auribus in vulgi concinit, 'Vre, feri.'
Que via salua fuit, furit ignibus impetuosa,
Quo longum castrum ductile nescit iter; 930
Baptisteque domus, sponso viduata, per ensem
Corruit, et flammis mox fuit illa cinis;
Flagrabant sancte sceleratis ignibus edes,
Mixtaque fit flamme flamma proterua pie.
Attoniti flebant trepido de corde ministri,
Abstulerat vires corporis ipse timor.
 Qui fera terribili iaculatur fulmina dextra,
Iussit vt igne polus torqueat orbis humum.
Si qua domus mansit poteratque resistere tanto
Indeiecta malo, dat pia vota deo. 940
Est nichil vt queram dominans si vulgus in vrbis
Spirat opes et eo tempore furta parat:
Vt multe gracili terrena sub horrea ferre
Limite formice grana reperta solent,
Sic vehit examen furiarum furta per vrbem,
Nec valet in numero quis recitare forum.
Hic tenet, iste trahit, stetit ille que circuit alter,
Fit cito per multas predaque lecta manus.
Hos Bachus attingens tandem precordia vino
Mersit, et in finem clauserat ipse Iouem: 950
Nox erat, et vinis oculi mentesque natabant,
Membra mouent, nec habent quo sibi ferre pedes.
 Postera sidereos Aurora fugauerat ignes,
En dolor excrescens iam noua dampna parat.
Si prius ira Iouis nocuit violenta, sequenter
Mota Venus duplo facta furoris agit.
Discurrunt agiles furie, quasi fulgur ab austro;

920 vtrumque latus] vbique loca D   947 stetit] rapit D   948 preda peracta D   953 igne S

LIBER PRIMUS

Sunt, vbi perueniunt, prodolor, heuque! pares.
Tunc simul vnanimes lupus et canis vrsus in vrbe
Depredant, que suas constituere moras.   960
Ecce senem Calcas, cuius sapiencia maior
Omnibus est, nullum tunc sapuisse modum:
Anthenor ex pactis componere federa pacis
Tunc nequit, immo furor omne resoluit opus:
A vecorde probum non tunc distancia nouit,
Fit cor Tersitis et Diomedis idem:
Lingue composite verbis nil rethor Vluxes
Tunc valuit, nec ei sermo beatus erat:
Et quoniam tantis fatum conatibus obstat,
Quisque sua sorti frena relaxat homo.   970
Tunc neque bella iuuant, nec tela, nec vsus equorum,
Nec probitas veteris quid probitatis habet:
Vt lactante furit catulo priuata Leena,
Et ruit in pecora proximiora sibi,
Sic fera rusticitas iuris priuata salute
Irruit in proceres de feritate magis.
Omnibus est casus communis, non tamen vnum
Omnibus attribuit vna ruina locum.
  O denaturans vrbis natura prioris,
Que vulgi furias arma mouere sinis!   980
O quam retrograda res est, quod miles inermis
Expauit, que ferus vulgus ad arma vacat!
Prelia Thebarum, Cartaginis, illaque Rome
Non fuerant istis plena furore magis.
Non hic Capanëus valuit, nec et ille Tidëus,
Non facit excursus iste vel ille ferox:
Non hic Palamades superat, neque nobilis Aiax,
Nec regimen gladius Agamenontis habet.
Subdita Troiana cecidit victoria victa,
Troiaque preda fero fit velut agna lupo.   990
Rusticus agreditur, miles nec in vrbe resistit,
Hectore Troia caret, Argos Achille suo:
Hectoris aut Troili nil tunc audacia vicit,
Quin magis hii victi rem sine corde sinunt;
Nec solito Priamus fulsit tunc liber honore,

967 retor CEHG   979 vrbis S   orbis CEHD   981 *om.* D (*margin*
deficit *versus* in cop*ia*)   retro grada C
****   E

Set patitur dominus quid sibi seruus agat.
Vix Hecube thalami poterant tunc esse quieti,
Quin dolor interius languida corda mouet;
Set neque tunc poterat in turribus Ilion altis
A furiis clausum fortificare virum.   1000

Hic tractat secundum visionem sompnii, quasi per figuram, de morte Cantuariensis Archiepiscopi.

Cap^m. xiiii. O qui palladium Troie seruabat ab ara,
Helenus Antistes raptus in ense perit:
Predicat ipse satis prius vt sibi vita daretur,
Nec tamen in melius corda ferina mouet.
Est satis hoc quod ait, si gracia tangeret aures,
Set sua pro nullo pondere verba ferunt:
Quicquid in exemplis ibi dixit ab aure recessit,
Et magis in facinus credula turba fuit.
Tunc resonat murmur ingensque tumultus ad horam
Tollitur, et multum sedicionis habet: 1010
Litibus agreditur virtutes plebs viciorum,
Conturbatque sacrum sordida turba forum:
Bella mouet cum fraude fides, cum crimine virtus,
Cum pietate scelus, cum racione furor:
Affectus de corde pios non suscipit hospes
Impietas, mentem deserit exul amor.
Scit deus hos homines siluestres igne perhenni
Dignos et reprobos a racione vagos.
O dolor in gestis, O gesta nephanda doloris!
Sunt magis hec baratri quam malefacta viri.   1020
Non fuit humanum scelus hoc, quod demon agendum
Duxit ab inferno tam violenter humo.
Plebs furit in tanto, Cristi quod amore relicto
Turba rudis patrem nescit habere deum.

999 ylion CE   Olion (*rubr.* ylion) D   1019-1023 *Text over erasure*
SCHG   *without erasure* E   *As follows in* D
    Non pungens ramn*u*s, sed oliua nitens, s*ed* adornans
    Ficus, sed blanda vitis, abhorret eos: 1020*
    Non sum*m*us dominus regit hos, non sp*iri*tus almus,
    Nec lex nec C*ri*stus tunc dominatur eis;
    Namq*ue* creatorem nullo venerant*ur* honore,
TH2 *also have this text, but in* l. 1021 *these read*
    Summus demon enim regit hos nam spiritus almus

Deficit hic virtus, viciorum copia surgit,
Et quem deseruit hec, rapit illa locum:
Inde cadit bonitas, pietas perit, omnis honestas
Exulat, atque fugam consulit omne bonum:
Hinc amor et requies, pax et concordia mentis,
Spesque fidesque suas deseruere domos: 1030
Sobrietatis amans modus et moderacio rerum
Et pudor a longe constituere moram:
Transtulit ad sedem paciencia se meliorem,
Mens humilis sequitur eius vbique comes:
Agmine virtutum sublato surgit in illum
Plebs inimica, manus impia, turba grauis.
 Undique concursus ingens conuentus, ad istum
Conflictum mortis plurima turba ruit:
Qui simul astabant spectantes vltima cause
Longius, ex illis vnus et alter ait,   1040
'Hic reus est mortis, sentencia sit capitalis,
Sit cruor in nobis inque perhenne suus.'
Verbaque dicuntur dictis contraria verbis,
Mutua vox tandem garrula dampnat eum.
Presulis in mortem, violatis numinis aris,
Prosiliunt hostes, et latus omne tenent:
Clamant carnifices nulla pietate miserti,
'Hic manibus nostris interimendus erit.'
Impositis manibus collum cum falce secabant,
Nulla fides Cristi iura veretur ibi;   1050
Ipse tamen facinus pacienter sustulit omne,
Cum mala tanta ferat, ipse quietus erat.
Non ignorat eos malediccio debita Cristi,
Qui cum sint membra, sic coluere caput.
 Quatuor in mortem spirarunt federa Thome,
Simonis et centum mille dedere necem:
De vita Thome rex motus corde dolebat,
Simonis extremum rex dolet atque diem:
Ira fuit regis mors Thome, mors set ab omni
Vulgari furia Simonis acta fuit: 1060
Disparilis causa manet et mors vna duobus,
Inmerito patitur iustus vterque tamen.
Illeso collo gladiis periit caput vnum,
Quod magis acceptum suscipit ara dei;

Alterius capite sano fert vulnera collum,
Cuius erat medio passio facta foro:
Miles precipue reus est in sanguine Thome,
Simonis inque necem rusticus arma dedit:
Ecclesiam Cristi proceres qui non timuerunt,
Martirii Thome causa fuere necis;   1070
Iusticie regni seruile genusque repugnans
Simonis extremum causat in vrbe diem:
Corruit in gremio matris Thomas, medioque
Natorum turba Simon in ense cadit:
Thomam rex potuit saluasse, set illa potestas
Simonis ad vitam regia posse caret:
Vlta fuit Thome mors, et nunc vlcio mortis
Simonis ante fores cotidiana grauat.

    Fecerat exiguas iam sol altissimus vmbras,
Fitque die media sanguine tinctus Ephot: 1080
Candida sic paciens collum percussa securi
Victima purpureo sanguine pulsat humum.
Qui pater est anime, viduatur corporis expers,
Pastor et a pecude cesus abhorret agros:
Qui custos anime fuerat, custode carebat,
Huncque necant nati, quos colit ipse pater.
Qui fuerat crucifer que patrum Primas in honore,
Hic magis abiectus et cruciatus erat:
Qui fuerat doctor legum, sine lege peribat,
Cesus et atteritur pastor ab ore gregis.   1090
Ante diem moritur sine culpis et sine causa,
Quo tam natura quam Deus ambo dolent:
Sit licet ex falsa seruorum lege subactus,
Liber perpetuas ambulat ipse vias.
Fortitudo quidem virtus, licet exteriora
Perdidit, affirmat interiora deo;
Temperiesque sibi, quicquid furor egerit extra,
Interius patitur simplicitate sua.
Tollitur a mundo quamuis sapiencia, virtus
Prouidet in celo cum sapiente locum: 1100
Obruta iusticia quamuis videatur, ad astra
Se leuat et summum permanet ante deum.
Viuere fecerunt quem mortificare putarunt,

    1071 repugnans CED   repugnans SHGTH₂   1077 *margin* No*ta* C

Quem tollunt mundo, non potuere deo.
  O probra transacto quis tempore talia nouit,
Que necis in speculo presulis acta patent?
Multa per ante bona communia fecerat vltro,
Sponteque pro meritis vulgus abhorret eum.
Tale patrasse malum non norunt Nestoris anni,
Fitque magis mira res, quia raro cadit. 1110
Non michi tam grauia sunt que prius acta fuerunt,
Set magis ad presens cogniciora grauant;
Nam quod adesse meo iam vidi tempore dampnum
Horrida maioris facta doloris habet.
O quid agit vicium de longo continuatum,
Hoc docet in vulgo res patefacta modo.
Hii sunt credo Chaÿm peiores, hic nisi tantum
Occidit fratrem, set pater iste fuit.
Nescio quis laudem facinus per tale meretur,
Hoc scio quod crimen diruta Troia sinit: 1120
Iste iuuat quod et ille facit, consentit et alter,
Vt malus et peior pessimus inde forent:
Iura volunt quod homo facinus qui mittit, et alter
Qui consentit ei, sint in agone pares.
O tibi commissos vrbs que lapidare prophetas
Audes, quo doleas est tibi causa satis.
Agrestes tamen hoc facinus specialius omni
Plebe dabant furie, dum mala prima mouent.
O maledicta manus caput abscisum ferientis!
Culpa fit horribilis, pena perhennis erit. 1130
O qui tale deo crimen prohibente parasti,
Perfide, qua pena, qua nece dignus eris?
O furor insane, gens rustica, plebs violenta,
Quam tua fraus sceleris est super omne scelus!
Dic qua fronte potes discrimina tanta patrare;
Equiperat fraudem, perfida, nemo tuam.
  Huc properate senes, huc florida confluat etas,
Cernite que sceleris rusticus arma tulit.
Tundite pectus, fundite fletus, plangite funus,
Cuius inaudita mors perhibetur ita: 1140
Vtque salire solet mutulati cauda colubri,

1105 Reproba D   1107 perante HD   1117 Caym HD   1136
perfida SCHGDTH₂   perfide E   1141 mutulati SHD   mutilati CE

Palpitat et moritur qui solet esse caput.
Mors etenim sacris fuit, heu! furiosior aris,
Et minor a pecude presulis extat honor.
Venturi memores estote, que temporis huius
Casus inauditus instruat omne solum:
Exemplo caueant qui spiritualia seruant,
Ne simul officium det sibi terra suum.
Que Cassandra solet predicere more prophete,
Eueniunt vrbi pondere valde graui. 1150
Hec manus alma dei mala permittendo sinebat,
Que tamen inde fuit causa scit ipse deus.
Insolita cuncti tali de morte stupebant,
Saltem quos racio stringit amore dei.
Non Heleno potuit Priamus succurrere, Regis
Imperii set eo tempore iura silent;
Rex tamen vt sciuit quod sic fuit ordine rerum,
Plangit et hinc doluit cordis amore sui:
Rex doluit factum, nec habet quo frangere fatum,
Iura nec ecclesie debita ferre sacre. 1160
Ante sacras vidi proiecta cadauera postes,
Nec locus est in quo desinit esse nephas.

Hic tractat vlterius secundum visionem sompnii de diuersa persecucione et occisione, quas in dicta ciuitate quodammodo absque vlla protunc defensione furie supradicte, prodolor! faciebant, et qualiter huiusmodi fama vicinas perterruit ciuitates.

Cap^m. xv. Quique magis celebres fuerant hoc tempore ciues,
Sicut oues mortis procubuere manu.
Corpora missa neci nullo de more feruntur,
Immo iacent patulis vndique spersa viis:
Et quod nulla viris, rabies, monumenta manerent,
Mortua membratim corpora scissa terit:
Corpora cesorum muris suspensa reponunt,
Brutaque brutorum more sepulta negant. 1170
Horrida plaga fuit dum sanguine terra madescit,
Fons vbicumque tumet, sanguinitate rubet:
Mors furit in foribus, mors pulsat ad ostia iuris,
Viuere siue mori rusticus ipse iubet.

1159 frangeret actum D   1160 subdita C
Cap. xv. *Heading* 3 pro tunc CED   4 huius ED
1170 sepulcra D   1173 hostia CE

Quicquid erat forte manibus succumbit eorum,
Vrbs que summa fuit, cede repressa ruit :
Turribus euersis inuenta cibaria vastant,
Omnia diripiunt que meliora sciunt.
  Fit nouus ergo dolor, fit planctus, luctus invndat,
Deuiat a cultu regis iniqus homo :   1180
Annos per centum veteres quos duxerat etas,
Flebant de casu quem dedit vna dies.
Plus quam piscis aquam rabies cupit ipsa cruorem,
Pacis in auxilium nec miserere iuuat :
Pro nato genitor si verba precancia dixit,
Corruit ex verbo cesus vterque simul :
Si veniam peteres, fleres et ad hoc maris vndas,
Non tamen hee lacryme pondera vocis habent.
Tunc magis indomitas ardescit vulgus in iras,
Vt rediat pietas nil valuere preces :   1190
Consumptis precibus furiens violencior extat
Rusticus, et peius quod valet ipse facit.
Sic nec aper media silua tam seuus in ira
Fulmineo rapidos conrotat ore canes ;
Quin cicius verbo, furiis quod dixeris, vno
Sensisses lesum in caput arma tuum.
  Confusum tanto subite terrore ruine,
Vix genus ingenuum scit genus esse suum.
Diffugit ingenuus, vagat, et nec menibus vrbis
Aut nemorum latebris fert loca tuta satis :   1200
Mille domos adiit sortem repetendo salutis,
Set potuit nullo ferre quieta loco :
Nunc huc, nunc illuc, quasi mocio nubis aquose,
Se mouet ingenuus, fit neque firma salus :
Vir cubat in puteis, latebras magis optat Auerni,
Quam periturus erat, dum latitare queat.
A siluis silue, set ab aruis arua timescunt,
Vrbs et ab vrbe, locus nescit habere loca.
Quam subito positas aspergit sanguine mensas
Ille furor, cuius horruit acta deus !   1210
Spersaque sanguineis maduerunt pabula guttis,
Nec locus aut thalamus dat loca salua viris.

1190 redeat C   1199 vagus D   1206 Quem D   1209 mensas]
mammas D   1212 locus S   thorus CEHGD

Tunc nisi sub centro res aut super ethera nulla
Salua potest fieri proprietate loci.
Aduena preda fuit, quam rusticus inchola mortis
Morsibus exagitans ensis in ore terit.
O dolor in sponsa mortis cum viderit ensem,
Quo caderet sponsus, nec fuit ipse reus!
Occupat amplexu lacrimasque per oscula siccat,
'O pariter celi summa petamus,' ait: 1220
Accipiunt lacrymas spersi per colla capilli,
Oraque singultu concuciente sonant.
Sic magis orbatas quam sepe rigare maritis
Femineas vidi corde dolente genas;
Sepe manus stringi, dirumpere sepeque crines,
Vngues et propriam dilaniare cutem.
Qui tamen est omnis auctor feritatis, ob ipsos
Gaudia fert luctus et magis auget eos;
Monstraque sic hominum calido de sanguine gaudent,
Quod nichil impietas de pietate sapit.   1230

   Sperserat ambiguas huius vaga fama per vrbes
Rumoris sonitum, cordaque firma mouet;
Euentuque graui recitatur publica clades,
Nec de fortuna quo cadet ipse sapit.
Sic magis ecce viros perterruit impius ensis,
Cuius non redimunt aurea dona manum:
Vrget amara sitis, que torrida viscera torquet,
Dum timor exsiccat pectoris antra viri:
Inuictumque virum potuit quem nullus ab ante
Vincere, tunc vicit de grauitate pauor: 1240
Ymber vt ipse cruor rubefactaque sanguine tellus
Tunc magis audacis interiora mouet.
Set tamen vt curet morbum lex nulla medetur,
Nec sibi pre manibus quis properauit opem:
Auxilium nullus rebus prestabat amaris,
Lance suam reputat quisque tenere necem:
Est inmota manus procerum nec temporis obstat
Ire, set paciens sustulit omne malum:
Nulla potentis erat hominis tunc salua potestas,
Deprimit immo suum cauda maligna caput: 1250

1241 vt (ut) CEHD et S   1243 Eius enim nulla morbo medicina medet*ur* D

LIBER PRIMUS

Tunc sua cuique domus homini funesta videtur,
Nec fuit a mortis vlcere certus homo.
  In nimio tinxit elatos sanguine cultros,
Dum sua ruralis rusticus arma gerit:
Parcere nec pueris vult impius aut mulieri,
Vastat cunctorum res, loca, iura, forum.
Nemo potest veniam sub ea feritate mereri,
Impetus illorum terruit omne solum:
Omnis enim vulgi furiis tunc turba fauebat,
Nec fuit ingenuus vnus vt obstet eis: 1260
Non fuit in toto gladius vel lancea regno
Militis in manibus, quo tueatur opus:
Dum furor excrescit, dum rustica turba tumescit,
Miles vt ambiguus fit magis inde pius.
Milicies cessit paciensque locum dedit ire,
Dum terit improbitas que probitatis erant:
Occupat en talus loca cordis, iuris et error,
Nec medicus morbo quis reputauit opem.
Sic neque nobilium scutum vel lancea quicquam
Obstitit, vnde vetus fortificetur honor;   1270
Cassaque iusticia cessat, nec cordis agresti
Amplius indomiti debita iura tenet.
  Spacia nulla sinunt medicamina ferre furori,
Set furit ebrietas maior ad omne scelus:
Hec mala corripere qui vellent nec potuerunt,
Hii lacrimas animi signa dedere sui:
Quisque suas lacrymas alto de corde petitas
Edidit, et finem spectat adesse suum.
Lumina que fuerant prius arida letaque risu,
Erumpunt lacrime more fluentis aque;   1280
Qui prius ex nullo casu deflere solebant,
Vt flerent oculos erudiere suos:
Flebat auus flebatque soror flebantque gemelli,
Que videant oculi nil nisi triste ferunt.
Vox fuit 'Heu! ve! ve!' sunt, prodolor! omnia luctus,
Omnia solliciti plena timoris erant;
Omnis habens lacrimas, 'Quis me manet exitus?' inquit,
Nescius ad mane que sibi sero foret.

    1269 vel] nec C   1271 cessat CEHDTH₂ cessit SG   1273 Nulla sumunt spacia D

'Fer, precor,' inquit, 'opem, nostroque medere timori,
Egraque sors abeat, o deus!' omnis ait. 1290
Rusticus ingenuis, 'Stat magna potencia nobis,'
Dixerat, 'et vester ammodo cesset honor.'
O genus attonitum gelide formidine mortis,
Quam variata tibi sors dedit ista mali!
Est in thesauris abscondita causa supremis,
Cur ruit ingenuos tanta procella viros.
   Pax perit atque quies, animalia namque pusilla
Intrepido corde bella tremenda ferunt:
Que fuerant prede nuper, sibi querere predas
Vidi, set preda nulla resistit eis. 1300
Vidi nam catulos minimos agitare leonem,
Nec loca tuta sibi tunc leopardus habet:
Aspera grex ouium pastori cornua tendunt,
Cordis et effuso sanguine tincta madent:
Postpositaque fide Cristi, furientibus illis,
Ecclesiam reputant atque lupanar idem.
Perfida stulticia tunc temporis omne negauit,
Quod natura sibi vel deus ipse petit:
Non timet ipsa deum neque mundi iura veretur,
Set statuit licitum criminis omne malum: 1310
Ordine retrogrado sic quilibet ordo recessit,
Nec status ipse sapit quid sit habere statum.
   Frumenti spicas tribulus vastauit, et ipsas
Cardo supercreuit et viciauit agros.
Loth capitur, pastor rapitur, locus expoliatur,
Et qui cuncta videt secula ceca sinit.
Tunc pro peccatis populi fit pena beatis,
Cunctaque sacra furor esse nephanda putat:
Demonibus homines subici culpis meruerunt,
Tunc quia non hominem nec timuere deum. 1320
Murmurat ex more plebs improba digna dolore,
Murmur et in populo iurgia multa mouet:
Iura sacerdotum presumentes, et honores
Tollentes, iram commeruere dei.
Fulgurat interius dolor huius turbine pestis,
Intonat exterius horrida turba sonis:
Conclamant furie, respondet flebile tellus,

      1308 dedit D   1312 sit CE   scit SHD

Heu, quod in hoc fient tempore tanta mala!
Leticie facies tunc nulla videtur in vrbe,
Compatitur vultus cordis amara sui: 1330
Nulla quies mentis lese nullumque iuuamen
Extitit, vt sanum tempus habere queat.
　Sic amor ecce vetus Troie mutatur in iram,
Cantus et ex planctu victus vbique silet:
In lacrimas risus, in dedecus est honor omnis
Versus, et in nichilum quod fuit ante satis.
Ora rigant fletus, tremit et formidine pectus,
Gaudia que fuerant deuorat ipsa dolor:
Aspiceres alios flentes terraque iacentes,
Quos dolor alterius proprius atque dolet, 1340
Et sua multociens ad celum brachia tendunt,
Si magis ex superis sit medicina malis.
Qui bonus extiterat magis est bonitate remorsus,
Planctus erat celebris, meror vbique nouus.
'Omnia perdidimus,' dicunt, quia nullus in vrbe,
Quem status expectat, quicquid honoris habet.
Qui de lege magis florebant tunc sapientes,
Impositis gladiis colla secantur eis:
Quos magis et furie reputabant esse peritos,
Vulneribus paribus corpora cesa ruunt. 1350
Garrula culpa volat, timidasque perhorruit aures,
Nec sciuit sapiens quid sibi iura valent:
Floruit omne scelus, bonitas perit, egraque iura
Deveniunt, que regens non habet vnde regat.
Hec et plura ferox rabies, que nullus ab ante
Viderat, insolita fecit in vrbe mala:
Vrbes non tantum generaliter, immo per omnem
Iste furor patriam subpeditauit humum.

**　Hic plangit secundum visionem sompnii quasi in propria persona dolores illorum, qui in siluis et speluncis pre timore temporis illius latitando se munierunt.**

Cap^m. xvi.　Hec ita cum vidi, me luridus occupat horror,
Et quasi mortifera stat michi vita mea; 1360
Semper in interius precordia mortis ymago
Pungit, et vt gladius viscera tota mouet.

1361 internis D

Iamque dies medius tenues contraxerat vmbras,
Iamque pari spacio vesper et ortus erat :
Ter quater affligi sociorum corpora terre
Vidi, datque sua mors michi signa mori.
Aspiciens vultus aliorum cede madentes,
De propria timui morte remorsus ego ;
Crudelesque manus, orbem sine lumine iuris
Percipiens dixi, 'Iam cadit ordo viri' ;   1370
Bestia cum regimen hominum rapuisset et arma,
Et quod nulla suis legibus equa forent.
Hoc michi solliciti certissima causa timoris
Extitit et sortis peior origo mee ;
Nam quia sic proceres vidi succumbere seruis,
Spes magis in fatis nulla salutis erat.
Est michi rupta domus per eos, quos rupta gehenna
Miserat, vt leges perderet ordo suas :
Sic fugiens abii subite contagia cladis,
Non ausus lese limen adire domus.   1380
   Tuncque domum propriam linquens aliena per arua
Transcurri, que feris saltibus hospes eram.
Morsus ego linguis a dorso sepe ruebar,
Et reus absque meo crimine sepe fui :
Sic reus infelix agor absens, et mea cum sit
Optima, non vllo causa tuente perit.
Inde ferens lassos aduerso tramite passus,
Quesiui tutam solus habere viam :
Attamen ad tantam rabiem pedibus timor alas
Addidit, et volucris in fugiendo fui.   1390
Sic vagus hic et ibi, quo sors ducebat euntem,
Temptaui varia cum grauitate loca :
Pes vagat osque silet, oculus stupet et dolet auris,
Cor timet et rigide diriguere come.
Sicut aper, quem turba canum circumsona terret,
Territus extrema rebar adire loca.
Ha, quociens certam sum me mentitus habere
Horam, proposito que foret apta meo !
Si qua parte michi magis expediens foret ire,
Perstetit in media pes michi sepe via :   1400

   1369 limine S   1377 Iehenna C   1386 ullo *om*. D (*marg*. defic*it*)
   1392 Giraui D   1395 turma D

LIBER PRIMUS

Excidit omne decus michi tristi, nulla tuebar
Rura, nec in precio fertilis ortus erat.
 Mens agitur, que diu pugnat sentencia mecum,
Quis locus ad vitam fert pociora meam;
Vixque michi credens solo quasi vota momento
Millesies varians corde vagante tuli.
Si loca tuta forent, loca tuta libenter adissem,
Set quo non potui corpore, mente feror;
Cumque domum volui quandoque redire diebus,
Vt me prepediat, occupat hostis iter. 1410
Si progressus eram, caperer ne nocte timebam;
Sic michi de nullo tempore tempus erat:
Hostis adest dextra, surgit de parteque leua,
Vicinoque metu terret vtrumque latus.
Ha, quociens furiis visis cessi, que sub vmbris
Auris 'ad extrema semper aperta fuit!
Ha, quociens siluis latui vix ausus in antris,
Desperans sero quid michi mane daret!
Ha, quociens mentem pauor incutit hec michi dicens,
'Quid fugis? hic paruo tempore viuus eris!' 1420
Ha, quociens fuerat mea mens oblita quid essem,
Dum status anterior posteriora tenet!
Sepius inque die dum sol clarissimus esset,
Nox oculis pauidis venit aborta meis.
 Sompnia me terrent veros imitancia casus,
Et vigilant sensus in mea dampna mei:
Sic mea sompniferis liquefiunt pectora curis,
Ignibus appositis vt noua cera solet:
Aut nisi restituar melioris ymagine sompni,
Aspicio patrie tecta relicta mee. 1430
Concaua vallis vbi fuerat nemorosa, per vmbras
Vt lepus obliquas sepe viator eram:
Purus ab arboribus spectabilis vndique campus
Tunc michi pro nullo tempore fidus erat;
Silua vetus densa nulla violata securi
Fit magis ecclesiis tunc michi tuta domus.
Tunc labor insolitus sic me lassauit, vt egros
Vix passus potui ferre vel hic vel ibi:
Sic fugiendo domos proprias mens horruit antra;

1420 hic] en D

Peius vt effugiat, sustinet ipsa malum. 1440
Absque supercilio michi nubis sub tegumento
Copula cum foliis prebuit herba thorum.
Si potui, volui sub eodem cortice condi,
Nulla superficies tunc quia tuta fuit;
Perque dies aliquot latitans, omnemque tremescens
Ad strepitum, fugi visa pericla cauens.
Glande famem pellens mixta quoque frondibus herba
Corpus ego texi, nec manus vna mouet:
Cura dolor menti fuerat, lacrimeque rigantes
In fundo stomachi sunt alimenta quasi. 1450
Tunc cibus herba fuit, tunc latis currere siluis
Impetus est, castra tunc quia nulla iuuant:
Rore meo lacrimisque meis ieiunia paui,
Fert satis ad victum langor in ore meum.
   Plura dolens timui tunc temporis, et super omne
Ira dei magni causa timoris erat:
Tristis eram, quia solus, egens solamine, cogor
Tunc magis ignotas vt vagus ire vias:
Sic loca secretos augent secreta dolores,
Vt releuet luctus quisque sodalis abest: 1460
Fert tamen, vt possum mestos depromere vultus,
Solus in exilio gaudia magna dolor.
Sic lacrime lacrimis, sic luctus luctibus assunt,
Dum queror, et non est qui medicamen agat;
Pectoribus lacrimeque genis labuntur aborte,
Dum fuerat fati spes inimica michi.
Fine carent lacrime, nisi cum stupor obstitit illis,
Aut similis morti pectora torpor habet:
Tunc pariter lacrimas vocemque introrsus abortas,
Extasis exemplo comprimit ipse metus. 1470
Brachia porrexi tendens ad lumina solis,
Et, quod lingua nequit promere, signa ferunt;
Cumque ferus lacrimas animi siccauerat ardor,
Singultus reliquas clamat habere vices.
Pallidiora gerens exhorruit equoris instar
Multa per interius mens agitata malis;
Discolor in facie macies monstrauerat extra,
Que magis obtruse mentis ad yma latent:

    1461 possum SHD   possim CE   1477 monstauerat S

LIBER PRIMUS

Nam pauor et terror, trepidoque insania vultu,
Me magis ignotum constituere michi. 1480
  Dum mens egra fuit, dolet accio corporis, in quo
Ossa tegit macies, nec iuuat ora cibus:
Iam michi subducta facies humana videtur,
Pallor et in vultu signa reportat humi;
Sanguis abit mentemque color corpusque reliquit,
Pulcrior est et eo terra colore meo.
Sic magis a longo passum quod corpus habebam,
Vix habuit tenuem qua tegat ossa cutem;
Sicque diu pauidus pariter cum mente colorem
Perdideram, que fui sic nouus alter ego. 1490
Vix fuerat quod ego solida me mente recepi,
Dum bona promisit sors michi nulla fidem:
Non michi libertas cuiquam secreta loquendi
Tunc fuit, immo silens os sua verba tenet.
Si michi quem casus socium transduxerat illuc,
Miscuimus lacrimas mestus vterque simul:
Raro fuit quod ego verbis solabar amicis,
Vix quia tunc fidus vnus amicus erat:
Illud erat tempus dubium, quo nullus amicum
Certum certus habet, sicut habere solet. 1500
  Qui prius attulerat verum michi semper amorem,
Tunc tamen aduerso tempore cessat amor:
Querebam fratres tunc fidos, non tamen ipsos
Quos suus optaret non genuisse pater.
Memet in insidiis semper locuturus habebam,
Verbaque sum spectans pauca locutus humum:
Tempora cum blandis absumpsi vanaque verbis,
Dum mea sors cuiquam cogerat vlla loqui.
Iram multociens frangit responsio mollis,
Dulcibus ex verbis tunc fuit ipsa salus; 1510
Sepeque cum volui conatus verba proferre,
Torpuerat gelido lingua retenta metu.
Non meus vt querat noua sermo quosque fatigat,
Obstitit auspiciis lingua retenta malis;
Sepe meam mentem volui dixisse, set hosti
Prodere me timui, linguaque tardat ibi.
Heu! miserum tristis fortuna tenaciter vrget,

    1485 corpusque reliquit *om*. D (*marg. deficit*)

Nec venit in fatis mollior hora meis.
Si genus est mortis male viuere, credo quod illo
Tempore vita mea morsque fuere pares.   1520
  Sic vbi respexi, nichil est nisi mortis ymago,
Quam reputo nullum tollere posse virum :
Sepe mori volui ne quicquid tale viderem,
Seu quod ab hiis monstris tutus in orbe forem ;
Velle mori statui, quia scribitur, 'Omnia soluit
Mors et ab instanti liberat ipsa malo.'
'Fortune,' dixi, 'dolor, vndique parce dolenti,
Da michi vel plene viuere siue mori.'
Set michi pro fine spem tantum mortis habebam,
Plusque nec ausus eram limen adire domus.   1530
Murmura tunc subite subeunt habitacula mentis,
Talia pro luctu sepeque verba ferunt :
'O tibi quem presens spectabile non sinit ortus
Cernere, quam melior sors tua sorte mea est !
Heu ! mea consueto quia mors nec erit michi lecto,
Depositum nec me qui fleat vllus erit :
Spiritus ipse meus si nunc exibit in auras,
Non positos artus vnget amica manus.
Si tamen impleuit mea sors quos debuit annos,
Et michi viuendi tam cito finis adest,   1540
Ecce, deus, tu scis quia non tua fata recuso ;
Dum feris, en pacior que meruisse reor.'
  Cumque mei luctus torrens michi maior invndat,
Et magis ex sterili sorte volutus eram,
Ecce Sophia meis compassa doloribus inquit,
'Siste, precor, lacrimas et pacienter age.
Sic tibi fata volunt non crimina, crede set illud
Quo deus offensus te reparando vocat.
Non merito penam pateris set numinis iram :
Ne timeas, finem nam dolor omnis habet.'   1550
Talibus exemplis aliis quoque rebus vt essem
Absque metu paciens sepe Sophia monet ;
Conscia mensque michi fuerat, culpe licet expers,
Spes tamen ambigue nulla salutis adest.
Non fuerant artes tanti que numinis iram
A me tollentes tempora leta ferunt.

<small>1525 statui CEHD   statim SGH₂   1531 subito D   1552 mouet D</small>

LIBER PRIMUS

Tanta mee lasse fuerat discordia mentis,
Quod potui sensus vix retinere meos.
Quid michi tunc animi fuit aut quid debuit esse,
Cum michi rem certam mors neque vita tulit?　　1560
Nunc id, nunc aliud, dubitata mente reuolui,
Quo michi nulla quies fit neque leta dies.
Cum fuit in sompnis mea desperacio maior,
Exiguo dixi talia verba sono:
'Crudeles sompni, cur me tenuistis inermem?
Quin prius instanti morte premendus eram.'
Arguit ergo meos ita mens quam sepe dolores,
'Quid fles? hic paruo tempore,' dixit, 'eris.'
　　Sic tenuant vigiles corpus miserabile cure,
Quas vigili mente sompnia ferre dabant:　　1570
Me timor inuasit, stabam sine lumine mestus,
Et color in vultu linquit habere genas:
Attonitus tanto miserarum turbine rerum,
Vt lapis a mente sepe remotus eram.
Mens tamen vt rediit, pariter rediere dolores,
Mortem dum menti vita negare nequit:
Sic mortem cupiens timui presagia mortis,
Nec fore quid melius mens michi fida refert.
Verbis planxissem, set viscera plena dolore
Obsistunt, nec eo tempore verba sinunt;　　1580
Obice singultu vocis stetit impetus horrens
Aduentum lacrime, lingua refrenat iter.
Est michi vita mori, mors viuere, mors michi vita
Dulcior est, redolet viuere mortis amor:
Solus, inops, expes, vite peneque relictus,
Attendi si que sors mea certa foret.
Talia mira nimis longum narranda per annum,
Que modo vix recolo, tunc paciebar ego.
Scire meos casus si quis desiderat omnes,
Quo loquar hos finem non breue tempus habet:　　1590
Sic tamen in variis mea lassa doloribus ipse
Tempora continuans asperiora tuli.

1575 redire EHD　　1588 Que modo SGD　Quo modo H　Quomodo CE
1591 Si S

66 VOX CLAMANTIS

Hic eciam secundum visionem sompnii describit quasi in propria persona angustias varias que contingebant hiis qui tunc pro securitate optinenda in Turrim Londoniarum se miserunt, et de ruptura eiusdem turris: figurat enim dictam turrim similem esse naui prope voraginem Cille periclitanti.

Cap^m. xvii. Amplius vt vidi quia lex non nouerat orbem,
Creuit et ex variis rumor vbique malis,
En stupor in sompnis magis ac magis inde timorem
Prouocat, et dubias fert michi sepe vias:
Quid facerem metuens, aut quid michi cercius esset
Ignorans, oculos sperserat ira meos.
Haud procul aspexi nauem, properansque cucurri,
Sors mea si forte tucior esset ibi; 1600
Ecceque scala michi patuit, qua scansus in altum,
Intraui, que pius dat michi nauta locum.
Ingenui sexus alios conscendere nauem
Vidi quam plures, quos timor omnis habet:
Vix fuit a planta capiti gradus vllus eorum
Qui tunc de stirpe nobilitatis erant,
Quin maris in medio pauidus conscenderat ille
Classem, quo requiem, si foret vlla, petat.
Set quid agant alii, semper michi cura remansit
Vna, quod a furiis tutus abire queam. 1610
Nauis in ingressu pauida de mente rogaui,
Vt michi det faciles vtilis aura vias:
Quem mare quemque colunt venti, per vota reclamo,
Vt michi det placidum per mare Cristus iter:
'Tu michi, stella maris, sis preuia, quo ferar vndis;
Sit tibi cura mei, te duce tutus ero.'
   Cum maris vnda procul a litore nos rapuisset,
Nauis et optato flumine carpsit iter,
A furiis terre tunc amplius esse quietum
Me dixi, set in hoc spes mea vana fuit; 1620
Nam mea quando fuit spes maior vt ipse salutem
Consequerer, subito causa doloris adest.
Terribilem picea tectus caligine vultum
Ether ab excelso commouet arma fretis:
Quatuor ora fremunt ventorum sic, quod inermem

Cap. xvii. *Heading* 2 persona propria CHDT
1610 tutus] cautus D

Anchora non poterat vlla iuuare ratem.
Extra se positus madidis Nothus euolat alis,
Cuius enim gutte dampna furoris agunt:
Quas sibi non poterat terre comprendere virtus,
Pendula celestes libra mouebat aquas; 1630
Sic defrenato voluuntur in equora cursu,
Quo maris vnda nimis aucta subegit humum.
Seuiit in nauem ventis discordibus aura,
Et maris in remos vnda coacta ruit;
Fit fragor, et densi funduntur ab ethere nimbi,
Nauis et est variis exagitata malis.
   Nuncia Iunonis varios tumefacta colores
Induit, et vario more refudit aquas:
Nulla set est gutta dulcis quam fuderat, immo
Turpis, amara, rudis, vilis, acerba, grauis; 1640
Nil valet ad gustum liquor hic, qui corda bibentum
Perforat, et quassat viscera tota simul.
O felix, tales qui tunc euaserat ymbres,
Qui sunt Stige magis et Flegetonte graues!
Ipse tamen naui turbatus semper adhesi,
Quam furiens pelagi merserat ira quasi.
Huius aque fluuio bubo natat inter alaudas,
Nat lupus inter oues, inter honesta nephas.
Huius aque subite magis insulcata carina
Forcia que subiit tecta que castra ruit. 1650
Pre nimia rabie timuerunt grandia cete,
Dum magis atque magis aucta fit ira maris.
Ecce cadunt largi resolutis nubibus ymbres,
Aeris et medio fulminis ira tonat;
Inque fretum credas totum descendere celum,
Terruit et terras Iris vbique minis;
Inque plagas celi tumefactus scandit et equor,
Vt si de proprio vellet abire loco.
Sternitur interdum spumisque sonantibus albet,
Et redit in subtus quod fuit ante super; 1660
Et modo cum fuluas ex ymo vertit arenas,
Tincta superficies fulua patebat aquis.
   Que freta seu venti poterant tormenta parare,
Fluctibus et grauibus flatibus illa parant:

      1626 potuit C   1662 patebit S

Equoree miscentur aque celestibus auris,
Mixtaque cum pluuia salsa tumescit aqua.
Vela madent nimbis, tegumenta nec vlla iuuabant,
Vnus vt in sicco contegat inde caput;
Pugnaque ventorum spumantes mouerat vndas
Vertit et in variis fluctibus Auster eas.   1670
Desuper emissi tenuerunt equora venti,
Est ita naualis regula ceca magis;
Tetraque nox premitur, tenebrisque micancia lumen
Fulmina fulmineis ignibus ipsa dabant.
Cum mare sub noctem tumidis albescere cepit
Fluctibus, et preceps Eurus ad arma furit,
'Ardua iam dudum dimittite cornua nauis,'
Clamat, 'et ad velum currite,' rector ait.
Hic iubet, impediunt aduerse iussa procelle,
Nec fragor auditum tunc sinit esse maris;   1680
Sponte tamen properant alii subducere remos,
Pars munire latus quisque labore suo.
Egerit hic fluctus equorque refundit in equor,
Hic rapit antemnas, que sine lege vagant:
Bella gerunt venti fretaque indignancia miscent,
Cassus et vlterius fit labor ille viris.
Tanta mali moles classem compresserat audax,
Vt vecors animum laxat abire vagum;
Ipse pauet nec se quis sit status ipse fatetur,
Dum timor ex mentis frigore corda gelat.   1690
Quippe sonant clamore viri, stridore rudentes,
Rector et in remis fert nichil ipse magis.
Omnia pontus erat, deerant quoque litora ponto,
Regis et ad solium fert sua monstra fretum.

Hic dicit secundum visionem sompnii qualiter tanta superhabundauit tempestas, quod de certo absque manu diuina remedio omnes in dicta naui hesitarunt, et deum super hoc precipue quilibet sexus ingenui deuocius exorabat.

Cap^m. xviii.   Ceruleus, rubeus, pingit geminus color arcum,
             Et furor ethereus vndique spersus adest;

1669 Pugnaq*ue* CEDH₂ Pungnaq*ue* SHGT   1675 tumidus EH
1693 erant ED
    Cap. xviii. *Heading* 2 de certo remedio absque manu diuina CEHD

LIBER PRIMUS

Desuper ira tonat, subtus rumpuntur abissi,
Et de visceribus terra fluenta vomit;
Insolitas pluuias nubes effundit et vndas,
Sustinet innumeras vndique nauis eas. 1700
Nescia sicque vagans nauis qua sorte fruatur,
Equoris et pluuie sic natat inter aquas;
Et mare terribili confundit murmure mentes,
Quod timor ex solo terret vbique sono.
Tristius et celum tenebris obducitur atris,
Vix videt ex oculis iste vel ille manus.
De celo veniunt tunc signa minancia mortem,
Omnis et expectat quid sibi fata volunt:
Desuper impletur flammis vltricibus aer,
Et furor ex omni parte perurget aquas: 1710
Ignea tunc sonitus diffundit flamma feroces,
Et scintilla quasi fulmina spersa volat.
Igniuomus fluuius sic nos torquebat, vt omnis
Submisso capite mutus in ore silet:
Deficit ars animique cadunt viresque fatescunt,
Nec fuit vlterius spes aliqualis eis.
    En super hoc veniens inmensus belua ponto
Eminet, ex cuius naribus vnda tonat:
Ipse velut nauis prefixus concita rostro
Sulcat aquas, et eum cuncta propinqua timent: 1720
Ipse ferox latum sub pectore possidet equor,
Et propriata sibi iura marina petit:
Frater erat Cille, furiens magis ipse Caribdi,
Et velut os Herebi, que voret ipse petit.
Perdidit hiis visis audacior intima cordis
Robora, que subito surripit ille pauor;
Iamque gubernator, tollens ad sidera palmas,
Exposcit votis inmemor artis opem:
Vincitur ars vento, neque iam moderator habenis
Vtitur, immo vaga per freta nauis arat. 1730
Tunc quasi febricitans os omnes horruit escas,
Mensque vomit sensus absque salute suos:
Brachia cum palmis, oculos cum menteque tristi
In celum tendens, postulat omnis opem:
Non tenet hic lacrimas, stupet hic, vocat ille beatos,

    1706 ille vel iste CE   1724 quem D

Proque salute sua numina quisque vocat.
Rector cuncta deo commendans talia dixit,
'Celestis celerem det michi rector opem.'
Rima patet, que viam prebet letalibus vndis,
Nec stat qui mortis non reputaret iter. 1740
Visa michi Cilla fuit et tunc visa Caribdis,
Deuoret vt nauem spirat vtrumque latus.
   O quam tunc similis huic naui Londoniarum
Turris erat, quod eam seua procella quatit;
Turris egens muris, vbi sumpsit petra papiri
Formam, quam penetrans sordida musca terit;
Turris, vbi porta sibi seras ferre recusat,
Quo patitur thalamus ingredientis onus;
Turris, vbi patula furiis via restat, et omnis
Rusticus ingrediens res rapit atque loca; 1750
Turris, vbi vires succumbunt debilitati,
Turris, vbi virtus non iuuat vlla viros;
Turris in auxilium spirans, custode remoto,
Et sine consilio sola relicta sibi;
Turris in obprobrium patricida que sanguine feda,
Cuius ineternum fama remorsa volat;
Turris, vbi rupta spelunca fuit leopardi,
Ipseque compulsus vt pius agnus abit;
Turris, vbi pressit vi tegula feda coronam,
Quo cecidit fragili sub pede forte caput; 1760
Turris, non thuris olefacta salute set egra,
Lugens non ludens, tedia queque ferens;
Turris diuisa linguis Babilonis ad instar,
Turris, vt est nauis Tharsis in ore maris.
Sic patitur pressa vicii sub gurgite turris,
Nescia qua morum parte parare viam.
Quisque dolet, set non vt ego, dum talis amarum
Spectat ad interitum naufraga Cilla meum.
Hec ita sompnifero vigilans quasi lumine signa
Vidi, quo timui dampna futura rei. 1770
   Nimirum quod ego, dum talia ferre putabam,
Territus in sompnis et timefactus eram:
Ductus in ambiguis dixi quam sepe periclis,
Quod michi naue mea tucius equor erat.
Sic ego concussus Euros Zephirosque timebam,

LIBER PRIMUS 71

Et gelidum Boream precipitemque Nothum:
Quatuor hii venti partes per quatuor orbis
Flant, nec obesse suis flatibus vlla queunt.
Nostra per aduersas agitur fortuna procellas,
Sorte nec vlla mea tristior esse potest.   1780
Talia fingebam misero michi fata parari,
Demeritoque meo rebar adesse malum.
Sic mecum meditans, tacito sub murmure dixi,
'Hec modo que pacior propria culpa tulit.'
Non latuit quicquam culparum cordis in antro,
Quin magis ad mentem singula facta refert:
Cor michi commemorat scelerum commissa meorum,
Vt magis exacuat cordis ymago preces.
Non fuit ex sanctis quem non mea lingua precatur,
Dum maris interitum preuia signa parant: 1790
Accensam summi precibus mulcere paratus
Iram, cum lacrimis sic mea verba dedi.

  'Conditor O generis humani, Criste redemptor,
Est sine quo melius nil vel in orbe bonum,
Dixisti, que tuo sunt omnia condita verbo,
Mandasti, que statim cuncta creata patent;
Inque tuo verbo celi formantur, et omnem
Spiritus ornatum fecerat inde tuus.
Per te sunt et aque, certus quoque terminus illis,
Est per te piscis et maris omne genus: 1800
Aera cum genere volucrum sermone creasti,
Quatuor et vento partibus ora dabas:
Cunctipotensque tuo fundasti numine terram,
Fixit quam stabilem prouidus ordo tuus:
Cunctaque terrigena viuunt animalia per te,
Subque tua lege reptile quodque mouet.
Sicut ymago tua tandem fuit et racionis
Factus homo, quod opus sit super omne tuum;
Qui precepta tua veteri serpente subactus
Preterit, et pomi mors sibi morsus erat.   1810
Set pietate tibi quod eum de morte resumas,
Virginis ex carne tu caro factus eras;
Sicque parens nostri generis de carnis amore

1776 boriam CE   notum C   1788 cordis S   mentis CEHGDTH₂

Efficeris, nobis gracior vnde fores.
Vt te credo deum sic esse meumque parentem,
Micius, oro, pater, tu mea fata rege!
Vt de morte crucis te non pudet esse cruentum,
Hoc ita, Criste meis tempore parce malis!
Qui Paulum pelago, Petrum de carcere, Ionam
Eripis a piscis ventre, memento mei! 1820
Nescit abesse deus in se sperantibus, egros
Visitat, elisos erigit, auget opem.
Peccaui, redeo, miserere precor miserendi!
Tempus adest, miseros te refouere decet.
Parce, precor, fulmenque tuum tua tela reconde,
Que michi nunc misero tristia tanta parant.
'O! cui fundo preces, te deprecor, intret in aures
Hec mea diuinas vox lacrimosa tuas!
Iam prope depositus sum mundo, frigidus, eger,
Seruatus per te, si modo seruer, ego. 1830
O superi, fractis,' dixi, 'succurrite remis,
Et date naufragio litora tuta meo!
Que genus humanum curauit origine Cristi,
Materiam cure prebeat illa mee!
Te precor, alme deus, sit vt illa michi mediatrix,
Que peperit florem flore manente suo.
Cur mala que pacior nullo michi tempore soluis?
Ecce simul morimur, respice, plaga monet!'
Cum magis in precibus prostratus proxima dampna
Expectans timui speque salutis egens, 1840
Impetus en subito ruit, et concussit ad ymum
Nauem, quam Cille deuorat ira prope:
Vis tamen alma precum sitibunda voraginis ora
Obstruxit, nec ea fit saciata vice.
Semper in incerto fuimus quid fata pararent,
Nec spes pro nobis, nec timor equs adest.
Micius ille perit subitis qui mergitur vndis,
Quam sua qui timidis brachia iactat aquis.
Absque quiete tamen rogat omnis votaque suplex
Impendit, que pias fundit ad alta preces. 1850

1848 timidis SCEHGH₂ timidus T tumidis D (*corr.*)

Hic fingit secundum visionem sompnii de quadam voce
diuina in excelsis clamante, et quomodo deus placatus tandem
precibus tempestates sedauit, et quomodo quasi in holocaustum
pro delicto occisus fuit ille Graculus, id est Walterus, furiarum
Capitaneus.

Cap^m. xix.
Clamor in excelsis, lacrime gemitusque frequentes,
Non veniam cassi preteriere dei;
Attamen ipse maris Neptunus qui deus extat,
At mare pacificet, tunc holocausta petit.
Dona valent precibus commixta, per hec deus audit
Micius, et votis annuit ipse precum:
Cum magis ergo furit tumidi maris aucta procella,
Et magis in mortem visa pericla patent,
Vnus erat Maior Guillelmus, quem probitatis
Spiritus in mente cordis ad alta mouet; 1860
Iste tenens gladium quo graculus ille superbus
Corruit, ex et eo pacificauit opus.
Vna peribat auis, quo milia mille reviuunt,
Et furibunda deus obstruit ora maris.
Sit licet hoc tarde, tunc nauis post scelus actum
Induit infelix arma coacta dolor.
Graculus en moritur! sic non moriuntur invlti,
Quos prius ex rostro lesit ad arma suo:
Qui ferit ex gladio periit gladiator in illo,
Et magis infelix imbuet auctor opus: 1870
In scelus addendum scelus est, in funera funus,
Sic luet exactor quod tulit ante malum;
Inque leues abiit morientis spiritus auras,
Si petat inferius antra scit ipse deus.
Sic quia miliciam transumpsit ymagine monstri,
Irrita decepti vota colonis erant.
Cum magis est quicquid superi voluere peractum,
Desinit a furiis sors maledicta suis:
Forsitan illa dies erroris summa fuisset,
Si deus in tali morte negasset opus. 1880
O michi quanta tulit tantus solacia victor,
Obruta qui tante sortis ad alta leuat!
O benedicta manus, tam sufficiens holocaustum

1859 Will*el*m*us* D   1870 imbuet SG   imbuit CEH   incidet D
1874 infernis E   infernus D

Que dedit, vnde maris victa procella silet!
Nam deus vt voluit, plus dum furit equoris vnda,
Grata superueniens hora salutis adest.
Quod deus ipse suam pro tempore distulit iram,
Vocis ab excelso protulit ista sonus;
Aeris e medio diuina voce relatum
Tunc erat et nostris auribus ista refert: 1890
Dixit, 'Adhuc modicum restat michi tempus, et ecce
Differo iudicium cum pietate meum.'
Cilla per hoc verbum paciens restrinxit hiatum,
Quod prius exhausit protinus illa vomit;
Sicque iubente deo nauis, quam seua vorago
Sorbuit, erigitur equoris alta tenens:
Sic prius austerus stat sub moderamine motus,
Tantus celesti venit ab ore vigor:
Et iam deficiens sic ad sua verba reuixi,
Vt solet infuso vena redire mero. 1900
   Conclamant naute, surgunt pariter properantque
Quilibet officium fortificare suum:
Sic inter medium vite mortisque reformant
Cursum, quo breuiter tucius ire putant:
Exiguam veli, que tunc tamen integra mansit,
Extollunt partem, ducat vt ipsa ratem.
Tanta fit ingluuies et aquarum fluxus habundans,
Vix quod sedatas terra resumpsit aquas:
Set mare qui pedibus calcauit in orbe misertus,
Horrida compescens tempora leta dedit: 1910
Equora constrinxit celique foramina clausit,
Et minus iratas cedere iussit aquas:
Nebula deiecit nimbis aquilone remotis,
Nec fragor vlterius voce tonante furit:
Equoris arcet aquas, iubet vt sit terminus illis,
Ne maris infirmam plus terat ira ratem.
Tunc celo terras ostendit et ethera terris,
Et pelagi furias pescuit ipse feras:
Tunc loca concrescunt, quia decrescentibus vndis
Pax redit, atque probis fit renouata salus. 1920
   Fusca repurgato fugiebant numina celo,
Fulsit et optata clarior illa dies;
Ortaque lux radiis solidum patefecerat orbem,

LIBER PRIMUS 75

Cessit et anterior sors tenebrosa malis.
Sic mare litus habet, plenos capit alueus ampnes,
Legibus atque noue tunc patuere vie:
Sic, deus vt voluit, cum sit moderacior vnda,
Leticie mixti convaluere metus.
Omnes tunc Cristum laudant, quod ab ore procelle
Non sinit extinctos, set reparauit eos.   1930
Tunc ego, deflexis genibus set ad ethera palmis
Tensis, sic dixi: 'Gloria, Criste, tibi!'
Hoc iterans gelida formidine frena resolui,
Leticieque noue spes michi mulcet iter.
Dum mare pacatum, dum ventus amicior esset,
Spes redit et nautis corda subacta leuat.
Viribus ergo suis pauidus sibi nauta resumptis
Nauigat, vt portum pacis adire queat.
Carbasa mota sonant, iubet vti nauita ventis,
Subque noue sortis spe noua vela dari.   1940

Hic loquitur adhuc de naui visa in sompnis, id est de mente sua adhuc turbata, vt si ipse mentaliter sompniando, quasi per nauem variis ventis sine gubernaculo agitatam, omnes partes mundi pro pace mentis scrutanda investigasset, et tandem in partes Britannie maioris, vbi raro pax est, dicit se applicuisse. Dicit eciam qualiter vox in sompnis sibi iniunxit quod ipse omnino scriberet ea que de mundo in illo scrutinio vidisset et audisset; et ita terminatur sompnium.

Cap^m. xx. Clausit adhuc oculos sompnus, quo sompnia nauem
Semper pretendunt, que loco tuta petit,
Nec timor ambigue poterat cito cedere menti,
Quam prius ad portum salua venire queat.
Deficiunt remi iam ventis vndique fracti,
Ac vbi sors duxit nauis habebat iter:
Littora pacifica scrutans temptabat in omnem
Partem, nec poterat pacis habere locum;
Turbo set equoreis hanc tandem, prodolor! vndis
Expulit in portum quo furit omne malum.   1950
Sic Cillam fugiens minus est nec lesa periclis,
Dum Cilla grauior Insula cepit eam.

Between 1939 *and* 1940 D *inserts* Nauigat vt portum queat habere bonum (*marg.* Defic*it versus in* cop*ia*).
Cap. xx. *Heading* 1 idest H   *et* D   7 scrutineo CE

Insula lata quidem fuit hec vallata rotundo,
Que maris Occiani cincta redundat aquis.
Ad portum veniens de naui concito litus
Egressus pecii, turbaque magna michi
Plebis in occursum iam venerat, ex quibus vnum
Pre reliquis dignum contigit esse virum :
A quo quesiui, 'Dic, Insula qualis, et vnde
Tantus adest populus, quis sit et inde modus?'   1960
Ecce senex ille, portu qui stabat in illo,
Reddidit ista meis horrida verba sonis.
  'Exulis hec dici nuper solet Insula Bruti,
Quam sibi compaciens ipsa Diana dabat.
Huius enim terre gens hec est inchola, ritus
Cuius amore procul dissona plura tenet.
Nam quia gens variis hec est de gentibus orta,
Errores varie condicionis habet :
Egregie forme sunt hii, set condicione
Ecce lupis seue plus feritatis habent.   1970
Non metuunt leges, sternunt sub viribus equm,
Victaque pugnaci iura sub ense cadunt :
Legibus inculta fraudes, scelus, arma, furores,
Pluraque pestifera plebs nocumenta parit :
Que gestant homines terre de partibus huius
Pectora, sunt ipso turbidiora mari.
Hec humus est illa vario de germine nata,
Quam cruor et cedes bellaque semper habent :
Tristia deformes pariunt absinthia campi,
Terraque de fructu quam sit amara docet.   1980
Non magis esse probos ad finem solis ab ortu
Estimo, si populi mutuus esset amor.'
  Pluribus auditis que singula displicuerunt,
Heu! michi corda dolor iam renouatus agit :
Dulcius ipse michi numen nunc quando putabam,
Fortune species obstat acerba mee.
Cum video quam sunt mea fata tenacia, frangor,
Spesque leuis magno victa timore silet :
Sic ego fortune telis confixus iniquis
Pectore concipio nil nisi triste meo :   1990

1954 Occiani (occiani) SGHT   occeani CED   1965 inchola S   incola CEHGDT

LIBER PRIMUS

Attigeram portum, portu terrebar ab ipso,
Plus habet infesta terra timoris aqua.
Sic magis in terris dubiis iactatus et vndis,
Nescio quo possum tutus habere fugam:
Sic simul insidiis hominum pelagique laboro,
Et faciunt geminos ensis et vnda metus.
Cur ego tot gladios fugii, tociensque minata
Obruit infelix nulla procella caput?
Iam mea spes periit, tali dum sors mea portu,
Est vbi nulla quies, duxit habere moram.   2000
Fugerat ore color, macies subduxerat artus,
Sumebant minimos ora subacta cibos;
Vtque leui Zephiro graciles vibrantur ariste,
Frigida populeas vt quatit aura comas,
Pergere cum volui, tremulus magis ipse iacebam,
Et dolor in corde parturientis erat:
Sic ego dumque queror, lacrime mea verba sequntur,
Deque meis oculis terra recepit aquam.
Viderit ista deus qui nunc mea pectora versat;
Nescio quid terris mens mea maius agat: 2010
Sic iterum corde nouiter spasmatus ab infra
In terram cecidi mortis ad instar ego.
Tandem cumque leuans oculos et corpus ab ymo
Erexi, vidi post et vtrumque latus,
Ecce nichil penitus fuerat, velut vmbra set omnis
Turba que nauis abest, solus et ipse fui.
Cum me perpendi solum, magis vnde dolebam,
Fit contristatus spiritus atque meus,
Ipsa michi subito vox celica, quam prius ipse
Audieram, verbi more sequentis ait.   2020
'Nil tibi tristicia confert; si dampna per orbem
Circuiendo mare te timuisse liquet,
Immo tibi pocius modo prouideas, quia discors
Insula te cepit, pax vbi raro manet.
Te minus ergo decet mundanos ferre labores,
Munera nam mundus nulla quietis habet:
Si tibi guerra foris pateat, tamen interiori
Pace, iuuante deo, te pacienter habe.

1994 possim D   2010 magis EDT   2017 inde CE   2022 Circuiendo
SHT   Circueundo CED

Dum furor incurrit, currenti cede furori,
Difficiles aditus impetus omnis habet; 2030
Desine luctari, referant tua carbasa venti,
Vtque iubent fluctus sic tibi remus eat.
Siue die laxatur humus seu frigida lucent
Sidera, prospicias que freta ventus agit:
Tempora sicut erunt sic te circumspice, nulla,
Sint nisi pre manibus, secula visa cape:
Ludit in humanis diuina potencia rebus,
Et certam presens vix habet hora fidem.
Semper agas timidus, et que tibi leta videntur,
Dum loqueris fieri tristia posse putes: 2040
Qui silet est firmus, loquitur qui plura repente,
Probra satis fieri postulat ipse sibi.
Ocia corpus alunt, corpus quoque pascitur illis,
Excessusque tui dampna laboris habent:
Gaudet de modico natura, set illud habundans
Quod nimis est hominem semper egere facit:
Te tamen admoneo, tibi cum dent ocia tempus,
Quicquid in hoc sompno visus et auris habent,
Scribere festines, nam sompnia sepe futurum
Indicium reddunt.' Vocis et ecce sonus 2050
Amplius hiis dictis non est auditus, et illo
Contigit vt gallus tempore more suo
Lucis in aurora cantum dedit, vnde remoto
Euigilans sompno sic stupefactus eram,
Vix ego quod potui cognoscere si fuit extra
Corpus quod vidi, seu quod abintus erat.
Nunc quia set vigilo viuens terrore remoto,
Est mea cum domino spes magis aucta meo.

Hic reddit vigilans gracias deo, qui eum in sompnis a pelago liberauit.

Cap^m. xxi. Clarius aspiciens oculis vigilantibus orbem,
Nubeque depulsa convaluisse diem, 2060
Percipiens furias veteri de lege repressas,
Et noua quod fractum lex reparasset iter,
Illesosque mei nunc palpans corporis artus,
Exultans humeros sustinuisse caput,
Creuit amicicia vetus et fugit impetus ire,

Et renouantur eo tempore iura viri.
Tunc prius ad dominum cordis nouitate reviuens
Cantica celsithrono laudis honore dedi:
Non tamen ad plenum fateor mea corda redisse,
Qui mala tam subito tanta per ante tuli. 2070
Qui semel est lesus fallaci piscis ab hamo,
Sepe putat reliquis arma subesse cibis;
Vix satis est hodie tutus qui corruit heri,
Tranquillas eciam naufragus horret aquas:
Sic ego dum recolo steteram quibus ipse periclis,
Dampna priora michi posteriora timent:
In pelago positus sic me meminisse procellam
Nosco, quod a mentis non cadet ipsa viis.

Me miserum! quanto cogor meminisse dolore
Temporis illius, quo dolor omnis erat! 2080
Nunc tamen euasus, quia viuo furore remoto,
Cum laudis iubilo cantica soluo deo.
Stella Maria maris, michi que mulcebat amaros
Fluctus ne periam, laudo quietus eam.
Gaudeo pre cunctis quia non me Cilla vorauit,
In cuius positus gutture totus eram:
Hostibus in mediis interque pericula versor,
Set pietate dei sum modo liber ego:
Sic ego transiui latebras horrenda ferarum
Oraque, nec mortis morsus habebar eis. 2090
Vt rosa per spinas non nouit acumine pungi,
Eripior gladio sic ferientis ego.

Sic cum rusticitas fuerat religata cathenis,
Et paciens nostro subiacet illa pede,
Ad iuga bos rediit, que sub aruis semen aratis
Creuit, et a bello rusticus ipse silet.
Sic ope diuina Sathane iacet obruta virtus,
Que tamen indomita rusticitate latet;
Semper ad interitum nam rusticus insidiatur,
Si genus ingenuum subdere forte queat. 2100
Nam fera rusticitas nullo moderatur amore,
Corde set aduerso semper amara gerit:
Subditus ipse timet nec amat seruilis arator,

2070 per*ante* H   2073 hodie tutus S   tutus hodie CEHGDT
2082 soluo] psallo D   2094 ipsa C

Fedat et hunc cicius qui magis ornat eum.
Forcius ergo timor stimulans acuatur in ipsos,
Et premat hos grauitas quos furit illa quies:
Qui premunitur non fallitur ingeniosus,
Per mala preterita dampna futura cauet.
Dextra tamen domini virtutem fecit, vt illa
A me transiret plena furore dies: 2110
Contritus laqueus est, a quo liber abiui,
Et velut a sompno sum renouatus homo.
Vt cecidi subito, subiti releuamina casus
Dat deus, et lapsum subleuat ipse pedem:
Viuere nunc video michi sompnum, nunc puto vitam
Esse meam, nouitas cor michi tanta tenet:
Me polus absoluit, quamuis sua fulmina misit,
Terret nec nocuit illa procella michi.

 Qui michi consilium viuendi mite dedisti,
Cum foret in misero pectore mortis amor, 2120
Est michi, quod viuens tibi iam pro munere laudes
Reddo, quod vlterius sis michi vita deus:
Gaudia posco michi renoues, deus, est quia longo
Tempore leticie ianua clausa mee.
O mea si tellus, quam non absorbuit equor,
Debita sciret eo reddere vota deo!
Castigauit eam dominus, nec in vlcera mortis
Tunc tradidit, set adhuc distulit ira manum.
Quicquid agant laudis alii, non ipse tacebo,
Quem deus in furiis vulsit ab ore maris: 2130
Set quia tunc variis tumidis iactabar in vndis,
Que mea mens hausit, iam resoluta vomet.
Me licet vnda maris rapuit, mea numina laudo,
Fluctibus ingenium non cecidisse meum.
Dum mea mens memor est, scribens memoranda notabit,
In specie sompni que vigilando quasi
Concepi pauidus, nec dum tamen inde quietus
Persto, set absconso singula corde fero.
Non dedimus sompno quas sompnus postulat horas,
Tale licet sompnis fingo videre malum. 2140
O vigiles sompni, per quos michi visio nulla
Sompniferi generis set vigilantis erat!

2123 renoues est et quia D

O vigiles sompni, qui sompnia vera tulistis,
In quibus exemplum quisque futurus habet!
O vigiles sompni, quorum sentencia scriptis
Ammodo difficilis est recitanda meis!
Vt michi vox alias que vidi scribere iussit,
Amplius ex toto corde vacare volo:
Quod solet esse michi vetus hoc opus ammodo cedat,
Sit prior et cura cura repulsa noua. 2150

Hic dicit quod ipse iam vigilans, secundum vocem quam in sompnis acceperat, intendit scribere ea que de mundo vidit et audiuit, et vocat libellum istum **Vox Clamantis**, quia de voce et clamore quasi omnium conceptus est; vnde in huius operis auxilium spiritum sanctum inuocat.

Incipit prologus libri Secundi.

Multa quidem vidi diuersaque multa notaui,
   Que tibi vult meminens scribere penna sequens:
Non tamen inceptis ego musas inuoco, nec diis
Immolo, set solo sacrificabo deo.
Spiritus alme deus, accendens pectore sensus,
   Intima tu serui pectoris vre tui:
Inque tuo, Criste, laxabo nomine rethe,
   Vt mea mens capiat que sibi grata petit.
Inceptum per te perfecto fine fruatur
   Hoc opus ad laudem nominis, oro, tui.   10
Qui legis hec eciam, te supplico, vir, quod honeste
   Scripta feras, viciis nec memor esto meis:
Rem non personam, mentem non corpus in ista
   Suscipe materia, sum miser ipse quia.
Res preciosa tamen in vili sepe Minera
   Restat, et extracta commoditate placet:
Hoc quod in hiis scriptis tibi dat virtutis honestas
   Carpe, nec vlla tumens vlteriora pete.
Si te perstimulet stilus hic stillatus in aure,
   Sit racio medicus mulceat inde graue: 20
Et si compositis verbis non vtar, vt illis
   Metra perornentur, cerne quid ipsa notant:
Et rudis ipse rude si quid tractauero, culpe
   Qui legis hoc parce, quod latet intus habe:

Heading L *resumes here*   1 vocem] visionem DH₂   2 acceperat *et ex plebis voce communi concepit* L
   Incipit prologus &c. *om.* L   20 Sic EDL Set T

PROLOGUS LIBRI SECUNDI

Et si metra meis incongrua versibus errent,
Que sibi vult animus congrua vota cape.
Rethorice folia quamuis formalia desint,
Materie fructus non erit inde minor:
Sint licet hii versus modice virtutis ad extra,
Interior virtus ordine maior erit. 30
   Quamuis sensus hebes obstet, tamen absque rubore
Que mea simplicitas sufficit illa dabo.
In sene scire parum multum solet esse pudori
Temporis amissi pre grauitate sui;
Set modo siqua sapit docet aut prouisa senectus,
Vix tamen hec grata vox iuuenilis habet.
Que scribunt veteres, licet ex feruore studentes,
Raro solent pueris dicta placere satis;
Obloquioque suo quamuis tamen ora canina
Latrent, non fugiam quin magis ista canam. 40
De saxis oleum, de petra mel tibi sugge,
Deque rudi dociles carmine sume notas.
Quicquid ad interius morum scriptura propinat,
Doctrine causa debet habere locum:
Verba per os asini qui protulit, hic mea spes est,
Eius vt ad laudem cercius ore loquar.
Ergo recede mee detractor simplicitati,
Nec mea scripta queat rodere liuor edax:
Lite vacent aures lectoris et obuia cedant
Murmura, differ opus, invida turba, tuum. 50
Si tamen incendat Sinon Excetraque sufflet,
Non minus inceptum tendo parare stilum.
Est oculus cecus, aurisque manet quasi surda,
Qui nichil vt sapiat cordis ad yma ferunt;
Et si cor sapiat quod non docet, est quasi pruna
Ignea, sub cinere dummodo tecta latet.
Nil fert sub modio lucens candela reconsa,
Pectoris aut sensus ore negante loqui.
Quid si pauca sciam, numquid michi scribere pauce
Competit, immo iuuat alter vt illa sciat. 60
De modicis igitur modicum dabo pauper, et inde
Malo valere parum quam valuisse nichil.
Non miser est talis, aliquid qui non dare possit;

29 Sunt C   51 Symon excetraque L   si non excecraque D

Si dare non possum munera, verba dabo.
Attamen in domino credenti nulla facultas
Est impossibilis, dum bene sentit opus.
  Gracia quem Cristi ditat, non indiget ille ;
Quem deus augmentat possidet immo satis :
Grandia de modico sensu quandoque parantur,
Paruaque sepe manus predia magna facit : 70
Sepius ingentes lux pellit parua tenebras,
Riuulus et dulces sepe ministrat aquas.
Constat difficile iustum nichil esse volenti ;
Vt volo, sic verbum det deus ergo meum.
Non tamen ex propriis dicam que verba sequntur,
Set velut instructus nuncius illa fero.
Lectus vt est variis florum de germine fauus,
Lectaque diuerso litore concha venit,
Sic michi diuersa tribuerunt hoc opus ora,
Et visus varii sunt michi causa libri : 80
Doctorum veterum mea carmina fortificando
Pluribus exemplis scripta fuisse reor.
Vox clamantis erit nomenque voluminis huius,
Quod sibi scripta noui verba doloris habet.

Hic dicit, secundum quod de clamore communi audiuit, qualiter status et ordo mundi precipue in partibus istis in peius multipliciter variantur; et quomodo super hoc vnusquisque fortunam accusat.

Incipit liber Secundus.

Cap^m. i. Incausti specie lacrimas dabo, de quibus ipse
Scribam cum calamo de grauitate nouo.
Esse virum vanum Salomon dat et omnia vana,
Datque nichil firmum preter amare deum.
Quotquot nascuntur vox illis prima doloris,
Incipit a fletu viuere quisquis homo :
Omnes post lauacrum temptacio multa fatigat,
Demonis ars, carnis pugna, cupido grauis :

Cap. i. 8 pugna CEDL pu*n*gna S pungna H

LIBER SECUNDUS

Nunc stat et abstat homo, flat et efflat, floret et aret,
Nec manet vllus ei firmus in orbe gradus.
Incipit ecce mori vir, cum iam fuderit aluo
Mater eum, quem post terminat hora breuis :
Infantem fletus, puerum scola, luxus adultum,
Ambicioque virum vexat auara senem ;
Sola nec vna dies homini tam leta ministrat,
Quin dolor ex aliqua parte nocebit ei.
   Si tamen esse potest quod felix esset in orbe,
Dudum felices nos dedit esse deus :
Quicquid summa manus potuit conferre creatis,
Contulit hoc nobis prosperitatis opus.
Huius erat vite, si que sit, gloria summe,
Nobis pre reliquis amplificata magis.
Tuncque fuisse deum nobis specialius omni
Conuersum plebe clamor vbique fuit :
Famaque sic mundi, nobisque beacius omni
Tempus erat populo nuper; et ecce modo
Turpiter extincta sunt nostra beata vetusta
Tempora, nam presens torquet amara dies.
Quam cito venerunt sortis melioris honores,
Tam cito decasum prosperitatis habent :
Nos cito floruimus, set flos erat ille caducus,
Flammaque de stipula nostra fit illa breuis ;
Set labor et cure fortunaque moribus impar,
Quod fuit excelsum iam sine lege ruunt.
Nostra per inmensas ibant preconia gentes,
Que modo mutata sorte pericla ferunt.
   Querunt propterea plures cur tempus et aura
Stat modo deterius quam solet esse prius :
Querunt cur tanta nobis quasi cotidiana
Assunt insolita nunc grauiora mala :
Nam nichil in terra contingens fit sine causa,
Sicut Iob docuit, qui mala multa tulit.
Se tamen inmunes cause communiter omnes
Dicunt, vt si quis non foret inde reus ;
Accusant etenim fortunam iam variatam,
Dicentes quod ea stat magis inde rea.
Fortunam reprobat nunc omnis homo, quia mutat

9 obstat ED

Et vertit subito quod fuit ante retro;
Hocque potest speculo quisquis discernere nostro,
Que fuerat dulcis nunc fit amara nimis. 50

Hic corripit fortunam et sui euentus inconstanciam deplangit.

Cap^m. ii. O tibi que nomen fortune concipis, illos
Quos prius exaltas cur violenta premis?
Hiis quibus extiteras pia mater dira nouerca
Efficeris, vario preuaricata dolo:
Quos conformasti tua sors dissoluit in iram,
Quos magis vnisti spergis in omne malum.
Si pudor in facie fallente tua foret vllus,
Te quibus associas non inimica fores.
Dudum flore rosa fueras, set mole perurens
Nunc vrtica grauas quos refouere soles: 60
Mobilis est tua rota nimis, subito quoque motu
Diuitis ac inopis alterat ipsa status.
Malo set a fundo conscendere summa rotarum,
Quam quod ab excelso lapsus ad yma cadam:
De super in subtus absit, de sub michi supra
Adueniat, namque prospera lapsa nocent.
Est nam felicem puto maxima pena fuisse,
Quam miser in vita posset habere sua.
Est o quam verum, quod habenti multa dabuntur,
Qui tenet et pauca perdere debet ea! 70
Hoc patet in nobis, quibus olim magnificatis
Gens quasi tota simul subdita colla dabat.
Patria nulla fuit, vbi nos in honore locati
Non fuimus, set nunc laus vetus exul abest:
Omnis enim terra nobis querebat habere
Pacem, nunc guerras hostis vbique petit.
Qui plana fronte dudum comparuit, ecce
Cornua pretendens obuius ipse venit;
Et qui cornutus fuerat, nunc fronte reflexa,
Cornibus amissis, vix loca tutus habet. 80
Que fuerat terra bene fortunata per omne,
Dicunt fortunam iam periisse suam.

56 spargis CED   65 Desuper EDLT

LIBER SECUNDUS

Dic set, fortuna, si tu culpabilis extas;
Credo tamen causa nulla sit inde tua:
Det quamuis variam popularis vox tibi famam,
Attamen ore meo te nichil esse puto.
Quicquid agant alii, non possum credere sorti,
Saltem dumque deus sit super omne potens.
Non te fortunam quicquid michi ponere credam,
Vt gens que sortem murmurat esse tuam: 90
Hac tamen in carta, que sit sibi ficta figura,
Scribere decreui, set nichil inde michi.

Hic describit fortunam secundum aliquos, qui sortem fortune dicunt esse et casum.

Cap^m. iii.   O fortuna, tibi quod aperte dicitur audi,
Inconstans animi, que nec es hic nec ibi:
Es facie bina, quarum deformiter vna
Respicit, ex et ea fulminat ira tua;
Altera felici vultu candescit, et ipsi
Hanc qui conspiciunt, prospera cuncta gerunt.
Sic odiosa tua facies et amabilis illa
Anxia corda leuat sepeque leta ruit: 100
Ex oculo primo ploras, ridesque secundo,
Ac econuerso, te neque noscet homo.
Dum geris aspectum duplum variata per orbem,
Non te simplicibus constat inire viis.
Prosperitate tua stetero si letus in orbe,
Dum puto securo stare, repente cado;
Et timet incerta cor sepe doloris in vmbra,
Cum michi leticia cras venit ecce noua.
Omnia suntque tuo tenui pendencia filo,
Qui plus credit eis fallitur atque magis;   110
Sique leues oculi sint ictus, sunt leuiora
Ordine precipiti pendula fata tua.
   Munera nulla iuuant vt te possint retinere,
Nec domus est certa que stat in orbe tua.
Tu grauior saxis, leuior tu quam leuis aura,
Asperior spinis, mollior atque rosis:
Tu leuior foliis tunc cum sine pondere siccis
Mobilibus ventis arida facta volant;
Et minus est in te, quam summa pondus arista,

Que leuis assiduis solibus vsta riget. 120
Tu modo clara dies, modo nox terrore repleta;
Tu modo pacifica, cras petis arma tua :
Nunc tua deliciis sors fulget, nunc et amaris
Pallet, vt incerta des bona desque mala :
Parca que larga manu tu singula premia confers,
Ac aufers cui vis, sic tua fata geris.
  Non Iris tot diuersos in nube colores,
Marcius aut varia tempora Mensis habet,
Quin magis in mille partes tua tempora scindis,
Omnia dissimili tincta colore gerens. 130
Est meretrice tuus amor et fallacior omni,
Et velut vnda maris sic venis atque redis :
Nemo sciet sero que sit tua mane voluntas,
Nam tua mens centri nescit habere locum :
Omne genus lustras, nec in vllo firma recumbis,
Turbinis et vento te facis esse parem.
Non tua conceptam michi firmant oscula pacem,
Nam tua principia finis habere negat :
Est sine radice tua plantula, nec diuturni
Floris habet laudem, namque repente cadit. 140
Quod sibi permaneat tua nil sapiencia confert,
Set sunt ambigua singula dona tua :
Est tua prosperitas aduersis proxima dampnis,
Et tua, si que sit, gloria rite breuis.

Hic tractat vlterius de mutacione fortune secundum quod dicunt: concludit tamen in fine, quod neque sorte aut casu, set ex meritis vel demeritis sunt, ea que hominibus contingunt.

Cap^m. iiii. Frustrantur cuncti querentes gaudia mundi,
  Nam fortuna nequit mel sine felle dare :
  Invidie comes est melior fortuna, nec vmquam
  Fida satis cuiquam, mobilis immo manet.
  Quis miser ignarus fortune nesciat actus?
  Quod dat idem tollit, infima summa facit. 150
  Fert vt luna suam fortuna perambula speram,
  Decrescit subito, crescit et illa cito :
  Crescit, decrescit, stabilis nec in ordine sistit,

152 Crescit decrescit/crescit D   153 Crescit, decrescit] Decrescit subito D

Est nunc subtus ea, nunc et in orbe supra.
Regnabo, regno, regnaui, sum sine regno,
Omnes sic breuiter decipit illud iter.
Motibus innumeris variare momenta dierum,
Omne quod instituunt fata perire sinunt.
Quando fauet fortuna caue, rota namque rotunda
Vertit, et inferius que tulit alta premit: 160
Quos vocat eicit, erigit, obruit, omnia voluit,
Esse suum proprium vendicat ipsa dolum.
Passibus ambiguis fortuna volubilis errat,
Et manet in nullo cotidiana loco:
En rapuit quodcumque dedit fortuna beatum,
Fit macer et subito qui modo crassus erat.
Dum iuuat et vultu ridet fortuna sereno,
Prospera tunc cuncta regna sequntur opes:
Cum fugit illa, simul fugiunt, nec noscitur ille
Agminibus comitum qui modo cinctus erat. 170
   Monstrat in exemplis anni mutabile tempus,
Quam fortuna suis stat varianda modis.
Non est fortuna talis quin fallat amica,
Dum mentita sue lex regit acta rote.
Hec rota continue per girum de leuitate
Vertitur, et nullo tempore fixa manet:
Hec rota personas mundi non excipit vllas;
Hec rota castigat, soluit, et omne ligat.
Non illam flectis precibus, non munere mulces,
Non nullis lacrimis nemo mouebit eam: 180
Non sexus, non condicio, non ordo vel etas,
Nil compellit eam cum pietate pati.
Ciuis et agricola, rex, rusticus, albus et ater,
Doctus et insipiens, diues inopsque simul,
Mitis et impaciens, pius, atrox, equs, iniqus,
Sunt in iudicio, iudice sorte, pares.
Hos premit, hos releuat, leuat hos vt ad yma retrudat,
Interutrumque iocat quos ad vtrumque vocat:
Ludit et illudit rebus, cum lubricus axis
Labitur et secum lubrica queque facit. 190
Hec rota nugatrix sic girovagatur eodem
Motu, ne possit rebus inesse quies.

       168 cunta C   174 tegit CE

Impetus euertit quicquid fortuna ministrat
Prospera, nec stabilem contulit ipsa statum.
Heu! cur tanta fuit concessa potencia tali,
Cui nichil est iure iuris in orbe datum?
Si quid iuris habet, surrepcio dicitur esse,
Nam de iure nichil quo dominetur habet.
Sic dicunt homines, qui credunt omnia casu
Quod deus extruxit ipsa mouere potest: 200
Set fortuna tamen nichil est, neque sors, neque fatum,
Rebus in humanis nil quoque casus habet:
Set sibi quisque suam sortem facit, et sibi casum
Vt libet incurrit, et sibi fata creat;
Atque voluntatis mens libera quod facit actum
Pro variis meritis nomine sortis habet.
Debet enim semper sors esse pedisseca mentis,
Ex qua sortitur quod sibi nomen erit:
Si bene vis, sequitur bona sors; si vis male, sortem
Pro motu mentis efficis esse malam. 210
Si super astra leues virtutum culmine mentem,
Te fortuna sue ducit ad alta rote:
Set si subrueris viciorum mole, repente
Tecum fortunam ducis ad yma tuam.
Expedit vt sortem declines deteriorem,
Dum tuus est animus liber vtrumque sequi.

Hic dicit secundum scripturas et allegat, qualiter omnes creature homini iusto seruientes obediunt.

Cap^m. v. Dixerat ista deus, si que preceperit ipse
Quis seruare velit, prospera reddet ei,
Campos frugiferos, botris vinetaque plena,
Temperiem solis et pluuialis aque; 220
Sidera compescet, Saturnum reddet amenum,
Qui fuerat pestis tunc erit ipse salus;
Inque suas metas gladius non transiet, immo
De virtute sua singula bella fugat.
Sic pax, sic corpus sanum, sic copia rerum
Sunt homini iusto, dum timet ipse deum:
Tempore quo iustus steterit, stant prospera secum,
Sique cadat iustus, prospera iure cadent;
Nam retrouersantur peruersi prospera iusti,

LIBER SECUNDUS

Cumque malus fuerit, carpet et ipse mala. 230
Sic deus ex meritis disponit tempora nostris,
Vt patet exemplis, si memoranda legis.
Angelus hic cecum Raphael sanare Tobiam
Euolat e celis pronus in orbe viris:
Imperio iusti nequeunt obstare subacti
Tortores baratri, set famulantur ei:
Ac elementorum celestia corpora iustum
Subdita iure colunt, et sua vota ferunt.
 In virtute dei sapiens dominabitur astra,
Totaque consequitur vis orizontis eum: 240
Circulus et ciclus, omnis quoque spera suprema
Sub pede sunt hominis quem iuuat ipse deus.
Sol stetit in Gabaon iusto Iosue rogitante,
Nec poterat gressus continuare suos;
Imperio Iosue solis rota non fuit ausa
Currere, set cursus nescia fixa stetit:
Stella quidem natum patefecit nuncia Cristum,
Quo pacem iustis reddidit ipse deus.
Aeream pestem legimus sanasseque sanctum
Gregorium Rome, subueniente prece. 250
Diuisit Moyses mare virga percuciente,
Quo poterat populus siccus inire pedes:
Firma fides Petri dum cepit credere Cristi
Verba, viam pedibus prebuit vnda maris:
Propter Heliseum limpharum gurgite mersum
Ferrum transiliit desuper atque redit.
Ignea tres pueros fornax suscepit Hebreos,
Flamma set illesis victa pepercit eis.
Terra set Hillario, que plana fuit prius, almo
Se leuat, et sedes alta recepit eum: 260
Ex duris Moyse saxis heremique iubente
Dum saliunt fluctus, gens bibit atque pecus:
Montes rex Macedum diuisos consolidauit;
Ex precibus iustis sic dedit esse deus.
 Omnis in orbe fera iusti virtute subacta
Est, draco sicque leo, quos sibi subdit homo:
Namque per hoc iustum nouit Babilon Danielem,
Romaque Siluestrum senserat esse sacrum.

239 *No paragr. here* CE 266 dracho C

Aeris et volucres iussu Moysi ceciderunt,
Inque cibos populi subiacuere dei: 270
Et piscis triduo Ione seruiuit in vndis,
Dum Niniue portu ventre refudit eum.
Omnia sic iusto patet vt diuina creata
Subueniunt homini, subdita sunt et ei.
O quam diues homo, quam magno munere felix,
Cui totus soli subditur orbis honor!
Felix pre cunctis, cui quicquid fabrica mundi
Continet, assurgit et sua iussa facit.
Si tamen econtra iustus sua verterit acta,
Illico peruersum senciet inde malum. 280

Hic tractat secundum scripturas et allegat, qualiter omnes creature homini peccatori aduersantes inobediunt.

Cap^m. vi. Dum Dauid ipse scelus commisit, in aere pestis
Congelat, et gentem sternit vbique suam:
Et pro peccatis Sodomam combusserat ignis,
Estque Chore culpis eius adusta domus:
Propter peccatum torrens peruenit aquarum,
In moriendo quibus condolet omne genus:
Et terre solida viciis fuerant liquefacta,
Dum Dathan ac Abiron scissa cauerna vorat:
Angelus et domini Sirie turmas dedit ensi,
Lisiamque ducem fecit inire fugam: 290
Septem nocte viros Sarre iugulauit iniquos
Demon et Asmodeus, vult ita namque deus.
  Nil fortuna potest iniusto ferre salutis,
Namque creans obstant atque creata simul:
Nil valet auferre iusto fortuna valoris,
Nam deus ipse iuuat, et sibi fata nichil.
Vires Sampsoni, vel sensum quis Salomoni,
Absolon aut speciem contulit? Ecce quidem
Corpora natura dedit, et sic exiget illa,
Virtutes anime gracia sola dei: 300
Sic patet vt fortuna nichil valet addere nobis,
Tollere seu quicquid, cum nichil ipsa dedit.
  Cum tam pacificum rexit Salomon sibi regnum,

279 Attamen econtra si iustus D   294 obstat CGDL   300 anime
CEHGDL animi S   303 *Paragraph here* HDL

LIBER SECUNDUS

Tot quoque diuicie quando fuere sue,
Cumque Philisteum constat vicisse gigantem
Funda manu Dauid, num deus ista tulit?
Cumque dies fuerant Ezechie morientis
Sic elongati, mors quoque cessit ei,
Set cum de culpa fuit excusata Susanna,
Hester et in populo glorificata suo, 310
Dic que fortuna tunc prospera contulit ipsis?
Nulla, puto, neque iam quis rogo causet eam.
In recolente deum non est fortuna colenda,
Nec faciente malum sors valet esse bona.

Quid Pharao poterat fortunam corripuisse,
Cumque furore sui tot periere viri?
Aut Nabugodonosor sua quod mutata figura
In pecus extiterat, quid nisi culpa dabat?
Aut quid et ille Saül, qui regnum perdidit et se,
Num quia precepti fit reus ipse dei? 320
Non Azariam lepra candida sorte subegit,
Vsurpans templi presulis acta sibi?
Set quid Achab dicet? Naboth dum tolleret agrum,
Eius auaricia fit sibi causa necis.
Aut Roboas? quoniam senium bona dogmata spreuit,
Diuisum regnum plangit habere suum.
Aut Phinees et Ophni, quos belli strauerat ensis,
Archaque capta fuit? preuia culpa tulit.
Aut quid Hely, qui retrocadens sibi vertice fracto
Corruit a Sella, dum stupet inde noua? 330
Non sors fortune poterat sibi talia ferre,
Set pro peccatis contigit illud eis.
Qui male fecerunt mala premia fine tulerunt,
Namque malos iuste perdidit ipse male.

Cum simulacra colens populus peccasset Hebreus,
Illum tradebat hostibus ira dei:
Cum prece pulsaret celum simulacra relinquens,
Hostes terga dabant, illud agente deo.
Iudei reges valuerunt tunc super omnes,
Dum non iura sui preteriere dei; 340
Hostiles acies populus Iudeus in armis
Semper deuicit, dum bonus ipse fuit:

311 illis CE

Set cum transgressi fuerant, tunc hostis vbique
Victos, captiuos, sternere cepit eos.
Ex meritis vel demeritis sic contigit omne,
Humano generi quicquid adesse solet:
Sic vario casu versabitur alea mundi,
Dum solet in rebus ludere summa manus.

Hic loquitur de deo summo Creatore, qui est trinus et vnus, in cuius sciencia et disposicione omnia creata reguntur.

Cap^m. vii. Est deus omnipotens solus qui cuncta gubernat,
Omnia preuidit totus vbique manens; 350
Omnia ventura sibi sunt presencia semper,
Quam prius et fiant, hec quasi facta videt.
Ante creaturam genitor deus, et genitura
Prima creatura, causaque prima mouens.
Omne quod est esse certum sibi tempus habebat,
Ante quidem tempus set deus omne fuit:
Omne quod est, quod erat, quod erit, quod ducit ad esse,
Est deus, et nec ei temporis esse datur:
Nulla coeua deo poterunt se tempora ferre,
Sic patet est dominus iure priore deus. 360
Est pater, est natus deus, est et spiritus almus,
Tres ita personas nomina trina sonant:
Quelibet hic persona deus dominusque vocatur,
Est deus et dominus solus et vnus idem.
Hee sunt persone tres, set substancia simplex,
Hee tres sunt vnum, non tria, tres set idem:
Hiis tribus vna manet essencia, tres deus vnus,
Hic nichil aut maius aut minus esse potest:
Vna tribus mens, vna trium substancia simplex,
Vna tribus bonitas, vna Sophia trium. 370
Est ignis, calor et motus tria, sicque videntur;
Hec tria sic semper feruidus ignis habet:
Sic pater et natus et spiritus in deitate
Tres sunt, et solum cum paritate notant.
Cum dominus dicat, 'Hominem faciamus,' in illo
Clarius insinuat que sit habenda fides:
Hic persona triplex auctore notatur in vno,
Cum maneat simplex in deitate sua.

377 Hic SCEHG Hec DLH₂

**Hic loquitur de filio dei incarnato domino nostro Ihesu Cristo,
per quem de malo in bonum reformamur.**

Cap^m. viii.

 Nunc incarnatum decet et nos credere natum,
 Quem colimus Cristum credulitate Ihesum.   380
 Sic opus incepit natus, de corde paterno,
 De gremio patris venit ad yma deus.
 De patre processit, set non de patre recessit,
 Ad mundi veniens yma, set astra tenens;
 Semper enim de patre fuit, fuit in patre semper,
 Semper apud patrem, cum patre semper idem:
 Assumpsit carnem factus caro, nec tamen illam
 Desiit assumens esse quod ante fuit:
 Vnitur caro sic verbo, quod sint in eadem
 Hec duo persona, verus vbique deus: 390
 Quod fuit, hoc semper mansit, quod non fuit, illud
 Virginis in carne sumpsit, et illud erat.
 Par opus huic operi nusquam monstratur, honori
 Nullus par potuit esse, Maria, tuo.
 Infirmus carne, set robustus deitate,
 Carne minor patre, par deitate manens:
 Hinc alit, hinc alitur, hinc pascit, pascitur inde,
 Hinc regit, hinc regitur, hinc nequit, inde potest:
 Hinc iacet in cunis et postulat vbera matris,
 Hinc testatur eum celicus ordo deum: 400
 Hinc presepe tenet artum sub paupere tecto,
 Hinc ad eum reges preuia stella trahit:
 Hinc sitis, esuries, lacrime, labor atque dolores,
 Et tandem potuit sustinuisse mori.
 Ponitur in precio res impreciabilis, ipse
 Proditur et modico venditur ere deus:
 Postque salus, vita, seui predacio claustri;
 Inde resurexit regna paterna petens:
 Iudicioque suo, finis cum venerit orbis,
 Attribuet cunctis que meruere prius.   410
  Sic homo perfectus, sic perfectus deus idem,
 Exsequitur plene quicquid vtrumque decet.
 Suggerit hoc verum mortale quod vbera suggit,
 Quod noua stella gerit suggerit esse deum:

   408 resurexit SHT   resurrexit CEDL

Quod presepe tenet, hominis; quod tres tribus vnum
Muneribus laudant, cernitur esse dei.
Vt sit inops diues, deus infans, rex sine lecto,
Lactis opem poscit pascere cuncta potens,
Hospicium presepe tenens, cui fabrica mundi
Est domus, et thalamus ardua tecta poli.   420
Venit vt esuriat panis, requiesque laboret,
Fons siciat, penas possit habere salus,
Lux obscurari tenebris, sol luce carere,
Et contristari gloria, vita mori.
Hec ita sponte tulit proprio commotus amore,
Vt deus in nostra carne maneret homo.
Sicut Adam fragilis fit primi causa doloris,
Ille deus fortis letificauit opus:
Culpa prioris Ade nascentes vulnerat omnes,
Donec sanet eos vnda sequentis Ade.   430
Primus Adam pecudi, volucri dominatur et angui,
Sub pede noster habet cuncta secundus Adam.
Tempore descensus veteri fuit ad loca flendi,
Ad loca gaudendi lex noua fecit iter.
Vt sic credat homo fore qui vult saluus oportet,
Nec sciat vlterius quam sibi scire licet.

Hic dicit quod quilibet debet firmiter credere, nec vltra quam decet argumenta fidei inuestigare.

Cap^m. ix.   Cum deus ex nichilo produxit ad esse creata,
Ipse deus solus et sine teste fuit.
Vt solus facere voluit, sic scire volebat
Solus, et hoc nulli participauit opus.   440
Materies nulla, subtilis forma, perhennis
Compago nostre nil racionis habet.
Subde tuam fidei mentem, quia mortis ymago
Iudicis eterni mistica scire nequit:
Letitiam luctus, mors vitam, gaudia fletus,
Non norunt, nec que sunt deitatis homo:
Non tenebre solem capiunt, non lumina cecus,
Infima mens hominis nec capit alta dei.
Nempe sacri flatus archanum nobile nunquam
Scrutari debes, quod penetrare nequis.   450

LIBER SECUNDUS

Cum non sit nostrum vel mundi tempora nosse,
Vnde creaturas nosse laborat homo?
Nos sentire fidem nostra racione probatam,
Non foret humanis viribus illud opus.
Humanum non est opus vt transcendat ad astra,
Quod mortalis homo non racione capit:
Ingenium tante transit virtutis in altum,
Transcurrit superos, in deitate manet.
Qui sapienter agit, sapiat moderanter in istis,
Postulet vt rectam possit habere fidem.   460
Ingenium mala sepe mouent; non nosse virorum
Est quid in excelsis construit ipse deus:
Multa viros nescire iuuat; pars maxima rerum
Offendit sensus; sobrius ergo sciat:
Committat fidei quod non poterit racioni,
Quod non dat racio det sibi firma fides.
  Adde fidem, nam vera fides, quod non videt, audit,
Credit, sperat, et hec est via, vita, salus.
Argumenta fides dat rerum que neque sciri
Nec possunt mente nec racione capi: 470
Vera fides quicquid petit impetrat, omne meretur,
Quicquid possibile creditur ipsa potest.
Lingua silet, non os loquitur, mens deficit, auris
Non audit, nichil est hic nisi sola fides.
Vna quid ad solem sintilla valet, vel ad equor
Gutta, vel ad celum quid cinis esse potest?
Vult tamen a modicis inmensus, summus ab ymis,
Vult deus a nobis mentis amore coli.
Hunc in amando modus discedat, terminus absit;
Nam velut est dignus, nullus amauit eum.   480
Ille docet quodcumque decet, set et aspera planat,
Curat fracta, fugat noxia, lapsa leuat:
Nam crux et roseo perfusi sanguine claui,
Expulso Sathana, nostra fuere salus.
  Quisque Ihesum meditans intendere debet vt actus
Deponat veteres et meliora colat.
Vita per hoc nomen datur omnibus, et benedicti
Absque Ihesu solo nomine nemo potest.

451 f. nosce CE   461 nosce CE

Non est sanctus vt hic dominus, qui solus ab omni
Labe fuit mundus, sanctificansque reos. 490
Et nisi tu non est alius, quia sunt nichil omnes
Hii quos mentitur aurea forma deos.
Sic beat ecclesia nos per te larga bonorum,
Et Sinagoga suis est viduata bonis.

Hic tractat quod in re sculptili vel conflatili non est confidendum, nec eciam talia adorari debent; set quod ex illis in ecclesia visis mens remorsa ad solum deum contemplandum cicius commoueatur.

Cap^m. x.   O maledicta deo gens perfida, nempe pagani,
Quos incredulitas non sinit esse sacros;
Recta fides Cristi quos horret, nam sine recto
Iure creatoris ligna creata colunt.
Incuruatur homo, sese prosternit, adorat
Ligna, creatoris inmemor ipse sui. 500
Ligna sibi, lapides, que cernit ymagine sculpta,
Quodlibet ipse suum iactitat esse deum.
Quem deus erexit, pronus iacet ante fauillam,
Et sculptam statuam stipitis orat homo;
Orat opem, petit auxilium, nec muta refantur,
Postulat et manibus quos creat ipsa manus.
Quam vacui sensus est et racionis egeni,
Quod dominus rerum res facit esse deos!
O perturbate mentis reminiscere pensa,
Cuius erat primo condicionis homo: 510
Ad mentem reuoca titulum, quo te deus olim
Insignem fecit, cum dedit esse tibi.
Nonne fuit primo totus tibi conditus orbis,
Subiecteque tuis nutibus eius opes?
Non fuit ad cultum, factus fuit orbis ad vsum,
Esse tuus seruus, non deus esse tuus.
Que iubet ergo tibi racio, quod vel faber igne
Conflat vel ligno leuigat, esse deum?
O miser, vnde deos tibi dices ydola vana,
Tuque deo similis ad simulacra iaces? 520
Omnibus, heu! viciis hec est insania maior,

500, 501 Lingua H

Numina muta coli, dum nichil ipsa sciunt.
Que nec habent gressum, tactum, gustum neque visum,
Numquid ymaginibus sit reputanda salus?
Ad racionale quid brutum, quid minus illud
Ad vitale genus, quod neque viuit, erit?
Arboris est vna pars sulcus, pars et ymago,
Pars pulmenta coquit, arbor et vna fuit:
Ecce duas partes calco, set tercia sculpta
Nescio deberet qua racione coli. 530
'Fiat eis similis ea qui componit, et ille
Qui confidit eis': sic iubet ipse deus.
Dignior est sculptor sculpto: concluditur ergo
Quod nimis est fatuus qui colit actor opus.

Nos set ymaginibus aliter fruimur, puto, sculptis,
Non ad culturam ius minuendo dei;
Nos set habemus eas, memores quibus amplius esse
Possumus, vt sanctis intima vota demus.
Credimus esse deum, non esse deos, neque ritus
Nos gentilis habet: absit ab orbe procul! 540
Set cum causa lucri statuas componit et illas
Ornat, vt ex plebe carpere dona putet,
Qui sic fingit opus saltem deuotus ad aurum,
Nescio quid meriti fabrica talis habet.
Cumque deus Moysi fuerat de monte locutus,
Visa dei populo nulla figura fuit;
Nam si quam speciem populus vidisset, eadem
Forma fecisset sculptile forsan opus.
Set deus ex tali sculpto qui spernit honorem,
Noluit effigiem quamque notare suam; 550
Est set ymago dei, puto, iuncta caro racioni,
Ex qua culturam vendicat ipse suam.

Vndique signa crucis in honore Ihesu crucifixi
Mentibus impressa sunt adoranda satis.
Vis crucis infernum vicit, veterisque ruine,
Demone deiecto, crux reparauit opus:
Crux est vera salus, crux est venerabile lignum,
Mors mortis, vite porta, perhenne decus:
Pectora purificat, mentemque rubigine mundat,
Clarificat corda, corpora casta facit; 560

536 muniendo (?) C   557 signum D   559 mentesque CEH

Dat sensus, auget vires, tollitque timorem
Mortis, et ad martem corda parata facit.
In cruce libertas redit, et perit illa potestas,
Hoste triumphato, que dedit ante mori:
In cruce religio, ritus cultusque venuste
Gentis concludunt omnia sacra simul:
In cruce porta patet paradisi, flammeus ensis
Custos secreti desiit esse loci:
Ecce vides quantis prefulgeat illa figuris,
Pagina quam pulcre predicet omnis eam. 570
Mira quidem crucis est virtus, qua tractus ab alto
Vnicus est patris, vt pateretur homo.
Vi crucis infernum Cristus spoliauit, et illam,
Perdita que fuerat, inde reuexit ouem:
Vi crucis in celum conscendit, et astra paterni
Luminis ingrediens ad sua regna redit:
Glorificata caro, que sustulit in cruce penas,
Presidet in celo sede locata dei.
Sic virtute pie crucis et celestis amoris
Surgit in ecclesia gracia lege noua. 580

Hic dicit quod, exquo solus deus omnia creauit, solus est a creaturis adorandus, et est eciam magne racionis vt ipse omnia gubernet et secundum merita et demerita hominum in sua voluntate solus iudicet.

Cap^m. xi. Semper id est quod erat et erit, trinus deus vnus;
Nec sibi principium, nec sibi finis adest:
Principium tamen et finem dedit omnibus esse,
Omnia per quem sunt, et sine quo nichil est.
Que vult illa potest vt sufficiens in idipsum;
Iussit, et illico sunt que iubet ipse fore:
Cuius ad imperium famulantur cuncta creata,
Hunc volo, credo meum celitus esse deum.
Dum sit aperta dei manus omnia replet habunde,
Auertenteque se, vertitur omne retro. 590
Singula iudicio sapiens sic diuidit equo,
Fallere seu falli quod nequit ipse deus.
Res est equa nimis, deus exquo cuncta creauit,

561 f. *two lines om.* T

LIBER SECUNDUS

Sint vt in arbitrio subdita cuncta suo.
Cum solo causante deo sint cuncta creata,
Num fortuna dei soluere possit opus?
Que nil principiis valuit, nec fine valebit,
Estimo quod mediis nil valet ipsa suis.
   Quis terre molem celique volubile culmen,
Quis ve mouere dedit sidera? Nonne deus?   600
Quis ve saporauit in dulcia flumina fontes,
Vel quis amara dedit equora? Nonne deus?
Conditor orbis ad hoc quod condidit esse volebat,
Vt deseruiret fabrica tota deo.
Terram vestiuit herbis et floribus herbas,
Flores in fructus multiplicare dedit:
Inuigilat summo studio ditescere terram,
Et fecundare fertilitate sua:
Nec satis est mundus quod flumine, fontibus, ortis,
Floribus et tanto germine diues erat;   610
Res animare nouas, varias formare figuras,
Et speciebus eas diuaricare parat.
Diuersi generis animancia terra recepit,
Ingemuitque nouo pondere pressa suo;
Distribuitque locos ad eorum proprietates,
Iuxta quod proprium cuilibet esse dedit,
Montibus hiis, illis convallibus, hiis nemorosis,
Pluribus in planis dans habitare locis:
Aera sumpsit auis, piscis sibi vendicat vndas,
Planiciem pecudes, deuia queque fere.   620
Ars operi dictat formas, opifexque figurat,
Artificis sequitur fabrica tota manum.
   Fortune nichil attribuit, set solus vt ipse
Cuncta creat, solus cuncta creata regit:
Est nichil infelix, nichil aut de sorte beatum,
Immo viri meritis dat sua dona deus.
Quicquid adest igitur, sapiens qui scripta reuoluit
Dicet fortunam non habuisse ream:
Hoc fateor vere, quicquid contingit in orbe,
Nos sumus in causa, sint bona siue mala.   630

614 Ingenuit*que* DL

Hic dicit quod, exquo non a fortuna, set meritis et demeritis, ea que nos in mundo prospera et aduersa vocamus digno dei iudicio hominibus contingunt, intendit consequenter scribere de statu hominum, qualiter se ad presens habent, secundum hoc quod per sompnium superius dictum vidit et audiuit.

Incipit prologus libri tercii.

Cum bona siue mala sit nobis sors tribuenda
  Ex propriis meritis, hiis magis hiisque minus,
Fit mundique status in tres diuisio partes,
Omnibus vnde viris stat quasi sortis opus,
Et modo per vicia quia sors magis astat iniqua,
Ponderet in causis quilibet acta suis :
In quocumque gradu sit homo, videatur in orbe
Que sibi sunt facta, sors cadit vnde rea.
Non ego personas culpabo, set increpo culpas,
Quas in personis cernimus esse reas.   10
A me non ipso loquor hec, set que michi plebis
Vox dedit, et sortem plangit vbique malam :
Vt loquitur vulgus loquor, et scribendo loquelam
Plango, quod est sanctus nullus vt ante status.
Quisque suum tangat pectus videatque sequenter
Si sit in hoc talis vnde quietus erit.
Nescio quis purum se dicet, plebs quia tota
Clamat iam lesum quemlibet esse statum.
Culpa quidem lata, non culpa leuis, maculauit
Tempora cum causis, nos quoque nostra loca :   20
Nil generale tamen concludam sub speciali,
Nec gero propositum ledere quemque statum.
    Nouimus esse status tres, sub quibus omnis in orbe
More suo viuit atque ministrat eis.

Heading Hic incipit exquo L   Incipit prologus libri tercii *om.* L
9 set et S (et *in later hand*)   13 vulgus] pop*u*lus (*ras.*) C   16 Vt sit D Sit sic L

Non status in culpa reus est, set transgredientes
A virtute status, culpa repugnat eis.
Quod dicunt alii scribam, quia nolo quod vlli
Sumant istud opus de nouitate mea.
Qui culpat vicia virtutes laudat, vt inde
Stet magis ipse bonus in bonitate sua :   30
Vt patet oppositum nigris manifestius album,
Sic bona cum viciis sunt patefacta magis :
Ne grauet ergo bonos, tangat si scriptor iniquos,
Ponderet hoc cordis lanx pacientis onus :
Vera negant pingi, quia vera relacio scribi
Debet, non blandi falsa loquela doli.
Si qua michi sintilla foret sensus, precor illam
Ad cumulum fructus augeat ille deus :
Si qua boni scriptura tenet, hoc fons bonitatis
Stillet detque deus que bona scribat homo :   40
Fructificet deus in famulo que scripta iuuabunt,
Digna ministret homo semina, grana deus.
Mole rei victus fateor succumbo, set ipsam
Spes michi promittit claudere fine bono :
Quod spes promittit, amor amplexatur, vtrique
Auxiliumque fides consiliumque facit ;
Suggerit, instigat, suadet, fructumque laboris
Spondet, et exclamat, 'Incipe, fiet opus.'

   Quo minor est sensus meus, adde tuum, deus, et da,
Oro, pios vultus ad mea vota tuos :   50
Vt nichil abrupte sibi presumat stilus iste,
Da veniam cepto, te, deus, oro, meo.
Non ego sidereas affecto tangere sedes,
Scribere nec summi mistica quero poli ;
Set magis, humana que vox communis ad extra
Plangit in hac terra, scribo moderna mala :
Vtilis aduerso quia confert tempore sermo,
Promere tendo mala iam bona verba die.
Nulla Susurro queat imponere scandala, per que
Auris in auditu negligat ora libri :   60
Non malus interpres aliquam michi concitet iram,
Quid nisi transgressis dum loquar ipse reis.
Erigat, oro, pia tenuem manus ergo carectam,

    46 conciliumqu*e* H   58 malo C

Vt mea sincero currat in axe rota :
Scribentem iuuet ipse fauor minuatque laborem,
Cum magis in pauido pectore perstat opus :
Omnia peruersas poterunt corrumpere mentes,
Stant tamen illa suis singula tuta locis :
Vt magis ipse queam, reliqui poterintque valere,
Scit deus, ista mei vota laboris erunt. 70
Aspice, quique leges ex ipsis concipe verbis,
Hoc michi non odium scribere suadet opus.
Si liber iste suis mordebitur ex inimicis,
Hoc peto ne possint hunc lacerare tamen :
Vade, liber, seruos sub eo qui liberat omnes,
Nec mala possit iter rumpere lingua tuum ;
Si, liber, ora queas transire per inuida liber,
Imponent alii scandala nulla tibi.
Non erit in dubio mea vox clamans, erit omnis
Namque fides huius maxima vocis homo. 80
Si michi tam sepe liquet excusacio facta,
Ignoscas, timeo naufragus omne fretum.

   O sapiens, sine quo nichil est sapiencia mundi,
Cuius in obsequium me mea vota ferunt,
Te precor instanti da tempore, Criste, misertus,
Vt metra que pecii prompta parare queam ;
Turgida deuitet, falsum mea penna recuset
Scribere, set scribat que modo vera videt.
In primis caueat ne fluctuet, immo decenter
Quod primo ponit carmine seruet opus : 90
Hic nichil offendat lectorem, sit nisi verum
Aut veri simile, quod mea scripta dabunt.
In te qui es verus mea sit sentencia vera,
Non ibi figmentum cernere possit homo :
Conueniatque rei verbum sensumque ministret,
Dulce sit et quicquam commoditatis habens :
Absit adulari, nec sit michi fabula blesa,
Nec michi laus meriti sit sine laude tua.
Da loquar vt vicium minuatur et ammodo virtus
Crescat, vt in mundo mundior extet homo : 100
Tu gressus dispone meos, tu pectus adauge,
Tu sensus aperi, tu plue verba michi ;

_{69 poteruntque C   90 Quodque prius D   Quod prius L}

Et quia sub trino mundi status ordine fertur,
Sub trina serie tu mea scripta foue.
Hiis tibi libatis nouus intro nauta profundum,
Sacrum pneuma rogans vt mea vela regas.

Hic tractat qualiter status et ordo mundi in tribus consistit gradibus, sunt enim, vt dicit, Clerus, Milicies, et Agricultores, de quorum errore mundi infortunia nobis contingunt. Vnde primo videndum est de errore cleri precipue in ordine prelatorum, qui potenciores aliis existunt; et primo dicet de prelatis illis qui Cristi scolam dogmatizant et eius contrarium operantur.

Incipit liber tercius.

Cap^m. i. Sunt Clerus, Miles, Cultor, tres trina gerentes,
Set de prelatis scribere tendo prius.
Scisma patens hodie monstrat quod sunt duo pape,
Vnus scismaticus, alter et ille bonus:
Francia scismaticum colit et statuit venerandum,
Anglia set rectam seruat vbique fidem.

As follows in CHGEDL,

*Cap^m. i. Sunt Clerus, Miles, Cultor, tres trina gerentes;
Hic docet, hic pugnat, alter et arua colit.
Quid sibi sit Clerus primo videamus, et ecce
Eius in exemplis iam stupet omnis humus.
Scisma patens hodie monstrat quod sunt duo pape,
Vnus scismaticus, alter et ille bonus:

As follows in TH₂,

**Cap^m. i. Sunt clerus, miles, cultor, tres trina gerentes;
Hic docet, hic pugnat, alter et arua colit.
Quid sibi sit clerus primo videamus, et ecce
De reliquis fugiens mundus adheret eis.
Primo prelatos constat preferre sequendos,
Nam via doctorum tucior illa foret.

In place of Incipit &c., L *has here the four lines* 'Ad mundum mitto,' *with picture below: see p.* 19.
  4* exempla D   humus] mundus DL
  1** regentes H₂   4** mundit T

Ergo meis scriptis super hoc vbicumque legendis
Sint bona dicta bonis, et mala linquo malis.
   Inter prelatos dum Cristi quero sequaces,
Regula nulla manet, que prius esse solet.   10
Cristus erat pauper, illi cumulantur in auro;
Hic pacem dederat, hii modo bella mouent:
Cristus erat largus, hii sunt velut archa tenaces;
Hunc labor inuasit, hos fouet aucta quies:
Cristus erat mitis, hii sunt tamen impetuosi;
Hic humilis subiit, hii superesse volunt:
Cristus erat miserans, hii vindictamque sequntur;
Sustulit hic penas, hos timor inde fugat:

Francia scismaticum colit et statuit venerandum,
Anglia sed rectam seruat vbique fidem.
Ergo meis scriptis super hoc vbicumque legendis
Sint bona dicta bonis, et mala linquo malis.   10*
   Delicias mundi negat omnis regula Cristi,
Sed modo prelati preuaricantur ibi.
Cristus erat pauper, illi cumulantur in auro;
Hic humilis subiit, hii superesse volunt:
Cristus erat mitis, hos pompa superbit inanis;
Hic pacem dederat, hii modo bella ferunt:
Cristus erat miserans, hii vindictamque sequntur;
Mulcet eum pietas, hos mouet ira frequens:

Morigeris verbis modo sunt quam plura docentes,
Facta tamen dictis dissona cerno suis.
Ipse Ihesus facere bene cepit, postque docere,
Set modo prelatis non manet ille modus.   10**
Ille fuit pauper, isti cumulantur in auro;
Hic pacem dederat, hii quoque bella ferunt:
Ille fuit largus, hii sunt velut archa tenaces;
Hunc labor inuasit, hos fouet aucta quies:
Ille fuit mitis, hii sunt magis igne furentes;
Hic humilis subiit, hii superesse volunt:
Ille misertus erat, hii vindictamque sequntur;
Sustulit hic penas, hos timor inde fugat:

18* eum] ei D   eni*m* L

Cristus erat virgo, sunt illi raro pudici;
Hic bonus est pastor, hii set ouile vorant: 20
Cristus erat verax, hii blandaque verba requirunt;
Cristus erat iustus, hii nisi velle vident:
Cristus erat constans, hii vento mobiliores;
Obstitit ipse malis, hii magis illa sinunt:
Hii pleno stomacho laudant ieiunia Cristi;
Cristus aquam peciit, hii bona vina bibunt:
Et quotquot poterit mens escas premeditari
Lautas, pro stomacho dant renouare suo.
Esca placens ventri, sic est et venter ad escas,
Vt Venus a latere stet bene pasta gule. 30
  Respuit in monte sibi Cristus singula regna,
Hiis nisi mundana gloria sola placet.
Moribus assuetus olim simplex fuit, et nunc
Presul opes mores deputat esse suos.

Cristus erat verax, hii blandaque verba requirunt;
Cristus erat iustus, hii nisi velle vident: 20*
Cristus erat constans, hii vento mobiliores;
Obstitit ille malis, hii mala stare sinunt:
Cristus erat virgo, sunt illi raro pudici;
Hic bonus est pastor, hii sed ouile vorant:
Hii pleno stomacho laudant ieiunia Cristi;
Mollibus induti, nudus et ipse pedes:
Et que plus poterunt sibi fercula lauta parari,
Ad festum Bachi dant holocausta quasi. 28*
Esca placens ventri, &c. *as* 29 ff.

Ille fuit virgo, vix vnus castus eorum;
Hic bonus est pastor, hii set ouile vorant: 20**
Ille fuit verax, hii blandaque verba requirunt;
Ille fuit iustus, hii nisi velle vident:
Ille fuit constans, hii vento mobiliores;
Obstitit ipse malis, hii magis ipsa sinunt:
Hii pleno stomacho laudant ieiunia Cristi;
Hic limpham peciit, hii bona vina bibunt: 26**
Et quotquot poterit &c., *as* 27 ff.

22* ille CD   ipse HGEL   27* pote*r*int D
24** ipse] ille H₂

Creuerunt set opes et opum furiosa cupido,
Et cum possideant plurima, plura petunt.
Sunt in lege dei nuper magis hii meditati,
Numen eis vultum prestitit vnde suum:
Nunc magis intrauit animos suspectus honorum,
Fit precium dignis, sunt neque cuncta satis. 40
In precio precium nunc est, dat census honores,
Omneque pauperies subdita crimen habet.
Cum loquitur diues, omnis tunc audiet auris,
Pauperis ore tamen nulla loquela valet:
Si careat censu, sensus nichil est sapienti,
Census in orbe modo sensibus ora premit.
Pauper erit stultus, loquitur licet ore Catonis;
Diues erit sapiens, nil licet ipse sciat:
Est in conspectu paupertas vilis eorum
Cuiuscumque viri, sit licet ipse bonus; 50
Sit licet et diues peruerse condicionis,
Horum iudiciis non erit ipse malus.
Nil artes, nil pacta fides, nil gracia lingue,
Nil fons ingenii, nil probitas, sine re:
Nullus inops sapiens; vbi res, ibi copia sensus;
Si sapiat pauper, nil nisi pauper erit.
Quem mundus reprobat, en nos reprobamus eundem,
Vtque perit pereat perdicionis opus;
Nos set eum laude nostra dignum reputamus,
Copia quem mundi duxit ad orbis opes: 60
Et sic prelatis mundus prefertur ab intus,
Hiis tamen exterius fingitur ipse deus.

Laudamus veteres, nostris tamen vtimur annis,
Nec vetus in nobis regula seruat iter:
Non tunc iusticiam facinus mortale fugarat,
Que nunc ad superos rapta reliquit humum.
Felices anime mundum renuere, set intus
Cura domos superas scandere tota fuit;
Non venus aut vinum sublimia pectora fregit,
Que magis interius concupiere deum. 70
Plura videre potes modo set nouitatis ad instans,
Que procul a Cristi laude superba gerunt:
Nunc magis illesa seruant sua corpora leta,

58 periat HCGL

Set non sunt ista gaudia nata fide:
Sufficit hiis sola ficte pietatis in vmbra,
Dicant pomposi, quam pius ordo dei.
Pro fidei meritis prelati tot paciuntur,
Vnde viros sanctos nos reputamus eos.

Hic loquitur de prelatis illis qui carnalia appetentes vltra modum delicate viuunt.

Cap^m. ii.   Permanet ecce status Thome, cessit tamen actus,
Normaque Martini deperit alma quasi;   80
Sic qui pastor erat, nunc Mercenarius extat,
Quo fugiente lupus spergit vbique gregem.
Non caput in gladio iam vincit, nec valet arto
Vincere cilicio deliciosa caro:
Ollarum carnes preponit fercula, porros,
Gebas pro manna presul habere petit.
Prodolor! en tales sinus ecclesie modo nutrit,
Qui pro diuinis terrea vana petunt.
Ollarum carnes carnalia facta figurant,
Que velut in cleri carne libido coquit.   90
Est carni cognata venus, iactancia, fastus,
Ambicio, liuor, crapula, rixa, dolus.
Ventre saginato veneris suspirat ad vsum
Carnis amica caro, carnea membra petens:
Et sic non poterunt virtutum tangere culmen,
Dum dominatur eis ventris iniqus amor.
Subuertunt Sodomam tumor, ocia, copia panis,
Impietasque tenax: presul, ad ista caue.
Set modo prelati dicant michi quicquid ad aures,
Lex tamen ex proprio velle gubernat eos: 100
Si mundo placeant carnique placencia reddant,
Ex anima virtus raro placebit eis.
Bachus adest festo patulo diffusus in auro,
Precellit calices maior honore ciphus;
Glorificans mensam non aurea vasa recondit,
Quo poterit vano vanus honore frui.
Aula patet cunctis oneratque cibaria mensas,
Indulgetque nimis potibus atque cibis:

81 Marcenarius G   m*er*cennarius E   86 Glebas D

Vestibus et facie longus nitet ordo clientum,
Ad domini nutus turba parata leues :
Sic modico ventri vastus vix sufficit orbis,
Atque ministrorum vocibus aula fremit.
Tantum diuitibus, aliis non festa parantur,
Nec valet in festo pauper habere locum ;
Vanaque sic pietas stat victa cupidine ventris ;
Dum sit honor nobis, nil reputatur onus.

Sicque famem Cristi presul laudare gulosus
Presumit, simile nec sibi quicquid agit ;
Quicquid et ad vicium mare nutrit, terra vel aer,
Querit habetque sibi luxuriosa fames :
Esuriens anima maceratur, et ipsa voluptas
Carnis ad excessum crassat in ore gulam.
Sic epulis largis est pleno ventre beatus
Luce, set in scortis gaudia noctis habet ;
Cumque genas bibulas Bachus rubefecerit ambas,
Erigit ex stimulis cornua ceca Venus :
Sic preclara viri virtus, sic vita beata
Deliciis pastus cum meretrice cubat.
Frigida nulla timet Acherontis, quem calefactum
Confouet incesti lectus amore sui ;
Sicque voluptatum varia dulcedine gaudet,
Et desideriis seruit vbique suis ;
Sicque ioco, venere, vino sompnoque beatus,
Expendit vite tempora vana sue.
Nescit perpetuo quod torrem nutriat igni
Corpus, quod tantis nutrit alitque modis.

Hic loquitur de prelatis illis qui lucris terrenis inhiant, honore prelacie gaudent, et non vt prosint set vt presint, episcopatum desiderant.

Cap^m. iii.   Nemo potest verus dominis seruire duobus,
Presul in officio fert tamen illa duo :
Eterni regis seruum se dicit, et ipse
Terreno regi seruit et astat ei :
Clauiger ethereus Petrus extitit, isteque poscit
Claues thesauri regis habere sibi.

141 *ipseque* D

LIBER TERCIUS

Sic est deuotus cupidus, mitisque superbus,
Celicus et qui plus sollicitatur humo:
Sic mundum sic et Cristum retinebit vtrumque,
Mundus amicicior, Cristus amicus, erit.
Inter eos, maior quis sit, lis sepe mouetur,
Set quis erit melior, questio nulla sonat:
Si tamen ad mundi visum facies bonitatis
Eminet, hoc raro viscera cordis habent. 150
   Hoc deus esse pium statuit quodcunque iuuaret,
Nos tamen ad nocuas prouocat ira manus:
Vti iusticia volo, set conuertor in iram,
Principiumque bonum destruit ira sequens:
Carnem castigo, miseros sustento, set inde
Nascens furatur gloria vana bonum.
Istud fermentum mundane laudis et ire
Absque lucro meriti respuit ira dei:
In vicium virtus sic vertitur, vt sibi mundus
Gaudeat et Cristus transeat absque lucris. 160
   Vt presul prosit dudum sic ordo petebat,
Set modo que presit mitra colenda placet.
Presulis ex precibus populo peccante solebat
Ira dei minui nec meminisse mali;
Nuncque manus Moyses non erigit in prece noster,
Nos Amalech ideo vexat in ense suo.
Moyse leuante manus Iosue victoria cedit,
Dumque remittit eas, victus ab hoste redit:
Sic pro plebe manu, lacrimis, prece, sidera pulsans
Presul ab instanti munit ab hoste suos; 170
Ac, si dormitet victus torpore sacerdos,
Subdita plebs viciis de leuitate cadit.
Quos habeat fructus suplex deuocio iusti,
In precibus Moysi quisque notare potest.
   Qui bonus est pastor gregis ex pietate mouetur,
Et propriis humeris fert sibi pondus ouis;
Qui licet inmunis sit ab omni labe, suorum
Membrorum culpas imputat ipse sibi.
Non in se Cristus crimen transisse fatetur,
Set reus in membris dicitur esse suis: 180
Non facit hic populum delinquere, set tamen eius

176 ouis CEHGDLH₂   onus ST

Suscepit culpas vt remoueret eas.
Nunc tamen, vt dicunt, est presul talis in orbe,
Qui docet hoc factum, nec tamen illud agit:
Nam qui de proprio se ledit crimine, raro
Efficitur curis hic aliena salus:
Non valet ille deo conferre salubria voto,
Ad mundi cultum qui dedit omne suum.

   Presul in orbe gregem curare tenetur egentem,
Ipse videns maculas vngere debet eas: 190
Set si magnatos presul noscat maculatos,
Illos non audet vngere, namque timet.
Si reliqui peccent, quid ob hoc dum soluere possunt?
Torquentur bursa sic reus atque rea:
Ipse gregis loculos mulget, trahit in tribulosque
Cause quo lana vulsa manebit ei.
Quod corpus peccat peccantis bursa relaxat:
Hec statuunt iura presulis ecce noua.
Sic iteranda modo venus affert lucra registro;
Dum patitur bursa, sunt residiua mala: 200
Dum loculus pregnat satis, impregnare licebit;
Dat partus loculi iura subacta tibi.
Sic timor et lucrum sunt qui peccata relaxant,
Sub quorum manibus omne recumbit opus:
Sic lucri causa presul mulcet sua iura,
Annuit et nostris fas adhibere malis:
Mammona sic nummi nobis dispensat iniqui,
Non tamen eternas prestat habere domos.

   Nunc furit en Iudex, si luxuracio simplex
Fiat, et incestum nescit habere reum: 210
Si coheat laicus resolutus cum resoluta,
Clamat in ecclesia clerus et horret ea;
Clerus et in cohitu si peccet, nil reputatur,
Dum Iudex cause parsque sit ipse sue.
Sic modo dii gentis subuertunt cunctipotentis
Iura, que dant michi ius, sum magis vnde reus:
Sicque grauant alios duro sub pondere pressos,
Inque suis humeris quam leue fertur onus.
Vxor adulterio deprensa remittitur, in quo
Exemplum venie Cristus habere docet; 220

193 possint D

LIBER TERCIUS 113

Tale tamen crimen non aurea bursa redemit,
Set contrita magis mens medicamen habet.
Non tamen est lacrima modo que delere valebit
Crimen, si bursa nesciat inde forum:
Bursa valet culpam, valet expurgareque penam,
Bursa valet quantum curia nostra valet.

Hic loquitur de legibus eorum positiuis, que quamuis ad cultum anime necessarie non sunt, infinitas tamen constituciones quasi cotidie ad eorum lucrum nobis grauiter imponunt.

Cap^m. iiii. Num dat pre manibus sceleris veniam michi Cristus?
Non puto, set facto post miseretur eo:
Aut quod peccatum non est, numquid prohibendum
Hoc Cristus statuit? talia nulla facit.   230
Nunc set, que Moysi neque lex prohibet neque Cristi,
Plurima decretis dant prohibenda nouis;
Set michi que statuunt hodie peccata, remittunt
Cras, sibi si dedero: de quibus ergo peto.
Aut est quod proprie res peccatum gerit in se,
Aut nisi sit vetita, non foret ipsa mala.
Est si peccatum, tunc cur, quam sit prius actum,
Prestat idem nummis posse licere meis?
Est si res licita, tunc cur sua lex positiua
Hanc fore dampnandam striccius artat eam?   240
Hoc de iusticia puto non venit, immo voluntas
Taliter vt fiat lucra petendo iubet:
Exequitur iuste rem iustam, qui bene causas
Non zelo nummi iudicat, immo dei.
Legibus ecclesie quicquid sit in orbe ligatum
Ex iusta causa, credo ligare decet:
Set nichil iniustum deus accipit, vnde nec alter
Affirmare potest quod deus ipse negat.
Alcius ecce Simon temptat renouare volatum,
Ne cadat ipse nouo plura timere potest.   250

Heading Hic loquitur quomodo de legibus positiuis quasi cotidie noua instituuntur nobis peccata, quibus tamen priusquam fiant prelati propter lucrum dispensant, et ea fieri libere propter aurum permittunt LTH₂ (Hic quom*odo* diligentib*us* positiuis... pr*ius* fiant &c. L   liberi LT)
229 numq*uam* L   vnq*uam* D

Non laqueare venit iter humanum pius ille
Cristus, set planam dirigit ipse viam;
Nos tamen ex plano componimus aspera, durum
Ex molli, que scelus pro pietate damus.
Lex etenim Cristi fuit hec quam gracia mulcet,
Nostra set ex penis lex positiua riget.
Lex Cristi simplex sub paucis condita verbis
Clauditur, vnde iugum suaue ministrat onus:
Infinita tamen legis sentencia nostre
Aggravat, et finem vix habet ipsa suum.   260
Libera lex Cristi satis est, fit legeque nostra
Absque lucro gratis gracia nulla viris.
Omne fit ex causa; sic est quod lex positiua,
Quam fundat clerus, grande figurat opus.
In quanto volucres petit auceps carpere plures,
Vult tanto laqueos amplificare suos:
In quanto leges auget clerus positiuas,
Fit magis hiis stricta gentis in orbe via:
Cum magis in stricto gradimur, cicius pede lapso
Sternimur, et clero subpeditamur eo: 270
Cum sibi plus mundum teneat clerusque subactum,
Tum magis ecclesia gestat in orbe lucra:
Dum magis est clerus diues, magis inde superbus
Astat, et ex velle dat sua iura fore.
Sol notat ecclesiam, Sinagogam luna figurat,
Set modo custodes ista nec illa ferunt:
Sunt qui nec legis veteris precepta reseruant,
Nec que Cristus eis addidit ipse noua.
Nuper erat firmus presul sine crimine sanctus,
Vtilis in populo, dignior ante deum;   280
Set modo si mundum poterit complectere vanum,
Est sibi nil populi laus vel ab ore dei.

Hic loquitur de prelatis qui bona mundi temporalia possidentes spiritualia omittunt.

Cap^m. v.   Hec vox angelica, que nuper in ethere Romam
Terruit, en nostro iam patet orbe nouo.
Tempore Siluestri, dum Constantinus eidem
Contulit ecclesie terrea dona sue,

258 iugum] suum C   273 Dum S   Cum CEHDL

LIBER TERCIUS

'Virus in ecclesia seritur nunc,' angelus inquit,
'Terrea dum mundi fit domus ipsa dei.'
Sic fuit vt dixit, postquam possessio creuit
In proprium cleri, virus adhesit ei: 290
Sic reditus iam quisque suos amat, et sibi quid sit
Vtile sollicitis computat ipse viis.
Ecclesie iura sibi nil sunt, dummodo castra
Curant cum terris amplificare suis.
Esuriunt mundum semper, set in ordine solum
Nomen ab ecclesiis sufficit illud eis.
Ordinis angelici fertur quod sunt dominati
Atque potestates, sic et in orbe vides;
Nam quia clerus ibi nequit ipsis assimilari,
Ferre gerarchiam dat sibi terra suam: 300
Sic quia prelatus dubitat quid carpere celis,
Huius vult mundi certus honore frui.
   Dixit Pilato Cristus, quod in hoc sibi mundo
Non fuerat regnum: iam neque presul eum
Consequitur, set ei contraria sumere cuncti
Regna volunt, et in hiis bella mouere viris.
Pro fidei causis nolunt dare bella paganis,
Solum nec verba pandere lege sacra;
Set pro terrenis si contradixerit ipsis
Saltem Cristicola, dant ibi bella fera. 310
Sic quia mundana sine Cristo iam capit arma
Clerus in ecclesia, iure carebit ea.
'Cognoscetis eos,' Cristus, 'de fructibus horum,'
Dicit, et est illa regula vera satis.
Quomodocumque suam clerus legem positiuam
Laruat, erit testis cultus ad acta foris.
Egros vmbra Petri sanauit, lux neque nostra
Nec vox nec votum ferre meretur opem.
Subdita decurrit pedibus super equora siccis
Petrus, iam nostram mergit et vnda fidem. 320
Qui nos prosequitur, Cristi de lege iubemur
Illum per nostras rectificare preces;
Nos tamen absque deo de iure nouo positiuo
Vindictam gladii ferre monemus ibi.
Sic hos destruimus quos edificare tenemur,

   300 gerarchiam SHT   Ierarchiam CL   ierarchiam ED

Perdimus et Cristi quod tulit ipse lucri.
'Sit michi vindicta,' deus inquit, set quia papa
Est deus in terris, vindicat ipse prius.

Hic loquitur qualiter Cristus pacem suis discipulis dedit et reliquit: dicit tamen quod modo propter bona terrena guerras saltem contra Cristianos prelati legibus suis positiuis instituunt et prosequntur.

Cap^m. vi. Ante sue mortis tempus dedit atque reliquit
Pacem discipulis Cristus habere suis; 330
Et quia tunc solum cupiebant nil nisi Cristum,
In Cristi pace cuncta tulere pie.
Set quia nunc mundum cupiunt tantummodo vanum,
Que sibi sunt mundus bella ministrat eis;
Et quia belligeram ducit clerus modo vitam,
Auctor eos pacis non iuuat ipse deus.
Dixerat ad Petrum Cristus, 'Quicumque virorum
Percutit in gladio, fine peribit eo':
Nec poterit falli fateor sentencia Cristi,
Quamuis sit cleri mortifer ensis ibi. 340
Percuciunt ense; si quisque repercutit, inde
Dampnat eum libri lex positiua noui.
Predicat en Petrus, set pugnat papa modernus,
Hic animas, alius querit auarus opes:
Hic fuit occisus pro iure dei, tamen alter
Occidit, neque ius sic habet ipse deus:
Simplicitate fidem non viribus excitat vnus,
Alter et in pompis prouocat arma magis.
Vult Deus vt non sit temeraria nostra querela,
Set mala que patimur vindicet illa deus: 350
Hostiles acies inimicaque vinximus ora,
Cum vindex nostras nesciat ira vias.
Mollibus in rebus non se probat accio Cristi,
Tempore set duro se probat alta fides:
Militat in Cristo pia que paciencia tristi
Materiam vere tempore laudis habet.
Cristus erat paciens, probra dum tulit omnia, set nos
De facto minimo commouet ira modo.

Heading 2 dici*tur* tamen nunc D dici*tur tame*n L
351 vinximus SDL vincimus CEHG

LIBER TERCIUS

Omne vigebat opus, dum cleri nobiliores
Cuncta sub arbitrio deseruere dei ; 360
Ipsa vetus pietas plantare fidem dabat, et nunc
Extirpat vindex ira superba patrum.
'Non gladius saluat, et qui sperabit in arcu
Non saluatur eo,' testificante Dauid :
Set nos Dauiticam variamus tradicionem,
Dumque sacerdotis sit gladiata manus.
Archa vetus Moysi valuit, nobisque valebit
Arcus qui populum tensus in orbe ferit.
In celo posuit deus arcum, sit quod ibidem
Federis in signum pacis ad omne genus ; 370
Nos tamen in terris nostrum dum tendimus arcum,
Pacis in exilium signa cruoris habet.
Adiuuet ipse deus quos vult, set noster in armis
Saluus erit clerus militis acta tenens.

Criste, tua forti Sathanam virtute ligasti,   Nota hic de bello
Quem nos de clero soluimus ecce nouo ;   Cleri tempore Regis
Ipse solutus enim soluit quoscumque ligatos,   Ricardi in Flandria,
Quo sua vota deo soluere nemo venit.   quia tunc non solum
    seculares set eciam
    regulares presbiteri in
Abbatem monachus nescit, nec claustra priorem   guerris ibidem mor-
    talibus quasi Laici
Ordinis in forma iam retinere queunt ; 380 spoliantes insisterunt.
A dextro latere meretricem dumque sacerdos
Et gladium leua promptus ad arma tenet.
Quis tali melius est consignatus in orbe,
Forcior armatus, vt bene bella ferat ?
Tempore quo cohitum natura mouet, pecus omne
Prouocat ex facili bella furore suo :
Set si causa sit hec, sumat qua presbiter arma,
Longior a pace pugna perhennis erit.

Militis officium non aris thurificare
Est, neque presbiteri publica bella sequi. 390
Si valet in bello clerus sibi ferre triumphum,
Ammodo quid validi militis acta valent ?
Quem decet orare clerum pugnare videmus,
Curam de bellis, non animabus habent.
Quid si vulneribus superaddat homo tibi vulnus,

---

375 ff. *marginal note om.* ELTH₂L₂   375 *margin* hic *om.* S
379 neq*ue* C   *margin* in guerris S   guerris CHGD   380 *margin*
spoliantes S   *om.* CHGD

Num dici medicus debeat ipse tuus?
Num decet aut medicum morbo superaddere morbum,
Quo fugit interius longius ipsa salus?
Hoc experta docet natura, quod omnis in orbe
Qua magis infirmor, est medicina mala.   400
Quos reperare decet pacem, si bella frequentent,
Nescio quo pacis tutus inire viam.
Dicitur vt fortuna rei de fine notatur,
Rebus et in dubiis exitus acta probat:
Qualis erit finis, seu que fortuna sequetur
In cleri bellis scit magis ipse deus.

Hic loquitur qualiter clerus in amore dei et proximi deberet pius et paciens existere et non bellicosus.

Cap^m. vii.   Semper in aduersis est virtus maior, et ecce
Lumen in obscuro clarius esse solet.
Nobile vincendi genus est paciencia; vincit
Qui patitur; si vis vincere, disce pati.   410
Armiger ipse tuus et signifer est tibi Cristus,
Si simplex fueris et pacienter agas.
Ense manu, iaculis, aliis pugnare iubetur,
Nos pugnare fide, spe, pietate decet.
In seruum domini nichil hostis iuris habebit,
Ordine seruato causa fauebit ei:
Sic cum doctrinis fueris completus honestis,
Tunc hostes poteris inde fugare tuos.
Vt sis sublimis meritis accinctus in hostes,
Scripture iaculis hostica tela fugas.   420
Pro nobis pugnet Ysaïas cum Ieremia,
Cum Daniele Iohel, cum Samuele Dauid;
Lex euangelii, vox Pauli, sermo prophete,
Tres michi sunt testes, nostra stat vnde salus.
  Cogitat ecce Dauid domino fundare, set audit
A domino, templum, 'Non fabricator eris:
Es vir sanguineus, ideo dignum michi templum
Sanguine fedatus tu fabricare nequis.'
Sanguinis effusor, amplectens crimina mundi,
Ex bellis templum non valet esse dei: 430
Ecclesie sancte talis non erigit edem,

401 reperare S   reparare CED

Nec sacre fidei collocat ipse domum.
Est nam mors odium, sicut scriptura fatetur;
Qui fratres odit est homicida sui:
Quomodo nos igitur, plebis de sanguine tincti,
Altaris famuli possumus esse dei?
Peccantis Cristus vult vitam, nec moriatur,
Set conuertatur, viuat vt ipse deo:
Et nos pro mundi rebus iugulamus in ense,
Quos Cristi sanguis viuere fecit, eos.   440
Quas statuit Cristus leges fuerant pietatis,
Nec peciit mundi quid nisi corda sibi;
Non cordis carnem, set quam dileccio mentem
Prestat, et has leges vendicat esse suas:
Nos tamen econtra cum sanguine carnea corda
Poscimus, vt nostra sit magis ira fera.
Nescio si mundum sub guerra vincere tali
Possumus; hoc reputo, displicet illa deo:
Namque malignantis deus ecclesiam magis odit,
Subque manu tali prospera nulla sinit.   450
    Virtutem dat eis, qui mundum vincere norunt,
Ipsa fides Cristi fratris et intus amor.
Fratris amor pacem confirmat, federa seruat,
Stringit amicicias continuatque fidem:
Fratris amor nescit aliena sitire, nec vmquam
Que sua sunt querit, nec scit habere suum:
Fratris amor ledi non vult nec ledere querit,
Nec queritur, nec dat vnde queratur homo.
Augens merorem male vindicat ipse dolorem,
Dum pugnat clerus obstat et ipse deus: 460
Nam mundanus amor premit omni tempore quosque,
Set diuina manus seruat ab hoste suos.
Prima dei timor est sapiencia, prima salutis
Est via, lux prima premia prima parans:
Federe perpetuo timor amplexatur amorem,
Quem sibi consimili federe iungit amor.
Vna nequit virtus alia virtute carere,
Nam timor est et amor connumeratus idem:
Est pater, hinc amor est; est iudex, inde timetur;
Et timor hic et amor comoda multa ferunt.   470

    454 cotinuatq*ue* H   462 saruat H

Non timor est serui set nati, suppliciumque
Non parit, immo parat premia magna viro.
   Omnis amans Cristum timet illum; qui timet ipse
Non facit excessum, prouocet vnde deum:
Hic amor inspirat hominem discernere celum,
Iudicat et mundi gaudia vana fore.
Est igitur mirum, modo quod discordia cleri
Non se pacificat huius amoris ope.
Litera sacra docet, virtus quod amor placet omnis,
Et non mundanus ambiciosus honor;   480
Namque suos mundus dilectores magis arcet,
Et minus in fine commoditatis habent.
In veteri lege nullas habuere Leuite
Terras, nec mundus sollicitauit eos;
Immo deo soli plebis pro pace vacare
Est et non alia sollicitudo sua.
Non est ergo bonum mundanas sumere guerras,
Cum deus est mitis et bona pacis amat.

Hic tractat eciam qualiter non decet prelatos contra populum Cristianum ex impaciencia aliqualiter bella mouere; set tantum ex precibus, deo mediante, absque ire impetu omnem mundi deuincant maliciam.

Cap^m. viii.   Inuoluens mentem meditando me stupor angit,
Cristi doctrina quam pietosa fuit;   490
Omne quod est pacis instruxit regula Cristi,
Quicquid et est belli nostra cupido mouet.
Ponit et opponit racio michi de racione,
Qualiter ex clero bellicus vnus erit.
Plures sunt cause, quod non ita fiat, et inde
Cristus in exemplum plurima verba docet:
Et si pro mundo fiat, sapiencia mundi
Arguit econtra, si videatur opus:
Nam dum pacifici fuerant nec honoris auari,
Omnis tunc requies glorificabat eos.   500
Si mundana decet mundanos bellica pugna,
Longius a clero sit tamen ille furor:
Que prosunt aliis, aliis nocuisse probantur,
Quod facit hunc stare, corruet alter eo:

    Heading   deuincant EL   deuincat SCHD

Non bene conueniunt laicis misteria cleri,
Nec clero laici conuenit arma sequi.
  Bella gerant alii, regat et paciencia clerum,
Quique tubis resonant, nos tacuisse decet.
Quo leuius cessit cuiquam victoria belli,
Victoris tanto gloria maior erit.   510
Non hiis, qui poterunt ex verbo cuncta ligare,
Expedit vt ponant quomodocumque manus :
Non opus est armis, vbi vox benedicta triumphat;
Qui vincit precibus, est sibi guerra nichil :
Quem deus in tanto promouit munere clerum,
Sollempnes satis est voce mouere preces.
Qui sibi vult pacem, paciens in pace quiescat ;
Non grauat hunc mundus quem iuuat ipse deus :
Quo casu queris, tibi respondere tenebor :
Qui bellator erit, bella parantur ei.   520
O quam perduros habet impaciencia fines,
Vnde solet preceps exitus esse grauis.
Impetus, vt memini, grauis est deformiter illis,
Quos sine iure dei propria iura regunt ;
Stultaque multociens nocuit vexacio stulto,
Qui proprio capiti fine refundit onus :
Cumque suas vires quis vult preponere Cristi
Viribus, et bellum vincere credit eis,
Tanto debilior erit, et cum sic superare
Se putat, en victus subditur ille prius.   530
  Vult implere viam Balaam, set trita flagellis
Et diuina videns tardat asella viam :
Quod sibi sic hominis habet impetuosa voluntas,
Denegat effectus commoditatis opus.
Quam variis vicibus humane res variantur,
Hoc docet expertus finis vbique rei :
Quam minima causa magnum discrimen oriri
Possit, ab effectu res manifesta docet.
Rebus in aduersis opus est moderamine multo,
Nec decet in grauibus precipitare gradum :   540
Micius in duris sapiens Cato mandat agendum,
Nam nimis accelerans tardius acta facit :
Rebus in ambiguis quociens fortuna laborat,

<small>516 Solennes CEL   Solemnes D   536 Hec DL</small>

Plus faciet paciens quam furor ille potest.
Talia rite docet, aliis dum predicat, ecce
Clerus, et econtra sic quasi cecus agit.
   Turpia doctorem fedant, cui culpa repugnat,
Nec sibi quid longo tempore laudis erit.
Nos nisi prosperitas nichil excusare valebit,
Quam constat nimiam nos tenuisse diu: 550
Extitit in letis minor et sollercia nobis,
Cernere nec cecos nostra cupido sinit.
Copia multociens hominem defraudat inanem,
Atque magis plenum causat habere famem.
Quam fuerat requies nuper sine crimine clero
Dulcis, amara modo sollicitudo docet.
Casibus in letis magis est metuenda voluptas,
Sepius in vicium que vaga corda ruit:
Casibus in letis quam sit vicina ruina,
Et lapsus facilis, nemo videre potest.   560
   Non reputet modicum modico contenta voluntas,
Res de postfacto que fuit ante docet:
Nec magnum reputet quisquam, quin tempore quouis
Fortuito casu perdere possit idem.
Discant precipites et quos mora nulla retardat,
Ne nimis accelerent in sua dampna manus:
Hoc docet in clero magis experiencia facti,
Quod mundana nichil cura valoris habet.
Est homo iumentis similis, qui fulget honore
Vanus, et ignorat quid sit honoris onus.   570
Est honor ille deo, puto, quando superbia mentem
Non grauat, immo dei debita iura tenet.
'Qui mecum non est, hic contra me reputatur,
Collector sine me spersor inanis erit':
Hec sunt verba dei, cuius de pondere legis
Addit vel minuit lex positiua nichil.

    Hic tractat quod, sicut non decet dominos temporales vsurpare sibi regimen in spiritualibus, ita non decet cleri prelatos attemptare sibi guerras et huiusmodi temporalia, que mundi superbia et auaricia inducunt.

Cap^m. ix.   Anulus et baculus sunt ius papale sequentes,

546 sit CE   561 *No paragraph* S   Cap. ix *Heading* 2 nec decet CEDL

Quos velut in signum spirituale tenet;
Cesaris et ceptrum mundi sibi signat honorem,
Quo quasi mundane res famulantur ei.   580
Papa colens animas has dampnat viuificatque,
Corpora set Cesar subdita iure regit.
Non licet vt Cesar animas torquere valebit,
Nec de posse suo res tenet illa sibi;
Nec decet ex guerris hominum quod papa fatiget
Corpora, namque sibi non tenet illud opus:
Quisque suum faciat factum, pro quo venit ille,
Saltem qui pondus tam capitale gerit.
Qui tenet hic animas sub cura, celsior extat,
Et gradus anterior glorificabit eum.   590
Quicquid agit papa, licet, vt status ille fatetur,
Errat persona, non status ille tamen:
Nam sacer ille status mundum transcendit, et eius
Celorum claues dextera palma gerit.
Hinc aperitque polum, tetram quoque claudit abissum,
Que super aut subtus sunt, sua iura colunt;
Quod ligat est firmum, quod soluit eritque solutum,
Posse suum nostris sic animabus habet.
 Cesaris hec que sunt, lex vt reddantur eidem
Vult, et vt illa dei sint tribuenda deo.   600
Cesaris est vt ei caput inclines, animamque
Pape, sic proprium reddis vtrique suum:
Cesar habere statum pape nequit, aut sibi papa
Cesaris imperium non propriare potest.
Cesaris hoc non est vt spiritualia temptet,
Nec decet vt papa Cesaris arma gerat:
Papa suum teneat Cesarque suum, quod vtrique
Iura coequata stent racione rata.
Si sibi presumat Cesar papalia iura,
Hoc non papa sinit, immo resistit ei: 610
Ergo quid est bellum pape quod Cesaris extat?
Nam deus ecclesie pacis amator erat.
Set quia papa suis mundum scrutatur in armis,
Inueniet similem quem petit inde modum:
Opponis mundo, mundus respondet, et illam
Quam sibi preponis rem dabit ipse tibi.

  579 sceptrum C 595 tetram CEH terram SGDL

Quos prius ecclesia fundauerat ipsa fideles,
Nunc magis impaciens dura per arma necat.
Rusticus agricolam, miles fera bella gerentem,
Rectorem dubie nauita puppis amat :   620
Cristus amat pacem, pax vendicat et sibi clerum,
Clerus et ergo suos debet habere pios.
Turpe referre pedem nec passu stare tenaci,
Turpe laborantem deseruisse ratem ;
Turpius est Cristi pro mundo iura fugare,
Qui statuunt bellum pacis adesse loco.
Omnia regna quasi, Cristi que nomen invndat,
Bella gerunt reprobis horridiora Gethis.
Sufficeret tamen hoc, quod bella forent laicorum,
Si non quod proprio clerus in ense ferat :   630
Quicquid agant laici, minus excusare valebo
Clerum, quem Cristi regula pacis habet.
Set bona que mundi fugitiua sunt velut vmbra,
Postposito Cristo, bella nephanda mouent.

 Quicquid in humanis sit spiritualiter actum,
Clerus in officio clamat habere suo :
Est et mundanis que maior gloria rebus,
Vendicat hoc gladii proprietate sui.
Sic modo fert clerus geminas quibus euolat alas,
Illa tamen mundi plus placet ala sibi.   640
Sic piper vrtice mordacis semina miscent,
Dum clerus mundi sponsus adheret ei ;
Dumque tumens mundo clerus se miscet auaro,
Quo doleat populus, fit magis egra salus.
Non satis est illis populum vexare quietum,
Set magnum bello sollicitare deum.
Est 'Non occides' scriptum, set in orbe manentem
Preualet hoc certum nullus habere locum.
Est vbi dic ergo ius nostrum, nonne caducis
Talibus in rebus quas retinere nequis?   650
 Linea natalis matris de iure fatetur
Heredem Cristum, qua fuit ortus, humi :
Si quid in hoc mundo nobis proprium magis esset,
Pars foret hoc Cristi que titulatur ei :

617 *No paragr.* CE 633 sunt vmbra velud (velut) fugitiua CEG
sunt fugitiua velut vmbra L 641 piper vrtice *om.* D (*blank*)

Hanc tenet intrusor modo set paganus, ab illa
Thesauris nostris nulla tributa feret.
Nos neque personas neque res repetendo mouemus
Bella viris istis, lex ibi nostra silet:
Non ibi bulla monet, ibi nec sentencia lata
Aggrauat, aut gladius prelia noster agit: 660
Que sua sunt Cristus ibi, si vult, vendicet ipse,
Proque sua bellum proprietate ferat.
Nos ita longinquis non frangimus ocia guerris,
It neque pro Cristi dote legatus ibi;
Set magis in fratres, signat quos vnda renatos,
Pro mundi rebus publica bella damus.
   Mandatum Cristi clerus quod predicet extat,
Et sibi sic lucrum spirituale gerat;
Non lego quod mundi pro lucro clerus ad arma
Procedat, set ibi parcat amore dei. 670
Sermo tamen cleri paganos nescit, vt illos
Conuertat, nec eo se iuuat ipse lucro:
Castra sibi que domos pocius lucratur et vrbes,
Pro quibus, vt vincat, forcius arma mouet.
Est sibi quod proprium, sic spirituale recusat,
Torpet et improprie quo foret ipse vigil;
Que tamen impropria Cristus sibi dixerat, illa
Mundi terrena propriat ipse sua:
Sic magis impropria propriat, propriisque repugnans
Dispropriat clerus, que dedit acta deus. 680
Venit enim princeps huius mundi, famulatum
Optinet et nostrum, fert quia grande lucrum.
Cristi pauperiem mens nostra perhorret auara,
Ocia ne nostri corporis ipsa premat;
Nec sua cor mulcet humilis paciencia nostrum,
Hoc etenim nostra pompa superba negat:
Nullus nos cinget nisi libera nostra voluntas,
Cuius habet tenera ducere frena caro.
   Conditor est iuris qui spernere iura videtur,
Nec tenet ipse vias, quas docet esse suas; 690
Crimina condempnat qui crimine primus habetur,
Corripiens alios deteriora facit.
Ipse suas maculas, qui noscere vult aliorum,

Noscat, et emendet que sua culpa parat:
Qui claues Petri gestaret vt ostia celi
Panderet, illa viris claudit in orbe prius.
Cum magis hoc penso, magis obstupefactus in illo
Sum, nam lux quicquid predicat vmbra fugat:
Vnius gustus infecit milia multa,
Commaculantur eo cuncta sapore malo. 700
Sublimo residens dux prima superbia curru,
Multa minans vultu, lumine, voce, manu:
Subsequitur liuor, turba comitatus acerba,
Pallida res, atra pestis, amara lues;
Que solet et pietas peccata remittere vindex,
Extat auaricia lucra caduca petens.
 Quam grauis est pestis, quam triste superbia nomen,
Radix peccati, fons et origo mali!
Fons fuit hec sceleris, tocius causa doloris,
Virtutum morbus, saltus ad yma cadens, 710
Hospes auaricie, paupertas prodiga, fraudis
Principium, fallax sensus, iniquus amor,
Irrequies mentis, lis proxima, mortis amica,
Perfida mens, racio deuia, vanus honor.
Hec quasi de proprio sunt apropriata superbo,
Heres et baratri primus habetur ibi:
Hoc capitale malum quo regnat egens caput omne
Conficit, et caude par facit esse sue.
Hoc caput est rerum viciis seruire coactum,
Liber homo didicit hoc graue ferre iugum; 720
Non illud domini, quod dicitur esse suaue,
Immo quod imposuit invidus hostis ei;
Non quo libertas perquiritur illa salutis,
Set quod seruili condicione premit.
Fabrica prima, decus primum, primatis honore
Preditus, est prime perdicionis opus.
Prodolor, heu! tante dic que sit causa ruine:
Elate mentis motus origo fuit.
O mens elata, presumpcio dira, superni
Regis habere locum, iudicis esse parem, 730
Equarique suo factori, non imitari,
Equiperare deum nec bonitate sequi!
Expedit exemplis vt talibus euacuetur

Fastus, et ex humili corde paretur opus.
Incertum dimitte, tene certum, quia Cristi
Actus erat pacis, bella nec vlla mouet.
Si caput ecclesie delinquat ab ordine sacro,
Ecce nephas capitis membra nephanda parat.

 Ordo sacerdotum pro Cristi nomine guerras
Non dedit, immo pati cum pietate solet.   740
Fustibus hii torti quemquam torquere recusant,
Cunctaque sic vincunt, dum pacienter agunt ;
Inque bono vicere malum, quia Cristus eorum
Dux fuit, et iustis iusta petita dabat.
Quesiuit precibus bona spiritualia Petrus,
Vicit et egregie sic sua bella prece :
Hec fuit excelsi dextre victoria, cuius
Viribus efficitur quicquid adesse cupit.
Omnia namque pie moderatur, et omnia iusto
Pondere perpendit, dum sua vota dedit :   750
Sic qui prospiceret Cristi meditans pietatem,
Non tumidus fieret nec leuitate fluens.

 Non fuit argentum sibi dixit Petrus et aurum,
Set preciosa magis dat sibi dona deus :
Dixerat hic claudo quod surgat, surgit et ille,
Ambulet et vadat, vadit et ipse statim.
Nunc quid erit nobis? nam si vir postulet omnis
Vt sic curemus, absque salute sumus.
Non habet elatus animus, quo digna precetur,
Molle cor ; ad timidas dat deus immo preces.   760
Qui fuerat dulcis salibus viciatur amaris,
Floriger et veris floribus extat inops.
Auro magnifici sumus et virtutis egeni,
Nam que sunt auri duximus illa sequi :
Aurum si quis habet, satis ipsum constat habere,
Est et in hoc mundo sic benedictus homo.
Influit in cleri totus quasi mundus hiatum,
Inque suas fauces aurea queque vorat :
Vt tamen inde iuuet inopes, non paruula gutta
Refluit, immo tenax propriat omne sibi.   770
Se dedit in precium Cristus pro munere plebi,
Nos tamen ingrati nostra negamus ei.

O caput ecclesie, reminiscere tempora Cristi,
Si dedit exemplis talia sicut agis.
Ipse redemit oues, a morteque viuificauit,
Quas pietatis inops tu cruciando necas.
Precipit ipse, vices per septem septuagenas
Dimittat Petrus, parcat et ipse reis;
Tu tamen ad primam gladio cum vindice culpam
Percutis, et nullo parcis amore viro. 780
Ecce Rachel plorat nec habet solamina tristis,
Dum genus ex proprio ventre reliquit eam.
O genus electum, gens sancta, quid est quod auara
Scandala iudiciis ponis in orbe tuis?
Prodolor! ecclesie bona, que debentur egenis,
Dissipat in bellis qui dominatur eis.
Prodolor! a clero, pietatis iure remoto,
Cauda fit ecclesie qui solet esse caput;
Fitque salus morbus, fit vitaque mors, releuamen
Lapsus, lex error, hostis et ipse pater. 790

Hic querit quod, exquo prelati scribunt et docent ea que sunt pacis, quomodo in contrarium ea que sunt belli procurant et operantur. Ad quam tamen questionem ipse subsequenter respondet.

Cap^m. x. In libris cleri Rome sic scribere vidi:
'Vt melius viuas, hec mea scripta legas.
Vis seruire deo, vis noscere qualia querit?
Hec lege, tuncque scies qualiter illud erit.
Dilige mente deum, pete, crede, stude reuereri:'
Teste libro cleri, sic iubet ipse geri.
'Est quia vita breuis, fuge luxus corporis omnes,
Preponens anime celica dona tue:
Iusticiam serua, tua sit lex omnibus equa;
Hoc facias alii, quod cupis ipse tibi: 800
Ex toto corde dominum tu dilige, tota
Ex animaque simul sit tibi fratris amor:
Gignit nempe dei dileccio fratris amorem,
Et diuinus amor fratris amore viget.
Munera fer miseris, que Cristo ferre teneris,
Arma quibus noceas, bella nec vlla geras:

Heading 2 incontrarium S

Sis pius et paciens, tua sitque modestia cunctis
Exemplum pacis, duret vt illa magis.'
Hec ita cum legi, confestim me stupor vrget,
Qualiter in clero bella videre queo : 810
Querere sic volui de clero, quis foret ille
Qui michi responsum de racione daret.
Questio mota fuit, qua sumpta clericus vnus
Astat et oppositis prompserat ista meis;
Supponens primis quod ei sit culmen honoris
Pontificis summi, talia dixit ibi.
  'Diuidit imperium terrena potencia mecum,
Iureque celicolo subdita regna colo ;
Set quia terra prope nos est celumque remotum,
Que magis est nobis terra propinqua placet. 820
Aula michi grandis, sublimis et arte decora,
Nobilis est thalamus, mollis et ipse thorus :
Vt placeant ori que postulo, de meliori
Fercula lauta cibo sunt michi, vina bibo :
Ex auium genere, de piscibus omne salubre,
Vt magis est placitum, dant michi ferre cibum :
Singula que genera vini dat potibus vua
Optineo, quod in hiis sit michi nulla sitis.
Sunt michi carmina consona, timpana, letaque musa,
Histrio dat variis cantica plena iocis : 830
Que mare, terra parit, meliora vel aera format,
Sunt michi prompta foro, sicut habere volo.
Est michi vinea, sunt viridaria fonte reclusa,
Que peto de mundo cuncta tenere queo :
Est michi fecundus dotalibus ortus in agris,
Pompaque castrorum, summus et vrbis honor :
Silua feras, volucres aer suscepit habendas,
Et mare quam vario pisce repleuit aquas.
Set loca non tantum nobis, nec et illa creata
Sufficiunt, auri sint nisi dona lucri. 840
  'Ecce fores large, quas seruat ianitor arte,
Sic vt in has pauper nullus habebit iter :
Curia quos reprobat isto sermone repellit,
 "State foras, vacui, flebitis ante fores."
Que non dona manum presentat ianitor illam

840 lucri] dei EHT

Excludat, nostras nec sciat ipsa vias:
Qui tamen occulto cupit vt sit noster amicus,
Aurum det, sine quo victima nulla placet:
Que manus est plena, magis inuitabitur illa,
Stet foris et vacua, nec veneretur ita. 850
Omnia soluo, ligo, summo diademate regno,
Orbis ego dominus: quid michi velle magis?
Me dominum clamat, me viuens omnis adorat,
Omne solum calco sic deus alter ego.
Est thronus excelsus, quo possumus omnibus vna
Et benedicta manu, sic maledicta dare:
Sicque potestate nostra reuerenter vbique
Magnus in ecclesia, maior in orbe sumus.
 'Dicimus, et facta iam sunt, mandamus, et ecce
Accrescunt subiti dona creata lucri. 860
Que Cristus renuit suscepimus omnia regna
Mundi, que dominans gloria vana dedit:
Sic exaltati de terra traximus ad nos
Omnia deliciis amplificata magis.
Sic status assumptus quales sumus approbat, vt nos
Ocia plectentes qui cruciamus humum.
Suaue iugum, leue Cristus onus nobis dedit, et nos
Pondera que mundi sunt grauiora damus:
Iura damus populis, set nos non lege tenemur,
Que michi lex placuit iuris habebit onus. 870
Iudiciis hominum non stat quod pecco per orbem,
Sic michi cuncta licent, que magis acta placent;
Et si mundus in hiis fiat michi forte rebellis,
Est mea de guerris forcior ecce manus.
Hiis quoque de causis respondeo papa, quod omnes
Per mea terrigenos bella retrudo viros.
 'Inter discipulos fuerat discordia facta,
Norma set infantis pacificauit opus:
Nos tamen ad veram nullo moderamine pacem
Flectere quis poterit, hoc neque pompa sinit. 880
In cruce confixus patitur sua funera Cristus,
Et fuit illa viris passio vera salus:
Omnibus exemplum fuit hec paciencia Cristi,
Alterutrum socii simus vt inde pii.
Nos tamen in signum vindicte ponimus illam,

Plebis et in mortem ferre iubemus eam :
Sicque pium signum diuertimus a pietate,
Que fuit et vita, nunc noua pestis erit.
Sic modo sunt mortis nuper vexilla salutis,
Que tulit et pacem crux modo bella gerit : 890
Sicque crucem domini baiulamus, mente set vlla
Non sequimur dominum, qua tulit ipse crucem.
Quod nequit hoc virtus, supplebunt ammodo vires,
Non mos set mortis pugna parabit iter :
Nostra sinistra teret quicquid fundauerat olim
Dextra, que sic humilis non parit oua fides.
Quam collegerunt alii dispergere messem
Tendimus, et feritas nostra vorabit humum :
Vinea sic domini nostros inculta labores
Non habet, estque magis bellica facta manus : 900
Sic magis, extrahere quem de pietate tenemur,
Sternimus in puteum de feritate bouem.
  'Quod tulerat Petrus lucrum Iudea fatetur,
Quas tulit et Paulus gens manifestat opes :
Nos neque cum vacuis manibus veniemus in auro,
Quod tamen est lucrum spirituale nichil.
Postera quicquid agat etas, iam nulla veremur
Crimina, dum mundus noster amicus erit :
Vt sit enim nomen nostrum nomen super omne,
Est vbi rarus honor, pugna iuuabit opus. 910
Ense peribit homo iuxta leges Machometi,
Eius qui nomen spernit habere sacrum :
Nos ita decretum iam ponimus ense volutum,
Nomen vt hinc nostrum presit in omne solum.
Cesaris imperio qui contradicit, amicus
Eius in hoc mundo non reputatur homo :
Sic homo, qui nomen nostrum non preficit altum,
Filius est mortis, ensis in ore reus.
  'Mittere sic gladium non pacem venimus orbi,
Et noua iam facimus omnia, dampna tamen. 920
Sic caput in membra iam seuit, et aggrauat illos,
Quos minus officio lederet ipse suo :
Sic pater in natos nunc fit magis ipse Saturnus,
Quos sua deberet lexque fouere, necat :
Sic et pastor oues, quas pascere iure tenetur

Iam vorat, et proprium predat ouile suum :
Sic ferus vt iudex agitamus secla per ignem,
Purgatique magis eris habemus opes.
Vendat enim tunicam sibi clerus et hinc emat ensem,
Cesset et a sacris quilibet ordo suis : 930
Nomen et in terris sic nostrum magnificemus,
Vt timeant alii bella futura sibi.
Iam pastoralis baculus vertetur in hastam,
Mitra fit in galeam, pax ruit inque necem :
Qui prodesse velit prosit, nam nos super omnes
Preferri volumus, gestet et alter onus.

'Sic nos, qui summi portamus nomina cleri,
Corde magis ceci duximus arma sequi :
Quicquid agant anime, nos subdere corpora mundi
Tendimus, et nobis lex positiua fauet ; 940
Nam licet ex glosa gladium quod sumat vtrumque,
Quo ferat extenta bellica, nostra manus.
Ergo magis paueant omnes dedicere nobis,
In quorum bellis os ferit atque manus.
Attamen ad pacem nostram suscepimus omnes
Barbaricas gentes, ne cruciemur eis :
Contra Cristicolas pretendimus arma mouere,
Qui modo sunt ausi vix sua iura loqui.
Auriculam Petrus abscidit, vulnus et illud
Sanum restituit Cristus vt ante fuit ; 950
Nostra set ira caput aufert, quo vulnere nullum
Nouimus in sanum post reuenire statum.
Est igitur Petri maior sentencia nostra,
Et gladius noster forcior ense suo.'
Sic differt Clemens nunc a clemente vocatus,
Errat et Acephalo nomine nomen habens.

Hic loquitur de prelatis illis, qui nomen sanctum sibi presumunt, appropriant tamen sibi terrena, nec aliis inde participando ex caritate subueniunt.

Cap^m. xi. Angelus, vt legitur, sancto quandoque Iohanni
Dixit, cumque cadens alter adorat eum,
'Tu michi, serue dei, videas ne feceris illud,

934 ruet CH

Immo deum toto cordis honore cole.'
'Quem tamen in terris celestis ciuis honorem
Respuit, hunc repetit curia nostra sibi;
Flectitur inde genu, que pedes post oscula nostros
Mulcent, vt Cristi pes foret alter ibi.'
    Precipit hoc Cristus, eius quod discipulorum
Nemo patris nomen querat habere sibi:
In celo sancti proclamant 'Sanctus' vt illi
Qui sedet in solio dignus honore suo.
'Nos tamen in gente nomen portamus vtrumque,
"O pater, o sancte," quisque salutat, "aue!"
Extitit a Cristo data nobis magna potestas,
Vndique quam mundus amplificare studet.
Hoc sit vt esse potest: celum quicumque ligabit,
Scimus nos mundum posse ligare satis:
Nam modo lex posita bellorum ponit auara
Quod valet ecclesia vi reuocare sua.
Set quicquid clerus rapit et tenet ex alienis,
Hoc valet a clero tollere nullus homo.'
Quicquid habet clerus proprios hoc vertit in vsus,
De laicis partem vult set habere suam.
Hic bona cuncta sua fore dicit sanctificata,
Nec licet vt laicus mittat ad illa manus;
Partem sed laici petit ipse per omnia lucri,
Nec vult cum dampno participare suo.
Si communis amor fuerit, commune sit omne,
Quod liquet alterutrum posse iuuare virum:
Set quia iam clerus non est communis amoris,
Quicquid habet soli vult retinere sibi.
    Ex veteri lege raptum sit quicquid ab hoste,
Non valet illud homo sanctificare deo;
Nostra set ecclesia clerus vicinia rapta
Predat, et hec propria dicit habere sacra.
Sic multat laicum clerus, multare set ipsum
Nemo potest, et ita stant modo iura noua:
Sic non pastor oues pascit, set pastus ab ipsis
Lac vorat et vellus, alter vt ipse lupus:
Sic libras siciens libros non appetit, immo
Marcam pro Marco construit ipse libro:

989 sit] sic S

Summas non summa memoratur, et optima vina
Plusquam diuina computat esse sacra : 1000
Virtutis morem non, set mulieris amorem
Querit, et hoc solo temptat arare solo.
Sic honor ex onere non est, nam fulget honore
Corpore, set corpus non digitabit onus.

Hic loquitur de Simonia prelatorum, et qualiter hii delicati, dicentes se esse ecclesiam, aliis grauiora imponunt, et vlterius de censura horribili laicos pro modico impetuose infestant.

Cap^m. xii.   Ecce, deo teste, vir qui non intrat ouile
Per portam, latro furque notatur eo.
Sic et in ecclesiam promotus per Simoniam
Clerus, furtiuo se gerit inde modo ;
Nec bona de furto conferre placencia Cristo
Quis valet, immo deus pellit ab inde manus. 1010
Ergo valet fiscus que non vult carpere Cristus ;
Sunt quia mundana, mundus habebit ea :
Namque suo iure dum clerus abutitur, inde
Priuari dignum iura fatentur eum.
Se vocat ecclesiam clerus, quasi diceret, illam
Non tanget laicus, est honor immo suus :
Sic fastus cleri communi iustificari
Non vult iusticia, set latitante via.
Se leuat et reliquos subdit predatque subactos
Legis composite de nouitate sue : 1020
Sic modo sub specie diuina cerno latere
Has pompas mundi, stant neque iura dei.
    Sancta quid ecclesia est hominum nisi turma fidelis ?
Sic patet vt laicus, quem colit ipsa fides,
Est pars ecclesie, melior nec clericus ipse,
Ni melius viuat. Quis michi tale negat ?
Vna fides, vnum baptisma, deus manet vnus,
Sic nos ecclesia iungit et vna tenet ;
Et veluti multa tegit vna cortice grana,
Sic populos plures colligit vna fides. 1030
Ecclesie sancte cur tunc sibi nomen habere
Vult tantum clerus, alter vt ipse deus ?
Appendit legis pondus collis alienis,
Set non vult humeris quid graue ferre suis

Omnia dat licita sibimet, michi set prohibenda;
Ille quiescit, ego sudo labore meo.
Sic iter ex factis viciis prebet faciendis,
Verba set econtra dicet in aure tua:
Hinc plebs attonita dubitat, si credere dictis,
An cleri factis debeat ipsa prius. 1040
Set prohibens michi rem, dum sit culpandus eadem,
Vix credo verba, sunt quia facta rea:
Tollere sicque nouos de clero cerno superbos,
Per veteres humiles quod dedit ipsa fides.
   Precipiunt isti maxillam percucienti
Subdere, sic vt eo stet pacienter homo:
Intuleris set eis si quid graue, mox tibi mortis
Censuris anime dant maledicta tue.
Qui necat hic animam sub pena mortis, eadem,
Si posset, corpus perderet ipse prius. 1050
Sic magis ipse lupo fert pastor dampna maligno
In iugulando suas, quas medicaret, oues.
Hii gestant celi claues, intrant nec et ipsi,
Nos nec inire sinunt, quos sine lege regunt:
Nec populi mentes doctrine vomere sulcant,
Nec faciunt operis id quod oportet opus.
Ad dextram Cristi vellent residere beati,
Set nollent calicem sumere, Criste, tuam.
Hii piscatores laxant sua recia lucris,
Vt capiant mundum, non animabus opem. 1060
Sic male viuentes laicis exempla ministrant,
Qui velut instructi more sequntur eos:
Sic ouis ex maculis pastoris fit maculosa,
Et cadit in foueam cecus vterque simul.

Hic loquitur qualiter prelatus non solum doctrina set eciam bonis actibus populo sibi commisso lucere deberet.

Cap^m. xiii. In tenebris pergens nescit quo vadat, vt ille
Qui non discernit que sit habenda via;
Cumque caret populus doctrina, nec videt ipsum
Qui suus est presul iura tenere dei,
Cum neque scripta docet, neque facta facit pietatis,
Immo sui vicii dedita culpa patet, 1070
Cum de nocte sua pereat sine luce lucerna,

Et virtutis habent presulis acta nichil,
Tunc errare facit plebem, sine luceque cecus
Cecum consequitur, vnde ruina venit.
Ergo suas luces accendant clarius illi
Qui sunt ductores, vt videamus iter.
Igne lucerna micans tria dat, splendet, calet, vrit;
Hec tria presul habet sub racione trium:
Vita splendorem demonstrat, amore calorem,
Et quia peccantes arguit, vrit eos. 1080
Cum populum sibi corde ligat, precibusque beatis
Seruat et auget oues, tunc placet ipse deo.
Vt sit sollicitus quicumque pauore tenetur,
Ne lupus ille Sathan intret ouile suum:
Pascat oues presul exemplaque sancta ministret,
Vt sapiant dulces mellis in ore fauos.

Sepius assueuit Tubicen prodesse, suosque
Dux bene pugnantes concitat ore viros:
Te magis, o presul, qui dux es spiritualis,
Promere lege dei consona verba decet. 1090
Solue tuam vocem sicut tuba ductilis altam,
Osque tuum verbis instruat acta gregis:
Clama, ne cesses, populo dic crimen eorum,
Preuius exemplis tu tamen esto bonus.
Dum sapor assidua remanens sit dulcis in vnda,
Gracius ex ipso fonte bibuntur aque:
Cum magis in Cristo sit cleri vita beata,
Quem docet ille magis, sermo beatus erit.
Sermo dei numquam vacuus redit, immo lucrata
Conferet emissus dupla talenta lucri: 1100
Sermo dei purus, mens quem sincera ministrat,
Claustra poli penetrans dona reportat humo.
Curatos anima tales que possidet egra,
Inueniet, si vult, sana salutis iter.
Qui nil terrenum sapiunt, set celica querunt,
Et solum siciunt esuriuntque deum;
Quos non librarum pascit nitor, immo librorum,
Non facies auri, set cibat ara dei;
Hii, cum sint propria digni mercede laboris,
Permansura serunt que sine fine metunt. 1110
Sic qui recta docet, facit et super hoc quod oportet,

LIBER TERCIUS

Expedit vt facias quod tibi dictat opus:
Tunc bene fortis equs reserato carcere currit,
Cum quos pretereat quosque sequetur habet.
   Legis enim veteris scripture sunt memorande,
Quo bonus exemplum pastor habere queat.
Commemoranda satis fuit hec sapiencia, quando
Ante gregem virgas ordinat ille Iacob:
Partim nudat eas ablato cortice, partim
Corticis indutas veste relinquit eas.   1120
In virgis splendet sublato cortice candor,
Cum de scripturis splendida verba trahit;
Cortex saluatur, cum litera sola tenetur,
Et pastor sensu simplice pascit oues.
Set quid pastores dicent exempla negantes?
Vt sibi proficiant ista nec illa tenent.
Cuius nec vita bona seu doctrina iuuabit,
Instruat vt populum, nil reputamus eum.
Indiscreta tamen sunt qui documenta parantes
Scismatis in plebem magna pericla mouent.   1130
Indocti causa doctoris sepe scolares
Virtutis capiunt commoda nulla scole:
Sic importuni prelati, quamuis habundent
Dogmata, si desint acta, vigore carent.
   Quidam corripiunt magis ignibus impetuosi,
Et velut vrsus oues de feritate premunt;
Talis enim doctor, cum durius increpat vllum,
Ledit eum cuius debuit esse salus;
Vulnerat ipse reos, set vulnera nulla medetur;
Prouocat in peius quod fuit ante malum: 1140
Sic nos prelati nequit os curare superbi,
Cum viciosus homo moribus auctor erit.
Est et prelatus, qui corripiens quasi blando
De sermone fauet, nec reus inde cauet:
Corripiebat Hely pueros dulcedine patris,
Non vice pastoris, non grauitate soni;
Pro quorum culpa dampnatur Hely, quia valde
Impius in pueris per pia verba fuit.
Sic pastor qui subiectos non corripit, iram
Summi patris emens carcere dignus erit.   1150

   1124 Et CEGDL   Est SHTH₁   1149 subectos S

Ista solent scribi, 'Medium tenuere beati,
Non nimis alta petas, nec nimis yma geras.'
Non nimis ex duro presul nos iure fatiget,
Nec nimis ex molli simplicitate sinat.
Si non leua manus equitis moderacior extet,
Oppositis frenis sepe repugnat equs.
Eripit interdum, modo dat medicina salutem,
Nil prodest quod non ledere possit idem.
Set qui frena tenet, prouiso tempore, presul,
Quo magis est sanum ducet honestus iter: 1160
Sepius ex dulci peccans sermone reviuit,
Qui magis impaciens verba per acra foret.
Expedit interdum tamen absque fauore rebelles
Equa quod inuitos presulis ira premat:
Sepe ferus morbus herbis mitescit amaris,
Namque feret molles aspera spina rosas:
Dura vides quod humus stimulantibus obruta sulcis
Sepius ad placitum molle cacumen habet.
 Vnctus erit presul oleo, quod plura figurat,
Precipueque sibi conuenit illa sequi: 1170
Quatuor ista facit, penetrat, lucet, cibat, vngit,
Que sibi mitratus debet habere bonus.
Nil penetrare potest nisi cum virtute vigoris,
Ista tamen virtus in penetrando iuuat;
Nam cum mollicies fuerit coniuncta vigori,
Mitis et austerus presulis actus erit.
Fermento careat, oleo spergatur, vt absit
Culpa nocens, et eum sanctus inungat amor:
Vox ita doctoris, quanto sublimius intus
Corda ferit, tanto forcius illa mouet: 1180
Sic olei virtus virtutes ponderat eque,
Forcia dum penetrat, micius acta regit.
Lux cecis, cibus est ieiunis, vnccio morbis;
Hiis iubar infundit, hos cibat, hosque fouet:
Lux est exemplo, cibus est dum pascit egenos,
Vnccio dum populis dulcia verba serit.
Hoc oleo, testante Dauid, Cristus fuit vnctus,
Vnguine leticie cum pater vnxit eum:
Non vnguntur eo qui culpam Simonis equant,
Qui vendunt vel emunt, nec sacra gratis habent: 1190

LIBER TERCIUS

Exulat hic de plebe dei qui peccat in istis,
Tales nam pellit Cristus ab ede sua.

Hic loquitur qualiter signa Anticristi in Curia Romana precipue ex auaricia secundum quosdam apparuerunt.

Cap^m. xiiii. Plura locutura mens deficit ipsa timore,
Labitur exanguis et tremefacta silet;
Huius enim vicii michi tangere si licet vlla,
Testis erit Cristus Romaque tota simul.
Roma manus rodit non dantes, spernit et odit,
Donum pro dono sic capit omnis homo.
Non est acceptor personarum deus, immo
Gracior intendit actibus ipse viri; 1200
Gracia set nostra tantum quos mundus in auro
Ditat, non alios accipit illa viros.
Qui precium ponit diues preciata reportat
Munera, nam tali curia tota fauet:
Assumens oleum secum non intrat ibidem,
Aurea ni valeat vngere gutta manum:
Copia nil morum confert vbi deficit aurum,
Nam virtus inopum nulla meretur opem.
Auro si pulses, intrabis, et illud habebis
Quod petis, et donum fert tibi dona tuum: 1210
Si tibi vis detur large, da munera larga,
Nam si pauca seras, premia pauca metes.
Quid faciet sapiens? stultus de munere gaudet.
Dicat ad hec clerus, qui sapit ista magis.
Munera, crede michi, capiunt hominesque deosque,
Placatur donis maior in orbe datis:
Set cum pro mundo tribuat sua munera Simon,
Promotus Cristi non erit inde sui.
Vt veniant ad aquas sicientes sponte citauit
Cristus, et ecce suo fonte cibauit eos; 1220
Fontibus et nostris siciens non hauriet vllus
Absque lucri pretio, quod dabit ipse prius.
Vendere quid pro quo modus est quem curia nostra
Seruat, et auxilio Simonis ipsa viget:
Curia nostra virum nouit sine munere nullum,

1214 ad hec CEHGDTH₂ ad hoc L et hec S

Set redit in vacuis euacuata manus.
Dum dare vult laicus, precellit Theologiam;
Si des dona michi, dona rependo tibi:
Marcus, Matheus, Lucas, si nulla, Iohannes,
Dona ferant, perdunt que sibi dona petunt: 1230
Si veniat famulus mundi, viget ipse receptus,
Si famulus Cristi, nemo ministrat ei.
  Si veniat pauper, musis comitatus Homeri,
Et nichil attulerit, pauper vt ante redit:
Si nouus Augustinus ibi peteret, nec haberet
Quod daret ipse prius, transiet ipse vagus.
Construit atque legit laicus, bene cantat, in auro;
Si dare sufficiat, stat bene quicquid agit.
Qualis enim pietas hec est discernite vosmet,
Aut si iusticia iura tenebit ita. 1240
Si labat ecclesia declinans forte per istos,
Summus eam releuet de pietate sua,
Confundens hereses et que sunt scismata tollat,
Ne quis Cristicolas perdere possit oues:
Vnanimes redeant tibi, te miserante, redemptor,
Quos pax, quos pietas, quos liget vna fides.
Anticristus aget que sunt contraria Cristo,
Mores subuertens et viciosa fouens:
Nescio si forte mundo iam venerat iste,
Eius enim video plurima signa modo. 1250
Petri que titubat nauem prius erige, Criste,
Quam pereat, nec eam fastus in orbe voret.

Hic loquitur secundum commune dictum, qualiter honores et non onera prelacie plures affectant, quo magis in ecclesia cessant virtutes, et vicia multipliciter accrescunt.

Cap^m. xv.   O deus, omne patet tibi cor loquiturque voluntas,
     Et secreta tuo lumine nulla latent:
Tu nosti, domine, quod quantum distat ab ortu
     Solis in occasum regula prima fugit.
Ipsa fides operans, quam tu plantare volebas
     Est quasi de clero preuaricata modo:
Ius quod erat Cristi mundus sine iure resoluit,
     Prelatosque nouos vendicat ipse suos. 1260
Nomen enim sancti sanctum non efficit, immo

Efficitur sanctus quem probat ipse deus.
Nos tamen a plebe si nomine glorificemur,
Et laudet mundus, laus placet illa satis:
Laruata facie sic fallitur ordo paternus,
Quo furtiuus honor expoliauit onus.
  Vox populi cum voce dei concordat, vt ipsa
In rebus dubiis sit metuenda magis:
Hec ego que dicam dictum commune docebat,
Nec mea verba sibi quid nouitatis habent.   1270
In cathedram Moysi nunc ascendunt Pharisei,
Et scribe scribunt dogma, nec illud agunt.
Nam constans, humilis, largus, castus que modestus,
Fit quibus ecclesiis regula culta prius,
Nunc vanos, cupidos, elatos, luxuriosos,
Raptoresque suo substituere loco.
Pacificos ira mitesque superbia vicit,
Nummus habet iustos et Venus illa sacros.
Sic non iusticia causas regit, immo voluntas
Obfuscata malis que racione carent: 1280
Sic modo terra deos colit et laceratur ab ipsis,
Est dum lex cleri nescia lege dei.
Nudis iam verbis vani tua iura figurant,
Et nichil aut modicum pondere iuris agunt;
Exemplis operum te raro, Criste, sequntur,
Perfectumque tue legis inane tenent.
Que tua precepta ponunt, deponere curant
A propriis humeris, que michi ferre iubent;
Hec precepta tamen que gloria ponit inanis,
A me tollentes propria ferre volunt.   1290
De fundamento non curant, immo columpne
Effigiem laruant, se quoque templa vocant.
  Nuper erat celum corruptum, sicque superbus
Corruit ex altis, lapsus et yma tenet;
Proque suo vicio sic Adam de paradiso,
Sic Iudasque suum perdidit ipse gradum:
Non faciunt hominem status aut locus esse beatum,
Quin magis hos sternunt qui superesse volunt.
O deus, ecclesiam fecisti quam tibi sanctam,
Sanctos prelatos fac simul inde tuos: 1300

1265 fallit S

Corrigat, oro, deus, tua iam clemencia tales,
Nos quibus vt sanctis subdere colla iubes:
Esse duces nostros quos lege tua statuisti,
Fac magis vt recta semita ducat eos;
Et licet instabilis vanus sit et actus eorum,
Da populo stabilem semper habere fidem:
Da, deus, et clero, verbo quod possit et actu
Sic reuocare malum, nos vt in orbe iuuet.
Exoptata diu dulcis medicina dolorum,
Sero licet veniat, grata venire solet: 1310
Sique boni fiant de clero, nos meliores
Tunc erimus, que dei laus ita maior erit.

Postquam dictum est de illis qui errant in statu prelacie, dicendum est de errore curatorum, qui sub prelatis constituti, parochiarum curas in animarum suarum periculo admittentes negligenter omittunt: et primo intendit dicere de curatis illis qui suas curas omittentes ad seruiendum magnatum curiis adherent.

Cap^m. xvi. Presulis incauti, sicut de voce recepi,
Errores scripsi, pennaque cessat ibi.
Sunt tamen, in curis anime qui iura ministrant,
Rectores alii non sine labe doli.
Quo status ille modo se tendit scribere tendo,
Si sit ibi mundus vel magis ipse deus.
Ad tempus presens rectorum facta reuoluens,
Inuenio mundi quod solet esse dei. 1320
Presulis errore, curarum qui caput extat,
Errat curatus, presulis ipse manus.
Iam sine prebenda de Simonis arte creata
Nil putat ecclesiam quomodocumque bonam:
Hec prebenda tamen inopem non, set meretricem
Pascit, sicque deum non colit, immo deam.
Tales nec caste curant neque viuere caute,
De quibus exempla sunt modo sepe mala:
Vestis habet pompam, cibus vsum deliciarum,
Et thorus incestum clamat habere suum. 1330
Ex Cristi poteris nuper cognoscere verbis
Discipulos tunicas non habuisse duas;
Set quia discipuli non sunt, in talibus isti

Nolunt impositum sic retinere modum.
Non tantum vestes geminant set condiciones,
Quas magis errantes regula nulla sapit :
En venit incastos aurum precingere lumbos,
Denotet vt vanos comptus inanis eos ;
Militis effigie, nisi solum calcar abesse,
Cernimus hos pompis degenerare suis. 1340
  Cuius honor, sit onus ; qui lucris participare
Vult, sic de dampnis participaret eis :
Sic iubet equa fides, sic lex decreuit ad omnes,
Set modo qui curant ipsa statuta negant.
Curas admittunt pingues et pinguia sumunt,
Set nolunt cure pondera ferre sue.
Si viciis residere nequit curatus in ista
Cura, tunc aliam querit habere nouam ;
Inficiens primam, post polluit ipse secundam,
Sic loca non vicia mutat et ipse sua. 1350
Litera dispensat curato presulis empta,
Et sic curati cura relicta manet ;
Presbiterum laicum retinet sibi substituendum,
Curia magnatum dum retinebit eum.
Est vt apes ibi sollicitus dum spirat honores,
Set piger in cura tardat agenda sua.
  Quicquid habet mundus fictum, tunc fingit et ille,
Curia quo dignum credere possit eum :
Verba dabit blanda, set nec canis aptus ad arcum,
Sic humili vultu flectit ad yma genu. 1360
Alter vt ille Iacob socios supplantat, et omne
Quo poterit mundi lucra tenere facit.
Absit eum quicquam tamen absque iuuamine docti
Simonis incipere, qui suus actor erit :
Ostia si clausa fuerint, sic intrat ouile,
Ac aliunde suum carpit auarus iter.
De curis anime nil curat, dummodo terre
Curia magnatis sit sibi culta lucris :
Fert sibi nil virtus anime set corporis actus,
Munus non meritum dat sibi ferre statum. 1370
Qui nichil est per se, nec habet quo tendat in altum,
Expedit alterius vt releuetur ope :
Est tamen absurdum, cum quilibet ex alieno

Intumet vlterius quam tumuisse decet.
Littera dum Regis Papales supplicat aures,
Simon et est medius, vngat vt ipse manus,
En laicus noster fit clericus aptus vt omnes
Simone consultus scandat in orbe gradus.
Hic qui pauper heri fuerat quasi nudus et omni
Laude carens, nec eum patris habebat honor, 1380
Cuius erat tunica vilis, non larga set arta,
Vix sibi que tetigit simplicitate genu,
Hunc polimita modo vestis circumdat, et eius
Alludens pedibus fimbria lambit humum :
Vestis que medium non nouit poplicis olim,
Iam colit hec talos oscula dando pedi.
Si mundi speculum scruteris in huius amictu,
Plurima rectoris cernere vana potes.
Presulis ipse gradum si non dum scandere possit,
Ecce tamen vestes comparat ipse pares. 1390
Cuius erat solus nuper catulus domicellus,
En sequitur totus nunc quasi mundus eum ;
Cuius erat baculus nuper palfridus, ad eius
Sellam cum loris subditur altus equs.
Sic viget in curis diues, set moribus expers
Indiget, et vano more gubernat opes.
Compotus in mundi rebus quod fiat habunde
Perstudet, vt domino det sua iura suo :
Computet vt Cristo set de curis animarum,
Turpiter absque lucro fossa talenta latent. 1400
Curia sic Cristi tollit mundana clientem,
Qui venit ad laqueum, dum sitit ipse lucrum.

Hic loquitur de rectoribus illis, qui ab episcopo licenciati se fingunt ire scolas, vt sub nomine virtutis vicia corporalia frequentent.

Cap^m. xvii. Alter adest rector, causam designat et ipse,
Dicit enim sacras quod cupit ire scolas :
Vt vagus astet ibi prece ruffi presul et albi
Annuit, vt dominis quos amat ipse nimis.
Sic rector sibi sub specie virtutis adoptat,

1374 timuisse EHL   1376 vngat vt D   vngat et SCEHGL

Vt queat in viciis rite studere vagus.
Nil decreta placent sibi nec sacra theologia,
Ars sibi nature sufficit immo sue: 1410
Ipsa magistra docet res plures, discit et ille,
Scribit et in nocte que studet ipse die.
Et propter formam tandem petit ipse cathedram,
Vt sit ad hoc ductus, plura dat ipse prius:
Sic est curatus doctoris sede locatus,
Datque legenda suis mistica iura scolis.
'Ve soli,' legimus ex scripturis Salomonis,
Namque virum solum nemo requirit eum:
Qua racione scole mos est, quod quisque studere
Debet cum socia doctus in arte sua. 1420
Ipse deus sociam fecit per secula primam,
Vt iuuet hec hominem, sicque creauit eam:
Masculus in primo factus fuit, atque secundo
Femina, sic vt in hiis det deus esse genus:
Istaque principia discretus rector agenda
Perstudet, et vota prebet in arte pia.
Quis laterisque sui costam quam sentit abesse
Non cuperet, per quam perficeretur homo?
Prima viri costa mulier fuit ipsa creata,
Vult igitur costam rector habere suam. 1430
Nam deus humanam precepit crescere gentem,
Cuius precepto multiplicabit homo:
Sic sibi multiplicat rector, dum semen habundat,
Vt sit mandati non reus ipse dei.
Causas per tales rector probat et raciones,
Quod sibi sint socie, dum stat in arte scole.
Primo materiam conceptus tractat, et illam,
Vt veniat partus, stat repetendo magis;
Sic legit et textum, legit et glosam super illum,
Vt scola discipulis sit patefacta suis: 1440
Verberat ipse regens pro forma sepe scolares,
Vt vigili virga sit vigil ipsa scola.
Quanto formalis magis extat in arte legendo,
Est opus in tanto materiale minus.
Non labor excusat, doceat quin nocte dieque,
Quo sibi dat vacuum sollicitudo caput:
Questio namque sua, quam disputat esse profundam,

L

Sentit et in casu plura profunda mouet.
Responsalis ei respondet ad omnia, quare,
Nec sinit a logica quicquid abire sua; 1450
Sepeque doctori concluditur, ipseque tantum
Confusus cathedra linquit inesse sua.
Leccio lecta nocet, decies repetita nocebit;
Dum legit inde magis, plus sibi sensus hebes est.
Et sic ars nostrum curatum reddit inertem,
De longo studio fert nichil ipse domum:
Stultus ibi venit, set stulcior inde redibit,
Dum repetendo scolis sit magis ipse frequens.

 Hec est illa scola, studet in qua clerus, vt yma
Nature iura scribat in arte sua: 1460
Practica discipulo bene conuenit atque magistro,
Vt speculatiuum construat ipse suum.
Hec est illa scola super omnes labe colenda,
Qua socius sociam gaudet habere suam:
Attamen illa scola, dum sit socie sociata,
Fine dabit socium plangere gesta reum.
Sic scola cum socia confirmat in arte scolarem,
Fiet quod laicus, quando magister erit.
Heu! grauis est socia, grauis est scola iuncta sodali,
Ista vorat corpus, illaque tollit opes: 1470
Est inhonesta deo res, et mirabile plebi,
Quando magister erit atque ribaldus idem.

 Ecclesia sponsa nuda, vestitur amica;
Sponsa relicta perit, altera cara viget:
Sic desponsata clamare fide sibi fracta
Nunc venit ecclesia iura petendo sua.
Set quia lux periit, perit hinc ius, sicque recedit
Curati sponsa stans quasi tota vaga.
Sic rector viciis studium non moribus aptans,
Dat decimam Veneri, que solet esse dei: 1480
Sic sibi consimilem generat curatus, vt artem
Nature solitam compleat ipse suam:
Sic viget in studio laici curatus ad instar
Corporis, vt sexum multiplicare queat:
Sic scola, que morum mater magis esse solebat,
Efficitur viciis stulta nouerca suis.

  1454 plus sibi sensus hebes est SGDL fit sibi sensus hebes CEHTH₂

LIBER TERCIUS

Hic loquitur de rectoribus illis, qui in curis residentes, curas tamen negligentes, venacionibus precipue et voluptatibus penitus intendunt.

ap^m. xviii.
  Tercius est rector, animum qui tendit ad orbem,
 In cura residens dum manet ipse domi:
 Nuda sue folia cure sine fructibus affert,
 Dum sine luce regens stultus obumbrat eam.   1490
 Predicat ipse nichil animas saluare, nec egros
 Visitat, aut inopes tactus amore iuuat:
 Est sibi crassus equs, restatque sciencia macra,
 Sella decora que mens feda perornat eum.
 Ad latus et cornu sufflans gerit, vnde redundant
 Mons, nemus, vnde lepus visa pericla fugit;
 Oris in ecclesia set vox sua muta quiescit,
 Ne fugat a viciis sordida corda gregis.
 Sic canis, ad questum qui clamat in ore fideli,
 Certus habebit eo quicquid habere velit;   1500
 Set miser, ad portas qui clamat et indiget escis,
 Heu! neque mica datur nec liquor vllus ei.
 O deus, in quanta talis tibi laude meretur,
 Dans alimenta cani, que negat ipse viro!
  Vix sibi festa dies sacra vel ieiunia tollunt,
 Quin nemus in canibus circuit ipse suis:
 Clamor in ore canum, dum vociferantur in vnum,
 Est sibi campana, psallitur vnde deo.
 Stat sibi missa breuis, deuocio longaque campis,
 Quo sibi cantores deputat esse canes: 1510
 Sic lepus et vulpis sunt quos magis ipse requirit;
 Dum sonat ore deum, stat sibi mente lepus.
 Sic agitat vulpis vulpem similis similemque
 Querit, dum iuuenem deuorat ipse gregem;
 Nam vagus explorat vbi sunt pulchre mulieres
 Etatis tenere, pascat vt inde famem:
 Talis enim rector mulieribus insidiatur,
 More lupi clausas circuientis oues.
 Dum videt ipse senem sponsum sponsam iuuenemque,
 Tales sub cura visitat ipse sua;   1520
 Suplet ibi rector regimen sponsi, que decore

1498 Nec CE   1518 circueu*n*tis C

Persoluit sponse debita iura sue.
Sic capit in cura rector sibi corpora pulcra,
Et fedas animas linquit abire vagas.

Hic loquitur de rectoribus in curis residentibus, qui tamen curas animarum omittentes, quasi seculi mercatores singula temporalia de die in diem ementes et vendentes, mundi diuicias adquirunt.

Cap^m. xix. Quartus adhuc rector curam residendo sinistrat,
Ipseque mercator circuit omne genus.
Est sibi missa : forum meditatur et inde tabernam,
Ad socii dampnum dum petit ipse lucrum.
Ecclesie meritum perdit, lucratur et aurum ;
Vt teneat mundum, deserit ipse deum. 1530
Computat ipse diem cassam, qua vel sibi lucrum,
Corporis aut luxum non capit ipse nouum :
Est et auaricia sibi custos, sic vt in illis
Partem diuiciis pauper habere nequit.
Masculus in nullo casu partitur egenus,
Dupplice nam claui cista resistit ei ;
Set pietas aliter se continet ad mulierem,
Vt iubet ipsa Venus, est ibi larga manus.
Expansis genibus expanditur aurea cista ;
Femina si veniat, dat sibi clauis iter : 1540
Durior est ferro, quem nullus mollificabit,
Vincit feminea set caro mollis eum.
Dans ita quid pro quo merces mercede locabit
Rector, in impropriis dum vacat ipse lucris.
Omne quod vna manus sibi congregat, altera spergit,
Dum sua dat cribro balsama stultus homo :
Stultaque sic stultum predat, quod fine dierum
Nil nisi sit rasa barba manebit ei.
O si curatis nati succedere possent,
Ecclesie titulo ferreque iura patrum, 1550
Tunc sibi Romipetas, mortis quibus est aliene
Spes, nichil aut modicum posse valere puto.
Talis in ecclesia nunc est deuocio mota
Curatis nostris : iudicet inde deus.

1533 Est et S Est sed (set) CEHGL Est s*et et* D 1541 Durior CEHGDLT Durius S 1552 modicicum S

Postquam dictum est de errore illorum qui in ecclesia beneficiati existunt, iam dicendum est de presbiteris stipendiariis; de talibus saltem, qui non propter mundiciam et ordinis honestatem, set propter mundi ocia, gradum presbiteratus appetunt et assumunt.

Cap^m. xx. Si de presbiteris dicam qui sunt sine curis,
Hos viciis aliis cernimus esse pares.
Si tamen ecclesiam non optinet iste sacerdos,
Annua servicia sunt velut ecclesia:
Plus quam tres dudum nunc exigit vnus habendum,
Strictus auaricia plus cupit ipse quia.   1560
Hos velut artifices cerno peditare per vrbes,
Conductos precio sicut asella foro.
Dignus mercede tamen est operarius omnis,
Iuxta condignum quod labor ille petit:
Set tamen vt vendat nulli diuina licebit,
Sic poterit vendi missa nec vlla tibi.
Credimus vt sancta Cristus sacratus in ara
Non plus vult vendi venditus ipse semel.
Se sine dat precio, dare qui iussit sacra gratis:
Presbiter, ergo tibi quid petis inde lucri?   1570
Cum tibi vestitus, aptus fuerit quoque victus,
Vnde deo viuas, cur tibi plura petis?
Si tibi plus superest de lucro, nil tibi prodest,
Nam male quesitum nescit habere modum.
Aut Romam perges mercatum Simonis auro,
Qui te promotum reddet, et inde tuum
Argentum tollet collectum per prius, et sic
Quod tibi missa dedit Simon habere petit;
Aut meretrix bursam, te luxuriante, repletam
Sugget, et in vacuam quam cito reddet eam.   1580
  Quod dedit ecclesia tollit meretrix que taberna:
Hec tria dum iungunt, turpia plura gerunt.
Hec ita cum videam, mundi noua monstra putarem,
Si foret hoc raro quod speculamur eo;
Set quia cotidie potero predicta videre,
Sepe michi visa nil modo miror ea.
Mergulus inmergit fluuio sua membra frequenter,
Et longas gignit in latitando moras;

Heading 1 Qostquam S   2 iam *om.* S

Isteque signat eos quos carnis fluxa voluptas
Funditus exercet et retinendo premit. 1590
Est apud antiquos 'hic et hec' dixisse 'sacerdos,'
Dicere sic et nos possumus 'has et eos:'
Hii modo namque sua mundum replent genitura;
Si pietas sit ibi, sunt modo valde pii.
Nox et amor, vinum, nullum moderabile suadent,
Que tria presbiteris sunt modo nota satis.
Stat breuis ordo precum, dum postulat ipse vicissim
Oscula per longas iungere pressa moras,
'O sacer,' hec dicens, 'quam longum tempus ad illud
Vt tua sint collo brachia nexa meo?' 1600
 Qui vult vxorem seruare sibi modo castam,
Et mundas cameras querit habere suas,
Longius a camera cit procbitor atque columba,
Stercora fundit ea, fundit et ipse stupra.
Sobrius a mensa, de lecto siue pudicus
Consurgit raro presbiter ipse deo:
Cantat in excelsis sua vox agitata tabernis,
Est set in ecclesiis vox taciturna nimis:
Doctus et a vino colit ipse lupanar, et illuc
Exorando diu flectit vtrumque genu. 1610
Sic vetus expurgat fermentum, dum noua spergit,
Non tamen vt Paulus iusserat ipse prius:
Sic altare Baal modo thurificare sacerdos
Vult, per quem viui feda fit ara dei.
Sufficit vna michi mulier, bis sex tamen ipsi,
Vt iuueni gallo, cerno subire modo.
Sic sacra presbiteri celebrant solempnia Bachi,
Ebrietasque magis sanctificatur eis.
Gentilis ritus vetus incipit esse modernus,
Talibus et Cristi lex perit ipsa quasi: 1620
Sic modo templorum cultores suntque deorum,
Plus in honore quibus stat dea summa Venus.

 Hic loquitur de consueta presbiterorum voluptate, et qualiter hii stipendia plebis ex conuencione sumentes, indeuote pro mortuis orando non se debite ad suffragia mortuorum exonerant.

Cap^m. xxi. Ignis edax terram vorat et nascencia terre;
     1617 solennia CEDL

LIBER TERCIUS 151

Quo furit illius impetus, omne terit;
Sic et in incastis exemplis presbiterorum
Indoctis laicis feda libido nocet.
Nil commune gerunt luxus sibi cum racione,
Corporeos sensus quinque libido cremat:
Quos talis maculat nota talis pena sequetur,
Illorum pene sulphur et ignis erunt.   1630
Consuetudo tamen solet attenuare pudorem,
Reddit et audacem quem mora longa trahit.
Non peccare putant quod sepius oscula iungant,
Oscula nam pacis signa parare solent;
Estque parare piam pacem meritoria causa,
Nec sine pace diu stat pietatis amor:
Sic in presbiteris amor est de pace creatus,
Oscula nam solito more frequenter agunt.
Altera natura solitus reputabitur vsus,
Vsus et a longo tempore iura parit;   1640
Immoque nature si nos de iure loquamur,
Hoc in presbiteris splendet vbique magis:
Et si sub forma tali sint iura creanda,
Legis quod vires longior vsus habet,
Tunc puto presbiteros ex vsu condere leges,
Oscula dum crebro dant in amore suo.
   Ecclesie gremium notat ordo presbiterorum,
Quo debent animas rite fouere bonas;
Quomodo set proprias qui non curant, alienas
Curabunt? non est hoc racionis opus.   1650
Nescio quid meriti poterunt tales michi ferre,
Qui sibi nil proprie commoditatis habent:
Nam peccatores scitur quod non deus audit,
Est inhonesta deo laus set ab ore mali:
Indeuota deo qui verba precancia confert,
Iudicii proprii dampna futura petit.
Qui dampnum causat, hic dampna dedisse videtur,
Ledit qui patitur que reuocare potest:
Infligit mortem languenti, qui valet illam
Nec vult auferre, set sinit esse malum: 1660
Presul qui laicos, cum non sint ordine digni,
Ordinat ad sacra, scandala plura mouet.

      1642 Hoc S Hec CEHGDL

Tales si quis emit lucro, frustrabitur inde,
Aut si perdet in hiis scit magis ipse deus.
Hoc scio, quod panem qui fregerit esurienti,
Cuius debilitas est sine fraude patens,
Qui nudos operit, infirmos visitat, illi
Debentur merita pro bonitate sua:
Set qui sunt fortes, vanaque sub ordinis vmbra
Conspirant requiem quam sibi mundus habet,   1670
Errat eos presul sacrans, et quosque locando
Tales de merito perdere dona puto.

Hic tractat causam, quare accidit quod laici, quasi iuris amici, luxurie presbiterorum consuetudinem abhorrentes, eam multociens castigantes grauiter affligunt.

Cap^m. xxii.   Hoc dicit clerus, quod, quamuis crimine plenus
Sit, non est laici ponere crimen ei;
Alter et alterius cleri peccata fauore
Excusat, quod in hiis stat sine lege reus.
Non accusari vult a laicis, tamen illos
Accusat, que sibi libera frena petit.
Libera sunt ideo peccata placencia clero,
Sit nisi quod laici iura ferantur ibi.   1680
Presbiter insipiens populum facit insipientem,
Et mala multa parit qui bona pauca sapit:
Clerus lege carens populum dat lege carentem,
Sic parat et causam presbiter ipse suam:
Nam quia lege caret laicus, sine lege manentem
Ignorat clerum, quem videt esse reum.
Si foret et sapiens clerus, sapiencia plebis
Staret, vt in lege perstet vterque simul;
Set quia iam fatui patet insipiencia cleri,
Despicitur vita desipientis ita.   1690
  Pluribus exemplis natura iuuat racionem,
Doccius vnde suum iudiciale regat.
Hinc est quod latitans bubo lucis iubar odit,
Escam vestigat nocte, veretur aues:
In quam forte greges auium si lumina figant,
Conclamando volant et laniando secant.

<small>1695 si CEHGDLTH₂   sua S</small>

LIBER TERCIUS

Presbiteros notat iste reos, qui corpore fedi
Que sunt luxurie feda latenter agunt;
Hos laici quasi lucis aues restringere querunt,
Zelo succensi legis, amore dei.   1700
Preuaricatus enim Iudas non amplius inde
Seruorum Cristi dignus honore fuit.
Dum iuga luxurie supportat presbiter, ipsum
Si pungant laici, computet inde sibi.
   Iusto iudicio lex vult, quod iuris abusor
Amittat vicio quod sibi iura dabant.
Ecclesie fratres in Cristo nos sumus omnes,
Semper et alterius indiget alter ope:
Lex tamen hoc dicit, frater quod si tuus erret,
Corripe, sic et eum fac reuenire deo: 1710
Si te non audit, dic ecclesie, set et illam
Si non audire vult, nec adheret ei,
Amplius ille tibi velut Ethnicus est reputandus,
Quo sibi de culpa parcere nullus habet.
Presbiter ergo suis assistens cotidianis
Peccatis nullo debet honore frui:
Non erit exemptus, nam qui neque iura veretur,
Non est iusticie quod quis honoret eum:
Qui contra legem vetitis presumpserit vti,
Debet concessis lege carere bonis.   1720
Omne quod occultum latet, vlteriore patebit
Fine, nec excusat ordo vel ille status.
Dic, sibi quic' valuit tunc excusacio ficta,
Dum foliis fici se male texit Adam?
Quid valet aut, culpam carnis si presbiter vmbra
Contegat ipse sui fultus honore status?

Hic scribit contra hoc quod aliqui presbiteri dicunt, qualiter ipsi in carnis luxuriam committendo non grauius hominibus laicis deum offendunt.

Cap^m. xxiii.   Dicunt presbiteri, non te peccant magis ipsi,
    Dum carnis vicio fit sua victa caro:
Sicut sunt alii fragili de carne creati,
    Dicit quod membra sic habet ipse sua.   1730
'Sum velut alter homo,' dicit 'cur tunc mulieres,

Sicut habent alii, non retinebo michi?'
Argumenta sui sic criminis ipse refingit,
Liber et est vicio, dicit, vt alter homo.
Hec tamen, vt credo, fingit contraria vero,
Nam magis est sanctus omnibus ille status.
Ex improuiso sumi reliquus valet ordo,
Quo minor est culpa, si cadat inde rea;
Assumi subito set presbiteri sacer ordo
Non valet, immo suas spectat habere vices.   1740
Nam per quinque gradus scandit prius, estque probatus,
Quolibet vnde suum preuidet ipse statum:
Omnis et inde gradus a presule sanctificatus
Est et non alio, sanccior vt sit eo.
Per caput atque manus est crismate presbiter vnctus,
Vt sit ob hoc aliis dignus in orbe magis;
Accipiensque iugum votum vouet ammodo castum,
Quo faciat munda mundior acta sua:
Et quia preuisa sic vota facit, puto culpa,
Dum facit econtra, fert grauiora mala: 1750
Qui daret exemplum virtutis et est viciosus,
Errat plus ducto ductor in ore meo.
Hiis circumspectis michi sic per singula causis,
Estimo presbiteros te magis esse reos.
 Se licet excuset fingens sibi verba sacerdos,
Nulla sue mentis interiora iuuat;
Inmemor immo sacri quem ceperat ordinis, vltro
Scandala sic facti querit in orbe sui.
Non puto presbitero sutorem quod status vnit,
Culpa nec in simili lance coequat eos: 1760
Presbiter et laicus non sunt Bercarius vnum,
Nec scelus in simili condicione grauat.
Castum se vouit sibi cum fuit vncta corona,
Stringitur et voto quisque fidelis homo.
Non foret hic tanti mercede locatus honoris,
Sit nisi quod maius inde subiret onus:
Nam nequit hoc facere rex est qui maior in orbe,
Quod minor in Cristo presbiter ipse potest:
Sic, quia de iure reliquis prefertur honore,

 1747 vouet CEHGT vouit SDLH₂ 1760 nec *in* simili conditione grauat (*om*. ll. 1761 f.) C

LIBER TERCIUS

Ledit eum grauius crimine iuris onus. 1770
Heu! quod iniqua manus mulierum feda pudendis
Debet in altari tangere sacra dei!
Qui corpus domini tractabit, et est meretrici
Turpiter attractus, Cristus abhorret opus.
Qui fierent Cristi serui, sunt dumque ministri
Demonis, heu! nostram quis reparabit opem?

Hic describit qualiter omnia et singula que sacerdocii concernunt officium magne virtutis misteria designant: et primo dicet de vestibus sacerdotalibus ex vtraque lege competenter dispositis.

ap^m. xxiiii. O bene si penset que sunt sibi iura sacerdos,
Quid sit honor, quid onus, quid vel honoris opus,
Singula qui iuste sibi ponderat, instat et eque,
Res est mira nimis, si male gestet onus. 1780
Omne quod ille status sibi vendicat esse beatum
Cernitur, vt sancti sint magis inde viri.
Non est tam modicum quod misse spectat ad vsum,
Lege sacerdotum quin decet esse sacrum.
Ornatus varii, quibus vtitur ipse sacerdos,
Virtutis varie mistica signa gerunt.
Poderis est vestis, aliter que dicitur alba,
Presbiteri corpus que tegit vsque pedes:
Vt foris est albus, fieret sic albior intus
Presbiter, vt mores gestet in orbe bonos. 1790
Cinctus ephot Samuel domini studet esse minister,
Cui paruam tunicam texuit Anna parens:
In tunica tenui fidei doctrina notatur,
Qua tenues animos gracia mater alit:
Ex lino factum per ephot signatur honestas
Carnis, quam mundam presbiter ipse geret.
  Balteus est eciam, tunicam qui stringit honeste,
Ne femur in luxu facta pudenda sciat:
Fert humerale decens, vt nostras presbiter egras
Confortans animas ad meliora ferat: 1800
Et ligat in summo sapiens capitale sacerdos,
Vt capitis sensus non sinat ire vagos.
Infula vestit eum circumdata, que nitet auro,
Quod virtute sua cuncta metalla regit;

Splendet et in simili forma virtute sacerdos,
Si bene conseruet ordinis ipse statum:
Aurum veste gerit sanctus, cum splendet in illo
Pre reliquis rutilans clara sophia dei.
Ne tunice leuiter possit ruptura minari,
Nobilis in giro texilis ora micat: 1810
Se nec et ipse bonus disrumpat in orbe sacerdos,
Ne pateat rima criminis vlla sui.
Hac se mundicia precinctus presbiter ornat,
Vt totus mundus munera munda sacret.
 Aron et electis vestes texuntur, vt horum
Quisque sacerdotis possit honore frui:
Sic modo presbiteri, seu summi siue minores,
Efficiunt Cristi corpus idemque sacrant.
Nam nos cum vinum panemque sacramus in ara,
Hoc verus sanguis vna fit atque caro: 1820
Qui Cristi carnem matris confecit in aluo,
Corpus in altari conficit ille sacrum.
Quadra fit altaris species, vt quatuor orbis
Partibus ecclesie sit solidata fides.
Vestibus ornatus qui sic et moribus extat
Dignus, non aliter, presbiterandus erit.
Quos tante vestes, quos gloria tanta perornat,
Sint magis vt sancti causa requirit eos:
Dedecus ecclesie presul qui talia prestat
Presbiteris laicis, iure negante, parit. 1830
Quos sinus ecclesie recipit, noscat sinus aptos
Esse deo, reliquos euomat ipsa foris.

Hic loquitur qualiter sacrificia de veteri lege altari debita fuerunt in figura ad exemplum nunc noue legis presbiterorum: dicit vlterius qualiter ex vtraque lege sacrificantes altari debent esse sine macula.

Cap^m. xxv. Lex vetus instituit animalia, de quibus olim
  Immolat altari plebs holocausta deo;
  Semper et ex omni mactato sic animali
  Debita presbitero porcio certa fuit.
  Hoc tamen ad Cristi legem latitante figura

1815 .Aaron CED

LIBER TERCIUS

Presbiteris nostris mistica iura notat.
Illa sacerdoti que spectat pars holocausti,
Curatis nostris est memoranda satis: 1840
Heeque sacerdotis sunt partes, pectus et armus
Diuisus dexter, lege iubente sacra.
Pectus doctrine locus est, nam quisque sacerdos
Debet subiectos recta docere suos:
Forcior est armus dexter, signatque quod eius
Actus sit fortis, nulla sinistra gerens:
Armus diuisus docet vt viuendo sacerdos
Excedat populum, nil populare gerens.
Non est tam modicum quid in ordine presbiterorum,
Grande ministerii quin sibi pondus habet; 1850
Nam lex iuncta vetus cum lege noua manifestant
Vndique presbiteros quod decet esse sacros.
Petrus in Aurora que scribam scripsit, et ille
Testis in hac causa verus et auctor erit.
   Lex vetus ista iubet, noua que confirmat, vt omnis
Sacrificans aris inmaculatus erit;
Absque sui macula sit corporis actus et eius,
Displicet vnde deo, feda nec vlla gerat:
Non habeat maculam, nec sit mixtura reatus,
Ne purum maculet accio praua bonum. 1860
Que tamen hee macule dicuntur in ordine dicam,
Presbiter vt lector sit magis inde memor.
Dicitur hic cecus, qui mundi puluere plenus
Ad lumen vite carpere nescit iter:
Est lippus, cuius mens ingenio micat intus,
Set carnale tamen eius opacat opus:
Albugo cecat oculos, et denotat illum
Qui tumet, ascribens candida facta sibi:
Est paruo naso qui nec discernere parua
Sufficit, et quod agit perficit absque sale: 1870
Est nimio naso, qui non intelligit illud
Quod legit, et doctum se tamen ipse facit:
Est torto naso, qui dulce fatetur amarum,
Et sanctos actus iudicat esse malos:
Est claudus, qui nouit iter, set currere tardus
Heret in hoc mundo, carne ligante pedem:

   1863 puluere CEH   vulnere SGDL

Fractus pes et fracta manus reputatur in illo,
Qui claudo peior tardat ad omne bonum :
Hic est gibbosus, quem mundi sarcina curuat,
Lumina nec cordis summa videre sinit :   1880
Corporis in scabie succensa libido notatur,
Que corrupta suo crimine plura facit.
   Predictis viciis si quis se senciat egrum,
Lex iubet vt panem non sacret ille deo.
Oza manus tendens accessit vt erigat archam,
Set nimis audacem mors fuit vlta manum :
Hinc ideo dicunt meruisse necem, quia nocte
Transacta cohitu coniugis vsus erat.
Declaratur in hoc, quod qui pollutus ad aram
Accedat, mortis vulnere dignus erit :   1890
Experimenta docent, quod ab hoc detergere sordes
Feda manus nescit, dum tenet illa lutum.
Presbiter est dictus prebens aliis iter, et si
Erret, tunc errant ducere quosque putat.
Dans sacra siue docens, notat ista loquela, sacerdos
Si malus est, alii sunt magis inde mali.
Non sine stat cura quicumque professus in huius
Ordinis est opere, si bene seruet opus :
Ergo prius videas qui scandere vis, et in illum
Si scandas, facias que iubet ordo tuus :   1900
Non solum faciem, mores set confer et artes,
Proficias curis ex quibus ipse tuis.

      Hic loquitur quod etas sufficiens, priusquam gradum sacerdocii sibi assumat, in homine requiritur : loquitur eciam de suorum rasura pilorum, et dicit quod talia in signum mundicie et sanctitatis specialiter presbiteris conueniunt : dicit vlterius quod presbiteri a bonis non debent esse operibus ociosi.

Cap^m. xxvi.   Quam prius assumat, matura requiritur etas,
               Presbiter officium, plenus vt ipse regat :
              Nam flos etatis temptanti congruit hosti ;
               Carnis et etatis feruet vterque calor :
              Iam quos vexat ad huc tenere lasciuia carnis

1890 Accedat SL   Accedit CEHGD
   Heading 5 f. a bonis non debent operibus esse CE   a bonis op*er*ibus no*n* debe*n*t esse L   a bonis op*er*ibus non esse D
   1907 ad huc SGT   adhuc CEHDL

LIBER TERCIUS 159

Improba, pastores non decet esse gregis.
Vt regnare deo possint, sibi rasa corona
Restat, et vt facta nobiliora gerant. 1910
Radices non extirpat rasura pilorum,
Set rasi crescunt multiplicando magis:
Sic licet expellas omnes de pectore motus,
Non tamen hec penitus cuncta fugare potes:
Non ita rasus eris, quin semper habet caro pugnam;
Intus habes cum quo prelia semper agas.
　Si quando mundum fugias, a puluere mundi
Perfecte purus non potes esse tamen:
Nam, licet eniteas summis virtutibus, omnes
Ex animo culpas non resecare vales. 1920
Fit tamen ex minimis hec quam retines tibi culpa,
Ne tua mens tumeat, dum bona multa geris:
Ex tali culpa tibi soluitur ergo tributum,
Vt tua mens paueat labe remorsa breui.
Sepe cadit iustus, fragilis quia vir manet omnis,
Ne nimis exaltet gloria vana virum:
Qui leuiter cecidit, vt surgat forcius, ille
Casum felicem suscipit ante deum.
Lux estis mundi, set non penitus sine fumo,
Nam sine peccato viuere nullus habet: 1930
Sepe boni fructus post temptamenta sequntur,
Mercedemque suam prelia carnis habent.
　Vtile nempe foret seuas extinguere flammas,
Et sanum vicii pectus habere tuum:
Ne videant oculi per quod temptentur, et aures
Obtura, vicii ne sonus intret ibi.
Tucius est aptumque magis discedere pace,
Ponere quam bellum, vincere quale nequis:
Integer est melior nitidus gladiator in armis,
Quam cum tela suo sanguine tincta madent: 1940
Inque dei missis nitidus sine labe sacerdos
Victor in hoc placidum fert sibi lucra deum.
Quale sit hoc quod amas celeri circumspice mente,
Et tua Iesuro subtrahe colla iugo:
Debet homo sapiens nascentes pellere morbos,

1915 pugnam CEHL　pu*n*gnam SGT　pingua*m* D　　1922 Nec C timeat EDL

Inueniet tardam ne sibi lentus opem :
Opprime, dum noua sunt, subiti mala semina morbi,
Et tuus incipiens ire resistat equs ;
Nam mora dat vires, teneras mora conficit vuas,
Et validas segetes quod fuit herba facit. 1950
Si Venus agreditur, tibi sit magis aspera vita,
Flamma recens modica sepe retardat aqua.
Vt corpus redimas, ferrum pacieris et ignem,
Quantum fert anime plus medicina tue.
Ocia si tollas, periere Cupidinis arcus,
Extincteque iacent et sine luce faces.
 Vt non delinquas, debes imponere culpe
Frena, vagos gressus, ocia queque fugans.
Presbiteros opere de re sibi que sit honesta,
Aut se de precibus sollicitare decet : 1960
Fecit enim sportas, vt frangeret ocia, Paulus,
Namque vagans aliquo noluit esse modo.
Ex requie cerpit pestis seuissima luxus,
Armiger et fame prodigus hostis honor :
Ex requie sequitur infortunata voluptas,
Pauperies anime, criminis omne nephas.
Luxuriant animi varia sub ymagine moti,
Saltem virtutis dum caro nescit opus :
Vtile nempe dabit deus omne viris operosis,
Debet mercedis pondera ferre labor. 1970
Sollicitudo decet animam discreta, labores
Dum subit, vt vicia carne domare queat :
Sollicitudo iuuat corpus, perquirat vt illa
Victum, quo licitis viuat in orbe modis :
Ocia dumque caro petit et torpet labor exul,
In scelus ex solito more paratur iter.
Demon femineos et molles diligit actus,
Quando viri virtus omne virile negat ;
Ocia quippe nocent in talibus absque labore,
Quorum Cristicolis non valet esse salus. 1980
Culpa quidem longe facit esse deo, prope virtus;
Displicet ista deo, placat et illa deum.

1963 serpit CE

LIBER TERCIUS

Hic loquitur de presbiterorum dignitate spirituali, et qualiter hii, si bene agant sua officia, plus aliis proficiunt: sinautem, de suis malis exemplis delinquendi magis ministrant occasiones.

p^m. xxvii. Presbiteri fit magnus honor maiorque potestas,
Si procul a viciis sit pius atque bonus.
Hii sacramenti manibus misteria summi
Tractant, quo verbo fit caro iuncta deo :
Hiique scelus lauacro baptismi tollere sancto
Possunt, quo primus corruit ipse parens :
Hii quoque lege noua celebrant sponsalia nostra,
Et si iura petunt cassaque nulla ferunt :   1990
Hii quoque confessis veniam prestant residiuis,
Errantique viro dant remeare deo :
Hii quoque celestem nobis dant sumere panem,
Post et in extremis vnccio spectat eis :
Hii quoque defunctis debent conferre sepultis,
Inque sua missa reddere vota pia.
  Hii sunt sal terre, quo nos condimur in orbe,
Absque sapore suo vix salietur homo.
In sale, quod misit in aquas, Heliseus easdem
Sanat, nec remanet gustus amarus eis :   2000
In sale signatur prudens discrecio iusti,
Vt discretus homo condiat inde suos.
Hii sunt lux mundi, quapropter si tenebrosi
Sint, tunc nos ceci stamus in orbe vagi.
Dans offendiculum ceco quo leditur vllum
Vt deus instituit, hic maledictus erit :
Ceco preponit obstacula, qui maledicta
Peccandi prebet per sua facta viam.
  Hii sunt scala Iacob tangens celestia summa,
Plena satis gradibus, vnde patebit iter :   2010
Hii sunt mons sanctus, per quos conscendere debet
Virtutum culmen quisque fidelis homo :
Hii sunt consilium nostrum, via recta superne,
Legis doctores, et noua nostra salus :
Hii claudunt celum populo, reserant et apertum,
Possunt hiique boni subdere cuncta sibi.
  'Crescite,' dicitur hiis, 'et multum reddite fructum';

1991 residiuis SET   recidiuis CHDL   1999 Helizeus C   Helyseus EL
2009 *No paragr.* S
****

Pertinet ad mores ista loquela bonos:
Dicitur hiis, 'Terram replete'; nota tibi dictum:
Plenus in ecclesia fructibus esto bonis. 2020
    Ante deum vacuus nemo veniet, quia nullus
Expers virtutis debet adesse deo.
Sic placare deo iustosque reosque sacerdos
Debet, et ad celos fundere thura precum:
Oret ne iustus a iusticia cadat, oret
Vt prauus surgat et mala prima fleat.
O quam res vilis, dum presbiter est vt asellus,
Moribus indoctus, et sine lege rudis!
In numero sunt presbiteri celi quasi stelle,
Vix tamen ex mille si duo luce micant: 2030
Scripta legunt nec scripta sciunt, tonsi tamen ipsi
A vulgo distant, quod satis esse putant.
Sunt tales; et sunt alii quos ardua virtus
Ornat in ecclesia, qui bona multa ferunt.
Emittit coruum Noe, non redit ille; columbam
Emittit, reditum missa columba facit:
Sic et in ecclesia sunt corui suntque columbe,
Sunt cum felle mali, sunt sine felle boni.
Cras primam cantant, cum se conuertere tardant,
Set tollit tales sepe suprema dies: 2040
Tales sunt pigri, quos mundi vincula nectunt,
Nec promissa dei regna sitire volunt.
Ordinis ipse sui qui seruat iura sacerdos,
Rebus et exemplis dogmata sancta docens,
Non honor est tantus, quo non sit in ordine dignus,
Laus sibi nec populi sufficit, immo dei:
In clero fateor, quos approbat ardua virtus,
Illorum merito gracia maior erit.

Postquam dixit de errore illorum qui inter seculares sacerdocii ministerium sibi assumpserunt, intendit dicere secundum tempus nunc de errore scolarium, qui ecclesie plantule dicuntur.

Cap^m. xxviii.   Nomine sub cleri cognouimus esse scolares,
Ecclesie plantas quos vocat ipse deus. 2050
Orti diuini bonus extat planta scolaris,
Ecclesie fructus que facit esse bonos.
Qui studet in morum causis et non viciorum,

LIBER TERCIUS

Qui sibi nec mundum computat, immo deum,
Clericus ipse dei super hoc reputatur, et eius
Principium fine clauditur inde bono.
Summi doctoris virtutum regula iusta
Discipulos dociles de racione fouet:
Qui studiis herent, cor ad alta leuant et in altis
Figunt, hii vera sunt holocausta deo. 2060
 Nunc tamen inter eos puto multos esse vocatos,
Electos paucos condicione probos:
Moribus hii dudum studii virtute vacabant,
Nunc viciis studia dant vigilare sua.
Vix pro materia si nunc studet vnus habenda,
Solum set forme sufficit vmbra sue.
Clericus ire scolas animo paciente solebat,
Gloria nunc mundi statque magistra sibi,
Discurrensque vagus potator et accidiosus,
Deditus et veneri, circuit hic et ibi. 2070
Ex planta sterili non fiet fertilis arbor,
Nec faciet fructus arbor iniqua bonos:
Sepe senecta tenet, tenuit quodcumque iuuentus;
Si malus est iuuenis, vix bonus ipse vetus.
Est bona que radix bonitatis germina profert,
De radice mala germinat omne malum.
Quisque suos igitur pueros castiget, vt illa
Virgula non licite mentis agenda fugat:
Qui virtutis habet iuuenis cum flore magistrum,
Discat et ipse pie que probitatis erunt, 2080
Proficiet talis; set quem doctor viciosus
Instruit, hic raro fructificabit homo.

Hic querit causam que scolarium animos ad ordinem presbiteratus suscipiendum inducit: tres enim causas precipue allegat; tractat eciam de quarta causa, que raro ad presens contingit.

Cap^m. xxix. Sunt aliqui, studio modo qui perstant animoso,
Nescio que causa sit tamen inde rea.
Quicquid agant homines, intencio iudicat omnes;
Corde quod interius est capit ipse deus:
Istis prepositis, verum michi pande, scolaris,
Dic que sit studii condita causa tui:

Muniri primo cum te facis ordine sacro,
Cum te principiis presbiterare venis, 2090
O que mente tua fuerit tunc mocio summa,
Hoc vel pro mundi sit vel amore dei?
Aut tu certa tue michi dic primordia cause,
Aut tibi que sapio dicere vera volo.
  'Sunt plures cause, per quas communis in orbe
Est sacer hic ordo carus vt ecce modo:
In prima causa fugio mundana flagella
Legis communis, que dat amara viris:
Vlterius video quod non sudore laboro,
Ocia que quero sic et habere queo: 2100
Tercia causa meum dat vestitum quoque victum;
Sicque meo placito persto quietus ego.
Ex hiis causata mea stat deuocio tota,
Qua poterit cerni rasa corona michi:
Hec est causa scole, ciuilia iura studere
Que facit, et logicam me docet arte suam.
Ipsa scoleque gradus michi dat conscendere summos,
Sic et in ecclesiam scandere quero bonam:
Nam si fama viget, puto quod prebenda vigebit,
Sicque vacare libris est labor ipse leuis. 2110
Sic sacer ordo michi placet, et sic litera cleri
Confert, dum studio pinguia lucra gero.
Nunc causas dixi, constat quibus ordo scolari,
Sic propter mundum me reor esse reum;
Nam michi nil melius, dum sufficit ipsa facultas,
Estimo, quam mundi gaudia ferre michi.'
  Est set adhuc causa melior tamen omnibus, illa
Qua scola discipulum gaudet habere bonum.
Hec solet antiquis, non nostris stare diebus,
Que de virtute concipit acta scole. 2120
Nuper erant mundi qui contempsere beati
Pompas, et summum concupiere bonum;
Et quia scire scolas acuit mentes fore sanctas,
Scripture studiis se tribuere piis.
Non hos ambicio, non hos amor vrget habendi,
Set studio mores conuenienter eunt:
Hii contemplantes celum terrena negabant,

2095 *No paragr.* S

Causa voluptatis nulla remouit eos:
Hii neque serviciis optabant regis inesse,
Nec foris in plebe nomen habere Rabi: 2130
Hos neque precellens superabat comptus inanis
Nec vini luxus, nec mulieris amor:
Moribus experti dederant exempla futuris,
Que sibi discipulus debet habere scolis.
Nunc tamen in vicium virtus conuertitur, et que
Nuper erant mores turpia plura gerunt:
Que modo scripta dei dicunt se discere laudi,
In laudem mundi vertit auarus honor.
O res mira nimis! legit et studet ipse scolaris
Mores, dum vicia sunt magis acta sua: 2140
Sic quia stat cecus morum sine lumine clerus,
Erramus laici nos sine luce vagi.

Exquo tractauit de errore cleri, ad quem precipue nostrarum spectat regimen animarum, iam intendit tractare de errore virorum Religiosorum: et primo dicet de Monachis, et aliis bonorum temporalium possessionem optinentibus; ordinis vero illorum sanctitatem commendans, illos precipue qui contraria faciunt opera redarguit.

Incipit liber Quartus.

Cap^m. i. Sunt et Claustrales diuerse condicionis,
De quibus vt sapio scribere pauca volo.
Actus vt ipse probat, quosdam possessio signat,
Quosdam pauperies, set similata nimis.
Est bona religio de se, set religionem
Qui fallunt, tales dicimus esse malos:
Qui bene sub claustro viuunt fore credo beatos,
Quos mundanus amor nescit habere reos;
Quique manus aratro mittunt nec respicientes
Retro, viros sanctos ordo notabit eos. 10
Est deus in monachis, sunt et commercia celi
Hiis, sine qui mundo claustra subire volunt.
Cum quis amare duo pariter contraria sumit,
Alterius vires subtrahit alter amor:
Sic qui presumunt facies laruare sub vmbra
Ordinis, et mundi crimina subtus agunt,
Talibus ipse mea fero scripta, nec alter ab ipsis
Leditur, immo suum quisque reportet onus.
Est nichil ex sensu proprio quod scribo, set ora
Que michi vox populi contulit, illa loquar. 20
  Sunt etenim monachi, possessio quos titulauit,
Quidam, quos nullis moribus ordo ligat;
Nam possessores aliqui sic ocia querunt
Ordinis, vt nequeunt vlla nociua pati:
Ferre famem fugiunt, vinoque sitim supervndant,

14 subtrahet CE

LIBER QUARTUS

Pellicibus calidis frigus et omne fugant:
Sic gravitas ventris noctis non surgit in horis,
Nec vox rauca cipho concinit alta choro.
Deuoret in mensa talis nisi fercula plura,
Euacuet plures potibus atque ciphos, 30
Tunc infirmari se credit, et hinc recreari
Postulat, et ludis sic vacat ipse suis.
Est nam vix fessus a potibus ille professus,
Sic cupit in vino dompnus adesse deo:
Vinum dumque geres, ad se trahit hoc mulieres,
Dant simul ista duo claustra relicta modo.
Si celum poterit calefacta veste lucrari,
Et gula cum superis possit habere locum,
Tunc puto quod monachus causa signatus vtraque
Conciuis Petri stabit in arce poli. 40

Hic loquitur de monachis illis, qui contra primi ordinis statuta abstinencie virtutem linquentes, delicacias sibi corporales multipliciter assumunt.

Cap^m. ii. Mortua cum viuis nulla racione coherent,
Orbem nec renuens orbis ad acta redit:
Nil tonsura iuuat, nichil aut vilissima vestis,
Si lupus est, quamuis esse videtur ouis.
Nam falli possunt homines, set fallere Cristum,
Qui nullum fallit, fallere nemo potest:
Ille quidem fucum similate religionis
Dampnat, et ad nichilum computat illud opus.
Veste tamen sola monachus iam cedit ab orbe,
Et putat in forma sufficit ordo sibi; 50
Materiamque sui curat nichil ordinis vltra,
Vestis erit Monachus, mens et in orbe vagat.
Talis enim monachus, quia scit quod in ordine ventris
Ex tenui victu corpora raro vigent,
Postulat oris opem, quas et magis appetit escas
Sumit, vt ex ore gaudia venter agat.
Immemor ipse patris, humeris qui ferre solebat,
Vina suo monachus optima ventre gerit;
Haurit et in stomachum talis velut amphora Bachum,

52 erat... vrbe DL

Est dare nec vacuum ventre tumente locum. 60
    Pluribus ex causis monachus vitare Lieum
Debet, ex est vna, ne caro stupra petat;
Nec bona confratrum vastet, nec in ebrietate
Desideat, nec eo febricitetur homo.
Attamen ipse nichil curat, quin replet inane
Corpus, et est anime cotidiana fames.
Nunc niueus panis monachis subtileque vinum
Et carnes festa cotidiana parant;
Nunc cocus ecce coquit, assat, gelat atque resoluit,
Et terit et stringit, colat et acta probat. 70
Si poterit monachus ventrem crassare gulosus,
Sit labor vt sacris nil putat esse libris:
Despiciens manna plebs ista nigras petit ollas,
Preponit vicia moribus atque sua.
Ne macerare fames crassos queat, en gula plene
Languentes stomachos ventris amica replet:
Quid sit honorari nescit, set ventre beari,
Hoc, dicit monachus, est via, vita, salus.
Accelerans currit cito, cum pulsatur ad ollam,
Preterit a mensa mica nec vna sibi; 80
Set pede spondaico lentus de nocte resurgens,
Cum venit ad laudes, vltimus esse petit.
    Ordinis in primo monachis domus antra fuere,
Aulaque nunc grandis marmoris ornat eos:
Nulla coquina sibi fuerat fumosa, nec igne
Deliciosa cocus cocta vel assa tulit;
Non cibus excoctus neque fercula carne repensa
In primo monachis tempore crassa dabant;
Corporis ingluuies animas non pressit eorum,
Nec calefacta caro callida stupra petit: 90
Vesteque pellicea sua corpora nuda tegebant,
Qui modo de lana mollius ipsa tegunt:
Herba dabat victum, fons potum, turpeque vestem
Cilicium, nec eo tempore murmur erat.
Non erat invidia claustralis tunc neque pompa;
Qui fuerat maior, seruit vt ipse minor:
Non erat argenti pondus neque circulus auri,
Que poterant sanctum tunc violare statum:

72 esse SG   ipse CEHDL   79 dum CE

LIBER QUARTUS

Non tetigit loculos nummus neque vina palatum,
Nec furit in lumbis carnea flamma suis :   100
Hiis fuerat sancta mens propositum bene seruans,
Perdurans in idem quod bene cepit opus.
  Hii fuerant homines iusti, mundum fugientes,
Quos peccatorum nullus onustat amor :
Mundus non retrahit illos a tramite recto,
Illos nec reuocat ad mala feda caro :
Omnia postponunt que mundus vana ministrat,
Et celi solum concupiere deum.
Tunc pudor in stipula nec erat cepisse quietem,
Nec fenum capiti supposuisse suo :   110
Silua domus fuerat, cibus herba, cubicula frondes,
Que tellus nulla sollicitate dabat.
In magno Corulus precio tunc floruit illis,
Duraque magnificas quercus habebat opes :
Arbuteos fetus montanaque fragra legebant,
Que condita sale nec speciebus erant :
Si que deciderant patule Iouis arbore glandes,
Sumebant, et in hiis convaluere cibis.
Contenti modicis natura sponte creatis,
Soluebant summo vota pudica deo.   120
Hii tunc iusticie perfecti grana serentes,
Fructus centenos nunc sine fine metunt :
Set vetus illa salus animarum, religionis
Que fuit, infirma carne subacta perit.

Hic loquitur qualiter modus et regula, qui a fundatoribus ordinis primitus fuerant constituti, iam nouiter a viciorum consuetudine in quampluribus subuertuntur.

Cap^m. iii. In noua multociens animus mutatur, et inde
Testis erit monachi regula mota michi.
Fit modo curtata monachorum regula prima,
Est nam re dempta, sic manet ipsa gula ;
Et modus a modio largissima vina bibendo
Dicitur in monacho, qui vorat absque modo.   130
Vt non lingua loquax dentes turbare gulosos
Possit, dum prandet, ordo silere iubet :

103 *No paragr.* S

Ne pes deficiat ventris sub pondere pressus,
Quando bibit monachus persedet ipse prius :
Expedit et monacho rasum caput esse rotundo,
Ne coma perpediat pendula quando bibit :
Mutua pacta ferunt monachi, quod, si quis eorum
Prebibat, in fundo nil remanere sinet ;
Vasaque sic plena vacuant que replent vacuata,
Vt faciant Bachi propria festa loci : 140
Sic confert monacho vestis largissima pleno,
Ne pateat grossi ventris ymago sui.
  In monacho tali semper furit ardor edendi,
Dant cibus et sompnus que cupit ipse magis :
Quod pontus, quod terra parit, quod et educat aer,
Ex auidis auidus faucibus ipse vorat ;
Vtque fretum recipit de tota flumina terra,
Et tamen aucta maris crapula semper hiat,
Gurges et vt putei peregrinos suscipit ampnes,
Quantumcunque fluunt, nec saciatur aquis, 150
Vt cremat inmensas pluresque faces calor ignis,
Et sibi, quo magis est copia, plura petit,
Sic epulas varias consumit ab ore prophano
Ingluuies monachi ventris amore sui ;
Sic gerit ille grauem maturo pondere ventrem
Et levis a Cristo mens vacuata redit.
Potibus assumptus sacer hic non mobilis extat,
Firmiter et sumpto stat grauis ipse loco ;
Sic sumpto vino monachorum torpet inane
Pectus, et a claustri pondere cedit onus ; 160
Sic magis impleta pia gaudent viscera fuso,
Que fouet afflata spiritus ille, mero ;
Sic sancti faciunt longos medicamina sompnos,
Sumptaque vina nimis causa soporis erunt.
Rite bibens vinum sit castus nescio, namque
Sic Venus in vinis ignis vt igne furit :
Tucius ergo Venus latitans sub veste dolenti
Gaudet, subque sacra fronte nephanda gerit.
  Murmurat inuidia monachi sub pectoris antro,
Os silet exterius, mens tamen intus agit ; 170
Et quia lingua tacet, manus est que conscia signis
Fabulat in digitis turpia plura satis ;

LIBER QUARTUS

Sicque loquax digitus redimendo silencia verbi
Dictat, et in rixis plus meretrice furit:
Ora tument ira, nigrescunt sanguine vene,
Lumina commota lenius igne micant.
Sepe suum feruens oculis dabit ira colorem,
In quibus alterius mortis ymago patet:
Non minus in vultu dampnosa superbia tali est,
Quam si de iugulo sterneret ense suo.   180
Sic quamuis ordo prohibet bellare loquendo,
Pugnat, et in mente discutit ense caput:
Dum nequit ipse loqui, sub cordis ymagine raucum
Fratris in invidiam clanculo murmur agit:
Iram vultus habet, pro verbis murmura reddit,
Et necat in mente, quem manus ipsa nequit.
Tunc pallor vultus, suspiria pectoris, horror
Aspectus mote nuncia mentis erunt;
Quicquid homo patitur nam sensus exteriores
Interior motus ad sua signa mouet.   190
   Allegat vultus affectum mentis, et iram
Pectoris accensi de grauitate notat:
Nullus enim mentis, vt se sine voce loquatur,
Index quam vultus cercior esse potest.
Quicquid habet vestis nigredo simplicitatis,
Quid latet interius experimenta docent.
Prepositum monacho monachus postponit amore,
Inuidet hos omnes, quos nequit ipse sequi.
Conuolat ad pulsum campane quisquis in vnum,
Ordinis et forma cetera vana ferunt: 200
Vox canit ipsa choro foris, et mens murmurat intus,
Os petit in celo, mens set in orbe, locum.
Sic non materiam seruant set in ordine formam;
Fructibus ablatis corpus inane fouent:
Sic patet exterius labor et sapiencia, set quid
Stulcior interius occupat actus eos.

Hic loquitur de monachis illis qui contra primitiua sui ordinis statuta mundi diuicias ad vsus malos, suo nesciente preposito, apropriare sibi clanculo presumunt.

Cap^m. iiii.   Nulla vouere iuuat cicius quam frangere votum,

177 oculis T oculus SCEHGDLH₂

Est nam mendaci laus tribuenda nichil.
Fraternalis amor deberet mutuus esse,
Inter eos saltem quos pius ordo ligat. 210
Non tamen hoc patitur hodierna dies, set in iram
Prouocat invidia quicquid amoris erat:
Vt bos campestris, rursum qui ruminat herbas,
Detrahit in claustro sic semidemon homo.
Si non corrodi vis, tu corrodia nulla
Inter eos sumas, est vbi raro fides:
Dum tua deposcunt, tunc te reuerenter adorant,
Set vix si memores amplius esse volunt.
Nil sibi quod dederat confert fundacio prima,
Sit nisi quod querant cotidiana lucra. 220
Denegat hoc racio, quod homo possessor vterque
Et mendicus erit, ordo nec illud habet:
Nunc tamen hos vanos monachos nichil implet in orbe,
Est quibus vna fames semper et vna sitis.
Hoc de Ieronimo legitur simul et Benedicto,
Vt magis exemplis consequeremur eos;
Ornamenta sui vendunt altaris, et illa
Pauperis in licitos distribuere cibos.
Ecclesie bona sunt inopum, que religiosis
Quando necesse vident non retinere licet. 230
    Si monacho dare vis, sibi possidet omne quod offers,
Nil set habet proprium, si quid ab inde petas.
Hii sunt vnanimes, hoc est animo quod eodem
Quisque suum proprium solus habere cupit.
Sic quecumque prius vetus ordo statuta colebat,
Mutatis vicibus inficit ordo nouus.
Ingenuos raro monachari cernimus, immo
Ordine rurales, sunt magis ergo rudes;
Quos tamen in sanctos sanctus creat ordo professos,
Hii satis ingenui sunt et honore probi: 240
Quid dicam set eis, dignos quos ordo nec ortus
Approbat? immo suum tempus inane ferunt.
Si Benedictus eos fundauit qui maledicti
Sunt, deus a parte non benedicit eis:
Quos magis attraxit mundus quam Cristus, aratro
Et retro respiciunt, hos mea scripta notant.

216 rara CE

LIBER QUARTUS

    Cur, queso, cupiat quicquam qui cuncta reliquit?
Ad mala cur redeat qui bona facta vouet?
Terram contempnas qui celum queris habere;
Si mansura petas, hec fugitiua fuge.   250
Numquid habent monachi proprium de iure creati?
Nescio de iure, tu tamen acta vide.
Si feretri custos, poterit dum carpere nummos,
Quid proprium querit, hic michi testis erit;
Seu quod in officiis monachus quandoque regendis
Propria conseruat, exitus acta probat.
Nam cum congeries sibi sit, tunc inde nepotes
Ditat, et en claustra sic parat ipse noua;
Sepeque quos natos gignit vocat ipse nepotes,
Ad laudem Veneris, quam colit ipse pius: 260
Eius enim nati sunt ficto nomine versi,
Versaque sic pietas ceca iuuabit eos.
    Sic viget in claustris elemosina ficta sinistris,
Dum monachus genitis dat sua dona suis:
Sic floret pietas mundo secreta monilis,
Talia dumque dari fingit amore dei.
Cum furtum licitum fuerit, tunc dicere possum
Quod licet ex dono talia ferre deo;
Set qui sic proprios communia vertit in vsus,
Ex merito doni fert maledicta dei: 270
Talibus in donis curuantur claustra ruinis,
Horrea cum granis compaciuntur eis.
Centum claustrales macerantur, vt hii duo vel tres,
Officiis dum stant, pinguia labra gerant.
'Omnia sunt nostra,' dicunt, lanx non tamen equa
Pendet, dum solus plus capit ipse tribus.

Hic loquitur qualiter monachi extra claustrum vagare non debent.

Cap^m. v.   Est mare viuentis habitacio congrua piscis,
    Et claustrum monachi stat domus apta sibi:
    Vt mare defunctos retinere negat sibi pisces,
    Sic claustrum monachos euomit inde malos.   280
    Non foris a claustris monachus, nec aqua fore piscis

        273 vt (ut) CEHGDLT et S

Debet, tu nisi sis, ordo, reuersus eis.
Si fuerit piscis, qui postpositis maris undis
Pascua de terra querat habere sua,
Est nimis improprium piscis sibi ponere nomen,
Debeo set monstri ponere nomen ei.
Sic ego claustrali dicam, qui gaudia mundi
Appetit et claustrum deserit inde suum,
Non erit hic monachus set apostata iure vocandus,
Aut monstrum templi quod notat ira dei. 290
Qui tamen in claustro resident, et mente vagantes
Respiciunt mundum cordis amore nouo,
In visu domini tales trangressio fedat,
Quo perdunt claustri premia digna sui.
Non est hic sapiens sibi qui bona pluribus annis
Colligit, et solo dissipat illa die ;
Qui villas monachus et campos circuit, illud
Sepius incurrit quo reus ipse cadit :
Sunt tamen ad presens pauci, qui mente vel actu
Non vaga deliciis corda dedere suis. 300
Dixerat hec Salomon, hominis quod inanis amictus,
Qui patet exterius, interiora docet :
Set licet ex humili monachus se veste figuret,
Nunc tamen a latere plura superba vides.

Hic loquitur de monachis illis qui non pro diuino seruicio, set magis pro huius mundi honore et voluptate, habitum sibi religionis assumunt.

Cap^m. vi.   Est nigra coruus auis predoque cadaueris, ipsum
Quem male denigrat ceca libido notans :
Sub volucrum specie descripsit legifer ipsos,
Quos mundanus amor religione tegit :
Hunc eciam tangit quem religionis amictus
Laruat, vt hinc cicius possit honore frui. 310
Turpe pecus monstrum, turpis sine gramine campus,
Et sine fronde frutex, et sine crine caput :
Turpior est monachus, habitum qui religionis
Sumpserit, et monachi condicione caret.

295 sibi *om.* S (*p. m.*) vir *inserted later*   bona qui sibi D
Cap. vi. *Heading* 2 f. religionis sibi CE

LIBER QUARTUS

Vt fugiant mundum iubet ordo vetus monachorum,
Dicunt quod fugiunt, set fugiendo petunt.
Pauper, quem sulco genuit natiua propago,
Vult, licet indignus, esse Priore prior:
Quem sibi non dederat mundus, scrutatur honorem
In claustro, veteris immemor ipse status: 320
Sic quos iure patris humiles natura creauit,
Cum monachi fiant, ordo superbit eos:
Non dompni set et hii domini nomen sibi querunt,
Et faciunt largam que fuit arta viam.
Nil graue tangit eos, reputant neque posse grauare,
Vix nichil ergo sciunt vnde rogare deum.

Hic loquitur qualiter paciencia vna cum ceteris virtutibus a quibusdam claustris, viciis superuenientibus, se transtulerunt.

Cap^m. vii. Mortuus est dompnus Paciens, viuitque professus
Murmur, et in claustris pax nequit esse suis:
Mortuus est eciam modo dompnus Castus, et ipsi
Successit Luxus, vastat et ipse domos: 330
Dompnus et Inconstans Constanti claustra negauit,
Que residens Odium vendicat esse sua:
Dompnus et Ypocrisis dompnum copulat sibi Fictum,
Dum sibi Fraus magnum spirat habere statum.
Quos monachi veteres plantabant nuper amoris,
Invidie fructus iam nouus ordo parit.
Nil modo Bernardi sancti vel regula Mauri
Confert commonachis, displicet immo, nouis:
Obstat avarus eis que superbus et invidus alter,
Ordinis exemplum qui modo ferre negant.   340
Expulit a claustris maledictus sic Benedictum,
Sic gula temperiem, sic dolus atque fidem:
Mollis adest Abbas, quem mollia claustra sequntur,
Vanaque sic vanos ordinis vmbra tegit.
Spiritus hoc quod erat, nunc extat corpus inane,
Et dompnus Mundus omne gubernat opus.

315 *No paragr.* S   336 iam CEHGDLTH₂ non S

Hic loquitur quod sicut monachi ita et errantes Canonici a suis sunt excessibus culpandi.

Cap^m. viii.
    In re consimili, sicut decreta fatentur,
    Iudicium simile de racione dabis :
    Quotquot in ecclesia signantur religiosi,
    Si possessores sint, reputantur idem. 350
    Vt monachos, sic canonicos quos deuiat error,
    In casu simili culpa coequat eos.
    Nunc tamen, vt fertur, plures sua iura recidunt,
    Apocapata nouo que quasi iure silent :
    Hunc rigidum textum, quem scripserat auctor eorum,
    Mollificant glosis de nouitate suis.
    Sufficit, vt credunt, signari nomine sancti
    Ordinis, et facere quod petit ordo parum.
    Nomen Canonici si sit de canone sumptum,
    Illud in effectu res tibi raro probat : 360
    Hii tamen ad visum gestant in plebe figuram
    Sanctorum, set in hoc regula sepe cadit.
    Subtus habent vestes albas, set desuper ipsas
    Nigra superficies candida queque tegit ;
    Actus et econtra se demonstrabit eorum,
    Fingunt alba foris, nigra set intus agunt.
    Non sic dico tamen hiis, qui sua claustra frequentant
    Ad contemplandum simplicitate sua :
    Talibus immo loquor, quibus est scrutatus ab infra
    Mundus, et exterius celica signa gerunt. 370

Hic loquitur qualiter religiosi male viuentes omnibus aliis quibuscumque hominibus infelicissimi existunt.

Cap^m. ix.
    Estimo claustrales magis infelicibus horis
    Pre reliquis nasci, sint nisi forte boni :
    Mundo nam monachus moritur viuendo professus,
    Quod nequit in mundo, sic velut alter homo,
    Exterius gaudere bonis, et si quid ab intus
    Sit cupidus mundi, perdit amena poli.
    Sic nec presentem vitam nec habere futuram
    Constat eum, quo bis est miser ipse magis :
    Mortuus hac vita moritur, dum morte secunda
    Computet amissum tempus vtrumque suum. 380

LIBER QUARTUS

Et quia sic mundo moritur, quod viuus ab illo
Ordinis ex iure gaudia nulla capit,
Et nisi corde deum solum meditetur et inde
Gaudeat, in celo pars sibi nulla manet,
Nescio quis stultus claustrali stulcior extat,
Qui se sic proprio priuat vtroque bono.
Tempus inane perit cui presens vita negauit
Gaudia, nec celum vita secunda tenet.

Hic loquitur qualiter vnusquisque qui religionis ingredi voluerit professionem, cuncta mundi vicia penitus abnegare et anime virtutes adquirere et obseruare tenetur.

Cap^m. x. O comites claustri sub religione professi,
Concludam breuibus, quid sit et ad quid onus. 390
Informatus ego sanctorum scripta reuolui,
Que magis in vestram sunt memoranda scolam :
Sancta valent verba plus, cum plus sint patefacta ;
Vos igitur, monachi, cernite quid sit ibi.
Vouistis, fratres, vouistis ; vota tenete,
Et quod spondistis perficiatis opus :
Vouistis domino vestros conuertere mores,
Vos deus elegit, stetis amore dei.
Propositum vite monachi seruare rigorem
Debent, nec pigeat tempore dura pati : 400
Exiguus labor est, set merces magna laboris ;
Preterit ille cito, premia fine carent.
Hinc monachi sancti mentis conamine toto
Preteritas culpas flendo, ghemendo, lauent.
    Nunc humilis viuat, qui vixerat ante superbus,
Sit castus quisquis luxuriosus erat :
Querebat census quidam, temptabat honores ;
Ammodo vilescat omnis inanis honor :
Gaudebat dapibus, gaudebat diuite mensa,
Nunc tenuem victum sobria cena dabit ; 410
Et mundi, quamuis delectent, vana cauebit,
Nam certe gustu dulcia sepe nocent.
Ille suis letus excessibus esse solebat,
Nunc lacrimis culpas diluat ipse suas :

404 ghemendo SH   gemendo CEDL

Verbosus taceat, mitescat feruidus ira,
Inuidus inuidie dira venena vomat;
Cuique prius gladius placuit, placuere rapine,
Nunc pius et mitis pacis amator erit.
Quisquis adulantum ventosa laude tumebat,
Nunc hominum laudes estimet esse nichil; 420
Et qui rite solet aliis feritate nocere,
Nunc eciam Iesus discat amara pati:
Ad lites facilis fuit hic, ad iurgia preceps,
Fortiter alterius nunc maledicta ferat.
Que modo pugnarunt, iungunt sua rostra columbe,
Nec prior vlterius ira manebit eis.
Sic sine peccato foret ira breuis, quod in vllo
Nesciat interius mentis agenda furor.
Hec veniam, fratres, conuersio vera meretur,
Hec valet offensum pacificare deum. 430

Hic loquitur qualiter religiosi consorcia mulierum specialiter euitare debent.

Cap^m. xi. Femineum fuge colloquium, vir sancte, caueto
Ne te confidas igne furente nimis;
Nam que femineo mens capta ligatur amore
Numquam virtutum culmen habere potest.
Harum colloquium tibi quid fert vtilitatis?
Venisti monachus, turpis adulter abis.
Ergo virosum nisi declinaueris anguem,
Cum minus esse putas, inficieris ea.
Accendit mulier quecumque libidinis ignem,
Si quis eam tangat, vritur inde statim: 440
Si veterum libros et patrum scripta revoluas,
Condoleas sanctos sic cecidisse viros.
Numquid non hominem mulier de sede beata
Expulit, et nostre mortis origo fuit?
Qui bonus est igitur pastor vigilet, que rapaces
Eminus a claustris pellat vbique lupas.
Depositum serua: tibi que responsa valebunt,
Pastor, qui rapide linquis ouile lupe?
Sepe sequens agnum lupa stat de voce retenta,
Sepeque pastoris ore tacente perit. 450
Ad plures lupa tendit oues, pastoreque lento

Sepius insidiis fedat ouile suis:
Vtque rapax stimulante fame cupidusque cruoris
Incustoditum captat ouile lupus,
Sic vetus hic serpens, paradisum qui violauit,
Claustra magis sancta deuiolare cupit.
Pellat et ergo lupas pastor, ne grex in earum
Decidat ingluuiem, quam saturare nequit:
Pastores, vigilate lupas, seruetur ouile,
Ne maculare gregis sanguine claustra queant.   460
Occidunt animas, pluresque ad tartara mittunt;
Est monachis pestis nulla timenda magis.
   Femina, mors anime, monachis accedere numquam
Debeat, a sacro sit procul ipsa choro;
Sit procul a cetu sanctorum femina, namque,
Et si non poterit vincere, bella mouet.
O caueant igitur monachi, ne carnea culpa
Virtutes anime de leuitate terat.
Cum quid turpe facit, qui me spectante ruberet,
Cur, spectante deo, non magis inde rubet?   470
Si patrie Iudex sciret sua facta, timeret;
Scit dominus rerum, cur nichil ergo timet?
Funestum monacho cum sic male suggerit hostis,
Et conatur eum fallere mille modis,
Esse deum credat presentem semper vbique,
Nec se, si peccet, posse latere putet.
Cuncta scit atque videt, nec quicquam preterit illum,
Omnia sunt oculis semper aperta suis:
Si tacet et differt et non dum crimina punit,
Puniet, et meritis arbiter equs erit.   480
Non igitur monachos breuis hec et vana voluptas
Occupet, immo dei debita iura colant:
Ad quod venerunt faciant, sua votaque soluant,
Nec queat in claustris hostis habere locum:
Distinctis vicibusque legant, operentur et orent,
A studiis sacris tempora nulla vacent:
Vtilibus semper studeant et rebus honestis,
Res est segnicies perniciosa nimis;
Luxurie fomes, res incentiua malorum,
Spiritibus nequam preparat ipsa locum.   490

   489 fomes est res C   fomes res *est* L

Hic tractat quasi sub compendio super hiis que in religionis professione secundum fundatorum sancciones districcius obseruanda finaliter existunt.

Cap^m. xii.   Hoc qui dogma vetus sanctorum claudit in antro
　　　　　Cordis, et intendit ordinis acta prius,
　　　　Scit bene quod mundus est in claustro fugiendus,
　　　　Quo tamen ad presens vendicat ipse locum.
　　　　O bone claustralis, mundum qui linquis, eidem
　　　　Non redeas iterum, que docet immo fuge :
　　　　Quo caro nutritur, ne queras molle cubile,
　　　　Sit claustrum cultus, et liber ille iocus.
　　　　Cor doleat, sit larga manus, ieiunia crebra,
　　　　Non incastus amor sit neque vanus honor :　　　500
　　　　Sit tibi potus aqua, cibus aridus, aspera vestis,
　　　　Dorso virga, breuis sompnus, acuta quies :
　　　　Flecte genu, tunde pectus, nudus caput ora,
　　　　Quere deum, mundum sperne, relinque malum :
　　　　Hereat os terre, mens celo, lingua loquatur
　　　　De plano corde, planaque verba sonet.
　　　　Litus arat sterile deuoto qui sine corde
　　　　Verba serit precibus, sunt sine namque lucris :
　　　　Non vox set votum, non musica cordula set cor,
　　　　Non clamans set amans, cantat in aure dei.　　　510
　　　　　Mens humilis, simplex oculus, caro munda, pium cor,
　　　　Recta fides, firma spes tibi prestet iter :
　　　　Si gustare velis modulamina dulcia celi,
　　　　Est tibi mundana mirra bibenda prius :
　　　　Ex humilique tuo te subdas corde Priori,
　　　　Ordine pacificus murmuris absque nota.
　　　　Summa quidem virtus monachi parere Priori,
　　　　Ferre iugum norme seque negare sibi :
　　　　Non vilis vestis, non te locus vltimus angat,
　　　　Sepe tui stultos ordinis ista mouent.　　　520
　　　　Qui sibi vilescit et se putat esse minorem,
　　　　Et timet et mundi labilis alta fugit,
　　　　Hic est et sapiens et celo proximus iste,
　　　　Non sine re monachi nomen inane gerit.
　　　　　Sit tibi lex domini requies, caro victima, mundus

Heading 1 quasi *om.* D

Exilium, celum patria, vita deus:
Iussa molesta data fer, fac et suscipe grata,
Sic eris in domino religiosus homo:
Que tibi prepositus quamuis vilissima suadet,
Dum tamen hec licita sint, pacienter age; 530
Nec tibi turpe putes, et si sit turpe placebit,
Cum tuus in Cristo spiritus albus erit.
Vt subeunt iuuenes veteris mandata Prioris,
Et nichil econtra pondere iuris agunt,
Sic Prior in licitis iuuenes tractare modeste
Debet, et ex humili vincere corde malum.
Aspicis vt pressos ledunt iuga prima iuuencos,
Et noua velocem cingula ledit equm;
Sic importunus iuuenum rector grauat, et dat
Causam, quo solita murmura pectus agit. 540
Hec tibi scripta tene mentis per claustra, que caste
Mortuus a mundo viue, professe, deo:
Paruo perpetuam mercare labore quietem,
Et reuoca fletu gaudia longa breui:
Nam si nulla tibi fuerit nunc sarcina carnis,
Tunc sine fine quies paxque perhennis erit.

Hic loquitur vlterius de mulieribus, que in habitu moniali sub sacre religionis velo professionem suscipientes ordinis sui continenciam non obseruant.

ap^m. xiii. Errantis Monachi culpas scribendo reliqui,
Et tibi velatam religione canam.
Conuenit ordo viris, dum conuersantur honeste,
Quo procul a mundo celica regna petant; 550
Conueniens eciam castis mulieribus extat
Soluere sub velo vota pudica deo:
Sic ligat ordo sacer monachos, ligat et moniales,
Vnde deo meritis fulget vterque suis.
Si tamen in claustris fragiles errent mulieres,
Non condigna viris culpa repugnat eis;
Nam pes femineus nequit vt pes stare virilis,
Gressus nec firmos consolidare suos;
Nec scola nec sensus, constancia, nullaque virtus,
Sicut habent homines, in muliere vigent: 560
Set tam materia fragili quam condicione

Femineos mores sepe mouere vides.
Quas magis ordo putat sapientes, sepius ipsas
Cernimus ex fatuis actibus esse graues;
Et que scripta sciunt, magis omnibus hee laicali
Ex indiscreto crimine sepe cadunt.
Simpliciter textum dum sepe legunt, neque glosam
Concernunt, vt agant scripta licere putant:
Leccio scripture docet illas cuncta probare,
Sic, quia cuncta legunt, cuncta probare volunt.   570
Crescere nature sunt iura que multiplicare,
Que deus in primo scripsit ab ore suo;
Hecque dei scripta seruare volunt, quoque iura
Nature solita reddere mente pia.
    Nititur in vetitum mulier, set quod licet ipsa
Hoc sine mentali murmure raro facit;
Set magis hiis scriptis perfecte sunt moniales,
Et paciencer agunt que sibi scripta iubent.
Scribitur, hec grana que non capiet bona terra,
Nil sibi fructificant, set peritura iacent: 580
Que tamen et qualis sit terra patet monialis,
Est ibi nam decies multiplicata Ceres:
Et quia sic teneres subeunt pondus mulieres,
Ocia quandoque de racione petunt.
Accidit in Veneris quod sumunt ergo diebus
Carnes pro stomachi debilitate sui:

Nota quod Genius secundum poetas Sacerdos Dee Veneris nuncupatus est.

Nam Venus ingenuis Genio committit alumpnis
Fercula quod nimphis preparet ipse sui.
Set gula sepe grauat nimiumque repleta tumescit,
Dum dolet oppressa de grauitate cibi.   590
Est nimis offa grauis, ventrem que tincta veneno
Toxicat, et dubium mortis inesse dabit:
Esca set occulto que sumitur, est vbi nulla
Lux, nocet et morbos sepe dat esse graues.

Hic loquitur qualiter ordinarii ex sua visitacione, qua mulieres religione velatas se dicunt corrigere, ipsas multociens efficiunt deteriores.

Cap^m. xiiii.   Quas Venus et Genius cellas modo rite gubernant,
       Carnis non claustri iura tenere docent:

587 *Marginal note ins.* SCG   *om.* EHDLH₂   Nota quod Genius secundum Ouidium dicitur sacerdos Veneris G   593 ibi SE

LIBER QUARTUS

Conuentus custos Genius confessor et extat,
Et quandoque locum presulis ipse tenet:
Sub specie iuris in claustro visitat ipsas,
Quas veniens thalamis, iure negante, regit. 600
Sit licet in capa furrata, dum docet ipse,
Nuda tamen valde iura ministrat eis:
Iudicio Genii pro culpis sunt lapidate,
Set neque mortalis aggrauat ictus eas.
O virtus cleri cum sit custos animarum,
Quanta sacerdotis gesta beata patent!
Alter vt ipse deus, quas percutit, ipse medetur,
Ne foris a cella sermo volare queat.
Si pater est sanctus, sic mater sancta, set infans
Sanccior, ex claustro fit quia natus homo. 610
Hoc genus incesti dampnabile grande putarem,
Sit nisi quod mulier de leuitate cadit.
Non temptabis eas igitur, scis namque quod vnam
Rem poterit fragilem frangere causa leuis;
Femina nam iuuenis nisi preseruata frequenter
Extat eo fragilis quod genus esse docet:
Dum nouus in viridi iuuenescit cortice ramus,
Concuciens tenerum quelibet aura ruet.
In quibus est claustris sapiens discrecio custos,
Clauditur ex altis sepibus ista seges. 620
Facta fuit fragilis de limo carnis origo,
Sedibus e superis spiritus ille venit:
Spiritus est promptus, infirma caro; magis ergo
Noli cum sola solus habere locum:
Non debet sola cum solo virgo manere,
Famaque, non tacto corpore, crimen habet.
Sicut et est claustris, ita sit custodia campis,
Ludus erit licitus et labor aptus eis:
Hiis sine labe iocis liceat monialibus vti,
Que pudor et leges et sua iura sinunt. 630
Velatas ideo fragilis ne subruat error,
Sub moderante manu frena pudica iuuant.

Quid michi, si fallat vxor de fraude maritum,
Qui nichil vxoris scit neque facta videt?
Set de fraude sua miror que decipit ipsum,

635 qui CE

Cuius in aspectu secula cuncta patent.
Si sacra sint hominum, quid plus sponsalia Cristi
Debent more sacro casta manere deo.
Vestibus in nigris prius est induta puella,
Crinibus abscisis, cum monialis erit; 640
Deformat corpus foris, vt sit spiritus intus
Pulcher, et albescat plenus amore dei.
Dum foris est nigra, fieret si nigrior intra,
Non vt amica dei, feda reiecta foret;
Set dum casta manet, omnis nigredo perextra
Mentem candoris signat habere magis.

Hic loquitur de castitatis commendacione, que maxime in religione mulieribus conuenit professis.

Cap^m. xv. O quam virginitas prior omni laude refulget,
Agnum que sequitur cuncta per arua poli;
Splendet et in terris deitati nupta, relinquens
Corporis humani que genus acta docet. 650
Fetet vt incasta, fragrat sine labe pudica,
Ista deum retinet, illa cadauer habet.
Centeno trina fructu cumulata perornant
Virginis ante deum florida serta caput:
Angelicas turmas transcendit virginis ordo,
Quam magis in celo trina corona colit.
Iura sequens aquile mens virginis alta cupiscens
Celsius ante deum, teste Iohanne, volat.
Vt rosa de spinis oriens supereminet illas,
Sic superat reliquos virginis ille status; 660
Vt margarita placet alba magis preciosa,
Sic placet in claustro virgo professa deo.
Talis enim claustris monialis dignior extat
Sanccior et meritis, dum sua vota tenet.
Set quecumque tamen sub velo claustra requirit,
Regula quam seruat sanctificabit eam:
Si fuerit mulier bona, reddit eam meliorem,
Moribus et mores addit vbique magis;
Si polluta prius sit quam velata, que caste
Ammodo viuat, erit preuia culpa nichil. 670

645 p*er*extra SHGTL   *per* extra CED   662 placet CEH   patet SGDL

Non licet ergo viris monachas violare sacratas,
Velum namque sacrum signa pudica gerit.
Alterius sponsam presumens deuiolare,
Quam graue iudiciis perpetrat ipse scelus!
Crede tamen grauius peccat, qui claustra resoluens
Presumit sponsam deuiolare dei.

Postquam tractauit de illis qui in religione possessoria sui ordinis professionem offendunt, dicendum est iam de hiis qui errant in ordine fratrum mendicancium; et primo dicet de illis qui sub ficte paupertatis vmbra terrena lucra conspirantes, quasi tocius mundi dominium subiugarunt.

Cap^m. xvi.   Dum fuit in terris, non omnes quos sibi legit
 Cristus, erant fidi, lege nouante dei:
Non tamen est equm, quod crimen preuaricantis
 Ledat eos rectam qui coluere fidem.   680
Sic sterilis locus est nullus, quod non sit in illo
 Mixta reprobatis vtilis herba malis;
Nec fecundus ita locus est, quo non reprobata
 Mixta sit vtilibus herba nociua bonis:
Tam neque iustorum stat concio lata virorum,
 Est quibus iniusti mixtio nulla viri.
Sic excusandos, quos sanctos approbat ordo,
 Fratres consimili iure fatetur opus:
Non volo pro paucis diffundere crimen in omnes,
 Spectetur meritis quilibet immo suis;   690
Quos tamen error agit, veniens ego nuncius illis,
 Que michi vox tribuit verba loquenda fero.
Sicut pastor oues, sic segregat istud ab edis
 Quos opus a reprobis senserit ordo probos:
Que magis huius habet vocis sentencia scribam
 Hiis quos transgressos plus notat ordo reos.
Crimina que Iudas commisit ponere Petro
 Nolo, ferat proprium pondus vterque suum.
Ordinis officia fateor primi fore sancta,
 Eius et auctores primitus esse pios;   700
Hos qui consequitur frater manet ille beatus,
 Qui mundum renuens querit habere deum,
Qui sibi pauperiem claustralis adoptat, et vltro
 Hanc gerit, et paciens ordinis acta subit:

Talis enim meritis extat laudabilis altis,
Eius nam precibus viuificatur humus.
Set sine materia qui laruat in ordine formam,
Predicat exterius, spirat et intus opes,
Talibus iste liber profert sua verba modernis,
Vt sibi vox populi contulit illa loqui. 710
    Ordine mendico supervndat concio fratrum,
De quibus exvndans regula prima fugit:
Molles deveniunt tales, qui dura solebant
Ordinis ex voto ferre placenda deo.
Acephalum nomen sibi dant primo statuendum,
Seque vocant inopes fert quibus omnis opem:
Cristi discipulos affirmant se fore fratres,
Eius et exempli singula iura sequi:
Hoc mentita fides dicit, tamen hoc satis illis
Conuenit, vt dicunt qui sacra scripta sciunt. 720
Sunt quasi nunc gentes nil proprietatis habentes,
Et tamen in forma pauperis omne tenent.
Gracia si fuerit aut fatum fratribus istis
Nescio, set mundus totus habundat eis.
In manibus retinent papam, qui dura relaxat
Ordinis et statuit plura licere modo;
Et si quas causas pape negat ipsa potestas,
Clam faciet licitas ordo sinister eas.
Nec rex nec princeps nec magnas talis in orbe est,
Qui sua secreta non fateatur eis. 730
    Et sic mendici dominos superant, et ab orbe
Vsurpant tacite quod negat ordo palam.
Non hos discipulos, magis immo deos fore dicam,
Mors quibus et vita dedita lucra ferunt:
Mortua namque sibi, quibus hic confessor adhesit,
Corpora, si fuerint digna, sepulta petit;
Set si corpus inops fuerit, nil vendicat ipse,
Nam sua nil pietas, sint nisi lucra, sapit.
Baptizare fidem nolunt, quia res sine lucro
Non erit in manibus culta vel acta suis. 740
Vt sibi mercator emit omne genus specierum,
Lucra quod ex multis multa tenere queat;
Sic omnes mundi causas amplectit auarus
Frater, vt in variis gaudeat ipse lucris.

Hii sunt quos retinens mundus non horruit, immo
Diligit, hiisque statum tradidit ipse suum:
Istos conuersos set peruersos magis esse
Constat, vt ex factis nomina vera trahant.
Transtulit a vite se palmes sic pharisea,
Eius et in gustu fructus acerbus olet. 750

Hic loquitur de fratribus illis, qui per ypocrisim predicando populi peccata publice redarguentes, blandiciis tamen et voluptatibus clanculo deseruiunt.

Cap^m. xvii. Seminat ypocrisis sermones dedita fratris,
Messis vt inde sui crescat in orbe lucri.
Horrida verba tonat, dum publica per loca dampnat
Vsum peccandi seruus vt ipse dei;
Seruus et vt Sathane, priuatis cum residere
Venerit in thalamis, glosa remittit eis;
Et quos alta prius stimulabat vox reboantis,
Postera blandicies vnget in aure leuis:
Et sic peccator aliis peccata ministrat,
Namque fouens vicium percipit inde lucrum. 760
Hoc bene scit frater, peccatum cum moriatur,
Tunc moritur lucrum tempus in omne suum.
Dic vbi ter veniet frater, nisi lucra reportet,
Est vbi sors vacua, non redit ipse via.
De fundamentis fratrum si crimina tollas,
Sic domus alta diu corruet absque manu.
    O quam prophete iam verificantur Osee
Sermones, qui sic vera locutus ait:
'In terris quedam gens surget, que populorum
Peccatum comedet et mala multa sciet.' 770
Hancque propheciam nostris venisse diebus
Cernimus, atque notam fratribus inde damus,
Ad quorum victum, fuerit quodcumque necesse,
Sors de peccatis omne ministrat eis.
Delicie tales non sunt, que fratribus escam,
Si confessores sint, aliquando negant.
Aspicis vt veniunt ad candida tecta columbe,
Nec capiet tales sordida turris aues:
Sic nisi magnatum dat curia nulla modernis
Fratribus hospicium quo remanere volunt. 780

Horrea formice tendunt ad inania numquam,
Nec vagus amissas frater adibit opes :
Immemores florum gestaminis anterioris,
Contempnunt spinam cum cecidere rose ;
Sic et amicicie fratres benefacta prioris
Diuitis aspernunt, cum dare plura nequit.
    Nomine sunt plures, pauci tamen ordine fratres ;
Vt dicunt aliqui, Pseudo prophetat ibi.
Est facies tunice pauper, stat cistaque diues,
Sub verbis sanctis turpia facta latent :   790
Sic sine pauperie pauper, sanctus sine Cristo,
Eminet ille bonus, qui bonitate caret.
Ore deum clamant isti, venerantur et aurum
Corde, viam cuius vndique scire volunt.
Omnia sub pedibus demon subiecit eorum,
Ficta set ypocrisis nil retinere docet :
Sic mundana tenet qui spernit in ordine mundum,
Dum tegit hostilem vestis ouina lupum ;
Et sic ficticiis plebs incantata putabit
Sanctos exterius, quos dolus intus habet.   800
Vix est alterius fraudem qui corripit vnus,
Set magis vt fallant auget vterque dolos :
Sic magis infecti morbo iactantur eodem,
Inficiuntque suis fraudibus omne solum.
Comprimat hos dominus saltem, quos nouit in isto
Tempore primeuam preuaricare fidem.
Non peto quod periant, set fracti consolidentur,
Et subeant primum quem dedit ordo statum.

   Hic loquitur de fratribus illis, qui propter huius mundi famam, et vt ipsi eciam, quasi ab ordinis sui iugo exempti, ad confessiones audiendum digniores efficiantur, summas in studio scole cathedras affectant.

Cap^m. xviii.   Est qui precessor fiat velut ipse minister,
           Cuius in exemplum Cristus agebat idem :   810
           Set qui discipulum Cristi se dicit, ad altum
           Cum venit ipse statum, non tenet inde modum.
           Quamuis signa tenet mendici pauperis, ecce

    799 putabit CEHD   putabat SGL   807 pereant CEL   811 ad CEHGDL et S

Frater honore suum spirat habere locum :
Appetit ipse scolis nomen sibi ferre magistri,
Quem post exemptum regula nulla ligat :
Solus habet cameram, propriat commune, que nullum
Tunc sibi claustralem computat esse parem.
Vt latriam statuis claustrales ferre magistris
Debent et pedibus flectere colla suis : 820
Sic tumor et pompa latitant sub theologia,
Ducere nec duci dum fauet ordo sibi.
Tunc thalamos penetrat sublimes, curia nulla
Est cuius porta clauditur ante virum.
Aspiciens varias species variatur et ipse
Camelion, et tot signa coloris habet :
Frater ei similis, perpendens velle virorum,
Vult in consimili par sit vt ipse pari ;
Et quia sic similem sibi sentit curia fratrem,
Eius in aduentu presulis acta vacant. 830
Circuit exterius, explorat et interiora,
Non opus occultum nec locus extat ei :
Nunc medicus, nunc confessor, nunc est mediator,
Et super et subtus mittit ad omne manum.
Spiritus vt domini, sic frater spirat vbique,
Et venit ad lectum quando maritus abest :
Sic absente viro temerarius intrat adulter
Frater, et alterius propriat acta sibi :
Sic venit ad strati capitata cubicula lecti,
Sepius et prima sorte futurus erit. 840
Sic genitus Salomon est hac que nupsit Vrie,
Dum pius intrusor occupat inde locum :
Sponsi defectus suplet deuocio fratris,
Et genus amplificans atria plena facit.
Verberat iste vepres, volucrem capit alter ; et iste
Seminat in fundum, set metet alter agrum :
In stadio currunt ambo, brauium tamen vnus
Accipit iniuste longius ipse retro :
Sic intrat sponsus aliorum sepe labores,
Ac vbi non soluit in lucra, vana tamen. 850
Credit et exultat prolem genuisse maritus,
Vngula nec prolis pertinet vna sibi.
Predicat ypocrita cum sponso carmina sancta,

Vt deus ex verbo staret in ore suo:
Cum sponsa Veneris laudes decantat, et eius
Officium summe suplet honore dee:
Sic opus in basso tenementum construit altum,
Cuius egens nocte fabrica poscit opem.
 O pietas fratris, que circuit et iuuat omnes,
Et gerit alterius sic pacienter onus: 860
O qui non animas tantum, set corpora nostra,
In sudore suo sanctificare venit.
Hic est confessor domini non, set dominarum,
Qui magis est blandus quam Titiuillus eis:
Hic est confessor quasi fur quem furca fatetur,
Sic quia ius nostrum de muliere rapit.
Hic est confessor in peius qui male vertit,
Sordida namque lauans sordidiora facit:
Pellem pro pelle, quod habet sibi frater et omne
Pro nostri sponsa, se dabit atque sua.   870
O condigna viro tali quis premia reddet,
Aut deus aut demon? vltima verba ligant.
Peccati finis fert namque stipendia mortis,
Est dum culpa vetus plena pudore nouo:
Horum, viuentes qui tot miracula prestant,
In libro mortis nomina scripta manent.
 Inter apes statuit natura quod esse notandum
Sencio, quo poterit frater habere notam.
Nam si pungat apis, pungenti culpa repugnat,
Amplius vt stimulum non habet ipse suum;   880
Postque domi latebras tenet et non euolat vltra,
Floribus vt campi mellificare queat.
O deus, in simili forma si frater adulter
Perderet inflatum, dum stimularet, acum,
Amplius vt flores non colligat in muliere,
Nec vagus a domibus pergat in orbe suis!
Causa cessante quia tunc cessaret ab ipsis
Effectus, quo nunc plura pericla latent.

Hic loquitur qualiter isti fratres inordinate viuentes ad ecclesie Cristi regimen non sunt aliqualiter necessarii.

Cap^m. xix. Vna michi mira res est, quam mente reuoluens

863 sed non D

Nescio finali qua racione foret. 890
Quam prius ordo fuit fratrum, quoscumque necesse
Congruit ecclesie fertur inesse gradus.
Papa fuit princeps, alios qui substituebat,
Vt plebem regerent singula iura dedit:
Ius sibi presul habet, sub eo curatus, et ille
Admittens curas pondera plebis agit:
Proprietarius est presul qui proprietatem
Curato tribuit, qua sua iura regat:
Presulis inde loco curatus iurat, vt ipse
Tempore iudicii que tulit acta dabit. 900
Est igitur racio que vel tibi causa videtur,
Alterius proprium quod sibi frater habet?
Inter aues albas vetitur consistere coruum,
Quem notat ingratum quodlibet esse pecus;
Inter et ecclesie ciues consistere fratrem,
Qui negat eius onus, omnia iura vetant.
 Caucius in rebus dubiis est semper agendum,
Causa nec est mundi talis vt ipsa dei:
Si tamen vsurpet mundi quis iura, refrenant
Legis eum vires nec variare sinunt. 910
Que mea sunt propria mundo si tolleret alter,
Taliter iniustum lex reputabit eum:
In preiudicium partis lex non sinit equa,
Possit vt alterius alter habere locum:
Que bona corporea sunt alterius, nequit alter
Tollere, ni legum condita iura neget:
Set que sunt anime frater rapiens aliena,
Nescio qua lege iustificabit opus.
Si dicat, 'Papa dispensat,' tunc videamus,
Est sibi suggestum, sponte vel illud agit. 920
Papa mero motu scimus quod talia numquam
Concessit, set ea supplicat ordo frequens:
Papa potest falli, set qui videt interiora,
Est hoc pro lucri scit vel amore dei.
Lingua petit curas anime, mens postulat aurum,
Bina sicque manu propria nostra rapit:
Defraudans animas, talis rapit inde salutem,
Et super hoc nostras tollere temptat opes.
Non ita Franciscus peciit, set singula linquens

Mundi pauperiem simplicitate tulit. 930
Gignit humus tribulos, vbi torpet cultor in agris,
Quo minus ad messes fert sua lucra Ceres:
Pungitur ecclesia, fratrum quos sentit abortos
Inuidie stimulis lesa per omne latus.
Quilibet ergo bonus tribulos extirpet arator,
Ne pharisea sacrum polluat herba locum.

Hic loquitur qualiter isti fratres inordinate viuentes ad commune bonum vtiles aliqualiter non existunt.

Cap^m. xx. Fratribus vt redimant celum non est labor Ade,
Quo sibi vel reliquis vina vel arua colunt;
Corporis immo quies, quam querunt forcius, illos
Iam fouet, et mundi tedia nulla grauant: 940
Hiis neque perspicuus armorum pertinet actus,
Publica quo seruant iura vigore suo:
Sic neque milicies neque terre cultus adornat
Hos, set in orbe vagos linquit vterque status.
Nec sunt de clero fratres, quamuis sibi temptent
Vsurpare statum, quem sinit vmbra scole:
Non onus admittunt fratres cleri set honorem,
In cathedra primi quo residere petunt.
Non curant animas populi neque corpora pascunt:
Ad commune bonum quid magis ergo valent? 950
Vt neque ramosa numerabis in ilice glandes,
Tu fratrum numerum dinumerare nequis:
Immo, velut torrens vndis pluuialibus auctus,
Aut niue, que zephiro victa tepente fluit,
Ordo supercreuit habitu, set ab ordine virtus
Cessit, et in primis desinit ire viis.
Si racio fieret, famulorum poscit egestas
Tales quod sulcus posset habere suos.
Hos Dauid affirmat hominum nec inesse labore,
Nec posite legis vlla flagella pati. 960
Regia iura nichil aut presulis acta valebunt,
Excessus fratrum quo moderare queant.
Que sua sunt mundus ea diligit, fratribus ergo
Attulit vt caris prospera queque suis:
Non sulcant neque nent, falcant nec in horrea ponunt;
Pascit eos mundus non tamen inde minus.

LIBER QUARTUS

Pectora sic gaudent, nec sunt attrita dolore,
Anterior celo dum reputatur humus :
Cordis in affectum sic transit frater, et illum
Quem querit cursum complet in orbe suum. 970
Dic quid honoris habet, si filius Hectoris arma
Deserit et vecors predicat acta patris?
Aut quid et ipse valet, si frater Apostata sanctum
Clamat Franciscum, quem negat ipse sequi?
Fictis set verbis mundi sine lumine sensum
Obfuscant, que sua sic maledicta tegunt :
Sic vbi non ordo, manet error in ordinis vmbra,
Et quasi laruatus stat sacer ordo nouus.
Hiis qui Francisci seruant tamen ordine iusto
Debita mandata, debitus extat honor. 980

Hic loquitur de fratribus illis, qui incautos pueros etatis discrecionem non habentes in sui ordinis professionem attractando colloquiis blandis multipliciter illaqueant.

Cap^m. xxi. Est michi suspectum de fratribus hoc, quod eorum
Reddere se primo nullus adultus adest :
Non sic Franciscum puerilis traxerat etas
Ordinis ad votum, quando recepit eum :
Sic nec eum pueri primo coluere sequaces,
Nec blande lingue fabula traxit eos.
Estimo maturos Franciscus sumpserat annos,
Dum per discreta viscera cepit opus ;
Et puto quod similes sua dogmata sponte sequentes
Nec prece nec precio reddidit ordo deo. 990
Set vetus vsus abest, nam circumvencio facta
Nunc trahit infantes, qui nichil inde sciunt ;
Et sic de teneri tener ordo mollia querit,
Vmbraque sola manet atque nouerca quasi.
   Vt vocat ad laqueos volucrem dum fistulat auceps,
Sic trahit infantes fratris ab ore sonus :
Vt laqueatur auis laqueorum nescia fraudis,
Sic puer in fratrem fraude latente cadit :
Et cum sic poterit puerum vetus illaqueare,
Debet ob hoc frater nomen habere patris. 1000
Sic generata dolis patrem sequitur sua proles,
Addit et ad patrios facta dolosa dolos ;

Solaque sic radix centenos inficit ex se
Ramos, qui fructus fraudis in orbe ferunt.
Nam puer a veteri deceptus fratre per illud
Decipit exemplum, quando senecta venit:
Sic post decipiunt qui primo decipiuntur,
Et fraus de fraude multiplicata viget:
Sic crescit numerus fratrum, fit et ordo minutus,
Dum miser in miseris gaudet habere pares.   1010
'Ve, qui proselitum vobis faciatis vt vnum,
Mundum circuitis,' dixerat ipse deus:
Illud erat dictum phariseis, et modo possum
Fratribus hec verba dicere lege noua.

Hic loquitur de apostazia fratrum ordinis mendicancium, precipue de hiis qui sub ficta ypocrisis simplicitate quasi vniuersorum curias magnatum subuertunt, et inestimabiles suis ficticiis sepissime causant errores.

Cap^m. xxii. Vt bona multa bonum fratrem quocumque sequntur,
Sic mala multa malum constat vbique sequi.
Sunt etenim domini tres, quorum quilibet vni
Seruit homo, per quem se petit ipse regi:
Est deus, est mundus, est demon apostata, cuius
Ordine transgressus fert sibi frater onus.   1020
Regula namque dei non nouit eum, neque mundi
Dat sibi milicies libera nulla statum:
Non habet ipse deum, nec habere valet sibi mundum,
Demonis vt proprium sic subit ipse iugum:
Omnis enim vicii viciosus apostata motor
Aut fautor nutrit quod videt esse malum.
Testis erit Salomon, vir talis inutilis extat,
Et peiora sue crimina mentis agit:
Arte vel ingenio, quo talis in orbe frequentat,
Ducit in effectum plura timenda satis.   1030
Non obstat paries illi, non clausa resistunt,
Invia consistunt peruia queque sibi:
Per mare, per terras, per totum circuit orbem;
Vt sibi plus placeat, cernere cuncta potest.
Nititur in fraudes, componit verba dolosa,

1012 *margin* Nota C

Auget et accumulat multiplicatque dolos;
Proponit lites, rixas accendit in iram,
Liuores nutrit invidiamque fouet;
Vincula disrumpit pacis, socialis amoris
Federa perturbat, dissociatque fidem;   1040
Suggerit incestum, suadet violare pudorem,
Soluere coniugium, commaculare thorum;
Vsurpando fidem vultum mentitur honestum,
Caucius vt fraudem palleat ipse suam.
In dampnis dandis promissor vbique fidelis,
Comoda si dederit, disce subesse dolum:
Sub grossa lana linum subtile tenetur,
Simplicitas vultus corda dolosa tegit;
Lingua venenato dum verba subornat in ore,
Mellificat virus melque venena facit.   1050
Vt sub virtutum specie lateat viciorum
Actus, et vt turpis Simea fiat homo;
Ipse tumens humilem mentitur sepe professum,
Quem fugit occulto spiritus ille dei.
Ordinis ipse sacri quicquid Franciscus honeste
Virtutis statuit, hic viciare studet:
Cuncta colore tamen operit, facieque decora
Fallit, dumque latent viscera plena dolo.
   Invenies scriptum quod pennas strucio gestat
Herodii pennis ancipitrisque pares;   1060
Set non tam celeri viget eius penna volatu,
Ypocritamque notat, qui similando volat.
Aurea facta foras similans ypocrita fingit,
Set mala mens intus plumbea vota gerit:
Sunt etenim multi tales qui verba colorant,
Qui pascunt aures, aurea verba sonant,
Verbis frondescunt, set non est fructus in actu,
Simplicium mentes dulce loquendo mouent:
Set templum domini tales excludit, abhorret
Verborum phaleras, verba polita fugit.   1070
Scripta poetarum, que sermo pictus inaurat,
Aurea dicuntur lingua, set illa caue:
Est simplex verbum fidei bonus vnde meretur,
Set duplex animo predicat absque deo.

      1072 lingua SH₂   verba CEHGDLT

Despicit eloquia deus omnia, quando polita
Tecta sub eloquii melle venena fouent:
Qui bona verba serit, agit et male, turpiter errat,
Nam post verba solet accio sancta sequi.
Quos magis alta scola colit, hii sermone polito
Scandala subtili picta colore serunt. 1080
   Sepius aut lucrum vel honoris adepcio vani
Fratrum sermones dat magis esse reos:
Sub tritici specie zizannia sepe refundunt,
Dum doctrina tumens laudis amore studet:
Sepe suis meritis ascribere facta, mouere
Scisma, peritorum mens studiosa solet.
Phiton siue Magus est scismaticus, quia turbat
Verum quod credis et dubitanda mouet;
Set contra voces incantantis sapienter
Aures obtura, ne cor adheret eis. 1090
Non sunt hii fratres recti nec amore fideles
Ecclesie Cristi, sicut habetur ibi;
Inperfecta magis Sinagoga notabit eorum
Doctrinam, plene que neque vera docet:
Multociens igitur aliis nocet illa superba
Copia librorum quos Sinagoga tenet.
Non sunt ecclesie recti ciues, Agar immo
Parturit ancilla, perfida mater, eos:
Ergo recedat Agar, pariat quoque Sarra fidelem
Ecclesie clerum, det Sinagoga locum. 1100
Plantauit pietas et amor primordia fratrum,
Quos furor ad presens ambiciosus agit:
Frater adest Odium, qui federa pacis abhorret,
Cuius ab inferno cepit origo viam;
Ille professus enim claustralia iura resoluit,
Nec fore concordes quos sinit ipse pares.
Qui tamen in culpa frater se sentit, et illam
Non delet, tali talia verba loquor:
'Culpa mali laudem non debet tollere iusto,
Nam lux in tenebris fulget honore magis: 1110
Quisque suum portabit onus, culpetur iniquus,
Laudeturque suis actibus ipse bonus.'

        1081 adepcio CEHGDL adopcio S

Hic loquitur qualiter isti fratres mendicantes mundum circuiendo amplioresque querendo delicias de loco in locum cum ocio se transferunt: loquitur eciam de superfluis eorum edificiis, que quasi ab huius seculi potencioribus vltra modum delicate construuntur.

p^m. xxiii.
    Iudeos spersos fratrum dispersio signat,
Quos modo per mundum deuius error agit;
Iste nec ille loco stabilis manet, immo vicissim
Se mouet, et varia mutat vbique loca.
Sic in circuitu nunc ambulat impius orbis,
Nec domus est in qua non petit ipse locum;
Pauperis in specie sibi sic elemosina predas
Prebet, et ora lupi vellere laruat ouis: 1120
Absque labore suo bona nemo meretur, et ergo
Omne solum lustrant, idque piamen habent.
Nescio si supera sibi clauserit ostia celum;
Dat mare, dant ampnes, totaque terra viam.
Hoc lego, quod raro crescit que sepe mouetur
Planta, set ex sterili sorte frequenter eget:
Non tamen est aliqua quin regula fallit in orbe,
Mocio nam fratris crescere causat eum;
Nam quocumque suos mouet ille per arida gressus,
Mundus eum sequitur et famulatur ei.   1130
Vt pila facta pilis solito dum voluitur ipsis
Crescit, et ex modico magnificatur opus,
Sic, vbi se voluit frater, sibi mundus habundat,
Quicquid et ipse manu tangit adheret ei:
Federa cum mundo sua frater apostata stringit,
Sic vt in occulto sint quasi semper idem.
    Multis set quedam virtutes esse videntur,
Qui nil virtutis nec bonitatis habent;
Ista dabunt vocem, set erunt deformia mente,
Multaque dum fiunt absque salute placent.   1140
Ad decus ecclesie deuocio seruit eorum,
Et veluti quedam signa salutis habent:
Eminet ecclesia constructa sibi super omnes,
Edificant petras sculptaque ligna fouent;
Porticibus valuas operosis, atria, quales
Quotque putas thalamos hic laberintus habet:

Ostia multa quidem, varie sunt mille fenestre,
Mille columpnarum marmore fulta domus.
Fabrica lata domus erit, alta decoraque muris,
Picturis variis splendet et omne decus ;   1150
Omnis enim cella, manet in qua frater inanis,
Sculpture vario compta decore nitet :
Postibus insculpunt longum mansura per euum
Signa, quibus populi corda ligare putant.
Fingentes Cristum mundum querunt, et in eius
Conspirant laudem clamque sequntur eum :
Talis sub facie deuocio sancta figure
Fingitur, et testis fit magis inde domus :
Qui tamen omne videt, rimatur et intima cordis,
Scit quia pro mundo tale paratur opus.   1160
Set docet exemplis historia Parisiensis,
Quod contentus homo sit breuiore domo.
 Non sibi de propriis habet vlla potencia regis
Illorum thalamis tecta polita magis :
Non ita fit vestis fratrum nota simplicitatis,
Quin magis in domibus pompa notabit eos.
In fabrice studio vigilat conuentus eorum
Ecclesie, prompti corpore, mente pigri :
Sic patet exterius fratrum deuocio sancta,
Vana set interius cordis ymago latet :   1170
Sunt similes vlno tales, qui sunt sine fructu,
In quibus impietas plurima, pauca fides.
Dic, tibi quid, frater, confert, tantas quod honestas
Cum feda mente construis ipse domos ?
Esto domus domini, quam sacris moribus orna,
Virtutem cultor religionis ama.
Omnia fine patent, tibi fingere nil valet extra,
Per quod ab interius premia nulla feres :
Si tibi laus mundi maneat furtiua diebus,
Cum celum perdis, laus erit illa pudor.   1180
Ordinis es, norma tibi sit, nec ab ordine cedas,
Est aliter cassum quicquid ab inde geris.

 Hic loquitur qualiter, non solum in ordine fratrum mendicancium set eciam in singulis cleri gradibus, ea que virtutis esse solebant a viciis quasi generaliter subuertuntur :

dicit tamen quod secundum quasdam Burnelli constituciones
istis precipue diebus modus et regula specialius obseruantur.

)m. xxiiii.   Diuersat fratres tantummodo vestis eorum,
    Hii tamen existunt condicione pares:
    Regula nulla manet, fuerat que facta per ante,
    Set nouus ordo nouum iam facit omne forum.
    Sicut enim fratrum nunc ordo resoluitur, ecce
    Ecclesie norma fit quasi tota noua ;
    Set sacer ordo tamen remanet, quem sanxerat olim
    Frater Burnellus, crescit et ille magis.   1190
    Hec decreta modo, Burnellus que statuebat,
    Omnia non resero nec reserare volo;
    Set duo iam tantum que iussit in ordine dicam,
    Et sunt presenti tempore iura quasi.
      Mandatum primum tibi contulit, omne iocosum,
    Quicquid in orbe placet, illud habere licet :
    Si vis mercari, sis mercenarius, autem
    Si vis mechari, dat tibi, mechus eris :
    Que magis vlla caro desiderat, illa beato
    Sunt fratri nostro debita iura modo.   1200
    Precipiens vltra statuit de lege secunda,
    Quod nocuum carni sit procul omne tibi :
    Omne quod est anime reputatur in ordine vile,
    Et caro delicias debet habere suas:
    Cor dissolue tuum, te nullus namque ligabit,
    Quo vis vade tuas liber vbique vias.
    Mollibus ornatus sic dignior ordo nouellus
    Restat Burnelli, vult quia velle viri.
    Nil michi Bernardus, nichil ammodo seu Benedictus
    Sint, set Burnellus sit Prior ipse meus ;   1210
    Quo viget en carnis requies, quo lingua precantis
    A prece torpescens fit quasi tota silens :
    Ordoque sic precibus dum vult succurrere nobis,
    Linquo choax ranis et nichil inde magis :

Heading 5 specialiter S
1197 autem STH₂   et si CEHGDL   1198 *Text* STH₂   Mechari
cupias dat tibi GDL   Mechari cupias ordine CEH   1209 seu]
uel C   1212 *Text* STH₂   Auribus alma sonat menteque vana
petit CEHGDL   1214 *Text* STH₂   Folia non fructus percipit inde
deus CEHGDL

Si veniantque michi mala tempora, credo quod isti
De clero causam dant nimis inde grauem ;
Quis poterit namque nobis bona tempora ferre,
Ordine claustrali dum perit ordo dei,
Et fugit a reliquo deuocio celica clero ?
Sic fugit a nobis vndique nostra salus.   1220
Nam quia sic medii fallunt discorditer ipsi,
Ignaui populi stamus in orbe vagi.
   Quid sibi corpus habet in eo, nisi spiritus extet,
Quid nisi nos clerus suplet in orbe pius ?
A planta capiti set qui discernere cleri
Vult genus aut speciem, vix sciet inde bonum.
Sic vbi lux, tenebre, sic mors, vbi normula vite
Instrueret sanam gentibus ire viam.
Vt dicunt alii de clero, sic ego dixi,
Quo creuit reliquis error in orbe magis :   1230
Nam sine pastore grex est dispersus, et ecce
Pascua peccati querit vbique noui.

1221-1232. *Text* STH₂ *As follows in* CEHGDL,
   Nunc quia sic Cleri sors errat ab ordine Cristi,
Vsurpat mundus que negat ipse deus.
   Dum tua, Burnelle, scola sit communis in orbe,
A planta capiti fallitur omnis ibi :
Sed cum Gregorii scola fulsit in orbe beati,
Vera fides viguit, cunctaque pace tulit.
Nunc tamen est Arius nouus, est quasi Iouinianus,
Doctor in ecclesiis scisma mouendo scolis.
Sic vbi lux, tenebre, sic mors, vbi regula vite
Instrueret rectam gentibus ire viam.   1230*
Quilibet ergo bonus, sit miles siue Colonus,
Orans pro Clero det sua vota deo.

      1215 *Text* STH₂   Si veniant mundi CEHGDL
      1225* fulscit HG

LIBER QUINTUS

Postquam dictum est de illis qui in statu cleri regere spiritualia deberent, dicendum est iam de hiis qui in statu milicie temporalia defendere et supportare tenentur.

Incipit liber Quintus.

Cap^m. i.
Quid sit de clero dixi, dicamque secundo
Quomodo Militibus competit ordo vetus.
Primo milicia magno fit honore parata;
Est tribus ex causis ipsa statuta prius.
Ecclesie prima debet defendere iura,
Et commune bonum causa secunda fouet;
Tercia pupilli ius supportabit egeni,
Et causam vidue consolidabit ope:
Istis namque modis lex vult quod miles in armis
Sit semper bellum promptus adire suum. 10
Sic etenim miles dudum superauerat hostes,
Vnde sibi fama viuit in orbe noua:
Non propter famam miles tamen arma gerebat,
Set pro iusticia protulit acta sua.
Ordinis ipse modum miles qui seruat eundem,
Debet ob hoc laudes dignus habere suas;
Set si pro laude miles debellet inani,
Est laus iniusta, si tribuatur ita.
Dic michi nunc aliud: quid honoris victor habebit,
Si mulieris amor vincere possit eum? 20
Nescio quid mundus michi respondebit ad istud;
Hoc scio, quod Cristi nil sibi laudis erit.
Si quis honore frui cupiat, sibi causet honorem,
Gestet et illud opus, quod sibi suadet onus:
Nil nisi stulticiam pariet sibi finis habendam,
Cui Venus inceptam ducit ad arma viam.
Non decet vt rutili plumbum miscebitur auro,

18 ita] ei D

Nec Venus vt validi militis acta sciat.
Quem laqueat mulier non laxat abire frequenter,
Immo magis fatuo voluit amore suo: 30
Qui prius est liber, facit et se sponte subactum,
Stulcior est stulto sic reputandus homo.
Bella quibus miles fieret captiuus, ab illis
Expedit vt fugiat, vincere quando nequit.
Non vada quo mergi liquet est sapientis vt intret,
Set magis a visa morte refrenet iter.

Hic loquitur qualiter miles, qui in mulieris amorem exardescens ex concupiscencia armorum se implicat exercicio, vere laudis honorem ob hoc nullatenus meretur. Describit eciam infirmitates amoris illius, cuius passiones variis adinuicem motibus maxime contrariantur.

Cap^m. ii.   O si mutatas miles pensaret amoris
Tam subito formas, non pateretur eas.
Non amor vnicolor est set contrarius in se,
Qui sine temperie temperat esse vices;   40
Detegit atque tegit, disiungit amor que reiungit,
Letaque corda suo sepe dolore furit.
Est amor iniustus iudex, aduersa maritans
Rerum naturas degenerare facit:
Consonat Architesis in amore, sciencia nescit,
Ira iocatur, honor sordet, habundat egens;
Leta dolent, reprobat laus, desperacio sperat,
Spes metuit, prosunt noxia, lucra nocent;
Anxietas in amore sapit, dulcescit amarum,
Vernat yemps, sudant frigora, morbus alit.   50
Sic magis vt caueas, miles, tibi visa pericla,
Has lege quas formas morbus amoris habet.
   Est amor egra salus, vexata quies, pius error,
Bellica pax, vulnus dulce, suaue malum,
Anxia leticia, via deuia, lux tenebrosa,
Asperitas mollis, plumbea massa leuis,
Florescens et yemps et ver sine floribus arens,
Vrticata rosa, lex sine iure vaga,

Heading 1 amore DLT
40 Qui] Oui S   45 Architesis (architesis) CEHGDL   Archtesis S
archtesis T

LIBER QUINTUS

Flens risus, ridens fletus, modus inmoderatus,
Hostilis socius, hostis et ipse pius, 60
Instabilis constancia, velle sibique repugnans,
Spes sibi desperans et dubitata fides,
Albedo nigra, nigredo splendida, melque
Acre, que fel sapidum, carcer amena ferens,
    Irracionalis racio, discrecio stulta,
Ambiguus iudex, inscius omne putans,
Numquam digestus cibus et semper sitibundus
Potus, mentalis insaciata fames,
Mors viuens, vita moriens, discordia concors,
Garrula mens, mutus sermo, secreta febris, 70
Prosperitas pauper, paupertas prospera, princeps
Seruus, regina subdita, rex et egens,
Ebrea sobrietas, demens clemencia, portus
Cille, pestifera cura, salutis iter:
Mulcebris anguis amor est, agna ferox, leo mitis,
Ancipiter pauidus atque columba rapax,
Infatuata scola reddens magis infatuatum
Discipulum, cuius mens studet inde magis.

Hic describit formam mulieris speciose, ex cuius concupiscencia illaqueata militum corda racionis iudicio sepissime destituuntur.

Cap^m. iii.   Cum pauidus miratur amans candore repletam,
    In cuius facie stat rubor ille rose, 80
    Aurigeros crines, aures patulas mediocres,
    Planiciem frontis, que nitet alba satis,
    Impubesque genas, oculos qui solis ad instar
    Lucent, et stabilis vultus honestat eos,
    Nasum directum naresque decenter apertas,
    Labraque melliflua, fragrat et oris odor,
    Equales lacte sibi dentes candidiores,
    Et formam menti conuenientis ei;
    Splendor et a facie dat eburnea colla nitere,
    Gutture cristalli concomitante sibi, 90
    Et niue candidior nitet eius pectore candor,
    Candida poma cui sunt duo fixa quasi.

73 Ebria CE

Brachia longa videt pauce crassata rotundo,
Amplexus quorum celica regna putat,
Et videt ornatos splendere manus digitosque,
Lanaque nec mollis mollior astat eis;
Cernit et insolitos humeros ad onus pueriles,
Nec patet os in eis, sic stupet inde magis:
Per latus et gracilem videt elongare staturam,
Linea nec recta reccior astat ea; 100
Eius et incessus cernit peditare choreis,
Passus mensuram denotat atque suam;
Nil sibi Sirenes equantur voce canentes,
Nec vox angelica vix sonat vtque sua.
 Et caput amplecti cernit gemmisque nitere,
Ac vestis pompam que magis aptat eam:
Compta venit nimium, que vult formosa videri,
Vnde stupore magis sit semiraptus amans.
Omnia membra sibi reputantur in ordine tali,
Vt deus in superis fecerat illud opus; 110
Discrimen capitis, frons libera, lactea colla,
Ora, labella, rubor, lumina clara placent;
Vertex, frons, oculi, nasus, dens, os, gena, mentum,
Colla, manus, pectus, pes sine labe nitent,
Vnam nec maculam solam natura reliquit,
Ad caput a planta transuolat iste decor:
Humanam speciem transcendit forma puelle,
Excedens hominem numinis instar habet;
Pre cunctis aliis, quas ornat gracia forme,
Felix et fenix ista fit absque pare. 120
Splendida vestis erit, precinctum flore caputque,
Flaua verecundus cingit et ora rubor;
Forma placet niueusque color flauique capilli,
Estque micans nulla factus ab arte decor:
Vix erit aspiciens qui non capietur ab illa,
Pronus vt in terram vir sua vota ferat;
Ipsa suo vultu si quem concernat amantem,
Heret in opposita lumina fixus homo.
 Qui cum tam dulcem videt ornatam que decoram
Femineam speciem, set magis angelicam, 130
Hanc putat esse deam, manibus sub cuius adeptam
Dat vite sortem mortis et esse suam:

LIBER QUINTUS

Dum tam mirificam voluit sibi mente figuram,
Ipse volutus ea non reuolutus abit;
Non capit exterius quid preter eam sibi visus,
Corque per interius pungit amoris acus.
Vt sibi stat saxum non mobile, sic stat et ipse,
Nec mouet a visu, qui velut extasis est;
Sic oculus cordis carnis caligine cecus
Languet, et in dampnum decidit ipse suum. 140
Quod videt, hoc nescit, set quod videt, vritur illo;
Sic furit a ceco cecus amore suo:
Frigidior glacie, feruencior igne cremante,
Sic et in igne gelat, vritur inque gelu:
Sicut auis visco volutans se voluitur illo,
Sic se defendens ardet amore magis.
   Sic amor omne domat, quicquid natura creauit,
Et tamen indomitus ipse per omne manet;
Carcerat et redimit, ligat atque ligata resoluit,
Subdit et omne sibi, liber et omnibus est; 150
Naturam stringit, mulcet, minuit que reformat,
Plangit et hec per eum, nec sine gaudet eo:
Militat in cunctis, nullum vix excipit eius
Regula, nam sanctos sepe dat esse reos;
Legibus aque suis non est transire quietus
Qui valet, ipse tamen cuncta quieta gerit.
Nam quem non poterit probitas, prudencia fallit,
Nec stat vitalis tutus vt obstet eis:
Non amor in penis est par pene Talionis;
Vulnerat omne genus, nec sibi vulnus habet: 160
Sic quia vulnifico fixurus pectora telo
Vibrat amor, caute longius inde fuge.
Est nichil armorum quod prelia vincit amoris,
Nec sua quis firme federa pacis habet.
   Credula res amor est subito collapsa dolore,
Nec sciet inceptor quis sibi finis erit.
Non sine stat bello miles qui dicit ad infra,
'O quam me tacitum conscius vrit amor!'
Artibus innumeris mens exagitatur amantis,
Vt lapis equoreis vndique pressus aquis; 170
Nobilitas sub amore iacet, que sepe resurgit,
Sepius et nescit nobile quid sit iter:

Semper in incerta varians sub ymagine mentis,
Nunc leuat interius cordaque versat amor:
Cecus amor fatuos cecos sic ducit amantes,
Quod sibi quid deceat non videt vllus amans.
Impetus in furia, dic, quid non audet amoris?
Dum sitit amplexus, scit nichil vnde timet;
Non frondem siluis nec aperto gramina campo
Mollia, nec pleno flumine cernit aquas; 180
Immo quasi cecus sic commoda, sic sibi dampna,
Impetus vt mentem cogit amare, facit.
Non polus aut tellus, Acheron, mare, sydus et ether,
Possunt vi ceptis rebus obesse suis;
Sepe ferens ymbrem celesti nube solutum
Frigidus in nuda sepe iacebit humo:
Nox et yemps longeque vie seuique dolores
Sunt ea que fatuis premia prestat amor.
Murmura quot seruis, tot sunt in amore dolores,
Sunt furor et pietas eius in orbe pares; 190
Sentit amans dampna, feruens tamen astat in illis,
Materiam pene prosequiturque sue.
 O, quia per nullas amor est medicabilis herbas,
Nec vis nec sensus effugit eius onus;
Nullus ab innato valet hoc evadere morbo,
Sit nisi quod sola gracia curet eum.
O natura viri quam sit grauis, unde coactum
Eius ad interitum cogit amare virum!
O natura viri, poterit quam tollere nemo,
Nec tamen excusat quod facit ipsa malum! 200
O natura viri, duo que contraria mixta
Continet, amborum nec licet acta sequi!
Bella pudicicie carnis mouet illa voluptas;
Que sibi vult corpus, spiritus illa vetat.
O natura viri, que naturatur eodem,
Quod vitare nequit, nec licet illud agi!
O natura viri, fragilis que vim racionis
Dirimit, et bruti crimen ad instar habet!
Nil prosunt artes, furit inmedicabile vulnus;
Sit cum plus sapiens, vir furit inde magis; 210
Sique suam vellet flammam compescere quisquam,

180 Molia S

Artem prevideat quam prius ipse cadat.
Dum freta mitescunt et amor dum temporat vsum,
Tunc inter medium sit cuperanda salus.
Vinces si fugias, vinceris sique resistas;
Ne leo vincaris, tu lepus ergo fuge.
Femina nec flammas nec seuos effugit arcus;
Quo magis est fragilis, acrior ignis erit:
Vtque viros mulier fallit, sic vir mulieres,
Dum vulpinus amor verba lupina canit. 220
Fallere credentem non est laudanda puellam
Gloria, set false condicionis opus.
Est ars nulla viri Veneris subtilior arte,
Qua sua iura petat arte perhennat amor.

Hic loquitur quod, vbi in milite mulierum dominatur amoris voluptas, omnem in eo vere probitatis miliciam extinguit.

Cap^m. iiii.   Non sibi vulnus habet miles probitate timere
Corporis, vt mundi laus sit habenda sibi,
Vulnera sed mentis timeat, quam ceca voluptas
Tela per ignita non medicanda ferit.
Vulnera corporea sanantur, set quis amore
Languet, eum sanum non Galienus aget: 230
Femineos mores teneat si miles, abibit
Orphanus a stirpe nobilitatis honor.
Dum sapiens miles quasi stultus et infatuatus
Incidit in speciem, fama relinquit eum:
Dum carnalis amor animum tenet illaqueatum,
Sensati racio fit racionis egens:
Dum iubar humani sensus fuscatur in umbra
Carnis, et in carnem mens racionis abit,
Stans hominis racio calcata per omnia carni
Seruit, et ancille vix tenet ipsa locum. 240
  Set tamen in lance non ponderat omnibus eque,
Nec dat condigna premia cecus amor:
Pellit ab officio sine causa sepe fideles,
Infidosque suo sepe dat esse loco:
Denegat ipse michi donum quandoque merenti,
Absque nota meriti quod dabit ipse tibi:

213 temporat SGD   tempat CEHL

Sicut habes varios sine lumine scire colores,
Sic amor vt cecus dat sua iura viris.
Nunc tamen omnis ei miles quasi seruit, et eius
Ad portas sortem spectat habere suam. 250

Hic loquitur de militibus illis, quorum vnus propter mulieris amorem, alter propter inanem mundi famam, armorum labores exercet; finis tamen vtriusque absque diuine laudis merito vacuus pertransit.

Cap^m. v. Milicie pars vna petit mulieris amorem,
Altera quod mundi laus sonet alta sibi.
Miles vbique nouum spirat temptatque fauorem
Munere lucrari, fama quod astet ei:
Scit tamen inde deus, quo iure cupit venerari,
Si dabit hoc mundus seu mulieris amor.
Si laudem mundi cupiat, tunc copia Cresi
Defluit, vt donis laus sonet alta suis:
Tunc aurum, vestes, gemmas et equos quasi grana
Seminat, vt laudis crescat in aure seges. 260
Set sibi femineum si miles adoptet amorem,
Carius hunc precio tunc luet ipse suo:
Quod sibi natura, sibi vel deus attulit omne,
Corpus, res, animam, tot dabit inde bona.
Cum tamen ipse sui perfecerit acta laboris,
Laus et vtraque simul perfida fallat eum,
Cum nec fama loquax mundi peruenit ad aures,
Nec sibi castus amor reddit amoris opem,
Tunc deceptus ait, 'Heu, quam fortuna sinistrat!
Cum labor a longo tempore cassus abit.' 270
Tardius ipse venit, qui sic sibi plangit inepte,
Cum sibi non alius causa sit ipse doli.
Fert mundus grauia, fert femina set grauiora;
Hic mouet, illa ruit, hic ferit, illa necat.
Cum vicisse putet miles sibi vim mulieris,
Hec et amore pio cuncta petita fauet,
Vincitur ipse magis tunc quando magis superesse
Se putat, et mulier victa revincit eum.
Aut eciam mundi famam si miles adoptet,

262 Carnis EL

LIBER QUINTUS

Numquid et ipsa breui tempore vana perit. 280
O, cur sic miles mundi sibi querit honores,
Cuius honor mundi stat sine laude dei,
Vulgi vaniloqui sermones miles honorem
Credit, et hos precio mortis habere cupit?
Nil tamen ipse cauet dum vincitur a muliere,
Quo reus ante deum perdit honoris opem.
Quid sibi vult igitur audacia sic animosa
Militis in vacuum, que racione caret?
Laus canitur frustra, nisi laudis sit deus auctor;
Dedecus est et honor qui sonat absque deo. 290
Nescio quid laudis cupit aut sibi miles honoris,
Dum deus indignum scit fore laudis eum.

Hic loquitur interim de commendacione mulieris bone, cuius condicionis virtus approbata omnes mundi delicias transcendit: loquitur eciam de muliere mala, cuius cautelis vix sapiens resistit.

Cap^m. vi. Vna fuit per quam mulier deus altus ad yma
Venit, et ex eius carne fit ipse caro,
Cuius honore magis laudande sunt mulieres
Hee quibus est merito laudis agendus honor.
De muliere bona bona singula progrediuntur,
Cuius honestus amor prebet amoris opem:
Preualet argento mulier bona, preualet auro,
Condignum precii nilque valebit ei; 300
Lingua referre nequit aut scribere penna valorem
Eius, quam bonitas plena decore notat.
Nobilis in portis reuerendus vir sedet eius,
Hospiciumque suum continet omne bonum:
Vestibus ornantur famuli, quas ordine duplo
Eius in actiuis fert operosa manus:
Ocia nulla suos temptant discurrere sensus,
Quos muliebris ope seruat vbique pudor.
Sic laudanda bona meritis est laude perhenni,
Quam mala lingua loquax demere nulla potest. 310
Que tamen econtra mulier sua gesserit acta,
Non ideo reliquas polluit ipsa bonas:
Sunt nichil illa probo cum de vecorde loquamur,

281 sic CEHGDL si S

Improba nec iustos scandala furis habent.
Sit licet absurdum nomen meretricis, ab illo
Quam pudor obseruat femina nulla capit;
Sit licet infamis meretrix, tamen illa pudicas
Non fedat fedo nomine feda suo.
Hic bonus, ille malus est angelus vnus et alter,
Nec valet vlla mali culpa nocere bono; 320
Nec decet infamis nomen mulieris honeste
Ledere, vel laudem tollere posse suam.
Fetida dumque rose se miscet invtilis herba,
Non tamen est alia quam fuit ante rosa:
Semper erat quod erit, vbi culpa patens manifestat
Crimina, quale vident hoc opus ora canunt.
Quod tamen hic scribam, sit saluo semper honore
Hiis quibus obseruat gesta pudoris honor:
Ergo quod hic agitur, culpandas culpa figurat,
Quo laus laudandis sit tribuenda magis. 330
Scire malum prodest, pocius vitemus vt illud,
Labile pre manibus et caueamus iter.

 De muliere mala mala queque venire solebant,
Est etenim pestis illa secunda viris:
Femina dulce malum mentem, decus ipsa virile,
Frangit, blandiciis insidiosa suis;
Sensus, diuicias, virtutes, robora, famam
Et pacem variis fraudibus ipsa ruit.
Mille modis fallit, subtiles milleque tendit
Insidias, vnus vt capiatur homo. 340
Femina talis enim gemmis radiantibus, auro,
Vestibus, vt possit fallere, compta venit:
Aptantur vestes, restringitur orta mamilla,
Dilatat collum pectoris ordo suum;
Crinibus et velis tinctis caput ornat, et eius
Aurea cum gemmis pompa decorat opus:
Vt magis exacuat oculos furientis in illam,
Anulus in digitis vnus et alter erit.
Non erit huius opus lanam mollire trahendo,
Set magis vt possit prendere compta viros: 350
Se quoque dat populo mulier speciosa videndam;
Quem trahit e multis forsitan vnus erit.

<small>325 quod erit S   et erit CEHGDL</small>

Ha quociens fictis verbis exardet amator,
Dum temptat forme subdola lingua bone!
In vicio decor est, mulier si verba placendi
Non habet, vt fatuos prouocet inde viros;
Crebraque complexis manibus suspiria mittit,
Nec sibi pollicito pondere verba carent:
Sepe sonat raucum quoddam, set amabile ridet,
Blesaque fit bleso lingua coacta sono.   360
Quo non ars poterit? discit lacrimare decenter,
Fallat vt hos vultu quos neque sermo trahit;
Vultibus et lacrimis in falsa cadentibus ora
Decipit et fingit vix sibi posse loqui;
Et quociens opus est, fallax egrotat amica,
Vultus et exterius absque dolore dolet.
Monstra maris Sirenes erant, que voce canora
Quaslibet admissas detenuere rates;
Sic qui blandicias audit solito muliebres,
Non valet a lapsu saluus abire pedem.   370
Pingere sicut habet multas manus vna figuras,
Que variis formis diuaricabit opus,
Sola sibi varios mulier sic auget amantes,
Quos Venus in fatuam credere cogit opem.
Quod natura sibi sapiens dedit, illa reformat,
Et placet in blesis subdola lingua suis;
Eius enim plures fatuos facundia torquet,
Dum modo ridendo, nunc quoque flendo placet.
Sic fragili pingit totas in corpore partes,
Addit et ad formam quam deus ipse dedit.   380
Huius ego crimen detestor ferre loquele,
Quam magis expertus alter ab ante tulit;
Codice nempe suo referam que carmina vates
Rettulit Ouidius, nec michi verba tenent.
   Vtque suum iuuenis mulier seruare decorem
Temptat et in variis amplificare studet,
Sic vetus amissi speciem renouare coloris
Spirat, et vnguentis sollicitabit opus.
Horrida sicut yemps agit vt neque lilia florent,
Set riget amissa spina relicta rosa,   390
Sic rapit a forma veteres etas mulieres,

   368 detinuere CE   389 hyemps C   390 Sic C

Maior et est ruga quo solet esse rubor.
Dextra senectutis, tunc cum sit discolor etas,
Protegit antiquas picta colore genas:
Nam modus est tali casu quod femina vultum
Comat, vt vnguentis splendeat ipsa magis.
Arte supercilia mensurat, labraque rubro,
Gracius vt placeant, mixta colore iuuat;
Sepeque caniciem medicantibus ornat in herbis,
Et melior primo queritur arte color; 400
Sepeque precedit densissima crinibus empta,
Proque suis alios efficit esse suos;
Sicque venit rutilis humeros protecta capillis,
Et vultum iuuenis arte requirit anus.
Sepe crocum sumit, croceo velatur amictu,
Quo minus ex proprio lesa colore patet.
Quot noua terra parit flores in vere tepenti,
Tot habet ad curas femina feda suas.
Non omnes vna pulcras se pingere forma
Crede, set est vsa quelibet arte sua; 410
Ista petit roseum, niueum cupit illa decorem,
Ista suos vultus pingit, et illa lauat;
Altera ieiunat misere minuitque cruorem,
Et prorsus quare palleat ipsa facit;
Nam que non pallet sibi rustica queque putatur,
'Hic decet, hic color est verus amantis,' ait.
Mille modis nostras impugnat femina mentes,
Si tibi non videas, illico captus eris.
Feminei sensum virus tibi tollit amoris,
Recia cuius enim gracia sola fugit. 420
Ista dat amplexus dulces et mollia figit
Oscula, set tacito corde venena premit:
Fraudibus vxorum multi periere virorum,
Femina nil horret, cuncta licere putat;
Audet quicquid eam iubet imperiosa libido,
Et metus et racio cedit et ipse pudor:
Sepius esse solet quia pugnat forma pudori,
Raro de pulcris esse pudica potest.
  Ve cui stulta comes sociali federe nupsit!
Non erit illius absque dolore thorus: 430

409 *Paragr. here* CEHT   417 impugnat ED impu*n*gnat SHL

Federa seruasset, si non formosa fuisset,
Sponsa, que multociens res docet ista patens.
Quam Venus inspirat seruat custodia nulla,
Ad fatuam nullus limes agendus erit:
Cum Venus et mulier tempus que locum sibi spirant,
Non caret effectu quod voluere duo:
Frustratur custos mulieris, dum tamen ipsa
Se non custodit, si foret ipse Cato.
Tunc prius incipient turres vitare columbe,
Antra fere, pecudes gramina, mergus aquas,   440
Femina cum Veneris fatuum scrutetur amantem,
Et non inveniat ad sua facta locum.
Littora quot conchas, quot amena rosaria flores,
Quotque soporifera grana papauer habet,
Silua feras quot alit, quot piscibus vnda natatur,
Et tener ex pennis aera pulsat auis,
Non faciunt summam talem, que dicitur eque
Ad mala que mulier insidiosa parat.
  Est mundus fallax, mulier fallacior ipso,
Senciit infidam nam paradisus eam: 450
Est lupus ecce latens agni sub vellere mundus,
Quo lambit primo, fine remordet eo.
Hoc tamen est extra, set serpentina columba
Prouocat in thalamis dampna propinqua magis;
Hec etenim serpens est, que per mille meandros
Decipit, et pungens corda quieta ferit.
Quis fortis manet aut sapiens illesus ab ipsa,
Celicus est, set eam vincere terra nequit:
Sampsonis vires gladius neque Dauid in ipsam
Quid laudis, sensus aut Salomonis habent.   460
Vt quid ad huc miles temptat superare modernus,
Vincere quod tanti non potuere viri?
Non est quem faciunt transacta pericula cautum,
Set magis in laqueos quos videt ipse cadit.
Quis vetat a magnis ad res exempla minores
Sumere? set noster non sinit illud amor.
Impetuosus agit pugnam gladiator, et idem
Immemor antiqui vulneris arma capit.

450 *Text* SH₂   Illa quidem fatuos que ligat arte viros CEHGTDL
454 in thalamis S   interius CEHGDL

Hic loquitur qualiter milicia bene disposita omnibus aliis gradibus quibuscumque commune securitatis prestat emolumentum.

Cap^m. vii.
   O quam milicia terra consistit in ista
   Audax, preclara, si bene viuat ea!   470
   Si non pro mundi lucro neque laude laboret,
   Indomitus nec amor ferrea corda domet,
   Miles perpetue laudis tunc vincet honore,
   Nomen et eternum nobilitabit eum.
   Si bona milicia fuerit, deus astat in illa,
   Vincat vt invicto miles in ense suo:
   Si bona milicia fuerit, vigilat bona fama,
   Que iacet in lecto victa sopore modo:
   Si bona milicia fuerit, tum pace reviua
   Sponsus cum sponsa preparat acta sua: 480
   Si bona milicia fuerit, tunc hostis ab illa
   Sternitur ecclesie, crescit et ipsa fide:
   Si bona milicia fuerit, taxacio dura
   Que sonat in patria tunc erit absque nota:
   Si bona milicia, tunc non tardabit adesse
   Pax, cum qua redeunt prospera cuncta simul.
   Qui bonus est miles nequit exercere pauorem,
   Nec tepide mentis intima lesa gerat:
   Qui bonus est miles mundi terit omne superbum,
   Vincit et ex humili corde maligna ferus: 490
   Qui bonus est miles pro Cristi nomine certat,
   Et rem communem protegit ipse manu:
   Qui bonus est miles probat et bene scit quod in orbe
   De belli fine pacis origo venit;
   Talis enim miles de vera laude meretur
   Quicquid in hoc mundo regula laudis habet.

Hic loquitur qualiter milicie improbitas alios gradus quoscumque sua ledit importunitate et offendit.

Cap^m. viii.
   Si tamen econtra miles sua gesserit arma,
   Euenient plura dampna timenda mala:
   Si mala milicia, nichil est scutum, nichil hasta,

470 viuit C   471 laborat CE   487 f. *Two lines om.* DL   *No paragr.* CEHT

LIBER QUINTUS 215

Nec manus in gladio fulget honore suo: 500
Si malus est miles, quis nos defendet in armis?
Si mollis fuerit, aspera nostra dabit:
Si mala milicia, quid clerus vel sibi cultor
Possunt, dum foribus guerra patebit eis?
Si mala milicia fuerit, tunc hostis agenda
Dat renouare ferus, qui solet esse pius.
Sic bonus ille bona, malus aut mala fert metuenda,
Qui gerit in manibus nostra tuenda suis.
Munda manus mire probitatis conferet ictus,
Dum polluta suis sordibus arua fugit: 510
Conscius ipse sibi, mala dum meditabitur acta,
Hesitat, et varia mente vacillat opus.
Moribus arma vigent, aliter fortuna recedit,
Stat probitas viciis proxima nulla diu.
  Moribus ergo stude, miles, viciisque resiste
Belliger, et valide publica iura foue.
Est michi nil cunctas terrarum vincere turmas,
Dum solo vicio vincor inermis ego:
Nec magis in culpa quid obest quam miles ad arma
Tardus, et assissis promptus inesse lucris. 520
Hostibus vt perdix vicinis ancipiterque
Miles dum steterit, res sibi vilis erit.
Non valet hic dignus amplexibus esse Rachelis,
Inclita quem Martis arma beare negant:
Que speciosa viro tali concedit amorem,
Errat et ignorat quid sit amoris honor.
Lya magis feda pro coniuge congruit immo
Tali, qui minime gesta valoris habet:
Tales ad Lyam redeant et eam sibi iungant,
Lya sit hic pauidus, qui nequit esse Rachel. 530
Nullus ametur homo qui non est dignus amore,
Sit set amoris egens qui negat eius onus:
Non sine sollicito septenni temporis actu
Captus amore Iacob colla Rachelis habet.
  Set quem causa lucri mouet vt procedat ad arma,
Miles honore suo nil probitatis habet.
Vulturis est hominum natura cadauera velle,
Vt cibus occurrat bellica castra sequi;

501 nos CEGDL non SHTH₂   507 Si CE   529 Liam SL

Sunt similes qui bella volunt, qui castra sequntur,
Qui spoliis inhiant esuriendo lucrum: 540
Horret auis rapidum quia predat proxima nisum,
Et pecus austerum quodlibet esse lupum.
Qui tibi delicias, miles, preponis, et arma
Deseris, et requiem queris habere domi,
Pauperis et spolia depredans more leonis,
Quo maceras alios, tu tibi crassa rapis,
Que tibi torpor agit, que deliciosa voluptas
Suadet, auaricie pelleque lucra simul:
Suscipe sanguinei trepidancia munera belli,
Credoque quod vicia iam tibi terga dabunt. 550
Ante suum lucrum miles preponat honorem,
Dans sua vota deo cunctaque vincet eo:
Heu! modo set video quod honor postponitur auro,
Preferturque deo mundus et ipsa caro.
Milicie numerus crescit, decrescit et actus;
Sic honor est vacuus, dum vacuatur onus.

Postquam dictum est de illis qui in statu militari rem publicam seruare debent illesam, dicendum est iam de istis qui ad cibos et potus pro generis humani sustentacione perquirendos agriculture labores subire tenentur.

Cap^m. ix. Que sit milicia iam vos audistis, et vltra
Dicam de reliquis, regula que sit eis.
Nam post miliciam restat status vnus agrestis,
In quo rurales grana que vina colunt. 560
Hii sunt qui nobis magni sudore laboris
Perquirunt victus, iussit vt ipse deus:
Est et eis iure nostri primi patris Ade
Regula, quam summi cepit ab ore dei.
Nam deus inquit ei, dum corruit a Paradisi
Floribus, in terram cepit et ire viam:
'O transgresse, labor mundi tibi sint quoque sudor,
In quibus vteris panibus ipse tuis.'
Vnde dei seriem cultor si seruet eundem,
Ac opus in cultu sic gerat ipse manu, 570
Tunc pariet fructus quam fertilis ordine campus,
Vuaque temporibus stabit habunda suis.
Nunc tamen illud opus vix querit habere colonus,

LIBER QUINTUS

Set magis in viciis torpet vbique suis.
   Inter quos plebis magis errat iniqua voluntas,
Sulcorum famulos estimo sepe reos.
Sunt etenim tardi, sunt rari, sunt et auari,
Ex minimo quod agunt premia plura petunt:
Nunc venit hic usus, petit en plus rusticus vnus,
Tempore preterito quam peciere duo;   580
Et dudum solus plus contulit vtilitatis
Nunc tribus, vt dicunt qui bene facta sciunt.
Sicut enim vulpis resonantibus vndique siluis
De fouea foueam querit et intrat eam,
Sic famulus sulci contrarius ammodo legi
De patria patriam querit habere moram.
Ocia magnatum cupiunt hii, nil tamen vnde
Se nutrire queunt, ni famulentur, habent:
Hos seruire deus naturaque disposuerunt,
Ille vel illa tamen hos moderare nequit: 590
Quisque tenens terras has plangit in ordine gentes,
Indiget omnis eis, nec reget vllus eas.
Non impune deum veteres spreuere coloni,
Nec mundi procerum surripuere statum;
Set seruile deus opus imponebat eisdem,
Quo sibi rusticitas corda superba domet:
Mansit et ingenuis libertas salua, que seruis
Prefuit atque sua lege subegit eos.
   Nos magis hesterna facit experiencia doctos,
Quid sibi perfidie seruus iniqus habet;   600
Vt blada cardo nocens minuit, si non minuatur,
Sic grauat indomitus rusticus ipse probos.
Vngentem pungit pungentem rusticus vngit,
Regula nec fallit quam vetus ordo docet:
Vulgi cardones lex amputet ergo nociuos,
Ne blada pungentes nobiliora terant.
Nobile quicquid habent seu dignum, rustica proles
Ledit in ingenuis, sit nisi lesa prius:
Quod sit rusticitas vilis, docet actus ad extra,
Que minus ingenuos propter honesta colit;   610
Vtque labant curue iusto sine pondere naues,
Sic, nisi sit pressus, rusticus ipse ferus.
   Contulit et tribuit deus et labor omnia nobis,

Commoda sunt hominis absque labore nichil;
Rusticus ergo sua committat membra labori,
Ocia postponens, sicut oportet agi.
Horrea sicut ager sterilis sub vomere cultus
Fallit, et autumpno fert lucra nulla domum,
Sic miser ipse, tuo cum plus sit cultus amore,
Rusticus in dampnum fallit agitque tuum. 620
Nulla ferunt sponte serui seruilia iura,
Nec sibi pro lege quid bonitatis habent:
Quicquid agit paciens corpus seruile subactum,
Mens agit interius semper in omne malum.
Contra naturam fiunt miracula, vires
Nature deitas frangere sola potest:
Non est hoc hominis, aliquis quod condicionis
Seruorum generis rectificare queat.

Hic loquitur eciam de diuersis vulgi laborariis, qui sub aliorum regimine conducti, variis debent pro bono communi operibus subiugari.

Cap^m. x. Gens et adhuc alia cultoribus est sociata,
Que stat communis, ordo nec vllus eis: 630
Hii sunt qui cuiquam nolunt seruire per annum,
Hos vix si solo mense tenebit homo;
Set conventiciis tales conduco dietis,
Nunc hic, nunc alibi, nunc michi nuncque tibi.
Horum de mille vix est operarius ille
Qui tibi vult pacto fidus inesse suo.
Hec est gens illa que denaturat in aula,
Potibus atque cibis dum manet ipsa tuis:
Dum commensalis conductus sit tibi talis,
Omnes communes reprobat ipse cibos: 640
Omnia salsa nocent, tantum neque cocta placebunt,
Ni sibi des assum, murmurat ipse statim;
Nil sibi ceruisia tenuis neque cisera confert,
Nec rediet tibi cras, ni meliora paras.
O cur sic potum petit hic sibi deliciosum,
Quem fouet ex ortu limpha petita lacu?
Pauperis ex stirpe natus, quoque pauper et ipse,
Vt dominus stomacho poscit habere suo.

637 *No paragr.* SD   643 seruisia CE

Nil sibi lex posita prodest, nam regula nulla
Talibus est, nec quis prouidet inde malis: 650
Hec est gens racione carens vt bestia, namque
Non amat hec hominem, nec putat esse deum.
Hiis, nisi iusticia fuerit terrore parata,
Succumbent domini tempore credo breui.

Quia varias rerum proprietates vsui humano necessarias nulla de se prouincia sola parturit vniuersas, inter alios mundi coadiutores Ciuium Mercatores instituuntur, per quos singularum bona regionum alternatim communicantur, de quorum iam actibus scribere consequenter intendit.

Cap^m. xi. Si mea nobilibus vrbanis scripta revoluam,
Quid dicam, set eis est honor est et onus?
Est honor vt tantas teneat Ciuis sibi gasas,
Est onus vt lucra querit habere mala:
Est honor officium maioris prendere ciuem,
Est onus officii iura tenere sui: 660
Transit honor set perstat onus, quod si male gessit,
Hoc scio, quod pondus non leuiabit honor.
Vrbs stat communis de gentibus ecce duabus,
Sunt Mercatores, sunt simul artifices:
Indiget alterius sic alter habere iuuamen,
Vt sit communis sic amor inter eos;
Vincula namque duo sibi stringunt forcius vno,
Sic duo cum socii sint in amore probi.
Inter maiores dum firmus amorque minores
Permanet, vrbs gaudet et policia viget: 670
Crescere rem minimam gentis concordia prestat,
Maxima res discors labitur inque nichil.
Vnio dum gentis durat, durabit et vrbis
Mutua iusticia, plaudit et omnis ea;
Si sit et econtra, tunc vrbes mutua dampna
Vexant, et rara sunt magis inde lucra.
   Sicut et audiui, sic possum testificari,
Vix sedet in Banco regula iusta modo:
Non sapit ille deum qui totus inheret habendum
Has pompas mundi, nomen vt addat ei. 680
In specie nullos statuo neque culpo, set illos
Qui propter mundum preteriere deum:

Set qui iudicium cordis vult reddere iustum,
Credo quod ante deum se dabit inde reum.
Omnes namque lucris sic tendimus omnibus horis,
Quod iam festa deo vix manet vna dies.
O quam Iudeus domini sacra sabbata seruat,
Non vendens nec emens, nec sibi lucra petens!
Lex diuina iubet, quod homo sua sabbata sacret,
Sanctificetque diem, quo colat ipse deum. 690
Cum plueret manna per desertum deus olim,
Quod fecit populus tunc modo signa notat:
Duppla die sexta tollebant facta, laborem
Ostendunt, quia lux septima nescit opus.
Omnia set licita sunt nobis lege moderna:
Respectu lucri quid sacra festa michi?
Nil modo curatur, qua forma quisque lucratur,
Dum tamen ipse suum possit habere lucrum.
Dic michi quis socius est aut tibi carus amicus,
Cuius amicicia fert tibi nulla lucra. 700
Dic modo quis ciuis manet expers fraudis in vrbe:
Si fuerit talis, vrbs mea vix scit eum.

Hic loquitur de binis Auaricie filiabus, scilicet Vsura et Fraude, que in ciuitate orientes ad ciuium negociaciones secretum prestant obsequium. Set primo dicet de condicione Vsure, que vrbis potencioribus sua iura specialius ministrat.

Cap^m. xii. O quam subtiles Fraus ac Vsura sorores
Sunt, quibus vrbani dant sua iura quasi!
Hee fuerant genite diuersis patribus vrbe,
Quas peperit sola mater Auaricia;
Est pater Vsure magnus diuesque monete,
Est Fraus et vulgo degenerata stupro:
Sic soror Vsura stat nobilior genitura,
Quam clamat natam diues habere suam. 710
Nititur hec magnas sub claue recondere summas,
Ex quibus insidias perficit ipsa suas:
Ista soror dampno solum viget ex alieno,
Alterius dampna dant sibi ferre lucra:
Est soror ista potens, aulas que struxit in vrbe,
Et tamen agrestes dissipat ipsa domos;
Ista soror ciuem ditat, set militis aurum

Aufert et terras vendicat ipsa suas.
Vsuram dominus defendit lege perhenni,
Vnde satis clare scripta legenda patent. 720
Nonne foret sapiens qui posset ponere glosam
Hunc contra textum, quem dedit ipse deus?
Hoc scit mercator instanti tempore ciuis,
Qui probat vsuram posse licere suam:
Omnia nuda patent, quapropter vestibus ipsam
Induit, vt ficto fallat operta dolo.
Sic latet Vsure facies depicta colore
Fraudis, vt hinc extra pulcra pateret ea;
Si tamen inde genus sic vertat fraude dolosus,
Vsure species stat velut ipsa prius. 730
Nonne deum fallit cautelis institor ipse,
Talia dum scelera celat in arte sua?
Est deus aut cecus, qui singula cernit vbique?
Vsure tunicam cernit et odit eam.

Postquam dixit de potencia Vsure, iam de Fraudis subtilitate dicere intendit, que de communi consilio quasi omnibus et singulis in emendo et vendendo ea que sunt agenda procurat et subtiliter disponit.

Cap^m. xiii. Ista soror grauia parat, altera set grauiora,
Nam stat communis omnibus ipsa locis:
Quo tamen Vsura pergit Fraus vadit et illa,
Vna viam querit, altera complet opus.
Vrbibus Vsura tantum manet hiis sociata
Quorum thesaurus nescit habere pares; 740
Set Fraus ciuiles perstat communis ad omnes,
Consulit et cunctis viribus ipsa suis:
Clam sua facta facit, nam quem plus decipit ipsa,
Ipse prius sentit quam videt inde malum.
   Stans foris ante fores proclamat Fraus iuuenilis
Merces diuersas, quicquid habere velis.
Quot celi stelle, tot dicet nomina rerum,
Huius et istius, et trahit atque vocat:
Quos nequit ex verbis, tractu compellit inire,
'Hic,' ait, 'est quod vos queritis, ecce veni.' 750
Sic apprenticius plebem clamore reducit,
Ad secreta doli quando magister adest:

Dum Fraus namque vętus componit verba dolosa,
Incircumventus nullus abire potest :
Si sapiens intrat, Fraus est sapiencior illo,
Et si stultus init, stulcior inde redit.
   Ad precium duplum Fraus ponit singula, dicens
Sic, 'Ita Parisius Flandria siue dedit.'
Quod minus est in re suplent iurancia verba,
Propter denarium vulnerat ipsa deum ;   760
Nam nichil in Cristo membrorum tunc remanebit,
Dum iuramentis Fraus sua lucra petit.
Hac set in arte tamen nos sepe domos fore plenas
Cernimus, et proprium nil domus ipsa tenet :
Sicque per ypocrisim ciuis perquirit honorem,
Quo genuflexa procul plebs valedicat ei :
Accidit vnde sibi quasi furtim maior vt ipse
Astat in vrbe sua, qui minor omnibus est.
Set cum tempus erit quo singula nuda patebunt,
Dedecus euertit quod decus ante fuit ;   770
Nam cum quisque suum repetit, tunc coruus amictus
Alterius pennis nudus vt ante volat.
   Fraus et ab vrbe venit campestres querere lanas,
Ex quibus in stapula post parat acta sua.
Numquid vina petit Fraus que Vasconia gignit ?
Hoc dicunt populi rite nocere sibi :
Fraus manet in doleo, trahit et vult vendere vinum,
Sepeque de veteri conficit ipsa nouum.
Fraus eciam pannos vendet, quos lumine fusco
Cernere te faciet, tu magis inde caue :   780
Discernat tactus, vbi fallunt lumina visus,
Ne te pannificus fraudet in arte dolus.
Absit enim species quis vendat Fraude negante,
Dumque suis mixtis dat veterata nouis ;
Decimat in lance sibi, partem sepeque sextam
Pondere subtili Fraus capit ipsa sibi.

Hic loquitur vlterius quomodo Fraus singula artificia necnon et vrbis victualia vbicunque sua subtili disposicione gubernat.

Cap^m. xiiii.   Nolunt artifices Fraudis deponere leges,

   775 gignit CEDL   gingnit SH   785 sibi SEHH₂   fraus CGDL
   786 fraus capit SEHH₂   surripit CGDL

LIBER QUINTUS

Cuius in arbitrio dant sua facta modo:
Fabricat ista ciphos, argentum purgat et aurum,
Set capit ex puro purius ipsa tuo;   790
Conficit ex vitris gemmas oculo preciosas,
Nomen et addit eis, fallat vt inde magis.
Si quid habes panni, de quo tibi vis fore vestem,
Fraus tibi scindit eam, pars manet vna sibi;
Quamuis nil sit opus vestis mensuraque fallit,
Plus capit ex opere quam valet omne tibi.
Set quid pellicibus albis, nigris, quoque grisis
Dicam? numquid eis Fraus iuuat ipsa prius?
Fraus prima facie trahit in longum satis apte,
Quod trahit hoc hodie, cras caret inde pede: 800
Fraus quoque debilia vendens care facit arma,
Contractos et equos Fraus facit armigeros:
Fluxum candele Fraus de pinguedine facte
Prouocat, hinc fluxus sit sibi perpetuus:
Fraus eciam sellas, ocreas facit et sotulares;
Omnem nunc artem Fraus facit esse suam.

    Fraus etenim carnes populo vendit, quoque pisces,
Condolet hinc gustus dum sapit inde prius:
Fraus facit ob panes pistores scandere clatas,
Furca tamen furis iustior esset eis: 810
Ceruisie domina Fraus est, testante lagena,
Qua vix per seriem scit Thethis esse Cerem:
Fraus cocus et cocta componit et ordinat assa,
Inque cibos horum conuocat ipsa forum:
Vt furit absque modo clamor constanter abisso,
Sic Fraus assa sibi clamat in aure fori.
Hospes in hospiciis Fraus gaudet de peregrinis,
Set peregrinus eam plangit habere malam:
Sincopat in modio, decaudat fraus minuendo
Fena per apocapen, lucra colendo tamen.   820

    Dum curat minima, Fraus pullos vendit et oua,
Est nichil inque foro, quin regit ipsa dolo:
Fraus procurator communis in vrbe notatur;
Dum causas iungit, semper id vna luit.

789 ista SG   ipsa CEHD   ipse L   799 Stans C   805 eciam CEHDLT
etenim S   sellas] cellas CEL   810 ffurta EDLT   812 Thethis
(thethis) SCEHGT   Thetis D   tethis L

Vt numeranda maris consistunt litora nobis,
Sunt infiniti fraudis in ore doli.
Fraus facit et facta vendit, quoque iudicat acta,
Ambicione sua statque per omne rea.
Non commune bonum Fraus cum sit rector agendum
Auget, set proprium spectat habere lucrum. 830
Sic patet in fine, nunc transiit exul ab vrbe
Ipsa Fides sterilis, Fraus parit atque magis.
Hoc ego non dico, quod Fraus dominatur in omnes,
Iusto nam ciui Fraus nichil addit ibi.

Hic loquitur de ciue illo maliuolo et impetuoso, qui maioris ministerium sibi adoptans in conciues suam accendit maliciam, quo magis sanum ciuitatis regimen sua importunitate perturbat et extinguit.

Cap^m. xv.   Turpiter errat auis, proprium que stercore nidum,
Cuius erit custos, contaminare studet:
Dedecus est ciui sociis qui tollit honorem,
Quo campestris habet ciue priora loca.
Est inter populum furiosus vbique timendus,
Saltem dum gladium possidet ipse manu; 840
Est set in vrbe magis hominis metuenda potestas,
Iudicis officio dum furit ipse suo.
Vtpote sola domum poterit sintilla cremare,
Sic malus indigena solus in vrbe grauat.
Mutatis subito rebus natura gemescit,
Et magis insolita de nouitate dolet,
Sorte repentina dum pauper in vrbe leuatur,
Et licet indignus culmen honoris habet.
Vrbis nobilitas poterit tunc dampna timere,
Cum noua stultorum gloria laudat eum. 850
Arridet stultus stulto, vir iniqus iniquo,
Gaudet sensatus cum sapiente viro.
Asperius nichil est humili cum surgit in altum,
Saltem cum seruus nascitur ipse prius;
Mens antiqua manet serui de condicione,
Det quamuis summum sors sibi ferre statum.
Si cursoris equi sella sit Asellus opertus,

Cap. xv. *Heading* 1 ciue illo S   illo ciue CEHGDLT   2 ministerium]
officium CE

LIBER QUINTUS

Non tamen in cursu fit magis inde celer:
Indoctus que rudis nec homo mutatur honore,
Rusticitate sua quin magis asper erit.   860
Coruum perfidie dampnant animalia queque,
Sic est de ciue qui stat in vrbe male:
Quamuis sors fallax hominem sine moribus vrbe
Preponat, quis sit vltima fama dabit.
   Vir malus est hominum multorum sepe flagellum,
Quem deus ad tempus plura mouere sinit:
Fine tamen proprio capiti mala cuncta refundit,
Que foris in populo fecerat ipse prius.
Mille cados olei premit vncia sola veneni,
Solus millenos vir malus atque bonos: 870
Ignitus carbo plures producit in ignem,
Sic mala multa facit, quo manet ipse, malus:
Talis enim summam fuerit cum scansus in arcem,
Spirat et imperio subdere cuncta suo,
Vertitur ecce rota, prius et qui celsior vrbis
Extitit, inferior omnibus ipse cadit.
Fraus florere potest, set fructificare nequibit,
Nec sua radices plantula firmat humo:
Res probat in fine, cum quis tumefactus auare
Se dabit in precium, non fore grande lucrum.   880
Quisque valet speculo satis ista videre moderno,
Vix tamen est sapiens, qui cauet acta videns.

   Hic loquitur eciam de ciue illo, qui linguosus et Susurro inter conciues seminator discordiarum existit. Loquitur de variis eciam periculis occasione lingue male contingentibus.

Cap^m. xvi. Dum Susurro manet et vir linguosus in vrbe,
      Plebis in obprobrium scandala plura mouet;
      Nam linguosus homo reliquos velut altera pestis
      Ledit, et vt turbo sepe repente nocet.
      Set quia lingua mala mundo scelus omne ministrat,
      Que sibi sunt vires dicere tendo graues.
      Lingua mouet lites, lis prelia, prelia plebem,
      Plebs gladios, gladii scismata, scisma necem;   890

876 cadet CE   881 Quis valet in speculo D   Quisq*uis* valet spec*u*lo L
Cap. xvi. *Heading* 2 f. eciam de variis EDL

Extirpat regnis, dat flammis, depopulatur
Lingua duces, lingua predia, lingua domos:
Lingua maritorum nexus dissoluet, et vnum
Quod deus instituit, efficit esse duo;
Lite fugantque viros nupte, nuptasque mariti,
Inque malum dicunt res sibi semper agi.
Corporis exigua pars nulli parcere nouit,
Fallax et facilis fasque nephasque loqui:
Fermentum modicum totum corrumpit aceruum;
Exacuens mentem singula membra mouet. 900
Non nichil est quod eam duplex custodia seruat,
Ne fluat in verbis impetuosa suis:
Dentibus obstruxit prudens natura palatum,
Vt claustro residens clausa silere queat;
Talis eam custos stimulis castigat acutis,
Vt nichil abrupte queque licenter agat:
Exterius datur alter ei custos labiorum,
Vt duplex duplici ianua claudat iter:
Osseus ordo prior excessus corrigit, alter
Carneus et madidus micia verba facit. 910
Hos tamen erumpit aditus quandoque latenter,
Et ruit in verba que reuocare nequit:
Impetus huius habet rerum discrimina mille,
Que velut ignis edax prospera queque vorant.
   Dicere qui poterit quot in ethere lumina lucent,
Paruaque quot siccus corpora puluis habet,
Vix satis est sapiens homo talis vt omnia dicat
Semina pestifera que mala lingua serit.
Nemo referre potest mala que linguosus in vrbe
Parturit, et duplo prouocat ore dolos. 920
Res mala lingua loquax, res peior, pessima res est,
Que quamuis careat ossibus, ossa terit:
Non locus est pacis vbi regnat lingua loquacis;
Qui nec habet pacem, non habet ipse deum:
Qui sine pace dei discordat, habere salutem
Non valet, est et opus absque salute nichil:
Omne quod adquirit sibi pax, discordia tollit,
Quicquid et ista leuans erigit, illa ruit.
Est vbi regnat amor deus; est vbi nullus amator,
Dirigat vt causas nescit adesse deus: 930

Est grauior plumbi massa sic garrula lingua,
Pondere sub cuius corruit vrbis honor.
Qui mala vult vrbi conciuis nesciat vrbem,
Ianua fallaci nec sit aperta viro:
Ore licet duplex talis canat vrbis honorem,
Corde silens tacite semina fraudis habet:
Sicut aqua piscis gaudet, letatur iniqus
Dum videt alterius dampna patere magis.
Fontem dum solus communem toxicat vnus,
Plebs perit et pestis magna repente venit: 940
Ciuis qui ciues conturbat et opprimit omnes,
Exulis aut mortis sit sibi pena prius.
Dum dens solus olet, totum caput inficit ille,
Si foris extrahitur, cessat ab inde dolor;
Sic prius extractus sit ciuis in vrbe malignus,
Quam ciuilis honor perdat in vrbe locum.
Expedit vnus enim moriatur, ne quasi tota
Gens pereat lesa de grauitate sua.

 Vrbis rector, age quod sit concordia, que dat
Pacem: pax etenim prospera cuncta parit. 950
Non sonet in populis sermo tuus impetuosus;
Dulcibus est verbis vrbis alendus amor.
Obsequium tigresque domat tumidosque leones,
Rustica paulatim taurus aratra subit;
Sic sibi quod nequeunt, valet hoc prudencia, vires,
Comptaque de facili pondere complet opus.
Non satis vna tenet agitatas anchora puppes,
Nec satis est liquidis vnicus hamus aquis;
Sola nec vna viri persona potest sine plebis
Auxilio cunctas vrbis habere vices. 960
Principiis obsta, si tu potes, aut sapienter
Discute paulatim quod nequis ipse simul:
Tempora dum veteris queris temeraria dampni,
Sepe magis morbum quam medicamen habent:
Curando fieri quedam maiora videmus
Vulnera, que melius non tetigisse fuit.
Flumina magna vides paruis de fontibus orta,
Flumina collectis multiplicantur aquis:

949 *Ordinary paragraph* CEDL   955 sibi CEHGDLH₂   vbi S

Sepius, in primo quod erat sanabile vulnus,
Dilatum longo tempore nescit opem. 970
Ad vomitum scelus est reuocabile fitque nouatum
Vulnus, et infirmis causa pusilla nocet:
Vulnus in antiquum rediet mala sana cicatrix;
Defectus cure causa prioris erat.
 Vt vix extinctum cinerem sub sulphure tangas,
Viuit, et ex minimo maximus ignis erit;
Sic indiscrete veterem qui corripit iram,
Commouet ex facili ferre quod ipse nequit:
Quelibet extinctos iniuria suscitat ignes,
Quo prius oblita forcius ira redit. 980
Ira subit, deforme malum, lucrique cupido;
Est vbi nullus amor, vrbs habet omne nephas:
Crimina dicuntur, resonat clamoribus ether,
Inuocat iratum sic sibi quisque deum.
Pertinet ad ciues rabidos compescere mores
Candida pax homines, trux decet ira feras:
Nulla fides, vbi nullus amor, set amore remoto
Ignorat proprium quisquis in vrbe gradum.
Dum diuisa manet plebs a sapientibus vrbis,
Consilium multe calliditatis init: 990
Ignis, aqua dominans duo sunt pietate carentes,
Vulgus et indomitus peior habetur eis.
 Nuper iusticia pax et concordia ciues
Rebus et in causis rectificare solet.
Nunc vbi sunt? dicas. Non hic. Cur tunc abierunt?
Liuor et argenti lamina causa fuit.
Quod dolus adquirit, lucrum durabile non est,
Invidie nec amor durat in vrbe comes.
Ablue preteriti periuria temporis, oro;
Ablue preterita perfida verba die. 1000
Sic plus quam credi poterit fortuna reviuet,
Surget et in precium quod modo vile cadit.
Assolet interdum fieri placabile numen,
Nube solet pulsa clarior esse dies:
Pax datur in terris quibus extat honesta voluntas;
Vir malus omne quod est pacis ab vrbe fugat.
Roma caput mundi fuit omni tempore, saltem

975 *No paragr.* CEHTD

Dum communis amor rexit in vrbe forum:
Set diuisa statim viduata recessit honore,
Eius et imperium perdidit omne decus. 1010
Non honor Athenis decessit, dummodo ciues
Vnanimes odium non habuere simul;
Postea quando grauis vrbem diuisio spersit,
Ammodo de veteri sumpsit honore nichil.
Sors tamen illa deo mediante recedat ab vrbe
Nostra, que magno fulsit honore diu.

Exquo de errore in singulis temporalium gradibus existente tractatum est, iam quia vnumquemque sub legis iusticia gubernari oportet, tractare vlterius intendit de illis qui iuris ministri dicuntur, quamuis tamen ipsi omnem suis cautelis iusticiam confundunt, et propter mundi lucrum multipliciter eneruant.

Incipit liber Sextus.

Cap^m. i.   Sunt modo quam plures nomen de lege gerentes,
            Qui tamen in parte nomen habent sine re:
Hii sine lege dei sub lege viri quasi fictum
Vsurpant nomen legis habere suum;
Est quibus omnis amor extraneus, omnis et error
Proximus et proprii causa creata lucri:
Hic labor, hoc opus est primo cum munere iungi,
Est sine quo lingue muta loquela sue.
Qui tamen ad veras leges vacat, et sine fraude
Iusticiam querule proximitatis agit,   10
Vt psalmista canit, est vir magis ille beatus;
Paucos set tales iam sibi tempus habet.
Aurea pugna nouo sic conterit vlcere leges,
Lesa quod vlterius iura salute carent.

   Hoc ego quod plebis vox clamat clamo, nec vllos,
Sint nisi quos crimen denotat, ipse noto.
Talibus in specie, quos deuiat error auare,
Non aliis ideo scripta sequenter ago.
Legis sub clamide latet ars, qua lex sine iure
Vertit vt est velle quolibet acta die;   20
Causidici talem poterunt dum plectere legem,
Transformant verbis iura creata suis.
Iuris in effigie sunt omnia picta colore,
Quo magis occultum fert sibi lucra forum:
Iusta vel iniusta non curant quomodo causa

LIBER SEXTUS

Stat, set vt illa lucris fertilis astet eis.
Nunc cum causidicus aduerse ius fore partis
Scit, tunc cautelas prouocat ipse suas:
Quod nequit ex lege, cautelis derogat ipse,
Cum nequeat causam vincere, vexat eam: 30
Si tamen hanc vincat, mos exigit et modo prestat
Legis sensati nomen habere sibi:
Nam nisi cautelis laruare sciat sibi leges,
Tunc dicent alii, deficit actus ei.
Sic actus falsi leges confundere veri
Preualet, et lucro plus capit inde suo;
Sic cum causidicus fuerit sapiencior, auctis
Legem cautelis opprimit ipse suis.
Sic lex pro forma patet, et cautela perita
Stat pro materia iuraque vincit ea. 40
    Hec est linguosa gens, que vult litigiosa
In falsis causis vociferare magis.
Vult sibi causidicus seruare modum meretricis,
Que nisi sit donum nescit amare virum,
Est et, vt ipse vides, semper venalis ad omnes;
Aurum si sibi des, corpus habere potes.
Cuius enim generis aut ordinis est homo nusquam
Curat, dum poterit quicquid habere lucri.
Vt via communis astat Rome peregrinis,
Qui veniunt sanctis reddere vota locis; 50
Est ita vulgaris domibus via causidicorum,
Qua graditur populus donaque reddit eis.
Nam velut antiqui iustos strinxere tiranni,
Qui renuerunt diis reddere thura suis,
Sic modo causidicus vicinos stringit auarus,
Qui sunt inuiti ferre tributa sibi,
Sic video populos modo sacrificare coactos
Causidico legis, ne male fiat eis.
Diuerse gentes, vt sufficit ipsa facultas,
Munera diuersa dant sibi sepe noua: 60
Conuenit immo tibi, donum si deficit auri,
Munus vt argenti des reuerenter ei;
Si tamen argentum non est, exennia prebe
Illi, quem saciat est quod in orbe nichil.

    31 mos SCEHGT   mox DLH₂

Singula que terra bona gignit, et ether in alto,
Seu mare, de dono querit habere tuo;
Ex omni parte, sic post, sic congregat ante;
Dum tamen omne capit, nil tibi retro dabit.
  Non vno volucres laqueo set pluribus auceps
Carpit, nec pisces vnicus hamus habet;   70
Lex in non leges iam transmutata nec vnum
Rethe, set in lucrum recia mille parat.
Vndique casus adest legis, quo pendulus hamus
Aurea de burse gurgite dona capit;
Non via talis erit qua non scrutabitur auri
Arte vel ingenio, vi vel amore, lucrum.
Contextat tenues subtilis aranea telas,
Possit vt hiis predas illaqueare suas;
Si veniat musca volutans, cadit ipsa retenta,
Nisus et a medio transiet absque malo;   80
Quod volat ex alis euadet fortibus illud,
Voluitur et laqueis debile quicquid adest.
Causidicus cupidus pauidos de lege propinquos
Voluit et illaqueat condicione pari;
Ignauum populum, cuius defensio nulla est,
Opprimit, et legis rethe coartat eos;
Plebs cadit in telas simplex, hominique potenti
Recia causidici dant lacerata viam.
  Vespere pronus humi vespertilio volat, vti
Pennis pro pedibus in gradiendo solet;   90
Sic cuius mentem terrena sciencia ditem
Efficit, huic volucri se facit esse parem;
Iste velut circa terram volutat, quia veri
Luminis ignarus terrea sola rapit.
Dicitur in noctem subtilis noctua visu
Esse, nitente die luce minore frui;
Hanc imitantur auem legis qui sunt sapientes,
Vt mala noctis agant, nec bona lucis habent.
Sepius illa tamen quam preda rapit sibi mors est,
Dum latet occulto finis habendus ei: 100
Improuisus adest cum pullos tollere miluus,
Esurit, et fraude fraus sua sepe cadit:

    65 gignit CEDL   gingnit SHG   gingit T   72 rethia CE
    79 volitans CE   93 volitat CE

Sic capiens capitur, sic qui vorat ipse voratur,
Infelix hamum quo capietur amat.

Hic loquitur de causidicis et aduocatis illis, qui vicinum populum depredantes, ex bonisque alienis ditati, largissimas sibi possessiones adquirunt: de quibus tamen, vt dicitur, vix gaudet tercius heres.

Cap^m. ii.   Plusquam Cilla maris rapiens sibi deuorat vndas,
Causidicus patriam deuorat ipse suam;
Plus cane qui siluis predam sibi querit in amplis,
Causidicus lucrum querit habere suum;
Nec canis hic predam plus stringit, dum capit illam
Dentibus, vt carnes deuoret ipse suas,   110
Quin plus causidicus stringit de lege clientem,
Munus vt argenti possit habere sibi.
Vt solet ancipiter trepidas vrgere columbas,
Causidicus gentes vrget et angit eas:
Vt tremit agna pauens, nouiter que saucia canis
Est euasa lupis, nec bene tuta manens;
Vtque columba suo madefactis sanguine plumis
Horret adhuc vngues, heserat illa quibus;
Sic pauet a laqueis oppressus causidicorum
Pauper, et inde sui clamat in aure dei.   120
   Vulnera plebeia medicus desiderat, vt sic
Det dolor alterius munera leta sibi;
Gentes causidicus discordes optat, vt ipse
Prospera de lite gentis habere queat.
Ex hoc quod perdis lucratur, sique lucreris,
Hinc tecum partem querit habere suam;
Cum plenam dextram teneat, tunc ipse sinistram
Tendit, que sibimet insaciata manet.
Sic quacumque via furit Eurus, semper in aura
Velum tranquillum gestat ad omne fretum: 130
Sic viget ex auro loculus pregnans alieno;
Quod male concepit, peius id ipse parit:
Nam modus est legis cito cum locuplex fore nummis
Possit, tunc terras appetit ipse nouas.
   Vt constricta fame lupa more suo catulorum
Querit habere suos lata per arua cibos,
Sic cum causidico sit proles aucta, per omnes

Machinat insidias, de quibus auget opes.
O sine tunc requie conspirans nocte dieque,
Vt capiat lucrum, temptat vbique forum ; 140
Tuncque domos domibus, campos iungit quoque campis,
Vellet vt hiis per se solus in orbe fore :
Sic rapiens oua fouet vt perdix aliena,
Set de fine patet quid sibi iuris habet.
Que pater in studio quesiuit vix sibi magno,
Dissipat in vicio filius ipse cito ;
Et que fraude sua sapiens mundi cumulata
Strinxerat, hec stultus laxat abire vagus ;
Sic male quesitis non gaudet tercius heres,
Set rapit hec mundus que dedit ipse prius. 150
Causidico fore ve patet ex dictis Ysaïe,
Namque domum vidue dissipat ille male.

Hic loquitur de causidicis et aduocatis illis, qui quanto plures sunt in numero, tanto magis lucra sicientes patriam deuorant, et iuris colore subtilia plectentes, suis cautelis innocentem populum formidantem illaqueant.

Cap^m. iii. Cum fuerint tribuli summe maioris aborti,
Sunt blada depresso facta minora solo ;
Cum magis atque suis Sus fuderit vbera natis,
Est macies lateris macrior acta Suis.
Cum magis et numerum lex auget causidicorum,
Tum gemit in patriis plebs spoliata magis.
Vt blada que mersa torrens supervndat aquarum,
Vellit et extirpat quicquid adheret humo, 160
Concio lege rapax sic multiplicata virorum
Lucra, superficies que tenet orbis, habet.
Non valet esse salus, medicus dum vulnerat egros,
Addit et ad dampnum dampna furore suo ;
Sic, vbi causidici causas sine iure revoluunt,
Esse quies longo tempore certa nequit.
Sunt ita continua presentibus ista diebus,
Vix vt ab hoc morbo sanus abibit homo.
Aurea dum leges lanx ponderat, equa statera
Non erit, hoc et opus iura moderna docent. 170
Scribitur, os auri Crisostomus ipse gerebat ;

149 non] vix CD

LIBER SEXTUS

Sub sermone latens illa figura fuit:
Aurea de facto gestant tamen ora potentes
Causidici, qui nunc aurea cuncta vorant.
Pondere subtili species venduntur, vt emptor
Circumventus eo nesciat inde forum;
Est tamen ecce modo pondus subtilius, in quo
Venduntur verba legis in arte sua.
Quicquid agant leges, hominis lex interioris
Gestat ab interius iudicis illud onus: 180
Omnia dat gratis dominus, set legis auarus
Sermonem nullum dat nisi vendat eum.
Si bene promittant, totidem promittere verbis
Ius foret, et pactis pacta referre suis:
Hii tamen ante manum, quicquid de fine sequetur,
Sepius inmerito premia ferre petunt.
Sic magis obliqua lanx nescit pondera iuris,
Quo ruit in tortam, que foret equa, viam;
Sic solet iniustum fieri sub nomine iusto,
Quod foret et fidum, fit magis absque fide: 190
Causidici legem proponunt esse beatam,
Concludunt set eam facta per ipsa malam.

   De ligno quicquid rectum si vir sibi sumat,
Ad visum claris subdet et illud aquis,
Apparet tortum sibi quod fuit ordine rectum;
Sic ad propositum lex agit ecce meum.
Nam si causidico modo dicam ius manifestum,
Quod michi iusticia nulla negare potest,
Ipse suum lucrum conspirans quicquid ad ipsum
Dixero subuertet, multa pericla mouens; 200
Conficit ex mellis dulcedine fellis amarum,
Vrtice similem fingit et esse rosam,
Et velut ex flatu Basiliscus toxicat oris
Aera, quo peste proxima vita perit,
Est quod plus sanum, sic ius vir iuris ad aures
Inficit ex verbis, plenus in ore dolis:
Et sic vulpis ouem terret predoque viantem
Predat, sicque dolus cogit abire fidem.
Micius est lapso digitum supponere mento,
Mergere quam liquidis ora natantis aquis: 210

    187 S*et* C   194 subdet SH subdat CEGDL

Miror eo, causas inopum qui lege tueri
Deberet, cicius aggrauat auctor opus.
  Sompnia perturbant quam sepe viros sine causa,
Non res set sompno visa figura rei;
Sic tibi causidicus fingens quam sepe pericla,
Est vbi plus rectum, diuaricabit iter:
Mente tibi loquitur dubia, nam nemo dolose
Mentis securis vocibus esse potest;
Questio precedit, racionem fallere pergit,
De quo non dubitat te dubitare facit: 220
Incutit ipse tibi ficta sic lege timorem,
Vertat vt in brutum de racione virum:
Ex oculis primum dabis, vt retinere secundum
Possis, dum causam lex regit ipsa tuam.
Causidici nubes sunt ethera qui tenebrescunt,
Lucem quo solis nemo videre potest:
Obfuscant etenim legis clarissima iura,
Et sua nox tetra vendicat esse diem;
Istis inque viris perdit sua lumina splendor,
Verum mentitur, fraus negat esse fidem.   230
Lex furit et pietas dormit, sapiencia fallit,
Pax grauat, et lites commoda queque ferunt:
Et sic lex legis a ledo ledis in isto,
Et ius a iurgo, tempore iura legit.
Vnio set populi firmo si staret amore,
Causidici vanus tunc foret ille status.
  Est bona lex in se fateor, tamen eius inique
Rectores video flectere iura modo.
Non licet, vt dicunt, quod conspiracio fiat,
Non tamen hoc faciunt quod sua iura docent: 240
Contra causidicum si quid michi lex det agendum,
Et peto consilium iuris habere meum,
Tunc dicunt alii, nolunt obstare sodali;
Sic ledunt, set eos ledere nemo potest.
Sic sibi causidicus mundi perquirit honores,
Subuertens lingue iura vigore sue:
Castiget reliquos lex quos vult, non tamen ipsos,
Quos deus aut mundus nescit habere probos.

    225 que L

LIBER SEXTUS

Hic loquitur qualiter isti causidici et iuris aduocati, in sua gradatim ascendentes facultate, Iudicisque aspirantes officium, iudicialis solii tandem cacumen attingunt; vbi quasi in cathedra pestelencie sedentes, maioris auaricie cecitate percussi, peioris quam antea condicionis existunt.

Cap^m. iiii.
  Est Apprenticius, Sergantus post et Adultus,
   Iudicis officium fine notabit eum.   250
  Si cupit in primo, multo magis ipse secundo,
   Tercius atque gradus est super omne reus;
  Et sic lex grauibus auri moderatur habenis,
   Quod modo per iustas non valet ire vias.
  Libera qualis erat lex non est, immo ligatam
   Carcere nummorum ceca cupido tenet:
  Aurea ni clauis dissoluerit ostia clausa,
   Eius ad introitum nullus habebit iter.
  Nil manus in pulsu, nil vox clamore iuuabunt
   Te cum lege loqui, qui sine claue venis: 260
  Dux tibi si nummus non sit, conducat et ipse
   Custodes legis, cassus abire potes.
  Et sic causidicus causam, iudex neque iustum
   Iudicium cernit, dux nisi nummus erit.
   Sunt tria precipue, quibus est turbacio legis,
   Vnde sui iuris perdit vbique locum;
  Munus, amicicia, timor, hec tria iure negante
   Pacta ferunt, quod eis obstat in orbe nichil.
  Dicit enim Salomon oculos quod Iudicis aurum
   Cecat, et est racio contaminata lucro; 270
  Scimus et hoc omnes, qui iudicis extat amicus,
   Perdere iudicio nil valet ipse suo.
  Nouimus hoc eciam, tangat si causa potentem,
   Cernere iusticiam dat timor inde fugam;
  Horrendasque minas iudex non sustinet ipsas,
   Sepius et precibus flectitur absque minis:
  Litera magnatis dum pulsat iudicis aures,
   Tollit vis calami debita iura sequi.
  Set super omne modo sibi ve, qui pauper egendo
   Quid petit in lege, dum nequit ipse dare! 280
  Publica sunt ista nobis, quod lege moderna
   Pauperis in causa ius negat acta sua.

   Heading 4 pestelencie SH pestilencie CEDL

Sic ego non video mea que sunt, set dubitando
Auribus attonitis quero cauenda malis.
Ecce dies in qua, fuerat que iuris amica,
Nunc magis econtra lex gerit acta sua :
Larua tegit faciem, confundit glosaque textum,
Vertit et in logicam lex variata scolam ;
Absque tamen numero sunt legis in orbe scolares,
Plurima sunt folia, fructus et inde minor. 290
Nomine sub iusto quam sepe nephanda parantur,
Subque dolus facie plurima iuris agit :
Qui magis in causis discernunt talibus orbem,
Crimina sunt cautis ista timenda viris.
Grandia per multos tenuantur flumina riuos,
Alueus et sterilis sic vacuatur aquis :
Pluribus expensis patitur thesaurus eclipsim,
Fit, nisi preuideat, sepeque diues inops :
Sic humus ista breui ditissima tempore pauper,
Excessus legum ni moderetur, erit. 300
Tollere nodosam nescit medicina podagram,
Sic nec auaricie lex medicamen habet.
Est mea bursa potens, lex inde subacta silebit,
Preueniens auro singula iura fugo :
Aut si magnatis michi curia sit specialis,
Nil opus est legum viribus, ipse loquor.
Continuata diu sic vlcerat illa cicatrix,
Non habet vlterius iam noua plaga locum.

Hic loquitur quasi per epistolam Iudicibus illis directam, qui in caduca suarum diuiciarum multitudine sperantes, deum adiutorem suum ponere nullatenus dignantur.

Cap^m. v. O qui iudicia vite mortis quoque rerum
Clauditis in manibus appreciata lucris, 310
De qua iusticia vosmet saluare putatis,
Cum sit lex aliis vendita vestra dolis ?
O dilectores mundi falsique potentes,
Terre quique deos esse putatis opes,
O qui mundanos sic affectatis honores,
Est quibus assidua sollicitudo comes,
Discite precipitem quia sepius ardua casum

303 sub acta C

Expectant que leui mobilitate cadunt.
Sepius alta cadit ventorum flatibus arbor,
Planta satis placido permanet atque gradu: 320
Aerias alpes niuibus candescere scimus,
Quas subito torquent frigus et omne gelu;
Est ibi ventorum rabies seuissima, dumque
Temperiem gratam proxima vallis habet.
Sic vobis numquam desunt aduersa, potentes,
Nec pax est vobis certa nec vlla quies.
   Dic michi diuitibus si quando defuit hostis:
Quin magis hos quassat sepe ruina grauis.
Non dat securos nec ebur nec purpura sompnos,
Paupertas vili stramine tuta iacet: 330
Perdere quo possunt, torquet timor omnis auaros,
Vanaque sollicitis incutit vmbra metus.
Auri possessor formidat semper, et omnem
Ad strepitum fures estimat esse prope;
Arma, venena timet, furtum timet atque rapinas,
Fiduciam certam diues habere nequit.
Hunc, dum querit opes, cruciat miseranda cupido,
Cum iam quesitas cepit habere, timor.
Sic igitur miser est, dum pauper querit habere,
Et miser est diues, perdere dumque timet. 340
Dum iacet in plumis, vigilans mens aspera sentit,
Feruet enim variis exagitata dolis:
Dicit, 'Habere volo vicini pauperis agrum,
Est etenim campus proximus ille meis.'
Sic fugat a domibus pupillos iste paternis,
Insequitur viduas iudiciisque premit:
Deliciis fruitur de rebus pauperis iste,
Dampna set alterius computat esse nichil.
Si posset mundum lucrari, quis deus esset,
Vlterius scire nollet in orbe deum. 350
   Iudex, nonne tui fulgor tibi sufficit auri,
Vt careat tenebris mens tua ceca tuis?
Aproprias aurum tibi fertile, nec tamen vmquam
Ad sterilem vitam respicis ipse tuam.
Iusticie montes Iudex vix ardua purus
Scandit, dum mundi rebus onustus erit.

344 campis C (*corr.*)   353 Aproprias SC   Approprias EHGDL

Agrorum fines longos extendere queris,
Nec reputas vite tempora curta tue.
Quid petis argentum tibi? spem quid ponis in aurum?
Sunt nam communes omnibus orbis opes. 360
Sepius ista dei data conspicis hostibus esse,
Ante deum nulla laus et habetur eis:
Ista paganus habet, Iudeus, latro cruentus;
Crede quod iratus sepe dat ista deus.
Parua puto, quecumque malos contingit habere,
Non est prauorum copia grande bonum.
O quociens vir iustus eget, scelerosus habundat,
Hic set non alibi, ius quia regnat ibi.
Dilectus domini moritur, dum viuit adulter,
Non tamen hii Cristi sunt in amore pares: 370
Egrotat iustus, dum sanus floret iniqus,
Fine tamen proprium quisque reportat onus.
Si tamen in mundo iudex sibi ferre salutem
Possit, non curat quid sibi finis erit.
O qui cuncta cupis, cur temet deseris? Omne
Est quod in orbe tenes, set neque temet habes.
O qui scis alios non te, tu notus ad omnes,
Non tibi quid prodest illa sciencia, nil.
Te noscas igitur primo, me nosce secundo,
Rectum iudicium sic sapienter age. 380
Omnia que mundi sunt diligis, omnia Cristi
Linquis, et ex nichilo credis habere satis:
Tu celum perdis, mundum lucraris, inane
Corpus supportas, spiritus vnde cadit.
Est tibi perfectum vanum, tibi mobile firmum,
Talis enim iudex non bene sentit opus:
Edificas turres, thalamos nouitate politos,
Quicquid et est orbis plus deitate colis:
Edificas ampla, fossa clauderis in arta,
Quo medium frontis ostia clausa prement. 390
Quid vestes referam, lectos vel iudicis edes,
Quorum luxuries nescit habere pares?
Qui modo prospiceret habitacula queque fuerunt,
Alterius nouiter diceret illa Iouis.
Gloria nonne tuis erit aut tibi pompa perhennis,
Quas facis in domibus, dum tua lucra rapis?

LIBER SEXTUS

En cecidit Babilon, cecidit quoque maxima Troia,
Romaque mundipotens vix tenet illa locum.
 Omnis habet subitum mundana potencia finem,
Atque fuga celeri deserit ipsa suos : 400
Iudex, ergo time, magnos qui scandis honores,
Teque ruinoso stare memento loco.
Omne quod est mundi tibi carum transiet a te,
Inque tuis meritis iudicat ipse deus :
Equaque lex domini tunc que modo cernis ineque
Discernet, que tibi pondera iusta dabit.
Cum te terribilis exactor missus ab equo
Iudice sulphurei merget in yma laci,
Prodolor! infelix tunc, quamuis sero, dolebis,
Talibus in falsis spem posuisse bonis : 410
Gemma vel argentum nec ibi descendet et aurum,
Nec fragilis mundi gloria lapsa breui.
Iudicibus populi vanum tamen est quod in ista
Materia scripsi ; perdita verba dedi :
Que nam iusticia, que vel sit Iudicis equa
Condicio, non est tempore visa modo :
Iusticiarius est ; sub tali nomine fallit,
Qui sine iusticia nomen inane gerit.

Hic loquitur de errore Vicecomitum, Balliuorum, necnon et in assisis iuratorum, qui singuli auro conducti diuitum causas iniustas supportantes, pauperes absque iusticia calumpniantur et opprimunt.

Cap^m. vi. Nunc eciam vicecomitibus quid dicere possum?
 Numquid in assisis dant nocumenta viris? 42
 Macra fit hec causa, de qua viget vnccio nulla
 Distillans, vt eis vncta sit inde manus :
 Legis in assisa si sint tua dona recisa,
 Ius perit et causa scinditur inde tua ;
 Si tamen assessa sint pre manibus tua dona,
 Tunc potes assisis sumere lucra tuis.
  Vtque bouem, precio qui stat conductus aratro,
 Sic tibi iuratos munere ferre vales :
 Hii tibi proque tuis vendent periuria nummis,
 Sic aurum iura vincit in vrbe mea : 430

405 que tunc modo C   430 orbe CE

****   R

Diuitis iniustam causam sic cerno quietam,
Et iustam causam pauperis esse ream.
Non comes a vice, set vicio comes accipit ortum,
Iuris auaricie fert tamen ipse vices.
Sic dico vicecomitibus, quod munere victi
Communi populo dant nocumenta modo:
Nec sibi iurati sapiunt quid, sit nisi lucri,
De sale conditum quod dabis ante manum:
Causidici lanam rapiunt, isti quoque pellem
Tollunt, sic inopi nil remanebit oui. 440
Sic ego legiferis concludens vltima primis,
Dico quod ex bursa lex viget ecce noua;
Vt margaritas si porcus sumat in escas,
Sumunt legiferi sic modo iura sibi.
 Vendere iusticiam quid id est nisi vendere Cristum,
Quem Iudas cupido vendidit ipse dolo?
Numquid adhuc Iude similis quis viuit in orbe?
Immo sibi plures viuere credo pares.
Namque semel Iudam talem committere culpam
Nouimus, hunc et eo penituisse lego; 450
Nunc tamen vt merces vendunt communiter omnes,
Gaudentes lucrum sic habuisse suum.
Rettulit hoc precium Iudas quod cepit iniqum,
Nec liquet hinc veniam promeruisse suam:
Nunc erit ergo quid hiis, vendunt qui iura sinistris,
Est quibus hora fori cotidiana quasi?
Vt vorat et stricte tenet ipsa vorago gehenne,
Nec redit vllus homo liber ab ore suo,
Sic modo qui vendunt leges que premia carpunt,
Hec valet a manibus tollere nemo suis; 460
Et quia sic similes inferno suntque tenaces,
Credo quod infernus fine tenebit eos.
 Quid seu Balliuis dicam, qui sunt Acherontis
Vt rapide furie? Tu magis inde caue.
Quo portas intrant, prenostica dampna figurant,
Cunctis namque viis ve comitatur eis.
Vt Crati bufo maledixit, sic maledico
Tot legum dominis et sine lege magis.

445 id *erased in* C 456 ora CE

Hic loquitur quod sicut homines esse super terram necessario expedit, ita leges ad eorum regimen institui oportet, dummodo tamen legis custodes verum a falso discernentes vnicuique quod suum est equo pondere distribuant. De erroribus tamen et iniuriis modo contingentibus innocenciam Regis nostri, minoris etatis causa, quantum ad presens excusat.

ap^m. vii. Pro transgressore fuerant leges situate,
Quilibet vt merita posset habere sua: 470
Nunc tamen iste bonus punitur, et alter iniqus,
Dum viget ex auro, iustificatur eo.
Omnia tempus habent et habet sua tempora tempus,
Causaque sic causas debet habere suas.
Quid mare conferret, altis dum fluctuat vndis,
Sit nisi nauis ei quam vehit vnda fluens?
Set quid fert nauis nisi nauta regens sit in illa?
Quid valet aut nauta, si sibi remus abest?
Quid mare, quid nauis, quid nauta, vel est sibi remus,
Sit nisi portus aquis ventus et aptus eis? 480
Gens sine lege quid est, aut lex sine iudice quid nam,
Aut quid si iudex sit sine iusticia?
In patria nostra si quis circumspicit acta;
Hec tria cernet ibi sepe timenda michi.
Omnia dampna grauant, set nulla tamen grauiora,
Quam cum iusticiam iustus habere nequit.
Ex iniusticia discordia crescit, et inde
Cessat amor solitus, murmurat atque domus:
Murmur si veniat, venit et diuisio secum,
Terraque diuisa non bene stabit ea; 490
Et quodcumque sit hoc per se quod stare nequibit,
Ve sibi, nam subito corruet absque modo.
Testis enim deus est, dicens quod regna peribunt
In se diuisa, credoque dicta sua.
Ergo videre queunt quotquot qui regna gubernant,
Nostre pars sortis maxima spectat eis.
Quicquid delirant reges, plectuntur Achiui,
Nam caput infirmum membra dolere facit:

Cap. vii. *Heading* 5 ff. innocenciam—excusat] omnipotens qui cuncta discernit causas melius nouit G (*ras.*) D (*Heading om.* L)
476 quem S 493 *No paragr.* S

Dux si perdat iter, errant de plebe sequentes,
Et via qua redient est dubitanda magis. 500
Propter peccatum regis populi perierunt,
Quicquid et econtra litera raro docet;
Regia set bonitas fert plebi gaudia pacis,
Nam deus ad sancti regis agenda fauet:
Si viciosus enim sit rex, quia lex nequit, ipsum
Vult punire deus, qui super omne potest.
Expediens populo foret vt bene viueret omnis
Rex, iacet in manibus sors quia bina suis:
Vna salus populi rex qui bene viuit habetur,
Plebis et in pestem rex malus acta parit; 510
Eius enim scelera constat magis esse nociua,
Cuius habent populi condita iura sequi.
   Cum sit maior homo, sunt plus sua crimina tanto;
Dum cadit ex altis, leditur inde magis.
Plures cerno reos, magis attamen omnibus ipsos,
Legiferi qui sunt et sine lege manent.
Cum sine lege furit regni viciata potestas,
Esse nichil toto tristius orbe potest:
Sanccius esse pecus animoque capacius ipso
Estimo, qui iura dat neque seruat ea. 520
Imperium Regis non solum bella triumphis
Ornant, set leges seruet vbique bonas.
Nonne domus poterit componere se sine lignis;
Set sibi quid ligna, si nec acuta foret?
Set quid acuta valet, nisi persistens operantis
Vnitis causis sit manus artificis?
Hec sibi si fuerint coniuncta, per omne iuuabunt,
Et si diuisa, pars sibi nulla iuuat.
   Terra quid est sola, populus nisi sistat in illa?

After 522 D *has the following*:—
    Regis namq*ue* modus alios morera*tur, et* omnis
    Iuris ad officium dicitur esse caput.
    Si bonus esse velit Rex, hii qui sunt bonitatis
    Sunt magis edocti condicione sua:
    Si malus esse velit, simili Rex sorte clientes,
    Vt sibi complaciant, eligit, ornat, amat.
    Iamq*ue* supercreuit dolus *et* defecit honestas,
    Sentit *et* opprobrium, quod fuit ante decus.
Then l. 522 (*repeated*) *and* 523 ff.

Quid populus ve sibi, rex nisi regnet ibi? 530
Est quid rex, nisi consilium fuerit sibi sanum?
Sunt quid consilia, rex nisi credat ea?
Attamen in nostra sic stat diuisio terra,
Quod sibi quisque suam iam legit ire viam:
Conciues hodie discordia vexat in vrbe,
Extinguit quod ius quilibet alterius ;
Nec lex campestris est iam memorata magistris,
Set qui plus poterit, ipse magister erit.
Nunc clerus populum, populus culpat quoque clerum,
Et tamen in culpa perstat vterque sua : 540
Invidus alterius nunc culpat quemlibet alter,
Parsque suum proprium nulla reformat iter.
Si videas vtrumque statum, dices quia certe
In magnis lesi rebus vterque sumus.

 Nunc magis in specie vox plebis clamat vbique
Pectore sub timido que metuenda fero.
Curia que maior defendere iura tenetur,
Nunc magis iniustas ambulat ipsa vias :
Infirmo capite priuantur membra salute,
Non tamen est medicus qui modo curat opus. 550
Est ita magnificus viciorum morbus abortus,
Quod valet excessus tollere nulla manus :
Sic oritur pestis, per quam iacet obruta virtus,
Surgit et in vicium qui regit omne forum.

545-580 *Text* SCEHGDL *As follows in* TH₂
 Nunc magis ecce refert verbi clamantis ad aures
Vox, et in hoc dicit tempore plura grauant.
Crimen et, vt clamat, fert maius curia maior,
Que foret instructor, legibus extat egens.
Ad commune bonum non est ⟨modo⟩ lingua locuta,
Immo pctit proprii commoda quisque lucri. 550*
Agmen adulantum media procedit in aula,
Quodque iubet fieri, curia cedit eis :
Set qui vera loqui presumunt, curia tales
Pellit, et ad regis non sinit esse latus.

536 vlterius SH (v *nearly erased in* S)
545* magis *om.* T 549* modo *om.* TH₂ 552* iubent H₂

Rex, puer indoctus, morales negligit actus,
In quibus a puero crescere possit homo:
Sic etenim puerum iuuenilis concio ducit,
Quod nichil expediens, sit nisi velle, sapit.
Que vult ille, volunt iuuenes sibi consociati,
Ille subintrat iter, hiique sequntur eum: 560
Vanus honor vanos iuuenes facit esse sodales,
Vnde magis vane regia tecta colunt.
Hii puerum regem puerili more subornant,
Pondera virtutum quo minus ipse gerit.
  Sunt eciam veteres cupidi, qui lucra sequentes
Ad pueri placitum plura nephanda sinunt:
Cedunt morigeri, veniunt qui sunt viciosi,
Quicquid et est vicii Curia Regis habet.
Error ad omne latus pueri consurgit, et ille,
Qui satis est docilis, concipit omne malum: 570
Non dolus immo iocus, non fraus set gloria ludi
Sunt pueris, set ei sors stat aborta doli.

Stat puer immunis culpe, set qui puerile
Instruerent regimen, non sine labe manent:
Sic non rex set consilium sunt causa doloris,
Quo quasi communi murmure plangit humus.
Tempora matura si rex etatis haberet,
Equaret libram que modo iure caret: 560*
Regis namque modus alios moderatur, et omnis
Iuris ad officium dicitur esse caput.
Si bonus esse velit rex, hii qui sunt bonitatis
Sunt magis edocti condicione bona:
Si malus esse velit, simili rex sorte clientes,
Vt sibi complaciant, eligit, ornat, amat:
Hoc set eum tangit discretum quem probat etas,
Non puerum, quia tunc fit sibi culpa minor
Non est nature lex nec racionis, vt illud
Quod mundum ledit sit puerile malum;   570*
Non dolus, immo iocus, non fraus set gloria ludi,
Sunt pueris, nec ibi restat origo mali.

555 negligit S   respuit CEHGDL   564 virtum H
561* omnes TH₂   564* magis *om.* T   566* complaceant H₂

Sunt tamen occulte cause, quas nullus in orbe
Scire potest, set eas scit magis ipse deus:
Nescit enim mater nato que fata parantur,
Fine set occultum clarius omne patet.
Talia vox populi conclamat vbique moderni
In dubio positi pre grauitate mali:
Sic ego condoleo super hiis que tedia cerno,
Quo Regi puero scripta sequenda fero. 580

Hic loquitur quod, exquo omnes quicumque mundi status sub regie magestatis iusticia moderantur, intendit ad presens regnaturo iam Regi nostro quandam epistolam doctrine causa editam scribere consequenter, ex qua ille rex noster, qui modo in sua puerili constituitur etate, cum vberiores postea sumpserit annos, gracia mediante diuina, in suis regalibus exercendis euidencius instruatur. Et primo dicit quod, quamuis regalis potencia quodammodo supra leges extollatur, regiam tamen decet clemenciam, quod ipse bonis moribus inherendo, quasi liber sub iusticie legibus se et suos in aspectu Regis altissimi assidue gubernet.

Cap^m. viii. Cumque sui Regis legi sit legius omnis
Subditus, et toto corpore seruit ei,
Est ita conueniens quod eum de corde fideli
Mentis in affectu legius omnis amet:
Regis et est proprium, commissam quod sibi plebem
Dirigat, et iusta lege gubernet eam.
Hinc est, quod normam scriptis de pluribus ortam
Regis ego laudi scribere tendo mei.
O pie rex, audi que sit tua regula regni,

Dixit enim Daniel, quod de senioribus orta
Exiit impietas, quam furor orbis habet:
Omne quod est mundi vicium plantant veterani,
Et quasi de peste spersa venena serunt.
Horum namque scelus fertur maculare figuras
Tocius mundi, quo furit ira dei.
Iamque supercreuit dolus et defecit honestas,
Sentit et opprobrium quod fuit ante decus. 580*

Cap. viii. *Heading* 3 regnaturo] excelentissimo T (*text over erasure* SCHG) doctrine causa] in eius honore T (*text over erasure* SCHG)
576* de peste H₂ depiste T   579* supercernit T   deficit T

Concordans legi mixtaque iure dei. 590
Legum frena tenens freno te forcius arce;
Dum nullum metuis, sis metus ipse tibi:
Namque timor, virtus humilis, fugit omne superbum,
Et quasi virtutum clauiger esse solet.
Est tibi, rex, melius quod te de lege gubernes,
Subdere quam mundi singula regna tibi:
Est propter mundum tibi subdita sors aliorum,
Tu propter celum subditus esto deo.
Vt tibi deseruit populus de lege subactus,
Cristi seruiciis temet ad instar habe: 600
Vincere te studeas, alios qui vincis, et omnes
Excessus animi subdere disce tui:
Iustificans alios cupias te iustificare,
Iuraque dans plebi, des ita iura tibi.
  Qui superas alios, temet superare labora;
Si rex esse velis, te rege, rex et eris.
Qua fore se regem poterit racione fateri,
Mentis qui proprie non regit acta sue?
Non valet hoc regimen aliis conferre salutem,
Dum sibi non fuerit rector, vt esse decet. 610
Dum tibi cuncta licent, ne queras cuncta licere,
Res etenim licite noxia sepe ferunt:
Tu super es iura, iustus set viue sub illis,
Spesque tui nobis causa salutis erit.
Est mors ira tua, potes id quod non licet, et te
Prestita vota tamen ducere iuris habent:
Quod licet illesa mentis precordia seruat,
Omne tamen licitum non probat esse probum:
Quod licet est tutum, set que potes illa sub arto
Discute iudicio fultus honore tuo. 620
Micius acta regas, aliter nisi causa requirat;
Asperitas odium seuaque bella mouet.
Non te pretereat populi fortuna potentis
Publica, set sapiens talia fata caue.
Vita Pharaonis et gesta maligna Neronis,
Que iusto regi sunt fugienda docent.
  O bone rex iuuenis, fac quod bonitate iuuentus
Sit tua morigeris dedita rite modis.

        613 super es SGDL   superes CEHT

Quid tibi forma iuuat vel nobile nomen Auorum,
Si viciis seruus factus es ipse tuis? 630
Doctor Alexandri Magni prauos sibi mores
Primitus edocuit, dum puer ipse fuit:
Rex puer hec didicit, que post dum dedidicisse
Temptauit, primus obstat abusus ei:
Vicit Alexander Darium simul et Babilonem,
Set nequit impressum vincere corde malum.
Nuper in exemplis scripserunt sic sapientes,
Quod prius imbuerit, testa tenere solet:
Rex, igitur cicius viciosos pelle remotos,
Nam vix turpe vetus nescit abire foras. 640
Plaude bonis, fuge prauorum consorcia, labem
De pice tractata contrahit egra manus.

Hic loquitur qualiter rex sibi male consulentes caucius euitare, proditoresque regni sui penitus extinguere, suorum eciam conditiones ministrorum diligencius inuestigare, et quos extra iusticiam errantes inuenerit, debita pena corrigere debet et districcius castigare.

Cap^m. ix. Sordibus implicitos falsosque cauebis amicos,
Qui tua deposcunt, te nec amare volunt:
Blanda dolosorum fugias per verba leuari,
Ne speciale tuum nomen ad yma ruant:
Verba nimis leuiter audire que credere dicta
Sepe supervacuos cogit inire metus.
Vir qui bella mouet, qui predas consulit, et qui
Conspirat taxas plebis habere tue, 650
O rex, oro tuas quod claudas talibus aures,
Ne tua nobilitas lesa fatiscat eis.
Consilium regale tuum vir nullus auarus
Tangat, set tales mortis ad instar habe.
Illud in orbe malum non est, quod cordis auari
Non latet in cella, dum sitit inde lucrum:
Ambulat in tenebris, opus exercet tenebrarum,
Odit et impugnat nil nisi pacis opus.
Qui mel in ore gerens, set habens in corde venenum,
Pacis habet verbum, mente notando malum, 660

Cap. ix. *Heading* 1 rex *om.* C
652 fatescat H   658 impungnat S

Hic est versutus, inimicis regis amicus,
Semper venalis, dum vacat ipse lucris;
Vipereum genus et vanum plenumque veneno,
Fraudibus, insidiis, artibus arma parat:
Semper in insidiis sedet incautisque nocere
Temptat, et occulto fabricat ipse dolos.
Hic rimans animos hominum secreta reuelat,
Et similis Iude fabricat acta sua.
  Qui te sollicitat, rex, et subuertere temptat,
Qui te persuadet soluere iussa dei,   670
Quis sit et ipse vide, qualis vel condicionis,
Aut tibi si vera dicere verba velit.
Discute mente prius animum temptantis, et audi
Si vel constanter vel dubitanter agat,
Si tibi prcponat dubium, mendacia fingens:
Semper deprendi verba dolosa timent.
Cum sit causa doli, pie rex, tu credere noli,
Si quis agat praue, tu sua facta caue.
Multus non credit, nisi cum res noxia ledit;
Ante manum sapiens prouidet acta regens: 680
Decipiuntur aues per cantus sepe suaues;
Blande, rex, lingue mellea verba fuge.
Rex, bona digna bonis da premia, rex, et iniquis
Que sua promeruit premia culpa dabis:
Latro bonus veniam Cristo miserante meretur,
Penam promeruit in cruce latro malus.
Obsequium prauum trahit e manibus graue donum,
Que sunt facta suo fine notabit homo.
  Si scelus vlcisci racio certissima poscit,
Iustus in hoc casu quod decet illud age.   690
Ficta tibi pietas non mulceat aspera iuris,
Vlcio iudicium compleat immo tuum:
Sepe pericla fera fert iudicis vlcio tarda,
Destruit ille bonos qui sinit esse malos.
Diuersas penas diuersis addito culpis,
Mille mali species, mille salutis erunt.
Iudicii signum gladius monstrare videtur,
Proditor vt periat, rex tenet arma secus:
Rex iubeat tales laqueo super alta leuari,

663 Viperium CE   679 legit S   698 periat SHT   pereat CEDL

Ne periat Regis legis et ille status. 700
Rex, age, ne plebis furiens discordia dicat,
'Lex caruit rege iura paterna regens':
Absit et hoc vulgo ne dicat, iure remoto,
Quod nichil auxilii principis vmbra facit.
Fraus cum fraude sua periat de morte remorsa,
Vt stet iusticia regia laude tua:
Sic dicant populi, 'Sit semper gloria regi,
Quo bona pax viguit, quo reus acta luit.'
Precipitur gladius vibratus semper haberi,
Prompcius vt crimen iudiciale ferat: 710
Ense quiescente, compescere non valet orbem;
Qui regnare cupit sanguine iura colat.
Arma ferunt pacem, compescunt arma rapacem,
Vt reus hec timeat, rex probus arma gerat;
Nomine subque tuo ledant ne forte quirites,
Plebem te tenero corde videre decet:
Si vis namque tuos non castigare ministros,
Crimen habet culpe regia culpa sue.
Euolat ancipiter ad predas, lucra suisque
Deseruit dominis in rapiendo cibos: 720
Sic sunt qui regi famulando suos et ad vsus
Tollunt pauperibus dampna ferendo nimis.
In prece pondus habet pauper qui clamat egenus
Ad dominum, memor est pauperis ipse sui.
Sicut enim presul, qui custos est animarum,
Pondus in officio debet habere suo;
Compotus vtque suus, sic stabit et vltima merces,
Gloria vel pena perpetuatur ei;
Rex ita qui nostrum moderaris legibus orbem,
Dona tuis meritis conferet equa deus. 730
Posse tuum grande, rex, est, que potencior ille,
Omne tuum cuius dextera librat opus.

Hic dicit quod rex sano consilio adhereat, ecclesie iura supportet et erigat, equs in iudiciis et pietosus existat, suamque famam cunctis mundi opibus preponat.

Cap^m. x.   Sperne malos, cole prudentes, compesce rebelles,

700, 705 periat SHT   pereat CEDL
Cap. x. *Heading* 2 supportet erigat *et* defendat D

Da miseris, sontes respue, parce reis.
Quicquid agas, vicio numquam mergatur honestum;
Fama lucro, rebus preficiatur opus.
Nil tibi, rex, fingas pro mundo, quo reputeris
Iustus apud proceres et reus ante deum:
Ecclesiam studeas multa pietate fouere,
Cuius enim precibus vult diadema geri. 740
Pauperis et vidue dum cernis adesse querelas,
Iudicium miseris cum pietate geras.
Expedit interdum sanccita remittere legum,
Ne periat pietas de feritate tua:
Indulgere tuis tua sic dignetur honestas,
Nam puto sepe deum viuere velle reum.
Par quoque portet onus sic nobilis atque colonus,
Et nichil archanum polluat ante manum.
Ardua si causa tibi sit, videas, quia certe
Tarda solet magnis rebus inesse fides. 750
Rebus in ambiguis tu certum ponere noli,
Fallitur augurio spes bona sepe suo:
Est magis humani generis iactura dolori,
Nescit principium quid sibi finis aget.
Dum tibi suadet opus tractare negocia regni,
Consilium regat hoc cum seniore senex.
Ibit in occasum quicquid dicemus ad ortum,
Lingua loquax habitum nesciat ergo tuum.
Consilium prauum regalem turbat honorem,
Prouocat inque scelus que bona pacis erant. 760
  Iura dabit populo senior, discretaque iustis
Legibus est etas vnde petatur honor.
Est satis ille senex, cuius sapiencia sensum
Firmat in etate, sit licet ipse minor.
Non stabiles animos veteres fatuam ve iuuentam
Comprobo, non etas sic sua iura dedit:
In sene multociens stat condicio iuuenilis,
Dum iuuenis mores obtinet ipse senis.
Caucius ergo statum videas, pie rex, ad vtrumque;
Vnde legas homines, tu prius acta proba. 770
Qui tibi seruicium prebet nec invtilis aurum
Appetit, hic seruus debeat esse tuus:

743 sanctita DT sancciata L   765 fatuos ve C statuam ve E

LIBER SEXTUS

Dulcius est mercede labor qui regis honorem
Spectat, et in tali spem tibi ferre potes.
Est qui pacificus, est vir qui iuris amicus,
Liber auaricie, largus ad omne bonum,
Vtere consilio tali, pie rex, vt habundet
Cronica perpetue laudis in orbe tue.
Fama volans gratis, nullo soluente cathenas,
Proclamat meritis ista vel illa tuis: 780
Nomen, crede, bonum gasas precellit, honorem
Conseruat, remouet scandala, laude viget:
Tange bonum florem, dulcem prestabit odorem,
Sic virtusque viri fragrat vbique boni.
Consule doctores legis, discede malorum
A conventiculis, concomitare bonos:
Vt granum de messe tibi, de fonte salubri
Pocula, de docto dogmata mente legas.

Hic loquitur qualiter regiam libertatem in viciorum nullatenus decet incidere seruitutem, set sicut coram populo alios excellit potencia, ita coram deo pre ceteris ampliori virtutum clarescat habundancia.

Cap^m. xi. Gloria nulla, precor, te, rex, extollat inanis,
Tedia nam populis vita superba parit. 790
Musca nocet modica, modicis sis prouidus ergo,
Non faciunt tutos regia ceptra suos:
Exiguus magnum vicit Dauid ille Goliam,
Nam virtus humilis corda superba domat.
Cristus amans humiles leuat, et de corde superbos
Obruit, ergo pie, rex, tua regna rege.
Sit tibi credibilis sermo consultaque verba,
Quo, quibus et quando, sicut oportet agi:
Vt scriptura fidem tuus addat sermo per aures,
Verba minus certi ficta timoris habent. 800
Mocio, rex, in te subito non irruat ire;
Causas iusticie set moderanter age:
Ira mouens animum tollit sibi vim racionis,
Et discreta sue mentis agenda negat.

779 soluente CEH   iubente SGDL   791 sis] sic CE   792 septra C sceptra E

Mors et vita tuis manibus de lege feruntur,
Prouidus in causis te decet esse magis:
Nulla cupido tuam valeat corrumpere famam,
Immo tuis donis gaudeat omnis humus.
Seruus auaricie non debet nobilis esse
Rex, set erit regis liber vbique status. 810
    Larga tuis meritis inopes elemosina curet,
Qua poteris regem pacificare deum:
Fac bona queque potes modico dum tempore viuis;
Multa metes, si nunc semina pauca seris.
Da tua non parce, cui des tamen aspice caute;
Crede, satis res est ingeniosa dare:
Non perit hec probitas que dona rependit honeste,
Namque piam laudem res data dantis habet.
Sepe iuuat, nec eo minor est substancia ponti,
Qui modicam pleno flumine sumit aquam: 820
Sic tua rite iuuet miseros elemosina sumpta,
Nec erit argenti sic tua summa minor.
Si quis amore dei miseris sua dona ministrat,
Munera tempus habent, fama perhennis erit.
Scindantur vestes, gemme frangantur et aurum,
Porrige pauperibus que dedit ante deus.
Est ancilla dei simplex elemosina, mortis
Antitodum, venie porta, salutis iter:
Disputat aduersus dantis peccata, perorat
Auctori, redimit probra, precatur opem. 830
Peccatum mors est anime, mors debita pena
Peccato, set in hoc mens pia delet eam.
    Absit culpa gule tibi, rex, nam regis honestas
Omnis mundicie debet honore frui:
Illud enim vicium primeuum labe parentem
Dampnauit, fragilis quo cadit ipse reus:
Hostis in hoc vicio Cristum temptauit, et ipse,
Qui rex est verus, respuit illud opus:
Ecce Saül pugnare volens ieiunia cunctis
Imposuit, donec hostica tela domet. 840
Rex, tibi pigriciem pellas et motibus obsta
Carnis, et ad mores arripe fortis iter:
Regius vtque status plebem supereminet omnem,
Nobilis in gestu sic magis ille foret.

LIBER SEXTUS

O tener annorum, dolus in quo nullus habetur,
Simplex nobilitas, perfida tela caue:
Etas namque doli non te sinit esse capacem,
Non te vultque tuum degenerare genus.
Sunt tibi forma, genus, honor, ordo, decus que potestas;
Contulit hec ortus libera dona tuus: 850
Teque sequantur ita laus, virtus, gracia morum,
Et sic plenus homo, rex pie, viue deo.

Hic loquitur qualiter rex a sue carnis voluptate illicebra specialiter se debet abstinere, et sub sacre legis constitucione propter diuinam offensam sue coniugis tantum licito fruatur consorcio.

Cap^m. xii. O super omne fuge, pie rex, ne ceca voluptas
Carnis ad illicebra prouocet acta tua;
Sponsus set propria de legibus vtere sponsa,
Nec spolies sacrum laudis honore thorum.
Nulla vetus scriptura docet regum quod ab euo
Stant Venus et regnum pacificata simul:
Intendat Veneri quod homo simul et racioni,
Numquam possibile creditur illud opus. 860
Pluribus exemplis tibi luxus erit fugiendus;
Biblia que docuit, respice facta Dauid:
Involuit regem processu temporis error,
Eius dum rapuit cor mulieris amor:
Quis dolor inde fuit, seu que vindicta secuta,
Terret adhuc animum qui legit illa viri.
Sit tibi culpa Dauid speculum, speculeris in illo,
Casus vt alterius te super alta leuet:
Felix quem faciunt aliena pericula cautum,
Precauet vnde vias quas videt ante manum. 870
Respice, dum populum fraus nulla valebat Hebreum
Vincere, femineus vicit amore dolus.
Exemplis Balaam docearis, quomodo regem
Ipse Balak docuit, qualiter ecce fuit.
Consilium dedit ipse Balak, qua turbet Hebreos
Arte, quibus frangat hostica bella dolis.

849 decorq*ue* C
Cap. xii. *Heading* 1 illecebra CE (*so also below*)
873 Exemplo C

'Accipe, rex,' inquit, ' quo consilio potes vti :
Non vincit populus viribus ille suis ;
Immo colendo deum corpusque gerendo pudicum,
Vincere semper habet ille per ista duo.   880
Vt superes illum non Marte set arte, puellas
Elige, quas ornat vestis et oris honor ;
Que manibus plaudant, pede ludant, noctibus ignem
Spirant, plectra gerant, astra decore premant :
Non rigor armorum set lusus pugnet amorum,
Non acuum ferrum, set muliebre forum :
Sic species vincat acies, sic arma virorum
Forma puellarum sub pede victa terat.
Celestis sic ira dei consurget in illos,
Sic victor populi leta trophea feres.'   890
 Rex hoc consilium credens dedit esse, puellas
Preparat insignes sidereasque genas :
Prelia mira parat, arcu non arcet Hebreos,
Non ferit hos ferro nec feriendo fugat :
Pugnat non equitum loricis, set nec equorum
Loris, immo liris femineisque choris.
Hec canit, hec ludit, hec adiuuat arte decorem,
Vt gemino vultu fallat in ore decor ;
Per faciem iacit ista facem, vomit hec per ocellos
Sintillas, profert illa per ora fauos :   900
Hee species animos predantur plebis Hebree ;
Peccant, peccantes opprimit ira dei.
 Rex tibi sume notam, quam te docet experimentum,
Et vetus exemplum det tibi scire modum.
Rex, et in exemplis regis concerne Saülis,
Femina dum superest, qualia mira potest :
Demonis arte potens Maga suscitat illa prophetam,
Regis et ad nutum stare coegit eum.
Corpora que poterat sibi subdere mortua, viuos
Arte magis facili subderet illa viros.   910
Qui premunitur non fallitur, ergo cauendum
Est tibi, rex, corpus vt sine labe regas.
Rex es, regina satis est tibi sufficit vna ;
Hanc tibi consocies, sic docet alma fides :

  890 leta] victa C 894 fugat] furit CEH 899 iacet SD

Rex, ita si fugias viciorum pondera, mores
Et teneas, poteris quicquid habere velis.

**Hic loquitur et ponit magnifico iam regi nostro Iuueni nuper
Serenissimi Principis patris sui exempla, dicens quod, vbi et
quando necessitatis illud exigit facultas, rex contra suos hostes
armorum probitates audacter exerceat, et quod ille nulla ad-
uersitate constanciam sui vultus videntibus aliis amittat.**

Cap^m. xiii. Est tibi, rex, aliud, quod sis defensor in armis
Plebis ; et vt iura de probitate tegas,
Huius in exemplum reminiscere facta paterna,
Cuius adhuc vigilans laus vbicumque sonat.   920
Numquam de terra nomen delebitur eius,
Precellunt armis Hectoris arma sua ;
Inque suam laudem que tuam mea scripta reuoluo,
Vt probitate memor sit tibi patris honor.
Iustus erat iustos, probus vnde probos sibi legit,
Nec sinit vrticas commaculare rosam :
Confluit in donis non parce dona merenti,
De largo corde fit sibi larga manus :
Extera depredat loca, set sua propria seruat,
Et sibi commisse prospera plebis agit.   930
Eius enim laudes si nos cantabimus omnes,
Omnia sunt meritis ora minora suis :
Nulla suum meritum poterit complectere fama,
Vox minor est omnis laude ferenda sua.
Vt breuitate loquar, tantus princeps fuit ille,
Laudantum poterit quantus ab ore cani.
  Francia sentit eum, recolens Hispannia vires,
Vnde subegit eam de probitate, timet.
Turbans hostiles turmas mediosque per hostes
Irruit, et rumpit more leonis iter :   940
Vt lupus ipse fame strictus dispergit ouile,
Hos premit, hos perimit, hos secat hosque necat.
Sobrius in gestis semper fuit ille, set hostis
Sanguine sepe suus ebrius ensis erat :
Pugnat et impugnat expugnans acriter hostes,

Cap. xiii *Heading* 4 excerceat C   excerciat L
945 Pugnat et impugnat expugnans CEDL   Pungnat et impu*n*gnat
expugnans S   Pungnat et impu*n*gnat expu*n*gnans HGT
****

Vaginam siccus mucro subire negat:
Fit satur hostilis hostili sanguine mucro,
Armorum pascit sanguinis vnda sitim
Intra vaginam mucro torpere recusat,
Euomitur gladius eius ab ore foras. 950
Sicut aper querulis siluis latratibus actus
Letifero celeres conterit ore canes,
Sic magis audaces prope se quos attigit hostes,
Fulmineo gladii triuit in ore sui.
Singula perdomuit fera prelia more leonis;
Depopulans populos forcia castra ruit:
Vt predas raperet, audax descendit in hostes,
Hostica sunt eius colla subacta manu:
Colla superborum premit eius dextra per orbem;
Sic leopardus eo dicitur esse leo. 960
   Terra quieta fuit sub tali principe magno,
Non terret gladius quos tegit illa manus:
Sub ficu, sub vite sua, sub fronde, sub vmbra,
Quisque manet tutus nobilis ense ducis:
Sic robusta sua virtus plus surgit in altum,
Plus viget hoste suo, plus probitatis habet.
O rex, facta tui retine tibi patris, vt illa
Laus, quam promeruit, sit tribuenda tibi.
Audaces fortuna iuuans consummat in actum
Que sibi vult animus, et pociora dabit. 970
Pax super omne bonum scandit, set quando probata
Bellum iura petunt, illud oportet agi:
Est tempus belli, sic sunt et tempora pacis,
Actibus in cunctis tu moderamen habe.
Hector, Alexander, fuerant dum nobiliores,
Sistere disparibus non potuere rotis:
Acta patris vince, maiorque vocaberis illo,
Totaque vox clamet laudis honore tue.
Rebus in aduersis ne laxes frena timori,
Si dolor in mente sit, sine teste dole: 980
Si dolor incurrat animum, similacio vultum
Erigat, et facies contegat inde metum:
Vultus iocundus timor hostibus est et amicis
Gloria, nam facies nuncia mentis erit.

979 ne] nil C

Hic loquitur, quod absque iusticie experta causa rex bellare non debet. Dicit insuper quod regie congruit dignitati, discreto tamen prouiso regimine, magis amore quam austeritatis rigore suos subditos tractare.

ap^m. xiiii.   Alta petens aquila volat alite celsius omni,
Et regem mundum corde figurat ea.
Vt sacra testantur citharistea scripta prophete,
In celum tales cor posuere suum.
Pennatum Griphes animal pedibusque quaternis
Invitos homines carpit et horret equos: 990
Designatur in hoc facinus crudele potentum,
Qui mortes hominum cum feritate vorant.
Est igitur melius aquile tibi sumere formam,
Rex, vt amore pio regna quieta regas,
Griphis quam specie populum terrere pauore,
Semper enim superat acta timoris amor.
Non omnis qui timet amat, set amans timet omnis;
Plebs in amore manens plectit vtrumque simul.
Omnia vincit amor, amor est defensio regis,
Gloria plebis amor, laus et in orbe deo: 1000
Plebs est regis ager, rex cultor qui colit agrum;
Si male, fert tribulos, si bene, grana parit.
Qui bene regis agit regimen, rex est, set inique
Qui regit in viciis, ipse tirannus erit.
Si rex de predis viuat, malediccio plebis
Murmurat, et regi mota fit ira dei.
Lucratur populum que deum rex iustus vtrumque,
Statque per hoc regni firma corona sui.
Tange tuum pectus, pie rex, quo sumere possis
Regis ad imperium que meliora parant: 1010
Si te nobilitas generosaque nomina tangunt,
In genus exemplum fer magis ipse tuum:
Nomine perspicuo cum sis generosus auorum,
Equipares stirpis moribus acta tuis.
Hoc in honore dei communi voce precamur,
Vt gemines animi nobilitate genus.
    Pars sit in aspectu tibi quem deus equiparauit
Natura, precio, condicione pari:

987 cytharistea CE   citheristea D   citheristia L   993 aliquile S
1001 agrum] illum C

Disceque cunctorum quod sit communis origo,
Ortus et occasus vnus, et vna caro.   1020
Nobilis est mentis quisquis virtute refulget,
Degener est solus cui mala vita placet;
Mores namque bonos veneratur curia celi,
Et celum iustus, non generosus, habet.
Esto memor, quod fratris amor tibi cuncta ministrat,
Datque tibi solus omnia fratris amor:
Fratris amor transit terrena, superna resumptis
Viribus ascendit, astra polumque petit:
Noticiamque dei dum querit, ad astra volare
Non timet, vt videat quis deus ipse Syon,   1030
Quis rex inmensus et que sit visio pacis,
Quis ve locus celi, gloria quanta dei.
Ista decent regem meditari, sit quod in illis
Apcior vt reddat debita iura deo.
Noscere te studeas et amare deum, duo namque
Hec sunt, que tibi, rex, scire necesse iubet.
Hec est condicio sub qua tibi contulit esse
Viuendique modum conditor ipse tuus.

Hic loquitur secundum Salomonis experienciam, quod ceteris virtutibus ad regni gubernaculum preualet sapiencia, que deo et hominibus regem magis reddit acceptabilem.

Cap^m. xv.   O pie rex iuuenis, iuuenili quid Salomoni
Contigit intende, sis memor vnde tui: 1040
Hic bis sex puer annorum cum sacra dedisset
Dona deo, meruit nocte videre deum:
Quem deus alloquitur, 'Pete quod vis munus,' et inquit
Ille, 'Peto sensum, quo mea regna regam.'
Regia diuino placuerunt verba fauori,
Responsumque deus reddidit istud ei:
'Non plures annos nec opes nec ab hoste triumphos
Quesisti, dentur que petis ergo tibi:
Non solum sapiens, set diues eris super omnes,
Quos habuit mundus, quos vel habere potest.'   1050
     O bene si speculo, rex, te speculeris in isto,
Quid magis expediens sit tibi scire potes.
Hiis tamen exemplis patet vt sapiencia regis
Ad regimen plebis est adhibenda prius.

LIBER SEXTUS

Annus et annus abit, semper sapiencia stabit;
Stans super hanc petram non cadet vlla domus.
Res est grata senem iuueniliter esse iocosum,
Gracior est iquenem moribus esse senem.
Qui gressu morum sequitur quo vult deus, illum
Precedit que suas firmat vbique vias. 1060
Mane precare deum, quod leta dies tibi plaudat,
Vespere, quod tutus tempora noctis agas:
Nam rex qui summo se vult submittere regi,
Optinet in regno cuncta petita suo.
 In manibus regum regalia ceptra tenentur,
Vt quasi per virgam cuncta nociua fugat.
O rex, ergo tue tua legi debita solue,
Corporis ac anime quod sit honoris age:
Sume bonos, depelle malos, sis iuris amator,
Sis pius et populum dirige lege tuum: 1070
Set lex vt prosit, accedat gracia legi
Per Cristum, sine quo lex bona nulla datur:
Sit tibi iuris honor, timor excicii, pudor almus,
Simplicitas animi, proximitatis amor.
Rex, ita si sapiens sapias sapienter ad omnes,
Tunc sapis in Cristo regna sapore bono.

Hic loquitur qualiter celi deus, qui est rex regum et dominus dominancium, a regibus terre pura mente precipue colendus est et super omnia metuendus.

Cap^m. xvi. O rex, quicquid habes dedit hoc deus, et nichil a te
Est quod habes proprium, vel quod habere potes:
Esse creaturam te nosce dei, nec ab eius
Tu discede viis, si bene stare velis. 1080
Nobile corpus habes et singula membra decora,
Sit virtus animi sic magis illa tibi:
Vt foris est forma tibi splendida, splendeat intra
Mens tua, quod tibi, rex, sit decor ille duplex.
Labile forma bonum, species inimica pudoris
Vtile virtutum sepe retardat iter:
Forma dei munus, forma pars multa superbit,
Non tamen in sanctis stat viciata viris:
Non tibi forma deum set mens sincera meretur,

1073 excicii SEHGDLT exicii (*corr.*) C

Iusticie soli vita beata datur.
Non decet in rege quod mens contraria forme
Sit, set ab interius exteriora regas.
   Qui tibi regna tulit, alii quo te venerantur,
Rex, in honore dei da tua vota deo.
Qui pius est Cristo, regi nichil ingruit hostis,
Subdita fortune sors magis immo fauet.
Si cupis vt timeant hostes tua ceptra, superni
Ceptra dei timeas, tuque timendus eris:
Sit tibi celsithronus metuendus ab arce polorum,
Cuius ad imperium flectitur omne genu.
Hic ruit, exaltat, infirmat, firmat et orbem,
Singula fertque sua regia corda manu:
Hic est rex in quo regnant per secula reges,
Hic est rex sine quo regna subacta cadunt,
Hic est rex per quem mors fine suo rapit omnes
Reges, reddit eos actibus atque suis.
   Magnus erat Cesar totoque potencior orbe,
Nunc quem nec mundus ceperat, vrna capit.
Sic et Alexander fortissimus ille Macedo
Clauditur angusto, puluis et ossa, loco:
Maior erat magno mundo, modo nobile corpus
Exulis et victi vilis arena tegit.
Ecce diu res nulla manet mortalibus, ecce
Nullus honor prohibet, gloria nulla mori:
Non prosunt quicquam preconia vana sepultis,
Torquent famosos tartara sepe reos.
O de preteritis, pie rex, memorare futura,
Et reputa firmum quod sit in orbe nichil:
Cumque tibi spacium vite conceditur huius,
Semper ad omne bonum viue paratus opus.
Subditus esto deo, si tu vis vincere mundum:
Qui Cristo seruit, optima regna regit.

Hic loquitur qualiter rex in caritate dei et proximi viuens, contra superuenientem mortem, que nulli parcit regi, omni se debet diligencia prouidere.

Cap^m. xvii.   Omnes de morte statuit natura timere,

Cap. xvii. *Heading* 1 in *om.* C

LIBER SEXTUS

Sub cuius lege terminat omne genus :
Doctus et indoctus, pauper que potens moriuntur,
Omnes fine pari mors facit esse pares.
Vnccio nil valet hic, nichil hic insignia rerum
Regia, non sanant nec medicamen habent :
Gloria nulla potest in mundi rebus haberi,
Nec quo se mundus tunc tueatur habet.   1130
Disce quod omnis honor oneri coniunctus adheret,
Est onus in fine maius honore tamen :
Cum magis excelsus fueris, magis adde timorem,
Ardua nam preceps gloria vadit iter.
Est hominis vita quasi milicies reputata,
Bella super terram nam tria semper agit :
Rex qui per medium belli transibit inermis,
Sepius incaute stulcior ipse cadit.
O rex, ergo tibi bene prouideas, quod iturus
Es, set vbi nescis, alta vel yma petens.   1140
  Omnia leta vale tibi sunt dictura memento,
Pauperis et regis exitus vnus erit;
Nam nemo per se subsistere, nemo supremum
Securo poterit claudere fine diem.
Vt te de mundo moueas, bonus esse viator
Incipias, Cristi te sacra scripta monent :
Vt fugias hiemem scelerum, te floribus orna
Morum, virtutum luce choruscus eas.
Motus ab Egipto veluti tentoria tendis,
Ad patriam vite dum properare studes.   1150
Esto memor quod sis factus factoris ymago :
Cur? vt ei similis iure sequaris eum.
Expedit ergo tibi, totis vt viribus illum,
Qui te formauit teque redemit, ames.
Tanti regis opem, rex, ora, quod tibi vitam
Supleat et mortem muniat ipse tuam.
Fac ea que tibi vis, bona vel mala, sic et habebis,
Te tamen in melius dirigat oro deus.

   1142 et SL vt (ut) CEHGD   1148 choruscus SD   coruschus E
coruscus CHT coruscas L   1156 Supleat SEG Suppleat CHDL

Hic in fine regis epistolam breuiter concludit, dicens quod, sicut rex ex sue libertatis priuilegio sublimari et inde coram populo dominari magnificus affectabit, ita ad onus sui regiminis cum omni iusticia supportandum coram deo iustum et humilem se presentabit. Non aliter stabit regnum quod rex variabit.

Cap^m. xviii.   Regia maiestas veneracior est super omnes,
  Dum probus in regno rex regit acta suo. 1160
 Ipse deum primo placat, populique secundo
  Corda trahit, mundum sic habet ipse bonum:
 In terra pacem scrutatur et inuenit illam,
  Quo celi regnum possidet ante deum:
 Sic magnus mundo viuus, set maior olimpo
  Mortuus, in Cristo regnat vtroque loco.
 Ista bono regi bona de bonitate superni
  Adueniunt; aliter non ita stabit iter.
  Si rex sit vanus, sit auarus, sitque superbus,
  Quo regnum torquet, terra subacta dolet. 1170

The chapter stands as above in SCEHG (*over erasure in all except* E): *the original form is given by* DTH₂, *and both forms* (*the original first*) *by* LL₂.

Hic loquitur in fine istius Epistole, vbi pro statu Regis deuocius exorat, vt deus ipsius etatem iam floridam in omni prosperitate conseruet, et ad laudem dei suique et sibi commisse plebis vtilitatem feliciter perducat in euum.

Cap^m. xviii*.   Rex celi deus et dominus, qui tempora solus
  Condidit, et solus condita cuncta regit; 1160*
 Qui rerum causas ex se produxit, et vnum
  In se principium rebus inesse dedit;
 Qui dedit vt stabili motu consisteret orbis
  Fixus ineternum mobilitate sua;
 Quique potens verbi produxit ad esse creata,
  Quique sue mentis lege ligauit ea;
 Ipse meum Iuuenem conseruet supplico Regem,
  Quem videant sanum prospera Regna senem;
 Ipse iuuentutem regat et producat in euum,
  Semper et in melius dirigat acta deus. 1170*

1165* adesse DL

Omne quod est regi placitum non expedit illi,
Que sibi iura volunt, absque rigore licent:
Mira potest regis pro tempore ferre potestas,
Vana tamen finis comprobat acta satis.
Si positum lance sit onus cum regis honore,
Non honor est tantus sicut habetur onus.
Rex sibi commissas regni componere leges
Debet, et a nullo tollere iura viro:
Nunc tamen in plebe vox est, quod deficiente
Lege dolus iura vendicat esse sua: 1180
Sic bona iusticie fraus compta subintrat, et inde
Inficit occultam lex hodierna fidem.
Quo lex decessit, error sibi regna repressit,
Vnde decet regem ponere iuris opem.
 O rex, ergo tui detergas crimina regni,
Et rege discretus que tibi suadet opus:
Perdita restaures communia iura, que leges
Ad regnum reuoca, crimen et omne fuga.

Consilium nullum te tangere possit iniquum,
Rex nec in hac terra proditor esse tua;
Omne malum cedat, ne ledere possit, et omne
Est quod in orbe bonum, det deus esse tuum.
 O tibi, Rex, euo detur, fortissime, nostro
Semper honorata ceptra tenere manu;
Assit et illa dies, qua tu, pulcherrime Regum,
Quatuor in niueis aureus ibis equis.
Qualis et Augusti nuper preconia Rome
Extiterant laudis sint renouanda tibi.   1180*
Augeat imperium nostri ducis, augeat annos,
Protegat et nostras aucta corona fores:
Stes magis, o pie Rex, domito sublimis in orbe,
Cunctaque sint humeris inferiora tuis.
Que magis eterne sunt laudis summus ab alto
Aurea det dextre fulgida ceptra tue:
Qui tibi prima dedit, confirmet Regna futuri,
Vt poteris magno magnus honore frui.

1171* te tangere T detangere DL 1178* aureis D 1180* sunt D
1182* foras D

Si tibi subiectum cupias conuertere regnum,
Te prius in Cristo fac reuenire deo: 1190
Postque tuum populum stabilem tibi pacificatum
Non vice terroris fac set amore magis.
Corda tue plebis ita dum pacienter habebis,
Nobilis in regno stabis vbique tuo:
Dumque tuas leges mixtas pietate gubernes,
Cuncta tue laudi gesta feruntur ibi.
Si tamen econtra rigidus tua verteris acta,
Vertet se populus qui solet esse tuus.
Hec tibi, rex, scribo pro tempore nunc que futuro;
Semper in ambiguo sors variatur humo. 1200

Quia, prout de communi voce audistis, modernorum condiciones per vniuersum orbem erroribus vbique mutantur, nunc de illorum condicionibus qui nos precesserunt, precipue in ecclesia, que iam diuisa est, diuersitatem sub exemplis figuratam consequenter videamus.

Cap^m. xix. Poma cadunt ramis, agitantur ab Ilice glandes,
Marcescunt flores, defluit orta seges:

Sic tua processus habeat fortuna perhennes,
Vt recolant laudes secula cuncta tuas. 1190*
Ad decus imperii, Rex, ista tui metra scripsi
Seruus ego Regni promptus honore tibi.
Hec tibi que, pie Rex, humili de corde paraui,
Scripta tue laudi suscipe dona dei:
Non est ista mea tantum doctrina, sed eius
Qui docet, et dociles solus ab ore creat.
O iuuenile decus, laus Regia, flos puerorum,
Vt valor est in te, sic tibi dico vale.

1189 O qui subiectum poteris tibi flectere regnum H   O q*ua*m subiectum poteris tibi flectere regnum CE   1190 Si prius in mundo sis pius ipse deo C

Cap. xix. *Heading* Hic recapitulat quodammodo sub figuris et exemplis tam veteris quam noui testamenti, in quibus pretendit quod eorum loco qui in omni sanctitate legem dei et fidem Cristi primitus augmentantes Ecclesiam colebant, et a diu mortui sunt, iam resurgunt alii precipue de Clero, qui illam omni viciorum multitudine suffocantes corrumpunt DLTH₂ (*but* multitudinem *for* multitudine)

1189* *perennes* D

LIBER SEXTUS

Proles granifera desistit reddere grana,
Irrita thura deo templa geruntque modo :
Qui color albus erat, nunc est contrarius albo,
Pallet et hec gemma que renitere solet.
Nunc est quod Babilon super vrbes nobilitatur,
Nec manus est fidei talis vt obstet ei ;
Ecclesieque nouis virtus iacet obruta sompnis,
Et Synagoga quasi fit modo sponsa dei.   1210
Nunc iustos veteres constat nec habere sequaces,
Omnes set morti preteriere boni :
Sique mali fuerant tunc temporis, ecce reviuunt,
Dummodo consimilis mos sit in orbe malis.
  Decidit in mortem Noë iustus, surgit et ille
Nembrot in arce Babel, spernit et ipse deum :
Mortuus estque Iaphet, operit patris ipse pudenda,
Set modo deridens Cham patefecit ea.
Mortuus est Abraham fidei primordia querens,
Belus adest, que deos fabricat ipse nouos.   1220
Mortuus est Ysaac, oritur genus vnde beatum,
Set modo degenerans Hismael obstat ei :
Mortuus estque Ioseph, erat ille pudicus, et Oza
Nunc sequitur carnem luxus amore suam.
Mortuus est Moyses veteri de lege refulgens,
Transgrediens Abiron viuit in orbe tamen.
Quem deus elegit Aron mors morte subegit,
Fomes et inuidie dat thimiama Chore.
Mortuus est curru celum qui scandit Helias,
Infera qui meruit viuit et ipse Dathan.   1230
Micheas moritur, viuit nec in orbe secundus,
Qui modo veridicus audet obesse malis ;
Nam Sedechias super omnes esse prophetas
Vendicat, et cuncti nunc famulantur ei.

1208 *Text* SCEHG   Subditur ecce sibi vrbsque beata dei DTH₂   *Both forms given in* LL₂   1210 fit modo sponsa dei SCEHGL   peruigil obstat ei DTH₂   1216 Nembroth CED   1219 primordia querens SCGL   scrutator et ecce EHDTH₂   1220 *Text* SCGL   qui diis dat thimiama suis EHDTH₂ (*que* E)   1221 cui rite deus benedixit EHDTH₂   1222 Nunc maledictus enim viuit et ipse Caym EHDTH₂   1223 f. et alter Qui facit econtra regna moderna regit EHDTH₂   et alter Nunc sequitur carnem nilque pudoris habet LL₂   1225 Mortuus estque docens Moyses EHDTH₂ (decens D)   1226 Ac Abiron murmur cum grauitate datur EHDTH₂   1230 Infera descendens EHDLTH₂

Est nec Heliseus, Naaman neque fit modo sanus,
Vult tamen en Giesi sumere dona sibi.
Euolat ex archa modo nec redit ipsa columba,
Cuius enim coruus iam regit ipse vices.
Sic capit exempla nullus de lege vetusta,
Quo testamentum defluit ecce nouum.   1240
    Dic vbi sunt illi qui nuper in ordine Cristi
Rebus et exemplis dogmata sancta dabant.
Mortuus est Petrus, stat Liberius modo, cuius
Custodit portas Simon in arte Magus.
Nuper conuersum de Saulo sencio Paulum,
Saulum de Paulo nuncque redire scio.
Gregorii scripta verbis seruanda iubemus,
Nostris set factis ipsa neganda damus.
Martini legimus donum, set diuitis aures
Nos surdas gerimus, quo bona nulla damus.   1250
Dic vbi defunctis alter sit in orbe Thobias,
Dic vbi vel pietas corda moderna mouet.
Aduerso paciens, conuerso tempore mitis,
Iob fuit, et stabili mente remansit idem:
Nunc tamen econtra de prosperitate superbit
Omnis, et aduerso tempore murmur agit.
    Ordinis instructor nunc mortuus est Benedictus,
Set Iulianus adhuc viuit et obstat ei.
Fallit sal terre, non est in quo salietur,
Fetet ob hoc anima crimine carnis olens.   1260
Non moritur granum, manet in se set modo solum,
Occupat et terram cardo que vastat eam:
Non manet in vite modo palmes, sic neque fructus
Fert ea, set sterilis sicca cremanda iacet.
Lux perit a Phebo stellarum lumine verso,
Et sinit eclipsim subdita luna suam.
Nunc nouus est Arius, nouus est quasi Iouinianus;
Dum plantant heresim, dant dubitare fidem:
Ecce diem noctem dicunt, tenebras quoque lucem,
Iniustum rectum; sic perit omne bonum.   1270

Hic tractat quod, sicut virtuosis nuper in ecclesia existentibus succedunt viciosi, sic et mundi proceribus omnis milicie

1251 defunctus DT

nuper de probitate famosis succedunt modo alii, qui neque
diuine neque humane laudis digni efficiuntur.

Cap^m. xx.   Legis diuine si cultores abiere,
Sic proceres mundi nunc abiere probi.
Mortuus est iustus Troianus, et ecce tirannus
Iusta statuta modo deprimit ipse Nero:
Conditor et legum nunc Iustinianus abiuit,
Set Dionisius has dampnat habere suas.
Mortuus est castus probus atque Valentinianus,
Tarquinus ceptri iam regit acta sui.
Largus Alexander moritur rex nuper opimus,
Et modo successit Cresus auarus ei.   1280
Mortuus ille pius est Constantinus, et ecce
Antonius solio iam sedet ipse suo.
Ecclesie cultor Theodosius ipse recessit,
Successitque Leo, soluere vult et eam:
Insultor fidei Constancius acta prophanat,
Tiberiique modo deperit alma fides.
Mortuus est Iulius, qui regna subegit in armis,
Et Romam statuit omnibus esse caput.
Mortuus est Hanibal, per quem Cartago vigebat,
Iam neque Cartago, set neque Roma viget.   1290
Hector, in ense suo qui nuper erat metuendus,
Nunc magis est Heleno bella timente pauens:
Corruit Eacides, pro quo surrexit inermis
Tersites, que suus indiget ensis ope.
   Mortuus est sapiens Salomon Roboasque reuiuit,
Quo superant iuuenes prouida dicta senum.
Distat amor Ionathe que Dauid modo dissociatus,
Ex odioque furit invidus ipse Saül:
Consulit hic eciam modo Phitonem mulierem,
Dumque dei vacuum gracia linquit eum.   1300
Nunc induratum persistit cor Pharaonis;
Sentit amara dei, nec timet inde deum:
Sic redit in vulnus nullo medicante cicatrix,
Que prius et tenuit sors mala, peior habet.
Consilium prauum nunc creditur Achitofellis,
Consulit et Cusay, quis neque credit ei:
Inuidiaque Ioab inmunem iam necat Abner,
Nec sibi cum rege quem sinit esse parem.

Qui fuerat iudex Cato iustus ab vrbe recessit,
Pilatusque loco iudicat ecce suo. 1310
Nunc occisus Abel iustus fratris perit ense,
Approbat hoc licitum lex tamen esse modum :
Nunc Mardocheum suspensum cerno, set Aman
Eripitur laqueo, lex sinit ista modo.
Nunc iterum Cristus sine culpa fit crucifixus,
Et Barabas latro liber abibit eo.
Sic cadit et stratum ius nescit noscere iustum,
Nec virtus animi iam regit acta viri.

Hic loquitur adhuc vlterius super eodem, qualiter loco eorum qui nuper casti fuerunt et constantes, surrexerunt modo alii, qui huius seculi vanitatem concupiscentes pudoris constanciam penitus amiserunt.

Cap^m. xxi. Mortuus est vicia Socrates virtute restringens,
Dispensare quibus nunc Epicurus adest : 1320
Vana relinquendo nunc mortuus est Dyogenes,
Vanus et hunc mundum nunc Arisippus habet.
Mortuus est corpus castigans virgo Phirinus,
Mechus et Agladius viuit in vrbe nouus.
Mortuus est Troilus constanter amore fidelis,
Iamque Iasonis amor nescit habere fidem :
Solo contenta moritur nunc fida Medea,
Fictaque Crisaida gaudet amare duos.
Estuat in lumbis incasta Semiramis, et nunc
Vix si Cassandra casta manere queat : 1330
Mortua Penolope, sic est Lucrecia Rome,
Et regnant Circes atque Calipsa pares.
Ammodo Iustina, luxus que spreuit iniquos,
Transiit, et Thaisis fit resupina magis.
  Nunc amor est Paridis communis in orbe quietus,
Vt sine nunc bello quisque fruatur eo.
Non Hymeneus in hiis conseruat pacta diebus,
Set Venus in thalamis reddit agenda suis :
Aurum sponsatur, vultuque decora paratur

1312 esse] ecce CE   1313 Mardocheum S (*corr.*) CED   Madocheum HGLT
Cap. xxi. *Heading* 1 adhuc *om.* CE
1334 Taysis CE

Ad thalamum Veneris pluribus apta viris. 1340
Mutua cura duos et amor socialis habebat
Nuper, et vna tamen nunc sibi quinque trahit:
Vt duo sint carne simul vna lex dedit olim,
Ad minus inque tribus nunc manet ordo nouus.
Nunc iubet ipsa Venus et habet sua castra Cupido,
Castus et ad presens tempus abiuit amor.
Ales habet quod amet; cum quo sua gaudia iungat,
Invenit in media femina piscis aqua:
Cerua parem sequitur, serpens serpente tenetur;
Femina virque thoro sunt magis vna caro. 1350
    Heus, vbi pacta fides? vbi connubialia iura?
Responsis careo, que ferat alter homo.
Ferrea frons laus est, nescit que signa pudoris,
Et pudor a vicio desinit esse pudor:
Quam solet inque genis ornare rubor muliebris,
Absque pudore malo plus furit ipsa viro.
Graculus ipsa quasi tacet, et quasi casta columba
Se gerit, et paciens est tibi spina rosans:
Vt laticem cribro, sic in muliere recondo
Consilium, set eo scire potes quod amo. 1360
Dum Iesabel regnat blando sermone pervngens,
Qui fuerat Iosue, vertitur hic in Achab.
Dum caput inclinat viciis, sibi subdita membra
Succumbunt ipsis vi vel amore malis:
Comptaque sic viciis stat florigerata voluptas,
Est quoque virtutis flos pede trita viris.

Postquam de singulis gradibus, per quos tam in spiritualibus quam in temporalibus error vbique diffunditur, tractatum hactenus existit, iam secundum quorundam opinionem tractare intendit de pedibus statue, quam Nabugodonosor viderat in sompnis, quorum videlicet pedum quedam pars ferrea, quedam fictilis, in figura deterioracionis huius mundi extiterat, in quam nos ad presens tempus, quod est quodammodo in fine seculi, euidencius deuenimus. Et primo ferri significacionem declarabit.

Incipit liber Septimus.

Cap^m. i.
Quod solet antiquis nuper latitare figuris,
    Possumus ex nostris verificare malis:
Quod veteres fusca sompni timuere sub vmbra,
    Iam monstrat casus peruigil ecce nouus.
Nunc caput a statua Nabugod prescinditur auri,
    Fictilis et ferri stant duo iamque pedes:
Nobilis a mundo nunc desinit aurea proles,
    Pauperies ferri nascitur atque sibi.
Non modo magnanimi volat inclita fama per orbem,
    Cuius honor mundo congruit atque deo: 10
Non modo pauperibus spergit sua munera largus,
    Nec fouet in mensa vix modo diues eos:
Vix pietate modo nudos quis vestit egenos,
    Nec capit hospicio quos scit egere vagos.
Non manet obtrusis qui carcere vult misereri,
    Sana nec infirmos que iuuat vlla manus:
Inter discordes antiquum fedus amoris
    Non est ad presens qui reparare venit.
    Nunc tamen esse duas specialius estimo causas,
    Ex quibus hic mundus desinit esse bonus.   20
Harum luxuria reperitur in ordine prima,
    Ex qua torpor hebes nascitur atque quies.
Sic causatur ea miles modo tardus ad arma,
    Quem mulier thalamis mulcet amore suis;

        9 magnanimi CEHDL   magnatum S

LIBER SEPTIMUS

Et clauduntur ea cleri communiter ora,
Quod nequit ipse modo psallere vota deo.
Concilium Balaam nos vicit per mulieres,
Vnde deo moto plebs sua quassa perit.
Altera set causa nunc temporis astat auara,
Que fouet invidiam semper in orbe nouam.   30
Hec predat, pugnat, occidit iuraque falsat,
Quod nequit a bello pax reuenire suo :
Exterius domini tractant bona pacis auari,
Set tamen interius stant sibi bella prius.
Dum poterit guerra plus pace recondere lucra,
Nescit auaricia pacis amare bona :
Nec sinit invidia tua te michi ferre quieta,
Lacrima namque mea ridet in aure tua.
Nil tibi si populus plangat sua dampna subactus,
Dum commune malum dat tibi ferre lucrum.   40
  Sic et auaricia procerum se subdere corda
Dicit, et hii dicunt subdere iura volunt :
Sic honor ingenuus descessit victus ab auro,
Ad loca iusticie nec revenire studet :
Sic patet ydropicus nummorum gustus auari ;
Dum bibit, inde sitis appetit ipsa magis :
Sic census non diues habet, set habetur ab ipsis,
Sic dominus seruo seruit et ipse suo :
Sic viget ipse foris diues, tamen intus egenus ;
Sic habet ipse nichil, dum nichil omne putat.   50
Saxea duricies mentisque liquescere nescit,
Nec pietatis ope soluitur inde gelu :
Pauperis in lacrimis deridet, vultque labore
Pauperis oppressi ferre quieta sibi.
Sic etenim nummis animus sepelitur auari ;
Hos habet ipse deos, nec scit habere deum.

  Hic loquitur contra istos auaros omni ferro in hoc precipue tempore duriores, quorum diuicie, nisi participentur, nullius, vt dicit, possunt esse valoris.

Cap^m. ii. Heu ! quid opes opibus cumulat qui propria querit,
    Cum se nemo queat appropriare sibi ?

27 Consilium CEHDL   43 descessit SHG descescit L decessit CED
****
      T

Nil possessus habet, quia quisquis habetur habere
Nulla potest; se non possidet, ergo nichil. 60
Seruit habens habitis, nec habet set habetur, auarum
Census habet, domino predominantur opes.
Cum nequeas tuus esse, tuum nichil est; suus esse
Nemo potest, igitur est nichil hoc quod habes.
Si quis enim dominum rerum sibi subdit, et ipsa
Res serui domini dicitur esse sui:
Euicto seruo sequitur possessio seruum,
Et cedunt domino seruus et eius opes:
Adquirit domino, nil adquirit sibi seruus;
Quicquid habet, dominum constat habere suum. 70
Seruus auaricie sibi non dominatur, abutens
Arbitrio proprio proprietate caret.
Cum proprium nichil esse scias, est danda facultas,
Queque retenta nocent, particulata iuuant.
  Nullus enim poterit veraciter esse beatus,
Qui sua cum socio participare nequit.
Qui dare nulla potest, satis ipsum constat egere;
Cum desit cui det, diues egenus erit;
Diues in hoc quod habet, set semper egenus in illo,
Quod non sit cum quo participabit opes. 80
Si tibi sit rerum possessio larga, nec vllus
Sit tua cui dones, copia nulla tibi:
Si tibi sit facies, sit honor, sit forma, sit alta
Mens tibi, si tamen hoc nesciat alter, eges.
Dispensa quod habes, vt consulit vsus, ad vsum,
Non ad auaricie pabula confer opes:
Da nudis, da pauperibus de pinguibus vti;
Pingit amiciciam commoditatis amor.
Cum bona cuncta regas, vel ad esum sunt vel ad vsum;
Velle tuum rebus vtere sicut habes. 90
Instat auaricia set tanta modo, quod ad aures
Diuitis est nichilum quod mea scripta ferunt.
  Non modo magnatos tantum fore constat auaros,
Hos set vulgares nouimus esse reos.
Vt gallina suum granis iecur implet habundum,
De minimis magnum sumit et ipsa cibum,

87 da pinguibus CE

Striccius hic nummos imbursat et auget auarus,
Nil sibi tam modicum, quin dat habere lucrum.
Iniungit proprio talis ieiunia ventri,
Vt pariat loculus fercula plura suus.   100
Ferreus ille tenax sua seruat corde tenaci
Propria, quod nullus participabit eis;
Perdidit et cordis clauem, qua vult pietatis
Officium claudi, ne deus intret ibi.
Sic nequit ipse suis sibi sumere gaudia questis;
Omnia dumque tenet, nec sibi quicquid habet.
Pectora sic ferri gestant homines quasi cuncti,
Dum caput a statua decidit ecce sua.
Aurea que fuerant iam ferrea tempora constant;
Ferrea condicio sic manet inque viro: 110
Aureus atque modus probitatis, quem coluerunt
Patres, nunc cupido deperit ecce modo.
  Plus cupiens miser est, non qui minus optinet; immo
Qui sibi contentus est, habet ipse satis.
Diuitis autem diuicias non dampno, set illas
Approbo, si dentur quando requirit opus:
Non quia diues habet nummos, culpabitur, immo
Se quia nec fratres non iuuat inde suos.
Si sibi larga manus foret, vnde pararet egenti
Partem, tunc laude mammona digna foret: 120
Se tamen vnde iuuet alios vel, diues in orbe
Vix hodie viuit, qui sibi seruat opes.
Sermo, 'Tene quod habes,' qui scribitur Apocalipsi,
Iam sua completi iura vigoris habet:
Iam noua sunt silicis circum precordia vene,
Et rigidum ferri semina pectus habet.
Pauperis ex clamore sonos non percipit, immo
Diues in auditu fingitur esse lapis.
Tempus erit quo tu, qui nunc excludis egentes,
Ibis in extrema pauper egendo loca.   130
Ad ferrum, secla, iam vos venistis ab auro,
Et magis est vile, nobile quicquid erat:
Posterior partes superatque cupido priores,
Nec scit honor solium, quod solet esse suum.

125 circumprecordia SG

Hic loquitur de statue secunda parte pedum, que fictilis et fragilis erat, et de eiusdem partis significacione.

Cap^m. iii.   Vltima per terras superest modo fictilis etas,
Vnde pedes statue dant michi signa fore.
Non cicius figuli fragilis nam fictilis olla
Rupta fit in testas, dum lapis angit eas,
Quin plus condicio fragilis temptata virorum
Rupta iacet vicii de grauitate sui.   140
Fictilis est laicus, set fictilior modo clerus
Eius in exemplis causat agenda malis :
Sic sacra scripta caro conscribitur vndique mundo,
Littera quod Cristi nulla videtur ibi.
Qui iubet vt carnem vincamus, cernere victum
Possumus, et doctum spernere dogma suum.
Clerus habet voce sibi nomen spirituale,
Spiritus in carnem vertitur ipse tamen :
Carnis enim vicia sunt sic communiter acta,
Quod de continuis vix pudet vsus eis.   150
Fit quasi nunc mulier hominis dominus que magister,
Vir fit et ancilla subdita, prona, pia :
Debilis in fortem ruit et vecordia vincit,
Qui foret et sapiens, fictilis ipse cadit.
Preuia dum clerus Veneris vexilla subibit,
Iam Venus a tota gente tributa petit.
    Gallica peccata, nuper quibus hii ceciderunt,
Clamant iam nostras intitulare domos :
Nunc licet alterius sponsam quod quisque frequentet
Est status ingenui, dicitur illud amor.   160
Non erit hoc laicis vicium set gracia magna,
Dum sit adulterio magnificatus homo,
Dummodo sponsa stuprum perquirit adultera donis :
Soluet ob hoc sponsus, qui luet illud opus.
Sic se nunc homines vendunt, quasi sint meretrices,
Prospera dum Veneris larga sit illa manus :
Sic sub mendaci specie grossantur amoris,
Perque nephas tale lucra pudenda petunt.
Set qui de clero sponsam promotus adoptat,

160 Est S   Et CEHDL   167 grossantur S   grassantur HDLT
crassantur CEG

Plura dabit Veneri, sit quod adulter ibi : 170
Pauper enim frater capit hic quod ibi dabit, et sic
Aut dans aut capiens proficit ille magis.
In causa fragili sic causat fictilis etas,
Quo nunc de facili frangitur omnis homo.
Ficta set ypocrisis fraudes celare latentes
Temptat, et occulto turpia plura facit :
Sic viget in facie ficti palloris honore,
Macrior vt vultus sordida facta tegat :
Set neque iusticia maxillas mentis adornat,
Immo placens mundo fert maledicta deo. 180
Sic vrtica rose faciem furatur, et auri
Sub specie plumbum dat latitare dolum :
Sic latet iniustum sub iusto, sic maledictum
Sub sancto, que scelus sub recolente fidem :
Virtutum clamidem foris induit, interiorem
Contegat vt culpam, ne quis abhorret eam.
Sic foris apparet rutilans albedo, set intus
Omnis spurcicie tecta nigredo latet :
Sic quasi vox pacis odium blanditur ad aures,
Os dat amicicias mensque timenda minas; 190
Sicque columbinis stat pennis coruus amictus,
Turturis et falco fingit habere modum :
Sic animus Sathane gerit aspectum Gabrielis,
Est caput ancille, cauda set anguis erit :
Sic mellita bona visu tibi monstrat aperta,
Que si gustabis, sunt tibi mirra magis.
Disce quod ypocrisis est demonis archa, reclusum
Sub qua peccati continet omne nephas.
Non acus abscondi valet in sacco, set ad extra
Feruidus ex stimulo quod videatur agit ; 200
Nec latet ypocrisis ita quod non se manifestat,
Et sua quod virtus non viciata patet ;
Hocque sui vicium vicii vult pandere glosam,
Dum furit impaciens, ira reuelat eum :

182 dolum SCGDL   suum EHT   184 scelus] dolus EH   187 rutilans albedo set SCGDL   albus paries tamen EHT
189 f.   Sic foris ex auro tumulus splendescit, et intro
Fetet putredo, vermibus esca caro. EHT
DL *have both this couplet and that in the text*   192 falco SCGDL nisus EHT

Mendacisque diu pietatis fallitur vmbra,
Tam cito, cum grauius quid sibi ferre velis.
Sic lupus agnelli tectus sub vellere dentes
Nudat, et infecta pandit operta mala :
Sub vicii taxa sic virtus victa laborat,
Liber et a seruo nil modo iuris habet. 210
Ad placitum viciis laxantur frena pudoris,
Vt tollant gratam moribus ire viam.
Sic ego concludo breuiter, virtus quod vbique
Subiacet, et vicium scanna priora tenet :
Omnis et econtra fallit modo regula versa,
Sunt et in orbe nouo cuncta referta dolo.

**Hic loquitur adhuc vlterius de miseriis que in pedum statue
diuersitate nouissimis iam temporibus eueniendis figurabantur :
dicit enim quod ea que nuper condicionis humane virtuosa
fuerant, in suum modo contrarium singula diuertuntur.**

Cap^m. iiii.   Res fit amara modo dulcis, fit dulcis amara,
Fedaque fit pulcra, deficit ordo quia :
Fit scola nunc heresis, fiunt peccataque mores,
Fit dolus ingenium, raptaque preda lucrum : 220
Fit sacer ordo vagus, fingens ypocrita sanctus,
Magniloqus sapiens, stultus et ipse silens :
Confessor mollis peccator fit residiuus,
Verba satis sancta, facta set ipsa mala.
Custodit vulpis modo pullos et lupus agnos,
Perdices nisus lignaque sicca focus.
Doctores vicia mendacia suntque prophete ;
Fabula ficta placet, litera sacra nichil :
Displicet expediens doctrina, set illa voluptas
Dictorum Veneris gaudet in aure satis. 230
Nunc amor est luxus, et adulterium modo nubit,
Et iubet incestus iura pudica michi :
In vulgum clerus conuertitur, et modo vulgus
In forma cleri disputat acta dei.
Sunt serui domini, sunt et domini modo serui ;
Qui nichil et didicit, omnia scire putat :
Rusticus ingenui se moribus assimilari
Fingit, et in veste dat sua signa fore ;

218 pulchra C   237 ingenii H (*corr.*)   Ingenuu*m* L   assimulari CE

Isteque se miserum transfert gentilis in illum,
Vultque sui vicii rusticitate frui.   240
Sic modus est pompa, probitas iactancia, risus
Scurrilitas, ludus vanus et absque deo.
Nunc fautor scelerum specialis habetur, et obstans
Alterius viciis est inimicus ei:
Nunc magis est carus vir blandus in aure pervngens,
Et duplex lingua rethor habetur ea.
Nunc puer impubes sapiencior est Citherone
Regis in aspectu, plusque Catone placet:
Blandicieque sue nunc gestant premia lingue,
Quas mundi proceres magnificare vides.   250
   Absit honor cunctis nisi lingue, que velut Eccho
Auribus in regis consona verba sonat.
Quod culpas culpat, quod laudas laudat et ipse,
Quod dicis dicit, quod colis ipse colit.
Rides, arridet: fles, flebit: semper et equas
Imponet leges vultibus ipse tuis.
Premia iudicium Philemonis nulla meretur,
Dum tamen hoc verum sit quod ab ore refert.
Quem prius infantem texit pastoria pellis,
Iam subito blanda sindone verba tegunt.   260
Curia nulla suum veterem conseruat honorem,
Vrbs neque iusticiam, terra nec vlla fidem.
Sunt magis arma forum quam nobilitas, quibus ille
Garcio sutoris nunc galeatus adest:
Fuluus iam talus nimis est communis, eoque
Non honor est armis vt solet esse prius:
Namque superbus inops, dum non habet vnde superbe
Se regat, ex predis viuit vbique suis.

   Debilitas regni surgit, vires requiescunt,
Sic paleas multas granaque pauca vides: 270
Corda latent leporum, panduntur et ora leonum,
Aurea nunc verba plumbeus actus habet.
Nuncque solent homines consumere larga loquendo
Tempora, sermoni deficiente die;
Et bona, que regnum concernunt, vtiliora
Discordes animo posteriora sinunt.

256 ipse SL   ille CEHD   269 *Ordinary paragr. in* CDL, *no paragr.* E

Factis de nostris hodie conuertitur in cras,
Dicuntur facta que peragenda manent.
Nunc aliena sibi vult regna superbia subdi,
Que vix in proprio stat semituta solo.   280
Bella tonat valide thalamis audacia lingue,
Vecors set campis non mouet illa manus:
Sub facie guerre nos multant vndique taxe,
Vniusque lucro milia dampna scio.
Libertas solita nuper modo fertur auara,
Et magis ingrata condicione grauat:
Omnia pre manibus promittit premia seruis,
Nec memoratur eo, cum bene fecit homo.
Nil vetus exemplo nunc regula sufficit, immo
Acta loco iuris ammodo velle reget.   290

   Est modo fel mellis, et liuor amoris ad instar;
Quod patet exterius, hoc nichil intus habet.
Vox leuis illa Iacob, Esau manus hispida nuper
Fallebant, set ob hoc signa futura dabant:
Quicquid verba ferunt modo nam bonitatis ad aures,
Cum probat illud opus actus, iniqua gerit.
Cessit iusticia cessitque fides sociata,
Fraus, dolus atque suum iam subiere locum.
Nunc socii luctus socio velut organa plaudunt;
Vnus si presit, invidet alter ei.   300
Ex dampno fratris frater sua commoda querit,
Et soror ad laudem raro sororis agit:
Filius in matre iam sentit habere nouercam,
Sentit et hec nati plurima facta doli:
Filia maternos actus detractat, et ipsa
Mater iam natam spernit et odit eam.
Filius ante diem patrios iam spectat in annos,
Nec videt ex oculis ceca cupido suis:
Sit licet ipse parens, natis minus impius ipse
Non est, nec cordis viscera suplet eis: 310
Nullus amor parcit cuiquam quem ledere possit;
Quod voluere duo, tercius esse negat.
Plebs sine iure manet, non est qui iura tuetur,
Non est qui dicat, 'Iura tenere decet.'
Viuitur ex rapto, vix hospes ab hospite tutus,

291 Ordinary paragr. CEDL

Nec socer a genero, dum vacat ipse lucro.
 Tempore nunc plures odio remanente salutant,
Tempus et ad vomitum ruminat ira suum:
Facta mouent odium, facies exorat amorem,
Oscula pretendit os, manus atque ferit. 320
Pectoribus mores tot sunt quot in orbe figure,
Nec longum stabile quid bonitatis habent:
Vtque leues Protheus sese tenuauit in vndas,
Nunc leo, nunc arbor, nunc erat hircus, aper,
Sic modus ad presens hominum mutabilis extat,
Nec scio quo possum firmus adire gradum.
Vacca sit an taurus non est cognoscere promptum,
Pars prior apparet, posteriora latent:
Sic prima facie non est cognoscere verbum;
Qui nichil occultat, pondera finis habet. 330
Dum fueris felix, plures numerantur amici,
Aspera si fuerint tempora, solus eris:
Vt lepus in variis fugiens se munit in aruis,
Errat et in nulla sede moratur amor.
Tempore creuit amor antiquo, set resolutus
Vix vltra quo nunc progrediatur habet:
Illud amicicie quondam venerabile nomen
Cessit, et in questu pro meretrice sedet.
Orbis honorifici periunt exempla prioris,
Et nichil est de quo iam sit habenda fides. 340
 Nunc amor est solus, nec sentit habere secundum,
Stans odioque tibi diligit ipse tua.
Sic est quod non est lepus et leporarius vnum;
Nescio quod video, sum neque cecus ego.
Est odium commune modo, set amor quasi fenix
Per loca deserta solus in orbe latet.
Est nocuum ferrum ferroque nocencius aurum,
Cuius nunc bello sternitur omnis homo.
Quid modo, cumque manus mentitur dextra sinistre,
Dicam, numquid homo credet id ipse sibi? 350
Omnibus in causis, vbi commoda sunt ve voluptas,
Nunc modus est que fides non habuisse fidem:
Sicque pedum statue duplex variata figura
Quam varios hominum signat in orbe dolos.

 350 credet CEHGDL credit S

Vndique dampna fluunt, quod in isto tempore liber
Nescio pacificis quo fruar ipse viis.
Expers invidie paupertas sola manebit,
Quam supplantare nullus in orbe studet.
O miser et felix pauper, qui liber vbique
Cum requie mentis absque pauore manes! 360
'O mundus, mundus,' dicunt, 'O ve tibi, mundus,
Qui magis atque magis deteriora paris!'
Quid sibi sit mundus igitur, que forma vel eius,
Que vel condicio, singula scire volo.

Quia vnusquisque ad presens de mundi fallaciis conqueritur, intendit hic de statu et condicione mundi, necnon et de miseria condicionis humane, tractare consequenter.

Cap^m v Mundus enim sibi dat nomen, set mundus haberi
Ex inmundiciis de racione nequit:
Sordibus est plenus, viciorum germine plenus,
Plenus peccatis, plenus vbique dolis.
Tempora mutantur mutantur condiciones,
Mutanturque status, nec manet ordo diu. 370
Discite quam prope sit et quam vicina ruina,
Talis enim nullum que releuamen habet:
Discite quam nichil est quicquid peritura voluptas
Possidet et false vendicat esse suum.
Vita quid est presens? temptacio, pugna molesta;
Hic acies semper, semper et hostis adest:
Fur opibus, guerra paci, morbusque saluti
Inuidet, et corpus nostra senecta premit:
Sicque perit placite paulatim gracia forme,
Nullaque de multis que placuere manent. 380
Nam gustata minus sapiunt, vix sentit odores,
Vix quoque clamosos percipit aure sonos:
Caligant oculi, de toto sola supersunt
Vix cutis et neruis ossa ligata suis.
Estates odit, hyemes et frigora culpat,
Nec querulo possunt vlla placere seni:
Frigore nunc nimio, nimio nunc leditur estu,
Et stabili numquam permanet ille statu.
Dens dolet aut ceruix, aut forsan lingua ligatur,
Splen tumet, egrotat pulmo, laborat epar; 390

Cor marcet, renes paciuntur, soluitur aluus,
Brachia vix possunt, languida crura dolent.
Longius in curis viciatum corpus amaris
Non patitur vires langor habere suas:
Singula non paucis pars est obnoxia morbis,
Et patet infelix ad mala totus homo;
Ingratusque suis morbis confectus et annis,
Conqueritur vite tempora longa sue.
   Omnis enim virtus, qua gaudet corpus inane,
Desinit et vario pressa dolore perit.   400
Es sapiens? marcet sapiencia morte. Redundas
Diuiciis? lapsu mobiliore fluunt.
Es probus? expirat probitas. Es honestus? honestas
Labitur. Es fortis? forcia morte iacent.
Set cum te viciis victum succumbere cernis,
Miror te fortem dicis et esse putas.
Bella libido mouet; primos tu cedis ad ictus,
Et tua das fedo colla premenda iugo:
Sic et auaricie seruis, sic motibus ire,
Sic facis ardentis iussa pudenda gule.   410
Sic vbicumque tuam faciem cum mente revoluas,
Corporis et mundi singula vana scies.
Si corpus penses, ex omni parte videbis
Naturam fragilem, que remanere nequit:
Si mundum penses, ex omni parte volutum
Rebus in incertis fraude videbis eum.
Excussas aliquis deplorat grandine vites,
Iste mari magno deperiisse rates:
Istum luxuries illumque superbia vastat,
Hunc et tristicie seua procella quatit.   420
Et sic de variis mundus variatur, et ipsum
Quem prius exaltat forcius ipse ruit:
Labilis ille locus satis est, et more fluentis
Et refluentis aque fluminis instar habet.
Si cui blanditur, fallit, nec creditur illi;
Eius quo doleas gaudia semper habent.
   Rebus in humanis semper quid deficit, et sic
Ista nichil plenum fertile vita tenet.
Quam prius in finem mundi deuenerit huius,

409 seruus CE

Nulla potest certo munere vita frui. 430
Si te nobilium prouexit sanguis auorum,
Hinc est quod doleas, degenerare potes:
Prospera si dederit tibi sors, et sorte recedunt;
Si mala succedunt, deteriora time.
Si tibi persuadet vxorem fama pudicam,
Hinc eciam doleas, fallere queque solet:
Hic gemit incestum corrupte coniugis, alter
Delusus falsa suspicione timet:
In quam suspirant multorum vota timebis
Perdere, vel soli ne sit habenda tibi; 440
Sic illam metuis ne quis corrumpat adulter,
Et pariat quorum non eris ipse pater.
Si tamen illorum succrescit turba bonorum,
Hinc iterum doleas, mors tibi tollit eos:
Si tibi diuicie modicam famulantur ad horam,
Has, vt plus doleas, auferet vna dies.
Tempora si viridis promittit longa iuuentus,
Fallit, et vt doleas Attropos occat eam.
Si tibi perspicue pollet sapiencia mentis,
Vt merito doleas, in Salomone vide. 450
Si facies niuea rubicundo spersa colore
Splendeat, hinc doleas, curua senecta venit.

 Non habet hic requiem tua mens, set et intus et extra
Prelia cum multis irrequieta geris.
Dum potes, amissum tempus suple, quia Cristus
Heu nimium tardo tempore dampnat opus.
Vltima qui vite peiora prioribus egit,
Si perdat, caueat, qui malus emptor erat.
Discat homo iuuenis, celeri pede labitur etas,
Nec bona tam sequitur quam bona prima fuit: 460
Non que preteriit iterum revocabitur vnda,
Nec que preteriit hora redire potest:
Stare putas, et eo procedunt tempora tarde,
Et peragit lentis passibus annus iter.
Ancipitrem metuens pennis trepidantibus ales
Audet ad humanos fessa venire sinus;
O vetus in viciis, Sathanas quem spectat in ymis,
Quid fugis, et pro quo non venis ipse deo?
Ecce senilis yemps tremulo venit horrida passu,

Pulcher et etatis flos iuuenilis abit: 470
Labitur occulte fallitque volatilis etas,
Et celer annorum cursus vt vmbra fugit.
  Hec quoque nec perstant que nos elementa vocamus,
Immo gerunt varias diuaricata vices:
Corpora vertuntur, nec quod fuimus ve sumus nos
Cras erimus, set idem se neque tempus habet:
Nil equidem durare potest forma sub eadem,
Mutari subito quin magis omne liquet.
Cerne, fretum quod erat, nunc est solidissima tellus,
Quod fuit et tellus, iam maris vnda tegit: 480
Nunc fluit, interdum suppressis fluctibus aret
Fons, nec et ipse statu permanet ecce suo.
Conteritur ferrum, silices tenuantur ab vsu:
Numquid homo fragilis rumpitur ipse magis?
Qui nunc sub Phebo ducibusque palacia fulgent,
Nuper araturis pascua bobus erant:
Nuper erant rura, quo nunc sunt castra, que culti
Quo nunc sunt campi, castra fuere prius:
Frondibus ornabant que nunc capitolia gemmis,
Pascebatque suas ipse senator oues. 490
Et si regna loquar hominum, scimus quia nullum
Principis imperium perstat in orbe diu.
  Hec que preteritum tempus dedit, illa futurum
Post dabit, estque nouus nullus in orbe status.
Dicere quis poterit, 'Ego persto quietus in orbe?'
Et quis non causas mille doloris habet?
Quo se vertit homo, dolor aut metus incutit ipsum;
Excipitur nullus qui sit in orbe gradus.
O quantos regum paciuntur corda tumultus,
Quamque procellosis motibus ipsa fremunt! 500
Inter regales epulas variosque paratus
Tabescunt vario sollicitata metu:
Mille satellitibus cinctus telisque suorum
Non valet e trepido pellere corde metus.
Sic inmunda suis de fraudibus omnia mundus
Polluit, et nullo tempore munda facit:
Iste per antifrasim nomen sibi vendicat vnum,
Quo nullo pacto participare potest.

    470 estatis C (*ras.*)   490 Passebat*que* S

Hic loquitur de principio creacionis humane. Declarat eciam qualiter mundus ad vsum hominis, et homo ad cultum dei creatus extitit; ita quod, si homo deum suum debite non colat, mundus que sua sunt homini debita officia vlterius reddere non teneatur.

Cap^m. vi.   O si vera loquar, quicquid sibi mundus iniqum
    Gestat, homo solus est magis inde reus.
    Scripta docent Genesis, primo cum conditor orbem
    Fecerat, hec dicens ipse creauit Adam :
    'Nos faciamus,' ait, 'hominem, qui nos imitari
    Possit; et vt nobis seruiat atque colat,
    Inspiremus ei sensum racionis, amorem,
    Vim discretiuam, quid sit et vnde venit :
    Inspiremus ei factoris cognicionem,
    Vnde creatorem noscat ametque suum,
    Quis suus est auctor, quis ei dedit esse vel vnde :
    Mundus eum sequitur et famulatur ei.
    Solus rimetur mentis secreta superne,
    Et perscrutetur singula solus homo :
    Singula scrutetur, set quod sibi postulat vsus,
    Vtile vel credat, quod ve necesse putet.'
      O sublime decus, honor eximius, decor altus,
    Vt sit homo terra tectus ymago dei !
    Vt sit ad exemplum factoris fabrica facta,
    Resque creatori consimilata suo !
    Cetera queque deus solo sermone creauit,
    Hoc formauit opus apposuitque manum.
    Terrula suscipitur, formatur massa pusilla,
    Fit corpus solidum, quod fuit ante solum :
    Ossa medullata neruis compegit in vnum,
    Firmauit gressus composuitque gradum :
    Hiis super induxit venas set sanguine plenas,
    Carnes vestiuit pellibus atque pilis :
    Visceribus plenis fudit spiracula vite,
    Ex quibus officiis singula membra vacant :
    Os loquitur, manus exercet, pes currit, et aures
    Ascultant, oculus sidera solus habet.
    Viuificatur homo, surgit factura biformis,

535 set] et CEL

Stat caro, statque comes spiritus, vnus homo.
Hec caro que carnis sunt sentit, spiritus alta
Sidera suspirat et sua iura petit.
  Stat formatus homo, miratur seque suosque
Gestus, et nescit quid sit et ad quid homo:
Corporis officium miratur, membra moueri,
Artificesque manus articulosque pedum.
Artus distendit, dissoluit brachia, palmis
Corporis attractat singula membra sui: 550
In se quid cernit sese miratur, et ipsam
Quam gerit effigiem non videt esse suam:
Miratur faciem terre variasque figuras,
Et quia non nouit nomina, nescit eas.
Erexit vultus, os sublimauit in altum,
Se rapit ad superos, spiritus vnde fuit:
Miratur celi speciem formamque rotundam,
Sidereos motus stelliferasque domos:
Stat nouus attonitus hospes secumque revoluit,
Quid sibi que cernit corpora tanta velint.   560
Noticiamque tamen illi natura ministrat;
Quod sit homo, quod sunt ista creata videt:
Quod sit ad humanos vsus hic conditus orbis,
Quod sit ei proprius mundus, et ipse dei.
Ardet in auctoris illius sensus amorem,
Iamque recognouit quid sit amare deum.

Hic loquitur quod, exquo creator omnium deus singulas huius mundi delicias vsui subdidit humano, dignum est quod, sicut homo deliciis secundum corpus fruitur, ita secundum spiritum deo creatori suo gratum obsequium cum graciarum accione toto corde rependat.

Cap^m. vii.   Dic, Adam, dic, Eua parens, dic vnus et alter,
         Dic tibi si desit gracia plena dei.
         Cuncta tuis pedibus subiecit, ouesque bouesque,
         Et volucres celi pisciculosque maris: 570
         En, elementa tibi, sol, aer, sidera, tellus,
         Diuitis vnda maris, cetera queque fauent.
         Auctor enim rerum sic res decreuit, vt orbis
         Queque creatura consequeretur eum;

        562 sunt] sint CE

Vt seruiret ei factura, suumque vicissim
Factorem solum consequeretur homo.
Erige sublime caput et circumspice mundum,
Collige cuncta, sue dant tibi queque manus :
Omnia subiecta tibi sunt, tibi cuncta ministrant,
Omnia respondent obsequiumque parant. 580
Qui tibi tanta tulit, qui pro te tanta peregit,
Qui pro te mundum duxit ad esse suum,
Qui dedit ex nichilo tantarum semina rerum,
Confusumque chaos ordine stare suo,
Sortes distribuens per partes quatuor equas,
Iratos motus temperat arte sua :
Sidere depingens celum, septemque planetas,
Et si nitantur, ad sua puncta vocans,
Signifer accessu solis signis duodenis
Tempora per totidem dat variare vices. 590
   Qui totum mundum, postquam decreuerat illum,
Ornauit vario multiplicique bono,
Esse feras siluis, in montibus esse leones,
In planis pecudes, rupibus esse capras.
Pluma tegit volucres et oues sua lana decorat,
Inque tuos vsus est tamen hoc quod habent.
Respice delicias mundi, quas flumina dotes,
Quas tibi donat opes diuitis vnda maris ;
Arboribusque sitis, herbis, radicibus ortos,
Floribus et foliis fructiferisque bonis. 600
Pre cunctis recolat tua mens, quem te quoque fecit,
Et de quam nichilo traxit ad esse bonum ;
Nam tuus illius est spiritus, et tuus eius
Est sensus, racio de racione sua.
   Te caput esse dedit rerum, rebusque locatis
Nomina te cunctis queque vocare dedit :
Qui tibi spem prolis dedit in mulieris amore,
Consortemque parem coniugiique fidem.
Te sibi pene parem fecit, te pene secundum,
Dicere si possem, prestitit esse deum : 610
Contulit in celum sese, tibi tradidit orbem,
Et mundi tecum dimidiauit opes.
Celum sole tibi, sol lumine seruit, et aer

     599 sitis] satis D   611 tradidit] contulit CE

Flatibus, vnda cibis, terraque mille bonis.
Set quod es vnde tibi? quod habes quis prebet? Vtrumque
Sponte facit pietas dulcis et ampla dei:
Qui tibi te tribuens sese promisit, eoque
Non habuit melius quod daret ipse deus.
  Nonne superbire quemcumque virum decet ergo
Contra mandata que dedit ipse deus? 620
Celum deiecit set et odit terra superbum,
Solus et inferni fit locus aptus ei.
Hoc etenim vicio tactum fuit et viciatum,
Quod genitor primus protulit, omne genus:
In radice fuit omnis viciata propago,
Quo mundum quicquam mundus habere nequit.
Non fuit in mundo qui mundum mundificaret,
Nec quod in hoc venie posset habere locum:
Set pietate prius qui condidit omnia solus,
Ille reformauit et reparauit opus. 630
Accepit serui formam seruosque redemit,
Demonis et quod erat fecerat esse dei:
Hunc igitur superest deuota mente sequaris,
Vtque tuum dominum confitearis eum;
Preceptumque leue, vetitum non tangere crimen,
Si toto sequeris corde, beatus eris.

  Hic tractat qualiter homo dicitur minor mundus; ita quod secundum hoc quod homo bene vel male agit, mundus bonus vel malus per consequens existit.

m. viii.   O pietas domini, qualisque potencia, quanta
Gracia, que tantum fecerat esse virum!
Vir sapit angelicis cum cetibus, vnde supremum
Esse creatorem noscit in orbe deum: 640
Sentit et audit homo, gustat, videt, ambulat, vnde
Nature speciem fert animalis homo:
Cum tamen arboribus homo crescit, et optinet esse
In lapidum forma proprietate sua:
Sic minor est mundus homo, qui fert singula solus,
Soli solus homo dat sacra vota deo.
Est homo qui mundus de iure suo sibi mundum
Subdit, et in melius dirigit inde status:
Si tamen inmundus est, que sunt singula mundi

Ledit, et in peius omne refundit opus: 650
Vt vult ipse suum proprio regit ordine mundum,
Si bonus ipse, bonum, si malus ipse, malum.
Qui minor est mundus, fert mundo maxima dampna,
Ex inmundiciis si cadat ipse reus:
Qui minor est mundus, si non inmunda recidat,
Cuncta suo mundi crimine lesa grauat;
Qui minor est mundus homo, si colat omnipotentem,
Rebus in humanis singula munda parit:
Qui minor est mundus, si iura dei meditetur,
Grande sibi regnum possidet ipse poli. 660
  Conuenit ergo satis, humili quod corde rependat
Digna creatori dona creatus homo:
Restat vt ipse sui factoris querat amorem,
Restat vt ipse sciat quid sit et vnde venit:
Restat vt agnoscat, quo nominis ordine solus
Pre cunctis mundus dicitur esse minor.
Si minor est mundus, quo mundi machina constat
Ordine si querat, est meminisse sui:
Si minor est mundus, que sunt primordia mundi
Si meditetur, agit vnde sit et quid homo: 670
Si se nesciret, nec eum cognosceret, a quo
Vel per quem factus est, nec amaret eum.
Et tamen est illi substancia facta biformis,
Quo compegit eum, spiritus atque caro;
Vt deseruiret factori spiritus eius,
Et mundus carni spirituique caro.
Est ancilla caro fragilis, cuius dominatrix
Desuper est anima de racione dei;
Nunc tamen a mundo caro victa negat racionem,
Linquit et hec anime iura subire sue. 680
Sic seruit dominans, sic regula fallit, et extra
Deuiat illa deo, que foret intus homo.
Stulcior o stulto, commutans celica mundo,
Postponens aurum queris habere lutum.
  Cur dominus rerum, quare deitatis ymago
Parua cupis? Cupias maxima magnus homo.
Orbis terrarum tuus est, et quicquid ab illo
Clauditur, arbitrio subditur omne tuo:

    684 queris SGL   mauis (mavis) CEHD

LIBER SEPTIMUS

Nempe parens rerum celo dimissus ab alto
Ad tua descendens est tibi factus homo. 690
Noli te regno peccati subdere, noli
Que cicius fugiunt ista caduca sequi:
Set satagas humiles animo transcendere terras,
Desuper in celis arripe fortis iter.
Tu si magna petis, deus est super omnia magnus,
Si bona, quam bonus est dicere nemo potest.
Nil genus aut sexus tibi, nil vel comptus inanis
Mortis ad excessus vtilitatis habent.
Quid penetrasse iuuat studiis archana Platonem,
Natureque suos composuisse libros? 700
Solis iter celique plagas luneque meatus,
Et vaga vel summo sidera fixa polo,
Multaque preter ea satis ardua nouerat; et nunc
Philosophus cinis est, nomen inane perit.
Dum res et rerum causas vestigat Ypocras,
Dum medicinali corpora seruat ope,
Talis eum poterat sapiencia nulla mederi,
Quin medico mortis lex subienda foret.
Sic patet, est hominis natura potencior arte,
Et ruit in mortem quos sua causa petit. 710
Est tibi nil melius igitur, quam prouidus illam
Prospicias mortem, que tibi finis erit.
Semper iturus ades, accedis ad vltima vite,
Nec scis quo fine, quando vel illud erit:
Celo longa via, restantque dies tibi pauci;
Tardat iter mundi qui sibi sumit onus.

 Hic loquitur qualiter homo, qui minor mundus dicitur, a mundo secundum corpus in mortem transibit, et sicut ipse corporis sui peccato huius mundi corrupcionis, dum viuit, causat euentum, ita in corpore mortuo postea putredinis subire corrupcionem cogetur. Et primo dicit de mortui corporis corrupcione secundum Superbiam.

Cap^m. ix. O tibi quid dices, cum non mouet aura capillos,
   Arent et fauces, nec via vocis inest,
   Et color in vultu sine sanguine, lumina mestis

691 regno peccato EHL Regni peccato D 707 eum CEHDH₂ enim SGLT

Sunt inmota genis osque madere nequit, 720
Atque per interius cum duro lingua palato
Congelat, et pulsum vena mouere negat,
Nec flecti ceruix nec brachia plectere quicquid
Possunt, nec passus pes valet ire suos?
 Quid modo respondet homo mortuus ille superbus?
Dicat nunc quid ei gloria vana dabit.
Eius enim, nuper alios qui despiciebat,
Corporis exanimi iam perit omnis honor:
Et quia se corpus dudum tollebat in altum,
Vermibus esca modo subditur ipsa caro. 730
Non modo palpebra quasi dedignando leuatur,
Nec manus in longum planat vtrumque latus:
Quas vires habuit mortalis vis superauit,
Est musce spina forcior ecce sua.
Si decor aut species nuper florebat in illo,
Eius turpedo iam fugat omne pecus:
Si fuerat sapiens, modo differt a sapiente,
Est sibi conclusum quo nichil ipse sapit:
Que magis in studio peciit subtilia longo,
Mors ea dissoluit de breuitate cito. 740
Artibus in variis fuerat licet ipse peritus,
Iam cecidit prudens artis in arte sua:
Desinit ingenii racio sine iam racione,
Mors ruit in vacuum que racionis erant:
Littera quem docuit magis est indoctus asello,
Pectore nec remanet iota vel vnus apex.
Non sibi mentalis presumpcio iudicat vllos,
Se neque iactare mortua causa sinit:
Qui solet ypocrisi ficte virtutis honorem
Tollere, nunc monstrat quid fuit ipse palam. 750
Nil sibi quod genera linguarum nouerat olim
Confert, qui muto mortuus ore silet:
Organa nulla sibi nota vel citharistea plaudunt,
Quo perit auditus, musica nulla placet.
Nil valet ingenuas corpus coluisse per artes,
Qui modo nature perdidit omne decus:
Nil vestis pompa, nichil aut ascensus equorum,
Corpus iam rigidum magnificare queunt.

721 perinterius GLT

Nil sibi pulcra domus aut seruicium famulorum;
Nunc foris in populo nemo salutat eum : 760
Nunc serpens famulus puteusque vocabitur aula,
Nuncque loco thalami tetra cauerna datur.
Sic quia nuper eum fallebat gloria vana,
Nunc sibi nil remanet vnde superbus erit.

Hic loquitur de corporis mortui corrupcione secundum Inuidiam.

Cap^m. x. Ecce per invidiam qui roserat ore canino,
Iam canis aut vermis rodere debet eum.
Alterius famam spernens que leserat olim,
Ammodo corrupta lingua dolosa tacet:
Alterius dampna risit, quoque prospera fleuit,
Nunc ridere nequit ore carente labris. 770
Murmure cor plenum nuper modo fit putrefactum,
Et via iam rupta cordis ad yma patet :
Iam nequit ambicio socii postponere laudem,
Nec preferre suam, qui sine laude iacet.
Tunc fel sub melle condens nunc conditur ipse,
Quo sine mente caro nil similare potest :
Amplius invidie mens ignea plena veneno
Liuoris stimulo pungere quosque nequit.

Hic loquitur de corporis mortui corrupcione secundum Iram.

Cap^m. xi. Feruida viuentem quem nuper torruit ira,
Amplius impaciens non mouet ille caput : 780
Lite sua dudum qui vicinos agitabat,
Mutus ad interitum non habet ipse sonum :
Nuper linguosus nequit amplius esse susurro;
Mors vocat, ipse tacet, nilque refatur ei.
Qui terrere solet inopem terrore minarum,
Contra vermiculum iam valet ipse nichil :
Non suus ad bellum furor ammodo prouocat ipsum,
Qui neque cum verme federa pacis habet :
Eius enim gladius iam non erit ecce timendus,
Qui patitur vermem cor lacerare suum : 790
Corporis ex odio non inficiet racionem,
Ammodo vitali qui racione caret.

767 spernens famam C famam serpens L

Hic loquitur de corporis mortui corrupcione secundum Auariciam.

Cap^m. xii. O quid auaricia nuper modo prestat auaro?
Sola sibi stricta lignea cista manet.
Terra sibi fuerat nimio quesita labore,
Septem nuncque pedes, non magis, inde tenet.
Qui dudum fuerat raptor predans aliena,
Ipsum nunc predam mors quasi predo rapit:
Qui nuper fatuis tendit sua recia lucris,
Nunc capitur rethe quo remouere nequit.   800
Diuicias multas vniuit et arcius illas
Seruabat, set nunc dissipat alter opes:
Que quasi fine carens fuerat possessio larga,
Transiit et subito nulla remansit ei.
Gaudet enim coniux sponsi nouitate secundi,
Nec sibi cor meminens anterioris habet;
Immemor et patris letatur filius heres,
Nec sibi qui moritur vnus amicus adest.
Sic qui res rebus agros et agris sociauit,
Ammodo de questis fert nichil ipse suis: 810
Abstulit vna dies quicquid sibi contulit annus,
Et labor a longo tempore cassus abit:
Pauperibus bursam qui clauserat, indiget ille,
Nec valet argenti copia tota sibi.
Nil dolus aut furtum, nil circumvencio corpus,
Iam neque periura falsa cupido iuuat.

Hic loquitur de corporis mortui corrupcione secundum Accidiam.

Cap^m. xiii. Amplius accidia sibi qui fuit accidiosus
Corporis ad placitum membra fouere negat.
Deditus hic sompno nuper nunc sompnit habunde,
De longo sompno quo vigilare nequit: 820
Mollia qui dudum quesiuit stramina lecto,
Anguibus aspersa frigida terra subest:
Ocia qui peciit nuper fugiendo labores,
Nunc nichil est quod agat, vnde meretur opem.

816 iuuat S   iuuant EGDLTH₂
Cap. xiii. *Heading* 1 mortui corporis CH

Si didicisse bonum potuisset, iam scola nulla
Reddit eum doctum, quo magis ipse sapit
Quid sit de rerum dampno: valet ipse dierum
Perdita iam flere tempora longa nimis.
Nuper in ecclesia rogitauit raro, set inde
Iam nequit auferri, nil tamen ipse rogat. 830
Semina qui parce spersit, parce metet ipse;
Quod nuper potuit, vult modo, quando nequit.

Hic loquitur de corporis mortui corrupcione secundum Gulam.

Cap^m. xiiii. Nil gula, que dudum fuerat sibi cotidiana,
Amplius in ventre, set nec in ore placet:
Viscera que pressa fuerant grauitate ciborum,
Euacuata modo nil retinere queunt.
Gustauit species et dulcia vina bibebat,
Horum suntque loco stercora mixta luto:
Eius in vmbiculo, sua quo pinguedo latebat,
Iam latitat serpens, qui sua crassa vorat: 840
Olla sui ventris, que parturit ebrietatem,
Rumpitur, et bufo gutturis antra tenet.
Esca sibi dudum redolens nichil ammodo confert,
Occupat en nares feda putredo suas:
Crapula, que nuper ieiunia nulla subiuit,
Iam rupto stomacho sentit in ore nichil.

Hic loquitur de corporis mortui corrupcione secundum Luxuriam.

Cap^m. xv. O qui luxurie vicium tam dulce putabat,
Iam sugget serpens membra pudenda sua.
Amplius incaste non circuit ille lupanar,
Nec manus in tactu feda placere valet: 850
Non valet ex oculis vultu similare procaci,
Prouocet vt fatuam, quo magis ipsa fauet.
Cantica composita Veneris sermone dolosa
Cum iuramentis ammodo nulla iuuant;
Est sibi nil cantus, nichil aut peditare coreis,
Nam sibi guttur abest, pes neque substat ei.

843 redolens dudum CEHD

Non facit incestum, neque virginitatis honorem
Mortuus in carne iam violare potest:
Est modo putredo quicquid fuit ante voluptas,
Et calor in coitu frigiditate gelat. 860
Sic quod erat dudum corpus, nunc ecce cadauer;
Et redit in cinerem quod fuit ante cinis.

Exquo tractauit qualiter variis peccati deliciis humanum corpus mortis putredine in hoc mundo consumitur, interrogat vlterius de homine peccatore, quomodo mundi voluptates tam fallibiles in sui preiudicium ita ardenter sibi appetit et conspirat.

Cap^m. xvi. O michi responde, fert quid tibi pompa, superbe,
Cum teret in terra membra putredo tua?
Dic tibi, tu serico, gemmis vestitus et auro,
Quid cum mors veniat gloria vana dabit?
Quid victor gaudes? hec te victoria linquet,
Sit nisi quod vicii vincere bella queas.
Quid tibi liuor aget, vrentis filius Ethne,
Cum mors cor que labra soluerit ipsa tua? 870
Quid tibi siue furor aut ira valere putatur,
Cumque furore mali mors furit ipsa tibi?
Tempora siue tua tibi quid dant accidiosa,
Cum mors sit perstans absque quiete nocens?
Quid tibi delicie poterunt conferre gulose,
Cum morsus mortis fine perhennis eris?
Quid ve putas Venus ipsa dabit tibi fine laboris,
Cum calor in membris desinit esse tuis?
Aurea quid prodest tibi, diues, pompa monete?
Vltimus in terram finis vtrumque vorat: 880
Que tibi sollicitus longeuus contulit annus,
Cuncta simul rapiet hora repente breuis.
Quid reges vincis, quid subdis regna, tiranne?
Est deus invictus, qui tibi bella parat.
Quid tibi fama volans, honor, aut quid comptus inanis?
Omnis enim mundi gloria vana perit.
  Occupat extrema stultorum gaudia luctus,
Et risum lacrima plena dolore madet.
Corporis in forma, quid vel de stirpe superbis,
Qui cinis in cineres vermibus esca redis? 890

Quid tibi si fortis poteris superare leones,
Numquid te poterit inquietare pulex?
Quid nisi stulticiam tibi fert sapiencia mundi?
Ergo nichil sapiens quod sapit absque deo.
Est tibi de limo formatum corpus inane,
Pronaque natura carnis ad omne malum;
Incipit in luctu finitque dolore : quid ergo
Queris vt hic tale glorificetur opus?
Cum nichil ex mundo sit corpore glorificatum,
Est tibi nil corpus glorificare tuum.   900
Nil tibi plus remanet aut corporis aut tibi rerum,
Sola nisi merita, sint bona siue mala :
Cum venit illa dies, que nil nisi corporis huius
Ius habet, inueniet tunc homo facta sua.
Non hic iure locum valet vllus habere manentem,
Mortis ad incertas transiet immo vias.

Hic loquitur qualiter omnia mundi huius sicut vestimentum veterascunt, et quasi sompnifera in ictu oculi clauduntur: loquitur eciam in speciali de mortis memoria et eiusdem nominis significacione.

Cap^m. xvii.   Omnia quam cicius oculi clauduntur in ictu,
Et quasi per sompnum preterit omnis homo :
Gaudia perpetuos pariunt mundana dolores
Tollit et eternum viuere vita breuis.   910
Omnia que possunt amitti nulla videntur,
Nec longum quicquid desinit esse reor.
Dic quid honor, quid opes, quid gloria, quid ve iuuentus,
Forma, genus, vires, femina, vestis, ager,
Gemma vel argentum, quid septrum, regna vel aurum,
Purpura, quid latus fundus et ampla domus,
Magna potencia, multa sciencia, vana voluptas,
Vita quid, et nostri corporis ipsa salus.
   Quod caro mortalis tanquam vestis veterascit
Et celeri lapsu curua senecta venit,   920
Quod nostre semper minuuntur tempora vite,
Quodque dies hominis fumus et vmbra fugit,
Quod sit vita breuis, quod mors incerta, quod omni
Tempore nos queuis causa molesta premit,

903 nisi] sibi C   918 et] est S   921 nostre D   nostri SCEHGL

Alterutrum poterunt homines exemplificari;
Res etenim tales experimenta docent.
Rex est quisque sui, bene qui regit acta, beatus;
Qui regit acta male, seruus ineptus erit:
Rex appellaris: quid inani nomine gaudes,
Qui viciis pulsus seruus vbique iaces? 930
Cur viciis seruit qui regnis imperat, et non
Mancipium vile corporis esse pudet?
Dum viciis sordes, nil prodest fulgida vestis,
Absterget maculas purpura nulla tuas.
Expediens igitur foret, vt sic quisque viator
Quam leuius poterit exoneratus eat.
Singula de nobis anni predantur euntes,
Morsque superueniens prospera queque rapit:
Regreditur cinis in cinerem, resolucio carnis
Monstrat principii materiale lutum. 940
Scit deus hoc anime quod fiet in orbe futuro,
Integra seu lesa, quanta que qualis erit:
Ista sciunt homines, mundo quod corpus in isto
Nil sibi perdurans vtile carnis habet.
Est caro corrupta viuens, plus mortua cunctis
Atque creaturis vile cadauer habet.
O speculum mortis! quotquot speculantur in illo,
Si bene se videant, gloria nulla patet:
Aduerse mortis sic ordo retrogradus extat,
Quod statuit caudas ad caput esse pares. 950
A morsu vetito mors dicitur; omnia mordens
Nominis exponit significata sui.
Rebus in incertis nihil est incercius hora
Mortis, morte nichil cercius esse potest.
Dum minus esse putat, hominem mors fallit, et ipse
Qui magis est sanus clanculo celat eam:
Non erit astrologus, medicus seu, de medicina
Qui prolongatum possit habere diem.
Sic homo, sic animal pariter moriuntur, et ambo
In terram redeunt condicione pari. 960
Est nichil exceptum: quicquid fit in orbe creatum,
Sicut habet vitam, constat habere necem.
   Clam veniens thalamis mors furtiuis volat alis,

931 imparat C   961 fit S   sit CEHGDL

Subuertens subito quod fuit ante retro :
Predat opes, vires nichilat, disiungit amicos,
Auro nec redimi quomodocumque potest :
Tollit agenda viris, reddit tamen actibus ipsos,
Compotus vt fiat iudicis ante pedes.
Ille quidem Iudex, qui singula iudicat eque,
Munera quem mundi flectere nulla queunt : 970
Iudicioque suo capiet vir digna laboris
Premia pro meritis absque fauore suis.

Hic loquitur quod, quamuis iustis et iniustis vnus sit naturaliter interitus, mors tamen iusti omnes exsoluens miserias eius spiritum glorie reddit sempiterne.

Cap^m. xviii. Iustus et iniustus per mortem transit vterque,
Terraque sorte pari corpus vtrumque vorat :
Disparilis meriti restat tamen exitus horum,
Est nam leta bonis mors et amara malis.
Est igitur felix homo qui viuens bene fecit,
Quo moriens poterit sumere dona dei ;
Dona quidem celi, quo gaudia cuncta refulgent,
Quo sine tristicia vita perhennis erit. 980
Mors aberit, morbus, labor, hostis, curua senectus,
Non habet hec felix illa superna domus :
Spiritibus summis equabit gracia regis,
Pro quibus est vltro passus amara crucis.
Hic est ille locus pacis que potentis honoris,
Quo tenebre nulle, quo sine nocte dies ;
Quo deus absterget lacrimam luctumque, nec illuc
Amplius aut clamor aut dolor vllus erit :
Nec mors nec morbus, sitis, esuries nec egestas,
Set neque casus habet hunc habitare locum. 990
Lux ibi continua, pax iugis, gloria perpes,
Vita beata, salus vera, perhennis amor :
Est ibi spes que fides, bonitas, laus, gracia, virtus,
Sensus, amor, pietas, gloria, forma, decus.
Est sine sorde caro iuuenilis, et absque senecta
Etas, diuicie sunt sine labe doli :
Est pax absque metu, honor omnis et absque superbo ;
Absque labore quies, absque dolore salus.

997 et *om.* S

Consummata manent ibi gaudia, passio nulla
Est et ibi, set habet omne quod optat homo: 1000
Vita perhennis ibi viget, et patet illa beata,
Que super omne valet, visio clara dei.
  Vis tibi describam paucis quid sit locus ille?
Plus est quam quiuis dicere possit homo:
Plus est quam possit mentis racione doceri,
Vel plus quam cordis cella tenere queat.
Quam felix locus est, quam digna laude colendus,
In quo conueniunt gaudia cuncta simul!
Sic, quia non finit ibi gloria, non ego possum
Finem condigne ponere laudis ei. 1010
Hic erit angelici cetus, quam perdidit olim,
Suppleto numero gloria plena suo:
Hic erit humano generi laus summa, resumpto
Corpore cum fuerit glorificata caro:
Hic erit in domino cunctis gaudere per euum,
Omnia cum fuerit omnibus ipse deus:
Et sic mors iusti tollit sibi cuncta nociua
Corporis, ac anime celica regna parat.
Cum moritur iustus, tunc viuens incipit esse;
Hec mors vitalis, que moriendo iuuat; 1020
Hec mors non oneri set plus conducit honori,
Possidet in requiem mortuus vnde deum.

Hic loquitur de duplici morte peccatoris, vna ex qua corpus hic resoluitur, alia ex qua digno dei iudicio penis perpetuis anima cruciatur.

Cap^m. xix. Heu! nimis infelix qui se viuens male gessit,
Quo grauis in morte pena vorabit eum:
Mors etenim duplex homini debetur iniquo;
Est mors prima grauis, altera feda magis.
Prima necans corpus de mundo segregat illud,
Nec valet vlterius quid sibi ferre mali;
Altera set grauior animam deducit ad yma,
Reddit et hanc Sathane, que solet esse dei: 1030
Ponit in ambiguum que sit mundana voluptas,
Et fore dat certum pena quod omnis adest,
Pena quidem baratri, dolor omnis quo vegetabit,

Cap. xix. *Heading* 1 duplici CEGL   dupplici SHT   duplice D

LIBER SEPTIMUS

Quo semper moritur, nec valet ipse mori.
  Non vox vlla valet miseras edicere penas,
Quorum tormenta languida fine carent :
Hinc timor atque tremor, labor et dolor inde sequetur,
Perpetue pene mors furit absque mori :
Iugi morte mori, seu iugi viuere morte,
Nil differt dicas, viuere siue mori.   1040
Heu! mortem repeto tociens, quia nil nisi mortis
Effigiem miseris inferet ille locus,
Ille locus quem dira fames, quem frigus et ardor,
Quem tenebre, quem nox, noctis et vmbra tegit.
Vermis ibi mentes corrodit, et ignis ab estu
Corpora consumet, pena timenda nimis :
Tortor ibi, qui semper habet torquere nec vnquam
Deficiet, tortum torrida pena teret.
  Quicquid erat placitum carni subuertitur omne,
Quod fuit et dulce torquet amara lues :   1050
Quod fuerat pulcrum fedat turpissima forma,
Quod fuerat sanum, pena resoluit opus :
Quod fuerat forte tunc viribus expoliatur ;
Est sapiens stultus, est ibi diues inops :
Quod fuerat luxus prius, est ibi vermis et ignis,
Fit, gula que fuerat, insaciata fames.
Sunt tenebre visus pungens et scorpio tactus,
Gressus et in laqueos mortis habebit iter :
Aures torquentur strepitu fetoreque nares,
Et que sunt pene gustus amara sapit :   1060
Est ibi flens oculus, dens stridens, omneque membrum
Soluitur in luctum, quo sine fine dolet.
Quod fuerat vita mors est, quod corpus eratque
Vt fax comburens semper in igne coquit.
Heu, set ymago dei nuper tam pura creata
Illa dolens anima demonis instar habet.
Non Thetis extinguit ibi fulmina, set neque morsus
Vipereos medici compta medela iuuat :
Stans ibi continuus dolor est vt parturientis,
Tempora nec venie spectat habere locus.   1070
Perpetuum pene tormentum nemo gehenne
Mente capit, set ibi stat dolor absque pari :

          1067 Tethis D

Cor de mente tremit, de corde caro, quod in ista
Scribere materia plus nequit egra manus.
Quo vultu, vel qua facie, vel quo comitatu
Tunc apparebit iudicialis apex?
Terribilis vultus, facies quasi sit furibundi,
Horridus aspectus aspera queque minans:
Iudicis ille furor breuis, ira set absque remissa
Pena, nil venie nil pietatis habens. 1080
Mater et angelicus cetus, necnon duodenus
Iudicium faciens ordo sequetur eum:
Angelus hic et homo pariter tormenta subibunt,
Penam pro meritis soluet vterque suis;
Efficientque pares pene, quos nuper iniqus
Peccandi pariles efficiebat amor.
Distinguetur ibi malus et bonus, ille sinistram,
Ille tenens dextram, iudiciumque ferent.

O, quam tristis erit miseris sentencia danda,
Perpetue mortis perdicione mori. 1090
Hec erit illa dies domini, qua luce patebunt
Clarius occulta, que modo clausa latent:
Hec erit illa dies ire, lux illa tremenda,
Qua non subsistet angelus absque metu.
Cum vix si iustus puncto saluandus in illo,
Impie, quo fugies? quae fuga? Nulla quidem.
Est igitur mentis prudentis, mentis honeste,
Mentis discrete tale timere malum.
O nimium felix, tales euadere clades
Qui valet, et meriti viuere laude sui! 1100
O nimium felix, o secla per omnia felix,
O preseruatus, oque beatus homo,
Qui poterit mortis tantas euadere penas,
Celica cumque deo gaudia ferre suo!
Nunc igitur sedeat sapiens et computet actus,
Quam prius adueniat iudicis illa dies.

Postquam de gaudiis et penis que bonis et malis debentur tractauit, consulit vlterius quod unusquisque ad bonos mores se conuertat, et de hiis que negligenter omisit, absque desperacione contritus indulgenciam a deo confidenter imploret.

1095 si SGL sit CEHD

Cap^m. xx. Cumque repentinum casum breuis hora minatur,
Dum tenuem flatum suscitat aura leuis,
Care, memento tui, quis sis, cur, vnde vel ad quid,
Vel cuius factus condicionis eras ;   1110
Quod caro sit fragilis, fallax facilisque moueri,
Prona sit ad peius, pessima prompta sequi.
Spiritus hunc mundum spernat speretque futura,
Semper in auctoris fixus amore sui :
Quod caro spiritui subdatur eumque sequatur,
Spiritus auctori seruiat ipse suo ;
Quod motus carnis moderetur, commemoranda
Est mors et pena mortis habenda malis.
Non poterit melius hominis caro viua domari,
Quam quod mente gerat mortua qualis erit.   1120
Fletibus assiduis, est dum data gracia flendi,
Penituisse iuuat estque salubre satis :
Nec deus ethereus hec crimina vendicat vlli,
Que confessa dolens non residiua facit.

   Qui reus est igitur homo, penam temporis huius
Sustineat, donec diluat omne malum ;
Vt sic purgatus, cum iudex venerit, illam
Effugiat penam, que sine fine manet :
Nam qui iussa dei non seruat et vltima vite
Spectat, ad infernum cogitur ille trahi.   1130
Scripture fallunt, aut certe noscere debes
Quod redit ad veniam vix animalis homo ;
Victus enim vicio vicii fit seruus, et in se
Non habet admissum soluere posse iugum :
Ergo perpes ei debetur pena necesse,
Qui sibi peccandi velle perhenne facit.

   Parcere nempe deo proprium tamen et misereri est,
Vnde, licet sero, te reuocare stude.
Figmentum nostrum nouit, set et ipse medetur
Tandem contritum, qui petit eius opem.   1140
Non te desperes, pius est deus, immo deumque
Qui negat esse pium, denegat esse deum :
Hic quasi fons viuus patet omnibus, et vacuari
Vt fons nescit aquis, hic pietate nequit.
Set quia spem nimiam presumpcio sepe fatigat,

    1107 Cumq*ue* ST Dumq*ue* CEHGDL

Tu tibi spem pone sicut oportet agi :
Vt sapiens speres, tibi sit tua spes moderanda,
Eius habent sancto frena timore regi.
Non timor excedat, quo desperacio mentem
Polluat, immo deum mentis amore time: 1150
Nec spes presumat, set amet commixta timore,
Sic timor est virtus spes et vterque salus.
Set meditando tamen tua mens de fine remorsa,
Semper amara timens speret habere bona :
Sanccius vt viuas, memorare nouissima semper,
Ledunt nam iacula visa perante minus.
Respice cotidie, mortis quia tempus adesse
Festinat, que simul prospera cuncta ruet.

Hic loquitur quod sunt modo pauci, qui aut propter celi affectum aut gehenne metum huius vite voluptatibus renunciant; set quecumque caro concupiscit, omni postposita racione, ardencius perficere conantur.

Cap^m. xxi. Qui sibi commemorans, puto, singula ponderat eque,
Senciet a fine gaudia vana fore : 1160
Nunc tamen a viciis est quilibet infatuatus,
Quod de fine suo vix memoratur homo.
Quisque suum corpus colit, et de carnis amore
Gaudet, et est anime causa relicta sue :
Gloria nec celi mentes neque pena gehenne
A mundi labe iam reuocare queunt.
Sic caro, sic demon, sic mundus vbique modernos
Deuiat, vt Cristi vix sciat vnus iter :
Est caro que fragilis, demon versutus, iniqus
Mundus, in hoc hominum tempore regna colunt : 1170
Et sic bruta quasi perit humane racionis
Virtus, dum vicium corporis acta regit.
 Est homo nunc animal dicam, set non racionis,
Dum viuit bruti condicione pari.
Nescia scripture brutum natura gubernat,
Iudicis arbitrium nec racionis habet :
Est igitur brutis homo peior, quando voluntas
Preter naturam sola gubernat eum.
Corporis, heu! virtus per singula membra revoluens

1151 comixta H

LIBER SEPTIMUS

Naturam viciis seruit ad acta foris; 1180
Ac anime racio carnis viciata vigore
De virtute nichil interiore sapit.

Morigeri cicius modo sunt derisio plebis,
Et scola peccati iustificabit opus:
Que solet illa viros veteri de more beare,
Iam noua virtuti frena libido mouet.
Inter eos mundi quibus est donata potestas,
'Sic volo, sic iubeo,' sunt quasi iura modo.
Succumbunt iusti clamantes, 'Ve! quod in orbe
Impia pars hominum singula regna terit.' 1190
Vis prohibet leges, euertunt crimina mores,
Virtus peccati turbine quassa perit:
Mundus turbatur, rerum confunditur ordo,
Involuitque simul omnia grande chaos.

Squalidus in terra sic stat genitor genitusque,
Quod natura suo vix stat in orbe loco.
Liuor et ambicio, gula, fraus, metuenda libido,
Ira, tumor mentis, scismata, laudis amor,
Ambiciosus honor, amor et sceleratus habendi,
Ipse voluptatis vsus et ecce malus, 1200
Furta, rapina, dolus, metus et periuria, testes
Sunt mundi quod erit ammodo nulla fides.

Hic loquitur de variis vindictis occasione peccati in hoc seculo iam quasi cotidie contingentibus, que absque iustorum virorum meritis et oracionibus nullatenus sedari poterunt.

Cap^m. xxii. Ecce dies veniunt, predixit quos fore Cristus,
Et patuere diu verba timenda dei.
Precessere fames, pestis, motus quoque terre,
Signaque de celo, stat quoque guerra modo:
Nititur aduersus regnum consurgere regnum,
Gens contra gentem, sic patet omne malum.
Vt pecoris sic est hominis fusus modo sanguis,
Victa iacet pietas, et sinit ista deus: 1210
Est et adhuc vindex extenta manus ferientis
Continuans plagas, nec timet vllus eas.

1186 mouet] tenet EDLT
Cap. xxii. *Heading* 2 quotidie CED

Longanimis domini sentencia sepe moratur,
Vir bonus inmunis nec malus vllus erit.
Quem deus ille ferit, nullo valet orbe tueri,
Si non contritum culpa relinquat eum.
Mortem peccantis non vult deus, immo misertus
Vult vt vertatur, quo sibi vita datur:
Est pius ipse deus, scripturis sicut habemus,
Pro Sodomis Abrahe dixerat ipse pie: 1220
'Inter iniquorum tot milia tu populorum
Redde decem iustos, et miserebor eis.
Est michi nam soli proprium miseris misereri,
Multis pro paucis parcere curo libens.'
O deus, ergo tibi quid dicam, quomodo nostri
Luctus continui sunt tibi nuga quasi?
Nonne decem iusti modo sunt, meritis vt eorum
Stellifer ipse dies curet in orbe malos?
Aut deus oblitus est immemor ad miserandum,
Dormit vel fingit, aut sibi facta latent. 1230
Verius vt dicam, deus est accensus, et ignis
Fulminat inde Iacob, iraque lata furit:
Sic et plasma suum plasmator abhorret, et ipsum
Torquet pro factis que videt ipse malis.
O, qui mentali videt ex oculo mala nostra
Omnibus in gradibus continuare dies,
Dicere tunc poterit quod talia nullus ab euo
Impunita diu crimina vidit homo.
Quis status ille modo, quin sit transgressus, et ordo,
Quem iustum dicam, deficit vnde sciam. 1240
Hoc nisi gratis emat, dubito prope quod generalis
Decasus nostre prosperitatis adest:
Set quia de summis gradibus mala progrediuntur,
Est qui summus eos corrigat ipse deus.

Hic loquitur sub compendio recapitulando finaliter de singulis mundi gradibus, qui singillatim a debito deuiantes ordine virtutes diminuendo extingunt, et ea que viciorum sunt augmentando multipliciter exercent.

Cap^m. xxiii.   Dudum prelatus solum diuina gerebat,
Nunc propter mundum nescit habere deum:
Curatus cure dudum seruiuit, et ipse

Nunc vagus exterius circuit omne genus:
Dudum presbiteri casti, nunc luxuriosi;
Ocia que querunt plurima dampna fouent: 1250
Ex studio mores dudum didicere scolares,
Nunc tamen econtra stat viciata scola:
Indiuisus amor monachos sibi strinxit vt ardor,
Nunc petit inuidia claustra tenere sua:
Asperitas dudum fratres in carne domabat,
Regula set mollis ammodo parcet eis:
Dudum milicia fuit et sibi gracia prompta,
Gracia nunc tarda stat, quia vita mala:
Mercator dudum iustum peciit sibi lucrum,
Nunc quoque fraude sua querit habere lucra: 1260
Simplicitas animi fuerat sociata coloni,
Nunc magis indomitum cor gerit ipse ferum:
Lex dudum iusta nulli parcebat amica,
Quam vigor argenti subdit vbique sibi.
Par status imparibus est actibus attenuatus,
Exceditque suum quisque viator iter.
 Sic pietas humilis teritur, que superbia regnat;
Liuor adest agilis, torpet et omnis amor:
Permanet ira ferox, et abit paciencia suplex,
Viuit et accidia, sollicitudo perit: 1270
Ebrietas, non sobrietas, tenet ammodo mensas,
Feruet et in viciis crapula plena cibis:
Casta pudicicia dudum precingere lumbos
Affuit, et modo vult soluere luxus eos:
Nuper larga manus inopi sua munera spersit,
Nunc cupit et bursam claudit auara tenax.
 Dic modo quot viciis modo sola superbia mundum
Ad varii sceleris precipitauit opus:
Dic quot liuor edax acies sua signa sequentes
Subdidit imperio vique metuque suo: 1280
Dic quot auaricie manibus vel mente rapaci
Intendunt populi iura negando dei;
Quot gula deliciis torpet, quot torpor inanes
Carnis adulterio fedat in orbe suo.
Singula nempe vorat anime caro, sic quod vbique
Subdidit inmundam crimine mundus eam:

  1256 parcit CE 1278 opes S

Singula fallacis mundi dulcedo subegit,
Nos tamen inmundos mundificare nequit.

Iam in fine libri loquitur magis in speciali de patria illa in qua natus fuerat, vbi quasi plangendo conqueritur, qualiter honores et virtutes veteres a variis ibidem erroribus superuenientibus, vt dicitur, ad presens multipliciter eneruantur.

Cap^m. xxiiii.
Singula que dominus statuit sibi regna per orbem,
Que magis in Cristi nomine signa gerunt, 1290
Diligo, set propriam super omnia diligo terram,
In qua principium duxit origo meum.
Quicquid agant alie terre, non subruor inde,
Dum tamen ipse foris sisto remotus eis;
Patria set iuuenem que me suscepit alumpnum,
Partibus in cuius semper adhero manens,
Hec si quid patitur, mea viscera compaciuntur,
Nec sine me dampna ferre valebit ea :
Eius in aduersis de pondere sum quasi versus;
Si perstet, persto, si cadat illa, cado. 1300
Que magis ergo grauant presenti tempore, saltem
Vt dicunt alii, scismata plango michi.
Vna meo sensu res est, que pessima cunctis
Iam poterit dici fons et origo mali.
Heu! quia iusticia procul abcessit fugitiua,
Cessit et est alibi pax sociata sibi :
Pax, que iusticie dudum solet oscula ferre,
Nunc fugit a terra, ius perit ecce quia.
Plures iam nocui sumunt sibi regna magistri,
Vis iubet et velle, iura nec vlla videt : 1310
Nunc vbi se vertit magnas, sine iure sequntur
Leges, set populus inde subibit onus :
Corpore sicque meo non tantum torqueor, immo
Sunt michi pro minimo res quibus vtar ego.
Non est de modicis quod adulterium modo ledit;
Que caro deposcit omnia namque licent.
In terris aliis Venus et si predominetur,
Exsoluunt meritis hoc aliunde suis;
Est ibi nam posita lex, que communis ad omnes
Iudicat, et causas terminat absque dolo : 1320

Non status aut sexus, non dona, preces, timor aut quid
Possunt a minimo tollere iura viro:
Et sic iusticia redimit quodammodo culpam
Carnis, que fragili condicione cadit.
Set nos in patria non solum vincimur ista
Ex carnis stimulo, quo stimulatur homo;
Immo suas metas lex transit nescia iuris,
Sicque per obliquas patria nostra vias
Deuiat in tanto, quod, dicunt, amplius ordo
Non erit in nostris partibus: vnde deus   1330
Visitat has partes vindicta, qualis ab euo
In nullo mundi tempore visa fuit.
Non tamen est terra que gaudet in omnibus vna,
Set magis in nostra fit modo virga fera:
Clamor vbique, vide, non solus conqueror ipse;
Culpas tam patulas est reticere nephas:
Sic fleo cum flente, lex fallit, fallor et ipse;
Stat mea nam grauibus patria plena malis.

   Nos, quibus assueuit numquam crudeliter vti
Fatum, iam pressos sternit vbique reos.   1340
Que fuerat tellus omni preciosa metallo,
Iam nequit ex plumbo pondus habere suum;
Dignior argento, fuluo quoque dignior auro,
Nobile que genuit, vix valet esse quadrans.
Nuper dixerunt quicumque venire solebant,
'Venimus ad portus, vbera terra, tuos.'
Nunc tamen vt sterilis reputaris et es, quia mores
Nunc neque diuicie sunt aliquando tue.
Quo ferar, vnde petam mestis solacia rebus?
Anchora iam nostram non tenet vlla ratem.   1350
Sic mea, que stabilis fuit, infirmatur iniquis
Patria iudiciis, iura negando viris:
Sic gentis domina, quasi iam viduata, tributa
Reddit peccato, statque remota deo.
Sic que morigera fuerat, nunc est viciosa;
Dudum legifera, nunc sine lege fera:
Sic ea que larga fuerat, nunc tollit egena;
Que fuerat sancta, fit Venus ipsa dea:
Est sale iam spersa, fuerat que fructibus ampla,

       1342 suum SG   suo CEHDL

Et velut vrtica, que solet esse rosa : 1360
Que fuerat pulcra, quasi monstrum stat reputata;
Fit caput in caudam, sic terit omnis eam.
Scandala feda parit nouiter transgressa nouerca,
Omnis que laudis mater et hospes erat :
Que fuit angelica nuper, nunc angulus extat,
Languet et in tenebris sorde repressa magis.
Patria, quam famam dicunt habuisse sororem,
Est magis infamis omnibus ipsa locis :
Que fuerat digne super omnes celsior orbe,
Nunc deus est alibi, subditur ipsa quasi : 1370
Ordine retrogrado quicquid sibi laudis habebat
Cedit, et instabilis vndique spreta iacet.
Firma mouet, ruit alta, terit modo forcia discors
Error, et innumera spergit vbique mala :
Torpescunt proceres, clerus dissoluitur, vrbes
Discordant, leges sunt sine iure graues :
Murmurat indomitus vulgus, concrescit abvsus
Peccati solitus ; sic dolet omnis humus.
Hinc puto quod seuit pes terreus in caput auri,
Et lupus agnorum cornua vana timet. 1380
In meritis hominum solum deus aspicit orbem,
Et sua de facto tempora causat homo.

O sterilis terra morum, sani viduata
Consilii, lesa nec medicamen habens,
Dic vbi fortuna latitat modo, qua reputabas
Nuper in orbe tuum non habuisse parem.
Si Lachesis sortem tibi contulit esse dolosam,
Iam venit ipsa tui reddere pacta doli :
Nunc palletque tuis nigris Aurora venenis,
Cuius lux aliis fulsit in orbe magis ; 1390
Nuncque iuuentutis flos que tibi creuit habunde
Aret, et a viciis inveterata peris ;
Fedaque nunc volucris, venturi nuncia luctus,
Concinit in fatis bubo propheta tuis.
Scit deus hanc causam specialius esse notandam,
Qua locus iste modo distat honore suo :
Hoc scio, quod cunctis locus in prouerbia crescit,

1380 Et lupus SHDL   Pastor et CG (ras.)   Lupus et E   1388 reddere SEHG   soluere CDLT

Et quasi nunc speculum denotat omnis eum.
  Talia per terras fatali lege geruntur,
Vt reputant, set ego non ita stare puto: 1400
Non est fortuna, que talia causat habenda,
Nec sors, set merita nostra per acta mala.
Qui tamen hanc stare modo credit et hanc reuocare
Vult, purget crimen, sic reuocabit eam:
Gracia prompta dei querentibus inuenietur,
Nam sibi conuersis vertitur ipse deus.
Dum pia pro pace cecinit processio terre,
Firmaque iusticia fecerat acta sua,
Dumque fides steterat et amor sine labe manebat,
Tunc, quia pax viguit, sors bona cuncta tulit. 1410
Nunc igitur nostra sit vita deo renouata,
Ne sors fortuita plus queat esse mala:
Vota vetusta precum redeant domino dominorum,
Vt redeat dominus cum pietate suis;
Per quem pax et honor et tempora sana redibunt,
Que pro peccato sunt fugitiua modo.
  Prospera qui veteris vult temporis esse renata,
Reddat et emendet facta priora nouis.
Est deus ipse piis pius et seuerus iniquis,
Sic valet ob meritum quisquis habere deum. 1420
Nos igitur, domine, tua gracia, que solet olim
Ferre reis veniam, te miserante iuuet:
Anticipet pietas tua nos, ne dicat eorum
Gens, 'Vbi sit dominus, qui solet esse pius?'
Da, precor, accessum lacrimis, mitissime, nostris,
Nam sine te nullum scis quod habemus opem:
Nunc tua pro lapsis nitatur gracia rebus,
Nostra nec anterior sit tibi culpa memor:
Numquam pigra fuit causis tua gracia nostris:
Est vbi nunc illa, que solet esse salus? 1430
Nos peccatores sumus, et tu plus miserator,
Scit bonitasque tua nos opus esse tuum:
Si plus peccaret vir, plura remittere posses,
Materiam venie sors tibi nostra dedit.

1409 f. commune regebat Perstitit in nobis tunc honor atque salus EDLTH₂ (gerebat E)   1411 Sint igitur nostra bona facta deo renouata EDLTH₂ (reuocata L)

Si quociens homines peccant, tua fulmina mittas,
Exiguo presens tempore mundus erit:
A te pendentem sic cum circumspicis orbem,
Auctor, pacificum fac opus esse tuum.
Nos, deus alme, tui serui, quamuis modo tardi,
Te, non fortunam, credimus esse deum: 1440
Scimus te solum super omnes esse colendum;
Sic nostri solus tu miserere, deus!

Hic loquitur qualiter ea que in hoc presenti libello quasi sompniando de mundi scripsit erroribus, non ex se tantum, set ex plebis voce communi concepit. Consulit tamen finaliter quod, si quis inde se culpabilem senciat, priusquam nobis peiora succedant tempora, suam ex humili corde culpam penitens emendet.

Cap^m. xxv.   Hos ego compegi versus, quos fuderat in me
Spiritus in sompnis: nox erat illa grauis.
Hec set vt auctor ego non scripsi metra libello,
Que tamen audiui trado legenda tibi:
Non tumor ex capite proprio me scribere fecit
Ista, set vt voces plebis in aure dabant.
Quem sua mens mordet, de voce sit ille remorsus,
Curet vt in melius que tulit egra prius: 1450
Qui tamen inmunem se sentit, ab inde quietus
Transeat, et meritis sic stet vterque suis.
Quem non culpa grauat mea non sentencia culpat,
Leditur hinc nullus, sit nisi forte reus:
Ne grauet ergo tibi, gibbosus namque panelli
Et non sanus equs ferre recusat onus.
Non tamen in specie quemquam de pondere culpe
Accuso, set eo se probet intus homo:
Non ego mordaci distrinxi crimine quemquam,
Nec meus vllius crimina versus habet.   1460
Que sompno cepi, vigilans mea scripta peregi,
Sint bona dicta bonis, et mala linquo malis:
Omnis enim mundum gemit esse dei laceratum
Vindicta nostri pro grauitate mali.
Ergo suam culpam contrito corde, priusquam

1451 inmunen S   1454 *Text* SCEG   Sic precor vt nullus DLT
1455 *Text* SCEG   Detrahet inde michi DL   Se trahit inde michi T

LIBER SEPTIMUS

Consumpti simus, corrigat ipse malus.
  Corrigit hic mundum, qui cor retinet sibi mundum:
Cor magis vnde regat, hec sibi scripta legat.
  Quod scripsi plebis vox est, set et ista videbis,
Quo clamat populus, est ibi sepe deus.   1470
  Qui bonus est audit bona, set peruersus obaudit,
Ad bona set pronus audiat ista bonus.
  Hec ita scripta sciat malus, vt bonus ammodo fiat,
Et bonus hec querat, vt meliora gerat.
  Mundus non ledit iustum, bene dummodo credit,
Quando .set excedit, mundus ad arma redit:
  Mundus erit talis, fuerit viuens homo qualis;
Obstet vitalis quilibet ergo malis.
  Culpa quidem lata, qua virtus stat viciata,
Cum non purgata fuerit set continuata,   1480
  Que meruit fata sunt sibi fine data.

Explicit libellus qui intitulatur Vox Clamantis, editus precipue super articulo primi infortunii, quod infortunato Ricardo secundo in primordiis regni sui, vt audistis, quasi ex dei virga notabiliter in Anglia contingebat. Et nunc vlterius, quia ipse non inde remorsus, immo magis ad modum tiranni induratus, regnum suum assiduis oppressionibus incessanter flagellare non desistit, diuine vindicte flagellum vsque in sue deposicionis exterminium non inmerito assecutus est. Tres namque tunc regni nobiles super hoc specialius moti, scilicet Thomas Dux Glouernie, 10 qui vulgariter dictus est Cignus, Ricardus Comes Arundellie, qui dicitur Equs, Thomas Comes de Warrewyk, cuius nomen Vrsus, hii vero vnanimes cum quibusdam aliis proceribus sibi adherentibus, vt regie malicie fautores delerent, ad dei laudem regnique commodum in manu forti iusto animo viriliter insurrexerunt, prout in hac consequenti cronica, que tripertita est, scriptor manifestius declarare intendit.

1469 f. *Text* SCEHG (in ista E)   per scripta cauebis Que mala sunt, ideo te dabis atque deo DLTH₂ (perscripta D)   1479-81 DLTH₂ *have two lines only, as follows* :—
  Omnibus ipse tamen peior sum, sed releuamen
  Det michi per flamen conditor orbis. Amen.   1480*
EXPLICIT, &c. Explicit libellus qui intitulatur Vox Clamantis (*omitting the rest*) EDTH₂   Explicit liber intitulatus Vox clamantis (*omitting the rest*) L
  4 virga dei CHG   12 Warwyk CH

ISTA tripertita, sequitur que, mente perita
Cronica seruetur; nam pars que prima videtur

Opus humanum est inquirere pacem et persequi eam. Hoc enim fecerunt hii tres proceres de quibus infra fit mencio, vbi fides interfuit.

Est opus humanum, pars illa secunda prophanum
Est opus inferni, pars tercia iure superni
Est opus in Cristo. Vir qui bene sentit in isto
Scire potest mira, quid amor sit, quid sit et ira :

Opus inferni est pacem turbare, iustosque regni interficere.

Est tamen hoc clamor, 'Omnia vincit Amor.'

Hoc enim Ricardus capitosus dolosa circumvencione facere non timuit.
Opus in Cristo est deponere superbos de sede et exaltare humiles. Hoc enim deus fecit; odiosum Ricardum de Solio suo proiecit, et pium Henricum omni dileccione gratissimum cum gloria sublimari constituit.

Hic in prima parte cronice compositor tempora distinguens, causas vnde regnum fuit in se diuisum, postmodum per singula tractabit.

TOLLE caput mundi, C ter et sex lustra fer illi,
   Et decies quinque cum septem post super adde :
Tempus tale nota, qui tunc fuit Anglia mota.
Dum stat commotus Ricardus amore remotus,
Principio Regis oritur transgressio legis,
Quo fortuna cadit et humus retrogreda vadit.
Quomodo surrexit populus, quem non bene rexit,
Tempus adhuc plangit super hoc, quod cronica tangit.
Libro testante, stat cronica scripta per ante ;
Est alibi dicta, transit nec ab aure relicta : 10
Audistis mira, vulgaris que tulit ira :
Omnibus in villis timuit vir iustus ab illis.

Qualiter infortunatus rex Ricardus, virgam dei non metuens, de malo in peius suam semper maliciam continuauit.

   Rex induratum cor semper habet, neque fatum
Tale remordebat ipsum, qui iure carebat :
Stultorum vile sibi consilium iuuenile
Legerat, et sectam senium dedit esse reiectam :
Consilio iuuenum spirauerat ille venenum,
Quo bona predaret procerum, quos mortificaret :
Sic malus ipse malis adhesit, eisque sodalis
Efficitur, tota regis pietate remota.   20

PREFACE *margin* capitosus] obstinatus H3
CRONICA TRIPERTITA. *The* MSS. *are* SCHG, *as for the* Vox Clamantis, *and also the Bodleian* MS. *Hatton* 92 (H3).

1 *margin* In hac prima parte CHH3   2 *margin* primo tempora distinguens H   primo distinguens tempora H3   14 ipsum qui iure carebat] semper mala quin faciebat HH3   mala semper quin faciebat C

PRIMA PARS

Tunc accusare quosdam presumpsit auare,
Vnde catallorum gazas spoliaret eorum.
Tres sunt antiqui proceres, quos regis iniqui
Ira magis nouit, et eos occidere vouit:
Et sic qui cati pellem cupit excoriati,
Fingebat causas fallaci pectore clausas.
Caucius vt factum sibi possit habere subactum,
Leges conduxit, pro parte suaque reduxit:
Munere corrupti suadente timoreque rupti
Legis in errorem regi tribuere fauorem: 30
Hii tunc legiste, quicquid rex dixerat iste,
Federa componunt, que sigilla sub ordine ponunt.
Tunc rex letatur, super hoc quod fortificatur,
Quo magis ad plenum diffundat ille venenum:
Tunc aderant tales iuuenes, qui sunt speciales,
Laudantes regem, quia vertit sic sibi legem.

Nota de iudicibus illis, qui vt regis errorem precipue contra illos tres proceres quos occidere vellet iustificarent, literas sub eorum sigillis scriptas erronice composuerunt.

Hoc concernentes alii, que dolos metuentes,
Ad defendendum statuunt cito quid sit agendum.
Tunc rex festinat, et ad hoc sua iussa propinat,
Vt tres querantur vbi sunt, et ibi capiantur. 40
Tunc tres, qui iusti fuerant et ad arma robusti,
Factum disponunt et ad hoc sua robora ponunt.
Qui fuerant isti proceres, in nomine Cristi
Expedit vt dicam referens, et eis benedicam.
Si non directe procerum cognomina recte,
Hec tamen obscura referam, latitante figura:
Scribere que tendo si mistica verba legendo
Auribus apportant, verum tamen illa reportant.

Qualiter tres proceres predicti de regis malicia secrecius premuniti in sui defensionem roborati sunt.

Sunt Olor, Vrsus, Equs, stat eorum quilibet equs,
Non hii diuisi, set in vnum sunt quasi visi: 50
Penna coronata tribus hiis fuit associata:
Qui gerit S tandem turmam comitatur eandem,
Nobilis ille quidem probus et iuuenis fuit idem,
Sic quasi de celis interfuit ille fidelis:
Hac sub fortuna presens aquilonica luna
Non fuit ad sortem, sequitur set mente cohortem.

Nota de nominibus trium procerum predictorum sub figura. Comes Marescallus. Strenuissimus Comes Derbeie.

Comes Northumbrie, cuius Signum fuit luna crescens.

Qui solem gessit tenebrosus lumina nescit,
In Troie metas dum vendicat ipse dietas.

Qualiter rex, cuius Signum Sol erat, ciues Londonienses pro aux-

34 diffundat vbique CHH₃   55 presens] fallax H (*ras.*)   56 Eclipsata dolis sequitur consorcia Solis H (*ras.*)

ilio ab eis contra dictos tres proceres optinendo requisiuit; set illi regis maliciam perplectentes eidem nullatenus consensierunt.

Qualiter rex Comitem Oxonie, qui per aprum designatur, vt ipse contra tres proceres antedictos gentes bellatrices secum duceret, in partes Cestrie vna cum regio vexillo destinauit.

Qualiter quodam die Veneris Comes Oxonie cum suis sequentibus in conspectu ducis Glouernie, qui tunc vulpis caudam in lancea gessit, prope villam Oxonie in fugam se vertit, et castra, que ipse familie sue pro signo gestanda attribuerat, ad terram absque releuamine finaliter proiecta sunt. Nam et ipse Comes, vt securiori modo vitam seruaret, profugus vltra mare nauigio transiit.

Troia fuit prima, per quem sol tendit ad yma;
Pallet in eclipsi populus, quia non fauet ipsi: 60
Obsistunt turbe Phebo, ne scandat in vrbe,
Dumque suis alis Cignus fuit imperialis.
   Fraus tamen obliquas nubes commouit iniquas,
Extera dum rebus temptauit lumina Phebus:
Cestria surrexit, Aper in qua lumina rexit,
Regis vexillum fatue signauerat illum.
Set conspiranti deus obstat et insidianti,
Quo dolus exosos inuoluit fine dolosos:
Auxilio Cigni, regis pro parte maligni
Si vis queratur, contraria vis operatur. 70
Querit Aper latebras, fraudes mortisque tenebras,
Quo regnum periat regisque superbia fiat;
Cignus et expresse super hiis que cernit adesse
Prouidet, et curam regni colit ipse futuram:
Ducit Aper gentes, quas concitat arma gerentes,
Liber vt hiis pergat proceresque per omnia spergat.
   Cignus vt hoc sciuit, venientibus obuius iuit,
Belliger et purgat regnum, quo vita resurgat:
Cum Venus incepit lucem, sors bella recepit.
Stat Tetis a parte, cecidit dum Cestria Marte; 80
Thamisie fluctus capiunt de sanguine luctus:
Vicit Olor pennis, sit ei quo vita perhennis.
Tunc Aper Oxonie cecidit de sede sophie;
Cum prope stat villam, maledixerat impius illam:
Non ibi permansit fugiens set Aper vada transit,
Infortunatus fit ibi de fonte renatus.
De vulpis cauda velox Aper est vt alauda,
Cauda ruit castra, que sunt numero velut astra:
Sic quia deliquit, vacuus sua castra reliquit,
Pauper et exposcit foueam, qua viuere possit. 90
Set neque castrorum iuuat Aprum pompa suorum,
Nec sibi fossa datur, dum profugus inde fugatur:
Hec ita dum vidit, quod eum fortuna rescidit,
Per mare transiuit, alibi quo viuere quiuit.
Sic Aper in leporem mutatus perdit honorem,
Amplius et certus locus est sibi nullus apertus.

    69 parte CHH₃   parce SG   71 fraudis HH₃   80 tetis SH thetis CGH₃   85 t*r*ancit C   93 dum] cum CH

PRIMA PARS

Nil odor incensi tunc profuit Eboracensi,
Set nec mitra choris nec opes nec culmen honoris;
Ad regale latus cum plus sit ad alta leuatus,
Corruit a sede, sic transit presul ab ede.   100
Cure mercator primas fuit et spoliator,
Pauper et abcessit, quem preuia culpa repressit:
Sic fugit hic predo cleri Noua villa Macedo,
Quem, quia sic vixit, pater ecclesie maledixit.

Est Comes elatus, fallax, cupidus, sceleratus;
Fraudes per Mille stat Cancellarius ille:
Hic proceres odit et eorum nomina rodit
Morsibus a tergo, fit tandem profugus ergo.
Sic deus in celis mala de puteo Michaelis
Acriter expurgat, ne plus comes ille resurgat.   110
Alter et est talis, sub regis qui cubat alis,
Mollis confessor, blandus scelerisque professor:
Extitit hic frater, qui stat foris intus et ater,
Cuius nigredo fedat loca regia, credo.
Hic fuit obliqus procerum latitans inimicus,
Semper in augendo magis iram quam minuendo:
Hic tamen in fine fugit, et de sorte ruine
Que mala spondebat aliis prius ipse luebat.
Sunt ita predicti cordis formidine victi,
De propria viui terra quod sunt fugitiui.   120

Tunc tres persone, qui pleni sunt racione,
Iusticiam querunt, regem super hoc adierunt.
Rex fuit ad muros Turris proceresque futuros
Vidit, et ex visu cognouit se sine risu.
Armatis turbis portas intrantibus vrbis,
Intrant audaces proceres in pace sequaces;
Turrim ceperunt, vbi regis honore steterunt.
Eius vt a latere vicium poterint remouere,
Est iter inuentum, statuunt quo parliamentum,
Vt sic purgarent regnique statum repararent.   130

Terra covnata fuerat de lege vocata;
Rex sedet, et tutum fuit os commune locutum.
Dicit enim, tales qui regis collaterales
Extiterant gentes, super hoc quod sunt fugientes,
Iudicium tale fuit exilium generale:

Qualiter statim post fugam dicti Comitis Oxonie Alexander de Nevill tunc Eboracensis archiepiscopus, qui eciam cum rege in suis erroribus particeps erat, tunc metu ductus consimili fuga per mare reus euasit.

Qualiter Michael de la Pole, Comes Suffolcie, qui tunc regis Cancellarius erat, dum se culpabilem senciit, trans mare eciam nauigando ad salutem alibi se muniuit.

Qualiter eciam episcopus Cicestrie, tunc regis confessor, conscius culpe extera loca petens propria fugiendo reliquit.

Qualiter tres proceres de querela antedicti Londonias pariter aduenientes, cum rege, tunc apud Turrim existente, pro remedio in premissis optinendo, seruata regis reuerencia, colloquium pacificum habuerunt: vnde de regis consensu parliamentum infra breue Londoniis tenendum optinuerunt.

Qualiter in principio parliamenti concordatum est, quod absencia tunc illorum qui, vt premittitur, a regno sponte fugierunt, in perpetuum exilium

109 *margin* ad sui salutem CHH₃   133 legis H   colla*ter* ales C

absque redempcione iudicaretur.

Qualiter parliamentum gradatim processit, precipue contra illos qui regis iniqui fautores iniqui fuerunt, quorum Simon de Burle miles, tunc regis Camerarius, in iudicio conuictus mortis sentencia decollatus est.

Qualiter etiam Iohannes Beauchamp miles, tunc regis hospicii Senescallus, quem rex Baronem de Briggenorth vocari constituit, amisso capite de Curia recessit.

Qualiter Nicholaus Brembel, qui ciuis et Maior Londoniarum fuerat, ad furcas tractus et ibi suspensus suam vrbis libertatem turpiter amisit.

Qualiter eciam Robertus Tresilian miles, qui tunc de Banco regis iudex capitalis extitit, sub eadem furcarum pena diem vite sue iudicialiter clausit extremum.

Qualiter iudices alii, qui originales regis excessus, vt prefertur, sigillis suis contra proceres roborarunt, ad

De terra dempti sic sunt, non ense perempti;
Est ita dilata procerum sentencia lata.
   Hoc facto querunt alios, qui tunc latuerunt,
Quorum regalis Camerarius est capitalis.
Corruit in fata gladii vestis stragulata;   140
Stat quia non recta, magis est culpanda senecta:
Lacrima Regine dum poscit opem medicine,
Obrutus amittit caput et sua funera mittit.
   Ecce Senescalli non tantum lucra catalli,
Que mala quesiuit, sceleris fortuna sitiuit,
Set magis in mortem decreuit curia sortem:
Dum caput inclinat, gladius sibi iura propinat.
Ille quidem Cignum despexit, Aprumque malignum
Semper laudauit, cor regis et infatuauit;
Fallax, versutus, quasi vulpis fraude volutus,   150
Inuidus et paci lingua fuit ille loquaci.
Nomen Baronis cecidit sic Pons Aquilonis;
Hoc rex erroris posuit sibi nomen honoris.
   Maior erat ville, Tribulus dictus fuit ille,
Qui proceres pungit regisque dolos magis vngit:
Hunc quasi consortem dilexit rex, quia sortem
Consilii cepit, quo mortem fine recepit:
Furcis pendebat, quem primo terra trahebat,
Ictum sic ensis non sentit Londoniensis.
   In banco regis qui librat pondera legis,   160
Iuraque cognouit, aliis plus iura remouit,
Cornubiensis erat: si quis sua crimina querat,
Peior eo nullus, nec eo fallacior vllus.
Hic scelus instigat proceres, quos sepe fatigat,
Vnde fatigatus tandem perit hic sceleratus:
Crimine prestante super hoc quod fecerat ante,
Ad furcas tractus fit ibi pendendo subactus.
Pendula sors tristis morientibus accidit istis,
In manibus quorum pendebant iura virorum.
   Iudicibus reliquis falsisque scienter amicis,   170
Vt patet ante nota, conclamat curia tota:
Vrbs, ager et villa damnarunt falsa sigilla,
Que dederant causam sceleris regi, magis ansam.

141 *margin* Burlee CHH₃   161 *margin* qui *om.* S   170 amicis] iniquis CHH₃   173 ausam (?) MSS.

Non fuit hec pena, delictis que fore plena
Posset, et hoc certe vox plebis dixit aperte;
Set nimis ornate penam ficta pietate
Pontifices regis moderantur ab ordine legis:
Sic non ense cadunt, set in exilium mare vadunt,
Quos inconsultos suscepit Hibernia stultos.
Legiferi tales super omnes sunt speciales,   180
Regis ad errorem qui plus tribuere fauorem.
Hic non sorte pari statuit sors fata parari,
Vt reus incepit, sic de mercede recepit:
Exulat iste status, fuit alter decapitatus,
Hii, cum ceduntur, ad funera fune trahuntur.
Dispar erat munus, fuerat tamen exitus vnus;
Quicquid homo voluit, tandem mors omnia soluit.

   Vt rex purgetur, vt regnum clarificetur,
Restat adhuc queri, poterit quo culpa mederi.
Absque deo fratres fuerant hoc tempore patres,   190
Nec sibi confessa per eos est culpa repressa:
In viciis arent, vicium qui mundificarent;
Morum more carent, mores qui multiplicarent.
Fraudis in exemplum sic errat ab ordine templum,
Nec cauet ille status solita de sorde reatus:
Sunt ita transgressi fratres ad sacra professi,
Quod personarum deus extitit vltor earum.
Ad regale latus non est status inmaculatus,
Quo plus quam Centum remouentur abinde clientum:
Lugent cantores, perdunt quia cantus honores,   200
Plangunt scriptores scriptos de fraude rigores:
Transit adulator, sceleratus et insidiator,
Consilii fautor, inuentor et inuidus auctor.

   Stat manus extenta, nec cessat Curia tenta,
Donec purgetur dolus omnis et euacuetur.
Falsi temptarunt iustos, set non superarunt,
Nec prece nec dono, Cristo mediante patrono.
Tempore quo stabant hii tres, regnum solidabant,
Legem firmabant viciataque iura fugabant:
Sic emendatum Regem faciunt renouatum,   210
Cercius vt credunt, et sic cum laude recedunt.
Concinit omne forum benefactaque laudat eorum,

instanciam prelatorum absque mortis iudicio in partes Hibernie exules ab Anglia transierunt.

Qualiter diuersi fratres, diuersarum curiarum tunc confessores, vna cum aliis ministris quampluribus, quasi palee inutiles per loca disperguntur.

Qualiter proceres predicti de querela principales, si precibus aut donis flecti possent, sepissime blandiuntur; set illi tanquam vere iusticie executores, vsque in sue querele consummacionem vnanimes constanter astiterunt.

175 Possit C   182 Sic CHH₃   186 munus] nimius C   191 sibi] ibi H

CRONICA TRIPERTITA

Hic in fine compositor gesta dictorum trium procerum laudabiliter commendans, pro eis apud altissimum deuocius exorat.

Talia dicentes sunt vndique laude canentes.
In Cristi signo sit semper gloria Cigno,
Laus et in hoc mundo sit Equo, quem signat hirundo,
Vrsus et ex ore populi fungatur honore.
Hii tres Anglorum fuerant exempla bonorum;
Regnum supportant alienaque pondera portant:
Reddat eis munus tribus est qui trinus et vnus. Amen.

Explicit prima Pars Cronice et Incipit Secunda.

Hic in Secunda parte Cronice declarat qualiter rex, sub vmbra ficte concordie pacem dissimilans, tres proceres predictos dolose circumuenit; ita quod vnum ex istis iugulari, alium decollari fecit, tercium vero vna cum domino de Cobham, qui regni verus amicus semper extitit, in exilium mancipari tirannica potestate, prothdolor! destinauit. Insuper et, quod detestabile fuit, idem crudelissimus rex reuerendum in Cristo patrem Thomam Arundellie, tunc Cantuariensem Archiepiscopum, de Sede sua penitus expulit, ipsumque pro perpetuo in exilium delegari crudelissime constituit.

In hac secunda parte cronice compositor primo ea que post sequntur dolorosa infortunia doloroso corde deplangit.

O DOLOR in mente, set prothdolor ore loquente!
Heuque mee penne, scribam quia facta gehenne!
Obice singultu, lacrimis pallenteque vultu,
Vix mea penna sonat hec que michi Cronica donat.
Vt prius audistis, hii tres, quibus Anglia tristis
Plus delectatur, magis hos fortuna minatur:
Rex facie bina fallax, latitante ruina,
Omnia fingebat, que dolos sub fraude tegebat.

Qualiter, vt hii tres proceres, de quibus audistis, cum rege, quem dolosum sciebant, pacem securiorem habere possent, cartas concordie ab ipso impetratas optinuerunt.

Ad regale latus, quasi frater et associatus,
Cignus erat factus, et eos quos vult facit actus: 10
Taliter est et Equs regis de carmine cecus,
Quod non discernit ea que fallacia cernit:
Est incantatus eciam quasi magnificatus
Vrsus, et ignorat finem, qua sorte laborat.
Set magis vt tuti maneant de lege statuti,

213 laude] verba CHH₃   219 eis] ei H
Heading 4 fecit *om.* CHH₃   8 Arundellie CHH₃ Arundell S
4 penna] lingua CHH₃   15 de] do C

SECUNDA PARS

Hii regis querunt cartas, quas optinuerunt:
Sic se conformant, sic se cum rege reformant,
Quod viuunt more quasi grex pastoris amore.
Hoc credunt plane, set transit tempus inane;
Cum se stare putant, subito sua tempora mutant. 20
    Ecce scelus magnum, latitans quasi vulpis in agnum,
Sic dolus expectat, quos ira tirannica spectat.
O fraus, o que dolus, quos rex sub ymagine solus,
Dum scelus exhausit, tam longo tempore clausit!
Set magis ad plenum tunc fuderat ille venenum,
Quo prius inflatus quamsepe dolet sceleratus:
Turbinis vt ventus, sic irruit acra iuuentus
In Cignum spretum, dum se putat esse quietum.
    O quam fortuna stabilis non permanet vna!
Exemplum cuius stat in ordine carminis huius. 30
Rex agit et Cignus patitur de corde benignus,
Illeque prostratus non est de rege leuatus:
Ad Plescy captus tunc est velut hostia raptus,
Rex iubet arma geri, nec eo voluit misereri.
Cum sponsa nati lugent quasi morte grauati,
Plusque lupo seuit rex, dummodo femina fleuit:
Nil pietas munit, quem tunc manus inuida punit;
Rex stetit obliqus, nec erat tunc vnus amicus.
O regale genus! princeps quasi pauper egenus
Turpiter attractus iacet et sine iure subactus. 40
Sunt ibi fautores regis de sorte priores,
Qui Cignum prendunt, vbi captum ducere tendunt:
Sic ducendo Ducem perdit sine lumine lucem
Anglia, que tota tenebrescit luce remota:
Trans mare natauit, regnum qui semper amauit,
Flent Centum Mille, quia Cignus preterit ille.
Calisie portus petit, vnde dolus latet ortus,
Error quem regis genuit putredine legis:
Carcere conclusus subito fuit ille reclusus;
Nescit quo fine, sit vite siue ruine. 50
Tunc rex elatum sumpsit quasi falco volatum,
Vnde suas gentes perdit custode carentes.
    Amoto Cigno, rex feruens corde maligno
Prendere querit Equm, super hocque reuoluere secum

Qualiter rex, vt ipse sub dissimilate pacis concordia proceres decipiat, vulpe fallacior continua circumuencione dolos machinatur.

Qualiter rex sui pectoris odium, quod adiu latuit, ad expressam vindictam primo contra ducem Glouernie, qui Cignus dicitur, in oculis omnium fulmine plus subito produxit. Nam etipse rex in propria persona dictum ducem apud Plescy improuisum manu forti cepit, et eum sic captum Calisias indilate produci, et ibi sub arta custodia stricciusincarcerari constituit.

Qualiter rex, qui per mille meandros procerum corda exagi-

22 dolor H   38 vnus] vllus H

tans inquietauit, Ricardum Comitem Arundellie qui dicitur Equs, fraudulenter decepit. Erat enim tunc frater dicti Comitis Thomas, Cantuariensis archiepiscopus, cui rex sub iuramento fidem prestitit, quod, si dictus Comes ad sui regis presenciam obediens sponte veniret, liber extunc absque calumpnia, vbicumque transire vellet, cum firma regis amicicia fiducialiter permaneret : et sic veniens probus Comes ab improbo rege decipitur.

Qualiter Thomas, alio nomine Vrsus, tunc Comes de Warwyk, a regis satellitibus Londoniis captus et in carcerem missus inmunis culpe paciens succubuit. Super quo suum parliamentum apud Westmonasterium in proximo pronunciandum rex tirannus decreuit.

Qualiter pronunciato parliamento octo tunc appellantes contra dictos tres proceres ad eorum perdicionem promptissimi interfuerunt, et quia rex propter metum populi ducem Glouernie coram eo personaliter in parliamento comparere noluit, subtili mendacio finxit eum in lecto mortuum fuisse, qui adhuc superstes in carcere Calisie sub claue tenebatur ; et sic ducem absentem absque responsione rex pestifer falsissime condempnauit.

Qualiter rex, cum ipse ducem prenotatum

Caucius in mente conspirat fraude latente.
Periurans Cristum Comitem sic decipit istum :
Ipse libro tacto iurat, firmanteque pacto
Promisit certe que fidem donauit aperte,
Dicens quod tutus nulla de fraude volutus
Liber transiret, ad eum si quando veniret. 60
Hoc iuramentum frater Comitis manutentum
Primas feruore regis suscepit ab ore :
Presul letus erat, sub tali federe sperat,
Et sic cautelis captus fuit ille fidelis.

Vrsus vt audiuit, non ergo remotus abiuit ;
Signans se Cristo mentem stabiliuit in isto :
Non facit excursus paciens que piissimus Vrsus,
Set magis attendit mala que fortuna rependit :
Londoniis mansit, nec ab vrbis cardine transit,
Quo captiuatus fuit hic sine labe reatus. 70
Sic tres persone vi set non iure corone
Carceribus stricti remanent velut vmbra relicti.
Celsius in scanno tunc creuit pompa tiranno,
Nulli parcebat, sibi dum fortuna fauebat :
Stat scelus extentum statuit quo parliamentum,
Vt sit finalis sic vlcio iudicialis.

Tunc appellantes fuerant octo dominantes,
Qui tres appellant, vt eos a luce repellant.
O, quis pensare posset quin fleret amare,
Dum scelus explorat, per quod magis Anglia plorat ? 80
Ecce dies mortis aderant, qua pompa cohortis
Regem pomposum statuit magis esse dolosum.
Pro regis parte subtili fingitur arte,
Cignum tam purum sine responso moriturum :
Cum magis expresse rex nouit eum superesse,
Finxit eum lecto transisse sub ordine recto.
Sic non inuento Cigno, nil parliamento
Pro se respondit, quem rex sub claue recondit :
Cum non apparet, vt se de lege iuuaret,
Hunc condempnarunt subito, quem post spoliarunt. 90
O scelus inferni, poterunt quo flere moderni,
De iugulo Cigni quod constituere maligni !
Occulte querunt quod aperte non potuerunt,

56 *margin* Arundell MSS., *and so later,* 119, 236, &c.   75 statuunt H

SECUNDA PARS

Dumque timent gentes, clam sunt sua facta gerentes.
Assunt tortores de nocteque feruidiores
Cignum prostratum iugulant quasi martirizatum :
Calisiis actum sceleris fuit hoc malefactum,
Regis precepto, iugulo qui gaudet adepto.
Sic nece deuictum, sic corpus ab hoste relictum,
Clam de conclaui susceperat Anglia naui ;
Per mare regreditur corpus, nec adhuc sepelitur,
Namque sepulturam defendit Rex sibi puram :
Desuper a latere patris loca iusta tenere
Dummodo quesiuit, vix bassa sepulcra subiuit.
O que nephas tale, quod nec ius imperiale,
Set neque lex Cristi proceri sic contulit isti !
Eius enim vita periit sine iure sopita,
Et mors eius ita negat esse sepulcra petita.
Heu ! quis iam viuit, vnquam qui talia sciuit,
Sic regis natum per regem mortificatum ?
Heu ! quia regalis stirps Anglica tam specialis
Regis precepto periit sine crimine cepto.
Heu ! quia tortorum quidam de sorte malorum
Sic ducis electi plumarum pondere lecti
Corpus quassatum iugulant que necant iugulatum ;
Quod nimis ingratum dolet Anglia tota relatum.
Det deus hoc fatum, sit adhuc quod corpus humatum,
Spiritus atque statum teneat sine fine beatum !

Est recitandus Equs, Cignus quia preterit equs :
Non hos morte pari voluit sors equiparari.
Rex sedet, et cuncti fautores tunc sibi iuncti
Sunt ibi presentes ad Equm mala plura loquentes ;
Isteque solus erat, que deum solummodo sperat,
Quo pius et fortis permansit ad vltima mortis.
Rex prius accusat, et Equs scelus omne recusat,
Pretendens regisque sigilla sub ordine legis
Cartam monstrauit, qua tucior esse putauit :
Non fuit absque nota, prius est concordia nota.
Set rex cautelis Comitis responsa fidelis
Caucius extinxit, que dolos sub fraude refinxit.
Tunc conspirati cum rege que magnificati
Regis predicta firmarunt omnia dicta.

cautelose, sicut audistis, condempnari spirauerat, postea infra tempus quosdam tortores sibi quasi ab inferno confederatos Calisias, vbi dux adhuc viuus incarceratus est, transmisit, qui illuc aduenientes, ad regis preceptum de iugulo pre manibus excogitato, ducem improuisum clanculo de nocte sub pondere lecti plumalis mortaliter depressum absque pietate subito suffocarunt.

Qualiter Comes Arundellie ab impio rege in parliamento accusatus, ad ea que sibi obiciuntur intrepidus respondit ; et primo singula que per ipsum fiebant, secundum sue intencionis propositum ad regis honorem facta fuisse claro sermone iustificauit ; secundo enim regis cartas super hoc pacem et concordiam specialiter testificantes in auribus omnium manifestius pronunciauit : set ille, coram quo nullum ius procedit, rex impius Comitis responsa

118 fine] labe H   131 magnificate C

non acceptans, ex propria malicia ipsum mortali sentencia dampnatum, in impetu furoris apud montem Turris Londoniarum decollari fecit, vbi fratres Augustinenses corpus cum capite secum ad eorum ecclesiam cum psalmis deferentes in loco congruo deuote sepelierunt.

Heu! nimis ingrata tunc est sentencia lata,
Horrida, mortalis, quia pena fuit capitalis.
Per loca, per vicos ductus respexit amicos,
Qui magis occulta dederant suspiria multa:
Vndique tunc flebant qui talia fata videbant,
Cum prece deuota facientes plurima vota.
Sunt et fallaces alii, pro rege sequaces
Qui veniunt equites, neque iusti set neque mites; 140
Hii penam talem proclamant tunc capitalem,
Ad loca signataque iubent procedere fata.
Tunc Comes ad Cristum sermonem dixerat istum:
'Omnia tu nosti: moriar, quia sic placet hosti;
Hostibus exactus perio, sine iure subactus;
Inmunis pergo, miserere michi, precor, ergo.'
Expansis palmis que sonantibus vndique psalmis,
Sic patitur tandem, penamque subintrat eandem:
Quin caput amittit sibi gracia nulla remittit,
Milia quo Centum maledicunt parliamentum. 150
Corpus ad ima cadit, dum saluus ad ethera vadit
Spiritus in celis, vbi viuit amore fidelis:
Augustinenses fratres tunc Londonienses
Hunc magis extollunt, que caput cum corpore tollunt;
Vix tamen audebant hoc ponere quo cupiebant,
Set magis occultum condunt pro rege sepultum.
Det deus hoc sciri, poterit quod adhuc sepeliri,
Eius et heredes proprias habeant sibi sedes.

Qualiter Comes de Warwyk, ex regis collusione circumventus, in parliamento se culpabilem recognouit, sperans per hoc certissimam regis veniam, vt sibi promittebatur, infallibiliter promeruisse. Set rex omni fallacie intendens, qui per talem recognicionem alios de querela conuicisse putauit, dicto Comiti mala pro bonis retribuens, ipsum pro mercede exheredatum in partes

Iam refrenato violenter Equo que grauato,
Vrsum querebant, quem tunc agitare volebant; 160
Pestiferique canes aderant tunc regis inanes,
Vndique latrando pacem nec habent aliquando.
Ad latus omne terunt, set ad hoc quod plus potuerunt
Non magis attendit, quin rex sua recia tendit.
O! quam subtilis oritur tunc fraus iuuenilis,
Per quam tunc fraudem nequit Vrsus carpere laudem.
Hoc rex testatur, Vrsus quod si fateatur
Quod reus existat, nec ad illa relata resistat,
Rex sibi prestabit veniam, qua curia stabit,
Et sic transibit sine morteque liber abibit; 170
Sique recognoscat aliter, sibi iuraque poscat,

160 *margin* Warewyk CH   167 fatiatur C

SECUNDA PARS

Incidet in mortem : trahat hanc quam vult sibi sortem.
Qui cum rege pares fuerant tunc consiliares,
Vrsum temptarunt, eius quoque velle probarunt :
Hic vitam portat, alius mortemque reportat ;
Hic consolatur, alius quandoque minatur ;
Quisque dolos fingit, quibus Vrsi pectora stringit,
Quo minus agnoscit quid regi dicere possit.
Sicque fatigatus tandem de labe reatus
Se fore conuictum reddit : fuit hoc male dictum :   180
Tali sermone concrescunt iura corone,
Rex tres deuicit, vnus quia talia dicit.
Ad regis vota fuit Vrsi diccio tota,
Omneque respondet verbum, quod rex sibi spondet :
Set cum sic vere regi putat ipse placere,
Regis et ad nutum sperabat se fore tutum,
Tunc magis amisit que rex sibi federa misit ;
Nam quod promisit rex pactum denique risit,
Et sic delusus fuit Vrsus ab ore reclusus,
Vnde pium verbum gustu magis extat acerbum.   190
Heu, quam res tristis ! heu, quam fuit error in istis,
Quando suum pactum rex non produxit in actum !
Fingit et ignorat que rex tunc fraude colorat,
De quibus extentum finis docet experimentum.
Vrsus poscebat, quod rex non perficiebat,
Nec pudet hoc gestum, fraudis quod erat manifestum.
Vrsum contemptum, nulla pietate redemptum,
Exilio demptum statuit rex esse peremptum :
Insula tunc hominis longinqua que plena ruinis
Carcere concludit Vrsum, quem pena retrudit.   200
Quod sic ledebat, regi non sufficiebat,
Set capit ex toto terras herede remoto,
Nec sibi dimissam solam fouet hic Comitissam,
Set magis amouit, inopem quam Curia nouit.
Sic rex deleuit, quem tota prouincia fleuit ;
Ne plures ledat, moriens prius ipse recedat.
Restat adhuc dira mons Ethna latente sub ira
Regis, dumque faces magis obtinet inde voraces.
Quem rex iratus, quamuis sine labe reatus,

longinquas, vt ibi in carcere seruaretur, exulem pro perpetuo mancipauit.

208 dumque] qui HH3   inde] ille HH3   209 f. quamuis sine labe reatus Tangit] tetigit de face reatus Eius HH3

CRONICA TRIPERTITA

Tangit in ardore, subito perit ille dolore. 210
Cum plus morosus sit homo, magis est viciosus,
Regi qui seuit pestis quo pessima creuit.
    Vnus erat dignus, paciens, pius atque benignus,

Qualiter rex, omnes quoscunque ledere posset querens, tandem innocentem dominum de Cobham, qui per prius seculo renuncians in domo Cartusiensi tunc moram traxit, eciam in iudicium parliamenti produxit. Set ille, nullo minarum terrore aut blandimentorum exhortacione locum tiranno prebens, in omnibus suis responsionibus fidelissimus inveniebatur: vnde rex quasi confusus, eius constanciam abhorrens, ipsum pre verecundia absque mortis sentencia in exilium longius ab Anglia destinauit.

Prouidus et iustus, morum virtute robustus,
Non erat obliqus, regni set verus amicus :
Hunc rex odiuit, in quo bona talia sciuit ;
Vt dicunt Mille, dominus Cobham fuit ille,
Cronica quos lesit, quibus ille fidelis adhesit.
Cristo set vere voluit quia fine placere,
Transtulit ad sedem se Cartusiensis ad edem : 220
Sic cepit Cristus, voluit quem tollere fiscus ;
Quem Cristus duxit, fiscus sine iure reduxit.
Rex scelus accusat, Cobham scelus omne recusat,
Iustificans factum ; sic res processit in actum :
Que sapit hec loquitur, nec in hoc vecors reperitur,
Immo quod est certum regi manifestat apertum.
Sic, quia veridicus tribus est constanter amicus,
Rex condempnauit Cobham, set non maculauit :
Sic non conuictus gladii non senciit ictus,
Exilii lora subiit tamen exteriora. 230
Hinc rogo quod purus redeat cum laude futurus,
Vt sic felici reditu letentur amici.

    Heu ! mea penna madet lacrimis, dum scribere suadet

Qualiter rex, qui nec deum timet nec hominem veretur, contra reuerendissimum in Cristo patrem Thomam Arundellie, tunc Cantuariensem Archiepiscopum, dum inter eos maior putabatur dileccio, occasiones discordie importabiles ductus auaricia fingere non erubuit. Vnde idem Thomas, de Archiepiscopo in non Archiepiscopum subito mutatus, omnia bona sua tam temporalia quam spiritualia dolosa regis circumvencione penitus amisit ; expulsus-

Infortunata sceleris quibus horreo fata.
Non satis est regem mundi deflectere legem,
Vt pereant gentes sub eo sine lege manentes,
Set magis in Cristum seuit, quapropter ad istum
Casum deflendum non est michi credo tacendum.
Anglorum Primas, suppremo culmine primas
Qui tenuit sedes, melius dum sperat in edes, 240
Hunc rex compellit et eum de Sede repellit,
Dum Simon Rome supplantat federa Thome.
Hic Thomas natus Comitis fuit intitulatus,
Clericus aptatus, doctor de iure creatus,
Legibus ornatus, facundus, morigeratus,
Cum Cristo gratus in plebeque magnificatus.
O quam prelatus tam purus et inmaculatus

218 lecit C   221 sepit C   229 ictis C   236 periant CHH₃
243 *margin* nonarchiepiscopum CH   244 optatus C

Ad regale latus tandem fuit illaqueatus!
Tramite subtili latitans plus vulpe senili
Rex studet in fine Thomam prostrare ruine.
De tribus audistis, cum rex scelus intulit istis,
Presul vt adiutor fuit hiis quodammodo tutor,
Non contra legem, set ab ira flectere regem
Nomine pastoris temptauerat omnibus horis:
Semper erat talis, restat dum spes aliqualis,
Si contra mortem poterat saluasse cohortem.
Rex tulit hoc triste, quia Cancellarius iste
Tempore quo stabat hos tres constanter amabat;
Sic procurator pius extitit et mediator,
Cartas quod Regis habuerunt munere legis.
Pontificis more summi pro regis amore
Sic pacem mittit, mortis gladiumque remittit:
Hec ita fecisset, pactum si rex tenuisset,
Set que iurauit hodie, cras verba negauit.
Cernite pro quali culpa magis in speciali
Pontifici tali sine causa materiali
Rex fuit iratus, set et altera causa reatus
Est plus secreta, tunc Rome quando moneta
Simonis ex parte papam concludit in arte.
Ecce per has causas sub regis pectore clausas
Hoc scelus obiecit Thome, qui nil male fecit.
Regis fautores super hoc tamen anteriores
Fraudibus obtentum concludunt parliamentum;
Sic de finali rex pondere iudiciali
Exilio demit Thomam, nec amore redemit:
Sic pater absque pare, quem rex spoliauit auare,
Partes ignotas tunc querit habere remotas.
Tunc pius Antistes casus pro tempore tristes
Sustinet, et curam sperat reuocare futuram:
Cristus eum ducat, saluet que salute reducat,
Sic vt vterque status sit ei cum laude beatus.
 O dolor, hoc anno quo creuit pompa tiranno!
Qui ferus, vt dicit, voluit quos vincere, vicit.
Dum scelus hoc restat, super omnes tres manifestat,
De quibus in gente stat vox variata repente:
Quidam constricti, quidam de munere victi

250 que insuper absque vllo mundi releuamine, solum deum reclamans exul et pauper ab Anglia recessit.

 Hic declarat aqualiter figmenta causarum, per quas pontifex supradictus a parliamento tunc absens contra omnem iusticiam, vt audistis, exilii sentenciam ab improuiso quasi nescius incurrebat.

260

270

280

 Hic narrat qualiter vix vnus aut de morte aut de exilio, precipue trium procerum supradictorum, aliquod ver-

278 Tunc] Sic CHH₃   284 *margin* precipue *om.* CH   285 variate C

bum lamentabile in aperto proferre tunc audebat; set pocius scandalum quam laudem pre timore regis ad inuicem confabulati sunt.

Ad mala ducuntur, quia multi multa loquntur.
Tunc Olor, Vrsus, Equs, non vnus dicitur equs;
Heri laudati fuerant, nunc vituperati :
Fama fugit prima, quia sors descendit ad ima,   290
Sorteque cessante, cessat laus omnis ab ante :
Vertitur obliqus amor, est ibi nullus amicus,
Quo tres predicti periunt velut vmbra relicti.
Tunc consanguinitas aufert de sanguine vitas,
Denegat et sexus procerum dissoluere nexus;
Nil genus obstabat, racio nec eos reparabat.
Sic transformata fuit illa dies scelerata;
Stirps extirpatur, flos arboris euacuatur,
Quo maneat nomen, heres non percipit omen;
Vt pater intrauit, ita solus ab orbe migrauit.   300
Sic vice iam versa spergens fuit vnio spersa,
Heri rectores, hodie magis inferiores,
Et sic derisi fuerant quodammodo visi.
Portas clauserunt, vbi claues non habuerunt,
Nec tamen exclusus fuerat tunc regis abusus :
Non se conuertit, in peius qui male vertit;
Dum mala queruntur, in eo peiora sequntur;
Tres interfecit proceres, dum pessima fecit,
Quo nimis elatum sumpsit sua pompa volatum.
Tunc delusores, quos curia turbidiores   310
Nouit, ridebant super hiis que gesta videbant;
Friuola componunt tribus et tria scandala ponunt;
Tale fuit dictum, nec adhuc stat ab ore relictum :

Canticum, quod composuere maligni in derisum procerum tirannice interfectorum.

'Non Olor in pennis, nec Equs stat crine perhennis,
Iam depennatus Olor est, Equs excoriatus,
Vrsus non mordet, quem stricta cathena remordet.'
Sic fatue turbe vox conclamabat in vrbe :
Omnia que dici poterant dicunt inimici,
Pluraque fingentes mendacia sunt parientes.
Grene, Scrop, Bussy, cordis sine lumine fusci,   320
Omne nephas querunt, quo ledere plus potuerunt :
Rex fuit instructus per eos, et ad omnia ductus
Que mala post gessit, quibus Anglia tota pauescit.
Intra se flebat populus, qui dampna videbat;
Cum non audebat vocem proferre, tacebat.

287 dicuntur C   320 Scrōp SCHG   Buscy G

SECUNDA PARS

O Dux inmense, tu Gallica regna sub ense
Militis ex more bellasti regis honore.
O Comes, inque mari pro rege tuo superari
Classem fecisti Francorum, quos domuisti.
Heu, rex, qui tales fraudasti collaterales, 330
Sit tibi de fine vindex fortuna ruine!
Principio rerum placido quamsepe dierum
Finis adest tristis; ideo speculemur in istis:
Estque fides rara modo, quam mens nescit auara.
Dum fauet os fraudis, ne credas omne quod audis:
Fingere fingenti scola nuper erat sapienti;
Talis vt hesterna fuit, est scola nunc hodierna:
Fallitur incertum, set quando videbis apertum
Finem cum cauda, tunc demum tempora lauda.
Anno bis deno primo de sanguine pleno 340
Septembris mense feritas dominatur in ense:
Tristis vt audiui, carmen scribendo subiui:
Plangite, vos viui, quia planctus sunt residiui.
Doctoris verba sunt hec que miror acerba;
'Dum melius fecisse putes, latet anguis in herba.'
Quicquid homo fatur, quicquid facit aut meditatur,
Stat fortuna rei semper in ore dei.

Hic circa finem probitates ducis Glouernie necnon Comitis Arundellie magis in speciali commemorans, eorum gesta laudabiliter commendat. Consulit insuper, quod per ea que preterita sunt presentes vtinam discreto pectore sibi contra futura prouidere nullatenus omittant.

**Explicit secunda pars Cronice et
Incipit Tercia.**

Hic in tercia parte Cronice finaliter scribit qualiter rex antedictus, vtroque dei et hominum iure postposito, Strenuissimum Principem Dominum Henricum, tunc Derbeie Comitem, patre suo Duce Lancastrie adhuc viuente, per decennium capitose in exilium delegauit. Postea vero, patre defuncto filioque in partibus Francie tunc existente, idem rex omnis malicie plenus, quasi per infinitas doli circumvenciones, tam in ipsius absentis personam quam in eius hereditatem, occasiones maliciose fulminari decreuit. Set qui verum a falso discernit summus iudex, tantas malicie 10 abhominaciones impune non ferens, dictum dominum Henricum, tunc post obitum patris sui Ducem Lancastrie, in Angliam sua diuina prouidencia, inuito rege, remeare fecit: ob cuius

333 idio C   334 *margin* omittant CH3   ommittant SHG   341 Semptembris S
Heading 3 Derbei H

aduentum vniuersi regni fideles, tam proceres quam communes,
deum quasi ex vno ore collaudantes pestiferum Ricardum suis
ex demeritis regno renunciantem penitus a gradu suo
deposuerunt, gratissimumque Ducem dominum Henricum
prenotatum in Solium regie magestatis regnaturum coronantes
cum gaudio sublimarunt, terciodecimo die mensis Octobris,
Anno domini Millesimo tricentesimo nonagesimo nono. 20

Hic in tercia parte cronice compositor in principio finem premeditans sub spe glorie future letatur.

TRISTIA post leta, post tristia sepe quieta,
Si bene pensemus, satis hec manifesta videmus.
Regnum confractum regis feritate subactum
Nuper defleui, lacrimas set abinde quieui;
Regnum purgatum probitate ducis renouatum
Amodo ridebo, nec ab eius laude tacebo.
O res laudanda, o res sine fine notanda,
Ad laudem Cristi, qui nos de carcere tristi
R. tunc custodis, quasi sit regnantis Herodis,
Gracius eduxit et ad inclita regna reduxit! 10

Qualiter ad modum talpe, que semper terram effodiens eam continue subuertit, rex Ricardus, vt suum regnum tirannice disperdat, assiduis ymaginacionibus ad populi destruccionem omnes suas cautelas indesinenter coniectat.

Nouit enim mundus, Ricardus quando secundus
Iustos deleuit proceres, quos Anglia fleuit,
Ipse superbire sic spirat et alcius ire,
Quod dedignatur proprium regnumque minatur:
Amplius ex more solito latitante furore
Seuit, et oppressit populum cui parcere nescit.
Sicut humum fodit euertens talpa que rodit,
Vnde caret requie, sic alter nocte dieque,
Vt magis euertat regnum quod demere certat,
Sic scelus apponit et ad hoc sua robora ponit; 20
Vt princeps baratri furiens regit acta theatri.
Pondera prebebat, populum quibus ipse premebat:
Vtpote salsarum furiosa caribdis aquarum
Gurgite feruoris bibit, euomit, omnibus horis,
Sic sibi collectum facinus sub pectore tectum
Rex vomit in gentem, ve, ve! sine lege manentem.

Nota qualiter rex subtili fraude concessum sibi optinuit, quod vbicumque sedere vellet cum certis personis sibi assignatis, per prius in-

Per prius optentum semper sibi parliamentum
Per loca conseruat, in quo mala queque reseruat;
Est vbi persona regis residente corona,
Corpore presenti stat ibi vis parliamenti: 30
Sic, vbicumque sedet presencia regia, ledet,
Quod nullus sciuit sceleris que facta subiuit.

Heading 18 maiestatis CH3

TERCIA PARS

Hoc factum regis fuit abhominacio legis,
Quo fremuit certe populus, set nullus aperte :
Sic tamen vt staret et tempora continuaret,
Rex sibi papales bullas habuit speciales ;
Si quis in extento prius aut post parliamento
Quid contradicit, in eum sentencia vicit.
Ad scelus implendum tunc rex habet omne timendum,
Excepto Cristo, qui non fuit auctor in isto ;   40
Quicquid enim dicit clerus, populus maledicit,
Inuocat et Cristi vindictam pectore tristi.
Inde set oblitus rex pestifer hos sibi ritus,
Quos prius elegit, maledicto fine peregit ;
Consensu, tactu, visu que ferocior actu
In regnum seuit, qui post sua crimina fleuit :
Que non audiuit auris, nec cor mala sciuit,
Tristia coniectat, populum quo perdere spectat.
   Carte scribuntur et in omni parte leguntur,
Hasque sigillari iubet omnibus et venerari :   50
Perficit hoc clerus, si debeo dicere verus
Nescio, set gentes sua sunt exempla sequentes ;
Nescia plebs legis, dum sperat premia regis,
Vt dicebatur, ad regia iussa paratur.
Vrbs, ager et villa cartis posuere sigilla,
Quo magis ad plenum conspergitur omne venenum :
Fallitur ex illo quisquis, cum firma sigillo
Culpa recordetur, qua proditor omnis habetur.
Cum sic quisque status sit in hiis cartis viciatus,
Vt veniam portet sibi soluere quicquid oportet ;   60
Tunc exactores baratro magis auidiores
Absoluunt gentes, pacem quasi sint redimentes.
Hec set cautela nichil est nisi ficta medela,
Nam magis insanus stat morbus cotidianus ;
Rex populum pressit, et ab inde quiescere nescit,
Semper turbatur, semper sua regna minatur.
   Post primas cartas alias statuit magis artas,
Set de scriptura patuit non vna figura.
Has eciam villis iubet affirmare sigillis ;
Qualis finis erit quisquis sub murmure querit ;   70
Et sic velata facie plebs illaqueata,

ceptum continuare posset parliamentum.

50 *Nota de primis cartis, quas scriptas ex regis compulsione tam clerus quam populus formidans sigillauit : tali enim subtilitate rex varias regni sui patrias spoliando destruxit.*

Nota de secundis cartis que blanchechartres vulgariter 70 *nuncupantur.*

69 affirmare C

Quod facit ignorat, ita dum fortuna laborat.
   Accidit interea, dum terra fuit pharisea,
Est noua lis mota, quam nouerat Anglia tota.
Nobilis Henricus, omnis probitatis amicus,
Hic tunc florebat super omnes plusque valebat;
Vt rosa flos florum, melior fuit ille bonorum,
Custos Anglorum, per quem lux fulsit eorum,
Exemplar morum que probacior ille proborum:
Ad loca bellorum leo conterit arma luporum; 80
Eius cognomen venerabile percipit omen,
Quod numquam victum rutilat Lancastria dictum.
Hunc patre viuente de sorte superueniente
Rex delegauit et eum sine labe fugauit;
Rex etenim nouit, ad eum quod patria vouit,
Vnde timens sortem dolet eius habere cohortem:
Inuidus hanc causam gestat sub pectore clausam,
Donec disperdat iustum sine iureque perdat.
Hic tamen ex more solito pro regis honore
Semper promptus erat, aliter quo premia sperat; 90
Sic nichil offendit, quo rex sibi dampna rependit,
Set quia cunctorum rex oderat acta proborum.
Singula non scripsi, que dux bona contulit ipsi;
Si meritum detur, tunc dux mala nulla meretur:
Exilium tortum gremio de regis abortum
Hoc pro finali mercede datur speciali.
   Purus ad omne latus sic exulat inmaculatus,
Et quem decepit rex Anglus Francia cepit:
Stans ibi preclarus regno fuit vndique carus,
Quo sibi concreuit requies, set non requieuit. 100
Dum genus exquirit in quo sibi iura requirit,
Quem deus absoluit patri mors omnia soluit;
Sic, patre defuncto, de consilio sibi iuncto
Est tunc querendum, melius sibi quid sit agendum:
Et sic consultus velut heres Miles adultus,
Que sua cognoscit post patrem propria poscit.
Hos per rumores adeunt ambassiatores
Regem querentes, legem super hocque petentes;
Set qui cuncta vorat non audit quod pius orat,
Exheredatum set eum iubet esse fugatum. 110

95 abhortum CH   109 pius] CHGH₃ prius S

Qualiter rex Ricardus omnis malicie plenus strenuissimum dominum Henricum, tunc Derbeie Comitem Ducisque Lancastrie filium et heredem, sola ex inuidia, vt ipsum perderet, in exilium proiecit.

Qualiter nobilis Henricus antedictus in partes Francie, vt ibi tempore exilii moraretur, animo constanti viriliter se transtulit.

TERCIA PARS

Et sic nec regem iustum iustam neque legem
Dux probus inuenit, dum vox sibi nuncia venit.
Tunc confiscatus rapitur sine iure ducatus,
Quo se confortat dux commoda nulla reportat ;
Pulli coruorum, pascit quos mater eorum,
Non ita proclamant, quin plus sibi castra reclamant
Regis fautores, terras que ducatus honores :
Rex bona dispergit, qui non sine crimine pergit,
Distribuens sortes, ditescat vt inde cohortes.
Quod sic decreuit rex fama perambula creuit,   120
Per mundum totum scelus hoc erit amodo notum.

O quam plura sinit deus, et cum tempora finit,
Omnia tunc certe que sunt demonstrat aperte !
Dux inspiratus tandem, quasi sit renouatus,
Singula compensat perfecto cordeque pensat :
Tortorem regem tortam creuisseque legem
Cernit, et errores in vtroque statu grauiores :
Signans se Cristo quesiuit opem super isto,
Qui, bene dum sperat, iubet vt sua propria querat.
Ex subito more, saluo sibi semper honore,
Partes subtiles Francorum dux quasi miles   130
Cum paucis transit, nec ibi tardando remansit :
Calisias iuit, vbi propria regna petiuit ;
Cum modica classe sic magnanimum remeasse
Constat, et in naui dux ducitur inde suaui.
Primas Anglorum, tunc exul fraude malorum,
Thomas deuote stat ibi, comitante nepote :
Hos dux regalis, veluti gallina sub alis,
Secum votiua saluos duxit comitiua.

Dux, Comes, Antistes, pariter solamina tristes   140
Querunt sperantes, vbi venti sunt agitantes :
Vela petunt portum quem sors prope contulit ortum ;
Vt dux concepit, Aquilonica littora cepit.
Tunc magis audaci vultu cum plebe sequaci
Exultans dicit, quod in hoc quasi prelia vicit.
Ex animo forti dederat bona corda cohorti,
Quod bene sperarent, quicquid sibi fata pararent.
Sic congaudentes sub spe que nichil metuentes,
Quo melius querunt, naues simul applicuerunt :

Nota qualiter post obitum patris sui ducis Lancastrie nobilissimus filius suus Comes antedictus, tunc de iure dux, vt ipse hereditatem suam vendicaret, de partibus Francie prouiso sapienter itinere Calisias adiit, vbi cum domino Thoma Cantuariensi Archiepiscopo, necnon Thoma filio et herede Ricardi Comitis Arundellie, vt prefertur, defuncti, vt in Angliam transfretaret, Cristo se commendans nauem ascendit.

Qualiter nobilis Henricus, tunc Dux Lancastrie, per mare nauigando portum querens tandem prope Grymmesby, Cristo mediante, littora pacifica sortitus est.

131 miles CHH₃   viles S   145 quasi] sua H

Dux prius egressus disponit humo sibi gressus, 150
Primitus exorat que deum genuflexus adorat
Votis sincere mentis, quod possit habere
Victoris palmas, extendit ad ethera palmas;
Vtque scelus guerre superet, dedit oscula terre,
Pluraque deuota dux fecit ibi pia vota.
De prece surrexit, surgendoque se cruce texit,

Qualiter ad seruicium nobilis ducis quasi vniuersa terra gratanter se optulit.

Et tunc quam letas incepit adire dietas:
Patria cum sciret quod saluus dux reueniret,
Totus ei mundus occurrit vbique iocundus.

Tunc rex Ricardus lepus est et non leopardus; 160
Quem timor astrinxit, alibi sua robora finxit:

Qualiter rex Ricardus tempore quo nobilis dux Henricus applicuit, in partibus Hibernie invtiles dies ad sui confusionem infortunate consumpsit.

Hic ducis aduentum presciuit ab ore scientum,
Quo celer exiuit et Hibernica regna petiuit.
Sepe silens plangit, quem tunc vecordia tangit,
Ex quo singultus plures rex cepit adultus.
Sic redit absente dux noster rege timente,
Nec quid presumit, sua propria dumque resumit.

Dux probus audaci vultu cum plebe sequaci
Regnum scrutatur, si proditor inueniatur;
Sic tres exosos magis omnibus ambiciosos 170
Regni tortores inuenerat ipse priores:

Qualiter apud Bristolliam capti et decapitati fuerunt tres precipue regis fautores, qui in mortis articulo dicti regis condiciones multipliciter accusarunt.

Ense repercussi periunt Scrop, Grene que Bussy;
Hii quasi regales fuerant cum rege sodales.
Scrop Comes et Miles, eius Bristollia viles
Actus declarat, quo mors sua fata pararat;
Greneque sorte pari statuit dux decapitari,
Bussy conuictus similes quoque sustinet ictus:
Vnanimes mente pariter mors vna repente
Hos tres prostrauit, gladius quos fine vorauit,
Sicut et egerunt aliis, sic hii ceciderunt; 180
Quo dux laudatur regnumque per omne iocatur.
Sunt tamen Henrici quamplures tunc inimici,
Tales qui querunt obsistere, nec potuerunt:
Sepius effantur et eum post terga minantur,
Set non audebant, faciem cum respiciebant.

Tempore sic stante stat rex vbi stabat ab ante,
Donec commota tremit eius concio tota:

Qualiter Ricardus rex de partibus Hibernie rediens Wallie littora cepit.

Sic magis ignari sceleres fiunt quasi rari,

172 Scrōp SCH   Buscy G   188 sceleres SHGH₃   celeres C (*corr.*)

Omnes sorte pari dubitant qua parte iuuari.
Tunc fortuna rotam diuertit ab inde remotam,   190
Cecaque permansit, dum rex super equora transit.
Quos laqueos fecit in eos, sua culpa reiecit,
Qui laqueatus erit, patrie dum littora querit.
Hoc non obstante, vento tamen exagitante,
Portum fatalem sors reddit ei specialem;
Inque suas claues cepit fera Wallia naues,
Quas cito dissoluit, regis cum facta reuoluit.
Rex mittens sortes mandauit habere cohortes,
Set nichil inuenit, vbi gracia nulla reuenit.
Hoc ita cumque vident, quidam sub murmure rident,   200
Et quidam flentes fuerant de corde dolentes:
Prospera que nescit, tunc regia pompa recessit,
Quisque viam vertit subito, nec ad arma reuertit.
Tunc rex, vt dicit, sua fata dolens maledicit,
Nec timet hinc Cristum, mundum nec abhorruit istum,
Non est contritus, nec vult dimittere ritus,
Vt prius errauit, sic semper continuauit;
Sic furit ipse malis semper sine lege feralis,
Principio qualis steterat, stat fineque talis.
Cautus vt inuadit agnos, quos ledere vadit,   210
Vulpis, in occulto sic rex a tempore multo,
Pectore subtili iuuenis sub fraude senili,
Omne scelus poscit, regnum quo perdere possit:
Tunc super omne tamen conspirat habere leuamen,
Vnde ducis sortem fallat fugiatque cohortem.
Hinc perscrutatur dolus et fraus continuatur,
Si quid prodesse poterit cogente necesse:
Est ibi vis nulla, velut os perit absque medulla,
Rex qui posse caret pro tunc sine viribus aret:
Per loca, per castra fugit, et si tunc super astra   220
Scandere sciuisset, transcendere tunc voluisset.
Sic tumor elatus nuper tam magnificatus
Est timor effectus, latitans quasi talpa reiectus.
Quem non preseruat Cristus, se non homo seruat,
Et quamuis tarde de te loquor ista, Ricarde.
  Peruigil a sompnis quod dicitur audiat omnis,
Et quod dicetur regnis exemplificetur.

Qualiter rex Ricardus cum suis fautori-

---

197 fata C   219 protunc CH3

bus nobili duci Henrico eisdem in Wallia occurrenti se reddiderunt.

Est rota fortune quodamodo regula lune,
Que prius albescit de nocte que post tenebrescit;
Sic de quo scripsi Ricardo contigit ipsi: 230
Dum stetit ad plenum, steterat sibi tempus amenum,
Set cum decrescit, lucem tunc nebula nescit;
Cum se peruertit, sua spera retrograda vertit.
Nil sibi de bellis, quia stat sibi terra rebellis,
Nec mare succurrit, fugiens quia nauta recurrit;
Spes sibi collata non est, set et vndique fata
Ipsum torquebant, et ad ima repente ruebant:
Non ita secreta loca sunt neque castra quieta,
Que tunc secura fuerant pro sorte futura.
Finis adest actus, capitur rex fitque subactus, 240
Et reliqui tales, sibi sunt qui collaterales,
Caute ducuntur capti, qui fata sequntur:
Sic rex preuentus ducis est virtute retentus.

Augusti mensis dedit hoc, quo Londoniensis

Qualiter nobilis Henricus vna cum rege Ricardo et aliis Londonias veniunt, vbi dictus rex in turrim positus per aliquod tempus sub custodia remansit.

Vrbs congaudebat, que ducem cum laude canebat.
Sicut arena maris, occursus adest popularis,
Tanti victoris benedicens gesta vigoris.
In Turrim transit R., sub custode remansit;
Sic caput Anglorum minimus iacet ipse minorum.

Qualiter nobilis dux Henricus proceres quoscumque per regem Ricardum in exilium delegatos ad propria mitissime reuocauit.

Vt sit opus planum, nichil et de pondere vanum, 250
Apponendo manum dux purgat ad horrea granum;
Iustos laudauit, iniustos vituperauit,
Hos confirmauit, hos deprimit, hos releuauit.
Regni primatem, crudelem per feritatem
Quem rex explantat, dux ex pietate replantat:
Humfredum natum patre defuncto spoliatum,
Quem rex transduxit, hunc dux probitate reduxit.
Nil tibi desperes, Arundell profugus heres,
Prospera namque ducis fatis tua fata reducis.
Warwici Comitem, cuius sine crimine litem 260
Dux pius agnouit, saluum de carcere mouit:
Cobham sorte pari dux fecit et hunc reuocari;
Exilio demptus iustus redit ille redemptus
Nec prece nec dono, Cristo mediante patrono.
Tanta tulit gratis primordia dux bonitatis:
Vt bona tam grata super hoc sint continuata,

239 tunc CGH₃ nunc SH   258 Arundell MSS.

Cristus adhuc mentem ducis efficit esse manentem.
Londoniis festo Michaelis tunc manifesto,
Stent vt ibi tuta, sunt parliamenta statuta:
Quilibet attendit que sors sibi fata rependit, 270
Semper et in gente fit murmur rege regente.
   Interea transit moriens nec in orbe remansit
Humfredus dictus, redit ille deo benedictus:
Defuncto nato, cito post de fine beato
Mater transiuit, nati dum funera sciuit:
Primo decessit Cignus, dolor vnde repressit
Matrem cum pullo, sibi mors nec parcit in vllo.
Est apud antiquos dictum, 'Defunctus amicos
Vix habet,' a tergo caueat sibi quilibet ergo:
Quisque suum pectus tangat viuens homo rectus, 280
Nec sic gaudebit, quia singula vana videbit.
Scribere iam restat, que mundus adhuc manifestat,
Vt sit opus tale cunctis speculum generale.
   Tunc prius incepta sunt parliamenta recepta,
De quibus abstractus Ricardi desinit actus.
Ecce dies Martis, nec adest presentia partis,
Non sedet in sede, quem culpa repellit ab ede;
Denegat in scanno loca tunc fortuna tiranno,
A visu gentis quem terruit accio mentis.
R. non comparet, alibi set dummodo staret, 290
Causas assignat, quibus H. sua sceptra resignat:
Substituit aliquos proceres tunc iuris amicos,
Ad quos confessus proprio fuit ore repressus.
Hiis circumspectis aliisque sub ordine lectis,
R., qui deliquit, hunc curia tota reliquit;
Hunc deponebant, plenum quem labe sciebant,
Nec quis eum purgat, iterum ne forte resurgat:
Tunc decus Anglorum, set et optimus ille bonorum,
H. fuit electus regno, magis est quia rectus.
Sola dies tentum tulit istud parliamentum, 300
Nec magis expressit pro tunc, set ab inde recessit:
H. tamen extenti noua tempora parliamenti
Proxima decreuit, quo regni gloria creuit.
Quando coronatus foret et de fine leuatus,
Tunc processus erit super hoc quod curia querit;

Qualiter assignatum fuit parliamentum tenendum apud Westmonasterium ad festum Sancti Michaelis tunc proximi. Et interim Humfredus filius et heres ducis Glouernie vna cum matre sua corporis infirmitate mortui sunt.

Qualiter primo die parliamenti rex Ricardus personaliter non comparuit, set alibi existens titulo corone sue sub forma magis auctentica penitus renunciauit; super quo nobilis Henricus, vniuerso populo in eius laudem conclamante vt rex efficiatur, electus est.

291 quibus SG   et ad CHH₃

CRONICA TRIPERTITA

Interea gentes viuunt sub spe recolentes,
Quod nouus errores rex conteret anteriores.
   Sexta dies stabat Octobris, quando parabat
Rex nouus optata sua parliamenta nouata:
Curia verbalis fuit et non iudicialis, 310
Ad tempus restat nichil et de pondere prestat:
Dicitur expletum quod nil valet esse quietum,
Donec persona regis sit operta corona;
Sicque coronari, quem Cristus vult venerari,
Corditer exultat plebs omnis et inde resultat.
   Qui res disponit et eisdem tempora ponit,
Ille diem fixit, Henricum quo benedixit:
Predestinauit deus illum quem titulauit,
Vt rex regnaret sua regnaque iustificaret.
Quem deus elegit, regali laude peregit, 320
Vnde coronatur in honoreque magnificatur:
Tempore felici poterunt sollempnia dici,
Que tam sacratis horis patuere beatis;
Edwardi festa Confessoris manifesta
Henrici festum Regis testantur honestum.
Plebs canit in mente que resultat in ore loquente,
Quisque colit Christum, quia regem suscitat istum;
Vix homo pensare poterit seu dinumerare,
Que tunc fulserunt sollempnia quanta fuerunt:
Omnis terra deum laudat que canit iubileum, 330
Henricum iustum que pium que ferum que robustum.
Vnde coronatur trino de iure probatur,
Regnum conquestat, que per hoc sibi ius manifestat;
Regno succedit heres, nec ab inde recedit;
Insuper eligitur a plebe que sic stabilitur:
Vt sit compactum, iuris nil defuit actum;
Singula respondent Henrici iuraque spondent.
   Fama volans creuit, que climata cuncta repleuit,
Quo laus vexilli super omnes prefuit illi:
Sic regnat magnus reprobis leo, mitibus agnus, 340
Hostes antiquos qui terret et augit amicos.
Luna diem donat, qua Regem terra coronat,
Marsque sequens terre dat parliamenta referre:

Qualiter parliamentum continuatur vsque post coronacionem.

Qualiter in die sollempni nobilis Henricus in Solium regie maiestatis sublimatus cum omni gaudio coronatur.

Nota, qualiter iura corone serenissimo iam regi nostro Henrico quarto tribus modis accrescunt: Primo Successione: Secundo eleccione: Tercio conquestu sine sanguinis effusione.

Qualiter parliamentum adhuc fuit continuatum.

309 *margin* continuatum fuit CH   fu*it continuatum* H₃   318 *margin* magestatis CHH₃   323 sacratus C   340 regnant C

TERCIA PARS

Rex sedet et cuncti proceres resident sibi iuncti,
Stant et presentes communes plus sapientes ;
Tempus erat tale communeque iudiciale.
Quod bene prouisum nichil est a iure rescisum ;
Est quia protectus, letatur sic homo rectus,
Et metuunt reliqui sua dampna dolenter iniqui.
   Set quia plus dignum prius est recitare benignum, 350
Que sunt maiora scribens recitabo priora :
Henrici natus Henricus, honore beatus,
Est confirmatus heres Princepsque vocatus :
Sic pars abscisa, summo de iudice visa,
Arboris est vncta veteri stipitique reiuncta.
Istud fatatum fuit a sanctisque relatum,
Quod tunc compleuit deus, ex quo terra quieuit :
Hoc facto leta stupet Anglia laude repleta,
Cordeque letatur, quia stirps de stirpe leuatur.
   Tunc de consensu Regis procerum quoque sensu, 360
Plebe reclamante, stant parliamenta per ante ;
Sic procedebant super hiis que gesta videbant
Ad commune bonum, recolentes gesta baronum.
Que prius Vrsus, Equs et Olor, qui dicitur equs,
Nuper fecerunt, firmissima constituerunt ;
Et que pomposa peruersaque fraude dolosa
Ricardus fecit, hec curia tota reiecit.
Et tunc tractatum fuit illud opus sceleratum,
Quo dudum Cignus periit sine iure benignus ;
Iusticie vere vindictam clamat habere 370
Omnis ob hoc funus populus, quasi vir foret vnus :
Sic communis amor popularis et vndique clamor
Extitit acceptus a Rege que lege receptus.
   Infortunatus Ricardus, plus sceleratus,
Omnibus ingratus, fuit vndique tunc maculatus ;
Sic quasi dampnatus abiit pre labe reatus,
Quo stetit elatus sub carcere magnificatus.
Eius fautores, qui sunt de sorte priores,
Tunc accusati sunt ad responsa vocati :
Hi responsales submittunt se speciales 380
Iudicio Regis, per quem silet vlcio legis.
Regia nam pietas sic temperat vndique metas,
    347 recisum CH₃   369 iure SG labe CHH₃

Qualiter Henricus, Regis tunc Henrici primogenitus, statum que nomen Principis de consensu omnium gloriose adeptus est.

Qualiter ea que nuper in parliamento tempore Ricardi per ducem Glouernie et socios suos gesta fuerunt, presens parliamentum confirmauit ; et ea que Ricardus in vltimo suo parliamento constituit, presens eciam parliamentum penitus cassauit.

Qualiter Ricardo suis ex demeritis iudicialiter condempnato, ceteri qui cum eo accusati erant, tantummodo ex mera regis pietate quieti permanserunt.

Quod nil mortale datur illis iudiciale;
Est tamen ablatum, quod eis fuit ante beatum,
Vocibus Anglorum venerabile nomen eorum;
Corpora stant tuta, cecidit set fama minuta,
Dux redit in Comitem, quatit et sic curia litem,
Labitur exosus Bagot, quem rex pietosus
Erigit, et mite prolongat tempora vite.
Sic pius Henricus, inimico non inimicus, 390
Gracius, vt debet, pro dampno commoda prebet;
Ipse pium frenum laxat, quia tempus amenum
Appetit, et Cristo placuisse putauit in isto.
Non tamen in gente placet hoc, set in ore loquente
Publica vox dicit, leges quod mammona vicit;
Iusticiam queri plebs vult, rex vult misereri,
Et sic fortuna pro tempore non fuit vna:
Rex excusatur, nam dicunt quod variatur
Consilio tali, quo res latet in speciali.

Qualiter, finito parliamento, infra breue post quidam impii instigante diabolo, vt ipsi pium Regem Henricum cum sua progenie a terra delerent, proditorie conspirantes insurrexerunt, quos ira dei preueniens in villa de Circestria per manus vulgi interfectos miraculose destruxit.

Quatuor auctores sceleris, Iuda nequiores, 400
Ore dabant laudes, tacito sub cordeque fraudes;
Holand, Kent, Sarum, Spenser, quasi fellis amarum,
Federa strinxerunt, quibus H. seducere querunt.
Viuere quos fecit pius H., nec eis male fecit,
Hii mala coniectant in eum, quem perdere spectant;
H. etenim pacem dedit illis, hiique minacem
Eius spirantes mortem sunt arma parantes:
Sic nimis ingrati mala retribuunt bonitati,
In caput illorum tamen est vindicta malorum.
Nam, qui cunctorum cognoscit corda virorum, 410
Detegit occulta, quibus accidit vlcio multa:
Cum magis instabant subitoque nocere putabant,
Ex improuiso periunt discrimine viso.
Per loca diuersa fuit horum concio spersa,
Quos deus extinxit, nec in hoc miracula finxit;
De populo patrie, nato comitante Marie,
Quatuor elati perierunt decapitati.
Ecce dei munus! populus quasi vir foret vnus,
Surgit ad omne latus, sit vt H. ita fortificatus.
Quod satis est carum, conciues Londoniarum 420
Nobilis Henrici steterant constanter amici:

Qualiter regis nati in custodia tunc Ma-

404 malefecit C

TERCIA PARS

Rex iubet et prompti fuerant armis cito compti,
Eius et in sortem magnam tribuere cohortem.
Vrbs fuit adiutrix, que Regis tunc quasi nutrix
Natos seruauit, et eos quasi mater amauit ;
Regis enim camera fuit vrbs hoc tempore vera,
In qua confisus multum fuit ille gauisus :
Sic pius in Cristo pietatem sentit in isto,
Quo preseruatur et regnum clarificatur.
Anglicus a sompnis quasi surgens vir canit omnis,   430
R. cadit, H. regnat, quo regnum gaudia pregnat.
   Tempore quo facta sunt hec Ricardus ad acta
Non foris exiuit, qui quando pericula sciuit,
Quod sors falsorum destructa fuit sociorum,
Fortunam spreuit et eorum funera fleuit.
Tunc bene videbat, quod ei fraus nulla valebat,
Quo contristatus doluit quasi morte grauatus :
Ecce dolor talis suus est, quod spes aliqualis
Amodo viuentem nequiit conuertere flentem.
Qui tamen astabant custodes sepe iuuabant,   440
Ne desperaret, dum tristia continuaret ;
Set neque verborum solamina cepit eorum,
Dum lacrimas spersit, sibimet nec amore pepercit :
Sic se consumit, quod vix si prandia sumit,
Aut si sponte bibit vinum, quo viuere quibit ;
Semper enim plorat, semper de sorte laborat,
Qua cadit, et tales memorat periisse sodales :
Solam deposcit mortem, ne viuere possit
Amplius, est et ita moriens sua pompa sopita.
Anglia gaudebat, quia quem plebs plus metuebat   450
Cristus deleuit, quo libera terra quieuit :
Set probus Henricus, pietatis semper amicus,
Ad Cristi cultum corpus dedit esse sepultum
Sollempni more, quamuis sine laudis honore.
Langele testatur quod ibi Ricardus humatur ;
Ipse loco tali magis omnibus in speciali
Corpus donauit, quod mundus habere negauit.
Sic bona proque malis H. mitis et imperialis

ioris Londoniarum pro securitate secundum tempus fidissime seruabantur.

Qualiter Ricardus, cum ipse noua de morte illorum qui apud Circestriam, vt predictum est, interierunt audisset, seipsum omni cibo renunciantem pre doloris angustia morientem extinxit.

428 pius CHH₃   prius SG   431 pregnant C   436 *margin* se ipsum CH   438 suus CHH₃   suis SG

Reddit ei mite, qui clauserat vltima vite:
Mortuus R. transit, viuens probus H. que remansit, 460
Quem deus extollit, et ab R. sua prospera tollit.
O quam pensando mores variosque notando,

Nota hic secundum commune dictum de pietate serenissimi regis Henrici, necnon de impietate qua crudelissimus Ricardus regnum, dum potuit, tirannice vexauit.

Si bene scrutetur, R. ab H. distare videtur!
Clarus sermone, tenebrosus et intus agone,
R. pacem fingit, dum mortis federa stringit:
Duplex cautelis fuit R., pius H. que fidelis;
R. pestem mittit, mortem pius H. que remittit;
R. seruitutem statuit, pius H. que salutem;
R. plebem taxat, taxas pius H. que relaxat;
R. proceres odit et eorum predia rodit, 470
H. fouet, heredesque suas restaurat in edes;
R. regnum vastat vindex et in omnibus astat,
Mulset terrorem pius H., que reducit amorem.
O deus, Henrico, quem diligo, quem benedico,
Da regnum tutum nulla grauitate volutum:
Vite presentis pariter viteque sequentis
Da sibi quodcumque felicius est ad vtrumque.

Hic in exemplum aliorum Ricardi demerita commemorans finaliter recapitulat.

Cronica Ricardi, qui sceptra tulit leopardi,
Vt patet, est dicta populo set non benedicta:
Vt speculum mundi, quo lux nequit vlla refundi,
Sic vacuus transit, sibi nil nisi culpa remansit. 481
Vnde superbus erat, modo si preconia querat,
Eius honor sordet, laus culpat, gloria mordet.
Hoc concernentes caueant qui sunt sapientes,
Nam male viuentes deus odit in orbe regentes:
Est qui peccator, non esse potest dominator;
Ricardo teste, finis probat hoc manifeste:

468 *line om.* C 473 Mulcet GH₃ 478-483 As follows in G,
  O speculum mundi, quod debet in ante refundi,
  Ex quo prouisum sapiens acuat sibi visum,
  Cronica Ricardi, qui regna tulit leopardi, 480*
  Vt patet, est dicta, populo sed non benedicta.
  Quicquid erat primo, modo cum sors fertur in ymo,
  Eius honor sordet, laus culpat, gloria mordet.
479 ff. *margin Text* SG Hic in fine cronicam Regis Ricardi secundum sua demerita breuiter determinat CH Hic de*ter*mi*n*atur de demeri*tis* Reg*is* Ric*ard*i H₃ 479 populo set non benedicta SC violenta grauis maledicta HH₃

REX CELI DEUS etc.

Post sua demerita periit sua pompa sopita;
Qualis erat vita, cronica stabit ita.

**Explicit Cronica presentibus que futuris vigili
corde Regibus commemoranda.**

Sequitur carmen vnde magnificus Rex noster Henricus prenotatus apud deum et homines cum omni benediccione glorificetur.

REX celi deus et dominus, qui tempora solus
    Condidit, et solus condita cuncta regit,
Qui rerum causas ex se produxit, et vnum
In se principium rebus inesse dedit,
Qui dedit vt stabili motu consisteret orbis,
Fixus ineternum mobilitate sua,
Quique potens verbi produxit ad esse creata,
Quique sue mentis lege ligauit ea,
Ipse caput regum, reges quo rectificantur,
Te que tuum regnum, Rex pie, queso regat.   10
Grata superueniens te misit gracia nobis,
O sine labe salus nulla per ante fuit :
Sic tuus aduentus noua gaudia sponte reduxit,
Quo prius in luctu lacrima maior erat.
Nos tua milicia pauidos releuauit ab ymo,
Quos prius oppressit ponderis omne malum :
Ex probitate tua, quo mors latitabat in vmbra,
Vita resurrexit clara que regna regit :
Sic tua sors sortem mediante deo renouatam
Sanat et emendat, que prius egra fuit.   20
O pie rex, Cristum per te laudamus, et ipsum
Qui tibi nos tribuit terra reviua colit :
Sancta sit illa dies, qua tu tibi regna petisti,
Sanctus et ille deus, qui tibi regna dedit !
Qui tibi prima tulit, confirmet regna futura,

488 f.   Sic diffinita stat regia sors stabilita ;
         Regis vt est vita, cronica stabit ita. G
EXPLICIT. 2 Regibus SG   iugiter CHH₃
REX CELI, &c. *The MSS. referred to for this and the two succeeding pieces are* SCHGH₃ *and (for this piece and the next) the Trentham* MS. (T).
12 Quo T   15 milicia S (*corr.*)   milicies CHH₃T

Quo poteris magno magnus honore frui :
Sit tibi progenies ita multiplicata per euum,
Quod genus inde pium repleat omne solum :
Quicquid in orbe boni fuerit, tibi summus ab alto
Donet, vt in terris rex in honore regas :
Omne quod est turpe vacuum discedat, et omne
Est quod honorificum det deus esse tuum.
Consilium nullum, pie rex, te tangat iniqum,
In quibus occultum scit deus esse dolum :
Absit auaricia, ne tangat regia corda,
Nec queat in terra proditor esse tua :
Sic tua processus habeat fortuna perhennes,
Quo recolant laudes secula cuncta tuas ;
Nuper vt Augusti fuerant preconia Rome,
Concinat in gestis Anglia leta tuis.
O tibi, rex, euo detur, fortissime, nostro
Semper honorata sceptra tenere manu :
Stes ita magnanimus, quod vbi tua regna gubernas,
Terreat has partes hostica nulla manus :
Augeat Imperium tibi Cristus et augeat annos,
Protegat et nostras aucta corona fores :
Sit tibi pax finis, domito domineris in orbe,
Cunctaque sint humeris inferiora tuis :
Sic honor et virtus, laus, gloria, pax que potestas
Te que tuum regnum magnificare queant.
    Cordis amore tibi, pie Rex, mea vota paraui,
Est qui seruicii nil nisi velle mihi :
Ergo tue laudi que tuo genuflexus honori
Verba loco doni pauper habenda tuli.
Est tamen ista mei, pie rex, sentencia verbi,
Fine tui regni sint tibi regna poli !

Prophecia.

H. aquile pullus, quo nunquam gracior vllus,
   Hostes confregit, que tirannica colla subegit.
H. aquile cepit oleum, quo regna recepit,
Sic veteri iuncta stipiti noua stirps redit vncta.

---

51 tibi] boni T   52 Corpore cum nequii seruio mente tibi T
PROPHECIA. 2 colla CHH₃T   bella S

O RECOLENDE ETC.

Epistola breuis, vnde virtutes regie morales ad sanum regimen ampliori memoria dirigantur.

O recolende, bone, pie rex, Henrice, patrone,
    Ad bona dispone quos eripis a Pharaone:
Noxia depone, quibus est humus hec in agone,
Regni persone quo viuant sub racione.
Pacem compone, vires moderare corone,
Legibus impone frenum sine condicione,
Firmaque sermone iura tenere mone.
   Rex confirmatus, licet vndique magnificatus,
Sub Cristo gratus viuas tamen inmaculatus.
Est tibi prelatus, comes et baro, villa, Senatus,   10
Miles et armatus sub lege tua moderatus:
Dirige quosque status, maneas quo pacificatus;
Inuidus, elatus nec auarus erit sociatus;
Sic eris ornatus, purus ad omne latus.
   Hec, vt amans quibit, Gower, pie Rex, tibi scribit:
Quo pietas ibit, ibi gracia nulla peribit:
Qui bene describit semet, mala nulla subibit,
Set pius exibit, que dei pietate redibit:
Sic qui transibit opus et pietatis adibit,
Hunc deus ascribit, quod ab hoste perire nequibit;
Et sic finibit qui pia vota bibit.   21
   Quanto regalis honor est tibi plus generalis
Tanto moralis virtus tibi sit specialis:
Sit tibi carnalis in mundo regula, qualis
Est tibi mentalis in Cristo spiritualis.
Si fueris talis, tua Cronica perpetualis
Tunc erit equalis perfectaque materialis:
Rex inmortalis te regat absque malis!

O RECOLENDE, &c. *Title* Epistola—dirigantur *om.* GH₃
4 *margin* No*ta* de iusticia C   11 *margin* No*ta* de regimine C
17-21 *Over erasure in* SCG, *as follows in* HH₃,
    Dum pia vota bibit, tua fama sitire nequibit,
    Plena set exibit, cum laudeque plena redibit:
    Non sic transibit, vbicumque tirannus abibit;
    Cum nimis ascribit sibi magna, minora subibit;
    Vt meritum querit, sors sua fata gerit.
18 *margin* No*ta* de pietate C   21 pia] pita S   22 Vt tibi regalis, pie rex, honor est generalis HH₃   23 Sic rogo HH₃   25 *margin* No*ta* de contempla*ci*one C

Nota consequenter carmen super multiplici viciorum pestilencia, vnde tempore Ricardi Secundi partes nostre specialius inficiebantur.

Non excusatur qui verum non fateatur,
Vt sic ponatur modus, vnde fides recolatur:
Qui magis ornatur sensu, sua verba loquatur,
Ne lex frangatur, qua Cristus sanctificatur.
Hoc res testatur, virtus ita nunc viciatur,
Quod vix firmatur aliquis quin transgrediatur:
Hinc contristatur mea mens, que sepe grauatur,
Dum contemplatur vicium quod continuatur;
Set quia speratur quod vera fides operatur,
Quod deus hortatur, michi scribere penna paratur,   10
Vt describatur cur mundus sic variatur:
Ecce malignatur que modo causa datur.

Putruerunt et corrupte sunt cicatrices a facie insipiencie, set priusquam mors ex morbo finem repente concludat, sapiencie medicinam detectis plagis cum omni diligencia sapienter investigare debemus. Vnde ego, non medicus set medicine procurator, qui tanti periculi grauitatem deplangens intime contristor, quedam vulnera maiori corrupcione putrida euidenti distinccione, vt inde medicos pro salute interpellam, consequenter declarare propono. Anno regni Regis Ricardi Secundi vicesimo.

Contra demonis astuciam in causa Lollardie.

Quod patet ad limen instanti tempore crimen
   Describam primo, quo pallent alta sub ymo.
Nescio quid signat, plebs celica iura resignat,
Dum laicus clausas fidei vult soluere causas,
Que deus incepit et homo seruanda recepit:
Iam magis eneruant populi quam scripta reseruant,
Vnde magis clarum scribere tendo parum.
   Lollia messis habens granum perturbat et ipsum,   20
Talia qui patitur horrea sepe grauat:
Semina perfidie sacros dispersa per agros

CARMEN SUPER MULTIPLICI, &c. *The* MSS. *referred to are* SCEHL *with* Fairfax 3 (F) *and Bodley* 294 (B).
Title and Preface ll. 1–12 *om.* EL   consequenter] hic precipue F 'Putruerunt,' &c. *om.* E   pro salute interpellam] pro salute efficacius interpellem F   Anno] In Anno F   l. 13 ad *om.* S

Ecclesie turbant subdola sicque fidem.
Inuentor sceleris sceleratus apostata primus
Angelicas turmas polluit ipse prius;
Postque ruit nostros paradisi sede parentes,
Morteque vitales fecerat esse reos:
Callidus hic serpens nec adhuc desistit in orbe,
Quin magis in Cristi lollia messe serit.
Ecce nouam sectam, mittit que plebis in aures, 30
Ad fidei dampnum scandala plura canit:
Sic vetus insurgit heresis quasi Iouiniani,
Vnde moderna fides commaculata dolet:
Vsurpando fidem vultum mentitur honestum,
Caucius vt fraudem palliet inde suam:
Sub grossa lana linum subtile tenetur,
Simplicitas vultus corda dolosa tegit.
Fermento veteri talis corrumpit aceruum,
Qui noua conspergit et dubitanda mouet:
Dum magis incantat, obtura tu magis aures, 40
Forcius et cordis ostia claude tui:
Simplicitate tua ne credas omne quod audis;
Que docet ambiguus auctor aborta caue:
Nil nouitatis habens tua mens fantastica cedat;
Vt pater ante tuus credidit, acta cole.
Vera fides Cristi non hesitat, immo fideles
Efficit vt credant cordis amore sui:
Nil valet illa fides vbi res dabit experimentum,
Spes tamen in Cristo sola requirit eum:
Recta fides quicquid rectum petit, omne meretur, 50
Quicquid possibile creditur, ipsa potest.
Argumenta fides dat rerum que neque sciri,
Nec possunt verbo nec racione capi:
Subde tuam fidei mentem, quia mortis ymago
Iudicis eterni mistica scire nequit:
Vt solus facere voluit, sic scire volebat
Solus, et hoc nulli participauit opus.
Vna quid ad solem sintilla valet, vel ad equor
Gutta, vel ad celum quid cinis esse potest?
Leticiam luctus, mors vitam, gaudia fletus 60
Non norunt, nec que sunt deitatis homo:

35 palliet F (*corr.*) palleat SCHLB paleat E   58 scintilla CEL

Non tenebre solem capiunt, non lumina cecus,
Infima mens hominis nec capit alta dei:
Nempe sacri flatus archanum nobile nunquam
Scrutari debes, quod penetrare nequis.
Cum non sit nostrum vel mundi tempora nosse,
Vnde creaturas nosse laborat homo?
Nos sentire fidem nostra racione probatam
Non foret humanis viribus illud opus;
Humanum non est opus vt transcendat ad astra,   70
Quod mortalis homo non racione capit:
Ingenium tante transit virtutis in altum,
Transcurrit superos, in deitate manet.
Qui sapienter agit, sapiat moderanter in istis,
Postulet vt rectam possit habere fidem:
Committat fidei quod non poterit racioni,
Quod non dat racio, det tibi firma fides.
Quod docet ecclesia tu tantum crede, nec vltra
Quam tibi scire datur quomodocumque stude:
Sufficit vt credas, est ars vbi nulla sciendi,   80
Quanta potest dominus scire nec vllus habet.
Est deus omnipotens, et qui negat omnipotenti
Credere posse, suum denegat esse deum;
Sic incarnatum tu debes credere Cristum
Virginis ex vtero, qui deus est et homo.
    Vis saluus fieri? pete, crede, stude reuereri;
Absque magis queri lex iubet ista geri.
Has fantasias aliter que dant heresias
Dampnat Messias, sobrius ergo scias.
Tempore Ricardi, super hiis que fata tulerunt,   90
Scismata lollardi de nouitate serunt:
Obstet principiis tribulos purgareque vadat
Cultor in ecclesiis, ne rosa forte cadat.

Contra mentis Seuiciam in causa Superbie.

Deficit in verbo sensus, quo cuncta superbo
Scribere delicta nequeo, que sunt michi dicta.
Radix peccati fuit ille prius scelerati,
Ex quo dampnati perierunt preuaricati:

62 non] nec F   63 nec] non CEH   86 *No paragr. here* FL
stude SCEHLB   time F   88 Que fantasias aliter tibi FB   90 *Paragr.* FL

Desuper a celis deiecit eum Michaelis
Ensis ad inferni tenebras de luce superni;
Nec paradisus ei prebere locum requiei 100
Spondet, vbi vere sibi gaudia posset habere:
Sic, quia deceptus alibi nequit esse receptus,
Mundum deposcit, vt in illo viuere possit:
Sic adhibendo moram venit ille superbus ad horam,
Quem mea mens tristis in partibus asserit istis.
Hunc vbi ponemus, hostem quem semper habemus?
Nam magis infecta veniens facit omnia tecta.
Laus ibi non lucet, vbi vana superbia ducet
Regna superborum; docet hoc vestitus eorum:
Cum valet ornatum sibi vanus habere paratum, 110
Non quasi mortalis, set vt angelus euolat alis.
Militis ad formam modo pauper habet sibi normam,
Vana sit vt vestis erit inde superbia testis,
Exterius signum cor signat habere malignum,
Cordis et errore fortuna carebit honore.
Nos igitur talem non consociare sodalem
Expedit, vt tuti reddamur in orbe saluti.
Quod deus odiuit reprobos Dauid hoc bene sciuit,
Ipseque psalmista scripsit de talibus ista:
'Elatas mentes posuit de sede potentes, 120
Et sublimauit humiles, quos semper amauit.'
Vanus non durat, quem vana superbia curat,
Hec set eum ducit vbi gracia nulla reducit;
Culpa quidem fontis latices dabit hec Acherontis,
Vnde bibunt vani mortem quasi cotidiani.
Omne quod est natum stat ab hoc vicio viciatum,
Quo magis inmundum vir vanus habet sibi mundum;
Set qui mentali de pondere iudiciali
Istud libraret, puto quod meliora pararet.
Hoc nam mortale vicium stat sic generale, 130
Quod mundum fregit, vbi singula regna subegit;
Hec etenim cedes nostras, vt dicitur, edes
Vertit, et insana dat tempora cotidiana.
O deus eterne, culpe miserere moderne,
Facque pias mentes sub lege tua penitentes!
 Corpus, opes, vires sapiens non sic stabilires,

126 stat *om.* S

Dumque superbires, subita quin sorte perires:
Sunt que maiores humilis paciencia mores
Nutrit, et errores vicii facit esse minores:
Ergo tuam vera mentem moderare statera; 140
Sit laus vel labes, pectore pondus habes.

Contra carnis lasciuiam in causa Concupiscencie.

O sexus fragilis, ex quo natura virilis
Carnea procedit, anime que robora ledit!
O natura viri carnalis, que stabiliri
Non valet, vt pura carnalia sint sibi iura!
Federa sponsorum que sunt sacrata virorum,
Heu, caro dissoluit, nec ibi sua debita soluit:
Tempore presenti de carne quasi furienti
Turpia sunt plura, que signant dampna futura:
Hec desponsatis sunt metuenda satis. 150
   Philosophus quidam carnis de labe remorsus
Plebis in exemplum talia verba refert:
'Vnam de variis penam sortitur adulter,
Eius vt amplexus omnis in orbe luat;
Aut membrum perdet, aut carceris antra subibit,
Aut cadet insanus non reputandus homo,
Aut sibi pauperies infortunata resistet,
Aut moriens subito transit ab orbe reus.'
Et sic luxuries fatuis sua dona refundit,
Vertit et econtra quicquid ab ante tulit. 160
Quod prius est dulce, demonstrat finis amarum,
Quo caro non tantum, spiritus immo cadit:
Sic oculus cordis carnis caligine cecus
Errat, et in dampnum decidit ipse suum:
Sic iubar humani sensus fuscatur in vmbra
Carnis, et in carnem mens racionis abit.
Dum carnalis amor animum tenet illaqueatum,
Sensati racio fit racionis egens;
Stans hominis racio calcata per omnia carni
Seruit, et ancille vix tenet ipsa locum. 170
Non locus est in quo maneant consueta libido

138 f. *Two lines om.* FL *The section* ll. 142-224 *is omitted here in* E *and inserted after* l. 321   143 legit C   154 omnis SFLB viuus CEH
159 fatuis *om.* F

VICIORUM PESTILENCIA

Et racio pariter, quin magis vna vacat:
Bella libido mouet, fauet et vecordia carnis,
Et sua dat fedo colla premenda iugo;
Libera set racio mentem de morte remordet
Carnis in obsequio, statque pudica deo.
Nil commune gerunt luxus sibi cum racione;
Ista deum retinet, illa cadauer habet:
Sic patet vt nichil est quicquid peritura voluptas
Appetit in carne, que velut vmbra fugit.   180
Pluribus exemplis tibi luxus erit fugiendus;
Biblea que docuit, respice facta Dauid:
Consilio Balaam luxus decepit Hebreos,
Quos caro commaculat, carnea culpa premit.
Discat homo iuuenis, celeri pede labitur etas,
Nuncia dum mortis curua senecta venit:
Ecce senilis yemps tremulo venit horrida passu,
Et rapit a iuvene quod reparare nequit:
Vir sapiens igitur sua tempora mente reuoluat,
Erigat et currum, quam prius inde cadat.   190
Heu, set in hoc vicio plebis quasi tota propago
Carnis in obsequio stat viciata modo:
Ex causa fragili causatur fictilis etas,
Quo nunc de facili frangitur omnis homo.
Carnis enim vicia sunt sic communiter acta,
Quod de continuis vix pudet vsus eis:
Cecus amor fatuos cecos sic ducit amantes,
Quod sibi quid deceat non videt vllus amans.
Pendula res amor est subito collapsa dolore,
Ordine precipiti miraque facta parat;   200
Sique tuam velles flammam compescere tutus,
Artem preuideas, quam prius inde cadas.
Cum viciis aliis pugna, iubet hec tibi Paulus,
Carnis et a bello tu fuge solus homo;
Et quia vulnifico fixurus pectora telo
Vibrat amor, caute longius inde fuge:
Vinces si fugias, vinceris sique resistas;
Ne leo vincaris, tu lepus ergo fuge.
Mente tui cordis memorare nouissima carnis,

190 inde] ille FL   200 fata EHLB   203 hoc EH

Et speculo mortis respice qualis eris: 210
Oscula fetor erunt, amplexus vermis, et omne
Quod fuerat placidum, pena resoluet opus.
Occupat extrema stultorum gaudia luctus,
Et risum lacrima plena dolore madet:
Vana salus hominis, quam terminat egra voluptas,
Tollit et eternum viuere vita breuis.
   Crede, satis tutum tenet hoc natura statutum,
Quo caro pollutum reddet ad yma lutum;
Cum fera mors stabit et terram terra vorabit,
Tunc homo gustabit quid sibi culpa dabit. 220
Est vbi mundicia carnis sine labe reatus,
Casta pudicicia gaudet ad omne latus:
Stat nota bina solo quo luxus non dominatur,
Pax manet absque dolo, longaque vita datur.

Contra mundi fallaciam in causa Periurii et Auaricie.

   SUNT duo cognati viciorum consociati,
Orbem qui ledunt pariter, nec ab orbe recedunt:
Iste fidem raram periurat, et alter auaram
Causam custodit; socios tales deus odit.
Primo periurum describam, postque futurum,
Est vbi ius rarum, scriptura remordet auarum: 230
Ex vicio tali fertur origo mali.
   Nemo dei nomen assumere debet inane,
Falsa nec vt iuret, os perhibere malo:
Lex vetus hoc statuit, set, prothdolor, ecce modernus
Munere corruptos iam nouus error agit.
Nil nisi dona videt dum se periurat Auarus,
Eius enim sensum census vbique regit;
Sic non liber homo librum sine pondere librat,
Seruit et ad libras quas sua libra trahit.
Set quia periurus defraudat iura superni, 240
Iurat eum dominus iure perire suo:
Sic lucrum siciens laqueos incurrit, et eius
Lingua prius mendax premia mortis habet;
Sic vendens et emens vacuus non transiet, immo
Munera que capiet sulphur et ignis erunt.
Vendere iusticiam nichil est nisi vendere Cristum,

210 mortis] cordis S   217 statum S   234 modernus SFLB modernos CEH

Expectat dampnum qui facit inde forum:
Testis erit Iudas quid erit sibi fine doloris;
Dum crepuit medius, culpa subibat onus.
Penituit culpam, que semel nisi fecerat illam, 250
Quod tulit et lucrum reddidit ipse statim;
Set nec eo veniam meruit nec habere salutem,
Iam valet exemplum tale mouere virum.
Vendidit ipse semel iustum, nos cotidianum
Ob lucri precium vendimus omne malum:
Ille restaurauit, set nos restringimus aurum;
Penituit, set nos absque pauore sumus.
Sic et auaricia tanta feritate perurget
Corda viri, quod ab hoc vix homo liber abit:
Cessat iusticia, cessatque fides sociata, 260
Fraus dolus atque suum iam subiere locum:
Plebs sine iure manet, non est qui iura tuetur,
Non est qui dicat, iura tenere decet:
Omnibus in causis, vbi gentes commoda querunt,
Nunc modus est que fides non habuisse fidem.
Vox leuis illa Iacob, Esau manus hispida nuper,
Que foret ista dies, signa futura dabant:
Alterius casu stat supplantator, et eius
Qui fuerat socius fraude subintrat opes:
Ex dampno fratris frater sua commoda querit; 270
Vnus si presit, inuidet alter ei:
Filius ante diem patruos iam spectat in annos,
Nec videt ex oculis ceca cupido suis:
Nunc amor est solus, nec sentit habere secundum,
Stans odioque tibi diligit ipse tua.
Quid modo, cumque manus mentitur dextra sinistre,
Dicam? set caueat qui sapienter agit.
Viuitur ex velle, non amplius est via tuta,
Cuncta licent cupido, dum vacat ipse lucro;
Arma, rapina, dolus, amor ambiciosus habendi, 280
Amplius ad proprium velle sequntur iter:
Lex silet et nummus loquitur, ius dormit et aurum
Peruigil insidiis vincit vbique suis:
Hasta nocet ferri, gladius set plus nocet auri;
Regna terit mundi, nilque resistit ei.

251 Quot C   252 Sic CEH   265 est qui CEH

Set quia mors dubium concludit ad omnia finem,
Est nichil hic certum preter amare deum:
Rebus in humanis semper quid deficit, et sic
Ista nichil plenum fertile vita tenet:
Quod tibi dat proprium mundus, tibi tollit id ipsum,   290
Deridensque tuum linquit inane forum:
Quam prius in finem mundi deuenerit huius,
Nulla potest certo munere vita frui.
Heu, quid opes opibus cumulas, qui propria queris,
Cum se nemo queat appropriare sibi?
Hunc igitur mundum quia perdes, quere futurum;
Est aliter vacuum tempus vtrumque tuum.

   Mammona transibit et auara cupido peribit,
In cineres ibit, mors tua fata bibit,
Pauper ab hac vita, sic princeps, sic heremita,   300
Mortuus ad merita transiet omnis ita.

Salomon : Memorare nouissima, et in eternum non peccabis.

Quicquid homo voluit, mors mundi cuncta reuoluit,
Nemoque dissoluit, quin morti debita soluit:
Hec qui mente capit gaudia, raro sapit.

Idem : Omnia fac cum consilio, et in eternum non penitebis.

Set sibi viuenti qui consilio sapienti
Prouidet, ingenti merito placet omnipotenti.

   Tempore presenti que sunt mala proxima genti,
Ex oculo flenti Gower canit ista legenti:
Quisque sue menti qui concipit aure patenti
Mittat, et argenti det munera largus egenti;   310
Stat nam mortalis terra repleta malis.

   Hoc ego bis deno Ricardi regis in anno
Compaciens animo carmen lacrimabile scribo.
Vox sonat in populo, fidei iam deficit ordo,
Vnde magis solito cessat laus debita Cristo,
Quem peperit virgo genitum de flamine sacro.
Hic deus est et homo, perfecta salus manet in quo,
Eius ab imperio processit pacis origo,
Que dabitur iusto, paciens qui credit in ipso.
Vir qui vult ideo pacem componere mundo,   320
Pacificet primo iura tenenda deo.

307 *Paragr.* SE   *no paragr.* CHFLB   *After* 311 *one line space* F
312–321 *Ten lines om.* L

DE LUCIS SCRUTINIO

Incipit tractatus de lucis Scrutinio quam a diu viciorum tenebre, prothdolor, suffocarunt, secundum illud in euangelio, Qui ambulat in tenebris nescit quo vadat.

HEU, quia per crebras humus est viciata tenebras,
Vix iter humanum locus vllus habet sibi planum.
Si Romam pergas, vt ibi tua lumina tergas,
Lumina mira cape, quia Rome sunt duo pape;
Et si plus cleri iam debent lumina queri,
Sub modio tecta latitat lucerna reiecta:
Presulis officia mundus tegit absque sophia,
Stat sua lux nulla, dum Simonis est ibi bulla;
Est iter hoc vile, qui taliter intrat ouile,
Nec bene discernit lucem qui lumina spernit.   10
Sic caput obscurum de membris nil fore purum
Efficit, et secum sic cecus habet sibi cecum.

Nota quod eorum lucerna minime clarescit quos in ecclesia per Antipapam Auaricia promotos ditescit.

  Aut si vis gressus claros, non ordo professus
Hos tibi prestabit, quos caucius vmbra fugabit.
Ordine claustrali manifestius in speciali
Lux ibi pallescit, quam mens magis inuida nescit:
Lux et moralis tenebrescit presbiteralis,
Clara dies transit, nec eis lucerna remansit;
Sunt ibi lucerne, iocus, ocia, scorta, taberne,
Quorum velamen viciis fert sepe iuuamen.   20
Sic perit exemplum lucis, quo turbida templum
Nebula perfudit, que lumina queque recludit:
Sic vice pastorum quos Cristus ab ante bonorum
Legerat, ecce chorum statuit iam mundus eorum.

De luce ordinis professi.

  Si lux presentum scrutetur in orbe regentum,
Horum de guerra pallet sine lumine terra:
Ne periant leges, iam Roma petit sibi reges,
Noscat vt ille pater que sit sibi credula mater.
Scisma modernorum patrum nouitate duorum
Reges delerent, si Cristi iura viderent;   30
Lux ita regalis decet ecclesiam specialis,
Qua domus alma dei maneat sub spe requiei.
Teste paganorum bello furiente deorum,

Nota quod, si regum lucerna in manu caritatis deuocius gestaretur, ecclesia nunc diuisa eorum auxilio discrecius reformaretur, eciam et incursus paganorum a Cristi finibus eorum probitate eminus expelleretur.

Text of S *collated with* CEHL
Title 2 Suoffocarunt S
11 oscurum CH   12 cecus] secus C   15 manifestus L   22 Nebula] Lumina L

Raro fides crescit vbi regia lux tenebrescit:
Hec tamen audimus, set et hec verissima scimus
Nec capit hec mentis oculus de luce regentis.
Vlterius quere, cupias si lumen habere,
Lumina namque Dauid sibi ceca magis titulauit.

De luce procerum.
  Si regni proceres aliter pro lumine queres,
Aspice quod plenum non est ibi tempus amenum,   40
Dumque putas stare, palpabis iter, quia clare
Nemo videt, quando veniet de turbine grando.
Diuicie cece fallunt sine lumine sese;
Quam prius ille cadat, vix cernit habens vbi vadat:
Sic via secura procerum non est sine cura.
Stans honor ex onere sibi conuenit acta videre;
Qui tamen extentum modo viderit experimentum,
De procerum spera non surgunt lumina vera.

De luce Militum et aliorum qui bella sequntur.
  Si bellatorum lucem scrutabor eorum,
Lucerne lator tenebrosus adest gladiator.   50
Sunt ibi doctrina luxus, iactura, rapina,
Que non splendorem querunt set habere cruorem;
Et sic armatus lucem pre labe reatus
Non videt, vnde status suus errat in orbe grauatus.

De luce legistarum.
  Si lex scrutetur, ibi lux non inuenietur,
Quin vis aut velle ius concitat esse rebelle:
Non populo lucet iudex quem mammona ducet,
Efficit et cecum quo sepe reflectitur equm.
Ius sine iure datur, si nummus in aure loquatur,
Auri splendore tenebrescit lumen in ore.   60
Omnis legista viuit quasi lege sub ista,
Quo magis ex glosa loculi fit lex tenebrosa.

De luce Mercatorum.
  Si Mercatorum querantur lumina morum,
Lux non fulgebit, vbi fraus cum ciue manebit.
Contegit vsure subtilis forma figure
Vultum laruatum, quem diues habet similatum.
Si dolus in villa tua possit habere sigilla,
Vix reddes clarus bona que tibi prestat auarus;
Et sic maiores fallunt quamsepe minores,
Vnde dolent turbe sub murmure plebis in vrbe.   70
Sic inter ciues errat sine lumine diues,
Dumque fidem nescit, lux pacis ab vrbe recessit.

    35 et hec] per hec L

DE LUCIS SCRUTINIO

Si patriam quero, nec ibi michi lumina spero ; *De luce vulgari, que patriam conseruat.*
Nam via vulgaris tenebris viciatur amaris :
Plebs racione carens hec est sine moribus arens,
Cuius subiectam vix Cristus habet sibi sectam.
Sunt aliqui tales, quos mundus habet speciales,
Fures, raptores, homicide, turbidiores :
Sunt et conducti quidam pro munere ducti,
Quos facit assisa periuros luce rescisa. 80
Rustica ruralis non est ibi spes aliqualis,
Quo nimis obscura pallent sine lumine rura :
Sic magis illicebras mundanas quisque tenebras
Nunc petit, et vota non sunt ad lumina mota.
Sic prior est mundus, et si deus esse secundus
Posset, adhuc talis foret in spe lux aliqualis :
Set quasi nunc totus deus est a plebe remotus ;
Sic absente duce perit orbis iter sine luce.
O nimis orbatus varii de labe reatus, *Hic in fine tenebras deplangens pro luce optinenda deum exorat.*
Omnis in orbe status modo stat quasi preuaricatus. 90
Cum tamen errantes alios sine lege vagantes
Cecos deplango, mea propria viscera tango :
Cecus vt ignorat quo pergere, dumque laborat,
Sic iter explorat mea mens, que flebilis orat :
Et quia perpendo quod lucis ad vltima tendo,
Nunc iter attendo quo perfruar in moriendo.
Tu, qui formasti lucem tenebrasque creasti,
Crimina condones, et sic tua lumina dones :
In terram sero tunc quando cubicula quero,
Confer candelam, potero qua ferre medelam. 100
Hec Gower scribit, lucem dum querere quibit ;
Sub spe transibit, vbi gaudia lucis adibit :
Lucis solamen det sibi Cristus. Amen.

75 hec *om.* L   80 rescisa SEHL   recisa C (*corr.*)   83 illecebras EL
87 a plebe] a luce CEH   89 *margin* Hic in fine] No*ta* quod Ioha*n*nes
Gower auctor huius libr hic in fine E   91 sine luce L   92 de plango C
93 S *has here lost a leaf*

Ecce patet tensus ceci Cupidinis arcus,
  Vnde sagitta volans ardor amoris erit.
Omnia vincit amor, cecus tamen errat vbique,
  Quo sibi directum carpere nescit iter.
Ille suos famulos ita cecos ducit amantes,
  Quod sibi quid deceat non videt vllus amans:
Sic oculus cordis carnis caligine cecus
  Decidit, et racio nil racionis habet.
Sic amor ex velle viuit, quem ceca voluptas
  Nutrit, et ad placitum cuncta ministrat ei;   10
Subque suis alis mundus requiescit in vmbra,
  Et sua precepta quisquis vbique facit.
Ipse coronatus inopes simul atque potentes
  Omnes lege pari conficit esse pares.
Sic amor omne domat, quicquid natura creauit,
  Et tamen indomitus ipse per omne manet:
Carcerat et redimit, ligat atque ligata resoluit,
  Vulnerat omne genus, nec sibi vulnus habet.
Non manet in terris qui prelia vincit amoris,
  Nec sibi quis firme federa pacis habet: 20
Sampsonis vires, gladius neque Dauid in istis
  Quid laudis, sensus aut Salomonis, habent.

  O natura viri, poterit quam tollere nemo,
  Nec tamen excusat quod facit ipsa malum!
O natura viri, que naturatur eodem
  Quod vitare nequit, nec licet illud agi!
O natura viri, duo que contraria mixta
  Continet, amborum nec licet acta sequi!
O natura viri, que semper habet sibi bellum
  Corporis ac anime, que sua iura petunt!   30
Sic magis igne suo Cupido perurit amantum
  Et quasi de bello corda subacta tenet.
Qui vult ergo sue carnis compescere flammam,

'Ecce patet tensus' &c. *This follows the* Cinkante Balades *in the* Trentham MS.

EST AMOR ETC.

Arcum preuideat vnde sagitta volat.
Nullus ab innato valet hoc euadere morbo,
Sit nisi quod sola gracia curet eum.

. . . .

The MS. *has here lost a leaf.*

Carmen quod Iohannes Gower super amoris multiplici varietate sub compendio metrice composuit.

Est amor in glosa pax bellica, lis pietosa,
Accio famosa, vaga sors, vis imperiosa,
Pugna quietosa, victoria perniciosa,
Regula viscosa, scola deuia, lex capitosa,
Cura molestosa, grauis ars, virtus viciosa,
Gloria dampnosa, flens risus et ira iocosa,
Musa dolorosa, mors leta, febris preciosa,
Esca venenosa, fel dulce, fames animosa,
Vitis acetosa, sitis ebria, mens furiosa,
Flamma pruinosa, nox clara, dies tenebrosa, 10
Res dedignosa, socialis et ambiciosa,
Garrula, verbosa, secreta, silens, studiosa,
Fabula formosa, sapiencia prestigiosa,
Causa ruinosa, rota versa, quies operosa,
Vrticata rosa, spes stulta fidesque dolosa.
Magnus in exiguis variatus vt est tibi clamor,
Fixus in ambiguis motibus errat amor.
Instruat audita tibi leccio sic repetita ;
Mors, amor et vita participantur ita.

Lex docet auctorum quod iter carnale bonorum
Tucius est, quorum sunt federa coniugiorum :
Fragrat vt ortorum rosa plus quam germen agrorum,
Ordo maritorum caput est et finis amorum.
Hec est nuptorum carnis quasi regula morum, 5
Que saluandorum sacratur in orbe virorum.
Hinc vetus annorum Gower sub spe meritorum
Ordine sponsorum tutus adhibo thorum.

Text of S, *collated with* F   *See also* vol. i. p. 392
Title Carmen de variis in amore passionib*us* breuiter compilatum F
10 tenobrosa S

Quia vnusquisque, prout a deo accepit, aliis impartiri tenetur, Iohannes Gower super hiis que deus sibi sensualiter donauit villicacionis sue racionem secundum aliquid alleuiare cupiens, tres precipue libros per ipsum, dum vixit, doctrine causa compositos ad aliorum noticiam in lucem seriose produxit.

Primus liber Gallico sermone editus in decem diuiditur partes, et tractans de viciis et virtutibus, necnon et de variis huius seculi gradibus, viam qua peccator transgressus ad sui creatoris agnicionem redire debet, recto tramite docere conatur. Titulusque libelli istius Speculum Meditantis nuncupatus est.

Secundus enim liber sermone Latino metrice compositus tractat de variis infortuniis tempore regis Ricardi secundi in Anglia contingentibus: vnde non solum regni proceres et communes tormenta passi sunt, set et ipse crudelissimus rex, suis ex demeritis ab alto corruens, in foueam quam fecit finaliter proiectus est. Nomenque voluminis huius Vox Clamantis intitulatur.

Tercius vero liber, qui ob reuerenciam strenuissimi domini sui domini Henrici de Lancastria, tunc Derbeie Comitis, Anglico sermone conficitur, secundum Danielis propheciam super huius mundi regnorum mutacione a tempore regis Nabugodonosor vsque nunc tempora distinguit. Tractat eciam secundum Aristotilem super hiis quibus rex Alexander tam in sui regimen quam aliter eius disciplina edoctus fuit. Principalis tamen huius operis materia super amorem et infatuatas Amantum passiones fundamentum habet: nomenque sibi appropriatum Confessio Amantis specialiter sortitus est.

'Quia vnusquisque' &c. *Text of* S, *collated with* CHGF. *See also* vol. iii. p. 479 f.

3 racionem SCH   racionem, dum tempus instat, GF   4 ff. tres—produxit] inter labores et ocia ad aliorum noticiam tres libros doctrine causa forma subsequenti propterea composuit GF   18 vero] iste F

Carmen, quod quidam Philosophus in memoriam Iohannis Gower super consummacione suorum trium librorum forma subsequenti composuit, et eidem gratanter transmisit.

Eneidos Bucolis que Georgica metra perhennis
  Virgilio laudis serta dedere scolis;
Hiis tribus ille libris prefertur honore poetis,
  Romaque precipuis laudibus instat eis.
Gower, sicque tuis tribus est dotata libellis
  Anglia, morigeris quo tua scripta seris.
Illeque Latinis tantum sua metra loquelis
  Scripsit, vt Italicis sint recolenda notis;
Te tua set trinis tria scribere carmina linguis
  Constat, vt inde viris sit scola lata magis: 10
Gallica lingua prius, Latina secunda, set ortus
  Lingua tui pocius Anglica complet opus.
Ille quidem vanis Romanas obstupet aures,
  Ludit et in studiis musa pagana suis;
Set tua Cristicolis fulget scriptura renatis,
  Quo tibi celicolis laus sit habenda locis.

'Eneidos Bucolis' &c.   *Text of* S, *collated with* CHGF
Title Epistola cuiusdam Philosophi Iohanni Gower super consummacione suorum trium librorum, prout inferius patet, gratanter transmissa G   forma subsequenti] versificatum F   12 Anglia F

Carmen quod Iohannes Gower adhuc viuens super principum regimine vltimo composuit.

O DEUS immense, sub quo dominantur in ense
    Quidam morosi Reges, quidam viciosi,
Disparibus meritis sic pax sic mocio litis
Publica regnorum manifestant gesta suorum:
Quicquid delirant Reges, plectuntur Achiui,
Quo mala respirant, vbi mores sunt fugitiui.
Laus et honor Regum foret obseruacio legum,
Ad quas iurati sunt prima sorte vocati:
Vt celeste bonum puto concilium fore donum,
Quo prius in terris pax contulit oscula guerris: 10
Consilium dignum Regem facit esse benignum,
Est aliter signum quo spergitur omne malignum.
In bonitate pares sumat sibi consiliares
Rex bonus, et cuncta venient sibi prospera iuncta:
Qui regit optentum de consilio sapientum
Regnum, non ledit set ab omni labe recedit:
Consilium tortum scelus omne refundit abortum
Regis in errorem, regni quo perdit amorem.
'Ve qui predaris,' Ysaias clamat auaris;
Sic verbis claris loquitur tibi qui dominaris.   20
Rex qui plus aurum populi quam corda thesaurum
Computat, a mente populi cadit ipse repente.
Os vbi vulgare non audet verba sonare,
Stat magis obscura sub murmure mens loqutura:
Que stupet in villa cicius plebs murmurat illa,
Vnde malum crescit, sapiens quo sepe pauescit.
Est tibi credendum murmur satis esse timendum;
Cum sit commune, tunc te super omnia mune.
Lingua nequit fari mala, cor nec premeditari,
Que parat obliqus sub fraude dolosus amicus: 30
Mundus erit testis, vir talis vt altera pestis
Inficit occulto regnum de crimine multo.
Blandus adulator et auarus consiliator,

'O deus immense' &c.   *Text of* S, *collated with* CH
  Title Carmen quod Iohannes Gower tempore regis Ricardi, dum vixit, vltimo composuit CHG
  28 comune S

Quamuis non velles, plures facit esse rebelles:
Sepius ex herbis morbus curatur acerbis,
Sepe loquela grauis iuuat et nocet illa suauis.
Qui falsum pingunt sub fraudeque vera refingunt,
Hii sunt qui blando sermone nocent aliquando:
Rex qui conducit tales, sibi scandala ducit,
Nomen et abducit quod nobile raro reducit: 40
Quod viguit mane, sibi vespere transit inane,
Dummodo creduntur que verba dolosa loquntur.
Consilio tali regnum magis in speciali
Vndique turbatur, quo Regis honor variatur:
Nunc ita sicut heri poterit res ista videri,
Vnde magis plangit populus, quem lesio tangit.
Set premunitus non fallitur inde peritus;
Quod videt ante manum, fugit omne notabile vanum:
Cum laqueatur auis, cauet altera, sicque suauis
Rex pius in cura semper timet ipse futura. 50
Rex insensatus nullos putat esse reatus,
Quam prius ante fores casus sibi sint grauiores;
Set qui prescire vult causas, expedit ire,
Plebis et audire voces per easque redire:
Si sit in errore Regis vel in eius honore,
Hoc de clamore populi prefertur ab ore.
Est qui morosus, Rex non erit ambiciosus,
Set sub eo tutum regni manet omne statutum:
Nomine preclarus nunquam fuit vllus auarus,
Larga manus nomen cum laude meretur et omen: 60
Nomen regale populi vox dat tibi, quale
Sit, bene siue male, deus illud habet speciale.
Rex qui tutus eris, si temet noscere queris, *Nota.*
Ad vocem plebis aures sapienter habebis:
Culpe vel laudis ex plebe creatur, vt audis,
Fama ferens verba que dulcia sunt et acerba.
Fama cito crescit, subito tamen illa vanescit,
Saltem fortuna stabilis quia non manet vna:
Principio scire fortunam seu stabilire,
Non est humanum super hoc quid ponere planum; 70
Fine set expertum valet omnis dicere certum,
Qualia sunt facta, quia tunc probat exitus acta.
Rex qui laudari cupit et de fine beari,

Sint sua facta bona, recoletur vt inde corona.
Regia precedant benefacta que crimina cedant,
Viuat vt eterno sic Rex cum Rege superno:
Absque deo vana cum sit tibi cotidiana
Pompa, recorderis, sine laude dei morieris.
Rex sibi qui mundum prefert Cristumque secundum
Linquit, adherebit vbi finis laude carebit: 80
Regis enim vita cum sit sine laude sopita,
Nomen erat quale, dabit vltima cronica tale.
Et sic concludo breuiter de carmine nudo,
Ordine quo regnant Reges, sua nomina pregnant.
Quo caput infirmum, nichil est de corpore firmum,
Plebs neque firmatur, vbi virtus non dominatur.
Rex qui securam laudis vult carpere curam,
Cristum preponat, Reges qui laude coronat:
Nam qui presumit de se, cum plus sibi sumit,
Fine carens laude stat fama retrograda caude. 90
Omni viuenti scola pertinet ista regenti,
Displicet hic genti qui non placet omnipotenti,
Gracia succedit, meritis vbi culpa recedit:
Qui sic non credit, sua Rex regalia ledit.
  Non ex fatali casu set iudiciali
Pondere regali stat medicina mali.
Plebs vt ouile gregis, mors vitaque, regula legis,
Sub manibus Regis sunt ea quanta legis.
Tanta licet pronus pro tempore det tibi thronus;
Sit nisi fine bonus, non honor est set onus. 100
Rex igitur videat cum curru quomodo vadat,
Et sibi prouideat, ne rota versa cadat.
  Celorum Regi pateant que scripta peregi,
Namque sue legi res nequit vlla tegi.

Hic in fine notandum est qualiter ab illa Cronica que Vox clamantis dicitur vsque in finem istius Cronice que tripertita est, Ego inter alios scribentes super hiis que medio tempore in Anglia contingebant, secundum varias rerum accidencias varia carmina, prout patet, que ad legendum necessaria sunt, notabiliter conscripsi. Sed nunc, quia vlterius scribere non sufficio, excusacionis mee causam scriptis subsequentibus plenius declarabo.

Quicquid homo scribat, finem natura ministrat,
Que velut vmbra fugit, nec fugiendo redit;
Illa michi finem posuit, quo scribere quicquam
Vlterius nequio, sum quia cecus ego.
Posse meum transit, quamuis michi velle remansit;
Amplius vt scribat hoc michi posse negat.

S *as above*: *in* CHG *as follows*:

Nota hic in fine qualiter a principio illius Cronice que Vox clamantis dicitur, vna cum sequenti Cronica que tripertita est, tam de tempore Regis Ricardi secundi vsque in ipsius deposicionem, quam de coronacione Illustrissimi domini Regis Henrici quarti vsque in annum Regni sui secundum, Ego licet indignus inter alios scribentes scriptor a diu solicitus, precipue super hiis que medio tempore in Anglia contingebant, secundum varias rerum accidencias varia carmina, que ad legendum necessaria sunt, sub compendio breuiter conscripsi. Et nunc, quia tam grauitate senectutis quam aliarum infirmitatum multipliciter depressus vlterius de cronicis scribere discrete non sufficio, excusacionem meam necessariam, prout patet, consequenter declarare intendo.

Henrici Regis annus fuit ille secundus,
Scribere dum cesso, sum quia cecus ego.
Vltra posse nichil, quamuis michi velle ministrat,
Amplius vt scribam non meus actus habet.

In the Trentham MS. *as follows* (*without heading*),

Henrici quarti primus Regni fuit annus,
Quo michi defecit visus ad acta mea.
Omnia tempus habent, finem natura ministrat,
Quem virtute sua frangere nemo potest.
Vltra posse nichil, quamuis michi velle remansit,
Amplius vt scribam non michi posse manet.

Carmina, dum potui, studiosus plurima scripsi;
Pars tenet hec mundum, pars tenet illa deum:
Vana tamen mundi mundo scribenda reliqui,
Scriboque mentali carmine verba dei.   10
Quamuis ad exterius scribendi deficit actus,
Mens tamen interius scribit et ornat opus:
Sic quia' de manibus nichil amodo scribo valoris,
Scribam de precibus que nequit illa manus.
Hoc ego, vir cecus, presentibus oro diebus,
Prospera quod statuas regna futura, deus,
Daque michi sanctum lumen habere tuum.   Amen.

Scribere dum potui, studiosus plurima scripsi;
Pars tenet hec mundum, pars tenet illa deum:
Vana tamen mundi mundo scribenda reliqui,
Scriboque finali carmine vado mori.
Scribat qui veniet post me discrecior alter,
Ammodo namque manus et mea penna silent.   10*
Sic quia nil manibus potero conferre valoris,
Est michi de precibus ferre laboris onus.
Deprecor ergo meis lacrimis, viuens ego cecus,
Prospera quod statuas regna futura, deus,
Daque michi sanctum lumen habere tuum.   Amen.

Dum potui scripsi, set nunc quia curua senectus
Turbauit sensus, scripta relinquo scolis.
Scribat qui veniet post me discrecior alter,
Ammodo namque manus et mea penna silent.   10**
Hoc tamen in fine verborum queso meorum,
Prospera quod statuat Regna futura deus.   Amen.

Orate pro anima Iohannis Gower. Quicumque enim pro anima ipsius Iohannis deuote orauerit, tociens quociens Mille quingentos dies indulgencie ab ecclesia rite concessos misericorditer in domino possidebit.

CH *as above*: G *as follows*:

Orantibus pro anima Iohannis Gower mille quingenti dies indulgencie misericorditer in domino conceduntur.

(*Shield of arms borne by two angels.*)

Armigeri scutum nichil ammodo fert sibi tutum,
Reddidit immo lutum morti generale tributum.
Spiritus exutum se gaudeat esse solutum,
Est vbi virtutum regnum sine labe statutum.

(*A bier, with candle at head and foot.*)

Vnanimes esse qui secula duxit ad esse
    Nos iubet expresse, quia debet amor superesse;
Lex cum iure datur, pax gaudet, plebs gratulatur,
Regnum firmatur, vbi verus amor dominatur:
Sicut yemps florem, diuisio quassat amorem,
Nutrit et errorem quasi pestis agitque dolorem.
Quod precessit heri docet ista pericla timeri,
Vt discant veri sapientes secla mederi.
Filius ipse dei, manet in quo spes requiei,
Ex meritis fidei dirigat acta rei.   10

Diligamus invicem.

'Vnanimes esse' &c. *This and the three remaining pieces are found in* CHG, *and, except the second, also in* E
    5 *margin* No*ta* pro amore E   9 ipse] ille E   Diligamus invicem *om.* E

Nota de primordiis Stelle Comate in Anglia.

Presul, ouile regis, vbi morbus adest macularum,
Lumina dumque tegis, tenebrescit pestis earum.
Mune pericla gregis, patuit quia stella minarum,
Vnde viam Regis turbat genus insidiarum.
Velle loco legis mundum nunc ducit auarum,
Sic vbicumque legis, nichil est nisi cordis amarum,
Quod maneat clarum, stat modo dulce parum.

Cultor in ecclesia qui deficiente sophia
Semina vana serit, Messor inanis erit.
Hii set cultores, sunt quorum semina mores
Ad messem Cristi, plura lucrantur ibi.
Qui cupit ergo bonus celorum lucra colonus,
Vnde lucrum querat, semina sancta serat.
Qui pastor Cristi iusto cupit ordine sisti,
Non sit cum Cristo Symon mediator in isto:
Querat pasturam Pastor sine crimine puram,
Nam nimis est vile, pascat si Symon ouile.   10
Per loca deserta, quo nulla patet via certa,
Symon oues ducit, quas Cristo raro reducit.

Nota contra mortuorum executores.

Dicunt scripture memorare nouissima vite;
Pauper ab hoc mundo transiet omnis homo.
Dat fortuna status varios, natura set omnes
Fine suo claudit, cunctaque morte rapit.
Post mortem pauci, qui nunc reputantur amici,
Sunt memores anime, sis memor ergo tue:
Da, dum tempus habes, tibi propria sit manus heres;
Auferet hoc nemo, quod dabis ipse deo.

'Presul' &c.   1 Regis MSS.
'Cultor in ecclesia' &c.   4 ff. *margin* No*t*a qui*d* pastores eccl*e*sie debe*n*t esse et q*u*omodo debe*n*t intrare &c. E
'Dicunt scripture' &c.   2 ff. *margin* Nota—executores] No*t*a q*u*od bonu*m* est vnicuiq*u*e esse executor sui ipsius E   7 Dum tua tempus habes EH

NOTES

EPISTOLA.

THIS Epistle, written apparently on the occasion of sending a copy of the book to the archbishop, is found only in the All Souls MS., and it is reasonable to suppose that this was the copy in question. The statement of Mr. Coxe in the Roxburghe edition, that 'the preface to archbishop Arundel . . . is also in the original hand' of the book (Introduction, p. lix) is a surprising one, and must have been due to some deception of memory. The hand here is quite a different one from that of the text which follows, and has a distinctly later character. The piece is full of erasures, which are indicated in this edition by spaced type, but the corrections are in the same hand as the rest. Having no other copy of it, we cannot tell what the original form of the erased passages may have been, but it is noticeable that the most important of them (ll. 26-34) has reference almost entirely to the blindness of the author, and nearly every one contains something which may be regarded as alluding to this, either some mention of light and darkness, or some allusion to the fact that his only perceptions now are those of the mind. We may perhaps conclude that the Epistle was inscribed here before the author quite lost his eyesight, and that the book then remained by him for some time before it was presented. The illuminated capital S with which this composition begins is combined with a miniature painting of the archbishop.

2. *tibi scribo*, ' I dedicate to thee.'

3. *Quod . . . scriptum*: written over erasure; perhaps originally ' Quem . . . librum,' altered to avoid the repetition of ' librum ' from the preceding line.

4. *contempletur*: apparently in a passive impersonal sense.

17. *Cecus ego mere.* The word 'mere' alone is over erasure here, but if we suppose that the original word was 'fere,' we may regard this as referring originally to a gradual failure of the eyesight, not to complete blindness.

19. *Corpore defectus*, ' the failure in my body,' as subject of ' sinit.'

23. *dumque*: equivalent to ' dum ' in our author's language; cp. i. 165, 2007, &c.

33. *morosa*: this word has a good meaning in Gower's language; cp. ' O deus immense,' l. 2, where ' morosi ' is opposed to ' viciosi.'

VOX CLAMANTIS

CAPITULA.

Lib. I. Cap. iii. *quandam vulgi turmam.* It may be noted that these headings do not always exactly correspond with those placed at the head of the chapters afterwards. For example here the actual heading of the chapter has 'secundam vulgi turmam,' and for the succeeding chapters 'terciam,' 'quartam,' 'quintam,' &c. Usually the differences are very trifling, as 'illius terre' for 'terre illius' above, but sometimes they proceed from the fact that alterations have been made in the chapter headings, which the corrector has neglected to make in this Table of Chapters. This is the case for example as regards Lib. VI. Capp. xviii. and xix. Slight variations of the kind first mentioned will be found in Lib. III. Capp. i, v, viii, xii, xvi, xix, xx.

Lib. III. Cap. iiii. The form which we have here in D corresponds to the heading of the chapter given by LTH₂ (but not by D itself) in the text later. G has the text here after 'loquitur' written over an erasure.

Lib. VII. Cap. xix. Here S has lost two leaves (the sixth and seventh of the first full quire) to Lib. I. Cap. i. l. 18. The verso of the former of these leaves had no doubt the four lines 'Ad mundum mitto' &c. with picture, as in the Cotton MS.

LIB. I. Prologus.

3 f. Cp. *Conf. Amantis,* iv. 2921 f.,

> 'Al be it so, that som men sein
> That swevenes ben of no credence.'

'propositum credulitatis' seems to mean 'true ground of belief.'

12. *interius mentis*: cp. i. 1361.

15. That is, 'hinc puto quod sompnia que vidi,' &c.

21 ff. We are here told to add to 'John' the first letters of 'Godfrey,' the beginning of 'Wales,' and the word 'Ter' without its head: that is, 'John Gower.'

23. *que tali.* The use of 'que' in this manner, standing independently at the beginning of the clause, is very common in Gower.

33 f. Taken from Ovid, *Tristia,* v. 1. 5 f.

36. Cp. *Tristia,* i. 1. 14, 'De lacrimis factas sentiet esse meis,' which, so far as it goes, is in favour of the reading 'senciat' here.

37 f. This couplet was originally *Tristia,* iv. 1. 95 f.,

> 'Saepe etiam lacrimae me sunt scribente profusae,
> Humidaque est fletu litera facta meo.'

The first line however was altered so as to lose its grammatical construction, and the couplet was subsequently emended.

43 f. Cp. Ovid, *Tristia*, i. 5. 53 f.

47 f. Cp. *Pont.* iv. 2. 19, where the comparison to a spring choked with mud is more clearly brought out.

49. The original reading here was 'confracto,' but it has been altered to 'contracto' in C and G, while E gives 'contracto' from the first hand. The general meaning seems to be that as the long pilgrimage to Rome is to one with crippled knee, so is this work to the author, with his limited powers of intellect.

56. The reading 'conturbant' in all the best MSS. seems to be a mistake.

57 f. The author is about to denounce the evils of the world and proclaim the woes which are to follow, like the writer of the Apocalypse, whose name he bears. Perhaps he may also have some thought of the formula 'seint John to borwe' by which travellers committed themselves to the protection of the saint on their setting forth: cp. *Conf. Amantis*, v. 3416.

LIB. I.

1. The fourth year of Richard II is from June 22, 1380 to the same date of 1381. The writer here speaks of the last month of that regnal year, during which the Peasants' rising occurred.

4. Cp. Ovid, *Her.* xvii. 112, 'Praevius Aurorae Lucifer ortus erat.'

7 f. Godfrey of Viterbo, *Pantheon*, p. 24 (ed. 1584), has

'Luce diem reparat, mirandaque lumina praestat,
Sic fuga dat noctem, luxque reversa diem.'

He is speaking of the Sun generally, and the second line means 'Thus his departure produces the night and his returning light the day.' As introduced here this line is meaningless.

9. Adapted from Ovid, *Metam.* ii. 110.

11. Cp. *Metam.* vii. 703, but here 'mane' is made into the object of the verb instead of an adverb.

13. Cp. *Metam.* ii. 113.

15. Cp. *Metam.* ii. 24.

17 f. From Godfrey of Viterbo, *Pantheon*, p. 24 (ed. 1584).

21 ff. Cp. *Metam.* ii. 107 ff.,

'Aureus axis erat, temo aureus, aurea summae
Curvatura rotae, radiorum argenteus ordo.
Per iuga chrysolithi positaeque ex ordine gemmae
Clara repercusso reddebant lumina Phoebo.'

'alter ab auro' seems to mean 'different from gold.'

27. Cp. *Metam.* ii. 23.

33-60. This passage is largely from Ovid: see especially *Fasti*, i. 151 ff. and iii. 235-242, iv. 429 f., v. 213 f., *Metam.* ii. 30, *Tristia*, iii. 12. 5-8.

40. In Ovid (*Fasti*, iii. 240) it is 'Fertilis occultas invenit herba vias.'

The metrical fault produced by reading 'occultam ... viam' seems to have been corrected by the author, and in G the alteration has been made by erasure, apparently in the first hand.

44. *redditus*: apparently a substantive and practically equivalent to 'reditus.'

59. Ovid, *Fasti*, v. 213 f., where however we have 'Saepeque digestos.' It is difficult to say exactly what our author meant by 'O quia.'

67. Cp. *Metam.* xiii. 395.

79 f. *Speculum Stultorum*, p. 47, ll. 9 f. (ed. Wright, Rolls Series, 59, vol. i.).

81. *irriguis*. Perhaps rather 'Fontibus irriguus, fecundus,' as given by most of the MSS.

131. *ad ymum*, 'to that low place,' i. e. his bed.

135. *Non ita ... Quin magis*: cp. ll. 264 ff., 351 ff., 442 ff., 499 ff, &c. This form of sentence is a very common one with our author and appears also in his French and English: cp. *Mirour*, 18589, *Balades*, vii. 4, xviii. 2, xxx. 2, *Conf. Amantis*, i. 718, 1259, 1319, &c.

For example, *Bal.* xviii. 2,

'Tiel esperver crieis unqes ne fu,
Qe jeo ne crie plus en ma maniere.'

Conf. Amantis, i. 718 ff.,

'So lowe cowthe I nevere bowe
To feigne humilite withoute,
That me ne leste betre loute
With alle the thoghtes of myn herte.'

It is most frequent in Latin, however, and the French and English forms seem to be translations of this idiom with 'quin.'

152. 'Dreams cast the soul into wanderings': 'ruunt' is transitive, as very commonly, and apparently we must take 'vaga nonnulla' together.

155. *grauis et palpebra*, &c., 'and my heavy eyelid unclosed pondered over troubles, but no help came.' This is the best translation I can give, but the explanation of 'ex oculis' as 'away from the eyes' must be regarded as doubtful.

168. That is, on a Tuesday. It would be apparently Tuesday, June 11, 1381. The festival of Corpus Christi referred to afterwards (see l. 919), when the insurgents entered London, fell on June 13.

201. *Burnellus*: a reference to the *Speculum Stultorum*, p. 13 (Rolls Series, 59, vol. i).

205 ff. Cp. *Speculum Stultorum*, p. 13, whence several of these lines are taken.

211 f. 'They care not for the tail which He who gave them their ears implanted in them, but think it a vile thing.' The former line of the couplet is from *Speculum Stultorum*, p. 15, l. 17.

213 f. *Speculum Stultorum*, p. 15, ll. 23 f.

255. *caudas similesque draconum*, 'and tails like those of dragons.'

267. *Minos taurus*, 'the bull of Minos,' sent from the sea in answer to his prayer.

271. There is some confusion here in the author's mind between different stories, and it is difficult to say exactly what he was thinking of.

277 f. Cp. Ovid, *Metam.* xi. 34 ff.

280. *crapulus*. I do not know what this is, unless it is equivalent to 'capulus,' which is rather doubtfully given by D. That would mean the 'handle' of the plough, but we have 'ansa' in l. 282.

289 f. Cp. *Pont.* i. 3. 55 f.

291. *Metam.* viii. 293.

325 ff. For this passage compare *Metam.* viii. 284 ff.

335. *Metam.* viii. 285. The Digby MS. has a rubricator's note here in the margin, 'sete . a bristell.'

341. *quod*: consecutive, 'so that'; cp. 'sic ... quod,' ll. 223, 311, &c. In the next line 'pascua' seems to be singular.

351 ff. See note on l. 135.

381. *Fasti*, ii. 767.

395. *Cutte que Curre*, 'Cut and Cur,' names for mongrel dogs.

396. As a note on 'casas' the Digby MS. has 'i. e. kenell' in the margin.

402. 'Neither does he of the mill remain at home.'

405. The rubricator of the Digby MS. has written in the margin, 'i.e threefoted dog commyng after halting.'

407. Digby MS. rubric, 'i. e. Rig þe Teydog.' Note the position of 'que,' which should properly be attached to the first word of the line: cp. l. 847.

455. As a note on 'thalia' here (for 'talia') the Digby MS. has 'Thelea i. e. deā belli' written by the rubricator. It is difficult to conjecture what he was thinking of.

457. The Digby MS. rubricator, as a note on 'Cephali canis' has in the margin, 'i. e. stella in firmamento.'

465. 'super est' is the reading of the Glasgow MS. also.

474. *artes*. This seems to be the reading of all the MSS., though in S the word might possibly be 'arces.' I take it to mean 'devices,' in the way of traps, or ingenious hiding-places.

479. 'The grey foxes determine to leave the caverns of the wood': 'vulpes' (or rather 'vulpis') is masculine in Gower.

483. 'Henceforth neither the sheep nor the poor sheepfold are anything to them.' For this use of 'quid' with a negative cp. l. 184.

492. *solet*. The present of this verb seems often to be used by our author as equivalent to the imperfect: cp. l. 541, iii. 705, 740, &c. Also 'solebat,' i. 699, iii. 1485; cp. v. 333, where 'solebant' seems to stand for 'solent.' In other cases also the present is sometimes used for the imperfect, e. g. l. 585 'quas nuper abhorret Egiptus.'

499 ff. See 1 Sam. v. The plague of mice is distinctly mentioned in the Vulgate version, while in our translation from the Hebrew it is implied in ch. vi. 5. 'Accharon' is Ekron.

541. *solent*: see note on l. 492.

545. *Coppa*: used as a familiar name for a hen in the *Speculum Stultorum*, pp. 55, 58, and evidently connected with 'Coppen' or 'Coppe,' which is the name of one of Chantecleer's daughters in the Low-German and English *Reynard*.

557 f. 'They determine that days are lawful for those things for which the dark form of night had often given furtive ways.'

568. *quod*: equivalent to 'vt'; cp. ll. 600, 1610.

576. G reads 'perstimulant' with CED.

579 f. See Ovid, *Metam.* vi. 366 ff. Apparently 'colonum' is for 'colonorum.'

603. *Toruus oester*: cp. *Speculum Stultorum*, p. 25.

615 f. Cp. *Speculum Stultorum*, p. 24, l. 21 f.

·635. Cp. *Speculum Stultorum*, p. 25, l. 15.

637 f. *Speculum Stultorum*, p. 26,

> 'Haec est illa dies qua nil nisi cauda iuvabit,
> Vel loca quae musca tangere nulla potest.'

652. *stramine*: probably an allusion to the name of Jack Strawe, as 'tegula' in the next couplet to Wat Tyler.

Cap. ix. *Heading*, l. 3. It seems to be implied that the jay, which must often have been kept as a cage-bird and taught to talk, was commonly called 'Wat,' as the daw was called 'Jack,' and this name together with the bird's faculty of speech has suggested the transformation adopted for Wat Tyler.

716. There is no punctuation in S, but those MSS. which have stops, as CD, punctuate after 'nephas' and 'soluit.' The line is suggested by Ovid, *Fasti*, ii. 44, 'Solve nefas, dixit; solvit et ille nefas.' There it is quite intelligible, but here it is without any clear meaning.

It may be observed here that the passage of Ovid in which this line occurs, *Fasti*, ii. 35-46, is evidently one of the sources of *Confessio Amantis*, v. 2547 ff.

749. *Sicut arena maris*: cp. Rev. xx. 8, to which reference is made below, ll. 765 ff.

762. 'All that they lay upon us, they equally bear themselves.' Apparently this is the meaning, referring to the universal ruin which is likely to ensue.

765-776. These twelve lines are taken with some alterations of wording and order from Godfrey of Viterbo, *Pantheon*, p. 228 (ed. 1584). In l. 765 the reference to the Apocalypse is to Rev. xx.

774. *forum*: apparently 'law.'

783 ff. This well-known chapter was very incorrectly printed in the Roxburghe edition, owing to the fact that a leaf has here been cut out of S, and the editor followed D. Fuller, whose translation of the opening lines has often been quoted, had a better text before him, probably that of the Cotton MS.

810. It is difficult to see how this line is to be translated, unless we suppose that 'fossa' is a grammatical oversight.

821. Cp. Ovid, *Metam.* i. 211, 'Contigerat nostras infamia temporis aures.'

849 f. Adapted from *Amores*, iii. 9. 7 f., but not very happily.

855 ff. With this passage we may compare the description in Walsingham, vol. i. p. 454, 'quorum quidam tantum baculos, quidam rubigine obductos gladios, quidam bipennes solummodo, nonnulli arcus prae vetustate factos a fumo rubicundiores ebore antiquo, cum singulis sagittis, quorum plures contentae erant una pluma, ad regnum conquaerendum convenere.'

868. The reading 'de leuitate' is given also by G.

869. *limpidiores*. The epithet is evidently derived from 1 Sam. xvii. 40, where the Vulgate has 'et elegit sibi quinque limpidissimos lapides de torrente.'

876. 'These fools boast that the earth has been wetted,' &c.

871 ff. Cp. *Metam.* xi. 29 f.

879 f. Cp. *Conf. Amantis*, Prol. 37*. One of the charges against Sir Nicholas Brembre in 1388 was that he had designed to change the name of London to 'New Troy.'

891. *siluis que palustribus*, 'from the woods and marshes.'

904. Cp. Ovid, *Ars Amat.* iii. 577 f.

909. Cp. *Metam.* viii. 421.

919. Corpus Christi day, that is Thursday, June 13.

929 f. *via salua*: apparently meaning 'Savoye,' the palace of the duke of Lancaster in the Strand. In the next line 'longum castrum' looks like 'Lancaster,' but it is difficult to say exactly what the meaning is.

931. *Baptisteque domus*. This is the Priory of St. John of Jerusalem at Clerkenwell, which was burnt by the insurgents because of their hostility to Robert Hales, the Master of the Hospital, then Treasurer of the kingdom. Walsingham says that the fire continued here for seven days.

933–936. Ovid, *Fasti*, vi. 439 ff., where the reference is to the burning of the temple of Vesta. Hence the mention of sacred fires, which is not appropriate here.

937. *Metam.* ii. 61.

939 f. *Metam.* i. 288 f.

941 ff. This accusation, which Gower brings apparently without thinking it necessary to examine into its truth ('Est nichil vt queram,' &c.), is in direct contradiction to the statements of the chroniclers, e.g. Walsingham, i. 456 f., Knighton, ii. 135; but it is certain that dishonest persons must have taken advantage of the disorder to some extent for their own private ends, however strict the commands of the leaders may have been, and it is probable that the control which was exercised at first did not long continue. The chroniclers agree with Gower as to the drunkenness.

943 f. Ovid, *Trist.* v. 6. 39 f.

951. Ovid, *Fasti*, vi. 673.

953. *Metam*. xv. 665.

955 f. That is, the deeds of Friday (dies Veneris) were more atrocious than those of Thursday.

961 f. The construction of accusative with infinitive is here used after 'Ecce,' as if it were a verb, and 'Calcas' is evidently meant for an accusative case. It is probable that the names here given, Calchas, Antenor, Thersites, Diomede, Ulysses, as well as those which follow in ll. 985 ff., are meant to stand for general types, rather than for particular persons connected with the government. In any case we could hardly identify them.

997. *Vix Hecube thalami*, &c. This looks like an allusion to the princess of Wales, the king's mother, whose apartments in the Tower were in fact invaded by the mob. Similarly in the lines that follow 'Helenus' stands for the archbishop of Canterbury.

1019 ff. The text of these five lines, as we find it in DTH₂, that is in its earlier form, was taken for the most part from the *Aurora* of Petrus (de) Riga, (MS. Bodley 822) f. 88 v°,

> 'Non rannus pungens, set oliua uirens, set odora
> Ficus, set blanda uitis abhorret eos.
> Anticristus enim regit hos, nam spiritus almus,
> Nam lex, nam Cristus, non dominatur eis.'

He is speaking of the parable of Jotham in the Book of Judges.

1046. *Fasti*, ii. 228.

1073. *medioque*: written apparently for 'mediaque.'

1076. *posse caret*, 'is without effect.'

1081. Cp. *Tristia*, iv. 2. 5 f.

1094. Cp. *Fasti*, i. 122.

1141. *Metam*. vi. 559.

1143. Cp. *Metam*. vii. 603.

1161. *Metam*. vii. 602. Considering that the line is borrowed from Ovid, we cannot attach much importance to it as indicating what was done with the body of the archbishop.

1173. *ostia iuris*: cp. Walsingham, i. 457, 'locum qui vocatur "Temple Barre," in quo apprenticii iuris morabantur nobiliores, diruerunt.'

1188. Cp. Ovid, *Her*. iii. 4.

1189. *Metam*. v. 41.

1193 f. Cp. *Ars Amat*. ii. 373 f., where, however, we have 'cum rotat,' not 'conrotat.'

1206. *Quam periturus erat*, 'rather than that he should perish,' apparently.

1209. Cp. *Metam*. v. 40.

1211. *Metam*. xiv. 408.

1215 f. A reference probably to the massacre of the Flemings.

1219 f. *Fasti*, iii. 509 f.

1221 f. Ovid, *Amores*, iii. 9. 11 f.
1224. Cp. *Her.* v. 68.
1253. Cp. *Metam.* vii. 599, 'Exiguo tinxit subiectos sanguine cultros.'
1271. Perhaps 'cessit' is right, as in l. 1265, but the reading of C is the result of a correction, and the corrections of this manuscript are usually sound.
1279 f. If there is any construction here, it must be 'Erumpunt lacrimae luminibus, que lumina,' &c. For this kind of ellipse cp. l. 1501.
1283. Cp. *Her.* viii. 77.
1289. *Metam.* ix. 775.
Cap. xvi. *Heading,* l. 1. *quasi in propria persona*: cf. *Conf. Amantis*, i. 60, *margin*, 'Hic quasi in persona aliorum quos amor alligat, fingens se auctor esse Amantem,' &c. The author takes care to guard his readers against a too personal application of his descriptions.
1359. Cp. Ovid, *Metam.* xiv. 198. In the lines that follow our author has rather ingeniously appropriated several other expressions from the same story of Ulysses and Polyphemus.
1363 f. *Ars Amat.* iii. 723 f.
1365. *Metam.* xiv. 206.
1369. *Metam.* xiv. 200.
1379 f. Cp. *Tristia*, v. 4. 33 f.
1385 f. *Her.* xx. 91 f.
1387. Cp. *Metam.* xiv. 120.
1395. Cp. *Metam.* iv. 723.
1397 f. Cp. *Tristia*, i. 3. 53 f.
1401 f. Cp. *Fasti*, v. 315 f.
1403. Cp. *Metam.* xv. 27.
1413 f. *Pont.* i. 3. 57 f.
1420. Cp. *Her.* iii. 24, used here with a change of meaning.
1424. Cp. *Ars Amat.* ii. 88, 'Nox oculis pavido venit oborta metu.'
1425 f. *Pont.* i. 2. 45 f.
1429 f. Cp. *Pont.* i. 2. 49 f.
1433. *Metam.* iii. 709.
1442. Cp. *Her.* v. 14, where we have 'Mixtaque' instead of 'Copula.'
1445 ff. Cp. *Metam.* xiv. 214-216.
1453. Adapted from *Metam.* iv. 263, 'Rore mero lacrimisque suis ieiunia pavit.' The change of 'mero' to 'meo' involves a tasteless alteration of the sense, while the sound is preserved.
1459. Cp. *Rem. Amoris*, 581.
1465. *Metam.* ii. 656. Our author has borrowed the line without supplying an appropriate context, and the result is nonsense. Ovid has

'Suspirat ab imis
Pectoribus, lacrimaeque genis labuntur obortae.'

1467 f. *Pont.* i. 2. 29 f.
1469. Cp. *Metam.* xiii. 539.

1473. Ovid, *Metam.* viii. 469.

1475. *Metam.* iv. 135, borrowed without much regard to the context.

1485. From Ovid, *Her.* xiv. 37, where however we have 'calor,' not 'color,' a material difference.

1496. *Her.* v. 46.

1497. The expression 'verbis solabar amicis' is from Ovid (*Fasti*, v. 237), but here 'solabar' seems to be made passive in sense.

1501 f. i.e. 'cessat amor eius qui prius,' &c., with a rather harsh ellipse of the antecedent. The couplet is a parody of Ovid, *Pont.* iv. 6. 23 f.,

'Nam cum praestiteris verum mihi semper amorem,
Hic tamen adverso tempore crevit amor.'

1503 f. Cp. *Tristia*, iii. 1. 65 f.,

'Quaerebam fratres, exceptis scilicet illis,
Quos suus optaret non genuisse pater.'

1506. *Fasti*, i. 148, not very appropriate here.

1512. *Her.* xi. 82.

1514. Cp. *Her.* xiii. 86, 'Substitit auspicii lingua timore mali.'

1517 f. Cp. *Her.* iii. 43 f.

1519. Cp. *Pont.* iii. 4. 75.

1521. Cp. *Tristia*, i. 11. 23.

1534. Cp. *Tristia*, v. 4. 4, 'Heu quanto melior sors tua sorte mea est.'

1535 ff. Cp. *Tristia*, iii. 3. 39 ff.

1539 f. *Tristia*, iii. 3. 29 f.

1541. *scis quia* : 'quia' for 'quod,' cp. l. 1593 ; 'puto quod,' i. Prol. 15, &c.

1549. Cp. *Fasti*, i. 483.

1564. *Her.* xiv. 52.

1565 f. Cp. *Her.* x. 113 f. The lines are not very appropriate here.

1568. See note on l. 1420.

1569. Cp. *Metam.* iii. 396.

1571. Cp. *Metam.* xiv. 210.

1573. Cp. *Metam.* vii. 614.

1575. Cp. *Metam.* ix. 583.

1581. *Obice singultu*, that is, 'Impediente singultu' : cp. *Cronica Tripertita*, ii. 3.

1585. *Metam.* xiv. 217.

1589. *Tristia*, i. 5. 45.

1593. *vidi quia* : cp. l. 1541.

1609. *quid agant alii*, 'whatever others may do.'

1612. Cp. *Her.* xix. 52.

1615 f. It seems probable that this is a prayer to the Virgin Mary, whose name 'Star of the Sea' was used long before the fourteenth century, e.g.

'Praevia stella maris de mundo redde procella
Tutos : succurre, praevia stella maris,'

in an address to the Virgin by Eberhard (date 1212) in Leyser, *Poet. Med. Aevi*, p. 834, and the name occurs also in Peter Damian's hymns (xi. cent.). For Gower's use of the expression cp. *Mirour de l' Omme*, 29925, 'O de la mer estoille pure,' and later in this book, l. 2033, 'Stella, Maria, maris.' Here, however, we might translate, 'Be thou a star of the sea going before me,' taking it as a prayer to Christ.

1623. *Metam.* i. 265.
1627. *Extra se positus*, 'beside himself.'
1630. *Fasti*, iv. 386.
1631. Cp. *Metam.* i. 282.
1635. Cp. *Metam.* i. 269.
1637. Cp. *Metam.* i. 270.

1653 ff. From this point to the end of the chapter the description is mostly taken from Ovid, *Metam.* xi. 480–523, many hexameters being appropriated without material change, e.g. ll. 480, 482, 484, 486, 488, 491, 492, 495, 499, 501, 516, 517, 519 f.

1689. The line is taken away from its context, and consequently gives no sense. In Ovid it is,

'Ipse pavet, nec se qui sit status ipse fatetur
Scire ratis rector.'—*Metam.* xi. 492.

1693. *Metam.* i. 292.
1695. From Peter Riga, *Aurora*, (MS. Bodley 822) f. 16 v°.
1697–1700. Cp. *Aurora*, f. 15 v°,

'Fontes ingresso Noe corrumpuntur abyssi,
Et de uisceribus terra fluenta uomit.
Effundunt nubes pluuias, deciesque quaternis
Sustinet inmensas archa diebus aquas.'

1717 f. Cp. Ovid, *Metam.* iv. 689 f.
1719. Cp. *Metam.* iv. 706 f. Ovid has 'praefixo,' which is more satisfactory.
1721. Cp. *Metam.* iv. 690.
1727 f. *Tristia*, i. 11. 21 f.
1729. *Fasti*, iii. 593.
1735. *Metam.* xi. 539.
1739. Cp. *Metam.* xi. 515, 'Rima patet, praebetque viam letalibus undis.'
1774. Cp. *Fasti*, ii. 98.
1775 f. Cp. *Amores*, ii. 11. 9 f.
1779 f. *Tristia*, v. 12. 5 f.
1781. *Metam.* xiv. 213.
1825. Cp. *Tristia*, ii. 179.
1832. *Tristia*, i. 5. 36.
1847 f. Cp. Ovid, *Pont.* iii. 7. 27 f. In the second line Ovid has 'tumidis,' for which there is no authority in Gower. Our author perhaps read 'timidis' in his copy of Ovid, or made the change himself, taking 'timidis' to mean 'fearful.'

1879. 'Perhaps that day would have been the last of confusion, even if,' &c. This, by the context, would seem to be the meaning.

1898. Ovid, *Fasti*, iv. 542.

1899 f. Cp. *Pont.* i. 3. 9 f.

1907 f. From Godfrey of Viterbo, *Pantheon*, p. 82 (ed. 1584).

1909. 'But he who walked upon the sea,' &c., that is, Christ.

1913. Cp. *Metam.* i. 328, 'Nubila disiecit, nimbisque Aquilone remotis.'

1917. *Metam.* i. 329.

1919. Cp. *Metam.* i. 345.

1921. Cp. *Metam.* v. 286, where we have 'nubila,' as the sense requires. Here the MSS. give 'numina' without variation.

1923. Cp. *Metam.* ix. 795.

1925. *Metam.* i. 344.

1935. *Metam.* xiii. 440.

1939. *Metam.* xiii. 419.

1944. *Quam prius*: for 'prius quam,' as often.

1963 f. This alludes to the supposed reply made to Brutus (son of Silvius), when he consulted the oracle of Diana in the island of Leogecia, 'Brute, sub occasum solis,' &c., as told by Geoffrey of Monmouth.

1979 f. Ovid, *Pont.* iii. 8. 15 f.

1991 ff. Cp. *Tristia*, i. 11. 25 ff.

1997 f. *Tristia*, iii. 2. 25 f.

2001 f. Cp. *Her.* xi. 27 f.

2003 f. *Her.* xiv. 39 f.

2029 f. Cp. *Rem. Amoris*, 119 f.

2031 f. Cp. *Rem. Amoris*, 531 f.

2033 f. Cp. *Her.* ii. 123 f.

2037 f. *Pont.* iv. 3. 49 f.

2043. Cp. *Pont.* i. 4. 21. In Ovid we read 'animus quoque pascitur illis,' and this probably was what Gower intended to write.

2071 f. Cp. *Pont.* ii. 7. 9 f.

2074. *Pont.* ii. 7. 8.

2091. Cp. *Hist. Apollonii Tyrii*, xli, 'Sicut rosa in spinis nescit compungi mucrone.'

2139. Cp. *Pont.* i. 5. 47.

2150. Cp. *Rem. Amoris*, 484.

LIB. II. Prologus.

15. Cp. *Speculum Stultorum*, p. 11, l. 41 (Rolls Series, 59, vol. i.).

41. Deut. xxxii. 13, 'ut sugeret mel de petra oleumque de saxo durissimo.'

49 f. Cp. *Fasti*, i. 73 f.

51. The supposed mischief-maker is compared to Sinon, who gave a signal by fire which led to the destruction of Troy: cp. *Conf. Amantis*, i. 1172. I cannot satisfactorily explain 'Excetra.'

57 f. From Neckam, *De Vita Monachorum*, p. 175 (ed. Wright, Rolls Series, 59, vol. ii.).

61. *De modicis . . . modicum*: cp. *Mirour de l'Omme*, 16532.

64. Cp. Ovid, *Ars Amat.* ii. 166.

LIB. II.

With the general drift of what follows cp. *Conf. Amantis*, Prol. 529 ff.

1. *Incausti specie*: cp. *Conf. Amantis*, viii. 2212.

18. *nos*: meaning the people of England, as compared with those of other countries.

31 f. Cp. Ovid, *Tristia*, v. 8. 19 f.

33. *Tristia*, v. 5. 47.

41. Job v. 6, 'Nihil in terra sine causa fit': cp. *Mirour de l'Omme*, 26857.

59. This is the usual opposition of rose and nettle, based perhaps originally on Ovid, *Rem. Amoris*, 46: cp. *Conf. Amantis*, ii. 401 ff.

67 f. Cp. Boethius, *Consol. Phil.* 2 Pr. 4, 'in omni adversitate fortunae infelicissimum genus est infortunii fuisse felicem.' So Dante, *Inf.* v. 121 ff.,
'Nessun maggior dolore,
Che ricordarsi del tempo felice
Nella miseria.'

117 ff. Cp. Ovid, *Her.* v. 109 ff. In l. 117 'siccis' is substituted, not very happily, for 'suci.'

138. Cp. *Conf. Amantis*, Latin Verses after ii. 1878,
'Quod patet esse fides in eo fraus est, que politi
Principium pacti finis habere negat.'

163 f. Cp. Ovid, *Tristia*, v. 8. 15 f.

167 ff. Cp. *Tristia*, i. 5. 27 ff.

199 f. There seems to be no grammatical construction here.

239 ff. With this passage cp. *Mirour de l'Omme*, 27013 ff., where nearly the same examples are given. The classification is according to the nature of the things affected, first the heavenly bodies, then the elements of air, water, fire and earth, and finally living creatures. This arrangement is more clearly brought out in the *Mirour*.

259. Cp. *Mirour*, 27031, and note.

261. 'And from the hard rocks of the desert,' the conjunction being out of its proper place, as in i. 407, 847, ii. 249, &c.

267 f. Cp. *Mirour*, 27049 ff.

281 ff. See *Mirour de l'Omme*, 27073 ff.

282. *Congelat*, 'took form.' Probably the author had in his mind the phrase 'congelat aere tacto,' Ovid, *Metam.* xv. 415.

306. 'num' is here for 'nonne'; cp. l. 320.

316. *Cumque*, for 'Cum': cp. l. 545, iii. 958, &c.

353 f. Cp. Godfrey of Viterbo, *Pantheon*, p. 9 (ed. 1584).
'Ante creaturam genitor deus et genitura,
Primaque natura, novit statuitque futura.'

357-359. These three lines are from the *Pantheon*, p. 9.
371-374. Taken with slight change from the *Pantheon*, p. 10.
377 f. From *Aurora*, (MS. Bodley 822) f. 7 v°.
414. 'That which the new star brings argues that he is God.'
423. That is, 'Lux venit, vt obscurari possit tenebris,' &c.
485. 'Every one who thinks upon Jesus ought to resolve to lay aside,' &c.
487. The MSS. give 'benedicti,' but it seems probable that 'benedici' was meant. The verb is commonly transitive in later Latin.
495 ff. Cp. Isaiah, xliv. 9-20.
531 f. Psalms, cxiii. 8.
619 ff. Cp. Ovid, *Metam.* i. 74 ff.

LIB. III. Prologus.

11 ff. The author characteristically takes care to point out that in his criticism of the Church he is expressing not his own private opinion, but the 'commune dictum,' the report which went abroad among the people, and the 'vox populi' has for him always a high authority. Cp. *Mirour de l'Omme*, 18445 ff., 19057 ff., and see below, l. 1267 ff., iv. 19 f., 709 f.

With what is said in this Book of the condition of the Church and the clergy we may compare the author's *Mirour de l'Omme*, 18421-20832.

25 f. Compare with this the author's note on *Mirour de l'Omme*, 21266-78.

61. Cp. Ovid, *Pont.* iv. 14. 41.
64. Cp. *Pont.* iv. 9. 10.
67 f. Cp. *Tristia*, ii. 301 f.
82. Cp. *Pont.* ii. 2. 128.

LIB. III.

1-28. The form of these lines which stood originally in S is given by the Trinity College, Dublin, and the Hatfield MSS. The passage has been rewritten over erasure in CHG, and it must be left doubtful what text they had originally. From the fact that the erasure in G begins with the second line, it may seem more probable that the original text of this manuscript agreed with that which we have now in S, rather than with TH₂: for in the latter case there would have been no need to begin the erasure before l. 4. In CH the whole passage has been recopied (the same hand appearing here in the two MSS.) so that we can draw no conclusion about the point where divergence actually began. EDL have the same text by first hand. It will be noted that the lines as given by TH₂ make no mention of the schism of the Papacy.

11 ff. With this we may compare *Mirour de l'Omme*, 18769 ff.
22. *nisi*, for 'nil nisi': cp. l. 32.
41. Cp. Ovid, *Amores*, iii. 8. 55.

63. *Fasti*, i. 225.
65 f. Cp. *Fasti*, i. 249 f.
85-90. Chiefly from the *Aurora* of Petrus (de) Riga, (MS. Bodley 822) f. 71,

> 'Ollarum carnes, peponum fercula, porros,
> Cepas pro manna turba gulosa petit.
> Quosdam consimiles sinus ecclesie modo nutrit,
> Qui pro diuinis terrea uana petunt.
>
> . . . . . .
>
> Carnes ollarum carnalia facta figurant
> Que uelut in nostra carne libido coquit.'

It would seem that Gower read 'Gebas' (which has no meaning) for 'Cepas' and 'preponunt,' as in MS. Univ. Coll. 143, for 'peponum,' which is the true reading, meaning 'melons' or 'pumpkins.'

115. Cp. *Metam.* xv. 173.

Cap. iii. *Heading.* Cp. *Conf. Amantis*, Prol. 288 (margin), where this is given as a quotation from Gregory.

141 f. Cp. *Mirour de l' Omme*, 18553.

167 f. From *Aurora*, f. 37.

175. *gregis ex pietate mouetur*, 'is moved by pity for his flock.'

193 ff. With this passage compare *Conf. Amantis*, Prol. 407-413, and *Mirour de l' Omme*, 20161 ff. In all these places a distinct charge is brought against the clergy, to the effect that they encourage vice, in order to profit by it themselves in money and in influence: 'the prostitute is more profitable to them than the nun,' as our author significantly says in the *Mirour* (20149).

209 ff. Cp. *Mirour de l' Omme*, 20113 ff.

227 ff. For this attack on the 'positive law' of the Church cp. *Conf. Amantis*, Prol. 247, *Mirour*, 18469 ff. The 'lex positiva' is that which is enjoined not as of inherent moral obligation, but as imposed by Church discipline.

249 f. Cp. *Mirour*, 18997 ff. Apparently 'nouo' is an adverb, meaning 'anew,' 'again': cp. 284, 376.

265 ff. Cp. *Mirour*, 18505 ff.

283 ff. Cp. *Mirour*, 18637, *Conf. Amantis*, ii. 3486.

329 ff. With this chapter compare *Mirour*, 18649-18732.

375. The note which we find here in the margin of SCHGD refers to the crusade of the bishop of Norwich in Flanders in the year 1383, which probably took place soon after the completion of our author's book. It is added in SCHG in what appears to be one and the same hand, possibly that of the author himself. If we may judge by the manner in which the campaign in question is referred to by contemporary chroniclers, it seems to have been considered a public scandal by many others besides Gower.

419. Gower uses 'sublimo' as an ablat. sing. in l. 701; therefore 'sublimis' may here be an ablative plural agreeing with 'meritis.'

425 ff. Cp. *Aurora*, (MS. Bodley 822) f. 103,

> 'Cogitat inde domum domino fundare, sed audit
> A domino, "Templi non fabricator eris.
> Es uir sanguineus, ideo templum mihi dignum
> Non fabricare potes, filius immo tuus."
> Sanguineus uir signat eum qui, crimina carnis
> Amplectens, templum non ualet esse dei.
> Ecclesie sancte talis non erigit edem,
> Nec sacre fidei collocat ille domum.'

508. 'And whosoever may sound trumpets, we ought to be silent': cp. i. 1609.

531 f. *Aurora*, f. 75 v°.

619 f. Ovid, *Pont.* ii. 5. 61 f.

623 f. *Pont.* ii. 6. 21 f.

641. See *Ars Amat.* ii. 417, where we find 'semine,' a reading which is required by the sense, but not given in the Gower MSS.

651. 'The line of descent by right of his mother proclaims Christ to be heir of that land in which he was born.' The author argues for crusades to recover the Holy Land, if there must be wars, instead of wars against fellow Christians, waged by one pope against the other under the name of crusades: cp. below, 945 ff.

676. *quo foret ipse vigil,* 'where it ought to be watchful,' a common use of the imperfect subjunctive in our author's Latin: cp. 'gestaret,' 695, 'lederet,' 922, 'medicaret,' 1052.

815. What follows is spoken as in the person of the supreme pontiff: cp. *Mirour*, 18505–18792, where somewhat similar avowals are put into the mouth of a member of the Roman Court.

819 f. Cp. *Conf. Amantis*, Prol. 261,

> 'The hevene is ferr, the world is nyh.'

835. Ovid, *Fasti*, v. 209.

955 f. I take this concluding couplet as a remark made by the author on the sentiments which he has just heard expressed by the representative of the Pope. It practically means that 'Clemens' is not a proper name for the Pope: it is in fact a 'headless name' and should rather be 'Inclemens.' Compare the address to Innocent III at the beginning of Geoffrey de Vinsauf's *Poetria Nova*:

> 'Papa, stupor mundi, si dixero Papa *nocenti*,
>   Acephalum nomen tribuam tibi: si caput addam,
>   Hostis erit metri,' &c.

957 ff. It seems best to take what follows as, in part at least, a dialogue between the author and the representative of the pope, who has just spoken. Soon however the speech passes again entirely to the author. The Biblical reference here is to Revelation, xxii. 8 f. The same use is made of it in the *Mirour*, 18736 ff.

1077–1080. These four lines are from the *Aurora*, f. 44 v°.

1113 f. Ovid, *Ars Amat.* iii. 595 f. (where we have 'sequatur'). The original application is to the effects of rivalry in stimulating the passion of lovers. For the use of 'sequetur' here, apparently as a subjunctive, compare l. 1946, 'Inueniet tardam ne sibi lentus opem.'

1118-1124. These lines are almost entirely borrowed from the *Aurora*, (MS. Bodley 822) f. 21 v⁰.

1124. In the Glasgow MS. 'Est' has been here altered to 'Et.'

1145-1150. Almost verbatim from *Aurora*, f. 93 v⁰.

1169. S has here in the margin in a somewhat later hand than that of the text, 'No*ta* h*ic* q*uattu*or n*e*c*c*essar*i*a ep*iscop*o.

1171 f. Cp. *Aurora*, f. 44 v⁰,

'Est olei natura triplex, lucet, cybat, unguit;
Hec tria mitratum debet habere capud.'

1183 f. Cp. *Aurora*, f. 44 v⁰,

'Lux est exemplo, cibus est dum pascit egenos,
Vnctio dum populis dulcia uerba ferit.'

Gower is right in reading 'serit,' which is given in MS. Univ. Coll. 143, f. 13.

1206. Cp. l. 1376.

1213. Cp. Ovid, *Ars Amat.* iii. 655.

1215 f. Cp. *Ars Amat.* iii. 653 f.

1233. Cp. *Ars Amat.* ii. 279.

1247 ff. Cp. *Mirour*, 18793 ff.

1267. *Vox populi*, &c.: cp. *Speculum Stultorum*, p. 100, l. 4, and see also the note on iii. Prol. 11.

1271. Cp. *Conf. Amantis*, Prol. 304 ff. and *Mirour*, 18805.

1313. With the remainder of this Book, treating of the secular clergy, we may compare *Mirour de l'Omme*, 20209-20832.

1341. Cp. *Mirour*, 18889 ff.

1342. *participaret*, 'he ought to share': see note on l. 676.

1359 f. Cp. *Conf. Amantis*, i. 1258 ff.

1375 ff. Cp. *Mirour*, 20287 ff.

1376. The reading 'vngat vt' is given by the Digby MS. and seems almost necessary: cp. l. 1206.

1405. *prece ruffi .. et albi*, 'by reason of the petition of the red and the white,' that is, presumably, by the influence of gold and silver, 'dominis' in the next line being in a loose kind of apposition to a dative case suggested by 'Annuit.'

1407. S has here in the margin, in a rather later hand, 'contra rectores Oxon.'

1417. Eccles. iv. 10, 'Vae soli, quia cum ceciderit, non habet sublevantem se.'

1432. The margin of S has here, in the same hand as at 1407, 'Nota rectores et studentes Oxon.'

1443. *formalis*, that is, 'eminent,' from 'forma' meaning 'rank' or 'dignity,' but here also opposed to 'materialis.'

1454. Originally the line was 'Dum legit, inde magis fit sibi sensus hebes,' but this was altered to 'plus sibi sensus hebes est,' with the idea apparently of taking 'magis' with 'legit.' This involves an awkward metrical licence, 'hebes est' equivalent to 'hebest,' and the original text stands in CEH as well as in TH₂. The expedient of the Roxburghe editor is quite inexcusable.

1493 ff. Cp. *Mirour*, 20314. The sporting parson was quite a recognized figure in the fourteenth century. Readers of Froissart will remember how when the capture of Terry in Albigeois was effected by stratagem, the blowing of the horn to summon the company in ambush was attributed by those at the gate to a priest going out into the fields, 'Ah that is true, it was sir Francis our priest; gladly he goeth a mornings to seek for an hare.'

1498. *fugat*: used apparently as subjunctive also in l. 2078, but it is possible that 'Nec fugat' may be the true reading here.

1509 ff. Cp. *Mirour de l' Omme*, 20313 ff.

1527. *Est sibi missa*, 'his mass is over.'

1546. Apparently a proverbial expression used of wasting valuable things.

1549. If benefices went from father to son, little or nothing would be gained by those who go to Rome to seek preferment, for an heir would seldom fail.

1555 ff. Cp. *Mirour de l' Omme*, 20497 ff. The priests here spoken of are the 'annuelers,' who get their living by singing masses for the dead, the 'Annua seruicia' spoken of below:

> 'Et si n'ont autre benefice,
> Chantont par auns et par quartiers
> Pour la gent mort.' *Mirour*, 20499.

1559. In the *Mirour*,

> 'Plus que ne firont quatre ainçois' (20527).

1587–1590. Taken with slight change from *Aurora*, (MS. Bodley 822) f. 65 v°.

1591. 'With the ancients it is possible to say "hic et hec sacerdos,"' that is, 'sacerdos' is both masculine and feminine.

1693–1700. Adapted from *Aurora*, f. 65,

> 'Omen in urbe malum bubo solis iubar odit,
> Escam uestigat nocte, ueretur aues:
> In quem forte gregis auium si lumina figant,
> Et clamando uolant et laniando secant.
> Incestus notat iste reos, qui corpore fedi
> Contra nature iura latenter agunt:
> Hos iusti quasi lucis aues discerpere querunt,
> Zelo succensi uerba seuera serunt.'

('Conclamando' for 'Et clamando' in MS. Univ. Coll. 143.)

1727 ff. Cp. *Mirour*, 20713 ff.

1759 ff. Cp. *Mirour*, 20725 ff.,

'Ne sont pas un, je suis certeins,
Ly berchiers et ly chapelleins,
Ne leur pecché n'est pas egal,
L'un poise plus et l'autre meinz,' &c.

1775. *fierent*, 'ought to become': cp. l. 1789.

1791-1794 are from *Aurora*, f. 93 v°, and the succeeding couplet is adapted from the same source, where we have,

'De lino que fit per ephot caro munda notatur,
Nam tales seruos Cristus habere cupit.'

1797. Cp. *Aurora*, f. 46 v°,

'Balteus ex bysso tunicam constringit honeste.'

1799 f. Cp. *Aurora*, f. 45 v°.

1801 f. 'In medio tunice capitale ligat sibi presul,
Vt capitis sensus non sinat ire uagos.' *Aurora*, f. 46.

1807 f. 'Aurum ueste gerit presul, cum splendet in illo
Pre cunctis rutilans clara sophia patris.' *Aurora*, f. 45.

1809 ff. 'Ne tunice leuiter possit ruptura minari,
Illius in gyro texilis ora micat:
A grege ne presul se disrumpat, set honestus
Ad finem mores pertrahat, ista notant.' *Aurora*, f. 46.

1813 f. Cp. *Aurora*, f. 46 v°.

1815-1818. 'Aaron et natis uestes texuntur, ut horum
Quisque sacerdotis possit honore frui.
Nam modo presbiteri, seu summi siue minores,
Conficiunt Cristi corpus idemque sacrant.'
Aurora, f. 45.

1823 f. *Aurora*, f. 43 v°.

1841-1848. These eight lines are taken with insignificant changes from the *Aurora*, f. 63 v°.

1853. The reference here given by Gower to the *Aurora* of Petrus (de) Riga has led to the tracing of a good many passages of the *Vox Clamantis*, besides the present one, to that source.

1863-1884. These lines are almost entirely from *Aurora*, ff. 66 v°, 67. The arrangement of the couplets is somewhat different, and there are a few slight variations, which are noted below as they occur.

1866. *eius*: 'illud,' *Aurora*, f. 67.

1868. *tumet*: 'timet,' *Aurora* (MS. Bodley 822), but Gower's reading is doubtless the more correct.

1871. *nimio*: 'magno,' *Aurora*.

1872. *ipse*: 'esse,' *Aurora*.

1876. *ligante*: 'trahente,' *Aurora*, f. 66 v°.

1878. *tardat ad omne bonum*: 'ad bona nulla ualet,' *Aurora*.

1880. *Lumina nec*: 'Nec faciem,' *Aurora*, f. 67.

1881 f. 'Per pinguem scabiem succensa libido notatur;
Feruet vel fetet corpus utroque malo.' *Aurora*, f. 67.

1885 ff. Our author still borrows from the same source, though from a different part of it. We find these lines nearly in the same form in the *Aurora*, f. 103,

'Oza manus tendens accessit ut erigat archam,
Set mox punita est arida facta manus.
Hinc ideo dicunt meruisse necem, quia nocte
Transacta cohitu coniugis usus erat.
Declaratur in hoc quod si pollutus ad aram
Accedas, mortis uulnere dignus eris.'

1891 f. 'Namque superiectas sordes detergere pure
Nescit nostra manus, si tenet illa lutum.' *Aurora*, f. 103.

1905-1908. These two couplets are from *Aurora*, f. 69 v°, where however they are separated by four lines not here given.

1911 ff. Cp. *Aurora*, f. 69 v°,

'Radices non extirpat rasura pilorum,
Set rasi crescunt fructificantque pyli.
Sic licet expellas omnes de pectore motus,
Non potes hinc penitus cuncta fugare tamen.
Hec de carne trahis, quia semper alit caro pugnans;
Intus habes cum quo prelia semper agas.'

Gower's reading 'pugnam' in l. 1915 is probably right.

1937. Ovid, *Rem. Amoris*, 669.
1939. *Tristia*, iv. 6. 33 f.
1943 f. *Rem. Amoris*, 89 f.
1945 f. Cp. *Rem. Amoris*, 115 f.
1946. *Inueniet*: apparently meant for subjunctive; cp. l. 1114.
1947-1950. *Rem. Amoris*, 81-84.
1952. Cp. *Her.* xvii. 190.
1953. *Rem. Amoris*, 229.
1955 f. *Rem. Amoris*, 139 f.

1999 f. 'Cum sale uas mittens in aquas Helyseus, easdem
Sanat, nec remanet gustus amarus aquis.' *Aurora*, f. 140.

2001. *Aurora*, f. 60 v°.
2017-2020. From *Aurora*, f. 8.
2035-2040. From *Aurora*, f. 15 v°, but one couplet is omitted, and so the sense is obscured. After 'sunt sine felle boni' (l. 2038), the original has,

'Cras canit hinc coruus, hodie canit inde columba;
Hec vox peruersis, congruit illa bonis.
Cras prauum cantant, dum se conuertere tardant,
Set tales tollit sepe suprema dies.'

NOTES. LIB. III. 1880—IV. 177

The meaning is that the bad priests cry 'Cras,' like crows, and encourage men to put off repentance, while the others sing 'Hodie,' like doves, the words 'cras' and 'hodie' being imitations of the notes of the two birds. The expression 'Cras primam cantant,' in l. 2039, is not intelligible, and probably Gower missed the full sense of the passage.

2045. 'sit' has been altered in S from 'fit.'
2049 ff. Cp. *Mirour de l'Omme*, 20785 ff.
2071. Cp. *Mirour*, 20798.
2078. *fugat*: cp. l. 1498.
2097 f. Cp. iv. 959 and note.

LIB. IV.

The matter of this book corresponds to that of the *Mirour de l'Omme*, ll. 20833–21780.

19 f. Cp. Lib. iii. Prol. 11.
34. 'dompnus' or 'domnus' was the form of 'dominus' which was properly applied as a title to ecclesiastical dignitaries, and it seems to have been especially used in monasteries. Ducange quotes John of Genoa as follows: 'Domnus et Domna per syncopen proprie convenit claustralibus; sed Dominus, Domina mundanis.' Cp. l. 323 of this book and also 327 ff.
57. *humeris qui ferre solebat*, 'who used to bear burdens,' as a labourer.
87. Cp. Godfrey of Viterbo, *Pantheon*, p. 74 (ed. 1584).
91. *Pantheon*, p. 74.
109 f. Cp. Ovid, *Fasti*, i. 205 f.
111. *Ars Amat*. ii. 475, but Ovid has 'cubilia.'
112. Cp. *Fasti*, iv. 396, 'Quas tellus nullo sollicitante dabat.' Gower has not improved the line by his changes.
114. *Fasti*, iv. 400.
115. *Metam*. i. 104, but Ovid has of course 'fraga.'
117. Cp. *Metam*. i. 106, 'Et quae deciderant patula Iovis arbore glandes': 'patule glandes' is nonsense.
119. Cp. *Metam*. i. 103.
128. A play on the word 'regula': 're' has been taken away and there remains only 'gula.'
145. Cp. *Metam*. viii. 830.
147. *Metam*. viii. 835.
151 ff. Cp. *Metam*. viii. 837 ff.
163. Cp. *Ars Amat*. iii. 647.
165 f. Cp. *Conf. Amantis*, Prol. 473 ff.
175. *Ars Amat*. iii. 503 f., but Ovid has 'Gorgoneo saevius,' for 'commota lenius.'
177. Cp. *Metam*. viii. 465, 'Saepe suum fervens oculis dabat ira ruborem.' The reading 'oculis' is necessary to the sense and appears in one manuscript.

179. Cp. Ovid, *Ars Amat.* iii. 509.

215. 'corrodium' (or 'corredium') is the allowance made from the funds of a religious house for the sustentation of a member of it or of someone else outside the house: see Ducange under 'conredium' and *New Engl. Dict.* 'corrody.' Gower himself perhaps had in his later life a corrody in the Priory of Saint Mary Overey, of which he was a benefactor.

302. The reference is to Ecclus. xix. 27, 'Amictus corporis et risus dentium et ingressus hominis enunciant de eo.' Cp. *Confessio Amantis*, i. 2705, margin.

305-310. *Aurora*, (MS. Bodley 822) f. 65,

'Est nigra coruus auis et predo cadaueris, illum
Quem male denigrat ceca cupido notans.
. . . . .
Sub uolucrum specie descripsit legifer illos,
Quos mundanus honos ad scelus omne trahit.
Hunc aliquem tangit qui religionis amictum
Se tegit, ut cicius possit honore frui.'

(MS. Univ. Coll. 143: 'libido' for 'cupido,' 'amictu' for 'amictum,' 'maius' for 'cicius').

311. Cp. Ovid, *Ars Amat.* iii. 249, 'Turpe pecus mutilum,' &c. The word 'monstrum' in Gower came probably from a corruption in his copy of Ovid.

327 ff. With this chapter compare *Mirour de l'Omme*, 21133 ff. The capital letters of 'Paciens,' 'Castus,' 'Luxus,' &c. are supplied by the editor, being clearly required by the sense.

354. *Apocapata*, 'cut short': cp. 'per apocapen,' v. 820.

363 f. The habit described is that of the Canons of the order of St. Augustine.

395. Cp. Neckam, *De Vita Monachorum*, p. 175 (Rolls Series, 59, vol. ii),

'Vovistis, fratres, vovistis; vestra, rogamus,
Vivite solliciti reddere vota deo.

397. *De Vita Monachorum*, p. 176.
401. *De Vita Monachorum*, p. 178.
403 f. *De Vita Monachorum*, p. 177.
405-430. Most of this is taken from Neckam, *De Vita Monachorum*, p. 176.
425. Ovid, *Ars Amat.* ii. 465.
427. *foret*, 'should be,' i. e. 'ought to be.'
431-446. Taken with slight alterations from *De Vita Monachorum*, pp. 187, 188.
442 f. *De Vita Monachorum*, p. 188.
449 Cp. Ovid, *Fasti*, ii. 85,

'Saepe sequens agnam lupus est a voce retentus.'

Our author has interchanged the sexes for the purpose of his argument, the man being represented as a helpless victim.

450. The subject to be supplied must be 'agnus.'

451. Cp. *Ars Amat.* iii. 419.

453 f. *Tristia*, i. 6. 9 f.

461-466. *De Vita Monachorum*, p. 188.

469-490. Nearly the whole of this is taken from Neckam, p. 178.

537 f. Cp. Ovid, *Rem. Amoris*, 235 f.,

> 'Adspicis ut prensos urant iuga prima iuvencos,
> Et nova velocem cingula laedat equum?'

575. Cp. *Amores*, iii. 4. 17.

587. 'Genius' is here introduced as the priest of Venus and in l. 597 in the character of a confessor, as afterwards in the *Confessio Amantis*. The reference to the 'poets' in the marginal note can hardly be merely to the *Roman de la Rose*, where Genius is the priest and confessor of Nature, but the variation 'secundum Ouidium' of the Glasgow MS. does not seem to be justified by any passage of Ovid. The connexion with Venus obviously has to do with the classical idea of Genius as a god who presides over the begetting of children: cp. Isid. *Etym.* viii. 88. The marginal note in S is written in a hand probably different from that of the text, but contemporary.

617 f. Cp. *Ars Amat.* ii. 649 f.,

> 'Dum novus in viridi coalescit cortice ramus,
> Concutiat tenerum quaelibet aura, cadet.'

623. *Spiritus est promptus*, &c. Gower apparently took this text to mean, 'the spirit is ready to do evil, *and* the flesh is weak': cp. *Mirour*, 14165.

624. Cp. *Mirour*, 16768.

637. For this use of 'quid' cp. that of 'numquid,' ii. Prol. 59, and v. 279.

648. Rev. xiv. 4, 'Hi sequuntur agnum ... quocunque ierit.'

657 f. Apparently referring to Rev. xii, 14.

659. Cp. the Latin Verses after *Confessio Amantis*, v. 6358.

681 f. Cp. Ovid, *Pont.* iv. 4. 3 f.

689 ff. Cp. *Mirour de l'Omme*, 21266, margin.

699. *fore*: used here and elsewhere by our author for 'esse'; see below, l. 717, and v. 763.

715. *Acephalum*. This name was applied in early times to ecclesiastics who were exempt from the authority of the bishop: see Ducange. The word is differently used in iii. 956, and by comparison with that passage we might be led to suppose that there was some reference here to the 'inopes' and 'opem' of the next line.

723 ff. Compare with this the contemporary accounts of the controversy between FitzRalph, archbishop of Armagh, and the Mendicant Friars, who are said to have bribed the Pope to confirm their privileges

(Walsingham, i. 285), and the somewhat prejudiced account of their faults in Walsingham, ii. 13. The influence of the Dominican Rushook, as the king's confessor was the subject of much jealousy in the reign of Richard II.

735 ff. Cp. *Mirour de l'Omme*, 21469 ff.

736. *sepulta*: used elsewhere by Gower for 'funeral rites,' e. g. i. 1170. The meaning is that the friar claims to perform the funeral services for the dead bodies of those whose confessor he has been before death. Perhaps however we should take 'sepulta' here as equivalent to 'sepelienda.'

769. Hos. iv. 8 : cp. *Mirour*, 21397, where the saying is attributed to Zephaniah.

777 f. Cp. Ovid, *Tristia*, i. 9. 7 f.

781. *Tristia*, i. 9. 9.

784. Cp. *Fasti*, v. 354.

788. See *Mirour*, 21625 ff. and note.

795. 'Prioris' in S, but it is evidently an adjective here.

813 ff. Cp. *Mirour*, 21499 ff.

847. The wording is suggested by 1 Cor. ix. 24, 'ii qui in stadio currunt, omnes quidem currunt, sed unus accipit bravium.'

864. *Titiuillus*: see note in Dyce's edition of Skelton, vol. ii. pp. 284 f.

869. Cp. Job ii. 4, 'Pellem pro pelle, et cuncta quae habet homo, dabit pro anima sua.'

872. *vltima verba ligant.* As in a bargain the last words are those that are binding, so here the last word mentioned, namely 'demon,' is the true answer to the question.

874. 'Men sein, Old Senne newe schame,' *Conf. Amantis*, iii. 2033.

903. Cp. Ovid, *Metam.* ii. 632, 'Inter aves albas vetuit consistere corvum.' Gower's line seems to have neither accidence nor syntax.

953 f. *Fasti*, ii. 219 f.

959. A reference to Ps. lxxii. 5, 'In labore hominum non sunt, et cum hominibus non flagellabuntur.' The same passage is alluded to in Walsingham's chronicle (i. 324), where reference is made to the fact that the friars were exempted from the poll-tax. The first half of this psalm seems to have been accepted in some quarters as a prophetic description of the Mendicants.

963. There is no variation of reading here in the MSS., but the metre cannot be regarded as satisfactory. A fifteenth (or sixteenth) century reader has raised a slight protest against it in the margin of S, 'at metrum quomodo fiet.'

969. Cp. Ps. lxxii. 7, 'Prodiit quasi ex adipe iniquitas eorum: transierunt in affectum cordis.'

971 ff. Cp. *Mirour*, 21517 ff.,

> 'Mal fils ne tret son pris avant,
> Par ce qant il fait son avant
> Q'il ad bon piere,' &c.

981 ff. Cp. *Mirour*, 21553 ff.

1059-1064. These six lines are taken without change from *Aurora*, (MS. Bodley 822) f. 65.

1072. 'lingua' was here the original reading, but was altered to 'verba' in most of the copies. H and G have 'verba' over an erasure.

1081. In G we have 'adepcio' by correction from 'adopcio.'

1090. *adheret*: meant apparently for pres. subj. as if from a verb 'adherare.'

1099 f. Cp. *Aurora*, f. 19 v°,

> 'Sarra parit, discedit Agar; pariente fideles
> Ecclesia populos, dat synagoga locum.'

1103. *Odium*: written thus with a capital letter in H, but not in the other MSS.

1143 ff. Cp. *Mirour de l'Omme*, 21403 ff. and note.

1145 ff. These lines are partly from Neckam's *Vita Monachorum*, p. 192:

> ' Porticibus vallas operosis atria, quales
> Quotque putas thalamos haec labyrinthus habet.
> . . . .
> Ostia multa quidem, variae sunt mille fenestrae,
> Mille columnarum est marmore fulta domus.'

Gower alters the first sentence by substituting 'valuas' for the verb 'vallas.' 'It has folding-doors, halls, and bed-chambers as various and as many as the labyrinth.'

1161. 'historia parisiensis' in the MSS. I cannot supply a reference.

1175 f. From *De Vita Monachorum*, p. 193.

1189 ff. The reference is to the *Speculum Stultorum*, where Burnel the Ass, after examining the rules of all the existing orders and finding them in various ways unsatisfactory to him, comes to the conclusion that he must found an order of his own, the rules of which shall combine the advantages of all the other orders. Members of it shall be allowed to ride easily like the Templars, to tell lies like the Hospitallers, to eat meat on Saturday like the Benedictines of Cluny, to talk freely like the brothers of Grandmont, to go to one mass a month, or at most two, like the Carthusians, to dress comfortably like the Praemonstratensians, and so on. What is said here by our author expresses the spirit of these rules rather than the letter.

1197 f. The text here gives the original reading, found in TH₂ and remaining unaltered in S. CHG have 'et si' written over an erasure, and in the next line 'Mechari cupias' is written over erasure in G, 'Mechari cupias ordine' in C, and 'ordine' alone in H. The other MSS. have no erasures.

1212. CHG have this line written over an erasure.

1214. Written over erasure in CHG, the word 'magis' being still visible in G as the last word of the line in the earlier text. The expression 'Linquo coax ranis' is said to have been used by Serlo on his renunciation of the schools: see Leyser, *Hist. Poet.* p. 443.

1215. The word 'mundi' is over erasure in CHG.

1221*–1232*. These lines are written over erasure in CHG.

1225. *A planta capiti*, 'from foot to head': more correctly, v. 116, 'Ad caput a planta.'

LIB. V.

45. *Architesis.* It must be assumed that this word means 'discord,' the passage being a series of oppositions.

53. *Est amor egra salus*, &c. Compare the lines which follow our author's *Traitié*, 'Est amor in glosa pax bellica, lis pietosa,' &c., and Alanus de Insulis, *De Planctu Naturae*, p. 472 (Rolls Series, 59, vol ii).

79 ff. There is not much construction here; but we must suppose that after this loose and rambling description the general sense is resumed at l. 129.

98. *Nec patet os in eis*: cp. Chaucer, *Book of the Duchess*, 942.

104. *Nec ... vix*: cp. l. 153 and vii. 12.

121 f. Cp. Ovid, *Her.* iv. 71 f.

123 f. Cp. *Fasti*, ii. 763.

165. From *Metam.* vii. 826, but quoted without much regard to the sense. In the original there is a stop after 'est,' and 'subito collapsa dolore' is the beginning of a new sentence of the narrative.

169 f. Cp. *Rem. Amoris*, 691 f.

171. Cp. *Her.* iv. 161.

193. Cp. *Her.* v. 149. For 'O, quia' cp. i. 59.

209. Cp. *Metam.* x. 189.

213. Cp. *Her.* vii. 179. We have here a curious example of the manner in which our author adapts lines to his use without regard to the original sense.

221. Cp. *Her.* ii. 63.

257 ff. Cp. *Mirour de l' Omme*, 23920, *Conf. Amantis*, iv. 1634.

280. *Numquid.* This seems to be used here and in some other passages to introduce a statement: cp. ii. Prol. 59, iv. 637. Rather perhaps it should be regarded as equivalent to 'Nonne' and the clause printed as a question: so vii. 484, 892, &c. For 'num' used instead of 'nonne' cp. ii. 306.

299. S has in the margin in a later hand, 'Nota de muliere bona.' The description is taken of course from Prov. xxxi.

333. In the margin of S, as before, 'Nota de muliere mala et eius condicionibus.'

341 ff. Cp. Neckam, *De Vita Monachorum*, p. 186.

359 f. Cp. Ovid, *Ars Amat.* iii. 289, 294. Presumably 'bleso' in l. 360 is a mistake for 'iusso.'

361. Cp. *Ars Amat.* iii. 291.

367 f. *Ars Amat.* iii. 311 f.

376. Cp. *Ars Amat.* i. 598.

383 f. This reference to Ovid seems to be with regard to what

NOTES. Lib. IV. 1215—V. 812

follows about the art of preserving and improving beauty. Some of it is from the *Ars Amatoria*, and some from Neckam, *De Vita Monachorum*. For 'tenent,' meaning 'belong,' cp. iii. 584.

399-402. Taken with slight changes from *Ars Amat.* iii. 163-166.

403. Cp. *Metam.* ii. 635.

405. Cp. *Ars Amat.* iii. 179.

407. Cp. *Ars Amat.* iii. 185.

413-416. *De Vita Monachorum*, p. 186.

421-428. *De Vita Monachorum*, p. 189.

450. The line (in the form ' Illa quidem fatuos,' &c.) is written over an erasure in the Glasgow MS.

454. 'interius' is written over an erasure in HG.

461. *Vt quid*, 'Why.'

501. The reading ' nos,' which is evidently right, appears in CG as a correction of ' non.'

510. 'While one that is stained with its own filth flies from the field.'

520. Cp. *Mirour de l'Omme*, 23701 ff.

556. The neglect of the burden of a charge, while the honour of it is retained, is a constant theme of denunciation by our author: cp. iii. 116, and below, ll. 655 ff.

557 ff. With this account of the labourers cp. *Mirour de l'Omme*, 26425 ff. It is noticeable that there is nothing here about the insurrection.

593. Cp. *Metam.* vi. 318.

597. H punctuates here 'salua. que.'

613. A quotation from *Pamphilus*: cp. *Mirour*, 14449.

659. *maioris*, ' of mayor.'

693 f. Cp. *Aurora*, f. 36,

> ' Dupla die sexta colleccio facta labore
> Ostendit quia lux septima nescit opus.'

703. The capitals which mark the personification of 'Fraus' and 'Vsura' are due to the editor. 'Fraus' corresponds to 'Triche' in the *Mirour de l'Omme*: see ll. 25237 ff.

731. *Nonne*, used for 'Num,' as also in other passages, e. g. vi. 351, 523, vii. 619.

745 ff. Cp. *Mirour de l'Omme*, 25741 ff.

In l. 745 SG have the reading 'foris' as a correction from 'foras.'

760 ff. Cp. Chaucer, *Cant. Tales*, C 472 ff.

775. See note on l. 280.

785 f. The readings 'fraus' for 'sibi' and ' surripit' for 'fraus capit' are over erasure in CG.

812. ' Thethis,' (' Thetis,' or 'Tethis') stands several times for 'water' (properly 'Tethys'): cp. vii. 1067. The line means that the water is so abundant in the jar that it hardly admits the presence of any malt (' Cerem' for ' Cererem').

835 ff. It is difficult to say who is the bad mayor of London to whom allusion is here made. The rival leaders in City politics were Nicholas Brembre and John of Northampton. The former was lord mayor in the years 1377, 1378, and again in 1383 and 1384, when he was elected against his rival (who had held the office in 1381, 1382) in a forcible and unconstitutional manner which evoked many protests. Brembre, who belonged to the Grocers' company, represented the interests of the greater companies and was of the Court party, a special favourite with the king, while John of Northampton, a draper, engaged himself in bitter controversy with the Fishmongers, who were supported by the Grocers, and was popular with the poorer classes. In the *Cronica Tripertita* Gower bitterly attacks Brembre (who was executed by sentence of the so-called 'Merciless Parliament' in 1388), and we might naturally suppose that he was the person referred to here; but that passage was written before the political events which led to that invective and in all probability not later than 1382, and the references to the low origin of the mayor in question, ll. 845–860, do not agree with the circumstances of Nicholas Brembre. Political passion in the City ran high from the year 1376 onwards, and the person referred to may have been either John of Northampton or one of the other mayors, who had in some way incurred Gower's dislike: cp. *Mirour*, 26365 ff.

877. Cp. *Conf. Amantis*, v. 7626,

'It floureth, bot it schal not greine
Unto the fruit of rihtwisnesse.'

915 f. Ovid, *Tristia*, i. 5. 47 f.

922. Cp. Prov. xxv. 15, 'lingua mollis confringet duritiam,' and the verses at the beginning of the *Confessio Amantis*,

'Ossibus ergo carens que conterit ossa loquelis
Absit.'

953 f. *Ars Amat.* ii. 183 f., but Ovid has 'Numidasque leones.'

957 f. *Rem. Amoris*, 447 f. (but 'ceratas' for 'agitatas').

965 f. *Pont.* iii. 7. 25 f.

967 f. Cp. *Rem. Amoris*, 97 f.

969 f. Cp. *Rem. Amoris*, 101 f.

971 f. Cp. *Rem. Amoris*, 729 f., 'Admonitus refricatur amor,' &c.

973. Cp. *Rem. Amoris*, 623.

975 f. Cp. *Rem. Amoris*, 731 f, 'Ut pene extinctum cinerem si sulfure tangas, Vivet,' &c. The reading 'sub' must be a mistake on the part of our author for 'si.'

979. Cp. *Ars Amat.* iii. 597.

981. *Ars Amat.* iii. 373.

983 f. *Ars Amat.* iii. 375 f., but Ovid has 'iratos et sibi quisque deos.'

985 f. Cp. *Ars Amat.* iii. 501 f.

990. *Fasti*, iii. 380, absurdly introduced here.

991 f. Cp. *Conf. Amantis*, Latin Verses before Prol. 499.

1003 f. Cp. *Tristia*, ii. 141 f.

LIB. VI.

1-468. With this section of the work compare *Mirour*, 24181 ff.

11. Ps. xiv. 3.

89-94. From *Aurora*, (MS. Bodley 822) f. 66, where however the reading is 'sapit' in l. 94 (for 'rapit').

95-98. *Aurora*, f. 65, where we find 'in nocte' for 'in noctem' and 'reprobi' for 'legis' (l. 97).

101 f. Cp. *Aurora*, 64 f.,

'Inprouisus adest cum pullos tollere miluus
Esurit, in predam non sine fraude ruit.'

This is adapted by our author to his own purpose, but as his meaning is altogether different, some obscurity results, and he does not make it clear to us how the biter is bit.

113. *Metam.* v. 606.

115-118. Cp. *Metam.* vi. 527 ff.

133. In the Glasgow MS. 'locuplex' has been altered to the more familiar 'locuples.'

141 f. Is. v. 8, 'Vae qui coniungitis domum ad domum et agrum agro copulatis usque ad terminum loci: numquid habitabitis vos soli in medio terrae?' The same text is quoted in the *Mirour*, 24541 ff.

144. By comparison with *Mirour*, 24580 ff. we may see that the dissipation of the property by the son is here alleged as a proof that it has been ill acquired:

'Qu'ils font pourchas a la senestre
Le fin demoustre la verrour.'

176. *forum*, i.e. the market price.

188. *que foret equa*, '(the balance) which should be fair': so also 'foret' below, l. 190.

203. *Basiliscus*: cp. *Mirour*, 3748 ff.

209 f. Ovid, *Pont.* ii. 3. 39 f. (but 'lasso' for 'lapso').

217. *nam nemo dolose Mentis*, &c. 'for no man of a crafty mind can have sure speech.'

225. *tenebrescunt*, 'darken.' So other inceptives are used transitively, e.g. 'ditescere,' ii. 607, *Cron. Trip.* iii. 119.

233 f. 'And this *lex*, *legis*, from *ledo*, *ledis*, as *ius* from *iurgo*, administers justice at this present time.' It is meant that the administration of law, as we see it, suggests the above etymologies. The use of 'isto' for 'hoc' is quite regular.

241 ff. Cp. *Mirour*, 24253 ff.

249 ff. Cp. *Mirour*, 24349 ff., and see Pulling, *Order of the Coif*, ch. iv.

269. The reference is to Ecclus. xx. 31, 'Xenia et dona excaecant oculos iudicum.'

274. 'Fear puts to flight the discernment of justice.'

313-326. These fourteen lines are taken with some alterations (not much for the better) from Neckam, *De Vita Monachorum*, pp. 180 f.

327 f. Cp. *De Vita Monachorum*, p. 182,

> 'Sic mihi, divitibus si quando defuit hostis ;
> Hos terit et quassat saepe ruina gravis.'

Where, it would seem, we ought to read 'Dic mihi.'

329 ff. *De Vita Monachorum*, p. 181. Most of the lines 329-348 are borrowed.

351. 'Nonne' for 'Num,' as often: cp. v. 731.

355 f. Cp. *De Vita Monachorum*, p. 182,

> 'Iustitiae montes virtutumque ardua nullus
> Scandet, dum mundi rebus onustus erit.'

357. *De Vita Monachornm*, p. 190.

359-372. Most of these lines are borrowed with slight alterations from *De Vita Monachorum*, p. 191.

387 ff. Cp. *Mirour*, 24733 ff.

389. Cp. *De Vita Monachorum*, p. 192, 'Cur ampla aedificas busto claudendus in arcto?'

397. *De Vita Monachorum*, p. 193,

> 'Et cecidit Babylon, cecidit quoque maxima Troia
> Olim mundipotens, aspice, Roma iacet.'

419 ff. Cp. *Mirour*, 24817-25176.

421 f. For the idea contained in 'vnccio' and 'vncta' cp. iii. 1376.

433. 'The word *comes* receives its beginning not from *vice* but from *vicium*.' That is, apparently, the prefix which makes 'comes' into 'vicecomes' is to be derived from 'vicium.'

439 f. Cp. *Mirour*, 25166 ff.

445 ff. With this compare the corresponding lines in the *Carmen super multiplici viciorum Pestilencia*, under the head of 'Avarice' (246 ff.),

> 'Vendere iusticiam nichil est nisi vendere Cristum,' &c.

463 f. Cp. *Mirour*, 24973 ff.

467 f. *Vt Crati bufo*, &c.: cp. *Mirour*, 24962 f.

498. Cp. *Mirour*, 22835 f.

522. The insertion which is found after this line in the Digby MS. (and in no other) consists of eight lines taken from the original text of the passage 545-580, which was rewritten by the author: see ll. 561*-566* and 579* f.

523 ff. 'Can a house be built without timber? But of what use is timber to the builder if it be not hewn?' 'Nonne' for 'Num,' as frequently: see note on v. 731. It seems that 'sibi' refers to the builder rather than to the house ; in any case, it has no reflexive sense. Finally 'ligna' is here used as a singular feminine : all the MSS. have 'foret' in l. 524 and 'valet' in 525.

The idea of the passage seems to be that good laws are as the material, and the ruler as the builder of the house.

529 ff. Cp. *Conf. Amantis*, vii. 2695 ff.

545-580. It is certain that the passage preserved to us in the Dublin and Hatfield MSS. is that which was originally written in those books which now exhibit an erasure; for in several places words are legible underneath the present text of these latter MSS. For example in S 'maior' is visible as the last word of the original l. 547, and 'locuta,' 'aula,' similarly in ll. 549, 551. The chief difference introduced is in the direction of throwing more responsibility on the king, who however is still spoken of as a boy. Thus instead of 'Stat puer immunis culpe,' we have 'Rex puer indoctus morales negligit actus' (or more strongly still 'respuit').

The text of 545*-580* follows the Dublin MS. (T) with corrections from H₂. Neither text is very correct: both omit a word in l. 549*, which I supply by conjecture, and both read 'omnes' in l. 561*. There are some obvious errors in T, as 'sinis' for 'sinit' in l. 554*, 'Tempe' for 'Tempora' in l. 559*, which have been passed over without notice.

Cap. viii. *Heading*. The ensuing Epistle to the young king, which extends as far as l. 1200, assumes a more severely moral form owing to the alteration of the preceding passage, the exclusion of all compliment ('regnaturo' in this heading for 'excellentissimo') and the substitution of 'doctrine causa' for 'in eius honore.' (The readings 'excellentissimo,' 'in eius honore' no doubt are to be found in the Hatfield MS., but I have accidentally omitted to take note of them.)

629 f. Neckam, *De Vita Monachorum*, p. 185,

> 'Quid tibi nobilitas et clarum nomen avorum,
> Si vitiis servus factus es ipse tuis?'

640. 'vix' is sometimes used by our author (apparently) in the sense of 'paene.'

696. Ovid, *Rem. Amoris*, 526.

710. *iudiciale*, 'judgement,' used as a substantive: cp. iii. 1692.

718. *culpe ... sue*, 'for their fault,' i.e. the fault of his ministers.

719-722. Cp. *Aurora*, (MS. Bodley 822) f. 65,

> 'Euolat ancipiter ad prede lucra, suisque
> Deseruit dominis in rapiendo cybum.
> Sic multi dominis famulando suis, ad eorum
> Nutum pauperibus dampna ferendo nocent.'

725. *presul*, 'the bishop.'

740. The expression 'Cuius enim' for 'Eius enim' occurs more than once, e.g. l. 1238: cp. vii. 372. It is found also in the *Confessio Amantis*, Latin Verses after vii. 1984, but was there corrected in the third recension.

765. *stabiles*: apparently used in a bad sense.

793 f. Cp. *Aurora*, f. 96 v°,

> 'Exiguus magnum vicit puer ille Golyam,
> Nam virtus humilis corda superba domat.'

816. Ovid, *Amores,* i. 8. 62, 'Crede mihi, res est ingeniosa dare.'

839 f. Cp. *Aurora,* f. 95 v⁰.

846. *Fasti,* ii. 226.

875-902. This passage of twenty-six lines is taken with few alterations from the *Aurora,* f. 76.

876. *bella* : in the original 'corda' (or 'colla' MS. Univ. Coll. 143).

883. *noctibus* : in the original 'nutibus.'

884. *Spirant* : so in the original according to MS. Bodley 822, but 'Spirent' in MS. Univ. Coll. 143.

886. *acuum ferrum* : in the original 'minitans ferrum.' Apparently our author took 'acus' to mean a spear or javelin. The choice of the word in this passage is unfortunate.

887 ff. 'vincit,' 'tenet' (or 'teret,' MS. Univ. Coll. 143), 'consurgit' in the original.

891. In the original, 'Rex hoc consilium grata bibit aure, puellas Preparat,' &c.

892. 'genis' in the original.

894. 'furit' for 'fugat' is the reading of the original, and we find this in several MSS. of our text, but in the Glasgow MS. this has been corrected to 'fugat,' which is the reading of S.

898. In the original, 'Vultus que geminus ridet in ore decor,' (or 'Vultus et geminus,' &c., MS. Univ. Coll. 143).

907. *Aurora,* f. 100.

947-950. Taken from the description of Saul at the battle of Gilboa, *Aurora,* f. 100 v⁰.

971 ff. Cp. *Praise of Peace,* 78 ff.

985-992. From *Aurora,* f. 64 v⁰,

> 'Alta petens aquila uolat alite celsius omni,
> Quisque potens, tumidus corde, notatur ea :
> Vt sacra testantur cythariste scripta prophete,
> In celum tales os posuere suum.
> Pennatum griphes animal, pedibusque quaternis
> Inuitos homines carpit, abhorret equos :
> Designatur in his facinus crudele potentum,
> Qui mortes hominum cum feritate bibunt.'

986. Our author no doubt read 'mundus corde' here in the *Aurora.*

987. *citharistea* : properly no doubt 'cithariste,' to be taken with 'prophete,' as in the *Aurora.*

990. 'horret equos' seems to represent the 'equis vehementer infesti' of Isidore, *Etym.* xii. 2.

1019-1024. From Neckam, *De Vita Monachorum,* p. 185, with slight variations.

1037. *esse* : as substantive, 'existence.'

1041-1050. Taken with slight changes from *Aurora,* f. 108.

1066. *fugat* : used as subjunctive ; so also iii. 1498, 2078.

1085 f. From *De Vita Monachorum,* p. 184.

1107-1112. *De Vita Monachorum,* p. 193.

1115 f. *De Vita Mouachornm,* p. 183.

1159* ff. That this was the text which stood originally in S is proved partly by the fact that the original heading of the chapter stands still as given here in the Table of Chapters, f. 5, and also by the traces of original coloured initials at ll. 1175 and 1199. A considerable part of the erased chapter reappears in the poem 'Rex celi deus,' &c., addressed to Henry IV: see p. 343.

1189 f. *Si tibi ... cupias conuertere ... Te.* These words appear in S as a correction of the rewritten text by a second erasure and in another hand.

Cap. xix. *Heading.* The original form, as given by DLTH₂, is still to be found in the Table of Chapters in S.

1201. Cp. Ovid, *Metam.* vii. 585 f.,

'veluti cum putria motis
Poma cadunt ramis agitataque ilice glandes.'

1204 ff. Note the repeated use of 'modo' in the sense of 'now': cp. 1210, 1218, 1222, 1232, 1235, 1243, 1263, 1280, &c. The usual word for 'formerly' is 'nuper'; see 1241, 1245, 1279, &c.

1205. *Metam.* ii. 541.

1223. *Oza,* that is Uzzah (2 Sam. vi.), who is selected as a type of carnal lust, apparently on the strength of the quite gratuitous assumption adopted in Lib. III. 1885 ff. Apparently 'luxus' in the next line is genitive, in spite of the metre: cp. 'excercitus,' i. 609, 'ducatus,' *Cron. Trip.* iii. 117.

1236. *Giesi,* i. e. Gehazi.

1238. *Cuius enim*: cp. note on l. 740.

1243. *Liberius*: pope from 352-366 A. D. He is mentioned here as a type of unfaithfulness to his charge, because he was induced to condemn Athanasius.

1251. *defunctis,* 'for the dead,' that is, to bury them charitably, as Tobit did.

1261. Cp. John xii. 24.

1267. Perhaps an allusion to Wycliffe, who seems to be referred to as a new Jovinianus in a later poem, p. 347.

1268. *dant dubitare,* 'cause men to doubt.'

1273. *Troianus*: i.e. Trajan, whose name is so spelt regularly by our author.

1277. *Valentinianus*: cp. *Conf. Amantis,* v. 6398 ff.

1284. *Leo*: cp. *Conf. Amantis,* Prol. 739.

1286. *Tiberii*: i. e. Tiberius Constantinus; cp. *Conf. Amantis,* ii. 587 ff.

1306. *quis,* for 'quisquam': so also 'quem' in l. 1308; cp. i. 184.

1321 f. Cp. *Conf. Amantis,* vii. 2217 ff.: 'relinquendo' is used for 'relinquens,' as i. 304, 516, &c.

1323. Cp. *Conf. Amantis,* v. 6372 ff., *Mirour,* 18301 ff.

1330. *Vix si*: cp. iv. 218, *Cron. Trip.* iii. 444.

1345. Cp. Ovid, *Amores*, i. 9. 1.

1357 f. 'She is silent as a jackdaw, chaste as a pigeon, and gentle as a thorn.'

1361 f. Perhaps an allusion to the case of Edward III and Alice Perrers.

LIB. VII.

5. Cp. *Conf. Amantis*, Prol. 595 ff.

9. *modo*, 'now': cp. note on vi. 1204.

12. *nec ... vix.* For this combination of 'vix' with a negative cp. v. 104, 153.

42. *dicunt ... volunt*, 'say that they wish': cp. ii. 200 f.

47 f. Cp. *Conf. Amantis*, v. 49 ff.; so below, ll. 61 ff.

123. Rev. ii. 25, 'id quod habetis tenete, donec veniam.'

125 f. Ovid, *Tristia*, i. 8. 41 f.,

'Et tua sunt silicis circum praecordia venae,
Et rigidum ferri semina pectus habet.'

159 f. It is difficult to construe this couplet satisfactorily, and the reading 'Est' seems quite as good as 'Et.' The Glasgow MS. has 'Et status' erased, as if for correction.

163 ff. Cp. *Mirour*, 8921 ff.

167. The original reading seems to have been 'grassantur,' for which S gives 'grossantur' ('o' written over erasure), and CG 'crassantur,' also by correction.

182 ff. I have no record of the readings of H_2 in this passage, but I have no doubt that it agrees with EHT.

184. No record of the reading of T.

186. *abhorret*: apparently subjunctive; so we have 'adhero' for 'adhereo,' l. 1296.

192. *habere modum*: a first-hand correction in S, whereas the others in ll. 182-192 are in a different hand.

194. *caput ancille*: an allusion to the form in which Satan is supposed to have appeared in the garden of Eden.

243. *specialis*, subst., 'a friend.'

255 f. Cp. Ovid, *Ars Amat.* ii. 201 f.,

'Riserit, adride; si flebit, flere memento:
Imponat leges vultibus illa tuis.'

In adapting the couplet to his purpose our author has contrived to make it unintelligible.

265. *Fuluus ... talus*: referring to the gilded spur of knighthood; gold is 'metallum fuluum.'

273 f. Cp. *Tristia*, v. 13. 27 f.

315 f. Cp. *Metam.* i. 144 f.

323 f. Cp. *Ars Amat.* i. 761 f.

327 f. *Fasti*, iv. 717 f. The application belongs to our author.

331 f. Cp. Ovid, *Tristia*, i. 9. 5 f.
334. *Ars Amat.* iii. 436.
340. Cp. *Tristia*, i. 8. 8.
347. Cp. *Metam.* i. 141.
349. *cumque*, for 'cum': cp. ii. 302, &c., and l. 872, below.
361 ff. Cp. *Mirour*, 26590 ff.
372. *Talis enim*, 'such, indeed,' : for this use of 'enim' cp. vi. 740.
375 f. From Neckam, *De Vita Monachorum*, p. 177.
379-383. Taken with slight change from *De Vita Monachorum*, pp. 183 f.
387. *De Vita Monachorum*, p. 195.
389-392. Taken with slight change from *De Vita Monachorum*, p. 197, and so also 395 f.
417-420. *De Vita Monachorum*, p. 196.
437 f. *De Vita Monachorum*, p. 196.
440. *ne sit*, for 'ne non sit.'
441 f. *De Vita Monachorum*, p. 189.
459 f. Cp. Ovid, *Ars Amat.* iii. 65 f.
463 f. Cp. *Tristia*, v. 10. 5 f., 'Stare putes, adeo procedunt tempora tarde,' &c. The couplet has neither sense nor appropriateness as given here.
465 f. *Pont.* ii. 2. 37 f.
484. *Numquid*, for 'Nonne': cp. l. 892 and note on v. 280.
485 f. *Ars Amat.* iii. 119 f.,

'Quae nunc sub Phoebo ducibusque Palatia fulgent,
Quid nisi araturis pascua bubus erant?'

'Qui' is evidently a mistake for 'Que.'
489 f. *Fasti*, i. 203 f.
499-504. From *De Vita Monachorum*, p. 181.
509 f. Cp. *Mirour*, 26605 ff. and *Conf. Amantis*, Prol. 910 ff.
519. This seems to be dependent on 'noscat' in the line above. The indicative in dependent question is quite usual, though not invariably found: cp. l. 516, where subjunctive and indicative are combined.
574. *consequeretur eum*, 'should follow him,' i. e. should be subject to man.
599. *Arboribusque sitis.* There must be something wrong here, but the variant given by D does not help us.
619. *Nonne*, used for 'Num': cp. v. 731.
639 ff. This quotation from Gregory appears also in the *Mirour de l'Omme*, 26869 ff., and the *Confessio Amantis*, Prol. 945 ff.
645. *minor est mundus homo*, 'man is a microcosm' : cp *Mirour*, 26929 ff.
647 ff. *Mirour*, 26953 ff.
684. The Glasgow MS. has 'queris' written over an erasure.
685-694. From Neckam, *De Vita Monachorum*, pp. 197 f.

699-708. With slight changes from *De Vita Monachorum*, pp. 193 f.

793. *nuper* to be taken with 'auaricia,' 'the avarice of former times'; 'modo' with 'prestat.'

872. *Cumque,* for 'Cum': cp. l. 349.

892. *Numquid,* for 'Nonne': cp. l. 484, and see note on v. 280. For the idea cp. *Mirour,* 1784 ff. It is originally from Augustine.

909 f. From *De Vita Monachorum,* p. 178.

911-918. From *De Vita Monachorum,* p. 179, with slight variations.

919-924. *De Vita Monachorum,* p. 180.

921. The reading 'nostre,' though it has small authority, is necessary to the sense and is given in the original passage.

929-932. *De Vita Monachorum,* p. 180.

955 f. Cp. *Mirour,* 11404 ff., where the often-quoted lines of Helinand's *Vers de Mort* are given.

990. *habet ... habitare,* used perhaps for the future, 'will inhabit': so 'habet torquere,' l. 1047. On the other hand in l. 1148 'habent regi' means 'must be guided,' and the same meaning of 'must' or 'ought' may be applied to all the passages.

1067. *Thetis,* used for 'water' or 'sea': cp. v. 812. All the copies here give 'thetis' (or 'Thetis') except D, which cannot be depended on to reproduce the original form in a case like this. On the other hand in the *Cronica Tripertita,* i. 80, S and H have 'tetis.'

1079. *furor breuis, ira set*: the words are suggested by the common expression 'ira furor breuis,' but the sense is different. This is frequently the case with our author's borrowings, e. g. v. 213, vi. 101.

1095. *vix si*: cp. vi. 1330; but perhaps 'vix sit' is the true reading here.

1106. *Quam prius,* as usual, for 'prius quam': cp. i. 1944.

1148. *habent*: see note on l. 990.

1185. *Que*: the antecedent must be 'virtuti,' in the next line: 'solet' is of course for 'solebat'; see note on i. 492.

1215. *tueri*: apparently passive.

1240. *deficit vnde sciam,* 'I do not know.'

1305 f. 'Because justice has departed, therefore peace, who is joined with her, is also gone.' The reference here and in the next lines is to the Psalms, lxxxiv. 11.

1342. An allusion apparently to the debasement of the coinage. The reading 'suum' in G is over an erasure.

1344. *Nobile que genuit,* 'she who produced the noble,' i. e. the gold coin of that name, called so originally because of its purity.

1356. *sine lege fera*: for this kind of play upon words cp. iv. 128, 215, 243, 509, &c.

1409 ff. It may be noted that the Harleian MS. is defective for ll. 1399-1466. Its readings here would probably agree with those of EDL, &c. SCG have the text written over erasure.

1436. *Exiguo ... tempore*: for the ablative cp. i. 1568.

1455 f. It is the galled horse that winces at the load; that which is sound feels no hurt. Thus, if the reader is not guilty of the faults spoken of, he will pass untouched by the reproof.

1470. 'Vox populi, vox dei': a sentiment repeated by our author in various forms; cp. note on iii. Prol. 11.

1479 ff. These last three lines are over erasure in SCHG. They seem to have been substituted for the original couplet in order to point more clearly the moral of the *Cronica Tripertita*, which is intended for a practical illustration of the divine punishment of sin.

Explicit, &c. It will be seen that in these later years Gower has almost brought himself to believe that the events of the earlier part of the reign were intended for a special warning to the youthful king, whom he conceives as having then already begun a course of tyrannical government. At the time, however, our author acquitted him of all responsibility, on account of his youth.

11 ff. The swan was used as a badge by the duke of Gloucester and also (perhaps not till after his death) by Henry of Lancaster. For the horse and the bear as cognizances of Arundel and Warwick see *Annales Ricardi II* (Rolls Series, 28. 3), p. 206.

CRONICA TRIPERTITA

1. *Ista tripertita*, &c. These seven lines must be regarded as a metrical preface to the Chronicle which follows. In the Hatton MS. these lines with their marginal note are placed before the prose of the preceding page (which is given in a somewhat different form) and entitled 'Prologus.'

Prima Pars

1. Take the first letter of 'mundus' and add to it C three times repeated and six periods of five years, plus ten times five and seven. The date thus indicated is MCCC + 30 + 57, i. e. 1387. For a similar mode of expression cp. Richard of Maidstone's poem on the *Reconciliation of Richard II* (Rolls Series, 14. 1),

'M. cape, ter quoque C. deciesque novem, duo iunge.'

4-12. These lines are written over an erasure in SCHG. The original version of them is not extant, so far as I am aware.

51. *Penna coronata*. This, as the margin tells us, is the Earl Marshall, that is Thomas Mowbray, earl of Nottingham, afterwards duke of Norfolk.

52. *Qui gerit S*: the earl of Derby, from whose badge of S, standing probably for 'Soverein,' came the device of the well-known collar of SS. His tomb has the word 'Soverayne' repeated several times on the canopy.

55. *aquilonica luna*, 'the northern moon,' that is, the earl of Northumberland. The variation of the text in the Harleian MS., written over an erasure, arises no doubt from the later disagreement between Henry IV and Northumberland.

58. *Troie*, i. e. London.

65. The earl of Oxford, lately created duke of Ireland, whose badge was a boar's head, was Chief Justice of Chester in this year, and there raised forces for the king, with the assistance of Thomas Molyneux, Constable of Chester, 'cuius nutum tota illa provincia expectabat,' Walsingham, ii. p. 167 (Rolls Series, 28. 2).

80. *Tetis*: see note on *Vox Clamantis*, vii. 1067: *a parte* means apparently 'on one side,' or perhaps 'on the side of the victors.'

The place where this affair happened is not very well described by the authorities, but it seems clear that the first attempt of the earl of Oxford (or duke of Ireland) to cross the river was made at Radcot (Knighton, Rolls Series, ii. 253). Here he found the bridge partly broken, so that one horseman only could cross it at a time, and guarded by men-at-arms and archers set there by the earl of Derby. At the same time he was threatened with attack by the earl of Derby himself on the one side and the duke of Gloucester on the other, both apparently on the northern bank of the river. Walsingham says that he went on to another bridge, and, finding this also guarded, plunged in on horseback and escaped by swimming over the river. Knighton gives us to understand that he was prevented by the appearance of the duke of Gloucester's force from making his way along the northern bank, and at once plunged in and swam the stream, 'et sic mirabili ausu evasit ab eis.' Walsingham adds that he was not pursued, because darkness had come on (it was nearly the shortest day of the year) and they did not know the country. This chronicler does not mention Radcot Bridge, but refers to the place vaguely as 'iuxta Burford, prope Babbelake.' It is impossible, however, that either the fight, such as it was, or the escape of the earl of Oxford can have taken place at Bablock Hythe. No doubt the lords returned to Oxford after the affair by this ferry, which was probably the shortest way. The earl of Oxford seems to have made his way to London, and after an interview with the king to have embarked at Queenborough for the Continent (Malverne, in Rolls Series, 41. 9, p. 112).

89 ff. The marginal note speaks of the 'castra, que ipse [Comes Oxonie] familie sue pro signo gestanda attribuerat.' The cognizance referred, no doubt, to the city of Chester. The same note tells us that the duke of Gloucester bore a fox-tail on his spear as an ensign: cp. Harding's Chronicle, p. 341:

> 'The foxe taile he bare ay on his spere,
> Where so he rode in peace or elles in warre.'

103. *Noua villa Macedo*, i. e. Alexander Neville: a very bad attempt on the part of our author.

104. *maledixit*. The particular form of curse in this case was translation to the see of S. Andrew, which he could not occupy because Scotland was Clementine.

107. *Hic proceres odit*, &c. He is said to have especially urged the king to take strong measures against Warwick (Malverne, p. 105).

109. *de puteo Michaelis,* 'of Michael de la Pool.' The same view of the meaning of the name is taken in Shakspere, 2 *Henry VI,* iv. 1. 70, by the murderer of William, duke of Suffolk, son of this Michael, 'Pole, Pool, sir Pool, lord ! Ay, kennel, puddle, sink.'

111 ff. This is Thomas Rushook, a Dominican, who was translated from Llandaff to Chichester by the king's special desire in 1385. He had incurred much suspicion and odium as the king's confessor and supposed private adviser. Walsingham says, 'ipse sibi conscius fugam iniit' (ii. 172); but he certainly appeared at the bar of Parliament and was sentenced to forfeiture of his goods (*Rot. Parl.* iii. 241, Malverne, p. 156).

113. *ater*: alluding to his Dominican habit.

121 ff. Cp. Knighton, ii. 255 f. All the five Appellants seem to have entered the Tower, but the three spoken of here are of course the three leaders, referred to in l. 41 and afterwards. Knighton says that the king invited the five to stay for the night, but only the earls of Derby and Nottingham accepted the invitation. The fact that Gower here assigns no political action to his hero the earl of Derby (who was under twenty years old), but gives all the credit to the three leaders, shows clearly that the young Henry played a very subordinate part.

131. *covnata*: that is, 'co-unata,' meaning 'assembled.'

133 ff. Cp. Knighton, ii. 292.

141. *senecta.* Burley was then fifty-six years old.

142. This evidently means that the queen interceded for him; cp. *Chronique de la Traïson,* p. 9. Walsingham tells us only that the earl of Derby tried to save Simon Burley and quarrelled with his uncle Gloucester on the subject. Burley had been the principal negotiator of the marriage of Richard with Anne of Bohemia.

150. Walsingham says of him that he was 'ab antiquo fallax et fraudulentus.'

152. *Pons Aquilonis,* 'Bridgenorth.' Beauchamp was keeper of Bridgenorth Castle (*Rot. Pat.,* 10 Rich. II. pt. 2. m. 15), but it does not appear from other sources that he had the title here given him by Gower of 'baron Bridgenorth.' In 1387 he was made a peer by patent (the first instance of this) under the title of lord Beauchamp of Kidderminster.

154. *Tribulus*: i.e. Nicholas Brembel (so called by Gower), called Brembul or Brembyl by Knighton, Brambre by Walsingham and Brembre or de Brembre in the Patent Rolls and Rolls of Parliament. Presumably he was of Brembre (Bramber), in the county of Sussex. He had been Mayor of London last in 1386. Knighton says of him 'quem saepius rex fecerat maiorem praeter et contra voluntatem multorum ciuium' (ii. 272), and Walsingham declares that he had planned a proscription of his opponents, with a view to making himself absolute ruler of London with the title of duke (ii. 174).

158 f. Though he was a knight, he was not dignified with the nobler form of execution, being a citizen of London.

162. *Cornubiensis*: Sir Robert Tresilian, Chief Justice.

172. *falsa sigilla* : that is, the seals set by the judges to the questions and replies submitted to them at Nottingham. 'In quorum omnium testimonium Iusticiarii et Serviens predicti sigilla sua presentibus apposuerunt' (*Rot. Parl.* iii. 233; cp. Knighton, ii. 237). They all pleaded that they had set their seals to these replies under the influence of threats from the archbishop of York, the duke of Ireland, and the earl of Suffolk.

173. *magis ansam,* ' or rather a handle ' (i.e. a pretext). The reading of the MSS. is doubtful (S apparently 'ausam,' but with a stop after 'regi'). The form of expression is not unusual with our author.

174 f. 'There was no punishment which would have been sufficient,'&c.

176. *ficta pietate*: that is, what our author in the *Conf. Amantis* calls 'pite feigned,' i. e. false or misplaced clemency.

176 ff. Knighton says that the queen interceded for them with the prelates (ii. 295). For the intervention of the prelates see *Rot. Parl.* iii. 241.

178 f. For the terms of their exile see *Rot. Parl.* iii. 244, Knighton, ii. 295f.

183. The sense of the preceding negative seems to be extended to this line also.

188 ff. I do not know of any other authority for this expulsion of friars.

200. *cantus*: apparently genitive in spite of the metre; so 'ducatus,' iii. 117, 'excercitus,' 'luxus,' *Vox Clamantis*, i. 609, vi. 1224.

215. *hirundo* : a reference to the name Arundel.

Secunda Pars

There is an interval of nearly ten years between the first and the second part of the Chronicle. Our author proceeds to the events of 1397. He assumes that the king carried out a long-meditated plan of vengeance, cp. ll. 23 ff., but this was of course an after-thought by way of accounting for what happened.

15. A pardon was granted to all three in the Parliament of 1387-88, 'par estatut' (see *Rot. Parl.* iii. 350), and a special charter of pardon was granted to the earl of Arundel at Windsor, April 30, 1394 (*Rot. Parl.* iii. 351; cp. *Ann. Ric. II*, p. 211). See below, ll. 259 f., where the charters of pardon are said to have been procured by archbishop Arundel who was then Chancellor. It seems to be implied that the other two had similar charters, but nothing is said of this in the Rolls of Parliament; cp. *Eulog. Hist.* iii. 374.

56. Cp. *Ann. Ric. II*, p. 202 (Rolls Series, 28. 3) 'iurans suo solito iuramento, per sanctum Iohannem Baptistam, quod nihil mali pateretur in corpore, si se pacifice reddere voluisset.'

69 f. In the *Annales Ricardi II* it is definitely stated that Warwick came to the king's banquet and was arrested after it (p. 202). According to Gower's account there was no banquet at all, and Gloucester was arrested before Warwick; and this agrees with the accounts given in the *Chronique de la Traïson*, p. 9, and by Froissart, vol. xvi. p. 73 (ed. Lettenhove).

85 ff. From this account we should gather that the king officially announced the death of the duke of Gloucester to parliament before it had occurred; but this was not so. Parliament met on Sept. 17, and on Sept. 21 a writ was sent in the king's name to Calais, ordering the earl of Nottingham to produce his prisoner. This was replied to, under date Sept. 24, with the announcement that he was dead (*Rot. Parl.* iii. 378). It is certain, however, that a report of the duke of Gloucester's death was circulated and generally believed in the month of August, and equally certain that this was done with the connivance of the king, who probably wished to try what effect the news would produce upon the public mind. Sir William Rickhill, the justice who was sent over to extract a confession from the duke of Gloucester, received on Sept. 5 a commission from the king to proceed to Calais, no purpose stated, the date of the commission being Aug. 17. On arrival he was presented by the earl of Nottingham with another commission from the king, also with date Aug. 17, directing him to examine the duke of Gloucester. He expressed surprise, saying that the duke was dead and that his death had been 'notified' to the people both at Calais and in England. On the next day he saw the duke and received his so-called confession (*Rot. Parl.* iii. 431). When this confession was communicated to parliament, the date of it was suppressed, and things were so arranged as to favour the opinion that the interview with Rickhill took place between the 17th and 25th of August, the latter being the accepted date of Gloucester's death; cp. the article by Mr. James Tait in the *Dict. of National Biography*, vol. lvi. pp. 157 f.

It is probable enough that the duke of Gloucester was still living when parliament met, as Gower seems to imply. Unfortunately John Halle, who confessed that he was present at the murder of the duke (*Rot. Parl.* iii. 453), gave no precise date. The statement of Gower that the king waited until he had secured his condemnation, may mean only that he satisfied himself of the temper of Parliament before taking the final and irrevocable step.

101 ff. The body seems first to have been laid in the Priory of Bermondsey: then it was buried by Richard's command in Westminster Abbey, but apart from the royal burial-place. Afterwards the body was transferred by Henry IV to the place chosen by Gloucester himself, between the tomb of Edward the Confessor and that of Edward III (Adam of Usk, p. 39).

121 f. For the insults levelled against the earl of Arundel see *Ann. Ric. II*, p. 215, Adam of Usk, p. 13.

With regard to the events of this parliament generally, it is worth while here to observe that Adam of Usk must certainly be regarded as a first-hand authority and his account as a contemporary one. It has usually been assumed that, though he says himself that he was present at the parliament ('In quo parliemento omni die presensium compilator interfuit'), he actually borrowed his account of it from the Monk of Evesham. This assumption rests entirely on the statement of the editor of Adam of Usk's Chronicle, that he must have written later than 1415, a statement which is repeated without question by Potthast, Gross, and others. It may be observed, however, that the evidence adduced for this late date is absolutely worthless. It is alleged first that Adam of Usk near the beginning of his Chronicle alludes to the Lollard rising in Henry V's reign, whereas what he actually says is that the Lollards planned an attack on Convocation, but were deterred by the resolute measures of the archbishop of Canterbury, at the time of the second parliament of Henry IV, that is the year 1401, when Convocation was engaged in an endeavour to suppress the Lollards and the archbishop procured the execution of William Sawtree; secondly we are told that the chronicler refers (p. 55) to the death of the dauphin Louis, which happened in 1415, whereas actually his reference is obviously to the death of the dauphin Charles, which took place at the beginning of the year 1402. Mr. James Tait in the *Dict. of National Biography*, vol. xlviii. p. 157, has already indicated that an earlier date than 1415 is necessary, by his reference to p. 21 of the Chronicle, where the chronicler speaks of Edmund earl of March as a boy not yet arrived at puberty, which points to a date not later than 1405. It seems probable that the Monk of Evesham had before him Adam of Usk's journal of the parliament of 1397, to which he made some slight additions from other sources, introducing into his account a political colour rather more favourable to Richard II. The close correspondence between them is confined to the proceedings of this parliament at Westminster. It may be added that the account given by Adam of Usk is full of graphic details which suggest an eye-witness.

129. The pardon pleaded by the earl of Arundel had already been revoked by parliament, therefore the plea was not accepted. From the attempts made by the king to recover Arundel's charter of pardon, even after his execution (*Rot. Claus.* 21 Ric. II. pt. 2, m. 18 d.), we may perhaps gather that some scruples were felt about the revocation of it.

135 ff. Cp. *Annales Ric. II*, pp. 216 f.

155 f. *Annales Ric. II*, p. 219.

179 ff. *Rot. Parl.* iii. 380, *Annales Ric. II*, p. 220.

199 f. 'Qu'il demureroit en perpetuel prison hors du Roialme en l'isle de Man par terme de sa vie' (*Rot. Parl.* iii. 380).

201 f. By the sentence upon the earl of Warwick all his property was confiscated, but it is stated in the *Annales Ric. II* (p. 220) that a promise was made that he and his wife should have honourable maintenance from the forfeited revenues, and that this promise was not

kept. Adam of Usk says that an income of 500 marks was granted to him and his wife, but was never paid (p. 16).

217 f. It seems impossible to construe this, and I suspect that a line has dropped out.

230. His sentence of death was commuted for that of exile to the isle of Jersey (*Rot. Parl.* iii. 382).

231 f. So also below, l. 280, our author expresses a hope for the safe return of the archbishop of Canterbury, who came back in company with Henry of Lancaster; cp. 330 f., where a hope is expressed for future vengeance on the king. Yet we can hardly suppose that this second part of the Chronicle was actually written before the events of the third part had come to pass. All that we can say is that the writer gives to his narrative the semblance of having been composed as the events happened. The return of Cobham is mentioned by him afterwards (iii. 262).

233 ff. Our author reserves the case of the archbishop to the last, as a climax of the evil. He was actually sentenced on Sept. 25, before the trial of the earl of Warwick (*Rot. Parl.* iii. 351). Sir John Cobham, whose sentence is mentioned above, was not put on his trial till Jan. 28, when parliament was sitting at Shrewsbury.

242. That is, the court of Rome was bribed to consent to his translation.

243. The title of his father, who was the second earl of Arundel, was used by him as a surname.

267 ff. This seems to mean that other private reasons were alleged to the Pope.

280. See note on l. 231.

326 f. An allusion to the campaign of 1380.

328 f. Referring especially to the very popular naval victory of Arundel in 1387 (Walsingham, ii. 154).

340. That is, in the twenty-first year of the reign (1397).

Tercia Pars

17. This comparison of Richard's proceedings to the work of a mole under the ground (see also l. 12, *margin*) is appropriate enough as a description of the plot which he undoubtedly laid against the liberties of the kingdom, but the comparison is perhaps chiefly intended to suggest that Richard, and not Henry, was the 'talpa ore dei maledicta' of prophecy (Glendower's 'mould-warp'), cp. *Archaeologia*, xx. p. 258.

27 ff. This refers to the appointment of a committee with full powers to deal with the petitions and other matters left unfinished in this parliament. The committee consisted of twelve lords, of whom six should be a quorum, and six commons, three to be a quorum: see *Rot. Parl.* iii. 368, *Annales Ric. II*, p. 222[1]. The latter authority accuses the

---

[1] Dr. Stubbs says that the earls of Worcester and Wiltshire were appointed to represent the clergy on this commission, as on that mentioned

king of altering the Rolls of Parliament 'contra effectum concessionis praedictae.'

35 ff. Cp. *Annales Ric. II*, p. 225.

47. *Que non audiuit auris*, &c. The same expression is used by Adam of Usk about the king's proceedings in this parliament at Shrewsbury (p. 17).

49 ff. These transactions are related, but not very intelligibly, in the continuation of the *Eulogium Historiarum*, iii. 378. It seems that the king summoned the archbishop and bishops to his Council at Nottingham, and used their influence to obtain from the city of London and the seventeen counties adjacent acknowledgements of guilt and payments of money to procure pardon. After this the king ordered that the archbishops, bishops, abbots, &c., and also the individual citizens of towns, should set their seals to blank parchments, wherein afterwards a promise to keep the statutes of the last parliament was inscribed, to which it was supposed that the king intended to add acknowledgements placing the persons in question and their property at his own disposal: cp. Monk of Evesham, p. 147. These last are the 'blanche-chartres' spoken of below called 'blanke chartours' in Gregory's Chronicle, p. 101, where the form of submission sent in by the city of London, 'in plesauns of the kynge and by conselle and helpe of Syr Roger Walden, Archebischoppe of Cauntyrbury ande Syr Robert Braybroke, Byschoppe of London,' is given in full, pp. 98-100. See also *Rot. Parl.* iii. 426, 432, where they are referred to as 'les Remembrances appellez Raggemans ou blanches Chartres.'

73. *pharisea*: that is, hypocritically submissive to the king.

77. *melior*: comparative for superlative; so 'probacior,' l. 79.

85 f. Gower attributes Henry's exile to what was probably the true cause, namely the king's jealousy of his popularity and fear that he might take the lead in opposition to the newly established arbitrary system of government. The very occasion of the quarrel with the duke of Norfolk, an allegation on the part of Henry that the duke of Norfolk had warned him of danger from Richard and had said that the king could not be trusted to keep his oaths, made it difficult to take more summary measures against him at that moment. Indeed it seems probable that the conversation was reported to the king with a view to obtain a contradiction of the design imputed to him. Adam of Usk says definitely that the king's object in appointing the duel at Coventry was to get rid of Henry, and that Richard had been assured by astrologers that the duke of Norfolk would win; but that on seeing them in the lists he was convinced that Henry would be the victor, and therefore he broke off the duel and banished both, intending

Rot. Parl. iii. 360, which consists of the same persons; but the official record is as given above, and the commission afterwards acted on its powers without requiring the presence of either of these two lords (*Rot. Parl.* iii. 369).

shortly to recall the duke of Norfolk (p. 23). It is noteworthy that Gower makes no mention whatever of the duke of Norfolk here.

128 (*margin*). It cannot of course be supposed that Henry embarked at Calais. Probably he sailed from Boulogne. Froissart says that his port of departure was Vannes in Brittany, but he expresses some uncertainty about the matter, and his whole account here is hopelessly inaccurate (xvii. 171, ed. Kervyn de Lettenhove).

137. *nepote*: that is Thomas, son of the late earl of Arundel; see l. 130, *margin*.

160 ff. The suggestion here that Richard foresaw the coming of Henry and went to Ireland through fear of it, is of course absurd. At the same time it is certain that he received warnings, and that in view of these his expedition to Ireland was very ill-timed. The statement in the margin, that he fatally wasted time in Ireland, is supported both by the English annalists and by Creton. In the *Annales Ric. II* we read that a week was wasted by Richard's hesitation as to the port from which he should sail (p. 248), and Creton says that Richard was delayed by the treacherous advice of the duke of Aumerle, who induced him to leave the levying of troops in Wales to the earl of Salisbury and to embark at his leisure at Waterford (*Archaeologia*, xx. 312). Nothing is said of unfavourable winds in any of these authorities, except that Creton observes that the news of Henry's landing was delayed by the bad weather (p. 309). Henry landed July 4, and Richard was in Wales before the end of the month.

188. There is no authority for reading 'sceleris' in this line, as the former editors have done. Presumably 'sceleres' is for 'celeres,' and this form of spelling is found occasionally elsewhere in the MSS., as conversely 'ceptrum' frequently for 'sceptrum.' It is not easy to translate the line, whatever reading we may adopt. It seems to mean 'So in their ignorance they hesitate,' ('few show themselves quick in action').

205. *mundum nec abhorruit istum*, 'nor renounced this world': 'istum,' as usual, for 'hunc.'

244. *Augusti mensis*. Richard left Flint on Aug. 19, and arrived in London Sept. 2 (*Annales Ric. II*, p. 251).

256. *Humfredum natum*: that is Humphrey, the young son of the duke of Gloucester. Richard had taken him to Ireland, and on hearing of the landing of Henry had ordered him to be confined, together with young Henry of Lancaster, in Trim castle (Walsingham, ii. 233).

272. *transit moriens*. He died apparently on the way back from Ireland, in Anglesea according to Adam of Usk, who says that he was poisoned (p. 28). Walsingham says that he died of 'pestilence' (ii. 242): cp. *Annales Henrici IV*, p. 321 (Rolls Series, 28. 3).

276. *Cignus*: apparently the young duke of Gloucester is here meant, and it is not intended to state that he was killed by grief for the loss of his father, but that his mother died of grief for him: cp. *Annales Henrici IV*, p. 321.

286. *dies Martis*, Tuesday, Sept. 30. Richard's renunciation was made on Sept. 29 (*Rot. Parl.* iii. 416 ff.).

300 ff. The demise of the crown made new writs necessary, but the same parliament met again six days later (Oct. 6).

310. *verbalis . . . non iudicialis*. This appears to mean that the proceedings were confined to a recital of the circumstances connected with the deposition of Richard, and that no parliamentary business was done until after the coronation, which took place on the next Monday, Oct. 13.

332 ff. The threefold right is stated here by Gower in the same way as by Chaucer:

> 'O conquerour of Brutes Albioun,
> Which that by lyne and free eleccioun
> Ben verray kyng,' &c.

In the margin, however, Gower places the right by conquest last, and tempers the idea of it by the addition 'sine sanguinis effusione.' Henry's challenge claimed the realm by descent through 'right line of blood' (that is, apparently, setting aside descent through females, cp. *Eulog. Hist. contin.* iii. 383) and by 'that right which God of his grace hath sent me . . . to recover it' (that is, by conquest). To these was added the right conferred by parliamentary election. It is not at all necessary to suppose that he relied on the legend about Edmund Crouchback, which had been officially examined and rejected (Adam of Usk, p. 30). His reference to Henry III may have been occasioned only by the fact that he was himself of the same name, and would come to the throne as Henry IV.

324. That is Oct. 13, the Translation of Edward the Confessor.

341. *augit*. This form is given by all the MSS.

352 ff. *Rot. Parl.* iii. 426.

364 ff. *Rot. Parl.* iii. 425.

368 ff. *Rot. Parl.* iii. 430 ff.

378 ff. *Rot. Parl.* iii. 449 ff.

384 ff. This refers to the fact that the dukes of Aumerle, Surrey, and Exeter, the marquis of Dorset, and the earl of Gloucester, were condemned to lose the titles of duke, marquis, and earl respectively. The case of the earl of Salisbury was reserved for future decision by combat with lord de Morley.

388 f. This seems clearly to imply that Bagot was eventually pardoned, and this conclusion is confirmed by *Rot. Parl.* iii. 458 (overlooked by the author of Bagot's life in the *Dict. of National Biography*), where there is record of a petition presented by the Commons for the restoration of his lands (Feb. 1401), which seems to have been granted by the king.

394 ff. This is confirmed by Walsingham, ii. 242, and *Annales Henrici IV*, p. 320.

402 f. Holland and Kent are the former dukes of Exeter and Surrey,

now earls of Huntingdon and Kent. Spenser is the former earl of Gloucester.

417 f. Kent and Salisbury were put to death by the populace at Cirencester, and Despenser at Bristol. The earl of Huntingdon was captured and irregularly executed in Essex.

420 ff. For the feeling in London cp. *Chronique de la Traïson*, pp. 92, 93.

432 ff. The statement here is not that Richard deliberately starved himself to death on hearing of the failure of the rising and the death of his associates, but that he lost hope and courage and could not eat, 'quod vix si prandia sumit, Aut si sponte bibit vinum,' and that he desired the death which came to him. This is not an incredible account, and it is fairly in accordance with the best evidence. Most of the contemporary authorities give starvation as the cause, or one of the causes, of death, and the account of it given in our text agrees with that of Walsingham (ii. 245), *Annales Henrici IV*, p. 330, *Eulog. Hist. contin.* iii. 387. The Monk of Evesham mentions this commonly accepted story, but thinks it more probable that he was starved involuntarily: 'Aliter tamen dicitur et verius, quod ibidem fame miserabiliter interiit,' and this is also the assertion of the Percies' proclamation (Harding's Chronicle, ed. Ellis, p. 352). Creton says,

> 'Apres le roy de ces nouvelles,
> Qui ne furent bonnes ne belles,
> En son cuer print de courroux tant,
> Que depuis celle heure en avant
> Oncques ne menga ne ne but,
> Ains covint que la mort recut,
> Comme ilz dient; maiz vrayement
> Je ne croy pas ensement:'

and he proceeds to say that he rather believes that Richard is still alive in prison (*Archaeologia*, xx. p. 408). Adam of Usk (p. 41) says that Richard was brought almost to death by grief and the disappointment of his hopes, but that his death was partly caused by the scantiness of the food supplied to him. The *Chronique de la Traïson* tells the story about Piers Exton, which was afterwards commonly accepted by historians, but this was certainly not current at the time in England.

462 ff. The epithet 'pius,' which Gower attaches to Henry's name in this passage, means in his mouth 'merciful,' and in the margin the 'pietas' of the new king is contrasted with the 'cruelty' of Richard, the vice to which Gower chiefly attributes his fall. There is no doubt that the execution of Arundel and the murder of Gloucester (or the popular opinion that he had been murdered) produced a very sinister impression, and caused a general feeling of insecurity which was very favourable to Henry's enterprise. It is true also that Henry showed himself scrupulously moderate at first in his dealings with political

opponents. Gower expresses the state of things pretty accurately, when he says below:

> 'R. proceres odit et eorum predia rodit,
> H. fouet, heredesque suas restaurat in edes;
> R. regnum vastat vindex et in omnibus astat,
> Mulset terrorem pius H., que reducit amorem.'

486. This is a perilously near approach to the Wycliffite doctrine.

REX CELI Etc. (p. 343)

This piece is here connected by its heading with the *Cronica Tripertita*, but it occurs also in the Glasgow MS. independently and in the Trentham MS. as a sequel to the poem *In Praise of Peace*, with the following in place of the present heading, 'Explicit carmen de pacis commendacione ... Et nunc sequitur epistola, in qua idem Iohannes pro statu et salute dicti domini sui apud altissimum deuocius exorat.' The poem itself is an adaptation of the original version of *Vox Clamantis*, vi. cap. 18: see vol. iii. p. 554.

H. AQUILE PULLUS Etc. (p. 344)

The word 'Prophecia' in the margin seems to be intended to recall the supposed prophecy of Merlin about the 'filius (or pullus) aquilae' (*Archaeol.* xx. p. 257, Adam of Usk's Chronicle, p. 133).

These four lines immediately follow the *Cronica Tripertita* in the Glasgow and Hatton MSS., and are themselves followed by two quotations from the Psalms (lxxxviii. 23, xl. 3):

'Nichil proficiet inimicus in eo, et filius iniquitatis non apponet nocere ei.'

'Dominus conseruet eum, et viuificet eum, et beatum faciat eum in terra, et non tradat eum in animam inimicorum eius.'

In the Trentham MS. we have the lines 'H. aquile pullus,' and the above quotations, subjoined to the first eight lines of 'O recolende,' as part of the dedication of the *Cinkante Balades*: see vol. i. p. 336.

1. *aquile pullus*: Henry is called so because his father was named John and used the eagle as one of his cognisances: cp. Adam of Usk, p. 24, 'pullus aquile, quia filius Iohannis.' The reference is to a prophecy, one form of which is quoted by the editor of Adam of Usk's Chronicle, p. 133. For the use of the eagle by John of Gaunt see Sandford's *Genealogical History*, p. 249.

2. *colla*. The reading of S may be supported by reference to *Vox Clamantis*, vi. 876, where our author in borrowing from the *Aurora* substitutes 'bella' for 'corda' or 'colla.'

3. *aquile ... oleum*: this is the oil produced for Henry's coronation, which was said to have been miraculously delivered to Thomas à Becket in a vial enclosed within an eagle of gold, and deposited by him in the

church of St. Gregory at Poitiers. It was said to have been brought to England by Henry, first duke of Lancaster, and to have been delivered by him to the Black Prince. Thus it came into the possession of Richard II, who is said to have worn it constantly about his neck. He had desired to be re-anointed with this oil, but archbishop Arundel had refused to perform the ceremony (*Annales Henrici IV*, pp. 297-300, *Eulog. Hist. contin.* iii. 380).

O RECOLENDE, ETC. (p. 345)

The first eight lines of this appear in the Trentham MS. in combination with 'H. aquile pullus' as part of the dedication of the *Cinkante Balades*.

16 ff. For 'pietas,' 'pius,' see note on *Cronica Tripertita*, iii. 462.

CARMEN SUPER MULTIPLICI VICIORUM PESTILENCIA (p. 346)

'Putruerunt et corrupte sunt,' &c. This is in fact a quotation from the Psalms, 'Putruerunt et corruptae sunt cicatrices meae a facie insipientiae meae,' xxxvii. 6. (xxxviii. 5).

32. *quasi Iouiniani*. Already in the *Vox Clamantis* we have had reference to the 'new Jovinian' who is a sower of heresy (vi. 1267), and the person meant is no doubt Wycliffe. Jovinian, the opponent of Jerome on the marriage question, is taken as a type of the ecclesiastic of lax principles. Milman calls Jovinian and Vigilantius 'premature Protestants' (*History of Christianity*, Bk. III. ch. iv).

36. *sub grossa lana*: an allusion perhaps to the simple russet garb of Wycliffe's poor priests.

52 ff. Cp. *Vox Clamantis*, ii. 437 ff., whence many of these lines are taken, e.g. 54-57, 60-77.

54. *mortis ymago*: that is, the mortal creature.

86. 'time' was probably written originally for 'stude' in SCH, as well as in F, but it was perceived perhaps that 'reuereri,' which was required for the rhyme, would not stand as an imperative. Similarly in line 88 'Que fantasias aliter tibi dant' stood no doubt originally in SCH, and was altered for grammatical reasons.

181 f. This couplet is repeated from *Vox Clamantis*, vi. 861 f.

190. *quam prius*, for 'prius quam,' as frequently: cp. ll. 202, 292.

199. This line is from Ovid, *Metam.* vii. 826, 'Credula res amor est,' &c., and is quite without sense as it stands here: cp. *Vox Clamantis*, v. 165.

203 f. 1 Cor. vi. 18.

246 ff. Cp. *Vox Clamantis*, vi. 445 ff.

250. *semel nisi*, i. e. 'once only' for 'non nisi semel': cp. *Vox Clamantis*, iii. 22.

312. *bis deno Ricardi regis in anno.* The twentieth year of Richard II is from June 22, 1396 to the same date of 1397. The arrests of Arundel and Gloucester took place in the first few days of the twenty-first year.

DE LUCIS SCRUTINIO (p. 355)

The Ecton MS. (E) gives a different form of the marginal notes, as follows: 6. Nota de luce prelatorum et curatorum. 18. Nota de luce professorum. 30. Nota de luce regum. 44. Nota de luce procerum. 51. Nota de luce militum. 58. Nota de luce legistarum et causidicorum. 67. Nota de luce mercatorum. 79. Nota de luce vulgari in patria. 89. Nota quod Iohannes Gower auctor huius libri hic in fine tenebras deplangens pro luce optinenda deum exorat.

25 ff. See *Praise of Peace*, 225 ff.

64 f. Cp. *Vox Clamantis*, v. 703.

91 ff. The language is of course figurative: we must not assume that the author is referring to any physical blindness.

ECCE PATET TENSUS ETC. (p. 358)

This piece is found in the Trentham MS. f. 33 v°, following the *Cinkante Balades*. It is probably imperfect at the end, the manuscript having lost the next leaf.

25. *que naturatur*, &c., 'which is irresistibly disposed to that which is unlawful.' This seems to be the meaning, but it is awkwardly expressed.

EST AMOR ETC. (p. 359)

This piece occurs also in combination with the *Traitié*: see vol. i. p. 392. For the substance of it cp. *Vox Clamantis*, v. 53 ff.

QUIA VNUSQUISQUE ETC. (p. 360)

The form given by G is practically identical with that of the Fairfax MS. That of the text, as given by SCH, varies from it in the first paragraph, where it adopts the wording found in the second recension copies, BTΛ. See vol. iii. pp. 479 and 550.

10. The word 'meditantis' is written over an erasure in G.

11 ff. This paragraph, as finally rewritten, seems intended to include the *Cronica Tripertita* as a sequel to the *Vox Clamantis*: cp. p. 313, where in the note which connects the two works language is used very similar to that which we have here. The author in his retrospective view of Richard's reign has brought himself to feel that the earlier calamities were a divine warning, by the neglect of which the later

evils and the final catastrophe had been brought about. It has already been pointed out (vol. iii. p. 550) that in the Fairfax MS. this account of the author's books is completely separated from the text of the *Confessio Amantis* and is written in a later hand, the same in fact which we have here in the All Souls MS.

ENEIDOS BUCOLIS Etc. (p. 361)

These lines, which Gower says were kindly sent to him by 'a certain philosopher' (not 'quidam Philippus,' as printed by the Roxburghe editor) on the completion of his three books, are found also at the end of the Fairfax MS. The author is probably the same as that of the four lines 'Quam cinxere freta,' &c., appended to the *Confessio Amantis*, which are called 'Epistola super huius opusculi sui complementum Iohanni Gower a quodam philosopho transmissa.' I have ventured on the conjecture that this philosopher was in fact Ralph Strode, whom Chaucer couples with Gower in the last stanza of *Troilus* with the epithet 'philosophical,' and of whom we know by tradition that he wrote elegiac verse.

O DEUS IMMENSE Etc. (p. 362)

There is no reason why the heading should not be from the hand of the author, though added of course somewhat later than the date of composition. The phrase 'adhuc viuens' or 'dum vixit' does not seem to be any objection to this. It is used with a view to future generations, and occurs also in the author's account of his books (p. 360, l. 4).

2. *morosi*: opposed here to 'viciosi'; cp. l. 57 and *Epistola* (p. 1), l. 33.
7. *foret*, 'ought to be.'
19. Isaiah xxxiii. 1.
49. Cp. *Traitié*, xv. 7, &c.
62. *habet speciale*, 'keeps as a secret.'
74. *recoletur*: apparently meant for subjunctive.

QUICQUID HOMO SCRIBAT, Etc. (p. 365)

Of the three forms given here we must suppose that of the Trentham MS. to be the earliest. It is decidedly shorter than the others, it has no prose heading, and it names the first year of Henry IV in such a manner that we may probably assign it to that year. The poet's eyesight had then failed to such an extent that it was difficult for him any longer to write; but complete blindness probably had not yet come on, and he does not yet use the word 'cecus.' Of the other two forms it is probable that that given by S is the later, if only because the precise date is omitted and the very diffuse heading restrained within reasonable limits. S, it is true, ends with this piece, while CHG have the later pieces; but these were probably added as they were composed, and the All Souls book may have been presented to archbishop Arundel before the last poems were written.

This concluding piece is written in S in the same hand as the *Epistola* at the beginning of the book, the heading apparently over the writing of another hand, some parts as 'dicitur,' l. 2, 'tripertita— tempore,' 2, 3, being obviously over erasure. The original hand remains for 'est qualiter ab illa Cronica que,' 'in Anglia—rerum,' 'varia carmina—quia.'

ORATE PRO ANIMA Etc. (p. 367)

I have no doubt that this exhortation was set down by Gower himself, who had probably arranged before his death for the promised indulgence, following the principle laid down in the last poem of the collection, of being his own executor in such matters. The verses 'Armigeri scutum,' &c., which are appended in the Glasgow MS. were originally upon his tomb, and they have every appearance of being his own composition: cp. p. 352, ll. 217 ff. Berthelette after describing the tomb says, 'And there by hongeth a table, wherin appereth that who so euer praith for the soule of John Gower, he shall, so oft as he so dothe, haue a thousande and fyue hundred dayes of pardon.'

PRESUL, OUILE REGIS, Etc. (p. 368)

This is evidently addressed to archbishop Arundel. The comet referred to is no doubt that of March, 1402. The evils complained of are the conspiracies against the king, and we are told by the chroniclers that the appearance of this comet in the north was taken as a presage of the troubles in Wales and in Northumberland: cp. Walsingham, ii. 248. Adam of Usk, who saw it when on the Continent, says it was visible by day as well as by night, and that it probably prefigured the death of the duke of Milan, whose arms were also seen in the sky (p. 73).

DICUNT SCRIPTURE Etc. (p. 368)

5. The neglect complained of is of prayers for the soul of the departed. Gower seems to have followed his own precept and made arrangements for some of the prayers in his lifetime, though others are provided for by his will. Berthelette in his preface to the *Confessio Amantis* (1532) speaks of Gower's place of burial as having been prepared by himself in the church of St. Mary Overes, 'where he hath of his owne foundation a masse dayly songe. And more ouer he hath an obyte yerely done for hym within the same churche, on fryday after the feaste of the blessed pope saynte Gregory.' St. Gregory's day is March 12.

GLOSSARY

THE Glossary is not intended as a complete record of Gower's Latin vocabulary. It is a list of words which are unclassical in form or usage, or seem to present some difficulty, with select references and occasional explanations. Regular differences of spelling, such as *e* for *ae* and *ci* for *ti* are passed over without notice. The Roman numbers without letters prefixed indicate books of the *Vox Clamantis*, Ep. stands for the *Epistola* at the beginning of the volume, C. T. for *Cronica Tripertita*, V. P. for *Carmen super multiplici Viciorum Pestilencia*, L. S. for *Tractatus de Lucis Scrutinio*, and the other pieces are represented by their opening words. A few references only are given, and common usages are illustrated chiefly from the first book of the *Vox Clamantis*.

A

abbas, *s.* iii. 379.
abhominacio, *s.* C. T. iii. 33.
abhorreo, *v. a.* i. 1084, shrink from, i. 1020*, be repulsive to; abhorret *as subj.* vii. 186.
abinde, *adv.* C. T. i. 199, iii. 4.
abintus, *adv.* i. 2056.
abissus, *s.* i. 345.
abortus, &c. *for* 'obortus,' &c. i. 885.
absto, *v.* ii. 9, cease to exist.
accidia, *s.* vii. 817, sloth.
accidiosus, *a.* iii. 2069, vii. 817 ff., slothful.
Acephalus, iii. 956, iv. 715.
acra, *a. f. sing.* and *n. pl.*, iii. 1162, C. T. ii. 27.
Actĕon, i. 446.
actrix, *s.* i. 763.
adhero, *v.* vii. 1296.
aera, *s. nom. sing.*, iii. 831 (*also* aer, e. g. iii. 837).
Āgamĕnon, i. 988.
agon, *s.* i. 1124, C. T. iii. 464, contest, action.
alba, *s.* iii. 1787, alb.
aliqualis, *a.* i. 486, (not) any.
aliquis, *for* 'quisquam,' i. 261.
alter (=different) i. 21.
altero, *v. a.* i. 534, change.
ambassiātor, *s.* C. T. iii. 107.

ammodo (amodo), *adv.* i. 196, 495, 2146, henceforth, now.
amurca, *s.* i. 359, scum.
ancer, *for* 'anser,' i. 518.
angelicus, *a.* iii. 283.
ab ante, *adv.* i. 1355.
Anthĕnor, i. 963.
antifrasis, *s.* vii. 507, contradiction.
antitodum, *s.* vi. 828, antidote.
aperculus, *s.* i. 305.
apex, *s.* vii. 746, letter, vii. 1076, crown.
āpocapatus, *a.* iv. 354, cut short.
āpocapē, *s.* v. 820, cutting short.
apostata, *s.* iv. 289, 973.
appello, *v.* C. T. ii. 77 ff., accuse.
approprio (aproprio), *v. a.* i. 198.
aproprio, *see* approprio.
aquilonicus, *a.* C. T. i. 55, northern.
ăra, *for* 'hara,' i. 306, 369.
arātrum, *s.* i. 249, 283.
archanum, *for* 'arcanum,' V. P. 64.
architesis, *s.* v. 45, (?).
ardeo, *v. a.* i. 325.
artes, i. 474, *see Notes*.
assessus, *pp.* vi. 425, prepared.
assisa, *s.* vi. 426, assise.
asto, *v.* v. 96, 100, vi. 26, be.
Āthenis, *abl. pl.* v. 1011.
auca, *s.* i. 549, goose.
augo, *v. a.* C. T. iii. 341 (*also* augeo, *as* 'Rex celi' &c. 45).
Augustīnensis, *a.* C. T. ii. 153.

GLOSSARY

B

Bachus, *for* 'Bacchus,' i. 949.
băro, *s.* C. T. 152, băro, 'O recolende' &c. 10.
bassus, *a.* i. 523, C. T. ii. 104, low.
bercarius, *s.* iii. 1761, shepherd.
biblea, *s.* V. P. 182 (*also* biblia, vi. 862).
biceps, *a.* i. 227, two-edged.
blădum, *s.* i. 318, corn-crop.
Boētes, *for* 'Boōtes,' i. 139.
bombizo, *v.* i. 811, buzz.
botrus, *s.* ii. 219, bunch of grapes.
brauium, *s.* iv. 847, prize.
bruchus, *s.* i. 603, caterpillar.

C

Călĭsia, C. T. ii. 47, Calisie (*pl.*), C. T. iii. 133, Calais.
Cămēlion, *s.* iv. 826.
camera, *s.* i. 471, chamber.
cānon, *s.* iv. 359, rule.
cānonicus, *s.* iv. 359.
Cāpanĕus, i. 985.
capitale, *s.* iii. 1801, head-dress.
capitaneus, *s.* i. 921, captain.
capitatus, *a.* iv. 839, (?).
capitosus, *a.* 'Est amor' &c. 4, headstrong.
capitulum, *s.* chapter.
captiuo, *v.* C. T. ii. 70, arrest.
carecta, i. 285, cart.
caribdis, *for* 'Charybdis,' C. T. iii. 23.
carta, *s.* C. T. ii. 16, charter.
catallum, *s.* C. T. i. 144, *pl.* C. T. i. 22, property.
catasta, *s.* i. 682, cage.
cathena, *for* 'catena,' i. 400.
cătus, *s.* C. T. i. 25, cat.
causo, *v.* i. 1072.
cautela, *s.* vi. 29, trick.
celsithronus, i. 2068.
celsitonans, i. 26.
ceptrum, *for* 'sceptrum,' iii. 579.
Cerem, *for* 'Cererem,' v. 812.
cerpo, *for* 'serpo,' iii. 1963.
cessit, *for* 'cessat,' Ep. 11.
Chaÿm, i. 1117, Cain.
choruscho, *for* 'corusco,' i. 23.
cicius, *adv.* i. 846, iv. 207, rather.
ciclus, *s.* ii. 241, cycle.
Cilla, *for* 'Scylla,' i. 1951.

ciniphes, *s.* i. 603, (?).
citharistĕus, *a.* vii. 753, of the harp.
clamo, i. 2, iv. 1330, claim.
clarifico, *v.* ii. 560, C. T. i. 188.
clata, *s.* v. 809, pillory (?).
claustralis, *s.* iv. 273, 828, monk; *a.* L. S. 15.
claustrum, *s.* iii. 379, cloister.
clerus, *s.* iii. 1.
cognicior, *a. comp.* i. 1112.
colonis, *s.* i. 1876, vii. 1261.
comitissa, *s.* C. T. ii. 203, countess.
comitiua, *s.* C. T. iii. 139, company.
compacior, *v.* i. 1330, 1545, iv. 272, sympathize (with).
compotus, *s.* iii. 1397, account.
concerno, *v.* v. 127, look at.
concito, *adv.* i. 1955, quickly.
concomitor, *v.* vi. 786.
condignum, *s.* iii. 1564, desert.
condignus, *a.* iv. 556, suitable.
confero, *v. n.* i. 360, ii. 311, be of use; *refl.* i. 207, suit.
confrater, *s.* iv. 63, brother in religion.
congaudeo, i. 97, C. T. iii. 148, 245.
congradior, *for* 'congredior,' i. 308.
conroto, *v.* i. 1194, whirl about.
consiliaris, *s.* 'O deus' &c. 13.
consiliator, *s.* 'O deus' &c. 33.
constellacio, *s.* i. 141.
construo, iii. 998, 1237.
contemplor, *v. pass.* Ep. 4.
contritus, *a.* C. T. iii. 206.
coppa, *s.* i. 545, hen.
corditer, *adv.* C. T. iii. 315, heartily.
cordula, *s.* iv. 509, string (of a musical instrument).
cornuto, *v.* i. 245, push with horns.
corona, iii. 1763, 2104, tonsure.
corrodium, *s.* iv. 215, *see Notes*.
cōtĭdianus, *a.* ii. 164.
co-vnatus, *a.* C. T. i. 131, assembled.
crapulus, *s.* i. 280, *see Notes*.
crasso, *v.* iii. 122, iv. 71, fatten.
Cristicola, iii. 310, Christian.
crŏnica, *s.* i. 670, C. T. iii. 489, chronicle, record.
crucifer, *s.* i. 1087, cross-bearer.
cumque, *for* 'cum,' i. 119, iii. 545, 958, vii. 872.
cupero, *v. for* 'recupero,' v. 214.
cura, *s.* iii. 1315 ff. cure of souls.
curatus, *s.* iii. 1322, parish priest.
curo, *v.* iii. 1344, have a cure of souls.
cÿnōmia, *s.* i. 1603, dog-fly (κυνόμυια) (?).

GLOSSARY

D

Dauiticus, *a.* iii. 365, of David.
de, *prep.* Ep. 35, i. 14, 101, 115, 202, 230, 244, 392, 430, 523, 614, 868, 872, 1240, &c. with, by reason of, for the sake of.
decapito, *v.* i. 836, C. T. i. 184.
decasus, ii. 30, vii. 1242, fall.
decaudo, *v.* v. 819, curtail.
dēcimo, *v.* v. 785, take tithe.
decōro, *v.* vii. 595.
dedico, *v.* iii. 943, refuse.
dedignosus, *a.* 'Est amor' &c. 11.
defendo, *v.* v. 719, forbid.
deforis, *adv.* i. 63, outside.
deliciosus, *a.* i. 196.
demon, *s.* i. 301.
denărius, *s.* v. 760.
denaturo, *v.* i. 979, v. 637, degenerate, misbehave.
dentale, *s.* i. 283, ploughshare.
depenno, *v.* C. T. ii. 315.
derogo, *v.* vi. 29, obtain.
desuper, *adv.* i. 96, vii. 678, &c. on high.
deuiolo, *v.* iv. 676.
dextrarius, *s.* i. 639, steed.
a dextris, i. 31.
dieta, *s.* C. T. i. 58, iii. 157.
digito, *v. a.* iii. 1004, lay finger to.
disproprio, *v.* iii. 680, cast aside.
dissoluo, *v.* vii. 549, spread out.
distancia, *s.* i. 965, difference.
ditescere, *v. a.* ii. 607, C. T. iii. 119, enrich.
diuarico, *v. a.* ii. 612, vii. 474, vary.
diŭturnus, *a.* i. 219.
doleum, *s. for* 'dolium,' v. 777.
dominati, *s. pl.* iii. 297, 'dominions.'
dompnus, *s.* iv. 34, 323 ff., *see Notes.*
dorsa, *s.* i. 409, back.
dubitatus, *a.* i. 1561, doubtful.
ducatus, *s.* C. T. iii. 117, dukedom.
ductilis, *a.* iii. 1091, guiding; cp. i. 930.
dummodo, *for* 'dum,' Ep. 11.
dumque, *for* 'dum,' Ep. 23, i. 165, 806, iii. 366, iv. 266.

E

eccho, *for* 'echo,' i. 376.
ecclĕsia, *s.* iii. 293, C. T. i. 104.
eclipsis, *s.* C. T. i. 60.

econtra, *adv.* i. Prol. 5, on the other hand.
econuerso, *adv.* ii. 102.
edus, *for* 'haedus,' iv. 693.
elemōsyna, *s.* iv. 263, alms.
elongo, *v.* ii. 308, v. 99.
enim, *with relat. pron.* vi. 740, 1238, cp. vii. 372, indeed.
ephot, *s.* i. 1080.
esse, *inf. as subst.* ii. 437, 512, 'Rex celi' &c. 7.
Ethna, C. T. ii. 207.
euinco, *v.* vii. 67, acquire (?).
ex, *prep.* i. 97, 156, 522, 881, 1334, because of, by means of, by, away from.
excercitus, *for* 'exercitus,' i. 609.
excetra, ii. Prol. 51, serpent (?).
executor, *s.* p. 368 *marg.*, executor of the dead.
exemplicor, *v.* vii. 925, warn by example.
exennia, *s. pl.* vi. 63, gifts.
exilium, *s.* i. 455, destruction.
explanto, *v.* C. T. iii. 255, root out.
expresse, *adv.* 'Vnanimes esse' &c. 2.
exquo, *conj.* ii. cap. xi. (*heading*), since.
extasis, *s.* i. 1470, v. 138.
extenta, iii. 942, (?).
exto, *v.* i. 421, 433, be.

F

falco, *s.* i. 521, C. T. ii. 51.
fatatus, *pp.* C. T. iii. 356, fated.
fāuus, *s.* ii. Prol. 77 (*but* făuus, vi. 900).
febricitor, *v.* iv. 64, be fevered.
fero, *v.* i. 164, 365, 724, 1200, 1202, find, obtain, experience, direct.
fīdŭcia, *s.* vi. 336.
figmentum, *s.* vii. 1139, formation.
florigeratus, *a.* vi. 1365, flowery.
forma, *s.* iii. 1413, dignity.
formalis, *a.* iii. 1443, dignified.
fortifico, *v.* ii. Prol. 81.
fortītudo, *s.* i. 1095.
fossum, *s.* i. 348, pitfall.
frăgro, *v.* i. 61.
frendeo, *v.* i. 337, roar.
fugat, *subj. for* 'fuget,' iii. 1498, vi. 1066.
furiens, *for* 'furens,' i. 777, 843, 1190.
furo, *v. a.* i. 853, 2106, stir up, infuriate (*also v. n.* i. 245, &c.).

GLOSSARY

G

gaiolis, *s.* (*abl. pl.*) i. cap. vi. (*heading*), gaols.
garcio, *s.* vii. 264, apprentice.
geba, *s.* iii. 86, see *Notes.*
gehenna, *s.* i. 431, 1377, C. T. ii. 2.
genuflexus, *a.* ' Rex celi' &c. 53.
gerarchīa, *s.* iii. 300, hierarchy.
Gereon, *for* ' Geryon,' i. 447.
gibbosus, *a.* vii. 1455.
girovago, *v.* i. 124, wander about.
gladiatus, *pp.* iii. 366, armed with a sword.
glosa, *s.* iii. 941, ' Est amor' &c. 1, comment, explanation.
graculus, *s.* i. 681, jay.
grauo, *v. n.* vii. 1455, be an offence.
grisus, *a.* v. 797, grey.
grossor, *v. perh. for* ' grassor,' vii. 167.
grossus, *a.* i. 251, coarse.
guerra, *s.* i. 2027, ii. 76, war.
gutta, i. 70, gum.

H

habeo, *v.* vii. 990, 1047, 1148, must, ought.
habundo, *v. n.* i. 17, increase.
Hănibal, vi. 1289.
Hēlĕnus, Hĕlĕnus, i. 1002, 1153.
Herebus, *for* ' Erebus,' i. 741.
herĕmis, *s.* ii. 261, desert.
heremita, *s.* V. P. 300, hermit.
heresis, *s.* V. P. 32.
hēri, *adv.* i. 245, yesterday, (hĕri, iii. 1379).
hic, *for* 'is' *or* 'ille,' i. 475, 501, 676.
Hispannia, i. 447.
holocaustum, *s.* i. 1854, sacrifice.
humerale, *s.* iii. 1799, vestment worn on the shoulders.

I

Iăsōnis, *genit.* i. 263.
idipsum, ii. 585.
igniuomus, *a.* i. 1713.
Ihēsus, ii. 485, &c.
illiceber, *a.* vi. cap. xii. (*heading*), alluring.
illicebrum, *s. for* ' illecebra,' vi. 854, allurement.
illuc, *for* ' illic,' i. 57.

imperialis, *a.* C. T. iii. 458, royal.
incantatus, *pp.* iv. 799, C. T. ii. 13, charmed, deluded.
incaustum, *s.* ii. 1, ink.
inchola, *for* ' incola,' i. 1215.
incircumspectus, *a.* i. 907, incautious.
ineternum, *adv.* i. 1756, ' Rex celi ' &c. 6.
infernus, *s.* i. 430, 748, hell.
inficio, *v.* iv. 236, unmake (*also* taint, pollute, iv. 438, &c.).
infra, *prep.* C. T. ii. 95 (*marg.*), iii. 401 (*marg.*), within: ab infra, ad infra, i. 2011, v. 167.
ingluuies, *s.* i. 1907, flow, (?).
inmunis, *a.* vi. 1307, innocent.
inquiĕto, *v.* vii. 892.
insulcatus, *pp.* i. 1649, (?).
interius, *comp. n. as subst.* i. Prol. 12, 1361.
interuter, *a.* ii. 188, each in turn (?).
intitulo, *v.* i. 126, vii. 158, take possession of (?).
ioco, *v. a.* ii. 188, C. T. ii. 181, mock at, greet with smiles.
iota, *s.* vii. 746.
ipse, *for* ' ille,' i. 94, 239, 754; *redundant,* i. 852, 864.
irracio, *s.* i. 178, unreason.
iste, *for* ' hic,' Ep. 7, i. 357, 838, 1118.
iūbeo, *v.* vi. 779 (*also* iŭbeo).
iubileum, *s.* C. T. iii. 330.
iudiciale, *s.* iii. 1692, vi. 710, judgement.
iugulum, *s.* C. T. ii. 98, murder.
iustifico, *v.* C. T. ii. 223.

L

laicus, *a. and s.* iii. 505, 1761.
latitanter, *adv.* i. 481, secretly.
Latŏna, i. 579.
latria, *s.* iv. 819, service.
lauăcrum, *s.* ii. 7, baptism.
lĕgatus, *s.* iii. 664.
legista, *s.* C. T. i. 31, L. S. 61.
legius, *s.* vi. 581, subject.
leopardus, *a.* i. 232, 1757.
leuio, *v.* v. 662, lighter.
ligna, *s. f.* vi. 524.
limpha, *for* ' lympha,' ii. 255.
linquo, *v. n.* i. 1572, cease.
locuplex, *for* ' locuples,' vi. 133.
Londonie (*pl.*), Londonienses, C. T. ii. 153, iii. 244, 268, 420.
a longe, *adv.* i. 725, 1032.

GLOSSARY

lŭcerna, *s.* iii. 1077 (*also* lūcerna, e.g. L. S. 6).
luxuracio, *s.* iii. 209, wantonness.
Lȳsīas, ii. 290.

M

Macēdo, vi. 1109.
maculo, *v.* C. T. iii. 375, blame.
madeo, *v. a.* vii. 888, make wet.
maior, *s.* i. 1861, mayor.
maius, *adv.* i. 2010, any longer.
malediccio, *s.* i. 177, curse.
maligno, *v.* V. P. 12.
Mammona, *s.* iii. 207, vii. 120, V. P. 298.
manus, *in phrases,* ante manum, vi. 438, 680, pre manibus, i. 1244, iii. 227.
manutentus, *pp.* C. T. ii. 61, (of an oath) taken.
margārita, *s.* iv. 661.
martirĭzatus, *pp.* C. T. ii. 96.
meminens, *pres. part.* ii. Prol. 2.
memor, *a.* vi. 924, vii. 1428, remembered.
memoror, *v. dep.* Ep. 18, vi. 1117, vii. 1162.
mentalis, *a.* ' O recolende' &c. 25.
mērĭdianus, *a.* i. 737.
miles, *s.* i. 1067, knight.
milicia, *s.* v. 3, knighthood.
milicies, *s.* i. 1265, knighthood.
millesies, *adv.* i. 1406.
Mĭnŏtaurus, i. 273.
ad minus, vi. 1344, at least.
misticus, *for* ' mysticus,' ii. 444, iii. 1838.
mitto, *v.* i. 1123, commit.
mocio, *s.* iii. 2091, motive.
modernus, *a.* iii. Prol. 56, V. P. 33, 134, of the present time.
modo, *adv.* Ep. 40, iii. 276 ff., 1258, now, at the present time.
molendinum, *s.* i. 402, mill.
mollior, *v. dep.* i. 41, soften.
molosus, *s. for* ' molossus,' i. 400, mastiff.
mŏmentum, *s.* i. 1405, ii. 152.
monachus, *s.* iii. 379.
monialis, *s.* iv. 553 ff., nun.
monilis, *a.* iv. 265.
mōnoculus, *a.* i. 405, one-eyed.
moriger, *a.* vi. 567, vii. 1183, 1355, good.
morosus, *a.* Ep. 33, ' O deus' &c. 2.
mortifico, *v.* C. T. ii. 110, kill.
mulcĕbris, *a.* v. 75, soothing.
mulier, *genit.* muliēris, i. 1255, iii. 1517.
multiplico, *v. n.* ii. 606.
multociens, *adv.* i. 1341, iv. 1095.

mundifico, *v. a.* vii. 627, C. T. i. 192, cleanse.
mundipotens, *a.* vi. 398.
murelegus, *s.* i. 463, cat.

N

nāto, *v.* C. T. ii. 45.
naturo, *v. a.* v. 205.
nēbula, *s.* i. 133, L. S. 22.
necesse, *s.* C. T. iii. 217, necessity.
nefrendus, *s.* i. 307, young pig.
nephas, nephandus, *for* ' nefas,' ' nefandus,' i. 446, 1318.
nequio, *for* ' nequeo,' Ep. 17.
nigredo, *s.* i. 529, C. T. i. 114.
nisi, *conj.* iii. Prol. 62, iii. 22, V. P. 250, (*used for* ' non nisi ') only.
nisus, vii. 226, hawk.
non, *for* ' ne,' iii. 1152, 1434, iv. 131.
nonne, *for* ' num,' v. 721, vi. 523, vii. 619, *for* ' non,' vi. 351.
nota, *s.* i. 128, note of music.
nouiter, *adv.* i. 2011, anew.
nouo, *v. n.* iv. 678, be renewed.
nouo, *adv.* iii. 250, 284, 376, anew.
nullatenus, *adv.* vi. cap. v. (*heading*).
num, *for* ' nonne,' ii. 306, 320.
numquid, *for* ' nonne,' ii. Prol. 59, v. 280, vii. 484, 892, surely.
nuper, *adv.* i. 443, iii. 279 ff., formerly.

O

obaudio, *v.* vii. 1471, (?).
ōbex, *s.* C. T. ii. 3, hindrance.
occianus, *for* ' oceanus,' i. 1954.
occo, *v.* vii. 448, cut off.
ŏester, i. 603, gad-fly.
oppono, *v.* iii. 615, put questions.
organa, *s.* i. 103, vii. 299, musical instrument.
origo, *s.* i. 144, (?).
orĭzon, *s.* ii. 240, sky.
orphanus, *s.* v. 232.
ortus, *for* ' hortus,' i. 61.
Oxŏnia, C. T. i. 63.

P

păganus, *s.* ii. 495, iii. 307.
Pālamădes, i. 987.
palentinus, *a.* i. 915.
panellus, vii. 1455, saddle.
pannificus, *a.* v. 782, of cloth-makers.

paritas, *s.* i. 763.
parliamentum, *s.* C. T. i. 129, iii. 284.
pascua, *s. fem.* i. 342, pasture.
pauce, *adv.* v. 93.
pedito, *v.* iii. 1561, v. 101.
peniteo, *v. n.* V.P. 135, 250, repent.
penna, *s.* i. Prol. 37, pen.
perambulus, *a.* C. T. iii. 120, going about.
perante, per ante, *adv.* i. 135, 591, 670, 1107.
perextra, *adv.* iv. 645.
perio, *for* 'pereo,' iv. 807, C.T. ii. 145.
perpetualis, *a.* Ep. 48, 'O recolende' &c. 25, lasting.
phariseus, *a.* iv. 936, C.T. iii. 73; *s.* iv. 1013.
Philomena, i. 99.
philosophus, *s.* i. 588.
pietas, *s.* i. 1190, vi. 744, C.T. iii. 452, mercy, pity.
pietosus, *a.* C.T. iii. 388, merciful.
pius, *a.* i. 1264, vii. 1141, C.T. iii. 466 ff., merciful, gentle.
placenda, *s. pl.* iv. 714, acceptable offerings.
placitus, *a.* vii. 379, pleasing.
plano, *v.* i. 409, ii. 481, smoothe, stroke.
plasma, *s.* vii. 1233, creature.
plasmator, *s.* vii. 1233, creator.
plaudo, *v.* vii. 299, 753, be pleasing.
pneuma, *s.* iii. Prol. 106.
pōderis, *s.* iii. 1787, surplice *or* alb.
policīa, *s.* v. 670.
polimitus, *for* 'polymitus,' *a.* iii. 1383, closely woven.
pomposus, *a.* iii. 76, C.T. ii. 82, iii. 366, arrogant.
porcarius, *s.* i. 313, swineherd.
posse, *inf. as subst.* i. 1176, iii. 582, power.
posteă, *adv.* v. 1013.
(de) postfacto, iii. 562, afterwards.
practica, *s.* iii. 1461, practice.
prebenda, *s.* iii. 1323, prebend.
prelatus, *s.* Ep. 41.
prenosticum, *s.* i. Prol. 13, presage.
presbiter, *s.* iii. 390, 1790, priest.
presbiteralis, *a.* L. S. 17, of the priesthood.
presbitero, *v. a.* iii. 1826, 2090, ordain priest.
prestigiosus, *a.* 'Est amor' &c. 13, full of tricks.
prestimulo, *v.* i. 576, sting (*but read rather* 'perstimulo').

presto, *v.* v. 671, cause (*with inf.*).
presul, *s.* iii. 34, prelate.
preuarico, *v. a.* iv. 679, 806, falsify.
preuaricor, *v. n.* i. 740, iii. 12*, 1701, L. S. 90, transgress.
primas, *s.* C. T. ii. 239, primate.
prior, *s.* iv. 318, prior (of a monastery).
probitas, *s.* vi. 938, prowess.
prōfugus, *a.* C. T. i. 92, 108.
Progne, *for* 'Procne,' i. 101.
prophanus, *for* 'profanus,' C. T. Prol. 3.
prophecīa, *s.* iv. 771, prophecy.
propheta, *s.* iv. 767.
proprietarius, *s.* iv. 897.
proprio, *v.* iii. 770, iv. 817, 838, appropriate.
prōsĕlĭtus, *s.* iv. 1011, proselyte.
prothdolor, *for* 'prohdolor,' V. P. 234, C. T. ii. 1 (*also* 'prodolor,' i. 234, &c.).
protunc, *adv.* i. cap. xiii. (*heading*) (*also* 'pro tunc').
proximior, *a. comp.* i. 906, 974, nearer.
psalmista, *s.* V. P. 119.
Pseudo, iv. 788.

Q

quam, *for* 'quanto,' i. 1534.
quam prius, *for* 'prius quam,' i. 1944, vii. 429, 1106, V. P. 190, 202, &c.
quamuis, *conj.* i. 350.
que, *conj.* (*standing alone*) Ep. 25, i. Prol. 23, i. 54, 100, 149, 395, &c., (*enclitic*) i. 53, 179, 407, &c.
quia, *for* 'quod,' i. 1593, O quia, i. 59, v. 193.
quicquid, *for* 'quicquam,' i. 412, 885, 1346.
quid, *for* 'quicquid,' i. 1609, vii. 551.
quiesco, *v. a.* C. T. iii. 4, restrain.
quin magis (*with indic.*), i. 135, 262, 595, 994, *so* quin, i. 509, 608, 1607.
quirito, *v.* i. 804, cry out (like a boar).
quis, *for* 'quisquam,' i. 184, 617, 716; quid pro quo, iii. 1223.
quisque, *for* 'quicunque,' vi. 813, vii. 578.
quo, *conj. for* 'qua,' i. 500, vii. 487, *for* 'vnde,' vii. 800, 820.
quod, *conj.* i. 223, 541, so that, i. Prol. 22, i. 568, in order that.
quōdammodo, *adv.* vii. 1323.
quodcunque, *with negative*, i. 507.
quoque, *conj.* iii. Prol. 20, and.

GLOSSARY

R

ramnus, *s.* i. 1019*, bramble (?).
reatus, *s.* vi. 432, C. T. ii. 179, L. S. 89, guilt.
rector, *s.* iii. 1319, rector (of a parish).
redditus, *s. for* 'reditus,' i. 44.
redio, *for* 'redeo,' i. 1190.
refor, *v.* ii. 505, reply.
refundo, *v.* i. 49, sprinkle.
rĕiectus, *pp.* L. S. 6.
releuamen, *s.* i. 2113.
rĕliquus, *a.* i. 1474.
remordeo, *v.* i. 1756, V. P. 175, remind, call to mind (?).
replanto, *v.* C. T. iii. 255.
reprobus, *a.* i. 1018, reprobate.
reptile, *s.* i. 36.
rĕscīdo, *v.* (*for* 'recīdo'), C. T. i. 93, iii. 347, L. S. 80 (*also* 'recisa,' vi. 423).
residiuus, *for* 'recidiuus,' vii. 1124, C. T. ii. 343.
responsalis, *a.* C. T. iii. 380.
rĕstauro, *v.* V. P. 256.
retrocado, *v.* ii. 329, fall back.
retrogradus, *a.* i. 1311, 'O deus' &c. 90.
retrouersor, *v.* ii. 229, be reversed.
reviuus, *a.* 'Rex celi' &c. 22.
ribaldus, *s.* iii. 1472, profligate person.
Rinx, i. 407 (name of a dog).
rŏbustus, *a.* C. T. i. 41.
Romipeta, iii. 1551.
rosans, *pres. part.* vi. 1358, rose-bearing.
rōta, *s.* ii. 61 (*but* rŏta, i. 1163).
rotundo, *adv.* i. 1953, around.
rumphea, *for* 'rumpia,' i. 863, sword.
rusticitas, *s.* i. 174, 513, country-people, country.
rutilis, *a.* v. 27.

S

sanccitum, *s.* vi. 743, sentence.
sanguinitas, *s.* i. 1172, bloodiness.
saporo, *v. a.* ii. 601.
Săturnus, iii. 923.
scansus, *s.* i. 1601.
sceleres, *for* 'celeres' (?), C. T. iii. 188.
scisma, *s.* L. S. 29.
scropha, *for* 'scrofa,' i. 309.
scrutor, *v. pass.* iv. 369.
se, sibi, &c. *for* 'eum,' 'ei,' &c. i. 271, 322, C. T. iii. 231.
sedimen, *s.* i. 359, dregs.
segistrum, *s.* i. 359 (?).
sĕmidemon, *s.* iv. 214.

sĕmitutus, *a.* vii. 280.
sepultum, *s.* i. 1170, C. T. ii. 156, burial.
sēra, *s.* i. 882, bar.
series, *s.* v. 569, 812 (?).
seruītus, *s.* C. T. iii. 468.
sexus, *s.* i. 728, class.
sibulus, *a. for* 'sibilus,' i. 551.
sic quod, i. Prol. 32, in order that.
sicque, *for* 'sic,' i. 338.
significatum, *s.* vii. 952, meaning.
similo, *for* 'simulo,' iv. 4.
sinagoga, *s.* ii. 494, iv. 1093.
sinautem, *conj.* iii. cap. xxvii. (*heading*), otherwise.
sincopo, *v. a.* v. 819, diminish.
sinistro, *v. n.* iii. 1525, do wrong.
sintilla, *for* 'scintilla,' ii. 475.
sollicitas, *s.* iv. 112, labour.
solor, *v. pass.* i. 1497.
sophia, *s.* ii. 370, wisdom.
sŏpitus, *pp.* i. 151, 'O deus' &c. 81.
sors, *s.* i. 171, C. T. ii. 113, company.
sotulares, *s.* v. 805, shoes (?).
spācium, *s.* i. 1273.
spasmatus, *pp.* i. 2011, seized with convulsions.
specialis, *a. as s.* vii. 243, L. S. 77, friend; speciale, 'O deus' &c. 62, secret.
speculatiuum, *s.* iii. 1462, theory.
spera, *for* 'sphaera,' ii. 151.
spergo, *for* 'spargo,' i. 590.
spiritualis, *a.* v. 605, 668.
spiritualiter, *adv.* iii. 635.
spiro, *v.* i. 408, 550, v. 435, desire.
spondaicus, *a.* iv. 81, slow.
sporta, *s.* iii. 1961, basket.
stapula, *s.* v. 773, the staple (of wool).
sternutacio, *s.* i. 189, braying.
sternuto, *v.* i. 797, bray.
stragulatus, *a.* C. T. i. 140.
stringo, *v.* (*with inf.*) i. 130, compel.
subite, *adv.* i. 1531.
sublimus, *a.* iii. 419, 701 (sublimis, iii. 821).
succo, *v.* Ep. 36, suckle.
suffragium, *s.* Ep. 32, prayer.
suggo, *v. for* 'sugo,' ii. 413.
superbio, *v. a.* iv. 322, make proud.
supersum, *v.* iii. 16, 1298, surpass.
suus, *for* 'eius,' 'eorum,' i. 54, 189, 206, 332, 338, 634.

T

taxa, *s.* vi. 650, vii. 209, 283, C. T. iii. 469, tax, blame.

taxo, *v.* C. T. iii. 469, tax.
Tēgia, *for* 'Tegeaea,' *a.* i. 349.
temporibus, *as adv.* i. 298, after a time.
temporo, *for* 'tempero,' v. 213.
tenebresco, *v. n.* Ep. 11 ; *v. a.* vi. 225.
teneo, *v.* iii. 584 ff., v. 384, belong.
tener, *a. abl.* teneri, iv. 993, *pl.* teneres, iv. 583.
tenuus, *for* 'tenuis,' i. 551.
terreus, *a.* iii. 88, 288, earthly.
terrula, *s.* vii. 531, a little earth.
Thāmisia, C. T. i. 81.
thēologīa, *s.* iv. 821.
thĕsaurus, *s.* 'O deus' &c. 81.
Thĕtis, Thĕthis, Tĕtis, v. 812. vii. 1067, C. T. i. 80.
Tīdēus, i. 985.
tīmeo, vi. 997 (*usu.* tĭmeo).
timidus, *a.* i. 1848, fearful.
tirannicus, *a.* C. T. ii. 22.
trădidit, i. 2128.
trībula, *s.* i. 863, three-pronged fork.
Troianus, *for* 'Traianus,' vi. 1273.
tueor, *v. pass.* vii. 1215.

V

vago, *v.* i. 1199, wander.
valdĕ, *adv.* i. 581, iii. 1594.
valedico, *v.* v. 766, give salutation.
vanga, *s.* i. 859, mattock.
vario, *v.* iv. 910, transgress.
vaspa, *s.* i. 571, wasp.
Vaspasianus, i. 571.

vber, *fem.* vbera, vii. 346.
vegeto, *v.* vii. 1033, flourish.
velle, *inf. as subst.* i. 235, 832, iii. 22, will, desire.
vendico, *v.* vi. 228, claim.
vertor, *v. a.* vi. 1197.
veteratus, *a.* v. 784, old.
vetitur, *for* 'vetatur,' iv. 903.
vicecōmes, *s.* vi. 419, sheriff.
vicinium, *s.* iii. 991.
vĭdebat, *for* 'vĭdebat,' C. T. iii. 436.
villa, *s.* C. T. iii. 55 ff., town.
vitalis, *a.* V. P. 27, (?).
vix, *adv. with neg.* v. 104, 153, vii. 12; vix si, iv. 218, vi. 1330 ; *for* 'paene,' vi. 640.
Vluxes, i. 779, 967.
vnio, *s.* v. 673, unity.
voluto, *for* 'volito,' i. 95, 605.
volutus, *pp.* from 'volo, volui,' iii. 913.
vrticatus, *a.* 'Est amor' &c. 15.
vt quid, v. 461, why.
vtpote, *for* 'vt,' v. 843, as.
vtque, *for* 'vt,' v. 104, 385.
vulpis, *for* 'vulpes,' i. 487.

Y

ydŏlum, *s.* ii. 519.
yemps, *for* 'hiemps,' i. 43.
yha, *interj.* i. 190.
ymago, *for* 'imago,' i. 1429.
ymus, *for* 'imus,' i. 131.
Ysaias, i. 765.
Ysidorus, i. 765.

INDEX TO THE NOTES

The form of reference is the same as in the Glossary, except that the shorter pieces are mostly referred to by pages of this edition.

'Acephalus,' iii. 955, iv. 715.
Adam of Usk's Chronicle referred to, C. T. ii. 121, iii. 47, 85, 272, 432, pp. 416, 420.
Alanus de Insulis, v. 53.
Annales Ricardi II. referred to, *Vox Clam.* Expl. 11, C. T. ii. 15 ff., 121, 135, 155, 179, iii. 35, 160, 244, *Ann. Henr. IV.* C. T. iii. 276, 394, 432.
'annuelers,' iii. 1555.
Appellants, C. T. i. 121.
'aquile pullus,' p. 416.

architesis, v. 45.
Arundel, earl of, C. T. ii. 121 ff.
Arundel, archbishop, p. 369, C. T. ii. 15, 231 ff., p. 420.
Aurora (of Peter Riga) referred to, i. 1019, 1695 ff., ii. 377, iii. 85, 167, 425, 531, 1077, 1118, 1145 ff., 1587, 1693, 1791 ff., 1853-1911, 1999-2035, iv. 305, 1059, v. 693, vi. 89 ff., 719, 793, 839, 875 ff., 985 ff., 1041 : mentioned by Gower, iii. 1853.

INDEX TO THE NOTES 429

badges (swan, horse, &c.), *Vox Clam.* Expl. 11, C. T. i. 51 ff., 89, p. 416.
Bagot, C. T. iii. 388.
Balades referred to, i. 135.
Bible referred to, i. 499, 749, 869, ii. Prol. 41, ii. 41, iii. 957, iv. 302, 648 ff., 769, 847, 869, 959, 969, v. 922, vi. 141, 269, 1223, 1261, vii. 123, 639, 1305, pp. 417, 419.
'blanches chartres,' C. T. iii. 49.
blindness of the author, pp. 369, 418, 419.
Boethius quoted, ii. 67.
Brembre, Nicholas, iv. 835, C. T. i. 154.
Burley, Simon, C. T. i. 141 f.
Burnellus, order of, iv. 1189: see also *Speculum Stultorum.*

castle as badge, C. T. i. 89.
Chaucer referred to, v. 98, 760, C. T. iii. 332, p. 419.
Chronique de la Traïson referred to, C. T. i. 142, ii. 69, iii. 420, 432.
Cobham, St. John, C. T. ii. 233.
'commune dictum,' iii. Prol. 11.
Confessio Amantis referred to, i. Prol. 3, 57, i. 135, 716, 879, ii. 1, 59, 138, iii. 193, 227, 283, 819, 1271, 1359, iv. 165, 587, 874, v. 257, 877, 922, 991, vi. 529, 1277 ff., vii. 5, 47, 509, 639, p. 419.
'Coppa,' i. 545.
coronation oil, pp. 416 f.
corrodium, iv. 215.
crapulus, i. 280.
'cras' and 'hodie,' iii. 2035.
Créton referred to, iii. 160, 432.
crusades, iii. 375, 651.

Dante quoted, ii. 67.
dates, method of expressing, C. T. i. 1.
Derby, earl of, C. T. i. 52, his exile, C. T. iii. 85, his claim to the throne, C. T. iii. 432.
dompnus, iv. 34.

eagle as cognisance, p. 416.
erasures in the manuscripts, p. 369, i. Prol. 49, iii. 1, iv. 1072, 1197, 1212 ff., 1221 ff., vi. 545, 1159*, 1189, vii. 167, 1409, 1479, p. 420.
Eulogium Historiarum referred to, ii. 15, iii. 49, 332, 432.
Evesham, monk of, C. T. iii. 432.

fox-tail as cognisance, C. T. i. 89.
Froissart referred to, C.T. ii. 85, iii. 128.

Genius, iv. 587.
Geoffrey of Monmouth referred to, i. 1963.
Geoffrey de Vinsauf referred to, iii. 955.
Gloucester, duke of, C. T. i. 80, ii. 85, 101.
Godfrey of Viterbo, see *Pantheon.*
Gower's books, pp. 418 f., his burial, p. 420.
Gregory quoted, vii. 639.
Gregory's Chronicle referred to, C. T. iii. 49.

habeo, vii. 990.
Harding's Chronicle quoted, C.T. iii. 432.
Helinand, *Vers de Mort*, vii. 955.
Humphrey, son of the duke of Gloucester, C. T. iii. 256, 272 ff.

Jovinianus, vi. 1267, V. P. 32.

Knighton's Chronicle referred to, i. 941, C. T. i. 80, 121, 133, 154, 176.

Liberius, vi. 1243.

marginal notes in S, iii. 1407, 1432, v. 299, 333; in D, i. 335-457; in E, p. 418.
Mayor of London, v. 835.
Mirour de l'Omme referred to, i. 135, ii. Prol. 61, ii. 239 ff., iii. Prol. 11 ff., 141, 209, 249 ff., 815, 957, 1247, 1313 ff., 1493, 1509, 1555 ff., 1727, 1759, 2049, 2071, iv. 327, 624, 689, 735, 769, 788, 971 ff., v. 257, 520, 557, 613, 703, 745, vi. 1 ff., 144, 203, 241, 249, 419, 439, 463, 1323, vii. 163, 361, 509, 639, 892, 955.
modo, vi. 1204.
morosus, Ep. 33.

Neckham, *De Vita Monachorum*, referred to, ii. Prol. 57, iv. 395 ff., 461 ff., 1145, 1175, v. 341, 383, 413 ff., vi. 313 ff., 629, 1019, 1085 ff., vii. 375 ff., 499, 685 ff., 909 ff., 929.
Neville, archbishop, C. T. i. 103.
Norfolk, duke of, C. T. i. 51, iii. 85.
Northumberland, duke of, C. T. i. 55.
Norwich, bishop of, iii. 375.
Nottingham, the judges at, C. T. i. 172.
'numquid,' use of, v. 280.

Ovid referred to, i. 33 ff. and *passim.*
Oxford, earl of, i. 65.

Pamphilus, v. 613.

Pantheon (of Godfrey of Viterbo) referred to, i. 7, 17, 765, 1907, ii. 353 ff., iv. 87.
Peter Riga, iii. 1853, see *Aurora*.
philosopher, lines by, p. 419.
pius, pietas, C. T. iii. 432.
plays on words, iv. 128, 1356.
Pole, Michael de la, C. T. i. 109.
'Pons Aquilonis' (Bridgenorth), C. T. i. 152.
Praise of Peace referred to, vi. 971.

Radcot Bridge, affair of, C. T. i. 81.
Richard II, death of, iii. 432.
Rolls of Parliament referred to, C. T. i. 172, 176, 178, ii. 15, 179, 199, iii. 27, 49, 286, 352 ff., 388.
Rushook, C. T. i. 111.

S. badge, C. T. i. 52.
Savoy, i. 929.
sepulta, iv. 736.
solet, *for* 'solebat,' i. 492.
Speculum Stultorum, i. 79, 201 ff., 603 ff., ii. Prol. 15, 1267, iv. 1189.
sporting parsons, iii. 1493.

'Star of the Sea,' i. 1615.
Strode, Ralph, p. 419.
subjunctive mood, use of, iii. 676, vii. 519.
swan as cognisance, *Vox Clam*. Expl. 11.

Tait, Mr. James, in *Dict. of Nat. Biogr.*, C. T. ii. 85, 121.
'talpa maledicta,' C. T. iii. 17.
'Thetis,' v. 812, vii. 1067, C. T. i. 80.
Titiuillus, iv. 864.
Tresilian, Robert, C. T. i. 162.
Tribulus (Nicholas Brembre), C. T. i. 154.
'Troianus,' vi. 1273.

vicecomes, vi. 433.
Vox Clamantis referred to, V. P. 52, 181, 246.

Walsingham's Chronicle referred to, i. 855, 941, 1173, iv. 723, 959, C. T. i. 65, 80, 142, 150, 154, iii. 256, 394, 432.
Warwick, earl of, C. T. ii. 201 ff.
Wycliffe, vi. 1267, V. P. 32, 36.

THE END

OXFORD
PRINTED AT THE CLARENDON PRESS
BY HORACE HART, M.A.
PRINTER TO THE UNIVERSITY

PRINTED IN ENGLAND